ıd¹ [bunt] *n* (*-[e]s*; *-e*) *Bünde... ...* *, Schlüssel* (*a. m*), *Radieschen etc*: nch. **ıd²** [~] *m* (*-[e]s*; *⸚e*) *pol. Bündnis*: al- nce; *Staaten*⁀*etc*: federation, league; *rband*: union: *pol.* ***der*** **~** the Federal overnment; *mil.* F ***beim*** **~** in the my. **ıd³** [~] *m* (*-[e]s*; *⸚e*) *an Hose etc*: aistband.	Hochzahlen (Exponenten) bei Stichwörtern mit gleicher Schreibung.
rchschnitt *m* average: ***im*** **~** on ave- ge; ***im*** **~** ***betragen*** (***verdienen*** *etc*) erage; **'⁀lich** **1.** *adj* average; *gewöhn-* *h*: ordinary; **2.** *adv* on average; nor- ally; **'~s...** *in Zssgn Einkommen,* *emperatur etc*: average ...	Angabe der Wortart beim Stichwort. Verschiedene Wortarten desselben Stichworts sind durch arabische Ziffern gekennzeichnet,
den ['fındən] (*fand, gefunden, h*) **1.** *v/t* nd; *der Ansicht sein*: think, believe: ***h finde ihn nett*** I think he's nice; ***vie ~ Sie ...?*** how do you like ...?; *v/i*: ***~ Sie (nicht)?*** do (don't) you think o?; **3.** *v/refl*: ***das wird sich ~*** we'll see.	ebenso transitives, intransitives und reflexives Verb.
ıdenken *n* (*-s*; *-*) keepsake; *Reise*⁀: ouvenir (*beide*: ***an*** *acc* of): ***zum ~*** ***n*** in memory of.	Die Tilde ersetzt das ganze Stichwort,
	einen Teil des Stichworts,
anken|geld ['kraŋkən-] *n* sick bene- t; **'~gym,nastik** *f* physiotherapy; **haus** *n* hospital: ***im ~ liegen*** be in ospital; ...	ein Stichwort, das selbst schon mithilfe der Tilde gebildet wurde.
ezept [re'tsɛpt] *n* (*-[e]s*; *-e*) *med.* pre- cription; *Koch*⁀: recipe (*a. fig. Mittel*); **frei** *adj* over-the-counter; ...	Wechselt die Schreibung gegenüber dem Hauptwort von klein zu groß oder umgekehrt, steht die Kreistilde.
ga → ***Yoga.*** **nnibus** ['ɔmnibʊs] *m* → ***Bus.***	Verweiszeichen (→) für den direkten Verweis,
em ['a:təm] *m* (*-s*; *no pl*) breath: ***außer*** ***sein*** be out of breath; (***tief***) ***~ holen*** ke a (deep) breath; → ***anhalten*** 1; ...	für weitere Informationen bei dem Wort, auf das verwiesen wird.

Langenscheidt
Euro-Wörterbücher

Langenscheidt
Eurodictionary German

English – German
German – English

New Edition

Edited by the
Langenscheidt Editorial Staff

Langenscheidt

Berlin · Munich · Vienna · Zurich · New York

Langenscheidt
Euro-Wörterbuch Englisch

Englisch – Deutsch
Deutsch – Englisch

Neubearbeitung

Herausgegeben von der
Langenscheidt-Redaktion

Langenscheidt

Berlin · München · Wien · Zürich · New York

Bearbeitet von Helmut Willmann und Wolfgang Worsch

Neue deutsche Rechtschreibung nach Duden-Empfehlungen (Stand April 2006):
Susanne Billes M. A.

Ergänzende Hinweise, für die wir jederzeit dankbar sind,
bitten wir zu richten an:
Langenscheidt-Verlag, Postfach 40 11 20, 80711 München
redaktion.wb@langenscheidt.de

Druck: Graph. Betriebe Langenscheidt, Berchtesgaden/Obb.
Printed in Germany
ISBN-13: 978-3-468-12123-4
ISBN-10: 3-468-12123-7

1. 2. 3. 4. 5. 6. 11 10 09 08 07

Inhaltsverzeichnis

Contents

Seite

Preface 6

Vorwort 7

Hinweise für die Benutzer des Wörterbuches –
Using the Dictionary:
– Wörterverzeichnis Englisch-Deutsch 8
– German-English Dictionary 10

Erläuterung der phonetischen Umschrift –
Guide to Pronunciation 12

Wörterverzeichnis Englisch-Deutsch
English-German Dictionary 15

Wörterverzeichnis Deutsch-Englisch
German-English Dictionary 361

Anhänge – Appendices:
Zahlwörter 621
Englische unregelmäßige Verben 623

Preface

The foundations for Europe's unification process were laid in the second half of the 20th century, starting with the creation of the European Coal and Steel Community and the European Economic Community in the fifties. In the decades that followed more states joined the six founding members, and the process of European integration gained momentum through the treaties of Maastricht (1993, European Union, European Single Market) and Schengen (1995, removal of internal border controls), and the introduction of a single currency, the euro, in 1999.

With the new euro notes and coins being issued on 1 January 2002 the unification process became reality and part of everyday life for the citizens of Europe. Political as well as economic integration inevitably results in more contact among the citizens of Europe's regions. Competence in foreign languages, especially languages spoken within the EU, has gained in importance – not just for the holidaymaker and private traveller, but also for people active in such areas as business, technology, politics, sports and the arts.

The editors at Langenscheidt's dictionaries division have developed a dictionary concept which takes into account our new European language needs. The result of this work is the Eurodictionary series. With its many grammatical and syntactical notes, this dictionary helps native speakers of both English and German to understand as well as actively use the respective foreign language.

The characteristic, and most important, feature of the Eurodictionary is its particular lexical range. When selecting words and phrases which go beyond a broad, general vocabulary, the editors focused their attention on the fields of business, trade and travel, and of course gave due consideration to politics, technology and cultural affairs. The following examples will also make clear the specific aim of this dictionary series: *anti-globalist*, *avian flu*, *climate conference*, *consumer protection*, *data projector*, *double taxation*, *emission-free*, *Euroland*, *flat screen monitor*, *global player*, *low carb*, *phat*, *second-hand smoking*. It is, then, the aim of the Eurodictionaries to give practical and useful help to as many people as possible when they communicate with each other in today's new Europe.

LANGENSCHEIDT PUBLISHERS

Vorwort

In der zweiten Hälfte des 20. Jahrhunderts wurden die Fundamente für die Einigung Europas gelegt, beginnend mit der Gründung der Montanunion und der EWG in den Fünfzigerjahren. Den sechs Gründungsmitgliedern schlossen sich weitere Staaten an, und in der Folge erhielt die europäische Integration durch den Vertrag von Maastricht 1993 (Europäische Union, gemeinsamer Binnenmarkt), das Schengener Abkommen 1995 (Abbau der Grenzkontrollen) und die Einführung der gemeinsamen Währung 1999 weitere Impulse.

Mit der Ausgabe der Euro-Banknoten und -Münzen am 1. Januar 2002 wurde der Einigungsprozess für alle europäischen Bürger zur Alltagsrealität. Das politische wie wirtschaftliche Zusammenwachsen der europäischen Staaten bringt für die Bürger zwangsläufig engeren Kontakt mit ihren Nachbarn. Sprachkenntnisse, insbesondere der in der EU gesprochenen Sprachen, sind daher heute wichtiger denn je. Dies gilt nicht nur für Urlaubsreisende, sondern insbesondere für Geschäftsleute wie auch für Techniker, Politiker, Sportler und Künstler.

In der Wörterbuchredaktion von Langenscheidt wurde ein Konzept entwickelt, das den neuen sprachlichen Bedürfnissen Europas Rechnung trägt. Das Ergebnis dieser Arbeiten liegt in der Reihe der Eurowörterbücher vor. Zahlreiche Grammatikhinweise für deutsch- und englischsprachige Benutzer bieten eine konkrete Hilfe für das korrekte Formulieren in beiden Sprachen.

Charakteristisches und damit wichtigstes Merkmal der Eurowörterbücher ist der dargebotene Wortschatz: Das Schwergewicht bei der Auswahl der über den allgemeinsprachlichen Wortschatz hinausgehenden Wörter und Wendungen lag dabei auf den Sachgebieten Wirtschaft, Handel, Reise und Büro, wobei aber auch so wichtige Gebiete wie Politik, Technik und Kultur gebührende Berücksichtigung fanden. Wörter wie *Arbeitsagentur*, *Benutzeroberfläche*, *Datenabgleich*, *EU-Osterweiterung*, *Feinstaub*, *genmanipuliert*, *LKW-Maut*, *Menüführung*, *Pandemie*, *Praxisgebühr*, *schadstofffrei*, *Stellenvermittlung*, *Vogelgrippe*, *Vorruhestand* und *Zugangscode* veranschaulichen beispielhaft die besondere Zielsetzung der Eurowörterbücher, möglichst vielen Menschen eine praktische und nützliche Hilfe bei der sprachlichen Kommunikation im neu gestalteten Europa zu bieten.

LANGENSCHEIDT VERLAG

Hinweise für die Benutzer des Wörterbuches
Using the Dictionary

I) Wörterverzeichnis Englisch-Deutsch

1. Englisches Stichwort. a) Die Anordnung der Stichwörter erfolgt streng alphabetisch. Unregelmäßige Formen erscheinen an ihrem alphabetischen Ort, wobei ein Verweis auf die Grundform gegeben wird.
b) Der in den Stichwörtern auf Mitte stehende Punkt zeigt an, wo das Wort getrennt werden kann:

I) English-German Dictionary

1. English Headwords. a) The alphabetical order of the headwords has been carefully observed throughout. This also applies to irregular forms, where additional cross-references to the basic forms are given.
b) Centred dots within a headword indicate syllabification:

cul•ti•vate ..., cul•ti•va•tion

c) Fällt bei einem mit Bindestrich zu schreibenden englischen Stichwort der Bindestrich auf das Zeilenende, so wird er am Anfang der folgenden Zeile wiederholt.
d) Die Tilde (~) dient dazu, die Wiederholung des Stichworts innerhalb des Wörterbuchartikels zu vermeiden.
e) Folgen einem Hauptstichwort weitere Zusammensetzungen mit diesem, so wird es durch die Tilde ersetzt:

c) In hyphenated compounds a hyphen coinciding with the end of a line is repeated at the beginning of the next.
d) The tilde (~) represents the repetition of a headword.
e) In compounds the tilde in bold type replaces the catchword.

af•ter ... ~•noon (= afternoon)

Die Tilde ersetzt zudem den links von dem vertikalen Trennstrich (|) stehenden Teil eines Hauptstichworts:

The tilde also represents the part of a headword which is on the left of the vertical bar:

en•vi•ron|ment ... ~•men•tal (= environmental)

f) In Anwendungsbeispielen wird entsprechend verfahren:

f) In illustrative phrases the tilde is used accordingly:

dis•tance ... ***at a ~*** (= at a distance)
in•terest ... ***be ~ed in*** (= be interested in)

g) Wechselt der Anfangsbuchstabe eines Stichworts von klein zu groß oder umgekehrt, erscheint die Kreistilde (&):

g) When the initial letter changes from small to capital or vice versa, the usual tilde is replaced by (&):

state ... & Department (= State Department)

2. Aussprache. a) Die Aussprache des englischen Stichworts steht in eckigen Klammern und wird durch die Symbole der International Phonetic Association (IPA) wiedergegeben (siehe S. 13).
b) Aus Gründen der Platzersparnis wird in der Lautschriftklammer oft die Tilde verwandt. Sie ersetzt den Teil der Lautschrift, der sich gegenüber der vorstehenden Vollumschrift nicht verändert:

2. Pronunciation a) The pronunciation of English headwords is given in square brackets by means of the symbols of the International Phonetic Association (IPA) (see p 13).
b) To save space the tilde has been made use of many places within the phonetic transcription. It replaces any part of the preceeding complete transcription which remains unchanged:

gym F [dʒɪm] ... **gym•na•si•um** [dʒɪm'neɪzɪəm] ...
~•nas•tics [~'næstɪks] ...

c) Stichwörter mit einer der auf S. 14 umschriebenen Endungen erhalten für gewöhnlich keine Aussprachebezeichnung, es sei denn, sie seien Hauptstichwörter.

c) Headwords having one of the suffixes transcribed on p 14 are normally given without transcription, unless they figure as catchwords.

3. Sachgebiet. Das Sachgebiet, dem ein englisches Stichwort oder einige seiner Bedeutungen angehören, wird durch Abkürzungen (siehe Buchende) oder ausgeschriebene Hinweise kenntlich gemacht. Steht die Sachgebietsbezeichnung unmittelbar hinter dem Stichwort, bezieht sie sich auf alle folgenden Übersetzungen. Steht sie vor einer Übersetzung, so gilt sie nur für diese.

3. Subject Labels. The field of knowledge from which an English headword or some of its meanings are taken is indicated by abbreviated labels (see back pages) or other labels written out in full. A label placed immediately after the headword refers to all translations. A label preceding an individual translation refers to this only.

4. Sprachebene. Die Kennzeichnung der Sprachebene durch Abkürzungen wie F, *sl.* etc. bezieht sich auf das englische Stichwort. Die deutsche Übersetzung wurde möglichst so gewählt, dass sie auf der gleichen Sprachebene wie das Stichwort liegt.

4. Usage Labels. The indication of the level of usage by abbreviations such as F, *sl.* etc refers to the English headword. Wherever possible the same level of usage between headword and translation has been aimed at.

5. Grammatische Hinweise.
a) Eine Liste der unregelmäßigen Verben befindet sich im Anhang (siehe S. 623).
b) Das Zeichen □ bei einem Adjektiv bedeutet, dass das Adverb regelmäßig, d.h. durch Anhängung von ...ly oder durch Verwandlung von ...le in ...ly oder ...y in ...ily gebildet wird.
c) Der Hinweis (***~ally***) bei einem Adjektiv bedeutet, dass das Adverb durch Anhängung von ...ally gebildet wird.

5. Grammatical References
a) In the appendix (see p 623) you will find a list of irregular verbs.
b) An adjective marked with □ takes the regular adverbial form, i.e. by affixing ...ly to the adjective or by changing ...le into ...ly or ...y into ...ily.
c) (***~ally***) means that an adverb is formed by affixing ...ally to the adjective.

6. Deutsche Übersetzung
a) Zu vielen deutschen Übersetzungen werden in kursiver Schrift Hilfen gege-

6. Translation
a) Many German translations are supported by additional explanations, gloss-

ben; bei intransitiven Verben eine Subjekt-, bei transitiven Verben eine Objektangabe, bei Adjektiven eine Kollokation oder ein Synonym, bei Substantiven eine Kontextangabe etc.:

es etc, which are printed in italics; for intransitive verbs a subject may be indicated, for transitive verbs an object, for adjectives a collocation, etc:

put ...; bringen (*to bed*); *time, work*: verwenden (***into*** auf *acc*); *question*: stellen, vorlegen

b) Wird das englische Stichwort (Verb, Adjektiv oder Substantiv) von bestimmten Präpositionen regiert, so werden diese mit den deutschen Entsprechungen – der jeweiligen Bedeutung zugeordnet – angegeben:

b) Prepositions governing an English catchword (verb, adjective, noun) are given in both languages:

place ... *order*: erteilen (***with s.o.*** j-m)
crit•i•cis•m ... Kritik *f* (***of*** an *dat*)

c) Bei deutschen Präpositionen, die den Dativ und den Akkusativ regieren können, wird der Fall in Klammern angegeben:

c) Where a German preposition may govern the dative or the accusative case, the case is given in brackets:

dis•claim ... *jur.* verzichten auf (*acc*)

7. Anwendungsbeispiele und ihre Übersetzungen stehen unmittelbar hinter der Übersetzung des Stichworts:

7. Illustrative Phrases and their translations follow the translation of the headword:

gab ... *have the gift of the ~* redegewandt sein
a•board ... *go ~ a train* in e-n Zug einsteigen

II) German-English Dictionary

II) Wörterverzeichnis Deutsch-Englisch

1. Nouns. The inflectional forms (*genitive singular/nominative plural*) follow immediately after the indication of gender. No forms are given for compounds if the parts appear as separate headwords:

1. Substantive. Die Flexionsformen (*Genitiv Singular/Nominativ Plural*) stehen unmittelbar hinter der Genusangabe. Keine Angaben erfolgen bei zusammengesetzten Substantiven, wenn die Teile als eigene Stichwörter verzeichnet sind:

Affäre *f* (-; *-n*); **Affe** *m* (*-n*; *-n*)

The sign ⸚ indicates that an umlaut appears in the inflected form:

Das Zeichen ⸚ weist auf einen Umlaut in der flektierten Form hin:

Blatt *n* (*-[e]s*; *⸚er*)

2. Verbs. Verbs have been treated in the following ways:
a) In the case of regular verbs without a prefix the only grammatical information

2. Verben. Die Verben wurden folgendermaßen behandelt:
a) Bei regelmäßigen Verben ohne Präfix wird nur angegeben, ob das Partizip Per-

refers to the use of ***haben*** or ***sein*** to form the present perfect tense:

fekt mit ***haben*** oder ***sein*** verbunden wird:

machen *v/t (h)*; **kentern** *v/i (sn)*

The absence of the prefix ***ge-*** in the past participle is indicated by *no ge-*:

Das Fehlen der Vorsilbe ***ge-*** im Partizip Perfekt wird durch den Vermerk *no ge-* gekennzeichnet:

marschieren *v/i (no ge-, sn)*

b) In the case of irregular verbs the grammatical forms given are 3rd sg past and past participle:

b) Bei unregelmäßigen Verben werden außerdem noch die 3. Person Singular Präteritum sowie das Partizip Perfekt verzeichnet:

schreiben *v/t u. v/i (schrieb, geschrieben, h)*

c) In the case of regular compound verbs the entry shows whether the past participle is formed with ***-ge-*** or not:

c) Bei zusammengesetzten regelmäßigen Verben wird angegeben, ob das Partizip Perfekt mit ***-ge-*** gebildet wird oder nicht:

einmischen *v/refl (sep, -ge-, h)*
einkalkulieren *v/t (sep, no -ge-, h)*

d) In the case of irregular compound verbs the grammatical information given with the base verb is not repeated. Their irregularity is shown by the abbreviation *irr* and by → ... For the principal parts the user should consult the base verbs or the list of irregular verbs on page 623:

d) Bei zusammengesetzten unregelmäßigen Verben werden die beim Grundverb gegebenen Formen nicht wiederholt. Sie sind durch die Angaben *irr* und → ... als unregelmäßig gekennzeichnet. Die Formen sind beim entsprechenden Grundverb oder im Verzeichnis unregelmäßiger Verben auf Seite 623 nachzuschlagen:

einbrechen *v/i (irr, sep, -ge-, sn, →* ***brechen****)*

e) The separability or inseparability of the prefix in the conjugated forms of a compound verb is indicated by *sep* or *insep*:

e) Trennbarkeit oder Nichttrennbarkeit von Präfix und Grundverb in den flektierten Formen eines zusammengesetzten Verbs wird durch *sep* oder *insep* bezeichnet:

'durchfahren[1] *v/i (irr, sep, -ge-, sn, →* ***fahren****)*
durch'fahren[2] *v/t (irr, insep, no -ge-, h →* ***fahren****)*

Inseparable verbs formed with the prefixes ***be-***, ***ent-***, ***er-***, ***ge-***, ***ver-*** and ***zer-*** are not specifically marked as inseparable. However, the absence of the prefix ***ge-*** in the past participle is indicated by *no ge-*.

Untrennbare Verbableitungen mit den Präfixen ***be-***, ***ent-***, ***er-***, ***ge-***, ***ver-*** und ***zer-*** werden nicht eigens als untrennbar bezeichnet. Dagegen wird das Fehlen der Vorsilbe ***ge-*** im Partizip Perfekt durch *no ge-* angedeutet.

f) Where the prefix ***ge-*** is already present in the infinitive the past participle is given in full:

f) Bei Verben, bei denen das Präfix ***ge-*** schon im Infinitiv vorhanden ist, wird das Partizip Perfekt voll ausgeschrieben:

gebrauchen *v/t (pp gebraucht, h)*

Erläuterung der phonetischen Umschrift
Guide to Pronunciation

Vowel length is indicated by [ː].
Stress is shown by ['] (main stress) and [,] (secondary stress); ['] and [,] are placed at the onset of the stressed syllable.

Deutsche Aussprache – German Pronunciation

[iː]	Vieh [fiː]	long, resembles English *ee* in *see*
[i]	Bilanz [bi'lants]	short, otherwise like [iː]
[ɪ]	mit [mɪt]	short, resembles English *i* in *hit*
[eː]	weh [veː]	long, resembles the first sound in English *ay*, e.g. *day*
[e]	Tenor [te'noːr]	short, otherwise like [eː]
[ɛː]	Zähne ['tsɛːnə]	long, resembles English *e* in *bed*
[ɛ]	wenn [vɛn]	short, resembles English [e]
[ə]	Schale ['ʃaːlə]	short, resembles English *a* in *ago*
[yː]	Düse ['dyːzə]	long, resembles French *u* in *muse*
[y]	Physik [fy'ziːk]	short, otherwise like [yː]
[ʏ]	Hütte ['hʏtə]	short, opener than [yː]
[øː]	böse ['bøːzə]	long, resembles French *eu* in *trieuse*
[ø]	Ökologe [øko'loːgə]	short, otherwise like [øː]
[œ]	Hölle ['hœlə]	short, opener than [øː]
[uː]	gut [guːt]	long, resembles English *oo* in *boot*
[u]	Musik [mu'ziːk]	short, otherwise like [uː]
[ʊ]	Bulle ['bʊlə]	short, resembles English *u* in *bull*
[oː]	Boot [boːt]	long, resembles English *aw* in *law*
[o]	Modell [mo'dɛl]	short, otherwise like [oː]
[ɔ]	Gott [gɔt]	short, resembles English *o* in *got*
[aː]	Vase ['vaːzə]	long, resembles English *a* in *father*
[a]	Kante ['kantə]	short, otherwise like [aː]
[ɛ̃ː]	Teint [tɛ̃ː]	long, approximately nasalized [æ]
[õː]	Fonds [fõː]	long nasalized [o]
[aɪ]	bei [baɪ]	resembles English *i* in *while*
[aʊ]	Haus [haʊs]	resembles English *ou* in *house*
[ɔʏ]	heute ['hɔʏtə]	falling diphthong consisting of [ɔ] and [ʏ]
[ˀ]	beeindrucken [bəˈˀaɪndrʊkən]	glottal stop
[ŋ]	Ding [dɪŋ]	like English *ng* in *thing*
[l]	lila ['liːla]	similar to English *l* in *light*
[r]	1. rot [roːt]	rolled consonant
	2. Heer [heːr], Heers [heːrs]	mostly weak after long vowels
	3. Wasser ['vasər], Wassers ['vasərs]	very weak in [ər] in final position or before consonant
[v]	Welt [vɛlt]	resembles English *v* in *vice*
[s]	Gasse ['gasə]	resembles English *s* in *miss*
[z]	Vase ['vaːzə]	similar to English *z in blazer*
[ʃ]	Masche ['maʃə]	resembles English *sh* in *cash*
[ʒ]	Genie [ʒe'niː]	resembles English *s* in *measure*
[ç]	mich [mɪç]	some English speakers use [ç] instead of [hj], e.g. *human* ['çuːmən] instead of ['hjuːmən]
[j]	ja [jaː]	resembles English *y* in *yes*
[x]	Bach [bax]	similar to Scottish *ch* in *loch*

Englische Aussprache – English Pronunciation

[ʌ]	much [mʌtʃ], come [kʌm]	kurzes *a* wie in *Matsch*, *Kamm*, aber dunkler
[ɑː]	after ['ɑːftə], park [pɑːk]	langes *a*, etwa wie in *Bahn*
[æ]	flat ['flæt], madam ['mædəm]	mehr zum *a* hin als *ä* in *Wäsche*
[ə]	after ['ɑːftə], arrival [ə'raɪvl]	wie das End-*e* in *Berge*, *mache*, *bitte*
[e]	let [let], men [men]	*ä* wie in *hätte*, *Mäntel*
[ɜː]	first [fɜːst], learn [lɜːn]	etwa wie *ir* in *flirten*. aber offener
[ɪ]	in [ɪn], city ['sɪtɪ]	kurzes *i* wie in *Mitte*, *billig*
[iː]	see [siː], evening ['iːvnɪŋ]	langes *i* wie in *nie*, *lieben*
[ɒ]	shop [ʃɒp], job [dʒɒb]	wie *o* in *Gott*, aber offener
[ɔː]	morning ['mɔːnɪŋ], course [kɔːs]	wie in *Lord*, aber ohne *r*
[ʊ]	good [gʊd], look [lʊk]	kurzes *u* wie in *Mutter*
[uː]	too [tuː], shoot [ʃuːt]	langes *u* wie in *Schuh*, aber offener
[aɪ]	my [maɪ], night [naɪt]	etwa wie in *Mai*, *Neid*
[aʊ]	now [naʊ], about [ə'baʊt]	etwa wie in *blau*, *Couch*
[əʊ]	home [həʊm], know [nəʊ]	von [ə] zu [ʊ] gleiten
[eə]	air [eə], square [skweə]	wie *är* in *Bär*, aber kein *r* sprechen
[eɪ]	eight [eɪt], stay [steɪ]	klingt wie *äi*
[ɪə]	near [nɪə], here [hɪə]	von [ɪ] zu [ə] gleiten
[ɔɪ]	join [dʒɔɪn], choice [tʃɔɪs]	etwa wie *eu* in *neu*
[ʊə]	you're [jʊə], tour [tʊə]	wie *ur* in *Kur*, aber kein *r* sprechen
[j]	yes [jes], tube [tjuːb]	wie *j* in *jetzt*
[w]	way [weɪ], one [wʌn], quick [kwɪk]	mit gerundeten Lippen ähnlich wie [uː] gebildet. Kein deutsches *w*!
[ŋ]	thing [θɪŋ], English ['ɪŋglɪʃ]	wie *ng* in *Ding*
[r]	room [ruːm], hurry ['hʌrɪ]	Zunge liegt zurückgebogen am Gaumen auf. Nicht gerollt und nicht im Rachen gebildet!
[s]	see [siː], famous ['feɪməs]	stimmloses *s* wie in *lassen*, *Liste*
[z]	zero ['zɪərəʊ], is ['ɪz], runs [rʌnz]	stimmhaftes *s* wie in *lesen*, *Linsen*
[ʃ]	shop [ʃɒp], fish [fɪʃ]	wie *sch* in *Scholle*, *Fisch*
[tʃ]	cheap [tʃiːp], much [mʌtʃ]	wie *tsch* in *tschüs*, *Matsch*
[ʒ]	television ['telɪ,vɪʒn]	stimmhaftes *sch* wie in *Genie*, *Etage*
[dʒ]	just [dʒʌst], bridge [brɪdʒ]	wie in *Job*, *Gin*
[θ]	thanks [θæŋks], both [bəʊθ]	wie *ss* in *Fass*, aber gelispelt
[ð]	that [ðæt], with [wɪð]	wie *s* in *Sense*, aber gelispelt
[v]	very ['verɪ], over ['əʊvə]	etwa wie deutsches *w*, Oberzähne auf Oberkante der Unterlippe
[x]	loch [lɒx], ugh [ʌx]	wie *ch* in *ach*
[ː]	bedeutet, dass der vorhergehende Vokal lang zu sprechen ist.	

Präfixe und Suffixe, die in der Regel nicht umschrieben sind

Prefixes and Suffixes normally given without Phonetic Transcription

Deutsche Präfixe – German Prefixes

be- [bə]
ent- [ɛnt]
er- [ɛr]
ge- [gə]
miss- [mɪs]
un- [ʊn]
ver- [fɛr]
zer- [tsɛr]

Deutsche Suffixe – German Suffixes

-bar [baːr]
-chen [çən]
-d [t]
-ei [aɪ]
-en [ən]
-end [ənt]
-er [ər]
-haft [haft]
-heit [haɪt]
-ie [iː]
-ieren [iːrən]
-ig [ɪç]
-ik [ɪk]
-in [ɪn]
-isch [ɪʃ]
-ist [ɪst]
-keit [kaɪt]
-lich [lɪç]
-los [loːs]
-losigkeit [loːzɪçkaɪt]
-nis [nɪs]
-sal [zaːl]
-sam [zaːm]
-schaft [ʃaft]
-ste [stə]
-tät [tɛːt]
-tum [tuːm]
-ung [ʊŋ]

Englische Suffixe – English Suffixes

-able [-əbl]
-age [-ɪdʒ]
-ally [-əlɪ]
-ance [-əns]
-ancy [-ənsɪ]
-ant [-ənt]
-ary [-ərɪ]
-ation [-eɪʃn]
-ed [-d, -t, -ɪd]
-ence [-əns]
-ency [-ənsɪ]
-er [-ər]
-ery [-ərɪ]
-ess [-ɪs]
-ible [-əbl]
-ical [-ɪkl]
-ily [-ɪlɪ, -əlɪ]
-ing [-ɪŋ]
-ish [-ɪʃ]
-ism [-ɪzəm]
-ist [-ɪst]
-istic [-ɪstɪk]
-ity [-ətɪ, -ɪtɪ]
-less [-lɪs]
-ly [-lɪ]
-ment(s) [-mənt(s)]
-ness [-nɪs]
-ry [-rɪ]
-ship [-ʃɪp]
-tion [-ʃn]
-tional [-ʃənl]
-y [-ɪ]

Wörterverzeichnis Englisch-Deutsch

A

a¹ [ə, eɪ], *before vowel* **an** [ən, æn] *indef art* ein(e); per, pro, je; ***not a(n)*** kein(e); ***all of a size*** alle gleich groß; ***£/$10 a year*** zehn Pfund/Dollar im Jahr; ***twice a week*** zweimal die *or* in der Woche.

a² ***acre*** Acre *m* (*4046,8 m²*).

A ***ampere*** A, Ampere *n od. pl.*

A 1 F ['eɪ'wʌn] *adj* Ia, prima.

AA *Br.* ***Automobile Association*** (*Automobilclub*).

a•back [ə'bæk] *adv*: ***taken ~*** *fig.* überrascht, verblüfft; bestürzt.

a•ban•don [ə'bændən] *v/t* verlassen; *child*: aussetzen; *hope*: aufgeben; *plan*: fallen lassen; ***~ing nuclear energy*** Ausstieg *m* aus der Kernenergie.

a•base [ə'beɪs] *v/t* erniedrigen, demütigen; **~•ment** *s* Erniedrigung *f*, Demütigung *f*.

a•bashed [ə'bæʃt] *adj* verlegen.

a•bate [ə'beɪt] *v/t* verringern; *nuisance*: abstellen; *v/i* abnehmen, nachlassen; **~•ment** Verminderung *f*; Abschaffung *f*.

ab•at•toir ['æbətwɑː] *s* Schlachthof *m*.

ab•bess ['æbɪs] *s* Äbtissin *f*; **ab•bey** [~ɪ] *s* Kloster *n*; Abtei *f*; **ab•bot** [~ət] *s* Abt *m*.

abbr. ***abbreviation*** Abk., Abkürzung *f*.

ab•bre•vi|ate [ə'briːvɪeɪt] *v/t* (ab)kürzen; **~•a•tion** [əbriːvɪ'eɪʃn] *s* Abkürzung *f*, Kurzform *f*.

ABC [eɪbiː'siː] *s* Abc *n*, Alphabet *n*; **~ weap•ons** *s pl mil.* ABC-Waffen *pl*.

ab•di|cate ['æbdɪkeɪt] *v/t position, right, claim, etc.*: aufgeben, verzichten auf (*acc*); *a. v/i* **~** (***from***) ***the throne*** abdanken; **~•ca•tion** [æbdɪ'keɪʃn] *s* Verzicht *m*; Abdankung *f*.

ab•do•men *anat.* ['æbdəmən] *s* Unterleib *m*; **ab•dom•i•nal** *anat.* [~'dɒmɪnl] *adj* Unterleibs…

ab•duct *jur.* [æb'dʌkt] *v/t* entführen.

a•bet [ə'bet] *v/t* (***-tt-***): ***aid and ~*** *jur.* Beihilfe leisten (*dat*); begünstigen; **~•tor** *s* Anstifter *m*; (Helfers)Helfer *m*.

a•bey•ance [ə'beɪəns] *s*: ***in ~*** *jur.* in der Schwebe, (zeitweilig) außer Kraft.

ab•hor [əb'hɔː] *v/t* (***-rr-***) verabscheuen; **~•rence** [~'hɒrəns] *s* Abscheu *m* (***of*** vor *dat*); **~•rent** *adj* □ zuwider (***to*** *dat*); abstoßend.

a•bide [ə'baɪd] *v/i*: ***~ by the law/rules*** sich an das Gesetz/die (Spiel)Regeln halten; *v/t*: ***I can't ~ him*** ich kann ihn nicht ausstehen.

a•bil•i•ty [ə'bɪlətɪ] *s* Fähigkeit *f*.

ab•ject ['æbdʒekt] *adj* □ elend, erbärmlich; ***in ~ poverty*** in bitterster Armut.

ab•jure [əb'dʒʊə] *v/t* abschwören (*dat*); entsagen (*dat*).

a•blaze [ə'bleɪz] *adj and adv* in Flammen; *fig.* glänzend, funkelnd (***with*** vor *dat*).

a•ble ['eɪbl] *adj* □ fähig; geschickt; ***be ~ to do*** imstande sein zu tun; tun können; **~-bod•ied** [~'bɒdɪd] *adj* kräftig; ***~ seaman*** Vollmatrose *m*.

ab•nor•mal [æb'nɔːml] *adj* □ abnorm, ungewöhnlich; anomal.

a•board [ə'bɔːd] *adv and prp* an Bord; ***all ~!*** *mar.* alle Mann/Reisenden an Bord!; *rail.* alles einsteigen!; ***~ a bus*** in e-m Bus; ***go ~ a train*** in e-n Zug einsteigen.

a•bode [ə'bəʊd] *s a.*: ***place of ~*** Aufenthaltsort *m*, Wohnsitz *m*; ***of*** *or* ***with no fixed ~*** ohne festen Wohnsitz.

a•bol•ish [ə'bɒlɪʃ] *v/t* abschaffen, aufheben.

ab•o•li•tion [æbə'lɪʃn] *s* Abschaffung *f*, Aufhebung *f*; **~•ist** *hist.* [~ʃənɪst] *s* Gegner *m* der Sklaverei.

A-bomb ['eɪbɒm] → ***atom bomb.***

ab•o•rig•i|nal [æbə'rɪdʒənl] **1.** *adj* □ eingeboren, Ur…; **2.** *s* Ureinwohner *m*; **~•ne** [~dʒənɪ] *s* Ureinwohner *m* (*esp. in Australia*).

a•bort [ə'bɔːt] *v/t and v/i med.* e-e Fehlgeburt herbeiführen *or* haben; *space flight, etc.*: abbrechen; *fig.* fehlschlagen, scheitern; **a•bor•tion** *med.* [~ʃn] *s* Fehlgeburt *f*, Schwangerschaftsunterbrechung *f*, -abbruch *m*, Abtreibung *f*; ***have an ~*** abtreiben (lassen); **a•bortive** *adj* □ *fig.* misslungen, erfolglos.

a•bound [ə'baʊnd] *v/i* reichlich vorhanden sein; Überfluss haben, reich sein (***in*** an *dat*); voll sein (***with*** von).

a•bout [ə'baʊt] **1.** *prp* um (… herum); bei; (irgendwo) herum in (*dat*); um, gegen, etwa; über (*acc*); ***I had no money ~ me*** ich hatte kein Geld bei mir; ***what are you ~?*** was macht ihr da?; **2.** *adv* herum, umher; in der Nähe; etwa, ungefähr; im Begriff, dabei; ***be ~ to*** im Begriff sein zu, *Am. et.* vorhaben; ***it's ~ to rain*** es wird gleich regnen.

a•bove [ə'bʌv] **1.** *prp* über (*acc or dat*), oberhalb; *fig.* über (*acc or dat*), erhaben über (*acc*); ***~ all*** vor allem; **2.** *adv* oben; darüber; **3.** *adj* obig, oben erwähnt.

a•breast [ə'brest] *adv* nebeneinander; ***keep*** *or* ***be ~ of*** *fig.* Schritt halten mit.

a•bridge [ə'brɪdʒ] *v/t* (ab-, ver)kürzen; **a•bridg(e)•ment** *s* Kürzung *f*; Kurzfassung *f*; *of book*: Abriss *m*.

a•broad [ə'brɔːd] *adv* im *or* ins Ausland; überall(hin); ***the news soon spread ~*** die Nachricht verbreitete sich rasch.

a•brupt [ə'brʌpt] *adj* □ abrupt; jäh; zusammenhanglos; schroff.

ab•scess *med.* ['æbsɪs] *s* Abszess *m*.

ab•sence ['æbsəns] *s* Abwesenheit *f*; Mangel *m*.

ab•sent 1. *adj* ['æbsənt] abwesend; fehlend; nicht vorhanden; ***be ~*** fehlen (***from school*** in der Schule; ***from work*** am Arbeitsplatz); **2.** *v/t* [æb'sent]: ***~ o.s. from*** fernbleiben (*dat*) *or* von; **~-mind•ed** *adj* □ zerstreut, geistesabwesend.

ab•so•lute ['æbsəluːt] *adj* □ absolut; unumschränkt; vollkommen; *chem.* rein, unvermischt; unbedingt; **~•ly** *adv* absolut; *refuse*: strikt; *necessary*: unbedingt; ***~!*** genau!, so ist es!

ab•so•lu•tion *eccl.* [æbsə'luːʃn] *s* Absolution *f*.

ab•solve [əb'zɒlv] *v/t* frei-, lossprechen.

ab•sorb [əb'sɔːb] *v/t* absorbieren, auf-, einsaugen; *fig.* ganz in Anspruch nehmen; **~•ing** *adj fig.* fesselnd, packend.

ab•sorp•tion [əb'sɔːpʃn] *s* Absorption *f*; *fig.* Vertieftsein *n*.

ab•stain [əb'steɪn] *v/i* sich enthalten (***from*** *gen*).

ab•ste•mi•ous [æb'stiːmɪəs] *adj* □ enthaltsam; mäßig.

ab•sten•tion [əb'stenʃn] *s* Enthaltung *f*; *pol.* Stimmenthaltung *f*.

ab•sti|nence ['æbstɪnəns] *s* Abstinenz *f*, Enthaltsamkeit *f*; **~•nent** *adj* □ abstinent, enthaltsam.

ab•stract 1. *adj* □ ['æbstrækt] abstrakt; **2.** *s* [~] *das* Abstrakte; Zusammenfassung *f*, Auszug *m*; **3.** *v/t* [~'strækt] abstrahieren; F *steal*: entwenden; *main points from a book, etc.*: herausziehen; **~•ed** [~'stræktɪd] *adj* □ *fig.* zerstreut; **ab•strac•tion** [~'strækʃn] *s* Abstraktion *f*; abstrakter Begriff.

ab•surd [əb'sɜːd] *adj* □ absurd; lächerlich.

a•bun|dance [ə'bʌndəns] *s* Überfluss *m*; Fülle *f*; **~•dant** *adj* □ reich(lich).

a•buse 1. *s* [ə'bjuːs] Missbrauch *m*; Beschimpfung *f*; **2.** *v/t* [~z] missbrauchen; beschimpfen; **a•bu•sive** *adj* □ ausfallend, Schimpf…

a•but [ə'bʌt] *v/i* (**-*tt*-**) (an)grenzen (***on*** an *acc*).

a•byss [ə'bɪs] *s* Abgrund *m* (*a. fig.*).

ac•a•dem•ic [ækə'demɪk] **1.** *s* Hochschullehrer *m*; **2.** *adj* (***~ally***) akademisch; **a•cad•e•mi•cian** [əkædə'mɪʃn] *s* Akademiemitglied *n*; **a•cad•e•my** [ə'kædəmɪ] *s* Akademie *f*; ***~ of music*** Musikhochschule *f*.

ac•cede [æk'siːd] *v/i*: ***~ to*** zustimmen (*dat*); *office*: antreten; *pact*: beitreten; *throne*: besteigen; **ac•ced•ing country** *s pol.* Beitrittsland *n*.

ac•cel•e|rate [ək'seləreɪt] *v/t* beschleunigen; *v/i* schneller werden, *mot. a.* beschleunigen, Gas geben; **~•ra•tion** [~'reɪʃn] *s* Beschleunigung *f*; **~•ra•tor** [~tə] *s* Gaspedal *n*.

ac•cent 1. *s* ['æksənt] Akzent *m* (*a. gr.*); **2.** *v/t* [æk'sent] akzentuieren, betonen; **ac•cen•tu•ate** [~'sentjʊeɪt] *v/t* akzentuieren, betonen.

ac•cept [ək'sept] *v/t* annehmen; akzeptieren; hinnehmen; **ac•cep•ta•ble** *adj* □ annehmbar, akzeptabel; **~•ance** *s* Annahme *f*; *approval*: *a.* Akzeptanz *f*.

ac•cess ['ækses] *s* Zugang *m* (***to*** zu); *fig.* Zutritt *m* (***to*** bei, zu); ***easy of ~*** zugänglich (*person*); ***~ code*** *computer*: Zugangscode *m*; ***~ road*** Zufahrtsstraße *f*; (Autobahn)Zubringerstraße *f*.

ac•ces•sa•ry *jur.* [ək'sesərɪ] → ***accessory*** 2.

ac•ces|si•ble [ək'sesəbl] *adj* □ (leicht) zugänglich; **~•sion** [~ʃn] *s* Zuwachs *m*, Zunahme *f*; Antritt *m* (*to an office*); **~ to power** Machtübernahme *f*; **~ to the throne** Thronbesteigung *f*.

ac•ces•so•ry [ək'sesərɪ] **1.** *adj* zusätzlich; **2.** *s jur.* Kompli|ze *m*, -zin *f*, Mitschuldige(r *m*) *f*; **accessories** *pl* Zubehör *n*, *fashion*: *a.* Accessoires *pl*; *tech.* Zubehör(teile *pl*) *n*.

ac•ci|dent ['æksɪdənt] *s* Zufall *m*; Un(glücks)fall *m*; **by ~** zufällig; **~•den•tal** [~'dentl] *adj* □ zufällig; versehentlich.

ac•ci•dent risk ['æksɪdəntrɪsk] *s* Unfallrisiko *n*.

ac•claim [ə'kleɪm] *v/t* freudig begrüßen.

ac•cla•ma•tion [æklə'meɪʃn] *s* lauter Beifall; Lob *n*.

ac•cli•ma•tize [ə'klaɪmətaɪz] *v/t and v/i* (sich) akklimatisieren *or* eingewöhnen.

ac•com•mo|date [ə'kɒmədeɪt] *v/t* unterbringen, beherbergen; Platz haben für; *j-m* aushelfen (**with** *money, etc.* mit); **~•da•tion** [~'deɪʃn] *s* Unterbringung *f*, Unterkunft *f*, Quartier *n*.

ac•com•pa|ni•ment *mus.* [ə'kʌmpənɪmənt] *s* Begleitung *f*; **~•ny** *v/t* begleiten (*a. mus.*).

ac•com•plice [ə'kʌmplɪs] *s* Kompli|ze *m*, -zin *f*.

ac•com•plish [ə'kʌmplɪʃ] *v/t* vollenden; ausführen; *aim, purpose*: erreichen; **~ed** *adj* vollendet, perfekt; **~•ment** *s* Vollendung *f*, Ausführung *f*; *skill*: Fähigkeit *f*, Talent *n*.

ac•cord [ə'kɔːd] **1.** *s* Übereinstimmung *f*; **of one's own ~** aus eigenem Antrieb; **with one ~** einstimmig; **2.** *v/i* übereinstimmen; *v/t* gewähren; **~•ance** *s* Übereinstimmung *f*; **in ~ with** laut (*gen*), gemäß (*dat*); **~•ant** *adj* übereinstimmend; **~•ing•ly** *adv* (dem)entsprechend; **~•ing to** *prp* gemäß (*dat*), nach; **~ how** je nachdem wie.

ac•cost [ə'kɒst] *v/t person, esp. stranger*: ansprechen, F anquatschen.

ac•count [ə'kaʊnt] **1.** *s econ.* Rechnung *f*, Berechnung *f*; *econ.* Konto *n*; Rechenschaft *f*; Bericht *m*; **by all ~s** nach allem, was man so hört; **of no ~** ohne Bedeutung; **on no ~** auf keinen Fall; **on ~ of** wegen; **take into ~, take ~ of** in Betracht *or* Erwägung ziehen, berücksichtigen; **turn s.th. to (good) ~** et. (gut) ausnutzen; **keep ~s** die Bücher führen; **call to ~** zur Rechenschaft ziehen; **give (an) ~ of** Rechenschaft ablegen über (*acc*); **give an ~ of** Bericht erstatten über (*acc*); **2.** *v/i*: **~ for** Rechenschaft über *et.* ablegen; (sich) erklären; **ac•coun•ta•ble** *adj* □ verantwortlich; erklärlich; **ac•coun•tant** *s econ.* Buchhalter *m*; **~•ing** *s econ.* Buchführung *f*; **~ num•ber** *s econ.* Kontonummer *f*; **~s de•part•ment** *s econ.* Buchhaltung *f*.

acc(t). ***account*** Kto., Konto *n*.

ac•cu•mu|late [ə'kjuːmjʊleɪt] *v/t and v/i* (sich) (an)häufen *or* ansammeln; **~•lation** [~'leɪʃn] *s* Ansammlung *f*.

ac•cu|ra•cy ['ækjʊrəsɪ] *s* Genauigkeit *f*; **~•rate** *adj* □ genau; richtig.

ac•cu•sa•tion [ækjuː'zeɪʃn] *s* Anklage *f*; An-, Beschuldigung *f*.

ac•cu•sa•tive *gr.* [ə'kjuːzətɪv] *s a.* **~ case** Akkusativ *m*.

ac•cuse [ə'kjuːz] *v/t* anklagen; beschuldigen; **the ~d** der *or* die Angeklagte, die Angeklagten *pl*; **ac•cus•er** *s* Ankläger(in); **ac•cus•ing** *adj* □ anklagend, vorwurfsvoll.

ac•cus•tom [ə'kʌstəm] *v/t* gewöhnen (**to** an *acc*); **~ed** *adj* gewohnt, üblich; gewöhnt (**to** an *acc*; **to doing** zu tun).

ace [eɪs] *s* As *n* (*a. fig.*); **have an ~ up one's sleeve**, *Am.* **have an ~ in the hole** *fig.* (noch) e-n Trumpf in der Hand haben; **within an ~** um ein Haar.

ache [eɪk] **1.** *v/i* schmerzen, wehtun; **2.** *s* Schmerz *m*.

a•chieve [ə'tʃiːv] *v/t* zustande bringen; *aim*: erreichen; **~•ment** *s* Zustandebringen *n*, Ausführung *f*; Leistung *f*.

ac•id ['æsɪd] **1.** *adj* sauer; *fig.* beißend, bissig; **~ rain** saurer Regen; **2.** *s chem.* Säure *f*; **a•cid•i•ty** [ə'sɪdətɪ] *s* Säure *f*; *chem.* Säuregrad *m*.

ac•knowl|edge [ək'nɒlɪdʒ] *v/t* anerkennen; zugeben; *receipt*: bestätigen; **~•edg(e)•ment** *s* Anerkennung *f*; (Empfangs)Bestätigung *f*; Eingeständnis *n*; **in ~ of** in Anerkennung (*gen*).

a•corn *bot.* ['eɪkɔːn] *s* Eichel *f*.

a•cous•tics [ə'kuːstɪks] *s pl* Akustik *f* (*of room, hall, etc.*).

ac•quaint [ə'kweɪnt] *v/t*: **~ s.o. with s.th.** *j-m* et. mitteilen; **be ~ed with** kennen; **~•ance** *s* Bekanntschaft *f*; Bekannte(r *m*) *f*.

ac•quire [ə'kwaɪə] *v/t* erwerben; sich aneignen (*a. knowledge, etc.*).

ac•qui•si•tion [ækwɪ'zɪʃn] *s* Erwerb *m*;

Erwerbung *f*; Errungenschaft *f*.
ac•quit [ə'kwɪt] *v/t* (**-tt-**) *jur*. *j-n* freisprechen (***of a charge*** von e-r Anklage); **~ *o.s. of*** *duty*: erfüllen; **~ *o.s. well*** s-e Sache gut machen, sich gut aus der Affäre ziehen; **~•tal** *s jur*. Freispruch *m*.
a•cre ['eɪkə] *s* Acre *m* (*4047 m2 = 0.4 hectare*).
ac•rid ['ækrɪd] *adj* □ scharf, beißend.
a•cross [ə'krɒs] **1.** *adv* (quer) hin- *or* herüber; quer durch; drüben, auf der anderen Seite; über Kreuz; **2.** *prp* (quer) über (*acc*); (quer) durch; auf der anderen Seite von (*or gen*), jenseits (*gen*); über (*dat*); ***come* ~, *run* ~** stoßen auf (*acc*).
act [ækt] **1.** *v/i* handeln; sich benehmen; wirken; funktionieren; (Theater) spielen (*a. fig.*), auftreten; *v/t thea*. spielen (*a. fig.*), *play*: aufführen; **~ *out*** szenisch darstellen, vorspielen; **2.** *s* Handlung *f*, Tat *f*, Maßnahme *f*, Akt *m*; *thea*. Akt *m*; *jur*. Gesetz *n*, Beschluss *m*; Urkunde *f*, Vertrag *m*; **~•ing**; **1.** *s* Handeln *n*; *thea*. Spiel(en) *n*; **2.** *adj* tätig; amtierend.
ac•tion ['ækʃn] *s* Handlung *f* (*a. thea.*), Tat *f*; Action *f* (*in film, etc.*); Aktion *f*; Tätigkeit *f*, Funktion *f*; *jur*. Klage *f*, Prozess *m*; *mil*. Gefecht *n*, Kampfhandlung *f*; *tech*. Mechanismus *m*; ***take* ~** Schritte unternehmen, handeln; ***out of* ~** *machine*: außer Betrieb.
ac•tive ['æktɪv] *adj* aktiv; tätig, rührig; lebhaft, rege; wirksam; *econ*. lebhaft; **~ *voice*** *gr*. Aktiv *n*; **ac•tiv•ist** *s* Aktivist(in); **ac•tiv•i•ty** [æk'tɪvətɪ] *s* Tätigkeit *f*; Aktivität *f*; Betriebsamkeit *f*; *esp. econ*. Lebhaftigkeit *f*.
ac•tor ['æktə] *s* Schauspieler *m*; **ac•tress** [‿trɪs] *s* Schauspielerin *f*.
ac•tu•al ['æktʃʊəl] *adj* □ wirklich, tatsächlich, eigentlich; **~•ly** *adv in fact*: eigentlich; *by the way*: übrigens; *really*: tatsächlich.
a•cute [ə'kjuːt] *adj* □ (**~*r*, ~*st***) spitz; scharf(sinnig); brennend (*question, problem*); *med*. akut.
ad F [æd] → ***advertisement***.
AD ***Anno Domini*** (= im Jahre des Herrn) n. Chr., nach Christus.
ad•a•mant ['ædəmənt] *adj* □ unerbittlich; hartnäckig.
a•dapt [ə'dæpt] *v/t* anpassen (***to*** *dat or* an *acc*); *text*: bearbeiten (***from*** nach); *tech*. umstellen (***to*** auf *acc*); umbauen (***to*** für); **ad•ap•ta•tion** [ædæp'teɪʃn] *s* Anpassung *f*; Bearbeitung *f*; **a•dapt•er, a•dapt•or** *s electr*. Adapter *m*.
add [æd] *v/t* hinzufügen; **~ *up*** zusammenzählen, addieren; *v/i*: **~ *to*** vermehren, beitragen zu, hinzukommen zu; **~ *up*** *fig*. F e-n Sinn ergeben.
ad•dict ['ædɪkt] *s* Süchtige(r *m*) *f*; ***alcohol/drug/TV* ~** Alkohol-/Drogen- *or* Rauschgift-/Fernsehsüchtige(r *m*) *f*; *sports, etc*.: Fanatiker(in); *film, etc*.: Narr *m*; **~•ed** [ə'dɪktɪd] *adj* süchtig, abhängig (***to*** von); ***be* ~ *to alcohol* (*drugs, television*)** alkohol-(drogen-, fernseh-)süchtig sein; **ad•dic•tion** [‿ʃn] *s* Sucht *f*, Süchtigkeit *f*.
ad•di•tion [ə'dɪʃn] *s* Hinzufügen *n*; Zusatz *m*; Zuwachs *m*; Anbau *m*; *math*. Addition *f*; ***in* ~** außerdem; ***in* ~ *to*** außer (*dat*); **~•al** [‿l] *adj* □ zusätzlich.
ad•dress [ə'dres] **1.** *v/t words*: richten (***to*** an *acc*), *j-n* anreden *or* ansprechen; **2.** *s* Adresse *f*, Anschrift *f*; Rede *f*; Ansprache *f*; **~•ee** [ædre'siː] *s* Empfänger(in).
ad•ept ['ædept] **1.** *adj* erfahren, geschickt (***at, in*** in *dat*); **2.** *s* Meister *m*, Experte *m* (***at, in*** in *dat*).
ad•e|qua•cy ['ædɪkwəsɪ] *s* Angemessenheit *f*; **~•quate** *adj* □ angemessen.
ad•here [əd'hɪə] *v/i* (***to***) kleben, haften (an *dat*); *fig*. festhalten (an *dat*); **ad•her•ence** *s* Anhaften *n*; *fig*. Festhalten *n*; **ad•her•ent** *s* Anhänger(in).
ad•he•sive [əd'hiːsɪv] **1.** *adj* □ klebend; **~ *plaster*** Heftpflaster *n*; **~ *tape*** Klebestreifen *m*; *Am*. Heftpflaster *n*; **2.** *s* Klebstoff *m*.
ad•ja•cent [ə'dʒeɪsnt] *adj* □ angrenzend, anstoßend (***to*** an *acc*); benachbart.
ad•jec•tive *gr*. ['ædʒɪktɪv] *s* Adjektiv *n*, Eigenschaftswort *n*.
ad•join [ə'dʒɔɪn] *v/t* (an)grenzen an (*acc*).
ad•journ [ə'dʒɜːn] *v/t* verschieben, (*v/i* sich) vertagen; **~•ment** *s* Vertagung *f*, Verschiebung *f*.
ad•just [ə'dʒʌst] *v/t* anpassen; in Ordnung bringen; *conflict*: beilegen; *mechanism and fig*.: einstellen (***to*** auf *acc*); **~•ment** *s* Anpassung *f*; Ordnung *f*; *tech*. Einstellung *f*; Beilegung *f*.
ad•min•is|ter [əd'mɪnɪstə] *v/t* verwal-

ten; spenden; *medicine*: geben, verabreichen; ~ ***justice*** Recht sprechen; ~ ***an oath to s.o.*** *jur. j-n* vereidigen; **~•tra•tion** [ədmɪnɪ'streɪʃn] *s* Verwaltung *f*; *pol. esp. Am.* Regierung *f*; *esp. Am.* Amtsperiode *f* (*of President*); **~•tra•tive** [əd'mɪnɪstrətɪv] *adj* □ Verwaltungs…; **~•tra•tor** [₋treɪtə] *s* Verwaltungsbeamte(r) *m*.

ad|mi•ra•ble ['ædmərəbl] *adj* □ bewundernswert; großartig; **~•mi•ra•tion** [ædmə'reɪʃn] *s* Bewunderung *f*; **~•mire** [əd'maɪə] *v/t* bewundern; verehren; **~•mir•er** *s* Bewunderer *m*, Verehrer(in) *m*.

ad•mis|si•ble [əd'mɪsəbl] *adj* □ zulässig; **~•sion** [₋ʃn] *s* Zutritt *m*, Zulassung *f*; Eintritt(sgeld *n*) *m*; *confession*: Eingeständnis *n*; ~ ***free*** Eintritt frei.

ad•mit [əd'mɪt] *v/t* (**-*tt-***) (her)einlassen (***to, into*** in *acc*), eintreten lassen; zulassen (***to*** zu); *confess*: zugeben; **~•tance** *s* Einlass *m*, Ein-, Zutritt *m*; ***no*** ~ Zutritt verboten.

ad•mix•ture [æd'mɪkstʃə] *s* Beimischung *f*, Zusatz *m*.

ad•mon•ish [əd'mɒnɪʃ] *v/t* ermahnen; warnen (***of, against*** vor *dat*); **ad•mo•ni•tion** [ædmə'nɪʃn] *s* Ermahnung *f*; Warnung *f*.

a•do [ə'duː] *s* Getue *n*, Lärm *m*; ***without much*** *or* ***more*** *or* ***further*** ~ ohne weitere Umstände.

ad•o•les|cence [ædə'lesns] *s* Adoleszenz *f*, Jugend *f*; **~•cent** **1.** *adj* jugendlich, heranwachsend; **2.** *s* Jugendliche(r *m*) *f*.

a•dopt [ə'dɒpt] *v/t* adoptieren; sich zu eigen machen, übernehmen; ***~ed child*** Adoptivkind *n*; **a•dop•tion** [₋pʃn] *s of child*: Adoption *f*; *of idea, etc.*: Übernahme *f*; **a•dop•tive** *adj* □ Adoptiv…; angenommen; ~ ***child*** Adoptivkind *n*; ~ ***parents*** *pl* Adoptiveltern *pl*.

a•dor•a•ble [ə'dɔːrəbl] *adj* □ anbetungswürdig; F entzückend; **ad•o•ra•tion** [ædə'reɪʃn] *s* Anbetung *f*, Verehrung *f*; **a•dore** [ə'dɔː] *v/t* anbeten, verehren.

a•dorn [ə'dɔːn] *v/t* schmücken, zieren; **~•ment** [₋mənt] *s* Schmuck *m*.

A•dri•at•ic Sea [ˌeɪdrɪ'ætɪk'siː] *das* Adriatische Meer, *die* Adria.

a•droit [ə'drɔɪt] *adj* □ geschickt.

ad•ult ['ædʌlt] **1.** *adj* erwachsen; **2.** *s* Erwachsene(r *m*) *f*; ~ ***education*** Erwachsenenbildung *f*.

a•dul•ter•ate [ə'dʌltəreɪt] *v/t* verfälschen; *wine*: panschen.

a•dul•ter|er [ə'dʌltərə] *s* Ehebrecher *m*; **~•ess** [₋rɪs] *s* Ehebrecherin *f*; **~•ous** *adj* □ ehebrecherisch; **~•y** *s* Ehebruch *m*.

ad•vance [əd'vɑːns] **1.** *v/i* vorrücken, -dringen; vorrücken (*time*); steigen; Fortschritte machen; *v/t* vorrücken; *opinion, etc.*: vorbringen; *money*: vorauszahlen, vorschießen; (be)fördern; *price*: erhöhen; beschleunigen; **2.** *s* Vorstoß *m* (*a. fig.*); Fortschritt *m*; Vorschuss *m*; ***in*** ~ im Voraus; **~d** *adj* fortgeschritten; ~ ***for one's years*** weit *or* reif für sein Alter; **~•ment** *s* Förderung *f*; Fortschritt *m*.

ad•van|tage [əd'vɑːntɪdʒ] *s* Vorteil *m*; Überlegenheit *f*; Gewinn *m*; ***take*** ~ ***of*** ausnutzen; **~•ta•geous** [ædvən'teɪdʒəs] *adj* □ vorteilhaft.

ad•ven|ture [əd'ventʃə] *s* Abenteuer *n*, Wagnis *n*; Spekulation *f*; **~•tur•er** *s* Abenteurer *m*; Spekulant *m*; **~•tur•ous** *adj* □ abenteuerlich; verwegen, kühn.

ad•verb *gr.* ['ædvɜːb] *s* Adverb *n*.

ad•ver•sa•ry ['ædvəsərɪ] *s* Gegner(in), Feind(in); **ad•verse** ['ædvɜːs] *adj* □ widrig; ungünstig, nachteilig (***to*** für); **ad•ver•si•ty** [əd'vɜːsətɪ] *s* Unglück *n*.

ad•vert F ['ædvɜːt] → ***advertisement***.

ad•ver|tise ['ædvətaɪz] *v/t and v/i* Werbung *or* Reklame machen (für), werben (für), inserieren; ankündigen, bekannt machen; **~•tise•ment** [əd'vɜːtɪsmənt] *s* Anzeige *f*, Ankündigung *f*, Inserat *n*; Reklame *f*; **~•tis•ing** ['ædvətaɪzɪŋ] **1.** *s* Reklame *f*, Werbung *f*; **2.** *adj* Anzeigen…, Reklame…, Werbe…; ~ ***agency*** Anzeigenannahme *f*; Werbeagentur *f*.

ad•vice [əd'vaɪs] *s* Rat(schlag) *m*; Nachricht *f*, Bescheid *m*; ***take medical*** ~ e-n Arzt zu Rate ziehen; ***take my*** ~ hör auf mich; ***a piece of*** ~ ein Rat(schlag).

ad•vi•sab•le [əd'vaɪzəbl] *adj* □ ratsam; **ad•vise** [əd'vaɪz] *v/t j-n* beraten; *j-m* raten; *esp. econ.* benachrichtigen; avisieren; *v/i* sich beraten; **ad•vis•er**, *Am. a.* **ad•vis•or** *s* Berater *m*; **ad•vi•so•ry** *adj* beratend.

ad•vo•cate **1.** *s* ['ædvəkət] Anwalt *m*; Verfechter *m*; Befürworter *m*; **2.** *v/t* [ˌkeɪt] verteidigen, befürworten.
Ae•ge•an Sea [iːˈdʒiːən'siː] *das* Ägäische Meer, *die* Ägäis.
aer•i•al ['eərɪəl] **1.** *adj* □ luftig; Luft…; **~ *view*** Luftaufnahme *f*; **2.** *s* Antenne *f*.
aero- ['eərəʊ] Aero…, Luft…
aer•o•bics [eə'rəʊbɪks] *s sg* Aerobic *n*.
aer•o|dy•nam•ic [eərəʊdaɪ'næmɪk] *adj* (**~*ally***) aerodynamisch; **~•dy•nam•ics** *s sg* Aerodynamik *f*; **~•nau•tics** [eərə'nɔːtɪks] *s sg* Luftfahrt *f*; **~•plane** *Br.* ['eərəpleɪn] *s* Flugzeug *n*.
aer•o•sol ['eərəsɒl] *s* Spraydose *f*; **~ *propellant*** Treibgas *n*.
aes•thet•ic [iːs'θetɪk] *adj* (**~*ally***) ästhetisch; **~s** *s sg* Ästhetik *f*.
a•far [ə'fɑː] *adv* fern, weit (weg).
af•fa•ble ['æfəbl] *adj* □ leutselig.
af•fair [ə'feə] *s* Angelegenheit *f*, Sache *f*; F Ding *n*; Liebesaffäre *f*, Verhältnis *n*.
af•fect [ə'fekt] *v/t* (ein- *or* sich aus)wirken auf (*acc*); rühren; *health*: angreifen; lieben, vorziehen; nachahmen; vortäuschen; **af•fec•ta•tion** [æfek'teɪʃn] *s* Vorliebe *f*; Affektiertheit *f*; Verstellung *f*; **~•ed** *adj* □ gerührt; befallen (*by illness*); angegriffen (*eyes, etc.*); geziert, affektiert.
af•fec•tion [ə'fekʃn] *s* Zuneigung *f*; **~•ate** *adj* □ liebevoll.
af•fil•i•ate [ə'fɪlɪeɪt] *v/t and v/i* (sich) angliedern; **~d *company*** *econ.* Tochtergesellschaft *f*.
af•fin•i•ty [ə'fɪnətɪ] *s* (geistige) Verwandtschaft; *chem.* Affinität *f*; Neigung *f* (***for, to*** zu).
af•firm [ə'fɜːm] *v/t* versichern; beteuern; bestätigen; **af•fir•ma•tion** [æfə'meɪʃn] *s* Versicherung *f*; Beteuerung *f*; Bestätigung *f*; **af•fir•ma•tive** [ˌətɪv] **1.** *adj* □ bejahend; **2.** *s*: ***answer in the* ~** bejahen.
af•flict [ə'flɪkt] *v/t* heimsuchen, plagen; **af•flic•tion** *s* Gebrechen *n*; Elend *n*.
af•flu|ence ['æfluəns] *s* Überfluss *m*; Wohlstand *m*; **~•ent** **1.** *adj* □ reich (-lich); **~ *society*** Wohlstandsgesellschaft *f*; **2.** *s* Nebenfluss *m*, *of lake*: Zufluss *m*.
af•ford [ə'fɔːd] *v/t* sich leisten; gewähren, bieten; ***I can* ~ *it*** ich kann es mir leisten.
af•front [ə'frʌnt] **1.** *v/t* beleidigen; **2.** *s* Beleidigung *f*.
a•field [ə'fiːld] *adv* im Feld; (weit) weg.
a•float [ə'fləʊt] *adj and adv* flott; schwimmend; auf See; ***set* ~** *mar.* flottmachen; *fig.* in Umlauf bringen.
a•fraid [ə'freɪd] *adj*: ***be* ~ *of*** sich fürchten *or* Angst haben vor (*dat*); ***I'm* ~ *she won't come*** ich fürchte, sie wird nicht kommen; ***I'm* ~ *I must go now*** ich muss jetzt leider gehen.
a•fresh [ə'freʃ] *adv* von neuem.
Af•ri•ca ['æfrɪkə] Afrika *n*.
Af•ri•can ['æfrɪkən] **1.** *adj* afrikanisch; **2.** *s* Afrikaner(in); *Am. a.* Schwarze(r *m*) *f*.
af•ter ['ɑːftə] **1.** *adv* hinterher, nachher, danach; **2.** *prp* nach; hinter (*dat*) (… her); **~ *all*** schließlich (doch); **3.** *cj* nachdem; **4.** *adj* später; Nach…; **~•ef•fect** *s med.* Nachwirkung *f* (*a. fig.*); *fig.* Folge *f*; **~•math** *s* Nachwirkungen *pl*, Folgen *pl*; **~•noon** *s* Nachmittag *m*; ***this* ~** heute Nachmittag; ***good* ~!** guten Tag!; **~•noon mar•ket** *s econ.* Nachmittagsmarkt *m*; **~-sales ser•vice** *s econ.* Kundenservice *m*; **~•taste** *s* Nachgeschmack *m*; **~•thought** *s* nachträgliche Idee; **~•ward(s)** *adv* nachher, später.
a•gain [ə'gen] *adv* wieder(um); ferner; **~ *and* ~, *time and* ~** immer wieder; ***as much* ~** noch einmal so viel.
a•gainst [ə'genst] *prp* gegen; *of place*: gegen; an, vor (*dat or acc*); *fig.* im Hinblick auf (*acc*); ***as* ~** verglichen mit; ***he was* ~ *it*** er war dagegen.
age [eɪdʒ] **1.** *s* (Lebens)Alter *n*; Zeit(alter *n*) *f*; Menschenalter *n*; (***old***) **~** (hohes) Alter; (***come***) ***of* ~** mündig *or* volljährig (werden); ***be over* ~** die Altersgrenze überschritten haben; ***under* ~** minderjährig; unmündig; ***wait for* ~s** F e-e Ewigkeit warten; **2.** *v/t and v/i* alt werden *or* machen; **~d** *adj* ['eɪdʒɪd] alt, betagt; **~ *twenty*** [eɪdʒd …] zwanzig Jahre alt; **~•ism** ['eɪdʒɪzəm] *s* Altersdiskriminierung *f*; **~•less** *adj* zeitlos; ewig jung.
a•gen•cy ['eɪdʒənsɪ] *s* Tätigkeit *f*; Vermittlung *f*; Agentur *f*, Büro *n*.
a•gen•da [ə'dʒendə] *s* Tagesordnung *f*.
a•gent ['eɪdʒənt] *s* Handelnde(r *m*) *f*; (Stell)Vertreter(in); Agent(in) (*a. pol.*); Wirkstoff *m*, Mittel *n*, Agens *n*.
ag•gra|vate ['ægrəveɪt] *v/t* erschweren, verschlimmern; F ärgern; **~•vat•ing** *adj*

ärgerlich, lästig.

ag•gre•gate **1.** *v/t* ['ægrɪgeɪt] (*v/i* sich) anhäufen; vereinigen (***to*** mit); sich belaufen auf (*acc*); **2.** *adj* □ [ˍgət] (an)gehäuft; gesamt; **3.** *s* [ˍ] Anhäufung *f*; Gesamtmenge *f*, Summe *f*; Aggregat *n*.

ag•gres|sion [ə'greʃn] *s* Angriff *m*, Aggression *f*; **~•sive** [ˍsɪv] *adj* □ aggressiv, Angriffs…; *fig.* energisch; **~•sor** [ˍsə] *s* Angreifer *m*, Aggressor *m* (*esp. pol.*).

ag•grieved [ə'griːvd] *adj* verletzt, gekränkt.

a•ghast [ə'gɑːst] *adj and adv* entgeistert, entsetzt.

ag•ile ['ædʒaɪl] *adj* □ flink, behänd; **a•gil•i•ty** [ə'dʒɪlətɪ] *s* Behändigkeit *f*.

ag•i|tate ['ædʒɪteɪt] *v/t* hin- und herbewegen; *fig.* aufregen; *v/i* agitieren; **~•ta•tion** [ædʒɪ'teɪʃn] *s fig.* Erschütterung *f*; Aufregung *f*; Agitation *f*; **~•ta•tor** ['ˍteɪtə] *s* Agitator *m*, Aufwiegler *m*.

a•glow [ə'gləʊ] *adj and adv* glühend; ***be ~*** strahlen (***with*** vor *dat*).

a•go [ə'gəʊ] *adv*: ***a year ~*** vor e-m Jahr.

ag•o•nize ['ægənaɪz] *v/i* sich quälen.

ag•o•ny ['ægənɪ] *s* heftiger Schmerz, *a. of mind*: Qual *f*; Pein *f*; Agonie *f*, Todeskampf *m*.

a•grar•i•an [ə'greərɪən] *adj* Agrar…

a•gree [ə'griː] *v/i* übereinstimmen; sich vertragen; einig werden, sich einigen (***on, upon*** über *acc*); übereinkommen; ***~ to*** zustimmen (*dat*), einverstanden sein mit; *v/t price, etc.*: vereinbaren; **~•a•ble** *adj* □ (***to***) angenehm (für); übereinstimmend (mit); **~•ment** *s* Übereinstimmung *f*; Vereinbarung *f*; Abkommen *n*; Vertrag *m*.

ag•ri•cul•tur|al [ægrɪ'kʌltʃərəl] *adj* landwirtschaftlich; ***~ policy*** Agrarpolitik *f*; ***~ products*** landwirtschaftliche Erzeugnisse; **~e** ['ægrɪkʌltʃə] *s* Landwirtschaft *f*; **~•ist** [ægrɪ'kʌltʃərɪst] *s* Landwirt *m*, Landwirtschaftsexperte *m*.

a•ground *mar.* [ə'graʊnd] *adj and adv* gestrandet; ***run ~*** stranden, auf Grund laufen.

a•head [ə'hed] *adj and adv* vorwärts, voraus; vorn; ***go ~!*** nur zu!, mach nur!; ***straight ~*** geradeaus.

aid [eɪd] **1.** *v/t* helfen (*dat*; ***in s.th.*** bei et.); fördern; **2.** *s* Hilfe *f*, Unterstützung *f*.

AIDS [eɪdz] *s* Aids *n* (*mst no art*), erworbene Abwehrschwäche.

ail [eɪl] *v/i* kränkeln; *v/t* schmerzen, wehtun (*dat*); ***what ~s him?*** was fehlt ihm?; **~•ing** *adj* leidend; **~•ment** *s* Leiden *n*.

aim [eɪm] **1.** *v/i* zielen (***at*** auf *acc*, nach); ***~ at*** *fig.* beabsichtigen; ***be ~ing to do s.th.*** vorhaben, et. zu tun; *v/t*: ***~ at*** *weapon, etc.*: richten auf (*acc*) *or* gegen; **2.** *s* Ziel *n* (*a. fig.*); Absicht *f*; ***take ~ at*** zielen auf (*acc*) *or* nach; **~•less** *adj* □ ziellos.

air[1] [eə] **1.** *s* Luft *f*; Luftzug *m*; Miene *f*, Aussehen *n*; ***by ~*** auf dem Luftwege; ***in the open ~*** im Freien; ***on the ~*** im Rundfunk *or* Fernsehen; ***be on the ~*** senden (*radio station, etc.*); in Betrieb sein (*radio station, etc.*); ***go off the ~*** die Sendung beenden (*person*); sein Programm beenden (*radio station, etc.*); ***give o.s. ~s, put on ~s*** vornehm tun; *aer.* ***go*** *or* ***travel by ~*** fliegen, mit dem Flugzeug reisen; **2.** *v/t* (aus-)lüften; *fig.* an die Öffentlichkeit bringen; erörtern.

air[2] *mus.* [ˍ] *s* Weise *f*, Melodie *f*.

air|bag *mot.* ['eəbæg] *s* Prallsack *m*; **~•bed** *s* Luftmatratze *f*; **~•borne** *adj aer.* in der Luft; *mil.* Luftlande…; **~•brake** *s tech.* Druckluftbremse *f*; **~-con•di•tioned** *adj* mit Klimaanlage; **~-con•di•tion•er** *s* Klimaanlage *f*; **~•craft** *s* (*pl* ***-craft***) Flugzeug *n*; ***~ carrier*** Flugzeugträger *m*; **~•field** *s* Flugplatz *m*; **~•force** *s mil.* Luftwaffe *f*; **~•host•ess** *s aer.* Stewardess *f*; **~•lift** *s* Luftbrücke *f*; **~•line** *s* Fluggesellschaft *f*; **~•lin•er** *s* Verkehrsflugzeug *n*; **~•mail** *s* Luftpost *f*; ***by ~*** mit Luftpost; **~•miss** *s* Beinahezusammenstoß *m*; **~•plane** *s Am.* Flugzeug *n*; **~•pock•et** *s* Luftloch *n*; **~ pol•lu•tion** *s* Luftverschmutzung *f*; **~•port** *s* Flughafen *m*; **~ raid** *s mil.* Luftangriff *m*; **~ route** *s aer.* Flugroute *f*; **~•sick** *adj* luftkrank; **~•space** *s* Luftraum *m*; **~•strip** *s* (behelfsmäßige) Start- und Landebahn; **~ ter•mi•nal** *s* Abfertigungsgebäude *n*; **~•tight** *adj* luftdicht; **~ traf•fic** *s* Flugverkehr *m*; ***~ control*** Flugsicherung *f*; ***~ controller*** Fluglotse *m*; **~•worth•y** *adj* flugtüchtig.

air•y ['eərɪ] *adj* □ (***-ier, -iest***) luftig; *contp.* überspannt.

aisle *arch.* [aɪl] *s* Seitenschiff *n*; Gang *m*.

Aix-la-Cha•pelle [ˌeɪkslɑːʃæ'pel] Aachen *n.*
a•jar [ə'dʒɑː] *adj and adv* halb offen, angelehnt.
a•kin [ə'kɪn] *adj* verwandt (***to*** mit).
Al•a•ba•ma [ˌælə'bæmə] *state in the US.*
a•larm [ə'lɑːm] **1.** *s* Alarm(zeichen *n*) *m*; Wecker *m*; Angst *f*; **2.** *v/t* alarmieren; beunruhigen; **~ clock** *s* Wecker *m.*
A•las•ka [ə'læskə] *state of the US.*
Al•ba•nia [æl'beɪnɪə] Albanien *n.*
al•bum ['ælbəm] *s* Album *n.*
al•co•hol ['ælkəhɒl] *s* Alkohol *m*; **~•ic** [ælkə'hɒlɪk] **1.** *adj* (***~ally***) alkoholisch; **2.** *s* Alkoholiker(in); **~•is•m** *s* Alkoholismus *m.*
Al•der•ney ['ɔːldənɪ] *British Channel Island.*
ale [eɪl] *s* Ale *n.*
a•lert [ə'lɜːrt] **1.** *adj* □ wachsam; munter; **2.** *s* Alarm(bereitschaft *f*) *m*; ***on the ~*** auf der Hut; in Alarmbereitschaft; **3.** *v/t* warnen (***to*** vor *dat*), alarmieren.
A•leu•tian Is•lands [əˌluːʃjən'aɪləndz] *pl die* Ale'uten *pl.*
al•gae *biol.* ['ældʒiː, 'ælgaɪ] *s pl* Algen *pl*; ***plague of ~*** Algenpest *f*; → ***proliferation***; **al•gal** ['ælgəl] *adj* Algen…; ***~ bloom*** Algenblüte *f*, *a.* Algenpest *f.*
Al•ge•ria [æl'dʒɪərɪə] Algerien *n.*
Al•giers [æl'dʒɪəz] Algier *n.*
al•i•bi ['ælɪbaɪ] *s* Alibi *n*; F Entschuldigung *f*, Ausrede *f.*
a•li•en ['eɪlɪən] **1.** *adj* fremd; ausländisch; **2.** *s* Fremde(r *m*) *f*, Ausländer(in); **~•ate** *v/t* veräußern; entfremden.
a•light [ə'laɪt] **1.** *adj* in Flammen; erhellt; **2.** *v/i* ab-, aussteigen; sich niederlassen (***on, upon*** auf *dat or acc*).
a•lign [ə'laɪn] *v/t and v/i* (sich) ausrichten (***with*** nach); ***~ o.s. with*** sich anschließen an (*acc*).
a•like [ə'laɪk] **1.** *adj* gleich; **2.** *adv* gleich, ebenso.
al•i•men•ta•ry [ælɪ'mentərɪ] *adj* nahrhaft; ***~ canal*** Verdauungskanal *m.*
al•i•mo•ny *jur.* ['ælɪmənɪ] *s* Unterhalt *m.*
a•live [ə'laɪv] *adj* lebendig; (noch) am Leben; lebhaft; belebt (***with*** von).
all [ɔːl] **1.** *adj* all; ganz; jede(r, -s); **2.** *pron* alles; alle *pl*; **3.** *adv* ganz, völlig; ***~ at once*** auf einmal; ***~ the better*** desto besser; ***~ but*** beinahe, fast; ***~ in*** F fertig, ganz erledigt; ***~ in ~*** alles in allem; ***~ right*** (alles) in Ordnung; ***for ~ that*** dessen ungeachtet, trotzdem; ***for ~ (that) I care*** meinetwegen; ***for ~ I know*** soviel ich weiß; ***at ~*** überhaupt; ***not at ~*** überhaupt nicht; ***the score was two ~*** das Spiel stand zwei zu zwei.
all-A•mer•i•can [ɔːlə'merɪkən] *adj* rein amerikanisch; die ganzen USA vertretend.
al•le•ga•tion [ælɪ'geɪʃn] *s* (unbewiesene) Behauptung; **al•lege** [ə'ledʒ] *v/t* behaupten; **al•leged** *adj* (***adv ~ly*** [-ɪdlɪ]) angeblich.
al•le•giance [ə'liːdʒəns] *s* (Untertanen)Treue *f.*
al•ler|gic [ə'lɜːdʒɪk] *adj* allergisch (***to*** gegen); **~•gy** ['ælədʒɪ] *s* Allergie *f.*
al•le•vi•ate [ə'liːvɪeɪt] *v/t* lindern, vermindern.
al•ley ['ælɪ] *s* (enge *or* schmale) Gasse; Garten-, Parkweg *m*; *bowling*: Bahn *f.*
al•li•ance [ə'laɪəns] *s* Bündnis *n*, Allianz *f*; ***in ~ with*** im Verein mit.
al•lo|cate ['æləkeɪt] *v/t* zuteilen, anweisen; **~•ca•tion** [-'keɪʃn] *s* Zuteilung *f.*
al•lot [ə'lɒt] *v/t* (***-tt-***) zuteilen, an-, zuweisen; **~•ment** *s* Zuteilung *f*; Parzelle *f.*
al•low [ə'laʊ] *v/t* erlauben, bewilligen, gewähren; zugeben; ab-, anrechnen, vergüten; *v/i*: ***~ for*** berücksichtigen (*acc*); **~•a•ble** *adj* □ erlaubt, zulässig; **~•ance** *s* Vergütung *f*, Zuschuss *m*; *econ.* Freibetrag *m*; *fig.* Nachsicht *f*; ***make ~(s) for s.th.*** et. in Betracht ziehen.
al•loy **1.** *s* ['ælɔɪ] Legierung *f*; **2.** *v/t* [ə'lɔɪ] legieren.
all-round ['ɔːlraʊnd] *adj* vielseitig; **~•er** [ɔːl'raʊndə] *s* Alleskönner(in); *sports*: Allroundsportler(in), -spieler(in).
al•lude [ə'luːd] *v/i* anspielen (***to*** auf *acc*).
al•lure [ə'ljʊə] *v/t* (an-, ver)locken; **~•ment** *s* Verlockung *f.*
al•lu•sion [ə'luːʒn] *s* Anspielung *f.*
all-wheel drive *mot.* ['ɔːlwiːldraɪv] *s* Allradantrieb *m.*
al•ly **1.** *v/t and v/i* [ə'laɪ] (sich) vereinigen, sich verbünden (***to, with*** mit); **2.** *s* ['ælaɪ] Verbündete(r *m*) *f*, Bundesgenoss|e *m*, -in *f*; ***the Allies*** *pl* die Alliierten *pl.*
al•ma•nac ['ɔːlmənæk] *s* Almanach *m.*

al•might•y [ɔːl'maɪtɪ] *adj* allmächtig; ***the*** ♀ der Allmächtige.
al•mond *bot.* ['ɑːmənd] *s* Mandel *f.*
al•mo•ner *Br.* ['ɑːmənə] *s* Sozialarbeiter(in) im Krankenhaus.
al•most ['ɔːlməʊst] *adv* fast, beinah(e).
alms [ɑːmz] *s pl* Almosen *n.*
a•loft [ə'lɒft] *adv* (hoch) (dr)oben.
a•lone [ə'ləʊn] *adj and adv* allein; ***let*** *or* ***leave*** ~ in Ruhe lassen, bleiben lassen; ***let*** ~ ... abgesehen von ...
a•long [ə'lɒŋ] **1.** *adv* weiter, vorwärts; da; dahin; ***all*** ~ die ganze Zeit; ~ ***with*** (zusammen) mit; ***come*** ~ mitkommen, -gehen; ***get*** ~ vorwärtskommen, weiterkommen; auskommen, sich vertragen (***with s.o.*** mit *j-m*); ***take*** ~ mitnehmen; **2.** *prp* entlang, längs; **~•side**; **1.** *adv* Seite an Seite; **2.** *prp* neben (*acc or dat*).
a•loof [ə'luːf] **1.** *adv* abseits; **2.** *adj* reserviert, zurückhaltend.
a•loud [ə'laʊd] *adv* laut.
al•pha•bet ['ælfəbɪt] *s* Alphabet *n.*
al•pine ['ælpaɪn] *adj* alpin, (Hoch)Gebirgs...
Alps [ælps] *pl die* Alpen *pl.*
al•read•y [ɔːl'redɪ] *adv* bereits, schon.
al•right [ɔːl'raɪt] → ***all*** 3.
Al•sace [æl'sæs], **Al•sa•tia** [æl'seɪʃə] *das* Elsass.
al•so ['ɔːlsəʊ] *adv* auch, ferner.
al•tar ['ɔːltə] *s* Altar *m.*
al•ter ['ɔːltə] *v/t* (*v/i* sich) (ver)ändern; ab-, umändern; **~•a•tion** [~'reɪʃn] *s* (Ver)Änderung *f* (***to*** an *dat*).
al•ter|nate **1.** *v/i and v/t* ['ɔːltəneɪt] abwechseln (lassen); ***alternating current*** *electr.* Wechselstrom *m*; **2.** *adj* ☐ [ɔːl'tɜːnət] abwechselnd; **3.** *s Am.* [~] Stellvertreter(in); **~•na•tion** [~'neɪʃn] *s* Abwechslung *f*; Wechsel *m*; **~•na•tive** [~'tɛːnətɪv]; **1.** *adj* ☐ alternativ, wahlweise; ~ ***society*** alternative Gesellschaft; **2.** *s* Alternative *f*, Wahl *f*, Möglichkeit *f.*
al•though [ɔːl'ðəʊ] *cj* obwohl, obgleich.
al•ti•tude ['æltɪtjuːd] *s* Höhe *f*; ***at an*** ~ ***of*** in e-r Höhe von.
al•to•geth•er [ɔːltə'geðə] *adv* im Ganzen, insgesamt; ganz (und gar), völlig.
al•u•min•i•um [ælju'mɪnɪəm], *Am.* **a•lumi•num** [ə'luːmɪnəm] *s* Aluminium *n.*
al•ways ['ɔːlweɪz] *adv* immer, stets.
am [æm; əm] *1. sg pres of* ***be.***
a. m., am *ante meridiem* (= ***before noon***) morgens, vorm., vormittags.
a•mal•gam•ate [ə'mælgəmeɪt] *v/t and v/i* amalgamieren; verschmelzen.
a•mass [ə'mæs] *v/t* an-, aufhäufen.
am•a•teur ['æmətə] *s* Amateur *m*; *contp.* Dilettant(in); **~•is•m** *s* Amateursport *m*; *status*: Amateurstatus *m.*
a•maze [ə'meɪz] *v/t* in Erstaunen setzen, verblüffen; **~•ment** *s* Staunen *n*, Verblüffung *f*; **a•maz•ing** *adj* ☐ erstaunlich, verblüffend.
am•bas•sa|dor *pol.* [æm'bæsədə] *s* Botschafter *m* (***to*** *a country* in *dat*); Gesandte(r) *m*; **~•dress** *pol.* [~drɪs] *s* Botschafterin *f* (***to*** *a country* in *dat*).
am•ber *min.* ['æmbə] *s* Bernstein *m.*
am•bi•gu•i•ty [æmbɪ'gjuːɪtɪ] *s* Zwei-, Mehrdeutigkeit *f*; **am•big•u•ous** [æm'bɪgjʊəs] *adj* ☐ zwei-, vieldeutig; doppelsinnig.
am•bi|tion [æm'bɪʃn] *s* Ehrgeiz *m*; Streben *n*; **~•tious** [~ʃəs] *adj* ☐ ehrgeizig; begierig (***of*** nach).
am•ble ['æmbl] **1.** *s* Passgang *m*; **2.** *v/i* im Passgang gehen *or* reiten; schlendern.
am•bu•lance ['æmbjʊləns] *s* Krankenwagen *m*; *mil.* Feldlazarett *n.*
am•bush ['æmbʊʃ] **1.** *s* Hinterhalt *m*; ***be*** *or* ***lie in*** ~ ***for s.o.*** *j-m* auflauern; **2.** *v/t* auflauern (*dat*); überfallen.
a•men [ɑː'men, eɪ'men] *int* amen.
a•mend [ə'mend] *v/t* verbessern, berichtigen; *law*: abändern, ergänzen; **~•ment** *s* Besserung *f*; Verbesserung *f*; *parl.* Abänderungs-, Ergänzungsantrag *m* (*to a law*); *Am.* Zusatzartikel *m* zur Verfassung; **~s** *s pl* (Schaden)Ersatz *m*; ***make*** ~ Schadenersatz leisten; ***make*** ~ ***to s.o. for s.th.*** *j-n* für et. entschädigen.
a•men•i•ty [ə'miːnətɪ] *s often* ***amenities*** *pl* Annehmlichkeiten *pl*, *of a town*: Kultur- und Freizeitangebot *n.*
A•mer•i•ca [ə'merɪkə] Amerika *n.*
A•mer•i•can [ə'merɪkən] **1.** *adj* amerikanisch; ~ ***football*** Football *m*; ~ ***plan*** *Am.* Vollpension *f*; ~ ***studies*** *pl* Amerikanistik *f*; **2.** *s* Amerikaner(in); **~•is•m** [~ɪzəm] *s* Amerikanismus *m.*
a•mi•a•ble ['eɪmɪəbl] *adj* ☐ liebenswürdig, freundlich.
am•i•ca•ble ['æmɪkəbl] *adj* ☐ freundschaftlich; gütlich.

a•mid(st) [ə'mɪd(st)] *prp* inmitten (*gen*), (mitten) in *or* unter (*acc or dat*).
a•miss [ə'mɪs] *adj and adv* verkehrt, falsch, übel; ***take ~*** übel nehmen.
am•mo•ni•a *chem.* [ə'məʊnɪə] *s* Ammoniak *n*.
am•mu•ni•tion [æmjʊ'nɪʃn] *s* Munition *f* (*a. fig.*).
am•ne•si•a [æm'ni:zɪə] *s* Gedächtnisschwund *m*.
am•nes•ty ['æmnɪstɪ] **1.** *s* Amnestie *f*; **2.** *v/t* begnadigen.
a•mok [ə'mɒk] *adv*: ***run ~*** Amok laufen.
a•mong(st) [ə'mʌŋ(st)] *prp* (mitten) unter, zwischen (*both: acc or dat*); ***~ other things*** unter anderem.
am•o•rous ['æmərəs] *adj* □ *looks, etc.*: verliebt; ***~ advances*** *pl* Annäherungsversuche *pl*.
a•mount [ə'maʊnt] **1.** *v/i* (***to***) sich belaufen (auf *acc*); hinauslaufen (auf *acc*); **2.** *s* Betrag *m*, Summe *f*; Menge *f*.
am•ple ['æmpl] *adj* □ (***~r, ~st***) weit, groß, geräumig; reichlich, -haltig.
am•pli|fi•er *electr.* ['æmplɪfaɪə] *s* Verstärker *m*; **~•fy** [~faɪ] *v/t* erweitern; *electr.* verstärken; weiter ausführen; **~•tude** [~tju:d] *s* Umfang *m*, Weite *f*, Fülle *f*.
am•pu•tate ['æmpjʊteɪt] *v/t* amputieren.
a•muck [ə'mʌk] → ***amok.***
a•muse [ə'mju:z] *v/t* (***o.s.*** sich) amüsieren, unterhalten, belustigen; **~•ment** *s* Unterhaltung *f*, Vergnügen *n*, Zeitvertreib *m*; ***~ arcade*** Spielhalle *f*; ***~ park*** Freizeitpark *m*; **a•mus•ing** [~ɪŋ] *adj* □ amüsant, unterhaltend.
an [æn, ən] *indef art before vowel*: ein(e).
a•nae•mia *med.* [ə'ni:mɪə] *s* Blutarmut *f*, Anämie *f*.
an•aes•thet•ic [ænɪs'θetɪk] **1.** *adj* (***~ally***) betäubend, Narkose...; **2.** *s* Betäubungsmittel *n*; ***local ~*** örtliche Betäubung; ***general ~*** Vollnarkose *f*.
a•nal•o|gous [ə'næləgəs] *adj* □ analog, entsprechend; **~•gy** [~dʒɪ] *s* Analogie *f*, Entsprechung *f*.
an•a•lyse *esp. Br., Am.* **-lyze** ['ænəlaɪz] *v/t* analysieren; zerlegen; **a•nal•y•sis** [ə'næləsɪs] *s* (*pl* ***-ses*** [-si:z]) Analyse *f*.
an•arch•y ['ænəkɪ] *s* Anarchie *f*, Gesetzlosigkeit *f*; Chaos *n*.
a•nat•o|mize [ə'nætəmaɪz] *v/t med.* sezieren; zergliedern; **~•my** [~ɪ] *s med.* Anatomie *f*; Zergliederung *f*, Analyse *f*.
an•ces|tor ['ænsestə] *s* Vorfahr *m*, Ahn *m*; **~•tral** [æn'sestrəl] *adj* angestammt; **~•tress** ['ænsestrɪs] *s* Ahne *f*; **~•try** [~rɪ] *s* Abstammung *f*; Ahnen *pl*.
an•chor ['æŋkə] **1.** *s* Anker *m*; ***at ~*** vor Anker; **2.** *v/t* verankern; **~•age** [~rɪdʒ] *s* Ankerplatz *m*.; **~•store** *s* (= *attractive store*) Magnetbetrieb *m*.
an•cho•vy *zo.* ['æntʃəvɪ] *s* An(s)chovis *f*, Sardelle *f*.
an•cient ['eɪnʃənt] **1.** *adj* alt, antik; uralt; **2.** *s*: ***the ~s*** *pl hist.* die Alten *pl*, die antiken Klassiker *pl*.
and [ænd, ənd] *cj* und.
An•des ['ændi:z] *pl die* Anden *pl*.
a•ne•mi•a *Am.* → ***anaemia.***
an•es•thet•ic *Am.* → ***anaesthetic.***
a•new [ə'nju:] *adv* von neuem.
an•gel ['eɪndʒəl] *s* Engel *m*.
an•ger ['æŋgə] **1.** *s* Zorn *m*, Ärger *m* (***at*** über *acc*); **2.** *v/t* erzürnen, (ver)ärgern.
an•gi•na *med.* [æn'dʒaɪnə] *s a.* ***~ pectoris*** Angina Pectoris *f*.
an•gle ['æŋgl] **1.** *s* Winkel *m*; *fig.* Standpunkt *m*; **2.** *v/i* angeln (***for*** nach); **~r** [~ə] *s* Angler(in).
An•gli•can ['æŋglɪkən] **1.** *adj eccl.* anglikanisch; *Am.* britisch, englisch; **2.** *s eccl.* Anglikaner(in).
An•glo-Sax•on [æŋgləʊ'sæksən] **1.** *adj* angelsächsisch; **2.** *s* Angelsachse *m*; *ling.* Altenglisch *n*.
an•gry ['æŋgrɪ] *adj* □ (***-ier, -iest***) zornig, verärgert, böse (***at*** über *acc*).
an•guish ['æŋgwɪʃ] *s* (Seelen)Qual *f*, Schmerz *m*; **~ed** [~t] *adj* qualvoll.
an•gu•lar ['æŋgjʊlə] *adj* □ winkelig, Winkel...; knochig.
an•i•mal ['ænɪml] **1.** *s* Tier *n*; **2.** *adj* tierisch; **~ hus•band•ry** *s* Viehzucht *f*.
an•i|mate ['ænɪmeɪt] *v/t* beleben, beseelen; aufmuntern, anregen; **~•ma•ted** *adj* lebendig; lebhaft, angeregt; ***~ cartoon*** Zeichentrickfilm *m*; **~•ma•tion** [ænɪ'meɪʃn] *s* Lebhaftigkeit *f*; *of cartoons*: Animation *f*; *film*: (Zeichen-) Trickfilm *m*.
an•i•mos•i•ty [ænɪ'mɒsətɪ] *s* Animosität *f*, Feindseligkeit *f*.
an•kle *anat.* ['æŋkl] *s* (Fuß)Knöchel *m*.
an•nals ['ænlz] *s pl* Jahrbücher *pl*.
an•nex **1.** *v/t* [ə'neks] anhängen; annektieren; **2.** *s* ['æneks] Anhang *m*; Anbau

m; **~•a•tion** [ænek'seɪʃn] *s* Annexion *f*, Einverleibung *f*.
an•ni•hi•late [ə'naɪəlaɪt] *v/t* vernichten.
an•ni•ver•sa•ry [ænɪ'vɜːsərɪ] *s* Jahrestag *m*; Jahresfeier *f*.
an•no|tate ['ænəʊteɪt] *v/t* mit Anmerkungen versehen; kommentieren; **~•tation** [~'teɪʃn] *s* Kommentieren *n*; Anmerkung *f*.
an•nounce [ə'naʊns] *v/t* ankündigen; bekannt geben; *radio*, *TV*: ansagen; durchsagen; **~•ment** *s* Ankündigung *f*; Bekanntgabe *f*; *radio*, *TV*: Ansage *f*; Durchsage *f*; **an•nounc•er** *s radio*, *TV*: Ansager(in), Sprecher(in).
an•noy [ə'nɔɪ] *v/t* ärgern; belästigen; **~•ance** *s* Störung *f*, Belästigung *f*; Ärgernis *n*; **~•ing** *adj* ärgerlich, lästig.
an•nu•al ['ænjʊəl] **1.** *adj* □ jährlich, Jahres…; **2.** *s bot.* einjährige Pflanze; *book*: Jahrbuch *n*.
an•nu•i•ty [ə'njuːɪtɪ] *s* (Jahres)Rente *f*.
an•nul [ə'nʌl] *v/t* (**-ll-**) für ungültig erklären, annullieren; **~•ment** *s* Annullierung *f*, Aufhebung *f*.
an•o•dyne *med.* ['ænəʊdaɪn] **1.** *adj* schmerzstillend; **2.** *s* schmerzstillendes Mittel.
a•nom•a•lous [ə'nɒmələs] *adj* □ anomal, abnorm, regelwidrig.
a•non•y•mous [ə'nɒnɪməs] *adj* □ anonym, ungenannt.
an•o•rak ['ænəræk] *s* Anorak *m*.
an•o•rex•ia *med.* [ænə'reksɪə] *s* Magersucht *f*.
an•oth•er [ə'nʌðə] *adj and pron* ein anderer; ein zweiter; noch eine(r, -s).
an•swer ['ɑːnsə] **1.** *v/t et.* beantworten; *j-m* antworten; entsprechen (*dat*); *purpose*: erfüllen; *tech. steering wheel*: gehorchen (*dat*); *summons*: Folge leisten (*dat*); *description*: entsprechen (*dat*); **~ *the bell*** *or* ***door*** (die Haustür) aufmachen; **~ *the* (*tele*)*phone*** ans Telefon gehen; *v/i* antworten (***to*** auf *acc*); entsprechen (***to*** *dat*); **~ *back*** freche Antworten geben; widersprechen; **~ *for*** einstehen für; **2.** *s* Antwort *f* (***to*** auf *acc*); **~•a•ble** *adj* verantwortlich.
ant *zo.* [ænt] *s* Ameise *f*.
an•tag•o|nis•m [æn'tægənɪzəm] *s* Antagonismus *m*; Feindschaft *f*; **~•nist** *s* Gegner(in); **~•nize** *v/t* ankämpfen gegen; sich *j-n* zum Feind machen.
Ant•arc•ti•ca [ænt'ɑːktɪkə] *die* Antarktis.
an•te•ced•ent [æntɪ'siːdənt] **1.** *adj* □ vorhergehend, früher (***to*** als); **2.** *s*: **~*s*** *pl* Vorgeschichte *f*; Vorleben *n*.
an•te•date ['æntɪdeɪt] *v/t letter, etc.*: zurückdatieren; *event, etc.*: vorausgehen (*dat*).
an•te•lope *zo.* ['æntɪləʊp] *s* Antilope *f*.
an•ten•na[1] *zo.* [æn'tenə] *s* (*pl* ***-nae*** [-niː]) Fühler *m*.
an•ten•na[2] *esp. Am.* [~] *s* Antenne *f*.
an•te-room ['æntɪrʊm] *s* Vorzimmer *n*; Wartezimmer *n*.
an•them *mus.* ['ænθəm] *s* Hymne *f*.
an•ti- ['æntɪ] Gegen…, gegen … eingestellt *or* wirkend, Anti…, anti…; **~•air•craft** *adj mil.* Flieger-, Flugabwehr…; **~•bi•ot•ic** [~baɪ'ɒtɪk] *s* Antibiotikum *n*.
an•tic•i|pate [æn'tɪsɪpeɪt] *v/t* vorwegnehmen; zuvorkommen (*dat*); voraussehen; erwarten; **~•pa•tion** [~'peɪʃn] *s* Vorwegnahme *f*; Zuvorkommen *n*; Voraussicht *f*; Erwartung *f*; ***in* ~** im Voraus.
an•ti•clock•wise *Br.* [æntɪ'klɒkwaɪz] *adj and adv* entgegen dem Uhrzeigersinn.
an•ti|dote ['æntɪdəʊt] *s* Gegengift *n*, -mittel *n*; **~•freeze** *s* Frostschutzmittel *n*.
an•ti-|glo•bal•ist [æntɪ'gləʊbəlɪst] *s pol.* Globalisierungsgegner(in); **~glo•bal•i•za•tion move•ment** *s pol.* Globalisierungsgegner *pl*; **~glo•bal•i•za•tion pro•test•er** *s pol.* Globalisierungsgegner(in).
an•ti•nu•cle•ar[æntɪ'njuːkliə] *adj* Anti--Atomkraft…
an•tip•a•thy [æn'tɪpəθɪ] *s* Abneigung *f*.
an•ti•quat•ed ['æntɪkweɪtɪd] *adj* veraltet, altmodisch, überholt.
an•tique [æn'tiːk] **1.** *adj* antik, alt; **2.** *s* Antiquität *f*; **~ *dealer*** Antiquitätenhändler(in); **~ *shop***, *esp. Am.* **~ *store*** Antiquitätenladen *m*; **an•tiq•ui•ty** [æn'tɪkwətɪ] *s* Altertum *n*, Vorzeit *f*.
an•ti|sep•tic [æntɪ'septɪk] **1.** *adj* (**~*ally***) antiseptisch; **2.** *s* antiseptisches Mittel; **~•so•cial** *adj* □ asozial; *person*: *a.* ungesellig; **~•state** *adj* staatsfeindlich; **~•trust** *adj Am.*: **~ *law*** Kartellgesetz *n*; **~•vi•rus soft•ware** *s PC* Antivirensoftware *f*.
ant•lers ['æntləz] *s pl* Geweih *n*.

a•nus *anat.* ['eɪnəs] *s* After *m.*
anx•i•e•ty [æŋ'zaɪətɪ] *s* Angst *f*; Sorge *f* (*for* um); *med.* Beklemmung *f*; **anx-ious** ['æŋkʃəs] *adj* □ besorgt, beunruhigt (***about*** wegen); begierig, gespannt (***for*** auf *acc*); bestrebt (***to do*** zu tun).
an•y ['enɪ] **1.** *adj and pron* (irgend)eine(r, -s), (irgend)welche(r, -s); (irgend)etwas; jede(r, -s) (beliebige); einige *pl*, welche *pl*; ***not ~*** keiner; **2.** *adv* irgend(wie), ein wenig, etwas, (noch) etwas; **~•bod•y** *pron* (irgend)jemand; jeder; **~•how** *adv* irgendwie; trotzdem, jedenfalls; wie dem auch sei; **~•one** → ***anybody***; **~•thing** *pron* (irgend)etwas; alles; ***~ but*** alles andere als; ***~ else?*** sonst noch etwas?; ***not ~*** nichts; **~•way** → ***anyhow***; **~•where** *adv* irgendwo(hin); überall.
a/o ***account of*** à Konto von, auf Rechnung von.
a•part [ə'pɑːt] *adv* einzeln, getrennt, für sich; beiseite; ***~ from*** abgesehen von.
a•part•heid [ə'pɑːtheɪt] *s* Apartheid *f*, Politik *f* der Rassentrennung.
a•part•ment [ə'pɑːtmənt] *s* Zimmer *n*; *Am.* Wohnung *f*; *esp. Br.* (möblierte) (Miet-, Ferien)Wohnung *f*; ***~ house*** *Am.* Mietshaus *n.*
ap•a|thet•ic [æpə'θetɪk] *adj* (***~ally***) apathisch, teilnahmslos, gleichgültig; **~•thy** ['æpəθɪ] *s* Apathie *f*, Teilnahmslosigkeit *f*, Gleichgültigkeit *f.*
ape [eɪp] **1.** *s zo.* (Menschen)Affe *m*; **2.** *v/t* nachäffen.
a•pér•i•tif [əperɪ'tiːf] *s* Aperitif *m.*
ap•er•ture ['æpətjʊə] *s* Öffnung *f.*
a•piece [ə'piːs] *adv* pro Stück, je.
a•po•lit•i•cal [eɪpə'lɪtɪkəl] *adj* □ unpolitisch.
a•pol•o|get•ic [əpɒlə'dʒetɪk] *adj* (***~ally***) verteidigend; rechtfertigend; entschuldigend; **~•gize** [ə'pɒlədʒaɪz] *v/i* sich entschuldigen (***for*** für; ***to*** bei); **~•gy** [~ɪ] *s* Entschuldigung *f*; Rechtfertigung *f*; ***make** or **offer s.o. an ~*** (***for s.th.***) sich bei *j-m* (für et.) entschuldigen.
ap•o•plex•y *med.* ['æpəpleksɪ] *s* Schlag(anfall) *m.*
a•pos•tle *eccl.* [ə'pɒsl] *s* Apostel *m.*
a•pos•tro•phe *ling.* [ə'pɒstrəfɪ] *s* Apostroph *m.*
ap•pal|(l) [ə'pɔːl] *v/t* (**-ll-**) erschrecken, entsetzen; **~•ling** *adj* □ erschreckend, entsetzlich, schrecklich.
ap•pa•ra•tus [æpə'reɪtəs] *s* Apparat *m*, Vorrichtung *f*, Gerät *n*; ***the ~ of government*** der Regierungsapparat.
ap•par•ent [ə'pærənt] *adj* □ sichtbar; anscheinend; offenbar.
ap•pa•ri•tion [æpə'rɪʃn] *s* Erscheinung *f*, Gespenst *n.*
ap•peal [ə'piːl] **1.** *v/i jur.* Berufung *or* Revision einlegen, Einspruch erheben, Beschwerde einlegen; appellieren, sich wenden (***to*** an *acc*); ***~ to*** gefallen (*dat*), zusagen (*dat*), wirken auf (*acc*); *j-n* dringend bitten (***for*** um); **2.** *s jur.* Revision *f*, Berufung *f*; Beschwerde *f*; Einspruch *m*; Appell *m* (***to*** an *acc*), Aufruf *m*; Wirkung *f*, Reiz *m*; Bitte *f* (***to*** an *acc*; ***for*** um); ***~ for mercy*** *jur.* Gnadengesuch *n*; **~•ing** *adj* □ flehend; ansprechend.
ap•pear [ə'pɪə] *v/i* (er)scheinen; sich zeigen; *actor, etc.*: auftreten; sich ergeben *or* herausstellen; **~•ance** *s* Erscheinen *n*; Auftreten *n*; Äußere(s) *n*, Erscheinung *f*, Aussehen *n*; Anschein *m*, äußerer Schein; ***to all ~(s)*** allem Anschein nach.
ap•pease [ə'piːz] *v/t* beruhigen; beschwichtigen; stillen; mildern; beilegen.
ap•pend [ə'pend] *v/t* an-, hinzu-, beifügen; **~•age** [~ɪdʒ] *s* Anhang *m*, Anhängsel *n*, Zubehör *n.*
ap•pen|di•ci•tis *med.* [əpendɪ'saɪtɪs] *s* Blinddarmentzündung *f*; **~•dix** [ə'pendɪks] *s* (*pl* **-dixes, -dices** [-dɪsiːz]) Anhang *m*; *a.* ***vermiform ~*** *anat.* Wurmfortsatz *m*, Blinddarm *m.*
ap•pe|tite ['æpɪtaɪt] *s* (***for***) Appetit *m* (auf *acc*); *fig.* Verlangen *n* (nach); **~ti•zer** *s* Appetithappen *m*, Vorspeise *f*; **~•tiz•ing** *adj* □ appetitanregend.
ap•plaud [ə'plɔːd] *v/t and v/i* applaudieren, Beifall spenden (*dat*); loben; **applause** [~z] *s* Applaus *m*, Beifall *m.*
ap•ple *bot.* ['æpl] *s* Apfel *m*; **~•cart** *s*: ***upset s.o.'s ~*** F *j-s* Pläne über den Haufen werfen; ***~ pie*** *s* gedeckter Apfelkuchen; ***in apple-pie order*** F in schönster Ordnung.
ap•pli•ance [ə'plaɪəns] *s* Vorrichtung *f*; Gerät *n*; Mittel *n.*
ap•plic•a•ble ['æplɪkəbl] *adj* □ anwendbar (***to*** auf *acc*).
ap•pli|cant ['æplɪkənt] *s claimant*: An-

tragsteller(in); *for job*: Bewerber(in) (***for*** um); **~•ca•tion** [~'keɪʃn] *s claim*: Gesuch *n* (***for*** um); *for job*: Bewerbung *f* (***for*** um); *of theory, etc.*: Anwendung *f* (***to*** auf *acc*); **~s *program*** *computer*: Anwenderprogramm *n*.

ap•ply [ə'plaɪ] *v/t* (***to***) (auf)legen, auftragen (auf *acc*); anwenden (auf *acc*); verwenden (für); *v/i for job*: sich bewerben (***for*** um); *claim*: beantragen (***for*** *acc*); (***to***) passen, zutreffen, sich anwenden lassen (auf *acc*); gelten (für); sich wenden (an *acc*).

ap•point [ə'pɔɪnt] *v/t* bestimmen, festsetzen; verabreden; ernennen (***s.o.*** *minister, etc. j-n* zum …); berufen (***to*** *a post* auf *acc*); **~•ment** *s* Bestimmung *f*; Verabredung *f*; Termin *m* (*with doctor, hairdresser, etc.*); Ernennung *f*, Berufung *f*; Stelle *f*; **~ *book*** Terminkalender *m*.

ap•por•tion [ə'pɔːʃn] *v/t* ver-, zuteilen; **~•ment** Ver-, Zuteilung *f*.

ap•prais|al [ə'preɪzl] *s* (Ab)Schätzung *f*; **~e** [ə'preɪz] *v/t* (ab)schätzen, taxieren.

ap•pre|cia•ble [ə'priːʃəbl] *adj* □ nennenswert, spürbar; **~•ci•ate** [~ʃɪeɪt] *v/t* schätzen, würdigen; dankbar sein für; *v/i econ.* im Wert steigen; **~•ci•a•tion** [~ʃɪ'eɪʃn] *s* Schätzung *f*, Würdigung *f*; Anerkennung *f*; Verständnis *n* (***of*** für); Dankbarkeit *f*; *econ.* Wertsteigerung *f*.

ap•pre|hend [æprɪ'hend] *v/t* ergreifen, fassen; begreifen; befürchten; **~•hen•sion** [~ʃn] *s* Ergreifung *f*, Festnahme *f*; Besorgnis *f*; **~•hen•sive** *adj* □ ängstlich, besorgt (***for*** um; ***that*** dass).

ap•pren•tice [ə'prentɪs] **1.** *s* Auszubildende(r *m*) *f*, Lehrling *m*, F Azubi *m*, *f*; **2.** *v/t* in die Lehre geben; **~•ship** *s* Lehrzeit *f*, Lehre *f*, Ausbildung *f*.

ap•proach [ə'prəʊtʃ] **1.** *v/i* näher kommen, sich nähern; *v/t* sich nähern (*dat*); herangehen *or* herantreten an (*acc*); **2.** (Heran)Nahen *n*; Ein-, Zu-, Auffahrt *f*; Annäherung *f*; Methode *f*; **~ *road*** Zufahrtsstraße *f*; *to motorway*: (Autobahn)Zubringer *m*.

ap•pro•ba•tion [æprə'beɪʃn] *s* Billigung *f*, Beifall *m*.

ap•pro•pri•ate 1. *v/t* [ə'prəʊprɪeɪt] sich aneignen; **2.** *adj* □ [~ɪt] (***for, to***) angemessen (*dat*), passend (für, zu).

ap•prov|al [ə'pruːvl] *s* Billigung *f*; Anerkennung *f*, Beifall *m*; ***meet with ~*** Beifall *or* Zustimmung finden; **~e** [~v] *v/t* billigen, anerkennen; **~ed** *adj* bewährt.

approx, ***approximate*(*ly*)** etwa.

ap•prox•i•mate 1. *v/t* [ə'prɒksɪmeɪt] sich nähern (*dat*); **2.** *adj* □ [~mət] ungefähr.

a•pri•cot *bot.* ['eɪprɪkɒt] *s* Aprikose *f*.

A•pril ['eɪprəl] *s* April *m*; **~ fool** *s*: ***make an ~ of s.o.*** *j-n* in den April schicken; ***~!*** April, April!

a•pron ['eɪprən] *s* Schürze *f*; ***be tied to one's wife's*** (***mother's***) ***~ strings*** *fig.* unterm Pantoffel stehen (der Mutter am Schürzenzipfel hängen).

apt [æpt] *adj* □ geeignet, passend; treffend; begabt; **~ *to*** geneigt zu; **ap•ti•tude** ['æptɪtjuːd] *s* (***for***) Begabung *f* (für), Befähigung *f* (für), Talent *n* (zu); **~ *test*** Eignungsprüfung *f*.

aq•ua•lung ['ækwəlʌŋ] *s* Tauchgerät *n*.

a•quar•i•um [ə'kweərɪəm] *s* Aquarium *n*.

a•quat•ic [ə'kwætɪk] *s* Wassertier *n*, -pflanze *f*; **~s** *sg* Wassersport *m*.

aq•ue•duct ['ækwɪdʌkt] *s* Aquädukt *m*.

aq•ui•line ['ækwɪlaɪn] *adj* Adler…; gebogen; **~ *nose*** Adlernase *f*.

Ar•ab ['ærəb] *s* Araber(in); **Ar•a•bic** [~ɪk] **1.** *adj* arabisch; **2.** *s ling.* Arabisch *n*.

A•ra•bia [ə'reɪbjə] Arabien *n*.

ar•a•ble *agr.* ['ærəbl] *adj* anbaufähig; Acker…

ar•bi|tra•ry ['ɑːbɪtrərɪ] *adj* □ willkürlich, eigenmächtig; **~•trate** [~treɪt] *v/t* entscheiden, schlichten; **~•tra•tion** [~'treɪʃn] *s* Schlichtung *f*; **~•tra•tor** *jur.* ['~treɪtə] *s* Schiedsrichter *m*; Schlichter *m*.

ar•bo(u)r ['ɑːbə] *s* Laube *f*.

arc [ɑːk] *s* (*electr.* Licht)Bogen *m*; **ar•cade** [ɑː'keɪd] *s* Arkade *f*; Bogengang *m*; Durchgang *m*, Passage *f*.

arch[1] [ɑːtʃ] **1.** *s* Bogen *m*; Gewölbe *n*; *anat. of foot*: Rist *m*, Spann *m*; **2.** *v/t and v/i* (sich) wölben; krümmen; **~ *over*** überwölben.

arch[2] [~] *adj* erste(r, -s), oberste(r, -s), Erz…, Haupt…

arch[3] [~] *adj* □ schelmisch.

ar•cha•ic [ɑː'keɪɪk] *adj* (***~ally***) veraltet.

arch|an•gel ['ɑːkeɪndʒəl] *s* Erzengel *m*; **~•bish•op** ['ɑːtʃbɪʃəp] *s* Erzbischof *m*.

ar•cher ['ɑːtʃə] *s* Bogenschütze *m*; **~•y** *s* Bogenschießen *n*.
ar•chi|tect ['ɑːkɪtekt] *s* Architekt *m*; Urheber(in), Schöpfer(in); **~•tec•ture** *s* Architektur *f*, Baukunst *f*.
ar•chives ['ɑːkaɪvz] *s pl* Archiv *n*.
arc•tic ['ɑːktɪk] *adj* arktisch, nördlich, Nord...; Polar...; **~ *circle*** nördlicher Polarkreis.
Arc•tic ['ɑːktɪk] *die* Arktis.
ar•dent ['ɑːdənt] *adj* □ heiß, glühend; *fig*. leidenschaftlich, heftig; eifrig.
ar•do(u)r *fig*. ['ɑːdə] *s* Leidenschaft (-lichkeit) *f*; Eifer *m*.
ar•du•ous ['ɑːdjʊəs] *adj* □ mühsam; zäh.
are [ɑː, ə] *pres pl and 2. sg of* ***be***.
ar•e•a ['eərɪə] *s* Areal *n*; (Boden)Fläche *f*; Gegend *f*, Gebiet *n*, Zone *f*; Bereich *m*; ***in the Bonn ~*** im Raum Bonn; ***~ code*** *Am. teleph.* Vorwahl(nummer) *f*.
a•re•na [ə'riːnə] *s* Arena *f*.
Ar•gen•ti•na [ˌɑːdʒən'tiːnə] Argentinien *n*.
Ar•gen•tine[1] ['ɑːdʒəntaɪn] **1.** *adj* argentinisch; **2.** *s* Argentinier(in).
Ar•gen•tine[2] ['ɑːdʒəntaɪn]: ***the ~*** Argentinien *n*.
ar•gu•a•ble ['ɑːgjʊəbl] *adj* fraglich, zweifelhaft; ***it's ~ that ...*** man kann (durchaus) die Meinung vertreten, dass ...
ar•gue ['ɑːgjuː] *v/t* (das Für und Wider *gen*) erörtern, diskutieren; *v/i* streiten; argumentieren, Gründe (für und wider) anführen, Einwendungen machen.
ar•gu•ment ['ɑːgjʊmənt] *s* Argument *n*, Beweis(grund) *m*; Streit *m*, Wortwechsel *m*, Auseinandersetzung *f*.
ar•id ['ærɪd] *adj* □ dürr, trocken (*a. fig.*).
a•rise [ə'raɪz] *v/i* (***arose, arisen***) entstehen; auftauchen, -treten, -kommen; **a•ris•en** [ə'rɪzn] *pp of* ***arise***.
ar•is|toc•ra•cy [ærɪ'stɒkrəsɪ] *s* Aristokratie *f*, Adel *m*; **~•to•crat** ['ærɪstəkræt] *s* Aristokrat(in); **~•to•crat•ic** [~'krætɪk] *adj* (***~ally***) aristokratisch.
a•rith•me•tic [ə'rɪθmətɪk] *s* Rechnen *n*.
Ar•i•zo•na [ˌærɪ'zəʊnə] *state of the US*.
ark [ɑːk] *s* Arche *f*.
Ar•kan•sas ['ɑːkənsɔː] *river and state in the US*.
arm[1] [ɑːm] *s* Arm *m*; Armlehne *f*; ***keep s.o. at ~'s length*** sich *j-n* vom Leibe halten.
arm[2] [~] **1.** *s mst* ***~s*** *pl* Waffen *pl*; Waffengattung *f*; ***~s control*** Rüstungskontrolle *f*; ***~s race*** Wettrüsten *n*, Rüstungswettlauf *m*; ***up in ~s*** kampfbereit; *fig.* in Harnisch; **2.** *v/t and v/i* (sich) bewaffnen; (sich) wappnen *or* rüsten.
ar•ma•da [ɑː'mɑːdə] *s* Kriegsflotte *f*.
ar•ma•ment ['ɑːməmənt] *s* (Kriegs-aus)Rüstung *f*; Aufrüstung *f*.
arm•chair ['ɑːmtʃeə] *s* Lehnstuhl *m*, Sessel *m*.
ar•mi•stice ['ɑːmɪstɪs] *s* Waffenstillstand *m* (*a. fig.*).
ar•mo(u)r ['ɑːmə] **1.** *s mil.* Rüstung *f*, Panzer *m* (*a. fig., zo.*); **2.** *v/t* panzern; ***~ed car*** gepanzertes Fahrzeug; **~•y** *s* Waffenkammer *f*; Waffenfabrik *f*.
arm•pit ['ɑːmpɪt] *s* Achselhöhle *f*.
ar•my ['ɑːmɪ] *s* Heer *n*, Armee *f*; *fig.* Menge *f*.
a•ro•ma [ə'rəʊmə] *s* Aroma *n*, Duft *m*; **ar•o•mat•ic** [ærə'mætɪk] *adj* (***~ally***) aromatisch, würzig.
a•rose [ə'rəʊz] *pret of* ***arise***.
a•round [ə'raʊnd] **1.** *adv* (rings)herum, (rund)herum, ringsumher, überall; umher, herum; in der Nähe; da; **2.** *prp* um, um ... herum, rund um; in (*dat*) ... herum; ungefähr, etwa.
a•rouse [ə'raʊz] *v/t* (auf)wecken; *fig.* aufrütteln, erregen.
arr. ***arrival*** Ank., Ankunft *f*.
ar•range [ə'reɪndʒ] *v/t* (an)ordnen; arrangieren; vereinbaren, ausmachen; *mus.* arrangieren, bearbeiten (*a. thea.*); **~•ment** *s* Anordnung *f*, Zusammenstellung *f*, Verteilung *f*; Vereinbarung *f*, Absprache *f*; *mus.* Arrangement *n*, Bearbeitung *f* (*a. thea.*); ***make ~s*** Vorkehrungen *or* Vorbereitungen treffen.
ar•rears [ə'rɪəz] *s pl* Rückstand *m*, Rückstände *pl*; Schulden *pl*.
ar•rest [ə'rest] **1.** *jur.* Verhaftung *f*, Festnahme *f*; **2.** *v/t jur.* verhaften, festnehmen; an-, aufhalten; *fig.* fesseln.
ar•riv•al [ə'raɪvl] *s* Ankunft *f*; Erscheinen *n*; Ankömmling *m*; ***~s*** *pl* ankommende Züge *pl or* Schiffe *pl or* Flugzeuge *pl*; **ar•rive** [~v] *v/i* (an)kommen, eintreffen, erscheinen; ***~ at*** *fig.* erreichen (*acc*).

ar•ro|gance ['ærəgəns] *s* Arroganz *f*, Anmaßung *f*, Überheblichkeit *f*; **~•gant** *adj* □ arrogant, anmaßend, überheblich.
ar•row ['ærəʊ] *s* Pfeil *m*; **~•head** *s* Pfeilspitze *f*.
arse V [ɑːs] *s* Arsch *m*; ***be a pain in the ~*** F e-m auf den Geist (*or* V auf die Eier) gehen; **~•hole** V ['~həʊl] *s* Arschloch *n*.
ar•se•nal ['ɑːsənl] *s* Arsenal *n* (*a. fig.*).
ar•se•nic *chem.* ['ɑːsnɪk] *s* Arsen *n*.
ar•son *jur.* ['ɑːsn] *s* Brandstiftung *f*.
art [ɑːt] *s* Kunst *f*; *fig.* List *f*; Kniff *m*; **~s** *pl* Geisteswissenschaften *pl*; ***Faculty of ~s***, *Am.* ***~s Department*** philosophische Fakultät.
ar•ter•i•al [ɑː'tɪərɪəl] *adj anat.* arteriell; ***~ road*** Hauptverkehrsstraße *f*, Ausfallstraße *f*; **ar•te•ry** ['ɑːtərɪ] *s anat.* Arterie *f*, Schlag-, Pulsader *f*; *fig.* Verkehrsader *f*.
art•ful ['ɑːtfl] *adj* □ schlau, verschmitzt.
art gal•le•ry ['ɑːtgælərɪ] *s* Kunstgalerie *f*.
ar•ti•cle ['ɑːtɪkl] *s* Artikel *m* (*a. gr.*).
ar•tic•u|late **1.** *v/t* [ɑː'tɪkjʊleɪt] deutlich (aus)sprechen; zusammenfügen; **2.** *adj* □ [~lət] deutlich; *bot.*, *zo.* gegliedert; **~•la•tion** [ɑːtɪkjʊ'leɪʃn] *s* (deutliche) Aussprache; *anat.* Gelenk(verbindung *f*) *n*.
ar•ti|fice ['ɑːtɪfɪs] *s* Kunstgriff *m*, List *f*; **~•fi•cial** [ɑːtɪ'fɪʃl] *adj* □ künstlich, Kunst…; ***~ person*** juristische Person.
ar•til•le•ry [ɑː'tɪlərɪ] *s* Artillerie *f*.
ar•ti•san [ɑːtɪ'zæn] *s* (Kunst)Handwerker(in).
art•ist ['ɑːtɪst] *s* Künstler(in); ***variety ~*** Artist(in); **ar•tis•tic** [ɑː'tɪstɪk] *adj* (**~*al-ly***) künstlerisch, Kunst…
art•less ['ɑːtlɪs] *adj* □ ungekünstelt, schlicht; arglos.
as [æz, əz] **1.** *adv* so, ebenso; wie; (*in a certain function*) als; **2.** *cj with degree*: (gerade) wie, so wie; ebenso wie; *while*: als, während; *though*: obwohl, obgleich; da, weil; **~ … ~** (eben)so … wie; ***~ for, ~ to*** was … (an)betrifft; ***~ from now/tomorrow*** von heute/morgen an *or* ab, ab heute/morgen; ***~ it were*** sozusagen.
as•cend [ə'send] *v/i* (auf-, empor-, hinauf)steigen; *v/t* be-, ersteigen; *river, etc.*: hinauffahren.
as•cen|dan•cy, ~•den•cy [ə'sendənsɪ] *s* Überlegenheit *f*, Einfluss *m*; **~•sion** [~ʃn] *s* Aufsteigen *n* (*esp. ast.*); Aufstieg *m* (*of balloon, etc.*); **2** (***Day***) Himmelfahrt(stag *m*) *f*; **~t** [~t] *s* Aufstieg *m*; Steigung *f*.
as•cer•tain [æsə'teɪn] *v/t* ermitteln.
as•cet•ic [ə'setɪk] *adj* (**~*ally***) asketisch.
ASCII ['æskiː] ***American Standard Code for Information Interchange*** (*standardisierter Code zur Darstellung alphanumerischer Zeichen*).
as•cribe [ə'skraɪb] *v/t* zuschreiben (***to*** *dat*).
a•sep•tic *med.* [æ'septɪk] **1.** *adj* aseptisch, keimfrei; **2.** *s* aseptisches Mittel.
ash[1] [æʃ] *s bot.* Esche *f*; Eschenholz *n*.
ash[2] [~] *s a.* **~*es*** *pl* Asche *f*; **2** ***Wednesday*** Aschermittwoch *m*.
a•shamed [ə'ʃeɪmd] *adj* beschämt; ***be ~ of*** sich schämen für (*or gen*).
ash can *Am.* ['æʃkæn] *s* → ***dustbin.***
ash•en ['æʃn] *adj* Aschen…; aschfahl.
a•shore [ə'ʃɔː] *adj and adv* am *or* ans Ufer *or* Land; ***run ~*** stranden.
ash|tray ['æʃtreɪ] *s* Aschenbecher *m*; **~•y** [~ɪ] *adj* (***-ier, -iest***) → ***ashen.***
A•sia ['eɪʃə] Asien *n*: ***~ Minor*** Kleinasien *n*.
A•sian ['eɪʃn, 'eɪʒn], **A•si•at•ic** [eɪʃɪ'ætɪk] **1.** *adj* asiatisch; **2.** *s* Asiat(in).
a•side [ə'saɪd] *adv* beiseite (*a. thea.*), seitwärts; ***~ from*** *Am.* abgesehen von.
ask [ɑːsk] *v/t* fragen (***s.th.*** nach et.); verlangen (***of, from s.o.*** von *j-m*); bitten (***s.o. [for] s.th.*** *j-n* um et.; ***that*** darum, dass); erbitten; ***~ (s.o.) a question*** (*j-m*) e-e Frage stellen; ***if you ~ me*** wenn du mich fragst; *v/i*: ***~ for*** bitten um; fragen nach; ***he ~ed for it*** *or* ***for trouble*** er wollte es ja so haben; ***to be had for the ~ing*** umsonst zu haben sein.
a•skance [ə'skæns] *adv*: ***look ~ at s.o.*** *j-n* von der Seite ansehen; *j-n* schief *or* misstrauisch ansehen.
a•skew [ə'skjuː] *adv* schief.
a•sleep [ə'sliːp] *adj and adv* schlafend; ***be*** (***fast*** *or* ***sound***) ***~*** (fest) schlafen; ***fall ~*** einschlafen.
as•par•a•gus *bot.* [ə'spærəgəs] *s* Spargel *m*.
as•pect ['æspekt] *s* Lage *f*; Aspekt *m*, Seite *f*, Gesichtspunkt *m*.
as•phalt ['æsfælt] **1.** *s* Asphalt *m*; **2.** *v/t* asphaltieren.

as•pic ['æspɪk] *s* Aspik *m*, Gelee *n*.
as•pi|rant [ə'spaɪərənt] *s* Bewerber(in); **~•ra•tion** [æspə'reɪʃn] *s* Ambition *f*, Bestrebung *f*; **as•pire** [ə'spaɪə] *v/i* streben, trachten (***to, after*** nach).
as•pirin ['æspərɪn] *s* Kopfschmerztablette *f*, Aspirin *n TM*.
ass [æs] *s zo*. Esel *m* (F *a. person*); *Am*. → ***arse***.
as•sail [ə'seɪl] *v/t* angreifen; ***be ~ed with doubts*** von Zweifeln befallen werden; **as•sai•lant** *s* Angreifer(in).
as•sas•sin [ə'sæsɪn] *s* Mörder(in), Attentäter(in); **~•ate** *v/t esp. pol.* ermorden; ***be ~d*** e-m Attentat *or* Mordanschlag zum Opfer fallen; **~•a•tion** [-'neɪʃn] *s* (***of***) *esp*. politischer Mord (an *dat*), Ermordung *f* (*gen*), (geglücktes) Attentat (auf *acc*).
as•sault [ə'sɔːlt] **1.** *s* Angriff *m*; **2.** *v/t* angreifen, überfallen; *jur*. tätlich angreifen *or* beleidigen.
as•say [ə'seɪ] **1.** *s* (Erz-, Metall)Probe *f*; **2.** *v/t* prüfen, untersuchen.
as•sem|blage [ə'semblɪdʒ] *s* (An-) Sammlung *f*; *tech*. Montage *f*; **~•ble** [-bl] *v/t and v/i* (sich) versammeln; *tech*. montieren; **~•bly** [-ɪ] *s* Versammlung *f*, Gesellschaft *f*; *tech*. Montage *f*; ***~ line*** *tech*. Fließband *n*.
as•sent [ə'sent] **1.** *s* Zustimmung *f*; **2.** *v/i* (***to***) zustimmen (*dat*); billigen (*acc*).
as•sert [ə'sɜːt] *v/t* behaupten; geltend machen; ***~ o.s.*** sich behaupten *or* durchsetzen; **as•ser•tion** [ə'sɜːʃn] *s* Behauptung *f*; Erklärung *f*; Geltendmachung *f*.
as•sess [ə'ses] *v/t cost, etc.*: festsetzen; *income*: (zur Steuer) veranlagen (***at*** mit); *fig*. abschätzen, beurteilen; **~•ment** *s* Festsetzung *f*; *of tax*: (Steuer)Veranlagung *f*; *fig*. Einschätzung *f*.
as•set ['æset] *s econ*. Aktivposten *m*; *fig*. Plus *n*, Gewinn *m*; ***~s*** *pl* Vermögen *n*; *econ*. Aktiva *pl*; *jur*. Konkursmasse *f*.
as•sign [ə'saɪn] *v/t* an-, zuweisen; bestimmen; zuschreiben; **as•sig•na•tion** [æsɪg'neɪʃn] *s* Zuteilung *f*, An-, Zuweisung *f*; (*of lovers*: heimliches) Treffen, Stelldichein *n*; **~•ment** *s* Zuteilung *f*, An-, Zuweisung *f*; Aufgabe *f*; Auftrag *m*; *jur*. Übertragung *f*.
as•sim•i|late [ə'sɪmɪleɪt] *v/t and v/i* (sich) angleichen *or* anpassen (***to, with*** *dat*); **~•la•tion** [əsɪmɪ'leɪʃn] *s* Assimilation *f*, Angleichung *f*, Anpassung *f*.
as•sist [ə'sɪst] *v/t j-m* beistehen, helfen, assistieren; unterstützen; ***~ s.o. with s.th.*** *j-m* bei et. helfen; ***~ed living*** *Am*. betreutes Wohnen; **~•ance** *s* Beistand *m*, Hilfe *f*; ***be of ~*** behilflich sein; **as•sis•tant** **1.** *adj* stellvertretend, Hilfs...; **2.** *s* Assistent(in), Mitarbeiter(in); ***shop ~*** *Br*. Verkäufer(in)
as•so•ci|ate **1.** *v/t* [ə'səʊʃɪeɪt] vereinigen, -binden; assoziieren; *v/i*: ***~ with*** verkehren mit; **2.** *adj* [-ʃɪət] verbunden; ***~ member*** außerordentliches Mitglied; **3.** *s* [-ʃɪət] Kolleg|e *m*, -in *f*; Teilhaber(in); **~•a•tion** [əsəʊsɪ'eɪʃn] *s* Vereinigung *f*, Verband *m*; Verein *m*; *psych*. Assoziation *f*; ***~ agreement*** *econ., pol.* Assoziierungsabkommen *n*.
as•sort [ə'sɔːt] *v/t* sortieren, aussuchen, zusammenstellen; **~•ment** *s* Sortieren *n*; *econ*. Sortiment *n*, Auswahl *f*.
as•sume [ə'sjuːm] *v/t* annehmen; vorgeben; übernehmen; **as•sump•tion** [ə'sʌmpʃn] *s* Annahme *f*; Übernahme *f*; (***going***) ***on the ~ that ...*** vorausgesetzt, dass ...; ♀ (***Day***) *eccl*. Mariä Himmelfahrt *f*.
as•sur|ance [ə'ʃʊərəns] *s* Zu-, Versicherung *f*; Zuversicht *f*; Sicherheit *f*, Gewissheit *f*; Selbstsicherheit *f*; (***life***) ***~*** *esp. Br*. (Lebens)Versicherung *f*; **~e** [ə'ʃʊə] *v/t* versichern; *esp. Br., s.o.'s life*: versichern; **~ed** **1.** *adj* (***adv ~ly*** [-rɪdlɪ]) sicher; **2.** *s* Versicherte(r *m*) *f*.
asth•ma *med*. ['æsmə] *s* Asthma *n*.
as•ton•ish [ə'stɒnɪʃ] *v/t* in Erstaunen setzen; ***be ~ed*** erstaunt sein (***at*** über *acc*); **~•ing** *adj* □ erstaunlich; ***~ly*** erstaunlicherweise; **~•ment** *s* (Er)Staunen *n*, Verwunderung *f*; ***to s.o.'s ~*** zu *j-s* Verwunderung.
as•tound [ə'staʊnd] *v/t* verblüffen.
a•stray [ə'streɪ] *adv*: ***go ~*** vom Weg abkommen; *fig*. auf Abwege geraten; irregehen; ***lead ~*** *fig*. irreführen, verleiten; vom rechten Weg abbringen.
a•stride [ə'straɪd] *adv* rittlings (***of*** auf *dat*).
as•trin•gent *med*. [ə'strɪndʒənt] **1.** *adj* □ blutstillend; **2.** *s* blutstillendes Mittel.
as•trol•o•gy [ə'strɒlədʒɪ] *s* Astrologie *f*.
as•tro•naut ['æstrənɔːt] *s* Astronaut(in), (Welt)Raumfahrer(in).

as•tron•o|mer [ə'strɒnəmə] *s* Astronom(in); **as•tro•nom•i•cal** [æstrə'nɒmɪkl] *adj* □ atronomisch (*a. fig.*); **~•my** [ə'strɒnəmɪ] *s* Astronomie *f.*

as•tute [ə'stjuːt] *adj* □ scharfsinnig; schlau; **~•ness** *s* Scharfsinn *m.*

a•sy•lum [ə'saɪləm] *s* Asyl *n*; ***ask for ~*** um Asyl bitten; ***give s.o. ~*** *j-m* Asyl gewähren; ***~ seeker*** Asylbewerber(in), Asylsuchende(r *m*) *f*, Asylant(in).

at [æt, ət] *prp* an; auf; aus; bei; für; in; mit; nach; über; um; von; vor; zu; ***~ school*** in der Schule; ***~ the age of*** im Alter von; ***~-sign*** *Computer*: Klammeraffe *m* (= @).

ate [et] *pret of* **eat** 1.

a•the|is•m ['eɪθɪɪzəm] *s* Atheismus *m*; **~•ist** ['eɪθɪɪst] *s* Atheist(in).

Ath•ens ['æθɪnz] Athen *n.*

ath|lete ['æθliːt] *s* (*esp.* Leicht)Athlet(in); ***~'s foot*** *med.* Fußpilz *m*; **~•let•ic** [æθ'letɪk] *adj* (***~ally***) athletisch; **~•let•ics** *s sg or pl* (*esp.* Leicht)-Athletik *f.*

At•lan•tic [ət'læntɪk] **1.** *adj* atlantisch; **2.** *s a.* ***~ Ocean*** Atlantik *m.*

at•mo|sphere ['ætməsfɪə] *s* Atmosphäre *f* (*a. fig.*); **~•spher•ic** [ætməs'ferɪk] *adj* (***~ally***) atmosphärisch.

at•om ['ætəm] *s* Atom *n*; **~ bomb** *s* Atombombe *f*; **a•tom•ic** [ə'tɒmɪk] *adj* (***~ally***) atomar, Atom…; ***~ age*** Atomzeitalter *n*; ***~ bomb*** Atombombe *f*; ***~ energy*** Atomenergie *f*; ***~ pile*** Atomreaktor *m*; ***~ power*** Atomkraft *f*; ***~-powered*** atomgetrieben; ***~ waste*** Atommüll *m.*

at•om|ize ['ætəmaɪz] *v/t* in Atome auflösen; atomisieren; zerstäuben; **~•iz•er** [˷ə] *s* Zerstäuber *m.*

a•tone [ə'təʊn] *v/i*: ***~ for*** *et.* wieder gutmachen; **~•ment** *s* Buße *f*, Sühne *f.*

a•tro|cious [ə'trəʊʃəs] *adj* □ scheußlich, grässlich; grausam; **~c•i•ty** [ə'trɒsətɪ] *s* Scheußlichkeit *f*, Grässlichkeit *f*; Gräueltat *f*, Gräuel *m.*

at•tach [ə'tætʃ] *v/t* (***to***) anheften, ankleben (an *acc*), befestigen, anbringen (an *dat*); *importance, etc.*: beimessen (*dat*); ***~ o.s. to*** sich anschließen (*dat*) *or* an (*acc*).

at•tach•é *pol.* [ə'tæʃeɪ] *s* Attaché *m*; **~ case** *s* Diplomatenkoffer *m.*

at•tached [ə'tætʃt] *adj* zugetan.

at•tach•ment [ə'tætʃmənt] *s* Befestigung *f*; ***~ for, ~ to*** Bindung *f* an (*acc*); Anhänglichkeit *f* an (*acc*), Neigung *f* zu.

at•tack [ə'tæk] **1.** *v/t* angreifen (*a. fig.*); befallen (*disease*); *job, task, etc.*: in Angriff nehmen; **2.** *s* Angriff *m*; *med.* Anfall *m*; Inangriffnahme *f.*

at•tain [ə'teɪn] *v/t aim, rank, etc.*: erreichen, erlangen; **~•ment** *s* Erlangen *n*; ***~s*** *pl* Kenntnisse *pl*, Fertigkeiten *pl.*

at•tempt [ə'tempt] **1.** *v/t* versuchen; **2.** *s* Versuch *m*; Attentat *n.*

at•tend [ə'tend] *v/t* begleiten; bedienen; pflegen; *med.* behandeln; *meeting, etc.*: anwesend sein bei, teilnehmen an (*dat*), *school, etc.*: besuchen; *lecture, etc.*: hören; *v/i* aufpassen; achten, hören (***to*** auf *acc*); ***~ to*** erledigen; **~•ance** *s* Begleitung *f*; Pflege *f*; *med.* Behandlung *f*; Anwesenheit *f* (***at*** bei); Besuch *m* (*of school, etc.*); Besucher(zahl *f*) *pl*; **~•ant** *s* Aufseher(in); Bedienungsperson *f.*

at•ten|tion [ə'tenʃn] *s* Aufmerksamkeit *f*; **~•tive** [˷tɪv] *adj* □ aufmerksam.

at•tic ['ætɪk] *s* Dachboden *m*; Dachstube *f*; Mansarde *f.*

at•ti•tude ['ætɪtjuːd] *s* (Ein)Stellung *f*; Haltung *f.*

attn ***attention*** (***of***) zu Händen (von).

at•tor•ney *jur.* [ə'tɜːnɪ] *s* Bevollmächtigte(r) *m*; *Am.* Rechtsanwalt *m*; ***power of ~*** Vollmacht *f*; ***♀ General*** *Br.* erster Kronanwalt; *Am.* Justizminister *m.*

at•tract [ə'trækt] *v/t* anziehen, *attention*: erregen; *fig.* reizen; **at•trac•tion** [˷kʃn] *s* Anziehung(skraft) *f*, Reiz *m*; Attraktion *f*, *thea., etc.*: Zugnummer *f*, -stück *n*; **at•trac•tive** [˷tɪv] *adj* anziehend; attraktiv; reizvoll; **at•trac•tive•ness** *s* Reiz *m.*

at•trib•ute[1] [ə'trɪbjuːt] *v/t* beimessen, zuschreiben; zurückführen (***to*** auf *acc*).

at•tri•bute[2] ['ætrɪbjuːt] *s* Attribut *n* (*a. gr.*), Eigenschaft *f*, Merkmal *n.*

at•tune [ə'tjuːn] *v/t*: ***~ to*** *fig.* einstellen auf (*acc*).

au•burn ['ɔːbən] *adj* kastanienbraun.

auc|tion ['ɔːkʃn] **1.** *s* Auktion *f*; ***sell by*** (*Am.* ***at***) ***~*** versteigern; ***put up for*** (*Am.* ***at***) ***~*** zur Versteigerung anbieten; **2.** *v/t mst* ***~ off*** versteigern; **~•tio•neer** [ɔːkʃə'nɪə] *s* Auktionator *m.*

au•da|cious [ɔː'deɪʃəs] *adj* □ kühn; dreist; **~c•i•ty** [ɔː'dæsətɪ] *s* Kühnheit *f*; Dreistigkeit *f*.
au•di•ble ['ɔːdəbl] *adj* □ hörbar.
au•di•ence ['ɔːdɪəns] *s* Publikum *n*, Zuhörer(schaft *f*) *pl*, Zuschauer *pl*, Besucher *pl*, Leser(kreis *m*) *pl*; Audienz *f*; ***give ~ to*** Gehör schenken (*dat*).
au•di•o|cas•sette [ɔːdɪəʊkə'set] *s* Tonkassette *f*; **~-vis•u•al** [ɔːdɪəʊ'vɪʒʊəl] *adj*: ~ ***aids*** *pl* audiovisuelle Unterrichtsmittel *pl*.
au•dit *econ*. ['ɔːdɪt] **1.** *s* Bücherrevision *f*; **2.** *v/t accounts*: prüfen; **au•di•tor** *s* (Zu)Hörer(in); *econ*. Bücherrevisor *m*, Buchprüfer *m*; **au•di•to•ri•um** [ɔːdɪ'tɔːrɪəm] *s* Zuschauerraum *m*; *Am*. Vortrags-, Konzertsaal *m*.
au•ger *tech*. ['ɔːgə] *s* (großer) Bohrer.
aug•ment [ɔːg'ment] *v/t* vergrößern.
au•gur ['ɔːgə] *v/i*: ~ ***ill*** (***well***) ein schlechtes (gutes) Zeichen *or* Omen sein (***for*** für).
au•gust[2] [ɔː'gʌst] *adj* □ erhaben.
Au•gust[1] ['ɔːgəst] *s* August *m*.
aunt [ɑːnt] *s* Tante *f*; **~•ie, ~•y** F ['ɑːntɪ] *s* Tantchen *n*.
aus|pic•es ['ɔːspɪsɪz] *s pl* Schirmherrschaft *f*; *prospects*: Vorzeichen *pl*; **~•pi•cious** [ɔː'spɪʃəs] *adj* □ günstig.
aus|tere [ɒ'stɪə] *adj* □ streng; herb; hart; einfach; **~•ter•i•ty** [ɒ'sterətɪ] *s* Strenge *f*; Härte *f*; Einfachheit *f*; *econ*., *pol*. ~ ***program***(***me***) Sparprogramm *n*.
Aus•tra•lia [ɒ'streɪlɪə] Australien *n*.
Aus•tra•li•an [ɒ'streɪlɪən] **1.** *adj* australisch; **2.** *s* Australier(in).
Aus•tria ['ɒstrɪə] Österreich *n*.
Aus•tri•an ['ɒstrɪən] **1.** *adj* österreichisch; **2.** *s* Österreicher(in).
au•then•tic [ɔː'θentɪk] *adj* (**~*ally***) authentisch; zuverlässig; echt.
au•thor ['ɔːθə] *s* Urheber(in); Autor(in), Verfasser(in); **~•i•ta•tive** [ɔː'θɒrɪtətɪv] *adj* □ maßgebend; gebieterisch; zuverlässig; *official*: amtlich; **~•i•ty** [~rətɪ] *s* Autorität *f*; (Amts)Gewalt *f*; Nachdruck *m*, Gewicht *n*; Vollmacht *f*; Einfluss *m* (***over*** auf *acc*); Ansehen *n*; Quelle *f*; Fachmann *m*; *mst* ***authorities*** *pl* Behörde *f*; **~•ize** ['ɔːθəraɪz] *v/t j-n* autorisieren, ermächtigen, bevollmächtigen, berechtigen; *et*. gutheißen; **~•ship** [~ʃɪp] *s* Urheberschaft *f*.
au•to•graph ['ɔːtəgrɑːf] *s* Autogramm *n*.
au•to•mat *TM* ['ɔːtəmæt] *s* Automatenrestaurant *n* (*esp. in the USA*).
au•to|mate ['ɔːtəmeɪt] *v/t* automatisieren; **~•mat•ic** [ɔːtə'mætɪk] **1.** *adj* (**~*ally***) automatisch; **2.** *s* Selbstladepistole *f*, -gewehr *n*; *mot*. Auto *n* mit Automatik; **~•ma•tion** [~'meɪʃn] *s* Automation *f*; **~m•a•ton** *fig*. [ɔː'tɒmətən] *s* (*pl* ***-ta*** [-tə], ***-tons***) Roboter *m*, Automat *m*.
au•to•mo•bile *esp*. *Am*. ['ɔːtəməbiːl] *s* Auto *n*, Automobil *n*.
au•ton•o•my [ɔː'tɒnəmɪ] *s* Autonomie *f*.
au•tumn ['ɔːtəm] *s* Herbst *m*; **au•tum•nal** [ɔː'tʌmnəl] *adj* □ herbstlich, Herbst…
aux•il•i•a•ry [ɔːg'zɪlɪərɪ] *adj* Hilfs…, zusätzlich; ~ ***verb*** *gr*. Hilfsverb *n*.
av. ***average*** Durchschnitt *m*; Havarie *f*.
a•vail [ə'veɪl] **1.** *v/t*: ~ ***o.s. of*** sich *e-r Sache* bedienen, *et*. nutzen; **2.** *s* Nutzen *m*; ***of*** *or* ***to no*** ~ nutzlos; **a•vai•la•ble** [~əbl] *adj* □ verfügbar, vorhanden; *econ*. lieferbar, vorrätig, erhältlich.
av•a•lanche ['ævəlɑːnʃ] *s* Lawine *f*.
av•a|rice ['ævərɪs] *s* Habsucht *f*; **~•ri•cious** [ævə'rɪʃəs] *adj* □ habgierig.
Ave ***Avenue*** Alle *f*, Straße *f*.
a•venge [ə'vendʒ] *v/t* rächen; **a•veng•er** [~ə] *s* Rächer(in).
av•e•nue ['ævənjuː] *s* Allee *f*; Boulevard *m*, Prachtstraße *f*.
av•e•rage ['ævərɪdʒ] **1.** *s* Durchschnitt *m*; *mar*. Havarie *f*; ***on*** (***the*** *or* ***an***) ~ im Durchschnitt, durchschnittlich; **2.** *adj* □ durchschnittlich, Durchschnitts…; **3.** *v/t* durchschnittlich betragen (ausmachen, haben, leisten, erreichen *etc*.); *a*. ~ ***out*** den Durchschnitt (*gen*) ermitteln.
a•verse [ə'vɜːs] *adj* □ abgeneigt (***to*** *dat*); **a•ver•sion** [~ʃn] *s* Widerwille *m*, Abneigung *f*.
a•vert [ə'vɜːt] *v/t* abwenden (*a. fig*.).
a•vi•an flu [eɪvɪən'fluː] *s vet*., *med*. Vogelgrippe *f*.
a•vi•a•tion *aer*. [eɪvɪ'eɪʃn] *s* Luftfahrt *f*.
av•id ['ævɪd] *adj* □ gierig (***for*** nach); begeistert, passioniert.
a•void [ə'vɔɪd] *v/t* (ver)meiden; ausweichen; **~•ance** [~əns] *s* Vermeidung *f*.
a•wait [ə'weɪt] *v/t* erwarten (*a. fig*.).
a•wake [ə'weɪk] **1.** *adj* wach, munter; ***be***

~ to sich *e-r Sache* (voll) bewusst sein; **2.** *v/t* (***awoke*** *or* ***awaked, awaked*** *or* ***awoken***) (auf)wecken; **~ *s.o. to s.th.*** *j-m* et. zum Bewusstsein bringen; *v/i* auf-, erwachen; **a•wak•en** [₋ən] → ***awake*** 2; **a•wak•en•ing** [₋ənɪŋ] *s* Erwachen *n*.

a•ward [ə'wɔːd] **1.** *s* Belohnung *f*; Preis *m*, Auszeichnung *f*; **2.** *v/t* zuerkennen; *prize, etc.*: verleihen.

a•ware [ə'weə] *adj*: ***be ~ of s.th.*** von et. wissen, sich e-r Sache bewusst sein; ***become ~ of s.th.*** e-r Sache gewahr werden, et. merken.

a•way [ə'weɪ] *adj and adv* (hin)weg, fort; entfernt; immer weiter, d(a)rauflos; *sports*: auswärts; **~ (*game*)** Auswärtsspiel *n*; **~ (*win*)** Auswärtssieg *m*.

awe [ɔː] **1.** *s* Ehrfurcht *f*, Scheu *f*, Furcht *f*; **2.** *v/t* (Ehr)Furcht einflößen (*dat*).

aw•ful ['ɔːfl] *adj* □ furchtbar, schrecklich.

awk•ward ['ɔːkwəd] *adj* □ ungeschickt, unbeholfen, linkisch; unangenehm; *inconvenient*: dumm, ungünstig.

aw•ning ['ɔːnɪŋ] *s* Plane *f*; Markise *f*.

a•woke [ə'wəuk] *pret of* ***awake*** 2; **a•wok•en** [₋ən] *pp of* ***awake*** 2.

a•wry [ə'raɪ] *adj and adv* schief; *fig.* verkehrt.

ax(e) [æks] *s* Axt *f*, Beil *n*.

ax•is ['æksɪs] *s* (*pl* ***-es*** [-siːz]) Achse *f*.

ax•le *tech.* ['æksl] *s a.* ***~-tree*** (Rad-)Achse *f*, Welle *f*.

ay(e) [aɪ] *s* Ja *n*; *parl.* Jastimme *f*; ***the ~s have it*** der Antrag ist angenommen.

A•zores [ə'zɔːz] *pl die* Azoren *pl*.

az•ure ['æʒə] *adj* azur-, himmelblau.

Chemistry - Scientific study of matter
Matter is anything that occupies space
3 Basic Forms of Matter:
Solids - matter with definete weight, volume and shape
Gases - matter with definite weight, but no volume or shape.
Liquids - matter with definite weight and volume but no shape

B

B & B ***bed and breakfast*** Übernachtung *f* mit Frühstück.

BA ***Bachelor of Arts*** Bakkalaureus *m* der Philosophie; ***British Airways*** *British airline*.

bab•ble ['bæbl] **1.** *v/t and v/i* stammeln; plappern, schwatzen; *of stream*: plätschern; **2.** *s* Geplapper *n*, Geschwätz *n*.

babe [beɪb] *s* kleines Kind, Baby *n*; *Am.* (*young woman*) F Kleine *f*, Schatz *m*.

ba•by ['beɪbɪ] **1.** Säugling *m*, kleines Kind, Baby *n*; *Am.* (*young woman*) F Kleine *f*, Schatz *m*, Liebling *m*; **2.** *adj* Baby…, Kinder…; klein; **~ car•riage** *s Am.* Kinderwagen *m*; **~•gro** *TM* ['₋grəu] *s* (*pl* ***-gros***) Strampelhose *f*; **~•hood** *s* frühe Kindheit, Säuglingsalter *n*; **~-mind•er** *s Br.* Tagesmutter *f*; **~-sit** *v/i* (***-tt-***; ***-sat***) babysitten; **~-sit•ter** *s* Babysitter(in).

bach•e•lor ['bætʃələ] *s* Junggeselle *m*; *univ. degree*: Bakkalaureus *m*.

back [bæk] **1.** *s* Rücken *m*; Rückseite *f*; Rücklehne *f*; Hinterende *n*; *soccer*: Verteidiger *m*; **2.** *adj* Hinter…, Rück…, hintere(r, -s), rückwärtig; entlegen; rückläufig; rückständig; *newspaper, etc.*: alt, zurückliegend; **3.** *adv* zurück; rückwärts; **4.** *v/t* (*a.* **~ *up***) helfen (*dat*), unterstützen; hinten grenzen an (*acc*); *car*: zurückbewegen, zurückstoßen mit; wetten *or* setzen auf (*acc*); *econ. cheque*: indossieren; *v/i* sich rückwärts bewegen, zurückgehen *or* -treten *or* -fahren, *mot. a.* zurückstoßen; **~•ache** *s* Rückenschmerzen *pl*; **~•bench•er** *s pol.* Hinterbänkler(in); **~•bite** *v/t* (***-bit, -bitten***) verleumden; **~•bone** *s* Rückgrat *n*; **~•break•ing** *adj of work*: zermürbend, mörderisch; **~•comb** *v/t hair*: toupieren; **~•date** *v/t bill, etc.*: zurückdatieren; **~•er** *s* Unterstützer(in); Wetter(in); **~•fire**; **1.** *s mot.* Früh-, Fehlzündung *f*; **2.** *v/i mot.* fehlzünden; *fig.* F ins Auge gehen; **~•ground** *s* Hintergrund *m*; **~•hand** *s sports*: Rückhand *f*; **~•ing** *s* Unterstützung *f*; *tech.* Verstärkung *f*; *mus.* Begleitung *f*; **~•list** *s publishing*: Backlist *f*, Verzeichnis *n* lieferbarer Titel; **~•pack** *s* Rucksack *m*; **~•pack•er** *s* Rucksacktourist(in); **~•pack•ing** *s* Rucksacktourismus *m*; **~ seat** *s* Rücksitz *m*; **~•side** *s* Gesäß *n*, F Hintern *m*, Po *m*; **~ stairs** *s pl* Hintertreppe *f*; **~ street** *s* Seitenstraße *f*; **~•stroke** *s sports*: Rückenschwimmen *n*; **~ talk** *s Am.* F freche Antwort(en *pl*); **~•track** *v/i fig.* e-n Rückzieher machen; **~-up** ['bækʌp] *s computer*: Sicherheitskopie *f*; **~-up disk** *s computer*: Sicherungsdiskette *f*; **~•ward**; **1.** *adj* Rück(wärts)…, rückwärtsgerichtet; langsam; zurückgeblieben; rückständig; zurückhaltend; **2.** *adv* (*a.* **~•wards**) rückwärts, zurück; **~•yard** *s Br.* Hinterhof *m*; *Am.* Garten *m* hinter dem Haus.

ba•con ['beɪkən] *s* Speck *m*; ***bring home the ~*** F *co.* die Brötchen verdienen.

bac•te•ri•a *biol.* [bæk'tɪərɪə] *s pl* Bakterien *pl*.

bad [bæd] *adj* □ (***worse, worst***) schlecht, böse, schlimm; ***go ~*** schlecht werden, verderben; (***that's***) ***too ~!*** Pech!; ***he is in a ~ way*** es geht ihm schlecht, er ist übel dran; ***he is ~ly off*** es geht ihm sehr schlecht; ***~ly wounded*** schwer verwundet; ***want ~ly*** F dringend brauchen.

bade [beɪd] *pret of* ***bid*** 1.

badge [bædʒ] *s* Abzeichen *n*; Dienstmarke *f*.

bad•ger ['bædʒə] **1.** *s zo.* Dachs *m*; **2.** *v/t* plagen, *j-m* zusetzen.

bad hair day [bæd'heədeɪ] *s* F Scheißtag *m*, *Tag, an dem alles schiefgeht*.

baf•fle ['bæfl] *v/t j-n* verwirren; *plan, etc.*: vereiteln, durchkreuzen.

bag [bæg] **1.** *s* Tasche *f*; Beutel *m*, Sack *m*; Tüte *f*; ***~ and baggage*** (mit) Sack und Pack; **2.** *v/t* (**-gg-**) in e-n Beutel *etc.* tun *or* verpacken *or* abfüllen; *hunt.* zur Strecke bringen; (*v/i* sich) bauschen.

bag•gage *esp. Am.* ['bægɪdʒ] *s* (Reise-) Gepäck *n*; **~ car** *s rail.* Gepäckwagen *m*; **~ check** *s Am.* Gepäckschein *m*; **~ room** *s Am.* Gepäckaufbewahrung *f*.

bag•gy F ['bægɪ] *adj* (**-ier, -iest**) sackartig; schlaff (herunterhängend); *of trousers*: ausgebeult.

bag•pipes ['bægpaɪps] *s pl* Dudelsack *m*.

Ba•ha•mas [bə'hɑːməz] *pl die* Bahamas *pl*.

bail [baɪl] **1.** *s* Bürge *m*; Bürgschaft *f*; Kaution *f*; ***admit to ~*** *jur.* gegen Kaution frei lassen; ***go*** *or* ***stand ~ for s.o.*** *jur.* für *j-n* Kaution stellen; **2.** *v/t*: ***~ out*** *jur. j-n* gegen Kaution frei bekommen; *v/i*: ***~ out*** *Am. aer.* (mit dem Fallschirm) abspringen.

bai•liff ['beɪlɪf] *s jur. Br.* Gerichtsvollzieher *m*, *Am.* Gerichtsdiener; (Guts-) Verwalter *m*.

bait [beɪt] **1.** *s* Köder *m* (*a. fig.*); **2.** *v/t* mit e-m Köder versehen; *fig.* ködern; *fig. torment*: quälen, piesacken.

bake [beɪk] *v/t* backen, im (Back)Ofen braten; *bricks*: brennen; dörren; ***~d beans*** *pl* Bohnen *pl* in Tomatensoße; ***~d potatoes*** *pl* ungeschälte, gebackene Kartoffeln; *appr.* Folienkartoffeln *pl*; **bak•er** *s* Bäcker *m*; **bak•er•y** *s* Bäckerei *f*; **bak•ing-pow•der** *s* Backpulver *n*.

bal•ance ['bæləns] **1.** *s* Waage *f*; Gleichgewicht *n* (*a. fig.*); Harmonie *f*; *econ.* Bilanz *f*; *econ.* Saldo *m*, Kontostand *m*, Guthaben *n*; F Rest *m*; ***be*** *or* ***hang in the ~*** *fig.* in der Schwebe sein; ***keep one's ~*** das Gleichgewicht halten; ***lose one's ~*** das Gleichgewicht verlieren; *fig.* die Fassung verlieren; ***~ of payments*** *econ.* Zahlungsbilanz *f*; ***~ of power*** *pol.* Kräftegleichgewicht *n*; ***~ of trade*** (Außen)Handelsbilanz *f*; **2.** *v/t* (ab-, er)wägen; im Gleichgewicht halten, balancieren; ausgleichen; *v/i* balancieren; sich ausgleichen; **~ sheet** *s econ.* Bilanz *f*.

bal•co•ny ['bælkənɪ] *s* Balkon *m* (*a. thea.*).

bald [bɔːld] *adj* □ kahl; *fig.* dürftig; *fig.* unverblümt.

bale[1] *econ.* [beɪl] *s* Ballen *m*.

bale[2] *Br. aer.* [~] *v/i*: ***~ out*** (mit dem Fallschirm) abspringen.

bale•ful ['beɪlfl] *adj* □ verderblich; unheilvoll; *look*: hasserfüllt.

balk [bɔːk] **1.** *s* Balken *m*; Hindernis *n*; **2.** *v/t* (ver)hindern, vereiteln; *v/i* stutzen; scheuen (***at*** vor *dat*).

Bal•kans ['bɔːlkənz] *pl der* Balkan.

ball[1] [bɔːl] **1.** *s* Ball *m*; Kugel *f*; *anat.* (Hand-, Fuß)Ballen *m*; Knäuel *m*, *n*; Kloß *m*; ***~s*** *pl* V Eier *pl*; ***be on the ~*** F auf Draht sein; ***keep the ~ rolling*** das Gespräch *or* die Sache in Gang halten; ***play ~*** F mitmachen; **2.** *v/t and v/i* (sich) (zusammen)ballen.

ball[2] [~] *s* Ball *m*, Tanzveranstaltung *f*.

bal•lad ['bæləd] *s* Ballade *f*; Lied *n*.

bal•last ['bæləst] **1.** *s* Ballast *m*; Schotter *m*; **2.** *v/t* mit Ballast beladen.

ball-bear•ing *tech.* [bɔːl'beərɪŋ] *s* Kugellager *n*.

bal•let ['bæleɪ] *s* Ballett *n*.

ball game ['bɔːlgeɪm] *s* Ballspiel *n*; *Am.*

Baseballspiel *n*; F *fig.* Sache *f*, Chose *f*.
bal•lis•tics *mil., phys.* [bə'lɪstɪks] *s sg* Ballistik *f*.
bal•loon [bə'lu:n] **1.** *s* Ballon *m*; **2.** *v/i* im Ballon aufsteigen; sich blähen.
bal•lot ['bælət] **1.** *s* Wahl-, Stimmzettel *m*; geheime Wahl; **2.** *v/i* (geheim) abstimmen; **~ *for*** losen um; **~-box** *s* Wahlurne *f*.
ball-point (pen) ['bɔ:lpɔɪnt('pen)] *s* Kugelschreiber *m*.
ball•room ['bɔ:lrʊm] *s* Ball-, Tanzsaal *m*.
balm [bɑ:m] *s* Balsam *m* (*a. fig.*).
balm•y ['bɑ:mɪ] *adj* □ (***-ier, -iest***) *weather*: lind, mild; *sl.* bekloppt, verrückt.
ba•lo•ney *sl.* [bə'ləʊnɪ] *s* Quatsch *m*.
Bal•tic Sea [ˌbɔ:ltɪk'si:] *die* Ostsee.
bal•us•trade [bælə'streɪd] *s* Balustrade *f*, Brüstung *f*, Geländer *n*.
bam•boo *bot.* [bæm'bu:] *s* (*pl* ***-boos***) Bambus(rohr *n*) *m*.
bam•boo•zle F [bæm'bu:zl] *v/t* betrügen, übers Ohr hauen.
ban [bæn] **1.** *s* (amtliches) Verbot, Sperre *f*; *eccl.* Bann *m*; **2.** *v/t* (***-nn-***) verbieten.
ba•nal [bə'nɑ:l] *adj* banal, abgedroschen.
ba•na•na *bot.* [bə'nɑ:nə] Banane *f*; F ***be ~s*** F beknackt *or* bescheuert sein; F ***go ~s*** F durchdrehen, ausflippen.
band [bænd] **1.** *s* Band *n*; Streifen *m*; Schar *f*, Gruppe *f*; *criminals*: Bande *f*; *mus.* Kapelle *f*, (Tanz-, Unterhaltungs)Orchester *n*, (Jazz-, Rock)Band *f*; **2.** *v/i*: ***~ together*** sich zusammentun *or* zusammenrotten.
ban•dage ['bændɪdʒ] **1.** *s* Binde *f*; Verband *m*; **2.** *v/t* bandagieren; verbinden.
ban•dit ['bændɪt] *s* Bandit *m*.
band•wa•gon *Am.* ['bændwægən] *s* Wagen *m* mit Musikkapelle; *a. Br.* ***jump on the ~*** *fig.* mitmachen, sich anhängen.
ban•dy[1] ['bændɪ] *v/t*: ***~ words*** sich streiten (***with*** mit); ***~ about*** *rumours, etc.*: in Umlauf setzen *or* weitererzählen.
ban•dy[2] [~] *adj* (***-ier, -iest***) krumm; **~-legged** *adj* säbel-, O-beinig.
bang [bæŋ] **1.** *s* heftiger Schlag; Knall *m*; *mst* ***~s*** *pl* Ponyfrisur *f*; **2.** *v/t and v/i* dröhnend (zu)schlagen; *sl. have sex*: F bumsen.
ban•ish ['bænɪʃ] *v/t* verbannen; **~•ment** *s* Verbannung *f*.
ban•is•ter ['bænɪstə] *s mst* ***~s*** *pl* Treppengeländer *n*.
bank [bæŋk] **1.** *s* Damm *m*; Ufer *n*; *of sand, clouds*: Bank *f*; *econ.* Bank(haus *n*) *f*; ***~ of issue*** Notenbank *f*; **2.** *v/t* eindämmen; *econ. money*: auf e-r Bank einzahlen; *v/i econ.* Bankgeschäfte machen; *econ.* ein Bankkonto haben; ***~ on*** sich verlassen auf (*acc*); **~-bill** *s Br.* Bankwechsel *m*; *Am.* → ***banknote***; **~-book** *s* Kontobuch *n*, *a.* Sparbuch *n*; **~•card** *s* Scheckkarte *f*; **~•er** *s* Bankier *m*, F Banker *m*; ***~'s card*** → ***bankcard***; **~ hol•i•day** *s* gesetzlicher Feiertag; **~•ing** *s* Bankgeschäft *n*, Bankwesen *n*; *attr* Bank…; **~•note** *s* Banknote *f*, Geldschein *m*; **~ rate** *s* Diskontsatz *m*; **~-rob•ber** *s* Bankräuber *m*.
bank•rupt *jur.* ['bæŋkrʌpt] **1.** *s* Zahlungsunfähige(r *m*) *f*; **2.** *adj* bankrott, zahlungsunfähig; ***go ~*** in Konkurs gehen, Bankrott machen; **3.** *v/t* Bankrott machen; **~•cy** *jur.* [~sɪ] *s* Bankrott *m*, Konkurs *m*; ***go into ~*** in Konkurs gehen, Bankrott machen; ***~ proceedings*** *pl* Konkursverfahren *n*.
ban•ner ['bænə] *s* Banner *n*; Fahne *f*.
banns [bænz] *s pl* Aufgebot *n*.
ban•quet ['bæŋkwɪt] *s* Bankett *n*, Festessen *n*.
ban•ter ['bæntə] *v/t* necken.
bap|tis•m ['bæptɪzəm] *s* Taufe *f*; **~•tize** [bæp'taɪz] *v/t* taufen.
bar [bɑ:] **1.** *s* Stange *f*, Stab *m*; Barren *m*; Riegel *m*; Schranke *f*; Sandbank *f*; (Ordens)Spange *f*; *mus.* Takt(strich) *m*; dicker Strich; *jur.* (Gerichts-) Schranke *f*; *jur.* Anwaltschaft *f*; Bar *f* (*in hotel, etc.*); *fig.* Hindernis *n*; **2.** *v/t* (***-rr-***) verriegeln; versperren; einsperren; (ver)hindern; ausschließen.
barb [bɑ:b] *s* Widerhaken *m*.
bar•bar•i•an [bɑ:'beərɪən] **1.** *adj* barbarisch; **2.** *s* Barbar(in).
bar•be•cue ['bɑ:bɪkju:] **1.** *s* Bratrost *m*, Grill *m*; Grillfleisch *n*; Grillparty *f*; **2.** *v/t* grillen.
barbed wire [bɑ:bd'waɪə] *s* Stacheldraht *m*.
bar•ber ['bɑ:bə] *s* (Herren)Friseur *m*.
bar•code ['bɑ:kəʊd] *s* Strichkode *m*.
bare [beə] **1.** *adj* (***~r, ~st***) nackt, bloß; kahl; bar, leer; **2.** *v/t* entblößen; **~•faced** *adj* frech; **~•foot(•ed)** *adj* barfuß; **~•ly** *adj* kaum.

bar•gain ['bɑːgɪn] **1.** *s* Vertrag *m*, Abmachung *f*; Geschäft *n*, Handel *m*, Kauf *m*; guter Kauf, F Schnäppchen *n*; ***strike a ~*** sich einigen; ***it's a ~!*** abgemacht!; ***into the ~*** obendrein; **2.** *v/i* (ver)handeln; übereinkommen; **~ price** *s* Sonderpreis *m*; **~ sale** *s* Ausverkauf *m*.

barge [bɑːdʒ] **1.** *s* Flussboot *n*, Lastkahn *m*; Hausboot *n*; **2.** *v/i*: **~ *in*(*to*)** hereinplatzen (in *acc*).

bark[1] [bɑːk] **1.** *bot.* Borke *f*, Rinde *f*; **2.** *v/t* abrinden; *knee, etc.*: sich abschürfen.

bark[2] [~] **1.** *v/i* bellen; ***~ up the wrong tree*** F auf dem Holzweg sein; an der falschen Adresse sein; **2.** *s* Bellen *n*.

bar•ley *bot.* ['bɑːlɪ] *s* Gerste *f*; Graupe *f*.

barn [bɑːn] *s* Scheune *f*; (Vieh)Stall *m*; **~•storm** ['bɑːnstɔːm] *v/i of actor*: (herum)tingeln; *Am. pol.* herumreisen u. (Wahl)Reden halten.

ba•rom•e•ter [bə'rɒmɪtə] *s* Barometer *n*.

bar•on ['bærən] *s* Baron *m*; Freiherr *m*; **~•ess** [~ɪs] *s* Baronin *f*; Freifrau *f*.

bar•racks ['bærəks] *s sg mil.* Kaserne *f*; *contp.* Mietskaserne *f*.

bar•rage ['bærɑːʒ] *s* Staudamm *m*; *mil.* Sperrfeuer *n*; *fig.* Hagel *m*, (Wort-, Rede)Schwall *m*.

bar•rel ['bærəl] **1.** *s* Fass *n*, Tonne *f*; *of gun*: Lauf *m*; *tech.* Trommel *f*, Walze *f*; **2.** *v/t* in Fässer füllen; **~•or•gan** *s mus.* Drehorgel *f*.

bar•ren ['bærən] *adj* □ unfruchtbar; dürr, trocken; *discussion*: fruchtlos.

bar•ri•cade [bærɪ'keɪd] **1.** *s* Barrikade *f*; **2.** *v/t* verbarrikadieren; sperren.

bar•ri•er ['bærɪə] *s* Schranke *f* (*a. fig.*), Barriere *f*, Sperre *f*; Hindernis *n*; **~s** *pl* ***to trade*** *econ.* Handelsschranken *pl*, -hemmnisse *pl*.

bar•ris•ter *Br. jur.* ['bærɪstə] *s* Rechtsanwalt *m*, -anwältin *f*, Barrister *m*.

bar•row ['bærəʊ] *s* Karre *f*.

bar•ter ['bɑːtə] **1.** *s* Tausch(handel) *m*; **2.** *v/t* tauschen (***for*** gegen); **~ exchange** *s* Tauschbörse *f*.

base[1] [beɪs] *adj* □ (***~r, ~st***) gemein.

base[2] [~] **1.** *s* Basis *f*; Grundlage *f*; Fundament *n*; Fuß *m*; *chem.* Base *f*; *mil.* Standort *m*, Stützpunkt *m*; **2.** *v/t* gründen, stützen (***on, upon*** auf *acc*).

base|ball ['beɪsbɔːl] *s* Baseball(spiel *n*) *m*; **~•less** *adj* grundlos; **~•line** *s sports*: Grundlinie *f*; **~•ment** *s* Fundament *n*; Kellergeschoss *n*.

base•ness ['beɪsnɪs] *s* Gemeinheit *f*.

bash•ful ['bæʃfl] *adj* □ schüchtern.

ba•sic[1] ['beɪsɪk] **1.** *adj* grundlegend, wesentlich, Grund…, Haupt…; *chem.* basisch; ♀ ***Law*** *pol. German constitution*: Grundgesetz *n*; **2.** *s*: **~s** *pl* Grundlagen *pl*.

BA•SIC[2] [~] *s computer*: BASIC *n*.

ba•sic•al•ly ['beɪsɪklɪ] *adv* im Grunde.

ba•sin ['beɪsn] *s* Becken *n*, Schale *f*, Schüssel *f*; Talkessel *m*; Hafenbecken *n*.

ba•sis ['beɪsɪs] *s* (*pl* **-ses** [-siːz]) Basis *f*; Grundlage *f*.

bask [bɑːsk] *v/i* sich sonnen (*a. fig.*).

bas•ket ['bɑːskɪt] *s* Korb *m*; **~•ball** *s* Basketball(spiel *n*) *m*.

Basle [bɑːl] Basel *n*.

bass[1] *mus.* [beɪs] *s* Bass *m*.

bass[2] *zo.* [bæs] *s* (Fluss-, See)Barsch *m*.

bas•tard ['bɑːstəd] **1.** *adj* □ unehelich; unecht; Bastard…; **2.** *s* Bastard *m*.

bat[1] *zo.* [bæt] *s* Fledermaus *f*; ***as blind as a ~*** stockblind.

bat[2] [~] *sports* **1.** *s* Schlagholz *n*, Schläger *m*; **2.** *v/i* (**-*tt*-**) schlagen; am Schlagen *or* dran sein.

batch [bætʃ] *s* Schub *m* (*of loaves*); Stoß *m*, Stapel *m* (*of letters, work*), F Schwung *m* (*of people*).

bat•ed [beɪtɪd] *adj*: ***with ~ breath*** mit angehaltenem Atem.

bath [bɑːθ] **1.** *s* (*pl* ***baths*** [~ðz]) (Wannen)Bad *n*; ***have a ~*** *Br.*, ***take a ~*** *Am.* baden, ein Bad nehmen; **~s** *pl* Bad *n*; Badeanstalt *f*; Badeort *m*; **2.** *v/t Br. child, etc.*: baden; *v/i* baden, ein Bad nehmen.

bathe [beɪð] *v/t wound, etc.*: baden (*esp. Am. a. child, etc.*); *v/i* baden; schwimmen; *esp. Am.* baden, ein Bad nehmen.

bath•ing ['beɪðɪŋ] *s* Baden *n*; *attr* Bade…; **~-suit** *s* Badeanzug *m*.

bath|robe ['bɑːθrəʊb] *s* Bademantel *m*; *Am.* Morgen-, Schlafrock *m*; **~•room** *s* Badezimmer *n*; **~•tow•el** *s* Badetuch *n*; **~•tub** *s* Badewanne *f*.

bat•on ['bætən] *s* Stab *m*; *mus.* Taktstock *m*; Schlagstock *m*, Gummiknüppel *m*.

bat•ten ['bætn] *s* Latte *f*.

bat•ter ['bætə] **1.** *s sports*: Schläger *m*; *cooking*: Rührteig *m*; **2.** *v/t* heftig schlagen; *wife, child, etc.*: misshandeln; **~ *down*** *or* ***in*** *door*: einschlagen.

bat•ter•y ['bætərɪ] *s* Batterie *f*; **~ farming** *s* Massentierhaltung *f*; **~-op•erat•ed** *adj* batteriebetrieben.

bat•tle ['bætl] **1.** *s* Schlacht *f* (***of*** bei); **2.** *v/i* streiten, kämpfen; **~•ax(e)** *s* Streitaxt *f*; F *woman*: alter Drachen; **~•field, ~•ground** *s* Schlachtfeld *n*; **~•ship** *s mil.* Schlachtschiff *n*.

baulk [bɔːk] → ***balk.***

Ba•var•ia [bə'veərɪə] Bayern *n*.

Ba•var•i•an [bə'veərɪən] **1.** *adj* bay(e)risch; **2.** *s* Bayer(in).

bawd•y ['bɔːdɪ] *adj* (***-ier, -iest***) obszön.

bawl [bɔːl] *v/t and v/i* brüllen, schreien, grölen; **~ *out*** *order, etc.*: brüllen.

bay[1] [beɪ] **1.** *adj* rotbraun; **2.** *s* Braune(r) *m* (*horse*).

bay[2] [~] *s* Bai *f*, Bucht *f*; Erker *m*.

bay[3] *bot.* [~] *s a.* **~ *tree*** Lorbeer(baum) *m*.

bay[4] [~] **1.** *v/i of dog*: bellen, Laut geben; **2.** *s*: ***hold*** *or* ***keep at ~*** *j-n* in Schach halten; *et.* von sich fernhalten.

bay•o•net *mil.* ['beɪənɪt] *s* Bajonett *n*.

ba•za(a)r [bə'zɑː] *s* Basar *m*.

BBC ***British Broadcasting Corporation*** *BBC f*

BC ***before Christ*** v. Chr., vor Christus.

be [biː, bɪ] *v/aux and v/i* (***was*** *or* ***were, been***) sein; *used to form the passive voice*: werden; stattfinden; *become*: werden; ***he wants to ~ a ...*** er möchte ... werden; ***how much are the shoes?*** was kosten die Schuhe?; **~ *reading*** beim Lesen sein, gerade lesen; ***there is, there are*** es gibt.

beach [biːtʃ] **1.** *s* Strand *m*; **2.** *v/t mar. boat, etc.*: auf den Strand setzen *or* ziehen; **~ ball** *s* Wasserball *m*; **~ bug•gy** *s mot.* Strandbuggy *m*; **~•comb•er** *fig.* ['~kəʊmə] *s* Nichtstuer *m*.

bea•con ['biːkən] *s* Leuchtfeuer *n*; Funkfeuer *n*.

bead [biːd] *s* (Glas- *etc.*) Perle *f*; Tropfen *m*; **~*s*** *pl a.* Rosenkranz *m*; **~•y** ['biːdɪ] *adj* (***-ier, -iest***) klein, rund u. glänzend (*eyes*).

beak [biːk] *s* Schnabel *m* (*of bird*).

bea•ker ['biːkə] *s* Becher *m*.

beam [biːm] **1.** *s* Balken *m*; Waagebalken *m*; Strahl *m*; *electr.* (Funk)Leit-, Richtstrahl *m*; **2.** *v/t* ausstrahlen; *v/i* strahlen (*a. fig.* ***with*** vor *dat*).

bean [biːn] *s bot.* Bohne *f*; ***be full of ~s*** F voller Leben(skraft) stecken.

bear[1] *zo.* [beə] *s* Bär *m*.

bear[2] [~] (***bore, borne*** *or* ***pass born***) *v/t* tragen; gebären; *hatred, anger, etc.*: hegen; *pain, etc.*: ertragen; aushalten; *mst in negatives*: ausstehen, leiden; **~ *down*** überwinden, bewältigen; **~ *out*** bestätigen; ***be born*** geboren werden; *v/i* tragen; *zo.* trächtig sein; **~•a•ble** ['beərəbl] *adj* □ erträglich.

beard [bɪəd] *s* Bart *m*; *bot.* Grannen *pl*; **~•ed** ['bɪədɪd] *adj* bärtig.

bear•er ['beərə] *s* Träger(in); *econ.* Überbringer(in), *of cheque, etc.*: Inhaber(in).

bear•ing ['beərɪŋ] *s* (Er)Tragen *n*; *behaviour*: Betragen *n*; *fig.* Beziehung *f*; *compass* **~**: Position *f*, Richtung *f*; *tech.* Lager *n*; ***take one's ~s*** sich orientieren; ***lose one's ~s*** die Orientierung verlieren.

beast [biːst] *s* Vieh *n*, Tier *n*; Bestie *f*; **~•ly** ['biːstlɪ] *adj* (***-ier, -iest***) scheußlich.

beat [biːt] **1.** (***beat, beaten*** *or* ***beat***) *v/t* schlagen; (ver)prügeln; besiegen; übertreffen; **~ *it!*** F hau ab!; ***that ~s all!*** das ist doch der Gipfel *or* die Höhe!; ***that ~s me*** das ist mir zu hoch; **~ *down*** *econ. price*: drücken, herunterhandeln; **~ *out*** *rhythm, etc.*: trommeln; *fire*: ausschlagen; **~ *up*** *j-n* zusammenschlagen; *v/i* schlagen; **~ *about the bush*** wie die Katze um den heißen Brei herumschleichen; **2.** *s* Schlag *m*; *mus.* Takt(schlag) *m*; *jazz*: Beat *m*; Pulsschlag *m*; *of policeman*: Runde *f*, Revier *n*; **3.** *adj*: (***dead***) **~** F wie erschlagen, fix u. fertig; **~•en** ['biːtn]; **1.** *pp of* ***beat*** 1; **2.** *adj path, etc.*: viel begangen, ausgetreten; ***off the ~ track*** abgelegen; *fig.* ungewohnt.

beau•ti|cian [bjuː'tɪʃn] *s* Kosmetikerin *f*; **~•ful** ['bjuːtəfl] *adj* □ schön; **~•fy** ['bjuːtɪfaɪ] *v/t* schön(er) machen, verschönern.

beaut•y ['bjuːtɪ] *s* Schönheit *f*; F Prachtstück *n*, Prachtexemplar *n*; **~ *parlo(u)r*, ~ *shop*** Schönheitssalon *m*.

bea•ver *zo.* ['biːvə] *s* Biber *m* (*a. fur*).

be•came [bɪ'keɪm] *pret of* ***become.***

be•cause [bɪ'kɒz] *cj* weil; *prp*: **~ *of*** we-

B

gen.

beck•on ['bekən] *v/t* (zu)winken.

be•come [bɪ'kʌm] (***-came, -come***) *v/i* werden (***of*** aus); *v/t* sich schicken für; *j-m* stehen, *j-n* kleiden; **be•com•ing** *adj* □ passend; schicklich; kleidsam.

bed [bed] **1.** *s* Bett *n*; *of animal*: Lager *n*; *agr.* Beet *n*; Unterlage *f*; ***~ and breakfast*** Zimmer *n or Übernachtung f mit Frühstück*; **2.** *v/i* (***-dd-***): ***~ down*** sein Nachtlager aufschlagen; **~•clothes** ['bedkləʊðz] *s pl* Bettwäsche *f*; **~•ding** *s* Bettzeug *n*; Streu *f*.

bed•lam ['bedləm] *s* Chaos *n*.

bed|rid•den ['bedrɪdn] *adj* bettlägerig; **~•room** *s* Schlafzimmer *n*; **~•side** *s*: ***at the ~*** am (Kranken)Bett; ***~ lamp*** Nachttischlampe *f*; **~-sit** F, **~-sit•ter, ~-sit•ting room** *s Br.* möbliertes Zimmer; Einzimmerappartement *n*; **~•stead** *s* Bettgestell *n*; **~•time** *s* Schlafenszeit *f*.

bee [biː] *s zo.* Biene *f*; ***have a ~ in one's bonnet*** F e-n Tick haben.

beech *bot.* [biːtʃ] *s* Buche *f*; **~•nut** *s* Buchecker *f*.

beef [biːf] **1.** *s* Rindfleisch *n*; **2.** *v/i* F meckern (***about*** über *acc*); **~•burg•er** ['-bɜːgə] *s* Hamburger *m*; **~ tea** *s* Fleischbrühe *f*; **~•y** ['biːfɪ] *adj* (***-ier, -iest***) fleischig; kräftig, bullig.

bee|hive ['biːhaɪv] *s* Bienenkorb *m*, -stock *m*; **~-keep•er** *s* Bienenzüchter(in), Imker(in); **~•line** *s* kürzester Weg; ***make a ~ for*** schnurstracks losgehen auf (*acc*).

been [biːn, bɪn] *pp of* ***be.***

beer [bɪə] *s* Bier *n*; **~ bel•ly** *s* F Bierbauch *m*; **~ gar•den** *s* Biergarten *m*; **~-mat** *s* Bierdeckel *m*; **~ pu•ri•ty reg•u•la•tions** *s pl* Reinheitsgebot *n*.

beet *bot.* [biːt] *s* Rübe *f*, Beete *f*; → ***~root.***

bee•tle *zo.* ['biːtl] *s* Käfer *m*.

beet•root *bot.* ['biːtruːt] *s* Rote Beete *or* Rübe.

be•fall [bɪ'fɔːl] (***-fell, -fallen***) *v/t j-m* zustoßen; *v/i* sich ereignen.

be•fore [bɪ'fɔː] **1.** *adv of place*: vorn, voran; *temporal*: vorher, früher, schon (früher); → ***yesterday***; **2.** *cj* bevor, ehe, bis; **3.** *prp* vor (*acc or dat*); **~•hand** *adv* zuvor, voraus, im Voraus.

be•friend [bɪ'frend] *v/t* sich *j-s* annehmen; sich anfreunden mit.

beg [beg] (***-gg-***) *v/t* erbetteln; erbitten (***of*** von), bitten um; *j-n* bitten; sich erlauben; *v/i* betteln; bitten, flehen; betteln gehen.

be•gan [bɪ'gæn] *pret of* ***begin.***

beg•gar ['begə] **1.** *s* Bettler(in); F Kerl *m*; **2.** *v/t* arm machen; *fig.* übertreffen; ***it ~s all description*** es spottet jeder Beschreibung.

be•gin [bɪ'gɪn] *v/t and v/i* (***-nn-***; ***began, begun***) beginnen, anfangen; **~•ner** *s* Anfänger(in); **~•ning** *s* Beginn *m*, Anfang *m*; ***at the ~*** anfänglich, zuerst.

be•grudge [bɪ'grʌdʒ] *v/t* missgönnen.

be•guile [bɪ'gaɪl] *v/t* täuschen; betrügen (***of, out of*** um); *time*: sich vertreiben.

be•gun [bɪ'gʌn] *pp of* ***begin.***

be•half [bɪ'hɑːf] *s*: ***on*** (*Am. a.* ***in***) ***~ of*** im Namen von (*or gen*).

be•have [bɪ'heɪv] *v/i* sich (gut) benehmen.

be•hav•io(u)r [bɪ'heɪvjə] *s* Benehmen *n*, Betragen *n*, Verhalten *n*; **~•al** *psych.* [-rəl] *adj* Verhaltens…

be•head [bɪ'hed] *v/t* enthaupten.

be•hind [bɪ'haɪnd] **1.** *adv* hinten, dahinter; zurück; **2.** *prp* hinter (*acc or dat*); **3.** *s* F Hinterteil *n*, Hintern *m*; **~•hand** *adj and adv* im Rückstand.

be•ing ['biːɪŋ] *s* (Da)Sein *n*; Wesen *n*; ***in ~*** wirklich (vorhanden); ***come into ~*** entstehen.

be•lat•ed [bɪ'leɪtɪd] *adj* verspätet.

belch [beltʃ] **1.** *v/i* aufstoßen, rülpsen; *v/t* ausspeien; **2.** *s* Rülpser *m*.

be•lea•guer [bɪ'liːgə] *v/t* belagern.

bel•fry ['belfrɪ] *s* Glockenturm *m*, -stuhl *m*.

Bel•gian ['beldʒən] **1.** *adj* belgisch; **2.** *s* Belgier(in).

Bel•gium ['beldʒəm] Belgien *n*.

Bel•grade [ˌbel'greɪd] Belgrad *n*.

be•lie [bɪ'laɪ] *v/t* Lügen strafen; *hopes, etc.*: enttäuschen.

be•lief [bɪ'liːf] *s* Glaube *m* (***in*** an *acc*).

be•lie•va•ble [bɪ'liːvəbl] *adj* □ glaubhaft.

be•lieve [bɪ'liːv] *v/t and v/i* glauben (***in*** an *acc*); ***~ it or not*** ob du's glaubst oder nicht; **be•liev•er** *s eccl.* Gläubige(r *m*) *f*.

be•lit•tle *fig.* [bɪ'lɪtl] *v/t* herabsetzen.

bell [bel] *s* Glocke *f*; Klingel *f*; **~•boy** *Am.* ['belbɔɪ] *s* (Hotel)Page *m*.

belle [bel] *s* Schöne *f*, Schönheit *f*.

bell•hop *Am.* ['belhɒp] *s* (Hotel)Page *m.*
bel•lied ['belɪd] *adj* bauchig; ...bäuchig.
bel•lig•er•ent [bɪ'lɪdʒərənt] **1.** *adj* Krieg führend; streit-, kampflustig; aggressiv; **2.** *s* Krieg führendes Land.
bel•low ['beləʊ] **1.** *v/t and v/i* brüllen; **2.** *s* Gebrüll *n*; **~s** *s pl or sg* Blasebalg *m.*
bel•ly ['belɪ] **1.** *s* Bauch *m*; **2.** *v/t and v/i* (sich) blähen, (an)schwellen; (sich) bauschen; **~•ache** *s* F Bauchweh *n*; **~-land•ing** *s aer.* Bauchlandung *f.*
be•long [bɪ'lɒŋ] *v/i* gehören; **~ *to*** gehören (*dat*) *or* zu; **~•ings** [~ɪŋz] *s pl* Habseligkeiten *pl.*
be•loved [bɪ'lʌvd] **1.** *adj* (innig) geliebt; **2.** *s* Geliebte(r *m*) *f.*
be•low [bɪ'ləʊ] **1.** *adv* unten; **2.** *prp* unter (*acc or dat*).
belt [belt] **1.** *s* Gürtel *m*; *mil.* Koppel *n*; Zone *f*, Gebiet *n*; *tech.* Treibriemen *m*; **2.** *v/i a.* **~ *up*** den Gürtel zumachen, sich anschnallen.
bench [bentʃ] *s* (Sitz)Bank *f*; Richterbank *f*; Richter *m or pl*; Werkbank *f.*
bend [bend] **1.** *s* Biegung *f*, Kurve *f*; ***drive s.o. round the ~*** F *j-n* (noch) wahnsinnig machen; **2.** *v/t and v/i* (***bent***) (sich) biegen; *mind*: richten (***to, on*** auf *acc*); (sich) beugen; sich neigen.
be•neath [bɪ'ni:θ] → ***below.***
ben•e•dic•tion [benɪ'dɪkʃn] *s* Segen *m.*
ben•e•fac|tor ['benɪfæktə] *s* Wohltäter *m*, Gönner *m*; **~•tress** [~trɪs] *s* Wohltäterin *f*, Gönnerin *f*; **be•nef•i•cent** [bɪ'nefɪsnt] *adj* □ wohltätig; **ben•e•fi•cial** [benɪ'fɪʃl] *adj* □ wohltuend, zuträglich, nützlich.
ben•e•fit ['benɪfɪt] **1.** *s* Nutzen *m*, Vorteil *m*; Wohltätigkeitsveranstaltung *f*; *social security, etc.*: Sozial-, Versicherungsleistung *f*; Rente *f*; Unterstützung *f*; **2.** *v/t* nützen (*dat*); begünstigen; *v/i*: **~ *by*** *or* ***from*** Vorteil haben von *or* durch, Nutzen ziehen aus.
be•nev•o|lence [bɪ'nevələns] *s* Wohlwollen *n*; **~•lent** *adj* □ wohlwollend; gütig, mildtätig.
BEng *Bachelor of Engineering* Bakkalaureus *m* der Ingenieurwissenschaft(en).
be•nign [bɪ'naɪn] *adj* □ freundlich, gütig; *med.* gutartig; *of climate*: mild.
bent [bent] **1.** *pret and pp of* ***bend*** 2; ***be ~ on doing*** entschlossen sein zu tun; **2.** *s fig.* Hang *m*, Neigung *f*; Veranlagung *f.*
ben•zene *chem.* ['benzi:n] *s* Benzol *n.*
ben•zine *chem.* ['benzi:n] *s* Leichtbenzin *n.*
be•queath *jur.* [bɪ'kwi:ð] *v/t* vermachen.
be•quest *jur.* [bɪ'kwest] *s* Vermächtnis *n.*
be•reave [bɪ'ri:v] *v/t* (***bereaved*** *or* ***bereft***) berauben.
be•ret ['bereɪ] *s* Baskenmütze *f.*
berk [bɜ:k] *s* F Idiot *m*, Trottel *m.*
Ber•mu•das [bə'mju:dəz] *pl die* Bermudas *pl*, *die* Bermudainseln *pl.*
ber•ry *bot.* ['berɪ] *s* Beere *f.*
ber•serk [bə'sɜ:k] *adj* wild; ***go ~*** wild werden, F durchdrehen, F ausflippen.
berth [bɜ:θ] **1.** *s mar.* Liege-, Ankerplatz *m*; *mar.* Koje *f*; *rail.* (Schlafwagen)Bett *n*; **2.** *mar. v/t* vor Anker legen; *v/i* anlegen.
be•seech [bɪ'si:tʃ] *v/t* (***besought*** *or* ***beseeched***) (inständig) bitten (um); anflehen.
be•set [bɪ'set] *v/t* (**-tt-**; ***beset***) heimsuchen, bedrängen; **~ *with difficulties*** mit vielen Schwierigkeiten verbunden.
be•side [bɪ'saɪd] *prp* neben (*acc or dat*); **~ *o.s.*** außer sich (***with*** vor *dat*); **~ *the point,* ~ *the question*** nicht zur Sache gehörig; **~s** **1.** *adv* außerdem; **2.** *prp* abgesehen von, außer.
be•siege [bɪ'si:dʒ] *v/t* belagern.
be•smear [bɪ'smɪə] *v/t* beschmieren.
be•sought [bɪ'sɔ:t] *pret and pp of* ***beseech.***
be•spat•ter [bɪ'spætə] *v/t* bespritzen.
best [best] **1.** *adj* (*sup of* ***good*** 1) beste(r, -s), höchste(r, -s), größte(r, -s), meiste; **~ *man*** Trauzeuge *m* (*of bridegroom*); **~-*before date*** Haltbarkeitsdatum *n*; **2.** *adv* (*sup of* ***well***[2] 1) am besten; **3.** *s der, die, das* Beste; ***all the ~!*** alles Gute!, viel Glück!; ***to the ~ of ...*** nach bestem ...; ***make the ~ of*** das Beste machen aus; ***at ~*** bestenfalls; ***be at one's ~*** in Hoch- *or* Höchstform sein.
bes•ti•al ['bestɪəl] *adj* □ tierisch, viehisch.
best•sell•er [best'selə] *s* Bestseller *m*, Verkaufsschlager *m.*
bet [bet] **1.** *s* Wette *f*; **2.** *v/t and v/i* (**-tt-**; ***bet*** *or* ***betted***) wetten; ***you ~!*** F und ob!

be•tray [bɪ'treɪ] *v/t* verraten (*a. fig.*); **~•al** *s* Verrat *m*; **~•er** *s* Verräter(in).

bet•ter ['betə] **1.** *adj* (*comp of* ***good*** 1) besser; ***he is ~*** es geht ihm besser; **2.** *s das* Bessere; **~s** *pl* Höherstehende *pl*, Vorgesetzte *pl*; ***get the ~ of*** die Oberhand gewinnen über (*acc*); *et.* überwinden; **3.** *adv* (*comp of* ***well***[2] 1) besser; mehr; ***so much the ~*** desto besser; ***you had ~*** (F ***you ~***) ***go*** es wäre besser, wenn du gingest; **4.** *v/t* verbessern; *v/i* sich bessern.

be•tween [bɪ'twiːn] **1.** *adv* dazwischen; ***few and far ~*** F (ganz) vereinzelt; **2.** *prp* zwischen; unter (*both*: *acc or dat*); ***~ you and me*** unter uns *or* im Vertrauen (gesagt); ***that's just ~ ourselves*** das bleibt aber unter uns.

bev•el ['bevl] *v/t* (*esp. Br.* **-ll-**, *Am.* **-l-**) abkanten, abschrägen.

bev•er•age ['bevərɪdʒ] *s* Getränk *n*.

bev•y ['bevɪ] *s* Schwarm *m*, Schar *f*.

be•ware [bɪ'weə] *v/i* (***of***) sich in Acht nehmen (vor *dat*), sich hüten (vor *dat*); ***~ of the dog!*** Warnung vor dem Hunde!

be•wil•der [bɪ'wɪldə] *v/t* verwirren, irremachen; **~•ment** *s* Verwirrung *f*.

be•witch [bɪ'wɪtʃ] *v/t* bezaubern, behexen.

be•yond [bɪ'jɒnd] **1.** *adv* darüber hinaus; **2.** *prp* jenseits; über … (*acc*) hinaus; **3.** *s* Jenseits *n*.

bi- [baɪ] zwei(fach, -mal).

bi•as ['baɪəs] **1.** *adj and adv* schief, schräg; **2.** *s* Neigung *f*; Vorurteil *n*; **3.** *v/t* (**-s-**, **-ss-**) *report, etc.*: einseitig darstellen; *person*: beeinflussen; **~(s)ed** *esp. jur.* befangen, voreingenommen (***against*** gegen, gegenüber).

bi•ath|lete [baɪ'æθliːt] *s sports*: Biathlet(in); **~•lon** [-ən] *s sports*: Biathlon *n*.

Bi•ble ['baɪbl] *s* Bibel *f*; **bib•li•cal** ['bɪblɪkl] *adj* □ biblisch, Bibel…

bib•li•og•ra•phy [bɪblɪ'ɒgrəfɪ] *s* Bibliographie *f*.

bi•car•bon•ate [baɪ'kɑːbənɪt] *s chem. a.* ***~ of soda*** doppeltkohlensaures Natrium; *cookery*: Natron *n*.

bi•cen|te•na•ry [baɪsen'tiːnərɪ], *Am.* **~•ten•ni•al** [-'tenɪəl] *s* zweihundertjähriges Jubiläum, Zweihundertjahrfeier *f*.

bi•ceps *anat.* ['baɪseps] *s* Bizeps *m*.

bi•cy•cle ['baɪsɪkl] **1.** *s* Fahrrad *n*; **2.** *v/i* Rad fahren, radeln.

bid [bɪd] **1.** *v/t and v/i* (**-dd-**; ***bid*** *or* ***bade, bid*** *or* ***bidden***) *at auction, etc.*: bieten; *in card games*: reizen; *greetings*: wünschen; ***~ farewell*** Lebewohl sagen; **2.** *s econ.* Gebot *n*, Angebot *n*; *card games*: Reizen *n*; **~•den** ['bɪdn] *pp of* ***bid*** 1.

bide [baɪd] *v/t* (***bode*** *or* ***bided, bided***): ***~ one's time*** den rechten Augenblick abwarten.

bi•det ['biːdeɪ, bi'deɪ] *s* Bidet *n*.

bi•en•ni•al [baɪ'enɪəl] *adj* □ zweijährlich; zweijährig (*plants*); **~•ly** [-lɪ] *adv* alle zwei Jahre.

bier [bɪə] *s* (Toten)Bahre *f*.

big [bɪg] *adj* (**-gg-**) groß; erwachsen; (hoch)schwanger; F wichtig(tuerisch); ***~ bang*** *ast.* Urknall *m*; ***~ business*** Großunternehmertum *n*; ***~ shot*** F hohes Tier; ***~ talk*** F Angeberei *f*; ***talk ~*** den Mund vollnehmen.

big•a•my ['bɪgəmɪ] *s* Bigamie *f*.

big•ot ['bɪgət] *s* selbstgerechte *or* intolerante *or* bigotte Person; **~•ed** [-ɪd] *adj* selbstgerecht, intolerant, bigott.

big•wig F ['bɪgwɪg] *s* hohes Tier.

bike F [baɪk] *s* (Fahr)Rad *n*.

bi•lat•er•al [baɪ'lætərəl] *adj* □ bilateral.

bile *physiol.* [baɪl] *s* Galle *f* (*a. fig.*).

bi•lin•gual [baɪ'lɪŋgwəl] *adj* □ zweisprachig.

bil•i•ous ['bɪlɪəs] *adj* □ gallig; *fig.* gereizt.

bill[1] [bɪl] *s* Schnabel *m*; Spitze *f*.

bill[2] [-] **1.** *s econ.* Rechnung *f*; *pol.* Gesetzentwurf *m*; *jur.* Klageschrift *f*; *a.* ***~ of exchange*** *econ.* Wechsel *m*; *poster*: Plakat *n*; *Am.* Banknote *f*, Geldschein *m*; ***~ of fare*** Speisekarte *f*; ***~ of lading*** Seefrachtbrief *m*, Konnossement *n*; ***~ of sale*** *jur.* Verkaufsurkunde *f*; **2.** *v/t* (durch Anschlag) ankündigen.

bill|board *Am.* ['bɪlbɔːd] *s* Reklametafel *f*; **~•fold** *Am.* ['-fəʊld] *s* Brieftasche *f*.

bil•li•ards ['bɪljədz] *s sg* Billiard(spiel) *n*.

bil•li•on ['bɪljən] *s* Milliarde *f*.

bil•low ['bɪləʊ] *s* Woge *f*; *of smoke, etc.*: Schwade *f*; **~•y** [-ɪ] *adj* wogend; in Schwaden ziehend; gebläht, gebauscht.

bin [bɪn] *s* (großer) Behälter; → ***dustbin***.

bind [baɪnd] (***bound***) *v/t* (an-, ein-, um-, auf-, fest-, ver)binden; *a.* vertraglich binden, verpflichten; *edge, hem*: einfassen; *v/i* binden; **~•er** *s* (*esp.* Buch-)Binder(in); Einband *m*, (Akten)Deckel *m*, Hefter *m*; **~•ing 1.** *adj* bindend, verbindlich; **2.** *s* (Buch)Einband *m*; Einfassung *f*, Borte *f*.

bi•noc•u•lars [bɪ'nɒkjʊləz] *s pl* Feldstecher *m*, Fern-, Opernglas *n*.

bi•o•chem•is•try [baɪəʊ'kemɪstrɪ] *s* Biochemie *f*.

bi•o•de•grad•able [baɪəʊdɪ'greɪdəbl] *adj* biologisch abbaubar.

bi•og•ra|pher [baɪ'ɒgrəfə] *s* Biograph *m*; **~•phy** [-ɪ] *s* Biographie *f*.

bi•o•log•i•cal [baɪəʊ'lɒdʒɪkl] *adj* □ biologisch; **~ *warfare*** biologische Kriegsführung; **~ *waste*** Bioabfall *m*; **bi•ol•o•gy** [baɪ'ɒlədʒɪ] *s* Biologie *f*.

bi•o•tope ['baɪəʊtəʊp] *s* Biotop *n*.

birch [bɜːtʃ] **1.** *s bot.* Birke *f*; (Birken-)Rute *f*; **2.** *v/t* züchtigen.

bird [bɜːd] *s* Vogel *m*; **~ *of prey*** Raubvogel *m*; **~ *sanctuary*** Vogelschutzgebiet *n*; **~ flu** *s vet., med.* Vogelgrippe *f*; **~'s-eye** *s*: **~ *view*** Vogelperspektive *f*.

bi•ro *TM* ['baɪrəʊ] *s* (*pl* ***-ros***) Kugelschreiber *m*.

birth [bɜːθ] *s* Geburt *f*; Ursprung *m*, Entstehung *f*; Herkunft *f*; ***give ~ to*** gebären, zur Welt bringen; **~ con•trol** *s* Geburtenregelung *f*, -kontrolle *f*; **~•day** *s* Geburtstag *m*; **~•mark** *s* Muttermal *n*; **~•place** *s* Geburtsort *m*; **~ rate** *s* Geburtenziffer *f*.

Bis•cay ['bɪskeɪ; '-kɪ]: ***Bay of ~*** *der* Golf von Biskaya.

bis•cuit *Br.* ['bɪskɪt] *s* Keks *m, n*, Plätzchen *n*.

bish•op ['bɪʃəp] *s* Bischof *m*; *in chess*: Läufer *m*; **~•ric** [-rɪk] *s* Bistum *n*.

bi•son *zo.* ['baɪsn] *s* Bison *m*, *in America*: Büffel *m*; *in Europe*: Wisent *m*.

bit [bɪt] **1.** *s* Bisschen *n*, Stück(chen) *n*; *of bridle*: Gebiss *n*; (Schlüssel)Bart *m*; *computer*: Bit *n*; ***a*** (***little***) **~** ein (kleines) bisschen; **2.** *pret of* ***bite*** 2.

bitch [bɪtʃ] *s zo.* Hündin *f*; *contp.* Miststück *n*, Weibsstück *n*.

bite [baɪt] **1.** *s* Beißen *n*; Biss *m*; Bissen *m*, Happen *m*; (Insekten)Stich *m*, -biss *m*; **2.** *v/t and v/i* (***bit, bitten***) (an)beißen; *of insect*: stechen; *of pepper, etc.*: brennen; *of cold, etc.*: schneiden; *of smoke, etc.*: beißen; *of screw, drill, etc.*: fassen; *fig.* verletzen.

bit•ten ['bɪtn] *pp of* ***bite*** 2.

bit•ter ['bɪtə] **1.** *adj* □ bitter; *fig.* verbittert; **2.** *s Br.* dunkles, bitter schmeckendes Bier; **~*s*** *pl* Magenbitter *m*.

biz F [bɪz] → ***business.***

BL ***Bachelor of Law*** Bakkalaureus *m* des Rechts.

black [blæk] **1.** *adj* schwarz; dunkel; finster; **~ *eye*** blaues Auge; ***have s.th. in ~ and white*** et. schwarz auf weiß haben *or* besitzen; ***be ~ and blue*** blaue Flecken haben; ***beat s.o. ~ and blue*** *j-n* grün u. blau schlagen; **2.** *v/t* schwärzen; **~ *out*** verdunkeln; **3.** *s* Schwarz *n*; Schwärze *f*; Schwarze(r *m*) *f*; **~•ber•ry** *s bot.* Brombeere *f*; **~•bird** *s zo.* Amsel *f*; **~•board** *s* (Schul-, Wand)Tafel *f*; **~•en** *v/t* schwärzen; *fig.* anschwärzen; *v/i* schwarz werden; **~•guard** ['blægɑːd]; **1.** *s* Lump *m*, Schuft *m*; **2.** *adj* □ gemein, schuftig; **~•head** *s med.* Mitesser *m*; **~ ice** *s* Glatteis *n*; **~•ish** *adj* □ schwärzlich; **~•jack** *s esp. Am.* Totschläger *m*; **~•leg** *s Br.* Streikbrecher *m*; **~-let•ter** *s print.* Fraktur *f*; **~•list**; **1.** *s* schwarze Liste; **2.** *v/t* auf die schwarze Liste setzen; **~•mail**; **1.** *s* Erpressung *f*; **2.** *v/t j-n* erpressen; **~•mail•er** *s* Erpresser(in); **~ mar•ket** *s* schwarzer Markt; **~•ness** *s* Schwärze *f*; **~•out** *s* Verdunkelung *f*; *thea., med., etc.*: Blackout *m*; *med.* Ohnmacht *f*; (***news***) **~** Nachrichtensperre *f*; **~ pud•ding** *s* Blutwurst *f*; **~ sheep** *s fig.* schwarzes Schaf.

Black Forest [blæk'fɒrɪst] *der* Schwarzwald.

blad•der *anat.* ['blædə] *s* Blase *f*.

blade [bleɪd] *s of knife, etc.*: Klinge *f*; *bot.* Blatt *n*, Halm *m*; *of saw, oar, etc.*: Blatt *n*; *of propeller, etc.*: Flügel *m*.

blame [bleɪm] **1.** *s* Tadel *m*; Schuld *f*; **2.** *v/t* tadeln; ***be to ~ for*** schuld sein an (*dat*); **~•less** *adj* □ untadelig.

blanch [blɑːntʃ] *v/t* bleichen; erbleichen lassen; *cookery*: blanchieren, brühen; *v/i* erbleichen.

bland [blænd] *adj* □ mild, sanft.

blank [blæŋk] **1.** *adj* □ leer; unausgefüllt, unbeschrieben; *econ.* Blanko…; verdutzt; **~ *cartridge*** *mil.* Platzpatrone *f*; **~ *cheque*** (*Am.* ***check***) *econ.* Blankoscheck *m*; **2.** *s* Leere *f*; leerer Raum,

Lücke *f*; unbeschriebenes Blatt, Formular *n*; *in lottery*: Niete *f*.

blan•ket ['blæŋkɪt] **1.** *s* (Woll)Decke *f*; ***wet*** **~** Spielverderber *m*; **2.** *v/t* zudecken.

blare [bleə] *v/i* brüllen, *of radio, etc.*: plärren, *of trumpet, etc.*: schmettern.

blas|pheme [blæs'fiːm] *v/t and v/i* lästern; **~•phemy** ['blæsfəmɪ] *s* Gotteslästerung *f*.

blast [blɑːst] **1.** *s* Windstoß *m*; *of brass instrument, etc.*: Ton *m*; *tech.* Gebläse(-luft *f*) *n*; Druckwelle *f*; *bot.* Mehltau *m*; **2.** *v/t* vernichten; sprengen; **~ *off*** (***into space***) *spacecraft*: in den Weltraum schießen; *v/i*: **~ *off*** *of spacecraft, etc.*: abheben, starten; ***~!*** verdammt!; **~-fur•nace** *tech.* ['-fɜːnɪs] *s* Hochofen *m*; **~-off** *s of spacecraft, etc.*: Start *m*.

bla•tant ['bleɪtənt] *adj* □ lärmend; krass; unverhohlen.

blaze [bleɪz] **1.** *s* Flamme(n *pl*) *f*, Feuer *n*; heller Schein; *fig.* Ausbruch *m*; ***go to ~s!*** F zum Teufel mit dir!; **2.** *v/i* brennen, flammen, lodern; leuchten.

blaz•er ['bleɪzə] *s* Blazer *m*.

bleach [bliːtʃ] *v/t* bleichen.

bleak [bliːk] *adj* □ öde, kahl; rau; *fig.* trüb, freudlos, finster.

blear•y ['blɪərɪ] *adj* □ (***-ier, -iest***) trübe, verschwommen; **~-eyed** *adj* mit trüben Augen; verschlafen; *fig.* kurzsichtig.

bleat [bliːt] **1.** *s* Blöken *n*; **2.** *v/i* blöken.

bled [bled] *pret and pp of* ***bleed***.

bleed [bliːd] (***bled***) *v/i* bluten; *v/t med.* zur Ader lassen; *fig.* F schröpfen; **~•ing** **1.** *s med.* Bluten *n*, Blutung *f*; *med.* Aderlass *m*; **2.** *adj and adv sl.* verflixt.

bleep [bliːp] **1.** *s* Piepton *m*; **2.** *v/t j-n* anpiepsen; *v/i* piepen; **~•er** *s* Funkrufempfänger *m*, F Piepser *m*.

blem•ish ['blemɪʃ] **1.** *s* (*a.* Schönheits-) Fehler *m*; Makel *m*; **2.** *v/t* entstellen.

blend [blend] **1.** *v/t and v/i* (sich) (ver-) mischen; *wine, etc.*: verschneiden; **2.** *s* Mischung *f*; *econ.* Verschnitt *m*; **~•er** *s* Mixer *m*, Mixgerät *n*.

bless [bles] *v/t* (***blessed*** *or* ***blest***) segnen; preisen; ***be ~ed with*** gesegnet sein mit; (***God***) **~ *you!*** alles Gute!; Gesundheit!; **~ *me!*, ~ *my heart!*, ~ *my soul!*** F du meine Güte!; **~•ed** ['blesɪd] *adj* □ glückselig, gesegnet; **~•ing** *s* Segen *m*.

blest [blest] *pret and pp of* ***bless***.

blew [bluː] *pret of* ***blow***[2] 1.

blight [blaɪt] **1.** *s bot.* Mehltau *m*; *fig.* Gifthauch *m*; **2.** *v/t* vernichten.

blind [blaɪnd] **1.** *adj* □ blind (*fig.* ***to*** gegen[über]); verborgen, geheim; schwer erkennbar; **~ *alley*** Sackgasse *f*; **~*ly*** *fig.* blindlings; ***turn a ~ eye*** (***to***) F ein Auge zudrücken (bei); **2.** *s* Rouleau *n*, Rollo *n*; ***the ~*** *pl* die Blinden *pl*; **3.** *v/t* blenden; *fig.* blind machen (***to*** für, gegen); **~•ers** *Am.* ['blaɪndəz] *s pl* Scheuklappen *pl*; **~•fold**; **1.** *adj* mit verbundenen Augen; **2.** *adv fig.* blindlings; **3.** *v/t j-m* die Augen verbinden; **4.** *s* Augenbinde *f*; **~•worm** *s zo.* Blindschleiche *f*.

blink [blɪŋk] **1.** *s* Blinzeln *n*; Schimmer *m*; **2.** *v/i* blinzeln, zwinkern; blinken; schimmern; *v/t fig.* ignorieren; **~•ers** ['blɪŋkəz] *s pl* Scheuklappen *pl*.

bliss [blɪs] *s* Seligkeit *f*, Wonne *f*.

blis•ter ['blɪstə] **1.** *s* Blase *f*; *med.* Zugpflaster *n*; **2.** *v/t* Blasen hervorrufen auf (*dat*); *v/i* Blasen ziehen.

blitz [blɪts] **1.** *s* heftiger (Luft)Angriff; **2.** *v/t* schwer bombardieren.

bliz•zard ['blɪzəd] *s* Schneesturm *m*.

bloat|ed ['bləʊtɪd] *adj* (an)geschwollen, (auf)gedunsen; *fig.* aufgeblasen; **~•er** [-ə] *s fish*: Bückling *m*.

block [blɒk] **1.** *s* Block *m*, Klotz *m*; Baustein *m*; Verstopfung *f*, (Verkehrs)Stockung *f*; *a.* **~ *of flats*** *Br.* Wohn-, Mietshaus *n*; *Am.* (Häuser)Block *m*; **2.** *v/t* formen; verhindern; *a.* **~ *up*** (ab-, ver-) sperren, blockieren; *econ. account*: sperren.

block•ade [blɒ'keɪd] **1.** *s* Blockade *f*; **2.** *v/t* blockieren.

block|head ['blɒkhed] *s* Dummkopf *m*; **~ let•ters** *s pl* Blockschrift *f*.

bloke *Br.* F [bləʊk] *s* Kerl *m*.

blond [blɒnd] **1.** *s* Blonde(r) *m*; **2.** *adj* blond; *of skin*: hell; **~e** [-]; **1.** *s* Blondine *f*; **2.** *adj* blond.

blood [blʌd] *s* Blut *n*; *fig.* Blut *n*; Abstammung *f*; *attr* Blut…; ***in cold ~*** kaltblütig; **~-cur•dling** *adj* grauenhaft; **~ do•nor** *s* Blutspender(in); **~•shed** *s* Blutvergießen *n*; **~•shot** *adj* blutunterlaufen; **~•thirst•y** *adj* □ blutdürstig; **~-ves•sel** *s anat.* Blutgefäß *n*; **~•y** *adj* □ (***-ier, -iest***) blutig; *Br.* F verdammt, verflucht; **~ *fool*** F Vollidiot *m*; **~-*minded*** F *Br.* stur, querköpfig.

bloom [blu:m] **1.** *s poet.* Blume *f*, Blüte *f*; *fig.* Blüte(zeit) *f*; **2.** *v/i* blühen; *fig.* (er)strahlen.

blos•som ['blɒsəm] **1.** *s* Blüte *f*; **2.** *v/i* blühen.

blot [blɒt] **1.** *s* Klecks *m*; *fig.* Makel *m*; **2.** (**-tt-**) *v/t* beklecksen, beflecken; (ab)löschen; ausstreichen; *v/i* klecksen.

blotch [blɒtʃ] *s* Klecks *m*; Hautfleck *m*; **~•y** *adj* (**-ier, -iest**) *of skin*: fleckig.

blouse [blaʊz] *s* Bluse *f*.

blow[1] [bləʊ] *s* Schlag *m*, Stoß *m*.

blow[2] [~] **1.** (**blew, blown**) *v/i* blasen, wehen; schnaufen; *of tyre*: platzen; *electr. of fuse*: durchbrennen; **~ up** in die Luft fliegen; *v/t* blasen, wehen; **~ one's nose** sich die Nase putzen; **~ one's top** F an die Decke gehen; **~ out** ausblasen; **~ up** sprengen; *phot.* vergrößern; **2.** *s* Blasen *n*, Wehen *n*; **~-dry** *v/t* fönen; **~n** [bləʊn] *pp of* **blow**[2] 1; **~-up** *s* Explosion *f*; *phot.* Vergrößerung *f*.

blud•geon ['blʌdʒən] *s* Knüppel *m*.

blue [blu:] **1.** *adj* blau; F melancholisch, traurig, schwermütig; **2.** *s* Blau *n*; **out of the ~** *fig.* aus heiterem Himmel; **~•ber•ry** *s bot.* Blau-, Heidelbeere *f*; **~ chip (share)** *s econ.* erstklassiges Wertpapier; **~-col•lar work•er** *s* (Fabrik)Arbeiter(in).

blues [blu:z] *s pl or sg mus.* Blues *m*; F Melancholie *f*; **have the ~** F den Moralischen haben.

bluff [blʌf] **1.** *adj* □ schroff, steil; derb; **2.** *s* Steilufer *n*; Bluff *m*; **3.** *v/t and v/i* bluffen.

blu•ish ['blu:ɪʃ] *adj* bläulich.

blun•der ['blʌndə] **1.** *s* Fehler *m*, Schnitzer *m*; **2.** *v/i* e-n (groben) Fehler machen; stolpern; *v/t* verpfuschen.

blunt [blʌnt] **1.** *adj* □ stumpf (*a. fig.*); grob, rau; **2.** *v/t* abstumpfen; **~•ly** ['blʌntlɪ] *adv* frei heraus.

blur [blɜ:] **1.** *s* Fleck *m*; undeutlicher Eindruck, verschwommene Vorstellung; **2.** *v/t* (**-rr-**) beflecken; verwischen, -schmieren; *phot., TV* verwackeln, -zerren; *senses*: trüben.

blurt [blɜ:t] *v/t*: **~ out** herausplatzen mit.

blush [blʌʃ] **1.** *s* Schamröte *f*, Erröten *n*; **2.** *v/i* erröten, rot werden.

blus•ter ['blʌstə] **1.** *s* Brausen *n*, Toben *n* (*a. fig.*); *fig.* Poltern *n*; **2.** *v/i* brausen; *fig.* poltern, toben.

Blvd ***Boulevard*** Boulevard *m*.

boar *zo.* [bɔ:] *s* Eber *m*; Keiler *m*.

board [bɔ:d] **1.** *s* Brett *n*; (Anschlag-)Brett *n*; Konferenztisch *m*; Ausschuss *m*, Kommission *f*; Behörde *f*; Verpflegung *f*; Pappe *f*, Karton *m*; *sports*: (Surf)Board *n*; **on ~ a train** in e-m Zug; **~ of directors** *econ.* Verwaltungsrat *m*; **♀ of Trade** *Br.* Handelsministerium *n*, *Am.* Handelskammer *f*; **2.** *v/t* beköstigen; *mar.* entern; *aircraft, etc.*: einsteigen in (*acc*); *v/i* in Kost sein, wohnen; an Bord gehen; einsteigen; **~•er** ['bɔ:də] *s* Pensionsgast *m*; Internatsschüler(in); **~•ing-house** *s* Pension *f*, Fremdenheim *n*; **~•ing-school** *s* Internat *n*; **~•walk** *s esp. Am.* Strandpromenade *f*.

boast [bəʊst] **1.** *s* Prahlerei *f*; **2.** *v/i* (**of, about**) sich rühmen (*gen*), prahlen (mit); **~•ful** *adj* □ prahlerisch.

boat [bəʊt] *s* Boot *n*; Schiff *n*.

bob [bɒb] **1.** *s* Quaste *f*; Ruck *m*; Knicks *m*; kurzer Haarschnitt; *Br.* F *hist.* Schilling *m*; **2.** (**-bb-**) *v/t hair*: kurz schneiden; **~bed hair** Bubikopf *m*; *v/i* springen, tanzen; knicksen.

bob•bin ['bɒbɪn] *s* Spule *f* (*a. electr.*).

bob•by *Br.* F ['bɒbɪ] *s* Bobby *m* (*policeman*).

bob•sleigh ['bɒbsleɪ] *s sports*: Bob *m*.

bode [bəʊd] *pret of* **bide**.

bod•ice ['bɒdɪs] *s* Mieder *n*; *of dress*: Oberteil *n*.

bod•i•ly ['bɒdɪlɪ] *adj* körperlich.

bod•y ['bɒdɪ] *s* Körper *m*, Leib *m*; Leiche *f*; Körperschaft *f*; Hauptteil *m*; *mot.* Karosserie *f*; *mil.* Truppenverband *m*; **~•guard** *s* Leibwache *f*; Leibwächter *m*; **~•work** *s mot.* Karosserie *f*.

bog [bɒg] **1.** *s* Sumpf *m*, Moor *n*; **2.** *v/t* (**-gg-**): **get ~ged down** *fig.* sich festfahren.

bo•gus ['bəʊgəs] *adj* falsch; Schwindel…

boil[1] *med.* [bɔɪl] *s* Geschwür *n*, Furunkel *m*.

boil[2] [~] **1.** *v/t and v/i* kochen, sieden; **2.** *s* Kochen *n*, Sieden *n*; **~•er** *s* (Dampf-)Kessel *m*; Boiler *m*; **~•er suit** *s* Overall *m*; **~•ing** *adj* kochend, siedend; **~•ing point** *s* Siedepunkt *m* (*a. fig.*).

bois•ter•ous ['bɔɪstərəs] *adj* □ ungestüm; heftig, laut; lärmend.

bold [bəʊld] *adj* □ kühn; keck, dreist,

unverschämt; steil; ***as ~ as brass*** F frech wie Oskar; **~•ness** *s* Kühnheit *f*; Keckheit *f*; Dreistigkeit *f*.

Bo•liv•ia [bəˈlɪvɪə] Bolivien *n*.

bol•ster [ˈbəʊlstə] **1.** *s* Keilkissen *n*; Nackenrolle *f*; **2.** *v/t*: **~ *up*** *fig*. (unter)stützen, *j-m* Mut machen.

bolt [bəʊlt] **1.** *s* Bolzen *m*; Riegel *m*; Blitz(strahl) *m*; plötzlicher Satz, Fluchtversuch *m*; **2.** *adv*: **~ *upright*** kerzengerade; **3.** *v/t* verriegeln; F hinunterschlingen; *v/i* davonlaufen, ausreißen; *of horse*: scheuen, durchgehen.

bomb [bɒm] **1.** *s* Bombe *f*; ***the ~*** die Atombombe; **2.** *v/t* bombardieren; **bom•bard** [bɒmˈbɑːd] *v/t* bombardieren (*a. fig*.).

bomb|-proof [ˈbɒmpruːf] *adj* bombensicher; **~•shell** *s* Bombe *f* (*a. fig*.).

bond [bɒnd] *s econ*. Schuldverschreibung *f*, Obligation *f*; *tech*. Haftfestigkeit *f*; **~*s*** *pl of friendship, etc*.: Bande *pl*; ***in ~*** *econ*. unter Zollverschluss.

bone [bəʊn] **1.** *s* Knochen *m*; Gräte *f*; **~*s*** *pl a*. Gebeine *pl*; ***~ of contention*** Zankapfel *m*; ***have a ~ to pick with s.o.*** F mit *j-m* ein Hühnchen zu rupfen haben; ***chilled to the ~*** völlig durchgefroren; ***make no ~s about*** F nicht lange fackeln mit; keine Skrupel haben hinsichtlich (*gen*); **2.** *v/t* die Knochen auslösen aus; entgräten.

bon•fire [ˈbɒnfaɪə] *s* Feuer *n* im Freien; Freudenfeuer *n*.

bonk [bɒŋk] *v/t and v/i Brit. sl*. hauen; *have sex*: F bumsen.

bon•kers [ˈbɒŋkəz] *adj sl*. übergeschnappt; ***go ~*** durchdrehen, überschnappen.

bon•net [ˈbɒnɪt] *s* Haube *f*; *Br*. Motorhaube *f*.

bon•ny *esp. ScotE*. [ˈbɒnɪ] *adj* (***-ier, -iest***) hübsch; *of baby*: rosig; gesund.

bo•nus *econ*. [ˈbəʊnəs] *s* Bonus *m*, Prämie *f*; Gratifikation *f*; **~ *mile*** *s aer*. Bonusmeile *f*.

bon•y [ˈbəʊnɪ] *adj* (***-ier, -iest***) knöchern; knochig.

boob *sl*. [buːb] *s* Blödmann *m*; *Br*. (grober) Fehler; **~*s*** *pl* F Titten *pl*.

boo•by [ˈbuːbɪ] Trottel *m*; **~ *hatch*** *s Am. sl*. Klapsmühle *f*; **~ *trap*** *s* Falle *f*, übler Scherz; *bomb*: versteckte Bombe.

book [bʊk] **1.** *s* Buch *n*; Heft *n*; Liste *f*; Block *m*; **2.** *v/t* buchen; eintragen; *ticket, etc*.: lösen; *place, seat, etc*.: (vor)bestellen, reservieren (lassen); *soccer, etc*.: verwarnen; **~*ed up*** ausgebucht, -verkauft, *of hotel*: belegt; *v/i*: **~ *in*** *esp. Br. at a hotel*: sich eintragen; **~ *in at*** absteigen in (*dat*); **~•*case*** *s* Bücherschrank *m*; **~•*ing*** *s* Buchen *n*, (Vor)Bestellung *f*; *soccer, etc*.: Verwarnung *f*; **~•*ing-clerk*** *s* Schalterbeamt|e(r) *m*, -in *f*; **~•*ing-of•fice*** *s* Fahrkartenausgabe *f*, -schalter *m*; *thea*. Kasse *f*; **~•*keep•er*** *s* Buchhalter(in); **~•*keep•ing*** *s* Buchhaltung *f*, -führung *f*; **~•*let*** [-lɪt] *s* Büchlein *n*, Broschüre *f*; **~•*mark(•er)*** *s* Lesezeichen *n*; **~•*sell•er*** *s* Buchhändler(in); **~•*shop***, *Am*. **~•*store*** *s* Buchhandlung *f*.

boom[1] *econ*. [buːm] **1.** *s* Boom *m*, Aufschwung *m*, Hochkonjunktur *f*, Hausse *f*; **2.** *v/i* e-n Boom erleben.

boom[2] [-] *v/i* dröhnen, donnern.

boor *fig*. [bʊə] *s* Bauer *m*, Lümmel *m*; **~•*ish*** *adj* □ bäuerisch, ungehobelt.

boost [buːst] *v/t* hochschieben; *prices*: in die Höhe treiben; *economy*: ankurbeln; verstärken (*a. electr*.); *fig*. fördern, Auftrieb geben (*dat*).

boot[1] [buːt] *s* Stiefel *m*; *Br. mot*. Kofferraum *m*.

boot[2] [-] *v/t* (*a*. **~ *up***) *computer*: booten, starten, hochfahren.

boot•ee [ˈbuːtiː] *s of women*: Halbstiefel *m*, Stiefelette *f*; *of babies*: Babyschuh *m*.

booth [buːð] *s market*: Bude *f*; *exhibition*: (Messe)Stand *m*; *pol*. (Wahl)Kabine *f*; *teleph*. (Fernsprech)Zelle *f*.

boot•lace [ˈbuːtleɪs] *s* Schnürsenkel *m*.

boot•y [ˈbuːtɪ] *s* Beute *f*, Raub *m*.

booze F [buːz] **1.** *v/i* saufen; **2.** *s* Alkohol *m*; Sauferei *f*, Besäufnis *n*.

bor•der [ˈbɔːdə] **1.** *s* Rand *m*, Saum *m*, Einfassung *f*; Rabatte *f*; Grenze *f*; **2.** *v/t* einfassen; (um)säumen; *v/i* grenzen (***on*** an *acc*); **~ *re•gion*** *s* Grenzregion *f*.

bore[1] [bɔː] **1.** *s* Bohrloch *n*, Bohrung *f*; *of gun*: Kaliber *n*; **2.** *v/t* bohren.

bore[2] [-] **1.** *s* langweilige Sache; *person*: F Langweiler(in); *esp. Br*. lästige Sache; **2.** *v/t* langweilen; ***I'm ~d*** mir ist langweilig.

bore[3] [-] *pret of* **bear**[2].

bor•ing [ˈbɔːrɪŋ] *adj* □ langweilig.

born [bɔːn] *pp of* **bear**[2].

borne [bɔːn] *pp of* ***bear***[2].
bo•rough ['bʌrə] *s* Stadtteil *m*; Stadtgemeinde *f*; Stadtbezirk *m*.
bor•row ['bɒrəʊ] *v/t* (sich) *et.* borgen *or* (aus)leihen; **~ed** *adj econ.* kreditfinanziert (*takeover, deal, etc.*).
Bos•ni•a-Her•ze•go•vi•na [bɒznɪəhɜːtsəgə'viːnə] Bosnien-Herzegowina *n*.
bos•om ['bʊzəm] *s* Busen *m*; *fig.* Schoß *m*.
boss F [bɒs] **1.** *s* Boss *m*, Chef *m*; *esp. Am. pol.* (Partei-, Gewerkschafts)Bonze *m*; **2.** *v/t a.*: ***~ about, ~ around*** herumkommandieren; **~•y** *adj* (***-ier, -iest***) F herrisch; ***be ~*** herumkommandieren.
BOT *Br.* ***Board of Trade*** Handelsministerium *n*.
bo•tan•i•cal [bə'tænɪkl] *adj* □ botanisch; **bot•a•ny** ['bɒtənɪ] *s* Botanik *f*.
botch [bɒtʃ] **1.** *s* Pfusch(arbeit *f*) *m*; **2.** *v/t* verpfuschen.
both [bəʊθ] *adv and pron* beide(s); *cj*: ***~ … and*** sowohl … als (auch).
both•er ['bɒðə] **1.** *s* Belästigung *f*, Störung *f*, Plage *f*, Mühe *f*; **2.** *v/t and v/i* belästigen, stören, plagen; ***don't ~!*** bemühen Sie sich nicht!
bot•tle ['bɒtl] **1.** *s* Flasche *f*; **2.** *v/t* in Flaschen abfüllen; **~ bank** *s* Altglascontainer *m*; **~-neck** *s* Flaschenhals *m*; *of road*: Engpass *m* (*a. fig.*).
bot•tom ['bɒtəm] *s* unterster Teil, Boden *m*, Fuß *m*, Unterseite *f*; Grund *m*; F Hintern *m*, Popo *m*; ***be at the ~ of s.th.*** hinter et. stecken; ***get to the ~ of s.th.*** e-r Sache auf den Grund gehen.
bough [baʊ] *s* Ast *m*, Zweig *m*.
bought [bɔːt] *pret and pp of* **buy.**
bounce [baʊns] **1.** *s of ball, etc.*: Aufprall(en *n*) *m*, Aufspringen *n*; *vigour*: Schwung *m*; **2.** *v/t and v/i ball, etc.*: aufprallen *or* springen (lassen); F *cheque*: platzen; ***he ~d the baby on his knee*** er ließ das Kind auf den Knien reiten; **bounc•er** *s* F *in bar, etc.*: Rausschmeißer *m*; **bounc•ing** *adj baby*: stramm, kräftig.
bounc•y cas•tle [ˌbaʊnsɪ'kɑːsl] *s für Kinder*: Hüpfburg *f*.
bound[1] [baʊnd] **1.** *pret and pp of* ***bind***; **2.** *adj* verpflichtet; bestimmt, unterwegs (***for*** nach); sehr wahrscheinlich, sicher; ***it's ~ to rain soon*** es muss bald regnen.
bound[2] [~] **1.** *s* Sprung *m*; **2.** *v/i* (hoch-) springen; auf-, abprallen.
bound[3] [~] *s mst* **~*s*** *pl* Grenze *f*, *fig. a.* Schranke *f*; **~•a•ry** ['baʊndərɪ] *s* Grenze *f*; **~•less** *adj* □ grenzenlos.
boun|te•ous ['baʊntɪəs], **~•ti•ful** [~fl] *adj* □ freigebig, reichlich.
boun•ty ['baʊntɪ] *s* Prämie *f*, Kopfgeld *n*; Freigebigkeit *f*; Spende *f*.
bou•quet [bʊ'keɪ] *s* Bukett *n*, Strauß *m*; *of wine*: Blume *f*.
bout [baʊt] *s boxing, etc.*: Kampf *m*; *med.* Anfall *m*; ***drinking ~*** Saufgelage *n*.
bou•tique [buː'tiːk] *s* Boutique *f*.
bow[1] [baʊ] **1.** *s* Verbeugung *f*; **2.** *v/i* sich verbeugen *or* verneigen (***to*** vor *dat*); *fig.* sich beugen *or* unterwerfen (***to*** *dat*); *v/t* biegen; beugen, neigen.
bow[2] *mar.* [~] *s* Bug *m*.
bow[3] [bəʊ] *s* Bogen *m* (*a. mus.*); Schleife *f*.
bow•els ['baʊəlz] *s pl anat.* Eingeweide *pl*; *das* Innere.
bowl[1] [bəʊl] *s* Schale *f*, Schüssel *f*, Napf *m*; *of pipe*: (Pfeifen)Kopf *m*; *geogr.* Becken *n*; *Am.* Stadion *n*.
bowl[2] [~] **1.** *s ball*: Kugel *f*; **2.** *v/t* rollen; *in bowling, cricket*: werfen; *v/i* bowlen, Bowling spielen; kegeln; *cricket*: werfen; **~•ing** *s* Bowling *n*; Kegeln *n*.
box[1] [bɒks] **1.** *s* Kasten *m*, Kiste *f*; Büchse *f*; Schachtel *f*; *tech.* Gehäuse *n*; *thea.* Loge *f*; Box *f*; **2.** *v/t* in Kästen *etc.* tun.
box[2] [~] **1.** *v/t and v/i sports*: boxen; ***~ s.o.'s ears*** *j-n* ohrfeigen; **2.** *s*: ***~ on the ear*** Ohrfeige *f*.
box|er ['bɒksə] *s* Boxer *m*; **~•ing** *s* Boxen *n*, Boxsport *m*; **♀•ing Day** *s Br.* der zweite Weihnachtsfeiertag; **~ num•ber** *s in newspaper*: Chiffre *f*; *post office*: Postfach *n*; **~-of•fice** *s* Theaterkasse *f*.
boy [bɔɪ] *s* Junge *m*, F *a.* Sohn *m*; ***~-friend*** Freund *m*; ***~ scout*** Pfadfinder *m*.
boy•cott ['bɔɪkɒt] **1.** *v/t* boykottieren; **2.** *s* Boykott *m*.
boy|hood ['bɔɪhʊd] *s* Kindheit *f*, Jugend(zeit) *f*; **~•ish** ['~ɪʃ] *adj* □ jungenhaft.
BR ***British Rail*** *railway company in the UK*.
bra [brɑː] *s* BH *m*.

brace [breɪs] **1.** *s tech.* Strebe *f*, Stützbalken *m*; Klammer *f*; (*a.* ***a pair of***) **~s** *pl Br.* Hosenträger *pl*; **2.** *v/t* verstreben, -steifen, stützen; spannen; *fig.* stärken.

brace•let ['breɪslɪt] *s* Armband *n*.

brack•et ['brækɪt] **1.** *s tech.* Träger *m*, Halter *m*, Stütze *f*; *of lamp*: (Wand-) Arm *m*; *arch.* Konsole *f*; *print.* (eckige) Klammer; *esp. of group*: Alters-, Steuerklasse *f*; ***lower income ~*** niedrige Einkommensgruppe; **2.** *v/t* einklammern; *fig.* gleichstellen.

brack•ish ['brækɪʃ] *adj* brackig, salzig.

brag [bræg] **1.** *s* Prahlerei *f*; **2.** *v/i* (**-gg-**) prahlen (***about, of*** mit).

brag•gart ['brægət] **1.** *s* Prahler *m*; **2.** *adj* prahlerisch.

braid [breɪd] **1.** *s* (Haar)Flechte *f*, Zopf *m*; Borte *f*, Tresse *f*; **2.** *v/t* flechten.

braille [breɪl] *s* Blindenschrift *f*.

brain [breɪn] *s anat.* Gehirn *n*; *often* **~s** *pl fig.* Gehirn *n*, Verstand *m*, Intelligenz *f*, Kopf *m*; **~s trust** *Br.*, *Am.* **~ trust** ['breɪn(z)trʌst] *s* Braintrust *m*, Expertengruppe *f*; **~•wash** *v/t j-n* e-r Gehirnwäsche unterziehen; **~•washing** *s* Gehirnwäsche *f*; **~•wave** *s* F Geistesblitz *m*; **~ work•er** *s* Geistesarbeiter(in).

brake [breɪk] **1.** *s tech.* Bremse *f*; **2.** *v/i* bremsen.

bram•ble *bot.* ['bræmbl] *s* Brombeerstrauch *m*.

branch [brɑːntʃ] **1.** *s* Ast *m*, Zweig *m*; Fach *n*; *of family*: Linie *f*; *econ.* Zweigstelle *f*; **2.** *v/i* sich verzweigen; abzweigen.

brand [brænd] **1.** *s econ.* (Handels-, Schutz)Marke *f*, Warenzeichen *n*; *of goods*: Sorte *f*, Klasse *f*; Brandmal *n*; ***~ name*** Markenbezeichnung *f*, Markenname *m*; **2.** *v/t* einbrennen; brandmarken.

bran•dish ['brændɪʃ] *v/t* schwingen.

brand-new [brænd'njuː] *adj* F nagelneu.

bran•dy ['brændɪ] *s* Kognak *m*, Weinbrand *m*.

brass [brɑːs] *s* Messing *n*; F Unverschämtheit *f*; ***~ band*** Blaskapelle *f*; ***~ knuckles*** *pl Am.* Schlagring *m*.

bras•sière ['bræsɪə] *s* Büstenhalter *m*.

brat [bræt] *s contp. for child*: Balg *m*, *n*, Gör *n*.

brave [breɪv] **1.** *adj* □ (**~r**, **~st**) tapfer, mutig, unerschrocken; **2.** *v/t* trotzen (*dat*); mutig begegnen (*dat*); **brav•er•y** ['-ərɪ] *s* Tapferkeit *f*.

brawl [brɔːl] **1.** *s* Krawall *m*; Rauferei *f*; **2.** *v/i* Krawall machen; raufen.

brawn [brɔːn] *s* Muskel *m*, Muskeln *pl* (*a. fig.*); *food*: Sülze *f*; **~•y** *adj* (**-ier**, **-iest**) muskulös.

bra•zen ['breɪzn] *adj* □ unverschämt, unverfroren, frech.

Bra•zil [brə'zɪl] Brasilien *n*.

Bra•zil•ian [brə'zɪlɪən] **1.** *adj* brasilianisch; **2.** *s* Brasilianer(in).

breach [briːtʃ] **1.** *s* Bruch *m*; *fig.* Verletzung *f*; Bresche *f*; *fig.* Riss *m*; **2.** *v/t* e-e Bresche schlagen in (*acc*).

bread [bred] *s* Brot *n*; ***~ and butter*** Butterbrot *n*, *fig.* tägliches Brot; ***brown ~*** Schwarzbrot *n*; ***know which side one's ~ is buttered*** F s-n Vorteil (er-) kennen.

breadth [bredθ] *s* Breite *f*, Weite *f*; *fig.* Größe *f*; *of fabric*: Bahn *f*.

break[1] [breɪk] *s* Bruch *m*; Lücke *f*; Pause *f*, Unterbrechung *f*; *econ.* Preis-, Kurssturz *m*; (Tages)Anbruch *m*; *fig.* Zäsur *f*, Einschnitt *m*; ***bad ~*** F Pech *n*; ***lucky ~*** F Dusel *m*, Schwein *n*; ***without a ~*** ununterbrochen.

break[2] [-] (***broke, broken***) *v/t* ab-, auf-, durchbrechen; (zer)brechen; unterbrechen; übertreten; *animal*: abrichten, *horse*: zureiten; (*at casino*) *bank*: sprengen; *supplies*: anbrechen; *news*: (schonend) mitteilen; *ruin*: ruinieren; *v/i* brechen; eindringen *or* einbrechen (***into*** in *acc*); (zer)brechen; aus-, los-, an-, auf-, hervorbrechen; *of weather*: umschlagen; *with adverbs*: ***~ away*** ab-, losbrechen; sich losmachen *or* losreißen; ***~ down*** ein-, niederreißen, *house*: abbrechen; zusammenbrechen (*a. fig.*); versagen; ***~ even*** *econ.* die Kosten decken, F plus-minus null machen *or* aufgehen; ***~ in*** einbrechen, -dringen; ***~ off*** abbrechen; *fig. a.* Schluss machen mit; ***~ out*** ausbrechen; ***~ through*** durchbrechen; *fig.* den Durchbruch schaffen; ***~ up*** abbrechen, beendigen, schließen; (sich) auflösen; *relationship, etc.*: zerbrechen, auseinandergehen.

break|a•ble ['breɪkəbl] *adj* zerbrechlich; **~•age** [-ɪdʒ] *s* Zerbrechen *n*; *econ.* Bruchschaden *m*; **~•a•way** *s*

Trennung *f*, Bruch *m*; *attr Br.* Splitter...; **~•down** *s* Zusammenbruch *m* (*a. fig.*); *tech.* Maschinenschaden *m*; *mot.* Panne *f*; **~-e•ven point** *s econ.* Gewinnschwelle *f*, Break-even-Punkt *m*.

break•fast ['brekfəst] **1.** *s* Frühstück *n*; **2.** *v/i* frühstücken.

break|through *fig.* ['breɪkθruː] *s* Durchbruch *m*; **~•up** *s* Auflösung *f*; Zerfall *m*; Zerrüttung *f*; Zusammenbruch *m*.

breast [brest] *s* Brust *f*; Busen *m*; *fig.* Herz *n*; ***make a clean ~ of s.th.*** et. offen gestehen; **~-stroke** ['~strəʊk] *s sports*: Brustschwimmen *n*.

breath [breθ] *s* Atem(zug) *m*; Hauch *m*; ***waste one's ~*** s-e Worte verschwenden.

breath•a|lyse, *Am.* **~lyze** ['breθəlaɪz] *v/t driver*: (ins Röhrchen) blasen *or* pusten lassen; **~•lys•er**, *Am.* **~lyz•er** [~ə] *s* Alkoholtestgerät *n*, F Röhrchen *n*.

breathe [briːð] *v/i* atmen; leben; *v/t* (aus-, ein)atmen; hauchen, flüstern.

breath|less ['breθlɪs] *adj* □ atemlos; **~•tak•ing** *adj* atemberaubend.

bred [bred] *pret and pp of* ***breed*** 2.

breech•es ['brɪtʃɪz] *s pl* Knie-, Reithosen *pl*.

breed [briːd] **1.** *s* Zucht *f*, Rasse *f*; (Menschen)Schlag *m*; **2.** (***bred***) *v/t* erzeugen; auf-, erziehen; züchten; *v/i* sich fortpflanzen; **~•er** *s* Züchter(in); Zuchttier *n*; **~•ing** *s* (Tier)Zucht *f*; Erziehung *f*; (gutes) Benehmen.

breeze [briːz] *s* Brise *f*; **breez•y** *adj* (***-ier, -iest***) windig, luftig; heiter, unbeschwert.

brev•i•ty ['brevətɪ] *s* Kürze *f*.

brew [bruː] **1.** *v/t* brauen (*a. v/i*); zubereiten; *fig.* aushecken; **2.** *s* Gebräu *n*; **~•er** ['brʊə] *s* (Bier)Brauer *m*; **~•er•y** ['brʊərɪ] *s* Brauerei *f*.

bribe [braɪb] **1.** *s* Bestechung *f*, Bestechungsgeld *n*; **2.** *v/t* bestechen; **brib•er•y** ['~ərɪ] *s* Bestechung *f*.

brick [brɪk] **1.** *s* Ziegel(stein) *m*; ***drop a ~*** *Br.* F ins Fettnäpfchen treten; **2.** *v/t*: ***~ up*** *or* ***in*** zumauern; **~•lay•er** ['~leɪə] *s* Maurer *m*; **~•works** *s sg* Ziegelei *f*.

brid•al ['braɪdl] *adj* Braut...

bride [braɪd] *s* Braut *f*; **~•groom** ['~grʊm] *s* Bräutigam *m*; **~s•maid** ['~zmeɪd] *s* Brautjungfer *f*.

bridge [brɪdʒ] **1.** *s* Brücke *f*; **2.** *v/t* e-e Brücke schlagen über (*acc*); *fig.* überbrücken.

bri•dle ['braɪdl] **1.** *s* Zaum *m*; Zügel *m*; **2.** *v/t* (auf)zäumen; zügeln; *v/i a.* ***~ up*** den Kopf zurückwerfen; **~-path** *s* Reitweg *m*.

brief [briːf] **1.** *adj* □ kurz, bündig; **2.** *jur.* schriftliche Instruktion; **3.** *v/t* kurz zusammenfassen; instruieren; **~•case** ['~keɪs] *s* Aktenmappe *f*.

briefs [briːfs] *s pl* (***a pair of ~*** ein) Slip *m*, kurze Unterhose.

bri•gade [brɪ'geɪd] *s mil.* Brigade *f*; *organized group*: Einheit *f*, Trupp *m*.

bright [braɪt] *adj* □ hell, glänzend; klar; heiter; lebhaft; gescheit; **~•en** *v/t* auf-, erhellen; polieren; aufheitern; *v/i* sich aufhellen; **~•ness** *s* Helligkeit *f*; Glanz *m*; Klarheit *f*; Heiterkeit *f*; Aufgewecktheit *f*, Intelligenz *f*.

bril|liance, ~•lian•cy ['brɪlɪəns, ~ɪ] *s* Helligkeit *f*; Glanz *m*; durchdringender Verstand; **~•liant** ['brɪlɪənt] **1.** *adj* □ glänzend; hervorragend, brillant; **2.** *s* Brillant *m*.

brim [brɪm] **1.** *s* Rand *m*; Krempe *f*; **2.** *v/i* (***-mm-***) bis zum Rand voll sein; **~•ful(l)** *adj* randvoll.

brine [braɪn] *s* Salzwasser *n*; Sole *f*.

bring [brɪŋ] *v/t* (***brought***) (mit-, her)-bringen; *j-n* veranlassen; *charge*: erheben (***against*** gegen); ***what ~s you here?*** was führt Sie zu mir?; ***~ about*** zustande bringen; bewirken; ***~ back*** zurückbringen; ***~ forth*** hervorbringen; ***~ forward*** *plan, reason, etc.*: vorbringen; ***~ s.th. home to s.o.*** *j-m* et. klarmachen; ***~ in*** (her)einbringen; *jur. verdict*: fällen; ***~ off*** *et.* fertigbringen, schaffen; ***~ on*** verursachen; ***~ out*** herausbringen; ***~ round*** wieder zu Bewusstsein bringen; ***~ up*** auf-, großziehen; erziehen; zur Sprache bringen; *esp. Br. et.* (er)brechen.

brink [brɪŋk] *s* Rand *m* (*a. fig.*).

brisk [brɪsk] *adj* □ lebhaft, munter; frisch; flink; belebend.

bris|tle ['brɪsl] **1.** *s* Borste *f*; **2.** *v/i* sich sträuben; hochfahren, zornig werden; ***~ with*** *fig.* starren von; **~•tly** [~ɪ] *adj* (***-ier, -iest***) stopp(e)lig, Stoppel...

Bri•tain ['brɪtn] Britannien *n*.

Brit•ish ['brɪtɪʃ] *adj* britisch; ***the ~ pl*** die Briten *pl*; ***~ Council*** britisches Kultur-

B

institut; ~ ***Standards Institution*** (*abbr.* ***BSI***) Britischer Normenausschuss.
Brit•ta•ny ['brɪtənɪ] *die* Bretagne.
brit•tle ['brɪtl] *adj* zerbrechlich, spröde.
broach [brəʊtʃ] *v/t topic, etc.*: anschneiden.
broad [brɔːd] *adj* □ breit; weit; *day*: hell; *hint, etc.*: deutlich; *humour, etc.*: derb; allgemein; weitherzig; liberal.
broad•cast ['brɔːdkɑːst] **1.** (***-cast*** *or* ***-casted***) *v/t fig. news*: verbreiten; im Rundfunk *or* Fernsehen bringen, ausstrahlen, übertragen; senden; *v/i* im Rundfunk *or* Fernsehen sprechen *or* auftreten; **2.** *s* Rundfunk-, Fernsehsendung *f*; **~•cast•er** *s* Rundfunk-, Fernsehsprecher(in).
broad|en [~dn] *v/t* verbreitern, erweitern; **~ jump** *s Am. sports*: Weitsprung *m*; **~•mind•ed** *adj* liberal.
bro•chure ['brəʊʃə] *s* Broschüre *f*, Prospekt *m*.
broil *esp. Am.* [brɔɪl] → ***grill*** 1.
broke [brəʊk] **1.** *pret of* ***break***[2]; **2.** *adj* F pleite, abgebrannt; **bro•ken** ['~ən]; **1.** *pp of* ***break***[2]; **2.** *adj*: **~ *health*** zerrüttete Gesundheit; **~*-hearted*** verzweifelt, untröstlich.
bro•ker *econ.* ['brəʊkə] *s* Makler *m*.
bron•co *Am.* ['brɒŋkəʊ] (*pl* ***-cos***) *s* (halb)wildes Pferd.
bronze [brɒnz] **1.** *s* Bronze *f*; **2.** *adj* bronzen, Bronze…; **3.** *v/t* bronzieren.
brooch [brəʊtʃ] *s* Brosche *f*, Spange *f*.
brood [bruːd] **1.** *s* Brut *f*; *attr* Brut…; **2.** *v/i* brüten (*a. fig.*); **~•er** ['~ə] *s* Brutkasten *m*.
brook [brʊk] *s* Bach *m*.
broom [brʊm] *s* Besen *m*; *bot.* Ginster *m*; **~•stick** ['~stɪk] *s* Besenstiel *m*.
Bros. ***brothers*** Gebr., Gebrüder *pl in the names of companies*.
broth [brɒθ] *s* Fleischbrühe *f*.
broth•el ['brɒθl] *s* Bordell *n*.
broth•er ['brʌðə] *s* Bruder *m*; **~(*s*) *and sister*(*s*)** Geschwister *pl*; **~•hood** *s* Bruderschaft *f*; Brüderlichkeit *f*; **~-in--law** *s* Schwager *m*; **~•ly** *adj* brüderlich.
brought [brɔːt] *pret and pp of* ***bring.***
brow [braʊ] *s* (Augen)Braue *f*; Stirn *f*; *of cliff*: Rand *m*; *of hill*: Kuppe *f*; **~•beat** ['~biːt] *v/t* (***-beat, -beaten***) einschüchtern; tyrannisieren.
brown [braʊn] **1.** *adj* braun; **2.** *s* Braun *n*; **3.** *v/t* bräunen; *v/i* braun werden.
browse [braʊz] **1.** *s* Grasen *n*; *fig.* Schmökern *n*; **2.** *v/i* grasen, weiden; **~ *through*** *book, etc.*: schmökern in (*dat*).
bruise [bruːz] **1.** *s med.* Quetschung *f*, Prellung *f*, Bluterguss *m*, blauer Fleck, (*on thigh a.*) F Pferdekuss *m*; **2.** *v/t* (zer)quetschen; *j-n* grün u. blau schlagen.
brunch F [brʌntʃ] *s* Brunch *m*.
Brunswick ['brʌnzwɪk] Braunschweig *n*.
brunt [brʌnt] *s*: ***bear the ~ of*** die Hauptlast von *et.* tragen.
brush [brʌʃ] **1.** *s* Bürste *f*; Pinsel *m*; *of fox*: Rute *f*; Unterholz *n*; **2.** *v/t* bürsten; fegen; streifen; **~ *away*, ~ *off*** wegbürsten, abwischen; **~ *aside*, ~ *away*** *fig. et.* abtun; **~ *up*** *knowledge, etc.*: aufpolieren, -frischen; *v/i*: **~ *against s.o.*** *j-n* streifen; **~-up** ['brʌʃʌp] *s*: ***give one's German a ~*** s-e Deutschkenntnisse aufpolieren; **~•wood** *s* Unterholz *n*.
brusque [brʊsk] *adj* □ brüsk, barsch.
Brus•sels ['brʌslz] Brüssel *n*.
Brus•sels sprouts *bot.* [brʌsl'spraʊts] *s pl* Rosenkohl *m*.
bru•tal ['bruːtl] *adj* □ viehisch; brutal, roh; **~•i•ty** [bruː'tælətɪ] *s* Brutalität *f*, Rohheit *f*; **brute** [bruːt] **1.** *adj* tierisch; brutal, roh; **2.** *s* Vieh *n*; F Untier *n*, Scheusal *n*.
BSc *Br.* **Bachelor of Science** Bakkalaureus *m* der Naturwissenschaften.
BScEcon ***Bachelor of Economic Science*** Bakkalaureus *m* der Wirtschaftswissenschaft(en).
BSI ***British Standards Institution*** britischer Normenausschuss.
bub•ble ['bʌbl] **1.** *s* Blase *f*; *fig.* Schwindel *m*; **2.** *v/i* sprudeln.
Bu•cha•rest [ˌbjuːkə'rest] Bukarest *n*.
buck [bʌk] **1.** *s zo.* Bock *m*; *Am. sl.* Dollar *m*; **2.** *v/i* bocken; **~ *up!*** Kopf hoch!; *v/t*: **~ *off*** *rider*: (durch Bocken) abwerfen.
buck•et ['bʌkɪt] *s* Eimer *m*, Kübel *m*; ***kick the ~*** F abkratzen, den Löffel abgeben.
buck•le ['bʌkl] **1.** *s* Schnalle *f*, Spange *f*; **2.** *v/t a.* **~ *up*** zu-, festschnallen; **~ *on*** anschnallen; *v/i tech.* sich (ver)biegen; **~ *down to a task*** F sich hinter e-e Aufgabe klemmen.
bud [bʌd] **1.** *bot.* Knospe *f*; *fig.* Keim *m*; **2.** *v/i* (***-dd-***) knospen, keimen; ***a ~ding***

lawyer ein angehender Jurist.
Bu•da•pest [ˌbjuːdəˈpest] Budapest *n.*
bud•dy *Am.* F [ˈbʌdɪ] *s* Kamerad *m.*
budge [bʌdʒ] *v/t and v/i* (sich) bewegen.
bud•ger•i•gar *zo.* [ˈbʌdʒərɪgɑː] *s* Wellensittich *m.*
bud•get [ˈbʌdʒɪt] *s* Vorrat *m*; Staatshaushalt *m*; Etat *m*, Finanzen *pl*; **~ *resources*** *pl* Etatmittel *pl.*
bud•gie *zo.* F [ˈbʌdʒɪ] → ***budgerigar.***
buff[1] [bʌf] **1.** *s* Ochsenleder *n*; Lederfarbe *f*; **2.** *adj* lederfarben.
buff[2] F [~] *s film* ~, *music* ~, *etc.*: Fan *m.*
buf•fa•lo *zo.* [ˈbʌfələʊ] *s* (*pl -loes, -los*) Büffel *m.*
buff•er [ˈbʌfə] *s tech.* Puffer *m*; Prellbock *m* (*a. fig.*); **~ (*state*)** *pol.* Pufferstaat *m.*
buf•fet[1] [ˈbʌfɪt] **1.** *s* (Faust)Schlag *m*; **2.** *v/t* schlagen; **~ *about*** durchschütteln.
buf•fet[2] [ˈbʊfeɪ] *s* Büfett *n*, Anrichte *f*, Theke *f*; *food*: (kaltes) Büfett.
bug [bʌg] **1.** *s zo.* Wanze *f*; *Am. zo.* Insekt *n*; F Bazillus *m*; F Abhörvorrichtung *f*, Wanze *f*; *computer*: (Programm)Fehler *m*; **2.** *v/t* (***-gg-***) F *conversation*: abhören; F Wanzen anbringen in (*dat*); *Am.* F ärgern, wütend machen.
bug•gy [ˈbʌgɪ] *s mot.* Buggy *m*; Kinderwagen *m*, Buggy *m.*
build [bɪld] **1.** *v/t* (***built***) (er)bauen, errichten; **2.** *s* Körperbau *m*, Figur *f*; **~•er** [ˈ~ə] *s* Erbauer *m*, Baumeister *m*; Bauunternehmer *m*; **~•ing** [ˈ~ɪŋ] *s* (Er)Bauen *n*; Bau *m*, Gebäude *n*; *attr* Bau…; **~•ing trade** *s* Baubranche *f*, Baugewerbe *n.*
built [bɪlt] *pret and pp of* ***build*** 1.
bulb [bʌlb] *s bot.* Zwiebel *f*, Knolle *f*; *electr.* (Glüh)Birne *f.*
Bul•gar•ia [bʌlˈgeərɪə] Bulgarien *n.*
bulge [bʌldʒ] **1.** *s* (Aus)Bauchung *f*; Anschwellung *f*; **2.** *v/i* sich (aus)bauchen; hervorquellen.
bulk [bʌlk] *s* Umfang *m*; Masse *f*; Hauptteil *m*; *mar.* Ladung *f*; ***in ~*** *econ.* lose; in großer Menge; **~•y** [ˈbʌlkɪ] *adj* (***-ier, -iest***) umfangreich; unhandlich, sperrig.
bull[1] *zo.* [bʊl] *s* Bulle *m*, Stier *m*; **~*fight*** Stierkampf *m.*
bull[2] *eccl.* [~] *s* Bulle *f.*
bull•dog *zo.* [ˈbʊldɒg] *s* Bulldogge *f.*
bull|doze [ˈbʊldəʊz] *v/t ground*: planieren; F *fig.* einschüchtern; **~•doz•er** *tech.* [~ə] *s* Bulldozer *m*, Planierraupe *f.*
bul•let [ˈbʊlɪt] *s* Kugel *f*; **~-*proof*** kugelsicher.
bul•le•tin [ˈbʊlɪtɪn] *s* Bulletin *n*, Tagesbericht *m*; **~ *board*** *Am.*Schwarzes Brett.
bul•lion [ˈbʊlɪən] *s* Gold-, Silberbarren *m*; Gold-, Silberlitze *f.*
bul•ly [ˈbʊlɪ] **1.** *s* Maulheld *m*; Tyrann *m*; **2.** *v/t* einschüchtern, tyrannisieren; *at work etc.*: mobben; **~•ing** *s at work etc.*: Mobbing *n.*
bum F [bʌm] **1.** *s* Hintern *m*; *person*: Nichtstuer *m*, Herumtreiber *m*, Gammler *m*; **2.** *v/i* (***-mm-***) schnorren; **~ *around*** herumgammeln.
bum•ble-bee *zo.* [ˈbʌmblbiː] *s* Hummel *f.*
bump [bʌmp] **1.** *s* heftiger Schlag *or* Stoß; Beule *f*; **2.** *v/t* stoßen; zusammenstoßen mit, rammen; **~ *off*** F *j-n* umlegen, umbringen; *v/i*: **~ *into*** *fig. j-n* zufällig treffen.
bum•per[1] [ˈbʌmpə] *adj* riesig, Riesen…; **~ *crop*** Rekordernte *f.*
bum•per[2] *mot.* [~] *s* Stoßstange *f*; **~-*to*-~** Stoßstange an Stoßstange.
bump•y [ˈbʌmpɪ] *adj* (***-ier, -iest***) holp(e)rig.
bun [bʌn] *s* süßes Brötchen; (Haar-)Knoten *m.*
bunch [bʌntʃ] **1.** *s* Bund *n*, Büschel *n*; Haufen *m*; **~ *of grapes*** Weintraube *f*; **2.** *v/t a.* **~ *up*** bündeln.
bun•dle [ˈbʌndl] **1.** *s* Bündel *n* (*a. fig.*), Bund *n*; **2.** *v/t a.* **~ *up*** bündeln.
bun•ga•low [ˈbʌŋgələʊ] *s* Bungalow *m.*
bun•gle [ˈbʌŋgl] **1.** *s* Stümperei *f*, Pfusch(arbeit *f*) *m*; **2.** *v/t* verpfuschen.
bunk [bʌŋk] *s* Schlafkoje *f*; (*a.* **~ *bed***) Stockbett *n.*
bun•ny [ˈbʌnɪ] *s* Häschen *n.*
buoy [bɔɪ] **1.** *s mar.* Boje *f*; **2.** *v/t*: **~*ed up*** *fig.* von neuem Mut erfüllt; **~•ant** [ˈ~ənt] *adj* □ schwimmfähig; *water*: tragend; *fig.* heiter.
bur•den [ˈbɜːdn] **1.** *s* Last *f*; Bürde *f*; **2.** *v/t* belasten; **~•some** *adj* lästig, drückend.
bu•reau [ˈbjʊərəʊ] *s* (*pl* ***-x, -s***) Büro *n*, Geschäftszimmer *n*; *Br.* Schreibtisch *m*, -pult *n*; *Am.* (*esp.* Spiegel)Kommode *f*; **~c•ra•cy** [bjʊəˈrɒkrəsɪ] *s* Bürokratie *f.*

B

bur•glar ['bɜːglə] *s* Einbrecher *m*; **~•ize** *Am*. [~raɪz] → **burgle**; **~•y** [~rɪ] *s* Einbruch(sdiebstahl) *m*; **bur•gle** [~gl] *v/t and v/i* einbrechen (in *acc*).
Bur•gun•dy ['bɜːgəndɪ] Burgund *n*.
bur•i•al ['berɪəl] *s* Begräbnis *n*.
bur•ly ['bɜːlɪ] *adj* (**-ier, -iest**) stämmig, kräftig.
Bur•ma ['bɜːmə] Birma *n*.
burn [bɜːn] **1.** *s med*. Brandwunde *f*; verbrannte Stelle; **2.** *v/t and v/i* (**burnt** *or* **burned**) (ver-, an)brennen; **~ down** ab-, niederbrennen; **~ out** ausbrennen; **~ up** auflodern; verbrennen; *meteor, etc.*: verglühen; **~•ing** *adj* brennend (*a. fig.*).
bur•nish ['bɜːnɪʃ] *v/t* polieren.
burnt [bɜːnt] *pret and pp of* **burn** 2.
burp F [bɜːp] **1.** *v/i* rülpsen, aufstoßen; *v/t baby*: ein Bäuerchen machen lassen; **2.** *s* Rülpser *m*.
bur•row ['bʌrəʊ] **1.** *s* Höhle *f*, Bau *m*; **2.** *v/i* (sich ein-, ver)graben.
burst [bɜːst] **1.** *s* Bersten *n*; Riss *m*; *fig*. Ausbruch *m*; **2.** (**burst**) *v/i* bersten, platzen; zerspringen; explodieren; **~ from** sich losreißen von; **~ in on** *or* **upon** hereinplatzen bei *j-m*; **~ into tears** in Tränen ausbrechen; **~ out** herausplatzen; *v/t* (auf)sprengen.
bur•y ['berɪ] *v/t* be-, vergraben; beerdigen.
bus [bʌs] *s* (*pl* **-es, -ses**) (Omni)Bus *m*.
bush [bʊʃ] *s* Busch *m*; Gebüsch *n*.
bush•y ['bʊʃɪ] *adj* (**-ier, -iest**) buschig.
busi•ness ['bɪznɪs] *s* Geschäft *n*; Beschäftigung *f*; Beruf *m*; Angelegenheit *f*; Aufgabe *f*; *econ*. Handel *m*; **~ of the day** Tagesordnung *f*; **on ~** geschäftlich; **you have no ~ doing** (*or* **to do**) **that** Sie haben kein Recht, das zu tun; **this is none of your ~** das geht Sie nichts an; → **mind** 2; **~ din•ner** *s* Arbeits-, Geschäftsessen *n*; **~ hours** *pl* Geschäftszeit *f*, Öffnungszeiten *pl*; **~•like** *adj* geschäftsmäßig, sachlich; **~ lunch** *s* Arbeits-, Geschäftsessen *n*; **~•man** *s* Geschäftsmann *m*; **~ trip** *s* Geschäftsreise *f*; **~•wom•an** *s* Geschäftsfrau *f*.
bus| lane ['bʌsleɪn] *s* Busspur *f*; **~ ser•vice** *s* Busverbindung *f*; **~ shel•ter** *s* Wartehäuschen *n*; **~ sta•tion** *s* Busbahnhof *m*; **~ stop** *s* Bushaltestelle *f*.
bust[1] [bʌst] *s* Büste *f*.
bust[2] [~] **1.** *s Am*. F Pleite *f*; **2.** *v/t* (**busted** *or* **bust**) zerbrechen, kaputtmachen; F *arrest*: einlochen, einbuchten.
bus•tle ['bʌsl] **1.** *s* Geschäftigkeit *f*; geschäftiges Treiben; **2.** *v/i*: **~ about** geschäftig hin u. her eilen.
bus•y ['bɪzɪ] **1.** *adj* □ (**-ier, -iest**) beschäftigt; geschäftig; fleißig (**at** bei, an *dat*); lebhaft; *teleph*. besetzt; **2.** *v/t* (*mst* **~ o.s.** sich) beschäftigen (**with** mit).
but [bʌt, bət] **1.** *cj* aber, jedoch, sondern; außer, als; ohne dass; dennoch; *a*. **~ that** dass nicht; **she could not ~ laugh** sie musste einfach lachen; **2.** *prp* außer; **all ~ her** alle außer ihr; **the last ~ one** der vorletzte; **the next ~ one** der übernächste; **nothing ~** nichts als; **~ for** wenn nicht … gewesen wäre, ohne; **3.** *rel pron* der (die *or* das) nicht; **there is no one ~ knows** es gibt niemand, der es nicht weiß; **4.** *adv* nur; erst, gerade; **all ~** fast, beinahe.
butch•er ['bʊtʃə] **1.** *s* Fleischer *m*, Metzger *m*; **2.** *v/t* (*fig*. ab-, hin)schlachten; **~•y** *s* Schlachthaus *n*; *fig*. Gemetzel *n*.
but•ler ['bʌtlə] *s* Butler *m*.
butt[1] [bʌt] **1.** *s* Stoß *m*; (dickes) Ende, *of gun*: Kolben *m*; *of cigarette*: Kippe *f*; F *buttocks*: V Arsch *m*, F Hintern *m*; Schießstand *m*; *fig*. Zielscheibe *f*; **2.** *v/t j-n* (mit dem Kopf) stoßen; *v/i*: **~ in** F sich einmischen (**on** in *acc*).
butt[2] [~] *s* Fass *n*; (Regen- *etc.*) Tonne *f*.
but•ter ['bʌtə] **1.** *s* Butter *f*; F Schmeichelei *f*; **2.** *v/t* mit Butter bestreichen; **~•cup** *s bot*. Butterblume *f*; **~•fly** *s zo*. Schmetterling *m*; **~ moun•tain** *s econ*. Butterberg *m*; **~•y** *adj* butter(artig), Butter…
but•tocks ['bʌtəks] *s pl* Gesäß *n*, F *or zo*. Hinterteil *n*.
but•ton ['bʌtn] **1.** *s* Knopf *m*; **2.** *v/t mst* **~ up** zuknöpfen; **~•hole** *s* Knopfloch *n*.
bux•om ['bʌksəm] *adj* drall, stramm.
buy [baɪ] **1.** *s* F Kauf *m*; **2.** *v/t* (**bought**) (an-, ein)kaufen (**of, from** von; **at** bei); **~ out** *j-n* abfinden, auszahlen; *company*: aufkaufen; **~ up** aufkaufen; **~•er** *s* (Ein)Käufer(in); **~•out** *s econ*. Aufkauf *m*, Buyout *m*.
buzz [bʌz] **1.** *s* Summen *n*, Surren *n*; Stimmengewirr *n*; **2.** *v/i* summen, surren; **~ about** herumschwirren; **~ off!** *Br*. F schwirr ab!, hau ab!

buz•zard *zo.* ['bʌzəd] *s* Bussard *m.*

buzz•er *electr.* ['bʌzə] *s* Summer *m.*

by [baɪ] **1.** *prp of place*: bei; an, neben; *of direction*: durch, über; *along*: an (*dat*) entlang *or* vorbei; *of time*: an, bei; spätestens bis, bis zu; *pass* von, durch; *means, tool, etc.*: durch, mit; *in oaths*: bei; *measure*: um, bei; *according to*: gemäß, bei; **~ *the dozen*** dutzendweise; **~ *o.s.*** allein; **~ *land*** zu Lande; **~ *rail*** per Bahn; ***day ~ day*** Tag für Tag; **~ *twos*** zu zweien; **~ *the way*** übrigens, nebenbei bemerkt; **2.** *adv* dabei; vorbei; beiseite; **~ *and* ~** bald; nach u. nach; **~ *the* ~** nebenbei bemerkt; **~ *and large*** im Großen u. Ganzen.

bye *int* F [baɪ], *a.* **bye-bye** [-'baɪ] Wiedersehen!, Tschüs!

by|-e•lec•tion ['baɪɪlekʃn] *s pol.* Nachwahl *f*; **~•gone 1.** *adj* vergangen; **2.** *s*: ***let ~s be ~s*** lass(t) das Vergangene ruhen; **~•pass**; **1.** *s* Umgehungsstraße *f*; *med.* Bypass *m*; **2.** *v/t* umgehen; vermeiden; **~•path** *s* Seitenstraße *f*; **~-prod•uct** *s* Nebenprodukt *n*, Nebenresultat *n*; **~-road** *s* Seitenstraße *f*; **~•stand•er** *s* Zuschauer(in).

byte [baɪt] *s computer*: Byte *n.*

by|way ['baɪweɪ] *s* Seitenstraße *f*; **~•word** *s* Sprichwort *n*; Inbegriff *m*; ***be a ~ for*** gleichbedeutend sein mit.

C

c ***cent(s)*** Cent *m* (*od. pl*) (*amerikanische Münze*); ***century*** Jh., Jahrhundert *n*; ***circa*** ca., circa, ungefähr.

C ***Celsius*** C, Celsius; ***centigrade** thermometer scale*: hundertgradig.

C/A ***current account*** Girokonto *n.*

cab [kæb] *s* Taxi *n*, Taxe *f*, *old*: Droschke *f*; *rail.* Führerstand *m*; *of lorry*: Fahrerhaus *n*, *of crane*: Führerhaus *n.*

cab•bage *bot.* ['kæbɪdʒ] *s* Kohl *m.*

cab•in ['kæbɪn] *s* Hütte *f*; *mar.* Kabine *f* (*a. of cable car*), Kajüte *f*; *aer.* Kanzel *f*; **~-boy** *s mar.* junger Kabinensteward; **~ cruis•er** *s mar.* Kabinenkreuzer *m.*

cab•i•net ['kæbɪnɪt] *s pol.* Kabinett *n*; Schrank *m*, Vitrine *f*; (Radio)Gehäuse *n*; **~ *meeting*** *pol.* Kabinettssitzung *f.*

ca•ble ['keɪbl] **1.** *s* Kabel *n*; *mar.* Ankertau *n*; **2.** *v/t* telegrafieren; *money*: telegrafisch anweisen; **~ car** *s* Drahtseilbahn *f*; **~ tel•e•vi•sion** *s* Kabelfernsehen *n.*

cab|-rank ['kæbræŋk], **~•stand** *s* Taxistand *m.*

ca•ca•o *bot.* [kə'kɑːəʊ] *s* (*pl* **-os**) Kakaobaum *m*, -bohne *f.*

cack•le ['kækl] **1.** *s* Gegacker *n*, Geschnatter *n*; **2.** *v/i* gackern, schnattern.

CAD ***computer-aided design*** computergestütztes Entwurfszeichnen.

ca•dav•er *med.* [kə'deɪvə] *s* Leichnam *m*; *animal*: Kadaver *m.*

ca•dence ['keɪdəns] *s mus.* Kadenz *f*; Tonfall *m*; Rhythmus *m.*

ca•det *mil.* [kə'det] *s* Kadett *m.*

cae•sar•ean *med.* [sɪ'zeərɪən] *s* Kaiserschnitt *m.*

caf•é, caf•e ['kæfeɪ] *s* Café *n.*

caf•e•te•ri•a [kæfɪ'tɪərɪə] *s* Selbstbedienungsrestaurant *n*, Cafeteria *f.*

cage [keɪdʒ] **1.** *s* Käfig *m*; *mining*: Förderkorb *m*; **2.** *v/t* einsperren.

cag•ey F ['keɪdʒɪ] *adj* □ (**-gier, -giest**) verschlossen; vorsichtig; *Am.* schlau, gerissen.

Cai•ro ['kaɪərəʊ] Kairo *n.*

ca•jole [kə'dʒəʊl] *v/t j-m* schmeicheln; *j-n* beschwatzen.

cake [keɪk] *s* Kuchen *m*, Torte *f*; *of chocolate*: Tafel *f*, *of soap*: Riegel *m*, Stück *n.*

Ca•lais ['kæleɪ] Calais *n.*

ca•lam•i|tous [kə'læmɪtəs] *adj* □ katastrophal; **~•ty** [-tɪ] *s* großes Unglück, Katastrophe *f.*

cal•cu|late ['kælkjʊleɪt] *v/t* kalkulieren; be-, aus-, errechnen; *Am.* F vermuten; *v/i* rechnen (***on, upon*** mit, auf *acc*); **~•la•tion** [kælkjʊ'leɪʃn] *s* Berechnung *f* (*a. fig.*), Ausrechnung *f*; *econ.* Kalkulation *f*; Überlegung *f*; **~•la•tor** ['kælkjʊleɪtə] *s* Rechner *m* (*person, machine*).

cal•en•dar ['kælɪndə] *s* Kalender *m*; *schedule*: Terminkalender *m.*

calf[1] [kɑːf] *s* (*pl* ***calves*** [-vz]) Wade *f.*

C

calf² [~] *s* (*pl* **calves** [~]) Kalb *n*; **~•skin** *s* Kalb(s)fell *n*.

cal•i•bre, *Am.* **-ber** ['kælɪbə] *s* Kaliber *n*.

Cal•i•for•nia [ˌkælɪ'fɔːnjə] Kalifornien *n*.

call [kɔːl] **1.** *s* Ruf *m*; *teleph.* Anruf *m*, Gespräch *n*; *to office, post, etc.*: Ruf *m*, Berufung *f*; Aufruf *m*, Aufforderung *f*; Signal *n*; (kurzer) Besuch; *of money, funds*: Kündigung *f*, Abruf *m*; **on ~** auf Abruf; **make a ~** telefonieren; **give s.o. a ~** *j-n* anrufen; **2.** *v/t* (herbei)rufen; (ein)berufen; *teleph.* *j-n* anrufen; berufen, ernennen (**to** zu); nennen; *attention*: lenken (**to** auf *acc*); **be ~ed** heißen; **~ s.o. names** *j-n* beschimpfen *or* beleidigen; **~ up** *teleph.* anrufen; *v/i* rufen; *teleph.* anrufen; e-n (kurzen) Besuch machen (**on s.o., at s.o.'s [house]** bei *j-m*); **thanks for ~ing!** danke für den Anruf!; **~ at a port** e-n Hafen anlaufen; **~ for** rufen nach; *et.* anfordern; *et.* abholen; **to be ~ed for** postlagernd; **~ on s.o.** *j-n* besuchen; **~ on, ~ upon** sich an *j-n* wenden (**for** wegen); appellieren an (*acc*) (**to do** zu tun); **~-box** *s* Fernsprechzelle *f*; **~•er** *s teleph.* Anrufer(in); Besucher(in); **~ girl** *s* Callgirl *n*; **~•ing** *s* Rufen *n*; Berufung *f*.

cal•lous ['kæləs] *adj* □ schwielig; *fig.* dickfellig, herzlos.

cal•low ['kæləʊ] *adj fig.* unerfahren, unreif.

calm [kɑːm] **1.** *adj* □ still, ruhig; **2.** *s* (Wind)Stille *f*, Ruhe *f*; **3.** *v/t and v/i often* **~ down** besänftigen, (sich) beruhigen.

cal•o•rie *phys.* ['kælərɪ] *s* Kalorie *f*; **high-/low-~** kalorienreich/-arm; **be rich/low in ~s** kalorienreich/-arm sein; **~-con•scious** *adj* □ kalorienbewusst.

calve [kɑːv] *v/i* kalben.

calves [kɑːvz] *pl of* **calf¹**, **calf²**

CAM **computer-aided manufacture** computergestützte Fertigung.

came [keɪm] *pret of* **come.**

cam•el *zo.* ['kæml] *s* Kamel *n*.

cam•e•ra ['kæmərə] *s* Kamera *f*, Fotoapparat *m*; **~ phone** Fotohandy *n*.

cam•o•mile *bot.* ['kæməmaɪl] *s* Kamille *f*.

cam•ou•flage *mil.* ['kæmʊflɑːʒ] **1.** *s* Tarnung *f*; **2.** *v/t* tarnen.

camp [kæmp] **1.** *s* Lager *n*; *mil.* Feldlager *n*; **~ bed** Feldbett *n*; **2.** *v/i* lagern; **~ (out)** *or* **go ~ing** zelten (gehen), campen.

cam•paign [kæm'peɪn] **1.** *s mil.* Feldzug *m*; *fig.* Kampagne *f*, Feldzug *m*, Aktion *f*; *pol.* Wahlkampf *m*; **2.** *v/i mil.* an e-m Feldzug teilnehmen; *fig.* kämpfen, zu Felde ziehen; *pol.* sich am Wahlkampf beteiligen, Wahlkampf machen; *Am.* kandidieren (**for** für).

camp|ground ['kæmpgraʊnd], **~•site** ['~saɪt] *s* Lagerplatz *m*; Zelt-, Campingplatz *m*.

cam•pus ['kæmpəs] *s* Campus *m*, Universitätsgelände *n*.

can¹ [kæn, kən] *v/aux ich, du etc.* kann(st) *etc.*; dürfen, können.

can² [~] **1.** *s* Kanne *f*; (Blech-, Konserven)Dose *f*, (-)Büchse *f*; **2.** *v/t* (**-nn-**) (in Büchsen) einmachen, eindosen.

Can•a•da ['kænədə] Kanada *n*.

Ca•na•di•an [kə'neɪdɪən] **1.** *adj* kanadisch; **2.** *s* Kanadier(in).

ca•nal [kə'næl] *s* Kanal *m* (*a. anat.*); **~•ize** ['kænəlaɪz] *v/t* kanalisieren (*a. fig.*).

can•a•pé ['kænəpeɪ] *s* Cocktailhappen *m*, Appetithappen *m*.

ca•nard [kæ'nɑːd] *s* (Zeitungs)Ente *f*.

ca•nar•y *zo.* [kə'neərɪ] *s* Kanarienvogel *m*.

can•cel ['kænsl] *v/t* (*esp. Br.* **-ll-**, *Am.* **-l-**) absagen, rückgängig machen; (durch-, aus)streichen; *ticket*: entwerten; **be ~(l)ed** ausfallen; **~•la•tion** [kænsə'leɪʃn] *s* Absage *f*, Streichung *f*, Stornierung *f*; **~ insurance** Reiserücktrittskostenversicherung *f*.

can•cer *ast., med.* ['kænsə] *s* Krebs *m*; **~•ous** *med.* [~rəs] *adj* krebsartig; krebsbefallen; **~ screen•ing** ['~skriːnɪŋ] *s* Krebsvorsorge(untersuchung) *f*.

can•di•date ['kændɪdət] *s* Kandidat(in) (**for** für), Anwärter(in), Bewerber(in) (**for** um).

can•died ['kændɪd] *adj* kandiert.

can•dle ['kændl] *s* Kerze *f*; Licht *n*; **burn the ~ at both ends** mit s-r Gesundheit Raubbau treiben.

can•dy ['kændɪ] **1.** *s* Kandis(zucker) *m*; *Am.* Süßigkeiten *pl*; **2.** *v/t* kandieren; **~•floss** *Br.* ['~flɒs] *s* Zuckerwatte *f*.

cane [keɪn] **1.** *s bot.* Rohr *n*; (Rohr-)Stock *m*; **2.** *v/t* (mit dem Stock) züchtigen.

canned *Am.* [kænd] *adj* Dosen…, Büchsen…; …konserve *f*; **can•ne•ry** *Am.* ['kænərɪ] *s* Konservenfabrik *f*.

can•ni•bal ['kænɪbəl] *s* Kannibale *m*; **~•iza•tion** [ˌkænɪbəlaɪ'zeɪʃn] *s econ.* Kannibalisierung *f*.

can•non ['kænən] *s* Kanone *f*.

can•ny ['kænɪ] *adj* □ (*-ier, -iest*) gerissen, schlau.

ca•noe [kə'nuː] **1.** *s* Kanu *n*, Paddelboot *n*; **2.** *v/i* Kanu fahren, paddeln.

can•on ['kænən] *s* Kanon *m*; Regel *f*, Richtschnur *f*; **~•ize** [ˌaɪz] *v/t* heiligsprechen.

can•o•py ['kænəpɪ] *s* Baldachin *m*; *arch.* Vordach *n*.

cant [kænt] *s* Fachsprache *f*; Gewäsch *n*; frömmlerisches Gerede.

can•tan•ker•ous F [kæn'tæŋkərəs] *adj* □ zänkisch, mürrisch.

can•teen [kæn'tiːn] *s* Kantine *f*; *mil.* Kochgeschirr *n*, Feldflasche *f*; Besteck(kasten *m*) *n*.

can•vas ['kænvəs] *s* Segeltuch *n*; Zelt-, Packleinwand *f*; Segel *pl*; *paint.* Leinwand *f*; Gemälde *n*.

can•vass [ˌ] **1.** *s pol.* Wahlkampagne *f*; *econ.* Werbefeldzug *m*; **2.** *v/t* eingehend untersuchen *or* erörtern *or* prüfen; werben (um); *v/i pol.* um Stimmen werben, F auf Stimmenfang gehen; e-e Wahlkampagne veranstalten.

can•yon ['kænjən] *s* Cañon *m*.

cap [kæp] **1.** *s* Kappe *f*; Mütze *f*; Haube *f*; *arch.* Aufsatz *m*; Zündkapsel *f*; *med.* Pessar *n*; **2.** *v/t* (*-pp-*) bedecken; *fig.* krönen; übertreffen.

ca•pa|bil•i•ty [keɪpə'bɪlətɪ] *s* Fähigkeit *f*; **~•ble** ['keɪpəbl] *adj* □ fähig (*of* zu).

ca•pa•cious [kə'peɪʃəs] *adj* □ geräumig; **ca•pac•i•ty** [kə'pæsətɪ] *s* (Raum-) Inhalt *m*; Fassungsvermögen *n*; Kapazität *f*; Aufnahmefähigkeit *f*; *ability, power* (*a. tech.*): Leistungsfähigkeit *f* (*for ger* zu *inf*); ***in my ~ as*** in m-r Eigenschaft als.

cape[1] [keɪp] *s* Kap *n*, Vorgebirge *n*.

cape[2] [ˌ] *s* Cape *n*, Umhang *m*.

ca•pil•la•ry *anat.* [kə'pɪlərɪ] *s* Haar-, Kapillargefäß *n*.

cap•i•tal ['kæpɪtl] **1.** *adj* □ Kapital…; Tod(es)…; Haupt…; großartig, prima; ***~ crime*** Kapitalverbrechen *n*; ***~ punishment*** Todesstrafe *f*; **2.** *s* Hauptstadt *f*; Kapital *n*; *mst* ***~ letter*** Großbuchstabe *m*; ***flight of ~*** → ***capital flight***; **~ assets** *s pl econ.* Kapitalvermögen *n*, Anlagevermögen *n*; **~ flight** *s* Kapitalflucht *f*; **~ goods** *s pl* Investitionsgüter *pl*; **~ in•vest•ment** *s* Kapitalanlage *f*.

cap•i•tal|is•m ['kæpɪtəlɪzəm] *s* Kapitalismus *m*; **~•ist** *s* Kapitalist *m*; **~•ize** *v/t econ.* kapitalisieren; großschreiben.

ca•pit•u•late [kə'pɪtjʊleɪt] *v/i* kapitulieren (*to* vor *dat*).

ca•price [kə'priːs] *s* Laune *f*; **capri•cious** [ˌɪʃəs] *adj* □ kapriziös, launisch.

Cap•ri•corn *ast.* ['kæprɪkɔːn] *s* Steinbock *m*.

cap•size [kæp'saɪz] *v/i* kentern; *v/t* zum Kentern bringen.

cap•sule ['kæpsjuːl] *s* Kapsel *f*; (Raum)Kapsel *f*.

cap•tain ['kæptɪn] *s* (An)Führer *m*; Kapitän *m*; *mil.* Hauptmann *m*.

cap•tion ['kæpʃn] *s* Überschrift *f*, Titel *m*; Bildunterschrift *f*; *film*: Untertitel *m*.

cap|ti•vate *fig.* ['kæptɪveɪt] *v/t* gefangen nehmen, fesseln; **~•tive** ['kæptɪv] **1.** *adj* gefangen; gefesselt; ***hold ~*** gefangen halten; ***take ~*** gefangen nehmen; **2.** *s* Gefangene(r *m*) *f*; **~•tiv•i•ty** [kæp'tɪvətɪ] *s* Gefangenschaft *f*.

cap•ture ['kæptʃə] **1.** *s* Eroberung *f*; Gefangennahme *f*; **2.** *v/t* fangen; erobern; erbeuten; *mar.* kapern.

car [kɑː] *s* Auto *n*, Wagen *m*; (Eisenbahn-, Straßenbahn)Wagen *m*; *of balloon, etc.*: Gondel *f*; *of lift*: Kabine *f*; ***by ~*** mit dem Auto, im Auto.

car•a•van ['kærəvæn] *s* Karawane *f*; *Br.* Wohnwagen *m*, -anhänger *m*; ***~ site*** Campingplatz *m* für Wohnwagen.

car•a•way *bot.* ['kærəweɪ] *s* Kümmel *m*.

car•bine *mil.* ['kɑːbaɪn] *s* Karabiner *m*.

car•bo•hy•drate *chem.* [kɑːbəʊ'haɪdreɪt] *s* Kohle(n)hydrat *n*.

car•bon ['kɑːbən] *s chem.* Kohlenstoff *m*; *a.* ***~ copy*** Durchschlag *m*; *a.* ***~ paper*** Kohlepapier *n*; **~ di•ox•ide** *chem.* [ˌdaɪ'ɒksaɪd] *s* Kohlendioxid *n*; ***~ emissions*** *pl* CO2-Ausstoß *m*.

car•bu•ret•tor, *a.* **-ret•ter** *esp. Br.*, *Am.* **-ret•or**, *a.* **-ret•er** *tech.* [kɑːbjʊ'retə] *s* Vergaser *m*.

card [kɑːd] *s* Karte *f*; ***play ~s*** Karten spielen; ***have a ~ up one's sleeve*** *fig.* (noch) e-n Trumpf in der Hand ha-

C

ben; **~•board** *s* Pappe *f*; **~ *box*** Pappkarton *m*; **~ game** *s* Kartenspiel *n*.

car•di•gan ['kɑːdɪgən] *s* Strickjacke *f*.

car•di•nal ['kɑːdɪnl] **1.** *adj* □ Grund…, Haupt…, Kardinal…; grundlegend; scharlachrot; **~ *number*** Grundzahl *f*; **2.** *s eccl.* Kardinal *m*.

card|-in•dex ['kɑːdɪndeks] *s* Kartei *f*; **~•phone** ['-fəʊn] *s* Kartentelefon *n*; **~-sharp•er** ['-ʃɑːpə] *s* Falschspieler *m*.

care [keə] **1.** *s* Sorge *f*; Sorgfalt *f*; Vorsicht *f*; Obhut *f*, Pflege *f*; ***medical ~*** ärztliche Behandlung; **~ *of*** (*abbr.* ***c/o***) … bei …, c/o …; ***take ~ of*** aufpassen auf (*acc*); ***with ~!*** Vorsicht!; **2.** *v/t and v/i* Lust haben (***to*** *inf* zu); **~ *for*** sorgen für, sich kümmern um; mögen, sich etwas machen aus; ***I don't ~!*** F meinetwegen!; ***I don't ~ what people say*** es ist mir egal, was die Leute reden; ***I couldn't ~ less*** F es ist mir völlig egal; ***who ~s?*** was soll's?, na und?; ***well ~d for*** gepflegt.

ca•reer [kə'rɪə] **1.** *s* Karriere *f*, Laufbahn *f*; **2.** *adj* Berufs…; Karriere…; **3.** *v/i* rasen.

care|free ['keəfriː] *adj* sorgenfrei, sorglos; **~•ful** ['-fl] *adj* vorsichtig; sorgsam bedacht (***of*** auf *acc*); sorgfältig; ***be ~!*** gib Acht!; **~•ful•ness** *s* Vorsicht *f*; Sorgfalt *f*; **~•less** *adj* □ sorglos; nachlässig; unachtsam; leichtsinnig; **~•less•ness** *s* Sorglosigkeit *f*; Nachlässigkeit *f*; Fahrlässigkeit *f*.

ca•ress [kə'res] **1.** *s* Liebkosung *f*; **2.** *v/t* liebkosen, streicheln.

care•tak•er ['keəteɪkə] *s* Hausmeister *m*; (Haus- *etc.*) Verwalter *m*; **~ *cabinet*** *pol.* Übergangskabinett *n*, -regierung *f*.

care•worn ['keəwɔːn] *adj* abgehärmt.

car•go ['kɑːgəʊ] *s* (*pl* ***-goes***, *Am. a.* ***-gos***) Ladung *f*; **~ *jet*** Frachtflugzeug *n*.

car•i•ca|ture ['kærɪkətjʊə] **1.** *s* Karikatur *f*; **2.** *v/t* karikieren; **~•tur•ist** [-rɪst] *s* Karikaturist *m*.

Ca•rin•thia [kə'rɪnθɪə] Kärnten *n*.

car•nal ['kɑːnl] *adj* □ fleischlich; sinnlich.

car•na•tion [kɑː'neɪʃn] *s bot.* (Garten-) Nelke *f*; Blassrot *n*.

car•ni•val ['kɑːnɪvl] *s* Karneval *m*.

car•niv•o•rous *bot., zo.* [kɑː'nɪvərəs] *adj* fleischfressend.

car•ol ['kærəl] *s* Weihnachtslied *n*.

carp *zo.* [kɑːp] *s* Karpfen *m*.

car-park *Br.* ['kɑːpɑːk] *s* Parkplatz *m*; Parkhaus *n*.

car•pen•ter ['kɑːpɪntə] *s* Zimmermann *m*, Tischler *m*.

car•pet ['kɑːpɪt] **1.** *s* Teppich *m*; ***bring on the ~*** aufs Tapet bringen; **2.** *v/t* mit e-m Teppich belegen.

car|pool ['kɑːpuːl] *s* Fahrgemeinschaft *f*; *of company*: Fahrbereitschaft *f*; **~•port** *s* überdachter Abstellplatz.

car•riage ['kærɪdʒ] *s* Beförderung *f*, Transport *m*; Fracht(gebühr) *f*; Kutsche *f*; *Br. rail.* Wagen *m*; *tech.* Fahrgestell *n* (*a. aer.*); (Körper)Haltung *f*; **~•way** *s* Fahrbahn *f*.

car•ri•er ['kærɪə] *s* Spediteur *m*; Träger *m*; Gepäckträger *m* (*of bicycle*); **~-bag** *s* Trag(e)tasche *f*, -tüte *f*; **~ pi•geon** *s* Brieftaube *f*.

car•ri•on ['kærɪən] *s* Aas *n*; *attr* Aas…

car•rot *bot.* ['kærət] *s* Karotte *f*, Möhre, Mohrrübe *f*.

car•ry ['kærɪ] *v/t from place to place*: bringen, führen, tragen (*a. v/i*), fahren, befördern; (bei sich) haben *or* tragen; *opinion, point, etc.*: durchsetzen; *victory, etc*: davontragen; (weiter)führen, *wall*: ziehen; *motion, bill, etc.*: durchbringen; ***be carried*** *of motion, bill, etc.*: angenommen werden; **~ *the day*** den Sieg davontragen; **~ *s.th. too far*** et. übertreiben, et. zu weit treiben; ***get carried away*** *fig.* die Kontrolle über sich verlieren; **~ *forward***, **~ *over*** *econ.* übertragen; **~ *on*** weitermachen, fortsetzen, weiterführen; *business, etc.*: betreiben; **~ *out***, **~ *through*** durch-, ausführen; **~•all** *s esp. Am.* Einkaufstasche *f*; **~•cot** *s Br.* (Baby)Trag(e)tasche *f*.

cart [kɑːt] **1.** *s* Karren *m*; Wagen *m*; ***put the ~ before the horse*** *fig.* das Pferd beim Schwanz aufzäumen; **2.** *v/t* karren, fahren.

car•tel *econ.* [kɑː'tel] *s* Kartell *n*.

car•ton ['kɑːtən] *s* Karton *m*; ***a ~ of cigarettes*** e-e Stange Zigaretten.

car•toon [kɑː'tuːn] *s* Cartoon *m, n*; Karikatur *f*; Zeichentrickfilm *m*; **~•ist** [-ɪst] *s* Cartoonist *m*; Karikaturist *m*.

car•tridge ['kɑːtrɪdʒ] *s* Patrone *f*; *phot.* (Film)Patrone *f*, (Film)Kassette *f*; **~ pen** *s* Patronenfüllhalter *m*.

cart-wheel ['kɑːtwiːl] *s* Wagenrad *n*; ***turn ~s*** Rad schlagen.

carve [kɑːv] *v/t meat*: vorschneiden, zerlegen; schnitzen; meißeln; **carv•er** *s* (Holz)Schnitzer *m*; Bildhauer *m*; Tranchiermesser *n*; **carv•ing** *s* Schnitzerei *f*.
car wash ['kɑːwɒʃ] *s* Autowäsche *f*; Waschanlage *f*, -straße *f*.
cas•cade [kæ'skeɪd] *s* Wasserfall *m*.
case[1] [keɪs] **1.** *s* Behälter *m*; Kiste *f*, Kasten *m*; Etui *n*; Gehäuse *n*; Schachtel *f*; (Glas)Schrank *m*, Vitrine *f*; *of pillow*: Bezug *m*; *tech*. Verkleidung *f*; **2.** *v/t* in ein Gehäuse *or* Etui stecken; *tech*. verkleiden.
case[2] [~] *s* Fall *m* (*a. jur.*); *gr*. Kasus *m*, Fall *m*; *med*. (Krankheits)Fall *m*, Patient(in); F komischer Typ; Sache *f*, Angelegenheit *f*; **~ law** *s jur*. Fallrecht *n*; **~ stud•y** *s sociol*. Fallstudie *f*; **~•work** *s* Sozialarbeit *f*; **~•work•er** *s* Sozialarbeiter(in).
cash [kæʃ] *econ*. **1.** *s* Bargeld *n*; Barzahlung *f*; **~ *down*** gegen bar; **~ *on delivery*** Lieferung *f* gegen bar, (per) Nachnahme *f*; **2.** *v/t cheque*: einlösen; **~ advance** *s* Vorschuss *m*; **~-and-car•ry** *s* Abhol-, Verbrauchermarkt *m*; **~-book** *s* Kassenbuch *n*; **~ desk** *s* Kasse *f*; **~ di•spens•er** *s* Geldautomat *m*, Bankomat *m*; **~•ier** [kæ'ʃɪə] *s* Kassierer(in); ***~'s desk*** *or* ***office*** Kasse *f*; **~•less** *adj* bargeldlos; **~•point** → ***cash dispenser***; **~ reg•is•ter** *s* Registrierkasse *f*; **~ sale** *s* Barverkauf *m*.
cas•ing ['keɪsɪŋ] *s* (Schutz)Hülle *f*; Verschalung *f*, -kleidung *f*, Gehäuse *n*.
cask [kɑːsk] *s* Fass *n*.
cas•ket ['kɑːskɪt] *s* Kästchen *n*; *Am*. Sarg *m*.
cas•se•role ['kæsərəʊl] *s* Kasserolle *f*.
cas•sette [kə'set] *s* (Film-, Band- *etc.*) Kassette *f*; **~ deck** *s* Kassettendeck *n*; **~ ra•di•o** *s* Radiorekorder *m*; **~ re•cord•er** *s* Kassettenrekorder *m*.
cast [kɑːst] **1.** *s* Wurf *m*; *tech*. Guss(form *f*) *m*; Abguss *m*, Abdruck *m*; Form *f*, Art *f*; *angling*: Auswerfen *n*; *thea*. Besetzung *f*; **2.** *v/t* (***cast***) (ab-, aus-, hin-, um-, weg)werfen; *zo. skin*: abwerfen; *teeth, etc.*: verlieren; verwerfen; gestalten; *tech*. gießen; *a*. **~ *up*** ausrechnen, zusammenzählen; *thea. play*: besetzen; *parts*: verteilen (***to*** an *acc*); ***be ~ in a lawsuit*** *jur*. e-n Prozess verlieren; **~ *lots*** losen (***for*** um); **~ *in one's lot with s.o.*** *j-s* Los teilen; **~ *one's vote*** *pol*. s-e Stimme abgeben; **~ *aside*** *habit, etc.*: ablegen; *friends, etc.*: fallen lassen; **~ *away*** wegwerfen; ***be ~ away*** *mar*. verschlagen werden; ***be ~ down*** niedergeschlagen sein; **~ *off*** *clothes, etc.*: ausrangieren; *friends, etc.*: fallen lassen; *v/i*: **~ *about for***, **~ *around for*** suchen (nach), *fig*. sich umsehen nach.
cast•a•way ['kɑːstəweɪ] **1.** *adj* ausgestoßen; ausrangiert, *clothes*: abgelegt; *mar*. schiffbrüchig; **2.** Ausgestoßene(r *m*) *f*; *mar*. Schiffbrüchige(r *m*) *f*.
caste [kɑːst] *s* Kaste *f* (*a. fig.*).
cast•er ['kɑːstə] → ***castor***[2].
cast•i•gate ['kæstɪgeɪt] *v/t* züchtigen; *fig*. geißeln.
cas•tle ['kɑːsl] *s* Burg *f*, Schloss *n*; *chess*: Turm *m*.
cast•or[1] ['kɑːstə] *s*: **~ *oil*** Rizinusöl *n*.
cast•or[2] [~] *s wheel*: Laufrolle *f*; (Salz-, Zucker- *etc.*) Streuer *m*.
cas•trate [kæ'streɪt] *v/t* kastrieren.
cas•u•al ['kæʒjʊəl] *adj* □ zufällig; gelegentlich; flüchtig; lässig; **~ *wear*** Freizeitkleidung *f*; **~•ty** [~tɪ] *s* Verunglückte(r *m*) *f*, Opfer *n*; *mil*. Verwundete(r) *m*, Gefallene(r) *m*; ***casualties*** *pl* Opfer *pl*, *mil. mst* Verluste *pl*; **~ *ward***, **~ *department*** Unfallstation *f*.
cat *zo*. [kæt] *s* Katze *f*.
cat•a•logue, *Am*. **-log** ['kætəlɒg] **1.** *s* Katalog *m*; *Am. univ*. Vorlesungsverzeichnis *n*; **2.** *v/t* katalogisieren.
cat•a•lyst ['kætəlɪst] *s chem*. Katalysator *m* (*a. fig.*); **cat•a•ly•tic** [kætə'lɪtɪk] *adj*: **~ *converter*** *mot*. (Abgas)Katalysator *m*.
cat•a•pult ['kætəpʌlt] *s Br*. Schleuder *f*; Katapult *n*, *m*.
cat•a•ract ['kætərækt] *s* Wasserfall *m*; Stromschnelle *f*; *med*. grauer Star.
ca•tarrh *med*. [kə'tɑː] *s* Katarr *m*; Schnupfen *m*.
ca•tas•tro•phe [kə'tæstrəfɪ] *s* Katastrophe *f*.
catch [kætʃ] **1.** *s* Fangen *n*; Fang *m*, Beute *f*; *of breath*: Stocken *n*; Halt *m*, Griff *m*; *tech*. Haken *m*; (Tür)Klinke *f*; Verschluss *m*; F *snag*: Haken *m*; **2.** (***caught***) *v/t* (auf-, ein)fangen; packen, fassen, ergreifen; überraschen, ertappen; *look, etc.*: auffangen; *train, etc.*: (noch) kriegen, erwischen; erfassen, verstehen; *atmosphere*: einfangen; *ill-*

ness: sich holen, bekommen; **~ (*a*) *cold*** sich erkälten; **~ *the eye*** ins Auge fallen; **~ *s.o.'s eye*** *j-s* Aufmerksamkeit auf sich lenken; **~ *s.o. up*** *j-n* einholen; ***be caught up in*** verwickelt sein in (*acc*); *v/i* sich verfangen, hängen bleiben; fassen, greifen; *wheels*: ineinandergreifen; klemmen; *lock*: einschnappen; **~ *on*** F einschlagen, Anklang finden; F kapieren; **~ *up with*** einholen; **~•er** *s* Fänger *m*; **~•ing** *adj* packend; *med.* ansteckend; **~•word** *s* Schlagwort *n*; *thea.* Stichwort *n*; **~•y** *adj* □ (**-*ier*, -*iest***) *tune, etc.*: eingängig.

cat•e•chis•m ['kætɪkɪzəm] *s* Katechismus *m*.

ca•te|gor•i•cal [kætɪ'gɒrɪkl] *adj* □ kategorisch; **~•go•ry** ['~gərɪ] *s* Kategorie *f*.

ca•ter ['keɪtə] *v/i*: **~ *for*** Speisen u. Getränke liefern für; *fig.* sorgen für; **~•ing** *s* Versorgung *f* mit Speisen und Getränken; *trade*: Gastronomie *f*; **~•ing ser•vice** *s* Partyservice *m*; **~•ing trade** *s* Hotel- und Gaststättengewerbe *n*.

cat•er•pil•lar ['kætəpɪlə] *s zo.* Raupe *f*; *TM* Raupenfahrzeug *n*; **~ *tractor*** *TM* Raupenschlepper *m*.

ca•the•dral [kə'θiːdrəl] *s* Dom *m*, Kathedrale *f*.

Cath•o•lic ['kæθəlɪk] **1.** *adj* katholisch; **2.** *s* Katholik(in).

cat•tle ['kætl] *s* Vieh *n*.

cat•ty F ['kætɪ] *adj* (**-*ier*, -*iest***) boshaft, gehässig.

caught [kɔːt] *pret and pp of* ***catch*** 2.

cau•li•flow•er *bot.* ['kɒlɪflaʊə] *s* Blumenkohl *m*.

caus•al ['kɔːzl] *adj* □ ursächlich.

cause [kɔːz] **1.** *s* Ursache *f*; Grund *m*; *jur.* Klagegrund *m*, Fall *m*, Sache *f*; Angelegenheit *f*, Sache *f*; **2.** *v/t* verursachen; veranlassen; **~•less** *adj* □ grundlos.

caus|tic ['kɔːstɪk] *adj* (***~ally***) ätzend; *fig.* beißend, scharf.

cau•tion ['kɔːʃn] **1.** *s* Vorsicht *f*; Warnung *f*; Verwarnung *f*; **2.** *v/t* warnen; verwarnen; *jur.* belehren.

cau•tious ['kɔːʃəs] *adj* □ behutsam, vorsichtig; **~•ness** *s* Behutsamkeit *f*, Vorsicht *f*.

cav•al•ry *esp. hist. mil.* ['kævlrɪ] *s* Kavallerie *f*.

cave [keɪv] **1.** *s* Höhle *f*; **2.** *v/i*: **~ *in*** einstürzen; klein beigeben.

cav•ern ['kævən] *s* (große) Höhle.

CD *compact disk* CD(-Platte) *f*.

cease [siːs] *v/i* aufhören, zu Ende gehen; *v/t* aufhören (***to do, doing*** zu tun); **~-fire** *mil.* ['~faɪə] *s* Feuereinstellung *f*; Waffenruhe *f*; **~•less** *adj* □ unaufhörlich.

cede [siːd] *v/t* abtreten, überlassen.

cei•ling ['siːlɪŋ] *s* (Zimmer)Decke *f*; *fig.* Höchstgrenze *f*; **~ *price*** Höchstpreis *m*.

cel•e|brate ['selɪbreɪt] *v/t and v/i* feiern; **~*d*** gefeiert, berühmt (***for*** für, wegen); **~•bra•tion** [~'breɪʃn] *s* Feier *f*.

ce•leb•ri•ty [sɪ'lebrətɪ] *s* Berühmtheit *f*.

ce•ler•i•ty [si'lerətɪ] *s* Geschwindigkeit *f*.

cel•e•ry *bot.* ['selərɪ] *s* Sellerie *m*, *f*.

ce•les•ti•al [sɪ'lestɪəl] *adj* □ himmlisch.

cel•i•ba•cy ['selɪbəsɪ] *s* Zölibat *m*, *n*, Ehelosigkeit *f*.

cell[1] [sel] *s* Zelle *f*; *electr. a.* Element *n*.

cell[2] *s Am.* (*abbr. for* ***cell•phone***) Handy *n*, Mobiltelefon *n*.

cel•lar ['selar] *s* Keller *m*.

cel•list *mus.* ['tʃelɪst] *s* Cellist(in); **cel•lo** *mus.* ['tʃeləʊ] *s* (*pl* ***-los***) (Violon-)Cello *n*.

cel•lo•phane *TM* ['seləʊfeɪn] *s* Zellophan *n*.

cell•phone ['selfəʊn] *n esp. Am. teleph.* Handy *n*, Mobiltelefon *n*.

cel•lu•lar *biol.* ['seljʊlə] *adj* Zell(en)…; **~ net•work** *s teleph.* Mobilfunknetz *n*; **~ phone** *s esp. Am. teleph.* Handy *n*, Mobiltelefon *n*.

Cel•tic ['keltɪk] *adj* keltisch.

ce•ment [sɪ'ment] **1.** *s* Zement *m*; Kitt *m*; **2.** *v/t* zementieren; (ver)kitten.

cem•e•tery ['semɪtrɪ] *s* Friedhof *m*.

cen•sor ['sensə] **1.** *s* Zensor *m*; **2.** *v/t* zensieren; **~•ship** *s* Zensur *f*.

cen•sus ['sensəs] *s* Volkszählung *f*.

cent [sent] *s Am.* Cent *m* (= *1/100 Dollar*); ***per ~*** Prozent *n*.

cen•te•na•ry [sen'tiːnərɪ] *s* Hundertjahrfeier *f*, hundertjähriges Jubiläum.

cen•ten•ni•al [sen'tenjəl] **1.** *adj* hundertjährig; **2.** *s Am.* → ***centenary.***

cen•ter *Am.* ['sentə] → ***centre.***

cen•ti|grade ['sentɪgreɪd] *s*: ***10 degrees ~*** 10 Grad Celsius; **~•me•tre**, *Am.* **~•me•ter** *s* Zentimeter *m*, *n*; **~•pede** *zo.* [~piːd] *s* Tausendfüß(l)er *m*.

cen•tral ['sentrəl] *adj* □ zentral; Haupt…, Zentral…; Mittel…; **~ *bank*** *econ.* Zentralbank *f*; **2 *European Time*** mitteleuropäische Zeit; **~ *heating*** Zentralheizung *f*; **~•is•m** *s pol.* Zentralismus *m*; **~•ize** [-aɪz] *v/t* zentralisieren.

cen•tre, *Am.* **-ter** ['sentə] **1.** *s* Zentrum *n*, Mittelpunkt *m*; **~ *of gravity*** *phys.* Schwerpunkt *m*; **2.** *v/t and v/i* (sich) konzentrieren; zentrieren.

cen•tu•ry ['sentʃʊrɪ] *s* Jahrhundert *n*.

ce•ram•ics [sɪ'ræmɪks] *s pl* Keramik *f*, keramische Erzeugnisse *pl*.

ce•re•al ['sɪərɪəl] **1.** *adj* Getreide…; **2.** *s* Getreide(pflanze *f*) *n*; Getreideflocken(gericht *n*) *pl*; Frühstückskost *f*.

cer•e•mo|ni•al [serɪ'məʊnɪəl] **1.** *adj* □ zeremoniell; **2.** *s* Zeremoniell *n*; **~•ni•ous** [-ɪəs] *adj* □ zeremoniell; förmlich; **~•ny** ['serɪmənɪ] *s* Zeremonie *f*; Feier *f*, Feierlichkeit *f*; Förmlichkeit(en *pl*) *f*.

cert. ***certificate*** Bescheinigung *f*.

cer•tain ['sɜːtn] *adj* sicher, gewiss; zuverlässig; bestimmt; gewisse(r, -s); **~•ly** *adv* sicher, gewiss; *in answers*: sicherlich, bestimmt, natürlich; **~•ty** *s* Sicherheit *f*, Bestimmtheit *f*, Gewissheit *f*.

cer|tif•i•cate 1. [sə'tɪfɪkət] *s* Zeugnis *n*; Bescheinigung *f*; **~ *of birth*** Geburtsurkunde *f*; ***General 2 of Education advanced level* (*A level*)** *Br. school*: *appr.* Abitur(zeugnis) *n*; ***General 2 of Education ordinary level* (*O level*)** (*since 1988*: ***General 2 of Secondary Education***) *Br. school*: *appr.* mittlere Reife, Oberstufenreife *f*; ***medical* ~** ärztliches Attest; **2.** [-keɪt] *v/t* bescheinigen; **~•ti•fy** ['sɜːtɪfaɪ] *v/t et.* bescheinigen; beglaubigen.

cer•ti•tude ['sɜːtɪtjuːd] *s* Sicherheit *f*, Bestimmtheit *f*, Gewissheit *f*.

CET ***Central European Time*** MEZ, mitteleuropäische Zeit.

cf. ***confer*** vgl., vergleiche.

CFC [siːef' si] → ***chlorofluorocarbon***; **~-free** *adj* FCKW-frei.

chafe [tʃeɪf] *v/t* (auf)scheuern, wund scheuern; ärgern; *v/i* sich auf- *or* wund scheuern; scheuern; *fig.* sich ärgern.

chain [tʃeɪn] **1.** *s* Kette *f*; *fig.* Fessel *f*; *mot. a.* Schneekette *f*; **~ *reaction*** *phys. and fig.* Kettenreaktion *f*; ***~-smoke*** Kette rauchen; ***~-smoker*** Kettenraucher(in); **~ *store*** Kettenladen *m*; **2.** *v/t* (an)ketten; fesseln.

chair [tʃeə] *s* Stuhl *m*; Lehrstuhl *m*; Vorsitz *m*; ***be in the* ~** den Vorsitz führen; **~ *lift*** *s* Sessellift *m*; **~•man** *s* Vorsitzende(r) *m*, Präsident *m*; **~•man•ship** *s* Vorsitz *m*; **~•per•son** *s* Vorsitzende(r *m*) *f*, Präsident(in); **~•wom•an** *s* Vorsitzende *f*, Präsidentin *f*.

chal•ice ['tʃælɪs] *s* Kelch *m*.

chalk [tʃɔːk] **1.** *s* Kreide *f*; **2.** *v/t* mit Kreide schreiben *or* zeichnen; **~ *up*** *victory*: verbuchen.

chal•lenge ['tʃælɪndʒ] **1.** *s* Herausforderung *f*; *mil.* Anruf *m*; *esp. jur.* Ablehnung *f*; **2.** *v/t* herausfordern; anrufen; ablehnen; *theory*, *etc.*: anzweifeln.

cham•ber ['tʃeɪmbə] *s parl.*, *zo.*, *bot.*, *tech.* Kammer *f*; **~s** *pl* Geschäftsräume *pl*; **~•maid** *s* Zimmermädchen *n*.

cham•ois ['ʃæmwɑː] *s zo.* Gämse *f*; *a.* **~ *leather*** [mst 'ʃæmɪleðə] Wildleder *n*.

champ F [tʃæmp] → ***champion*** (*sports*).

cham•pagne [ʃæm'peɪn] *s* Champagner *m*; Sekt *m*.

cham•pi•on ['tʃæmpɪən] **1.** *s sports*: Sieger *m*, Meister *m*; Verfechter *m*, Fürsprecher *m*; **2.** *v/t* verfechten, eintreten für, verteidigen; **3.** *adj* siegreich, Meister…; **~•ship** *s sports*: Meisterschaft *f*.

chance [tʃɑːns] **1.** *s* Zufall *m*; Schicksal *n*; Risiko *n*; Chance *f*, (günstige) Gelegenheit; Aussicht *f* (***of*** auf *acc*); Möglichkeit *f*; ***by* ~** zufällig; ***take a* ~** es darauf ankommen lassen; ***take no* ~*s*** nichts riskieren (wollen); **2.** *adj* zufällig; **3.** *v/i* (unerwartet) eintreten *or* geschehen; ***I* ~*d to meet her*** zufällig traf ich sie; *v/t* riskieren.

chan•cel•lor ['tʃɑːnsələ] *s pol.* Kanzler(in).

chan•de•lier [ʃændə'lɪə] *s* Kronleuchter *m*.

change [tʃeɪndʒ] **1.** *s* Veränderung *f*, Wechsel *m*; Abwechslung *f*; Wechselgeld *n*; Kleingeld *n*; ***for a* ~** zur Abwechslung; **~ *for the better* (*worse*)** Besserung *f* (Verschlechterung *f*); **2.** *v/t* (ver)ändern, umändern; (aus)wechseln; (aus-, ver)tauschen (***for*** gegen); *mot.*, *tech.* schalten; **~ *over*** umschalten; umstellen; **~ *trains*** umsteigen; *v/i* sich (ver)ändern, wechseln; sich umziehen; **~•a•ble** *adj* □ veränderlich; **~•less** *adj* □ unveränderlich; **~•o•ver** *s*

C

Umstellung *f*.

chan•nel ['tʃænl] **1.** *s* Kanal *m*; Flussbett *n*; Rinne *f*; *TV, etc.*: Kanal *m*, Programm *n*; *fig*. Kanal *m*, Weg *m*; **2.** *v/t* (*esp. Br.* **-ll-**, *Am.* **-l-**) furchen; aushöhlen; *fig*. lenken; ♀ **Tun•nel** *s der* (Ärmel)Kanaltunnel.

chant [tʃɑːnt] **1.** *s* (Kirchen)Gesang *m*; Singsang *m*; **2.** *v/t* singen; in Sprechchören rufen; *v/i* Sprechchöre anstimmen.

cha•os ['keɪɒs] *s* Chaos *n*.

chap¹ [tʃæp] **1.** *s* Riss *m*, Sprung *m*; **2.** *v/t and v/i* (**-pp-**) rissig machen *or* werden.

chap² F [~] *s* Bursche *m*, Kerl *m*, Junge *m*.

chap³ [~] *s* Kinnbacke(n *m*) *f*; Maul *n*.

chap•el ['tʃæpl] *s* Kapelle *f*; Gottesdienst *m*.

chap•lain ['tʃæplɪn] *s* Kaplan *m*.

chap•ter ['tʃæptə] *s* Kapitel *n*.

char•ac•ter ['kærəktə] *s* Charakter *m*; Eigenschaft *f*; *print*. Schrift(zeichen *n*) *f*; Persönlichkeit *f*; *in novel, etc.*: Figur *f*, Gestalt *f*; *thea*. Rolle *f*; *reputation*: (*esp.* guter) Ruf; *testimonial*: Zeugnis *n*; **~•is•tic** [~'rɪstɪk] **1.** *adj* (**~ally**) charakteristisch (**of** für); **2.** *s* Kennzeichen *n*; **~•ize** ['~raɪz] *v/t* charakterisieren.

char•coal ['tʃɑːkəʊl] *s* Holzkohle *f*.

charge [tʃɑːdʒ] **1.** *s* Ladung *f*; (Spreng-)Ladung *f*; *esp. fig*. Last *f*; Verantwortung *f*; Aufsicht *f*, Leitung *f*; Obhut *f*; Schützling *m*; *mil*. Angriff *m*; Beschuldigung *f*, *jur. a.* (Punkt *m* der) Anklage *f*; Preis *m*, Kosten *pl*; Gebühr *f*; ***free of ~*** kostenlos; ***be in ~ of*** verantwortlich sein für; ***have ~ of*** in Obhut *or* Verwahrung haben, betreuen; ***take ~*** die Leitung *etc.* übernehmen, die Sache in die Hand nehmen; **2.** *v/t* laden; beladen, belasten; beauftragen; belehren; *jur*. beschuldigen, anklagen (***with*** *gen*); in Rechnung stellen; berechnen, (als Preis) fordern; *mil*. angreifen; *v/i* stürmen; ***~ at s.o.*** auf *j-n* losgehen.

char•i•ta•ble ['tʃærɪtəbl] *adj* □ mild(tätig), wohltätig; **char•i•ty** ['tʃærətɪ] *s* Nächstenliebe *f*; Wohltätigkeit *f*; Güte *f*; Nachsicht *f*; milde Gabe.

char•la•tan ['ʃɑːlətən] *s* Scharlatan *m*; Quacksalber *m*, Kurpfuscher *m*.

charm [tʃɑːm] **1.** *s* Zauber *m*; Charme *m*, Reiz *m*; Talisman *m*, Amulett *n*; **2.** *v/t* bezaubern, entzücken; **~•ing** ['tʃɑːmɪŋ] *adj* □ charmant, bezaubernd.

chart [tʃɑːt] **1.** *s mar*. Seekarte *f*; Tabelle *f*; **~s** *pl* Charts *pl*, Hitliste(n *pl*) *f*; **2.** *v/t* auf e-r Karte einzeichnen.

char•ter ['tʃɑːtə] **1.** *s* Urkunde *f*, Freibrief *m*; Chartern *n*; **2.** *v/t* konzessionieren; *aer., mar.* chartern, mieten; **~ flight** *s* Charterflug *m*.

chase [tʃeɪs] **1.** *s* Jagd *f*; Verfolgung *f*; gejagtes Wild; **2.** *v/t* jagen, hetzen; Jagd machen auf (*acc*); *v/i* rasen, rennen.

chas•m ['kæzəm] *s* Kluft *f*, Abgrund *m* (*a. fig.*); Riss *m*, Spalte *f*.

chat [tʃæt] **1.** *s* Geplauder *n*, Schwätzchen *n*, Plauderei *f*; **2.** *v/i* plaudern; *v/t*: ***~ up*** F einreden auf (*acc*); *girl*: anquatschen, anmachen; **~ show** *s Br.* Talkshow *f*.

chat•ter ['tʃætə] **1.** *v/i* plappern; schnattern; klappern; **2.** *s* Geplapper *n*; Klappern *n*; **~•box** *s* F Plappermaul *n*; **~•er** [~rə] *s* Schwätzer(in).

chat•ty ['tʃætɪ] *adj* (***-ier, -iest***) gesprächig.

chauf•feur ['ʃəʊfə] *s* Chauffeur *m*.

chau|vi F ['ʃəʊvɪ] *s* Chauvi *m*; **~•vin•ist** [~nɪst] *s* Chauvinist *m*.

cheap [tʃiːp] *adj* □ billig; *fig*. schäbig, gemein; **~•en** ['tʃiːpən] *v/t and v/i* (sich) verbilligen; *fig*. herabsetzen.

cheat [tʃiːt] **1.** *s* Betrug *m*, Schwindel *m*; Betrüger(in); **2.** *v/t and v/i* betrügen.

check [tʃek] **1.** *s* Schach(stellung *f*) *n*; Hemmnis *n*, Hindernis *n* (**on** für); Einhalt *m*; Kontrolle *f* (**on** *gen*); Kontrollabschnitt *m*, -schein *m*; *Am.* Gepäckschein *m*; *Am.* Garderobenmarke *f*; *Am. econ.* → ***cheque***; *Am. in restaurant, etc.*: Rechnung *f*; *pattern*: Karo *n*; **2.** *v/i* an-, innehalten; *Am.* e-n Scheck ausstellen; **~ card** *s Am. econ.* Scheckkarte *f*; **~ed** *adj* kariert; **~•ers** *Am.* [~əz] *s sg* Damespiel *n*; **~ in** *v/i u. v/t aer.* einchecken; *at hotel*: sich anmelden; einstempeln; **~-in** *s at a hotel*: Anmeldung *f*; Einstempeln *n*; *aer.* Einchecken *n*; ***~ counter*** *or* ***desk*** *aer.* Abfertigungsschalter *m*; **~•ing ac•count** *s Am. econ.* Girokonto *n*; **~•list** *s* Check-, Kontroll-, Vergleichsliste *f*; **~•mate**; **1.** *s*

(Schach)Matt *n*; **2.** *v/t* (schach)matt setzen; **~ out** *v/i u. v/t* auschecken *a. fig.*; *of hotel*: abreisen; ausstempeln; **~-out** *s* Abreise *f*; Ausstempeln *n*; *a.* ***~ counter*** Kasse *f* (*esp. in supermarket*); **~•point** *s* Kontrollpunkt *m*; **~•room** *s Am.* Garderobe *f*; Gepäckaufbewahrung *f*; **~ up (on)** *v/t* F *et.* nachprüfen, *et. or j-n* überprüfen; *v/t* hemmen, hindern, aufhalten; zurückhalten; kontrollieren, über-, nachprüfen; *Am. on list*: abhaken; *Am. clothes*: in der Garderobe abgeben; *Am. baggage*: aufgeben; **~-up** *s* Überprüfung *f*, Kontrolle *f*; *med.* Check-up *m*, (umfangreiche) Vorsorgeuntersuchung.

cheek [tʃiːk] *s* Backe *f*, Wange *f*; F Unverschämtheit *f*, Frechheit *f*; **~•y** F ['tʃiːkɪ] *adj* □ (***-ier, -iest***) frech.

cheer [tʃɪə] **1.** *s* Hoch(ruf *m*) *n*, Beifall(sruf) *m*; ***~s!*** prost!; ***three ~s!*** dreimal hoch!; **2.** *v/t* mit Beifall begrüßen; *a.* ***~ on*** anspornen; *a.* ***~ up*** aufheitern; *v/i* hoch rufen, jubeln; *a.* ***~ up*** Mut fassen; ***~ up!*** Kopf hoch!; **~•ful** *adj* □ vergnügt; **~•i•o** F [ˌrɪ'əʊ] *int* mach's gut!, tschüs!; **~•less** *adj* □ freudlos; **~•y** *adj* □ (***-ier, -iest***) vergnügt.

cheese [tʃiːz] *s* Käse *m*.

chee•tah *zo.* ['tʃiːtə] *s* Gepard *m*.

chef [ʃef] *s* Küchenchef *m*; Koch *m*.

chem•i•cal ['kemɪkl] **1.** *adj* □ chemisch; **2.** *s* Chemikalie *f*.

che•mise [ʃə'miːz] *s* (Damen)Hemd *n*.

chem|ist ['kemɪst] *s* Chemiker(in); Apotheker(in); Drogist(in); ***~'s shop*** Apotheke *f*; Drogerie *f*; **~•is•try** [ˌrɪ] *s* Chemie *f*.

cheque *Br. econ.* [tʃek] (*Am.* ***check***) *s* Scheck *m*; ***crossed ~*** Verrechnungsscheck *m*; **~ ac•count** *s* Girokonto *n*; **~ card** *s* Scheckkarte *f*.

chequ•er *Br.* ['tʃekə] *s* Karomuster *n*.

cher•ish ['tʃerɪʃ] *v/t s.o.'s memory, etc.*: hochhalten; hegen, pflegen.

cher•ry *bot.* ['tʃerɪ] *s* Kirsche *f*.

chess [tʃes] *s* Schach(spiel) *n*; ***a game of ~*** e-e Partie Schach; **~•board** *s* Schachbrett *n*; **~•man, ~ piece** *s* Schachfigur *f*.

chest [tʃest] *s* Kiste *f*, Kasten *m*, Truhe *f*; *anat.* Brustkasten *m*; ***get s.th. off one's ~*** F sich et. von der Seele reden; ***~ of drawers*** Kommode *f*.

chest•nut ['tʃesnʌt] **1.** *s bot.* Kastanie *f*; **2.** *adj* kastanienbraun.

chew [tʃuː] *v/t and v/i* kauen; nachsinnen, grübeln (***on, over*** über *acc*); **~•ing-gum** ['ˌɪŋgʌm] *s* Kaugummi *m*.

chick [tʃɪk] *s* Küken *n*, junger Vogel; F *girl*: F Biene *f*, Puppe *f*.

chick•en ['tʃɪkɪn] *s* Huhn *n*; Küken *n*; (Brat)Hähnchen *n*, (-)Hühnchen *n*; ***don't count your ~s before they're hatched*** man soll den Tag nicht vor dem Abend loben; **~-heart•ed** *adj* furchtsam, feige; **~-pox** *s med.* Windpocken *pl*.

chic•o•ry *bot.* ['tʃɪkərɪ] *s* Chicorée *f*, *m*.

chief [tʃiːf] **1.** *adj* □ oberste(r, -s), Ober…, Haupt…; wichtigste(r, -s); ***~ clerk*** Bürovorsteher *m*; **2.** *s* Oberhaupt *n*, Chef *m*; Häuptling *m*; ***…-in-~*** Ober…; **~•ly** ['ˌlɪ] *adv* hauptsächlich, vor allem; **~•tain** ['ˌtən] *s* Häuptling *m*.

chil•blain ['tʃɪlbleɪn] *s* Frostbeule *f*.

child [tʃaɪld] *s* (*pl* ***children***) Kind *n*; ***from a ~*** von Kindheit an; ***with ~*** schwanger; **~ a•buse** *s jur.* Kindesmisshandlung *f*; **~ ben•e•fit** *s* Kindergeld *n*; **~•birth** *s* Geburt *f*, Niederkunft *f*; **~•hood** *s* Kindheit *f*; **~•ish** *adj* □ kindlich; kindisch; **~•like** *adj* kindlich; **~-mind•er** *s Br.* Tagesmutter *f*; **chil•dren** ['tʃɪldrən] *pl of* ***child***; **~ tax al•low•ance** *s* Kinderfreibetrag *m*.

chill [tʃɪl] **1.** *adj* eisig, frostig; **2.** *s* Frost *m*, Kälte *f*; *med.* Fieberschauer *m*; Erkältung *f*; **3.** *v/t and v/i* abkühlen; *j-n* frösteln lassen; ***~ed*** gekühlt; **~•y** *adj* (***-ier, -iest***) kalt, frostig.

chime [tʃaɪm] **1.** *s* Glockenspiel *n*; Geläut *n*; *fig.* Einklang *m*; **2.** *v/t and v/i* läuten; ***~ in*** sich (ins Gespräch) einmischen.

chim•ney ['tʃɪmnɪ] *s* Schornstein *m*; Rauchfang *m*; (Lampen)Zylinder *m*; **~-sweep** *s* Schornsteinfeger *m*.

chimp *zo.* F [tʃɪmp], **chim•pan•zee** *zo.* [ˌən'ziː] *s* Schimpanse *m*.

chin [tʃɪn] *s* Kinn *n*; (***keep your***) ***~ up!*** Kopf hoch!, halt die Ohren steif!

chi•na ['tʃaɪnə] *s* Porzellan *n*.

Chi•na ['tʃaɪnə] China *n*: ***Republic of ~*** *die* Republik China; ***People's Republic of ~*** *die* Volksrepublik China.

Chi•nese [tʃaɪ'niːz] **1.** *adj* chinesisch; **2.** *s* Chines|e *m*, -in *f*; *ling.* Chinesisch *n*; ***the ~*** *pl* die Chinesen *pl*.

chink [tʃɪŋk] *s* Ritz *m*, Spalt *m*.

C

chip [tʃɪp] **1.** *s* Splitter *m*, Span *m*; dünne Scheibe; Spielmarke *f*; *computer*: Chip *m*; ***have a ~ on one's shoulder*** F sich ständig angegriffen fühlen; e-n Komplex haben (***about*** wegen); ***~s*** *pl Br.* Pommes frites *pl*; *Am.* (Kartoffel-) Chips *pl*; **2.** (***-pp-***) *v/t* schnitzeln; an-, abschlagen; *v/i* abbröckeln; **~•munk** *zo.* ['~mʌŋk] *s* Backenhörnchen *n*.
chirp [tʃɜːp] **1.** *v/t and v/i* zirpen, zwitschern, piepsen; **2.** *s* Zirpen *n*, Zwitschern *n*, Piepsen *n*.
chis•el ['tʃɪzl] **1.** *s* Meißel *m*; **2.** *v/t* (*esp. Br.* ***-ll-***, *Am.* ***-l-***) meißeln.
chit-chat ['tʃɪttʃæt] *s* Plauderei *f*.
chiv•al|rous ['ʃɪvlrəs] *adj* □ ritterlich; **~•ry** [~ɪ] *s hist.* Rittertum *n*; Ritterlichkeit *f*.
chives *bot.* [tʃaɪvz] *s pl* Schnittlauch *m*.
chlo|ri•nate ['klɔːrɪneɪt] *v/t water, etc.*: chloren; **~•rine** *chem.* [~riːn] *s* Chlor *n*.
chlo•ro|fluo•ro•car•bon ['klɔːrəʊfluərəʊ'kɑːbən] *s* (*abbr.* ***CFC***) Fluorchlorkohlenwasserstoff *m* (*abbr.* FCKW); **~•form** ['klɒrəfɔːm] **1.** *s chem., med.* Chloroform *n*; **2.** *v/t* chloroformieren.
choc•o•late ['tʃɒkələt] *s* Schokolade *f*; Praline *f*; ***~s*** *pl* Pralinen *pl*, Konfekt *n*.
choice [tʃɔɪs] **1.** *s* Wahl *f*; Auswahl *f*; **2.** *adj* □ auserlesen, ausgesucht, vorzüglich.
choir ['kwaɪə] *s* Chor *m*.
choke [tʃəʊk] **1.** *v/t* (er)würgen, (*a. v/i*) ersticken; ***~ back*** *anger, etc.*: unterdrücken, *tears*: zurückhalten; ***~ down*** hinunterwürgen; *a.* ***~ up*** verstopfen; **2.** *s mot.* Choke *m*, Luftklappe *f*.
choose [tʃuːz] *v/t and v/i* (***chose, chosen***) (aus)wählen, aussuchen; ***~ to do*** vorziehen zu tun.
chop [tʃɒp] **1.** *s* Hieb *m*, Schlag *m*; Kotelett *n*; **2.** (***-pp-***) *v/t* hauen, hacken, zerhacken; ***~ down*** fällen; *v/i* hacken; **~•per** ['~ə] *s* Hackmesser *n*, -beil *n*; F Hubschrauber *m*; *Am. sl.* Maschinengewehr *n*; **~•py** ['~ɪ] *adj* (***-ier, -iest***) *of sea*: unruhig; **~•stick** *s* Essstäbchen *n*.
cho•ral ['kɔːrəl] *adj* □ Chor…; **~(e)** *mus.* [kɒ'rɑːl] *s* Choral *m*.
chord *mus.* [kɔːd] *s* Saite *f*; Akkord *m*.
chore *Am.* [tʃɔː] *s* lästige *or* unangenehme Aufgabe; *mst* ***~s*** *pl* Hausarbeit *f*.
cho•rus ['kɔːrəs] *s* Chor *m*; Kehrreim *m*, Refrain *m*; *group of dancers*: Tanzgruppe *f*.
chose [tʃəʊz] *pret of* ***choose***; **cho•sen** ['tʃəʊzn] *pp of* ***choose.***
Christ [kraɪst] *s* Christus *m*.
chris•ten ['krɪsn] *v/t* taufen; **~•ing** [~ɪŋ] *s* Taufe *f*; *attr* Tauf…
Chris|tian ['krɪstɪən] **1.** *adj* christlich; ***~ name*** Vorname *m*; **2.** *s* Christ(in); **~•ti•an•i•ty** [~tɪ'ænətɪ] *s* Christentum *n*.
Christ•mas ['krɪsməs] *s* Weihnachten *n or pl*; ***at ~*** zu Weihnachten; **~ Day** *s* der erste Weihnachtsfeiertag; **~ Eve** *s* Heiliger Abend.
chrome [krəʊm] *s* Chrom *n*; **chro•mi•um** *chem.* ['~ɪəm] *s* Chrom *n*; ***~-plated*** verchromt.
chron|ic ['krɒnɪk] *adj* (***~ally***) chronisch (*mst med.*); dauernd; **~•i•cle** [~l] **1.** *s* Chronik *f*; **2.** *v/t* aufzeichnen.
chron•o•log•i•cal [krɒnə'lɒdʒɪkl] *adj* □ chronologisch; **chro•nol•o•gy** [krə'nɒlədʒɪ] *s* Zeitrechnung *f*; Zeitfolge *f*.
chub•by F ['tʃʌbɪ] *adj* (***-ier, -iest***) rundlich; pausbäckig.
chuck F [tʃʌk] *v/t* werfen, schmeißen; ***~ out*** *j-n* rausschmeißen; *et.* wegschmeißen; ***~ up*** *job, etc.*: hinschmeißen.
chuck•le ['tʃʌkl] **1.** *v/i*: ***~ (to o.s.)*** (stillvergnügt) in sich hineinlachen, F sich (*dat*) eins lachen; **2.** *s* leises Lachen.
chum F [tʃʌm] *s* Kamerad *m*, Kumpel *m*; **~•my** F ['tʃʌmɪ] *adj* (***-ier, -iest***) dick befreundet.
chump F [tʃʌmp] *s* Trottel *m*.
chunk [tʃʌnk] *s* Klotz *m*, Klumpen *m*.
Chun•nel *Br.* F ['tʃʌnl] *s* (Ärmel)Kanaltunnel *m*.
church [tʃɜːtʃ] *s* Kirche *f*; *attr* Kirch(en)…; ***~ service*** Gottesdienst *m*; **~•yard** *s* Kirchhof *m*.
churl•ish ['tʃɜːlɪʃ] *adj* □ grob, flegelhaft.
churn [tʃɜːn] **1.** *s* Butterfass *n*, *esp. Br.* Milchkanne *f*; **2.** *v/t* buttern (*a. v/i*); aufwühlen.
chute [ʃuːt] *s* Rutsche *f*, Rutschbahn *f*; Stromschnelle *f*; F Fallschirm *m*.
ci•der ['saɪdə] *s* (*Am.* ***hard ~***) Apfelwein *m*; (***sweet***) ***~*** *Am.* Apfelmost *m*, -saft *m*.
c.i.f., **cif** ***cost, insurance, freight*** Kosten, Versicherung und Fracht einbe-

griffen.
ci•gar [sɪ'gɑː] *s* Zigarre *f.*
cig•a•rette, *Am. a.* **cig•a•ret** [sɪgə'ret] *s* Zigarette *f.*
cinch F [sɪntʃ] *s* todsichere Sache; F Kinderspiel *n*, F Klacks *m.*
cin•der ['sɪndə] *s* Schlacke *f*; **~s** *pl* Asche *f*; **~-path, ~-track** *sports*: Aschenbahn *f.*
Cin•de•rel•la [sɪndə'relə] *s* Aschenbrödel *n*, -puttel *n*; *fig.* Stiefkind *n.*
cin•e•ma *Br.* ['sɪnəmə] *s* Kino *n*; Film *m.*
cin•na•mon ['sɪnəmən] *s* Zimt *m.*
ci•pher ['saɪfə] *s* Ziffer *f*; Null *f* (*a. fig.*); Geheimschrift *f*, Chiffre *f.*
cir•cle ['sɜːkl] **1.** *s* Kreis *m*; (*a.* **~ of friends**) Bekannten-, Freundeskreis *m*; *fig.* Kreislauf *m*; *thea.* Rang *m*; Ring *m*; **2.** *v/t and v/i* (um)kreisen.
cir•cuit ['sɜːkɪt] *s* Kreislauf *m*; *electr.* Stromkreis *m*; Rundreise *f*; *sports*: Zirkus *m*; **short ~** *electr.* Kurzschluss *m.*
cir•cu•lar ['sɜːkjʊlə] **1.** *adj* □ kreisförmig; Kreis…; **~ letter** Rundschreiben *n*; **2.** *s* Rundschreiben *n*, Umlauf *m.*
cir•cu|late ['sɜːkjʊleɪt] *v/i* umlaufen, zirkulieren; *v/t* in Umlauf setzen; **~•la- tion** [sɜːkjʊ'leɪʃn] *s* Zirkulation *f*, Kreislauf *m*; (Blut)Kreislauf *m*; *fig.* Umlauf *m*; Verbreitung *f*; *of book, newspaper, etc.*: Auflage(nhöhe) *f.*
cir•cum|fer•ence [sə'kʌmfərəns] *s* (Kreis)Umfang *m*; **~•nav•i•gate** [sɜːkəm'nævɪgeɪt] *v/t* umschiffen; **~•spect** ['-spekt] *adj* □ um-, vorsichtig.
cir•cum|stance ['sɜːkəmstəns] *s* Umstand *m*, Einzelheit *f*; **~s** *pl a.* Verhältnisse *pl*; **in** *or* **under no ~s** unter keinen Umständen, auf keinen Fall; **in** *or* **under the ~s** unter diesen Umständen; **~•stan•tial** [-'stænʃl] *adj* □ ausführlich, detailliert; **~ evidence** *jur.* Indizien(beweis *m*) *pl.*
cir•cus ['sɜːkəs] *s* Zirkus *m*; (runder) Platz.
cis•tern ['sɪstən] *s* Wasserbehälter *m*; *of toilet*: Spülkasten *m.*
ci•ta•tion [saɪ'teɪʃn] *s jur.* Vorladung *f*; Anführung *f*, Zitat *n*; **cite** [saɪt] *v/t jur.* vorladen; anführen, zitieren.
cit•i•zen ['sɪtɪzn] *s* (Staats)Bürger(in); Städter(in); **~•ship** [-ʃɪp] *s* Bürgerrecht *n*; Staatsbürgerschaft *f.*
cit•y ['sɪtɪ] **1.** *s* (Groß)Stadt *f*; **the** ♀ die (Londoner) City; **2.** *adj* städtisch, Stadt…; **~ centre** *Br.* Innenstadt *f*, City *f*; **~ council(l)or** Stadtrat *m*, -rätin *f*, Stadtratsmitglied *n*; **~ editor** *Am.* Lokalredakteur *m*; *Br.* Wirtschaftsredakteur *m*; **~ hall** Rathaus *n*; *esp. Am.* Stadtverwaltung *f*; **~ railroad** *Am.* S-Bahn *f.*
civ•ic ['sɪvɪk] *adj* (**~ally**) (staats)bürgerlich; städtisch; **~s** *s sg* Staatsbürgerkunde *f.*
civ•il ['sɪvl] *adj* □ staatlich, Staats…; (staats)bürgerlich, Bürger…; Zivil…; *jur.* zivilrechtlich; höflich; **~ rights** *pl* (Staats)Bürgerrechte *pl*; **~ rights activist** Bürgerrechtler(in); **~ rights movement** Bürgerrechtsbewegung *f*; **~ servant** Staatsbeamt|e(r) *m*, -in *f*; **~ service** Staatsdienst *m*, öffentlicher Dienst *m*; Beamtenschaft *f*; **~ war** Bürgerkrieg *m.*
ci•vil•i|an [sɪ'vɪlɪən] *s* Zivilist *m*; **~•ty** [-lətɪ] *s* Höflichkeit *f.*
civ•i•li|za•tion [sɪvɪlaɪ'zeɪʃn] *s* Zivilisation *f*, Kultur *f*; **~ze** ['-laɪz] *v/t* zivilisieren.
clad [klæd] **1.** *pret and pp of* **clothe**; **2.** *adj* gekleidet.
claim [kleɪm] **1.** *s* Anspruch *m*; Anrecht *n* (**to** auf *acc*); Forderung *f*; *Am.* Stück *n* Staatsland; *Am.* Claim *m*; **2.** *v/t* beanspruchen; fordern; behaupten; **claimant** ['kleɪmənt] *s for unemployment benefit, etc*: Antragsteller(in).
clair•voy•ant [kleə'vɔɪənt] **1.** *s* Hellseher(in); **2.** *adj* hellseherisch.
clam•ber ['klæmbə] *v/i* klettern.
clam•my ['klæmɪ] *adj* □ (**-ier, -iest**) feuchtkalt, klamm.
clam•o(u)r ['klæmə] **1.** *s* Geschrei *n*, Lärm *m*; **2.** *v/i* schreien (**for** nach).
clamp [klæmp] **1.** *s tech.* Klammer *f*; *mot.* Parkkralle *f*; **2.** *v/t* mit Klammer(n) befestigen.
clan [klæn] *s* Clan *m*, Sippe *f* (*a. fig.*).
clan•des•tine [klæn'destɪn] *adj* □ heimlich, Geheim…
clang [klæŋ] **1.** *s* Klang *m*, Geklirr *n*; **2.** *v/i and v/t* schallen; klirren (lassen).
clank [klæŋk] **1.** *s* Gerassel *n*, Geklirr *n*; **2.** *v/i and v/t* rasseln *or* klirren (mit).
clap [klæp] **1.** *s* Klatschen *n*; Schlag *m*, Klaps *m*; **2.** *v/i and v/t* (**-pp-**) schlagen *or* klatschen (mit).

C

clar•et ['klærət] *s* roter Bordeaux; Rotwein *m*; Weinrot *n*; *sl.* Blut *n*.

clar•i•fy ['klærıfaı] *v/t* (auf)klären, erhellen, klarstellen; *v/i* sich (auf)klären, klar werden.

clar•i•net *mus.* [klærı'net] *s* Klarinette *f*.

clar•i•ty ['klærətı] *s* Klarheit *f*.

clash [klæʃ] **1.** *s* Geklirr *n*; Zusammenstoß *m*; Widerstreit *m*, Konflikt *m*; **~ of interests** Interessenkonflikt *m*; **2.** *v/i* klirren; zusammenstoßen; nicht zusammenpassen *or* harmonieren.

clasp [klɑːsp] **1.** *s* Haken *m*, Klammer *f*; Schnalle *f*, Spange *f*; *fig.* Umklammerung *f*, Umarmung *f*; **2.** *v/t* ein-, zuhaken; *fig.* umklammern, umfassen; **~-knife** *s* Taschenmesser *n*.

class [klɑːs] **1.** *s* Klasse *f*; (Bevölkerungs)Schicht *f*; (Schul)Klasse *f*; (Unterrichts)Stunde *f*; Kurs *m*; *Am. univ.* (Studenten)Jahrgang *m*; **~mate** Mitschüler(in); **~room** Klassenzimmer *n*; **2.** *v/t* klassifizieren, einordnen.

clas|sic ['klæsık] **1.** *s* Klassiker *m*; **2.** *adj* (**~ally**) erstklassig; klassisch; **~•si•cal** *adj* □ klassisch.

clas•si|fi•ca•tion [klæsıfı'keıʃn] *s* Klassifizierung *f*, Einteilung *f*; **~•fy** ['klæsıfaı] *v/t* klassifizieren, einstufen.

clat•ter ['klætə] **1.** *s* Geklapper *n*; **2.** *v/i and v/t* klappern (mit).

clause [klɔːz] *s jur.* Klausel *f*, Bestimmung *f*; *gr.* Satz(teil) *m*.

claw [klɔː] **1.** *s* Klaue *f*, Kralle *f*, Pfote *f*; *of crabs, etc.*: Schere *f*; **2.** *v/t* (zer)kratzen; umkrallen, packen.

clay [kleı] *s* Ton *m*; Erde *f*.

clean [kliːn] **1.** *adj* □ rein; sauber, glatt, eben; *sl.* clean; **2.** *adv* völlig, ganz u. gar; **3.** *v/t* reinigen, säubern, putzen; **~ out** reinigen; **~ up** gründlich reinigen; aufräumen; **~•er** *s* Reiniger *m*; Reinemachefrau *f*; *mst* **~s** *pl or* **~'s** (chemische) Reinigung; **~•ing** Reinigung *f*, Putzen *n*; **do the ~** sauber machen, putzen; **~•li•ness** ['klenlınıs] *s* Reinlichkeit *f*; **~•ly**; **1.** *adv* ['kliːnlı] rein; sauber; **2.** *adj* ['klenlı] (**-ier, -iest**) reinlich.

cleanse [klenz] *v/t* reinigen, säubern; **cleans•er** ['~ə] *s* Reinigungsmittel *n*.

clear [klıə] **1.** *adj* □ klar; hell; rein; frei (**of** von); ganz, voll; *econ.* rein, netto; **2.** *v/t* reinigen (**of, from** von); *wood*: lichten, roden; wegräumen (*a.* **~ away**); *table*: abräumen; räumen, leeren; *hurdle, fence, etc.*: nehmen; *econ.* verzollen; *jur.* freisprechen; **~ out** säubern; ausräumen u. wegtun; **~ up** aufräumen; aufklären; *v/i*: **~ out** F abhauen; **~ up** aufräumen; sich aufhellen, aufklaren (*weather*); **~•ance** ['~rəns] *s* Räumung *f*; Rodung *f*; *tech.* lichter Abstand; *econ.* Zollabfertigung *f*; Freigabe *f*; *mar.* Auslaufgenehmigung *f*; **~ sale** *econ.* Räumungs-, Ausverkauf *m*; **~•ing** *s* Aufklärung *f*; Lichtung *f*, Rodung *f*.

cleav•er ['kliːvə] *s* Hackmesser *n*.

clef *mus.* [klef] *s* (Noten)Schlüssel *m*.

cleft [kleft] *s* Spalt *m*, Spalte *f*.

clem•en|cy ['klemənsı] *s* Milde *f*, Gnade *f*; **~t** ['~t] *adj* □ mild.

clench [klentʃ] *v/t lips*: (fest) zusammenpressen; *teeth*: zusammenbeißen; *fist*: ballen.

cler•gy ['klɜːdʒı] *s* Geistlichkeit *f*; **~•man** *s* Geistliche(r) *m*.

cler•i•cal ['klerıkl] *adj* □ *eccl.* geistlich; Schreib(er)…; **~ work** Büroarbeit *f*.

clerk [klɑːk] *s* Schriftführer(in), Sekretär(in); kaufmännische(r) Angestellte(r), (Büro- *etc.*) Angestellte(r *m*) *f*, (Bank-, Post)Beamt|e(r) *m*, -in *f*; *Am.* Verkäufer(in).

clev•er ['klevə] *adj* □ klug, gescheit; geschickt; *smart*: F clever; **~•ness** *s* Klugheit *f*, Schlauheit *f*, F Cleverness *f*.

click [klık] **1.** *s* Klicken *n*, Knacken *n*; *tech.* Sperrhaken *m*, -klinke *f*; **2.** *v/i* klicken, knacken; zu-, einschnappen; *with one's tongue*: schnalzen; **~ on** *v/t computer*: anklicken.

cli•ent ['klaıənt] *s jur.* Klient(in), Mandant(in); Kund|e *m*, -in *f*.

cliff [klıf] *s* Klippe *f*, Felsen *m*.

cli•mate ['klaımıt] *s* Klima *n*; **~ con•fe•rence** *s pol.* Klimakonferenz *f*, Klimagipfel *m*.

cli•max ['klaımæks] **1.** *s rhet.* Steigerung *f*; Gipfel *m*, Höhepunkt *m*, *physiol. a.* Orgasmus *m*; **2.** *v/t and v/i* (sich) steigern.

climb [klaım] *v/i and v/t* klettern; (er-, be)steigen; **~•er** ['~ə] *s* Kletterer *m*, Bergsteiger(in); *fig.* Aufsteiger *m*; *bot.* Kletterpflanze *f*; **~•ing** ['~ıŋ] *s* Klettern *n*; *attr* Kletter…

clinch [klıntʃ] **1.** *s tech.* Vernietung *f*;

boxing: Clinch *m*; F Umarmung *f*; **2.** *v/t tech*. vernieten; festmachen; (vollends) entscheiden; *v/i boxing*: clinchen.

cling [klɪŋ] *v/i* (***clung***) (***to***) festhalten (an *dat*), sich klammern (an *acc*); sich (an-) schmiegen (an *acc*); **~•film** *s* Frischhaltefolie *f*; **~-gear** *s* F hautenge Kleidung.

clin|ic ['klɪnɪk] *s* Klinik *f*; **~•i•cal** *adj* □ klinisch.

clink [klɪŋk] **1.** *s* Klirren *n*, Klingen *n*; **2.** *v/i and v/t* klingen *or* klirren (lassen); klimpern (mit).

clip[1] [klɪp] **1.** *s* Schneiden *n*; Schur *f*; F (Faust)Schlag *m*; **2.** *v/t* (**-pp-**) (be-) schneiden; ab-, ausschneiden; *sheep, etc*.: scheren.

clip[2] [~] **1.** *s* Klipp *m*, Klammer *f*, Spange *f*; **2.** *v/t* (**-pp-**) *a*. **~ *on*** befestigen, anklammern.

clip|per ['klɪpə] *s*: (***a pair of***) **~*s*** *pl* (e-e) Haarschneide-, Schermaschine *f*, (Nagel- *etc*.) Schere *f*; *mar*. Klipper *m*; *aer*. Clipper *m*; **~•pings** ['~ɪŋz] *s pl* Abfälle *pl*, Schnitzel *pl*; *esp. Am*. (Zeitungs- *etc*.) Ausschnitte *pl*.

clit•o•ris *anat*. ['klɪtərɪs] *s* Klitoris *f*.

cloak [kləʊk] **1.** *s* Mantel *m*; **2.** *v/t fig*. verhüllen; **~•room** ['~rʊm] *s* Garderobe *f*; *Br*. Toilette *f*.

clock [klɒk] **1.** *s* (Wand-, Stand-, Turm-) Uhr *f*; **2.** *v/t with a stop-watch*: die Zeit (*gen*) stoppen; *v/i*: **~ *in***, **~ *on*** einstempeln; **~ *out***, **~ *off*** ausstempeln; **~•wise** ['~waɪz] *adj and adv* im Uhrzeigersinn; **~•work** *s* Uhrwerk *n*; ***like* ~** wie am Schnürchen.

clod [klɒd] *s* (Erd)Klumpen *m*.

clog [klɒg] **1.** *s* Klotz *m*; Holzschuh *m*, Pantine *f*; **2.** (**-gg-**) *v/t* (be)hindern, hemmen; verstopfen; *v/i* klumpig werden.

clois•ter ['klɔɪstə] *s* Kreuzgang *m*; Kloster *n*.

close 1. *adj* □ [kləʊs] nahe, dicht; knapp, kurz; geschlossen, *only pred*: zu; verborgen; *friend, etc*.: eng; kurz, bündig; dicht; *of translation*: genau; *of weather*: schwül; *result*: knapp (*a. sports*); *stingy*: geizig, knaus(e)rig; ***keep a* ~ *watch on*** scharf im Auge behalten (*acc*); **~ *fight*** Handgemenge *n*; **~ *season*** *hunt*. Schonzeit *f*; **2.** *adv* eng, nahe, dicht; **~ *by***, **~ *to*** ganz in der Nähe, nahe *or* dicht bei; **3.** *s* [kləʊz] Schluss *m*; Ende *n*; ***come*** *or* ***draw to a* ~** sich dem Ende nähern; [kləʊs] Einfriedung *f*; Hof *m*; **4.** *v/t* [kləʊz] (ab-, ver-, zu)schließen; *street*: (ab)sperren; *v/i* (sich) schließen; *with adverbs*: **~ *down*** schließen; stilllegen; stillgelegt werden; *TV, etc*.: das Programm beenden, Sendeschluss haben; **~ *in*** bedrohlich nahe kommen; *darkness*: hereinbrechen; *days*: kürzer werden; **~ *up*** (ab-, ver-, zu)schließen; blockieren; aufschließen, -rücken; **~d** [kləʊzd] *adj* geschlossen, *pred* zu; **~ *shop*** *econ*. gewerkschaftspflichtiger Betrieb; **~-down** *s econ*. Schließung *f*, *of factory*: Stilllegung *f*; *TV* Sendeschluss *m*.

clos•et ['klɒzɪt] **1.** *s* (Wand)Schrank *m*; **2.** *v/t*: ***be* ~*ed with*** mit *j-m* geheime Besprechungen führen.

close-up ['kləʊsʌp] *s phot., film*: Großaufnahme *f*.

clos•ing-time ['kləʊzɪŋtaɪm] *s* Laden-, Geschäftsschluss *m*; *of restaurant, pub, etc*.: Polizeistunde *f*.

clot [klɒt] **1.** *s* Klumpen *m*, Klümpchen *n*; *Br*. F Trottel *m*; **2.** *v/i* (**-tt-**) gerinnen; Klumpen bilden.

cloth [klɒθ] *s* (*pl* **~*s*** [~θs, ~ðz]) Stoff *m*, Tuch *n*; Tischtuch *n*; ***the* ~** der geistliche Stand; ***lay the* ~** den Tisch decken; **~-*bound*** in Leinen gebunden.

clothe [kləʊð] *v/t* (***clothed*** *or* ***clad***) (an-, be)kleiden; einkleiden.

clothes [kləʊðz] *s pl* Kleider *pl*, Kleidung *f*; Wäsche *f*; **~-bas•ket** *s* Wäschekorb *m*; **~-hang•er** *s* Kleiderbügel *m*; **~-horse** *s* Wäscheständer *m*; **~-line** *s* Wäscheleine *f*; **~•peg** *Br., Am*. **~•pin** *s* Wäscheklammer *f*.

cloth•ing ['kləʊðɪŋ] *s* (Be)Kleidung *f*.

cloud [klaʊd] **1.** *s* Wolke *f* (*a. fig*.); Trübung *f*, Schatten *m*; **2.** *v/t and v/i* (sich) bewölken (*a. fig*.); (sich) trüben; **~•burst** ['~bɜːst] *s* Wolkenbruch *m*; **~•less** *adj* □ wolkenlos; **~•y** *adj* □ (***-ier, -iest***) wolkig, bewölkt; Wolken…; trüb; unklar; ***it's getting* ~** es ziehen Wolken auf.

clout F [klaʊt] *s* Schlag *m*; *esp. Am*. Macht *f*, Einfluss *m*.

clove [kləʊv] *s* (Gewürz)Nelke *f*; **~ *of garlic*** Knoblauchzehe *f*.

clo•ver *bot*. ['kləʊvə] *s* Klee *m*.

clown [klaʊn] *s* Clown *m*, Hanswurst *m*; *fig*. Trottel *m*, Dummkopf *m*; **~•ish** *adj*

□ *behaviour*: albern.

club [klʌb] **1.** *s* Keule *f*; (Gummi)Knüppel *m*; (Golf)Schläger *m*; Klub *m*; **~s** *pl cards*: Kreuz *n*; **2.** (**-bb-**) *v/t* einknüppeln auf (*acc*), (nieder)knüppeln; *v/i*: **~ together** sich zusammentun; **~-foot** *s* Klumpfuß *m*.

cluck [klʌk] **1.** *v/i* gackern; glucken; **2.** *s* Gackern *n*; Glucken *n*.

clue [klu:] *s* Anhaltspunkt *m*, Fingerzeig *m*, Spur *f*.

clump [klʌmp] **1.** *s* Klumpen *m*; *trees, etc.*: Gruppe *f*; **2.** *v/i* trampeln.

clum•sy ['klʌmzɪ] *adj* □ (**-ier, -iest**) unbeholfen, ungeschickt, plump.

clung [klʌŋ] *pret and pp of* **cling.**

clus•ter ['klʌstə] **1.** *s* Traube *f*; Büschel *n*; Haufen *m*; **2.** *v/i* büschelartig wachsen; sich drängen.

clutch [klʌtʃ] **1.** *s* Griff *m*; *tech.* Kupplung *f*; *zo.* Klaue *f*; **2.** *v/t* (er)greifen.

clut•ter ['klʌtə] **1.** *s* Wirrwarr *m*; Unordnung *f*; **2.** *v/t a.* **~ up** zu voll machen *or* stellen, überladen.

c/o ***care of*** (wohnhaft) bei.

Co. ***Company*** *econ.* Gesellschaft *f*; ***county*** *Br.* Grafschaft *f*; *Am.* Kreis *m*.

coach [kəʊtʃ] **1.** *s* Kutsche *f*; *Br. rail.* (Personen)Wagen *m*; Omnibus *m*, *esp.* Reisebus *m*; *tutor*: Nachhilfelehrer(in); *sports*: Trainer *m*; **2.** *v/t* einpauken; *sports*: trainieren.

coal [kəʊl] *s* (Stein)Kohle *f*; ***carry ~s to Newcastle*** Eulen nach Athen tragen.

co•a•li•tion [kəʊə'lɪʃn] **1.** *s pol.* Koalition *f*; Bündnis *n*, Zusammenschluss *m*; **2.** *adj pol.* Koalitions…; **~ a•gree•ment** *s pol.* Koalitionsvereinbarung *f*, Koalitionsvertrag *m*.

coal|-mine ['kəʊlmaɪn], **~-pit** *s* Kohlengrube *f*.

coarse [kɔ:s] *adj* □ grob; *person*: ungehobelt.

coast [kəʊst] **1.** *s* Küste *f*; *Am.* Rodelbahn *f*; **2.** *v/i* die Küste entlangfahren; *with bicycle, car*: im Leerlauf fahren; *Am.* rodeln; **~•al** *adj* Küsten…; **~•er** *s* *Am.* Rodelschlitten *m*; *mar.* Küstenfahrer *m*; **~•guard** *s* Küstenwache *f*; Angehörige(r) *m* der Küstenwache; **~•line** *s* Küstenlinie *f*, -strich *m*.

coat [kəʊt] **1.** *s* Mantel *m*; Jackett *n*, Jacke *f*; *zo.* Pelz *m*, Fell *n*, Gefieder *n*; Überzug *m*, Anstrich *m*, Schicht *f*; **~ of arms** Wappen(schild *m*, *n*) *n*; **2.** *v/t* überziehen, beschichten; (an)streichen; **~-hang•er** ['-hæŋə] *s* Kleiderbügel *m*; **~•ing** *s* Überzug *m*, Anstrich *m*, Schicht *f*; Mantelstoff *m*.

coax [kəʊks] *v/t* überreden, beschwatzen.

cob [kɒb] *s zo.* Schwan *m*; *corn*: Maiskolben *m*.

cob|bled ['kɒbld] *adj*: **~ *street*** Straße *f* mit Kopfsteinpflaster; **~•bler** ['kɒblə] *s* (Flick)Schuster *m*; Stümper *m*.

co•caine [kəʊ'keɪn] *s* Kokain *n*.

cock [kɒk] **1.** *s zo.* Hahn *m*; (An) Führer *m*; V *penis*: V Schwanz *m*; **2.** *v/t* aufrichten; **~ *up*** *sl.* versauen.

cock•a•too *zo.* [kɒkə'tu:] *s* Kakadu *m*.

cock•chaf•er *zo.* ['kɒktʃeɪfə] *s* Maikäfer *m*.

cock-eyed F ['kɒkaɪd] *adj* schielend; (krumm u.) schief.

cock•ney ['kɒknɪ] *s mst* ♀ Cockney *m*, *f*, waschechte(r) Londoner(in); *accent*: Cockney *n*.

cock•pit ['kɒkpɪt] *s aer., mar.* Cockpit *n*; Hahnenkampfplatz *m*.

cock|sure F [kɒk'ʃʊə] *adj* absolut sicher; anmaßend; **~•tail** *s* Cocktail *m*; **~•y** F ['kɒkɪ] *adj* □ (**-ier, -iest**) großspurig, anmaßend.

co•co *bot.* ['kəʊkəʊ] *s* (*pl* **-cos**) Kokospalme *f*.

co•coa ['kəʊkəʊ] *s* Kakao *m*.

co•co•nut ['kəʊkənʌt] *s* Kokosnuss *f*.

co•coon [kə'ku:n] *s* (Seiden)Kokon *m*.

cod *zo.* [kɒd] *s* Kabeljau *m*, Dorsch *m*.

COD ***cash*** (*Am.* ***collect***) ***on delivery*** per Nachnahme.

cod•dle ['kɒdl] *v/t* verhätscheln.

code [kəʊd] **1.** *s* Gesetzbuch *n*; Kodex *m*; (Telegramm)Schlüssel *m*; Code *m*, Chiffre *f*; **2.** *v/t* verschlüsseln, kodieren, chiffrieren.

cod|fish *zo.* ['kɒdfɪʃ] → ***cod***; **~-liv•er oil** *s* Lebertran *m*.

co•ed F [kəʊ'ed] *s* Schülerin *f or Studentin f e-r gemischten Schule*; **~•u•ca•tion** [kəʊedju:'keɪʃn] *s* Koedukation *f*.

co•erce [kəʊ'ɜ:s] *v/t* (er)zwingen.

co•ex•ist [kəʊɪg'zɪst] *v/i* gleichzeitig *or* nebeneinander bestehen *or* leben, koexistieren; **~•ence** [-əns] *s* Koexistenz *f*.

cof•fee ['kɒfɪ] *s* Kaffee *m*; **~ bar** *s* Café *n*; **~ bean** *s* Kaffeebohne *f*; **~-pot** *s* Kaffeekanne *f*; **~-set** *s* Kaffeeservice *n*;

C

~-ta•ble *s* Couchtisch *m.*
cof•fer ['kɒfə] *s* (Geld- *etc.*) Kasten *m.*
cof•fin ['kɒfɪn] *s* Sarg *m.*
cog *tech.* [kɒg] *s* (Rad)Zahn *m*; **~•wheel** *tech.* ['~wiːl] *s* Zahnrad *n.*
co•her|ence [kəʊ'hɪərəns] *s* Zusammenhang *m*; **~•ent** [~t] *adj* □ zusammenhängend.
co•he|sion [kəʊ'hiːʒn] *s* Zusammenhalt *m*; **~•sive** [~sɪv] *adj* (fest) zusammenhaltend.
coif•fure [kwɑː'fjʊə] *s* Frisur *f.*
coil [kɔɪl] **1.** *v/t and v/i a.* **~ *up*** aufwickeln; (sich) zusammenrollen; **2.** *s* Rolle *f*; Spirale *f*; Wicklung *f*; Spule *f*; Windung *f*; *tech.* (Rohr)Schlange *f.*
coin [kɔɪn] **1.** *s* Münze *f*; **2.** *v/t* prägen (*a. fig.*); münzen.
co•in|cide [kəʊɪn'saɪd] *v/i* zusammentreffen; übereinstimmen; **~•ci•dence** [kəʊ'ɪnsɪdəns] *s* Zusammentreffen *n*; Zufall *m*; *fig.* Übereinstimmung *f.*
coke [kəʊk] *s* Koks *m* (*a. sl. cocaine*).
cold [kəʊld] **1.** *adj* □ kalt; ***I'm*** (***feeling***) **~** mir ist kalt, ich friere; **2.** *s* Kälte *f*, Frost *m*; Erkältung *f*; → ***catch*** 2; **~-blood•ed** [~'blʌdɪd] *adj* kaltblütig; **~-heart•ed** *adj* kalt-, hartherzig; **~•ness** *s* Kälte *f*; **~ war** *s pol.* Kalter Krieg.
cole•slaw ['kəʊlslɔː] *s* Krautsalat *m.*
col•ic *med.* ['kɒlɪk] *s* Kolik *f.*
col•lab•o|rate [kə'læbəreɪt] *v/i* zusammenarbeiten; **~•ra•tion** [kəlæbə'reɪʃn] *s* Zusammenarbeit *f*; ***in ~ with*** gemeinsam mit.
col|lapse [kə'læps] **1.** *v/i* zusammen-, einfallen; zusammenbrechen; **2.** *s* Zusammenbruch *m*; **~•lap•si•ble** [~əbl] *adj* zusammenklappbar.
col•lar ['kɒlə] **1.** *s of shirt, etc.*: Kragen *m*; *for dog, etc.*: Halsband *n*; *for horse*: Kummet *n*; **2.** *v/t* beim Kragen packen; *j-n* festnehmen, F schnappen; **~-bone** *s anat.* Schlüsselbein *n.*
col•league ['kɒliːg] *s* Kolleg|e *m*, -in *f*, Mitarbeiter(in).
col|lect 1. *s eccl.* ['kɒlekt] Kollekte *f*; **2.** *v/t* [kə'lekt] (ein)sammeln; *thoughts, etc.*: sammeln; einkassieren; abholen; *v/i* sich (ver)sammeln; **~•lect•ed** *adj* □ *fig.* gefasst; **~•lec•tion** [~kʃn] *s* Sammlung *f*; *econ.* Eintreibung *f*; *eccl.* Kollekte *f*; **~•lec•tive** [~tɪv] *adj* □ gesammelt; kollektiv; Sammel…; **~ *bargaining*** *econ.* Tarifverhandlungen *pl*; **~•lec•tive•ly** [~lɪ] *adv* insgesamt; zusammen; **~•lec•tor** [~ə] *s* Sammler(in); Steuereinnehmer *m*; *rail.* Fahrkartenabnehmer *m*; *electr.* Stromabnehmer *m.*
col•lege ['kɒlɪdʒ] *s* College *n*; Hochschule *f*; höhere Lehranstalt.
col•lide [kə'laɪd] *v/i* zusammenstoßen.
col|li•er ['kɒlɪə] *s* Bergmann *m*; *mar.* Kohlenschiff *n*; **~•lie•ry** [~jərɪ] *s* Kohlengrube *f.*
col•li•sion [kə'lɪʒn] *s* Zusammenstoß *m*, -prall *m*, Kollision *f.*
col•lo•qui•al [kə'ləʊkwɪəl] *adj* □ umgangssprachlich.
Co•logne [kə'ləʊn] Köln *n.*
Co•lom•bia [kə'lɒmbɪə] Kolumbien *n.*
co•lon ['kəʊlən] *s* Doppelpunkt *m.*
colo•nel *mil.* ['kɜːnl] *s* Oberst *m.*
co•lo•ni•al [kə'ləʊnɪəl] *adj* □ Kolonial…; **~•is•m** *pol.* [~lɪzəm] *s* Kolonialismus *m.*
col•o|nize ['kɒlənaɪz] *v/t* kolonisieren, besiedeln; *v/i* sich ansiedeln; **~•ny** [~nɪ] *s* Kolonie *f*; Siedlung *f.*
co•los•sal [kə'lɒsl] *adj* □ kolossal, riesig.
col•o(u)r ['kʌlə] **1.** *s* Farbe *f*; *fig.* Anschein *m*; Vorwand *m*; **~*s*** *pl* Fahne *f*, Flagge *f*; ***what ~ is …?*** welche Farbe hat …?; **2.** *v/t* färben; an-, bemalen, anstreichen; *fig.* beschönigen; *v/i* sich (ver)färben; erröten; **~•ant** ['~rənt] *s in food*: Farbstoff *m*; **~ bar** *s* Rassenschranke *f*; **~-blind** *adj* farbenblind; **~ed**; **1.** *adj* bunt; farbig; **~ *man*** Farbige(r) *m*; **2.** *s often contp.* Farbige(r *m*) *f*; **~-fast** *adj* farbecht; **~ film** *s phot.* Farbfilm *m*; **~•ful** *adj* farbenreich, -freudig; lebhaft; **~•ing** *s* Färbemittel *n*; Gesichtsfarbe *f*; **~•less** *adj* □ farblos (*a. fig.*); **~ line** *s* Rassenschranke *f*; **~ set** *s* Farbfernseher *m*; **~ tel•e•vi•sion** *s* Farbfernsehen *n.*
colt [kəʊlt] *s* Hengstfohlen *n.*
col•umn ['kɒləm] *s* Säule *f*; *print.* Spalte *f*; *mil.* Kolonne *f*; **~•ist** [~nɪst] *s* Kolumnist(in).
comb [kəʊm] **1.** *s* Kamm *m*; **2.** *v/t* kämmen; *horse, etc.*: striegeln; *wool, etc.*: hecheln.
com|bat ['kɒmbæt] **1.** *s mst mil.* Kampf *m*; ***single ~*** Zweikampf *m*; **2.** (**-tt-**, *Am. a.* **-t-**) *v/t* kämpfen gegen, bekämpfen; *v/i* kämpfen; **~•ba•tant** [~ənt] *s* Kämp-

C

fer *m*.

com|bi•na•tion [kɒmbɪ'neɪʃn] *s* Verbindung *f*; Kombination *f*; **~•bine** [kəm'baɪn] *v/t and v/i* (sich) verbinden *or* vereinigen.

com•bus|ti•ble [kəm'bʌstəbl] **1.** *adj* brennbar; **2.** *s* Brennstoff *m*, -material *n*; **~•tion** [₋tʃən] *s* Verbrennung *f*.

come [kʌm] *v/i* (***came, come***) kommen; ***to ~*** künftig, kommend; ***~ about*** geschehen, passieren; ***~ across*** auf *j-n or et.* stoßen; F *speech, etc.*: ankommen; ***~ along*** mitkommen; ***~ apart*** auseinanderfallen; ***~ at*** auf *j-n or et.* losgehen; ***~ back*** zurückkommen; ***~ by*** zu *et.* kommen; ***~ down*** herunterkommen (*a. fig.*); einstürzen; *of prices*: sinken; *of tradition*: überliefert werden; ***~ down with*** F erkranken an (*dat*); ***~ for*** abholen kommen, kommen wegen; ***~ loose*** sich ablösen, abgehen; ***~ off*** ab-, losgehen, sich lösen; stattfinden; ***~ on!*** los!, vorwärts!, komm!; ***~ out*** sich outen; ***~ over*** *visitor*: vorbeikommen; ***~ round*** *visitor*: vorbeikommen; wiederkehren; F wieder zu sich kommen; ***~ through*** durchkommen; *illness, etc.*: überstehen, -leben; ***~ to*** sich belaufen auf (*acc*); wieder zu sich kommen; ***what's the world coming to?*** wohin ist die Welt geraten?; ***~ up to*** entsprechen (*dat*), heranreichen an (*acc*); **~•back** ['kʌmbæk] *s* Comeback *n*.

co•me•di•an [kə'miːdɪən] *s* Komödienschauspieler(in); Komiker(in); **com•e•dy** ['kɒmədɪ] *s* Komödie *f*, Lustspiel *n*.

come•ly ['kʌmlɪ] *adj* (***-ier, -iest***) attraktiv, gut aussehend.

com•fort ['kʌmfət] **1.** *s* Behaglichkeit *f*; Trost *m*; Wohltat *f*, Erquickung *f*; *a.* ***~s*** *pl* Komfort *m*; **2.** *v/t* trösten; **com•fort•a•ble** *adj* □ bequem; *house, etc.*: komfortabel, behaglich; *income, etc.*: ausreichend; **~•er** *s* Tröster *m*; Wollschal *m*; *esp. Br.* Schnuller *m*; *Am.* Steppdecke *f*; **~•less** *adj* □ unbequem; trostlos; **~ sta•tion** *s Am.* Bedürfnisanstalt *f*.

com•ic ['kɒmɪk] **1.** *adj* (***~ally***) komisch; Komödien..., Lustspiel...; **2.** *s* Komiker(in); Comicheft *n*; ***~s*** *pl* Comics *pl*, Comichefte *pl*.

com•i•cal ['kɒmɪkl] *adj* □ komisch, spaßig.

com•ing ['kʌmɪŋ] **1.** *adj* kommend; künftig; **2.** *s* Kommen *n*.

com•ma ['kɒmə] *s* Komma *n*.

com•mand [kə'mɑːnd] **1.** *s* Herrschaft *f*, Beherrschung *f* (*a. fig.*); Befehl *m*; *mil.* Kommando *n*; ***be*** (***have***) ***at ~*** zur Verfügung stehen (haben); **2.** *v/t* befehlen (*a. v/i*); *mil.* kommandieren (*a. v/i*); verfügen über (*acc*); beherrschen; **~•er** *s mil.* Kommandeur *m*, Befehlshaber *m*; *mar.* Fregattenkapitän *m*; ***~-in-chief*** *mil.* Oberbefehlshaber *m*; **~•ing** *adj* □ kommandierend, befehlshabend; gebieterisch; **~•ment** *s* Gebot *n*; **~ mod•ule** *s space travel*: Kommandokapsel *f*.

com•mem•o|rate [kə'meməreɪt] *v/t* gedenken (*gen*), *j-s* Gedächtnis feiern; **~•ra•tion** [kəmemə'reɪʃn] *s*: ***in ~ of*** zum Gedenken *or* Gedächtnis an (*acc*); **~•ra•tive** [kə'memərətɪv] *adj* □ Gedenk..., Erinnerungs...

com|ment ['kɒment] **1.** *s* Kommentar *m*; Erläuterung *f*; Bemerkung *f*; Stellungnahme *f*; ***no ~!*** kein Kommentar!; **2.** *v/i* (***on, upon***) erläutern, kommentieren (*acc*); *v/t* sich (kritisch) äußern über (*acc*); **~•men•ta•ry** ['kɒməntərɪ] *s* Kommentar *m*; **~•men•tate** *v/i*: ***~ on*** kommentieren (*acc*); **~•men•ta•tor** *s* Kommentator(in), *TV, etc.*: *a.* Reporter(in).

com•merce ['kɒmɜːs] *s* Handel *m*; Verkehr *m*.

com•mer•cial [kə'mɜːʃl] **1.** *adj* □ kaufmännisch, Handels..., Geschäfts...; handelsüblich; ***~ bank*** Handelsbank *f*; ***~ loan*** Geschäftsdarlehen *n*; ***~ television*** kommerzielles Fernsehen; ***~ travel(l)er*** Handlungsreisende(r *m*) *f*; **2.** *s TV, etc.*: Werbespot *m*, -sendung *f*; **~•ize** *v/t* kommerzialisieren, vermarkten.

com•mis•e|rate [kə'mɪzəreɪt] *v/i*: ***~ with*** Mitleid empfinden mit; **~•ra•tion** [kəmɪzə'reɪʃn] *s* Mitleid *n* (***for*** mit).

com•mis•sa•ry ['kɒmɪsərɪ] *s* Kommissar *m*.

com•mis•sion [kə'mɪʃn] **1.** *s* Auftrag *m*; *duty, power, etc.*: Übertragung *f*; *of crime*: Begehung *f*; *econ.* Provision *f*; *committee*: Kommission *f*; *mil.* (Offiziers)Patent *n*; ***the*** ≗ *pol.* die EG-Kommission; **2.** *v/t* beauftragen, bevollmächtigen; *et.* in Auftrag geben; *j-n* zum Offizier ernennen; *ship*: in Dienst stellen; **~•er** [-ə] *s* Bevollmächtigte(r *m*) *f*; (Regierungs)Kommissar *m*.

com•mit [kə'mɪt] *v/t* (**-tt-**) anvertrauen, übergeben; *jur. j-n* einweisen; *jur. j-n* übergeben; *crime*: begehen; bloßstellen; **~** (***o.s.*** sich) verpflichten; **~•ment** *s* Verpflichtung *f*; **~•tal** *s jur.* Einweisung *f*; **~•tee** [-ɪ] *s* Ausschuss *m*, Komitee *n*.

com•mod•i•ty [kə'mɒdətɪ] *s* Ware *f*, Gebrauchsartikel *m*.

com•mon ['kɒmən] **1.** *adj* □ allgemein; gewöhnlich; gemein(sam), gemeinschaftlich; öffentlich; gewöhnlich, minderwertig; F ordinär; **2.** *s* Gemeindeland *n*; ***in* ~** gemeinsam; ***in* ~ *with*** genau wie; **~•er** *s* Bürgerliche(r *m*) *f*; **~ law** *s* (englisches) Gewohnheitsrecht; **♀ Mar•ket** *s econ., pol.* Gemeinsamer Markt; **~ mon•e•ta•ry pol•i•cy** *s pol.* gemeinsame Währungspolitik; **~•place**; **1.** *s* Gemeinplatz *m*; **2.** *adj* alltäglich; abgedroschen; **~s** *s pl das* gemeine Volk; ***House of* ♀** *parl.* Unterhaus *n*; **~ sense** *s* gesunder Menschenverstand; **~•wealth** [-welθ] *s* Gemeinwesen *n*, Staat *m*; Republik *f*; ***the* ♀** (***of Nations***) das Commonwealth.

Com•mon•wealth of In•de•pen•dent States (**CIS**) ['kɒmənwelθɒvɪndɪ'pendəntsteɪts] Gemeinschaft *f* unabhängiger Staaten (GUS *f*).

com•mo•tion [kə'məʊʃn] *s* Aufruhr *m*, Erregung *f*.

com•mu•nal ['kɒmjʊnl] *adj* Gemeinde…; Gemeinschafts…

com•mune 1. *v/i* [kə'mjuːn] sich vertraulich besprechen; **2.** *s* ['kɒmjuːn] Kommune *f*; Gemeinde *f*.

com•mu•ni|cate [kə'mjuːnɪkeɪt] *v/t news, etc.*: mitteilen, übermitteln; *v/i* sich besprechen; sich in Verbindung setzen, kommunizieren (***with s.o.*** mit *j-m*); (durch e-e Tür) verbunden sein; **~•ca•tion** [kəmjuːnɪ'keɪʃn] *s* Mitteilung *f*; Verständigung *f*, Kommunikation *f*; Verbindung *f*; **~s** *pl* Verbindung *f*, Verkehrswege *pl*; **~s *satellite*** Nachrichtensatellit *m*; **~•ca•tive** [kə'mjuːnɪkətɪv] *adj* □ mitteilsam, gesprächig.

com•mu•nion [kə'mjuːnɪən] *s* Gemeinschaft *f*; ♀ *eccl.* Kommunion *f*, Abendmahl *n*.

com•mu•nis|m ['kɒmjʊnɪzəm] *s* Kommunismus *m*; **~t** [-ɪst] **1.** *s* Kommunist(in); **2.** *adj* kommunistisch.

com•mu•ni•ty [kə'mjuːnətɪ] *s* Gemeinschaft *f*; Gemeinde *f*; Staat *m*; ***European* ♀** Europäische Gemeinschaft; ***the* ♀** die (Europäische) Gemeinschaft.

com|mute [kə'mjuːt] *v/t jur. punishment*: umwandeln; *v/i rail., etc.*: pendeln; **~•mut•er** *s* Pendler(in); **~ *allowance*** Pendlerpauschale *f*; **~ *belt*** (städtisches) Einzugsgebiet; **~ *train*** Pendler-, Vorort-, Nahverkehrszug *m*.

com•pact 1. *s* ['kɒmpækt] Vertrag *m*; Puderdose *f*; *Am. mot.* Kompaktauto *n*; **2.** *adj* [kəm'pækt] dicht, fest; knapp, bündig; **~ *disc*** Compactdisc *f*, CD *f*; **3.** *v/t* fest verbinden.

com•pan|ion [kəm'pænjən] *s* Begleiter(in); Gefährt|e *m*, -in *f*; Gesellschafter(in); Handbuch *n*, Leitfaden *m*; **~•iona•ble** *adj* □ gesellig; **~•ion•ship** *s* Gesellschaft *f*.

com•pa•ny ['kʌmpənɪ] *s* Gesellschaft *f*; Begleitung *f*; *mil.* Kompanie *f*; *econ.* (Handels)Gesellschaft *f*; *mar.* Mannschaft *f*; *thea.* Truppe *f*; ***have* ~** Gäste haben; ***keep* ~ *with*** verkehren mit; **~ car** *s* Firmenwagen *m*; **~ di•rec•tor** *s econ.* Firmenchef(in); **~ law** *s jur.* Gesellschaftsrecht *n*; **~ pol•i•cy** *s econ.* Geschäftspolitik *f*; **~ u•nion** *s Am. econ.* Betriebsgewerkschaft *f*.

com|pa•ra•ble ['kɒmpərəbl] *adj* □ vergleichbar; **~•par•a•tive** [kəm'pærətɪv] **1.** *adj* □ vergleichend; verhältnismäßig; **2.** *s a.* **~ *degree*** *gr.* Komparativ *m*; **~•pare** [kəm'peə]; **1.** *s*: ***beyond* ~, *without* ~, *past* ~** unvergleichlich; **2.** *v/t* vergleichen; (***as***) **~*d with*** im Vergleich zu; *v/i* sich vergleichen (lassen); **~•pa•ri•son** [kəm'pærɪsn] *s* Vergleich *m*.

com•part•ment [kəm'pɑːtmənt] *s* Abteilung *f*, Fach *n*; *rail.* Abteil *n*.

com•pass ['kʌmpəs] Kompass *m*; (***pair of***) **~*es*** *pl geom.* Zirkel *m*.

com•pas•sion [kəm'pæʃn] *s* Mitleid *n*; **~•ate** [-ət] *adj* □ mitleidig.

com•pat•i•ble [kəm'pætəbl] *adj* □ vereinbar; *med.* verträglich; *computer*: kompatibel.

com•pat•ri•ot [kəm'pætrɪət] *s* Landsmann *m*, -männin *f*.

com•pel [kəm'pel] *v/t* (**-ll-**) (er)zwingen.

com•pen|sate ['kɒmpenseɪt] *v/t j-n* entschädigen; *et.* ersetzen; *a. v/i* ausgleichen; **~•sa•tion** [~'seɪʃn] *s* Ersatz *m*; Ausgleich *m*; (Schaden)Ersatz *m*, Entschädigung *f*; *Am.* Gehalt *n*.

C

com•pete [kəm'piːt] *v/i* sich (mit)bewerben (***for*** um); konkurrieren.

com•pe|tence ['kɒmpɪtəns] *s* Können *n*, Fähigkeit *f*; *jur.* Zuständigkeit *f*; **~•tent** *adj* □ hinreichend; (leistungs-)fähig, tüchtig; sachkundig.

com•pe•ti•tion [kɒmpɪ'tɪʃn] Wettbewerb *m*; Konkurrenz *f*; ***unfair ~*** *econ.* unlauterer Wettbewerb; **~ pol•i•cy** *s econ.* Wettbewerbspolitik *f*.

com•pet•i|tive [kəm'petətɪv] *adj* □ konkurrierend; *econ.* konkurrenzfähig; ***~ advantage*** *econ.* Wettbewerbsvorteil *m*; ***~ disadvantage*** Wettbewerbsnachteil *m*; ***~ market*** *econ.* wettbewerbsorientierter Markt; ***~ sports*** Leistungssport *m*; **~•tive•ness** *s* Wettbewerbsfähigkeit *f*; **~•tor** *s* Mitbewerber(in); Konkurrent(in); *sports*: (Wettbewerbs)Teilnehmer(in).

com•pile [kəm'paɪl] *v/t* zusammentragen, zusammenstellen, sammeln.

com•plain [kəm'pleɪn] *v/i* sich beklagen *or* beschweren; klagen (***of*** über *acc*); **~t** *s* Klage *f*; Beschwerde *f*, *med.* Leiden *n*.

com•ple|ment **1.** *s* ['kɒmplɪmənt] Ergänzung *f*; *a.* ***full ~*** volle Anzahl; **2.** *v/t* [~ment] ergänzen; **~•men•ta•ry** [~'mentərɪ] *adj* (sich gegenseitig) ergänzend.

com|plete [kəm'pliːt] **1.** *adj* □ vollständig, ganz, vollkommen; vollzählig; **2.** *v/t* vervollständigen; vervollkommnen; abschließen; **~•ple•tion** [~'pliːʃn] *s* Vervollständigung *f*; Abschluss *m*; Erfüllung *f*; ***the ~ of the single market*** *pol.* die Vollendung des europäischen Binnenmarkts.

com•plex ['kɒmpleks] **1.** *adj* □ zusammengesetzt; komplex, vielschichtig; kompliziert; **2.** *s* Gesamtheit *f*; Komplex *m* (*a. psych.*).

com•plex•ion [kəm'plekʃn] *s* Gesichtsfarbe *f*, Teint *m*; *fig.* Aspekt *m*.

com•plex•i•ty [kəm'pleksətɪ] *s* Komplexität *f*, Vielschichtigkeit *f*.

com•pli|cate ['kɒmplɪkeɪt] *v/t* (ver-)komplizieren; **~•cat•ed** *adj* kompliziert; **~•ca•tion** [~'keɪʃn] *s* Komplikation *f* (*a. med.*); Kompliziertheit *f*.

com•pli|ment **1.** *s* ['kɒmplɪmənt] Kompliment *n*; Empfehlung *f*; Gruß *m*; **2.** *v/t* [~ment] beglückwünschen (***on*** zu); *j-m* ein Kompliment machen (***on*** wegen).

com•po•nent [kəm'pəʊnənt] *s* Bestandteil *m*; *tech.*, *electr.* Bauelement *n*.

com|pose [kəm'pəʊz] *v/t* zusammensetzen *or* -stellen; *a. v/i mus.* komponieren; verfassen; ordnen; *print.* (ab-)setzen; ***~ o.s.*** sich beruhigen; **~•posed** *adj* □ ruhig, gesetzt; ***be ~ of*** bestehen aus; **~•pos•er** *s* Komponist(in); Verfasser(in); **~•po•si•tion** [kɒmpə'zɪʃn] *s* Zusammensetzung *f*; Abfassung *f*; *mus.* Komposition *f*; *school*: Aufsatz *m*; **~•po•sure** [kəm'pəʊʒə] *s* Fassung *f*, (Gemüts)Ruhe *f*.

com•pound[1] ['kɒmpaʊnd] *s* Lager *n*; Gefängnishof *m*; (Tier)Gehege *n*.

com•pound[2] **1.** *adj* [~] zusammengesetzt; ***~ interest*** Zinseszinsen *pl*; **2.** *s* [~] Zusammensetzung *f*; Verbindung *f*; *gr.* zusammengesetztes Wort; **3.** *v/t* [kəm'paʊnd] zusammensetzen; steigern, *esp.* verschlimmern.

com•pre•hend [kɒmprɪ'hend] *v/t* umfassen; begreifen, verstehen.

com•pre•hen|si•ble [kɒmprɪ'hensəbl] *adj* □ verständlich; **~•sion** [~ʃn] *s* Begreifen *n*, Verständnis *n*; Begriffsvermögen *n*, Verstand *m*, Einsicht *f*; ***past ~*** unfassbar, unfasslich; **~•sive** [~sɪv] **1.** *adj* □ umfassend; **2.** *s a.* ***~ school*** *Br.* Gesamtschule *f*.

com|press [kəm'pres] *v/t* zusammendrücken; ***~ed air*** Druckluft *f*; **~•pres•sion** [~ʃn] *s phys.* Verdichtung *f*; *tech.* Druck *m*.

com•prise [kəm'praɪz] *v/t* einschließen, umfassen, enthalten.

com•pro•mise ['kɒmprəmaɪz] **1.** *s* Kompromiss *m*; **2.** *v/t* (***o.s.*** sich) bloßstellen; *v/i* e-n Kompromiss schließen.

com•pul|sion [kəm'pʌlʃn] *s* Zwang *m*; **~•sive** *adj* □ zwingend, Zwangs…; *psych.* zwanghaft; **~•so•ry** *adj* □ obligatorisch; Zwangs…; Pflicht…

com•pute [kəm'pjuːt] *v/t* (be-, er)rechnen; schätzen.

com•put•er [kəm'pjuːtə] *s* Computer *m*, Rechner *m*; ***~-aided*** computergestützt, computerunterstützt; ***~-controlled, ~-operated*** computergesteuert; ***~ prediction*** *pol.* Hochrechnung *f*; ~ ***science*** Informatik *f*; ~ ***skills*** *pl* Computer-, EDV-Kenntnisse *pl*; ~ ***technology*** Computertechnik *f*; **~•ize** [˷raɪz] *v/t* mit Computern ausstatten, auf Computer umstellen; *information*: in e-m Computer speichern.

com•put.ing [kəm'pjuːtɪŋ] *s* Computertechnik *f*.

com•rade ['kɒmreɪd] *s* Kamerad(in); (Partei)Genoss|e *m*, -in *f*.

con[1] F [kɒn] *s* Nein-, Gegenstimme *f*; → ***pro***[1].

con[2] F [˷] **1.** *v/t* (***-nn-***) reinlegen, betrügen; **2.** *s* Schwindel *m*; Schwindler *m*, Gauner *m*.

con•ceal [kən'siːl] *v/t* verbergen; verheimlichen.

con•cede [kən'siːd] *v/t* zugestehen, einräumen; *grant*: gewähren; *sports*: hinnehmen (*goal, defeat*).

con•ceit [kən'siːt] *s* Einbildung *f*, Dünkel *m*; **~•ed** *adj* □ eingebildet (***of*** auf *acc*).

con•cei|va•ble [kən'siːvəbl] *adj* □ denkbar, begreiflich; **~ve** [kən'siːv] *v/i* schwanger werden; *v/t child*: empfangen; sich denken; planen, ausdenken.

con•cen•trate ['kɒnsəntreɪt] **1.** *v/t and v/i* (sich) zusammenziehen, (sich) vereinigen; (sich) konzentrieren; **2.** *s* Konzentrat *n*.

con•cept ['kɒnsept] *s* Begriff *m*; Gedanke *m*, Vorstellung *f*; **con•cep•tion** [kən'sepʃn] *s* Begreifen *n*; Vorstellung *f*, Begriff *m*, Idee *f*; *biol*. Empfängnis *f*.

con•cern [kən'sɜːn] **1.** *s* Angelegenheit *f*; Interesse *n*; Sorge *f*; Beziehung *f* (***with*** zu); Geschäft *n*, (industrielles) Unternehmen; **2.** *v/t* betreffen, angehen, interessieren; beunruhigen; interessieren, beschäftigen; **~ed** *adj* □ interessiert, beteiligt (***in*** an *dat*); besorgt; **~•ing** *prp* betreffend, über, wegen, hinsichtlich.

con•cert ['kɒnsət] *s mus*. Konzert *n*; Einverständnis *n*; **~•ed** [kən'sɜːtɪd] *adj* □ gemeinsam; *mus*. mehrstimmig; ~ ***action*** *pol*. konzertierte Aktion.

con•ces•sion [kən'seʃn] *s* Zugeständnis *n*; Konzession *f*.

con•cil•i|ate [kən'sɪlɪeɪt] *v/t* versöhnen; **~•a•to•ry** [˷ətərɪ] *adj* versöhnlich, vermittelnd.

con•cise [kən'saɪs] *adj* □ kurz, bündig, knapp; ~ ***dictionary*** Handwörterbuch *n*; **~•ness** *s* Kürze *f*.

con•clude [kən'kluːd] *v/t and v/i* schließen, beschließen, beenden; abschließen; folgern, schließen (***from*** aus); sich entscheiden; ***to be ~d*** Schluss folgt.

con•clu|sion [kən'kluːʒn] *s* Schluss *m*, Ende *n*, Abschluss *m*; (Schluss)Folgerung *f*; Beschluss *m*; → ***jump*** 2; **~•sive** *adj* □ überzeugend; endgültig.

con|coct [kən'kɒkt] *v/t* zusammenbrauen; *fig*. aushecken, sich ausdenken; **~•coc•tion** [˷kʃn] *s* Gebräu *n*; *fig*. Erfindung *f*.

con•course ['kɒŋkɔːs] *s* Menschenauflauf *m*; Menge *f*; freier Platz.

con•crete ['kɒnkriːt] **1.** *adj* □ fest; konkret; Beton...; ~ ***block*** *contp*. Betonburg *f*; **2.** *s* Beton *m*; **3.** *v/t* betonieren.

con•cur [kən'kɜː] *v/i* (***-rr-***) übereinstimmen; **~•rence** [˷'kʌrəns] *s* Zusammentreffen *n*; Übereinstimmung *f*.

con•cus•sion [kən'kʌʃn] *s*: ~ ***of the brain*** *med*. Gehirnerschütterung *f*.

con|demn [kən'dem] *v/t* verdammen; *jur. and fig*. verurteilen (***to death*** zum Tode); für unbrauchbar *or* unbewohnbar *etc*. erklären; **~•dem•na•tion** [kɒndem'neɪʃn] *s jur. and fig*. Verurteilung *f*, Verdammung *f*, Missbilligung *f*.

con|den•sa•tion [kɒnden'seɪʃn] *s* Kondensation *f*; *water*: Kondenswasser *n*; **~•dense** [kən'dens] *v/t* (*v/i* sich) verdichten; *tech*. kondensieren; zusammenfassen, kürzen; ***~d report*** *etc*. Kurzfassung *f*; **~•dens•er** *s tech*. Kondensator *m*.

con•de|scend [kɒndɪ'send] *v/i* sich herablassen, geruhen (***to do*** zu tun); **~•scen•sion** [˷ʃn] *s* Herablassung *f*.

con•di•tion [kən'dɪʃn] **1.** *s* Zustand *m*; (körperlicher *or* Gesundheits)Zustand *m*; *sports*: Kondition *f*, Form *f*; Bedingung *f*; **~*s*** *pl* Verhältnisse *pl*, Umstände *pl*; ***on ~ that*** unter der Bedingung, dass; ***out of ~*** in schlechter Verfassung, in schlechtem Zustand; **2.** *v/t* bedingen; *hair, etc*.: in Form bringen; **~•al**; **1.** *adj* □ bedingt (***on, upon*** durch); Bedingungs...; **2.** *adj gr*. ~ ***clause*** Bedingungs-, Konditionalsatz *m*; *a*. ~ ***mood*** Konditional *m*.

con|dole [kən'dəʊl] *v/i* kondolieren (***with*** *dat*); **~•do•lence** [˷əns] *s* Beileid *n*.

C

con•dom ['kɒndəm] *s* Kondom *n*, Präservativ *n*.
con•do•min•i•um [kɑːndə'mɪnɪəm] *s Am.* Wohnblock *m* mit Eigentumswohnungen; Eigentumswohnung *f*.
con•done [kən'dəʊn] *v/t* verzeihen, vergeben.
con•du•cive [kən'djuːsɪv] *adj* dienlich, förderlich (***to*** *dat*).
con|duct 1. *s* ['kɒndʌkt] Führung *f*; Verhalten *n*, Betragen *n*; **2.** *v/t* [kən'dʌkt] führen; *mus.* dirigieren; ***~ed tour*** Führung *f* (***of*** durch); **~•duc•tion** [~kʃn] *s phys.* Leitung *f*; **~•duc•tor** [~tə] *s phys.* Leiter *m*; *rail.* Schaffner *m*; *Am. rail.* Zugbegleiter *m*; *mus.* (Orchester)Dirigent *m*, (Chor)Leiter *m*; *electr.* Blitzableiter *m*.
cone [kəʊn] *s* Kegel *m*; Eistüte *f*; *bot.* Zapfen *m*.
con•fec•tion [kən'fekʃn] *s* Konfekt *n*; **~•er** *s* Konditor *m*; **~•e•ry** [~ərɪ] *s* Süßigkeiten *pl*, Süß-, Konditoreiwaren *pl*; Konfekt *n*; Konditorei *f*; Süßwarengeschäft *n*.
con•fed•e|ra•cy [kən'fedərəsɪ] *s* Bündnis *n*; ***the*** ♀ *Am. hist.* die Konföderation; **~•rate 1.** *adj* [~rət] verbündet; **2.** *s* [~] Bundesgenosse *m*; **3.** *v/t and v/i* [~reɪt] (sich) verbünden; **~•ra•tion** [kənfedə'reɪʃn] *s* Bund *m*, Bündnis *n*; Staatenbund *m*.
con•fe•rence ['kɒnfərəns] *s* Konferenz *f*, Tagung *f*; ***be in ~*** in e-r Besprechung sein.
con|fess [kən'fes] *v/t and v/i* bekennen, gestehen; beichten; **~•fes•sion** [~ʃən] *s* Geständnis *n*; Bekenntnis *n*; Beichte *f*; **~•fes•sor** *s* Bekenner *m*; Beichtvater *m*.
con•fide [kən'faɪd] *v/t* anvertrauen; *v/i*: ***~ in s.o.*** *j-m* vertrauen; **con•fi•dence** ['kɒnfɪdəns] *s* Vertrauen *n*; Zuversicht *f*; ***~ man*** (Trick)Betrüger *m*; ***~ trick*** Trickbetrug *m*; **con•fi•dent** ['kɒnfɪdənt] *adj* □ zuversichtlich; **con•fi•den•tial** [~'denʃl] *adj* □ vertraulich; **con•fid•ing** [kən'faɪdɪŋ] *adj* □ vertrauensvoll.
con•fine [kən'faɪn] *v/t* begrenzen; beschränken; einsperren; ***be ~d of*** entbunden werden von; ***be ~d to bed*** das Bett hüten müssen; **~•ment** *s* Haft *f*; Beschränkung *f*; Entbindung *f*.
con|firm [kən'fɜːm] *v/t* (be)kräftigen; bestätigen; *eccl.* konfirmieren, firmen; **~•fir•ma•tion** [kɒnfə'meɪʃn] *s* Bestätigung *f*; *eccl.* Konfirmation *f*, Firmung *f*.
con•fis|cate ['kɒnfɪskeɪt] *v/t* beschlagnahmen, konfiszieren; **~•ca•tion** [~'keɪʃn] *s* Beschlagnahme *f*, Konfiszierung *f*.
con•flict 1. *s* ['kɒnflɪkt] Konflikt *m*; **2.** *v/i* [kən'flɪkt] in Konflikt stehen; **~•ing** *adj* widersprüchlich.
con•form [kən'fɔːm] *v/t and v/i* (sich) anpassen (***to*** *dat*, an *acc*).
con•found [kən'faʊnd] *v/t j-n* verwirren, -blüffen.
con|front [kən'frʌnt] *v/t* gegenübertreten, -stehen (*dat*); sich stellen (*dat*); konfrontieren; **~•fron•ta•tion** [kɒnfrən'teɪʃn] *s* Konfrontation *f*.
con|fuse [kən'fjuːz] *v/t* verwechseln; verwirren; **~•fused** *adj* □ verwirrt; verlegen; verworren; **~•fu•sion** [~'fjuːʒn] *s* Verwirrung *f*; Verlegenheit *f*; Verwechslung *f*.
con•geal [kən'dʒiːl] *v/i and v/t* erstarren (lassen); gerinnen (lassen).
con|gest•ed [kən'dʒestɪd] *adj* überfüllt; verstopft; **~•ges•tion** [~tʃən] *s a.* ***traffic ~*** Verkehrsstockung *f*, -stauung *f*.
con•glom•e•ra•tion [kənglɒmə'reɪʃn] *s* Anhäufung *f*; Konglomerat *n*.
con•grat•u|late [kən'grætjuleɪt] *v/t* beglückwünschen, *j-m* gratulieren; **~•la•tion** [kəngrætjʊ'leɪʃn] *s* Glückwunsch *m*; **~s!** ich gratuliere!, herzlichen Glückwunsch!
con•gre|gate ['kɒŋgrɪgeɪt] *v/t and v/i* (sich) (ver)sammeln; **~•ga•tion** [~'geɪʃn] *s* Versammlung *f*; *eccl.* Gemeinde *f*.
con•gress ['kɒŋgres] *s* Kongress *m*; ♀ *Am. parl.* der Kongress; **♀•man** *s Am. parl.* Kongressabgeordnete(r) *m*; **♀•wom•an** *s Am. parl.* Kongressabgeordnete *f*.
con|ic *esp. tech.* ['kɒnɪk], **~•i•cal** [~kl] *adj* □ konisch, kegelförmig.
co•ni•fer *bot.* ['kɒnɪfə] *s* Nadelbaum *m*.
con•ju|gate *gr.* ['kɒndʒʊgeɪt] *v/t* konjugieren, beugen; **~•ga•tion** *gr.* [kɒndʒʊ'geɪʃn] *s* Konjugation *f*, Beugung *f*.
con•junc•tion [kən'dʒʌŋkʃn] *s* Verbindung *f*; *gr.* Konjunktion *f*.
con•junc•ti•vi•tis *med.* [kəndʒʌŋktɪ'vaɪtɪs] *s* Bindehautentzündung *f*.

con|jure ['kʌndʒə] *v/t devil, etc.*: beschwören; *v/i* zaubern; **~•jur•er** [~rə] *s* Zauber|er *m*, -in *f*, Zauberkünstler(in); **~•jur•ing trick** *s* Zauberkunststück *n*; **~•jur•or** → ***conjurer.***

con|nect [kə'nekt] *v/t* verbinden; *electr.* anschließen, (zu)schalten; *v/i rail., aer. etc.*: Anschluss haben (***with*** an *acc*); **~•nect•ed** *adj* □ verbunden; (logisch) zusammenhängend; ***be well ~*** gute Beziehungen haben; **~•nec•tion**, *Br. a.* **~•nex•ion** [~kʃn] *s* Verbindung *f*; *electr.* Schaltung *f*; Anschluss *m*; Zusammenhang *m*; Verwandtschaft *f*.

con•quer ['kɒŋkə] *v/t* erobern; (be)siegen; **~•or** [~rə] *s* Eroberer *m*.

con•quest ['kɒŋkwest] *s* Eroberung *f* (*a. fig.*); erobertes Gebiet; Bezwingung *f*.

con•science ['kɒnʃəns] *s* Gewissen *n*.

con•sci•en•tious [kɒnʃɪ'enʃəs] *adj* □ gewissenhaft; Gewissens…; ***~ objector*** Wehr-, Kriegsdienstverweigerer *m*; **~•ness** *s* Gewissenhaftigkeit *f*.

con•scious ['kɒnʃəs] *adj* □ bei Bewusstsein; bewusst; ***be ~ of*** sich bewusst sein (*gen*); **~•ness** *s* Bewusstsein *n*.

con|script *mil.* **1.** *v/t* [kən'skrɪpt] einziehen, -berufen; **2.** *s* ['kɒnskrɪpt] Wehrpflichtige(r) *m*; **~•scrip•tion** *mil.* [kən'skrɪpʃn] *s* Einberufung *f*, Einziehung *f*.

con•se|crate ['kɒnsɪkreɪt] *v/t* weihen, einsegnen; widmen; **~•cra•tion** [kɒnsɪ'kreɪʃn] *s* Weihe *f*; Einsegnung *f*.

con•sec•u•tive [kən'sekjʊtɪv] *adj* □ aufeinanderfolgend; fortlaufend.

con•sent [kən'sent] **1.** *s* Zustimmung *f*; **2.** *v/i* einwilligen, zustimmen.

con•se|quence ['kɒnsɪkwəns] *s* Folge *f*, Konsequenz *f*; Einfluss *m*; Bedeutung *f*; **~•quent•ly** [~tlɪ] *adv* folglich, daher.

con•ser•va|tion [kɒnsə'veɪʃn] *s* Erhaltung *f*; Naturschutz *m*; Umweltschutz *m*; ***~ area*** Naturschutzgebiet *n*; *in town*: Stadtviertel *n* unter Denkmalschutz; **~•tion•ist** [~ʃnɪst] *s* Naturschützer(in), Umweltschützer(in); Denkmalpfleger(in); **~•tive** [kən'sɜːvətɪv] **1.** *adj* □ erhaltend; konservativ; vorsichtig; **2.** ♀ *s pol.* Konservative(r *m*) *f*; **~•to•ry** [kən'sɜːvətrɪ] *s* Treib-, Gewächshaus *n*; *mus.* Konservatorium *n*; **con•serve** [kən'sɜːv] *v/t* erhalten, konservieren.

con•sid|er [kən'sɪdə] *v/t* betrachten; sich überlegen, erwägen; in Betracht ziehen, berücksichtigen; meinen; *v/i* nachdenken, überlegen; **~•e•ra•ble** *adj* □ ansehnlich, beträchtlich; **~•e•ra- bly** *adv* bedeutend, ziemlich, (sehr) viel; **~•er•ate** [~rət] *adj* □ rücksichtsvoll; **~•e•ra•tion** [~'reɪʃn] *s* Betrachtung *f*, Erwägung *f*, Überlegung *f*; Rücksicht *f*; Gesichtspunkt *m*; ***take into ~*** in Erwägung *or* in Betracht ziehen, berücksichtigen; **~•er•ing 1.** *prp* in Anbetracht (*gen*); **2.** *adv* F den Umständen entsprechend.

con•sign [kən'saɪn] *v/t* übergeben; anvertrauen; *econ. goods, etc.*: zusenden; **~•ment** *s econ.* Über-, Zusendung *f*; (Waren)Sendung *f*.

con•sist [kən'sɪst] *v/i*: ***~ in*** bestehen in (*dat*); ***~ of*** bestehen *or* sich zusammensetzen aus.

con•sis|tence, **~•ten•cy** [kən'sɪstəns, ~sɪ] *s* Konsistenz *f*, Beschaffenheit *f*; Übereinstimmung *f*; Konsequenz *f*; **~•tent** [~ənt] *adj* □ übereinstimmend, vereinbar (***with*** mit); konsequent; *sports, etc.*: beständig.

con|so•la•tion [kɒnsə'leɪʃn] *s* Trost *m*; **~•sole** [kən'səʊl] *v/t* trösten.

con•sol•i•date [kən'sɒlɪdeɪt] *v/t* festigen; *fig.* zusammenschließen, -legen.

con•so•nant ['kɒnsənənt] **1.** *adj* □ übereinstimmend; **2.** *s gr.* Konsonant *m*, Mitlaut *m*.

con•spic•u•ous [kən'spɪkjʊəs] *adj* □ sichtbar; auffallend; hervorragend; ***make o.s. ~*** sich auffällig benehmen.

con|spi•ra•cy [kən'spɪrəsɪ] *s* Verschwörung *f*; **~•spi•ra•tor** [~tə] *s* Verschwörer *m*; **~•spire** [~'spaɪə] *v/i* sich verschwören.

con|sta•ble *Br.* ['kʌnstəbl] *s* Polizist *m*, *rank*: Wachtmeister *m*; **~•stab•u•la•ry** [kən'stæbjʊlərɪ] *s* Polizei(truppe) *f*.

Con•stance ['kɒnstəns]: ***Lake ~*** *der* Bodensee.

con|stan•cy ['kɒnstənsɪ] *s* Standhaftigkeit *f*; Beständigkeit *f*; **~•stant** [~t] *adj* □ beständig, unveränderlich; treu.

con•stel•la•tion [kɒnstə'leɪʃn] *s ast.* Sternbild *n*, *a. fig.* Konstellation *f*.

con•ster•na•tion [kɒnstə'neɪʃn] *s* Bestürzung *f*.

C

con•sti|pat•ed *med.* ['kɒnstɪpeɪtɪd] *adj* verstopft; **~•pa•tion** *med.* [kɒnstɪ'peɪʃn] *s* Verstopfung *f.*
con•sti•tu|en•cy *pol.* [kən'stɪtjʊənsɪ] *s* Wählerschaft *f*; Wahlkreis *m*; **~•ent** [~t] **1.** *adj* e-n (Bestand)Teil bildend; *pol.* konstituierend; **2.** *s* (wesentlicher) Bestandteil; *pol.* Wähler(in).
con•sti•tute ['kɒnstɪtju:t] *v/t* ein-, errichten; ernennen; bilden, ausmachen.
con•sti•tu•tion [kɒnstɪ'tju:ʃn] *s pol.* Verfassung *f*; Konstitution *f*, körperliche Verfassung; Zusammensetzung *f*; **~•al** *adj* □ konstitutionell; *pol.* verfassungsmäßig; **~•al•ly** *adv pol.* laut Verfassung.
con•strain [kən'streɪn] *v/t* zwingen; **~ed** *adj* gezwungen, unnatürlich; **~t** [~t] *s* Zwang *m.*
con|strict [kən'strɪkt] *v/t* verengen, zusammenziehen; **~•stric•tion** [~kʃn] *s* Verengung *f*, Zusammenziehung *f.*
con|struct [kən'strʌkt] *v/t* bauen, errichten, konstruieren; *fig.* bilden; **~•struction** [~kʃn] *s* Konstruktion *f*; Bau *m*; *fig.* Auslegung *f*; **~ *site*** Baustelle *f*; **~•struc•tive** *adj* □ aufbauend, schöpferisch, konstruktiv, positiv; **~•struc•tor** *s* Erbauer *m*, Konstrukteur *m.*
con•strue [kən'stru:] *v/t gr.* konstruieren; auslegen, auffassen.
con|sul ['kɒnsəl] *s* Konsul *m*; **~*-general*** Generalkonsul *m*; **~•su•late** [~sjʊlət] *s* Konsulat *n* (*office and building*).
con•sult [kən'sʌlt] *v/t* konsultieren, um Rat fragen; *book*: nachschlagen in (*dat*); *v/i* sich beraten.
con•sul|tan•cy [kən'sʌltənsɪ] *s econ.* Beratungsfirma *f*, Beraterfirma *f*, Unternehmensberatung *f*; **~•tant** [kən'sʌltənt] *s* (fachmännische[r]) Berater(in); *med. Br.* (Krankenhaus-) Facharzt *m*, Oberarzt *m*; **~•tants** [kən'sʌltənts] *pl econ.* Beratungsfirma *f*, Beraterfirma *f*, Unternehmensberatung *f*; **~•ta•tion** [kɒnsl'teɪʃn] *s* Konsultation *f*, Beratung *f*, Rücksprache *f*; **~ *hour*** Sprechstunde *f*; **~•ta•tive** [kən'sʌltətɪv] *adj* beratend.
con|sume [kən'sju:m] *v/t* essen, trinken, konsumieren; verbrauchen; zerstören, *by fire*: vernichten; *fig. with hatred, love, etc.*: verzehren; **~•sum•er** *s econ.* Verbraucher(in), Konsument(in); **~ *advice centre*** Verbraucherzentrale *f*; **~ *durables*** *pl* langlebige Verbrauchsgüter *pl*; **~ *goods*** *pl* Konsumgüter *pl*; **~ *habits*** *pl.* Konsumverhalten *n*; **~ *protection*** Verbraucherschutz *m.*
con•sump|tion [kən'sʌmpʃn] *s* Verbrauch *m.*
con•tact ['kɒntækt] **1.** *s* Berührung *f*; Kontakt *m*; *person*: Kontaktperson *f*; ***make*** **~*s*** Kontakte anknüpfen *or* herstellen; **~*s*** *pl* F, **~ *lenses*** *pl* Kontaktlinsen *pl*; **2.** *v/t* sich in Verbindung setzen mit, Kontakt aufnehmen mit.
con•ta•gious *med.* [kən'teɪdʒəs] *adj* □ ansteckend (*a. fig.*).
con•tain [kən'teɪn] *v/t* enthalten, (um-) fassen; **~ *o.s.*** an sich halten, sich beherrschen; **~•er** *s* Behälter *m*; *econ.* Container *m*; **~•er•ize** *econ.* [~əraɪz] *v/t* auf Containerbetrieb umstellen; in Containern transportieren.
con•tam•i|nate [kən'tæmɪneɪt] *v/t* verunreinigen; infizieren, vergiften; (*a.* radioaktiv) verseuchen; **~•na•tion** [kəntæmɪ'neɪʃn] *s* Verunreinigung *f*; Vergiftung *f*; (*a.* radioaktive) Verseuchung.
cont(d) ***continued*** Forts., Fortsetzung *f*; fortgesetzt.
con•tem|plate ['kɒntempleɪt] *v/t* betrachten; beabsichtigen, vorhaben; *a. v/i* nachdenken (über *acc*); **~•pla•tion** [kɒntem'pleɪʃn] *s* Betrachtung *f*; Nachdenken *n*; **~•pla•tive** *adj* □ ['kɒntempleɪtɪv] nachdenklich; [kən'templətɪv] beschaulich.
con•tem•po•ra|ne•ous [kəntempə'reɪnɪəs] *adj* □ gleichzeitig; **~•ry** [kən'tempərərɪ] **1.** *adj* zeitgenössisch, heutig; **2.** *s* Zeitgenoss|e *m*, -in *f.*
con|tempt [kən'tempt] *s* Verachtung *f*; **~•temp•ti•ble** *adj* □ verachtenswert; **~•temp•tu•ous** [~ʃʊəs] *adj* □ geringschätzig, verächtlich.
con•tend [kən'tend] *v/i* kämpfen, ringen (***for*** um); *v/t* behaupten; **~•er** *s esp. sports*: Wettkämpfer(in).
con•tent [kən'tent] **1.** *adj* zufrieden; **2.** *v/t* befriedigen; **~ *o.s.*** sich begnügen; **3.** *s* Zufriedenheit *f*; ***to one's heart's*** **~** nach Herzenslust; ['kɒntent] Gehalt *m*; **~*s*** *pl* Inhalt *m*; **~•ed** [kən'tentɪd] *adj* □ zufrieden.
con•ten•tion [kən'tenʃn] *s* Streit *m*; Argument *n*, Behauptung *f.*

con•tent•ment [kən'tentmənt] *s* Zufriedenheit *f*.

con|test 1. *s* ['kɒntest] Streit *m*; Wettkampf *m*; **2.** *v/t* [kən'test] sich bewerben um, kandidieren für; (be)streiten; anfechten; um *et.* streiten; ***~ed takeover*** *econ.* feindliche Übernahme; **~•tes•tant** *s* Wettkämpfer(in), (Wettkampf)Teilnehmer(in).

con•text ['kɒntekst] *s* Zusammenhang *m*, Kontext *m*.

con•ti|nent ['kɒntɪnənt] **1.** *adj* □ enthaltsam, mäßig; **2.** *s* Kontinent *m*, Erdteil *m*; ***the*** ♀ *Br.* das (europäische) Festland; **~•nen•tal** [kɒntɪ'nentl]; **1.** *adj* □ kontinental, Kontinental…; **2.** *s* Kontinentaleuropäer(in).

con•tin•gen|cy [kən'tɪndʒənsɪ] *s* Zufälligkeit *f*; Möglichkeit *f*, Eventualität *f*; **~t** [~t] **1.** *adj* □: ***be ~ on*** *or* ***upon*** abhängen von; **2.** *s* Kontingent *n*.

con•tin|u•al [kən'tɪnjʊəl] *adj* □ fortwährend, unaufhörlich; **~•u•a•tion** [kəntɪnjʊ'eɪʃn] *s* Fortsetzung *f*; Fortdauer *f*; ***~ school*** Fortbildungsschule *f*; ***~ training*** berufliche Fortbildung; **~•ue** [kən'tɪnjuː] *v/t* fortsetzen, -fahren mit; beibehalten; ***to be ~d*** Fortsetzung folgt; *v/i* fortdauern; andauern, anhalten; fortfahren, weitermachen; **conti•nu•i•ty** [kɒntɪ'njuːətɪ] *s* Kontinuität *f*; **~•u•ous** [kən'tɪnjʊəs] *adj* □ ununterbrochen; ***~ form*** *gr.* Verlaufsform *f*.

con|tort [kən'tɔːt] *v/t* verdrehen; verzerren; **~•tor•tion** [~ɔːʃn] *s* Verdrehung *f*; Verzerrung *f*.

con•tour ['kɒntʊə] *s* Umriss *m*.

con•tra•band *econ.* ['kɒntrəbænd] *s* unter Ein- *or* Ausfuhrverbot stehende Ware, Schmuggelware *f*.

con•tra•cep|tion *med.* [kɒntrə'sepʃn] *s* Empfängnisverhütung *f*; **~•tive** *med.* [~tɪv] **1.** *adj* empfängnisverhütend; **2.** *s* Verhütungsmittel *n*.

con|tract 1. *v/t* [kən'trækt] zusammenziehen; *illness*: sich zuziehen; *debts*: machen; *marriage, etc.*: schließen; *v/i* sich zusammenziehen, schrumpfen; *jur.* e-n Vertrag schließen; sich vertraglich verpflichten; **2.** *s* ['kɒntrækt] Kontrakt *m*, Vertrag *m*; **~•trac•tion** [kən'trækʃn] *s* Zusammenziehung *f*; *gr.* Kurzform *f*; **~•trac•tor** [~tə] *s a.* ***building ~*** Bauunternehmer *m*.

con•tra|dict [kɒntrə'dɪkt] *v/t* widersprechen (*dat*); **~•dic•tion** [~kʃn] *s* Widerspruch *m*; **~•dic•to•ry** [~tərɪ] *adj* □ (sich) widersprechend.

con•tra•ry ['kɒntrərɪ] **1.** *adj* □ entgegengesetzt; widrig; ***~ to*** im Gegensatz zu; ***~ to expectations*** wider Erwarten; **2.** *s* Gegenteil *n*; ***on the ~*** im Gegenteil.

con•trast 1. *s* ['kɒntrɑːst] Gegensatz *m*; Kontrast *m*; **2.** [kən'trɑːst] *v/t* gegenüberstellen, vergleichen; *v/i* sich unterscheiden, abstechen (***with*** von).

con|trib•ute [kən'trɪbjuːt] *v/t and v/i* beitragen, -steuern; spenden (***to*** für); **~•tri•bu•tion** [kɒntrɪ'bjuːʃn] *s* Beitrag *m*; Spende *f*; **~•trib•u•tor** [kən'trɪbjʊtə] *s to newspaper, book, etc.*: Mitarbeiter(in).

con|trite ['kɒntraɪt] *adj* □ zerknirscht; **~•tri•tion** [kən'trɪʃn] *s* Zerknirschung *f*.

con|triv•ance [kən'traɪvəns] *s* Vorrichtung *f*; Plan *m*, List *f*; **~•trive** [kən'traɪv] *v/t* ersinnen, (sich) ausdenken, planen; zustande bringen; es fertigbringen (***to*** *inf* zu *inf*); **~•trived** *adj story, etc.*: konstruiert; *behaviour, etc.*: gekünstelt.

con•trol [kən'trəʊl] **1.** *s* Kontrolle *f*, Herrschaft *f*, Macht *f*, Gewalt *f*, Beherrschung *f*; Aufsicht *f*; *tech.* Steuerung *f*; *mst* ***~s*** *pl tech.* Steuervorrichtung *f*; ***lose ~*** die Herrschaft *or* Gewalt *or* Kontrolle verlieren; **2.** *v/t* (***-ll-***) beherrschen, die Kontrolle haben über (*acc*); (erfolgreich) bekämpfen; kontrollieren, überwachen; *econ.* (staatlich) lenken, *prices*: binden; *electr., tech.* steuern, regeln, regulieren; **~ desk** *s electr.* Schalt-, Steuerpult *n*; **~ pan•el** *s electr.* Schalttafel *f*; **~ tow•er** *s aer.* Kontrollturm *m*, Tower *m*.

con•tro•ver|sial [kɒntrə'vɜːʃl] *adj* □ umstritten; **~•sy** ['kɒntrəvɜːsɪ] *s* Kontroverse *f*, Streit *m*.

con|tuse *med.* [kən'tjuːz] *v/t* sich *et.* quetschen *or* prellen; **~•tu•sion** *med.* [kən'tjuːʒn] *s* Quetschung *f*.

con•ur•ba•tion [kɒnɜː'beɪʃn] *s* Ballungsraum *m*, -gebiet *n*.

con•va|lesce [kɒnvə'les] *v/i* gesund werden, genesen; **~•les•cence** [~ns] *s* Rekonvaleszenz *f*, Genesung *f*; **~•les•cent** [~t] **1.** *adj* □ genesend; **2.** *s* Rekonvaleszent(in), Genesende(r *m*) *f*.

C

con•vene [kən'vi:n] *v/i* sich versammeln; *of parliament, etc.*: zusammentreten; *v/t* einberufen.

con•ve•ni|ence [kən'vi:nɪəns] *s* Bequemlichkeit *f*; Angemessenheit *f*; Vorteil *m*; (***public***) **~** *Br.* (öffentliche) Toilette; ***all*** (***modern***) **~*s*** *pl* aller Komfort; ***at your earliest*** **~** möglichst bald; **~ *food*** Fertignahrung *f*, Schnellgericht *n*; **~•ent** *adj* □ bequem; günstig.

con•vent ['kɒnvənt] *s* (Nonnen)Kloster *n*; ***enter a*** **~** ins Kloster gehen.

con•ven•tion [kən'venʃn] *s* Versammlung *f*; Konvention *f*, Übereinkommen *n*, Abkommen *n*; Sitte *f*; **~•al** *adj* □ herkömmlich, konventionell (*a. mil.*).

con|verge [kən'vɜ:dʒ] *v/i* konvergieren; zusammenlaufen, -strömen; **~•vergence** [kən'vɜ:dʒəns] *s econ., pol.* Konvergenz *f*; **~ *criteria*** *pl.* Konvergenzkriterien *pl.*

con•ver•sa•tion [kɒnvə'seɪʃn] *s* Gespräch *n*, Unterhaltung *f*; Konversation *f*; **~•al** *adj* □ Unterhaltungs…; umgangssprachlich.

con•verse **1.** *adj* □ ['kɒnvɜ:s] umgekehrt; **2.** *v/i* [kən'vɜ:s] sich unterhalten.

con•ver•sion [kən'vɜ:ʃn] *s* Um-, Verwandlung *f*; *econ., tech.* Umstellung *f*; *tech.* Umbau *m*; *electr.* Umformung *f*; *eccl.* Konversion *f*; *pol.* Übertritt *m*; *econ.* Konvertierung *f*; *of currency*: (Währungs)Umstellung *f*; **~ *rate*** *bei Euroeinführung*: Umrechnungskurs *m*; **~ *of notes and coins*** *bei Euroeinführung*: Bargeldumstellung *f*.

con|vert **1.** *s* ['kɒnvɜ:t] Bekehrte(r *m*) *f*, *eccl. a.* Konvertit(in); **2.** *v/t* [kən'vɜ:t] (*a. v/i* sich) um- *or* verwandeln; *econ., tech.* umstellen (***to*** auf *acc*); *tech.* umbauen (***into*** zu); *electr.* umformen; *eccl.* bekehren; *econ.* konvertieren, umwandeln; *currency, etc.*: umstellen; **~•vert•er** *electr.* [~ə] *s* Umformer *m*; **~•ver•ti•ble**; **1.** *adj* □ um-, verwandelbar; *econ.* konvertierbar; **2.** *s mot.* Kabrio(lett) *n*.

con•vey [kən'veɪ] *v/t* befördern, transportieren, bringen; überbringen, -mitteln; übertragen; mitteilen; **~•ance** *s* Beförderung *f*, Transport *m*; Übermittlung *f*; Verkehrsmittel *n*; *jur.* Übertragung *f*; **~•er, ~•or** [~ə], **~•er belt** *tech. s* Förderband *n*; Fließband *n*.

con|vict **1.** *s* ['kɒnvɪkt] Strafgefangene(r) *m*, Sträfling *m*; **2.** *v/t* [kən'vɪkt] *jur. j-n* überführen; **~•vic•tion** [~kʃn] *s jur.* Verurteilung *f*; Überzeugung *f*.

con•vince [kən'vɪns] *v/t* überzeugen.

con•voy ['kɒnvɔɪ] **1.** *s mar.* Geleitzug *m*, Konvoi *m*; (Wagen)Kolonne *f*; (Geleit)Schutz *m*; **2.** *v/t* Geleitschutz geben (*dat*), eskortieren.

con•vul|sion *med.* [kən'vʌlʃn] *s* Zuckung *f*, Krampf *m*; **~•sive** *adj* □ krampfhaft, -artig, konvulsiv.

cook [kʊk] **1.** *s* Koch *m*; Köchin *f*; **2.** *v/t* kochen (*a. v/i*); F *report, accounts, etc.*: frisieren; **~ *up*** F sich ausdenken, erfinden; F **~ *s.o.'s goose*** *j-m* alles verderben; **~•book** *s Am.* Kochbuch *n*; **~•er** *s Br.* Ofen *m*, Herd *m*; **~•e•ry** *s* Kochen *n*; Kochkunst *f*; **~ *book*** *Br.* Kochbuch *n*; **~•ie** *s Am.* (süßer) Keks, Plätzchen *n*; **~•ing** *s*: ***French*** **~** französische Küche; **~•y** *s Am.* → ***cookie.***

cool [ku:l] **1.** *adj* □ kühl; *fig.* kaltblütig, gelassen; unverfroren; *esp. Am.* F klasse, prima, cool; **2.** *s* Kühle *f*; F (Selbst-)Beherrschung *f*; **3.** *v/t and v/i* (sich) abkühlen; **~ *down***, **~ *off*** sich beruhigen; **cool•ant** ['ku:lənt] *s* Kühlwasser *n*, Kühlflüssigkeit *f*; **~-head•ed** *adj* (kühl und) besonnen; **~•ing-off pe•ri•od** *s econ. during industrial dispute*: Schlichtungsstadium *n* mit Friedenspflicht; *after signing a contract*: Rücktrittsfrist *f*.

coop [ku:p] **1.** *s* Hühnerstall *m*; **2.** *v/t*: **~ *up***, **~ *in*** einsperren, -pferchen.

co-op F ['kəʊɒp] *s shop*: Co-op *m*, Konsumladen *m*; *society*: Genossenschaft *f*.

co(-)op•e|rate [kəʊ'ɒpəreɪt] *v/i* mitwirken; zusammenarbeiten; kooperieren; **~•ra•tion** [~'reɪʃn] *s* Mitwirkung *f*; Zusammenarbeit *f*, Kooperation *f*; **~•ra•tive** [kəʊ'ɒpərətɪv] **1.** *adj* □ kooperativ, hilfsbereit; **2.** *s a.* **~ *society*** Genossenschaft *f*; Co-op *m*, Konsumverein *m*; *a.* **~ *store*** Co-op *m*, Konsumladen *m*.

co(-)or•di|nate **1.** *adj* □ [kəʊ'ɔ:dɪnət] koordiniert; **2.** *v/t* [~neɪt] koordinieren, aufeinander abstimmen; **~•na•tion** [~'neɪʃn] *s* Koordination *f*; harmonisches Zusammenspiel.

cop F [kɒp] *s* Bulle *m* (*policeman*).

co•part•ner [kəʊ'pɑ:tnə] *s econ.* Teilhaber *m*.

cope [kəʊp] *v/i*: ~ ***with*** gewachsen sein (*dat*), fertigwerden mit.

Co•pen•ha•gen [ˌkəʊpn'heɪgən] Kopenhagen *n*.

cop•i•er ['kɒpɪə] *s* Kopiergerät *n*, Kopierer *m*.

co-pi•lot *aer*. ['kəʊpaɪlət] *s* Kopilot(in).

cop•per[1] ['kɒpə] **1.** *s min*. Kupfer *n*; Kupfermünze *f*; **2.** *adj* kupfern, Kupfer…

cop•per[2] F [~] *s* Bulle *m* (*policeman*).

cop•y ['kɒpɪ] **1.** *s* Kopie *f*; Abschrift *f*; Nachbildung *f*; Durchschlag *m*; Muster *n*; *of book*: Exemplar *n*; *of newspaper*: Nummer *f*; druckfertiges Manuskript; ***fair*** *or* ***clean*** ~ Reinschrift *f*; **2.** *v/t* kopieren; abschreiben; *computer*: (*data*) übertragen; nachbilden; nachahmen; **~-book** *s* Schreibheft *n*; **~-pro•tect•ed** *adj computer*: kopiergeschützt (*disk*); **~-pro•tec•tion** *s computer*: Kopierschutz *m*; **~•right** *s* Urheberrecht *n*, Copyright *n*; ***protected by*** ~ urheberrechtlich geschützt; **~•writ•er** *s* Werbetexter(in).

cor•al *zo*. ['kɒrəl] *s* Koralle *f*.

cord [kɔːd] **1.** *s* Schnur *f*, Strick *m*; *anat*. Band *n*, Schnur *f*, Strang *m*; (***a pair of***) **~*s*** *pl* (e-e) Kordhose; **2.** *v/t* (zu)schnüren, binden.

cor•di•al ['kɔːdɪəl] **1.** *adj* □ herzlich; *med*. stärkend; **2.** *s* belebendes Mittel, Stärkungsmittel *n*; Fruchtsaftkonzentrat *n*; Likör *m*; **~•i•ty** [kɔːdɪ'ælətɪ] *s* Herzlichkeit *f*.

cor•don ['kɔːdn] **1.** *s* Kordon *m*, Postenkette *f*; **2.** *v/t*: ~ ***off*** abriegeln, absperren.

cor•du•roy ['kɔːdərɔɪ] *s* Kord(samt) *m*; (***a pair of***) **~*s*** *pl* (e-e) Kordhose.

core [kɔː] **1.** *s* Kerngehäuse *n*; *fig*. Herz *n*, Mark *n*, Kern *m*; **2.** *v/t* entkernen; ~ **ac•tiv•i•ty**, ~ **busi•ness** *s econ*. Kerngeschäft *n*.

cork [kɔːk] **1.** *s* Kork *m*; *stopper*: Korken *m*; **2.** *v/t a*. ~ ***up*** zu-, verkorken; **~•screw** ['~skruː] *s* Korkenzieher *m*.

corn [kɔːn] **1.** *s* (Samen-, Getreide)Korn *n*; Getreide *n*; *a*. ***Indian*** ~ *Am*. Mais *m*; *med*. Hühnerauge *n*; **2.** *v/t* (ein)pökeln.

cor•ner ['kɔːnə] **1.** *s* Ecke *f*; Winkel *m*; Kurve *f*; *soccer, etc*.: Eckball *m*, Ecke *f*; *fig*. schwierige Lage, Klemme *f*, Enge *f*; **2.** *adj* Eck…; **~-*kick*** *soccer*: Eckstoß *m*; **3.** *v/t* in die Ecke (*fig*. Enge) treiben; *econ*. aufkaufen; **…-~ed** …eckig; ~ **shop** *s* Tante-Emma-Laden *m*.

cor•net ['kɔːnɪt] *s mus*. Kornett *n*; *Br*. Eistüte *f*.

cor•o•na•tion [kɒrə'neɪʃn] *s* Krönung *f*.

cor•o•ner *jur*. ['kɒrənə] *s appr*. Untersuchungsrichter(in).

cor•po|ral ['kɔːpərəl] **1.** *adj* □ körperlich; ~ ***punishment*** Prügelstrafe *f*; **2.** *s mil*. Unteroffizier *m*.

cor•po•ra•tion [kɔːpə'reɪʃn] *s* Körperschaft *f*; *of town*: Stadtverwaltung *f*; *Am*. Aktiengesellschaft *f*.

corpse [kɔːps] *s* Leichnam *m*, Leiche *f*.

cor•pu|lence, **~•len•cy** ['kɔːpjʊləns, ~sɪ] Korpulenz *f*; **~•lent** [~t] *adj* korpulent.

cor•ral [kɔː'rɑːl, *Am*. kə'ræl] **1.** *s* Korral *m*, Hürde *f*, Pferch *m*; **2.** *v/t* (**-ll-**) *cattle*: in e-n Pferch treiben.

cor|rect [kə'rekt] **1.** *adj* □ korrekt, richtig; **2.** *v/t* korrigieren; zurechtweisen; strafen; **~•rec•tion** [~kʃn] *s* Berichtigung *f*; Korrektur *f*; ~ ***of proofs*** Korrekturlesen *n*.

cor•re|spond [kɒrɪ'spɒnd] *v/i* entsprechen (***with, to*** *dat*), sich decken; korrespondieren; **~•spon•dence** *s* Übereinstimmung *f*; Korrespondenz *f*, Briefwechsel *m*; ~ ***course*** Fernkurs *m*; **~•spon•dent** [~t] **1.** *adj* □ entsprechend; **2.** *s* Briefpartner(in); Korrespondent(in).

cor•ri•dor ['kɒrɪdɔː] *s* Korridor *m*, Gang *m*.

cor•rob•o•rate [kə'rɒbəreɪt] *v/t* bekräftigen, bestätigen.

cor|rode [kə'rəʊd] *v/t* zerfressen; *tech*. korrodieren (*a*. *v/i*); **~•ro•sion** [~ʒn] *s* Zerfressen *n*; *tech*. Korrosion *f*; Rost *m*; **~•ro•sive** [~sɪv] **1.** *adj* □ zerfressend, ätzend; **2.** *s* Korrosions-, Ätzmittel *n*.

cor|rupt [kə'rʌpt] **1.** *adj* □ verdorben; korrupt, bestechlich, käuflich; **2.** *v/t* verderben; bestechen; *v/i* verderben; **~•rupt•i•ble** *adj* □ verderblich; korrupt, bestechlich, käuflich; **~•rup•tion** [~pʃn] *s* Verdorbenheit, Verworfenheit *f*; Korruption *f*, Bestechlichkeit *f*; Verfälschung *f*; *decay*: Fäulnis *f*.

cor•set ['kɔːsɪt] *s* Korsett *n*.

cos|met•ic [kɒz'metɪk] **1.** *adj* (**~*ally***) kosmetisch; ~ ***surgery*** Schönheitschirurgie *f*; **2.** *s mst* **~s** *pl* Kosmetika *pl*, Schönheitspflegemittel *pl*; **~•me•ti•cian** [kɒzmə'tɪʃn] *s* Kosmetiker(in).

cos•mo•naut ['kɒzmənɔːt] *s* Kosmonaut(in).

cos•mo•pol•i•tan [kɒzmə'pɒlɪtən] **1.** *adj* kosmopolitisch; **2.** *s* Weltbürger(in).

cost [kɒst] **1.** *s* Preis *m*; Kosten *pl*; Schaden *m*; **~-conscious** kostenbewusst; **~-cutting** kostendämpfend; **~ of living** Lebenshaltungskosten *pl*; **~ price** *econ.* Selbstkostenpreis *m*; **2.** *v/i* (**cost**) kosten; **~•ly** *adj* (**-ier, -iest**) kostspielig; teuer erkauft.

cos•tume ['kɒstjuːm] *s* Kostüm *n*, Kleidung *f*, Tracht *f*; **~ jewellery** Modeschmuck *m*.

co•sy ['kəʊzɪ] **1.** *adj* □ (**-ier, -iest**) behaglich, gemütlich; **2.** → **egg-cosy, tea-cosy.**

cot [kɒt] *s* Feldbett *n*; *Br.* Kinderbett *n*; **~ death** plötzlicher Kindstod.

cot|tage ['kɒtɪdʒ] *s* Cottage *n*, (kleines) Landhaus; *Am.* Ferienhaus *n*, -häuschen *n*; **~ cheese** Hüttenkäse *m*; **~•ta•g•er** [~ə] *s* Cottagebewohner(in); *Am.* Urlauber(in) in e-m Ferienhaus.

cot•ton ['kɒtn] **1.** *s* Baumwolle *f*; Baumwollstoff *m*; (Baumwoll)Garn *n*, (-)Zwirn *m*; **2.** *adj* baumwollen, Baumwoll…; **3.** *v/i*: **~ on to** F *et.* kapieren, verstehen; **~ wool** *s Br.* Watte *f*.

couch [kaʊtʃ] **1.** *s* Couch *f*, Sofa *n*; Liege *f*; **2.** *v/t* (ab)fassen, formulieren.

cou•chette *rail.* [kuː'ʃet] *s* Liegewagenplatz *m*; *a.* **~ coach** Liegewagen *m*.

cou•gar *zo.* ['kuːgə] *s* Puma *m*.

cough [kɒf] **1.** *s* Husten *m*; **2.** *v/i* husten.

could [kʊd] *pret of* **can**[1].

coun|cil ['kaʊnsl] *s* Rat(sversammlung *f*) *m*; **~ house** *Br.* gemeindeeigenes Wohnhaus (*mit niedrigen Mieten*); **~ housing** *appr.* sozialer Wohnungsbau; **♀ of Europe** *pol.* Europarat *m*; **~•ci(l)•lor** [~sələ] *s* Ratsmitglied *n*, Stadtrat *m*, Stadträtin *f*.

coun|sel ['kaʊnsl] **1.** *s* Beratung *f*; Rat(-schlag) *m*; *Br. jur.* (Rechts)Anwalt *m*; **~ for the defence** (*Am.* **defense**) Verteidiger(in); **~ for the prosecution** Anklagevertreter(in); **2.** *v/t* (*esp. Br.* **-ll-**, *Am.* **-l-**) *j-n* beraten; *j-m* raten; **~•se(l)•lor** [~sələ] *s* Berater *m*; *a.* **~-at-law** *Am. jur.* (Rechts)Anwalt *m*.

count[1] [kaʊnt] *s* Graf *m*.

count[2] [~] **1.** *s* Rechnung *f*, Zählung *f*; *jur.* Anklagepunkt *m*; **2.** *v/t* zählen; aus-, berechnen; *fig.* halten für; **~ down** *money*: hinzählen; *v/i* zählen; rechnen; (**on, upon**) zählen, sich verlassen (auf *acc*); gelten (**for little** wenig); **~ down** *space travel*: den Countdown durchführen, letzte (Start)Vorbereitungen treffen; **~•down** ['~daʊn] *s space travel*: Countdown *m* (*a. fig.*), letzte (Start)Vorbereitungen *pl*.

coun•te•nance ['kaʊntɪnəns] *s* Gesichtsausdruck *m*; Fassung *f*.

count•er[1] ['kaʊntə] *s* Zähler *m*; Zählgerät *n*; *Br.* Spielmarke *f*.

coun•ter[2] [~] *s* Ladentisch *m*; Theke *f*; (Bank-, Post)Schalter *m*.

coun•ter[3] [~] **1.** *adj* (ent)gegen, Gegen…; **2.** *v/t* entgegentreten (*dat*), entgegnen (*dat*), bekämpfen; abwehren.

coun•ter•act [kaʊntər'ækt] *v/t* entgegenwirken (*dat*); neutralisieren; bekämpfen.

coun•ter•bal•ance 1. *s* ['kaʊntəbæləns] Gegengewicht *n*; **2.** *v/t* [kaʊntə'bæləns] aufwiegen, ausgleichen.

coun•ter•clock•wise *Am.* [kaʊntə'klɒkwaɪz] → **anticlockwise.**

coun•ter-es•pi•o•nage [kaʊntər'espɪənɑːʒ] *s* Spionageabwehr *f*.

coun•ter•feit ['kaʊntəfɪt] **1.** *adj* □ nachgemacht, falsch, unecht; **2.** *s* Fälschung *f*; Falschgeld *n*; **3.** *v/t money, signature, etc.*: fälschen.

coun•ter|foil ['kaʊntəfɔɪl] *s* Kontrollabschnitt *m*; **~-in•fla•tion•a•ry** [~ɪn'fleɪʃənərɪ] *adj econ.* antiinflationär, Antiinflations…; **~•mand** [~'mɑːnd] *v/t order, etc*: widerrufen; *goods*: abbestellen; **~•part** ['~pɑːt] *s* Gegenstück *n*; genaue Entsprechung; **~•sign** ['~saɪn] *v/t* gegenzeichnen, mit unterschreiben.

coun•tess ['kaʊntɪs] *s* Gräfin *f*.

count•less ['kaʊntlɪs] *adj* zahllos.

coun•try ['kʌntrɪ] **1.** *s* Land *n*; Gegend *f*; Heimatland *n*; **2.** *adj* Land…, ländlich; **~•man** *s* Landbewohner *m*; Bauer *m*; *a.* **fellow ~** Landsmann *m*; **~ road** *s* Landstraße *f*; **~•side** *s* (ländliche) Gegend; Landschaft *f*; **~•wom•an** *s* Landbewohnerin *f*; Bäuerin *f*; *a.* **fellow ~** Landsmännin *f*.

coun•ty ['kaʊntɪ] *s Br.* Grafschaft *f*;

Am. (Land)Kreis *m*; **~ seat** *s Am.* Kreis(haupt)stadt *f*; **~ town** *s Br.* Grafschaftshauptstadt *f*.

coup [kuː] *s* Coup *m*; Putsch *m*; ***~ de grâce*** Gnadenstoß *m*, -schuss *m*; ***~ d'état*** Staatsstreich *m*.

cou•ple ['kʌpl] **1.** *s* Paar *n*; ***a ~ of*** F ein paar; **2.** *v/t* (zusammen)koppeln; *tech.* kuppeln; *v/i zo.* sich paaren.

coup•ling *tech.* ['kʌplɪŋ] *s* Kupplung *f*.

cou•pon ['kuːpɒn] *s* Gutschein *m*; Kupon *m*, Bestellzettel *m*.

cour•age ['kʌrɪdʒ] *s* Mut *m*; **cou•ra•geous** [kə'reɪdʒəs] *adj* mutig, beherzt.

cou•ri•er ['kʊrɪə] *s* Kurier *m*, Eilbote *m*; Reiseleiter *m*.

course [kɔːs] **1.** *s* Lauf *m*, Gang *m*; Weg *m*; *mar.*, *aer.* Kurs *m* (*a. fig.*); *sports*: (Renn)Bahn *f*, (-)Strecke *f*, *golf*: Platz *m*; *of meal*: Gang *m*; Reihe *f*; Folge *f*; Kurs *m*; *med.* Kur *f*; ***of ~*** natürlich, selbstverständlich; **2.** *v/t and v/i* hetzen, jagen; *v/i of tears*, *etc.*: strömen.

court [kɔːt] **1.** *s* Hof *m* (*a. of monarch*); kleiner Platz; *sports*: Platz *m*, (Spiel-) Feld *n*; *jur.* Gericht(shof *m*) *n*; Gerichtssaal *m*; ***♀ of Auditors*** Europäischer Rechnungshof; **2.** *v/t j-m* den Hof machen; werben um.

cour•te|ous ['kɜːtjəs] *adj* □ höflich; **~•sy** [~ɪsɪ] *s* Höflichkeit *f*; Gefälligkeit *f*.

court| fine ['kɔːtfaɪn] *s jur.* Ordnungsgeld *n*; ***face a ~*** ein Ordnungsgeld zu zahlen haben; ***issue a ~*** ein Ordnungsgeld verhängen; **~-house** *s* Gerichtsgebäude *n*; **~•ly** [~lɪ] *adj* höfisch; höflich; **~ mar•tial** *s* Kriegsgericht *n*; **~-mar•tial** *v/t* (*esp. Br.* **-ll-**, *Am.* **-l-**) vor ein Kriegsgericht stellen; **~•room** *s* Gerichtssaal *m*; **~•yard** *s* Hof *m*.

cous•in ['kʌzn] *s* Cousin *m*, Vetter *m*; Cousine *f*, Kusine *f*.

cove [kəʊv] *s* kleine Bucht.

cov•er ['kʌvə] **1.** *s* Decke *f*; (*a.* Buch)Deckel *m*; Einband *m*, Umschlag *m*, Hülle *f*; Schutzhaube *f*; Abdeckhaube *f*; Briefumschlag *m*; *mil.* Deckung *f*; Schutz *m*, *insurance*: *a.* Deckung *f*; Dickicht *n*; Decke *f*, *of tyre*: Mantel *m*; *fig.* Deckmantel *m*; ***take ~*** in Deckung gehen; ***under plain ~*** in neutralem Umschlag; ***under separate ~*** mit getrennter Post; **2.** *v/t* (be-, zu)decken; einschlagen, -wickeln; verbergen, -decken; schützen; *distance*: zurücklegen; *econ.* decken; *with gun*: zielen auf (*acc*); umfassen; *fig.* erfassen; *TV*, *etc.*: berichten über (*acc*); ***~ up*** ab-, zudecken; *fig.* verbergen, -heimlichen; *v/i*: ***~ up for s.o.*** *j-n* decken; **~•age** [~rɪdʒ] *s TV*, *etc.* Berichterstattung *f* (***of*** über *acc*); **~ girl** *s* Covergirl *n*, Titelblattmädchen *n*; **~•ing** *s* Decke *f*; Überzug *m*; *of floor*: Belag *m*; **~ sto•ry** *s* Titelgeschichte *f*.

cov•ert ['kʌvət] *adj* □ heimlich, versteckt.

cow[1] *zo.* [kaʊ] *s* Kuh *f*.

cow[2] [~] *v/t* einschüchtern, ducken.

cow•ard ['kaʊəd] **1.** *adj* □ feig(e); **2.** *s* Feigling *m*; **~•ice** [~ɪs] *s* Feigheit *f*; **~•ly** [~lɪ] *adj* feig(e).

cow•boy ['kaʊbɔɪ] *s* Cowboy *m*.

cow•er ['kaʊə] *v/i* kauern; sich ducken.

cow|herd ['kaʊhɜːd] *s* Kuhhirt *m*; **~•hide** *s* Rind(s)leder *n*.

cowl [kaʊl] *s* Mönchskutte *f*; Kapuze *f*; *of chimney*: Schornsteinkappe *f*.

co-work•er [kəʊ'wɜːkə] *s* Kolleg|e *m*, -in *f*.

cow|shed ['kaʊʃed] *s* Kuhstall *m*; **~•slip** *s bot.* Schlüsselblume *f*; *Am.* Sumpfdotterblume *f*.

cox [kɒks], **cox•swain** ['kɒksweɪn, *mar.* mst 'kɒksn] *s* Bootsführer *m*; *rowing*: Steuermann *m*.

coy•ote *zo.* ['kɔɪəʊt, kɔɪ'əʊtɪ] *s* Kojote *m*, Präriewolf *m*.

co•zy *Am.* ['kəʊzɪ] *adj* □ (***-ier, -iest***) → ***cosy***.

CPU ***central processing unit*** *computer*: Zentraleinheit *f*.

crab [kræb] *s* Krabbe *f*, Taschenkrebs *m*; F Nörgler(in).

crack [kræk] **1.** *s* Krach *m*, Knall *m*; Spalte *f*, Spalt *m*, Schlitz *m*; F derber Schlag; F Versuch *m*; F Witz *m*; **2.** *adj* F erstklassig; **3.** *v/t* knallen mit, knacken lassen; zerbrechen, (zer)sprengen; schlagen, hauen; (auf)knacken; ***~ a joke*** e-n Witz reißen; *v/i* krachen, knallen, knacken; (zer)springen, (-)platzen; *of voice*: überschlagen; *a.* ***~ up*** *fig.* zusammenbrechen; ***get ~ing*** F loslegen; **~•er** *s* Cracker *m*, Kräcker *m*; *fire ~*: Schwärmer *m*, Frosch *m*; **~•le** [~kl] *v/i* knattern, knistern, krachen.

cra•dle ['kreɪdl] **1.** *s* Wiege *f*; *fig.* Kind-

heit *f*; **2.** *v/t* wiegen; betten.
craft[1] [krɑːft] *s mar.* Boot(e *pl*) *n*, Schiff(e *pl*) *n*; *aer.* Flugzeug(e *pl*) *n*; (Welt-)Raumfahrzeug(e *pl*) *n*.
craft[2] [~] *s* Handwerk *n*, Gewerbe *n*; Schlauheit *f*, List *f*; **~s•man** ['krɑːftsmən] *s* (Kunst)Handwerker *m*; **~•y** *adj* □ (**-ier, -iest**) gerissen, listig, schlau.
crag [kræg] *s* Klippe *f*, Felsenspitze *f*.
cram [kræm] *v/t* (**-mm-**) (voll)stopfen, mästen; ***the train was ~med*** der Zug war gerammelt voll; *v/i for an exam*: pauken.
cramp [kræmp] **1.** *s med.* Krampf *m*; *tech.* Klammer *f*; *fig.* Fessel *f*; **2.** *v/t* einengen, hemmen.
cran•ber•ry *bot.* ['krænbərɪ] *s* Preiselbeere *f*.
crane [kreɪn] **1.** *s zo.* Kranich *m*; *tech.* Kran *m*; **2.** *v/i* den Hals recken; *v/t*: **~ *one's neck*** sich den Hals verrenken (***for*** nach).
crank [kræŋk] **1.** *s tech.* Kurbel *f*; F Spinner *m*, komischer Kauz; **2.** *v/t* (an)kurbeln; **~•shaft** *tech.* ['~ʃɑːft] *s* Kurbelwelle *f*; **~•y** [~ɪ] *adj* (**-ier, -iest**) wacklig; verschroben; *Am.* schlecht gelaunt.
cran•ny ['krænɪ] *s* Riss *m*, Ritze *f*.
crap V [kræp] **1.** *s* V Scheiße *f*; **2.** *v/i* V scheißen.
crape [kreɪp] *s* Krepp *m*, Flor *m*.
crash [kræʃ] **1.** *s* Krach(en *n*) *m*; Unfall *m*, Zusammenstoß *m*; *aer.*, *a. of computer*: Absturz *m*; *esp. econ.* Zusammenbruch *m*, (Börsen)Krach *m*; **2.** *v/t* zertrümmern; e-n Unfall haben mit; *aer.* abstürzen mit; *v/i* (krachend) zerbersten, -brechen; krachend einstürzen, zusammenkrachen; *esp. econ.* zusammenbrechen; krachen (***against, into*** gegen); *mot.* zusammenstoßen, verunglücken; *aer.*, *a. computer*: abstürzen; **~ bar•ri•er** *s* Leitplanke *f*; **~ course** *s* Schnell-, Intensivkurs *m*; **~ di•et** *s* radikale Schlankheitskur; **~-hel•met** *s* Sturzhelm *m*; **~-land** *v/i and v/t aer.* e-e Bruchlandung machen (mit); **~ land•ing** *s aer.* Bruchlandung *f*; **~ pro•gram(me)** *s pol. etc.* Sofortprogramm *n*.
crate [kreɪt] *s* (Latten)Kiste *f*.
cra•ter ['kreɪtə] *s* Krater *m*; Trichter *m*.
crave [kreɪv] *v/t* dringend bitten *or* flehen um; *v/i* sich sehnen (***for*** nach);
crav•ing ['~ɪŋ] *s* heftiges Verlangen.
craw•fish *zo.* ['krɔːfɪʃ] *s* Flusskrebs *m*.
crawl [krɔːl] **1.** *s* Kriechen *n*; **2.** *v/i* kriechen; schleichen; wimmeln; kribbeln; *swimming*: kraulen.
cray•fish *zo.* ['kreɪfɪʃ] *s* Flusskrebs *m*.
cray•on ['kreɪən] *s* Zeichenstift *m*, Pastellstift *m*.
craze [kreɪz] *s* Verrücktheit *f*, F Fimmel *m*; ***be the ~*** Mode sein; **cra•zy** ['kreɪzɪ] *adj* □ (**-ier, -iest**) verrückt (***about*** nach).
creak [kriːk] *v/i* knarren, quietschen.
cream [kriːm] **1.** *s* Rahm *m*, Sahne *f*; Creme *f*; Auslese *f*, *das* Beste; **2.** *v/t a.* **~ *off*** den Rahm abschöpfen von, absahnen (*a. fig.*); **~•e•ry** ['kriːmərɪ] *s* Molkerei *f*; Milchgeschäft *n*; **~•y** [~ɪ] *adj* (**-ier, -iest**) sahnig; weich.
crease [kriːs] **1.** *s* (Bügel)Falte *f*; **2.** *v/t and v/i* (zer)knittern.
cre|ate [kriː'eɪt] *v/t* (er)schaffen; hervorrufen; verursachen; kreieren; **~•a•tion** [~'eɪʃn] *s* (Er)Schaffung *f*; Erzeugung *f*; Schöpfung *f*; **~•a•tive** [~'eɪtɪv] *adj* □ schöpferisch; **~•a•tiv•i•ty** [kriːeɪ'tɪvɪtɪ] *s* Kreativität f; **~•a•tor** [~ə] *s* Schöpfer *m*; (Er)Schaffer *m*; **crea•ture** ['kriːtʃə] *s* Geschöpf *n*; Kreatur *f*.
crèche [kreɪʃ] *s* (Kinder)Krippe *f*.
cre|dence ['kriːdəns] *s* Glaube *m*; **~•den•tials** [krɪ'denʃlz] *s pl* Beglaubigungsschreiben *n*; Referenzen *pl*; Zeugnisse *pl*; (Ausweis)Papiere *pl*.
cred•i|bil•i•ty [kredɪ'bɪlɪtɪ] *s* Glaubwürdigkeit *f*; **~•ble** ['kredəbl] *adj* □ glaubwürdig; glaubhaft.
cred|it ['kredɪt] **1.** *s* Glaube(n) *m*; Ruf *m*, Ansehen *n*; Verdienst *n*; *econ.* Guthaben *n*; *econ.* Kredit *m*; *univ. appr.* (Seminar)Schein *m*; **~ *card*** *econ.* Kreditkarte *f*; **2.** *v/t j-m* glauben; *j-m* trauen; *econ.* gutschreiben; **~ *s.o. with s.th.*** *j-m* et. zutrauen; *j-m* et. zuschreiben; **~•i•ta•ble** *adj* □ achtbar, ehrenvoll (***to*** für); **~•i•tor** *s* Gläubiger *m*; **~•u•lous** [~jʊləs] *adj* □ leichtgläubig.
creed [kriːd] *s* Glaubensbekenntnis *n*.
creek [kriːk] *s Br.* kleine Bucht; *Am.* Bach *m*.
creel [kriːl] *s* Fischkorb *m*.
creep [kriːp] **1.** *v/i* (***crept***) kriechen; schleichen (*a. fig.*); **~ *in*** (sich) hinein- *or* hereinschleichen; *mistake, etc.*: sich

einschleichen; ***it makes my flesh ~*** ich bekomme e-e Gänsehaut davon; **2.** *s sl.* Widerling *m*, fieser Typ; F ***the sight gave me the ~s*** bei dem Anblick bekam ich e-e Gänsehaut *or* das kalte Grausen; **~•er** *s bot.* Kriech-, Kletterpflanze *f*; **~•y** *adj* unheimlich, gruselig.
crept [krept] *pret and pp of* ***creep*** 1.
cres•cent ['kresnt] **1.** *adj* zunehmend; halbmondförmig; **2.** *s* Halbmond *m*.
cress *bot.* [kres] *s* Kresse *f*.
crest [krest] *s of hill*: Kamm *m*; *of helmet*: Federbusch *m*; ***family ~*** *heraldry*: Familienwappen *n*; **~•fal•len** ['~fɔːlən] *adj* niedergeschlagen.
Crete [kriːt] Kreta *n*.
cre•vasse [krɪ'væs] *s* (Gletscher)Spalte *f*; *Am.* Deichbruch *m*.
crev•ice ['krevɪs] *s* Riss *m*, Spalte *f*.
crew[1] [kruː] *s mar., aer.* Besatzung *f*, *mar. a.* Mannschaft *f*; (Arbeits)Gruppe *f*; Belegschaft *f*.
crew[2] [~] *pret of* ***crow*** 2.
crib [krɪb] **1.** *s* Krippe *f*; *Am.* Kinderbett *n*; F *school*: Spickzettel *m*; **2.** *v/t and v/i* (***-bb-***) F abschreiben, spicken.
crick [krɪk] *s*: ***a ~ in one's back*** (***neck***) ein steifer Rücken (Hals).
crick|et ['krɪkɪt] *s zo.* Grille *f*; *sports*: Kricket *n*; *dated*: ***not ~*** F nicht fair.
crime [kraɪm] *s jur.* Verbrechen *n*, Straftat *f*; *coll.* Verbrechen *pl*; ***~ novel*** Kriminalroman *m*.
Cri•mea [kraɪ'mɪə] *die* Krim.
crim•i•nal ['krɪmɪnl] **1.** *adj* □ verbrecherisch, kriminell (*a. fig.*); Kriminal…, Straf…; ***ℒ Investigation Department*** (*abbr.* ***CID***) *Br.* Kriminalpolizei *f*; **2.** *s* Verbrecher(in), Kriminelle(r *m*) *f*.
cringe [krɪndʒ] *v/i* sich ducken.
crin|kle ['krɪŋkl] **1.** *s* Falte *f*, *in face*: Fältchen *n*; **2.** *v/t and v/i* (sich) kräuseln; knittern.
crip•ple ['krɪpl] **1.** *s* Krüppel *m*; **2.** *v/t* zum Krüppel machen; *fig.* lähmen.
cri•sis ['kraɪsɪs] *s* (*pl* ***-ses*** [-siːz]) Krise *f*.
crisp [krɪsp] **1.** *adj* □ kraus; knusp(e)rig, *biscuits, etc.*: mürbe; *bracing*: frisch; *style*: klar; **2.** *v/t and v/i* (sich) kräuseln; knusp(e)rig machen *or* werden; **3.** *s*: ***~s*** *pl*, *a.* ***potato ~s*** *pl Br.* (Kartoffel)Chips *pl*; **~•bread** ['~bred] *s* Knäckebrot *n*.
criss-cross ['krɪskrɒs] **1.** *s* Muster *n* sich schneidender Linien, Kreuzundquer *n*; **2.** *v/t* (durch)kreuzen.
cri•te•ri•on [kraɪ'tɪərɪən] *s* (*pl* ***-ria*** [-rɪə], ***-rions***) Kriterium *n*.
crit|ic ['krɪtɪk] *s* Kritiker(in); **~•i•cal** [~kl] *adj* □ kritisch; bedenklich; **~•i•cis•m** [~ɪsɪzəm] *s* Kritik *f* (***of*** an *dat*); **~•i•cize** [~saɪz] *v/t* kritisieren; kritisch beurteilen; tadeln; **cri•tique** [krɪ'tiːk] *s* kritischer Essay, Kritik *f*.
croak [krəʊk] *v/i* krächzen; quaken.
Cro•a•tia [krəʊ'eɪʃə] Kroatien *n*.
crock•e•ry ['krɒkərɪ] *s* Steingut *n*.
croc•o•dile *zo.* ['krɒkədaɪl] *s* Krokodil *n*.
crook [krʊk] **1.** *s* Krümmung *f*; Haken *m*; Hirtenstab *m*; F Gauner *m*; **2.** *v/t and v/i* (sich) krümmen *or* (ver)biegen; **~•ed** ['krʊkɪd] *adj* krumm; bucklig; F unehrlich; [krʊkt] Krück…
croon [kruːn] *v/t and v/i* schmalzig singen; summen; **~•er** *s* Schnulzensänger(in).
crop [krɒp] **1.** *s zo.* Kropf *m*; Peitschenstiel *m*; Reitpeitsche *f*; (Feld)Frucht *f*, *esp.* Getreide *n*; Ernte *f*; kurzer Haarschnitt; **2.** (***-pp-***) *v/t* abfressen, abweiden; *hair*: kurz schneiden; *v/i*: ***~ up*** *fig.* plötzlich auftauchen.
cross [krɒs] **1.** *s* Kreuz *n* (*a. fig.*: *sorrow, etc.*); Kreuzung *f*; **2.** *adj* □ quer (liegend, laufend *etc.*); *angry*: ärgerlich, böse; entgegengesetzt; Kreuz…, Quer…; **3.** *v/t* kreuzen; überqueren; *fig.* durchkreuzen; *j-m* in die Quere kommen; ***~ off, ~ out*** aus-, durchstreichen; ***~ o.s.*** sich bekreuzigen; ***keep one's fingers ~ed*** den Daumen halten; *v/i* sich kreuzen; **~•bar** ['~bɑː] *s soccer*: (Tor)Latte *f*; **~-bor•der** *adj* grenzüberschreitend; **~-breed** *s biol.* Kreuzung *f*; **~-coun•try** *adj* Querfeldein…, Gelände…; ***~ skiing*** Skilanglauf *m*; **~-ex•ami•na•tion** *s* Kreuzverhör *n*; **~-ex•am•ine** *v/t* ins Kreuzverhör nehmen; **~-eyed** *adj* schielend; ***be ~*** schielen; **~•ing** *s* Kreuzung *f*, Übergang *m*; *mar.* Überfahrt *f*; **~•road** *s* Querstraße *f*; **~•roads** *s pl or sg* Straßenkreuzung *f*; *fig.* Scheideweg *m*; **~-sec•tion** *s* Querschnitt *m*; **~•walk** *s Am.* Fußgängerüberweg *m*; **~•wise** *adv* quer, kreuzweise; **~•word** (**puz•zle**) *s* Kreuzworträtsel *n*.
crotch [krɒtʃ] *s of trousers*: Schritt *m*.
crotch•et ['krɒtʃɪt] *s* Haken *m*; *esp. Br.*

mus. Viertelnote *f.*
crouch [kraʊtʃ] **1.** *v/i* sich ducken; **2.** *s* Hockstellung *f.*
crow [krəʊ] **1.** *s zo.* Krähe *f*; Krähen *n*; **2.** *v/i* (***crowed*** *or* ***crew, crowed***) krähen; (***crowed***) F prahlen (***about*** mit).
crow•bar ['krəʊbɑː] *s* Brecheisen *n.*
crowd [kraʊd] **1.** *s* Masse *f*, Menge *f*, Gedränge *n*; F Bande *f*; **2.** *v/i* sich drängen; *v/t streets, etc.*: bevölkern; vollstopfen; **~•ed** ['~ɪd] *adj* überfüllt, voll.
crown [kraʊn] **1.** *s* Krone *f*; Kranz *m*; Gipfel *m*; Scheitel *m*; **2.** *v/t* krönen; *tooth*: überkronen; ***to ~ it all*** zu allem Überfluss.
cru•cial ['kruːʃl] *adj* □ entscheidend, kritisch.
cru•ci|fix ['kruːsɪfɪks] *s* Kruzifix *n*; **~•fix•ion** [~'fɪkʃn] *s* Kreuzigung *f*; **~•fy** ['~faɪ] *v/t* kreuzigen.
crude [kruːd] **1.** *adj* □ roh; unfertig; unreif; unfein; grob; Roh…; grell; **2.** *s* Rohöl *n.*
cru•el [krʊəl] *adj* □ (*-ll-*) grausam; roh, gefühllos; **~•ty** ['krʊəltɪ] *s* Grausamkeit *f*; ***~ to animals*** Tierquälerei *f*; ***~ to children*** Kindesmisshandlung *f.*
cruise *mar.* [kruːz] **1.** *s* Kreuzfahrt *f*, Seereise *f*; **2.** *v/i* kreuzen, e-e Kreuzfahrt machen; mit Reisegeschwindigkeit fliegen *or* fahren; **~ mis•sile** *s mil.* Marschflugkörper *m*; **cruis•er** ['kruːzə] *s mar., mil.* Kreuzer *m*; *mar.* Jacht *f*, Kreuzfahrtschiff *n.*
crumb [krʌm] **1.** *s* Krume *f*; Brocken *m*; **2.** *v/t* panieren; zerkrümeln; **crum•ble** ['krʌmbl] *v/i* (zer)bröckeln; *fig.* zugrunde gehen; *v/t* zerbröckeln.
crum•ple ['krʌmpl] *v/t* zerknittern; *v/i* knittern; zusammengedrückt werden; **~ zone** *s mot.* Knautschzone *f.*
crunch [krʌntʃ] *v/t* (zer)kauen; zermalmen; *v/i* knirschen.
cru|sade [kruː'seɪd] *s* Kreuzzug *m* (*a. fig.*); **~•sad•er** *s hist.* Kreuzfahrer *m.*
crush [krʌʃ] **1.** *s* Druck *m*; Gedränge *n*; (Frucht)Saft *m*; F Schwärmerei *f*; F ***have a ~ on s.o.*** in *j-n* verliebt *or* F verknallt sein; **2.** *v/t* (zer-, aus)quetschen; zermalmen; *fig.* vernichten; *v/i* sich drängen; **~-bar•ri•er** ['~bærɪə] *s* Barriere *f*, Absperrung *f.*
crust [krʌst] **1.** *s* Kruste *f*; Rinde *f*; **2.** *v/i* verkrusten; verharschen; **~•y** *adj* □ (*-ier, -iest*) krustig; *fig.* mürrisch, barsch.
crutch [krʌtʃ] *s* Krücke *f.*
cry [kraɪ] **1.** *s* Schrei *m*; Geschrei *n*; Ruf *m*; Weinen *n*; Gebell *n*; **2.** *v/i and v/t* schreien; (aus)rufen; weinen; ***~ for*** verlangen nach; ***~ for help*** um Hilfe schreien.
crypt [krɪpt] *s* Gruft *f*; **cryp•tic** ['~ɪk] *adj* (***~ally***) verborgen, geheim; rätselhaft.
crys•tal ['krɪstl] *s* Kristall *m*; *Am.* Uhrglas *n*; **~•lize** [~aɪz] *v/t and v/i* kristallisieren.
cu ['siːˌjuː] *abbr of* ***see you*** *in text messages* bis dann, bis später.
cub [kʌb] **1.** *s of animal*: Junge(s) *n*; ***~ reporter*** Neuling *m*, Anfänger(in); **2.** *v/t* werfen.
Cu•ba ['kjuːbə] Kuba *n.*
cube [kjuːb] *s* Würfel *m* (*a. math.*); *phot.* Blitzwürfel *m*; *math.* Kubikzahl *f*; ***~ root*** *math.* Kubikwurzel *f*; **~ farm** *s* F Großraumbüro *n* (*mit Trennwänden*); **cu•bic** ['~ɪk] (***~ally***), **cu•bi•cal** ['~kl] *adj* □ würfelförmig, kubisch; Kubik…
cu•bi•cle ['kjuːbɪkl] *s* Kabine *f.*
cuck•oo *zo.* ['kʊkuː] *s* Kuckuck *m.*
cu•cum•ber ['kjuːkʌmbə] *s* Gurke *f*; ***as cool as a ~*** *fig.* eiskalt, gelassen.
cud•dle ['kʌdl] **1.** *s* Liebkosung *f*, (enge) Umarmung; **2.** *v/t* an sich drücken; schmusen mit; *v/i* schmusen; ***~ up to*** sich kuscheln an (*acc*); **cud•dly** *adj person*: verschmust, schmusig; *doll, etc.*: knuddelig.
cud•gel ['kʌdʒəl] **1.** *s* Knüppel *m*; **2.** *v/t* (*esp. Br.* ***-ll-***, *Am.* ***-l-***) prügeln.
cue [kjuː] *s billards*: Queue *n*; *thea., a. fig.*: Stichwort *n*; Wink *m.*
cuff [kʌf] **1.** *s* Manschette *f*; Handschelle *f*; (Ärmel-, *Am. a.* Hosen)Aufschlag *m*; Klaps *m*; **2.** *v/t j-m* e-n Klaps geben; **~-link** *s* Manschettenknopf *m.*
cui•sine [kwiː'ziːn] *s* Küche *f*; ***French ~*** französische Küche.
cul-de-sac ['kʌldəsæk] *s* Sackgasse *f.*
cull [kʌl] *v/t vet. animals*: keulen; **~ing** *s vet. of animals*: Keulen *n*, Keulung *f.*
cul•mi•nate ['kʌlmɪneɪt] *v/i* gipfeln (***in*** in *dat*).
cu•lottes [kjuː'lɒts] *s pl* (***a pair of*** ein) Hosenrock *m.*
cul•prit ['kʌlprɪt] *s* Angeklagte(r *m*) *f*; Schuldige(r *m*) *f*, Täter(in).
cult [kʌlt] *s* Kult *m* (*a. fig.*).
cul•ti|vate ['kʌltɪveɪt] *v/t agr.* kultivie-

ren, bestellen, an-, bebauen; *friendship, etc.*: pflegen; **~•vat•ed** *adj agr.* bebaut; *fig.* gebildet, kultiviert; **~•va•tion** [kʌltɪ'veɪʃn] *s agr.* Kultivierung *f*, (An-, Acker)Bau *m*; *fig.* Pflege *f*.
cul•tu•ral ['kʌltʃərəl] *adj* □ kulturell; Kultur…; **~ *activities*** *pl* Kulturangebot *n*, -betrieb *m*.
cul•ture ['kʌltʃə] *s* Kultur *f*; Zucht *f*; **~d** *adj* kultiviert (*a. fig.*); Zucht…; **~ shock** *s* Kulturschock *m*.
cum•ber•some ['kʌmbəsəm] *adj* lästig, hinderlich; klobig.
cu•mu•la•tive ['kju:mjʊlətɪv] *adj* □ sich (an)häufend, anwachsend; kumulativ.
cun•ning ['kʌnɪŋ] **1.** *adj* □ schlau, listig, gerissen; geschickt; *Am.* niedlich; **2.** *s* List *f*, Schlauheit *f*, Gerissenheit *f*.
cup [kʌp] **1.** *s* Tasse *f*; Becher *m*; Schale *f*; Kelch *m*; *sports*: Cup *m*, Pokal *m*; **~ *final*** Pokalendspiel *n*; **~ *tie*** Pokalspiel *n*; **~ *winner*** Pokalsieger *m*; **2.** *v/t* (**-pp-**) *hands*: hohl machen; ***she ~ped her chin in her hand*** sie stützte das Kinn in die Hand; **~•board** ['kʌbəd] *s* (Geschirr-, Speise-, *Br. a.* Wäsche-, Kleider)Schrank *m*; **~ *bed*** Schrankbett *n*.
cu•pid•i•ty [kju:'pɪdətɪ] *s* Habgier *f*.
cu•ra•ble ['kjʊərəbl] *adj* heilbar.
curb [kɜ:b] **1.** *s* Kandare *f* (*a. fig.*); *esp. Am.* → ***kerb***; **2.** *v/t* an die Kandare legen (*a. fig.*); *fig.* zügeln.
curd [kɜ:d] **1.** *s* Quark *m*; **2.** *mst* **cur•dle** ['kɜ:dl] *v/i and v/t* gerinnen (lassen); ***the sight made my blood ~*** bei dem Anblick gerann mir das Blut in den Adern.
cure [kjʊə] **1.** *s* Kur *f*; Heilmittel *n*; Heilung *f*; Seelsorge *f*; Pfarre *f*; **2.** *v/t* heilen; pökeln; räuchern; trocknen; **~-all** *s* Allheilmittel *n*.
cur•few *mil.* ['kɜ:fju:] *s* Ausgangsverbot *n*, -sperre *f*.
cu•ri|o ['kjʊərɪəʊ] *s* (*pl* **-os**) Rarität *f*; **~•os•i•ty** [kjʊərɪ'ɒsətɪ] *s* Neugier *f*; Rarität *f*; **~•ous** ['kjʊərɪəs] *adj* □ neugierig, wissbegierig; seltsam, merkwürdig; ***I'm ~ to know*** ich möchte gerne wissen.
curl [kɜ:l] **1.** *s* Locke *f*; **2.** *v/t and v/i* (sich) kräuseln *od.* locken; **~•er** *s* Lockenwickler *m*; **~•y** *adj* (**-ier, -iest**) gekräuselt; gelockt, lockig.
cur•rant ['kʌrənt] *s bot.* Johannisbeere *f*; Korinthe *f*.
cur|ren•cy ['kʌrənsɪ] *s econ.* Währung *f*; Umlauf *m*; *econ.* Laufzeit *f*; ***foreign* ~** Devisen *pl*; **~ mar•ket** *s econ.* Devisenmarkt *m*; **~ snake** *s econ.* Währungsschlange *f*; **~ u•nion** *s econ.* Währungsunion *f*.
cur•rent ['kʌrənt] **1.** *adj* □ umlaufend; *econ.* gültig (*money*); allgemein (bekannt); geläufig; *year, etc.*: laufend; gegenwärtig, aktuell; **2.** *s* Strom *m* (*a. electr.*); Strömung *f* (*a. fig.*); (Luft)Zug *m*; **~ ac•count** *s econ.* Girokonto *n*; **~ *deficit*** *a.* Zahlungsbilanzdefizit *n*.
cur•ric•u•lum [kə'rɪkjʊləm] *s* (*pl* **-la** [-lə], **-lums**) Lehr-, Stundenplan *m*; **~ vi•tae** [~'vaɪti:] *s* Lebenslauf *m*.
cur•ry[1] ['kʌrɪ] *s* Curry *m*, *n*.
cur•ry[2] [~] *v/t horse*: striegeln.
curse [kɜ:s] **1.** *s* Fluch *m*; **2.** *v/t* verfluchen; strafen; *v/i* fluchen; **curs•ed** ['kɜ:sɪd] *adj* □ verflucht.
cur•sor ['kɜ:sə] *s computer*: Cursor *m*.
cur•so•ry ['kɜ:srɪ] *adj* □ flüchtig, oberflächlich.
curt [kɜ:t] *adj* □ kurz, knapp; barsch.
cur•tail [kɜ:'teɪl] *v/t* beschneiden; *fig.* beschränken; kürzen (***of*** um).
cur•tain ['kɜ:tn] **1.** *s* Vorhang *m*, Gardine *f*; ***draw the ~s*** den Vorhang *or* die Vorhänge zuziehen *or* aufziehen; **2.** *v/t*: **~ *off*** mit Vorhängen abteilen.
curt•s(e)y ['kɜ:tsɪ] **1.** *s* Knicks *m*; **2.** *v/i* knicksen (***to*** vor *dat*).
cur•va•ture ['kɜ:vətʃə] *s* Krümmung *f*.
curve [kɜ:v] **1.** *s* Kurve *f*; Krümmung *f*; **2.** *v/t and v/i* (sich) krümmen *or* biegen.
cush•ion ['kʊʃn] **1.** *s* Kissen *n*, Polster *n*; *billards*: Bande *f*; **2.** *v/t* polstern.
cush•y F ['kʊʃɪ] *adj* bequem; ***a ~ job*** ein ruhiger Job.
cus•tard ['kʌstəd] *s appr.* Vanillesoße *f*.
cus•to•dy ['kʌstədɪ] *s* Haft *f*; Gewahrsam *m*; Obhut *f*.
cus•tom ['kʌstəm] *s* Gewohnheit *f*, Sitte *f*, Brauch *m*; *econ.* Kundschaft *f*; **~•a•ry** [~ərɪ] *adj* □ gewöhnlich, üblich; **~-built** *adj* spezialangefertigt; **~•er** *s* Kund|e *m*, -in *f*; F Bursche *m*; **~-house** *s* Zollamt *n*; **~-made** *adj* maßgefertigt, Maß…
cus•toms *econ.* ['kʌstəmz] *s pl* Zoll *m*; **♀ *and Excise Department*** *Br.* Britische Zollbehörde; **~ clear•ance** *s* Zoll-

abfertigung *f*; ~ **dec•la•ra•tion** *s* Zollerklärung *f*; ~ **du•ty** *s* Zoll(abgabe *f*) *m*; ~ **of•fi•cer**, ~ **of•fi•cial** *s* Zollbeamte(r) *m*; ~ **u•nion** *s* Zollunion *f*.

cut [kʌt] **1.** *s* Schnitt *m*, Hieb *m*, Stich *m*; *wound*: (Schnitt)Wunde *f*; Einschnitt *m*, Graben *m*; *in budget, etc.*: Kürzung *f*, Einsparung *f*; *of meat, etc.*: Schnitte *f*, Scheibe *f*; *cards*: Abheben *n*; ***short-~*** (Weg)Abkürzung *f*; ***cold ~s*** *pl* Aufschnitt *m*; **2.** *v/t and v/i* (***-tt-***; ***cut***) schneiden; schnitzen; gravieren; ab-, an-, auf-, aus-, be-, durch-, zer-, zuschneiden; kürzen; *gem, etc.*: schleifen; *cards*: abheben; *ignore*: F *j-n* schneiden; ~ ***one's finger*** sich in den Finger schneiden; ~ ***one's teeth*** zahnen, Zähne bekommen; ~ ***short*** *j-n* unterbrechen; ~ ***across*** quer durch … gehen; ~ ***back*** *plant*: beschneiden, stutzen; kürzen; einschränken; herabsetzen; ~ ***down*** *trees*: fällen; verringern, einschränken, reduzieren; ~ ***in*** F sich einschalten; ~ ***in on s.o.*** *mot. j-n* schneiden; ~ ***off*** abschneiden; *teleph. disconnect*: trennen; *disinherit*: *j-n* enterben; ~ ***out*** ausschneiden; *Am. cattle*: aussondern; *fig. j-n* ausstechen; ***be ~ out for*** das Zeug zu *et.* haben; ~ ***it out!*** F lass das!; ~ ***up*** zerschneiden; ***be ~ up*** F tief betrübt sein; **~-back** *s* Kürzung *f*; Herabsetzung *f*, Verringerung *f*.

cute F [kju:t] *adj* □ (***~r, ~st***) schlau; *Am.* niedlich, süß.

cut•le•ry ['kʌtləri] *s* (Ess)Besteck *n*.

cut•let ['kʌtlɪt] *s* Schnitzel *n*; Hacksteak *n*.

cut|-price *econ.* ['kʌtpraɪs], **~-rate** ['kʌtreɪt] *adj* ermäßigt, herabgesetzt; Billig…; ~ ***airline*** Billigfluglinie *f*, F Billigflieger *m*; **~•ter** [~ə] *s* (Blech-, Holz-) Schneider *m*; Schnitzer *m*; Zuschneider(in); (Glas- *etc.*) Schleifer *m*; *film, TV*: Cutter(in); *tech.* Schneidewerkzeug *n*, -maschine *f*; *mar.* Kutter *m*; *Am.* leichter Schlitten; **~•throat** *s* Mörder *m*; Killer *m*; **~•ting 1.** *adj* □ schneidend; scharf; *tech.* Schneid…, Fräs…; **2.** *s* Schneiden *n*; *bot.* Steckling *m*; *esp. Br.* (*of newspaper*) Ausschnitt *m*; ***~s*** *pl* Schnipsel *pl*; *tech.* Späne *pl*.

CV, **cv** ***curriculum vitae*** Lebenslauf *m*.

c.w.o. ***cash with order*** Barzahlung *f* bei Bestellung.

cwt ***hundredweight*** *appr. 1* Zentner *m* (*Br. 50,8 kg, Am. 45,36 kg*).

cy•ber•café ['saɪbəkæfeɪ] *s* Internet-Café.

cy•cle[1] ['saɪkl] *s* Zyklus *m*; Kreis(lauf) *m*; Periode *f*.

cy•cle[2] [~] **1.** *s* Fahrrad *n*; **2.** *v/i* Rad fahren; **cy•clist** [~lɪst] *s* Radfahrer(in); Motorradfahrer(in).

cy•clone ['saɪkləʊn] *s* Wirbelsturm *m*.

cyl•in•der ['sɪlɪndə] *s* Zylinder *m*, Walze *f*; *tech.* Trommel *f*.

cyn|ic ['sɪnɪk] *s* Zyniker(in); **~•i•cal** *adj* □ zynisch.

cy•press *bot.* ['saɪprɪs] *s* Zypresse *f*.

Cy•prus ['saɪprəs] Zypern *n*.

cyst *med.* [sɪst] *s* Zyste *f*.

czar *hist.* [zɑ:] → ***tsar***.

Czech [tʃek] **1.** *adj* tschechisch; **2.** *s* Tschech|e *m*, -in *f*; *ling.* Tschechisch *n*.

Czech•o•slo•vak [tʃekəʊ'sləʊvæk] **1.** *s* Tschechoslowak|e *m*, -in *f*; **2.** *adj* tschechoslowakisch.

Czech•o•slo•va•kia [ˌtʃekəʊsləʊ'vækɪə] *hist. bis 1992 die* Tschechoslowakei.

Czech Re•pub•lic [tʃek rɪ'pʌblɪk] *die* Tschechische Republik.

Atom - smallest unit of element
Five elements in Ueratin - Carbon, Oxygen, Hydrogen, Nitrogen, Sulfur
molecules - 2 or more atoms joined by chemical bond
compound - molecule composed of 2 more different kinds of atoms joined together.

D

dab [dæb] **1.** *s* Klaps *m*; Tupfen *m*, Klecks *m*; **2.** *v/t* (***-bb-***) leicht schlagen *or* klopfen; be-, abtupfen.

dab•ble ['dæbl] *v/t* bespritzen; betupfen; *v/i* plätschern; sich oberflächlich befassen (***at, in*** mit).

dachs•hund *zo.* ['dækshʊnd] *s* Dackel *m*.

dad F [dæd], **~•dy** F ['dædɪ] *s* Papa *m*, Vati *m*.

dad•dy-long•legs *zo.* [dædɪ'lɒŋlegz] *s* Schnake *f*; *Am.* Weberknecht *m*.

daf•fo•dil *bot.* ['dæfədɪl] *s* gelbe Narzisse.

daft F [dɑːft] *adj* blöde, doof.
dag•ger ['dægə] *s* Dolch *m*; ***be at ~s drawn*** *fig.* auf Kriegsfuß stehen.
dai•ly ['deɪlɪ] **1.** *adj* täglich; **2.** *s* Tageszeitung *f*; Putzfrau *f*.
dain•ty ['deɪntɪ] **1.** *adj* □ (**-*ier*, -*iest***) lecker; zart; zierlich, niedlich, reizend; wählerisch; **2.** *s* Leckerbissen *m*.
dair•y ['deərɪ] *s* Molkerei *f*; Milchwirtschaft *f*; Milchgeschäft *n*; **~ cat•tle** *s* Milchvieh *n*; **~•man** *s* Milchmann *m*; **~ prod•uce** *s*, **~ prod•ucts** *s pl* Milch-, Molkereiprodukte *pl*.
dai•sy *bot.* ['deɪzɪ] *s* Gänseblümchen *n*.
dal•ly ['dælɪ] *v/t* vertrödeln; *v/i* schäkern; trödeln.
dam [dæm] **1.** *s* Deich *m*, (Stau)Damm *m*; **2.** *v/t* (**-*mm*-**) *a.* **~ *up*** stauen, (ab-, ein)dämmen (*a. fig.*).
dam•age ['dæmɪdʒ] **1.** *s* Schaden *m*, (Be)Schädigung *f*; **~*s*** *pl jur.* Schadenersatz *m*; **2.** *v/t* (be)schädigen.
dame [deɪm] *s Am.* F Weib *n*; *Br.* Dame *f* (*title*).
damn [dæm] **1.** *v/t* verdammen; verurteilen; **~ (*it*)!** F verflucht!, verdammt!; **2.** *adj and adv* F → ***damned***; **3.** *s*: ***I don't care*** *or* ***give a ~*** F das ist mir völlig gleich(gültig) *or* egal; **dam•na•tion** [-'neɪʃn] *s* Verdammung *f*; Verurteilung *f*; **~ed** *adj and adv* F verdammt; **~•ing** ['-ɪŋ] *adj* vernichtend, belastend.
damp [dæmp] **1.** *adj* □ feucht, klamm; **2.** *s* Feuchtigkeit *f*; **3.** *v/t a.* **~•en** ['-ən] an-, befeuchten; *discourage*: dämpfen; **~•ness** *s* Feuchtigkeit *f*.
dance [dɑːns] **1.** *s* Tanz *m*; Tanz(veranstaltung *f*) *m*; **2.** *v/t and v/i* tanzen; **danc•er** *s* Tänzer(in); **danc•ing** *s* Tanzen *n*; *attr* Tanz…
dan•de•li•on *bot.* ['dændɪlaɪən] *s* Löwenzahn *m*.
dan•dle ['dændl] *v/t* wiegen, schaukeln.
dan•druff ['dændrʌf] *s* (Kopf)Schuppen *pl*.
Dane [deɪn] *s* Dän|e *m*, -in *f*.
dan•ger ['deɪndʒə] **1.** *s* Gefahr *f*; ***be in ~ of doing s.th.*** Gefahr laufen, et. zu tun; ***be out of ~*** *med.* über den Berg sein; **2.** *adj* Gefahren…; ***~ area, ~ zone*** Gefahrenzone *f*, -bereich *m*; **~•ous** *adj* □ gefährlich.
Da•nish ['deɪnɪʃ] **1.** *adj* dänisch; **2.** *s ling.* Dänisch *n*.
Dan•ube ['dænjuːb] *die* Donau.
dare [deə] *v/i* es wagen; sich trauen; ***I ~ say, I ~ say*** ich glaube wohl; allerdings; *v/t et.* wagen; *j-n* herausfordern; trotzen (*dat*); **~•dev•il** ['-devl] *s* Draufgänger *m*, Teufelskerl *m*; **dar•ing 1.** *adj* □ kühn; waghalsig; *dress*: gewagt; **2.** *s* Mut *m*, Kühnheit *f*.
dark [dɑːk] **1.** *adj* □ dunkel; brünett; geheim(nisvoll); trüb(selig); **2.** *s* Dunkel(heit *f*) *n*; ***before*** (***at, after***) **~** vor (bei, nach) Einbruch der Dunkelheit; ***keep s.o. in the ~*** *j-n* im Ungewissen lassen; **♀ Ag•es** *s pl das* frühe Mittelalter; **~•en** ['-ən] *v/t and v/i* (sich) verdunkeln *or* verfinstern; *fig.* verdüstern; **~•ness** *s* Dunkelheit *f*, Finsternis *f*.
dar•ling ['dɑːlɪŋ] **1.** *s* Liebling *m*; **2.** *adj* Lieblings…; geliebt.
darn [dɑːn] *v/t* stopfen, ausbessern.
dart [dɑːt] **1.** *s* Wurfspieß *m*; Wurfpfeil *m*; Sprung *m*, Satz *m*; **~*s*** *sg* Darts *n*; **~*board*** Dartsscheibe *f*; **2.** *v/t* werfen, schleudern; *v/i* schießen, stürzen.
dash [dæʃ] **1.** *s* Schlag *m*; Klatschen *n*; Schwung *m*; Ansturm *m*; *fig.* Anflug *m*; Prise *f*; *of rum, etc.*: Schuss *m*; (Feder)Strich *m*; Gedankenstrich *m*; *sports*: Sprint *m*; **2.** *v/t* schlagen, werfen, schleudern, schmettern; *hopes, etc.*: zunichtemachen; *v/i* stürzen, stürmen, jagen, rasen; schlagen; **~•board** *s mot.* Armaturenbrett *n*; **~•ing** *adj* □ schneidig, forsch; flott, F fesch.
DAT *digital audio tape* DAT *n*.
da•ta ['deɪtə] *s pl, a. sg* Daten *pl*, Einzelheiten *pl*, Angaben *pl*, Unterlagen *pl*; *computer*: Daten *pl*; **~ a•nal•y•sis** *s* Datenanalyse *f*; **~ bank**, **~•base** *s* Datenbank *f*; **~ com•pa•ri•son** *s* Datenabgleich *m*; **~ glove** *s* Datenhandschuh *m*; **~ in•put** *s* Dateneingabe *f*; **~ in•ter•change** *s* Datenaustausch *m*; **~ out•put** *s* Datenausgabe *f*; **~ pro•cess•ing** *s* Datenverarbeitung *f*; **~ pro•jec•tor** *s tech.* Beamer *m*; **~ pro•tec•tion** *s* Datenschutz *m*; **~ trans•fer** *s* Datentransfer *m*; **~ trans•mis•sion** *s* Daten(fern)übertragung *f*; **~ typ•ist** *s* Datentypist(in).
date[1] *bot.* [deɪt] *s* Dattel *f*.
date[2] [-] **1.** *s* Datum *n*; Zeit(punkt *m*) *f*; Termin *m*; Verabredung *f*; *Am.* F (Verabredungs)Partner(in); ***out of ~*** veraltet, unmodern; ***up to ~*** zeitgemäß, modern, auf dem Laufenden; ***have a ~***

D

D

verabredet sein; **2.** *v/t* datieren; *Am.* F sich verabreden mit, *regularly*: gehen mit; **dat•ed** *adj* veraltet, überholt.

da•tive *gr.* ['deɪtɪv] *s a.* **~ case** Dativ *m*, dritter Fall.

daugh•ter ['dɔːtə] *s* Tochter *f*; **~-in-law** *s* Schwiegertochter *f*.

daunt [dɔːnt] *v/t* entmutigen; **~•less** *adj* □ furchtlos, unerschrocken.

daw•dle F ['dɔːdl] *v/i and v/t* (ver)trödeln.

dawn [dɔːn] **1.** *s* (Morgen)Dämmerung *f*, Tagesanbruch *m*; **2.** *v/i* dämmern, tagen; ***it ~ed (up)on her*** *fig.* es wurde ihr langsam klar.

day [deɪ] *s* Tag *m*; *often*: **~s** *pl* (Lebens-)Zeit *f*; **~ off** (dienst)freier Tag; ***carry or win the ~*** den Sieg davontragen; ***any ~*** jederzeit; ***these ~s*** heutzutage; ***the other ~*** neulich; ***this ~ week*** heute in e-r Woche; heute vor e-r Woche; ***let's call it a ~!*** machen wir Schluss für heute!, Feierabend!; ***at the end of the ~*** *fig.* letzten Endes; **~•break** *s* Tagesanbruch *m*; **~•light** *s* Tageslicht *n*; ***in broad ~*** am helllichten Tag; **~ re•turn (tick•et)** *s* Tagesrückfahrkarte *f*; **~•time** *s*: ***in the ~*** am Tag, bei Tage.

daze [deɪz] **1.** *v/t* blenden; betäuben; **2.** *s*: ***in a ~*** benommen, betäubt.

dead [ded] **1.** *adj* tot; unempfindlich (***to*** für); *colour, etc.*: matt; *window, etc.*: blind; *fire*: erloschen; *drink*: schal; *sleep*: tief; *econ.* still, ruhig, flau; *econ.* tot (*capital, etc.*); völlig, absolut, total; **~ *loss*** F Reinfall *m*, *person*: hoffnungsloser Fall; **2.** *adv* gänzlich, völlig, total; plötzlich, abrupt; genau, (haar-)scharf; ***~ tired*** todmüde; ***~ against*** ganz u. gar gegen; **3.** *s*: ***the ~*** der, die, das Tote; die Toten *pl*; ***in the ~ of winter*** im tiefsten Winter; ***in the ~ of night*** mitten in der Nacht; **~ cen•tre**, *Am.* **~ cen•ter** *s* genaue Mitte; **~•en** *v/t* abstumpfen; dämpfen; (ab)schwächen; **~ end** *s* Sackgasse *f* (*a. fig.*); **~ heat** *s* *sports*: totes Rennen; **~•line** *s Am.* Sperrlinie *f*, *in prison, etc.*: Todesstreifen *m*; letzter (Abgabe)Termin, Stichtag *m*; ***meet the ~*** den Termin einhalten; **~•lock** *s fig.* toter Punkt; **~•locked** *adj fig. negotiations, etc.*: festgefahren; **~•ly** *adj* (***-ier, -iest***) tödlich.

deaf [def] **1.** *adj* □ taub; ***~ and dumb*** taubstumm; **2.** *s*: ***the ~*** *pl* die Tauben *pl*; **~•en** ['defn] *v/t* taub machen; betäuben.

deal [diːl] **1.** *s* Teil *m*; Menge *f*; *cards*: Geben *n*; F Geschäft *n*; Abmachung *f*; ***a good ~*** ziemlich viel; ***a great ~*** sehr viel; **2.** (***dealt***) *v/t* (aus-, ver-, zu)teilen; *cards*: geben; *v/i econ.* handeln (***in*** mit); *sl. drugs*: dealen; *cards*: geben; ***~ with*** sich befassen mit, behandeln; *econ.* Handel treiben mit, in Geschäftsverbindung stehen mit; **~•er** *s econ.* Händler(in); *cards*: Geber(in); *sl. drug* **~**: Dealer *m*; **~•ing** *s* Verhalten *n*, Handlungsweise *f*; *econ.* Geschäftsgebaren *n*; **~s** *pl* Umgang *m*, (Geschäfts)Beziehungen *pl*; **~t** [delt] *pret and pp of* **deal** 2.

dean [diːn] *s* Dekan *m*.

dear [dɪə] **1.** *adj* □ teuer; lieb; **2.** *s* Liebste(r *m*) *f*, Schatz *m*; ***my ~*** m-e Liebe, mein Lieber; **3.** *int*: (***oh***) ***~!, ~ ~!, ~ me!*** F du liebe Zeit!, ach herrje!; **~•ly** *adv* innig, von ganzem Herzen; *fig.* teuer.

death [deθ] *s* Tod *m*; Todesfall *m*; **~•bed** *s* Sterbebett *n*; **~•blow** *s* Todesstoß *m* (*a. fig.*); **~•less** *adj fig.* unsterblich; **~•ly** *adj* (***-ier, -iest***) tödlich; **~ squad** *s* Todesschwadron *f*; **~-war•rant** *s jur.* Hinrichtungsbefehl *m*; *fig.* Todesurteil *n*.

de•bar [dɪ'bɑː] *v/t* (***-rr-***): ***~ from doing s.th.*** *j-n* davon ausschließen, et. zu tun.

de•base [dɪ'beɪs] *v/t* erniedrigen.

de•ba•ta•ble [dɪ'beɪtəbl] *adj* □ strittig; umstritten; **de•bate** [dɪ'beɪt] **1.** *s* Debatte *f*; **2.** *v/i and v/t* debattieren; erörtern.

de•bil•i•tate [dɪ'bɪlɪteɪt] *v/t* schwächen.

deb•it *econ.* ['debɪt] **1.** *s* Debet *n*, Soll *n*; (Konto)Belastung *f*; ***~ and credit*** Soll *n* u. Haben *n*; **2.** *v/t account, etc.*: belasten.

deb•ris ['debriː] *s* Trümmer *pl*.

debt [det] *s* Schuld *f*; ***be in ~*** verschuldet sein; ***be out of ~*** schuldenfrei sein; **~•or** ['detə] *s* Schuldner(in).

de•bug F [diː'bʌg] *v/t* (***-gg-***) *computer, etc.*: Fehler beseitigen in (*dat*); *room, etc.*: entwanzen.

de•bunk [diː'bʌŋk] *v/t* den Nimbus nehmen (*dat*).

dé•but, *esp. Am.* **de•but** ['deɪbjuː] *s* Debüt *n*.

dec•ade ['dekeɪd] *s* Jahrzehnt *n*.

dec•a|dence ['dekədəns] *s* Dekadenz *f*, Verfall *m*; **~•dent** *adj* □ dekadent.

de•caf•fein•at•ed [diː'kæfıneıtıd] *adj* koffeinfrei, entkoffeiniert.

de•camp [dı'kæmp] *v/i esp. mil* das Lager abbrechen; F verschwinden.

de•cant [dı'kænt] *v/t* abgießen; umfüllen; **~•er** *s* Karaffe *f*.

de•cath|lete [dı'kæθliːt] *s sports*: Zehnkämpfer *m*; **~•lon** [~lɒn] *s sports*: Zehnkampf *m*.

de•cay [dı'keı] **1.** *s* Verfall *m*; Zerfall *m*; Fäule *f*; **2.** *v/i* verfallen; (ver)faulen.

de•cease *esp. jur.* [dı'siːs] **1.** *s* Tod *m*, Ableben *n*; **2.** *v/i* sterben; **~d** *esp. jur.*; **1.** *s*: ***the ~*** der *or* die Verstorbene; die Verstorbenen *pl*; **2.** *adj* ver-, gestorben.

de•ceit [dı'siːt] *s* Täuschung *f*; Betrug *m*; **~•ful** *adj* □ falsch; betrügerisch.

de•ceive [dı'siːv] *v/t and v/i* betrügen; täuschen; **de•ceiv•er** *s* Betrüger(in).

De•cem•ber [dı'sembə] *s* Dezember *m*.

de•cen|cy ['diːsnsı] *s* Anstand *m*; **~t** *adj* □ anständig; F annehmbar, (ganz) anständig; F nett.

de•cep|tion [dı'sepʃn] *s* Täuschung *f*; **~•tive** *adj*: ***be ~*** täuschen, trügen.

de•cide [dı'saıd] *v/t* entscheiden; bestimmen; *v/i* sich entscheiden *or* entschließen; **de•cid•ed** *adj* □ entschieden; bestimmt; entschlossen.

dec•i•mal ['desıml] *s a.* ***~ fraction*** Dezimalbruch *m*; *attr* Dezimal…

de•ci•pher [dı'saıfə] *v/t* entziffern.

de•ci|sion [dı'sıʒn] *s* Entscheidung *f*; Entschluss *m*; Entschlossenheit *f*; ***make a ~*** e-e Entscheidung treffen; ***reach*** *or* ***come to a ~*** zu e-m Entschluss kommen; **~•sive** [dı'saısıv] *adj* □ entscheidend; ausschlaggebend; entschieden.

deck [dek] **1.** *s mar.* Deck *n* (*a. of bus*); *Am.* Pack *m* Spielkarten; *of record-player*: Laufwerk *n*; ***record ~*** Plattenspieler *m*; ***tape ~*** Tapedeck *n*; **2.** *v/t*: ***~ out*** schmücken; **~-chair** ['~tʃeə] *s* Liegestuhl *m*.

de•clar•a•ble [dı'kleərəbl] *adj goods*: zollpflichtig.

dec•la•ra•tion [deklə'reıʃn] *s* Erklärung *f*; Zollerklärung *f*.

de•clare [dı'kleə] *v/t* erklären, bekannt geben; behaupten; deklarieren, verzollen.

de•clen•sion *gr.* [dı'klenʃn] *s* Deklination *f*.

dec•li•na•tion [deklı'neıʃn] *s of compass needle*: Neigung *f*, Abweichung *f*.

de•cline [dı'klaın] **1.** *s* Abnahme *f*; Niedergang *m*, Verfall *m*; **2.** *v/t* neigen; (höflich) ablehnen; *gr.* deklinieren; *v/i* sich neigen; abnehmen; verfallen.

de•clutch *mot.* [diː'klʌtʃ] *v/i* auskuppeln.

de•code [diː'kəʊd] *v/t* entschlüsseln.

de•com•pose [diːkəm'pəʊz] *v/t* zerlegen; zersetzen; *v/i* sich zersetzen; *decay*: verwesen.

dec•o|rate ['dekəreıt] *v/t cake, etc.*: verzieren, *streets, etc.*: schmücken; *room*: tapezieren; (an)streichen; dekorieren; **~•ra•tion** [~'reıʃn] *s* Verzierung *f*, Schmuck *m*, Dekoration *f*; Orden *m*; **~•ra•tive** ['~rətıv] *adj* □ dekorativ; Zier…; **~•ra•tor** ['~reıtə] *s* Dekorateur *m*; Maler *m* u. Tapezierer *m*.

de•coy **1.** ['diːkɔı] *s* Lockvogel *m* (*a. fig.*); Köder *m* (*a. fig.*); **2.** *v/t* [dı'kɔı] ködern; locken (***into*** in *acc*); verleiten (***into*** zu).

de•crease **1.** *s* ['diːkriːs] Abnahme *f*; **2.** *v/i and v/t* [diː'kriːs] (sich) vermindern.

de•cree [dı'kriː] **1.** *s* Dekret *n*, Verordnung *f*, Erlass *m*; *jur.* Entscheid *m*; **2.** *v/t jur.* entscheiden; verordnen, verfügen.

ded•i|cate ['dedıkeıt] *v/t* widmen; **~•cated** *adj* engagiert; **~•ca•tion** [~'keıʃn] *s* Widmung *f*; Hingabe *f*.

de•duce [dı'djuːs] *v/t* ableiten; folgern.

de•duct [dı'dʌkt] *v/t* abziehen; einbehalten; **de•duc•tion** [~kʃn] *s* Abzug *m*; *econ. a.* Rabatt *m*; Schluss(folgerung *f*) *m*.

deed [diːd] **1.** *s* Tat *f*; Heldentat *f*; *jur.* (Vertrags-, *esp.* Übertragungs)Urkunde *f*; **2.** *v/t Am. jur.* urkundlich übertragen (***to*** *dat*, auf *acc*).

deep [diːp] **1.** *adj* □ tief; gründlich; schlau; vertieft; dunkel (*a. fig.*); verborgen; **2.** *s* Tiefe *f*; *poet.* Meer *n*; **~•en** ['diːpən] *v/i and v/t* (sich) vertiefen; (sich) verstärken; **~-freeze**; **1.** *v/t* (***-froze, -frozen***) tiefkühlen, einfrieren; **2.** *s* Tiefkühl-, Gefriergerät *n*; **3.** *adj* Tiefkühl…, Gefrier…; ***~ cabinet*** Tiefkühl-, Gefriertruhe *f*; **~-fro•zen** *adj* tiefgefroren; ***~ food*** Tiefkühlkost *f*; **~-fry** *v/t* frittieren; **~•ness** *s* Tiefe *f*.

deer *zo.* [dıə] *s* Rotwild *n*; Hirsch *m*.

D

de•face [dɪ'feɪs] *v/t* entstellen; unkenntlich machen; ausstreichen.
de•fa•ma•tion [defə'meɪʃn] *s* Verleumdung *f*; **de•fame** [dɪ'feɪm] *v/t* verleumden.
de•fault [dɪ'fɔːlt] **1.** *s* Mangel *m*; *jur.* Nichterscheinen *n* vor Gericht; *sports*: Nichtantreten *n*; *econ.* Verzug *m*; **2.** *v/i econ.* Verbindlichkeiten nicht nachkommen; im Verzug sein; *jur.* nicht (vor Gericht) erscheinen; *sports*: nicht antreten.
de•feat [dɪ'fiːt] **1.** *s* Niederlage *f*; Sieg *m* (***of*** über *acc*); *of plan, etc.*: Vereitelung *f*; ***admit ~*** seine Niederlage eingestehen; **2.** *v/t* besiegen; vereiteln, zunichtemachen.
de•fect [dɪ'fekt] *s* Defekt *m*, Fehler *m*; Mangel *m*; **de•fec•tive** *adj* □ mangelhaft; schadhaft, defekt.
de•fence, *Am.* **de•fense** [dɪ'fens] *s* Verteidigung *f* (*a. sports*); Schutz *m*; ***witness for the ~*** *jur.* Entlastungszeuge *m*; **~•less** *adj* schutzlos, wehrlos.
de•fend [dɪ'fend] *v/t* (***from, against***) verteidigen (gegen), schützen (vor *dat*, gegen); **de•fen•dant** *s* Angeklagte(r *m*) *f*; Beklagte(r *m*) *f*; **~•er** *s* Verteidiger(in).
de•fen•sive [dɪ'fensɪv] **1.** *s* Defensive *f*, Verteidigung *f*, Abwehr *f*; **2.** *adj* □ defensiv; Verteidigungs…, Abwehr…
de•fer [dɪ'fɜː] (***-rr-***) *v/t* auf-, verschieben; *Am. mil.* (vom Wehrdienst) zurückstellen; *v/i*: ***~ to*** sich fügen (*dat*), nachgeben (*dat*).
de•fi|ance [dɪ'faɪəns] *s* Herausforderung *f*; Trotz *m*; **~•ant** [~t] *adj* □ herausfordernd; trotzig.
de•fi•cien|cy [dɪ'fɪʃnsɪ] *s* Unzulänglichkeit *f*; Mangel *m*; → ***deficit***; **~t** *adj* □ mangelhaft, unzureichend.
def•i•cit *econ.* ['defɪsɪt] *s* Fehlbetrag *m*.
de•fine [dɪ'faɪn] *v/t* definieren; erklären, genau bestimmen; **def•i•nite** ['defɪnɪt] *adj* bestimmt; deutlich, genau; **def•ini•tion** [defɪ'nɪʃn] *s* Definition *f*, (Begriffs)Bestimmung *f*, Erklärung *f*; **defin•i•tive** [dɪ'fɪnɪtɪv] *adj* □ endgültig; maßgeblich.
de•flect [dɪ'flekt] *v/t* ablenken; *v/i* abweichen.
de•form [dɪ'fɔːm] *v/t* entstellen, verunstalten; **~ed** *adj* deformiert, verunstaltet; verwachsen; **de•for•mi•ty** [~ətɪ] *s* Entstelltheit *f*; Missbildung *f*.
de•fraud [dɪ'frɔːd] *v/t* betrügen (***of*** um).
de•frost [diː'frɒst] *v/t windscreen*: entfrosten; *fridge, etc.*: abtauen, *frozen food*: auftauen; *v/i* ab-, auftauen.
deft [deft] *adj* □ gewandt, flink.
de•fy [dɪ'faɪ] *v/t* herausfordern; trotzen (*dat*), sich widersetzen (*dat*).
de•gen•e•rate **1.** *v/i* [dɪ'dʒenəreɪt] degenerieren; entarten; **2.** *adj* □ [~rət] degeneriert; entartet.
deg•ra•da•tion [degrə'deɪʃn] *s* Erniedrigung *f*; **de•grade** [dɪ'greɪd] *v/t* erniedrigen, demütigen.
de•gree [dɪ'griː] *s* Grad *m* (*a. temperature*) *n*; Stufe *f*, Schritt *m*; (Studien)Abschluss *m*, akademischer Grad; Rang *m*, Stand *m*; ***by ~s*** allmählich; ***take one's ~*** e-n akademischen Grad erwerben.
de•hy•drat•ed [diː'haɪdreɪtɪd] *adj* Trocken…
de•i•fy ['diːɪfaɪ] *v/t* vergöttern; vergöttlichen.
deign [deɪn] *v/i* sich herablassen.
de•i•ty ['diːɪtɪ] *s* Gottheit *f*.
de•jec|ted [dɪ'dʒektɪd] *adj* □ niedergeschlagen, mutlos, deprimiert; **~•tion** [~kʃn] *s* Niedergeschlagenheit *f*.
de•lay [dɪ'leɪ] **1.** *s* Aufschub *m*; Verzögerung *f*; **2.** *v/t* ver-, aufschieben; verzögern; aufhalten; *v/i*: ***~ in doing s.th.*** es verschieben, et. zu tun.
del•e|gate **1.** *v/t* ['delɪgeɪt] delegieren, übertragen; **2.** *s* [~gət] Delegierte(r *m*) *f*, Vertreter(in); **~•ga•tion** [delɪ'geɪʃn] *s* Abordnung *f*, Delegation *f*.
de•lete [dɪ'liːt] *v/t* tilgen, (aus)streichen, (aus)radieren.
de•lib•e|rate **1.** [dɪ'lɪbəreɪt] *v/t* überlegen, erwägen; *v/i* nachdenken; beraten; **2.** *adj* □ [~rət] bedachtsam; wohlüberlegt; vorsätzlich; ***~ly*** absichtlich, mit Absicht; **~•ra•tion** [dɪlɪbə'reɪʃn] *s* Überlegung *f*; Beratung *f*; Bedächtigkeit *f*.
del•i|ca•cy ['delɪkəsɪ] *s* Delikatesse *f*, Leckerbissen *m*; Zartheit *f*; Feingefühl *n*; **~•cate** [~kət] *adj* □ schmackhaft, lecker; zart; fein; schwach; heikel; empfindlich; feinfühlig; wählerisch; **~•ca•tes•sen** [delɪkə'tesn] *s* Feinkost *f*; Delikatessen-, Feinkostgeschäft *f*.
de•li•cious [dɪ'lɪʃəs] *adj* □ köstlich.
de•light [dɪ'laɪt] **1.** *s* Lust *f*, Freude *f*,

Wonne *f*; **2.** *v/t* entzücken; (*a. v/i* sich) erfreuen; *v/i*: **~ *in*** (große) Freude haben an (*dat*); **~•ful** *adj* □ entzückend.

de•lin•e•ate [dɪ'lɪnɪeɪt] *v/t* skizzieren; schildern.

de•lin•quen|cy [dɪ'lɪŋkwənsɪ] *s* Kriminalität *f*; Straftat *f*; **~t** [~t] **1.** *adj* straffällig; **2.** *s* Straffällige(r *m*) *f*; → ***juvenile*** 1.

de•lir•i|ous [dɪ'lɪrɪəs] *adj med.* fantasierend; *ecstatic*: rasend; **~•um** [~əm] *s* Delirium *n*.

de•liv•er [dɪ'lɪvə] *v/t* aus-, abliefern; *esp. econ.* liefern, *by car*: ausfahren; *message, etc.*: ausrichten; äußern; *speech, etc.*: halten; *blow, etc.*: austeilen; *ball*: werfen; *med.* entbinden; ***be ~ed of a child*** entbunden werden, entbinden; **~•ance** [~rəns] *s* Befreiung *f*, Erlösung *f*; **~•y** [~rɪ] *s* (Ab-, Aus)Lieferung *f*; *mail*: Zustellung *f*; Übergabe *f*; *of speech, etc.*: Halten *n*; *med.* Entbindung *f*; **~•y van** *s Br.* Lieferwagen *m*.

dell [del] *s* kleines Tal.

de•lude [dɪ'lu:d] *v/t* täuschen; verleiten.

del•uge ['delju:dʒ] **1.** *s* Überschwemmung *f*; **2.** *v/t* überschwemmen.

de•lu|sion [dɪ'lu:ʒn] *s* Täuschung *f*, Verblendung *f*, Wahn *m*; **~•sive** [~sɪv] *adj* □ trügerisch, täuschend.

de•mand [dɪ'mɑ:nd] **1.** *s* Verlangen *n*; Forderung *f*; Anforderung *f* (***on*** an *acc*), Inanspruchnahme *f* (***on*** *gen*); *econ.* Nachfrage *f*, Bedarf *m*; *jur.* Rechtsanspruch *m*; **2.** *v/t* verlangen, fordern; erfordern; **~•ing** [~ɪŋ] *adj* □ fordernd; anspruchsvoll; schwierig; **~-led** *adj econ.* nachfrageorientiert.

de•men•ted [dɪ'mentɪd] *adj* □ wahnsinnig.

dem•i- ['demɪ] Halb…

dem•i•john ['demɪdʒɒn] *s* große Korbflasche, Glasballon *m*.

de•mil•i•ta•rize [di:'mɪlɪtəraɪz] *v/t* entmilitarisieren.

de•mo•bi•lize [di:'məʊbɪlaɪz] *v/t* demobilisieren.

de•moc•ra•cy [dɪ'mɒkrəsɪ] *s* Demokratie *f*.

dem•o•crat ['deməkræt] *s* Demokrat(in); **~•ic** [demə'krætɪk] *adj* (***~ally***) demokratisch.

de•mol•ish [dɪ'mɒlɪʃ] *v/t* demolieren; ab-, ein-, niederreißen; zerstören; **dem•o•li•tion** [demə'lɪʃn] *s* Demolierung *f*; Niederreißen *n*, Abbruch *m*.

de•mon ['di:mən] *s* Dämon *m*; Teufel *m*.

dem•on|strate ['demənstreɪt] *v/t* anschaulich darstellen; beweisen; *a. v/i* demonstrieren; **~•stra•tion** [demən'streɪʃn] *s* Demonstration *f*, Kundgebung *f*; Demonstration *f*, Vorführung *f*; anschauliche Darstellung; Beweis *m*; (Gefühls)Äußerung *f*; **de•mon•stra•tive** [dɪ'mɒnstrətɪv] *adj* □ überzeugend; demonstrativ; ***be ~*** s-e Gefühle (offen) zeigen; **~•stra•tor** ['demənstreɪtə] *s* Demonstrant(in); Vorführer(in).

de•mote [di:'məʊt] *v/t* degradieren.

den [den] *s* Höhle *f*, Bau *m*; Bude *f*; F Arbeitszimmer *n*.

de•ni•al [dɪ'naɪəl] *s* Leugnen *n*; Verneinung *f*; abschlägige Antwort.

den•ims ['denɪmz] *s pl* Overall *m*, Arbeitsanzug *m*; Jeans *pl*.

Den•mark ['denmɑ:k] Dänemark *n*.

de•nom•i•na•tion [dɪnɒmɪ'neɪʃn] *s eccl.* Sekte *f*; *eccl.* Konfession *f*; *econ.* Nennwert *m*.

de•note [dɪ'nəʊt] *v/t* bezeichnen; bedeuten.

de•nounce [dɪ'naʊns] *v/t* anzeigen; brandmarken; *contract, etc.*: kündigen.

dense [dens] *adj* □ (***~r, ~st***) dicht, *fog*: dick; beschränkt; ***~ly populated*** dicht bevölkert; **den•si•ty** ['~ətɪ] *s* Dichte *f*.

dent [dent] **1.** *s* Beule *f*, Delle *f*; Kerbe *f*; **2.** *v/t* ver-, einbeulen.

den|tal ['dentl] *adj* Zahn…; ***~ plaque*** Zahnbelag *m*; ***~ plate*** Zahnprothese *f*; ***~ surgeon*** Zahnarzt *m*, -ärztin *f*; **~•tist** ['dentɪst] *s* Zahnarzt *m*, -ärztin *f*; **~•tures** [~ʃəz] *s pl* (künstliches) Gebiss.

de•nun•ci•a|tion [dɪnʌnsɪ'eɪʃn] *s* Anzeige *f*, Denunziation *f*; **~•tor** [dɪ'nʌnsɪeɪtə] *s* Denunziant(in).

de•ny [dɪ'naɪ] *v/t* ab-, bestreiten, (ab-)leugnen; verweigern; *j-n* abweisen.

dep. ***departure*** Abf., Abfahrt *f*.

de•part [dɪ'pɑ:t] *v/i* abreisen; abfahren, abfliegen; abweichen.

de•part•ment [dɪ'pɑ:tmənt] *s* Abteilung *f*; Bezirk *m*; *econ.* Branche *f*; *pol.* Ministerium *n*; ***≗ of Defense*** *Am.* Verteidigungsministerium *n*; ***≗ of the Environment*** *Br.* Umweltschutzministerium *n*; ***≗ of the Interior***

Am. Innenministerium *n*; ≗ ***of State*** *Am.*, ***State*** ≗ *Am.* Außenministerium *n*; ~ ***store*** Warenhaus *n*.

de•par•ture [dɪ'pɑːtʃə] *s* Abreise *f*, *rail., etc.*: Abfahrt *f*, *aer.* Abflug *m*; Abweichung *f*; ~ **gate** *s aer.* Flugsteig *m*; ~ **lounge** *s aer.* Abflughalle *f*.

D

de•pend [dɪ'pend] *v/i*: ~ ***on,*** ~ ***upon*** abhängen von; angewiesen sein auf (*acc*); sich verlassen auf (*acc*); ankommen auf (*acc*); ***that*** *or* ***it*** **~s** F es kommt (ganz) darauf an; ***~ing on how…*** je nachdem, wie …

de•pen|da•ble [dɪ'pendəbl] *adj* zuverlässig; **~•dant** [~ənt] *s* Abhängige(r *m*) *f*, *esp.* (Familien)Angehörige(r *m*) *f*; **~•dence** [~əns] *s* Abhängigkeit *f*; Vertrauen *n*; **~•den•cy** [~ənsɪ] *s pol.* Schutzgebiet *n*, Kolonie *f*; Abhängigkeit *f*; **~•dent** [~ənt] **1.** *adj* □ (***on***) abhängig (von); angewiesen (auf *acc*); **2.** *s Am.* → ***dependant.***

de•pict [dɪ'pɪkt] *v/t* darstellen; schildern.

de•plor|a•ble [dɪ'plɔːrəbl] *adj* □ bedauerlich, beklagenswert; **~e** [dɪ'plɔː] *v/t* beklagen, bedauern.

de•pop•u•late [diː'pɒpjʊleɪt] *v/t and v/i* (sich) entvölkern.

de•port [dɪ'pɔːt] *v/t foreigners*: abschieben.

de•pose [dɪ'pəʊz] *v/t* absetzen; *jur.* unter Eid aussagen.

de•pos|it [dɪ'pɒzɪt] **1.** *s* Ablagerung *f*; Lager *n*; *in a bank*: Einlage *f*; Hinterlegung *f*, Kaution *f*, *for bottles*: Pfand *n*; Anzahlung *f*; ***make a*** ~ e-e Anzahlung leisten; ~ ***account*** *Br.* Termineinlagekonto *n*; **2.** *v/t* (nieder-, ab-, hin)legen; *money*: einzahlen; *part of a sum*: anzahlen; hinterlegen; ablagern; **dep•o•si•tion** [depə'zɪʃn] *s from office*: Absetzung *f*; *jur.* eidliche Aussage; **~•i•tor** [dɪ'pɒzɪtə] *s* Hinterleger(in); Einzahler(in); Kontoinhaber(in).

dep•ot ['depəʊ] *s* Depot *n*; Lagerhaus *n*; *Am.* ['diːpəʊ] Bahnhof *m*.

de•prave [dɪ'preɪv] *v/t* moralisch verderben.

de•pre•ci•ate [dɪ'priːʃɪeɪt] *v/t value*: mindern; *v/i* an Wert verlieren.

de•press [dɪ'pres] *v/t* (nieder)drücken; *business, etc.*: senken, drücken; deprimieren, bedrücken; **~ed** *adj* deprimiert, niedergeschlagen; ~ ***area*** Notstandsgebiet *n*; **de•pres•sion** [~eʃn] *s* Vertiefung *f*, Senke *f*; *psych.* Depression *f*, Niedergeschlagenheit *f*; *econ.* Depression *f*, Flaute *f*, Wirtschaftskrise *f*; *med.* Schwäche *f*.

de•prive [dɪ'praɪv] *v/t*: ~ ***s.o. of s.th.*** *j-m* et. entziehen *or* nehmen; **~d** *adj* benachteiligt, unterprivilegiert.

d(e)pt ***department*** Abt., Abteilung *f*.

depth [depθ] *s* Tiefe *f*; *attr* Tiefen…

dep•u|ta•tion [depjʊ'teɪʃn] *s* Abordnung *f*; **~•tize** ['depjʊtaɪz] *v/i*: ~ ***for s.o.*** *j-n* vertreten; **~•ty** [~ɪ] *s parl.* Abgeordnete(r *m*) *f*; Stellvertreter(in), Beauftragte(r *m*) *f*, Bevollmächtigte(r *m*) *f*; *a.* ~ ***sheriff*** *Am.* Hilfssheriff *m*.

de•rail *rail.* [dɪ'reɪl] *v/i* entgleisen; *v/t* zum Entgleisen bringen.

de•range [dɪ'reɪndʒ] *v/t* in Unordnung bringen; stören; verrückt *or* wahnsinnig machen; ***~d*** geistesgestört.

der•e•lict ['derəlɪkt] *adj* verlassen; nachlässig.

de•ride [dɪ'raɪd] *v/t* verlachen, -spotten; **de•ri•sion** [dɪ'rɪʒn] *s* Hohn *m*, Spott *m*; **de•ri•sive** [dɪ'raɪsɪv] *adj* □ spöttisch, höhnisch.

de•rive [dɪ'raɪv] *v/t* herleiten; *et.* gewinnen (***from*** aus); *profit, etc.*: ziehen (***from*** aus); *v/i* abstammen.

de•rog•a•to•ry [dɪ'rɒgətərɪ] *adj* □ abfällig, geringschätzig.

der•rick ['derɪk] *s tech.* Derrickkran *m*; *mar.* Ladebaum *m*; Bohrturm *m*.

de•scend [dɪ'send] *v/i* (her-, hin)absteigen, herunter-, hinuntersteigen, herabkommen; *aer.* niedergehen; (ab)stammen; ~ ***on,*** ~ ***upon*** herfallen über (*acc*); einfallen in (*acc*); **de•scen•dant** [~ənt] *s* Nachkomme *m*.

de•scent [dɪ'sent] *s* Herab-, Hinuntersteigen *n*, Abstieg *m*; *aer.* Niedergehen *n*; Abhang *m*, Gefälle *n*; Abstammung *f*; *fig.* Niedergang *m*, Abstieg *m*.

de•scribe [dɪ'skraɪb] *v/t* beschreiben.

de•scrip|tion [dɪ'skrɪpʃn] *s* Beschreibung *f*, Schilderung *f*; *sort*: Art *f*; **~•tive** *adj* □ beschreibend; anschaulich.

des•ert[1] ['dezət] **1.** *s* Wüste *f*; **2.** *adj* Wüsten…

de•sert[2] [dɪ'zɜːt] *v/t* verlassen; *v/i* desertieren; **~•er** *s mil.* Deserteur *m*, Fahnenflüchtige(r) *m*; **de•ser•tion** [~ʃn] *s* (*jur. a.* böswilliges) Verlassen; *mil.* Fahnenflucht *f*.

de•serve [dɪ'zɜːv] *v/t* verdienen; **de•serv•ed•ly** [-ɪdlɪ] *adv* mit Recht; **de•serv•ing** *adj* würdig (**of** *gen*); verdienstvoll, verdient.

de•sign [dɪ'zaɪn] **1.** *s* Plan *m*; Entwurf *m*, Zeichnung *f*; Muster *n*; Vorhaben *n*, Absicht *f*; ***have ~s on*** *or* ***against*** et. (Böses) im Schilde führen gegen; **2.** *v/t* entwerfen, *tech.* konstruieren; gestalten; planen; bestimmen.

des•ig|nate ['dezɪgneɪt] *v/t* bezeichnen; ernennen, bestimmen; **~•na•tion** [-'neɪʃn] *s* Bezeichnung *f*; Bestimmung *f*, Ernennung *f*.

de•sign•er [dɪ'zaɪnə] *s* (Muster)Zeichner(in); Designer(in); *tech.* Konstrukteur *m*; (Mode)Schöpfer(in); **~ stubble** *s* F Dreitagebart *m*.

de•sir|a•ble [dɪ'zaɪərəbl] *adj* □ wünschenswert; angenehm; **~e** [dɪ'zaɪə] **1.** *s* Wunsch *m*, Verlangen *n*; Begierde *f*; **2.** *v/t* verlangen, wünschen; begehren; **~•ous** [-rəs] *adj* begierig.

de•sist [dɪ'zɪst] *v/i* ablassen (***from*** von).

desk [desk] *s* Pult *n*; Schreibtisch *m*.

des•o•late ['desələt] *adj* □ einsam; verlassen; öde.

de•spair [dɪ'speə] **1.** *s* Verzweiflung *f*; **2.** *v/i* verzweifeln (***of*** an *dat*); **~•ing** *adj* □ verzweifelt.

de•spatch [dɪ'spætʃ] → ***dispatch.***

des•per|ate ['despərət] *adj* □ verzweifelt; hoffnungslos; F schrecklich; **~•a•tion** [despə'reɪʃn] *s* Verzweiflung *f*.

des•pic•a•ble ['despɪkəbl] *adj* □ verachtenswert, verabscheuungswürdig.

de•spise [dɪ'spaɪz] *v/t* verachten.

de•spite [dɪ'spaɪt] **1.** *s* Verachtung *f*; ***in ~ of*** zum Trotz, trotz; **2.** *prp a.* ***~ of*** trotz.

de•spon•dent [dɪ'spɒndənt] *adj* □ mutlos, verzagt.

des•pot ['despɒt] *s* Despot *m*, Tyrann *m*; **~•is•m** [-pətɪzəm] *s* Despotismus *m*.

des•sert [dɪ'zɜːt] *s* Nachtisch *m*, Dessert *n*; *attr* Dessert…

des|ti•na•tion [destɪ'neɪʃn] *s* Bestimmung(sort *m*) *f*; **~•tined** ['destɪnd] *adj* bestimmt; **~•ti•ny** [-ɪ] *s* Schicksal *n*.

des•ti•tute ['destɪtjuːt] *adj* □ mittellos, Not leidend; ***~ of*** bar (*gen*), ohne.

de•stroy [dɪ'strɔɪ] *v/t* zerstören, vernichten; töten, *animal*: *a.* einschläfern; **~•er** *s* Zerstörer(in); *mar.*, *mil.* Zerstörer *m*.

de•struc|tion [dɪ'strʌkʃn] *s* Zerstörung *f*, Vernichtung *f*; Tötung *f*, *of animal*: *a.* Einschläferung *f*; **~•tive** [-tɪv] *adj* □ zerstörend, vernichtend; zerstörerisch.

de•tach [dɪ'tætʃ] *v/t* losmachen, (ab)lösen; absondern; *mil.* abkommandieren; **~ed** *adj house*: einzeln (stehend); unvoreingenommen; distanziert; **~•ment** *s* Loslösung *f*; (Ab)Trennung *f*; *mil.* (Sonder)Kommando *n*.

de•tail ['diːteɪl] **1.** *s* Detail *n*, Einzelheit *f*; eingehende Darstellung; *mil.* (Sonder)Kommando *n*; ***in ~*** ausführlich; **2.** *v/t* genau schildern; *mil.* abkommandieren; **~ed** *adj* detailliert, ausführlich.

de•tain [dɪ'teɪn] *v/t* aufhalten; *j-n* in (Untersuchungs)Haft (be)halten.

de•tect [dɪ'tekt] *v/t* entdecken; (auf)finden; **de•tec•tion** [-kʃn] *s* Entdeckung *f*; **de•tec•tive** [-tɪv] *s* Kriminalbeamte(r) *m*, Detektiv *m*; ***~ novel, ~ story*** Kriminalroman *m*.

de•ten•tion [dɪ'tenʃn] *s* Vorenthaltung *f*; Aufhaltung *f*; Haft *f*.

de•ter [dɪ'tɜː] *v/t* (***-rr-***) abschrecken (***from*** von).

de•ter•gent [dɪ'tɜːdʒənt] *s* Reinigungsmittel *n*; Waschmittel *n*; Geschirrspülmittel *n*.

de•te•ri•o•rate [dɪ'tɪərɪəreɪt] *v/i* sich verschlechtern; verderben; entarten.

de•ter|mi•na•tion [dɪtɜːmɪ'neɪʃn] *s* Entschlossenheit *f*; Entscheidung *f*, Entschluss *m*; **~•mine** [dɪ'tɜːmɪn] *v/t* bestimmen; entscheiden; *v/i*: ***~ on*** sich entschließen zu; **~•mined** *adj* entschlossen.

de•ter|rence [dɪ'terəns] *s* Abschreckung *f*; **~•rent** [-t] **1.** *adj* abschreckend; **2.** *s* Abschreckungsmittel *n*.

de•test [dɪ'test] *v/t* verabscheuen; **~•a•ble** *adj* □ abscheulich.

de•throne [dɪ'θrəʊn] *v/t* entthronen.

det•o|nate ['detəneɪt] *v/i* explodieren; **~•na•tion** [-'neɪʃn] *s* Explosion *f*.

de•tour ['diːtʊə] *s* Umweg *m*; Umleitung *f*.

de•tract [dɪ'trækt] *v/i*: ***~ from s.th.*** et. beeinträchtigen, et. schmälern.

deuce [djuːs] *s on dice and cards*: Zwei *f*; *tennis*: Einstand *m*; F Teufel *m*; ***how the ~*** wie zum Teufel.

de•val•u|a•tion *econ.* [diːvælju'eɪʃn] *s* Abwertung *f*; **~e** *v/t* abwerten.

D

dev•a|state ['devəsteɪt] *v/t* verwüsten; **~•stat•ing** *adj* □ verheerend, vernichtend; F umwerfend; **~•sta•tion** [devə'steɪʃn] *s* Verwüstung *f.*
de•vel•op [dɪ'veləp] *v/t and v/i* (sich) entwickeln; (sich) entfalten; *area, land*: erschließen; *town centres, etc.*: sanieren; ausbauen; (sich) zeigen; **~•er** *s phot.* Entwickler *m*; **~•ing** *s* Entwicklungs...; **~ country** *econ.* Entwicklungsland *n*; **~•ment** *s* Entwicklung *f*; Entfaltung *f*; Erschließung *f*; Ausbau *m*; **~ aid** *econ.* Entwicklungshilfe *f.*
de•vi|ate ['diːvɪeɪt] *v/i* abweichen; **~•a•tion** [diːvɪ'eɪʃn] *s* Abweichung *f.*
de•vice [dɪ'vaɪs] *s* Vorrichtung *f*, Gerät *n*; Erfindung *f*; Plan *m*; Kniff *m*; Devise *f*, Motto *n*; ***leave s.o. to his/her own ~s*** *j-n* sich selbst überlassen.
dev•il ['devl] *s* Teufel *m* (*a. fig.*); **~•ish** [-ɪʃ] *adj* □ teuflisch.
de•vi•ous ['diːvɪəs] *adj* □ abwegig; gewunden; unaufrichtig; ***take a ~ route*** e-n Umweg machen.
de•vise [dɪ'vaɪz] *v/t* ausdenken, ersinnen; *jur.* vermachen.
de•vote [dɪ'vəʊt] *v/t* widmen, *et.* hingeben, opfern (***to*** *dat*); **de•vot•ed** *adj* □ ergeben; eifrig, begeistert; zärtlich; **devo•tee** [devəʊ'tiː] *s* begeisterter Anhänger; **de•vo•tion** [dɪ'vəʊʃn] *s* Ergebenheit *f*; Hingabe *f*; Frömmigkeit *f*, Andacht *f.*
de•vour [dɪ'vaʊə] *v/t* verschlingen.
de•vout [dɪ'vaʊt] *adj* □ andächtig; fromm; sehnlichst.
dew [djuː] *s* Tau *m*; **~•y** ['djuːɪ] *adj* (***-ier, -iest***) (tau)feucht.
dex|ter•i•ty [dek'sterətɪ] *s* Gewandtheit *f*; **~•ter•ous**, **~•trous** ['dekstrəs] *adj* □ gewandt.
di•ag|nose ['daɪəgnəʊz] *v/t* diagnostizieren; **~•no•sis** [daɪəg'nəʊsɪs] *s* (*pl* ***-ses*** [-siːz]) Diagnose *f.*
di•a•gram ['daɪəgræm] *s* grafische Darstellung, Schema *n*, Plan *m*.
di•al ['daɪəl] **1.** *s* Zifferblatt *n*; *teleph.* Wählscheibe *f*; *tech.* Skala *f*; **2.** *v/i and v/t* (*esp. Br.* **-ll-**, *Am.* **-l-**) *teleph.* wählen; **~ *direct*** durchwählen (***to*** nach); ***direct ~(l)ing*** Durchwahl *f*; ***~(l)ing code*** Vorwahl *f.*
di•a•lect ['daɪəlekt] *s* Dialekt *m*; Mundart *f.*
di•a•logue, *Am.* **-log** ['daɪəlɒg] *s* Dialog *m*, Gespräch *n*.
di•am•e•ter [daɪ'æmɪtə] *s* Durchmesser *m*; ***in ~*** im Durchmesser.
di•a•mond ['daɪəmənd] *s* Diamant *m*; Rhombus *m*; *baseball*: Spielfeld *n*; *cards*: Karo *n*.
di•a•per *Am.* ['daɪəpə] *s* Windel *f.*
di•a•phragm ['daɪəfræm] *s anat.* Zwerchfell *n*; *opt.* Blende *f*; *teleph.* Membran(e) *f*; *contraceptive*: Diaphragma *n*, Pessar *n*.
di•ar•rh(o)e•a *med.* [daɪə'rɪə] *s* Durchfall *m*.
di•a•ry ['daɪərɪ] *s* Tagebuch *n*; (Termin-) Kalender *m*.
dice [daɪs] **1.** *s pl of* ***die***[2]; **2.** *v/t and v/i* würfeln; **~-box**, **~-cup** *s* Würfelbecher *m*.
dick [dɪk] *s Am. sl. detective*: Schnüffler *m*; V Schwanz *m*.
dic|tate [dɪk'teɪt] *v/t* diktieren (*a. v/i*); *fig.* vorschreiben; **~•ta•tion** [-ʃn] *s* Diktat *n*.
dic•ta•tor [dɪk'teɪtə] *s* Diktator *m*; **~•ship** [-ʃɪp] *s* Diktatur *f.*
dic•tion ['dɪkʃn] *s* Ausdruck(sweise *f*) *m*, Stil *m*; **~•a•ry** ['-ərɪ] *s* Wörterbuch *n*.
did [dɪd] *pret of* ***do***.
die[1] [daɪ] *v/i* sterben; umkommen; untergehen; absterben; **~ *away*** *of wind, etc.*: sich legen; *of sound*: verklingen; *of light, etc.*: verlöschen; **~ *down*** nachlassen; herunterbrennen; schwächer werden; **~ *off*** wegsterben; **~ *out*** aussterben (*a. fig.*).
die[2] [-] *s* (*pl* ***dice*** [daɪs]) Würfel *m*; (*pl* ***dies*** [daɪz]) Prägestock *m*, -stempel *m*.
die-hard ['daɪhɑːd] *s* Reaktionär *m*; F Betonkopf *m*.
di•et ['daɪət] **1.** *s* Diät *f*; Nahrung *f*, Kost *f*; ***be on a ~*** Diät leben; **2.** *v/i* Diät leben.
dif•fer ['dɪfə] *v/i* sich unterscheiden; anderer Meinung sein (***with, from*** als); abweichen.
dif•fe|rence ['dɪfrəns] *s* Unterschied *m*; Differenz *f*; Meinungsverschiedenheit *f*; **~•rent** *adj* □ verschieden; andere(r, -s); anders (***from*** als); **~•ren•ti•ate** [dɪfə'renʃɪeɪt] *v/t and v/i* (sich) unterscheiden.
dif•fi|cult ['dɪfɪkəlt] *adj* schwierig; **~•cul•ty** [-ɪ] *s* Schwierigkeit *f.*
dif•fi|dence ['dɪfɪdəns] *s* Schüchtern-

heit *f*; **~•dent** [-t] *adj* □ schüchtern.

dif|fuse 1. *v/t* [dɪ'fjuːz] verbreiten; **2.** *adj* □ [-s] *speech, etc.*: langatmig, weitschweifig; *light*: diffus; **~•fu•sion** [-ʒn] *s* Verbreitung *f*.

dig [dɪg] **1.** *v/t and v/i* (**-gg-**; ***dug***) graben (in *dat*); *often* **~ *up*** umgraben; *often* **~ *up*, ~ *out*** ausgraben (*a. fig.*); **2.** *s* F Ausgrabung(sstätte) *f*; F Puff *m*, Stoß *m*; **~*s*** *pl Br.* F Bude *f*, (Studenten)Zimmer *n*.

di•gest 1. [dɪ'dʒest] *v/t* verdauen (*a. fig.*); ordnen; *v/i* verdauen; verdaulich sein; **2.** *s* ['daɪdʒest] Abriss *m*; Auslese *f*, Auswahl *f*; **~•i•ble** [dɪ'dʒestəbl] *adj* verdaulich; **di•ges•tion** [-tʃən] *s* Verdauung *f*; **di•ges•tive** [-tɪv] *adj* □ verdauungsfördernd.

dig•ger ['dɪgə] *s* (*esp.* Gold)Gräber *m*.

di•git ['dɪdʒɪt] *s* Ziffer *f*; ***three-~ number*** dreistellige Zahl; **di•gi•tal** *adj* □ digital, Digital…; **~ *clock*, ~ *watch*** Digitaluhr *f*.

dig•ni|fied ['dɪgnɪfaɪd] *adj* würdevoll, würdig; **~•ta•ry** ['-tərɪ] *s* Würdenträger(in); **~•ty** ['-tɪ] *s* Würde *f*.

di•gress [daɪ'gres] *v/i* abschweifen.

dike[1] [daɪk] **1.** *s* Deich *m*, Damm *m*; Graben *m*; **2.** *v/t* eindeichen, -dämmen.

dike[2] *sl.*, *neg!* [-] *s* Lesbe *f*.

di•lap•i•dat•ed [dɪ'læpɪdeɪtɪd] *adj* verfallen, baufällig, klapp(e)rig.

di•late [daɪ'leɪt] *v/t* (*and v/i* sich) ausdehnen; *eyes*: weit öffnen; **dil•a•to•ry** ['dɪlətərɪ] *adj* □ verzögernd, hinhaltend; aufschiebend; langsam.

dil•i|gence ['dɪlɪdʒəns] *s* Fleiß *m*; **~•gent** [-nt] *adj* □ fleißig, emsig.

di•lute [daɪ'ljuːt] **1.** *v/t* verdünnen; verwässern; **2.** *adj* verdünnt.

dim [dɪm] **1.** *adj* □ (**-mm-**) trüb(e); dunkel; matt; **2.** (**-mm-**) *v/t* verdunkeln; *light*: abblenden; *v/i* sich trüben; matt werden.

dime *Am.* [daɪm] *s* Zehncentstück *n*.

di•men•sion [daɪ'menʃn] *s* Dimension *f*, Abmessung *f*; **~*s*** *pl a.* Ausmaß *n*; **~•al** [-ʃnl]: ***three-~*** dreidimensional.

di•min•ish [dɪ'mɪnɪʃ] *v/i* sich vermindern; abnehmen.

di•min•u•tive [dɪ'mɪnjʊtɪv] *adj* □ klein, winzig.

dim•ple ['dɪmpl] *s* Grübchen *n*.

din [dɪn] *s* Getöse *n*, Lärm *m*.

dine [daɪn] *v/i* essen, speisen; **~ *in*/*out*** zu Hause/auswärts essen; *v/t* bewirten; **din•er** ['daɪnə] *s* Speisende(r *m*) *f*; *in restaurant*: Gast *m*; *esp. Am. rail.* Speisewagen *m*; *Am.* Speiselokal *n*.

din•gy ['dɪndʒɪ] *adj* □ (***-ier***, ***-iest***) schmutzig.

din•ing| car *rail.* ['daɪnɪŋkɑː] *s* Speisewagen *m*; **~ room** *s* Ess-, Speisezimmer *n*.

din•ner ['dɪnə] *s* (Mittag-, Abend)Essen *n*; Festessen *n*; **~-jack•et** *s* Smoking *m*; **~-par•ty** *s* Tischgesellschaft *f*; **~-service**, **~-set** *s* Speiseservice *n*, Tafelgeschirr *n*.

di•no•saur *zo.* ['daɪnəsɔː] *s* Dinosaurier *m*.

dint [dɪnt] **1.** *s* Beule *f*; ***by ~ of*** kraft, vermöge (*gen*); **2.** *v/t* ver-, einbeulen.

dip [dɪp] **1.** (**-pp-**) *v/t* (ein)tauchen; senken; schöpfen; **~ *the headlights*** *esp. Br. mot.* abblenden; *v/i* (unter)tauchen; sinken; sich neigen, sich senken; **2.** *s* (Ein-, Unter)Tauchen *n*; F kurzes Bad; Senkung *f*, Neigung *f*, Gefälle *n*; *cooking*: Dip *m*.

Dip., **dip.** ***diploma*** Diplom *n*.

diph•ther•i•a *med.* [dɪf'θɪərɪə] *s* Diphtherie *f*.

di•plo•ma [dɪ'pləʊmə] *s* Diplom *n*.

di•plo•ma•cy [dɪ'pləʊməsɪ] *s* Diplomatie *f*.

dip•lo•mat ['dɪpləmæt] *s* Diplomat *m*; **~•ic** [-'mætɪk] *adj* (***~ally***) diplomatisch; **~ *relations*** diplomatische Beziehungen.

dip•per ['dɪpə] *s* Schöpfkelle *f*.

Dir., **dir.** ***director*** Dir., Direktor *m*, Leiter(in).

dire ['daɪə] *adj* (**~*r***, **~*st***) grässlich, schrecklich.

di•rect [dɪ'rekt] **1.** *adj* □ direkt; gerade; unmittelbar; offen, aufrichtig; **~ *current*** *electr.* Gleichstrom *m*; **~ *train*** durchgehender Zug; **2.** *adv* direkt, unmittelbar; **3.** *v/t* richten; lenken, steuern; leiten; anordnen; *j-n* anweisen; *j-m* den Weg zeigen; *letter*: adressieren; Regie führen bei.

di•rec•tion [dɪ'rekʃn] *s* Richtung *f*; Leitung *f*, Führung *f*; *of letter, etc.*: Adresse *f*; *TV, etc.*: Regie *f*; *mst* **~*s*** *pl* Anweisung *f*, Anleitung *f*; **~*s for use*** Gebrauchsanweisung *f*; **~-find•er** [-faɪndə] *s* (Funk)Peiler *m*, Peilempfänger *m*; **~-in•di•ca•tor** *s mot.* Fahrt-

richtungsanzeiger *m*, Blinker *m*; *aer.* Kursweiser *m*.
di•rec•tive [dɪ'rektɪv] **1.** *adj* richtungweisend, leitend; **2.** *s* Direktive *f*, Weisung *f*.
di•rect•ly [dɪ'rektlɪ] **1.** *adv* sofort; **2.** *cj* sobald, sowie.

D

di•rec•tor [dɪ'rektə] *s* Direktor *m*; *TV, etc.*: Regisseur *m*; *mus.* Dirigent *m*; ***board of ~s*** *econ.* Vorstand *m*; Aufsichtsrat *m*.
di•rec•to•ry [dɪ'rektərɪ] *s* Adressbuch *n*; ***telephone ~*** Telefonbuch *n*.
dirt [dɜːt] *s* Schmutz *m* (*a. fig.*); (lockere) Erde; **~-cheap** F [~'tʃiːp] *adj* spottbillig; **~•y** [~ɪ] **1.** *adj* □ (**-ier, -iest**) schmutzig (*a. fig.*); **2.** *v/t* beschmutzen; *v/i* schmutzig werden.
dis•a•bil•i•ty [dɪsə'bɪlətɪ] *s* Unfähigkeit *f*.
dis•a•ble [dɪs'eɪbl] *v/t mil.* kampfunfähig *or* dienstuntauglich machen; **~d 1.** *adj* arbeits-, erwerbsunfähig, invalid(e); *mil.* dienstuntauglich; *mil.* kriegsversehrt; *physically or mentally*: behindert; **2.** *s*: ***the ~*** *pl* die Behinderten *pl*.
dis•ad•van|tage [dɪsəd'vɑːntɪdʒ] *s* Nachteil *m*; Schaden *m*; **~•ta•geous** [dɪsædvɑːn'teɪdʒəs] *adj* □ nachteilig, ungünstig.
dis•a•gree [dɪsə'griː] *v/i* nicht übereinstimmen; uneinig sein; nicht bekommen (***with s.o.*** *j-m*); **~•a•ble** [~ɪəbl] *adj* □ unangenehm; **~•ment** *s* Unstimmigkeit *f*; Meinungsverschiedenheit *f*.
dis•ap•pear [dɪsə'pɪə] *v/i* verschwinden; **~•ance** *s* Verschwinden *n*.
dis•ap•point [dɪsə'pɔɪnt] *v/t j-n* enttäuschen; *hopes, etc.*: zunichtemachen; **~•ment** *s* Enttäuschung *f*.
dis•ap•prov|al [dɪsə'pruːvl] *s* Missbilligung *f*; **~e** [dɪsə'pruːv] *v/t* missbilligen; *v/i* dagegen sein.
dis|arm [dɪs'ɑːm] *v/t* entwaffnen (*a. fig.*); *v/i mil., pol.* abrüsten; **~•ar•ma•ment** [~əmənt] *s* Entwaffnung *f*; *mil., pol.* Abrüstung *f*.
dis•ar•range [dɪsə'reɪndʒ] *v/t* in Unordnung bringen.
dis•ar•ray [dɪsə'reɪ] *s* Unordnung *f*.
di•sas|ter [dɪ'zɑːstə] *s* Unglück(sfall *m*) *n*, Katastrophe *f*, Desaster *n*; **~•trous** [~trəs] *adj* □ katastrophal, verheerend.
dis•band [dɪs'bænd] *v/t and v/i* (sich) auflösen.
dis•be|lief [dɪsbɪ'liːf] *s* Unglaube *m*; Zweifel *m* (***in*** an *dat*); **~•lieve** [~iːv] *v/t et.* bezweifeln, nicht glauben; **~•lie•ver** [~iːvə] *s* Ungläubige(r *m*) *f*.
disc [dɪsk] *s* Scheibe *f* (*a. anat., zo., tech.*); (Schall)Platte *f*; Parkscheibe *f*; ***slipped ~*** *med.* Bandscheibenvorfall *m*; ***~ brake*** *mot.* Scheibenbremse *f*.
disc. *discount* *econ.* Diskont *m*; Rabatt *m*, Preisnachlass *m*.
dis•card [dɪ'skɑːd] *v/t cards, clothes, etc.*: ablegen; *friends, etc.*: fallen lassen.
di•scern [dɪ'sɜːn] *v/t* wahrnehmen, erkennen; **~•ing** *adj* □ kritisch, scharfsichtig; **~•ment** *s* Einsicht *f*; Scharfblick *m*; Wahrnehmen *n*.
dis•charge [dɪs'tʃɑːdʒ] **1.** *v/t* ent-, ausladen; *j-n* befreien, entbinden; *j-n* entlassen; *gun, etc.*: abfeuern; von sich geben, ausströmen, -senden; *med.* absondern; *duty, etc.*: erfüllen; *debt*: bezahlen; *bill*: einlösen; *v/i electr.* sich entladen; sich ergießen, *of river*: münden; *med.* eitern; **2.** *s of ship*: Entladung *f*; *of gun, etc.*: Abfeuern *n*; Ausströmen *n*; *med.* Absonderung *f*; *med.* Ausfluss *m*; Ausstoßen *n*; *electr.* Entladung *f*; Entlassung *f*; Entlastung *f*; *of duty, etc.*: Erfüllung *f*.
di•sci•ple [dɪ'saɪpl] *s* Schüler *m*; Jünger *m*.
dis•ci•pline ['dɪsɪplɪn] **1.** *s* Disziplin *f*; **2.** *v/t* disziplinieren; ***well ~d*** diszipliniert; ***badly ~d*** disziplinlos, undiszipliniert.
disc jock•ey ['dɪskdʒɒkɪ] *s* Disk-, Discjockey *m*.
dis•claim [dɪs'kleɪm] *v/t* ab-, bestreiten; *responsibility*: ablehnen; *jur.* verzichten auf (*acc*).
dis|close [dɪs'kləʊz] *v/t* bekannt geben, bekannt machen; enthüllen, aufdecken; **~•clo•sure** [~əʊʒə] *s* Enthüllung *f*.
dis•co F ['dɪskəʊ] *s* (*pl* **-cos**) Disko *f*; ***~ sound*** Diskosound *m*.
dis•col•o(u)r [dɪs'kʌlə] *v/t and v/i* (sich) verfärben.
dis•com•fort [dɪs'kʌmfət] **1.** *s* Unbehagen *n*; Beschwerden *pl*; **2.** *v/t j-m* Unbehagen verursachen.
dis•con•cert [dɪskən'sɜːt] *v/t* aus der Fassung bringen.
dis•con•nect [dɪskə'nekt] *v/t* trennen (*a. electr.*); *tech.* auskuppeln; *electr. switch off*: abschalten; *gas, electricity,*

phone: abstellen; *teleph. connection*: unterbrechen; **~•ed** *adj* □ zusammenhang(s)los.

dis•con•tent [dɪskən'tent] *s* Unzufriedenheit *f*; **~•ed** *adj* □ unzufrieden.

dis•con•tin•ue [dɪskən'tɪnjuː] *v/t* aufgeben, aufhören mit, *project, etc.*: abbrechen; unterbrechen.

dis•cord ['dɪskɔːd], **~•ance** [dɪs'kɔːdəns] *s* Uneinigkeit *f*; *mus.* Missklang *m*; **~•ant** *adj* □ nicht übereinstimmend; *mus.* unharmonisch, misstönend.

dis•co•theque ['dɪskətek] *s* Diskothek *f*.

dis•count ['dɪskaʊnt] **1.** *s econ.* Diskont *m*; Abzug *m*, Rabatt *m*; **2.** *v/t econ.* diskontieren; abziehen, abrechnen.

dis•cour•age [dɪs'kʌrɪdʒ] *v/t* entmutigen; abschrecken; **~•ment** *s* Entmutigung *f*; Hindernis *n*, Schwierigkeit *f*.

dis•course 1. ['dɪskɔːs] *s* Rede *f*; Abhandlung *f*; Predigt *f*, *phls.* Diskurs *m*; **2.** [dɪ'skɔːs] *v/i* e-n Vortrag halten (***on, upon*** über *acc*).

dis•cour•te|ous [dɪs'kɜːtjəs] *adj* □ unhöflich; **~•sy** [~təsɪ] *s* Unhöflichkeit *f*.

dis•cov|er [dɪ'skʌvə] *v/t* entdecken; ausfindig machen; feststellen, bemerken; **~•e•ry** [~ərɪ] *s* Entdeckung *f*.

dis•cred•it [dɪs'kredɪt] **1.** *s* Zweifel *m*; Misskredit *m*, schlechter Ruf; **2.** *v/t* nicht glauben; in Misskredit bringen.

di•screet [dɪ'skriːt] *adj* □ besonnen, vorsichtig; diskret, verschwiegen.

di•screp•an•cy [dɪ'skrepənsɪ] *s* Widerspruch *m*, Unstimmigkeit *f*.

di•scre•tion [dɪ'skreʃn] *s* Besonnenheit *f*; Ermessen *n*, Belieben *n*; Takt *m*, Diskretion *f*, Verschwiegenheit *f*.

di•scrim•i|nate [dɪ'skrɪmɪneɪt] *v/t* unterscheiden; *v/i* unterscheiden (***between*** zwischen *dat*); **~ *against*** diskriminieren, benachteiligen; **~•nat•ing** *adj* □ unterscheidend; kritisch, urteilsfähig; **~•na•tion** [~'neɪʃn] *s* Unterscheidung *f*; unterschiedliche (*esp.* nachteilige) Behandlung, Diskriminierung *f*; Urteilskraft *f*.

dis•cus ['dɪskəs] *s sports*: Diskus *m*; **~ *throw*** Diskuswerfen *n*; **~ *thrower*** Diskuswerfer(in).

di•scuss [dɪ'skʌs] *v/t* diskutieren, erörtern, besprechen; **di•scus•sion** [~ʌʃn] *s* Diskussion *f*, Besprechung *f*.

dis•dain [dɪs'deɪn] **1.** *s* Verachtung *f*; **2.** *v/t* gering schätzen, verachten; verschmähen.

dis•ease [dɪ'ziːz] *s* Krankheit *f*; **~d** *adj* krank.

dis•em•bark [dɪsɪm'bɑːk] *v/t* ausschiffen; *v/i* von Bord gehen.

dis•en•chant•ed [dɪsɪn'tʃɑːntɪd] *adj*: ***be ~ with*** sich keinen Illusionen mehr hingeben über (*acc*).

dis•en•gage [dɪsɪn'geɪdʒ] *v/t* (*and v/i* sich) frei machen *or* lösen; *tech.* loskuppeln.

dis•en•tan•gle [dɪsɪn'tæŋgl] *v/t* entwirren; herauslösen (***from*** aus).

dis•fa•vo(u)r [dɪs'feɪvə] *s* Missfallen *n*; Ungnade *f*.

dis•fig•ure [dɪs'fɪgə] *v/t* entstellen.

dis•grace [dɪs'greɪs] **1.** *s* Ungnade *f*; Schande *f*; **2.** *v/t* Schande bringen über (*acc*), *j-m* Schande bereiten; ***be ~d*** in Ungnade fallen; **~•ful** *adj* □ schändlich; skandalös.

dis•guise [dɪs'gaɪz] **1.** *v/t* verkleiden (***as*** als); verstellen; verschleiern, -bergen; **2.** *s* Verkleidung *f*, Verstellung *f*; Verschleierung *f*; *thea. and fig.*: Maske *f*; ***in ~*** maskiert, verkleidet; *fig.* verkappt.

dis•gust [dɪs'gʌst] **1.** *s* Ekel *m*, Abscheu *m*; **2.** *v/t* (an)ekeln; empören, entrüsten; **~•ing** *adj* □ ekelhaft.

dish [dɪʃ] **1.** *s* flache Schüssel; (Servier-) Platte *f*; Gericht *n*, Speise *f*; ***the ~es*** *pl* das Geschirr; ***do the ~es*** abspülen, Geschirr spülen; F *TV* Parabolantenne *f*, F Schüssel *f*; **2.** *v/t mst* **~ *up*** anrichten; auftischen, -tragen; **~ *out*** F austeilen; **~•cloth** *s* Geschirrspültuch *n*.

dis•heart•en [dɪs'hɑːtn] *v/t* entmutigen.

dis•hon•est [dɪs'ɒnɪst] *adj* □ unehrlich, unredlich; **~•y** [~ɪ] *s* Unredlichkeit *f*.

dis•hon|o(u)r [dɪs'ɒnə] **1.** *s* Unehre *f*, Schande *f*; **2.** *v/t* entehren; schänden; *econ. bill*: nicht honorieren *or* einlösen; **~•o(u)•ra•ble** *adj* □ schändlich, unehrenhaft.

dish| tow•el *s* Geschirrtuch *n*; **~•wash•er** *s* Spüler(in); Geschirrspülmaschine *f*, -spüler *m*; **~•wa•ter** *s* Spülwasser *n*.

dis•il•lu•sion [dɪsɪ'luːʒn] **1.** *s* Ernüchterung *f*, Desillusion *f*; **2.** *v/t* ernüchtern, desillusionieren; ***be ~ed with*** sich keinen Illusionen mehr hingeben über (*acc*).

dis•in•clined [dɪsɪn'klaɪnd] *adj* abgeneigt.
dis•in|fect [dɪsɪn'fekt] *v/t* desinfizieren; **~•fec•tant** *s* Desinfektionsmittel *n.*
dis•in•her•it [dɪsɪn'herɪt] *v/t* enterben.
dis•in•te•grate [dɪs'ɪntɪgreɪt] *v/i* sich auflösen; ver-, zerfallen.

D

dis•in•terest•ed [dɪs'ɪntrəstɪd] *adj* □ uneigennützig, selbstlos; objektiv, unvoreingenommen; F desinteressiert.
disk [dɪsk] *s computer*: Diskette *f*, F Floppy *f*; **~ drive** Diskettenlaufwerk *n.*
disk•ette ['dɪsket, dɪ'sket] *s computer*: Diskette *f.*
dis•like [dɪs'laɪk] **1.** *s* Abneigung *f*, Widerwille *m* (***of, for*** gegen); ***take a ~ to s.o.*** gegen *j-n* e-e Abneigung fassen; **2.** *v/t* nicht mögen.
dis•lo•cate ['dɪsləkeɪt] *v/t med.* sich *et.* verrenken; verlagern.
dis•loy•al [dɪs'lɔɪəl] *adj* □ treulos.
dis•mal ['dɪzməl] *adj* □ trüb(e), trostlos, elend.
dis•man•tle [dɪs'mæntl] *v/t* abbrechen, niederreißen (*a. fig.*: *trade barriers, etc.*); *mar.* abtakeln; *mar.* abwracken; *tech.* demontieren.
dis•may [dɪs'meɪ] **1.** *s* Schrecken *m*, Bestürzung *f*; ***in ~, with ~*** bestürzt; ***to one's ~*** zu s-m Entsetzen; **2.** *v/t* erschrecken, bestürzen.
dis•miss [dɪs'mɪs] *v/t* entlassen; wegschicken; ablehnen; *topic, etc.*: fallen lassen; *jur.* abweisen; **~•al** [~l] *s* Entlassung *f*; Aufgabe *f*; *jur.* Abweisung *f.*
dis•mount [dɪs'maʊnt] *v/t* aus dem Sattel heben; *rider*: abwerfen; demontieren; *tech.* auseinandernehmen; *v/i* absteigen, absitzen (***from*** von).
dis•o•be•di|ence [dɪsə'biːdɪəns] *s* Ungehorsam *m*; **~•ent** *adj* □ ungehorsam.
dis•o•bey [dɪsə'beɪ] *v/i and v/t* nicht gehorchen (*dat*), ungehorsam sein.
dis•or•der [dɪs'ɔːdə] **1.** *s* Unordnung *f*; Aufruhr *m*; *med.* Störung *f*; **2.** *v/t* in Unordnung bringen; *med.* angreifen; **~•ly** *adj* unordentlich; ordnungswidrig; unruhig; aufrührerisch.
dis•or•gan•ize [dɪs'ɔːgənaɪz] *v/t* durcheinanderbringen; desorganisieren.
dis•own [dɪs'əʊn] *v/t* nicht anerkennen; *child*: verstoßen; ablehnen.
di•spar•age [dɪ'spærɪdʒ] *v/t* verächtlich machen, herabsetzen; gering schätzen.
di•spar•i•ty [dɪ'spærətɪ] *s* Ungleichheit *f*; **~ *of or in age*** Altersunterschied *m.*
dis•pas•sion•ate [dɪ'spæʃnət] *adj* □ leidenschaftslos; objektiv.
di•spatch [dɪ'spætʃ] **1.** *s* schnelle Erledigung; (Ab)Sendung *f*; Abfertigung *f*; Eile *f*; (Eil)Botschaft *f*; *of news correspondent*: Bericht *m*; **2.** *v/t* schnell erledigen; absenden, abschicken, *telegram*: aufgeben, abfertigen.
di•spel [dɪ'spel] *v/t* (**-ll-**) *crowd, etc.*: zerstreuen (*a. fig.*), *fog*: zerteilen.
di•spen•sa•ble [dɪ'spensəbl] *adj* entbehrlich.
dis•pen•sa•tion [dɪspen'seɪʃn] *s* Austeilung *f*; Befreiung *f* (***with*** von); Dispens *m*; (göttliche) Fügung.
di•spense [dɪ'spens] *v/t* austeilen; *medicine, etc.*: zubereiten u. abgeben; **~ *justice*** Recht sprechen; *v/i*: **~ *with*** auskommen ohne; überflüssig machen; **di•spens•er** *s* Spender *m*, *for tapes*: *a.* Abroller *m*, *for stamps, etc.*: Automat *m*; → ***cash dispenser.***
di•sperse [dɪ'spɜːs] *v/t* verstreuen; *v/i* sich zerstreuen.
di•spir•it•ed [dɪ'spɪrɪtɪd] *adj* entmutigt.
dis•place [dɪs'pleɪs] *v/t* verschieben; ablösen, entlassen; verschleppen; ersetzen; verdrängen.
di•splay [dɪ'spleɪ] **1.** *s* Entfaltung *f*; (Her)Zeigen *n*; (protzige) Zurschaustellung; *computer*: (Sicht)Anzeige *f*, Display *n*; *econ.* Display *n*, Auslage *f*; ***be on ~*** ausgestellt sein; **2.** *v/t* entfalten; zur Schau stellen; zeigen.
dis|please [dɪs'pliːz] *v/t j-m* missfallen; **~•pleased** *adj* ungehalten; **~•plea•sure** [~pleʒə] *s* Missfallen *n.*
dis|po•sa•ble [dɪ'spəʊzəbl] **1.** *adj* Einweg…; Wegwerf…; **2.** *s mst pl* Einweg-, Wegwerfartikel *m*; **~•pos•al** [~zl] *s of waste, etc.*: Beseitigung *f*, Entsorgung *f*; Verfügung(srecht *n*) *f*; ***be* (*put*) *at s.o.'s ~*** *j-m* zur Verfügung stehen (stellen); **~•pose** [~əʊz] *v/t* (an)ordnen, einrichten; geneigt machen, veranlassen; *v/i*: **~ *of*** verfügen über (*acc*); erledigen; loswerden; beseitigen; **~•posed** *adj* geneigt; …gesinnt; **~•po•si•tion** [dɪspə'zɪʃn] *s* Disposition *f*; Anordnung *f*; Neigung *f*; Veranlagung *f*, Art *f.*
dis•pos•sess [dɪspə'zes] *v/t* enteignen, vertreiben; berauben (***of*** *gen*).
dis•pro•por•tion•ate [dɪsprə'pɔːʃnət] *adj* □ unverhältnismäßig.

dis•prove [dɪs'pruːv] *v/t* widerlegen.

di•spute [dɪ'spjuːt] **1.** *s* Disput *m*, Kontroverse *f*; Streit *m*; Auseinandersetzung *f*; **2.** *v/t* streiten über (*acc*); bezweifeln; *v/i* streiten.

dis•qual•i•fy [dɪs'kwɒlɪfaɪ] *v/t* unfähig *or* untauglich machen; für untauglich erklären; *sports*: disqualifizieren.

dis•qui•et [dɪs'kwaɪət] *v/t* beunruhigen.

dis•re•gard [dɪsrɪ'gɑːd] **1.** *s* Nichtbeachtung *f*; Missachtung *f*; **2.** *v/t* nicht beachten.

dis|rep•u•ta•ble [dɪs'repjʊtəbl] *adj* □ übel; verrufen; **~•re•pute** [dɪsrɪ'pjuːt] *s* schlechter Ruf.

dis•re•spect [dɪsrɪ'spekt] *s* Respektlosigkeit *f*; Unhöflichkeit *f*; **~•ful** *adj* □ respektlos; unhöflich.

dis•rupt [dɪs'rʌpt] *v/t* unterbrechen.

dis•sat•is|fac•tion [dɪssætɪs'fækʃn] *s* Unzufriedenheit *f*; **~•fy** [dɪs'sætɪsfaɪ] *v/t* nicht befriedigen; *j-m* missfallen.

dis•sect [dɪ'sekt] *v/t* zerlegen, -gliedern.

dis•sen|sion [dɪ'senʃn] *s* Meinungsverschiedenheit(en *pl*) *f*, Differenz(en *pl*) *f*; Uneinigkeit *f*; **~t 1.** *s* abweichende Meinung *f*; **2.** *v/i* anderer Meinung sein (**from** als); **~t•er** *s* Andersdenkende(r *m*) *f*; Abweichler(in).

dis•si•dent ['dɪsɪdənt] **1.** *adj* andersdenkend; **2.** *s* Andersdenkende(r *m*) *f*; *pol.* Dissident(in), Regime-, Systemkritiker(in).

dis•sim•i•lar [dɪ'sɪmɪlə] *adj* □ (**to**) unähnlich (*dat*); verschieden (von).

dis•si|pate ['dɪsɪpeɪt] *v/i* sich zerstreuen; *v/t* verschwenden; **~•pat•ed** *adj* ausschweifend, zügellos.

dis•so•ci•ate [dɪ'səʊʃɪeɪt] *v/t* trennen; **~ o.s.** sich distanzieren, abrücken.

dis•so|lute ['dɪsəluːt] *adj* □ ausschweifend, zügellos; **~•lu•tion** [dɪsə'luːʃn] *s* Auflösung *f*; Zerstörung *f*; *jur.* Aufhebung *f*, Annullierung *f*.

dis•solve [dɪ'zɒlv] *v/t* (auf)lösen; abbrechen (*friendship*); schmelzen; *v/i* sich auflösen.

dis•so•nant ['dɪsənənt] *adj* □ *mus.* dissonant, misstönend; *fig.* unstimmig.

dis•suade [dɪ'sweɪd] *v/t j-m* abraten (**from** von).

dis|tance ['dɪstəns] **1.** *s* Abstand *m*; Entfernung *f*; Ferne *f*; Strecke *f*; *fig.* Distanz *f*, Zurückhaltung *f*; **at a ~** von weitem; in einiger Entfernung; **keep s.o. at a ~** *j-m* gegenüber reserviert sein; **long-/middle-~ …** *sports*: Lang-/Mittelstrecken…; **2.** *v/t* hinter sich lassen; **~•tant** *adj* □ entfernt (*a. fig.*); fern; zurückhaltend; Fern…

dis•taste [dɪs'teɪst] *s* Widerwille *m*, Abneigung *f*; **~•ful** *adj*: **be ~ to s.o.** *j-m* zuwider sein.

dis•tem•per[1] [dɪ'stempə] *s of animals*: Krankheit *f*, (Hunde)Staupe *f*.

dis•tem•per[2] [~] *s* Temperafarbe *f*.

dis•til(l) [dɪ'stɪl] *v/t* (**-ll-**) *chem.* destillieren (*a. fig.*); **dis•til•le•ry** [~lərɪ] *s* (Branntwein)Brennerei *f*.

dis|tinct [dɪ'stɪŋkt] *adj* □ verschieden; getrennt; deutlich, klar, bestimmt; **~•tinc•tion** [~kʃn] *s* Unterscheidung *f*; Unterschied *m*; Auszeichnung *f*; Rang *m*; **~•tinc•tive** *adj* □ unterscheidend; kennzeichnend, bezeichnend.

dis•tin•guish [dɪ'stɪŋgwɪʃ] *v/t* unterscheiden; auszeichnen; **~ o.s.** sich auszeichnen; **~ed** *adj* berühmt; ausgezeichnet; vornehm.

dis•tort [dɪ'stɔːt] *v/t* verdrehen (*truth, etc.*); verzerren; **dis•tor•tion** [~ʃən] *s* Verdrehung *f*, Verzerrung *f*; **~ of competition** *econ.* Wettbewerbsverzerrung *f*.

dis•tract [dɪ'strækt] *v/t* ablenken; zerstreuen; beunruhigen; verwirren; verrückt machen; **~•ed** *adj* □ beunruhigt, besorgt; (**by, with**) außer sich (vor *dat*); *with pain*: wahnsinnig; **dis•trac•tion** [~kʃn] *s* Ablenkung *f*; Zerstreutheit *f*; Verwirrung *f*; Zerstreuung *f*; Raserei *f*.

dis•tress [dɪ'stres] **1.** *s* Qual *f*; Kummer *m*, Sorge *f*; Elend *n*, Not *f*; **2.** *v/t* in Not bringen; quälen; beunruhigen; betrüben; *j-n* erschöpfen; **~ed** *adj* beunruhigt, besorgt; betrübt; Not leidend.

dis|trib•ute [dɪ'strɪbjuːt] *v/t* ver-, aus-, zuteilen; einteilen; verbreiten; **~•trib•u•tion** [dɪstrɪ'bjuːʃn] *s* Ver-, Austeilung *f*; *of films*: Verleih *m*; Verbreitung *f*; Einteilung *f*.

dis•trict ['dɪstrɪkt] *s* Bezirk *m*; Gegend *f*.

dis•trust [dɪs'trʌst] **1.** *s* Misstrauen *n*; **2.** *v/t* misstrauen (*dat*); **~•ful** *adj* □ misstrauisch.

dis•turb [dɪ'stɜːb] *v/t and v/i* stören; beunruhigen; **~•ance** *s* Störung *f*; Unruhe

D

f; ~ ***of the peace*** *jur.* öffentliche Ruhestörung; ***cause a*** ~ für Unruhe sorgen; ruhestörenden Lärm machen; **~ed** *adj* geistig gestört; verhaltensgestört.

dis•used [dɪsˈjuːzd] *adj machine, etc.*: nicht mehr benutzt, *mine*: stillgelegt.

D

ditch [dɪtʃ] **1.** *s* (Straßen)Graben *m*; **2.** *v/t sl.* sitzen lassen.

div. ***division*** *of company*: Abteilung *f*; *sports*: Liga *f*.

dive [daɪv] **1.** *v/i* (***dived*** *or Am. a.* ***dove, dived***) (unter)tauchen; *from diving-board*: springen; e-n Hecht- *or* Kopfsprung machen; hechten (***for*** nach); e-n Sturzflug machen; **2.** *s swimming*: Springen *n*; Kopf-, Hechtsprung *m*; Sturzflug *m*; F Spelunke *f*; **div•er** [ˈdaɪvə] *s* Taucher(in); *sports*: Wasserspringer(in).

di•verge [daɪˈvɜːdʒ] *v/i* auseinanderlaufen; abweichen; **di•ver•gence** *s* Abweichung *f*; **di•ver•gent** *adj* □ abweichend.

di•vers [ˈdaɪvɜːz] *adj* mehrere, diverse.

di•verse [daɪˈvɜːs] *adj* □ verschieden; mannigfaltig; **di•ver•si•fy** [-sɪfaɪ] *v/t* verschieden(artig) *or* abwechslungsreich gestalten; *econ.* diversifizieren; **di•ver•sion** [-ɜːʃn] *s* Ablenkung *f*; Umleitung *f*; Zeitvertreib *m*; **di•ver•si•ty** [-sətɪ] *s* Verschiedenheit *f*; Mannigfaltigkeit *f*.

di•vert [daɪˈvɜːt] *v/t* ablenken; *j-n* zerstreuen, unterhalten; *traffic*: umleiten.

di•vide [dɪˈvaɪd] **1.** *v/t* teilen; ver-, aus-, aufteilen; trennen; einteilen; *math.* dividieren (***by*** durch); *v/i* sich teilen; zerfallen; *math.* sich dividieren lassen; sich trennen *or* auflösen; **2.** *s geogr.* Wasserscheide *f*; **di•vid•ed** *adj* geteilt; ~ ***highway*** *Am.* Schnellstraße *f*.

div•i•dend *econ.* [ˈdɪvɪdend] *s* Dividende *f*.

di•vid•ers [dɪˈvaɪdəz] *s pl* Trennwand *f*; *math.* (***a pair of*** ~ ein) Stechzirkel *m*.

di•vine [dɪˈvaɪn] **1.** *adj* □ (**~r, ~st**) göttlich; **2.** *s* Geistliche(r) *m*; **3.** *v/t* weissagen; ahnen.

div•ing [ˈdaɪvɪŋ] *s* Tauchen *n*; *sports*: Wasserspringen *n*; *attr* Tauch(er)…, *aer.* Sturzflug…; ***~-board*** Sprungbrett *n*; ***~-suit*** Taucheranzug *m*.

di•vin•i•ty [dɪˈvɪnətɪ] *s* Gottheit *f*; Göttlichkeit *f*; Theologie *f*.

di•vis•i•ble [dɪˈvɪzəbl] *adj* □ teilbar;

di•vi•sion [-ɪʒn] *s* Teilung *f*; Trennung *f*; Abteilung *f*; *mil., math.* Division *f*.

di•vorce [dɪˈvɔːs] **1.** *s* (Ehe)Scheidung *f*; ***get a*** ~ geschieden werden (***from*** von); **2.** *v/t marriage*: scheiden; *of person*: sich scheiden lassen von; ***we have been ~d*** wir haben uns scheiden lassen; **di•vor•cee** [dɪvɔːˈsiː] *s* Geschiedene(r *m*) *f*.

diz•zy [ˈdɪzɪ] *adj* □ (***-ier, -iest***) schwind(e)lig.

do [duː] (***did, done***) *v/t* tun, machen; (zu)bereiten; *room*: aufräumen; *dishes*: abwaschen; *impersonate*: spielen; *distance, etc.*: zurücklegen, schaffen; ~ ***you know him? - no, I don't*** kennst du ihn? - nein; ***what can I ~ for you?*** was kann ich für Sie tun?, womit kann ich (Ihnen) dienen?; ~ ***London*** F London besichtigen; ***have one's hair done*** sich die Haare machen *or* frisieren lassen; ***have done reading*** fertig sein mit Lesen; *v/i* tun, handeln; sich befinden; genügen; ***that will*** ~ das genügt; ***how ~ you ~?*** guten Tag!; ~ ***be quick*** beeile dich doch; ~ ***you like London? - I ~*** gefällt Ihnen London? - ja; ~ ***well*** s-e Sache gut machen; gute Geschäfte machen; *with adverbs and prepositions*: ~ ***away with*** beseitigen, weg-, abschaffen; ~ ***for*** F ***be done for*** fix und fertig sein, erledigt sein (*a. fig.*); ~ ***in*** *sl. kill*: erledigen; ***I'm done in*** F ich bin geschafft; ~ ***up*** *dress, etc.*: zumachen; *house, etc.*: instand setzen; *parcel*: zurechtmachen; ~ ***o.s. up*** sich zurechtmachen; ***I'm done up*** F ich bin geschafft; ***I could ~ with …*** ich könnte … brauchen *or* vertragen; ~ ***without*** auskommen ohne; → ***done.***

doc. ***document*** Dokument *n*, Urkunde *f*.

dock[1] [dɒk] *v/t* stutzen, kupieren; *fig.* kürzen.

dock[2] [-] **1.** *s mar.* Dock *n*; Kai *m*, Pier *m*; *jur.* Anklagebank *f*; **2.** *v/t ship*: (ein)docken; *spacecraft*: koppeln; *v/i mar.* anlegen; *of spacecraft*: andocken, ankoppeln; **~•ing** *s* Docking *n*, *of spacecraft*: Ankopp(e)lung *f*; **~•yard** *s mar.* (*esp. Br.* Marine)Werft *f*.

doc•tor [ˈdɒktə] **1.** *s* Doktor *m*; Arzt *m*; **2.** *v/t* F verarzten; F (ver)fälschen.

doc•trine [ˈdɒktrɪn] *s* Doktrin *f*, Lehre *f*.

doc•u•ment **1.** *s* ['dɒkjʊmənt] Urkunde *f*; **2.** *v/t* [‿ment] (urkundlich) belegen.
doc•u•men•ta•ry [dɒkjʊ'mentrɪ] **1.** *adj* urkundlich; *TV, etc.*: Dokumentar…; **2.** *s* Dokumentarfilm *m*.
dodge [dɒdʒ] **1.** *s* Sprung *m* zur Seite; Kniff *m*, Trick *m*; **2.** *v/i* (rasch) zur Seite springen; *v/t* ausweichen (*dat*); F sich drücken vor (*dat*); **dodg•er** *s* Gauner *m*, Schlawiner *m*; → ***fare dodger.***
doe *zo.* [dəʊ] *s* Hirschkuh *f*; Rehgeiß *f*, Ricke *f*; Häsin *f*.
dog [dɒg] **1.** *s zo.* Hund *m*; ***a ~'s life*** F ein Hundeleben; **2.** *v/t* (**-gg-**) *j-n* beharrlich verfolgen; **~-eared** *adj book*: mit Eselsohren; **~•ged** ['dɒgɪd] *adj* □ verbissen, hartnäckig.
dog•ma ['dɒgmə] *s* Dogma *n*; Glaubenssatz *m*; **~t•ic** [dɒg'mætɪk] *adj* (**~ally**) dogmatisch.
dog-tired F [dɒg'taɪəd] *adj* hundemüde.
do•ings ['duːɪŋz] *s pl* Handlungen *pl*, Taten *pl*, Tätigkeit *f*; F Dinger *pl*, Zeug *n*.
do-it-your•self [duːɪtjɔː'self] **1.** *s* Heimwerken *n*, Do-it-yourself *n*; **2.** *adj* Heimwerker…, Do-it-yourself-…
dol. ***dollar(s)*** Dollar *m* (*od. pl*).
dole [dəʊl] **1.** *s* F *Br.* Arbeitslosenunterstützung *f*, F Stempelgeld *n*; ***be*** *or* ***go on the ~*** *Br.* F stempeln gehen; **2.** *v/t*: ***~ out*** sparsam ver- *or* austeilen.
doll [dɒl] **1.** *s* Puppe *f*; F Mädchen *n*; **2.** *v/t*: ***~ (o.s.) up*** F (sich) herausputzen.
dol•lar ['dɒlə] *s* Dollar *m*.
dol•phin *zo.* ['dɒlfɪn] *s* Delphin *m*.
do•main [dəʊ'meɪn] *s* Domäne *f*; *fig.* Gebiet *n*, Bereich *m*.
dome [dəʊm] *s* Kuppel *f*; **~d** *adj* gewölbt; *roof*: kuppelförmig.
do•mes|tic [də'mestɪk] **1.** *adj* (**~ally**) häuslich; inländisch, einheimisch; zahm; ***~ animal*** Haustier *n*; ***~ demand*** *econ.* Binnennachfrage *f*; ***~ flight*** *aer.* Inlandsflug *m*; ***~ market*** Binnen-, Inlandsmarkt *m*; ***~ trade*** Binnenhandel *m*; **2.** *s* Hausangestellte(r *m*) *f*; **~•ti•cate** [‿eɪt] *v/t* zähmen.
dom•i•cile ['dɒmɪsaɪl] *s* Wohnsitz *m*.
dom•i|nant ['dɒmɪnənt] *adj* □ (vor-, be)herrschend; ***~ market position*** *econ.* marktbeherrschende Stellung; **~•nate** [‿eɪt] *v/t and v/i* (be)herrschen; dominieren; **~•na•tion** [dɒmɪ'neɪʃn] *s* Herrschaft *f*; **~•neer•ing** [‿ɪərɪŋ] *adj* □ herrisch, tyrannisch; überheblich.
do•min•ion [də'mɪnɪən] *s* Herrschaft *f*; (Herrschafts)Gebiet *n*.
dom•i•no ['dɒmɪnəʊ] *s* (*pl* **-noes**) Domino *n*; ***~ effect*** *pol.* Dominoeffekt *m*.
do•nate [dəʊ'neɪt] *v/t* schenken, stiften; **do•na•tion** [‿eɪʃn] *s* Schenkung *f*.
done [dʌn] **1.** *pp of* ***do***; **2.** *adj* getan; erledigt; fertig; *cooked*: gar; ***~ in*** *or* ***for*** F *tired, etc.*: erledigt.
don•key *zo.* ['dɒŋkɪ] *s* Esel *m*.
do•nor ['dəʊnə] *s* (*med. esp.* Blut-, Organ)Spender(in); **~ con•fe•rence** *s pol, econ.* Geberkonferenz *f*.
doom [duːm] **1.** *s* Schicksal *n*, Verhängnis *n*; **2.** *v/t* verurteilen, -dammen; **~s•day** ['duːmzdeɪ] *s*: ***till ~*** F bis zum Jüngsten Tag.
door [dɔː] *s* Tür *f*; Tor *n*; ***next ~*** nebenan; **~-han•dle** *s* Türklinke *f*; **~-keep•er** *s* Pförtner *m*; **~•man** *s* (livrierter) Portier; **~•step** *s* Türstufe *f*; ***~ selling*** *econ. appr.* Haustürverkauf *m*; **~•way** *s* Türöffnung *f*, (Tür)Eingang *m*.
dope [dəʊp] **1.** *s* F Stoff *m*, Rauschgift *n*; F Betäubungsmittel *n*; *sports*: Dopingmittel *n*; *Am.* F Rauschgiftsüchtige(r *m*) *f*; *sl.* Trottel *m*; *sl.* (vertrauliche) Informationen *pl*, Geheimtipp *m*; **2.** *v/t* F *j-m* Stoff geben; *sports*: dopen; **~ ad•dict**, **~ fiend** *s* F Rauschgift-, Drogensüchtige(r *m*) *f*; **~ test** *s* Dopingkontrolle *f*.
dorm F [dɔːm] → ***dormitory.***
dor•mant *mst fig.* ['dɔːmənt] *adj* schlafend, ruhend; untätig.
dor•mer (win•dow) ['dɔːmə('wɪndəʊ)] *s* senkrechtes Dachfenster, Dachgaupe *f*.
dor•mi•to•ry ['dɔːmɪtrɪ] *s* Schlafsaal *m*; *esp. Am.* Studentenwohnheim *n*.
dose [dəʊs] **1.** *s* Dosis *f*; **2.** *v/t j-m* e-e Medizin geben.
dot [dɒt] **1.** *s* Punkt *m*; Fleck *m*; ***on the ~*** F auf die Sekunde pünktlich; **2.** *v/t* (**-tt-**) punktieren; tüpfeln; *fig.* sprenkeln; ***~ted line*** punktierte Linie; **~-com** *s computer*: Internetfirma *f*.
dote [dəʊt] *v/i*: ***~ on, ~ upon*** vernarrt sein in (*acc*), abgöttisch lieben (*acc*); **dot•ing** *adj* □ vernarrt.
dou•ble ['dʌbl] **1.** *adj* □ doppelt, Doppel…→ ***taxation***; zu zweien; gekrümmt; zweideutig; **2.** *s* Doppelte(s)

n; Doppelgänger(in); *film, TV*: Double *n*; **~s** *sg, pl tennis, etc.*: Doppel *n*; ***men's/women's ~s*** *sg, pl* Herren-/Damendoppel *n*; **3.** *v/t* verdoppeln; *film, TV*: *j-n* doubeln; *a.* **~ *up*** falten; *blanket*: zusammenlegen; *v/i* sich verdoppeln; **~ *up*** sich krümmen (***with*** vor *dat*); **~-breast•ed** *adj jacket*: zweireihig; **~-check** *v/t* genau nachprüfen; **~ chin** *s* Doppelkinn *n*; **~-cross** *v/t* ein doppeltes *or* falsches Spiel treiben mit, hereinlegen; **~-deal•ing**; **1.** *adj* betrügerisch; **2.** *s* Betrug *m*; **~-deck•er** *s aer.* Doppeldecker *m*; **~-edged** *adj* zweischneidig; zweideutig; **~-en•try** *s econ.* doppelte Buchführung; **~ fea•ture** *s film*: Doppelprogramm *n*; **~ head•er** *s Am.* Doppelveranstaltung *f*; **~-park** *v/i mot.* in zweiter Reihe parken; **~-quick** *adv* F im Eiltempo, fix.

doubt [daʊt] **1.** *v/i* zweifeln; *v/t* bezweifeln; misstrauen (*dat*); **2.** *s* Zweifel *m*; ***be in ~ about*** Zweifel haben an (*dat*); ***no ~*** ohne Zweifel, gewiss, sicherlich; ***there's no ~ about it*** daran besteht kein Zweifel; **~•ful** *adj* □ zweifelhaft; **~•less** *adv* ohne Zweifel.

dough [dəʊ] *s* Teig *m*; **~•nut** ['-nʌt] *s* Krapfen *m*, Berliner (Pfannkuchen) *m*, Schmalzkringel *m*.

dove[1] *zo.* [dʌv] *s* Taube *f*.

dove[2] *Am.* [dəʊv] *pret of* **dive** 1.

dow•el *tech.* ['daʊəl] *s* Dübel *m*.

down[1] [daʊn] *s* Daunen *pl*; Flaum *m*; Düne *f*; **~s** *pl* Hügelland *n*.

down[2] [-] **1.** *adv* nach unten, her-, hinunter, her-, hinab, abwärts; unten; **2.** *prp* her-, hinab, her-, hinunter; **~ *the river*** flussabwärts; **3.** *adj* nach unten gerichtet; deprimiert, niedergeschlagen; **4.** *v/t* niederschlagen; *aircraft*: abschießen; F *drink*: runterkippen; **~ *tools*** die Arbeit niederlegen, in den Streik treten; **~•cast** *adj* niedergeschlagen; **~•er** *s sl.* Beruhigungsmittel *n*; **~•fall** *s* Platzregen *m*; *fig.* Sturz *m*, *of state*: *a.* Untergang *m*; **~-heart•ed** *adj* □ niedergeschlagen; **~•hill**; **1.** *adv* bergab; **2.** *adj* abschüssig; *skiing*: Abfahrts...; **3.** *s* Abhang *m*; *skiing*: Abfahrt *f*; **~•load** *v/t computer*: downloaden, herunterladen; **~ pay•ment** *s econ.* Anzahlung *f*; **~•pour** *s* Regenguss *m*, Platzregen *m*; **~•right**; **1.** *adv* völlig, ganz u. gar, ausgesprochen; **2.** *adj lie, cheat, etc.*: glatt; ausgesprochen; **~•siz•ing** *s* Stellenabbau *m*; **~•stairs** *adv* die Treppe her- *or* hinunter; (nach) unten; **~•stream** *adv* stromabwärts; **~-to-earth** *adj* realistisch; **~•town** *Am.*; **1.** *adv* im *or* ins Geschäftsviertel; **2.** *adj* im Geschäftsviertel (gelegen *or* tätig); **3.** *s* Geschäftsviertel *n*, Innenstadt *f*, City *f*; **~•ward(s)** *adv* abwärts, nach unten.

dow•ry ['daʊərɪ] *s* Mitgift *f*.

doz. ***dozen(s)*** Dtzd., Dutzend *n* (*od. pl*).

doze [dəʊz] **1.** *v/i* dösen, ein Nickerchen machen; **2.** *s* Nickerchen *n*.

doz•en ['dʌzn] *s* Dutzend *n*.

Dr ***Doctor*** Dr., Doktor *m*; *in street names*: ***Drive*** *appr.*: Zufahrt *f*.

drab [dræb] *adj* trist; düster; eintönig.

draft [drɑːft] **1.** *s* Entwurf *m*; *econ.* Tratte *f*; *of money*: Abhebung *f*; *mil.* (Sonder)Kommando *n*; *Am. mil.* Einberufung *f*; *esp. Br.* → ***draught***; **2.** *v/t* entwerfen; aufsetzen; *mil.* abkommandieren; *Am. mil.* einziehen, -berufen; **~•ee** *Am. mil.* [-'tiː] *s* Wehrpflichtige(r) *m*; **~s•man** *s esp. Am.* → ***draughtsman***; **~•y** *Am.* [-ɪ] *adj* (***-ier, -iest***) → ***draughty.***

drag [dræg] **1.** *s* Schleppen *n*, Zerren *n*; *mar.* Schleppnetz *n*; Egge *f*; Schlepp-, Zugseil *n*; *fig.* Hemmschuh *m*; F *et.* Langweiliges; **2.** (***-gg-***) *v/t* schleppen, zerren, ziehen, schleifen; *v/i* sich schleppen; **~ *behind*** zurückbleiben, nachhinken; **~ *on*** *fig.* sich dahinschleppen; *fig.* sich in die Länge ziehen; **~•lift** *s* Schlepplift *m*.

drag•on ['drægən] *s* Drache *m*; **~-fly** *s zo.* Libelle *f*.

drain [dreɪn] **1.** *s* Abfluss(kanal *m*, -rohr *n*) *m*; Entwässerungsgraben *m*; *fig.* Belastung *f*; **2.** *v/t* abfließen lassen; entwässern; austrinken, leeren; *fig.* aufbrauchen, -zehren; *v/i*: **~ *off*, ~ *away*** abfließen, ablaufen; **~•age** ['-ɪdʒ] *s* Abfließen *n*, Ablaufen *n*; Entwässerung(sanlage *f*, -ssystem *n*) *f*; Abwasser *n*; **~-pipe** *s* Abflussrohr *n*.

drake *zo.* [dreɪk] *s* Enterich *m*, Erpel *m*.

dra|ma ['drɑːmə] *s* Drama *n*; **~•ma fes•ti•val** *s* Theaterfestival *n*; **~•mat•ic** [drə'mætɪk] *adj* (***~ally***) dramatisch; **~m•a•tist** ['dræmətɪst] *s* Dramatiker *m*; **~m•a•tize** [-taɪz] *v/t* dramatisieren.

drank [dræŋk] *pret of* **drink** 2.

drape [dreɪp] **1.** *v/t* drapieren; in Falten legen; **2.** *s mst pl Am.* Gardinen *pl*; **drap•er•y** ['dreɪpərɪ] *s* Textilhandel *m*; Stoffe *pl*; Faltenwurf *m*.

dras•tic ['dræstɪk] *adj* (*~ally*) drastisch.

draught [drɑːft] *s* (Luft)Zug *m*; Zug *m*, Schluck *m*; Fischzug *m*; *mar.* Tiefgang *m*; **~s** *sg Br.* Damespiel *n*; **~ beer** Fassbier *n*; **~•horse** *s* Zugpferd *n*; **~s•man** *s Br.* Damestein *m*; *tech.* (Konstruktions-, Muster)Zeichner *m*; **~•y** *adj* (**-ier, -iest**) zugig.

draw [drɔː] **1.** *v/t and v/i* (**drew, drawn**) ziehen; an-, auf-, ein-, zuziehen; *med. blood*: abnehmen; *econ. money*: abheben; *tears*: hervorlocken; *customers*: anziehen, anlocken; *attention*: lenken (**to** auf *acc*); *beer*: abzapfen; ausfischen; *animal*: ausnehmen, -weiden; *tea*: ziehen (lassen); (in Worten) schildern; *formulate*: ab-, verfassen; *fig.* entlocken; zeichnen, malen; *chimney*: ziehen, Zug haben; sich zusammenziehen; sich nähern (**to** *dat*); *sports*: unentschieden spielen; **~ breath** Luft schöpfen; **~ near** sich nähern; **~ on, ~ upon** in Anspruch nehmen; **~ out** in die Länge ziehen; **~ up** *plan, paper, etc.*: aufsetzen; halten; vorfahren; **2.** *s in lottery*: Ziehung *f*; *sports*: Unentschieden *n*; Attraktion *f*, (Kassen)Schlager *m*; **~•back** ['drɔːbæk] *s* Nachteil *m*, Hindernis *n*.

draw•er[1] ['drɔːə] *s* Zeichner *m*; *econ. of bill*: Aussteller *m*, Trassant *m*.

draw•er[2] ['drɔː(ə)] *s* Schubfach *n*, -lade *f*; *dated*: (**a pair of**) **~s** *pl* (e-e) Unterhose; (ein) (Damen)Schlüpfer *m*; *mst* **chest of ~s** Kommode *f*.

draw•ing ['drɔːɪŋ] *s* Ziehen *n*; Zeichnen *n*; Zeichnung *f*; **~ ac•count** *s econ.* Girokonto *n*; **~-board** *s* Reißbrett *n*; **~-pin** *s Br.* Reißzwecke *f*, -nagel *m*, Heftzwecke *f*; **~-room** *s* Salon *m*; → **living room.**

drawl [drɔːl] **1.** *v/t and v/i* gedehnt sprechen; **2.** *s* gedehntes Sprechen.

drawn [drɔːn] **1.** *pp of* **draw** 1; **2.** *adj sports*: unentschieden; abgespannt.

dread [dred] **1.** *s* (große) Angst, Furcht *f*; **2.** *v/t* fürchten; **~•ful** *adj* □ schrecklich, furchtbar.

dream [driːm] **1.** *s* Traum *m*; **2.** *v/t and v/i* (**dreamed** *or* **dreamt**) träumen; **~•er** *s* Träumer(in); **~t** [dremt] *pret and pp of* **dream** 2; **~•y** *adj* □ (**-ier, -iest**) träumerisch, verträumt.

drear•y ['drɪərɪ] *adj* □ (**-ier, -iest**) trübselig; trüb(e); langweilig.

dredge [dredʒ] **1.** *s* Schleppnetz *n*; Bagger(maschine *f*) *m*; **2.** *v/t* (aus)baggern.

dregs [dregz] *s pl* Bodensatz *m*; *fig.* Abschaum *m*.

drench [drentʃ] *v/t* durchnässen.

dress [dres] **1.** *s* Anzug *m*; Kleidung *f*; Kleid *n*; **2.** *v/t and v/i* (sich) ankleiden *or* anziehen; schmücken, dekorieren; zurechtmachen; *food*: anrichten, *prepare for cooking*: koch-, bratfertig machen, vorbereiten; *salad*: anmachen; Abendkleidung anziehen; *med.* verbinden; frisieren; **~ down** *j-m* e-e Standpauke halten; **~ up** (sich) fein machen; sich kostümieren *or* verkleiden; **~ cir•cle** *s thea.* erster Rang; **~ de- sign•er** *s* Modezeichner(in); **~•er** *s* Anrichte *f*; Toilettentisch *m*.

dress•ing ['dresɪŋ] *s* An-, Zurichten *n*; Ankleiden *n*; *med.* Verband *m*; Appretur *f*; *of salad*: Dressing *n*; Füllung *f*; **~-down** *s* Standpauke *f*; **~-gown** *s* Morgenrock *m*, -mantel *m*; *sports*: Bademantel *m*; **~-ta•ble** *s* Toilettentisch *m*.

dress•mak•er ['dresmeɪkə] *s* (Damen-) Schneider(in).

drew [druː] *pret of* **draw** 1.

drib•ble ['drɪbl] *v/i* tröpfeln; sabbern, geifern; *soccer*: dribbeln.

dried [draɪd] *adj* getrocknet, Dörr…

dri•er ['draɪə] → **dryer.**

drift [drɪft] **1.** *s* Strömung *f*, (Dahin)Treiben *n*; (Schnee)Verwehung *f*; (Schnee-, Sand)Wehe *f*; *fig.* Tendenz *f*; **2.** *v/i and v/t* (dahin)treiben; wehen; aufhäufen.

drill [drɪl] **1.** *s* Bohrer *m*, Drillbohrer *m*, Bohrmaschine *f*; Furche *f*; *agr.* Drill-, Sämaschine *f*; *mil.* Drill *m* (*a. fig.*); *mil.* Exerzieren *n*; **2.** *v/t* bohren; *mil., fig.* drillen, einexerzieren.

drink [drɪŋk] **1.** *s* Getränk *n*; **2.** *v/t and v/i* (**drank, drunk**) trinken; **~ to s.o.** *j-m* zuprosten *or* zutrinken, auf *j-n* trinken; **~ to s.th.** auf et. trinken; **~•er** *s* Trinker(in).

drip [drɪp] **1.** *s* Tröpfeln *n*; *med.* Tropf *m*; **2.** *v/i and v/t* (**-pp-**) tropfen *or* tröpfeln (lassen); triefen; **~-dry** *adj shirt, etc.*: bügelfrei; **~•ping**; **1.** *s* Bratenfett *n*, Schmalz *n*; **2.** *adj* tropfend; **3.** *adv*: **~**

wet tropf- *or* F patschnass.

drive [draɪv] **1.** *s* (Spazier)Fahrt *f*; Auffahrt *f*; Fahrweg *m*; *tech.* Antrieb *m*; *mot.* Steuerung *f*; *psych.* Trieb *m*; *fig.* Kampagne *f*; *fig.* Schwung *m*, Elan *m*, Dynamik *f*; **2.** (***drove, driven***) *v/t* (an-, ein)treiben; *car, etc.*: fahren, lenken, steuern; *j-n* (im Auto *etc.*) fahren; *tech.* (an)treiben; zwingen; *a.* **~ *off*** vertreiben; *v/i* treiben; (Auto) fahren; **~ *off*** wegfahren; ***what are you driving at?*** F worauf wollen Sie hinaus?

drive-in ['draɪvɪn] **1.** *adj* Auto…; **~ *cinema***, *Am.* **~ *movie*** (***theater***) Autokino *n*; **2.** *s* Autokino *n*; Drive-in-Restaurant *n*; *of bank*: Autoschalter *m*, Drive-inSchalter *m*.

driv•el ['drɪvl] **1.** *v/i* (*esp. Br.* ***-ll-***, *Am.* ***-l-***) faseln; **2.** *s* Geschwätz *n*, Gefasel *n*.

driv•en ['drɪvn] *pp of* ***drive*** 2.

driv•er ['draɪvə] *s mot.* Fahrer(in); (Lokomotiv)Führer *m*; **~'s li•cense** *s Am.* Führerschein *m*.

driv•ing ['draɪvɪŋ] *adj* (an)treibend; *tech.* Antriebs…, Treib…, Trieb…; *mot.* Fahr…; **~ li•cence** *s* Führerschein *m*.

driz•zle ['drɪzl] **1.** *s* Sprühregen *m*; **2.** *v/i* sprühen, nieseln.

drone [drəʊn] **1.** *s zo.* Drohne *f* (*a. fig.*); **2.** *v/i* summen; dröhnen.

droop [druːp] *v/i* (schlaff) herabhängen; den Kopf hängen lassen; schwinden.

drop [drɒp] **1.** *s* Tropfen *m*; Fallen *n*, Fall *m*; *fig.* Fall *m*, Sturz *m*; Bonbon *m*, *n*; ***fruit~s*** *pl* Drops *pl*; **2.** (***-pp-***) *v/t* tropfen (lassen); fallen lassen; *remark, topic, etc.*: fallen lassen; *letter, postcard*: einwerfen; *voice*: senken; **~ *s.o. at …*** *j-n* an *or* bei … absetzen *or* herauslassen; **~ *s.o. a few lines*** *j-m* ein paar Zeilen schreiben; *v/i* tropfen; (herab-, herunter)fallen; umsinken, fallen; **~ *in*** (kurz) herein- *or* vorbeischauen; **~ *off*** abfallen; zurückgehen, nachlassen; F einnicken; **~ *out*** herausfallen; ausscheiden; F *a.* aussteigen (***of*** aus); *a.* **~ *out of school*** (***university***) die Schule (das Studium) abbrechen; **~-out** *s from society*: Aussteiger(in), Drop-out *m*; (Schul-, Studien- *etc.*)Abbrecher(in); **~•pings** *s pl of horses*: Pferdeäpfel *pl*, *of cattle*: Kuhfladen *pl*.

drought [draʊt] *s* Trockenheit *f*, Dürre *f*.

drove [drəʊv] **1.** *s animals*: Herde *f*; *people*: Schar *f*; **2.** *pret of* ***drive*** 2.

drown [draʊn] *v/t* ertränken; überschwemmen; *fig.* übertönen; *v/i* ertrinken.

drowse [draʊz] *v/i* dösen; **~ *off*** eindösen; **drow•sy** ['draʊzɪ] *adj* (***-ier, -iest***) schläfrig; einschläfernd.

drudge [drʌdʒ] *v/i* sich (ab)placken, schuften; **drudg•e•ry** ['-ərɪ] *s* (stumpfsinnige) Plackerei *or* Schinderei.

drug [drʌg] **1.** *s* Arzneimittel *n*, Medikament *n*; Droge *f*, Rauschgift *n*; ***be on*** (***off***) **~*s*** rauschgift- *or* drogensüchtig (clean) sein; **2.** *v/t* (***-gg-***) *j-m* Medikamente geben; *j-n* unter Drogen setzen; ein Betäubungsmittel beimischen (*dat*); betäuben (*a. fig.*); **~ a•buse** *s* Drogenmissbrauch *m*; Medikamentenmissbrauch *m*; **~ a•buse pre•ven•tion** *s* Drogenprävention *f*; **~ ad•dict** *s* Drogen-, Rauschgiftsüchtige(r *m*) *f*; **~•gist** *Am.* ['-ɪst] *s* Apotheker(in); Inhaber(in) e-s Drugstores; **~•store** *s Am.* Apotheke *f*; Drugstore *m*.

drum [drʌm] **1.** *s mus.* Trommel *f*; *anat.* Trommelfell *n*; **~*s*** *pl mus.* Schlagzeug *n*; **2.** *v/t and v/i* (***-mm-***) trommeln; **~•mer** *s mus.* Trommler *m*; Schlagzeuger *m*.

drunk [drʌŋk] **1.** *pp of* ***drink*** 2; **2.** *adj* betrunken; ***get ~*** sich betrinken; **3.** *s* Betrunkene(r *m*) *f*; **~•ard** ['-əd] *s* Trinker(in), Säufer(in); **~•en** *adj* betrunken; **~ *driving*** Trunkenheit *f* am Steuer.

dry [draɪ] **1.** *adj* □ (***-ier, -iest***) trocken (*a. fig.*); *wine*: trocken, herb; F durstig; **~ *goods*** *pl* Textilien *pl*; **2.** *v/t and v/i* trocknen; dörren; **~ *up*** austrocknen; versiegen (lassen); **~-clean** *v/t* chemisch reinigen; **~-clean•er's** *s* chemische Reinigung; **~•er** *s a.* ***drier*** Trockenapparat *m*, Trockner *m*.

DSL [ˌdiːes'el] *s abbr. for* ***digital subscriber line*** DSL; **~ con•nec•tion** *s* DSL-Anschluss *m*.

du•al ['djuːəl] *adj* □ doppelt, Doppel…; **~ *carriageway*** *Br.* Schnellstraße *f*; **~ *currency accounting*** (*or* ***bookkeeping***) doppelte Währungsbuchhaltung; **~ *currency phase*** Doppelwährungsphase *f*.

dub [dʌb] *v/t* (***-bb-***) *film*: synchronisieren.

du•bi•ous ['dju:bɪəs] *adj* □ zweifelhaft.
duch•ess ['dʌtʃɪs] *s* Herzogin *f*.
duck [dʌk] **1.** *s zo.* Ente *f*; ***roast ~*** Ente *f*, Entenbraten *m*; **2.** *v/i and v/t* (unter-) tauchen; (sich) ducken; **~•ling** *s zo.* Entchen *n*.
due [dju:] **1.** *adj* zustehend; gebührend; gehörig, angemessen; fällig; *of time*: fällig, erwartet; ***in ~ time*** zur rechten Zeit; ***~ to*** wegen (*gen*); ***be ~ to*** *j-m* gebühren, zustehen; kommen von, zurückzuführen sein auf (*acc*); **2.** *adv* direkt, genau; **3.** *s* Recht *n*, Anspruch *m*; ***~s*** *pl* Gebühr(en *pl*) *f*; Beitrag *m*.
du•el ['dju:əl] **1.** *s* Duell *n*; **2.** *v/i* (*esp. Br.* **-ll-**, *Am.* **-l-**) sich duellieren.
dug [dʌg] *pret and pp of* ***dig*** 1.
duke [dju:k] *s* Herzog *m*.
dull [dʌl] **1.** *adj* □ dumm; träge, schwerfällig; stumpf; *eye, etc.*: matt; *hearing*: schwach; *boring*: langweilig; abgestumpft, teilnahmslos; dumpf; trüb(e); *econ.* flau; **2.** *v/t* stumpf machen; trüben; mildern, dämpfen; *pain*: betäuben; *v/i* stumpf werden; sich trüben; *fig.* abstumpfen.
du•ly ['dju:lɪ] *adv* ordnungsgemäß; gebührend; rechtzeitig.
dumb [dʌm] *adj* □ stumm; sprachlos; *esp. Am.* F doof, blöd; **dum(b)•found•ed** [~'faʊndɪd] *adj* verblüfft, sprachlos.
dum•my ['dʌmɪ] *s* Attrappe *f*; Kleider-, Schaufensterpuppe *f*; Dummy *m*, Puppe *f* (*for crash tests*); *book*: Dummy *m*, *n*, Blindband *m*; F *esp. Am.* Doofmann *m*; *Br.* Schnuller *m*; *attr* Schein…
dump [dʌmp] **1.** *v/t* (hin)plumpsen *or* (hin)fallen lassen; auskippen; *sand, etc.*: abladen; *waste, etc.*: loswerden; *into sea, lake, river*: verklappen; *econ. goods*: im Ausland zu Dumpingpreisen verkaufen; **2.** *s* Plumps *m*; (Schutt-, Müll)Abladeplatz *m*; *mil.* Depot *n*, Lager(platz *m*) *n*; **~•ing** *s econ.* Dumping *n*, Ausfuhr *f* zu Schleuderpreisen.
dune [dju:n] *s* Düne *f*.
dung [dʌŋ] **1.** *s* Dung *m*; **2.** *v/t* düngen.
dun•ga•rees [dʌŋgə'ri:z] *s pl* (***a pair of ~*** e-e) Arbeitshose.
dun•geon ['dʌndʒən] *s* (Burg)Verlies *n*.
dunk F [dʌŋk] *v/t* (ein)tunken.
dupe [dju:p] *v/t* anführen, täuschen.
du•plex ['dju:pleks] *adj* doppelt, Doppel…; ***~ (apartment)*** *Am.* Maison(n)ette(wohnung) *f*; ***~ (house)*** *Am.* Doppel-, Zweifamilienhaus *n*.
du•pli•cate **1.** *adj* ['dju:plɪkət] doppelt, zweifach; ***~ key*** Zweit-, Nachschlüssel *m*; **2.** *s* [~] Duplikat *n*; Zweit-, Nachschlüssel *m*; **3.** *v/t* [~keɪt] doppelt ausfertigen; kopieren, vervielfältigen.
dur•a•ble ['djʊərəbl] **1.** *adj* □ haltbar; dauerhaft; **2.** *s* → ***consumer***; **du•ra•tion** [djʊə'reɪʃn] *s* Dauer *f*.
dur•ing ['djʊərɪŋ] *prp* während.
dusk [dʌsk] *s* (Abend)Dämmerung *f*; **~•y** ['dʌskɪ] *adj* □ (**-ier, -iest**) dämmerig, düster (*a. fig.*); schwärzlich.
dust [dʌst] **1.** *s* Staub *m*; **2.** *v/t* abstauben; (be)streuen; *v/i* Staub wischen; **~•bin** *s Br.* Abfall-, Mülleimer *m*; Abfall-, Mülltonne *f*; **~-cart** *s Br.* Müllwagen *m*; **~•er** *s* Staublappen *m*, -wedel *m*; *for blackboard*: Tafelschwamm *m*, -tuch *n*; **~-jack•et** *s of book*: Schutzumschlag *m*; **~•man** *s Br.* Müllmann *m*; **~•y** *adj* □ (**-ier, -iest**) staubig.
Dutch [dʌtʃ] **1.** *adj* holländisch; **2.** *adv*: ***go ~*** getrennte Kasse machen, getrennt zahlen; **3.** *s ling.* Holländisch *n*; ***the ~*** *pl* die Holländer *pl*.
du•ty ['dju:tɪ] *s* Pflicht *f*; *econ.* Abgabe *f*; Zoll *m*; Dienst *m*; ***be on ~*** Dienst haben; ***be off ~*** dienstfrei haben; **~-free** **1.** *adj* zollfrei; **2.** *s*: ***~s*** *pl* zollfreie Waren *pl*.
DVD [di:vi:'di:] *s abbr.*: ***digital video*** *or* ***versatile disc*** DVD *f*; **~-drive** *s* DVD-Laufwerk *n*; **~-re•cord•er** *s* DVD-Rekorder *m*.
dwarf [dwɔ:f] **1.** *s* (*pl* ***dwarfs*** [~s], ***dwarves*** [dwɔ:vz]) Zwerg(in); **2.** *v/t* verkleinern, klein erscheinen lassen.
dwell [dwel] *v/i* (***dwelt*** *or* ***dwelled***) wohnen; verweilen (***on, upon*** bei); **~•ing** ['~ɪŋ] *s* Wohnung *f*.
dwelt [dwelt] *pret and pp of* ***dwell.***
dwin•dle ['dwɪndl] *v/i* (dahin)schwinden, abnehmen.
dye [daɪ] **1.** *s* Farbe *f*; ***of the deepest ~*** *fig.* von der übelsten Sorte; **2.** *v/t* färben.
dy•ing ['daɪɪŋ] **1.** *adj* sterbend; Sterbe…; **2.** *s* Sterben *n*.
dyke [daɪk] → ***dike***[1], ***dike***[2]
dy•nam•ic [daɪ'næmɪk] *adj* dynamisch, kraftgeladen; **~s** *s mst sg* Dynamik *f*.
dy•na•mite ['daɪnəmaɪt] **1.** *s* Dynamit *n*; **2.** *v/t* (mit Dynamit) sprengen.

D

dys•en•te•ry *med.* ['dɪsntrɪ] *s* Ruhr *f.*
dys•pep•si•a *med.* [dɪs'pepsɪə] *s* Verdauungsstörung *f.*
dz. ***dozen(s)*** Dtzd., Dutzend *n* (*or pl*).

E

E ***east*** O, Ost(en *m*); ***eastern*** ö, östlich.
each [iːtʃ] **1.** *adj* jede(r, -s); ***~ other*** einander, sich; **2.** *adv* je, pro Person, pro Stück.
ea•ger ['iːgə] *adj* □ begierig; eifrig; **~•ness** *s* Begierde *f*; Eifer *m*.
ea•gle *zo.* ['iːgl] *s* Adler *m*; **~-eyed** [~'aɪd] *adj* scharfsichtig.
ear [ɪə] *s* Ähre *f*; *anat.* Ohr *n*; Öhr *n*; Henkel *m*; ***keep an ~ to the ground*** die Ohren offenhalten; ***be all ~s*** F ganz Ohr sein; **~-drum** *anat.* ['ɪədrʌm] *s* Trommelfell *n*.
earl [ɜːl] *s Br.* Graf *m*.
ear•lobe ['ɪələʊb] *s* Ohrläppchen *n*.
ear•ly ['ɜːlɪ] *adj and adv* früh; Früh…; Anfangs…, erste(r, -s); bald(ig); ***as ~ as May*** schon im Mai; ***as ~ as possible*** so bald wie möglich; ***~ bird*** Frühaufsteher(in); ***~ retirement*** *econ.* Vorruhestand *m*; ***~ warning system*** *mil.* Frühwarnsystem *n*.
ear•mark ['ɪəmɑːk] **1.** *s* Kennzeichen *n*; Merkmal *n*; **2.** *v/t* kennzeichnen; zurücklegen (***for*** für).
earn [ɜːn] *v/t* verdienen; einbringen.
ear•nest ['ɜːnɪst] **1.** *adj* □ ernst(lich, -haft); ernst gemeint; **2.** *s* Ernst *m*; ***in ~*** im Ernst; ernsthaft.
earn•ings ['ɜːnɪŋz] *s pl* Einkommen *n*.
ear|phones ['ɪəfəʊnz] *s pl* Ohrhörer *pl*; Kopfhörer *pl*; **~-piece** *s teleph.* Hörmuschel *f*; **~-ring** *s* Ohrring *m*; **~•set** *s teleph.* Earset *n*, Ohrhörer *m*; **~•shot** *s*: ***within*** (***out of***) ~ in (außer) Hörweite.
earth [ɜːθ] **1.** *s* Erde *f*; Land *n*; **2.** *v/t electr.* erden; **~•en** ['ɜːθn] *adj* irden; **~•en•ware** [~nweə]; **1.** *s* Töpferware *f*; Steingut *n*; **2.** *adj* irden; **~•ly** *adj* irdisch; F denkbar; **~•quake** *s* Erdbeben *n*; **~•worm** *s zo.* Regenwurm *m*.
ease [iːz] **1.** *s* Bequemlichkeit *f*, Behagen *n*; Ruhe *f*; Ungezwungenheit *f*; Leichtigkeit *f*; ***at ~*** bequem, behaglich; ***ill at ~*** unruhig; befangen; **2.** *v/t* erleichtern; lindern; beruhigen; bequem(er) machen; *v/i mst* ***~ off, ~ up*** nachlassen, *of situation*: sich entspannen; (bei der Arbeit) kürzertreten.
east [iːst] **1.** *s* Ost(en *m*); ***the ~*** der Osten, die Oststaaten *pl* (*of USA*); *pol.* der Osten; der Orient; **2.** *adj* Ost…, östlich; **3.** *adv* ostwärts, nach Osten.
Eas•ter ['iːstə] *s* Ostern *n*; *attr* Oster…
eas•ter•ly ['iːstəlɪ] *adj* östlich, Ost…; nach Osten; **east•ern** ['iːstən] *adj* östlich, Ost…; **east•ward(s)** ['iːstwəd(z)] *adj and adv* östlich, nach Osten.
eas•y ['iːzɪ] *adj* □ (***-ier, -iest***) leicht, einfach; bequem; frei von Schmerzen; gemächlich, gemütlich; ruhig; ungezwungen; ***in ~ circumstances*** wohlhabend; ***on ~ street*** *Am.* in guten Verhältnissen; ***go ~, take it ~*** sich Zeit lassen, langsam tun; sich nicht aufregen; ***take it ~!*** immer mit der Ruhe!; **~ chair** *s* Sessel *m*; **~•go•ing** *adj* gelassen, locker.
eat [iːt] **1.** *v/t and v/i* (***ate, eaten***) essen; (zer)fressen; ***~ out*** auswärts essen; **2.** *s*: ***~s*** *pl* F Fressalien *pl*; **ea•ta•ble**; **1.** *adj* ess-, genießbar; **2.** *s*: ***~s*** *pl* Esswaren *pl*; **~•en** *pp of* **eat** 1; **~•er** *s* Esser(in).
ebb [eb] **1.** *s* Ebbe *f*; *fig.* Tiefstand *m*; *fig.* Abnahme *f*; **2.** *v/i* verebben; *fig.* abnehmen, sinken; **~ tide** [~'taɪd] *s* Ebbe *f*.
eb•o•ny ['ebənɪ] *s* Ebenholz *n*.
EC[1] [iː'siː] (*abbr. for* ***European Community***) *hist.* EG *f*; ***~-country*** EG-Land *n*; ***~-wide*** *legislation, etc.*: EG-weit.
EC[2] *abbr. for* ***European Commission*** Europäische Kommission (EuK).
ECB ***European Central Bank*** Europäische Zentralbank (EZB).
ec•cen•tric [ɪk'sentrɪk] **1.** *adj* (***~ally***) exzentrisch; überspannt; **2.** *s* Exzentriker *m*, Sonderling *m*.
ech•o ['ekəʊ] **1.** *s* (*pl* ***-oes***) Echo *n*; **2.** *v/i* widerhallen; *v/t fig.* nachsprechen.
ECJ ***European Court of Justice*** Europäischer Gerichtshof (EuGH).

e•clipse [ɪ'klɪps] **1.** *s ast.* Finsternis *f*; **2.** *v/t* verfinstern; ***be ~d by*** *fig.* verblassen neben (*dat*).

e•co- ['iːkə] öko..., Öko...; Umwelt...; **eco•cide** ['iːkəsaɪd] *s* Umweltzerstörung *f*; **eco-friend•ly** *adj* umweltfreundlich; **eco fund** *s* Ökofonds *m*.

e•co|lo•gi•cal [iːkə'lɒdʒɪkl] *adj* □ ökologisch; **~l•o•gist** [iː'kɒlədʒɪst] *s* Ökologe *m*; **~l•o•gy** [ɪː'kɒlədʒɪ] *s* Ökologie *f*.

ec•o•nom|ic [iːkə'nɒmɪk] *adj* (***~ally***) wirtschaftlich, Wirtschafts...; ***~ aid*** Wirtschaftshilfe *f*; ***♀ and Monetary Union*** (*abbr.* ***EMU***) *pol.* Wirtschafts- und Währungsunion *f*; ***~ growth*** Wirtschaftswachstum *n*; ***~ migrant*** Wirtschaftsflüchtling *m*; **~•i•cal** *adj* □ wirtschaftlich, sparsam; ***~ in energy*** Energie sparend; **~•ics** *s sg* Volkswirtschaft(slehre) *f*.

e•con•o|mist [ɪ'kɒnəmɪst] *s* Volkswirt *m*; **~•mize** [‿aɪz] *v/i and v/t* sparsam wirtschaften (mit); **~•my** [‿ɪ] **1.** *s* Wirtschaft *f*; Wirtschaftlichkeit *f*, Sparsamkeit *f*; Einsparung *f*; **2.** *adj* Spar...; ***~ class*** *aer.* Economyklasse *f*.

e•co•sys•tem ['iːkəʊsɪstəm] *s* Ökosystem *n*.

ec•sta|sy ['ekstəsɪ] *s* Ekstase *f*, Verzückung *f*; **~t•ic** [ɪk'stætɪk] *adj* (***~ally***) verzückt.

ECU ***European Currency Unit*** Europäische Währungseinheit *f*.

Ed., **ed.** ***edited*** h(rs)g., herausgegeben; ***edition*** Aufl., Auflage *f*; ***editor*** H(rs)g., Herausgeber *m*.

E-day ['iːdeɪ] *s* Stichtag *m* zur Einführung des Euro.

ed•dy ['edɪ] **1.** *s* Wirbel *m*; **2.** *v/i* wirbeln.

edge [edʒ] **1.** *s* Schneide *f*; Rand *m*; Kante *f*; ***be on ~*** nervös *or* gereizt sein; **2.** *v/t* schärfen; (um)säumen; drängen; **~•ways**, **~•wise** ['‿weɪz, '‿waɪz] *adv* seitlich, von der Seite.

edg•ing ['edʒɪŋ] *s* Einfassung *f*; Rand *m*.

edg•y ['edʒɪ] *adj* (**-ier, -iest**) scharf(kantig); F nervös; F gereizt.

ed•i•ble ['edɪbl] *adj* essbar.

Ed•in•burgh ['edɪnbərə] Edinburg *n*.

ed•it ['edɪt] *v/t text, book*: herausgeben, redigieren; *newspaper, etc.*: herausgeben, edieren, als Herausgeber leiten; **e•di•tion** [ɪ'dɪʃn] *s of book*: Ausgabe *f*; Auflage *f*; **ed•i•tor** ['edɪtə] *s* Herausgeber(in); Redakteur(in), (Verlags-) Lektor(in); **ed•i•to•ri•al** [edɪ'tɔːrɪəl] **1.** *s* Leitartikel *m*; **2.** *adj* Redaktions...

EDP ***electronic data processing*** EDV, elektronische Datenverarbeitung.

ed•u|cate ['edjuːkeɪt] *v/t* erziehen; unterrichten; **~•cat•ed** *adj* gebildet; **~•ca•tion** [‿'keɪʃn] *s* Erziehung *f*; (Aus)Bildung *f*; Bildungs-, Schulwesen *n*; ***Ministry of ♀*** Unterrichtsministerium *n*, Kultusministerium *n*; **~•ca•tio•n•al** *adj* □ erzieherisch, Erziehungs...; Bildungs...; **~•ca•tor** ['‿keɪtə] *s* Erzieher(in).

EEC ***European Economic Community*** *hist.* EWG, Europäische Wirtschaftsgemeinschaft.

eel *zo.* [iːl] *s* Aal *m*.

ef•fect [ɪ'fekt] **1.** *s* Wirkung *f*; Erfolg *m*, Ergebnis *n*; Auswirkung(en *pl*) *f*; Effekt *m*, Eindruck *m*; *tech.* Leistung *f*; ***~s*** *pl econ.* Effekten *pl*; persönliche Habe; ***be of ~*** Wirkung haben; ***take ~*** in Kraft treten; ***in ~*** tatsächlich, praktisch; ***to the ~*** des Inhalts; **2.** *v/t* bewirken; ausführen; **ef•fec•tive** [‿ɪv] *adj* □ wirksam; eindrucksvoll; tatsächlich, wirklich; *tech.* nutzbar; ***~ date*** Tag *m* des Inkrafttretens.

ef•fem•i•nate [ɪ'femɪnət] *adj* □ verweichlicht; weibisch.

ef•fi•cien|cy [ɪ'fɪʃənsɪ] *s* Leistungsfähigkeit *f*, Tüchtigkeit *f*, Effizienz *f*; ***~ engineer, ~ expert*** *econ.* Rationalisierungsfachmann *m*; **~t** *adj* □ wirksam; leistungsfähig, tüchtig, effizient.

ef•flu•ent ['efluənt] *s* Abwasser *n*, Abwässer *pl*.

ef•fort ['efət] *s* Anstrengung *f*, Bemühung *f* (***at*** um); Mühe *f*; ***make an ~*** sich anstrengen *or* bemühen; ***without ~*** mühelos, ohne Anstrengung; **~•less** *adj* □ mühelos, ohne Anstrengung.

ef•fron•te•ry [ɪ'frʌntərɪ] *s* Frechheit *f*.

ef•fu•sive [ɪ'fjuːsɪv] *adj* □ überschwänglich.

Eftpos ***electronic funds transfer at point of sale*** Zahlungsart *f* ec-Kasse".

e. g. ***exempli gratia*** (= ***for instance***) z. B., zum Beispiel.

egg[1] [eg] *v/t*: ***~ on*** anstacheln.

egg[2] [‿] *s* Ei *n*; ***put all one's ~s in one basket*** alles auf eine Karte setzen; ***as sure as ~s is ~s*** F todsicher; **~-co•sy** *s*

E

Eierwärmer *m*; **~-cup** *s* Eierbecher *m*; **~•head** *s* F Eierkopf *m*, Intellektuelle(r *m*) *f*.

e•go•is|m ['egəʊɪzəm] *s* Egoismus *m*, Selbstsucht *f*; **~t** [~ɪst] *s* Egoist(in), selbstsüchtiger Mensch.

eg•o•tis|m ['egəʊtɪzəm] *s* Egotismus *m*, Selbstgefälligkeit *f*; **~t** [~ɪst] *s* Egotist(in), selbstgefälliger *or* geltungsbedürftiger Mensch.

E

E•gypt ['iːdʒɪpt] Ägypten *n*.

E•gyp•tian [ɪ'dʒɪpʃn] **1.** *adj* ägyptisch; **2.** *s* Ägypter(in).

EIB ***European Investment Bank*** Europäische Investitionsbank (EIB).

ei•der•down ['aɪdədaʊn] *s* Eiderdaunen *pl*; Daunendecke *f*.

eight [eɪt] **1.** *adj* acht; **2.** *s* Acht *f*; *rowing*: Achter *m*; **eigh•teen** [eɪ'tiːn]; **1.** *adj* achtzehn; **2.** *s* Achtzehn *f*; **eigh•teenth** [~θ] *adj* achtzehnte(r, -s); **~•fold** ['eɪtfəʊld] *adj* achtfach; **~h** [eɪtθ]; **1.** *adj* achte(r, -s); **2.** *s* Achtel *n*; **~h•ly** ['eɪtθlɪ] *adv* achtens; **eigh•ti•eth** ['eɪtɪɪθ] *adj* achtzigste(r, -s); **eigh•ty** ['eɪtɪ]; **1.** *adj* achtzig; **2.** *s* Achtzig *f*.

Ei•re ['eərə] *Name der Republik Irland.*

ei•ther ['aɪðə; *Am.* 'iːðə] **1.** *adj* jede(r, -s) (*of two*); eine(r, -s) (*of two*); **2.** *pron* beides; **3.** *cj*: **~ ... or** entweder ... oder; ***not*** **~** auch nicht.

e•jac•u•late [ɪ'dʒækjʊleɪt] *v/t words, etc.*: aus-, hervorstoßen; *physiol. sperm*: ausstoßen; *v/i physiol.* ejakulieren, e-n Samenerguss haben.

e•ject [ɪ'dʒekt] *v/t* vertreiben; hinauswerfen, *smoke, etc.*: ausstoßen; entlassen, -fernen (***from*** *office, post, etc.* aus).

eke [iːk] *v/t*: **~ *out*** *supply, etc.*: strecken; *income*: aufbessern; **~ *out a living*** sich (mühsam) durchschlagen.

e•lab•o•rate **1.** *adj* □ [ɪ'læbərət] sorgfältig (aus)gearbeitet; kompliziert; **2.** *v/t* [~reɪt] sorgfältig ausarbeiten.

e•lapse [ɪ'læps] *v/i* verfließen, -streichen.

e•las|tic [ɪ'læstɪk] **1.** *adj* (***~ally***) elastisch, dehnbar; **~ *band*** *Br.* Gummiring *m*, -band *n*; **2.** *s* Gummiring *m*, -band *n*.

e•lat•ed [ɪ'leɪtɪd] *adj* begeistert, stolz.

el•bow ['elbəʊ] **1.** *s* Ellbogen *m*; Biegung *f*; *tech.* Knie *n*; ***at one's*** **~** bei der Hand; ***out at ~s*** *fig.* heruntergekommen; **2.** *v/t* mit dem Ellbogen (weg)stoßen; **~ *one's way through*** sich (mit den Ellbogen) e-n Weg bahnen durch.

el•der[1] *bot.* ['eldə] *s* Holunder *m*.

el•der[2] [~] **1.** *adj* ältere(r, -s); **2.** *s* der, die Ältere; (Kirchen)Älteste(r) *m*; **~•ly** *adj* ältlich, ältere(r, -s).

el•dest ['eldɪst] *adj* älteste(r, -s).

e•lect [ɪ'lekt] **1.** *adj* gewählt; **2.** *v/t* (aus-, er)wählen.

e•lec|tion [ɪ'lekʃn] **1.** *s* Wahl *f*; **2.** *adj pol.* Wahl...; **~ *campaign*** Wahlkampf *m*; **~ *debacle*** Wahldebakel *n*; **~•tor** [~tə] *s* Wähler(in); *Am. pol.* Wahlmann *m*; *hist.* Kurfürst *m*; **~•to•ral** [~ərəl] *adj* Wahl..., Wähler...; **~ *college*** *Am. pol.* Wahlmänner *pl*; **~•to•rate** *pol.* [~ərət] *s* Wähler(schaft *f*) *pl*.

e•lec|tric [ɪ'lektrɪk] *adj* (***~ally***) elektrisch, Elektro...; *fig.* elektrisierend; **~•tri•cal** *adj* □ elektrisch; Elektro...; **~ *engineer*** Elektroingenieur *m*, -techniker *m*; **~•tric chair** *s* elektrischer Stuhl; **~•tri•cian** [ɪlek'trɪʃn] *s* Elektriker *m*; **~•tri•ci•ty** [~'trɪsətɪ] *s* Elektrizität *f*; **~ *consumption*** Stromverbrauch *m*; **~ *rate*** Stromtarif *m*.

e•lec•tri•fy [ɪ'lektrɪfaɪ] *v/t* elektrifizieren; elektrisieren (*a. fig.*).

e•lec•tro•cute [ɪ'lektrəkjuːt] *v/t* auf dem elektrischen Stuhl hinrichten; durch elektrischen Strom töten.

el•ec•tron•ic [ɪlek'trɒnɪk] **1.** *adj* (***~ally***) elektronisch, Elektronen...; **~ *data processing*** elektronische Datenverarbeitung; **~ *funds transfer*** (*abbr.* ***EFT***) elektronischer Zahlungsverkehr; **~ *tag*** *for prisoners*: elektronische Fußfessel; **2.** *s*: **~s** *sg* Elektronik *f*.

el•e|gance ['elɪgəns] Eleganz *f*; **~•gant** [~t] *adj* □ elegant; geschmackvoll.

el•e|ment ['elɪmənt] *s* Element *n*; Urstoff *m*; (Grund)Bestandteil *m*; ***~s*** *pl* Anfangsgründe *pl*, Grundlage(n *pl*) *f*; Elemente *pl*, Naturkräfte *pl*; **~•men•tal** [elɪ'mentl] *adj* □ elementar; wesentlich.

el•e•men•ta•ry [elɪ'mentərɪ] *adj* □ elementar; Anfangs..; **~ *school*** *Am.* Grundschule *f*.

el•e•phant *zo.* ['elɪfənt] *s* Elefant *m*.

el•e|vate ['elɪveɪt] *v/t* erhöhen; *fig.* erheben; **~•vat•ed** *adj* erhöht; *fig.* gehoben, erhaben; **~ (*railroad*)** *Am.* Hochbahn *f*; **~•va•tion** [elɪ'veɪʃn] *s* Erhebung *f*; Erhöhung *f*; Höhe *f*; Erhabenheit *f*; **~•va•tor** *tech.* ['elɪveɪtə] *s Am.* Lift *m*, Fahrstuhl *m*, Aufzug *m*; *aer.* Höhenruder *n*.

e•lev•en [ɪ'levn] **1.** *adj* elf; **2.** *s* Elf *f*; **~th** [~θ]; **1.** *adj* elfte(r, -s); **2.** *s* Elftel *n*.

el•i•gi•ble ['elɪdʒəbl] *adj* □ geeignet, annehmbar, akzeptabel; berechtigt.

e•lim•i|nate [ɪ'lɪmɪneɪt] *v/t* entfernen, beseitigen, eliminieren; ausscheiden; **~•na•tion** [ɪlɪmɪ'neɪʃn] *s* Entfernung *f*, Beseitigung *f*, Eliminierung *f*; Ausscheidung *f*.

é•lite [eɪ'liːt] *s* Elite *f*; Auslese *f*.

elk *zo.* [elk] *s* Elch *m*.

el•lipse *math.* [ɪ'lɪps] *s* Ellipse *f*.

e•lope [ɪ'ləʊp] *v/i* (mit s-m *or* s-r Geliebten) ausreißen *or* durchbrennen.

e•lo|quence ['eləkwəns] *s* Beredsamkeit *f*; **~•quent** [~t] *adj* □ beredt.

else [els] *adv* sonst, weiter; anderer(r, -s); ***anything ~?*** sonst noch etwas?; ***something ~*** noch etwas; **~•where** [els'weə] *adv* anderswo(hin).

e•lude [ɪ'luːd] *v/t* geschickt entgehen, ausweichen, sich entziehen (*dat*); *fig.* nicht einfallen (*dat*).

e•lu•sive [ɪ'luːsɪv] *adj* schwer fassbar.

e•ma•ci•ated [ɪ'meɪʃɪeɪtɪd] *adj* abgezehrt, ausgemergelt.

em•a|nate ['eməneɪt] *v/i* ausströmen; ausgehen (***from*** von); **~•na•tion** [emə'neɪʃn] *s* Ausströmen *n*; *fig.* Ausstrahlung *f*.

e•man•ci|pate [ɪ'mænsɪpeɪt] *v/t* emanzipieren; befreien; **~•pa•tion** [~'peɪʃn] *s* Emanzipation *f*; Befreiung *f*.

em•balm [ɪm'bɑːm] *v/t* (ein)balsamieren.

em•bank•ment [ɪm'bæŋkmənt] *s* Eindämmung *f*; (Erd)Damm *m*; (Bahn-, Straßen)Damm *m*; Uferstraße *f*.

em•bar•go [em'bɑːgəʊ] *s* (*pl* ***-goes***) Embargo *n*, (Hafen-, Handels)Sperre *f*.

em•bark [ɪm'bɑːk] *v/t and v/i mar., aer.* an Bord nehmen *or* gehen, *mar. a.* (sich) einschiffen; *cargo*: verladen; ***~ on, ~ upon*** *et.* anfangen *or* beginnen.

em•bar•rass [ɪm'bærəs] *v/t* in Verlegenheit bringen, verlegen machen, in e-e peinliche Lage versetzen; **~•ing** *adj* □ unangenehm, peinlich; **~•ment** *s* Verlegenheit *f*.

em•bas•sy ['embəsɪ] *s* Botschaft *f*.

em•bed [ɪm'bed] *v/t* (***-dd-***) (ein)betten, (ein)lagern.

em•bel•lish [ɪm'belɪʃ] *v/t* verschönern; *fig.* ausschmücken, beschönigen.

em•bers ['embəz] *s pl* Glut *f*.

em•bez•zle [ɪm'bezl] *v/t* unterschlagen; **~•ment** *s* Unterschlagung *f*.

em•bit•ter [ɪm'bɪtə] *v/t* verbittern.

em•blem ['embləm] *s* Sinnbild *n*; Wahrzeichen *n*.

E

em•bod•y [ɪm'bɒdɪ] *v/t* verkörpern; enthalten.

em•bo•lis•m *med.* ['embəlɪzəm] *s* Embolie *f*.

em•brace [ɪm'breɪs] **1.** *v/t and v/i* (sich) umarmen; einschließen; **2.** *s* Umarmung *f*.

em•broi•der [ɪm'brɔɪdə] *v/t* (be)sticken; *fig.* ausschmücken; **~•y** *s* Stickerei *f*; *fig.* Ausschmückung *f*.

em•broil [ɪm'brɔɪl] *v/t* (in Streit) verwickeln; verwirren.

e•men•da•tion [iːmən'deɪʃn] *s* Verbesserung *f*, Berichtigung *f*.

em•e•rald ['emərəld] **1.** *s* Smaragd *m*; **2.** *adj* smaragdgrün.

e•merge [ɪ'mɜːdʒ] *v/i* auftauchen; hervorgehen; *fig.* sich erheben; sich zeigen.

e•mer•gen•cy [ɪ'mɜːdʒənsɪ] *s* Not(lage) *f*, -fall *m*, -stand *m*; *attr* Not…; ***~ brake*** Notbremse *f*; ***~ call*** Notruf *m*; ***~ exit*** Notausgang *m*; ***~ landing*** *aer.* Notlandung *f*; ***~ number*** Notruf(nummer *f*) *m*; ***~ ward*** *med.* Notaufnahme *f*.

e•mer•gent [ɪ'mɜːdʒənt] *adj* auftauchend; *fig. nations*: (jung u.) aufstrebend.

EMI ***European Monetary Institute*** Europäisches Währungsinstitut (EWI).

em•i|grant ['emɪgrənt] *s* Auswanderer *m*, *pol.* Emigrant(in); **~•grate** [~reɪt] *v/i* auswandern, *esp. pol.* emigrieren; **~•gra•tion** [emɪ'greɪʃn] *s* Auswanderung *f*, *esp. pol.* Emigration *f*.

em•i|nence ['emɪnəns] *s* (An)Höhe *f*; hohe Stellung; Ruhm *m*, Bedeutung *f*; ♀ Eminenz *f* (*title*); **~•nent** *adj* □ *fig.* ausgezeichnet, hervorragend; ***~ly*** ganz besonders, äußerst.

e•mis•sion [ɪ'mɪʃən] *s* Aussendung *f*; *of fumes, etc.*: Emission *f* (*a. econ.*); ***noxious ~*** Schadstoffemission *f*; ***low in ~s*** schadstoffarm, emissionsarm;

~-free *adj* schadstofffrei; **~ stan•dards** *s pl* Schadstoffnormen *pl*, Emissionsrichtlinien *pl*; **~s trad•ing** *s* Emissionshandel *m*.

e•mit [ɪ'mɪt] *v/t* (**-tt-**) aussenden, -stoßen, -strahlen, -strömen; von sich geben.

e•mo•ti•con [ɪ'məʊtɪkən] *s computer*: Emoticon *n*.

e•mo•tion [ɪ'məʊʃn] *s* (Gemüts)Bewegung *f*, Gefühl(sregung *f*) *n*; Rührung *f*; **~•al** *adj* □ emotional; gefühlsmäßig; gefühlsbetont; ***~ly disturbed*** seelisch gestört; ***~ly ill*** gemütskrank; **~•less** *adj* gefühllos; unbewegt.

em•pe•ror ['empərə] *s* Kaiser *m*.

em•pha|sis ['emfəsɪs] *s* (*pl* ***-ses*** [-siːz]) Gewicht *n*; Nachdruck *m*; **~•size** [‿saɪz] *v/t* nachdrücklich betonen; **~t•ic** [ɪm'fætɪk] *adj* (***~ally***) nachdrücklich; deutlich; bestimmt.

em•pire ['empaɪə] *s* (Kaiser)Reich *n*; Herrschaft *f*; ***the British*** 2 das britische Weltreich.

em•pir•i•cal [em'pɪrɪkl] *adj* □ empirisch, erfahrungsgemäß.

em•ploy [ɪm'plɔɪ] **1.** *v/t* beschäftigen, anstellen; an-, verwenden, gebrauchen; **2.** *s* Beschäftigung *f*; ***in the ~ of*** angestellt bei; **~•ee** [emplɔɪ'iː] *s* Angestellte(r *m*) *f*, Arbeitnehmer(in); **~•er** [ɪm'plɔɪə] *s* Arbeitgeber(in); **~•ment** *s* Beschäftigung *f*, Arbeit *f*; ***~ agency, ~ bureau*** Stellenvermittlung(sbüro *n*) *f*; ***~ market*** Arbeits-, Stellenmarkt *m*; ***~ service agency*** *Br*. Arbeitsamt *n*.

em•pow•er [ɪm'paʊə] *v/t* ermächtigen; befähigen.

em•press ['emprɪs] *s* Kaiserin *f*.

emp|ti•ness ['emptɪnɪs] *s* Leere *f* (*a. fig.*); **~•ty** ['emptɪ] **1.** *adj* □ (***-ier, -iest***) leer (*a. fig.*); ***~ of*** ohne; **2.** *v/t* (aus-, ent)leeren; *v/i* sich leeren.

EMS ***European Monetary System*** Europäisches Währungssystem (EWS).

EMU ***European*** (***Economic and***) ***Monetary Union*** Europäische (Wirtschafts- und) Währungsunion (EWU).

em•u•late ['emjʊleɪt] *v/t* wetteifern mit; nacheifern (*dat*); es gleichtun (*dat*).

e•mul•sion [ɪ'mʌlʃn] *s* Emulsion *f*.

en•a•ble [ɪ'neɪbl] *v/t* befähigen, es *j-m* ermöglichen; ermächtigen.

en•act [ɪ'nækt] *v/t* verfügen, -ordnen; *law*: erlassen; *thea.* aufführen.

e•nam•el [ɪ'næml] **1.** *s* Email(le *f*) *n*; *anat.* (Zahn)Schmelz *m*; Glasur *f*, Lack *m*; Nagellack *m*; **2.** *v/t* (*esp. Br.* **-ll-**, *Am.* **-l-**) emaillieren; glasieren; lackieren.

en•chant [ɪn'tʃɑːnt] *v/t* bezaubern; **~•ing** *adj* □ bezaubernd; **~•ment** *s* Zauber *m*.

en•cir•cle [ɪn'sɜːkl] *v/t* einkreisen, umzingeln; umfassen, umschlingen.

enc(l). ***enclosure***(***s***) Anl., Anlage(n *pl*).

en•close [ɪn'kləʊz] *v/t* einzäunen; einschließen; *with letter*: beifügen; **enclosure** [‿əʊʒə] *s* Einzäunung *f*; eingezäuntes Grundstück; *with letter*: Anlage *f*.

en•com•pass [ɪn'kʌmpəs] *v/t* umgeben.

en•coun•ter [ɪn'kaʊntə] **1.** *s* Begegnung *f*; Gefecht *n*; **2.** *v/t* begegnen (*dat*); *problems, etc.*: stoßen auf (*acc*); *enemy*: zusammenstoßen mit.

en•cour•age [ɪn'kʌrɪdʒ] *v/t* ermutigen; fördern; **~•ment** *s* Ermutigung *f*; Anfeuerung *f*; Unterstützung *f*.

en•croach [ɪn'krəʊtʃ] *v/i* (***on, upon***) eingreifen (in *acc*), eindringen (in *acc*); übermäßig beanspruchen (*acc*); **~•ment** *s* Ein-, Übergriff *m*.

en•cy•clo•p(a)e•di•a [ensaɪklə'piːdɪə] *s* Enzyklopädie *f*.

end [end] **1.** *s* Ende *n*; Ziel *n*, Zweck *m*; ***no ~ of*** unendlich viel(e), unzählige; ***in the ~*** am Ende, schließlich; ***at the ~ of the day*** letztendlich, letzten Endes; ***on ~*** aufrecht; ***stand on ~*** *box, etc.*: hochkant stehen, *hair*: zu Berge stehen; ***to no ~*** vergebens; ***go off the deep ~*** *fig.* in die Luft gehen; ***make both ~s meet*** gerade auskommen; **2.** *v/i* enden; *v/t* beend(ig)en.

en•dan•ger [ɪn'deɪndʒə] *v/t* gefährden.

en•dear [ɪn'dɪə] *v/t* beliebt machen (***to s.o.*** bei *j-m*); **~•ing** *adj* □ gewinnend; liebenswert; **~•ment** *s* Liebkosung *f*; ***term of ~*** Kosewort *n*.

en•deav•o(u)r [ɪn'devə] **1.** *s* Bestreben *n*, Bemühung *f*; **2.** *v/i* sich bemühen.

end|ing ['endɪŋ] *s* Ende *n*; Schluss *m*; *gr.* Endung *f*; **~•less** *adj* □ endlos, unendlich; *tech.* endlos, Endlos…

en•dive *bot.* ['endɪv] *s* Endivie *f*.

en•dorse [ɪn'dɔːs] *v/t econ. cheque, etc.*: indossieren; e-n Vermerk machen auf (der Rückseite *gen*); gutheißen; **~•ment** *s* Aufschrift *f*, Vermerk *m*;

econ. Indossament *n.*

en•dow [ɪn'daʊ] *v/t fig.* ausstatten; **~ *s.o. with s.th.*** *j-m* et. stiften; **~•ment** *s* Stiftung *f*; *mst* **~s** *pl* Begabung *f*, Talent *n.*

en•dur|ance [ɪn'djʊərəns] Ausdauer *f*; Ertragen *n*; ***beyond ~, past ~*** unerträglich; **~e** [ɪn'djʊə] *v/t* ertragen.

en•e•my ['enəmɪ] **1.** *s* Feind *m*; ***the* ≗** der Teufel; **2.** *adj* feindlich.

en•er•get•ic [enə'dʒetɪk] *adj* (**~*ally***) energisch.

en•er•gy ['enədʒɪ] *s* Energie *f*; → ***economical***; **~ con•ser•va•tion** *s* Energieeinsparung *f*; **~ cri•sis** *s* Energiekrise *f*; **~ pol•i•cy** *s* Energiepolitik *f*; **~-sav•ing** *adj* Energie sparend; ***~ measures*** *pl* Energiesparmaßnahmen *pl.*

en•fold [ɪn'fəʊld] *v/t* einhüllen.

en•force [ɪn'fɔːs] *v/t* (mit Nachdruck, *a.* gerichtlich) geltend machen; erzwingen; aufzwingen (***upon*** *dat*); durchführen; **~•ment** *s* Erzwingung *f*; Geltendmachung *f*; Durchführung *f.*

en•fran•chise [ɪn'fræntʃaɪz] *v/t j-m* das Wahlrecht verleihen; *j-m* die Bürgerrechte verleihen.

en•gage [ɪn'geɪdʒ] *v/t* anstellen; verpflichten; *artist, etc.*: engagieren; in Anspruch nehmen; *mil.* angreifen; ***be ~d*** verlobt sein (***to*** mit); beschäftigt sein (***in*** mit); *toilet, Br. telephone*: besetzt sein; ***~ the clutch*** *mot.* (ein)kuppeln; *v/i* sich verpflichten (***to do*** zu tun); garantieren (***for*** für); sich beschäftigen (***in*** mit); *mil.* angreifen; *tech. of cogwheels*: greifen; **~•ment** *s* Verpflichtung *f*; Verlobung *f*; Verabredung *f*; Beschäftigung *f*; *mil.* Gefecht *n*; *tech.* Ineinandergreifen *n.*

en•gag•ing [ɪn'geɪdʒɪŋ] *adj* □ einnehmend; *smile, etc.*: gewinnend.

en•gine ['endʒɪn] *s* Maschine *f*; *mot.* Motor *m*; *rail.* Lokomotive *f*; **~-driv•er** *s Br. rail.* Lokomotivführer *m.*

en•gi•neer [endʒɪ'nɪə] **1.** *s* Ingenieur *m*; Techniker *m*; Mechaniker *m*; *Am. rail.* Lokomotivführer *m*; *mil.* Pionier *m*; **2.** *v/t* konstruieren, bauen; *fig.* organisieren, aushecken; **~•ing**; **1.** *s* Maschinen- u. Gerätebau *m*; Ingenieurwesen *n*; **2.** *adj* technisch; Ingenieur…

Eng•land ['ɪŋglənd] England *n.*

En•glish ['ɪŋglɪʃ] **1.** *adj* englisch; **2.** *s ling.* Englisch *n*; ***the ~*** *pl* die Engländer *pl*; ***in plain ~*** *fig.* unverblümt, auf gut Deutsch; **~•man** *s* Engländer *m*; **~•wom•an** *s* Engländerin *f.*

en•grave [ɪn'greɪv] *v/t* (ein)gravieren, (-)meißeln, (-)schnitzen; *fig.* einprägen; **en•grav•er** *s* Graveur *m*; **en•grav•ing** *s* (Kupfer-, Stahl)Stich *m*; Holzschnitt *m.*

en•grossed [ɪn'grəʊst] *adj* (***in***) (voll) in Anspruch genommen (von), vertieft, -sunken (in *acc*).

en•gulf [ɪn'gʌlf] *v/t* verschlingen (*a. fig.*).

en•hance [ɪn'hɑːns] *v/t* erhöhen.

e•nig•ma [ɪ'nɪgmə] *s* Rätsel *n*; **en•ig•mat•ic** [enɪg'mætɪk] *adj* (**~*ally***) rätselhaft.

en•joy [ɪn'dʒɔɪ] *v/t* sich erfreuen an (*dat*); genießen; ***did you ~ it?*** hat es Ihnen gefallen?; ***~ o.s.*** sich amüsieren, sich gut unterhalten; ***~ yourself!*** viel Spaß!; ***I ~ my dinner*** es schmeckt mir; **~•a•ble** *adj* □ angenehm, erfreulich; **~•ment** *s* Genuss *m*, Freude *f.*

en•large [ɪn'lɑːdʒ] *v/t* vergrößern (*a. phot.*), erweitern, ausdehnen; *v/i* sich vergrößern; *phot.* sich vergrößern lassen; *on a topic, etc.*: sich verbreiten *or* auslassen (***on, upon*** über *acc*); **~•ment** *s* Erweiterung *f*; Vergrößerung *f* (*a. phot.*).

en•light•en [ɪn'laɪtn] *v/t fig.* erleuchten; *j-n* aufklären; **~•ment** *s* Aufklärung *f.*

en•list [ɪn'lɪst] *v/t mil.* anwerben; *j-n* gewinnen; ***~ed men*** *pl Am. mil.* Unteroffiziere *pl* und Mannschaften *pl*; *v/i* sich freiwillig melden.

en•liv•en [ɪn'laɪvn] *v/t* beleben.

en•mi•ty ['enmətɪ] *s* Feindschaft *f.*

en•no•ble [ɪ'nəʊbl] *v/t* adeln; veredeln.

e•nor|mi•ty [ɪ'nɔːmətɪ] *s* Ungeheuerlichkeit *f*; **~•mous** [~əs] *adj* □ ungeheuer.

e•nough [ɪ'nʌf] *adj and adv* genug, genügend; ***be ~*** genügen, reichen; ***I've had ~*** mir reicht's.

en•quire, en•qui•ry [ɪn'kwaɪə, ~rɪ] → ***inquire, inquiry.***

en•rage [ɪn'reɪdʒ] *v/t* wütend machen; **~d** *adj* wütend (***at*** über *acc*).

en•rap•ture [ɪn'ræptʃə] *v/t* entzücken, hinreißen; **~d** *adj* entzückt, hingerissen.

en•rich [ɪn'rɪtʃ] *v/t* be-, anreichern.

en•rol(l) [ɪn'rəʊl] (***-ll-***) *v/t* eintragen,

E

univ. j-n immatrikulieren; *mil.* anwerben; aufnehmen; *v/i* sich einschreiben (lassen), *univ.* sich immatrikulieren; **~•ment** *s* Eintragung *f*, -schreibung *f*, *univ.* Immatrikulation *f*; *esp. mil.* Anwerbung *f*; Einstellung *f*; Aufnahme *f*; Schüler-, Studenten-, Teilnehmerzahl *f*.

en•sign ['ensaɪn] *s* Fahne *f*; Flagge *f*; Abzeichen *n*; *Am. mil.* ['ensn] Leutnant *m* zur See.

E

en•sure [ɪn'ʃʊə] *v/t* sichern, sicherstellen.

en•tail [ɪn'teɪl] *v/t jur.* als Erbgut vererben; *fig.* mit sich bringen.

en•tan•gle [ɪn'tæŋgl] *v/t* verwickeln; **~•ment** *s* Verwicklung *f*; *mil.* Drahtverhau *m*.

en•ter ['entə] *v/t* (hinein)gehen *or* hereinkommen in (*acc*), (ein)treten in (*acc*), betreten; einsteigen *or* einfahren *etc.* in (*acc*); eindringen in (*acc*); *econ.* eintragen, (ver)buchen; *protest, etc.*: erheben; *name, etc.*: eintragen, -schreiben, *j-n* aufnehmen; *sports*: melden, nennen; **~ *s.o. at school*** *j-n* zur Schule anmelden; *v/i* eintreten, herein-, hineinkommen, -gehen; *into country*: einreisen; *sports*: sich melden (***for*** für); **~ *into*** *fig.* eingehen auf (*acc*); **~ *on*** *or* ***upon an inheritance*** e-e Erbschaft antreten.

en•ter|prise ['entəpraɪz] *s* Unternehmen *n* (*a. econ.*); *econ.* Unternehmertum *n*; Unternehmungsgeist *m*; **~•pris•ing** *adj* □ unternehmungslustig; wagemutig; kühn.

en•ter•tain [entə'teɪn] *v/t* unterhalten; bewirten; in Erwägung ziehen; *doubt, etc.*: hegen; **~•er** *s* Entertainer(in), Unterhaltungskünstler(in); **~•ment** *s* Unterhaltung *f*; Bewirtung *f*.

en•thral(l) *fig.* [ɪn'θrɔːl] *v/t* (***-ll-***) fesseln, bezaubern.

en•throne [ɪn'θrəʊn] *v/t* inthronisieren.

en•thu•si•as|m [ɪn'θjuːzɪæzəm] *s* Begeisterung *f*; **~t** [~st] *s* Enthusiast(in); **~•tic** [ɪnθjuːzɪ'æstɪk] *adj* (***~ally***) begeistert.

en•tire [ɪn'taɪə] *adj* ganz, vollständig; ungeteilt; **~•ly** *adv* völlig; ausschließlich.

en•ti•tle [ɪn'taɪtl] *v/t* betiteln; berechtigen (***to*** zu).

en•ti•ty ['entətɪ] *s* Wesen *n*; Dasein *n*.

en•trails ['entreɪlz] *s pl* Eingeweide *pl*; *fig. das* Innere.

en•trance ['entrəns] *s* Eintritt *m*; Einfahrt *f*; Eingang *m*; Einlass *m*.

en•trench [ɪn'trentʃ] *v/t mil.* verschanzen (*a. fig.*).

en•trust [ɪn'trʌst] *v/t* anvertrauen (***s.th. to s.o.*** *j-m* et.); betrauen (***s.o. with s.th.*** *j-n* mit et.).

en•try ['entrɪ] *s* Einreise *f*; Einlass *m*, Zutritt *m*; Eingang *m*; Einfahrt *f*; Beitritt *m* (***into*** zu); Eintragung *f*; *sports*: Meldung *f*, Nennung *f*; **~ *formalities*** *pl* Einreiseformalitäten *pl*; **~ *permit*** Einreisegenehmigung *f*; **~ *visa*** Einreisevisum *n*; ***bookkeeping by double*** (***single***) **~** *econ.* doppelte (einfache) Buchführung; ***no ~!*** Zutritt verboten!, *mot.* keine Einfahrt!

en•twine [ɪn'twaɪn] *v/t* ineinanderschlingen.

E-number ['iːnʌmbə] *s* E-Nummer *f*.

en•vel•op [ɪn'veləp] *v/t* (ein)hüllen, einwickeln; **en•ve•lope** ['envələʊp] *s* (Brief)Umschlag *m*.

en•vi|a•ble ['envɪəbl] *adj* □ beneidenswert; **~•ous** [~əs] *adj* □ neidisch.

en•vi•ron|ment [ɪn'vaɪərənmənt] *s* Umgebung *f*, *sociol. a.* Milieu *n*; Umwelt *f* (*a. sociol.*); ***~-conscious*** umweltbewusst; **~ *policy*** Umweltpolitik *f*; ***Department of the*** ♀ *Br. pol.* Umweltministerium *n*; ***Minister*** *or Am.* ***Secretary of the*** ♀ *pol.* Umweltminister(in); **~•men•tal** [~'mentl] *adj* □ Umwelt...; **~ *expert*** Umweltexperte *m*, Umweltexpertin *f*; **~ *illness*** Umweltkrankheit *f*; **~ *law*** Umweltschutzgesetz *n*; **~ *pollution*** Umweltverschmutzung *f*; **~ *protection*** Umweltschutz *m*; ***~ly damaging*** umweltfeindlich; ***~ly friendly*** umweltfreundlich; **~•men•tal•ist** [~'mentəlɪst] *s* Umweltschützer(in); **~s** ['envɪrənz] *s pl of a town*: Umgebung *f*.

en•voy ['envɔɪ] *s* Gesandte(r) *m*.

en•vy ['envɪ] **1.** *s* Neid *m*; **2.** *v/t* beneiden.

ep•ic ['epɪk] **1.** *adj* episch; **2.** *s* Epos *n*.

ep•i•dem•ic [epɪ'demɪk] **1.** *adj* (***~ally***) seuchenartig; **~ *disease*** Epidemie *f*, Seuche *f*; **2.** *s* Epidemie *f*, Seuche *f*.

ep•i•lep•sy *med.* ['epɪlepsɪ] *s* Epilepsie *f*.

ep•i•logue, *Am. a.* **-log** ['epɪlɒg] *s* Nachwort *n*, Epilog *m*.

ep•i•sode ['epɪsəʊd] *s* Episode *f*; *TV, etc.*: Fortsetzung *f*, Folge *f*.

ep•i•taph ['epɪtɑːf] *s* Grabinschrift *f*; Gedenktafel *f*.

e•poch ['iːpɒk] *s* Epoche *f*, Zeitalter *n*.

e•qual ['iːkwəl] **1.** *adj* □ gleich; gleichmäßig; ~ ***opportunities*** *pl* Chancengleichheit *f*; ~ ***rights*** *pl* ***for women*** Gleichberechtigung *f* der Frau; **2.** *s* Gleiche(r *m*) *f*; **3.** *v/t* (*esp. Br.* **-ll-**, *Am.* **-l-**) gleichen (*dat*); **~•i•ty** [iː'kwɒlətɪ] *s* Gleichheit *f*; **~•i•za•tion** [iːkwəlaɪ'zeɪʃn] *s* Gleichstellung *f*; Ausgleich *m*; **~•ize** ['iːkwəlaɪz] *v/t* gleichmachen, -stellen, angleichen; *v/i sports*: ausgleichen; **~•iz•er** *s sports*: Ausgleichstreffer *m*.

e•qua•tion [ɪ'kweɪʒn] *s* Ausgleich *m*; *math.* Gleichung *f*.

e•qua•tor [ɪ'kweɪtə] *s* Äquator *m*.

e•qui•lib•ri•um [iːkwɪ'lɪbrɪəm] *s* Gleichgewicht *n*.

e•quip [ɪ'kwɪp] *v/t* (**-pp-**) ausrüsten; **~•ment** *s* Ausrüstung *f*; Einrichtung *f*.

e•quiv•a•lent [ɪ'kwɪvələnt] **1.** *adj* □ gleichwertig; gleichbedeutend (***to*** mit); **2.** *s* Äquivalent *n*, Gegenwert *m*.

e•ra ['ɪərə] *s* Zeitrechnung *f*; Zeitalter *n*.

e•rad•i•cate [ɪ'rædɪkeɪt] *v/t* ausrotten.

e•rase [ɪ'reɪz] *v/t* ausradieren, -streichen, löschen (*a. from computer*); *fig.* auslöschen; **e•ras•er** *s* Radiergummi *m*.

e•rect [ɪ'rekt] **1.** *adj* □ aufrecht; **2.** *v/t* aufrichten; *monument, etc.*: errichten; aufstellen; **e•rec•tion** [-kʃn] *s* Errichtung *f*; *physiol.* Erektion *f*.

e•ro•sion *geol.* [ɪ'rəʊʒn] *s* Erosion *f*, Auswaschung *f*.

e•rot|ic [ɪ'rɒtɪk] *adj* (**~*ally***) erotisch; **~•i•cis•m** [-ɪsɪzəm] *s* Erotik *f*.

er•rand ['erənd] *s* Botengang *m*, Auftrag *m*, Besorgung *f*; ***go on*** *or* ***run an*** ~ e-e Besorgung machen.

er•rat•ic [ɪ'rætɪk] *adj* (**~*ally***) sprunghaft, unstet, unberechenbar.

er•ror ['erə] *s* Irrtum *m*, Fehler *m*; **~*s excepted*** Irrtümer vorbehalten.

e•rupt [ɪ'rʌpt] *v/i volcano, etc.*: ausbrechen; *teeth*: durchbrechen; **e•rup•tion** [-pʃn] *s* (Vulkan)Ausbruch *m*; *med.* (Haut)Ausschlag *m*.

ESA ***European Space Agency*** Europäische Weltraumbehörde.

es•ca|late ['eskəleɪt] *v/i conflict, etc.*: eskalieren, sich ausweiten; *costs, etc.*: steigen, in die Höhe gehen; **~•la•tion** [eskə'leɪʃn] *s* Eskalation *f*.

es•ca•la•tor ['eskəleɪtə] *s* Rolltreppe *f*.

es•ca•lope ['eskələʊp] *s* (*esp.* Wiener) Schnitzel *n*.

es•cape [ɪ'skeɪp] **1.** *v/i* (***from***) entkommen *or* -rinnen (*dat*); entweichen (*dat*); *v/t* entgehen (*dat*); *j-m* entfallen; **2.** *s* Entrinnen *n*; Entweichen *n*; Flucht *f*; ***have a narrow*** ~ mit knapper Not davonkommen; ~ ***chute*** *aer.* Notrutsche *f*; ~ ***key*** *computer*: Escape-Taste *f*.

es•cort **1.** *s* ['eskɔːt] *mil.* Eskorte *f*; Geleit(schutz *m*) *n*; **2.** *v/t* [ɪ'skɔːt] *mil.* eskortieren; *aer., mar.* Geleit(schutz) geben (*dat*); geleiten.

esp. ***especially*** bes., bsd., besonders.

es•pe•cial [ɪ'speʃl] *adj* besondere(r, -s); vorzüglich; **~•ly** [-lɪ] *adv* besonders.

es•pi•o•nage [espɪə'nɑːʒ] *s* Spionage *f*.

es•pla•nade [esplə'neɪd] *s* (*esp.* Strand-)Promenade *f*.

es•say ['eseɪ] *s* Aufsatz *m*, kurze Abhandlung, Essay *m, n*.

es•sence ['esns] *s nature of s.th.*: Wesen *n*; *extract*: Essenz *f*, Extrakt *m*.

es•sen•tial [ɪ'senʃl] **1.** *adj* □ (***to*** für) wesentlich; wichtig; **2.** *s mst* **~*s*** *pl das* Wesentliche; **~•ly** [-lɪ] *adv* im Wesentlichen, in der Hauptsache.

es•tab•lish [ɪ'stæblɪʃ] *v/t* festsetzen; errichten, gründen; einrichten; *j-n* einsetzen; ~ ***o.s.*** sich niederlassen; **~•ment** *s* Er-, Einrichtung *f*; Gründung *f*; ***the*** ≈ das Establishment, die etablierte Macht, die herrschende Schicht; ***freedom of*** ~ *econ., jur.* Niederlassungsfreiheit *f*.

es•tate [ɪ'steɪt] *s* (großes) Grundstück, Landsitz *m*, Gut *n*; *jur.* Besitz *m*, (Erb-) Masse *f*, Nachlass *m*; ***housing*** ~ (Wohn)Siedlung *f*; ***industrial*** ~ Industriegebiet *n*; ***real*** ~ Liegenschaften *pl*, Immobilien *pl*; ~ **a•gent** *s* Grundstücks-, Immobilienmakler *m*; ~ **car** *s* *Br. mot.* Kombi(wagen) *m*.

es•teem [ɪ'stiːm] **1.** *s* Achtung *f*, Ansehen *n* (***with*** bei); **2.** *v/t* achten, (hoch) schätzen; ansehen *or* betrachten als.

Es•t(h)o•nia [e'stəʊnjə] Estland *n*.

es•ti|mate **1.** *v/t* ['estɪmeɪt] (ab-, ein)schätzen; veranschlagen; **2.** *s* [-mɪt] Schätzung *f*; *econ.* (Kosten)Voran-

E

schlag *m*; **~•ma•tion** [estɪ'meɪʃn] *s* Schätzung *f*; Meinung *f*; Achtung *f*.
es•tu•a•ry ['estjʊərɪ] *s* Flussmündung *f*.
etch [etʃ] *v/t* ätzen; radieren; **~•ing** ['etʃɪŋ] *s* Radierung *f*; Kupferstich *m*.
e•ter|nal [ɪ'tɜːnl] *adj* □ immer während, ewig; **~•ni•ty** [~ətɪ] *s* Ewigkeit *f*.
e•ther ['iːθə] *s* Äther *m*; **e•the•re•al** [iː'θɪərɪəl] *adj* □ ätherisch (*a. fig.*).
eth|i•cal ['eθɪkl] *adj* □ sittlich, ethisch; **~•ics** [~s] *s sg* Sittenlehre *f*, Ethik *f*.
E•thi•o•pia [ˌiːθɪ'əʊpjə] Äthiopien *n*.
EU [ˌiː'juː] (*abbr. for* ***European Union***) Europäische Union (EU); ***joining the ~*** *od.* ***~ entry*** EU-Beitritt *m*; ***~ Commission*** EU-Kommission *f*; ***~ Commissioner*** EU-Kommissar *m*; ***~ directive*** EU-Richtlinie *f*; ***~ expansion into Eastern Europe*** EU-Osterweiterung *f*; ***~-regulation*** EU-Verordnung *f*.
eu•pho•ri•a [juː'fɔːrɪə] *s* Euphorie *f*, Hochgefühl *n*.
EUR ***Euro*** Euro *m*.
Eu•ro ['jʊərəʊ] *s* Euro *m*; ***the launching of the ~*** die Einführung des Euro.
Eu•ro|... ['jʊərəʊ] europäisch, Euro...; **~•cent** *s* Eurocent *m*; **~•cheque** *s* Euroscheck *m*; **~•crat** *s mst pl* Eurokrat *m*; **~•cur•ren•cy** *s* Eurowährung *f*; **~-e•lec•tions** *s pl* Europawahl(en *pl*) *f*; **~•fight•er** *s mil.* Eurofighter *m*; **~land** *s* Euroland *n*; **~•norm** *s* Euronorm *f*.
Eu•rope ['jʊərəp] *s* Europa *n*; ***Council of ~*** Europarat *m*.
Eu•ro•pe•an [jʊərə'pɪən] **1.** *adj* europäisch; **2.** *s* Europäer(in); **~ Cen•tral Bank** *s* (*abbr.* ***ECB***) Europäische Zentralbank (EZB); **~ Coal and Steel Com•mu•ni•ty** *s* Montanunion *f*; **~ Com•mis•sion** *s* Europäische Kommission; **~ Coun•cil** *s* Europäischer Rat; **~ Court of Au•di•tors** *s* Europäischer Rechnungshof; **~ Court of Jus- tice** *s* Europäischer Gerichtshof; **~ Cur•ren•cy U•nit** *s* (*abbr.* ***ECU***) Europäische Währungseinheit (ECU); **~ e•lec•tions** *pl* Europawahlen *pl*; **~ (Ec•o•nom•ic and) Mon•e•ta•ry U•n-ion** *s* Europäische (Wirtschafts- und) Währungsunion; **~ Mon•e•ta•ry Fund** *s* Europäischer Währungsfonds; **~ Mon•e•ta•ry In•sti•tute** *s* (*abbr.* ***EMI***) Europäisches Währungsinstitut (EWI); **~ Mon•e•ta•ry Sys•tem** *s* Europäisches Währungssystem; **~ Mon•e•ta•ry U•nion** *s* Europäische Währungsunion; **~ Par•lia•ment** *s* Europaparlament *n*; **~ Pa•tent Of•fice** *s* Europäisches Patentamt; **~ pol•i•cy** *s* Europapolitik *f*; **Sin•gle ~ Mar•ket** *s* Europäischer Binnenmarkt.
Eu•ro•scep•tic ['jʊərəʊˌskeptɪc] Euroskeptiker(in).
e•vac•u•ate [ɪ'vækjʊeɪt] *v/t* entleeren; evakuieren; *house, etc.*: räumen.
e•vade [ɪ'veɪd] *v/t* (geschickt) ausweichen (*dat*); umgehen.
e•val•u•ate [ɪ'væljʊeɪt] *v/t* schätzen; abschätzen, bewerten, beurteilen.
e•van•ge•list [iː'vændʒelɪst] *s* Evangelist(in).
e•vap•o|rate [ɪ'væpəreɪt] *v/t and v/i* verdunsten *or* -dampfen (lassen); ***~d milk*** Kondensmilch *f*; **~•ra•tion** [ɪvæpə'reɪʃn] *s* Verdunstung *f*, -dampfung *f*.
e•va|sion [ɪ'veɪʒn] *s* Entkommen *n*; Umgehung *f*, Vermeidung *f*; Ausflucht *f*; **~•sive** [~sɪv] *adj* □ ausweichend; ***be ~*** ausweichen.
eve [iːv] *s* Vorabend *m*; Vortag *m*; ***on the ~ of*** unmittelbar vor (*dat*), am Vorabend (*gen*).
e•ven ['iːvn] **1.** *adj* □ eben, gleich; gleichmäßig; ausgeglichen; glatt; *number*: gerade; ***get ~ with s.o.*** *fig.* mit *j-m* abrechnen; **2.** *adv* selbst, sogar, auch; ***not ~*** nicht einmal; ***~ though, ~ if*** wenn auch; **3.** *v/t* ebnen, glätten; ***~ out*** (*v/i* sich) ausgleichen.
eve•ning ['iːvnɪŋ] *s* Abend *m*; ***~ class*** Abendkurs *m*; ***~ dress*** Gesellschaftsanzug *m*, Smoking *m*; Abendkleid *n*.
e•vent [ɪ'vent] *s* Ereignis *n*, Vorfall *m*; sportliche Veranstaltung; *sports*: Disziplin *f*; *sports*: Wettbewerb *m*; ***at all ~s*** auf alle Fälle; ***in the ~ of*** im Falle (*gen*) *or* für den Fall, dass *or* falls; **~•ful** *adj* □ ereignisreich.
e•ven•tu•al [ɪ'ventʃʊəl] *adj* schließlich; ***~ly*** schließlich, endlich; irgendwann.
ev•er ['evə] *adv* je, jemals; immer; ***~ so*** noch so (sehr); ***~ after, ~ since*** von der Zeit an, seitdem; ***for ~*** für immer, auf ewig; *in letter*: ***Yours ~, ...*** Viele Grüße, dein(e) *or* Ihr(e) ...; **~•green** **1.** *adj* immergrün; unverwüstlich, *esp.* immer wieder gern gehört; ***~ song*** Evergreen *m*; **2.** *s bot.* immergrüne Pflanze.

ev•ery ['evrɪ] *adv* jede(r, -s); alle(r, -s); ~ ***now and then*** dann u. wann; ~ ***one of them*** jeder von ihnen; ~ ***other day*** jeden zweiten Tag, alle zwei Tage; **~•bod•y** *pron* jeder(mann); **~•day** *adj* alltäglich, Alltags…; **~•one** *pron* jeder(mann); **~•thing** *pron* alles; **~•where** *adv* überall; überallhin.

e•vict [ɪ'vɪkt] *v/t jur.* zwangsräumen; *j-n* gewaltsam vertreiben.

ev•i|dence ['evɪdəns] **1.** *s* Beweis(material *n*) *m*, Beweise *pl*; (Zeugen)Aussage *f*; ***give*** ~ (als Zeuge) aussagen; ***in*** ~ als Beweis; deutlich sichtbar; **2.** *v/t* zeugen von; **~•dent** *adj* □ augenscheinlich, offenbar, klar.

e•vil ['iːvl] **1.** *adj* □ übel, schlimm, böse; **2.** *s* Übel *n*; *das* Böse; **~-mind•ed** [~'maɪndɪd] *adj* bösartig.

e•voke [ɪ'vəʊk] *v/t* (herauf)beschwören; *memories*: wachrufen.

ev•o•lu•tion [iːvə'luːʃn] *s* Evolution *f*, Entwicklung *f*.

e•volve [ɪ'vɒlv] *v/t and v/i* (sich) entwickeln.

ex [eks] **1.** *prp econ.*: ~ ***factory/ship*** ab Fabrik/Schiff; **2.** *s* F Verflossene(r *m*), Ex *m*, *f*.

ex- [~] ehemalig, früher.

ex•act [ɪg'zækt] **1.** *adj* genau, exakt; **2.** *v/t payment*: eintreiben; *obedience*: fordern; **~•ing** *adj person*: streng, genau; **~•i•tude** [~ɪtjuːd] → ***exactness***; **~•ly** *adv* exakt, genau; *answer*: ganz recht, genau; **~•ness** *s* Genauigkeit *f*.

ex•ag•ge|rate [ɪg'zædʒəreɪt] *v/t and v/i* übertreiben; **~•ra•tion** [ɪgzædʒə'reɪʃn] *s* Übertreibung *f*.

ex•am F [ɪg'zæm] *s* Examen *n*.

ex•am|i•na•tion [ɪgzæmɪ'neɪʃn] *s* Examen *n*, Prüfung *f*; Untersuchung *f*; Vernehmung *f*; **~•ine** [ɪg'zæmɪn] *v/t* untersuchen; *jur.* vernehmen, -hören; *school, etc.*: prüfen (***in*** in *dat*; ***on*** über *acc*).

ex•am•ple [ɪg'zɑːmpl] *s* Beispiel *n*; Vorbild *n*, Muster *n*; ***for*** ~ zum Beispiel.

ex•as•pe|rate [ɪg'zæspəreɪt] *v/t* wütend machen; **~•rat•ing** *adj* □ ärgerlich.

ex•ca•vate ['ekskəveɪt] *v/t* ausgraben, -heben, -schachten.

ex•ceed [ɪk'siːd] *v/t* überschreiten; übertreffen; **~•ing** *adj* □ übermäßig; **~•ing•ly** *adv* außerordentlich, überaus.

ex•cel [ɪk'sel] (**-ll-**) *v/t* übertreffen; *v/i* sich auszeichnen; **~•lence** ['eksələns] *s* ausgezeichnete Qualität; hervorragende Leistung; **Ex•cel•len•cy** [~ənsɪ] *s* Exzellenz *f*; **~•lent** [~ənt] *adj* □ ausgezeichnet, hervorragend.

ex•cept [ɪk'sept] **1.** *v/t* ausnehmen, -schließen; **2.** *prp* ausgenommen, außer; ~ ***for*** abgesehen von; **~•ing** *prp* ausgenommen.

ex•cep•tion [ɪk'sepʃn] *s* Ausnahme *f*; Einwand *m* (***to*** gegen); ***by way of*** ~ ausnahmsweise; ***make an*** ~ e-e Ausnahme machen; ***take*** ~ ***to*** Anstoß nehmen an (*dat*); **~•al** *adj* außergewöhnlich; **~•al•ly** *adv* un-, außergewöhnlich.

ex•cerpt ['eksɜːpt] *s* Auszug *m*, Exzerpt *n*.

ex•cess [ɪk'ses] *s* Übermaß *n*; Überschuss *m*; Ausschweifung *f*; *attr* Mehr…; ~ ***baggage*** *esp. Am.*, ~ ***luggage*** *esp. Br. aer.* Übergepäck *n*; ~ ***capacity*** *econ.* Überkapazität *f*; ~ ***fare*** (Fahrpreis)Zuschlag *m*; ~ ***postage*** Nachgebühr *f*; **ex•ces•sive** [~ɪv] *adj* □ übermäßig, übertrieben.

ex•change [ɪks'tʃeɪndʒ] **1.** *v/t* (aus-, ein-, um)tauschen (***for*** gegen); wechseln; **2.** *s* (Aus-, Um)Tausch *m*; (*esp.* Geld)Wechsel *m*; *a.* ***bill of*** ~ Wechsel *m*; Börse *f*; Wechselstube *f*; (***telephone***) ~ Fernsprechamt *n*; ***foreign*** ~(***s*** *pl*) Devisen *pl*; ***rate of*** ~, ~ ***rate*** Wechselkurs *m*; ~ ***rate fluctuations*** *pl* Wechselkursschwankungen *pl*; ~ ***rate mechanism*** Wechselkursmechanismus *m*; ~ ***office*** Wechselstube *f*; ~ ***risk*** Wechselkursrisiko *n*; ~ ***student*** Austauschstudent(in), -schüler(in).

ex•cheq•uer [ɪks'tʃekə] *s* Staatskasse *f*; ***Chancellor of the*** **℞** *Br.* Schatzkanzler *m*, Finanzminister *m*.

ex•cise¹ [ek'saɪz] *s* Verbrauchssteuer *f*.

ex•cise² *med.* [~] *v/t* herausschneiden.

ex•ci•ta•ble [ɪk'saɪtəbl] *adj* reizbar, (leicht) erregbar.

ex•cite [ɪk'saɪt] *v/t* er-, anregen; reizen; **ex•cit•ed** *adj* □ erregt, aufgeregt; **ex•cite•ment** *s* Auf-, Erregung *f*; Reizung *f*; **ex•cit•ing** *adj* □ aufregend, spannend.

ex•claim [ɪk'skleɪm] *v/t* (aus)rufen.

ex•cla•ma•tion [ekskl ə'meɪʃn] *s* Ausruf *m*, (Auf)Schrei *m*; ~ ***mark***, *Am. a.* ~ ***point*** Ausrufe-, Ausrufungszeichen *n*.

ex•clude [ɪk'skluːd] *v/t* ausschließen.

E

ex•clu|sion [ɪk'sklu:ʒn] *s* Ausschließung *f*, Ausschluss *m*; **~•sive** [~sɪv] *adj* □ ausschließlich; exklusiv; Exklusiv…; *~ **of*** abgesehen von, ohne.

ex•cre•ment ['ekskrɪmənt] *s* Kot *m*.

ex•crete [ek'skri:t] *v/t* ausscheiden.

ex•cru•ci•at•ing [ɪk'skru:ʃɪeɪtɪŋ] *adj* □ *of pain*: entsetzlich, scheußlich.

ex•cur•sion [ɪk'skɜ:ʃn] *s* Ausflug *m*.

E

ex•cu•sa•ble [ɪk'skju:zəbl] *adj* □ entschuldbar; **ex•cuse 1.** *v/t* [ɪk'skju:z] entschuldigen; *~ **me*** entschuldige(n Sie); *~ **s.o.*** *j-m* verzeihen; **2.** *s* [~u:s] Entschuldigung *f*; Ausrede *f*.

ex•e|cute ['eksɪkju:t] *v/t* ausführen; vollziehen; *mus.* vortragen; hinrichten; *jur. will*: vollstrecken; **~•cu•tion** [~'kju:ʃn] *s* Ausführung *f*; Vollziehung *f*; *jur.* (Zwangs)Vollstreckung *f*; *punishment*: Hinrichtung *f*; *mus.* Vortrag *m*; ***put** or **carry a plan into** ~* e-n Plan ausführen *or* verwirklichen; **~•cu•tion•er** [~'kju:ʃnə] *s* Henker *m*, Scharfrichter *m*; **~c•u•tive** [ɪg'zekjʊtɪv] **1.** *adj* □ vollziehend, ausübend, *pol.* Exekutiv…; *econ.* leitend; *~ **board*** Vorstand *m*; *~ **committee*** Exekutivausschuss *m*; **2.** *s pol.* Exekutive *f*, vollziehende Gewalt; *econ.* leitender Angestellter; **~c•u•tor** [ɪg'zekjʊtə] *s* Erbschaftsverwalter *m*, Testamentsvollstrecker *m*.

ex•em•pla•ry [ɪg'zemplərɪ] *adj* □ vorbildlich.

ex•em•pli•fy [ɪg'zemplɪfaɪ] *v/t* veranschaulichen.

ex•empt [ɪg'zempt] **1.** *adj* befreit, frei; **2.** *v/t* ausnehmen, befreien.

ex•er•cise ['eksəsaɪz] **1.** *s* Übung *f*; Ausübung *f*; *school*: Übung(sarbeit) *f*, Schulaufgabe *f*; *mil.* Manöver *n*; (körperliche) Bewegung; ***do one's ~s*** Gymnastik machen; ***get** ~* Bewegung haben; ***take** ~* sich Bewegung verschaffen; *Am.* **~s** *pl* Feierlichkeiten *pl*; *~ **book*** Schul-, Schreibheft *n*; **2.** *v/t and v/i* üben; ausüben; (sich) bewegen, trainieren; sich Bewegung verschaffen; *mil.* exerzieren.

ex•ert [ɪg'zɜ:t] *v/t influence, etc.*: ausüben; *~ **o.s.*** sich anstrengen *or* bemühen; **ex•er•tion** [~ɜ:ʃn] *s* Ausübung *f*; Anstrengung *f*, Strapaze *f*.

ex•hale [eks'heɪl] *v/t and v/i* ausatmen; *gas, smell, etc.*: verströmen; *smoke*: ausstoßen.

ex•haust [ɪg'zɔ:st] **1.** *v/t* erschöpfen; entleeren; auspumpen; **2.** *s tech.* Abgas *n*, Auspuffgase *pl*; Auspuff *m*; *~ **catalytic converter*** Abgaskatalysator *m*; *~ **fumes*** *pl* Abgase *pl*; *~ **pipe*** Auspuffrohr *n*; **~•ed** *adj* erschöpft (*a. fig.*); **exhaus•tion** [~tʃən] *s* Erschöpfung *f*; **ex•haus•tive** [~tɪv] *adj* □ erschöpfend.

ex•hib•it [ɪg'zɪbɪt] **1.** *v/t* ausstellen; *jur.* vorzeigen, *evidence*: beibringen; *fig.* zeigen; **2.** *s* Ausstellungsstück *n*; Beweisstück *n*; **ex•hi•bi•tion** [eksɪ'bɪʃn] *s* Ausstellung *f*; Zurschaustellung *f*.

ex•ile ['eksaɪl] **1.** *s* Verbannung *f*; Exil *n*; Verbannte(r *m*) *f*; im Exil Lebende(r *m*) *f*; **2.** *v/t* in die Verbannung *or* ins Exil schicken.

ex•ist [ɪg'zɪst] *v/i* existieren; vorhanden sein; leben; bestehen; **~•ence** *s* Existenz *f*; Vorhandensein *n*, Vorkommen *n*; Leben *n*, Dasein *n*; **~•ent** *adj* existent, bestehend, vorhanden.

ex•it ['eksɪt] **1.** *s* Ausgang *m*; (Autobahn)Ausfahrt *f*; Ausreise *f*; *thea.* Abgang *m*; **2.** *v/i* hinausgehen; *thea.* abgehen; *v/t Am.* aussteigen aus; *~ **per•mit*** *s* Ausreisegenehmigung *f*.

ex•or•bi•tant [ɪg'zɔ:bɪtənt] *adj* □ übertrieben, maßlos; *price, etc.*: unverschämt.

ex•ot•ic [ɪg'zɒtɪk] *adj* (**~ally**) exotisch; fremdländisch; fremd(artig).

ex•pand [ɪk'spænd] *v/t and v/i* (sich) ausbreiten; (sich) ausdehnen *or* erweitern; expandieren; *~ **on*** sich auslassen über (*acc*); **ex•panse** [~ns] *s* Ausdehnung *f*, Weite *f*; **ex•pan•sion** [~ʃn] *s* Ausbreitung *f*; *phys.* Ausdehnen *n*; *fig.* Erweiterung *f*, Ausweitung *f*; **expan•sive** [~sɪv] *adj* □ ausdehnungsfähig; ausgedehnt, weit; *fig.* mitteilsam.

ex•pat•ri•ate [eks'pætrɪeɪt] *v/t j-n* ausbürgern, *j-m* die Staatsangehörigkeit aberkennen.

ex•pect [ɪk'spekt] *v/t* erwarten; F annehmen; ***be ~ing*** in anderen Umständen sein; **ex•pec•tant** [~ənt] *adj* □ erwartend (***of** acc*); *~ **mother*** werdende Mutter; **ex•pec•ta•tion** [ekspek'teɪʃn] *s* Erwartung *f*; Hoffnung *f*, Aussicht *f*.

ex•pe•dient [ɪk'spi:dɪənt] **1.** *adj* □ zweckmäßig; ratsam; **2.** *s* (Hilfs)Mittel *n*, (Not)Behelf *m*.

ex•pe•di|tion [ekspɪ'dɪʃn] *s* Expedition

f, (Forschungs)Reise *f*; *mil.* Feldzug *m*.

ex•pel [ɪk'spel] *v/t* (**-ll-**) ausstoßen; vertreiben, -jagen; hinauswerfen, ausschließen.

ex•pend [ɪk'spend] *v/t money*: ausgeben; aufwenden; verbrauchen; **ex•pen•di•ture** [˷dɪtʃə] *s* Ausgabe *f*; Aufwand *m*; **ex•pense** [ɪk'spens] *s* Ausgabe *f*; Kosten *pl*; **˷s** *pl* Unkosten *pl*, Spesen *pl*, Auslagen *pl*; ***at the ˷ of*** auf Kosten (*gen*); ***at any ˷*** um jeden Preis; **ex•pen•sive** [˷sɪv] *adj* □ kostspielig, teuer.

ex•pe•ri•ence [ɪk'spɪərɪəns] **1.** *s* Erfahrung *f*; (Lebens)Praxis *f*; Erlebnis *n*; **2.** *v/t* erfahren, erleben; **˷d** *adj* erfahren.

ex•per•i|ment **1.** *s* [ɪk'sperɪmənt] Versuch *m*; **2.** *v/i* [˷ment] experimentieren; **˷•men•tal** [eksperɪ'mentl] *adj* □ Versuchs…, experimentell.

ex•pert ['ekspɜːt] **1.** *adj* □ [*pred* eks'pɜːt] erfahren, geschickt; fachmännisch; **2.** *s* Fachmann *m*; Sachverständige(r *m*) *f*; **ex•per•tise** [ekspɜː'tiːz] *s* Sachkenntnis *f*, Sachverstand *m*.

ex•pi•ra•tion [ekspɪ'reɪʃn] *s* Ablauf *m*, Ende *n*; **ex•pire** [ɪk'spaɪə] *v/i*; *passport etc.*: ablaufen, verfallen; **ex•pir•y** [ɪk'spaɪərɪ] Ablauf*m*; ***˷ date*** *of passport etc.*: Ablaufdatum *n*.

ex•plain [ɪk'spleɪn] *v/t* erklären, erläutern; *reasons*: auseinandersetzen (*all*: ***s.th. to s.o.*** *j-m* et.).

ex•pla•na•tion [eksplə'neɪʃn] *s* Erklärung *f*; Erläuterung *f*; **ex•plan•a•to•ry** [ɪk'splænətərɪ] *adj* □ erklärend.

ex•pli•ca•ble ['eksplɪkəbl] *adj* □ erklärlich.

ex•pli•cit [ɪk'splɪsɪt] *adj* □ deutlich, explizit.

ex•plode [ɪk'spləʊd] *v/i and v/t* explodieren (lassen); *fig.* ausbrechen (***with*** in *acc*), platzen (***with*** vor *dat*); *fig.* sprunghaft ansteigen.

ex•ploit **1.** *s* ['eksplɔɪt] Heldentat *f*; **2.** *v/t* [ɪk'splɔɪt] ausbeuten; *fig.* ausnutzen; **ex•ploi•ta•tion** [eksplɔɪ'teɪʃn] *s* Ausbeutung *f*, Auswertung *f*, Verwertung *f*, Abbau; *fig.* Ausnutzung *f*.

ex•plo•ra•tion [eksplə'reɪʃn] *s* Erforschung *f*; **ex•plore** [ɪk'splɔː] *v/t* erforschen; **ex•plor•er** [˷rə] *s* Forscher(in).

ex•plo|sion [ɪk'spləʊʒn] *s* Explosion *f*; *fig.* Ausbruch *m*; *fig.* sprunghafter Anstieg; **˷•sive** [˷əʊsɪv] **1.** *adj* □ explosiv; *fig.* aufbrausend; *fig.* sprunghaft ansteigend; **2.** *s* Sprengstoff *m*.

ex•po•nent [ek'spəʊnənt] *s* Exponent *m* (*a. math.*); Vertreter *m*.

ex•port **1.** *v/t* [ek'spɔːt] exportieren, ausführen; **2.** *s* ['ekspɔːt] Export(artikel) *m*, Ausfuhr(artikel *m*) *f*; **ex•por•ta•tion** [ekspɔː'teɪʃn] *s* Ausfuhr *f*.

ex•pose [ɪk'spəʊz] *v/t* aussetzen; *phot.* belichten; ausstellen; *fig.* entlarven, bloßstellen, *et.* aufdecken; **ex•po•si•tion** [ekspə'zɪʃn] *s* Ausstellung *f*.

ex•po•sure [ɪk'spəʊʒə] *s* Aussetzen *n*; Ausgesetztsein *n*; *fig.* Bloßstellung *f*; Aufdeckung *f*; Enthüllung *f*, Entlarvung *f*; *phot.* Belichtung *f*; *phot.* Aufnahme *f*; ***˷ meter*** Belichtungsmesser *m*.

ex•press [ɪk'spres] **1.** *adj* □ Express…, Eil…; ***˷ company*** *Am.* (Schnell)Transportunternehmen *n*; ***˷ train*** Schnellzug *m*; **˷way** *esp. Am.* Schnellstraße *f*; **2.** *s* Eilbote *m*; Schnellzug *m*; ***by ˷*** durch Eilboten; als Eilgut; **3.** *adv* durch Eilboten; als Eilgut; **4.** *v/t* äußern, ausdrücken; auspressen.

ex•pres•sion [ɪk'spreʃn] *s* Ausdruck *m*; **˷•less** *adj* □ ausdruckslos; **ex•pres•sive** [˷sɪv] *adj* □ ausdrückend (***of*** *acc*); ausdrucksvoll; **ex•press•ly** [˷lɪ] *adv* ausdrücklich, eigens.

ex•pro•pri•ate [eks'prəʊprɪeɪt] *v/t* enteignen.

ex•pul•sion [ɪk'spʌlʃn] *s* Vertreibung *f*; Ausweisung *f*.

ex•qui•site ['ekskwɪzɪt] *adj* □ auserlesen, vorzüglich; fein; *pain*: heftig.

ext. ***extension*** *teleph.* Apparat *m* (*Nebenanschluss*); ***external, exterior*** äußerlich, Außen …

ex•tend [ɪk'stend] *v/t* ausdehnen; ausstrecken; erweitern; verlängern; *help, etc.*: gewähren; *mil.* ausschwärmen lassen; *v/i* sich erstrecken.

ex•ten|sion [ɪk'stenʃn] *s* Ausdehnung *f*; Erweiterung *f*; Verlängerung *f*; Aus-, Anbau *m*; *teleph.* Nebenanschluss *m*, Apparat *m*; ***˷ cord*** *electr.* Verlängerungsschnur *f*; **˷•sive** [˷sɪv] *adj* ausgedehnt, umfassend.

ex•tent [ɪk'stent] *s* Ausdehnung *f*, Weite *f*, Größe *f*, Umfang *m*; Grad *m*; ***to the ˷ of*** bis zum Betrag von; ***to some*** *or* ***a certain ˷*** bis zu e-m gewissen Grade, einigermaßen.

ex•ten•u•ate [ek'stenjʊeɪt] *v/t* abschwächen, mildern; beschönigen; ***extenuating circumstances*** *pl jur.* mildernde Umstände *pl.*
ex•te•ri•or [ek'stɪərɪə] **1.** *adj* äußerlich, äußere(r, -s), Außen…; **2.** *s das* Äußere; *TV, etc.*: Außenaufnahme *f.*
ex•ter•mi•nate [ek'stɜːmɪneɪt] *v/t* ausrotten (*a. fig.*), vernichten, *pests, weed*: *a.* vertilgen.
ex•ter•nal [ek'stɜːnl] *adj* □ äußere(r, -s), äußerlich, Außen…
ex•tinct [ɪk'stɪŋkt] *adj* erloschen; ausgestorben; **ex•tinc•tion** [₋kʃn] *s* Erlöschen *n*; Aussterben *n*, Untergang *m*; (Aus)Löschen *n*; Vernichtung *f.*
ex•tin•guish [ɪk'stɪŋgwɪʃ] *v/t* (aus)löschen; vernichten; **~•er** [₋ə] *s* (Feuer-) Löschgerät *n*, Feuerlöscher *m.*
ex•tort [ɪk'stɔːt] *v/t* erpressen (***from*** von); **ex•tor•tion** [₋ʃn] *s* Erpressung *f.*
ex•tra ['ekstrə] **1.** *adj* Extra…, außer…, Außer…; Neben…, Sonder…; ***~ pay*** Zulage *f*; ***~ time*** *sports*: (Spiel)Verlängerung *f*; **2.** *adv* besonders; **3.** *s et.* Zusätzliches, Extra *n*; Zuschlag *m*; Extrablatt *n*; *thea.*, *TV*: Statist(in).
ex•tract 1. *s* ['ekstrækt] Auszug *m*; **2.** *v/t* [ɪk'strækt] herausziehen; herauslocken; ab-, herleiten; **ex•trac•tion** [₋kʃn] *s* (Heraus)Ziehen *n*; Herkunft *f.*
ex•tra|dite ['ekstrədaɪt] *v/t* ausliefern; *j-s* Auslieferung erwirken; **~•di•tion** [ekstrə'dɪʃn] *s* Auslieferung *f.*
extra•or•di•na•ry [ɪk'strɔːdnrɪ] *adj* □ außerordentlich; ungewöhnlich; außerordentlich, Sonder…
ex•tra•ter•res•tri•al [ekstrətɪ'restrɪəl] *adj* □ außerirdisch.
ex•trav•a|gance [ɪk'strævəgəns] *s* Übertriebenheit *f*; Verschwendung *f*; Extravaganz *f*; **~•gant** [₋t] *adj* □ übertrieben, überspannt; verschwenderisch; extravagant.
ex•treme [ɪk'striːm] **1.** *adj* □ äußerste(r, -s), größte(r, -s), höchste(r, -s); außergewöhnlich; **2.** *s das* Äußerste; Extrem *n*; höchster Grad; **~•ly** *adv* äußerst, höchst.
ex•trem|is•m *esp. pol.* [ɪk'striːmɪzm] *s* Extremismus *m*; **~•ist** [₋ɪst] *s* Extremist(in).
ex•trem•i•ties [ɪk'stremətiːz] *s pl* Gliedmaßen *pl*, Extremitäten *pl.*
ex•tri•cate ['ekstrɪkeɪt] *v/t* herauswinden, -ziehen, befreien.
ex•tro•vert ['ekstrəʊvɜːt] **1.** *adj* □ extrovertiert; **2.** *s* extrovierter Mensch, Extrovertierte(r *m*) *f.*
ex•u•be|rance [ɪg'zjuːbərəns] *s* Fülle *f*; Überschwang *m*; **~•rant** [₋t] *adj* □ reichlich, üppig; überschwänglich; ausgelassen.
eye [aɪ] **1.** *s* Auge *n*; Blick *m*; Öhr *n*; Öse *f*; ***see ~ to ~ with s.o.*** mit *j-m* völlig übereinstimmen; ***be up to the ~s in work*** bis über die Ohren in Arbeit stecken; ***with an ~ to s.th.*** im Hinblick auf et.; ***I couldn't believe my ~s*** ich traute meinen Augen nicht; ***keep an ~ on*** aufpassen auf (*acc*); **2.** *v/t* ansehen; mustern; **~•ball** *s* Augapfel *m*; **~•brow** *s* Augenbraue *f*; **~-catch•ing** *adj* ins Auge fallend, auffallend; **…-~d** …äugig; **~•lash** *s* Augenwimper *f*; **~•lid** *s* Augenlid *n*; **~•lin•er** *s* Eyeliner *m*; **~-o•pen•er** *s*: ***that was an ~ to me*** das hat mir die Augen geöffnet; **~•shad•ow** *s* Lidschatten *m*; **~•sight** *s* Augen(licht *n*) *pl*, Sehkraft *f*; **~•strain** *s* Ermüdung *f or Überanstrengung f der Augen*; **~•wit•ness** *s* Augenzeug|e *m*, -in *f.*

F

f ***female, feminine*** weiblich; ***following*** folg., folgend; ***foot*** (***feet***) Fuß *m* (*od. pl*) (*30,48 cm*).
F ***Fahrenheit*** F, Fahrenheit
fa•ble ['feɪbl] *s* Fabel *f*; Sage *f*; Lüge *f.*
fab|ric ['fæbrɪk] *s* Gewebe *n*, Stoff *m*; Bau *m*; Gebäude *n*; Struktur *f*; **~•ri•cate** [₋eɪt] *v/t* fabrizieren; *mst fig.* invent: erdichten, fälschen.
fab•u•lous ['fæbjʊləs] *adj* □ sagenhaft, der Sage angehörend; sagen-, fabelhaft.
fa•çade *arch.* [fə'sɑːd] *s* Fassade *f.*
face [feɪs] **1.** *s* Gesicht *n*; Gesicht(saus-

druck *m*) *n*, Miene *f*; (Ober)Fläche *f*; Vorderseite *f*; Zifferblatt *n*; **~ to ~ with** Auge in Auge mit; *fig.* **save** (**lose**) **one's ~** das Gesicht wahren (verlieren); **~-saving** *solution, etc.*: zur Wahrung des Gesichts; **on the ~ of it** auf den ersten Blick; **pull a long ~** ein langes Gesicht machen; **have the ~ to do s.th.** die Stirn haben, et. zu tun; **2.** *v/t* ansehen; gegenüberstehen (*dat*); (hinaus)gehen auf (*acc*); die Stirn bieten (*dat*); *arch.* verkleiden; **let's ~ it** machen wir uns nichts vor; *v/i*: **~ about** sich umdrehen; **~-cloth** *s* Waschlappen *m*; **~-flan•nel** *s Br.* → **face-cloth**; **~-lift•ing** *s* Facelifting *n*, Gesichtsstraffung *f*; *fig.* Renovierung *f*, Verschönerung *f*; **~ time** *n Am. Zeit, die man mit einer anderen Person im direkten persönlichen Gespräch verbringt.*

fa•ce•tious [fəˈsiːʃəs] *adj* □ witzig.

fa•cile [ˈfæsaɪl] *adj* leicht; oberflächlich.

fa•cil•i|tate [fəˈsɪlɪteɪt] *v/t* erleichtern; **~•ty** [~ətɪ] *s ease*: Leichtigkeit *f*; Oberflächlichkeit *f*; *equipment, etc.*: Einrichtung *f*; *opportunity*: Möglichkeit *f*; **cooking facilities** *pl* Kochgelegenheit *f*; **sports facilities** *pl* Sportmöglichkeiten *pl*.

fac•ing [ˈfeɪsɪŋ] *s arch.* Verkleidung *f*; **~s** *pl sewing*: Besatz *m*.

fact [fækt] *s* Tatsache *f*, Wirklichkeit *f*, Wahrheit *f*; **in ~** in der Tat, tatsächlich; **tell s.o. the ~s of life** *j-n* (sexuell) aufklären.

fac•tion *esp. pol.* [ˈfækʃn] *s* Splittergruppe *f*; Zwietracht *f*.

fac•ti•tious [fækˈtɪʃəs] *adj* □ künstlich.

fac•tor [ˈfæktə] *s fig.* Umstand *m*, Moment *n*, Faktor *m* (*a. math.*); *in Scotland*: Verwalter *m*.

fac•to•ry [ˈfæktrɪ] *s* Fabrik *f*, Werk *n*; **~ farming** industriell betriebene Viehzucht.

fac•ul•ty [ˈfækəltɪ] *s* Fähigkeit *f*; Kraft *f*; *fig.* Gabe *f*; *univ.* Fakultät *f*.

fad [fæd] *s* Mode(erscheinung, -torheit) *f*; (vorübergehende) Laune.

fade [feɪd] *v/i and v/t* (ver)welken (lassen), verblassen; schwinden; *of person*: immer schwächer werden; *film, radio, TV*: **~ in** auf- *or* eingeblendet werden; auf- *or* einblenden; **~ out** aus- *or* abgeblendet werden; aus- *or* abblenden.

Faer•oes [ˈfeərəuz] *pl die* Färöer *pl*.

fag[1] [fæg] *s* F Plackerei *f*, Schinderei *f*.

fag[2] *sl.* [~] *s Br. cigarette*: Glimmstängel *m*, Kippe *f*; *Am. homosexual*: Schwule(r) *m*.

fail [feɪl] **1.** *v/i* versagen; misslingen, fehlschlagen; versiegen; nachlassen; Bankrott machen; *in test, etc.*: durchfallen; *v/t* im Stich lassen, verlassen; *in test, etc.*: *j-n* durchfallen lassen; **he ~ed to come** er kam nicht; **he cannot ~ to** er muss (einfach); **2.** *s*: **without ~** mit Sicherheit, ganz bestimmt; **~•ing**; **1.** *s* Fehler *m*, Schwäche *f*; **2.** *prp* in Ermang(e)lung (*gen*); **~•ure** [~jə] *s* Fehlen *n*; Ausbleiben *n*; Versagen *n*; Fehlschlag *m*, Misserfolg *m*; Verfall *m*; Versäumnis *n*; Bankrott *m*; Versager *m*.

faint [feɪnt] **1.** *adj* □ schwach, matt; **2.** *v/i* ohnmächtig werden, in Ohnmacht fallen (**with** vor *dat*); **3.** *s* Ohnmacht *f*; **~-heart•ed** *adj* □ verzagt.

fair[1] [feə] **1.** *adj* gerecht, ehrlich, anständig, fair; ordentlich; *weather*: schön, *wind*: günstig; *hair, skin, etc.*: hell, *hair*: *a.* blond; freundlich; sauber, in Reinschrift; schön, hübsch, nett; **2.** *adv* gerecht, ehrlich, anständig, fair; in Reinschrift; direkt.

fair[2] [~] *s* (Jahr)Markt *m*; Volksfest *n*; Ausstellung *f*, Messe *f*.

fair|ly [ˈfeəlɪ] *adv* ziemlich; völlig; **~•ness** *s* Schönheit *f*; Blondheit *f*; Anständigkeit *f*, *esp. sports*: Fairness *f*; Ehrlichkeit *f*; Gerechtigkeit *f*.

fai•ry [ˈfeərɪ] *s* Fee *f*; F *homosexual*: F Schwule(r) *m*, F Tunte *f*; **~-tale** *s* Märchen *n* (*a. fig.*).

faith [feɪθ] *s* Glaube *m*; Vertrauen *n*; Treue *f*; **~•ful** *adj* □ treu; ehrlich; *in letters*: **Yours ~ly** Mit freundlichen Grüßen, *formal*: Hochachtungsvoll; **~•less** *adj* □ treulos; ungläubig.

fake [feɪk] **1.** *s* Schwindel *m*; Fälschung *f*; Schwindler *m*; **2.** *v/t* fälschen; imitieren, nachmachen; vortäuschen, simulieren; **3.** *adj* gefälscht.

fal•con *zo.* [ˈfɔːlkən] *s* Falke *m*.

Falk•land Is•lands [ˌfɔː(l)kləndˈaɪləndz] *pl die* Falklandinseln *pl*.

fall [fɔːl] **1.** *s* Fall(en *n*) *m*; Sturz *m*; Verfall *m*; Einsturz *m*; *Am.* Herbst *m*; *of prices, etc.*: Sinken *n*; Gefälle *n*; *mst* **~s** *pl* Wasserfall *m*; **2.** *v/i* (**fell, fallen**) fallen, stürzen; ab-, einfallen; sinken;

of wind: sich legen; verfallen (***into*** in *acc*); ~ ***ill*** *or* ***sick*** krank werden; ~ ***in love with*** sich verlieben in (*acc*); ~ ***short of*** *expectations, etc.*: nicht entsprechen (*dat*); ~ ***to pieces*** auseinanderfallen; *fig.* zusammenbrechen; ~ ***back*** zurückweichen; ~ ***back on*** *fig.* zurückgreifen auf (*acc*); ~ ***for*** hereinfallen auf (*j-n, et.*); F sich in *j-n* verknallen; ~ ***off*** *become less*: zurückgehen, nachlassen; ~ ***on*** herfallen über (*acc*); ~ ***out*** sich streiten (***with*** mit); ~ ***through*** durchfallen (*a. fig.*); ~ ***to*** *eating*: reinhauen, tüchtig zugreifen.

F

fal•la•cy ['fæləsı] *s* Trugschluss *m*; Irrtum *m*.
fall•en ['fɔːlən] *pp of* ***fall*** 2.
fall guy *Am.* F ['fɔːlgaı] *s der* Lackierte, *der* Dumme.
fal•li•ble ['fæləbl] *adj* □ fehlbar.
fall•ing star *ast.* ['fɔːlıŋstɑː] *s* Sternschnuppe *f*.
fall-out ['fɔːlaʊt] *s* Fallout *m*, radioaktiver Niederschlag.
fal•low ['fæləʊ] *adj zo.* gelbbraun, falb; *agr.* brach(liegend).
false [fɔːls] *adj* □ falsch; ~ **a•larm** *s* blinder Alarm; **~•hood**, **~•ness** *s* Falschheit *f*; Unwahrheit *f*.
fal•si|fi•ca•tion [fɔːlsıfı'keıʃn] *s* (Ver-)Fälschung *f*; **~•fy** ['fɔːlsıfaı] *v/t* (ver-)fälschen; **~•ty** [~tı] *s* Falschheit *f*, Unwahrheit *f*.
fal•ter ['fɔːltə] *v/i* schwanken; *of voice*: stocken; *fig.* zaudern; *a. v/t* stammeln.
fame [feım] *s* Ruf *m*, Ruhm *m*; **~d** *adj* berühmt (***for*** wegen).
fa•mil•i•ar [fə'mılıə] **1.** *adj* □ vertraut; gewohnt; familiär; **2.** *s* Vertraute(r *m*) *f*; **~•i•ty** [fəmılı'ærətı] *s* Vertrautheit *f*; (plumpe) Vertraulichkeit; **~•ize** [fə'mılıəraız] *v/t* vertraut machen.
fam•i•ly ['fæməlı] **1.** *s* Familie *f*; **2.** *adj* Familien…, Haus…; ***be in the ~ way*** F in anderen Umständen sein; ~ ***allowance*** Kindergeld *n*; ~ ***company*** Familienbetrieb *m*, Familienunternehmen *n*; ~ ***credit*** *Br. appr.* Familienbeihilfe *f*; ***~-friendly*** *hotel, etc.*: familienfreundlich; ~ ***planning*** Familienplanung *f*; ~ ***tree*** Stammbaum *m*.
fam|ine ['fæmın] *s* Hungersnot *f*; Knappheit *f* (***of*** an *dat*); **~•ished** [~ʃt] *adj* F fast verhungert, ausgehungert; ***be*** ~ F am Verhungern sein.
fa•mous ['feıməs] *adj* berühmt.
fan[1] [fæn] **1.** *s* Fächer *m*; Ventilator *m*; ~ ***belt*** *tech.* Keilriemen *m*; **2.** *v/t* (**-nn-**) (zu)fächeln; an-, *fig.* entfachen.
fan[2] [~] *s sports, etc.*: Fan *m*; ~ ***club*** Fanklub *m*; ~ ***mail*** Verehrerpost *f*.
fa•nat|ic [fə'nætık] **1.** *adj* (***~ally***) fanatisch; **2.** *s* Fanatiker(in); **~•i•cal** □ fanatisch.
fan•ci•er ['fænsıə] *s of animals, plants*: Liebhaber(in), Züchter(in).
fan•ci•ful ['fænsıfl] *adj* □ fantastisch.
fan•cy ['fænsı] **1.** *s* Fantasie *f*; Einbildung(skraft) *f*; *whim*: Laune *f*, Vorliebe *f*; Liebhaberei *f*; **2.** *adj* Fantasie…; Mode…; ~ ***ball*** Kostümfest *n*, Maskenball *m*; ~ ***dress*** (Masken)Kostüm *n*; ~ ***goods*** *pl* Modeartikel *pl*, -waren *pl*; **3.** *v/t* sich einbilden; Gefallen finden an (*dat*); *v/i*: ***just ~!*** denken Sie nur!; **~-free** *adj* frei u. ungebunden; **~-work** *s* feine Handarbeit, Stickerei *f*.
fang [fæŋ] *s* Reiß-, Fangzahn *m*; Hauer *m*; Giftzahn *m*.
fan|tas•tic [fæn'tæstık] *adj* (***~ally***) fantastisch; **~•ta•sy** ['fæntəsı] *s* Fantasie *f*.
far [fɑː] (***farther, further***; ***farthest, furthest***) **1.** *adj* fern, entfernt, weit; **2.** *adv* fern; weit; (sehr) viel; ***as ~ as*** bis; ***in so ~ as*** insofern als; **~•a•way** *adj* weit entfernt.
fare [feə] **1.** *s* Fahrgeld *n*; Fahrgast *m*; Verpflegung *f*, Kost *f*; **2.** *v/i* (gut) leben; ***he ~d well*** es (er)ging ihm gut; ~ **dodg•er** ['feədɒdʒə] *s* Schwarzfahrer(in); **~•well** [feə'wel]; **1.** *int* lebe(n Sie) wohl!; **2.** *s* Abschied *m*, Lebewohl *n*.
far-fetched *fig.* [fɑː'fetʃt] *adj* weit hergeholt, gesucht.
farm [fɑːm] **1.** *s* Bauernhof *m*, Gut *n*, Gutshof *m*, Farm *f*; Züchterei *f*; ***chicken*** ~ Hühnerfarm *f*; **2.** *v/t* (ver)pachten; *land*: bebauen, bewirtschaften; *poultry, etc.*: züchten; **~•er** *s* Bauer *m*, Landwirt *m*, Farmer *m*; *of poultry, etc.*: Züchter *m*; Pächter *m*; **~•hand** *s* Landarbeiter(in); **~•house** *s* Bauernhaus *n*; **~•ing**; **1.** *adj* Acker…, landwirtschaftlich; **2.** *s* Landwirtschaft *f*; **~•stead** *s* Bauernhof *m*, Gehöft *n*; ~ **sub•si•dies** *s pl* Agrarsubventionen *pl*; **~•yard** *s* Wirtschaftshof *m* (*of farm*).
Far•oes ['feərəuz] → ***Faeroes.***
far|-off [fɑːr'ɒf] *adj* entfernt, fern;

~•sight•ed *adj esp. Am.* weitsichtig; *fig.* weit blickend.

far|ther ['fɑːðə] *comp of* ***far***; **~•thest** ['fɑːðɪst] *sup of* ***far.***

fas•ci|nate ['fæsɪneɪt] *v/t* faszinieren; **~•nat•ing** *adj* □ faszinierend; **~•na•tion** [fæsɪ'neɪʃn] *s* Zauber *m*, Reiz *m*, Faszination *f.*

fas•cis|m *pol.* ['fæʃɪzəm] *s* Faschismus *m*; **~t** *pol.* [~ɪst] **1.** *s* Faschist *m*; **2.** *adj* faschistisch.

fash•ion ['fæʃn] **1.** *s* Mode *f*; Art *f*; feine Lebensart; Form *f*; Schnitt *m*; ***in*** (***out of***) **~** (un)modern; **~ *parade,* ~ *show*** Mode(n)schau *f*; **2.** *v/t* gestalten; **~•a•ble** *adj* □ modern, elegant.

fast[1] [fɑːst] **1.** *s* Fasten *n*; **2.** *v/i* fasten.

fast[2] [~] *adj* schnell; fest; treu; *colour*: echt, beständig; flott; ***be*** **~** *of clock, watch*: vorgehen; **~•back** *mot.* ['~bæk] *s* (Wagen *m* mit) Fließheck *n*; **~ breed•er, ~-breed•er re•ac•tor** *s phys.* schneller Brüter.

fas•ten ['fɑːsn] *v/t* befestigen; anheften; fest zumachen; zubinden; *eyes, etc.*: heften (***on, upon*** auf *acc*); *v/i door*: schließen; **~ *on,* ~ *upon*** sich klammern an (*acc*); *fig.* sich stürzen auf (*acc*); **~•er** *s* Verschluss *m*, Halter *m*; **~•ing** *s* Verschluss *m*, Halterung *f.*

fast| food ['fɑːstfʊd] *s* Schnellgericht(e *pl*) *n*; **~-food res•tau•rant** *s* Schnellimbiss *m*, -gaststätte *f.*

fas•tid•i•ous [fə'stɪdɪəs] *adj* □ anspruchsvoll, heikel, wählerisch, verwöhnt.

fast lane *mot.* [fɑːst'leɪn] *s* Überholspur *f.*

fat [fæt] **1.** *adj* □ (***-tt-***) fett; dick; fettig; **2.** *s* Fett *n*; **3.** *v/t and v/i* (***-tt-***) fett machen *or* werden; mästen.

fa•tal ['feɪtl] *adj* □ verhängnisvoll, fatal (***to*** für); Schicksals…; tödlich; **~•i•ty** [fə'tælətɪ] *s* Verhängnis *n*; Unglücks-, Todesfall *m*; Todesopfer *n.*

fate [feɪt] *s* Schicksal *n*; Verhängnis *n.*

fat-free ['fæt,friː] *adj food etc.*: fettfrei.

fa•ther ['fɑːðə] *s* Vater *m*; **♀ Christ•mas** *s esp. Br.* der Weihnachtsmann, der Nikolaus; **~•hood** [~hʊd] *s* Vaterschaft *f*; **~-in-law** [~rɪnlɔː] *s* Schwiegervater *m*; **~•less** *adj* vaterlos; **~•ly** *adj* väterlich.

fath•om ['fæðəm] **1.** *s mar.* Faden *m*; **2.** *v/t mar.* loten; *fig.* ergründen; **~•less** *adj* unergründlich.

fa•tigue [fə'tiːg] **1.** *s* Ermüdung *f*; Strapaze *f*; **2.** *v/t and v/i* ermüden.

fat|ten ['fætn] *v/t and v/i* fett machen *or* werden; mästen; *soil*: düngen; **~•ty** [~tɪ] *adj* (***-ier, -iest***) fett(ig).

fat•u•ous ['fætjʊəs] *adj* □ albern.

fau•cet *Am.* ['fɔːsɪt] *s* (Wasser)Hahn *m.*

fault [fɔːlt] *s* Fehler *m*; Defekt *m*; Schuld *f*; ***find* ~ *with*** et. auszusetzen haben an (*dat*); ***be at* ~** Schuld haben; **~•less** *adj* □ fehlerfrei, -los; **~•y** *adj* □ (***-ier, -iest***) fehlerhaft, *tech. a.* defekt.

F

fa•vo(u)r ['feɪvə] **1.** *s* Gunst *f*; Gefallen *m*; Begünstigung *f*; ***in* ~ *of*** zugunsten von *or gen*; ***do s.o. a* ~** *j-m* e-n Gefallen tun; **2.** *v/t* begünstigen; bevorzugen, vorziehen; wohlwollend gegenüberstehen (*dat*); *sports*: favorisieren; beehren; **fa•vo(u)•ra•ble** *adj* □ günstig; **fa•vo(u)•rite** [~rɪt]; **1.** *s* Liebling *m*; *sports*: Favorit *m*; **2.** *adj* Lieblings…

fax [fæks] **1.** *v/t and v/i* faxen; **2.** *s* (Tele-)Fax *n.*

fear [fɪə] **1.** *s* Furcht *f* (***of*** vor *dat*); Befürchtung *f*; Angst *f*; **2.** *v/t* (be)fürchten; sich fürchten vor (*dat*); **~•ful** *adj* □ furchtsam; furchtbar; **~•less** *adj* □ furchtlos.

fea•si•bi•li•ty [fiːzə'bɪlɪtɪ] *s* Machbarkeit *f*, Durchführbarkeit *f*; **~ stud•y** *s* Machbarkeitsstudie *f*, Projektstudie *f*, Durchführbarkeitsstudie *f.*

fea•si•ble ['fiːzəbl] *adj* □ durchführbar.

feast [fiːst] **1.** *s eccl.* Fest *n*, Feiertag *m*; Festessen *n*; *fig.* Fest *n*, (Hoch)Genuss *m*; **2.** *v/t* festlich bewirten; *v/i* sich gütlich tun (***on*** an *dat*).

feat [fiːt] *s* (Helden)Tat *f*; Kunststück *n.*

fea•ther ['feðə] **1.** *s* Feder *f*; *a.* **~*s*** *pl* Gefieder *n*; ***birds of a* ~** Leute vom gleichen Schlag; ***in high* ~** (bei) bester Laune; in Hochform; **2.** *v/t* mit Federn schmücken; **~ bed** *s* Unterbett *n*; **~-bed** *v/t* (***-dd-***) verwöhnen; **~-brained, ~-head•ed** *adj* unbesonnen; albern; **~ed** *adj* gefiedert; **~•weight** *s sports*: Federgewicht(ler *m*) *n*; *person*: Leichtgewicht *n*; *fig.* unbedeutende Person; et. Belangloses; **~•y** [~rɪ] *adj* gefiedert; feder(art)ig; *in weight*: federleicht.

fea•ture ['fiːtʃə] **1.** *s* (Gesichts-, Grund-, Haupt-, Charakter)Zug *m*; *radio, TV*: Feature *n*; *a.* **~ *article,* ~ *story*** *newspaper*: Feature *n*; *a.* **~ *film*** Haupt-, Spielfilm *m*; **~*s*** *pl* Gesicht *n*; **2.** *v/t* kennzeichnen; sich auszeichnen durch; groß herausbringen *or* -stellen; *film, TV*: in der Hauptrolle zeigen.

Feb•ru•a•ry ['februərɪ] *s* Februar *m*.

fed [fed] *pret and pp of* ***feed*** 2.

fed•e|ral ['fedərəl] *adj* □ föderalistisch; Bundes…; *USA*: Zentral…, Unions…, National…; ♀ ***Republic of Germany*** Bundesrepublik *f* Deutschland; ♀ ***Bureau of Investigation*** (*abbr.* ***FBI***) amer. Bundeskriminalpolizei *f*; ~ ***government*** Bundesregierung *f*; **~•ra•l•is•m** [~ɪzəm] *s* Föderalismus *m*; **~•rate** [~eɪt] *v/t and v/i* (sich) zu e-m (Staaten)Bund zusammenschließen.

F

Fed•er•al Re•pub•lic of Ger•ma•ny ['fedərəlrɪ'pʌblɪkəv'dʒɜːmənɪ] *die* Bundesrepublik Deutschland.

fed•e•ra•tion [fedə'reɪʃn] *s* Föderation *f* (*a. econ., pol.*); (politischer) Zusammenschluss; *econ.* (Dach)Verband *m*; *pol.* Staatenbund *m*; ~ ***of European Stock Exchanges*** Europäischer Börsenverband.

fee [fiː] *s* Gebühr *f*; Honorar *n*; (Mitglieds)Beitrag *m*; Eintrittsgeld *n*.

fee•ble ['fiːbl] *adj* □ (***~r, ~st***) schwach.

feed [fiːd] **1.** *s* Futter *n*; Nahrung *f*; Fütterung *f*; *tech.* Zuführung *f*, Speisung *f*; **2.** (***fed***) *v/t* füttern; ernähren; *tech.* (ein)speisen, *data*: eingeben; *cattle, etc.*: weiden lassen; ***be fed up with*** *et. or j-n* satthaben, F die Nase vollhaben von; ***well fed*** wohlgenährt; *v/i* (fr)essen; sich ernähren; weiden; **~•back** ['~bæk] *s electr., etc.* Feedback *n*, Rückkoppelung *f*; *radio, TV*: Feedback *n*, Reaktion *f* (*of listeners, etc.*); Zurückleitung *f* (*of information*) (***to*** an *acc*); **~•er** [~ə] *s Am.* Viehmäster *m*; Esser(in); *river*: Zufluss *m*; *road, etc.*: Zubringer(straße *f*) *m*; **~•er road** *s* Zubringer(straße *f*) *m*; **~•ing-bot•tle** *s* (Säuglings-, Saug)Flasche *f*.

feel [fiːl] **1.** *v/t and v/i* (***felt***) (sich) fühlen; befühlen; empfinden; sich anfühlen; ***I ~ like …*** ich möchte am liebsten …; ***how do you ~ about …*** was hältst du von …; **2.** *s* Gefühl *n*; Empfindung *f*; **~-bad fac•tor** ['fiːlbæd,fæktə] *s* Frustfaktor *m*; **~•er** *zo.* ['fiːlə] *s* Fühler *m*; **~-good fac•tor** ['fiːlgʊd,fæktə] *s* Wohlfühlfaktor *m*; **~•ing** *s* Gefühl *n*.

feet [fiːt] *pl of* ***foot*** 1.

feint [feɪnt] *s* Finte *f*; *mil.* Täuschungsmanöver *n*.

fell [fel] **1.** *pret of* ***fall*** 2; **2.** *v/t* niederschlagen; fällen.

fel•low ['feləʊ] **1.** *s* Gefährt|e *m*, -in *f*, Kamerad(in); Gleiche(r, -s); Gegenstück *n*; *univ.* Fellow *m*, Mitglied *n* e-s College; Kerl *m*, Bursche *m*, Mensch *m*; ***old ~*** F alter Junge; **2.** *adj* Mit…; ~ ***being*** Mitmensch *m*; ~ ***countryman*** Landsmann *m*; ~ ***student*** Kommilito|ne *m*, -nin *f*; ~ ***travel(l)er*** Mitreisende(r) *m*, Reisegefährte *m*; **~•ship** [~ʃɪp] *s* Gemeinschaft *f*; Kameradschaft *f*.

fel•o•ny *jur.* ['felənɪ] *s* (schweres) Verbrechen, Kapitalverbrechen *n*.

felt[1] [felt] *pret and pp of* ***feel*** 1.

felt[2] [~] *s* Filz *m*; ~ ***tip, ~-tip(ped) pen*** Filzschreiber *m*, -stift *m*.

fe•male ['fiːmeɪl] **1.** *adj* weiblich; **2.** *s* Weib *n*; *zo.* Weibchen *n*.

fem•i|nine ['femɪnɪn] *adj* weiblich, Frauen…; *fashion*: fraulich, feminin; **~•nis•m** [~ɪzəm] *s* Feminismus *m*; **~•nist** [~ɪst] **1.** *s* Feminist(in); **2.** *adj* feministisch.

fen [fen] *s* Fenn *n*, Moor *n*; Marsch *f*.

fence [fens] **1.** *s* Zaun *m*; F Hehler *m*; **2.** *v/t*: ~ ***in*** ein-, umzäunen; einsperren; ~ ***off*** abzäunen; *v/i sports*: fechten; *sl.* Hehlerei treiben; **fenc•er** *s sports*: Fechter *m*; **fenc•ing** *s* Einfriedung *f*; *sports*: Fechten *n*; *attr* Fecht…

fend [fend] *v/t*: ~ ***off*** abwehren; *v/i*: ~ ***for o.s.*** für sich selbst sorgen; **~•er** *s* Schutzvorrichtung *f*; Schutzblech *n*; *Am. mot.* Kotflügel *m*; Kamingitter *n*.

fen•nel *bot.* ['fenl] *s* Fenchel *m*.

fer|ment 1. *s* ['fɜːment] Ferment *n*; Gärung *f*; **2.** *v/i and v/t* [fə'ment] gären (lassen); **~•men•ta•tion** [fɜːmen'teɪʃn] *s* Gärung *f*.

fern *bot.* [fɜːn] Farn(kraut *n*) *m*.

fe•ro|cious [fə'rəʊʃəs] *adj* □ wild; grausam; **~•ci•ty** [fə'rɒsətɪ] *s* Wildheit *f*.

fer•ret ['ferɪt] **1.** *s zo.* Frettchen *n*; *fig.* Spürhund *m*; **2.** *v/i* herumstöbern; *v/t*: ~ ***out*** aufspüren, -stöbern.

fer•ry ['ferɪ] **1.** *s* Fähre *f*; **2.** *v/t* übersetzen; **~•boat** *s* Fährboot *n*, Fähre *f*; **~•man** *s* Fährmann *m*.

fer|tile ['fɜːtaɪl] *adj* □ fruchtbar; reich (***of, in*** an *dat*); **~•til•i•ty** [fə'tɪlətɪ] *s* Fruchtbarkeit *f* (*a. fig.*); **~•ti•lize** ['fɜːtɪlaɪz] *v/t* fruchtbar machen; befruchten;

düngen; **~ti•liz•er** [~ə] *s* (*esp.* Kunst-) Dünger *m*, Düngemittel *n*.
fer•vent ['fɜːvənt] *adj* □ heiß; inbrünstig, glühend; leidenschaftlich.
fer•vo(u)r ['fɜːvə] *s* Glut *f*; Inbrunst *f*.
fes•ter ['festə] *v/i* eitern; verfaulen.
fes|ti•val ['festəvl] *s* Fest *n*; Feier *f*; Festspiele *pl*; **~•tive** [~tɪv] *adj* □ festlich; **~•tiv•i•ty** [fe'stɪvətɪ] *s* Festlichkeit *f*.
fes•toon [fe'stuːn] *s* Girlande *f*.
fetch [fetʃ] *v/t* holen; *price*: erzielen; *sigh*: ausstoßen; **~•ing** *adj* □ F reizend.
fet•id ['fetɪd] *adj* □ stinkend.
fet•ter ['fetə] **1.** *s* Fessel *f* (*a. fig.*); **2.** *v/t* fesseln (*a. fig.*).
feud [fjuːd] *s* Fehde *f*; Lehen *n*; **~•al** ['fjuːdl] *adj* □ feudal, Lehns…; **feu-dalis•m** ['fjuːdəlɪzm] *s* Feudalismus *m*, Feudalsystem *n*.
fe•ver ['fiːvə] *s* Fieber *n*; **~•ish** *adj* □ fieb(e)rig; *fig.* fieberhaft.
few [fjuː] *adj and pron* wenige; ***a ~*** ein paar, einige; ***no ~er than*** nicht weniger als; ***quite a ~, a good ~*** e-e ganze Menge.
fi•an•cé [fɪ'ɑ̃ːnseɪ] *s* Verlobte(r) *m*; **~e** [~] *s* Verlobte *f*.
fib F [fɪb] **1.** *s* Flunkerei *f*, Schwindelei *f*; **2.** *v/i* (***-bb-***) schwindeln, flunkern.
fi•bre, *Am.* **-ber** ['faɪbə] *s* Faser *f*; Charakter *m*; **fi•brous** ['faɪbrəs] *adj* □ faserig.
fick•le ['fɪkl] *adj* wankelmütig; unbeständig; **~•ness** *s* Wankelmut *m*.
fic•tion ['fɪkʃn] *s* Erfindung *f*; Prosaliteratur *f*, Belletristik *f*; Romane *pl*; **~•al** *adj* □ erdichtet; Roman…
fic•ti•tious [fɪk'tɪʃəs] *adj* □ erfunden.
fid•dle ['fɪdl] **1.** *s* Fiedel *f*, Geige *f*; ***play first*** (***second***) ***~*** *esp. fig.* die erste (zweite) Geige spielen; (***as***) ***fit as a ~*** kerngesund; **2.** *v/i mus.* fiedeln; *a.* ***~ about*** *or* ***around*** (***with***) herumfingern (an *dat*), spielen (mit); **~r** [~ə] *s* Geiger(in).
fi•del•i•ty [fɪ'delətɪ] *s* Treue *f*; Genauigkeit *f*.
fid•get F ['fɪdʒɪt] **1.** *s* nervöse Unruhe; **2.** *v/t and v/i* nervös machen *or* sein; **~•y** *adj* zapp(e)lig, nervös.
field [fiːld] *s* Feld *n*; (Spiel)Platz *m*; Arbeitsfeld *n*; Gebiet *n*; Bereich *m*; ***hold the ~*** das Feld behaupten; ***~ e•vents*** *s pl sports*: Sprung- u. Wurfdisziplinen *pl*; **~-glass•es** *s pl* (***a pair of ~*** ein) Feldstecher *m or* Fernglas *n*; **~•work** *s* praktische (wissenschaftliche) Arbeit, *archeology, etc.*: *a.* Arbeit *f* im Gelände; *sociol., etc.*: Feldarbeit *f*.
fiend [fiːnd] *s* Satan *m*, Teufel *m*; *in compounds*: Süchtige(r *m*) *f*, Fanatiker(in); **~•ish** ['fiːndɪʃ] *adj* □ teuflisch, boshaft.
fierce [fɪəs] *adj* □ (***~r, ~st***) wild; scharf; heftig; **~•ness** *s* Wildheit *f*, Schärfe *f*; Heftigkeit *f*.
fi•er•y ['faɪərɪ] *adj* □ (***-ier, -iest***) feurig; hitzig.
fif|teen [fɪf'tiːn] **1.** *adj* fünfzehn; **2.** *s* Fünfzehn *f*; **~•teenth** [~'tiːnθ] *adj* fünfzehnte(r, -s); **~th** [fɪfθ]; **1.** *adj* fünfte(r, -s); **2.** *s* Fünftel *n*; **~th•ly** ['fɪfθlɪ] *adv* fünftens; **~•ti•eth** ['fɪftɪɪθ] *adj* fünfzigste(r, -s); **~•ty** [~tɪ]; **1.** *adj* fünfzig; **2.** *s* Fünfzig *f*; **~•ty-fif•ty** *adv* F halbe-halbe.
fig *bot.* [fɪg] *s* Feige(nbaum *m*) *f*.
fight [faɪt] **1.** *s* Kampf *m*; *mil.* Gefecht *n*; Schlägerei *f*; *boxing*: Kampf *m*, Fight *m*; Kampfeslust *f*; **2.** (***fought***) *v/t* bekämpfen; kämpfen gegen *or* mit, *sports*: *a.* boxen gegen; ***~ off*** *person*: F abwimmeln; *cold, etc.*: bekämpfen; *v/i* kämpfen, sich schlagen; *sports*: boxen; **~•er** *s* Kämpfer *m*; *sports*: Boxer *m*, Fighter *m*; **~•ing** *s* Kampf *m*, *mil.* Gefecht; Prügeleien *pl*, Schlägereien *pl*.
fig•u•ra•tive ['fɪgjʊrətɪv] *adj* □ bildlich.
fig•ure ['fɪgə] **1.** *s* Figur *f*; Gestalt *f*; Zahl *f*, Ziffer *f*; Preis *m*; ***be good at ~s*** ein guter Rechner sein; **2.** *v/t* abbilden, darstellen; *Am.* F meinen, glauben; sich *et.* vorstellen; ***~ out*** rauskriegen, *problem*: lösen; verstehen; ***~ up*** zusammenzählen; *v/i* erscheinen, vorkommen; ***~ on*** *esp. Am.* rechnen mit; **~ skat•er** *s sports*: Eiskunstläufer(in); **~ skat•ing** *s sports*: Eiskunstlauf *m*.
fil•a•ment ['fɪləmənt] *s* Faden *m*, Faser *f*; *bot.* Staubfaden *m*; *electr.* Glüh-, Heizfaden *m*.
filch F [fɪltʃ] *v/t* klauen, stibitzen.
file[1] [faɪl] **1.** *s* Ordner *m*, Karteikasten *m*; Akte *f*; Akten *pl*, Ablage *f*; *computer*: Datei *f*; Reihe *f*; ***on ~*** bei den Akten; **2.** *v/t letters, etc.*: einordnen, ablegen, zu den Akten nehmen; *application, etc.*: einreichen, *jur. appeal*: einlegen; *v/i* hintereinandergehen.

file² [~] **1.** *s* Feile *f*; **2.** *v/t* feilen.
fil•ing ['faılıŋ] *s* Ablegen *n* (*of letters, etc.*); ~ ***cabinet*** Aktenschrank *m*.
fill [fıl] **1.** *v/t* (*and v/i* sich) füllen; an-, aus-, erfüllen; *order*: ausführen; ~ ***in*** einsetzen; *Am. a.* ~ ***out*** *form*: ausfüllen; ~ ***up*** vollfüllen; sich füllen; ~ ***her up!*** F volltanken, bitte!; **2.** *s* Füllung *f*; ***eat one's*** ~ sich satt essen.
fil•let ['fılıt], *Am. a.* **fil•et** ['fıleı] *s* Filet *n*.
fill•ing ['fılıŋ] *s* Füllung *f*; *med.* (Zahn-)Plombe *f*, (-)Füllung *f*; ~ ***station*** Tankstelle *f*.
fil•ly ['fılı] *s* Stutenfohlen *n*; *fig. girl*: Wildfang *m*.
film [fılm] **1.** *s* Häutchen *n*; Membran(e) *f*; Film *m* (*a. phot., esp. Br.: movie*); Trübung *f* (*of eye*); Nebelschleier *m*; ***take*** *or* ***shoot a*** ~ e-n Film drehen; **2.** *v/t* (ver)filmen.
fil•ter ['fıltə] **1.** *s* Filter *m*; **2.** *v/t* filtern; **~-tip** *s* Filter *m*; Filterzigarette *f*; **~-tipped** [~'tıpt] *adj*: ~ ***cigarette*** Filterzigarette *f*.
filth [fılθ] *s* Schmutz *m*; **~•y** *adj* □ (***-ier, -iest***) schmutzig; *fig.* unflätig.
fin *zo.* [fın] *s* Flosse *f*.
fi•nal ['faınl] **1.** *adj* letzte(r, -s); End…, Schluss…; endgültig; ~ ***disposal*** Endlagerung *f* (*of nuclear waste, etc.*); **2.** *s sports*: Finale *n*, Endkampf, -lauf *m*, -runde *f*, -spiel *n*; *mst* **~*s*** *pl* Abschlussexamen, -prüfung *f*; **~•ist** *s sports*: Finalist(in), Endkampfteilnehmer(in); **~•ly** *adv* endlich, schließlich; endgültig.
fi•nance [faı'næns] **1.** *s* Finanzwesen *n*; **~*s*** *pl* Finanzen *pl*; **2.** *v/t* finanzieren; **fi•nan•cial** [~nʃl] *adj* □ finanziell; ~ ***compensation*** Finanzausgleich *m*; **fi-nan•cier** [~nsıə] *s* Finanzier *m*.
finch *zo.* [fıntʃ] *s* Fink *m*.
find [faınd] **1.** *v/t* (***found***) finden; (an-)treffen; auf-, herausfinden; beschaffen; *jur.* ~ **s.o.** (***not***) ***guilty*** *j-n* für (nicht) schuldig erklären; **2.** *s* Fund *m*, Entdeckung *f*; **~•ings** ['~ıŋz] *s pl* Befund *m*; *jur.* Feststellung *f*, Spruch *m*.
fine¹ [faın] **1.** *adj* □ (**~*r***, **~*st***) schön; fein; verfeinert; rein; spitz, dünn, scharf; geziert; vornehm; ***I'm*** ~ mir geht es gut; **2.** *adv* gut, bestens.
fine² [~] **1.** *s* Geldstrafe *f*, Bußgeld *n*; **2.** *v/t* zu e-r Geldstrafe verurteilen.
fin•ger ['fıŋgə] **1.** *s* Finger *m*; → ***cross*** 3; **2.** *v/t* betasten, (herum)fingern an (*dat*); **~•nail** *s* Fingernagel *m*; **~•print** *s* Fingerabdruck *m*; **~-tip** *s* Fingerspitze *f*.
fin•i•cky ['fınıkı] *adj* wählerisch.
fin•ish ['fınıʃ] **1.** *v/t* beenden, vollenden; fertigstellen; abschließen; vervollkommnen; erledigen; *v/i* enden, aufhören; ~ ***with*** mit *j-m, et.* Schluss machen; ***have*** **~*ed with*** *j-n, et.* nicht mehr brauchen; **2.** *s* Vollendung *f*, letzter Schliff; *sports*: Endspurt *m*, Finish *n*; Ziel *n*; **~•ing line** *s sport*: Ziellinie *f*.
Fin•land ['fınlənd] Finnland *n*.
Finn [fın] *s* Finn|e *m*, -in *f*; **~•ish** ['fınıʃ] **1.** *adj* finnisch; **2.** *s ling.* Finnisch *n*.
fir *bot.* [fɜː] *s a.* **~*-tree*** Tanne *f*; **~-cone** ['fɜːkəʊn] *s* Tannenzapfen *m*.
fire ['faıə] **1.** *s* Feuer *n*; ***be on*** ~ in Flammen stehen, brennen; ***catch*** ~ Feuer fangen, in Brand geraten; ***set on*** ~, ***set*** ~ ***to*** anzünden; **2.** *v/t* an-, entzünden; *fig.* anfeuern; abfeuern; *bricks, etc.*: brennen; F *employee*: rausschmeißen; heizen; *v/i* Feuer fangen (*a. fig.*); feuern; **~-a•larm** *s* Feuermelder *m*; **~•arms** *s pl* Feuer-, Schusswaffen *pl*; ~ **bri•gade** *s* Feuerwehr *f*; **~-bug** *s* F Feuerteufel *m*; **~•crack•er** *s* Frosch *m*, Knallkörper *m*; ~ **de•part•ment** *s Am.* Feuerwehr *f*; **~-en•gine** *s* Feuerwehrauto *n*; **~-es•cape** *s* Feuerleiter *f*, -treppe *f*; **~-ex•tin•guish•er** *s* Feuerlöscher *m*; **~-guard** *s* Kamingitter *n*; **~•man** *s* Feuerwehrmann *m*; Heizer *m*; **~•place** *s* (offener) Kamin; **~-plug** *s Am.* Hydrant *m*; **~•proof** *adj* feuerfest; **~-rais•ing** *s Br.* Brandstiftung *f*; **~•side** *s* Herd *m*; Kamin *m*; ~ **sta•tion** *s* Feuerwache *f*; **~•wood** *s* Brennholz *n*; **~•works** *s pl* Feuerwerk *n*; *fig.* F ***there will be*** ~ da werden die Fetzen fliegen.
firm¹ [fɜːm] *adj* fest; derb; standhaft.
firm² [~] *s* Firma *f*, Betrieb *m*, Unternehmen *n*.
first [fɜːst] **1.** *adj* □ erste(r, -s); beste(r, -s); **2.** *adv* erstens; zuerst; ~ ***of all*** an erster Stelle; zuallererst; **3.** *s* Erste(r, -s); ***at*** ~ zuerst, anfangs; ***from the*** ~ von Anfang an; ~ **aid** *s* Erste Hilfe; **~-aid** *adj* Erste-Hilfe-…; ~ ***kit*** Verband(s)kasten *m*, -zeug *n*; **~-born** *adj* erstgeborene(r, -s), älteste(r, -s); ~

class *s* erste Klasse (*on train, ship, aircraft*); **~-class** *adj* erstklassig; *ticket, etc.*: erster Klasse; **~•ly** *adv* erstens; **~•hand** *adj and adv* aus erster Hand; **~ name** *s* Vorname *m*; Beiname *m*; **~-past-the-post sys•tem** *s Br. pol.* (absolutes) Mehrheitswahlrecht; **~-rate** *adj* erstklassig.

fish [fɪʃ] **1.** *s* Fisch(e *pl*) *m*; ***a queer*** **~** F ein komischer Kauz; **2.** *v/t and v/i* fischen, angeln; **~ *around*** kramen (***for*** nach); **~-bone** *s* Gräte *f*.

fish|er•man ['fɪʃəmən] *s* Fischer *m*; **~•e•ry** [-rɪ] *s* Fischerei *f*; **~ fin•ger** *s esp. Br.* Fischstäbchen *n*.

fish•ing ['fɪʃɪŋ] *s* Fischen *n*, Angeln *n*; **~-line** *s* Angelschnur *f*; **~-rod** *s* Angelrute *f*; **~-tack•le** *s* Angelgerät *n*.

fish|mon•ger *s esp. Br.* ['fɪʃmʌŋgə] Fischhändler *m*; **~ stick** *s esp. Am.* → ***fish finger***; **~•y** ['fɪʃɪ] *adj* □ (***-ier, -iest***) Fisch…; F verdächtig, faul.

fis|sile *tech.* ['fɪsaɪl] *adj* spaltbar; **~•sion** ['fɪʃn] *s* Spaltung *f*; **~•sure** ['fɪʃə] *s* Spalt *m*, Riss *m*.

fist [fɪst] *s* Faust *f*.

fit[1] [fɪt] **1.** *adj* □ (***-tt-***) geeignet, passend; tauglich; *sports*: fit, in (guter) Form; **2.** (***-tt-***; ***fitted***, *Am. a.* ***fit***) *v/t* passen (*dat*) *or* für; anpassen, passend machen; befähigen; geeignet machen (***for, to*** für, zu); **~ *in*** *j-m* e-n Termin geben, *j-n, et.* einschieben; *a.* **~ *on*** anprobieren; *a.* **~ *out*** ausrüsten, -statten, einrichten, versehen (***with*** mit); *a.* **~ *up*** ausrüsten, -statten, einrichten; montieren; *v/i* passen; *of dress, etc.*: sitzen; **3.** *s of dress, etc.*: Sitz *m*.

fit[2] [-] *s* Anfall *m*; *med.* Ausbruch *m*; Anwandlung *f*; ***by ~s and starts*** ruckweise; ***give s.o. a*** **~** F *j-n* auf die Palme bringen; *j-m* e-n Schock versetzen.

fit|ful ['fɪtfl] *adj* □ ruckartig; *fig.* unstet; **~•ness** *s* Tauglichkeit *f*; *esp. sports*: Fitness *f*, (gute) Form; **~ *instructor*** Fitnesstrainer(in); **~•ted** *adj* zugeschnitten, nach Maß (gearbeitet); Einbau…; **~ *carpet*** Spannteppich *m*, Teppichboden *m*; **~ *kitchen*** Einbauküche *f*; **~•ter** *s* Monteur *m*; Installateur *m*; **~•ting 1.** *adj* passend; **2.** *s* Montage *f*; Anprobe *f*; **~*s*** *pl* Einrichtung *f*; Armaturen *pl*.

five [faɪv] **1.** *adj* fünf; **2.** *s* Fünf *f*.

fix [fɪks] **1.** *v/t* befestigen, anheften; fixieren; *look, etc.*: heften, richten (***on*** auf *acc*); fesseln; aufstellen; bestimmen, festsetzen; reparieren, instand setzen; *esp. Am. et.* zurechtmachen, *meal*: zubereiten; **~ *up*** in Ordnung bringen, regeln; *j-n* unterbringen; *v/i* fest werden; **~ *on*** sich entschließen für *or* zu; **2.** F Klemme *f*; *sl.* Schuss *m* (*heroin, etc.*); **~ed** *adj* □ fest; bestimmt; starr; **~(*-line*) *network*** *teleph.* Festnetz *n*; **~*-line phone*** *teleph.* Festnetztelefon *n*; **~•ing** ['fɪksɪŋ] *s* Befestigen *n*; Instandsetzen *n*; Fixieren *n*; Aufstellen *n*, Montieren *n*; Besatz *m*, Versteifung *f*; *Am.* **~*s*** *pl* Zubehör *n*, Ausrüstung *f*; **~•ture** [-stʃə] *s* Ausstattung *f*; Inventarstück *n*; *sports*: Spiel *n*, Begegnung *f*; ***lighting*** **~** Beleuchtungskörper *m*.

fizz [fɪz] **1.** *v/i* zischen, sprudeln; **2.** *s* Zischen *n*; F Sprudel *m*.

flab•ber•gast F ['flæbəgɑːst] *v/t* verblüffen; ***be ~ed*** platt sein.

flag [flæg] **1.** *s* Flagge *f*; Fahne *f*; Fliese *f*; *bot.* Schwertlilie *f*; **2.** *v/t* (***-gg-***) beflaggen; mit Fliesen belegen; *v/i* ermatten; mutlos werden; **~•pole** ['flægpəʊl] → ***flagstaff.***

fla•grant ['fleɪgrənt] *adj* □ abscheulich; berüchtigt; offenkundig.

flag|staff ['flægstɑːf] *s* Fahnenstange *f*, -mast *m*; **~•stone** *s* Fliese *f*.

flair [fleə] *s* Talent *n*; Gespür *n*, (feine) Nase.

flake [fleɪk] **1.** *s* Flocke *f*; Schicht *f*; **2.** *v/i* (sich) flocken; abblättern; **flak•y** ['fleɪkɪ] *adj* (***-ier, -iest***) flockig; blätt(e)rig; **~ *pastry*** Blätterteig *m*.

flame [fleɪm] **1.** *s* Flamme *f* (*a. fig.*); ***be in ~s*** in Flammen stehen; **2.** *v/i* flammen, lodern.

flam•ma•ble *Am. and tech.* ['flæməbl] → ***inflammable.***

flan [flæn] *s* Obst-, Käsekuchen *m*.

flank [flæŋk] **1.** *s* Flanke *f*; **2.** *v/t* flankieren.

flan•nel ['flænl] *s* Flanell *m*; Waschlappen *m*; **~*s*** *pl* Flanellhose *f*.

flap [flæp] **1.** *s* (Ohr)Läppchen *n*; Rockschoß *m*; (Hut)Krempe *f*; Klappe *f*; Klaps *m*; (Flügel)Schlag *m*; **2.** *v/t* (***-pp-***) *wings*: schlagen mit; *v/i* klatschen, schlagen (***against*** gegen).

flare [fleə] **1.** *v/i* flackern; sich nach außen erweitern, sich bauschen; **~ *up*** auf-

F

flammen; *fig.* aufbrausen; **2.** *s* flackerndes Licht; Lichtsignal *n.*

flash [flæʃ] **1.** *s* Aufblitzen *n*, -leuchten *n*, Blitz *m*; *radio, TV, etc.*: Kurzmeldung *f*; *phot.* F Blitz *m*; *esp. Am.* F Taschenlampe *f*; ***like a ~*** wie der Blitz; ***in a ~*** im Nu; ***~ of lightning*** Blitzstrahl *m*; **2.** *v/i and v/t* (auf)blitzen; auflodern (lassen); *look, etc.*: werfen; flitzen; funken; telegrafieren; ***it ~ed on me*** mir kam plötzlich der Gedanke; **~•back** *s in film, novel*: Rückblende *f*; **~•light** *s phot.* Blitzlicht *n*; *mar.* Leuchtfeuer; *esp. Am.* Taschenlampe *f*; **~•y** *adj* □ (***-ier, -iest***) auffallend, -fällig.

F

flask [flɑːsk] *s* Taschenflasche *f*; Thermosflasche *f.*

flat [flæt] **1.** *adj* □ (***-tt-***) flach, platt; *beer*: schal; *econ.* flau; klar; glatt; *mot.* platt (*tyre*); *mus.* erniedrigt (*note*); ***~ price*** Einheitspreis *m*; **2.** *adv* glatt; völlig; ***fall ~*** danebengehen; ***sing ~*** zu tief singen; **3.** *s* Fläche *f*, Ebene *f*; Flachland *n*; Untiefe *f*; (Miet)Wohnung *f*; *mus.* B *n*; *esp. Am. mot.* Reifenpanne *f*, Plattfuß *m*; **~•foot** *s sl.* Bulle *m* (*policeman*); **~-foot•ed** *adj* plattfüßig; **~ screen mon•i•tor** *s* Flachbildschirm *m*; **~•ten** [ˈ-tn] *v/t and v/i* (sich) ab-, verflachen.

flat•ter [ˈflætə] *v/t* schmeicheln (*dat*); **~•er** [ˈ-rə] *s* Schmeichler(in); **~•y** [ˈ-rɪ] *s* Schmeichelei *f.*

fla•vo(u)r [ˈfleɪvə] **1.** *s* Geschmack *m*; Aroma *n*; *of wine*: Blume *f*; *fig.* Beigeschmack *m*; Würze *f*; **2.** *v/t* würzen; **~•ing** [ˈ-ərɪŋ] *s* Würze *f*, Aroma *n*; **~•less** *adj* geschmacklos, fad.

flaw [flɔː] Fehler *m*; *in character*: Mangel *m*, Defekt *m*; **~•less** *adj* □ fehlerlos.

flax *bot.* [flæks] *s* Flachs *m*, Lein *m.*

flea *zo.* [fliː] *s* Floh *m.*

fleck [flek] *s* Fleck(en) *m*; Tupfen *m.*

fled [fled] *pret and pp of* ***flee.***

fledged [fledʒd] *adj* flügge; **fledg(e)•ling** [ˈfledʒlɪŋ] *s* Jungvogel *m*; *fig.* Grünschnabel *m.*

flee [fliː] (***fled***) *v/i* fliehen; *v/t* fliehen aus; meiden.

fleece [fliːs] **1.** *s* Vlies *n*; **2.** *v/t* scheren; **fleec•y** [ˈfliːsɪ] *adj* (***-ier, -iest***) wollig; flockig.

fleet [fliːt] **1.** *adj* □ schnell; **2.** *s mar.* Flotte *f.*

flesh [fleʃ] *s* Fleisch *n*; **~•y** [ˈfleʃɪ] *adj* (***-ier, -iest***) fleischig; dick.

flew [fluː] *pret of* ***fly*** 2.

flex[1] *esp. anat.* [fleks] *v/t* biegen, dehnen.

flex[2] *esp. Br. electr.* [-] *s* (Anschluss-, Verlängerungs)Kabel *n*, (-)Schnur *f.*

flex•i•ble [ˈfleksəbl] *adj* □ flexibel, biegsam; *fig.* anpassungsfähig; ***~ working hours*** Gleitzeit *f*, gleitende Arbeitszeit.

flex•i•time [ˈfleksɪtaɪm] *s* Gleitzeit *f.*

flick [flɪk] *v/t* schnippen; *v/i* schnellen.

flick•er [ˈflɪkə] **1.** *v/i* flackern; flattern; flimmern; **2.** *s* Flackern *n*, Flimmern *n*; Flattern *n*; *Am. zo.* Buntspecht *m.*

fli•er [ˈflaɪə] → ***flyer.***

flight [flaɪt] *s* Flucht *f*; Flug *m* (*a. fig.*); Schwarm *m* (*birds, etc.*; *a. aer., mil.*); *a.* ***~ of stairs*** Treppe *f*; ***put to ~*** in die Flucht schlagen; ***take*** (***to***) ***~*** die Flucht ergreifen; ***~ of capital*** *econ.* Kapitalflucht *f*; **~•less** *adj zo.* flugunfähig; **~•y** *adj* □ (***-ier, -iest***) launisch.

flim•sy [ˈflɪmzɪ] *adj* (***-ier, -iest***) dünn; zart; *fig.* fadenscheinig.

fling [flɪŋ] **1.** *s* Wurf *m*; Schlag *m*; ***have one's*** *or* ***a ~*** sich austoben; **2.** (***flung***) *v/i* eilen; *of horse*: ausschlagen; *fig.* toben; *v/t* werfen, schleudern; ***~ o.s.*** sich stürzen; ***~ open*** aufreißen.

flint [flɪnt] *s* Feuerstein *m.*

flip [flɪp] **1.** *s* Schnipser *m*; *somersault*: Salto *m*; **2.** *v/t* (***-pp-***) *toss*: schnipsen.

flip•pant [ˈflɪpənt] *adj* □ respektlos, schnodderig.

flip•per [ˈflɪpə] *s zo.* Flosse *f*; *sports*: (Schwimm)Flosse *f.*

flirt [flɜːt] **1.** *v/i* flirten; *fig. with idea, etc.*: liebäugeln; **2.** *s*: ***be a ~*** gern flirten; **flir•ta•tion** [flɜːˈteɪʃn] *s* Flirt *m.*

flit [flɪt] *v/i* (***-tt-***) flitzen, huschen.

float [fləʊt] **1.** *s* Schwimmer *m*; Floß *n*; **2.** *v/t* überfluten; flößen; *of water*: tragen; *mar.* flottmachen; *fig.* in Gang bringen; *econ. company*: gründen; *econ. shares, etc.*: ausgeben, auf den Markt bringen; verbreiten; *v/i* schwimmen, treiben; schweben; umlaufen, in Umlauf sein; **~•ing**; **1.** *adj* schwimmend, treibend, Schwimm…; *econ. money, etc.*: umlaufend; *rate of exchange*: flexibel; *currency*: frei konvertierbar; ***~ voter*** *pol.* Wechselwähler *m*; **2.** *s econ.* Floating *n.*

flock [flɒk] **1.** *s* Herde *f* (*esp. sheep or goats*) (*a. fig.*); Schar *f*; **2.** *v/i* sich scharen; zusammenströmen.

flog [flɒg] *v/t* (**-gg-**) peitschen; prügeln; **~•ging** *s* (Tracht *f*) Prügel.

flood [flʌd] **1.** *s a.* **~-tide** Flut *f*; Überschwemmung *f*; **2.** *v/t* überfluten, überschwemmen; **~•gate** *s* Schleusentor *n*; **~•light** *s electr.* Flutlicht *n*.

floor [flɔː] **1.** *s* (Fuß)Boden *m*; Stock(-werk *n*) *m*; Tanzfläche *f*; *agr.* Tenne *f*; ***first ~*** *Br.* erster Stock, *Am.* Erdgeschoss *n*; ***second ~*** *Br.* zweiter Stock, *Am.* erster Stock; ***~ leader*** *Am. parl.* Fraktionsvorsitzende(r *m*) *f*; ***~ show*** Nachtklubvorstellung *f*; ***take the ~*** das Wort ergreifen; **2.** *v/t room*: mit e-m Fußboden auslegen; *knock down*: zu Boden schlagen; *puzzle*: verblüffen; **~•board** *s* (Fußboden)Diele *f*; **~-cloth** *s* Putzlappen *m*; **~ lamp** *s* Stehlampe *f*; **~ trade** *s stock exchange*: Parketthandel *m*; **~•walk•er** *Am.* → ***shopwalker.***

flop [flɒp] **1.** *v/i* (**-pp-**) schlagen; flattern; (hin)plumpsen; sich fallen lassen; F durchfallen, danebengehen, ein Reinfall sein; **2.** *s* Plumps *m*; F Flop *m*, Misserfolg *m*, Reinfall *m*, Pleite *f*; Versager *m*.

flop•py ['flɒpɪ] **1.** *adj* weich; schlaff; **2.** *s* F *a.* ***~ disc*** *or* ***disk*** Floppy Disk *f*, Diskette *f*.

Flor•ence ['flɒrəns] Florenz *n*.

flor•ist ['flɒrɪst] *s* Blumenhändler *m*.

floun•der[1] *zo.* ['flaʊndə] *s* Flunder *f*.

floun•der[2] [˷] *v/i* zappeln; strampeln; *fig.* sich verhaspeln.

flour ['flaʊə] *s* (feines) Mehl.

flour•ish ['flʌrɪʃ] **1.** *s* Schnörkel *m*; schwungvolle Bewegung; *mus.* Tusch *m*; **2.** *v/i* blühen, gedeihen; *v/t* schwenken.

flow [fləʊ] **1.** *s* Fließen *n*, Strömen *n* (*both a. fig.*), Rinnen *n*; Fluss *m*, Strom *m* (*both a. fig.*); *mar.* Flut *f*; **2.** *v/i* fließen, strömen, rinnen; *of hair*: wallen.

flow•er ['flaʊə] **1.** *s* Blume *f*; Blüte *f* (*a. fig.*); Zierde *f*; **2.** *v/i* blühen; **~-bed** *s* Blumenbeet *n*; **~•pot** *s* Blumentopf *m*; **~•y** *adj* (**-ier, -iest**) Blumen…; *pattern*: geblümt; *fig. style*: blumig.

flown [fləʊn] *pp of* ***fly*** 2.

flu F [fluː] *s* Grippe *f*.

fluc•tu|ate ['flʌktʃʊeɪt] *v/i* schwanken, fluktuieren; **~•a•tion** [˷'eɪʃn] *s* Schwankung *f*, Fluktuation *f*.

flue [fluː] *s* Rauchabzug *m*, Esse *f*; **~ gas** *s tech.* Rauchgas *n*; ***~ desulphurization*** *tech.* Rauchgasentschwefelung *f*.

flu•en|cy *fig.* ['fluːənsɪ] *s* Fluss *m*, Flüssigkeit *f*; **~t** [˷t] *adj* □ fließend; flüssig; *speaker*: gewandt.

fluff [flʌf] **1.** *s* Flaum *m*; Fusseln *pl*; *fig. mistake*: Schnitzer *m*; **2.** *v/t cushion*: aufschütteln; *feathers*: aufplustern; **~•y** *adj* (**-ier, -iest**) flaumig; flockig.

flu•id ['fluːɪd] **1.** *adj* flüssig; **2.** *s* Flüssigkeit *f*.

flung [flʌŋ] *pret and pp of* ***fling*** 2.

flunk *Am. fig.* F [flʌŋk] *v/i and v/t* durchrasseln (lassen).

flu•o•res•cent [flʊə'resənt] *adj* fluoreszierend.

flur•ry ['flʌrɪ] *s* Nervosität *f*; Bö *f*; *Am. a.* (Regen)Schauer *m*; Schneegestöber *n*.

flush[1] [flʌʃ] **1.** *s* Erröten *n*; Erregung *f*; Spülung *f*; *of toilet*: (Wasser)Spülung *f*; **2.** *v/t a.* ***~ out*** (aus)spülen; ***~ down*** hinunterspülen; ***~ the toilet*** spülen; *v/i* erröten, rot werden; *of toilet*: spülen.

flush[2] [˷] *adj tech.* in gleicher Ebene; bündig; reichlich; (über)voll.

flush[3] [˷] *s poker*: Flush *m*.

flus•ter ['flʌstə] **1.** *s* Aufregung *f*; **2.** *v/t* nervös machen, durcheinanderbringen.

flute *mus.* [fluːt] *s* Flöte *f*.

flut•ter ['flʌtə] **1.** *s* Geflatter *n*; Erregung *f*; F Spekulation *f*; **2.** *v/t* aufregen; *v/i* flattern.

flux *fig.* [flʌks] *s* Fluss *m*.

fly [flaɪ] **1.** *s zo.* Fliege *f*; Hosenschlitz *m*; **2.** *v/i and v/t* (***flew, flown***) fliegen (lassen); stürmen, stürzen; flattern, wehen; *time*: verfliegen; *kite*: steigen lassen; *aer.* überfliegen; ***~ at s.o.*** auf j-n losgehen; ***~ into a passion*** *or* ***rage*** in Wut geraten; **~•er** *s* Flieger *m*; *Am.* Flugblatt *n*, Reklamezettel *m*; **~•ing** *adj* fliegend; Flug…; ***~ saucer*** fliegende Untertasse; ***~ squad*** *of police*: Überfallkommando *n*; **~•o•ver** *s Br.* (Straßen-, Eisenbahn)Überführung *f*; **~•weight** *s sports* Fliegengewicht(ler *m*) *n*; **~-wheel** *s tech.* Schwungrad *n*.

FM ***frequency modulation*** UKW.

foal *zo.* [fəʊl] *s* Fohlen *n*.

foam [fəʊm] **1.** *s* Schaum *m*; ***~ rubber*** Schaumgummi *m*; **2.** *v/i* schäumen;

F

~•y *adj* (**-ier, -iest**) schaumig.

f.o.b., fob ***free on board*** frei (*Schiff etc*).

fo•cus ['fəʊkəs] **1.** *s* (*pl* **-cuses, -ci** [-saɪ]) *phys., etc.*: Brennpunkt *m* (*a. fig.*); Zentrum *n*; **in (out of) ~** *phot. picture*: scharf (unscharf); **2.** *v/t* (**-s-** *or* **-ss-**) *light*: bündeln; *phot.* einstellen (*a. fig.*); *v/i* sich bündeln; sich konzentrieren.

fod•der ['fɒdə] *s* (Trocken)Futter *n*.

fog [fɒg] **1.** *s* (dichter) Nebel; *fig.* Umnebelung *f*; *phot.* Schleier *m*; **2.** *v/t* (**-gg-**) *mst fig.* umnebeln; *phot.* verschleiern; **~•gy** *adj* □ (**-ier, -iest**) neb(e)lig; nebelhaft.

F

foi•ble *fig.* ['fɔɪbl] *s* (kleine) Schwäche.

foil[1] [fɔɪl] *s* Folie *f*; *fig.* Hintergrund *m*.

foil[2] [~] *v/t* vereiteln.

foil[3] [~] *s fencing*: Florett *n*.

fold [fəʊld] **1.** *s* Falte *f*; Falz *m*; **2.** *in compounds*: ...fach, ...fältig; **3.** *v/t* falten; falzen; *arms*: kreuzen; **~ (up)** einwickeln; *v/i* sich falten; *Am. esp. of business*: F eingehen.

fold•er ['fəʊldə] *s* Mappe *f*, Schnellhefter *m*; Faltprospekt *m*.

fold•ing ['fəʊldɪŋ] *adj* zusammenlegbar; Klapp...; **~ bed** *s* Klappbett *n*; **~ bi•cycle** *s* Klapprad *n*; **~ boat** *s* Faltboot *n*; **~ chair** *s* Klappstuhl *m*; **~ door(s** *pl*) *s* Falttür *f*.

folk [fəʊk] *s* Leute *pl*; **~s** *pl* F *m-e etc.* Leute *pl* (*relatives*); **~•lore** ['~lɔː] *s* Folklore *f*, Volkskunde *f*; Volkssagen *pl*; **~•song** *s* Volkslied *n*; Folksong *m*.

Folke•stone ['fəʊkstən] *seaside resort on the southeastern coast of England.*

fol•low ['fɒləʊ] *v/t* folgen (*dat*); folgen auf (*acc*); be-, verfolgen; *profession, etc.*: nachgehen (*dat*); **~ through** *plan, etc.*: bis zum Ende durchführen; **~ up** *e-r Sache* nachgehen; *et.* weiterverfolgen; *v/i* folgen; **~•er** *s* Nachfolger(in); Verfolger(in); Anhänger(in); **~•ing 1.** *s* Anhänger(schaft *f*) *pl*; Gefolge *n*; **the ~** das Folgende; die Folgenden *pl*; **2.** *adj* folgende(r, -s); **3.** *prp* im Anschluss an (*acc*).

fol•ly ['fɒlɪ] *s* Torheit *f*; Narrheit *f*.

fond [fɒnd] *adj* □ zärtlich; vernarrt (**of** in *acc*); **be ~ of** gernhaben, lieben; **fon•dle** ['fɒndl] *v/t* liebkosen; streicheln; (ver)hätscheln; **~•ness** *s* Liebe *f*, Zuneigung *f*; Vorliebe *f*.

font [fɒnt] *s* Taufstein *m*; *Am.* Quelle *f*.

food [fuːd] *s* Speise *f*, Nahrung *f*; Essen *n*; Futter *n*; Lebensmittel *pl*; ***French ~*** französische Küche; **~ aid** *s* Lebensmittelhilfe *f*; **~ chain** *s* Nahrungskette *f*; **~ com•bin•ing** *s* Trennkost *f*; **~•stuff** *s* Nahrungsmittel *pl*.

fool [fuːl] **1.** *s* Narr *m*, Närrin *f*, Dummkopf *m*; ***make a ~ of s.o.*** *j-n* zum Narren halten; ***make a ~ of o.s.*** sich lächerlich machen; **2.** *adj Am.* F närrisch, dumm; **3.** *v/t* narren; betrügen (**out of** um *et.*); **~ away** F vertrödeln; *v/i* herumalbern; (herum)spielen; **~ about** *or* **(a)round** herumalbern; herumspielen (**with s.o.** mit *j-m*); herumtrödeln.

fool|e•ry ['fuːlərɪ] *s* Torheit *f*; **~•har•dy** [~hɑːdɪ] *adj* □ tollkühn; **~•ish** *adj* □ dumm, töricht; unklug; **~•ish•ness** *s* Dummheit *f*; **~•proof** *adj* kinderleicht; todsicher, F idiotensicher.

foot [fʊt] **1.** *s* (*pl* **feet**) Fuß *m* (*a. measure = 0,3048 m*); Fußende *n*; **on ~** zu Fuß; im Gange, in Gang; **2.** *v/t*: **~ it** zu Fuß gehen; F *bill*: bezahlen; **~•ball** *s Br.* Fußball(spiel *n*) *m*; *Am.* Football(spiel *n*) *m*; *Br.* Fußball *m*; *Am.* Football-Ball *m*; **~•board** *s* Trittbrett *n*; **~•bridge** *s* Fußgängerbrücke *f*; **~•hold** *s* fester Stand; *fig.* Halt *m*.

foot•ing ['fʊtɪŋ] *s* Halt *m*, Stand *m*; Grundlage *f*, Basis *f*; Stellung *f*; Verhältnis *n*; ***be on a friendly ~ with s.o.*** ein gutes Verhältnis zu *j-m* haben; ***lose one's ~*** ausgleiten.

foot|lights *thea.* ['fʊtlaɪts] *s pl* Rampenlicht(er *pl*) *n*; Bühne *f*; **~•loose** *adj* frei, unbeschwert; **~ and fancy-free** frei u. ungebunden; **~•path** *s* (Fuß)Pfad *m*; **~•print** *s* Fußabdruck *m*; **~s** *pl a.* Fußspur(en *pl*) *f*; **~•sore** *adj* wund an den Füßen; **~•step** *s* Tritt *m*, Schritt *m*; Fußstapfe *f*; **~•wear** *s* Schuhe *pl*, Schuhwerk *n*.

for [fɔː, fə] **1.** *prp mst* für; *purpose, aim, direction*: zu; nach; *waiting, hoping, etc.*: auf (*acc*); *yearning, etc.*: nach; *reason, cause*: aus, vor (*dat*), wegen; *in exchange*: (an)statt; *as part of*: als; *of time*: **~ three days** drei Tage (lang); seit drei Tagen; *distance*: **I walked ~ a mile** ich ging eine Meile (weit); **I ~ one** ich zum Beispiel; **~ sure** sicher!, gewiss!; **2.** *cj* denn.

for•age ['fɒrɪdʒ] *v/i a.* **~ about** (herum-) stöbern, (-)wühlen (**in** in *dat*; **for** nach).

for•ay ['fɒreɪ] *s* räuberischer Einfall.
for•bid [fə'bɪd] *v/t* (***-dd-***; ***-bade*** *or* ***-bad*** [-bæd], ***-bidden*** *or* ***-bid***) verbieten; hindern; **~•ding** *adj* □ abstoßend.
force [fɔːs] **1.** *s* Stärke *f*, Kraft *f*, Gewalt *f*; Nachdruck *m*; Zwang *m*; *mil.* Heer *n*; Streitmacht *f*; ***in ~*** in großer Zahl *or* Menge; ***the*** (***police***) ***~*** die Polizei; ***armed ~s*** *pl* (Gesamt)Streitkräfte *pl*; ***come*** (***put***) ***in***(***to***) ***~*** in Kraft treten (setzen); **2.** *v/t* zwingen, nötigen; erzwingen; aufzwingen; beschleunigen; aufbrechen; ***~ open*** aufbrechen.
forced [fɔːst] *adj*: ***~ labour*** Zwangsarbeit *f*; ***~ landing*** Notlandung *f*; ***~ march*** *esp. mil.* Gewaltmarsch *m*.
force|-feed ['fɔːsfiːd] *v/t* (***-fed***) zwangsernähren; **~•ful** ['fɔːsfl] *adj* □ *person*: energisch, kraftvoll; eindrucksvoll, überzeugend.
for•ci•ble ['fɔːsəbl] *adj* gewaltsam; Zwangs…; eindringlich; wirksam.
ford [fɔːd] **1.** *s* Furt *f*; **2.** *v/t* durchwaten.
fore [fɔː] **1.** *adv* vorn; **2.** *s* Vorderteil *m, n*; ***come to the ~*** sich hervortun; **3.** *adj* vorder; Vorder…; **~•arm** *s* Unterarm *m*; **~•bod•ing** *s* (böses) Vorzeichen; Ahnung *f*; **~•cast**; **1.** *s* Vorhersage *f*; **2.** *v/t* (***-cast*** *or* ***-casted***) vorhersehen; voraussagen; **~•fa•ther** *s* Vorfahr *m*; **~•fin•ger** *s* Zeigefinger *m*; **~•foot** *s zo.* Vorderfuß *m*; **~•gone** *adj* von vornherein feststehend; ***~ conclusion*** ausgemachte Sache, Selbstverständlichkeit *f*; **~•ground** *s* Vordergrund *m*; **~•hand**; **1.** *s sports*: Vorhand(schlag *m*) *f*; **2.** *adj sports*: Vorhand…; **~•head** ['fɒrɪd] *s* Stirn *f*.
for•eign ['fɒrən] *adj* fremd, ausländisch, -wärtig, Auslands…, Außen…; ***~ affairs*** *pl* Außenpolitik *f*; ***~ language*** Fremdsprache *f*; ***~ minister*** *pol.* Außenminister *m*; ***♀ Office*** *Br. pol.* Außenministerium *n*; ***~ policy*** Außenpolitik *f*; ***♀ Secretary*** *Br. pol.* Außenminister *m*; ***~ trade*** *econ.* Außenhandel *m*; ***~ worker*** Gastarbeiter *m*; **~•er** *s* Ausländer(in), Fremde(r *m*) *f*.
fore|knowl•edge [fɔː'nɒlɪdʒ] *s* Vorherwissen *n*; **~•leg** *s zo.* Vorderbein *n*; **~•man** *s jur.* Obmann *m*; Vorarbeiter *m*, (Werk)Meister *m*, Polier *m*, *mining*: Steiger *m*; **~•most** *adj* vorderste(r, -s), erste(r, -s); **~•name** *s* Vorname *m*; **~•run•ner** *s* Vorläufer(in); **~•see** *v/t* (***-saw, -seen***) vorhersehen; **~•sight** *s fig.* Weitblick *m*, (weise) Voraussicht.
for•est ['fɒrɪst] **1.** *s* Wald *m* (*a. fig.*), Forst *m*; ***~ ranger*** *Am.* Förster *m*; **2.** *v/t* aufforsten.
fore•stall [fɔː'stɔːl] *v/t et.* vereiteln; *j-m* zuvorkommen.
for•est|er ['fɒrɪstə] *s* Förster *m*; Waldarbeiter *m*; **~•ry** [-rɪ] *s* Forstwirtschaft *f*; Waldgebiet *n*.
fore|taste ['fɔːteɪst] *s* Vorgeschmack *m*; **~•tell** [fɔː'tel] *v/t* (***-told***) vorhersagen; **~•thought** ['fɔːθɔːt] *s* Vorsorge *f*, -bedacht *m*.
for•ev•er, for ev•er [fə'revə] *adv* für immer.
fore|wom•an ['fɔːwʊmən] *s* Aufseherin *f*; Vorarbeiterin *f*; **~•word** *s* Vorwort *n*.
for•feit ['fɔːfɪt] **1.** *s* Verwirkung *f*; Strafe *f*; Pfand *n*; **2.** *v/t* verwirken; einbüßen.
forge[1] [fɔːdʒ] *v/i mst **~ ahead*** sich vor(wärts)arbeiten.
forge[2] [-] **1.** *s* Schmiede *f*; **2.** *v/t* schmieden (*a. fig. plan, etc.*); *banknote, etc.*: fälschen; **forg•er** ['fɔːdʒə] *s* Fälscher(in); **for•ge•ry** [-ərɪ] *s* Fälschen *n*; Fälschung *f*.
for•get [fə'get] *v/t* (***-got, -gotten***) vergessen; ***~ o.s.*** sich vergessen, die Kontrolle über sich verlieren; **~•ful** *adj* □ vergesslich; **~-me-not** *s bot.* Vergissmeinnicht *n*.
for•giv•a•ble [fə'gɪvəbl] *adj mistake, etc.*: verzeihlich.
for•give [fə'gɪv] *v/t* (***-gave, -given***) vergeben, -zeihen; *debt*: erlassen; **~•ness** *s* Verzeihung *f*; **for•giv•ing** *adj* □ versöhnlich; nachsichtig.
for•go [fɔː'gəʊ] *v/t* (***-went, -gone***) verzichten auf (*acc*).
fork [fɔːk] **1.** *s* (Ess-, Heu-, Mist- *etc.*)Gabel *f*; **2.** *v/t and v/i* (sich) gabeln; **~ed** *adj* gegabelt, gespalten; **~-lift** (**truck**) *s* Gabelstapler *m*.
form [fɔːm] **1.** *s* Form *f*; Gestalt *f*; Formalität *f*; Formular *n*; (Schul)Bank *f*; (Schul)Klasse *f*; Kondition *f*; geistige Verfassung; **2.** *v/t and v/i* (sich) formen, (sich) bilden; (sich) aufstellen.
form•al ['fɔːml] *adj* □ förmlich; formell; äußerlich; **for•mal•i•ty** [fɔː'mælətɪ] *s* Förmlichkeit *f*; Formalität *f*.
for•mat ['fɔːmæt] **1.** *s* Format *n*; *TV, etc.*: (Programm)Struktur *f*; **2.** *v/t* (***-tt-***) *computer*: formatieren; **~•ting** *s com-*

F

puter: Formatierung *f*.

for•ma|tion [fɔːˈmeɪʃn] *s* Bildung *f*; **~•tive** [ˈfɔːmətɪv] *adj* bildend; gestaltend; **~ *years*** *pl* Entwicklungsjahre *pl*.

for•mer [ˈfɔːmə] *adj* vorig, früher; ehemalig, vergangen; erstere(r, -s); jene(r, -s); **~•ly** [ˌlɪ] *adv* ehemals, früher.

for•mi•da•ble [ˈfɔːmɪdəbl] *adj* □ furchtbar, schrecklich; ungeheuer.

for•mu|la [ˈfɔːmjʊlə] *s* (*pl* ***-las, -lae*** [-liː]) *chem. etc.* Formel *f*, Rezept(ur *f*) *n* (*a. fig.*); **~•late** [ˌleɪt] *v/t* formulieren.

F

for|sake [fəˈseɪk] *v/t* (***-sook, -saken***) aufgeben; verlassen; **~•swear** [fɔːˈsweə] *v/t* (***-swore, -sworn***) abschwören (*dat*), entsagen (*dat*).

fort *mil.* [fɔːt] *s* Fort *n*, Festung *f*.

forth [fɔːθ] *adv* vor(wärts), voran; heraus, hinaus, hervor; weiter, fort; **~•com•ing** [fɔːθˈkʌmɪŋ] *adj* erscheinend; bereit; bevorstehend; F entgegenkommend.

for•ti•eth [ˈfɔːtɪɪθ] *adj* vierzigste(r, -s).

for•ti|fi•ca•tion [fɔːrtɪfɪˈkeɪʃn] *s* Befestigung *f*; **~•fy** [ˈfɔːtɪfaɪ] *v/t mil.* befestigen; *fig.* (ver)stärken; **~•tude** [ˌtjuːd] *s* Seelenstärke *f*; Tapferkeit *f*.

fort•night [ˈfɔːtnaɪt] *s* vierzehn Tage.

for•tress [ˈfɔːtrɪs] *s* Festung *f*.

for•tu•i•tous [fɔːˈtjuːɪtəs] *adj* □ zufällig.

for•tu•nate [ˈfɔːtʃnət] *adj* glücklich; ***be* ~** Glück haben; **~•ly** [ˌlɪ] *adv* glücklicherweise.

for•tune [ˈfɔːtʃn] *s* Glück *n*; Schicksal *n*; Zufall *m*; Vermögen *n*; **~-tell•er** *s* Wahrsager(in).

for•ty [ˈfɔːtɪ] **1.** *adj* vierzig; **~ *winks*** *pl* F Nickerchen *n*; **2.** *s* Vierzig *f*.

for•ward [ˈfɔːwəd] **1.** *adj* vorder; bereit(willig); fortschrittlich; vorwitzig, keck; **2.** *adv a.* **~s** vor(wärts); **3.** *s soccer*: Stürmer *m*; **4.** *v/t* befördern, (ver-) senden, schicken; *letter, etc.*: nachsenden; **~•ing a•gent** *s* Spediteur *m*.

fos•ter|-child [ˈfɒstətʃaɪld] *s* Pflegekind *n*; **~-par•ents** *s pl* Pflegeeltern *pl*.

fought [fɔːt] *pret and pp of* ***fight*** 2.

foul [faʊl] **1.** *adj* □ stinkend, widerlich, schlecht, übel (riechend); *weather*: schlecht, stürmisch; *wind*: widrig; *sports*: regelwidrig, unfair; *fig.* widerlich, ekelhaft; *fig.* abscheulich, gemein; **2.** *s sports*: Foul *n*, Regelverstoß *m*; **3.** *v/t a.* **~ *up*** be-, verschmutzen, verunreinigen; *sports*: foulen.

found [faʊnd] **1.** *pret and pp of* ***find*** 1; **2.** *v/t* (be)gründen; stiften; *tech.* gießen.

foun•da•tion [faʊnˈdeɪʃn] *s arch.* Grundmauer *f*, Fundament *n*; *fig.* Gründung *f*, Errichtung *f*; (gemeinnützige) Stiftung; *fig.* Grund(lage *f*) *m*, Basis *f*; **~ stone** *s arch.* Grundstein *m*.

found•er[1] [ˈfaʊndə] *s* Gründer(in), Stifter(in); **~ *member*** Gründungsmitglied *n*.

foun•der[2] [ˌ] *v/i mar.* sinken; *fig.* scheitern.

found•ling [ˈfaʊndlɪŋ] *s* Findling *m*.

foun•dry *tech.* [ˈfaʊndrɪ] *s* Gießerei *f*.

foun•tain [ˈfaʊntɪn] *s* Quelle *f*; Springbrunnen *m*; **~ pen** *s* Füllfederhalter *m*.

four [fɔː] **1.** *adj* vier; **2.** *s* Vier *f*; *rowing*: Vierer *m*; ***on all* ~s** auf allen vieren; **~-square** [fɔːˈskweə] *adj* viereckig; *fig.* unerschütterlich; **~-stroke** *mot.* [ˈˌstrəʊk] *adj* Viertakt…; **~•teen** [ˌˈtiːn]; **1.** *adj* vierzehn; **2.** *s* Vierzehn *f*; **~•teenth** [ˌˈtiːnθ] *adj* vierzehnte(r, -s); **~th** [ˌθ]; **1.** *adj* vierte(r, -s); **2.** *s* Viertel *n*; **~th•ly** [ˈˌθlɪ] *adv* viertens.

fowl [faʊl] *s* Geflügel *n*.

fox [fɒks] **1.** *s* Fuchs *m*; **2.** *v/t* überlisten; **~•y** [ˈˌɪ] *adj* (***-ier, -iest***) fuchsartig; schlau, gerissen; *Am. sl.* sexy.

frac•tion [ˈfrækʃn] *s math.* Bruch *m*; Bruchteil *m*.

frac•ture [ˈfræktʃə] **1.** *s* (*esp. med.* Knochen)Bruch *m*; **2.** *v/t* brechen.

fra•gile [ˈfrædʒaɪl] *adj* zerbrechlich.

frag•ment [ˈfrægmənt] *s* Bruchstück *n*, *of china*: *a.* Scherbe *f*; *mus., etc.*: Fragment *n*; **~•ary** *adj* fragmentarisch, bruchstückhaft.

fra|grance [ˈfreɪgrəns] *s* Wohlgeruch *m*, Duft *m*; **~•grant** [ˌt] *adj* □ wohlriechend.

frail [freɪl] *adj* □ ge-, zerbrechlich; zart, schwach; **~•ty** [ˈfreɪltɪ] *s* Zartheit *f*; Zerbrechlichkeit *f*; Schwäche *f*.

frame [freɪm] **1.** *s* Rahmen *m*; Gerippe *n*; Gerüst *n*; (Brillen)Gestell *n*; Körper *m*; (An)Ordnung *f*; *phot.* (Einzel)Bild *n*; *agr.* Frühbeetkasten *m*; **~ *of mind*** Gemütsverfassung *f*, Stimmung *f*; **2.** *v/t* bilden, formen, bauen; entwerfen; (ein)rahmen; *sl. j-m* et. anhängen, *j-n* reinlegen; **~-up** *esp. Am.* F [ˈˌʌp] *s* abgekartetes Spiel; **~•work** *s tech.* Gerip-

pe *n*; Rahmen *m*; *fig*. Struktur *f*, System *n*.
France [frɑːns] Frankreich *n*.
fran•chise *jur*. ['fræntʃaɪz] *s* Wahl-, Bürgerrecht *n*; *esp*. *Am*. Konzession *f*.
frank [fræŋk] **1.** *adj* □ frei(mütig), offen; **2.** *v/t letter*: maschinell frankieren.
frankenfood ['fræŋkənfuːd] *s* F gentechnisch veränderte Lebensmittel.
frank•fur•ter ['fræŋkfɜːtə] *s* Frankfurter Würstchen *n*.
frank•ness ['fræŋknɪs] *s* Offenheit *f*.
fran•tic ['fræntɪk] *adj* (**~ally**) wahnsinnig.
fra•ter|nal [frə'tɜːnl] *adj* □ brüderlich; **~•ni•ty** [-nətɪ] *s* Brüderlichkeit *f*; Bruderschaft *f*; *Am*. *univ*. Verbindung *f*.
fraud [frɔːd] *s* Betrug *m*; F Schwindel *m*; **~•u•lent** ['-jʊlənt] *adj* □ betrügerisch.
fray [freɪ] *v/t and v/i* (sich) abnutzen; (sich) durchscheuern, (sich) ausfransen.
freak [friːk] **1.** *s* Missbildung *f*, Missgeburt *f*, Monstrosität *f*; außergewöhnlicher Umstand; Grille *f*, Laune *f*; *mst in compounds*: Süchtige(r *m*) *f*; Freak *m*, Narr *m*, Fanatiker *m*; **~ of nature** Laune *f* der Natur; **film ~** Kinonarr *m*, -fan *m*; **2.** *v/i*: **~ out** *sl*. ausflippen.
freck•le ['frekl] *s* Sommersprosse *f*; **~d** *adj* sommersprossig.
free [friː] **1.** *adj* □ (**~r, ~st**) frei; freigebig (**of** mit); freiwillig; **he is ~ to** *inf* es steht ihm frei, zu *inf*; **~ and easy** zwanglos; sorglos; **make ~** sich Freiheiten erlauben; **set ~** frei lassen; **~ movement of goods** *econ*. freier Güteraustausch; **2.** *v/t* (**freed**) befreien; frei lassen, *et*. frei machen; **~•dom** ['friːdəm] *s* Freiheit *f*; freie Benutzung; Offenheit *f*; Zwanglosigkeit *f*; (plumpe) Vertraulichkeit; **~ of a city** (Ehren)Bürgerrecht *n*; **~•hold•er** *s* Grundeigentümer *m*; **~•lance**; **1.** *adj* frei(beruflich tätig), freischaffend; **2.** *s a*. **~r** Freiberufler(in); **♀•ma•son** *s* Freimaurer *m*; **~•way** *s Am*. Schnellstraße *f*; **~-wheel** *tech*. [friː'wiːl]; **1.** *s* Freilauf *m*; **2.** *v/i* im Freilauf fahren.
freeze [friːz] **1.** (**froze, frozen**) *v/i* (ge-)frieren; erstarren; *v/t* gefrieren lassen; *food, etc*.: einfrieren, tiefkühlen; *econ. prices, etc*.: einfrieren; **2.** *s* Frost *m*, Kälte *f*; *econ., pol*. Einfrieren *n*; **wage ~, ~ on wages** Lohnstopp *m*; **~-dry** [-'draɪ] *v/t* gefriertrocknen; **freez•er** *s a*. **deep ~** Gefriertruhe *f*, Tiefkühl-, Gefriergerät *n*; Gefrierfach *n*; **freez•ing** *adj* □ eisig; *tech*. Gefrier…; **~ compartment** Gefrier-, Tiefkühlfach *n*; **~ point** Gefrierpunkt *m*.
freight [freɪt] **1.** *s* Fracht(geld *n*) *f*; *attr Am*. Güter…; **2.** *v/t* be-, verfrachten; **~ car** *Am. rail*. ['-kɑː] *s* Güterwagen *m*; **~•er** *s* Frachter *m*, Frachtschiff *n*; Fracht-, Transportflugzeug *n*; **~ train** *s Am*. Güterzug *m*.
French [frentʃ] **1.** *adj* französisch; **take ~ leave** sich auf französisch empfehlen; **~ doors** *pl Am*. Terrassen-, Balkontür *f*; **~ fries** *pl esp. Am*. Pommes frites *pl*; **~ kiss** Zungenkuss *m*; **~ letter** F Pariser *m*; **~ window(s** *pl*) Terrassen-, Balkontür *f*; **2.** *s ling*. Französisch *n*; **the ~** *pl* die Franzosen *pl*; **~•man** *s* Franzose *m*; **~•wo•man** *s* Französin *f*.
fren|zied ['frenzɪd] *adj* wahnsinnig; **~•zy** [-ɪ] *s* wilde Aufregung; Ekstase *f*; Raserei *f*.
fre•quen|cy ['friːkwənsɪ] *s* Häufigkeit *f*; *electr*. Frequenz *f*; **~t 1.** *adj* □ [-t] häufig; **2.** *v/t* [frɪ'kwent] (oft) besuchen.
fresh [freʃ] *adj* □ frisch; neu; unerfahren; *Am*. F frech; **~•en** *v/i* frischer werden; *wind*: auffrischen; *v/t*: **~ up** *house, etc*.: F aufmöbeln; **~ (o.s.) up** sich frisch machen; **~•man** *s univ*. Student(in) im ersten Jahr, *appr*. Erstsemester *n*; **~•ness** *s* Frische *f*; Neuheit *f*; Unerfahrenheit *f*; **~ wa•ter** *s* Süßwasser *n*; **~•wa•ter** *adj* Süßwasser…
fret [fret] **1.** *s* Aufregung *f*; Ärger *m*; *mus*. Bund *m*, Griffleiste *f*; **2.** *v/t and v/i* (**-tt-**) zerfressen; (sich) ärgern; (sich) grämen; **~ away, ~ out** aufreiben.
fret•ful ['fretfl] *adj* ärgerlich.
FRG ***Federal Republic of Germany*** BRD, Bundesrepublik *f* Deutschland.
fri•ar ['fraɪə] *s* Mönch *m*.
fric•tion ['frɪkʃn] *s* Reibung *f* (*a. fig*.).
Fri•day ['fraɪdɪ] *s* Freitag *m*.
fridge F [frɪdʒ] *s* Kühlschrank *m*.
friend [frend] *s* Freund(in); Bekannte(r *m*) *f*; **make ~s with** sich anfreunden mit, Freundschaft schließen mit; **~•ly** *adj* freund(schaft)lich; **be ~ with** befreundet sein mit; **~•ship** *s* Freundschaft *f*.

F

frig•ate *mar.* ['frɪgɪt] *s* Fregatte *f*.
fright [fraɪt] *s* Schreck(en) *m*; *fig.* Vogelscheuche *f*; **~•en** ['fraɪtn] *v/t* erschrecken; ***be ~ed of s.th.*** vor et. Angst haben; **~•en•ing** *adj* □ furchterregend; **~•ful** *adj* □ schrecklich.
fri•gid ['frɪdʒɪd] *adj* □ kalt, frostig; *psych.* frigid(e).
fringe [frɪndʒ] **1.** *s* Franse *f*; Rand *m*; Ponyfrisur *f*; ***~ benefits*** *pl econ.* Gehalts-, Lohnnebenleistungen *pl*; ***~ event*** Randveranstaltung *f*; ***~ group*** *sociol.* Randgruppe *f*; **2.** *v/t* mit Fransen besetzen.

F

Fris•co ['frɪskəʊ] F ***San Francisco.***
frisk [frɪsk] *v/i* herumtollen; *v/t* F filzen; *j-n, et.* durchsuchen; **~•y** *adj* □ (***-ier, -iest***) lebhaft, munter.
frit•ter ['frɪtə] **1.** *s* Pfannkuchen *m*, Krapfen *m*; **2.** *v/t*: ***~ away*** vertun, -trödeln, -geuden.
fri•vol•i•ty [frɪ'vɒlətɪ] *s* Frivolität *f*, Leichtfertigkeit *f*; **friv•o•lous** ['frɪvələs] *adj* □ frivol, leichtfertig.
frizz•y ['frɪzɪ] *adj* □ (***-ier, -iest***) gekräuselt, *hair*: kraus.
fro [frəʊ] *adv*: ***to and ~*** hin und her.
frock [frɒk] *s* Kutte *f*; Kleid *n*; Kittel *m*; Gehrock *m*.
frog *zo.* [frɒg] *s* Frosch *m*; **~•man** ['₋mən] *s* Froschmann *m*.
frol•ic ['frɒlɪk] **1.** *s* Herumtoben *n*, -tollen *n*; Ausgelassenheit *f*; Streich *m*, Jux *m*; **2.** *v/i* (***-ck-***) herumtoben, -tollen; **~•some** [₋səm] *adj* □ lustig, fröhlich.
from [frɒm, frəm] *prp* von; aus, von … her; *of time*: seit, von … (an); aus, vor (*dat*), wegen; nach, gemäß; ***defend ~*** schützen vor (*dat*); ***~ amidst*** mitten aus.
front [frʌnt] **1.** *s* Stirn *f*; Vorderseite *f*; *mil.* Front *f*; Hemdbrust *f*; Strandpromenade *f*; Kühnheit *f*, Frechheit *f*; ***at the ~, in ~*** vorn; ***in ~ of*** *of place*: vor (*acc or dat*); **2.** *adj* Vorder…; ***~ door*** Haustür *f*; ***~ entrance*** Vordereingang *m*; **3.** *v/t a. v/i* ***~ on, ~ towards*** die Front haben nach; gegenüberstehen (*dat*), gegenübertreten (*dat*); **~•age** ['₋ɪdʒ] *s* (Vorder)Front *f* (*of house*); **~•al** [₋tl] *adj* Stirn…; Front…, Vorder…
fron•tier ['frʌntɪə] *s* (Landes)Grenze *f*; *Am. hist.* Grenzland *n*, Grenze *f* (zum Wilden Westen); *attr* Grenz…
front| page ['frʌntpeɪdʒ] *s newspaper*: Titelseite *f*; **~-wheel drive** *s mot.* Vorderradantrieb *m*.
frost [frɒst] **1.** *s* Frost *m*; *a.* ***hoar~, white ~*** Reif *m*; **2.** *v/t* (mit Zucker) bestreuen; glasieren, mattieren; ***~ed glass*** Milchglas *n*; **~•bite** *s* Erfrierung *f*; **~•bit•ten** *adj* erfroren; **~•y** *adj* □ (***-ier, -iest***) eisig, frostig (*a. fig.*).
froth [frɒθ] **1.** *s* Schaum *m*; **2.** *v/i* schäumen; *v/t* zu Schaum schlagen; **~•y** *adj* □ (***-ier, -iest***) schäumend, schaumig; *fig.* seicht.
frown [fraʊn] **1.** *s* Stirnrunzeln *n*; finsterer Blick; **2.** *v/i* die Stirn runzeln; finster blicken; ***~ on or upon s.th.*** et. missbilligen.
froze [frəʊz] *pret of* ***freeze*** 1; **fro•zen** ['frəʊzn] **1.** *pp of* ***freeze*** 1; **2.** *adj* (eis-) kalt; (ein-, zu)gefroren; Gefrier…; ***~ food*** Tiefkühlkost *f*.
fru•gal ['fru:gl] *adj* □ einfach; sparsam.
fruit [fru:t] **1.** *s* Frucht *f*; Früchte *pl*; Obst *n*; **2.** *v/i* Frucht tragen; **~•er•er** ['₋ərə] *s* Obsthändler *m*; **~•ful** *adj* □ fruchtbar; **~•less** *adj* □ unfruchtbar; **~•y** [₋ɪ] *adj* (***-ier, -iest***) frucht-, obstartig; *wine*: fruchtig; *voice*: klangvoll, sonor; F *joke, remark*: schlüpfrig, zweideutig.
frus|trate [frʌ'streɪt] *v/t* vereiteln; enttäuschen; frustrieren; **~•tra•tion** [₋eɪʃn] *s* Vereitelung *f*; Enttäuschung *f*; Frustration *f*.
fry [fraɪ] **1.** *s* Gebratene(s) *n*; Fischbrut *f*; **2.** *v/t* braten, backen; ***fried potatoes*** *pl* Bratkartoffeln *pl*; **~•ing-pan** ['₋ɪŋpæn] *s* Bratpfanne *f*.
ft ***foot*** (***feet***) Fuß *m* (*od. pl*) (*30,48 cm*).
fuch•sia *bot.* ['fju:ʃə] *s* Fuchsie *f*.
fuck V [fʌk] **1.** *v/t and v/i* V ficken, vögeln; ***~ it!*** F Scheiße!; ***get ~ed!*** der Teufel soll dich holen!; **2.** *int* F Scheiße!; **~•ing** V *adj* F Scheiß…, verflucht, -dammt (*adding emphasis*); ***~ hell!*** verdammte Scheiße!
fudge [fʌdʒ] **1.** *v/t* F zurechtpfuschen; **2.** *s* Unsinn *m*; *cooking*: Fondant *m, n*.
fu•el [fjʊəl] **1.** *s* Brennmaterial *n*; *mot.* Kraftstoff *m*; ***~ economy*** *mot.* sparsamer Benzinverbrauch; **2.** *v/t* (*esp. Br.* ***-ll-***, *Am.* ***-l-***) *mot., aer.* (auf)tanken.
ful•fil, *Am. a.* **-fill** [fʊl'fɪl] *v/t* (***-ll-***) erfüllen; vollziehen; **~•ment** *s* Erfüllung *f*.
full [fʊl] **1.** *adj* □ voll; Voll…; vollstän-

dig, völlig; reichlich; ausführlich; ***of ~ age*** volljährig; **2.** *adv* völlig, ganz; genau; **3.** *s das* Ganze; Höhepunkt *m*; ***in ~*** völlig; ausführlich; ***to the ~*** vollständig; **~•blood•ed** *adj* vollblütig; kräftig; reinrassig; **~ dress** *s* Gesellschaftsanzug *m*; **~•dress** *adj* formell, Gala…; **~-fledged** *esp. Am.* → ***fully-fledged***; **~-grown** *adj* ausgewachsen; **~-length** *adj* in voller Größe; bodenlang; *film, etc.*: abendfüllend; **~ moon** *s* Vollmond *m*; **~ stop** *s ling.* Punkt *m*; **~ text** *s computer*: Volltext *m*; **~ text re•search** *s computer*: Volltextsuche *f*; **~ time** *s sports*: Spielende *n*; **~-time** *adj* ganztägig, Ganztags…; ***~ job*** *s* Ganztagsbeschäftigung *f*.

ful•ly ['fʊlɪ] *adv* voll, völlig, ganz; **~-fledged** *adj* flügge; *fig.* richtig; **~-grown** *Br.* → ***full-grown.***

fum•ble ['fʌmbl] *v/i* tasten; fummeln.

fume [fjuːm] **1.** *v/i* rauchen; *be angry*: aufgebracht sein; **2.** *s*: **~s** *pl* Dämpfe *pl*.

fu•mi•gate ['fjuːmɪgeɪt] *v/t* ausräuchern, desinfizieren.

fun [fʌn] *s* Scherz *m*, Spaß *m*; ***make ~ of*** sich lustig machen über (*acc*).

func•tion ['fʌŋkʃn] **1.** *s* Funktion *f*; Beruf *m*; Tätigkeit *f*; Aufgabe *f*; Feierlichkeit *f*; **2.** *v/i* funktionieren; **~•a•ry** [~ərɪ] *s* Funktionär *m*.

fund [fʌnd] **1.** *s* Fonds *m*; **~s** *pl* Staatspapiere *pl*; Geld(mittel *pl*) *n*; ***a ~ of*** *fig.* ein Vorrat an (*dat*); **2.** *v/t debt*: fundieren; *money*: anlegen; das Kapital aufbringen für.

fun•da•men•tal [fʌndə'mentl] **1.** *adj* □ grundlegend; Grund…; **2.** *s*: **~s** *pl* Grundlage *f*, -züge *pl*, -begriffe *pl*.

fu•ne|ral ['fjuːnərəl] *s* Beerdigung *f*; *attr* Trauer…, Begräbnis…; **~•re•al** [fjuː'nɪərɪəl] *adj* □ traurig, düster.

fun-fair ['fʌnfeə] *s* Rummelplatz *m*.

fu•nic•u•lar [fjuː'nɪkjʊlə] *s a.* ***~ railway*** (Draht)Seilbahn *f*.

fun•nel ['fʌnl] *s* Trichter *m*; Rauchfang *m*; *mar., rail.* Schornstein *m*.

fun•nies *Am.* ['fʌnɪz] *s pl* Comics *pl*.

fun•ny ['fʌnɪ] *adj* □ (***-ier, -iest***) lustig, spaßig, komisch.

fur [fɜː] **1.** *s* Pelz *m*; *on tongue*: Belag *m*; Kesselstein *m*; **~s** *pl* Pelzwaren *pl*; **2.** *v/t* mit Pelz besetzen *or* füttern.

fu•ri•ous ['fjʊərɪəs] *adj* □ wütend; wild.

furl [fɜːl] *v/t flag, sail*: auf-, einrollen; *umbrella*: zusammenrollen.

fur•lough *mil.* ['fɜːləʊ] *s* Urlaub *m*.

fur•nace ['fɜːnɪs] *s* Schmelz-, Hochofen *m*; (Heiz)Kessel *m*.

fur•nish ['fɜːnɪʃ] *v/t* versehen (***with*** mit); *et.* liefern; möblieren; ausstatten.

fur•ni•ture ['fɜːnɪtʃə] *s* Möbel *pl*, Einrichtung *f*; Ausstattung *f*; ***sectional ~*** Anbaumöbel *pl*.

fur•ri•er ['fʌrɪə] *s* Kürschner *m*.

fur•row ['fʌrəʊ] **1.** *s* Furche *f*; **2.** *v/t* furchen.

fur•ry ['fɜːrɪ] *adj* aus Pelz, pelzartig; *tongue*: belegt.

fur•ther ['fɜːðə] **1.** *comp of* **far**; **2.** *v/t* fördern; **~•more** *adv* ferner, überdies; **~•most** *adj* weiteste(r, -s), entfernteste(r, -s).

fur•thest ['fɜːðɪst] *sup of* ***far.***

fur•tive ['fɜːtɪv] *adj* □ verstohlen.

fu•ry ['fjʊərɪ] *s* Raserei *f*, Wut *f*; Furie *f*.

fuse [fjuːz] **1.** *v/i* schmelzen; *electr.* durchbrennen; **2.** *s electr.* Sicherung *f*; Zünder *m*; Zündschnur *f*.

fu•se•lage *aer.* ['fjuːzɪlɑːʒ] *s* (Flugzeug)Rumpf *m*.

fu•sion ['fjuːʒn] *s* Verschmelzung *f*, Fusion *f*; ***nuclear ~*** Kernfusion *f*.

fuss F [fʌs] **1.** *s* Lärm *m*; Wesen *n*, Getue *n*; **2.** *v/i* viel Aufhebens machen (***about*** um, von); sich aufregen; **~•y** ['fʌsɪ] *adj* □ (***-ier, -iest***) aufgeregt, hektisch; pedantisch, kleinlich; heikel, wählerisch.

fus•ty ['fʌstɪ] *adj* (***-ier, -iest***) muffig; *fig.* verstaubt.

fu•tile ['fjuːtaɪl] *adj* □ nutz-, zwecklos.

fu•ture ['fjuːtʃə] **1.** *adj* (zu)künftig; **2.** *s* Zukunft *f*; *gr.* Futur *n*, Zukunft *f*; ***in ~*** in Zukunft, künftig.

fuzz[1] [fʌz] *s* feiner Flaum; Fusseln *pl*.

fuzz[2] *sl.* [~] *s policeman*: Bulle *m*.

Plastizizers - keeps polish flexible after its dry (additives)
UV stabilizers - Keep polish from changing color when exposed to light
Pigments - essence of polish
Dispersants - additives help pigments mix with resin and solvent.

G

G

g ***gram(s), gramme(s)*** g, Gramm *n* (*od. pl*).
gab F [gæb] *s* Geschwätz *n*; ***have the gift of the ~*** redegewandt sein.
gab•ar•dine ['gæbədi:n] *s cloth*: Gabardine *m*; *hist*. Kaftan *m*.
gab•ble ['gæbl] **1.** *s* Geschnatter *n*, Geschwätz *n*; **2.** *v/i* schnattern, schwatzen; *v/t poem, etc.*: herunterrasseln.
gab•er•dine ['gæbədi:n] → ***gabardine.***
ga•ble *arch*. ['geɪbl] *s* Giebel *m*.
gad F [gæd] *v/i* (**-dd-**): ***~ about, ~ around*** (viel) unterwegs sein (in *dat*).
gad•fly *zo*. ['gædflaɪ] *s* Bremse *f*.
gad•get *tech*. ['gædʒɪt] *s* Apparat *m*, Gerät *n*, Vorrichtung *f*; *often contp*. technische Spielerei.
gag [gæg] **1.** *s* Knebel *m* (*a. fig.*); F Gag *m*; **2.** *v/t* (**-gg-**) knebeln; *fig*. mundtot machen.
gage *Am*. [geɪdʒ] → ***gauge.***
gai•e•ty ['geɪətɪ] *s* Fröhlichkeit *f*.
gai•ly ['geɪlɪ] *adv of* ***gay*** 1.
gain [geɪn] **1.** *s* Gewinn *m*; Vorteil *m*; **2.** *v/t* gewinnen; erreichen; bekommen; zunehmen an (*dat*); *of watch*: vorgehen um; *v/i watch*: vorgehen; ***~ in*** zunehmen an (*dat*).
gait [geɪt] *s* Gang(art *f*) *m*; Schritt *m*.
gal F [gæl] *s* Mädel *n*.
gal•ax•y *ast*. ['gæləksɪ] *s* Milchstraße *f*, Galaxis *f*.
gale [geɪl] *s* Sturm *m*.
gall [gɔ:l] **1.** *s* Galle *f*; wund geriebene Stelle; F Frechheit *f*; **2.** *v/t* wund reiben; ärgern.
gal(l). ***gallon(s)*** Gallone(n *pl*) *f* (*Br. 4,546l*, *Am. 3,785 l*).
gal|lant ['gælənt] *adj* stattlich; tapfer; galant, höflich; **~•lan•try** [-rɪ] *s* Tapferkeit *f*; Galanterie *f*.
gal•le•ry ['gælərɪ] *s* Galerie *f*; Empore *f*.
gal|ley ['gælɪ] *s mar*. Galeere *f*; *mar*. Kombüse *f*; *a*. ***~ proof*** *print*. Fahne(nabzug *m*) *f*.
gal•lon ['gælən] *s* Gallone *f* (*Br. 4,54 litres*, *Am. 3,78 liters*).
gal•lop ['gæləp] **1.** *s* Galopp *m*; **2.** *v/i and v/t* galoppieren (lassen).
gal•lows ['gæləʊz] *s sg* Galgen *m*.
ga•lore [gə'lɔ:] *adj* in rauen Mengen.
gam•ble ['gæmbl] **1.** *v/i* (um Geld) spielen; **2.** *s* F Glücksspiel *n*; **~r** [-ə] *s* Spieler(in).
gam•bol ['gæmbl] **1.** *s* Luftsprung *m*; **2.** *v/i* (*esp. Br.* **-ll-**, *Am.* **-l-**) (herum)hüpfen.
game [geɪm] **1.** *s* (Karten-, Ball- *etc.*) Spiel *n*; (einzelnes) Spiel (*a. fig.*); *hunt*. Wild *n*; Wildbret *n*; ***~s*** *pl* Spiele *pl*; *school*: Sport *m*; **2.** *adj* mutig; bereit (***for*** zu; ***to do*** zu tun); **~•keep•er** ['-ki:pə] *s* Wildhüter *m*.
gam•mon *esp. Br.* ['gæmən] *s* schwach gepökelter *or* schwach geräucherter Schinken.
gan•der *zo*. ['gændə] *s* Gänserich *m*.
gang [gæŋ] **1.** *s* (Arbeiter)Trupp *m*; Gang *f*, Bande *f*; Clique *f*; Horde *f*; **2.** *v/i*: ***~ up*** sich zusammentun, *contp*. sich zusammenrotten.
gang•ster ['gæŋstə] *s* Gangster *m*.
gang•way ['gæŋweɪ] *s* (Durch)Gang *m*; *mar*. Fallreep *n*; *mar*. Laufplanke *f*.
gaol [dʒeɪl], **~•bird** ['dʒeɪlbɜ:d], **~•er** [-ə] → ***jail***, *etc*.
gap [gæp] *s* Lücke *f*; Kluft *f*; Spalte *f*.
gape [geɪp] *v/i* gähnen; klaffen; gaffen.
gap year ['gæpjɪə] *s between leaving school and starting college or university*: Brückenjahr *n*.
gar•age ['gærɑ:ʒ] **1.** *s* Garage *f*; (Reparatur)Werkstatt *f* (u. Tankstelle *f*); **2.** *v/t car*: in e-r Garage ab- *or* unterstellen; *car*: in die Garage fahren.
gar•bage *esp. Am.* ['gɑ:bɪdʒ] *s* Abfall *m*, Müll *m*; ***~ can*** *s* Abfall-, Mülleimer *m*; Abfall-, Mülltonne *f*; ***~ truck*** *s* Müllwagen *m*.
gar•den ['gɑ:dn] **1.** *s* Garten *m*; ***~s*** *pl a*. Park *m*, Parkanlage *f*; **2.** *v/i* im Garten arbeiten; Gartenbau treiben; **~•er** *s* Gärtner(in); **~•ing** *s* Gartenarbeit *f*.
gar•gle ['gɑ:gl] **1.** *v/t and v/i* gurgeln; **2.** *s* Gurgeln *n*; Gurgelwasser *n*.
gar•ish ['geərɪʃ] *adj* □ grell, auffallend.
gar•land ['gɑ:lənd] *s* Girlande *f*.
gar•lic *bot*. ['gɑ:lɪk] *s* Knoblauch *m*.

gar•ment ['gɑːmənt] *s* Gewand *n*.
gar•nish ['gɑːnɪʃ] *v/t* garnieren; zieren.
gar•ri•son *mil*. ['gærɪsn] *s* Garnison *f*.
gas [gæs] **1.** *s* Gas *n*; *Am*. F Benzin *n*; ***step on the ~*** *mot*. Gas geben; **2.** (**-ss-**) *v/t* vergasen; *v/i* F faseln; *a*. ***~ up*** *Am*. F *mot*. (auf)tanken; **~ e•mis•sions** *s pl* Abgase *pl*; **~•e•ous** ['gæsɪəs] *adj* gasförmig.
gash [gæʃ] **1.** *s* klaffende Wunde; Hieb *m*; Riss *m*; **2.** *v/t* tief (ein)schneiden in (*acc*).
gas•ket *tech*. ['gæskɪt] *s* Dichtung *f*.
gas|light ['gæslaɪt] *s* Gasbeleuchtung *f*; **~ me•ter** *s* Gasuhr *f*; **~•o•lene**, **~•o•line** *Am*. [~əliːn] *s* Benzin *n*.
gasp [gɑːsp] **1.** *s* Keuchen *n*, schweres Atmen; **2.** *v/i* keuchen; ***~ for breath*** nach Luft schnappen, nach Atem ringen.
gas| sta•tion *Am*. ['gæssteɪʃn] *s* Tankstelle *f*; **~ stove** *s* Gasofen *m*, -herd *m*; **~•works** *s sg* Gaswerk *n*.
gate [geɪt] *s* Tor *n*; Pforte *f*; Schranke *f*, Sperre *f*; *aer*. Flugsteig *m*; *sports*: Besucher(zahl *f*) *pl*; **~•crash** *v/i and v/t* uneingeladen kommen *or* (hin)gehen (zu); sich ohne zu bezahlen hinein- *or* hereinschmuggeln (in *acc*); **~•crash•er** *s* ungeladener Gast; **~•post** *s* Tor-, Türpfosten *m*; **~•way** *s* Tor(weg *m*) *n*, Einfahrt *f*.
gath•er ['gæðə] **1.** *v/t* (ein-, ver)sammeln; *information*: zusammentragen; *harvest*: ernten; *flowers, etc*.: pflücken; *deduce*: schließen (***from*** aus); zusammenziehen, kräuseln; ***~ speed*** schneller werden; *v/i* sich (ver)sammeln; sich vergrößern; *abscess*: reifen; *wound*: eitern; **2.** *s* Falte *f*; **~•ing** [~rɪŋ] *s* Versammlung *f*; Zusammenkunft *f*.
GATT ***General Agreement on Tariffs and Trade*** Allgemeines Zoll- und Handelsabkommen.
gau•dy ['gɔːdɪ] *adj* □ (***-ier, -iest***) auffällig, bunt, *colour*: grell; protzig.
gauge [geɪdʒ] **1.** *s* (Normal)Maß *n*; *tech*. *instrument*: Lehre *f*; *rail*. Spurweite *f*; Messgerät *n*; *fig*. Maßstab *m*; **2.** *v/t* eichen; (aus)messen; *fig*. abschätzen.
gaunt [gɔːnt] *adj* □ hager; ausgemergelt.
gaunt•let ['gɔːntlɪt] *s* Schutzhandschuh *m*; *fig*. Fehdehandschuh *m*; ***run the ~*** Spießruten laufen.
gauze [gɔːz] *s* Gaze *f*.
gave [geɪv] *pret of* ***give***.
gaw•ky ['gɔːkɪ] *adj* □ (***-ier, -iest***) unbeholfen, linkisch.
gay [geɪ] **1.** *adj* F schwul; **2.** *s* F Schwule(r) *m*; **~ mar•riage** *s* gleichgeschlechtliche Ehe, F Homoehe *f*.
gaze [geɪz] **1.** *s* (starrer) Blick; **2.** *v/i* starren; ***~ at*** starren auf (*acc*), anstarren.
ga•zelle *zo*. [gə'zel] *s* Gazelle *f*.
ga•zette [gə'zet] *s* Amtsblatt *n*; *Am*. *a*. Zeitung *f*.
GB ***Great Britain*** Großbritannien *n*.
Gdns ***Gardens*** Park *m*.
GDP ***gross domestic product*** BIP, Bruttoinlandsprodukt *n*.
gear [gɪə] **1.** *s tech*. Getriebe *n*; *mot*. Gang *m*; *mst in compounds*: Vorrichtung *f*, Gerät *n*; ***in ~*** mit eingelegtem Gang; ***out of ~*** im Leerlauf; ***change ~(s)***, *Am*. ***shift ~(s)*** *mot*. schalten; ***landing ~*** *aer*. Fahrgestell *n*; ***steering ~*** *mar*. Ruderanlage *f*; *mot*. Lenkung *f*; **2.** *v/t* anpassen (***to*** an *acc*); **~•le•ver** ['~liːvə], *Am*. **~•shift** *s mot*. Schalthebel *m*.
geese [giːs] *pl of* ***goose***.
geld•ing *zo*. ['geldɪŋ] *s* Wallach *m*.
gem [dʒem] *s* Edelstein *m*; Gemme *f*; *fig*. Glanzstück *n*.
gen•der ['dʒendə] *s gr*. Genus *n*, Geschlecht *n*; *coll*. F Geschlecht *n*.
gene [dʒiːn] *s biol*. Gen *n*; **~ maize** *s biol*. Genmais *m*.
gen•e•ral ['dʒenərəl] **1.** *adj* □ allgemein; allgemeingültig; ungefähr; Haupt…, General…; **ᴥ *Agreement on Tariffs and Trade*** (*abbr*. ***GATT***) *pol*. Allgemeines Zoll- und Handelsabkommen; **ᴥ *Certificate of Education*** → ***certificate*** 1; ***~ education*** *or* ***knowledge*** Allgemeinbildung *f*; ***~ election*** *Br*. *pol*. allgemeine Wahlen *pl*; ***~ practitioner*** praktischer Arzt; **2.** *s mil*. General *m*; Feldherr *m*; ***in ~*** im Allgemeinen; **~•i•ty** [dʒenə'rælətɪ] *s* Allgemeinheit *f*; *die* große Masse; **~•ize** [~laɪz] *v/t* verallgemeinern; **gen•er•al•ly** [~lɪ] *adv* im Allgemeinen, überhaupt; gewöhnlich.
gen•e|rate ['dʒenəreɪt] *v/t* erzeugen; **~•ra•tion** [dʒenə'reɪʃn] *s* (Er)Zeugung *f*; Generation *f*; Menschenalter *n*; **~•ra•tor** ['~reɪtə] *s* Erzeuger *m*; *tech*. Generator *m*; *esp*. *Am*. *mot*. Lichtma-

G

schine *f*.

gen•e|ros•i•ty [dʒenə'rɒsətɪ] *s* Großmut *f*; Großzügigkeit *f*; **~•rous** ['dʒenərəs] *adj* □ großmütig, großzügig.

ge•net•ic [dʒɪ'netɪk] *adj* (**~ally**) genetisch; **~ code** genetischer Code; **~ engineering** Gentechnologie *f*; **~ fingerprint** genetischer Fingerabdruck; **~ manipulation** Genmanipulation *f*; **~ally engineered** genmanipuliert; **~ally modified** gentechnisch verändert; **~ally modified maize** Genmais *m*.

ge•net•ics [dʒɪ'netɪks] *s sg* Genetik *f*.

Ge•ne•va [dʒɪ'ni:və] Genf *n*.

ge•ni•al ['dʒi:nɪəl] *adj* □ freundlich; angenehm; wohltuend.

gen•i•tive *gr*. ['dʒenɪtɪv] *adj a*. **~ case** Genitiv *m*, zweiter Fall.

ge•ni•us ['dʒi:nɪəs] *s* Geist *m*; Genie *n*.

Gen•o•a ['dʒenəʊə] Genua *n*.

gent F [dʒent] *s* Herr *m*; **~s** *sg Br*. F Herrenklo *n*.

gen•teel [dʒen'ti:l] *adj* □ vornehm; elegant.

gen•tile ['dʒentaɪl] **1.** *adj* heidnisch, nichtjüdisch; **2.** *s* Heid|e *m*, -in *f*.

gen•tle ['dʒentl] *adj* □ (**~r, ~st**) sanft; mild; zahm; leise, sacht; vornehm; **~ revolution** *hist., pol.* sanfte Revolution; **~•man** *s* Herr *m*; Gentleman *m*; **~•man•ly** [-mənlɪ] *adj* vornehm, *a*. gentlemanlike; **~•ness** *s* Sanftheit *f*; Milde *f*, Güte *f*, Sanftmut *f*.

gen•try ['dʒentrɪ] *s* niederer Adel; Oberschicht *f*.

gen•u•ine ['dʒenjʊɪn] *adj* □ echt; aufrichtig.

ge•og•ra•phy [dʒɪ'ɒgrəfɪ] *s* Geographie *f*.

ge•ol•o•gy [dʒɪ'ɒlədʒɪ] *s* Geologie *f*.

ge•om•e•try [dʒɪ'ɒmətrɪ] *s* Geometrie *f*.

germ *biol., bot.* [dʒɜ:m] *s* Keim *m*.

Ger•man ['dʒɜ:mən] **1.** *adj* deutsch; **2.** *s* Deutsche(r *m*) *f*; *ling*. Deutsch *n*.

Ger•man Dem•o•crat•ic Re•pub•lic ['dʒɜ:məndemə'krætɪkrɪ'pʌblɪk] *hist. 1949--1990: die* Deutsche Demokratische Republik.

Ger•ma•ny ['dʒɜ:mənɪ] Deutschland *n*.

ger•mi•nate ['dʒɜ:mɪneɪt] *v/i and v/t* keimen (lassen).

ges•tic•u|late [dʒe'stɪkjʊleɪt] *v/i* gestikulieren; **~•la•tion** [dʒestɪkjʊ'leɪʃn] *s* Gestikulation *f*.

ges•ture ['dʒestʃə] *s* Geste *f*, Gebärde *f*.

get [get] (**-tt-**; ***got, got*** *or Am.* ***gotten***) *v/t* erhalten, bekommen, F kriegen; besorgen; *fetch*: holen; (mit)bringen; *receive*: verdienen, bekommen; *capture*: ergreifen, fassen, fangen; (veran)lassen; ***have got*** haben; ***have got to*** müssen; **~ *one's hair cut*** sich die Haare schneiden lassen; **~ *by heart*** auswendig lernen; ***what can I ~ you?*** was darf ich dir bringen?; *v/i* gelangen, geraten, kommen; gehen; werden; **~ *ready*** sich fertig machen; **~ *about*** auf den Beinen sein; herumkommen; *rumour*: sich verbreiten; **~ *ahead*** vorankommen; **~ *ahead of*** übertreffen (*acc*); **~ *along*** vorwärtskommen; auskommen (***with*** mit); **~ *at*** herankommen an (*acc*); sagen wollen; **~ *away*** loskommen; entkommen; **~ *back*** *v/i* zurückgehen, -kommen; *v/t* zurückbekommen; **~ *in*** einsteigen (in *acc*); **~ *off*** aussteigen (aus); **~ *on*** einsteigen (in *acc*); **~ *out*** heraus-, hinausgehen; aussteigen (***of*** aus); **~ *over s.th.*** über et. hinwegkommen; **~ *through*** *v/i* durchkommen (*a. teleph.*); *v/t* durchbekommen; **~ *to*** kommen nach; **~ *together*** zusammenkommen; **~ *up*** aufstehen.

get|a•way ['getəweɪ] *s* Flucht *f*; **~ *car*** Fluchtauto *n*; **~-to•geth•er** *s* F Zusammenkunft *f*, gemütliches Beisammensein; **~-up** *s* Aufmachung *f*.

ghast•ly ['gɑ:stlɪ] *adj* (**-ier, -iest**) grässlich; schrecklich; (toten)bleich; gespenstisch.

gher•kin ['gɜ:kɪn] *s* Gewürzgurke *f*.

ghet•to ['getəʊ] *s* (*pl* **-tos, -toes**) Getto *n*; **~ blast•er** *s sl*. Gettoblaster *m*.

ghost [gəʊst] *s* Geist *m*, Gespenst *n*; *fig*. Spur *f*; **~•ly** ['gəʊstlɪ] *adj* (**-ier, -iest**) geisterhaft.

gi. ***gill*(*s*)** Viertelpint(s *pl*) *n* (*Br. 0,142 l, Am. 0,118 l*).

gi•ant ['dʒaɪənt] **1.** *adj* riesig; Groß…, Riesen…; **2.** *s* Riese *m*; *econ*. Gigant *m*.

gib•ber ['dʒɪbə] *v/i* kauderwelschen; **~•ish** [-rɪʃ] *s* Kauderwelsch *n*.

gib•bet ['dʒɪbɪt] *s* Galgen *m*.

gibe [dʒaɪb] **1.** *v/i* spotten (***at*** über *acc*); **2.** *s* höhnische Bemerkung.

gib•lets ['dʒɪblɪts] *s pl* Hühner-, Gänse-

klein *n*.
Gi•bral•tar [dʒɪ'brɔːltə] Gibraltar *n*.
gid|di•ness ['gɪdɪnɪs] *s med*. Schwindel *m*; Unbeständigkeit *f*; Leichtsinn *m*; **~•dy** ['gɪdɪ] *adj* □ (**-ier, -iest**) schwindel(e)lig; leichtfertig; unbeständig; albern.
gift [gɪft] *s* Geschenk *n*; Talent *n*; **~•ed** ['gɪftɪd] *adj* begabt.
gi•gan•tic [dʒaɪ'gæntɪk] *adj* (**~ally**) gigantisch, riesenhaft, riesig, gewaltig.
gig•gle ['gɪgl] **1.** *v/i* kichern; **2.** *s* Gekicher *n*.
gild [gɪld] *v/t* (**gilded** *or* **gilt**) vergolden; verschönen; **~ed youth** Jeunesse *f* dorée.
gill [gɪl] *s zo*. Kieme *f*; *bot*. Lamelle *f*.
gilt [gɪlt] **1.** *pp of* **gild**; **2.** *s* Vergoldung *f*.
gim•mick F ['gɪmɪk] *s* Trick *m*; *in advertising*: Gag *m*, Spielerei *f*, *a*. Gimmick *m*.
gin [dʒɪn] *s* Gin *m*.
gin•ger ['dʒɪndʒə] **1.** *s* Ingwer *m*; rötliches *or* gelbliches Braun; **2.** *adj* rötlich braun *or* gelblich braun.
gip•sy ['dʒɪpsɪ] *s* Zigeuner(in).
gi•raffe *zo*. [dʒɪ'rɑːf] *s* Giraffe *f*.
girl [gɜːl] *s* Mädchen *n*; *daughter*: *a*. Tochter *f*; **~•friend** *s* Freundin *f*; **~•hood** *s* Mädchenzeit *f*, Mädchenjahre *pl*, Jugend(zeit) *f*; **~•ish** *adj* □ mädchenhaft; Mädchen…
gi•ro *econ*. ['dʒaɪrəʊ] **1.** *s* Giro(system) *n*; *Br*. Postscheckdienst *m*; **2.** *adj* Giro…; *Br*. Postscheck…
girth [gɜːθ] *s* (Sattel)Gurt *m*; (*a*. Körper)Umfang *m*.
gist [dʒɪst] *s das* Wesentliche.
give [gɪv] *v/t and v/i* (**gave, given**) geben; ab-, übergeben; her-, hingeben; überlassen; *as a gift*: schenken; *grant*: gewähren; *sell*: verkaufen; *pay*: (be-)zahlen; *result, etc*.: ergeben; *joy*: machen, bereiten; *lecture, speech*: halten; **~ birth to** zur Welt bringen; **~ away** her-, weggeben, verschenken; *fig*. verraten; **~ back** zurückgeben; **~ in** *petition, etc*.: einreichen, *exam paper*: abgeben; nachgeben; aufgeben; **~ off** *smell*: verbreiten; ausströmen; **~ out** aus-, verteilen; *supplies, strength*: zu Ende gehen; **~ up** (es) aufgeben; aufhören mit; *j-n* ausliefern; **~ o.s. up** sich (freiwillig) stellen.
give|-and-take [gɪvən'teɪk] *s* beidseitiges Entgegenkommen, Kompromissbereitschaft *f*; **~•a•way 1.** *s econ*. Werbegeschenk *n*, Give-away *n*; **2.** *adj*: **~ price** Schleuderpreis *m*.
giv•en ['gɪvn] **1.** *pp of* **give**; **2.** *adj* vorausgesetzt; in Anbetracht (*gen*); **be ~ to** verfallen sein (*dat*); neigen zu; **~ name** *Am*. Vorname *m*.
gla|cial ['gleɪsɪəl] *adj* □ eisig; Eis…; Gletscher…; **~•ci•er** ['glæsɪə] *s* Gletscher *m*.
glad [glæd] *adj* □ (**-dd-**) froh, erfreut; freudig; **~•den** *v/t* erfreuen; **~•ly** *adv* gern(e); **~•ness** *s* Freude *f*.
glam•o(u)r ['glæmə] *s* Zauber *m*, Glanz *m*, Reiz *m*; **~•ous** ['glæmərəs] *adj* □ bezaubernd.
glance [glɑːns] **1.** *s* (schneller *or* flüchtiger) Blick (**at** auf *acc*); **at a ~** mit e-m Blick; **2.** *v/i*: **~ at** flüchtig ansehen, e-n kurzen Blick werfen auf (*acc*); *mst* **~ off** abprallen.
gland *anat*. [glænd] *s* Drüse *f*.
glare [gleə] **1.** *s* grelles Licht; wilder, starrer Blick; **2.** *v/i* grell leuchten; wild blicken; **~ at s.o.** *j-n* anfunkeln.
Glas•gow ['glɑːzgəʊ; 'glæsgəʊ] *city in Scotland*.
glass [glɑːs] **1.** *s* Glas *n*; Opern-, Fernglas *n*; Barometer *n*; (**a pair of**) **~es** *pl* (e-e) Brille; **2.** *adj* gläsern; Glas…; **3.** *v/t* verglasen; **~•house** *s* Treibhaus *n*; *mil*. F Bau *m*; **~•y** *adj* (**-ier, -iest**) gläsern; glasig (*eyes*).
glaze [gleɪz] **1.** *s* Glasur *f*; **2.** *v/t* verglasen; glasieren; polieren; *v/i eyes*: glasig werden; **gla•zi•er** ['-ɪə] *s* Glaser *m*; **glaz•ing** *s* Verglasen *n*; Verglasung *f*; **double ~** Doppelverglasung *f*, Doppelfenster *n*.
gleam [gliːm] **1.** *s* Schimmer *m*, Schein *m*; **2.** *v/i* schimmern.
glee [gliː] *s* Fröhlichkeit *f*; **~•ful** *adj* □ ausgelassen, fröhlich.
glen [glen] *s* Bergschlucht *f*, enges Tal.
glide [glaɪd] **1.** *aer*. Gleitflug *m*; **2.** *v/i and v/t* (dahin)gleiten (lassen); im Gleitflug fliegen (lassen); **glid•er** *s* Segelflugzeug *n*; Segelflieger(in); **gliding** *s* Segelfliegen *n*.
glim•mer ['glɪmə] **1.** *s* Schimmer *m*; *min*. Glimmer *m*; **2.** *v/i* schimmern.
glimpse [glɪmps] **1.** *s* flüchtiger Blick (**at** auf *acc*); Schimmer *m*; flüchtiger Eindruck; **2.** *v/t* flüchtig erblicken.

G

glit•ter ['glɪtə] **1.** *v/i* glitzern, funkeln, glänzen; **2.** *s* Glitzern *n*, Funkeln *n*, Glanz *m*; **glit•te•ra•ti** *sl.* [-'rɑːtɪ] *s pl* Schickeria *f*, F Schickimickis *pl*.

gloat [gləʊt] *v/i*: ~ ***over*** sich hämisch *or* diebisch freuen über (*acc*); **~•ing** *adj* □ hämisch, schadenfroh.

glo•bal ['gləʊbəl] *adj* global, weltweit; ~ ***market leader*** Weltmarktführer *m*; ~ ***player*** *econ*. Weltfirma *f*, Global Player *m*; ~ ***warming*** globaler Temperaturanstieg, Erwärmung *f* der Erdatmosphäre; **~•i•za•tion** *s econ*. Globalisierung *f*.

globe [gləʊb] *s* (Erd)Kugel *f*; Globus *m*; **~•trot•ter** F ['-trɒtə] *s* Globetrotter(in), Weltenbummler(in).

G

gloom [gluːm] *s* Düsterkeit *f*; Dunkelheit *f*; gedrückte Stimmung, Schwermut *f*; **~•y** *adj* □ (**-ier, -iest**) dunkel; düster; schwermütig, traurig.

glo|ri•fy ['glɔːrɪfaɪ] *v/t* verherrlichen, preisen; **~•ri•ous** [-ɪəs] *adj* □ herrlich; glorreich; *fig*. fantastisch (*weather*); **~•ry** [-ɪ] **1.** *s* Ruhm *m*; Herrlichkeit *f*, Pracht *f*; **2.** *v/i*: ~ ***in*** sich freuen über (*acc*); *success, etc.*: sich sonnen in (*dat*).

gloss [glɒs] **1.** *s* Glosse *f*, Erläuterung *f*; Glanz *m*; **2.** *v/t* erläutern; Glanz geben (*dat*); ~ ***over*** beschönigen.

glos•sa•ry ['glɒsərɪ] *s* Glossar *n*, Wörterverzeichnis *n*.

gloss•y ['glɒsɪ] **1.** *adj* (**-ier, -iest**) glänzend; **2.** *s* F *a*. ~ ***magazine*** Hochglanzmagazin *n*.

Glouces•ter ['glɒstə] *city in southwestern England*.

glove [glʌv] *s* Handschuh *m*; ~ ***compartment*** *mot*. Handschuhfach *n*.

glow [gləʊ] **1.** *s* Glühen *n*; Glut *f*; **2.** *v/i* glühen; **~-worm** *s zo*. Glühwürmchen *n*.

glu•cose ['gluːkəʊs] *s* Traubenzucker *m*.

glue [gluː] **1.** *s* Leim *m*; **2.** *v/t* kleben.

glum [glʌm] *adj* □ (**-mm-**) bedrückt, niedergeschlagen.

glut [glʌt] *v/t* (**-tt-**) überschwemmen, -sättigen; ~ ***o.s. with*** *or* ***on*** sich vollstopfen mit; **~•ton** ['-n] *s* Unersättliche(r *m*) *f*; Vielfraß *m*; **~•ton•ous** *adj* □ gefräßig; **~•ton•y** *s* Gefräßigkeit *f*.

GMT ***Greenwich Mean Time*** WEZ, westeuropäische Zeit.

gnarled [nɑːld] *adj* knorrig; *hands*: knotig.

gnash [næʃ] *v/t* knirschen mit.

gnat *zo*. [næt] *s* (Stech)Mücke *f*.

gnaw [nɔː] *v/t* (*and v/i*: ~ ***at***) nagen an (*dat*); *a*. kauen an (*dat*) (*fingernails*).

gnome [nəʊm] *s* Gnom *m*; Gartenzwerg *m*.

GNP ***gross national product*** BSP, Bruttosozialprodukt *n*.

go [gəʊ] **1.** *v/i* (***went, gone***) gehen, fahren, fliegen; weggehen, aufbrechen, abfahren, abreisen; *bus, etc.*: verkehren; *time*: vergehen; *mad, etc.*: werden; *way, etc.*: führen (***to*** nach); *reach*: sich erstrecken, reichen (***to*** bis zu); *develop*: ausgehen, ablaufen, ausfallen; *work properly*: gehen, arbeiten, funktionieren; *break down* (*machine*): kaputtgehen; ***let*** ~ loslassen; ~ ***shares*** teilen; ***I must be ~ing*** ich muss weg *or* fort; ~ ***to bed*** ins Bett gehen; ~ ***to school*** zur Schule gehen; ~ ***to see*** besuchen; ~ ***ahead*** vorangehen; vorausgehen, -fahren; ~ ***ahead with s.th.*** et. durchführen, et. machen; ~ ***at*** losgehen auf (*acc*); ~ ***between*** vermitteln zwischen (*dat*); ~ ***by*** sich richten nach; ~ ***down*** hinuntergehen; *sun*: untergehen; *ship*: sinken; ~ ***for*** holen; ~ ***for a walk*** e-n Spaziergang machen, spazieren gehen; ~ ***in*** hineingehen, eintreten; ~ ***in for an exam*** e-e Prüfung machen; ~ ***off*** fortgehen; ~ ***on*** weitergehen, -fahren; *fig*. fortfahren, weitermachen (***doing*** zu tun); *fig*. vor sich gehen, vorgehen; ~ ***out*** hinausgehen; ausgehen, *regularly*: gehen (***with*** mit); *fire, etc.*: ausgehen, verlöschen; ~ ***through*** durchgehen; durchmachen; ~ ***up*** steigen; hinaufgehen, -steigen; ~ ***without*** sich behelfen ohne, auskommen ohne; **2.** *s* F Mode *f*; Schwung *m*; ***on the*** ~ auf den Beinen; im Gange; ***it is no*** ~ es geht nicht; ***in one*** ~ auf Anhieb; ***have a*** ~ ***at*** es versuchen mit; ***it's your*** ~ du bist dran.

goad [gəʊd] **1.** *s fig*. Ansporn *m*; **2.** *v/t fig*. anstacheln.

go-a•head F ['gəʊəhed] **1.** *adj* fortschrittlich, progressiv; **2.** *s*: ***give s.o. the*** ~ F *j-m* grünes Licht geben.

goal [gəʊl] *s* Mal *n*; Ziel *n*; *soccer*: Tor *n*; **~•keep•er** ['-kiːpə] *s* Torwart *m*.

goat *zo*. [gəʊt] *s* Ziege *f*, Geiß *f*.

gob•ble ['gɒbl] **1.** *v/i* schmatzen; *of tur-*

key: kollern; *v/t mst* ~ ***up*** verschlingen; **2.** *s* Kollern *n*; **~r** [~ə] *s* Truthahn *m*; gieriger Esser.

go-be•tween ['gəʊbɪtwiːn] *s* Vermittler(in), Mittelsmann *m*.

gob•lin ['gɒblɪn] *s* Kobold *m*.

god [gɒd] *s*, *eccl.* ♀ Gott *m*; *fig.* Abgott *m*; **~•child** *s* Patenkind *n*; **~•dess** ['gɒdɪs] *s* Göttin *f*; **~•fa•ther** *s* Pate *m* (*a. fig.*), Taufpate *m*; **~•for•sak•en** *adj contp.* gottverlassen; **~•less** *adj* gottlos; **~•like** *adj* gottähnlich; göttlich; **~•ly** *adj* (***-ier, -iest***) gottesfürchtig; fromm; **~•moth•er** *s* (Tauf)Patin *f*; **~•par•ent** *s* (Tauf)Pate *m*, (-)Patin *f*; **~•send** *s* F Geschenk *n* des Himmels.

gog•gle ['gɒgl] **1.** *v/i* glotzen; **2.** *s*: **~s** *pl* Schutzbrille *f*; **~-box** *s Br.* F Glotze *f*.

go•ing ['gəʊɪŋ] **1.** *adj* gehend; im Gange (befindlich); ***be ~ to*** *inf* im Begriff sein zu *inf*, gleich *tun* wollen *or* werden; **2.** *s* Gehen *n*; Vorwärtskommen *n*; Straßenzustand *m*; Geschwindigkeit *f*, Leistung *f*; **~s-on** *s pl* F Treiben *n*, Vorgänge *pl*.

gold [gəʊld] **1.** *s* Gold *n*; **2.** *adj* golden; **~ dig•ger** *Am.* ['~dɪgə] *s* Goldgräber *m*; **~•en** *adj mst fig.* golden, goldgelb; ~ ***handshake*** *Br.* Abfindung *f*; **~•fish** *s zo.* Goldfisch *m*; **~•smith** *s* Goldschmied *m*.

golf [gɒlf] **1.** *s* Golf(spiel) *n*; **2.** *v/i* Golf spielen; **~ club** *s* Golfschläger *m*; Golfklub *m*; **~ course** *s*, **~ links** *s pl or sg* Golfplatz *m*.

gon•do•la ['gɒndələ] *s* Gondel *f*.

gone [gɒn] **1.** *pp of* ***go*** 1; **2.** *adj* fort; F futsch; vergangen; tot; F hoffnungslos.

good [gʊd] **1.** *adj* (***better, best***) gut; artig; gütig; gründlich; ~ ***at*** geschickt *or* gut in (*dat*); **2.** *s* Nutzen *m*, Wert *m*, Vorteil *m*; *das* Gute, Wohl *n*; **~s** *pl econ.* Waren *pl*, Güter *pl*; ***that's no ~*** das nützt nichts; ***for ~*** für immer; **~•bye** [~'baɪ]; **1.** *s*: ***wish s.o. ~, say ~ to s.o.*** *j-m* auf Wiedersehen sagen; **2.** *int* (auf) Wiedersehen!; ♀ **Fri•day** *s* Karfreitag *m*; **~-hu•mo(u)red** *adj* □ gut gelaunt; gutmütig; **~-look•ing** *adj* gut aussehend; **~-na•tured** *adj* □ gutmütig; **~•ness** *s* Güte *f*; *das* Beste; ***thank ~!*** Gott sei Dank!; (***my***) ***~!, ~ gracious!*** du meine Güte!, du lieber Himmel!; ***for ~' sake*** um Himmels willen!; ~ ***knows*** weiß der Himmel; **~•will** *s* Wohlwollen *n*; *econ.* Goodwill *m*, (ideeller) Firmenwert.

good•y F ['gʊdɪ] *s sweet*: Bonbon *m*, *n*; *in film, novel, etc.*: *der/die* Gute.

goose *zo.* [guːs] *s* (*pl* ***geese***) Gans *f* (*a. fig.*); **~•ber•ry** *bot.* ['gʊzbərɪ] *s* Stachelbeere *f*; **~•flesh** *s*, **~ pim•ples** *s pl* Gänsehaut *f*; **~•step** *s* Stechschritt *m*.

gore [gɔː] *v/t with horns*: durchbohren, aufspießen.

gorge [gɔːdʒ] **1.** *s* Kehle *f*, Schlund *m*; enge (Fels)Schlucht; **2.** *v/i and v/t* (ver)schlingen; (sich) vollstopfen.

gor•geous ['gɔːdʒəs] *adj* □ prächtig.

go•ril•la *zo.* [gə'rɪlə] *s* Gorilla *m*.

gor•y ['gɔːrɪ] *adj* □ (***-ier, -iest***) blutig; *fig.* blutrünstig.

gosh F [gɒʃ] *int*: ***by ~*** Mensch!

gos•ling *zo.* ['gɒzlɪŋ] *s* junge Gans.

go-slow *Br. econ.* [gəʊ'sləʊ] *s* Bummelstreik *m*.

Gos•pel *eccl.* ['gɒspəl] *s* Evangelium *n*.

gos•sa•mer ['gɒsəmə] *s* Spinnfäden *pl*, *a.* Altweibersommer *m*.

gos•sip ['gɒsɪp] **1.** *s* Klatsch *m*, Tratsch *m*; Klatschbase *f*; **2.** *v/i* klatschen, tratschen.

got [gɒt] *pret and pp of* ***get***.

Goth•ic ['gɒθɪk] *adj* gotisch; Schauer...; ~ ***novel*** Schauerroman *m*.

got•ten *Am.* ['gɒtn] *pp of* ***get***.

gourd *bot.* [gʊəd] *s* Kürbis *m*.

gout *med.* [gaʊt] *s* Gicht *f*.

Gov. ***government*** Regierung *f*; **governor** Gouverneur *m*.

gov•ern ['gʌvn] *v/t* regieren, beherrschen; lenken, leiten; *v/i* herrschen; **~•ess** *s* Erzieherin *f*.

gov•ern•ment ['gʌvnmənt] *s* Regierung *f*; *system*: Regierungsform *f*; Herrschaft *f* (***of*** über *acc*); Ministerium *n*; *attr* Staats...; **~•al** [~'mentl] *adj* Regierungs...; **~ loan** *s* Staatsanleihe *f*; **~ mo•nop•o•ly** *s* staatliches Monopol; **~ se•cu•ri•ties** *s pl* Staatsanleihen *pl*; **~ sourc•es** *s pl appr.* Regierungskreise *pl*; **~ spend•ing** *s* öffentliche Ausgaben *pl*.

gov•er•nor ['gʌvənə] *s pol.* Gouverneur *m*; *Br. of bank*: Direktor *m*, Präsident *m*; F *father, boss*: F Alte(r) *m*.

Govt, govt ***government*** Regierung *f*.

gown [gaʊn] **1.** *s* (Frauen)Kleid *n*; Robe *f*, Talar *m*; **2.** *v/t* kleiden.

GP ***general practitioner*** praktischer

Arzt.

grab [græb] **1.** *v/t* (**-bb-**) (hastig *or* gierig) ergreifen, packen, fassen; **2.** *s* (hastiger *or* gieriger) Griff; *tech.* Greifer *m.*

grace [greɪs] **1.** *s* Gnade *f*; Gunst *f*; *delay*: (Gnaden)Frist *f*; *charm*: Grazie *f*, Anmut *f*; *decency*: Anstand *m*; *prayer*: Tischgebet *n*; ***Your*** ♀ Eure Hoheit (*duke, duchess*); Eure Exzellenz (*archbishop*); **2.** *v/t* zieren, schmücken; begünstigen, auszeichnen; **~•ful** *adj* □ anmutig; **~•less** *adj* □ ungraziös, linkisch; ungehobelt.

gra•cious ['greɪʃəs] *adj* □ gnädig.

gra•da•tion [grə'deɪʃn] *s* Abstufung *f.*

grade [greɪd] **1.** *s* Grad *m*, Rang *m*; Stufe *f*; Qualität *f*; *esp. Am.* → ***gradient***; *Am. school*: Klasse *f*; Note *f*; ***make the ~*** es schaffen, Erfolg haben; ***~ crossing*** *esp. Am.* schienengleicher Bahnübergang; **2.** *v/t* abstufen; einstufen; *tech.* planieren.

gra•di•ent *rail., etc.* ['greɪdɪənt] *s* Steigung *f* (*of slope*).

grad•u|al ['grædʒʊəl] *adj* stufenweise, allmählich; **~•al•ly** [-lɪ] *adv* nach u. nach; allmählich; **~•ate 1.** [-jʊeɪt] *v/i* die Abschlussprüfung machen, *Br.* e-n akademischen Grad erwerben, *Am.* die Schulausbildung abschließen; ***she ~d from ...*** sie hat in (*dat*) ... studiert; *v/t* graduieren; abstufen; **2.** *s* [-ʒʊət] *univ.* Hochschulabsolvent(in), Graduierte(r *m*) *f*, Akademiker(in); *Am.* Schulabgänger(in); **~•a•tion** [grædʒʊ'eɪʃn] *s* Gradeinteilung *f*; *univ., Am. a. school*: (Ab)Schlussfeier *f*; *univ.* Erteilung *f or* Erlangung *f e-s akademischen Grades.*

graf•fi•ti [græ'fiːtɪ] *s pl or sg* Wandmalereien *pl*, -schmierereien *pl*, Graffiti *pl.*

grain [greɪn] *s* Korn *n*; Getreide *n*; Gefüge *n*; *fig.* Natur *f*; *old weight*: Gran *n.*

gram [græm] *s* Gramm *n.*

gram•mar ['græmə] *s* Grammatik *f*; **~ school** *s Br. appr.* Gymnasium; *Am. appr.* Realschule *f.*

gram•mat•i•cal [grə'mætɪkl] *adj* □ grammatisch.

gramme [græm] → ***gram.***

gra•na•ry ['grænərɪ] *s* Kornspeicher *m.*

grand [grænd] **1.** *adj* □ *fig.* großartig; erhaben; groß; Groß..., Haupt...; ♀ ***Old Party*** *Am.* Republikanische Partei; **2.** *s* (*pl* ***grand***) F Riese *m* (*1000 dollars or pounds*); **~•child** ['græntʃaɪld] *s* Enkel(in); **~•dad**, *a.* **gran•dad** ['græn-] *s* F Großpapa *m*, Opa *m*; **~•daugh•ter** ['græn-] *s* Enkelin *f*, Enkeltochter *f.*

gran•deur ['grændʒə] *s* Größe *f*, Hoheit *f*; Erhabenheit *f.*

grand•fa•ther ['grændfɑːðə] *s* Großvater *m*; **~ clock** *s* Standuhr *f.*

gran•di•ose ['grændɪəʊs] *adj* □ großartig.

grand|ma F ['grænmɑː] *s* Großmama *f*, Oma *f*; **~•moth•er** ['græn-] *s* Großmutter *f*; **~•par•ents** ['græn-] *s pl* Großeltern *pl*; **~•pa** ['grænpɑː] *s* F → ***granddad***; **~ pi•an•o** *s mus.* (Konzert)Flügel *m*; **~•son** ['græn-] *s* Enkel *m*, Enkelsohn *m*; **~•stand** *s sports*: Haupttribüne *f.*

gran•ny F ['grænɪ] *s* Oma *f.*

grant [grɑːnt] **1.** *s* Gewährung *f*; Unterstützung *f*; Stipendium *n*; **2.** *v/t* gewähren; bewilligen; verleihen; *jur.* übertragen; zugestehen; ***~ed, but*** zugeben, aber; ***take for ~ed*** als selbstverständlich annehmen.

gran|u•lat•ed ['grænjʊleɪtɪd] *adj* körnig, granuliert; **~ *sugar*** Kristallzucker *m*; **~•ule** [-juːl] *s* Körnchen *n.*

grape [greɪp] *s* Weinbeere *f*, -traube *f*; **~•fruit** *bot.* ['-fruːt] *s* Grapefruit *f*, Pampelmuse *f*; **~•vine** *s bot.* Weinstock *m*; F *j-s* Verbindungen *pl*, Gerücht *n*; ***hear s.th. on*** *or* ***through the ~*** et. gerüchtweise hören.

graph [græf] *s* grafische Darstellung; **~•ic** *adj* (**~*ally***) grafisch; anschaulich; **~ *arts*** *pl* Grafik *f*, grafische Kunst; **~•ics card** *s computer*: Grafikkarte *f.*

grap•ple ['græpl] *v/i* ringen, kämpfen; ***~ with*** *fig.* sich herumschlagen mit *et.*

grasp [grɑːsp] **1.** *s* Griff *m*; Bereich *m*; Beherrschung *f*; Fassungskraft *f*; **2.** *v/t* (er)greifen, packen; begreifen.

grass [grɑːs] *s* Gras *n*; Rasen *m*; Weide(land *n*) *f*; *sl. marihuana*: Grass *n*; **~•hop•per** *s zo.* Heuschrecke *f*; **~ roots** *s pl pol.* Basis *f*; **~ wid•ow** *s* Strohwitwe *f*; *Am.* geschiedene Frau; *Am.* getrennt lebende Frau; **~ wid•ow•er** *s* Strohwitwer *m*; *Am.* geschiedener Mann; *Am.* getrennt lebender Mann; **gras•sy** *adj* (**-ier, -iest**) grasbedeckt, Gras...

grate [greɪt] **1.** *s* Gitter *n*; (Feuer)Rost *m*; **2.** *v/t* reiben, raspeln; *v/i* knirschen;

~ on s.o.'s nerves an *j-s* Nerven zerren.
grate•ful ['greɪtfl] *adj* □ dankbar.
grat•er ['greɪtə] *s* Reibe *f*.
grat•ing[1] ['greɪtɪŋ] *adj* □ kratzend, knirschend, quietschend; schrill; unangenehm.
grat•ing[2] [-] *s* Gitter(werk) *n*.
grat•i•tude ['grætɪtju:d] *s* Dankbarkeit *f*.
grave[1] [greɪv] *adj* □ (*~r, ~st*) ernst; (ge-)wichtig; gemessen.
grave[2] [-] *s* Grab *n*; **~-dig•ger** ['-dɪgə] *s* Totengräber *m* (*a. zo.*).
grav•el ['grævl] **1.** *s* Kies *m*; Schotter *m*; *med.* Harngrieß *m*; **2.** *v/t* (*esp. Br.* **-ll-**, *Am.* **-l-**) schottern, mit Kies bestreuen.
grave|stone ['greɪvstəʊn] *s* Grabstein *m*; **~•yard** *s* Friedhof *m*.
grav•i•ta•tion [grævɪ'teɪʃn] *s phys.* Schwerkraft *f*; *fig.* Hang *m*, Neigung *f*.
grav•i•ty ['grævətɪ] *s* Schwere *f*, Ernst *m*; *phys.* Schwerkraft *f*.
gra•vy ['greɪvɪ] *s* Bratensaft *m*; Bratensoße *f*; **~ boat** *s* Soßenschüssel *f*.
gray *esp. Am.* [greɪ] *adj* grau.
graze[1] [greɪz] *v/i and v/t cattle*: weiden (lassen); (ab)weiden; (ab)grasen.
graze[2] [-] **1.** *v/t* streifen; schrammen; *skin*: (ab-, auf)schürfen, (auf)schrammen; **2.** *s* Abschürfung *f*, Schramme *f*.
grease **1.** *s* [gri:s] Fett *n*; Schmiere *f*; **2.** *v/t* [gri:z] (ein)fetten; *tech.* (ab)schmieren; **greas•y** ['gri:zɪ] *adj* □ (*-ier, -iest*) fett(ig), ölig; schmierig.
great [greɪt] *adj* □ groß, Groß…; F großartig; **~-grand…** *child, parents*: Ur…, Urgroß…; **~•ly** *adv* sehr; **~•ness** *s* Größe *f*; Stärke *f*.
Great Brit•ain [ˌgreɪt'brɪtn] Großbritannien *n*.
Great•er Lon•don [ˌgreɪtə'lʌndən] *metropolitan area comprising central London and the surrounding area.*
Greece [gri:s] Griechenland *n*.
greed [gri:d] *s* Gier *f*; **~•y** *adj* □ (*-ier, -iest*) gierig (*for* auf *acc*, nach); habgierig; gefräßig.
Greek [gri:k] **1.** *adj* griechisch; **2.** *s* Griech|e *m*, -in *f*; *ling.* Griechisch *n*.
green [gri:n] **1.** *adj* □ grün (*a. fig.*); *fish, etc.*: frisch; neu; Grün…; *pol.* (*a. adv*) ökologisch, grün, Umwelt…; *~ issues pl pol.* Umweltfragen *pl*; *~ consumerism* umweltfreundliches Konsumverhalten; *go ~ production, etc.*: umweltfreundlich werden; *the* **Ωs** die Grünen; **2.** *s* Grün *n*; Grünfläche *f*, Rasen *m*; **~s** *pl* grünes Gemüse, Blattgemüse *n*; **~•back** *s Am.* F Dollarschein *m*; **~ belt** *s round a town*: Grüngürtel *m*; **~•gro•cer** *s esp. Br.* Obst- u. Gemüsehändler(in); **~•gro•cer•y** *s esp. Br.* Obst- u. Gemüsehandlung *f*; **~•horn** *s* Greenhorn *n*, Grünschnabel *m*; **~•house** *s* Gewächs-, Treibhaus *n*; *~ effect* Treibhauseffekt *m*; **~•ish** *adj* grünlich.
Green•land ['gri:nlənd] Grönland *n*.
Green•wich ['grenɪdʒ; 'grɪnɪdʒ] *a London borough*: *~ Village a district of New York City.*
greet [gri:t] *v/t* grüßen; **~•ing** *s* Begrüßung *f*, Gruß *m*; *~s pl* Grüße *pl*.
gre•nade *mil.* [grɪ'neɪd] *s* Granate *f*.
grew [gru:] *pret of* ***grow***.
grey [greɪ] **1.** *adj* □ grau; **2.** *s* Grau *n*; **3.** *v/t and v/i* grau machen *or* werden; **~•hound** *zo.* ['-haʊnd] *s* Windhund *m*.
grid [grɪd] **1.** *s* Gitter *n*; *electr., etc.*: Versorgungsnetz *n*; **2.** *adj electr.* Gitter…; **~•i•ron** ['-aɪən] *s* (Brat)Rost *m*; *Am. sports*: F Footballfeld *n*.
grief [gri:f] *s* Gram *m*, Kummer *m*; *come to ~* zu Schaden kommen.
griev|ance ['gri:vəns] *s* Beschwerde *f*; Missstand *m*; **~e** [gri:v] *v/t* betrüben, bekümmern, *j-m* Kummer bereiten; *v/i* bekümmert sein; *~ for* trauern um; **~•ous** ['gri:vəs] *adj* □ kränkend, schmerzlich; schlimm.
grill [grɪl] **1.** *v/t* grillen; **2.** *s* Grill *m*; Bratrost *m*; Gegrillte(s) *n*; *a.* **~-room** Grillroom *m*.
grim [grɪm] *adj* □ (*-mm-*) grimmig; schrecklich; erbittert; F schlimm.
gri•mace [grɪ'meɪs] **1.** *s* Fratze *f*, Grimasse *f*; **2.** *v/i* Grimassen schneiden.
grime [graɪm] *s* Schmutz *m*; Ruß *m*; **grim•y** ['graɪmɪ] *adj* □ (*-ier, -iest*) schmutzig; rußig.
grin [grɪn] **1.** *s* Grinsen *n*; **2.** *v/i* (*-nn-*) grinsen.
grind [graɪnd] **1.** *v/t* (***ground***) (zer)reiben; mahlen; schleifen; *barrel-organ, etc.*: drehen; *fig.* schinden; *~ one's teeth* mit den Zähnen knirschen; **2.** *s* Schinderei *f*, Schufterei *f*; **~•er** *s* (Messer- *etc.*) Schleifer *m*; *tech.* Schleifmaschine *f*; *tech.* Mühle *f*; **~•stone** *s* Schleifstein *m*.

G

grip [grɪp] **1.** *v/t* (**-pp-**) packen, fassen (*a. fig.*); **2.** *s* Griff *m* (*a. fig.*); *fig.* Gewalt *f*, Herrschaft *f*; *Am.* Reisetasche *f*.

gris•ly ['grɪzlɪ] *adj* (**-ier, -iest**) grässlich, schrecklich.

Gri•sons ['griːzɔ̃ːŋ] Graubünden *n*.

gris•tle ['grɪsl] *s in meat*: Knorpel *m*.

grit [grɪt] **1.** *s* Kies *m*; Sand(stein) *m*; *fig.* Mut *m*; **2.** *v/t* (**-tt-**): ~ ***one's teeth*** die Zähne zusammenbeißen.

griz•zly (**bear**) *zo.* ['grɪzlɪ(beə)] *s* Grizzly(bär) *m*, Graubär *m*.

groan [grəʊn] **1.** *v/i* stöhnen, ächzen; **2.** *s* Stöhnen *n*, Ächzen *n*.

gro•cer ['grəʊsə] *s* Lebensmittelhändler *m*; **~•ies** [~rɪz] *s pl* Lebensmittel *pl*; **~•y** *s* Lebensmittelgeschäft *n*.

G

grog•gy F ['grɒgɪ] *adj* (**-ier, -iest**) schwach *or* wackelig (auf den Beinen), F groggy.

groin *anat.* [grɔɪn] *s* Leiste(ngegend) *f*.

groom [grʊm] **1.** *s* Pferdepfleger *m*, Stallbursche *m*; → ***bridegroom***; **2.** *v/t* pflegen; *j-n* aufbauen, lancieren.

groove [gruːv] *s* Rinne *f*, Furche *f*; Rille *f*, Nut *f*; **groov•y** *sl.* ['gruːvɪ] *adj* (**-ier, -iest**) klasse, toll.

grope [grəʊp] *v/i* tasten; *v/t sl. girl*: befummeln.

gross [grəʊs] **1.** *adj* □ dick, fett; grob, derb; *econ.* Brutto...; **2.** *s* Gros *n* (*12 dozen*); ***in the*** ~ im Ganzen.

gro•tesque [grəʊ'tesk] *adj* □ grotesk.

ground[1] [graʊnd] **1.** *pret and pp of* ***grind*** 1; **2.** *adj*: ~ ***glass*** Mattglas *n*.

ground[2] [~] **1.** *s* Grund *m*, Boden *m*; Gebiet *n*; (Spiel- *etc.*)Platz *m*; *reason*: (Beweg)Grund *m*; *electr.* Erde *f*; **~s** *pl* Grundstück *n*, Park(s *pl*) *m*, Gärten *pl*; (Kaffee)Satz *m*; ***on the*** **~(*s*)** ***of*** aufgrund (*gen*); ***stand*** *or* ***hold*** *or* ***keep one's*** ~ sich behaupten; **2.** *v/t* niederlegen; (be)gründen; *j-m* die Anfangsgründe beibringen; *electr.* erden; ~ **crew** *s aer.* Bodenpersonal *n*; ~ **floor** *s esp. Br.* Erdgeschoss *n*; ~ **forc•es** *s pl mil.* Bodentruppen *pl*, Landstreitkräfte *pl*; **~•ing** *s Am. electr.* Erdung *f*; Grundlagen *pl*, -kenntnisse *pl*; **~•less** *adj* □ grundlos; ~ **staff** *s Br. aer.* Bodenpersonal *n*; ~ **sta•tion** *s space travel*: Bodenstation *f*; **~•work** *s* Grundlage *f*.

group [gruːp] **1.** *s* Gruppe *f*; **2.** *v/t and v/i* (sich) gruppieren; **~•ie** F ['~ɪ] *s* Groupie *n*; **~•ing** *s* Gruppierung *f*.

grove [grəʊv] *s* Wäldchen *n*, Gehölz *n*.

grov•el ['grɒvl] *v/i* (*esp. Br.* **-ll-**, *Am.* **-l-**) (am Boden) kriechen; *fig.* ~ ***before s.o.*** vor *j-m* kriechen.

grow [grəʊ] (***grew, grown***) *v/i* wachsen; werden; ~ ***into*** hineinwachsen in (*acc*); werden zu, sich entwickeln zu; ~ ***on*** *j-m* lieb werden *or* ans Herz wachsen; ~ ***out of*** herauswachsen aus; entstehen aus; ~ ***up*** aufwachsen, heranwachsen; sich entwickeln; *v/t bot.* anpflanzen, anbauen, züchten; **~•er** *s* Züchter *m*, Erzeuger *m*, *in compounds* ...bauer *m*.

growl [graʊl] *v/i and v/t* knurren, brummen.

grown [grəʊn] **1.** *pp of* ***grow***; **2.** *adj* erwachsen; bewachsen; **~-up** ['~ʌp]; **1.** *adj* erwachsen; **2.** *s* Erwachsene(r *m*) *f*; **growth** [grəʊθ] *s* Wachstum *n*; (An-) Wachsen *n*; Entwicklung *f*; Erzeugnis *n*; *med.* Gewächs *n*, Wucherung *f*; ~ ***rate*** *econ.* Wachstumsrate *f*.

grub [grʌb] **1.** *s zo.* Raupe *f*, Larve *f*, Made *f*; F *food*: Futter *n*; **2.** *v/i* (**-bb-**) graben; sich abmühen; **~•by** ['grʌbɪ] *adj* (**-ier, -iest**) schmutzig.

grudge [grʌdʒ] **1.** *s* Groll *m*; **2.** *v/t* missgönnen; ungern geben *or* tun *etc.*

gru•el ['grʊəl] *s* Haferschleim *m*.

gruff [grʌf] *adj* □ grob, schroff, barsch.

grum•ble ['grʌmbl] **1.** *v/i and v/t* murren; **2.** *s* Murren *n*; **~r** [~ə] *s fig.* Brummbär *m*.

grunt [grʌnt] **1.** *v/i and v/t* grunzen; brummen; stöhnen; **2.** *s* Grunzen *n*; Stöhnen *n*.

gtd, **guar.** ***guaranteed*** garantiert.

guar•an|tee [gærən'tiː] **1.** *s* Garantie *f*; Bürgschaft *f*; Sicherheit *f*; Zusicherung *f*; **2.** *v/t* (sich ver)bürgen für; garantieren; **~•tor** [~'tɔː] *s* Bürge *m*, Bürgin *f*; **~•ty** ['gærəntɪ] *s* Garantie *f*; Bürgschaft *f*; Sicherheit *f*.

guard [gɑːd] **1.** *s* Wacht *f*; *mil.* Wache *f*; Wächter *m*, Wärter *m*; *rail.* Schaffner *m*; Schutz(vorrichtung *f*) *m*; **2s** *pl* Garde *f*; ***be on*** ~ Wache haben; ***be on*** (***off***) ***one's*** ~ (nicht) auf der Hut sein; **2.** *v/t* bewachen, (be)schützen (***from*** vor *dat*); *v/i* sich hüten (***against*** vor *dat*); **~•ed** *adj* □ vorsichtig, zurückhaltend; **~•i•an** *s* Hüter *m*, Wächter *m*; *jur.* Vormund *m*; *attr* Schutz...; **~•i•an•ship** *s jur.* Vormundschaft *f*.

Guern•sey ['gɜːnzɪ] *island in the English Channel.*

gue(r)•ril•la *mil.* [gə'rɪlə] *s* Guerilla *m*; ~ ***warfare*** Guerillakrieg *m*.

guess [ges] **1.** *s* Vermutung *f*; **2.** *v/t and v/i* vermuten; schätzen; raten; *Am.* glauben, denken; ~***ing game*** Ratespiel *n*; ~**•work** *s* (reine) Vermutung(en *pl*).

guest [gest] **1.** *s* Gast *m*; **2.** *adj* Gast…; ~**-house** *s* (Hotel)Pension *f*, Fremdenheim *n*; ~**-room** *s* Gast-, Gäste-, Fremdenzimmer *n*.

guid•ance ['gaɪdns] *s* Führung *f*; (An-)Leitung *f*.

guide [gaɪd] **1.** *s* (Reise-, Fremden)Führer(in); *tech.* Führung *f*; *a.* ~***book*** (Reise- *etc.*) Führer *m*; ***a*** ~ ***to London*** ein London-Führer; **2.** *v/t* leiten; führen; lenken; **guid•ed tour** *s* Führung *f*; ~**-line** ['-laɪn] *s* Richtlinie *f*, -schnur *f*.

guild *hist.* [gɪld] *s* Gilde *f*, Zunft *f*; ♀**•hall** [gɪld'hɔːl] *s* Rathaus *n* (*of London*).

guile [gaɪl] *s* Arglist *f*; ~**•ful** *adj* □ arglistig; ~**•less** *adj* □ arglos.

guilt [gɪlt] *s* Schuld *f*; Strafbarkeit *f*; ~**•less** *adj* □ schuldlos; unkundig; ~**•y** [-ɪ] *adj* □ (***-ier, -iest***) schuldig (***of*** *gen*).

guin•ea *Br.* ['gɪnɪ] *s* Guinee *f* (*former monetary unit, = 21 shillings*); ~**-pig** *s zo.* Meerschweinchen *n*; *fig.* Versuchskaninchen *n*.

gui•tar *mus.* [gɪ'tɑː] *s* Gitarre *f*.

gulch *esp. Am.* [gʌlʃ] *s* tiefe Schlucht.

gulf [gʌlf] *s* Meerbusen *m*, Golf *m*; *fig. chasm*: Kluft *f*, Abgrund *m*.

gull *zo.* [gʌl] *s* Möwe *f*.

gul•let *anat.* ['gʌlɪt] *s* Schlund *m*, Speiseröhre *f*, Gurgel *f*.

gulp [gʌlp] **1.** *s* (großer) Schluck; **2.** *v/t often* ~ ***down*** *drink*: hinunterstürzen, *food*: hinunterschlingen.

gum [gʌm] **1.** *s* Gummi *m*, *n*; Klebstoff *m*; *Am. a.* ~***drop*** Gummibonbon *m*, *n*; ~***s*** *pl anat.* Zahnfleisch *n*; *Am.* Gummischuhe *pl*; **2.** *v/t* (***-mm-***) gummieren; kleben.

gun [gʌn] **1.** *s* Gewehr *n*; Flinte *f*; Geschütz *n*, Kanone *f*; *Am.* Revolver *m*; ***big*** ~ F *fig.* hohes Tier; **2.** *v/t* (***-nn-***) *mst* ~ ***down*** niederschießen; ~ **bat•tle** *s* Feuergefecht *n*, Schießerei *f*; ~**•boat** *s* Kanonenboot *n*; ~**•fight** *Am.* → ***gun battle***; ~**•fire** *s* Schüsse *pl*; *mil.* Geschützfeuer *n*; ~ **li•cence** *s* Waffenschein *m*; ~**•man** *s* Bewaffnete(r) *m*; Revolverheld *m*; ~**•ner** *s mil.* Kanonier *m*; ~**•point** *s*: ***at*** ~ mit vorgehaltener Waffe, mit Waffengewalt; ~**•pow•der** *s* Schießpulver *n*; ~**•run•ner** *s* Waffenschmuggler *m*; ~**•run•ning** *s* Waffenschmuggel *m*; ~**•shot** *s* Schuss *m*; ***within*** (***out of***) ~ in (außer) Schussweite; ~**•smith** *s* Büchsenmacher *m*.

gur•gle ['gɜːgl] **1.** *v/i* glucksen, gluckern, gurgeln; **2.** *s* Glucksen *n*, Gurgeln *n*.

gush [gʌʃ] **1.** *s* Schwall *m*, Strom *m* (*a. fig.*); **2.** *v/i* sich ergießen, schießen (***from*** aus); *fig.* schwärmen.

gust [gʌst] *s* Windstoß *m*, Bö *f*.

gut [gʌt] *s anat.* Darm *m*; *mus.* Darmsaite *f*; ~***s*** *pl* Eingeweide *pl*; *das* Innere; *fig.* Schneid *m*, F Mumm *m*; ~**•less** F *adj* □ feige.

gut•ter ['gʌtə] *s* Dachrinne *f*; Gosse *f* (*a. fig.*), Rinnstein *m*; ~ **press** *s* Sensationspresse *f*.

guy F [gaɪ] *s* Kerl *m*, Typ *m*.

guz•zle ['gʌzl] *v/t and v/i* saufen; fressen.

gym F [dʒɪm] → ***gymnasium***, ***gymnastics***; ~**•na•si•um** [dʒɪm'neɪzɪəm] *s* Turn-, Sporthalle *f*; ~**•nas•tics** [-'næstɪks] *s sg* Turnen *n*, Gymnastik *f*.

gy•n(a)e•col•o|gist [gaɪnɪ'kɒlədʒɪst] *s* Gynäkolog|e *m*, -in *f*, Frauenarzt *m*, -ärztin *f*; ~**•gy** [-dʒɪ] *s* Gynäkologie *f*, Frauenheilkunde *f*.

gyp•sy *esp. Am.* ['dʒɪpsɪ] → ***gipsy***.

gy•rate [dʒaɪə'reɪt] *v/i* kreisen, sich (im Kreis) drehen, (herum)wirbeln.

Adhesion - type of molecular attraction, causes 2 differ. surfaces to stick together.
Methacrylic Acid - works to rid nail plate of remaining oils to create strong bond
Monomer - small, single molecule, may be one chemically bonded to other monomer mol. to form a polymer when it comes into contact with initiator.

H

h. ***hour(s)*** Std., Stunde(n *pl*) *f*, Uhr (*bei Zeitangaben*); ***height*** H., Höhe *f*.

hab•it ['hæbɪt] *s* (An)Gewohnheit *f*; *esp. of monk*: Ordenskleidung *f*; ***out of*** *or* ***by ~*** aus Gewohnheit; … ***as was her ~*** wie es ihre Gewohnheit war; ***~ of mind*** Geistesverfassung *f*; ***drink has become a ~ with him*** er kommt vom Alkohol nicht mehr los.

hab•i|ta•ble ['hæbɪtəbl] *adj* □ bewohnbar; **~•tat** [-tæt] *s of animal*: Lebensraum *m*; *of plant*: Standort *m*.

ha•bit•u•al [hə'bɪtjʊəl] *adj* □ gewohnt, gewöhnlich; Gewohnheits…

H

hack¹ [hæk] *v/t and v/i* (zer)hacken; *computer*: hacken.

hack² [-] *s* Reitpferd *n*; Mietpferd *n*; *contp*. Klepper *m*; *a.* ***~ writer*** Schreiberling *m*.

hack•er ['hækə] *s computer*: Hacker *m*.

hack•neyed ['hæknɪd] *adj phrase, etc.*: abgedroschen, abgenutzt.

had [hæd] *pret and pp of* ***have.***

had•dock *zo.* ['hædək] *s* Schellfisch *m*.

h(a)e•mor•rhage *med.* ['hemərɪdʒ] *s* Blutung *f*.

hag *fig.* [hæg] *s* hässliches altes Weib, Hexe *f*.

hag•gard ['hægəd] *adj* □ verhärmt.

hag•gle ['hægl] *v/i* feilschen, schachern.

Hague [heɪg]: ***The ~*** Den Haag.

hail [heɪl] **1.** *s* Hagel *m*; (Zu)Ruf *m*; **2.** *v/i and v/t* (nieder)hageln (lassen); rufen; (be)grüßen; ***~ from*** stammen aus; **~•stone** *s* Hagelkorn *n*; **~•storm** *s* Hagelschauer *m*.

hair [heə] *s single*: Haar *n*; *coll.* Haar *n*, Haare *pl*; **~•breadth** ['-bredθ] *s*: ***by a ~*** um Haaresbreite; **~•brush** *s* Haarbürste *f*; **~•cut** *s* Haarschnitt *m*; **~•do** *s* (*pl* ***-dos***) F Frisur *f*; **~•dress•er** *s* Friseur *m*, Friseuse *f*; **~-dri•er, ~-dry•er** *s* Trockenhaube *f*; Haartrockner *m*; *TM* Föhn *m*; **~-grip** *s Br.* Haarklammer *f*, -klemme *f*; **~•less** *adj* ohne Haare, kahl; **~•pin** *s* Haarnadel *f*; ***~ bend*** Haarnadelkurve *f*; **~-rais•ing** *adj* haarsträubend; **~'s breadth** → ***hairbreadth***; **~-slide** *s Br.* Haarspange *f*; **~-split•ting** *s* Haarspalterei *f*; **~ spray** *s* Haarspray *m*, *n*; **~•style** *s* Frisur *f*; **~ styl•ist** *s* Hairstylist *m*, Damenfriseur *m*; **~•y** *adj* (**-ier, -iest**) behaart; haarig.

hale [heɪl] *adj*: ***~ and hearty*** gesund u. munter.

half [hɑːf] **1.** *s* (*pl* ***halves*** [-vz]) Hälfte *f*; ***by halves*** nur halb; ***go halves*** halbehalbe machen, teilen; **2.** *adj and adv* halb; ***~ an hour*** e-e halbe Stunde; ***~ a pound*** ein halbes Pfund; ***~ past ten*** halb elf (Uhr); ***~ way up*** auf halber Höhe; **~-breed** *s* Halbblut *n*; **~ brother** *s* Halbbruder *m*; **~-caste** *s* Halbblut *n*; **~-heart•ed** *adj* □ halbherzig, lustlos, lau; **~-hour** *s* halbe Stunde; **~ly** halbstündlich; **~-life** *s phys.* Halbwertszeit *f*; **~-mast** *s*: ***fly at ~*** auf halbmast wehen; **~ sis•ter** *s* Halbschwester *f*; **~-term** *s Br. univ.* Kurzferien *pl* in der Mitte e-s Trimesters; **~-tim•bered** *adj arch.* Fachwerk…; **~-time** *s sports*: Halbzeit *f*; **~-way** *adj and adv* halb; auf halbem Weg, in der Mitte; **~-wit•ted** *adj* schwachsinnig.

hal•i•but *zo.* ['hælɪbət] *s* Heilbutt *m*.

hall [hɔːl] *s* Halle *f*, Saal *m*; Flur *m*, Diele *f*; Herrenhaus *n*; *univ.* Speisesaal *m*; *univ.* ***~ of residence*** Studentenwohnheim *n*.

hal•lo *Br.* [hə'ləʊ] → ***hello.***

hal•low ['hæləʊ] *v/t* heiligen, weihen.

Hal•low•e'en [hæləʊ'iːn] *s* Halloween *n*, Abend *m* vor Allerheiligen.

hal•lu•ci•na•tion [həluːsɪ'neɪʃn] *s* Halluzination *f*.

hall•way *esp. Am.* ['hɔːlweɪ] *s* Halle *f*, Diele *f*; Korridor *m*.

ha•lo ['heɪləʊ] *s* (*pl* ***-loes, -los***) *ast.* Hof *m*; Heiligenschein *m*.

halt [hɔːlt] **1.** *s* Halt(estelle *f*) *m*; Stillstand *m*; **2.** *v/t and v/i* (an)halten.

hal•ter ['hɔːltə] *s* Halfter *m*, *n*; Strick *m*.

halve [hɑːv] *v/t* halbieren; **~s** [hɑːvz] *pl of* ***half*** 1.

ham [hæm] *s* Schinken *m*; ***~ and eggs*** Schinken mit (Spiegel)Ei.

ham•burg•er ['hæmbɜːgə] *s* Hamburger *m*; Hacksteak *n*, Frikadelle *f*.

ham•let ['hæmlɪt] *s* Weiler *m*.
ham•mer ['hæmə] **1.** *s* Hammer *m*; **2.** *v/t and v/i* hämmern; *v/t* F *sports*: vernichtend schlagen, deklassieren.
ham•mock ['hæmək] *s* Hängematte *f*; *a.* ***swinging garden ~*** Hollywoodschaukel *f*.
ham•per[1] ['hæmpə] *s* (Trag)Korb *m* (mit Deckel); Geschenk-, F Fresskorb *m*.
ham•per[2] [~] *v/t* (be)hindern; stören.
ham•ster *zo.* ['hæmstə] *s* Hamster *m*.
hand [hænd] **1.** *s* Hand *f* (*a. fig.*); *~writing*: Handschrift *f*; *measurement*: Handbreite *f*; *of clock*: (Uhr)Zeiger *m*; *worker*: Mann *m*, Arbeiter *m*; *cards*: Blatt *n*; ***at ~*** bei der Hand; nahe bevorstehend; ***at first ~*** aus erster Hand; ***a good*** (***poor***) ***~ at*** (un)geschickt in (*dat*); ***~ and glove*** ein Herz und eine Seele; ***change ~s*** den Besitzer wechseln; ***lend a ~*** (mit) anfassen; ***off ~*** aus dem Handgelenk *or* Stegreif; ***on ~*** *econ.* vorrätig, auf Lager; *esp. Am.* zur Stelle, bereit; ***on one's ~s*** auf dem Hals; ***on the one ~*** einerseits; ***on the other ~*** andererseits; **2.** *v/t* ein-, aushändigen, (über)geben, (-)reichen; ***~ around*** herumreichen; ***~ down*** herunterreichen; vererben; ***~ in*** *et.* hinein-, hereinreichen; *paper, essay, etc.*: abgeben; *report, forms, etc.*: einreichen; ***~ on*** weiterreichen, -geben; ***~ out*** aus-, verteilen; ***~ over*** übergeben; aushändigen; ***~ up*** hinauf-, heraufreichen; **~•bag** *s* Handtasche *f*; **~•bill** *s* Handzettel *m*, Flugblatt *n*; **~•book** *s* Handbuch *n*; **~•brake** *s tech.* Handbremse *f*; **~•cuff** *v/t j-m* Handschellen anlegen, *j-n* mit Handschellen fesseln; **~•cuffs** *s pl* Handschellen *pl*; **~•ful** *s* Hand voll.
hand•i•cap ['hændɪkæp] **1.** *s* Handikap *n*; *sports*: Vorgabe *f*; *race*: Vorgaberennen *n*; *fig.* Behinderung *f*, Benachteiligung *f*, Nachteil *m*; → ***mental***, ***physical***; **2.** *v/t* (**-pp-**) (be)hindern, benachteiligen; *sports*: mit Handikaps belegen; **~ped**; **1.** *adj* gehandikapt, behindert, benachteiligt; → ***mental***, ***physical***; **2.** *s*: ***the ~*** *pl med.* die Behinderten *pl*.
hand•ker•chief ['hæŋkətʃɪf] *s* Taschentuch *n*.
han•dle ['hændl] **1.** *s* Griff *m*; Stiel *m*; Henkel *m*; *fig.* Handhabe *f*; ***fly off the ~*** F wütend werden; **2.** *v/t* anfassen; handhaben; behandeln; **~•bar(s** *pl*) *s* Lenkstange *f*.
hand| lug•gage ['hændlʌgɪdʒ] *s* Handgepäck *n*; **~•made** *adj* handgearbeitet; **~•rail** *s* Geländer *n*; **~•shake** *s* Händedruck *m*; **~•some** ['hænsəm] *adj* □ (***~r, ~st***) ansehnlich; hübsch; anständig; **~•work** *s* Handarbeit *f*; **~•writ•ing** *s* Handschrift *f*; **~•writ•ten** *adj* handgeschrieben; **~•y** *adj* □ (***-ier, -iest***) geschickt; handlich; nützlich; zur Hand; ***come in ~*** sich als nützlich erweisen; sehr gelegen kommen.
hang[1] [hæŋ] **1.** (***hung***) *v/t* hängen; auf-, einhängen; verhängen; hängen lassen; *wallpaper*: ankleben; *v/i* hängen; schweben; sich neigen; ***~ about***, ***~ around*** herumlungern; ***~ back*** zögern; ***~ on*** sich klammern (***to*** an *acc*) (*a. fig.*); F *wait*: warten; ***~ up*** *teleph.* einhängen, auflegen; ***she hung up on me*** sie legte einfach auf; **2.** *s* Fall *m*, Sitz *m* (*of dress, etc.*); ***get the ~ of s.th.*** et. kapieren, den Dreh rauskriegen (bei et.).
hang[2] [~] *v/t* (***hanged***) (auf)hängen; ***~ o.s.*** sich erhängen.
han•gar ['hæŋə] *s* Hangar *m*, Flugzeughalle *f*.
hang•er ['hæŋə] *s* Kleiderbügel *m*; **~-on** *fig.* [~ər'ɒn] *s* (*pl* ***hangers-on***) Klette *f*.
hang|-glid•er ['hæŋglaɪdə] *s* (Flug)Drachen *m*; Drachenflieger(in); **~-glid•ing** *s* Drachenfliegen *n*.
hang•ing ['hæŋɪŋ] **1.** *adj* hängend; Hänge...; **2.** *s* (Er)Hängen *n*; **~s** *pl* Tapete *f*, Wandbehang *m*, Vorhang *m*.
hang•man ['hæŋmən] *s* Henker *m*.
hang•o•ver F ['hæŋəʊvə] *s* Katzenjammer *m*, Kater *m*.
han•ker ['hæŋkə] *v/i* sich sehnen (***after***, ***for*** nach).
Han•o•ver ['hænəʊvə] Hannover *n*.
hap•haz•ard [hæp'hæzəd] **1.** *s* Zufall *m*; ***at ~*** aufs Geratewohl; **2.** *adj* □ willkürlich, plan-, wahllos.
hap•pen ['hæpən] *v/i* sich ereignen, geschehen; ***these things ~*** das kommt vor; ***he ~ed to be at home*** er war zufällig zu Hause; ***~ on***, ***~ upon*** zufällig treffen auf (*acc*); **~•ing** *s* Ereignis *n*, Vorkommnis *n*; Happening *n*.
hap•pi|ly ['hæpɪlɪ] *adv* glücklich(erweise); **~•ness** [~nɪs] *s* Glück(seligkeit *f*)

H

n.

hap•py ['hæpɪ] *adj* □ (*-ier, -iest*) glücklich; beglückt; erfreut; erfreulich; geschickt; treffend; F beschwipst; **~-go-‑luck•y** *adj* unbekümmert.

ha•rangue [hə'ræŋ] **1.** *s* Strafpredigt *f*; **2.** *v/t j-m* e-e Strafpredigt halten.

har•ass ['hærəs] *v/t* belästigen, quälen; **~•ment** *s* Belästigung *f*, Schikane *f*; ***sexual ~*** sexuelle Belästigung.

har•bo(u)r ['hɑːbə] **1.** *s* Hafen *m*; Zufluchtsort *m*; **2.** *v/t* beherbergen; *thoughts, etc.*: hegen.

hard [hɑːd] **1.** *adj* hart; schwer; mühselig; streng; ausdauernd; fleißig; heftig; *drug*: hart, *drink*: *a.* stark; ***~ of hearing*** schwerhörig; **2.** *adv* stark; tüchtig; mit Mühe; ***~ by*** nahe bei; ***~ up*** in Not; **~-boiled** *adj* hart (gekocht); *fig.* hart, unsentimental, nüchtern; **~ cash** *s* Bargeld *n*; F Bare(s) *n*; **~ core** *s* harter Kern (*of gang, etc.*); **~-core** *adj* zum harten Kern gehörend; *pornography*: hart; **~•cov•er** *print.*; **1.** *adj* gebunden; **2.** *s* Hardcover *n*, gebundene Ausgabe; **~ disk** *s computer*: Festplatte *f*; **~•en** *v/t and v/i* härten; hart machen *or* werden; (sich) abhärten; *fig.* (sich) verhärten (***to*** gegen); *econ.* (*prices*) sich festigen; **~ hat** *s* Schutzhelm *m* (*for construction workers, etc.*); **~•head•ed** *adj* nüchtern, praktisch; *esp. Am.* starr-, dickköpfig; **~ la•bo(u)r** *s jur.* Zwangsarbeit *f*; **~ line** *s esp. pol.* harter Kurs; **~-line** *adj esp. pol.* hart, kompromisslos; **~-lin•er** *s esp. pol.* Hardliner *m*, F Betonkopf *m*; **~•heart•ed** *adj* □ hart (-herzig); **~•ly** *adv* kaum; streng; mit Mühe; **~•ness** *s* Härte *f*; Schwierigkeit *f*; Not *f*; **~•ship** *s* Bedrängnis *f*, Not *f*; Härte *f*; **~ shoul•der** *s mot.* Standspur *f*, Seitenstreifen *m*; **~•ware** *s* Eisenwaren *pl*; Haushaltswaren *pl*; *computer*: Hardware *f*; *language lab, etc.*: Hardware *f*, technische Ausrüstung; **har•dy** *adj* □ (*-ier, -iest*) kühn; widerstandsfähig, hart; abgehärtet; *plant*: winterfest.

hare *zo.* [heə] *s* Hase *m*; **~•bell** *s bot.* Glockenblume *f*; **~-brained** *adj crazy*: verrückt; *plan*: *a.* F hirnrissig; **~•lip** *s anat.* Hasenscharte *f*.

harm [hɑːm] **1.** *s* Schaden *m*; Unrecht *n*, Böse(s) *n*; **2.** *v/t* beschädigen, verletzen; schaden (*dat*), Leid zufügen (*dat*); **~•ful** *adj* □ schädlich; **~•less** *adj* □ harmlos; unschädlich.

har•mo|ni•ous [hɑː'məʊnɪəs] *adj* □ harmonisch; **~•ni•za•tion** [hɑːmənaɪ'zeɪʃn] *s mus., fig.* Harmonisierung *f*; **~•nize** ['hɑːmənaɪz] *v/t* in Einklang bringen; harmonisieren; *v/i* harmonieren; **~•ny** ['hɑːmənɪ] *s* Harmonie *f*.

har•ness ['hɑːnɪs] **1.** *s* Harnisch *m*; (Pferde- *etc.*) Geschirr *n*; ***die in ~*** *fig.* in den Sielen sterben; **2.** *v/t* anschirren; *natural forces*: nutzbar machen.

harp [hɑːp] **1.** *mus.* Harfe *f*; **2.** *v/i mus.* Harfe spielen; ***~ on*** *fig.* herumreiten auf (*dat*).

har•poon [hɑː'puːn] **1.** *s* Harpune *f*; **2.** *v/t* harpunieren.

har•row *agr.* ['hærəʊ] **1.** *s* Egge *f*; **2.** *v/t* eggen.

har•row•ing ['hærəʊɪŋ] *adj* □ quälend, qualvoll, erschütternd.

harsh [hɑːʃ] *adj* □ rau; herb; grell; streng; schroff; barsch.

hart *zo.* [hɑːt] *s* Hirsch *m*.

har•vest ['hɑːvɪst] **1.** *s* Ernte(zeit) *f*; (Ernte)Ertrag *m*; **2.** *v/t* ernten; einbringen; **~•er** *s* Mähdrescher *m*.

Har•wich ['hærɪdʒ] *port in southeastern England.*

has [hæz] *3. sg pres of* ***have.***

hash[1] [hæʃ] **1.** *s* Haschee *n*; *fig.* Durcheinander *n*; ***make a ~ of*** verpfuschen; **2.** *v/t meat*: zerhacken, -kleinern.

hash[2] F [~] *s* Hasch *n* (*hashish*).

hash•ish ['hæʃiːʃ] *s* Haschisch *n*.

haste [heɪst] *s* Eile *f*; Hast *f*; ***make ~*** sich beeilen; **has•ten** ['heɪsn] *v/t j-n* antreiben; *et.* beschleunigen; *v/i* (sich be)eilen; **hast•y** ['heɪstɪ] *adj* □ (*-ier, -iest*) (vor)eilig; hastig; hitzig, heftig.

hat [hæt] *s* Hut *m*.

hatch[1] [hætʃ] *v/t a.* ***~ out*** ausbrüten; *v/i* ausschlüpfen.

hatch[2] [~] *s mar., aer.* Luke *f*; *for food*: Durchreiche *f*; **~•back** *mot.* ['hætʃbæk] *s* (Wagen *m* mit) Hecktür *f*.

hatch•et ['hætʃɪt] *s* (Kriegs)Beil *n*.

hatch•way *mar.* ['hætʃweɪ] *s* Luke *f*.

hate [heɪt] **1.** *s* Hass *m*; **2.** *v/t* hassen; **~•ful** *adj* □ verhasst; abscheulich; **ha•tred** [~rɪd] *s* Hass *m*.

haugh|ti•ness ['hɔːtɪnɪs] *s* Stolz *m*; Hochmut *m*; **~•ty** [~ɪ] *adj* □ stolz; hochmütig.

haul [hɔːl] **1.** *s* Ziehen *n*; (Fisch)Zug *m*; Transport(weg) *m*; **2.** *v/t* ziehen;

schleppen; transportieren; *mining*: fördern; *v/i mar.* abdrehen.

haunch [hɔːntʃ] *s* Hüfte *f*; *zo.* Keule *f*; *Am. a.* **~es** *pl* Gesäß *n*; *zo.* Hinterbacken *pl.*

haunt [hɔːnt] **1.** *s* Aufenthaltsort *m*; Schlupfwinkel *m*; **2.** *v/t* oft besuchen; heimsuchen; verfolgen; spuken in (*dat*); **~•ing** *adj* □ quälend; unvergesslich, eindringlich.

have [hæv] (**had**) *v/t* haben; *obtain*: bekommen; *keep*: behalten; *meal*: einnehmen; **~ to do** tun müssen; **I had my hair cut** ich ließ mir die Haare schneiden; **he will ~ it that ...** er behauptet, dass ...; **I had better go** es wäre besser, wenn ich ginge; **I had rather go** ich möchte lieber gehen; **~ about one** bei *or* an sich haben; **~ on** *light, dress, etc.*: anhaben; **~ out** entfernen; *tooth*: ziehen lassen; **~ it out with** sich auseinandersetzen mit; F **and what ~ you** und so weiter; *v/aux* haben; *with v/i often*: sein (*mainly with verbs denoting change of state or position*); **~ come** gekommen sein.

ha•ven ['heɪvn] *s* Hafen *m* (*mst fig.*).

hav•oc ['hævək] *s* Verwüstung *f*; **play ~ with** verwüsten, zerstören; verheerend wirken auf (*acc*), übel mitspielen (*dat*).

Ha•wai•i•an [hə'waɪɪən] **1.** *adj* hawaiisch; **2.** *s* Hawaiianer(in); *ling.* Hawaiisch *n.*

hawk[1] *zo.* [hɔːk] *s* Habicht *m*, Falke *m.*

hawk[2] [~] *v/t* hausieren (gehen) mit; auf der Straße verkaufen.

haw•thorn *bot.* ['hɔːθɔːn] *s* Weißdorn *m.*

hay [heɪ] **1.** *s* Heu *n*; **2.** *v/i* Heu machen; **~•cock** *s* Heuhaufen *m*; **~ fe•ver** *s* Heuschnupfen *m*; **~•loft** *s* Heuboden *m.*

haz•ard ['hæzəd] **1.** *s* Zufall *m*; Gefahr *f*, Wagnis *n*; Hasard(spiel) *n*; **2.** *v/t* wagen; **~•ous** *adj* □ gewagt.

haze [heɪz] *s* Dunst *m*, feiner Nebel.

ha•zel ['heɪzl] **1.** *s bot.* Haselnuss *f*, Hasel(nuss)strauch *m*; **2.** *adj* (hasel)nussbraun; **~-nut** *s bot.* Haselnuss *f.*

haz•y ['heɪzɪ] *adj* □ (**-ier, -iest**) dunstig, diesig; *fig.* unklar.

HBM ***His*** (***Her***) ***Britannic Majesty*** Seine (Ihre) Britannische Majestät.

H-bomb *mil.* ['eɪtʃbɒm] *s* H-Bombe *f*, Wasserstoffbombe *f.*

he [hiː] **1.** *pron* er; **2.** *s* Er *m*; *zo.* Männchen *n*; **3.** *adj in compounds, esp. zo.*: männlich, ...männchen *n*; **~-goat** Ziegenbock *m.*

head [hed] **1.** *s* Kopf *m* (*a. fig.*); Haupt *n* (*a. fig.*); *after numerals*: Kopf *m*, Person *f*, *cattle, etc.*: Stück *n*; Leiter(in), Chef(in); *of bed, etc.*: Kopfende *n*; *of coin*: Kopfseite *f*; *fig.* Gipfel *m*; *mar.* Bug *m*; Hauptpunkt *m*, Abschnitt *m*; *title*: Überschrift *f*; F **have a ~** F e-n Brummschädel haben; **come to a ~** *of abscess*: eitern; *fig.* sich zuspitzen, zur Entscheidung kommen; **get it into one's ~ that** es sich in den Kopf setzen, dass; **lose one's ~** den Kopf *or* die Nerven verlieren; **~ over heels** Hals über Kopf, kopfüber; **~ of state** Staatsoberhaupt *n*; **~ of government** Regierungschef(in); **2.** *adj* Ober..., Haupt..., Chef..., oberste(r, -s), erste(r, -s); **3.** *v/t* (an)führen; an der Spitze von *et.* stehen; vorausgehen (*dat*); mit e-r Überschrift versehen; **~ off** *person*: ablenken; *conflict*: abwenden; *v/i* gehen, fahren; sich bewegen (**for** auf *acc* ... zu), lossteuern, -gehen (**for** auf *acc*); *mar.* zusteuern (**for** auf *acc*); **~•ache** *s* Kopfweh *n*; **~•band** *s* Stirnband *n*; **~•first** *adv* kopfüber; **~•hunt** *v/t econ.* abwerben; **~•hunt•er** *s econ.* Headhunter *m*; **~•ing** *s* Brief-, Titelkopf *m*, Rubrik *f*; Überschrift *f*, Titel *m*; *soccer*: Kopfballspiel *n*; **~•land** *s* Vorgebirge *n*, Kap *n*; **~•light** *s mot.* Scheinwerfer(-licht *n*) *m*; **~•line** *s* Überschrift *f*; Schlagzeile *f*; **~s** *pl TV, etc.*: *das* Wichtigste in Schlagzeilen, *die* Headlines *pl*; **~•long**; **1.** *adj* ungestüm; **2.** *adv* kopfüber; **~•mas•ter** *s of school*: Direktor *m*, Rektor *m*; **~•mis•tress** *s of school*: Direktorin *f*, Rektorin *f*; **~ of•fice** *s econ.* Hauptsitz *m*, Zentrale *f*; **~-on** *adj* frontal; **~ collision** Frontalzusammenstoß *m*; **~•phones** *s pl* Kopfhörer *pl*; **~•quar•ters** *s pl mil.* Hauptquartier *n*; Zentrale *f*; **~•rest**, **~ re•straint** *s* Kopfstütze *f*; **~•set** *s esp. Am.* Kopfhörer *pl*; **~ start** *s sports*: Vorgabe *f*, -sprung *m* (*a. fig.*); **~•way** *s fig.* Fortschritt(e *pl*) *m*; **make ~** (gut) vorankommen; **~•word** *s* Stichwort *n* (*in a dictionary*); **~•y** *adj* □ (**-ier, -iest**) ungestüm; voreilig; zu Kopfe steigend.

heal [hiːl] *v/i and v/t* heilen; **~ over, ~ up** (zu)heilen.

H

health [helθ] *s* Gesundheit *f*; ~ ***club*** Fitnessclub *m*; ~ ***food*** Reformkost *f*; ~ ***food shop*** (*esp. Am.* ***store***) Reformhaus *n*; ~ ***insurance*** Krankenversicherung *f*; ~ ***resort*** Kurort *m*; ~ ***service*** öffentliches *or* staatliches Gesundheitswesen; **~•ful** *adj* □ gesund; heilsam; **~•y** *adj* □ (***-ier, -iest***) gesund.

heap [hiːp] **1.** *s* Haufe(n) *m*; **2.** *v/t a.* ~ ***up*** aufhäufen, *fig. a.* anhäufen.

hear [hɪə] (***heard***) *v/t and v/i* hören; erfahren; anhören, *j-m* zuhören; erhören; *witness*: vernehmen; *poem, vocabulary, etc.*: abhören; **~d** [hɛːd] *pret and pp of* ***hear***; **~•er** *s* (Zu)Hörer(in); **~•ing** *s* Gehör *n*; *jur.* Verhandlung *f*; *jur.* Vernehmung *f*; *esp. pol.* Hearing *n*, Anhörung *f*; ***within*** (***out of***) ~ in (außer) Hörweite; **~•say** *s* Gerede *n*; ***by*** ~ vom Hörensagen *n*.

H

hearse [hɜːs] *s* Leichenwagen *m*.

heart [hɑːt] *s anat.* Herz *n* (*a. fig.*); Innere(s) *n*; Kern *m*; *fig.* Liebling *m*, Schatz *m*; ***by*** ~ auswendig; ***out of*** ~ mutlos; ***cross my*** ~ Hand aufs Herz; ***lay to*** ~ sich zu Herzen nehmen; ***lose*** ~ den Mut verlieren; ***take*** ~ sich ein Herz fassen; **~•ache** ['hɑːteɪk] *s* Kummer *m*; ~ **at•tack** *s med.* Herzanfall *m*; Herzinfarkt *m*; **~•beat** *s* Herzschlag *m*; **~-break** *s* Leid *n*, großer Kummer; **~-break•ing** *adj* □ herzzerreißend; **~-brok•en** *adj* gebrochen, verzweifelt; **~•burn** *s med.* Sodbrennen *n*; **~•en** *v/t* ermutigen; ~ **fail•ure** *s med.* Herzinsuffizienz *f*; Herzversagen *n*; **~•felt** *adj* innig, tief empfunden.

hearth [hɑːθ] *s* Herd *m* (*a. fig.*).

heart|less ['hɑːtlɪs] *adj* □ herzlos; **~•rend•ing** *adj* □ herzzerreißend; ~ **trans•plant** *s med.* Herzverpflanzung *f*, -transplantation *f*; **~•y** *adj* □ (***-ier, -iest***) herzlich; aufrichtig; herzhaft.

heat [hiːt] **1.** *s* Hitze *f*; Wärme *f*; Eifer *m*; *sports*: Vorlauf *m*; *zo.* Läufigkeit *f*; **2.** *v/t and v/i* heizen; (sich) erhitzen (*a. fig.*); **~•ed** *adj* □ erhitzt; *fig.* erregt; **~•er** *s* Heizgerät *n*, Ofen *m*; **~•ing** *s* Heizung *f*; *attr* Heiz...; **~•proof**, **~-re•sist•ant**, **~-re•sist•ing** *adj* hitzebeständig; ~ **shield** *s space travel*: Hitzeschild *m*; **~-stroke** *s med.* Hitzschlag *m*; ~ **wave** *s* Hitzewelle *f*.

heave [hiːv] **1.** *s* Heben *n*; **2.** (***heaved***, *esp. mar.* ***hove***) *v/t* heben; *sigh*: ausstoßen; *anchor*: lichten; *v/i* sich heben u. senken, wogen.

heav•en ['hevn] *s* Himmel *m*; **~•ly** [-lɪ] *adj* himmlisch.

heav•i•ness ['hevɪnɪs] *s* Schwere *f*, Druck *m*; Schwerfälligkeit *f*; Schwermut *f*.

heav•y ['hevɪ] *adj* □ (***-ier, -iest***) schwer; schwermütig; schwerfällig; trüb; drückend; *rain, etc.*: heftig; *road, etc.*: unwegsam; Schwer...; ~ **cur•rent** *s electr.* Starkstrom *m*; **~-du•ty** *adj tech.* Hochleistungs...; strapazierfähig; **~•hand•ed** *adj* □ ungeschickt; **~•weight** *s boxing, etc.*: Schwergewicht(ler *m*) *n*.

He•brew ['hiːbruː] **1.** *adj* hebräisch; **2.** *s* Hebräer(in), Jude *m*, Jüdin *f*; *ling.* Hebräisch *n*.

Heb•ri•des ['hebrɪdiːz] *pl die* Hebriden *pl*.

heck•le ['hekl] *v/t j-m* zusetzen; *speaker*: durch Zwischenrufe *or* -fragen aus der Fassung bringen, stören.

hec•tic ['hektɪk] *adj* (***~ally***) hektisch.

hedge [hedʒ] **1.** *s* Hecke *f*; **2.** *v/t* mit e-r Hecke einfassen *or* umgeben; *v/i* ausweichen, sich nicht festlegen (wollen); **~•hog** *zo.* ['hedʒhɒg] *s* Igel *m*; *Am.* Stachelschwein *n*; **~•row** *s* Hecke *f*.

heel [hiːl] **1.** *s* Ferse *f*; Absatz *m*; *Am. sl.* Lump *m*; ***head over ~s*** Hals über Kopf; ***down at*** ~ *shoe*: mit schiefen Absätzen; *fig. person*: abgerissen; schlampig; ***take to one's ~s*** sich aus dem Staub machen; **2.** *v/t* Absätze machen auf (*acc*).

hef•ty ['heftɪ] *adj* □ (***-ier, -iest***) kräftig, stämmig; mächtig (*punch, etc.*), gewaltig.

he•gem•o•ny [hɪ'gemənɪ] *s* Hegemonie *f*.

height [haɪt] *s* Höhe *f*; Höhepunkt *m*; **~•en** ['haɪtn] *v/t* erhöhen; vergrößern.

heir [eə] *s* Erbe *m*; ~ ***apparent*** rechtmäßiger Erbe; **~•ess** ['eərɪs] *s* Erbin *f*; **~•loom** ['eəluːm] *s* Erbstück *n*.

held [held] *pret and pp of* ***hold*** 2.

hel•i|cop•ter *aer.* ['helɪkɒptə] *s* Hubschrauber *m*, Helikopter *m*; **~•port** *s aer.* Hubschrauberlandeplatz *m*.

Hel•i•go•land ['helɪgəʊlænd] Helgoland *n*.

hell [hel] **1.** *s* Hölle *f*; *attr* Höllen...; ***what the ~ ...?*** F was zum Teufel ...?;

raise ~ F e-n Mordskrach schlagen; ***give s.o.*** ~ F *j-m* die Hölle heißmachen; F *as intensifier*: ***a ~ of a lot*** verdammt viel; **2.** *int* F verdammt!, verflucht!; **~-bent** *adj* ganz versessen, wie wild (***for, on*** auf *acc*); **~•ish** *adj* □ höllisch.

hel•lo [hə'ləʊ] *int* hallo!

helm *mar.* [helm] *s* Ruder *n*, Steuer *n*.

hel•met ['helmɪt] *s* Helm *m*.

helms•man *mar.* ['helmzmən] *s* Steuermann *m*.

help [help] **1.** *s* Hilfe *f*; (Hilfs)Mittel *n*; (Dienst)Mädchen *n*; **2.** *v/t j-m* helfen; ***~ o.s.*** sich bedienen, zulangen; ***I cannot ~ it*** ich kann es nicht ändern; ***I could not ~ laughing*** ich musste einfach lachen; **~•er** *s* Helfer(in); **~•ful** *adj* □ hilfreich; nützlich; **~•ing** *s at a meal*: Portion *f*; **~•less** *adj* □ hilflos; **~•less•ness** *s* Hilflosigkeit *f*.

hel•ter-skel•ter [heltə'skeltə] **1.** *adv* Hals über Kopf; **2.** *adj* hastig, überstürzt; **3.** *s Br.* Rutschbahn *f*.

helve [helv] *s* Stiel *m*, Griff *m*.

Hel•ve•tian [hel'vi:ʃɪən] *s* Helvetier(in); *attr* Schweizer…

hem [hem] **1.** *s* Saum *m*; **2.** *v/t* (***-mm-***) säumen; ***~ in*** einschließen.

hem•i•sphere *geogr.* ['hemɪsfɪə] *s* Halbkugel *f*, Hemisphäre *f*.

hem•line ['hemlaɪn] *s* (Kleider)Saum *m*.

hemp *bot.* [hemp] *s* Hanf *m*.

hen [hen] *s zo.* Henne *f*, Huhn *n*; Weibchen *n* (*of birds*).

hence [hens] *adv* hieraus; daher; ***a week ~*** in *or* nach e-r Woche; **~•forth** [~'fɔ:θ], **~•for•ward** [~'fɔ:wəd] *adv* von nun an.

hen|-house ['henhaʊs] *s* Hühnerstall *m*; **~•pecked** *adj* unter dem Pantoffel (stehend).

her [hɜ:, hə] *pron* sie; ihr; ihr(e); sich.

her•ald ['herəld] **1.** *s hist.* Herold *m*; **2.** *v/t* ankündigen; ***~ in*** einführen; **~•ry** [~rɪ] *s* Wappenkunde *f*, Heraldik *f*.

herb *bot.* [hɜ:b] *s* Kraut *n*; **her•ba•ceous** *bot.* [hɜ:'beɪʃəs] *adj* krautartig; ***~ border*** (Stauden)Rabatte *f*; **herb•age** ['hɜ:bɪdʒ] *s* Grünpflanzen *pl*; Weide *f*; **her•biv•o•rous** *zo.* [hɜ:'bɪvərəs] *adj* □ pflanzenfressend.

herd [hɜ:d] **1.** *s* Herde *f* (*a. fig.*), *of deer, etc.*: *a.* Rudel *n*; **2.** *v/t cattle*: hüten; *v/i a.* ***~ together*** in e-r Herde leben; sich zusammendrängen; **~s•man** *s* Hirt *m*.

here [hɪə] *adv* hier; hierher; ***~ you are*** hier(, bitte); ***~'s to you!*** auf dein Wohl!

here|a•bout(s) ['hɪərəbaʊt(s)] *adv* hier herum, in dieser Gegend; **~•af•ter** [hɪər'ɑ:ftə] **1.** *adv* künftig; **2.** *s das* Jenseits; **~•by** [hɪə'baɪ] *adv* hierdurch.

he•red•i|ta•ry [hɪ'redɪtərɪ] *adj* erblich; Erb…; **~•ty** [~ɪ] *s* Erblichkeit *f*; ererbte Anlagen *pl*, Erbmasse *f*.

here|in [hɪər'ɪn] *adv* hierin; **~•of** [~'ɒv] *adv* hiervon.

her•e|sy ['herəsɪ] *s* Häresie *f*, Ketzerei *f*; **~•tic** [~tɪk] *s* Häretiker(in), Ketzer(in).

here|up•on [hɪərə'pɒn] *adv* hierauf; **~•with** [~'wɪð] *adv* hiermit.

her•i•tage ['herɪtɪdʒ] *s* Erbschaft *f*.

her•mit ['hɜ:mɪt] *s* Einsiedler *m*.

he•ro ['hɪərəʊ] *s* (*pl* ***-roes***) Held *m*; **~•ic** [hɪ'rəʊɪk] *adj* (***~ally***) heroisch; heldenhaft; Helden…

her•o•in ['herəʊɪn] *s* Heroin *n*.

her•o|ine ['herəʊɪn] *s* Heldin *f*; **~•is•m** [~ɪzəm] *s* Heldenmut *m*, -tum *n*.

her•on *zo.* ['herən] *s* Reiher *m*.

her•ring *zo.* ['herɪŋ] *s* Hering *m*.

hers [hɜ:z] *pron* der, die, das ihr(ig)e; ihr.

her•self [hɜ:'self] *pron* sie selbst; ihr selbst; sich; ***by ~*** von selbst, allein, ohne Hilfe.

hes•i|tant ['hezɪtənt] *adj* □ zögernd, zaudernd, unschlüssig; **~•tate** [~eɪt] *v/i* zögern, unschlüssig sein, Bedenken haben; **~•ta•tion** [hezɪ'teɪʃn] *s* Zögern *n*, Unschlüssigkeit *f*; ***without ~*** ohne zu zögern, bedenkenlos.

Hesse ['hes(ɪ)] Hessen *n*.

hew [hju:] *v/t* (***hewed, hewed*** *or* ***hewn***) hauen, hacken; ***~ down*** fällen, umhauen; **~n** [hju:n] *pp of* ***hew***.

hex•a•gon ['heksəgən] *s* Sechseck *n*.

hey [heɪ] *int* ei!, hei!; he!, heda!

hey•day ['heɪdeɪ] *s* Höhepunkt *m*, Blüte(zeit) *f*.

hi [haɪ] *int* hallo!; he!, heda!

hi•ber|nate *zo.* ['haɪbəneɪt] *v/i* Winterschlaf halten; **~•na•tion** [~'neɪʃn] *s* Winterschlaf *m*.

hic|cup, **~•cough** ['hɪkʌp] **1.** *s* Schluckauf *m*; F *fig.* Störung *f*; **2.** *v/i* den Schluckauf haben.

hid [hɪd] *pret of* ***hide***[2]; **~•den** ['hɪdn] *pp of* ***hide***[2].

hide[1] [haɪd] *s* Haut *f*, Fell *n*.
hide[2] [~] *v/t and v/i* (***hid, hidden***) (sich) verbergen, (sich) verstecken; **~-and-seek** [haɪdn'siːk] *s* Versteckspiel *n*; **~•a•way** F ['~əweɪ] *s* Versteck *n*; **~•bound** *adj* engstirnig.
hid•e•ous ['hɪdɪəs] *adj* □ scheußlich.
hide•out ['haɪdaʊt] *s* Versteck *n*.
hid•ing[1] F ['haɪdɪŋ] *s* (Tracht *f*) Prügel.
hid•ing[2] [~] *s* Verstecken *n*, -bergen *n*; **~-place** *s* Versteck *n*.
hi•er•ar•chy ['haɪrɑːkɪ] *s* Hierarchie *f*.
hi-fi ['haɪfaɪ] **1.** *s* (*pl* ***hi-fis***) Hi-Fi *n*; Hi-Fi-Anlage *f*; **2.** *adj* Hi-Fi-…
high [haɪ] **1.** *adj* □ hoch; *noble*: vornehm; *character*: gut, edel, stolz; *style*: hochtrabend; extrem; *luxurious*: üppig, *life*: flott; F *drunk*: blau; *caused by drugs or euphoria*: F high; Haupt…, Hoch…, Ober…; ***with a ~ hand*** arrogant, anmaßend; ***in ~ spirits*** guter Laune; ***be left ~ and dry*** F *fig.* auf dem Trockenen sitzen; ***~ noon*** Mittag *m*; ***~ society*** Highsociety *f*, gehobene Gesellschaftsschicht; ***♀ Tech, ♀ Technology*** Hochtechnologie *f*; ***~ time*** höchste Zeit; ***~ words*** heftige Worte; **2.** *s meteor.* Hoch *n*; **3.** *adv* hoch; stark, heftig; **~ beam** *s mot.* Fernlicht; **~•brow** F; **1.** *s* Intellektuelle(r *m*) *f*; **2.** *adj* betont intellektuell; **~-class** *adj* erstklassig; **~ court** *s jur.* oberstes Gericht, oberster Gerichtshof; **~ fi•del•i•ty** *s* Highfidelity *f*; **~-fi•del•i•ty** *adj* Highfidelity-…; **~-fli•er** *s* Erfolgsmensch *m*, *contp.* Ehrgeizling *m*; **~-flown** *adj style, etc.*: hochtrabend, geschwollen; *plans, etc.*: hochfliegend, hochgesteckt; **~-grade** *adj* hochwertig; **~-hand•ed** *adj* □ anmaßend; **~-income** *adj* einkommensstark; ***~ earner*** Gutverdienende(r *m*) *f*; **~ jump** *s sports*: Hochsprung *m*; **~ jump•er** *s sports*: Hochspringer(in); **~•land** *s mst* ***~s*** *pl* Hochland *n*; **~•lights** *s pl fig.* Höhepunkte *pl*; **~•ly** *adv* hoch; sehr; ***speak ~ of s.o.*** *j-n* loben; ***think ~ of*** e-e hohe Meinung haben von; **~-mind•ed** *adj* hochgesinnt; *ideals*: hoch; **~-necked** *adj dress, etc.*: hochgeschlossen; **~•ness** *s* Höhe *f*; *fig.* Hoheit *f*; **~-pitched** *adj sound*: schrill; *roof*: steil; **~-pow•ered** *adj tech.* stark, Hochleistungs…, Groß…; dynamisch; **~-pressure** *adj meteor., tech.* Hochdruck…; **~-rise**; **1.** *adj* Hoch…; Hochhaus…; **2.** *s* Hochhaus *n*; **~•road** *s* Hauptstraße *f*; **~ school** *s esp. Am.* Highschool *f*; **~ street** *s* Hauptstraße *f*; **~-strung** *adj* reizbar, nervös; **~ tea** *s Br.* (frühes) Abendessen; **~ wa•ter** *s* Hochwasser *n*; **~•way** *s esp. Am. or jur.* Highway *m*, Haupt(verkehrs)straße *f*; ***♀ Code*** *Br.* Straßenverkehrsordnung *f*.
hi•jack ['haɪdʒæk] **1.** *v/t aircraft*: entführen; *rob*: überfallen; **2.** *s* (Flugzeug-)Entführung *f*; Überfall *m*; **~•er** *s* (Flugzeug)Entführer *m*, Luftpirat *m*; Räuber *m*.
hike F [haɪk] **1.** *v/i* wandern; **2.** *s* Wanderung *f*; *Am. prices, etc.*: Erhöhung *f*; **hik•er** *s* Wanderer *m*; **hik•ing** *s* Wandern *n*.
hi•lar•i|ous [hɪ'leərɪəs] *adj* □ *party, etc.*: ausgelassen; *film, etc.*: sehr komisch; **~•ty** [hɪ'lærətɪ] *s* Ausgelassenheit *f*.
hill [hɪl] *s* Hügel *m*, Berg *m*; **~•bil•ly** *Am.* F ['hɪlbɪlɪ] *s* Hinterwäldler *m*; ***~ music*** Hillbillymusik *f*; **~•ock** ['hɪlək] *s* kleiner Hügel; **~•side** *s* Hang *m*; **~•top** *s* Gipfel *m*; **~•y** *adj* (***-ier, -iest***) hügelig.
him [hɪm] *pron* ihn; ihm; sich; **~•self** [~'self] *pron* sich; sich (selbst); (er, ihm, ihn) selbst; ***by ~*** von selbst, allein, ohne Hilfe.
Hi•ma•la•ya [ˌhɪmə'leɪə] *der* Himalaja.
hind[1] *zo.* [haɪnd] *s* Hirschkuh *f*.
hind[2] [~] *adj* Hinter…
hin•der ['hɪndə] *v/t* hindern (***from*** an *dat*); hemmen.
hin•drance ['hɪndrəns] *s* Hindernis *n*.
hinge [hɪndʒ] **1.** *s* Türangel *f*; Scharnier *n*; *fig.* Angelpunkt *m*; **2.** *v/i*: ***~ on, ~ upon*** *fig.* abhängen von.
hint [hɪnt] **1.** *s* Wink *m*; Anspielung *f*; ***take a ~*** e-n Wink verstehen; **2.** *v/t* andeuten; *v/i*: ***~ at*** anspielen auf (*acc*).
hin•ter•land ['hɪntəlænd] *s* Hinterland *n*.
hip[1] *anat.* [hɪp] *s* Hüfte *f*; ***~ huggers*** F Hüfthosen *pl*.
hip[2] *bot.* [~] *s* Hagebutte *f*.
hip•po *zo.* F ['hɪpəʊ] *s* (*pl* ***-pos***) Fluss-, Nilpferd *n*; **~•pot•a•mus** *zo.* [hɪpə'pɒtəməs] *s* (*pl* ***-muses, -mi*** [-maɪ]) Fluss-, Nilpferd *n*.
hip•sters ['hɪpstəz] *pl* F Hüfthosen *pl*.
hire ['haɪə] **1.** *s* Miete *f*; Entgelt *n*, Lohn *m*; ***for ~*** zu vermieten, *taxi*: frei; ***~ car***

Leih-, Mietwagen *m*; ~ ***charge*** Leihgebühr *f*; ~ ***purchase*** *Br. econ.* Ratenkauf *m*, Teilzahlungskauf *m*; **2.** *v/t* mieten; *j-n* anstellen; ~ ***out*** vermieten.

his [hɪz] *pron* sein(e); seine(r, -s).

hiss [hɪs] **1.** *v/i and v/t* zischen; zischeln; *a.* ~ ***at*** auszischen; **2.** *s* Zischen *n*.

his|to•ri•an [hɪ'stɔːrɪən] *s* Historiker(in); **~•tor•ic** [hɪ'stɒrɪk] *adj* (**~*ally***) historisch, geschichtlich; **~•tor•i•cal** [~kl] *adj* □ historisch, geschichtlich; Geschichts…; **~•to•ry** ['hɪstərɪ] *s* Geschichte *f*; ~ ***of civilization*** Kulturgeschichte *f*; ***contemporary*** ~ Zeitgeschichte *f*.

hit [hɪt] **1.** *s* Schlag *m*, Stoß *m*; *fig.* (Seiten)Hieb *m*; (Glücks)Treffer *m*; *book, record, etc.*: Hit *m*; *WWW*: Zugriff *m*, Hit *m*; **2.** (***-tt-***; ***hit***) *v/t* schlagen, stoßen; treffen; auf *et.* stoßen; ~ ***it off with*** F sich vertragen mit; *v/i*: ~ ***on***, ~ ***upon*** (zufällig) stoßen auf (*acc*), finden; **~-and-run** [hɪtənd'rʌn]; **1.** *s a.* ~ ***accident*** Unfall *m* mit Fahrerflucht; **2.** *adj*: ~ ***driver*** unfallflüchtiger Fahrer.

hitch [hɪtʃ] **1.** *s* Ruck *m*; *mar.* Knoten *m*; Schwierigkeit *f*, Problem *n*, Haken *m*; **2.** *v/t* (ruckartig) ziehen, rücken; befestigen, festmachen, -haken, anbinden, ankoppeln; **~-hike** ['~haɪk] *v/i* per Anhalter fahren, trampen; **~-hik•er** *s* Anhalter(in), Tramper(in).

hits counter ['hɪtskaʊntə] *s WWW*: Zugriffszähler *m*, Besucherzähler *m*, Counter *m*.

hive [haɪv] *s* Bienenstock *m*; Bienenschwarm *m*.

HM ***His*** (***Her***) ***Majesty*** Seine (Ihre) Majestät.

HO ***head office*** Hauptgeschäftsstelle *f*, Zentrale *f*; *Br.* ***Home Office*** Innenministerium *n*.

hoard [hɔːd] **1.** *s* Vorrat *m*, Schatz *m*; **2.** *v/t a.* ~ ***up*** horten, hamstern.

hoard•ing ['hɔːdɪŋ] *s* Bauzaun *m*; *Br.* Reklametafel *f*.

hoar•frost [hɔː'frɒst] *s* (Rau)Reif *m*.

hoarse [hɔːs] *adj* □ (**~*r***, **~*st***) heiser, rau.

hoar•y ['hɔːrɪ] *adj* □ (***-ier***, ***-iest***) ergraut; *fig.* uralt (*joke, etc.*).

hoax [həʊks] **1.** *s* Falschmeldung *f*; (übler) Scherz; **2.** *v/t j-n* hereinlegen.

hob•ble ['hɒbl] **1.** *s* Hinken *n*, Humpeln *n*; **2.** *v/i* humpeln, hinken (*a. fig.*); *v/t* an den Füßen fesseln.

hob•by ['hɒbɪ] *s fig.* Steckenpferd *n*, Hobby *n*; **~-horse** *s* Steckenpferd *n*; Schaukelpferd *n*.

hob•gob•lin ['hɒbgɒblɪn] *s* Kobold *m*.

ho•bo *Am.* ['həʊbəʊ] *s* (*pl* ***-boes***, ***-bos***) Wanderarbeiter *m*; Landstreicher *m*.

hock[1] [hɒk] *s esp. Br.* Rheinwein *m*.

hock[2] *zo.* [~] *s* Sprunggelenk *n*.

hock•ey ['hɒkɪ] *s sports*: *Br., Am.* ***field*** ~ Hockey *n*; *Am.* Eishockey *n*.

hoe *agr.* [həʊ] **1.** *s* Hacke *f*; **2.** *v/t* hacken.

hog [hɒg] *s* (Mast)Schwein *n*; *Am.* Schwein *n*; **~•gish** ['hɒgɪʃ] *adj* □ schweinisch; gefräßig.

hoist [hɔɪst] **1.** *s* (Lasten)Aufzug *m*, Winde *f*; **2.** *v/t* hochziehen; hissen.

hold [həʊld] **1.** *s* Halten *n*; Halt *m*; Griff *m*; Gewalt *f*, Macht *f*, Einfluss *m*; *mar.* Lade-, Frachtraum *m*; ***catch*** (*or* ***get, lay, take, seize***) ~ ***of*** erfassen, ergreifen; sich aneignen; ***keep*** ~ ***of*** festhalten; **2.** (***held***) *v/t* halten; (fest)halten; (zurück-, einbe)halten; abhalten (***from*** von); an-, aufhalten; *elections, meeting, etc.*: abhalten; *sports* (*championship, etc.*): austragen; beibehalten; *position*: innehaben, besitzen; *office, etc.*: *a.* bekleiden; *place*: einnehmen; *world record, etc.*: halten; fassen, enthalten; behaupten, *opinion*: vertreten; fesseln, in Spannung halten; aushalten; *v/i* standhalten; sich festhalten; sich verhalten; *weather*: anhalten, andauern; ~ ***one's ground***, ~ ***one's own*** sich behaupten; ~ ***the line*** *teleph.* am Apparat bleiben; ~ ***good*** (weiterhin) gelten; ~ ***still*** stillhalten; ~ ***against*** *j-m et.* vorhalten *or* vorwerfen; *j-m et.* übel nehmen; ~ ***back*** (sich) zurückhalten; *fig.* zurückhalten mit; ~ ***forth*** sich auslassen *or* verbreiten (***on*** über *acc*); ~ ***off*** (sich) fernhalten; *et.* aufschieben; ausbleiben; ~ ***on*** (sich) festhalten (***to*** an *dat*); aus-, durchhalten; andauern; *teleph.* am Apparat bleiben; ~ ***on to*** *et.* behalten; ~ ***over*** vertagen, -schieben; ~ ***together*** zusammenhalten; ~ ***up*** hochheben; hochhalten; hinstellen (***as*** *example, etc.* als); aufhalten, verzögern; *person, bank, etc.*: überfallen; **~•all** ['həʊldɔːl] *s* Reisetasche *f*; **~•er** *s* Pächter *m*; *apparatus*: Halter *m*; Inhaber(in) (*esp. econ.*); **~•ing** *s* Halten *n*; Halt *m*; Pachtgut *n*; Besitz *m*; ~ ***company*** *econ.* Holding-, Dachgesellschaft *f*; **~-up** *s* Ver-

H

zögerung *f*, (*a.* Verkehrs)Stockung *f*; (bewaffneter) (Raub)Überfall.

hole [həʊl] **1.** *s* Loch *n*; Höhle *f*; F *fig.* Klemme *f*; ***pick ~s in*** F bekritteln, madigmachen; **2.** *v/t* aushöhlen; durchlöchern.

hol•i•day ['hɒlədɪ] *s* Feiertag *m*; freier Tag; *esp. Br. mst* ***~s*** *pl* Ferien *pl*, Urlaub *m*; ***need a ~*** urlaubsreif sein; **~ camp** *s* Feriendorf *n*; **~-mak•er** *s* Urlauber(in); **~ re•sort** *s* Urlaubsort *m*.

hol•i•ness ['həʊlɪnɪs] *s* Heiligkeit *f*; ***His*** ♀ Seine Heiligkeit (*the pope*).

Hol•land ['hɒlənd] Holland *n*.

hol•ler *Am.* F ['hɒlə] *v/i and v/t* schreien.

hol•low ['hɒləʊ] **1.** *adj* □ hohl; leer; falsch; **2.** *s* Höhle *f*, (Aus)Höhlung *f*; (Land)Senke *f*; **3.** *v/t*: ***~ out*** aushöhlen.

hol•o•caust ['hɒləkɔːst] *s* Massenvernichtung *f*, -sterben *n*, (*esp.* Brand)Katastrophe *f*; ***the*** ♀ *hist.* der Holocaust.

ho•ly ['həʊlɪ] *adj* (**-ier, -iest**) heilig; ♀ ***Thursday*** Gründonnerstag *m*; ***~ water*** Weihwasser *n*; ♀ ***Week*** Karwoche *f*.

home [həʊm] **1.** *s* Heim *n*; Haus *n*, Wohnung *f*; Heimat *f*; *Br. sports*: (*a.* ***~ win***) Heimsieg *m*; ***at ~*** zu Hause; ***make oneself at ~*** es sich bequem machen; ***make yourself at ~*** fühl dich wie zu Hause; ***at ~ and abroad*** im In- u. Ausland; **2.** *adj* (ein)heimisch, inländisch; *sports*: Heim…; Heimat…; **3.** *adv* heim, nach Hause; zu Hause, daheim; ins Ziel *or* Schwarze; ***strike ~*** sitzen, treffen; **~ com•put•er** *s* Heimcomputer *m*; **~ e•co•nom•ics** *s sg* Hauswirtschaft(slehre) *f*; **~-grown** *adj vegetables, etc.*: selbst gezogen; **~ help** *s* Haushaltshilfe *f*; **~•less** *adj* heimatlos; **~•like** *adj* anheimelnd, gemütlich; **~•ly** *adj* (**-ier, -iest**) freundlich (***with*** zu); vertraut; einfach; *Am.* unscheinbar, reizlos; **~-made** *adj* selbst gemacht, Hausmacher…; ♀ **Of•fice** *s Br. pol.* Innenministerium *n*; **~-pro•duced** *adj*: ***~ goods*** *pl* Inlandsprodukte *pl*; ♀ **Sec•re•ta•ry** *s Br. pol.* Innenminister *m*; **~•sick** *adj*: ***be ~*** Heimweh haben; **~•sick•ness** *s* Heimweh *n*; **~•stead** *s* Gehöft *n*; *jur. in USA*: Heimstätte *f*; **~ team** *s sports*: Gastgeber *pl*; **~ town** *s* Heimatstadt *f*; **~•ward**; **1.** *adj* Heim…, Rück…; **2.** *adv Am.* heimwärts, nach Hause; **~•wards** *adv* → ***homeward*** 2; **~•work** *s* Hausaufgabe(n *pl*) *f*, Schularbeiten *pl*.

hom•i•cide *jur.* ['hɒmɪsaɪd] *s* Tötung *f*; Totschlag *m*; Mord *m*; Totschläger(in); Mörder(in); ***~ squad*** Mordkommission *f*.

ho•mo F ['həʊməʊ] *s* (*pl* **-mos**) *homosexual*: Homo *m*.

ho•mo•ge•ne•ous [hɒmə'dʒiːnɪəs] *adj* □ homogen, gleichartig.

ho•mo•sex•u•al [hɒməʊ'seksjʊəl] **1.** *adj* □ homosexuell; **2.** *s* Homosexuelle(r *m*) *f*.

Hon. ***Honorary*** ehrenamtlich; ***Honourable*** *der od. die* Ehrenwerte (*Anrede und Titel*).

hone *tech.* [həʊn] *v/t* fein schleifen.

hon|est ['ɒnɪst] *adj* □ ehrlich, rechtschaffen; aufrichtig; echt; **~•es•ty** [-ɪ] *s* Ehrlichkeit *f*, Rechtschaffenheit *f*; Aufrichtigkeit *f*.

hon•ey ['hʌnɪ] *s* Honig *m*; *fig.* Liebling *m*; **~•comb** [-kəʊm] *s* (Honig)Wabe *f*; **~ed** [-ɪd] *adj* honigsüß; **~•moon** **1.** *s* Flitterwochen *pl*; **2.** *v/i* s-e Hochzeitsreise machen.

honk *mot.* [hɒŋk] *v/i* hupen.

hon•ky-tonk *Am. sl.* ['hɒŋkɪtɒŋk] *s* Spelunke *f*.

hon•or•ar•y ['ɒnərərɪ] *adj* Ehren…; ehrenamtlich.

hon•o(u)r ['ɒnə] **1.** *s* Ehre *f*; *fig.* Zierde *f*; **~s** *pl* besondere Auszeichnung(en *pl*), Ehren *pl*; ***Your*** ♀ Euer Ehren; **2.** *v/t* (be)ehren; *econ.* honorieren; **~•a•ble** *adj* □ ehrenvoll; redlich; ehrbar; ehrenwert.

hood [hʊd] *s* Kapuze *f*; *mot.* Verdeck *n*; *Am.* (Motor)Haube *f*; *tech.* Kappe *f*.

hood•lum *Am.* F ['huːdləm] *s* Rowdy *m*; Ganove *m*.

hood•wink ['hʊdwɪŋk] *v/t j-n* reinlegen.

hoof [huːf] *s* (*pl* ***hoofs*** [-fs], ***hooves*** [-vz]) Huf *m*.

hook [hʊk] **1.** *s* Haken *m*; Angelhaken *m*; Sichel *f*; ***by ~ or by crook*** so oder so; **2.** *v/t and v/i* (sich) (zu-, fest)haken; angeln (*a. fig.*); **~ed** *adj* krumm, Haken…; F süchtig (***on*** nach) (*a. fig.*); ***~ on heroin*** (***television***) heroin-(fernseh-)süchtig; **~•y** *s*: ***play ~*** *Am.* F (*esp.* die Schule) schwänzen.

hoo•li•gan ['huːlɪgən] *s* Rowdy *m*; Hooligan *m*; **~•is•m** *s* Rowdytum *n*.

hoot [huːt] **1.** *s* Schrei *m* (*of owl, a. fig.*); *mot.* Hupen *n*; ***~s of laughter*** johlendes Gelächter; **2.** *v/i* heulen; johlen;

mot. hupen; *v/t* auspfeifen, auszischen.

Hoo•ver *TM* ['hu:və] **1.** *s* Staubsauger *m*; **2.** *v/t and v/i mst* ♀ (staub)saugen, *carpet, etc.*: *a.* absaugen.

hooves [hu:vz] *pl of* ***hoof.***

hop[1] [hɒp] **1.** *s* Sprung *m*; F Tanz *m*; **2.** *v/i and v/t* (**-pp-**) hüpfen; springen (über *acc*); ***be ~ping mad*** F e-e Stinkwut (im Bauch) haben.

hop[2] *bot.* [~] *s* Hopfen *m.*

hope [həʊp] **1.** *s* Hoffnung *f*; **2.** *v/i* hoffen (***for*** auf *acc*); **~ *in*** vertrauen auf (*acc*); **~•ful** *adj* □ hoffnungsvoll; **~•less** *adj* □ hoffnungslos; verzweifelt.

horde [hɔ:d] *s* Horde *f.*

ho•ri•zon [hə'raɪzn] *s* Horizont *m.*

hor•i•zon•tal [hɒrɪ'zɒntl] *adj* □ horizontal, waag(e)recht.

horn [hɔ:n] *s* Horn *n*; Schalltrichter *m*; *mot.* Hupe *f*; **~*s*** *pl* Geweih *n.*

hor•net *zo.* ['hɔ:nɪt] *s* Hornisse *f.*

horn•y ['hɔ:nɪ] *adj* (***-ier, -iest***) hornig, schwielig; V geil.

hor•o•scope ['hɒrəskəʊp] *s* Horoskop *n.*

hor•ren•dous [hɒ'rendəs] *adj* schrecklich, entsetzlich; *prices*: horrend.

hor|ri•ble ['hɒrəbl] *adj* □ schrecklich, furchtbar, scheußlich; F gemein; **~•rid** ['hɒrɪd] *adj* □ grässlich, abscheulich; schrecklich; **~•ri•fy** [~faɪ] *v/t* erschrecken; entsetzen; **~•ror** [~ə] *s* Entsetzen *n*, Schauder *m*; Schrecken *m*; Gräuel *m.*

horse [hɔ:s] *s zo.* Pferd *n*; Bock *m*, Gestell *n*; ***wild ~s will not drag me there*** keine zehn Pferde bringen mich dorthin; **~•back** *s*: ***on ~*** zu Pferde, beritten; **~ chest•nut** *s bot.* Rosskastanie *f*; **~•hair** *s* Rosshaar *n*; **~•man** *s* (geübter) Reiter; **~•man•ship** *s* Reitkunst *f*; **~ op•e•ra** *s* F Western *m*; **~•pow•er** *s* (*abbr.* ***HP***) *phys.* Pferdestärke *f* (*abbr.* PS); **~-rac•ing** *s* Pferderennen *n or pl*; **~-rad•ish** *s* Meerrettich *m*; **~•shoe** *s* Hufeisen *n*; **~•wom•an** *s* (geübte) Reiterin.

hor•ti•cul•ture ['hɔ:tɪkʌltʃə] *s* Gartenbau *m.*

hose[1] [həʊz] *s* Schlauch *m.*

hose[2] [~] *s pl* Strümpfe *pl*, Strumpfwaren *pl*; **ho•sier•y** ['~ɪərɪ] *s* Strumpfwaren *pl.*

hos•pi•ta•ble ['hɒspɪtəbl] *adj* □ gastfreundlich, gastfrei.

hos•pi•tal ['hɒspɪtl] *s* Krankenhaus *n*, Klinik *f*; *mil.* Lazarett *n*; ***in*** (*Am.* ***in the***) **~** im Krankenhaus; **~•i•ty** [hɒspɪ'tælətɪ] *s* Gastfreundschaft *f*, Gastlichkeit *f*; **~•ize** ['hɒspɪtəlaɪz] *v/t* ins Krankenhaus einliefern *or* -weisen.

host[1] [həʊst] *s* Gastgeber *m*; (Gast)Wirt *m*; *TV, etc.*: Talkmaster *m*; Showmaster *m*; Moderator *m*; *in holiday club*: Animateur *m*; ***your ~ was ...*** *TV, etc.*: durch die Sendung führte Sie …

host[2] [~] *s* Menge *f*, Masse *f.*

host[3] *eccl.* [~] *s often* ♀ Hostie *f.*

hos•tage ['hɒstɪdʒ] *s* Geisel *f*; ***take s.o. ~*** *j-n* als Geisel nehmen.

hos•tel ['hɒstl] *s esp. Br.* (Studenten-, Arbeiter- *etc.*) (Wohn)Heim *n*; *mst* ***youth ~*** Jugendherberge *f.*

host•ess ['həʊstɪs] *s* Gastgeberin *f*; (Gast)Wirtin *f*; Hostess *f*; *aer.* Stewardess *f*; → *a.* ***host***[1].

hos|tile ['hɒstaɪl] *adj* feindlich (gesinnt); **~ *to foreigners*** ausländerfeindlich; **~ *takeover*** *econ.* feindliche Übernahme; **~•til•i•ty** [hɒ'stɪlətɪ] *s* Feindseligkeit *f* (***to*** gegen).

hot [hɒt] *adj and adv* (**-tt-**) heiß; scharf; beißend; hitzig, heftig; eifrig; *food, a. tracks*: warm; F heiß, gestohlen; radioaktiv; **~•bed** *s* Mistbeet *n*; *fig.* Brutstätte *f.*

hotch•potch ['hɒtʃpɒtʃ] *s* Mischmasch *m*; Gemüsesuppe *f.*

hot dog [hɒt'dɒg] *s* Hotdog *n, m.*

ho•tel [həʊ'tel] *s* Hotel *n.*

hot|head ['hɒthed] *s* Hitzkopf *m*; **~•house** *s* Treibhaus *n*; **~ line** *s pol.* heißer Draht; **~•pot** *s* Eintopf *m*; **~ spot** *s esp. pol.* Unruhe-, Krisenherd *m*; **~•spur** *s* Hitzkopf *m*; **~-wa•ter** *adj* Heißwasser…; **~ *bottle*** Wärmflasche *f.*

hound [haʊnd] **1.** *s* Jagdhund *m*; *fig.* Hund *m*; **2.** *v/t* jagen, hetzen.

hour ['aʊə] *s* Stunde *f*; Zeit *f*, Uhr *f*; **~•ly** [~lɪ] *adj* stündlich.

house 1. *s* [haʊs] Haus *n*; *Br.* ***the*** ♀ das Unterhaus; die Börse; **2.** [haʊz] *v/t* unterbringen; *v/i* hausen; **~-a•gent** *s* Makler *m*; **~•bound** *adj fig.* ans Haus gefesselt; **~•hold** *s* Haushalt *m*; *attr* Haushalts…; **~•hold•er** *s* Hausherr *m*; **~•hus•band** *s* Hausmann *m*; **~•keep•er** *s* Haushälterin *f*; **~•keep•ing** *s* Haushaltung *f*, Haushaltsführung *f*; **~•maid** *s* Hausmädchen *n*; **~•man** *s Br. med.*

Arzt *m* im Praktikum (*abbr.* AIP); **~-warm•ing (par•ty)** *s* Einzugsparty *f*; **~•wife** *s* Hausfrau *f*; **~•work** *s* Hausarbeit *f*.

hous•ing ['haʊzɪŋ] *s* Unterbringung *f*; Wohnung *f*; Wohnungsbau *m*; **~ *estate*** *Br.* Wohnsiedlung *f*; **~ *policy*** Wohnungspolitik *f*; **~ *shortage*(*s* *pl*)** Wohnungs-, Wohnraumknappheit *f*.

hove [həʊv] *pret and pp of* ***heave*** 2.

hov•el ['hɒvl] *s* Schuppen *m*; Hütte *f*.

hov•er ['hɒvə] *v/i* schweben; herumlungern; *fig.* schwanken; **~•craft** *s* (*pl* **-*craft*[*s*]**) Hovercraft *n*, Luftkissenfahrzeug *n*.

how [haʊ] *adv* wie; **~ *do you do?*** guten Tag!; **~ *is she?*** wie geht es ihr?; **~ *are you?*** *about health*: wie geht es dir?, *when meeting s.o.*: wie geht's?; **~ *about …?*** wie steht's mit …?; F ***and ~!*** F und wie!

how•dy *Am.* F ['haʊdɪ] *int* Tag!

how•ev•er [haʊ'evə] **1.** *adv* wie auch (immer), wenn auch noch so …; **2.** *cj* (je)doch.

howl [haʊl] **1.** *v/i and v/t* heulen; brüllen; **2.** *s* Heulen *n*, Geheul *n*; **~•er** F ['~ə] *s* grober Schnitzer, F Hammer *m*.

HP, **hp** ***horsepower*** PS, Pferdestärke *f*; ***high pressure*** Hochdruck *m*; ***hire purchase*** Ratenkauf *m*.

HQ, **Hq.** ***Headquarters*** Hauptquartier *n*.

hr ***hour*** Std., Stunde *f*.

HRH ***His*** (***Her***) ***Royal Highness*** Seine (Ihre) Königliche Hoheit.

hub [hʌb] *s* (Rad)Nabe *f*; *fig.* Mittel-, Angelpunkt *m*.

hub•bub ['hʌbʌb] *s* Tumult *m*.

hub•by F ['hʌbɪ] *s* (Ehe)Mann *m*.

huck•ster ['hʌkstə] *s* Hausierer(in).

hud•dle ['hʌdl] **1.** *v/t and v/i a.* **~ *together*** (sich) zusammendrängen, zusammenpressen; **~ (*o.s.*) *up*** sich zusammenkauern; **2.** *s* (wirrer) Haufen, Wirrwarr *m*, Durcheinander *n*.

huff [hʌf] *s* Verärgerung *f*; Verstimmung *f*; ***be in a ~*** verärgert *or* -stimmt sein.

hug [hʌg] **1.** *s* Umarmung *f*; **2.** *v/t* (**-*gg*-**) an sich drücken, umarmen; *fig.* festhalten an (*dat*); sich dicht halten an (*acc*).

huge [hjuːdʒ] *adj* □ ungeheuer, riesig; **~•ness** *s* ungeheure Größe.

hulk•ing ['hʌlkɪŋ] *adj* sperrig, klotzig; ungeschlacht, schwerfällig.

hull [hʌl] **1.** *s bot.* Schale *f*, Hülse *f*; *mar.* Rumpf *m*; **2.** *v/t* enthülsen; schälen.

hul•la•ba•loo [hʌləbə'luː] *s* (*pl* **-*loos***) Lärm *m*.

hul•lo [hə'ləʊ] *int* hallo!

hum [hʌm] *v/i and v/t* (**-*mm*-**) summen; brummen.

hu•man ['hjuːmən] **1.** *adj* □ menschlich, Menschen…; **~*ly possible*** menschenmöglich; **~ *being*** Mensch *m*; **~ *chain*** Menschenkette *f*; **~ *rights*** *pl* Menschenrechte *pl*; **2.** *s* Mensch *m*; **~e** [hjuː'meɪn] *adj* □ human, menschenfreundlich; **~•i•tar•i•an** [hjuːmænɪ'teərɪən]; **1.** *s* Menschenfreund *m*; **2.** *adj* menschenfreundlich; **~•i•ty** [hjuː'mænətɪ] *s* die Menschheit, die Menschen *pl*; Humanität *f*, Menschlichkeit *f*; ***humanities*** *pl* Geisteswissenschaften *pl*; Altphilologie *f*.

hum•ble ['hʌmbl] **1.** *adj* □ (**~*r*, ~*st***) demütig; bescheiden; **2.** *v/t* erniedrigen; demütigen; **~•ness** *s* Demut *f*.

hum•bug ['hʌmbʌg] *s* F Unsinn *m*, Humbug *m*; *person*: Gauner *m*; *Br.* Pfefferminzbonbon *m*, *n*.

hum•drum ['hʌmdrʌm] *adj* eintönig.

hu•mid ['hjuːmɪd] *adj* feucht, nass; **~•i•ty** [hjuː'mɪdətɪ] *s* Feuchtigkeit *f*.

hu•mil•i|ate [hjuː'mɪlɪeɪt] *v/t* erniedrigen, demütigen; **~•a•tion** [hjuːmɪlɪ'eɪʃn] *s* Erniedrigung *f*, Demütigung *f*; **~•ty** [hjuː'mɪlətɪ] *s* Demut *f*.

hum•ming•bird *zo.* ['hʌmɪŋbɜːd] *s* Kolibri *m*.

hu•mor•ous ['hjuːmərəs] *adj* □ humoristisch, humorvoll; spaßig.

hu•mo(u)r ['hjuːmə] **1.** *s* Laune *f*, Stimmung *f*; Humor *m*; *das* Spaßige; ***out of ~*** schlecht gelaunt; **2.** *v/t j-m* s-n Willen lassen; eingehen auf (*acc*).

hump [hʌmp] **1.** *s of camel*: Höcker *m*, Buckel *m*; **2.** *v/t* krümmen; *Br.* F auf den Rücken nehmen, tragen; **~ *o.s.*** *Am. sl.* sich ranhalten; **~•back(ed)** ['~bæk(t)] → ***hunchback***, ***hunchbacked***

hunch [hʌntʃ] **1.** *s* → ***hump*** 1; Ahnung *f*, Gefühl *n*; **2.** *v/t a.* **~ *up*** krümmen; **~•back** ['~bæk] *s* Buckel *m*; Bucklige(r *m*) *f*; **~•backed** *adj* buck(e)lig.

hun•dred ['hʌndrəd] **1.** *adj* hundert; **2.** *s* Hundert *n* (*unit*); Hundert *f* (*numeral*); **~th** [~θ]; **1.** *adj* hundertste(r, -s); **2.** *s* Hundertstel *n*; **~•weight** *s Br. appr.*

Zentner *m* (= *50,8 kg*).

hung [hʌŋ] **1.** *pret and pp of* ***hang***[1]; **2.** *adj* abgehangen (*meat*); **~ *parliament*** *pol.* parlamentarische Pattsituation.

Hun•gar•i•an [hʌŋ'geərɪən] **1.** *adj* ungarisch; **2.** *s* Ungar(in); *ling.* Ungarisch *n.*

Hun•ga•ry ['hʌŋgərɪ] Ungarn *n.*

hun•ger ['hʌŋgə] **1.** *s* Hunger *m* (*a. fig.*: ***for*** nach); ***die of* ~** verhungern; **2.** *v/i* hungern (***for, after*** nach); **~ strike** *s* Hungerstreik *m.*

hun•gry ['hʌŋgrɪ] *adj* □ (***-ier, -iest***) hungrig; ***be* ~** Hunger haben.

hunk [hʌŋk] *s* dickes Stück.

hunt [hʌnt] **1.** *s* Jagd *f* (*a. fig.*: ***for*** nach); Jagd(revier *n*) *f*; Jagd(gesellschaft) *f*; **2.** *v/t* jagen; *area*: bejagen; hetzen; **~ *out,* ~ *up*** aufspüren; *v/i*: **~ *after,* ~ *for*** Jagd machen auf (*acc*); **~•er** *s* Jäger *m*; Jagdpferd *n*; **~•ing** *s* Jagen *n*; *attr* Jagd…; **~•ing-ground** *s* Jagdrevier *n.*

hur•dle ['hɜːdl] *s sports*: Hürde *f* (*a. fig.*); **~r** [-ə] *s sports*: Hürdenläufer(in); **~ race** *s sports*: Hürdenrennen *n.*

hurl [hɜːl] **1.** *s* Schleudern *n*; **2.** *v/t* schleudern; *words*: ausstoßen.

hur•ri•cane ['hʌrɪkən] *s* Hurrikan *m*, Wirbelsturm *m*; Orkan *m.*

hur•ried ['hʌrɪd] *adj* □ eilig; übereilt.

hur•ry ['hʌrɪ] **1.** *s* (große) Eile, Hast *f*; ***be in a*** (***no***) **~** es (nicht) eilig haben; ***not… in a* ~** F nicht so bald, nicht so leicht; ***there's no* ~** es eilt nicht; **2.** *v/t* (an)treiben; drängen; *et.* beschleunigen; eilig schicken *or* bringen; *v/i* eilen, hasten; **~ *up*** sich beeilen.

hurt [hɜːt] **1.** *s* Schmerz *m*; Verletzung *f*, Wunde *f*; Schaden *m*; **2.** *v/t* (***hurt***) verletzen, -wunden (*a. fig.*); wehtun (*dat*); schaden (*dat*); *v/i* schmerzen, wehtun; **~•ful** *adj* □ verletzend.

hus•band ['hʌzbənd] **1.** *s* (Ehe)Mann *m*; **2.** *v/t* haushalten mit; verwalten; **~•ry** [-rɪ] *s agr.* Landwirtschaft *f*; *fig.* Haushalten *n*, sparsamer Umgang (***of*** mit).

hush [hʌʃ] **1.** *int* still!; **2.** *s* Stille *f*; **3.** *v/t* zum Schweigen bringen; besänftigen, beruhigen; **~ *up*** vertuschen; **~ mon•ey** ['hʌʃmʌnɪ] *s* Schweigegeld *n.*

husk [hʌsk] **1.** *s bot.* Hülse *f*, Schote *f*, Schale *f* (*a. fig.*); **2.** *v/t* enthülsen; **hus- ky** ['hʌskɪ]; **1.** *adj* □ (***-ier, -iest***) hülsig; trocken; heiser; F stramm, stämmig; **2.** *s* F stämmiger Kerl.

hus•sy ['hʌsɪ] *s* Fratz *m*, Göre *f*; Flittchen *n.*

hus•tings ['hʌstɪŋz] *s pl Br. pol.* Wahlkampf *m.*

hus•tle ['hʌsl] **1.** *v/t* (an)rempeln; stoßen; drängen; *v/i* sich drängen; hasten, hetzen; sich beeilen; **2.** *s*: **~ *and bustle*** Gedränge *n*; Gehetze *n*; Getriebe *n.*

hut [hʌt] *s* Hütte *f*; Baracke *f.*

hutch [hʌtʃ] *s* (*esp.* Kaninchen)Stall *m.*

hy•a•cinth *bot.* ['haɪəsɪnθ] *s* Hyazinthe *f.*

hy•ae•na *zo.* [haɪ'iːnə] *s* Hyäne *f.*

hy•brid *biol.* ['haɪbrɪd] *s*, Mischling *m*, Kreuzung *f*; *attr* Bastard…; Zwitter…; **~ car** *s mot.* Hybridfahrzeug *n*, Hybridauto *n*; **~•ize** [-aɪz] *v/t* kreuzen.

hy•drant ['haɪdrənt] *s* Hydrant *m.*

hy•draul•ic [haɪ'drɔːlɪk] *adj* (***~ally***) hydraulisch; **~s** *s sg* Hydraulik *f.*

hy•dro|- ['haɪdrəʊ] Wasser…; Hydro…; **~•car•bon** *s chem.* Kohlenwasserstoff *m*; **~•chlor•ic ac•id** *s chem.* Salzsäure *f*; **~•e•lec•tric pow•er sta•tion** *s tech.* Wasserkraftwerk *n*; **~•foil** *s mar.* Tragflächen-, Tragflügelboot *n*; **~•gen** *s chem.* Wasserstoff *m*; **~•gen bomb** *s mil.* Wasserstoffbombe *f*; **~•plane** *s aer.* Wasserflugzeug *n*; *mar.* Gleitboot *n*; **~•pon•ics** *agr.* [-'pɒnɪks] *s sg* Hydrokultur *f.*

hy•e•na *zo.* [haɪ'iːnə] *s* Hyäne *f.*

hy•giene ['haɪdʒiːn] *s* Hygiene *f*; **hygi•en•ic** [haɪ'dʒiːnɪk] *adj* (***~ally***) hygienisch.

hymn [hɪm] **1.** *s* Hymne *f*; Lobgesang *m*; Kirchenlied *n*; **2.** *v/t* preisen.

hy•per- ['haɪpə] hyper…, Hyper…, über…, höher, größer; **~•mar•ket** *s* Groß-, Verbrauchermarkt *m*; **~•sen•si•tive** [-'sensətɪv] *s* überempfindlich (***to*** gegen).

hy•phen ['haɪfn] *s* Bindestrich *m*; **~•ate** [-eɪt] *v/t* mit Bindestrich schreiben.

hyp•no•tize ['hɪpnətaɪz] *v/t* hypnotisieren.

hy•po•chon•dri•ac [haɪpəʊ'kɒndrɪæk] *s* Hypochonder *m.*

hy•poc•ri•sy [hɪ'pɒkrəsɪ] *s* Heuchelei *f*; **hyp•o•crite** ['hɪpəkrɪt] *s* Heuchler(in); Scheinheilige(r *m*) *f*; **hyp•o•crit•i•cal** [hɪpə'krɪtɪkl] *adj* □ heuchlerisch, scheinheilig.

hy•poth•e•sis [haɪ'pɒθɪsɪs] *s* (*pl* ***-ses*** [-siːz]) Hypothese *f.*

H

hys|te•ri•a *med.* [hɪ'stɪərɪə] *s* Hysterie *f*; **~•ter•i•cal** [~'sterɪkl] *adj* □ hysterisch; **~•ter•ics** [~'sterɪks] *s pl* hysterischer Anfall; ***go into ~*** hysterisch werden; F e-n Lachkrampf bekommen.

I [aɪ] *pron* ich; ***it is ~*** ich bin es.
ice [aɪs] **1.** *s* Eis *n*; **2.** *v/t* gefrieren lassen; *cake*: mit Zuckerguss überziehen, glasieren; in Eis kühlen; *v/i a.* **~ *up*** vereisen; **~ age** *s* Eiszeit *f*; **~•berg** *s* Eisberg *m* (*a. fig.*); **~-bound** *adj harbour*: zugefroren; **~•box** *s* Eisfach *n*; *Am.* Kühlschrank *m*; **~ cream** *s* (Speise)Eis *n*; **~ cube** *s* Eiswürfel *m*; **~ floe** *s* Eisscholle *f*; **~ hock•ey** *s* Eishockey *n*; **~ lol•ly** *s Br.* Eis *n* am Stiel; **~ rink** *s* (Kunst)Eisbahn *f*; **~ show** *s* Eisrevue *f*.
Ice•land ['aɪslənd] Island *n*.
i•ci•cle ['aɪsɪkl] *s* Eiszapfen *m*.
ic•ing ['aɪsɪŋ] *s* Zuckerguss *m*, Glasur *f*; *on aircraft*: Eisbildung *f*, Vereisung *f*; *ice hockey*: unerlaubter Weitschuss, Befreiungsschlag *m*, Icing *n*.
i•cy ['aɪsɪ] *adj* □ (**-*ier*, -*iest***) eisig (*a. fig.*); vereist.
ID ***identification*** Identifizierung *f*; Ausweis *m*; ***identity*** Identität *f*.
i•dea [aɪ'dɪə] *s* Idee *f*; Begriff *m*; Vorstellung *f*; Gedanke *m*; Meinung *f*; Ahnung *f*; Plan *m*.
i•deal [aɪ'dɪəl] **1.** *adj* □ ideal, vollkommen; **2.** *s* Ideal *n*; **~•is•m** *s* Idealismus *m*; **~•ize** [~aɪz] *v/t* idealisieren.
i•den•ti|cal [aɪ'dentɪkl] *adj* □ identisch, gleich(bedeutend); **~•fi•ca•tion** [aɪdentɪfɪ'keɪʃn] *s* Identifizierung *f*; Ausweis *m*; **~•fy** [aɪ'dentɪfaɪ] *v/t* identifizieren; ausweisen; erkennen; **~•ty** [~ətɪ] *s* Identität *f*; Persönlichkeit *f*, Eigenart *f*; **~ *card*** (Personal)Ausweis *m*.
i•de|o•log•i•cal [aɪdɪə'lɒdʒɪkl] *adj* □ ideologisch; **~•ol•o•gy** [aɪdɪ'ɒlədʒɪ] *s* Ideologie *f*.
id•i|om ['ɪdɪəm] *s* Idiom *n*; Redewendung *f*; **~•o•mat•ic** [ɪdɪə'mætɪk] *adj* (**~*ally***) idiomatisch.
id•i•ot ['ɪdɪət] *s* Idiot(in), Schwachsinnige(r *m*) *f*; **~•ic** [ɪdɪ'ɒtɪk] *adj* (**~*ally***) blödsinnig.
i•dle ['aɪdl] **1.** *adj* □ (**~*r*, ~*st***) *person*: müßig, untätig, träge, faul; *econ.* unproduktiv, tot (*money*), ungenutzt (*capacity*); **~ *hours*** *pl* Mußestunden *pl*; **2.** *v/t mst* **~ *away*** vertrödeln; *v/i* faulenzen; *tech.* leerlaufen; **~•ness** *s* Untätigkeit *f*, Müßiggang *m*; Faul-, Trägheit *f*; Muße *f*; Zwecklosigkeit *f*.
i•dol ['aɪdl] *s* Idol *n* (*a. fig.*); Götzenbild *n*; **~•ize** ['aɪdəlaɪz] *v/t* abgöttisch verehren, vergöttern.
i•dyl•lic [aɪ'dɪlɪk] *adj* (**~*ally***) idyllisch.
i. e., ie ***id est*** (= ***that is to say***) d. h., das heißt.
if [ɪf] **1.** *cj* wenn, falls; ob; **2.** *s* Wenn *n*.
ig•nite [ɪg'naɪt] *v/t and v/i* anzünden, (sich) entzünden; *mot.* zünden; **ig•ni•tion** [ɪg'nɪʃən] *s* An-, Entzünden *n*; *mot.* Zündung *f*.
ig•no•min•i•ous [ɪgnə'mɪnɪəs] *adj* □ schändlich, schimpflich (*defeat*).
ig•no•rance ['ɪgnərəns] *s* Unwissenheit *f*; **ig•no•rant** [~t] *adj* unwissend; ungebildet; F ungehobelt; **ig•nore** [ɪg'nɔː] *v/t* ignorieren, nicht beachten; *jur.* verwerfen.
ill [ɪl] **1.** *adj* (***worse, worst***) krank; schlimm, schlecht, übel; böse; ***fall ~, be taken ~*** krank werden; **2.** *s mst pl* Übel *n*, Missstand *m*; **~-ad•vised** [ɪləd'vaɪzd] *adj* □ schlecht beraten; unbesonnen, unklug; **~-bred** *adj* schlecht erzogen; ungezogen; **~ breed•ing** *s* schlechtes Benehmen.
il•le•gal [ɪ'liːgl] *adj* □ unerlaubt; *jur.* illegal, ungesetzlich; **~ *parking*** Falschparken *n*.
il•le•gi•ble [ɪ'ledʒəbl] *adj* □ unleserlich.
il•le•git•i•mate [ɪlɪ'dʒɪtɪmət] *adj* □ illegitim; unrechtmäßig; unehelich.
ill|-fat•ed [ɪl'feɪtɪd] *adj* unglücklich, Unglücks…; **~-hu•mo(u)red** *adj* schlecht gelaunt.
il•lib•e•ral [ɪ'lɪbərəl] *adj* □ engstirnig; intolerant; knaus(e)rig.
il•li•cit [ɪ'lɪsɪt] *adj* □ unerlaubt.
il•lit•e•rate [ɪ'lɪtərət] **1.** *adj* □ unwissend, ungebildet; **2.** *s* Analphabet(in).

ill|-judged ['ɪl'dʒʌdʒd] *adj* unbesonnen, unklug; **~-man•nered** *adj* □ ungezogen; **~-na•tured** *adj* □ boshaft, bösartig.
ill•ness ['ɪlnɪs] *s* Krankheit *f*.
il•lo•gi•cal [ɪ'lɒdʒɪkl] *adj* □ unlogisch.
ill|-tem•pered [ɪl'tempəd] *adj* schlecht gelaunt, übellaunig; **~-timed** *adj* ungelegen, unpassend, zur unrechten Zeit.
il•lu•mi|nate [ɪ'lju:mɪneɪt] *v/t* be-, erleuchten (*a. fig.*); *fig.* erläutern, erklären; **~•nat•ing** [-ɪŋ] *adj* Leucht…; *fig.* aufschlussreich; **~•na•tion** [-'neɪʃn] *s* Er-, Beleuchtung *f*; *fig.* Erläuterung *f*, Erklärung *f*; **~s** *pl* Illumination *f*, Festbeleuchtung *f*.
il•lu|sion [ɪ'lu:ʒn] *s* Illusion *f*, Täuschung *f*; **~•sive** [-sɪv], **~•so•ry** [-ərɪ] *adj* □ illusorisch, trügerisch.
il•lus|trate ['ɪləstreɪt] *v/t* illustrieren, bebildern; erläutern; **~•tra•tion** [ɪlə'streɪʃn] *s* Erläuterung *f*; Illustration *f*; Bild *n*, Abbildung *f*; **~•tra•tive** ['ɪləstreɪtɪv] *adj* □ erläuternd.
il•lus•tri•ous [ɪ'lʌstrɪəs] *adj* □ berühmt.
ill will [ɪl'wɪl] *s* Feindschaft *f*.
im•age ['ɪmɪdʒ] *s* Bild *n*; Statue *f*; Götzenbild *n*; Ebenbild *n*; Image *n*; **~-build•ing cam•paign** *s econ.* Imagekampagne *f*.
i•ma•gi•na|ble [ɪ'mædʒɪnəbl] *adj* □ denkbar; **~•ry** [-ərɪ] *adj* eingebildet, imaginär; **~•tion** [ɪmædʒɪ'neɪʃn] *s* Einbildung(skraft) *f*; **~•tive** [ɪ'mædʒɪnətɪv] *adj* □ ideen-, einfallsreich.
i•ma•gine [ɪ'mædʒɪn] *v/t and v/i* sich *et.* einbilden *or* vorstellen *or* denken; ***can you ~?*** stell dir vor!; ***as you can ~*** wie du dir denken kannst.
im•bal•ance [ɪm'bæləns] *s* Unausgewogenheit *f*; *pol., etc.*: Ungleichgewicht *n*.
im•be•cile ['ɪmbɪsi:l] **1.** *adj* □ schwachsinnig; **2.** *s* Schwachsinnige(r *m*) *f*; *contp.* Idiot *m*, Trottel *m*.
im•bue *fig.* [ɪm'bju:] *v/t* durchdringen, erfüllen (***with*** mit).
IMF ***International Monetary Fund*** IWF, Internationaler Währungsfonds.
im•i|tate ['ɪmɪteɪt] *v/t* nachahmen, imitieren; **~•ta•tion** [ɪmɪ'teɪʃn] *s* Nachahmung *f*; Imitation *f*; *attr* nachgemacht, unecht, künstlich, Kunst…
im•mac•u•late [ɪ'mækjʊlət] *adj* □ unbefleckt, rein; fehlerlos.
im•ma•te•ri•al [ɪmə'tɪərɪəl] *adj* □ unkörperlich; unwesentlich (***to*** für).
im•ma•ture [ɪmə'tjʊə] *adj* □ unreif.
im•mea•su•ra•ble [ɪ'meʒərəbl] *adj* □ unermesslich.
im•me•di•ate [ɪ'mi:dɪət] *adj* □ unmittelbar; unverzüglich, sofortig; **~•ly** [-lɪ] **1.** *adv* sofort; **2.** *cj* sobald; sofort, als.
im•mense [ɪ'mens] *adj* □ riesig; *fig. a.* enorm, immens; prima, großartig.
im•merse [ɪ'mɜ:s] *v/t* (ein-, unter)tauchen; *fig.* versenken *or* vertiefen (***in*** in *acc*); **im•mer•sion** [-ʃn] *s* Ein-, Untertauchen *n*; **~ *heater*** Boiler *m*, *portable*: Tauchsieder *m*.
im•mi|grant ['ɪmɪgrənt] *s* Einwander|er *m*, -in *f*, Immigrant(in); **~•grate** [-greɪt] *v/i* einwandern; *v/t* ansiedeln (***into*** in *dat*); **~•gra•tion** [-'greɪʃn] *s* Einwanderung *f*, Immigration *f*.
im•mi•nent ['ɪmɪnənt] *adj* □ nahe bevorstehend; **~ *danger*** drohende Gefahr.
im•mo•bile [ɪ'məʊbaɪl] *adj* unbeweglich.
im•mod•e•rate [ɪ'mɒdərət] *adj* □ maßlos.
im•mod•est [ɪ'mɒdɪst] *adj* □ unbescheiden; unanständig.
im•mor•al [ɪ'mɒrəl] *adj* □ unmoralisch.
im•mor•tal [ɪ'mɔ:tl] **1.** *adj* □ unsterblich; **2.** *s* Unsterbliche(r *m*) *f*; **~•i•ty** [ɪmɔ:'tælətɪ] *s* Unsterblichkeit *f*.
im•mo•va•ble [ɪ'mu:vəbl] **1.** *adj* □ unbeweglich; unerschütterlich; unnachgiebig; **2. ~s** *s pl* Immobilien *pl*.
im•mune [ɪ'mju:n] *adj* (***against, from, to***) immun (gegen); geschützt (gegen), frei (von); *pol.* immun; **im•mu•ni•ty** [-ətɪ] *s* Immunität *f* (*a. pol.*); Unempfindlichkeit *f*.
im•mu•ta•ble [ɪ'mju:təbl] *adj* □ unveränderlich.
imp [ɪmp] *s* Teufelchen *n*; *child*: Racker *m*.
im•pact ['ɪmpækt] *s* (Zusammen)Stoß *m*; Anprall *m*; Einwirkung *f*.
im•pair [ɪm'peə] *v/t* beeinträchtigen.
im•par|tial [ɪm'pɑ:ʃl] *adj* □ unparteiisch; **~•ti•al•i•ty** [ɪmpɑ:ʃɪ'ælətɪ] *s* Unparteilichkeit *f*, Objektivität *f*.
im•pass•a•ble [ɪm'pɑ:səbl] *adj* □ unpassierbar; *to cars*: unbefahrbar.
im•passe [æm'pɑ:s] *s fig.* Sackgasse *f*,

toter Punkt.
im•pas•sioned [ɪm'pæʃnd] *adj* leidenschaftlich.
im•pas•sive [ɪm'pæsɪv] *adj* □ teilnahmslos; *face*: unbewegt.
im•pa|tience [ɪm'peɪʃns] *s* Ungeduld *f*; **~•tient** [~t] *adj* □ ungeduldig.
im•peach [ɪm'piːtʃ] *v/t* anklagen (***for, of, with*** *gen*); anfechten, anzweifeln.
im•pec•ca•ble [ɪm'pekəbl] *adj* □ untadelig, einwandfrei.
im•pede [ɪm'piːd] *v/t* (be)hindern.
im•ped•i•ment [ɪm'pedɪmənt] *s* Hindernis *n*; *med.* Behinderung *f*, Störung *f*.
im•pel [ɪm'pel] *v/t* (**-ll-**) (an)treiben.
im•pend•ing [ɪm'pendɪŋ] *adj* nahe bevorstehend; ***~ danger*** drohende Gefahr.
im•pen•e•tra•ble [ɪm'penɪtrəbl] *adj* □ undurchdringlich; *fig.* unergründlich; *fig.* unzugänglich (***to*** *dat*).
im•per•a•tive [ɪm'perətɪv] **1.** *adj* □ notwendig, dringend, unbedingt erforderlich; befehlend; gebieterisch; *gr.* imperativisch; **2.** *s* Befehl *m*; *a.* ***~ mood*** *gr.* Imperativ *m*, Befehlsform *f*.
im•per•cep•ti•ble [ɪmpə'septəbl] *adj* □ unmerklich.
im•per•fect [ɪm'pɜːfɪkt] **1.** *adj* □ unvollkommen; unvollendet; **2.** *s a.* ***~ tense*** *gr.* Imperfekt *n*.
im•pe•ri•al•is|m *pol.* [ɪm'pɪərɪəlɪzəm] *s* Imperialismus *m*; **~t** *pol.* [~ɪst] *s* Imperialist *m*.
im•per•il [ɪm'perəl] *v/t* (*esp. Br.* **-ll-**, *Am.* **-l-**) gefährden.
im•pe•ri•ous [ɪm'pɪərɪəs] *adj* □ herrisch, gebieterisch; dringend.
im•per•me•a•ble [ɪm'pɜːmɪəbl] *adj* □ undurchlässig.
im•per•son•al [ɪm'pɜːsnl] *adj* □ unpersönlich.
im•per•so•nate [ɪm'pɜːsəneɪt] *v/t thea. etc.* verkörpern, darstellen.
im•per•ti|nence [ɪm'pɜːtɪnəns] *s* Unverschämtheit *f*, Ungehörigkeit *f*, Frechheit *f*; **~•nent** [~t] *adj* □ unverschämt, ungehörig, frech.
im•per•tur•ba•ble [ɪmpə'tɜːbəbl] *adj* □ unerschütterlich, gelassen.
im•per•vi•ous [ɪm'pɜːvɪəs] *adj* □ unzugänglich (***to*** für); undurchlässig.
im•pe•tu•ous [ɪm'petjʊəs] *adj* □ ungestüm, heftig; impulsiv.
im•pe•tus ['ɪmpɪtəs] *s* Antrieb *m*, Schwung *m*.
im•pi•e•ty [ɪm'paɪətɪ] *s* Gottlosigkeit *f*; Respektlosigkeit *f*.
im•pinge [ɪm'pɪndʒ] *v/i*: ***~ on, ~ upon*** sich auswirken auf (*acc*), beeinflussen.
im•pi•ous ['ɪmpɪəs] *adj* □ gottlos; pietätlos; respektlos.
im•plac•a•ble [ɪm'plækəbl] *adj* □ unversöhnlich, unnachgiebig.
im•plant [ɪm'plɑːnt] *v/t med.* einpflanzen; *fig.* einprägen.
im•ple|ment 1. *s* ['ɪmplɪmənt] Werkzeug *n*; Gerät *n*; **2.** *v/t* [~ment] ausführen; **~•men•ta•tion** [ɪmplɪmen'teɪʃn] *s* Aus-, Durchführung *f*; *pol.* Umsetzung *f*, Implementation *f*.
im•pli|cate ['ɪmplɪkeɪt] *v/t j-n* verwickeln; **~•ca•tion** [~'keɪʃn] *s* Verwicklung *f*; Implikation *f*, Einbeziehung *f*; Folgerung *f*.
im•pli•cit [ɪm'plɪsɪt] *adj* □ implizit, indirekt, unausgesprochen; *faith*, *etc.*: unbedingt, blind.
im•plore [ɪm'plɔː] *v/t* inständig bitten, anflehen; (er)flehen.
im•ply [ɪm'plaɪ] *v/t* implizieren, (mit) einbegreifen; bedeuten; andeuten.
im•po•lite [ɪmpə'laɪt] *adj* □ unhöflich.
im•port[1] *econ.* **1.** *s* ['ɪmpɔːt] Import *m*, Einfuhr *f*; Import-, Einfuhrartikel *m*; **~s** *pl* (Gesamt)Import *m*, (-)Einfuhr *f*; Importgüter *pl*; **2.** *v/t* [ɪm'pɔːt] importieren, einführen.
im•port[2] **1.** *s* ['ɪmpɔːt] *meaning*: Bedeutung *f*; *~ance*: Wichtigkeit *f*; **2.** *v/t* [ɪm'pɔːt] bedeuten, beinhalten.
im•por|tance [ɪm'pɔːtəns] *s* Bedeutung *f*, Wichtigkeit *f*; **~•tant** [~t] *adj* □ bedeutend, wichtig; wichtigtuerisch.
im•por•ta•tion [ɪmpɔː'teɪʃn] Import *m*, Einfuhr *f*.
im•pose [ɪm'pəʊz] *v/t* auferlegen, -bürden, -drängen, -zwingen (***on, upon*** *dat*); *v/i*: ***~ on, ~ upon*** *j-m* imponieren, *j-n* beeindrucken; *j-n* ausnutzen; sich *j-m* aufdrängen; *j-m* zur Last fallen; **im•pos•ing** [~ɪŋ] *adj* □ imponierend, eindrucksvoll, imposant.
im•pos•si|bil•i•ty [ɪmpɒsə'bɪlətɪ] *s* Unmöglichkeit *f*; **~•ble** [ɪm'pɒsəbl] *adj* unmöglich.
im•pos•tor [ɪm'pɒstə] *s* Betrüger *m*.
im•po|tence ['ɪmpətəns] *s* Unfähigkeit *f*; Hilflosigkeit *f*; Schwäche *f*; *med.* Im-

potenz *f*; **~•tent** [-t] *adj* □ unfähig; hilflos; schwach; *med.* impotent.
im•pov•e•rish [ɪm'pɒvərɪʃ] *v/t* arm machen; *soil*: auslaugen.
im•prac•ti•ca•ble [ɪm'præktɪkəbl] *adj* □ undurchführbar, unbrauchbar; *street*: unpassierbar.
im•prac•ti•cal [ɪm'præktɪkl] *adj* □ unpraktisch; theoretisch; unbrauchbar.
im•preg|na•ble [ɪm'pregnəbl] *adj* □ uneinnehmbar (*fortress*); *fig.* unerschütterlich, unwiderlegbar (*argument*); **~•nate** ['ɪmpregneɪt] *v/t biol.* schwängern; *chem.* sättigen; *tech.* imprägnieren.
im•press [ɪm'pres] *v/t* (auf-, ein)drücken; (deutlich) klarmachen; einschärfen; *j-n* beeindrucken; *j-n mit et.* erfüllen; **im•pres•sion** [-ʃn] *s* Eindruck *m*; *print.* Abdruck *m*; Abzug *m*; Auflage *f*; ***be under the ~ that*** den Eindruck haben, dass; **im•pres•sive** *adj* □ eindrucksvoll.
im•print 1. *v/t* [ɪm'prɪnt] aufdrücken, -prägen; *fig.* einprägen (**on, in** *dat*); **2.** *s* ['ɪmprɪnt] Eindruck *m*; Stempel *m* (*a. fig.*); *print.* Impressum *n*.
im•pris•on *jur.* [ɪm'prɪzn] *v/t* inhaftieren; **~•ment** *s jur.* Freiheitsstrafe *f*, Gefängnis(strafe *f*) *n*, Haft *f*.
im•prob•a•ble [ɪm'prɒbəbl] *adj* □ unwahrscheinlich.
im•prop•er [ɪm'prɒpə] *adj* □ unrichtig; *unsuitable*: ungeeignet, unpassend; *behaviour*: unanständig, unschicklich.
im•prove [ɪm'pruːv] *v/t* verbessern; veredeln, -feinern; *v/i* sich (ver)bessern; ***~ on, ~ upon*** übertreffen; **~•ment** *s* (Ver)Besserung *f*; Fortschritt *m* (***on, upon*** gegenüber).
im•pro•vise ['ɪmprəvaɪz] *v/t and v/i* improvisieren.
im•pru•dent [ɪm'pruːdənt] *adj* □ unklug.
im•pu|dence ['ɪmpjʊdəns] *s* Unverschämtheit *f*, Frechheit *f*; **~•dent** *adj* □ unverschämt, frech.
im•pulse ['ɪmpʌls] *s* Impuls *m*, (An-)Stoß *m*; *fig.* (An)Trieb *m*; **im•pul•sive** [ɪm'pʌlsɪv] *adj* □ (an)treibend; *fig.* impulsiv.
im•pu•ni•ty [ɪm'pjuːnətɪ] *s* Straflosigkeit *f*; ***with ~*** ungestraft.
im•pure [ɪm'pjʊə] *adj* □ unrein (*a. eccl.*), schmutzig; verfälscht; *fig.* schlecht, unmoralisch.
in [ɪn] **1.** *prp* in (*dat*), innerhalb (*gen*); an (*dat*): ***~ the morning*** am Morgen, morgens; ***~ number*** an der Zahl; ***~ itself*** an sich; auf (*dat*): ***~ the street*** auf der Straße; ***~ English*** auf Englisch; auf (*acc*): ***~ this manner*** auf diese Art; bei: ***~ Shakespeare*** bei Shakespeare; ***~ crossing the road*** beim Überqueren der Straße; mit: ***engaged ~ reading*** mit Lesen beschäftigt; ***~ a word*** mit einem Wort; nach: ***~ my opinion*** meiner Meinung nach; über (*acc*): ***rejoice ~ s.th.*** über et. jubeln; unter (*dat*): ***~ the circumstances*** unter diesen Umständen; ***one ~ ten*** einer unter zehn; ***~ 1992*** 1992; ***~ that …*** insofern als, weil; **2.** *adv* innen, drinnen; herein; hinein; in, in Mode; ***be ~ for*** *et.* zu erwarten haben, *exam, etc.*: vor sich haben; ***you are ~ for trouble*** du kannst dich auf etwas gefasst machen; ***be ~ with*** gut mit *j-m* stehen; **3.** *adj* hereinkommend; Innen…; F *fashionable*: in.
in. *inch*(*es*) Zoll *m* (*od. pl*) (2,54 cm).
in•a•bil•i•ty [ɪnə'bɪlətɪ] *s* Unfähigkeit *f*.
in•ac•ces•si•ble [ɪnæk'sesəbl] *adj* □ unzugänglich, unerreichbar (***to*** für *or dat*).
in•ac•cu•rate [ɪn'ækjʊrət] *adj* □ ungenau; unrichtig.
in•ac|tive [ɪn'æktɪv] *adj* □ untätig; *econ.* lustlos, flau; *volcano*: erloschen; **~•tiv•i•ty** [-'tɪvətɪ] *s* Untätigkeit *f*; *econ.* Lustlosigkeit *f*, Flauheit *f*.
in•ad•e•quate [ɪn'ædɪkwət] *adj* □ unangemessen; unzulänglich, ungenügend.
in•ad•mis•si•ble [ɪnəd'mɪsəbl] *adj* □ unzulässig, unerlaubt.
in•ad•ver•tent [ɪnəd'vɜːtənt] *adj* □ unachtsam; unbeabsichtigt, versehentlich.
in•a•li•e•na•ble [ɪn'eɪlɪənəbl] *adj* □ *rights*: unveräußerlich.
i•nane *fig.* [ɪ'neɪn] *adj* □ leer; albern.
in•an•i•mate [ɪn'ænɪmət] *adj* □ leblos; *nature*: unbelebt; geistlos, langweilig.
in•ap•pro•pri•ate [ɪnə'prəʊprɪət] *adj* □ *dress, etc.*: unpassend, ungeeignet.
in•apt [ɪn'æpt] *adj* □ *comment*: unpassend.
in•ar•tic•u•late [ɪnɑː'tɪkjʊlət] *adj* □ unartikuliert, undeutlich; unverständlich; unfähig(, deutlich) zu sprechen.

in•as•much [ɪnəz'mʌtʃ] *cj*: ~ ***as*** insofern als.
in•at•ten•tive [ɪnə'tentɪv] *adj* □ unaufmerksam.
in•au•di•ble [ɪn'ɔːdəbl] *adj* □ unhörbar.
in•au•gu|ral [ɪ'nɔːgjʊrəl] *s* Antrittsrede *f*; *attr* Antritts…; **~•rate** [~reɪt] *v/t* (feierlich) einführen; einweihen; einleiten; **~•ra•tion** [ɪnɔːgjʊ'reɪʃn] *s* Amtseinführung *f*; Einweihung *f*; Beginn *m*; ♀ ***Day*** *Am.* Tag *m* der Amtseinführung des neu gewählten Präsidenten der USA (*January 20th*).
in•born [ɪn'bɔːn] *adj* angeboren.
in•box ['ɪnbɒks] *s E-Mail*: Posteingang *m*.
in-built ['ɪnbɪlt] *adj* eingebaut, Einbau…
Inc., **Inc.** ***incorporated*** (amtlich) eingetragen.
in•cal•cu•la•ble [ɪn'kælkjʊləbl] *adj* □ unberechenbar.
in•can•des•cent [ɪnkæn'desnt] *adj* □ (weiß) glühend.
in•ca•pa•ble [ɪn'keɪpəbl] *adj* □ unfähig, nicht imstande (***of*** *ger* zu *inf*); hilflos.
in•ca•pa•ci|tate [ɪnkə'pæsɪteɪt] *v/t* unfähig machen; **~•ty** [~sətɪ] *s* Unfähigkeit *f*.
in•car|nate [ɪn'kɑːnət] *adj eccl.* Fleisch geworden; *fig.* verkörpert; **~•na•tion** [~'neɪʃn] *s eccl.* Inkarnation *f*, Fleischwerdung *f*; *fig.* Inkarnation *f*, Inbegriff *m*.
in•cau•tious [ɪn'kɔːʃəs] *adj* □ unvorsichtig.
in•cen•di•a•ry [ɪn'sendɪərɪ] **1.** *adj* Brand…; *fig.* aufwiegelnd, -hetzend; **2.** *s* Brandstifter *m*; Aufwiegler *m*.
in•cense[1] ['ɪnsens] *s* Weihrauch *m*.
in•cense[2] [ɪn'sens] *v/t* in Wut bringen.
in•cen•tive [ɪn'sentɪv] *s* Ansporn *m*, Antrieb *m*, Anreiz *m*; *econ.* ***tax ~s*** steuerliche Anreize *pl*; → ***investment.***
in•ces•sant [ɪn'sesnt] *adj* □ unaufhörlich.
in•cest ['ɪnsest] *s* Inzest *m*, Blutschande *f*.
inch [ɪntʃ] **1.** *s* Inch *m* (= *2,54 cm*), Zoll *m* (*a. fig.*); ***by ~es*** allmählich; ***every ~*** durch u. durch; **2.** *v/i and v/t* (sich) zentimeterweise *or* sehr langsam bewegen.
in•ci|dence ['ɪnsɪdəns] *s* Vorkommen *n*; **~•dent** [~t] *s* Vorfall *m*, Ereignis *n*, Vorkommnis *n*; **~•den•tal** [ɪnsɪ'dentl] *adj* □ zufällig; gelegentlich; Neben…; beiläufig; **~*ly*** nebenbei.
in•cin•e|rate [ɪn'sɪnəreɪt] *v/t* verbrennen; **~•ra•tor** [~ə] *s* Verbrennungsofen *m*; Verbrennungsanlage *f*.
in•cise [ɪn'saɪz] *v/t* ein-, aufschneiden; **in•ci•sion** [ɪn'sɪʒn] *s* (Ein)Schnitt *m*; **in•ci•sive** [ɪn'saɪsɪv] *adj* □ (ein)schneidend; scharf; **in•ci•sor** *anat.* [~aɪzə] *s* Schneidezahn *m*.
in•cite [ɪn'saɪt] *v/t* anspornen, anregen; anstiften; **~•ment** *s* Anregung *f*; Ansporn *m*; Anstiftung *f*.
in•cli•na•tion [ɪnklɪ'neɪʃn] *s* Neigung *f* (*a. fig.*); **in•cline** [ɪn'klaɪn] **1.** *v/i* sich neigen, (schräg) abfallen; ***~ to*** *fig.* zu *et.* neigen; *v/t* neigen; geneigt machen; **2.** *s* Gefälle *n*; (Ab)Hang *m*; **in•clined** *adj*: ***be ~ to*** Lust haben zu.
in•close [ɪn'kləʊz], **in•clos•ure** [~əʊʒə] → ***enclose, enclosure.***
in•clude [ɪn'kluːd] *v/t* einschließen; enthalten; **~*d*** eingeschlossen; mit inbegriffen; ***tax ~d*** inklusive Steuer; **including** *prp* einschließlich; **in•clu•sion** [~ʒn] *s* Einschluss *m*, Einbeziehung *f*; **in•clu•sive** [~sɪv] *adj* □ einschließlich, inklusive (***of*** *gen*); ***be ~ of*** einschließen (*acc*); ***~ terms*** *pl* Pauschalpreis *m*.
in•co•her|ence [ɪnkəʊ'hɪərəns] *s* Zusammenhang(s)losigkeit *f*; **~•ent** *adj* □ (logisch) unzusammenhängend, unklar, unverständlich.
in•come *econ.* ['ɪnkʌm] *s* Einkommen *n*, Einkünfte *pl*; **~ sup•port** *s Br. since 1988*: *appr.* Sozialhilfe *f*; **~ tax** *s econ.* Einkommensteuer *f*.
in•com•ing ['ɪnkʌmɪŋ] *adj* hereinkommend; ankommend; nachfolgend, neu; ***~ orders*** *pl econ.* Auftragseingänge *pl*; **~s** *pl* Einkünfte *pl*, Einnahmen *pl*.
in•com•mu•ni•ca•tive [ɪnkə'mjuːnɪkətɪv] *adj* □ nicht mitteilsam, verschlossen.
in•com•pa•ra•ble [ɪn'kɒmpərəbl] *adj* □ unvergleichlich.
in•com•pat•i•ble [ɪnkəm'pætəbl] *adj* □ unvereinbar; unverträglich; *computer*: nicht kompatibel, inkompatibel.
in•com•pe|tence [ɪn'kɒmpɪtəns] *s* Unfähigkeit *f*; Inkompetenz *f*; **~•tent** [~t] *adj* □ unfähig; nicht fach- *or* sachkun-

dig; unzuständig, inkompetent.

in•com•plete [ɪnkəm'pliːt] *adj* □ unvollständig; unvollkommen.

in•com•pre•hen|si•ble [ɪnkɒmprɪ'hensəbl] *adj* □ unbegreiflich, unfassbar; **~•sion** [~ʃn] *s* Unverständnis *n*.

in•con•cei•va•ble [ɪnkən'siːvəbl] *adj* □ unbegreiflich, unfassbar; undenkbar.

in•con•clu•sive [ɪnkən'kluːsɪv] *adj* □ nicht überzeugend; ergebnis-, erfolglos.

in•con•gru•ous [ɪn'kɒŋgrʊəs] *adj* □ nicht übereinstimmend; nicht passend.

in•con•se•quent [ɪn'kɒnsɪkwənt] *adj* □ unlogisch.

in•con•sid|e•ra•ble [ɪnkən'sɪdərəbl] *adj* □ gering(fügig), unbedeutend; **~•er•ate** [~ət] *adj* □ unüberlegt; rücksichtslos.

in•con•sis|ten•cy [ɪnkən'sɪstənsɪ] *s* Unvereinbarkeit *f*; Inkonsequenz *f*; **~•tent** *adj* □ unvereinbar; widersprüchlich; unbeständig; inkonsequent.

in•con•so•la•ble [ɪnkən'səʊləbl] *adj* □ untröstlich.

in•con•spic•u•ous [ɪnkən'spɪkjʊəs] *adj* □ unauffällig.

in•con•stant [ɪn'kɒnstənt] *adj* □ unbeständig, veränderlich.

in•con•ve•ni|ence [ɪnkən'viːnɪəns] **1.** *s* Unbequemlichkeit *f*; Unannehmlichkeit *f*; **2.** *v/t* belästigen, stören; **~•ent** *adj* □ unbequem; ungelegen, lästig.

in•cor•po|rate [ɪn'kɔːpəreɪt] *v/t and v/i* (sich) verbinden *or* vereinigen *or* zusammenschließen; *include*: aufnehmen, eingliedern, inkorporieren; *econ., jur.* als Gesellschaft eintragen (lassen); **~•rat•ed** *adj Am.* (*abbr.* **Inc.**) *econ., jur.* als (Aktien)Gesellschaft eingetragen; **~•ra•tion** [ɪnkɔːpə'reɪʃn] *s* Vereinigung *f*, -bindung *f*, Zusammenschluss *m*; Eingliederung *f*; *Am. econ., jur.* Eintragung *f* als (Aktien)Gesellschaft.

in•cor•rect [ɪnkə'rekt] *adj* □ unrichtig, falsch; inkorrekt.

in•cor•ri•gi•ble [ɪn'kɒrɪdʒəbl] *adj* □ unverbesserlich.

in•cor•rup•ti•ble [ɪnkə'rʌptəbl] *adj* □ unbestechlich; unvergänglich.

in•crease 1. *v/t and v/i* [ɪn'kriːs] zunehmen, (an)wachsen, (an)steigen, (sich) vergrößern *or* -mehren; *taxes, prices, etc.*: erhöhen; *noise, etc.*: steigern *or* verstärken; **2.** *s* ['ɪnkriːs] Zunahme *f*, Vergrößerung *f*; (An)Wachsen *n*, Steigen *n*, Steigerung *f*; Zuwachs *m*; **in•creas•ing•ly** [ɪn'kriːsɪŋlɪ] *adv* zunehmend, immer mehr; **~ *difficult*** immer schwieriger.

in•cred•i•ble [ɪn'kredəbl] *adj* □ unglaublich, unglaubhaft.

in•cre•du•li•ty [ɪnkrɪ'djuːlətɪ] *s* Ungläubigkeit *f*; **in•cred•u•lous** [ɪn'kredjʊləs] *adj* □ ungläubig, skeptisch.

in•crim•i•nate [ɪn'krɪmɪneɪt] *v/t* beschuldigen; *j-n* belasten.

in•cu|bate ['ɪnkjʊbeɪt] *v/t* ausbrüten (*a. fig.*); **~•ba•tor** [~ə] *s* Brutapparat *m*, Brutkasten *m*; *med. a.* Inkubator *m*.

in•cur [ɪn'kɜː] *v/t* (**-rr-**) sich *et.* zuziehen, auf sich laden, geraten in (*acc*); *debts*: machen; *risk, etc.*: eingehen; *loss, etc.*: erleiden.

in•cu•ra•ble [ɪn'kjʊərəbl] *adj* □ unheilbar.

in•cu•ri•ous [ɪn'kjʊərɪəs] *adj* □ nicht neugierig; gleichgültig, uninteressiert.

in•cur•sion [ɪn'kɜːʃn] *s* (feindlicher) Einfall; plötzlicher Angriff; Eindringen *n*.

in•debt•ed [ɪn'detɪd] *adj econ.* verschuldet; *fig.* (zu Dank) verpflichtet.

in•de•cent [ɪn'diːsnt] *adj* □ unanständig, anstößig; *jur.* unsittlich, unzüchtig; **~ *assault*** *jur.* Sittlichkeitsverbrechen *n*.

in•de•ci|sion [ɪndɪ'sɪʒn] *s* Unentschlossenheit *f*; **~•sive** [~'saɪsɪv] *adj* □ unbestimmt, ungewiss; unentschlossen, unschlüssig.

in•deed [ɪn'diːd] **1.** *adv* in der Tat, tatsächlich, wirklich; allerdings; ***thank you very much ~!*** vielen herzlichen Dank!; **2.** *int* ach wirklich?

in•de•fat•i•ga•ble [ɪndɪ'fætɪgəbl] *adj* □ unermüdlich.

in•de•fen•si•ble [ɪndɪ'fensəbl] *adj* □ *theory, etc.*: unhaltbar; *behaviour, etc.*: unentschuldbar.

in•de•fi•na•ble [ɪndɪ'faɪnəbl] *adj* □ undefinierbar, unbestimmbar.

in•def•i•nite [ɪn'defɪnət] *adj* □ unbestimmt; unbegrenzt; unklar.

in•del•i•ble [ɪn'delɪbl] *adj* □ unauslöschlich, untilgbar; *fig.* unvergesslich; **~ *pencil*** Kopier-, Tintenstift *m*.

in•del•i•cate [ɪn'delɪkət] *adj* □ unfein,

derb; taktlos.

in•dem•ni|fy [ɪn'demnɪfaɪ] *v/t j-n* entschädigen (**for** für); versichern; *jur. j-m* Straflosigkeit zusichern; **~•ty** [-ətɪ] *s* Schadenersatz *m*, Entschädigung *f*, Abfindung *f*; Versicherung *f*; *jur.* Straflosigkeit *f*.

in•dent [ɪn'dent] *v/t* einkerben, auszacken; *line*: einrücken; *jur. contract*: mit Doppel ausfertigen; *v/i*: **~ on s.o. for s.th.** *esp. Br. econ.* et. bei *j-m* bestellen.

in•den•tures *econ., jur.* [ɪn'dentʃəz] *s pl* Ausbildungs-, Lehrvertrag *m*.

in•de•pen|dence [ɪndɪ'pendəns] *s* Unabhängigkeit *f*; Selbstständigkeit *f*; Auskommen *n*; ♀ **Day** *Am.* Unabhängigkeitstag *m* (*July 4th*); **~•dent** *adj* □ unabhängig; selbstständig.

in•de•scri•ba•ble [ɪndɪ'skraɪbəbl] *adj* □ unbeschreiblich.

in•de•struc•ti•ble [ɪndɪ'strʌktəbl] *adj* □ unzerstörbar; unverwüstlich.

in•de•ter•mi•nate [ɪndɪ'tɜːmɪnət] *adj* □ unbestimmt; unklar, vage.

in•dex ['ɪndeks] **1.** *s* (*pl* **-dexes, -dices** [-dɪsiːz]) (Inhalts-, Namens-, Sach-, Stichwort)Verzeichnis *n*, Register *n*, Index *m*; Index-, Messziffer *f*; *tech.* Zeiger *m*; Anzeichen *n*; **cost of living ~** Lebenshaltungskostenindex *m*; **2.** *v/t* mit e-m Inhaltsverzeichnis versehen; in ein Verzeichnis aufnehmen; **~ card** *s* Karteikarte *f*; **~ fin•ger** *s* Zeigefinger *m*.

In•dia ['ɪndjə] Indien *n*.

In•di•an ['ɪndɪən] **1.** *adj* indisch; indianisch, Indianer…; **2.** *s* Inder(in); *a.* **American ~, Red ~** Indianer(in); **~ corn** *s bot.* Mais *m*; **~ file** *s*: **in ~** im Gänsemarsch; **~ sum•mer** *s* Altweiber-, Nachsommer *m*.

in•di|cate ['ɪndɪkeɪt] *v/t* (an)zeigen; hinweisen *or* -deuten auf (*acc*); andeuten; *v/i mot.* blinken; **~•ca•tion** [-'keɪʃn] *s* (An)Zeichen *n*, Hinweis *m*, Andeutung *f*; **in•dic•a•tive** *gr.* [ɪn'dɪkətɪv] *s* (*a. adj* **~ mood**) Indikativ *m*; **~•ca•tor** ['ɪndɪkeɪtə] *s* (An)Zeiger *m*; *mot.* Blinker *m*, Richtungsanzeiger *m*.

in•di•ces ['ɪndɪsiːz] *pl of* **index.**

in•dict *jur.* [ɪn'daɪt] *v/t* anklagen (**for** wegen); **~•ment** *s jur.* Anklage *f*.

in•dif•fer|ence [ɪn'dɪfrəns] *s* Gleichgültigkeit *f*, Interesselosigkeit *f*; **~•ent** *adj* □ gleichgültig (**to** gegen), interesselos (**to** gegenüber); durchschnittlich, mittelmäßig.

in•di•ges|ti•ble [ɪndɪ'dʒestəbl] *adj* □ unverdaulich; **~•tion** [-tʃən] *s* Verdauungsstörung *f*, Magenverstimmung *f*.

in•dig|nant [ɪn'dɪgnənt] *adj* □ entrüstet, empört, ungehalten (**at, over, about** über *acc*); **~•na•tion** [ɪndɪg'neɪʃn] *s* Entrüstung *f*, Empörung *f* (**at, over, about** über *acc*); **~•ni•ty** [ɪn'dɪgnətɪ] *s* Demütigung *f*, unwürdige Behandlung.

in•di•rect [ɪndaɪ'rekt] *adj* □ indirekt (*a. gr.*); **by ~ means** auf Umwegen.

in•dis|creet [ɪndɪ'skriːt] *adj* □ unbesonnen; taktlos; indiskret; **~•cre•tion** [-reʃn] *s* Unbesonnenheit *f*; Taktlosigkeit *f*; Indiskretion *f*.

in•dis•crim•i•nate [ɪndɪ'skrɪmɪnət] *adj* □ unterschieds-, wahllos; willkürlich.

in•di•spen•sa•ble [ɪndɪ'spensəbl] *adj* □ unentbehrlich, unerlässlich.

in•dis|posed [ɪndɪ'spəʊzd] *adj* indisponiert; unpässlich; abgeneigt; **~•po•si•tion** [ɪndɪspə'zɪʃn] *s* Abneigung *f* (**to** gegen); Unpässlichkeit *f*.

in•dis•pu•ta•ble [ɪndɪ'spjuːtəbl] *adj* □ unbestreitbar, unstreitig.

in•dis•tinct [ɪndɪ'stɪŋkt] *adj* □ undeutlich; unklar, verschwommen.

in•dis•tin•guish•a•ble [ɪndɪ'stɪŋgwɪʃəbl] *adj* □ nicht zu unterscheiden.

in•di•vid•u•al [ɪndɪ'vɪdjʊəl] **1.** *adj* □ persönlich; individuell; besondere(r, -s); einzeln, Einzel…; **2.** *s* Individuum *n*, Einzelne(r *m*) *f*; **~•is•m** *s* Individualismus *m*; **~•ist** *s* Individualist(in); **~•i•ty** [ɪndɪvɪdjʊ'ælətɪ] *s* Individualität *f*, (persönliche) Note; **~•ly** [ɪndɪ'vɪdjʊəlɪ] *adv* einzeln, jede(r, -s) für sich.

in•di•vis•i•ble [ɪndɪ'vɪzəbl] *adj* □ unteilbar.

in•do•lent ['ɪndələnt] *adj* □ träge, faul, arbeitsscheu; *med.* schmerzlos.

in•dom•i•ta•ble [ɪn'dɒmɪtəbl] *adj* □ unbezähmbar, nicht unterzukriegen.

In•do•ne•sia [ˌɪndəʊ'niːzjə] Indonesien *n*.

in•door ['ɪndɔː] *adj* zu *or* im Hause (befindlich), Haus…, Zimmer…, Innen…, *sports*: Hallen…; **~s** [ɪn'dɔːz] *adv* zu *or* im Hause; im *or* ins Haus.

in•dorse [ɪn'dɔːs] → **endorse** *etc.*

in•duce [ɪn'djuːs] *v/t* veranlassen; hervorrufen, bewirken; **~•ment** *s* Anlass *m*; Anreiz *m*, Ansporn *m*.

in•duct [ɪn'dʌkt] *v/t into a position*: einführen, -setzen; **in•duc•tion** [₋kʃn] *s* (Amts)Einführung *f*, Einsetzung *f*; *electr.* Induktion *f*; *of birth*: Einleitung *f*.

in•dulge [ɪn'dʌldʒ] *v/t* nachsichtig sein gegen, gewähren lassen, *j-m* nachgeben; *v/i*: **~ *in s.th.*** sich et. gönnen *or* leisten; **in•dul•gence** *s* Nachsicht *f*, Nachgiebigkeit *f*; Schwäche *f*, Leidenschaft *f*; **in•dul•gent** *adj* □ nachsichtig, -giebig.

in•dus•tri•al [ɪn'dʌstrɪəl] *adj* □ industriell, Industrie…, Gewerbe…, Betriebs…; **~ *action*** Arbeitskampf(maßnahmen *pl*) *m*; **~ *area*** Industriegebiet *n*; **~ *waste*** Industriemüll *m*; **~•ist** *econ.* [₋əlɪst] *s* Industrielle(r *m*) *f*; **~•ize** *econ.* [₋əlaɪz] *v/t* industrialisieren.

in•dus•tri•ous [ɪn'dʌstrɪəs] *adj* □ fleißig.

in•dus•try ['ɪndəstrɪ] *s econ.* Industrie(-zweig *m*) *f*; Gewerbe(zweig *m*) *n*, Branche *f*; Fleiß *m*.

in•ed•i•ble [ɪn'edɪbl] *adj* □ ungenießbar, nicht essbar.

in•ef•fec|tive [ɪnɪ'fektɪv], **~•tu•al** [₋tʃʊəl] *adj* □ unwirksam, wirkungslos; untauglich.

in•ef•fi•cient [ɪnə'fɪʃnt] *adj* □ unfähig, untauglich; leistungsschwach, unproduktiv.

in•el•e•gant [ɪn'elɪgənt] *adj* □ unelegant; schwerfällig.

in•eli•gi•ble [ɪn'elɪdʒəbl] *adj* □ nicht wählbar; ungeeignet; nicht berechtigt; *esp. mil.* untauglich.

in•ept [ɪ'nept] *adj* □ *remark*: unpassend; *behaviour*: ungeschickt; *person*: albern, töricht.

in•e•qual•i•ty [ɪnɪ'kwɒlətɪ] *s* Ungleichheit *f*.

in•ert [ɪ'nɜːt] *adj* □ *phys.* träge (*a. fig.*); *chem.* inaktiv; **in•er•tia** [ɪ'nɜːʃə] *s* Trägheit *f* (*a. fig.*).

in•es•ca•pa•ble [ɪnɪ'skeɪpəbl] *adj* □ unvermeidlich, unausweichlich.

in•es•sen•tial [ɪnɪ'senʃl] *adj* unwesentlich, unwichtig (***to*** für).

in•es•ti•ma•ble [ɪn'estɪməbl] *adj* □ unschätzbar.

in•ev•i•ta•ble [ɪn'evɪtəbl] *adj* □ unvermeidlich; zwangsläufig.

in•ex•act [ɪnɪg'zækt] *adj* □ ungenau.

in•ex•cu•sa•ble [ɪnɪk'skjuːzəbl] *adj* □ unverzeihlich, unentschuldbar.

in•ex•haus•ti•ble [ɪnɪg'zɔːstəbl] *adj* □ unerschöpflich; unermüdlich.

in•ex•o•ra•ble [ɪn'eksərəbl] *adj* □ unerbittlich.

in•ex•pe•di•ent [ɪnɪk'spiːdɪənt] *adj* □ unzweckmäßig; nicht ratsam.

in•ex•pen•sive [ɪnɪk'spensɪv] *adj* □ nicht teuer, billig, preiswert.

in•ex•pe•ri•ence [ɪnɪk'spɪərɪəns] *s* Unerfahrenheit *f*; **~d** *adj* unerfahren.

in•ex•pert [ɪn'ekspɜːt] *adj* □ unerfahren; ungeschickt.

in•ex•plic•a•ble [ɪnɪk'splɪkəbl] *adj* □ unerklärlich.

in•ex•pres•si|ble [ɪnɪk'spresəbl] *adj* □ unaussprechlich, unbeschreiblich; **~ve** [₋sɪv] *adj* ausdruckslos.

in•fal•li•ble [ɪn'fæləbl] *adj* □ unfehlbar.

in•fa|mous ['ɪnfəməs] *adj* □ berüchtigt; schändlich, niederträchtig; **~•my** [₋ɪ] *s* Schande *f*; Niedertracht *f*, Gemeinheit *f*, Infamie *f*.

in•fan|cy ['ɪnfənsɪ] *s* frühe Kindheit; *jur.* Minderjährigkeit *f*; ***in its ~*** *fig.* in den Anfängen *or* Kinderschuhen steckend; **~t** [₋t] *s* Säugling *m*; Kleinkind *n*; *jur.* Minderjährige(r *m*) *f*.

in•fan•tile ['ɪnfəntaɪl] *adj* kindlich; Kindes…, Kinder…; infantil, kindisch.

in•fan•try *mil.* ['ɪnfəntrɪ] *s* Infanterie *f*.

in•fat•u•at•ed [ɪn'fætjʊeɪtɪd] *adj* vernarrt (***with*** in *acc*).

in•fect [ɪn'fekt] *v/t med. j-n, et.* infizieren, *j-n* anstecken (*a. fig.*); verseuchen, verunreinigen; **in•fec•tion** [₋kʃn] *s med.* Infektion *f*, Ansteckung *f* (*a. fig.*); **in•fec•tious** [₋kʃəs] *adj* □ *med.* infektiös, ansteckend (*a. fig.*).

in•fer [ɪn'fɜː] *v/t* (**-rr-**) folgern, schließen (***from*** aus); **~•ence** ['ɪnfərəns] *s* (Schluss)Folgerung *f*.

in•fe•ri•or [ɪn'fɪərɪə] **1.** *adj* (***to***) untergeordnet (*dat*), *in position*: tiefer stehend, niedriger, geringer (als); minderwertig; ***be ~ to s.o.*** *j-m* untergeordnet sein; *j-m* unterlegen sein; **2.** *s* Untergebene(r *m*) *f*; **~•i•ty** [ɪnfɪərɪ'ɒrətɪ] *s* Unterlegenheit *f*; geringerer Wert *or* Stand, Minderwertigkeit *f*; **~ *complex*** *psych.* Minderwertigkeitskomplex *m*.

in•fer|nal [ɪn'fɜːnl] *adj* □ höllisch, Höl-

I

len…; **~•no** [-əʊ] *s* (*pl* **-nos**) Inferno *n*, Hölle *f*.

in•fer•tile [ɪn'fɜːtaɪl] *adj* unfruchtbar.

in•fest [ɪn'fest] *v/t* heimsuchen; verseuchen, befallen; *fig*. überschwemmen (**with** mit).

in•fi•del•i•ty [ɪnfɪ'deləti] *s* Untreue *f*.

in•fil•trate ['ɪnfɪltreɪt] *v/t* eindringen in (*acc*); einsickern in (*acc*), durchdringen; *pol*. unterwandern; *pol*. einschleusen; *v/i* eindringen (**into** in *acc*); *pol*. unterwandern (**into** *acc*), sich einschleusen (**into** in *acc*).

in•fi•nite ['ɪnfɪnət] *adj* □ unendlich.

in•fin•i•tive *gr*. [ɪn'fɪnətɪv] *s* (*a. adj* **~ mood**) Infinitiv *m*, Nennform *f*.

in•fin•i•ty [ɪn'fɪnəti] *s* Unendlichkeit *f*.

in•firm [ɪn'fɜːm] *adj* □ schwach; gebrechlich; **in•fir•ma•ry** [-əri] *s* Krankenhaus *n*; Krankenstube *f*, -zimmer *n* (*in school, etc.*); **in•fir•mi•ty** [-əti] *s* Schwäche *f* (*a. fig.*); Gebrechlichkeit *f*.

in•flame [ɪn'fleɪm] *v/t and v/i* entflammen (*mst fig.*); *med*. (sich) entzünden; erregen; erzürnen.

in•flam•ma|ble [ɪn'flæməbl] *adj* leicht entzündlich; feuergefährlich; **~•tion** *med*. [ɪnflə'meɪʃn] *s* Entzündung *f*; **~•to•ry** [ɪn'flæmətəri] *adj med*. entzündlich; *fig*. aufrührerisch, Hetz…

in•flate [ɪn'fleɪt] *v/t* aufpumpen, -blasen, -blähen (*a. fig.*); *econ. price, etc.*: in die Höhe treiben; **in•fla•tion** [-ʃn] *s* Aufblähung *f*; *econ*. Inflation *f*.

in•flect *gr*. [ɪn'flekt] *v/t* flektieren, beugen; **in•flec•tion** [-kʃn] → **inflexion.**

in•flex|i•ble [ɪn'fleksəbl] *adj* □ unbiegsam, starr (*a. fig.*); *fig*. unbeugsam; **~•ion** *esp. Br*. [-kʃn] *s gr*. Flexion *f*, Beugung *f*; *mus*. Modulation *f*.

in•flict [ɪn'flɪkt] *v/t* (**on, upon**) *suffering, etc.*: zufügen (*dat*); *wound, etc.*: beibringen (*dat*); *blow, etc.*: versetzen (*dat*); *punishment, etc.*: verhängen (über *acc*); aufbürden, -drängen (*dat*); **in•flic•tion** [-kʃn] *s* Zufügung *f*; *of punishment*: Verhängung *f*; Plage *f*.

in•flow ['ɪnfləʊ] *s* Zustrom *m*, -fluss *m*.

in•flu|ence ['ɪnflʊəns] **1.** *s* Einfluss *m*; **2.** *v/t* beeinflussen; **~•en•tial** [ɪnflʊ'enʃl] *adj* □ einflussreich.

in•flu•en•za *med*. [ɪnflʊ'enzə] *s* Grippe *f*.

in•flux ['ɪnflʌks] *s* Einströmen *n*; *econ*. (Waren)Zufuhr *f*; *fig*. (Zu)Strom *m*.

in•form [ɪn'fɔːm] *v/t* benachrichtigen, unterrichten (**of** von), informieren (**of** über *acc*); *v/i*: **~ against** *or* **on** *or* **upon s.o.** *j-n* anzeigen; *j-n* denunzieren.

in•for•mal [ɪn'fɔːml] *adj* formlos, zwanglos; **~•i•ty** [ɪnfɔː'mæləti] *s* Formlosigkeit *f*; Ungezwungenheit *f*.

in•for•ma•tion [ɪnfə'meɪʃn] *s* Auskunft *f*; Nachricht *f*; Information *f*; **~ desk** Informationsschalter *m*; **~ science** Informatik *f*; **~ storage** *computer*: Datenspeicherung *f*; **~ (super-)highway** *computer*: Datenautobahn *f*.

in•for•ma•tive [ɪn'fɔːmətɪv] *adj* informativ; lehrreich; mitteilsam.

in•form•er [ɪn'fɔːmə] *s* Denunziant(in); Spitzel *m*.

in•fra•struc•ture ['ɪnfrəstrʌktʃə] *s* Infrastruktur *f*.

in•fre•quent [ɪn'friːkwənt] *adj* □ selten.

in•fringe [ɪn'frɪndʒ] *v/t* (*and v/i*: **~ on, ~ upon**) *rights, contract, etc.*: verletzen.

in•fu•ri•ate [ɪn'fjʊərɪeɪt] *v/t* wütend machen.

in•fuse [ɪn'fjuːz] *v/t tea*: aufgießen; *fig*. einflößen; *fig*. erfüllen (**with** mit); **in•fu•sion** [-ʒn] *s* Aufguss *m*, Tee *m*; Einflößen *n*; *med*. Infusion *f*.

in•ge|ni•ous [ɪn'dʒiːnɪəs] *adj* □ genial; geist-, sinnreich; erfinderisch; raffiniert; **~•nu•i•ty** [ɪndʒɪ'njuːəti] *s* Genialität *f*; Einfallsreichtum *m*.

in•gen•u•ous [ɪn'dʒenjʊəs] *adj* □ offen, aufrichtig; unbefangen; naiv.

in•got ['ɪŋgət] *s* (Gold- *etc.*) Barren *m*.

in•gra•ti•ate [ɪn'greɪʃɪeɪt] *v/t*: **~ o.s. with s.o.** sich bei *j-m* beliebt machen.

in•grat•i•tude [ɪn'grætɪtjuːd] *s* Undankbarkeit *f*.

in•gre•di•ent [ɪn'griːdɪənt] *s* Bestandteil *m*; *cooking*: Zutat *f*.

in•grow•ing ['ɪngrəʊɪŋ] *adj* nach innen wachsend; eingewachsen.

in•hab|it [ɪn'hæbɪt] *v/t* bewohnen, leben in (*dat*); **~•i•ta•ble** *adj* bewohnbar; **~•i•tant** *s of house*: Bewohner(in); *of town*: Einwohner(in).

in•hale [ɪn'heɪl] *v/t and v/i* einatmen, *med. a*. inhalieren.

in•her•ent [ɪn'hɪərənt] *adj* □ anhaftend; innewohnend, eigen (**in** *dat*).

in•her|it [ɪn'herɪt] *v/t* erben; **~•i•tance** [-əns] *s* Erbe *n*, Erbschaft *f*; *biol*. Vererbung *f*.

in•hib•it [ɪn'hɪbɪt] *v/t* hemmen (*a. psych.*), hindern; **~•ed** *adj psych.* gehemmt; **in•hi•bi•tion** *psych.* [ɪnhɪ'bɪʃn] *s* Hemmung *f*.

in•hos•pi•ta•ble [ɪn'hɒspɪtəbl] *adj* □ ungastlich; *region, etc.*: unwirtlich.

in•hu•man [ɪn'hjuːmən] *adj* □ unmenschlich; **~e** [ɪnhjuː'meɪn] *adj* □ inhuman; menschenunwürdig.

in•im•i•cal [ɪ'nɪmɪkl] *adj* □ feindselig (***to*** gegen); nachteilig (***to*** für).

in•im•i•ta•ble [ɪ'nɪmɪtəbl] *adj* □ unnachahmlich.

i•ni|tial [ɪ'nɪʃl] **1.** *adj* □ anfänglich, Anfangs…; **2.** *s* Initiale *f*, (großer) Anfangsbuchstabe; **~•tial•ly** [~ʃəlɪ] *adv* am *or* zu Anfang, anfangs; **~•ti•ate**; **1.** *s* [~ʃɪət] Eingeweihte(r *m*) *f*; **2.** *v/t* [~ʃɪeɪt] beginnen, in die Wege leiten; einführen, einweihen; aufnehmen; **~•ti•a•tion** [ɪnɪʃɪ'eɪʃn] *s* Einführung *f*; Aufnahme *f*; **~ *fee*** *esp. Am.* Aufnahmegebühr *f*; **~•tia•tive** [ɪ'nɪʃɪətɪv] *s* Initiative *f*; erster Schritt; Entschlusskraft *f*, Unternehmungsgeist *m*; ***take the ~*** die Initiative ergreifen; ***on one's own ~*** aus eigenem Antrieb.

in•ject *med.* [ɪn'dʒekt] *v/t* injizieren, einspritzen; **in•jec•tion** *med.* [~kʃn] *s* Injektion *f*, Spritze *f*.

in•junc•tion [ɪn'dʒʌnkʃn] *s jur.* gerichtliche Verfügung; ausdrücklicher Befehl.

in•jure ['ɪndʒə] *v/t* verletzen, verwunden; (be)schädigen; schaden (*dat*); kränken; **in•ju•ri•ous** [ɪn'dʒʊərɪəs] *adj* □ schädlich; beleidigend; ***be ~ to*** schaden (*dat*); ***~ to health*** gesundheitsschädlich; **in•ju•ry** ['ɪndʒərɪ] *s med.* Verletzung *f*; Unrecht *n*; Schaden *m*; Kränkung *f*.

in•jus•tice [ɪn'dʒʌstɪs] *s* Ungerechtigkeit *f*; Unrecht *n*; ***do s.o. an ~*** *j-m* unrecht tun.

ink [ɪŋk] *s* Tinte *f*; *mst* ***printer's ~*** Druckerschwärze *f*; *attr* Tinten…

ink•ling ['ɪŋklɪŋ] *s* Andeutung *f*; dunkle *or* leise Ahnung.

ink|pad ['ɪŋkpæd] *s* Stempelkissen *n*; **~•y** [~ɪ] *adj* (***-ier, -iest***) voll Tinte, Tinten…; tinten-, pechschwarz.

in•laid ['ɪnleɪd] *adj* eingelegt, Einlege…; ***~ work*** Einlegearbeit *f*.

in•land **1.** *adj* ['ɪnlənd] inländisch, einheimisch; Binnen…; **2.** *s* [~] *das* Landesinnere; Binnenland *n*; **3.** *adv* [ɪn'lænd] landeinwärts; **~ rev•e•nue** *s Br.* Steuereinnahmen *pl*; **♀ Rev•e•nue** *s Br.* Finanzamt *n*.

in•lay ['ɪnleɪ] *s* Einlegearbeit *f*; (Zahn-) Füllung *f*, Plombe *f*.

in•let ['ɪnlet] *s* Meeresarm *m*; Flussarm *m*; *tech.* Einlass *m*.

in•mate ['ɪnmeɪt] *s* Insass|e *m*, -in *f*; Mitbewohner(in).

in•most ['ɪnməʊst] → ***innermost.***

inn [ɪn] *s* Gasthaus *n*, Wirtshaus *n*.

in•nate [ɪ'neɪt] *adj* □ angeboren.

in•ner ['ɪnə] *adj* innere(r, -s); Innen…; verborgen; **~ *city*** Innenstadt *f*, Stadtzentrum *n*; ***~-city decay*** *der* Verfall der Innenstädte; **~•most** *adj* innerste(r, -s) (*a. fig.*).

in•nings ['ɪnɪŋz] *s cricket, baseball*: *appr.* Spielzeit *f*, Schlagrunde *f*.

inn•keep•er ['ɪnkiːpə] *s* Gastwirt(in).

in•no|cence ['ɪnəsns] *s* Unschuld *f*; Harmlosigkeit *f*; Naivität *f*; **~•cent** [~t] **1.** *adj* □ unschuldig; *mistake*: unabsichtlich, harmlos; arglos, naiv; **2.** *s* Unschuldige(r *m*) *f*; Einfältige(r *m*) *f*.

in•noc•u•ous [ɪ'nɒkjʊəs] *adj* □ harmlos.

in•no|vate ['ɪnəveɪt] *v/t technology, etc.*: neu einführen; *v/i* Neuerungen einführen; **~•va•tion** [ɪnə'veɪʃn] *s* Neuerung *f*.

in•nu•me•ra•ble [ɪ'njuːmərəbl] *adj* □ unzählig, zahllos.

i•noc•u|late *med.* [ɪ'nɒkjʊleɪt] *v/t* (ein-) impfen; **~•la•tion** *med.* [ɪnɒkjʊ'leɪʃn] *s* Impfung *f*.

in•of•fen•sive [ɪnə'fensɪv] *adj* □ harmlos.

in•op•e•ra•ble [ɪn'ɒpərəbl] *adj med.* inoperabel, nicht operierbar; *plan, etc.*: undurchführbar.

in•op•por•tune [ɪn'ɒpətjuːn] *adj* □ inopportun, unangebracht, ungelegen.

in-pa•tient *med.* ['ɪnpeɪʃnt] *s* stationärer Patient, stationäre Patientin.

in•put ['ɪnpʊt] *s* Input *m*; *econ.* Produktionsmittel *pl*; Arbeitsaufwand *m*; Energiezufuhr *f*; *point of ~*: *electr.* Eingang *m*; *computer*: (Daten- *or* Programm)Eingabe *f*.

in•quest *jur.* ['ɪnkwest] *s* gerichtliche Untersuchung.

in•quir|e [ɪn'kwaɪə] *v/t and v/i a.* ***~ about*** fragen *or* sich erkundigen nach;

~ into untersuchen; **in•quir•ing** *adj* □ forschend; wissbegierig; **in•quir•y** [~rɪ] *s* Erkundigung *f*; Untersuchung *f*; Ermittlung *f*; ***make inquiries*** Erkundigungen einziehen.

in|qui•si•tion [ɪnkwɪ'zɪʃn] *s jur.* Untersuchung *f*; Verhör *n*; *eccl. hist.* Inquisition *f*; **~•quis•i•tive** [~'kwɪzətɪv] *adj* □ neugierig; wissbegierig.

in•road(s) *fig.* ['ɪnrəʊd(z)] *s* (**into, on**) Eingriff *m* (in *acc*); übermäßige Inanspruchnahme (*gen*); ***make ~into*** *market, etc.*: eindringen in (*acc*).

in|sane [ɪn'seɪn] *adj* □ geisteskrank, wahnsinnig; **~•san•i•ty** [~'sænətɪ] *s* Geisteskrankheit *f*, Wahnsinn *m*.

in•sa•tia•ble [ɪn'seɪʃəbl] *adj* □ unersättlich.

in|scribe [ɪn'skraɪb] *v/t* (ein-, auf)-schreiben, einmeißeln, -ritzen; *book*: mit e-r Widmung versehen; **~•scrip•tion** [~'skrɪpʃn] *s* Inschrift *f*; Widmung *f*.

I

in•scru•ta•ble [ɪn'skru:təbl] *adj* □ unerforschlich, unergründlich.

in•sect *zo.* ['ɪnsekt] *s* Insekt *n*; **in•sec•ti•cide** [ɪn'sektɪsaɪd] *s* Insektenvertilgungsmittel *n*, Insektizid *n*.

in•se•cure [ɪnsɪ'kjʊə] *adj* □ unsicher; nicht sicher *or* fest.

in•sem|i•nate [ɪn'semɪneɪt] *v/t* befruchten, *cattle*: besamen; **~•i•na•tion** [ɪnsemɪ'neɪʃn] *s* Befruchtung *f*, Besamung *f*.

in•sen•si|ble [ɪn'sensəbl] *adj* □ unempfindlich (**to** gegen); bewusstlos; unmerklich; gefühllos, gleichgültig; **~•tive** [~sətɪv] *adj* unempfindlich, gefühllos (**to** gegen); unempfänglich.

in•sep•a•ra•ble [ɪn'sepərəbl] *adj* □ untrennbar; unzertrennlich.

in•sert 1. *v/t* [ɪn'sɜ:t] einfügen, -setzen, -führen, (hinein)stecken; *coin*: einwerfen; inserieren; **2.** *s* ['ɪnsɜ:t] Bei-, Einlage *f*; **in•ser•tion** [ɪn'sɜ:ʃn] *s* Einfügen *n*, Einsetzen *n*, -führen *n*, Hineinstecken *n*; Einfügung *f*; Einwurf *m* (*of coin*); Anzeige *f*, Inserat *n*.

in•shore [ɪn'ʃɔ:] **1.** *adv* an *or* nahe der Küste; **2.** *adj* Küsten...

in•side [ɪn'saɪd] **1.** *s* Innenseite *f*; *das* Innere; ***turn ~ out*** umkrempeln; auf den Kopf stellen; **2.** *adj* innere(r, -s), Innen...; Insider...; **~ *information*** Insiderinformation *f*; **~ *knowledge*** Insiderwissen *n*; **3.** *adv* im Innern, (dr)innen; **~ *of a week*** F innerhalb e-r Woche; **4.** *prp* innen in (*dat*); in (*acc*) ... (hinein); **in•sid•er** [~ə] *s* Eingeweihte(r *m*) *f*, Insider *m*; **~ *trading*** *econ.* Insiderhandel *m*.

in•sid•i•ous [ɪn'sɪdɪəs] *adj* □ heimtückisch.

in•sight ['ɪnsaɪt] *s* Einsicht *f*, Einblick *m*; Verständnis *n*.

in•sig•nif•i•cant [ɪnsɪg'nɪfɪkənt] *adj* bedeutungslos; unbedeutend.

in•sin•cere [ɪnsɪn'sɪə] *adj* □ unaufrichtig.

in•sin•u|ate [ɪn'sɪnjʊeɪt] *v/t* andeuten, anspielen auf (*acc*); **~•a•tion** [~'eɪʃn] *s* Anspielung *f*, Andeutung *f*.

in•sist [ɪn'sɪst] *v/i* bestehen, beharren (**on, upon** auf *dat*); **in•sis•tence** *s* Bestehen *n*, Beharren *n*; Beharrlichkeit *f*; **in•sis•tent** *adj* □ beharrlich, hartnäckig.

in•sol•u•ble [ɪn'sɒljʊbl] *adj* □ unlöslich; unlösbar (*problem, etc.*).

in•sol•ven•cy [ɪn'sɒlvənsɪ] *s econ.* Zahlungsunfähigkeit *f*, Insolvenz *f*; **~ pro•ceed•ings** *pl* Insolvenzverfahren *n*.

in•sol•vent [ɪn'sɒlvənt] *adj* zahlungsunfähig, insolvent.

in•som•ni•a [ɪn'sɒmnɪə] *s* Schlaflosigkeit *f*.

in•spect [ɪn'spekt] *v/t* untersuchen, prüfen, nachsehen; besichtigen, inspizieren; **in•spec•tion** [~kʃn] *s* Prüfung *f*, Untersuchung *f*, Kontrolle *f*; Inspektion *f*; **in•spec•tor** [~ktə] *s* Aufsichtsbeamte(r) *m*, Inspektor *m*; (Polizei-) Inspektor *m*, (-)Kommissar *m*.

in•spi•ra•tion [ɪnspə'reɪʃn] *s* Inspiration *f*, Eingebung *f*; **in•spire** [ɪn'spaɪə] *v/t* inspirieren; hervorrufen; *hope, etc.*: wecken; *respect, etc.*: einflößen.

inst. ***instant*** d. M., dieses Monats.

in•stall [ɪn'stɔ:l] *v/t tech.* installieren, einrichten, aufstellen, einbauen, *wires, cables, etc.*: legen; *in an official post, etc.*: einsetzen; **in•stal•la•tion** [ɪnstə'leɪʃn] *s tech.* Installation *f*, Einrichtung *f*, -bau *m*; *tech. apparatus, etc.*: Anlage *f*; *ceremony*: Einsetzung *f*, -führung *f*.

in•stal•ment, *Am. a.* **-stall-** [ɪn'stɔ:lmənt] *s econ.* Rate *f*; (Teil)Lieferung *f* (*of book, etc.*); Fortsetzung *f* (*of novel, etc.*); *radio, TV*: (Sende)Folge

f; ***monthly ~*** Monatsrate *f*.
in•stance ['ɪnstəns] *s* Beispiel *n*; (besonderer) Fall; *jur.* Instanz *f*; ***for ~*** zum Beispiel; ***at s.o.'s ~*** auf *j-s* Veranlassung (hin).
in•stant ['ɪnstənt] **1.** *adj* □ sofortig; *reaction, etc.*: unmittelbar; *econ.* Fertig...; ***~ coffee*** löslicher Kaffee, Pulverkaffee *m*, Instantkaffee *m*; **2.** *s* Augenblick *m*; ***this (very) ~*** auf der Stelle, sofort; **in•stan•ta•ne•ous** [ˌ'teɪnɪəs] *adj* □ sofortig, augenblicklich; Moment...; **~•ly** *adv* sofort, unverzüglich.
in•stead [ɪn'sted] *adv* stattdessen, dafür; ***~ of*** anstelle von, (an)statt.
in•step *anat.* ['ɪnstep] *s* Spann *m*, Rist *m*.
in•sti|gate ['ɪnstɪgeɪt] *v/t* anstiften; aufhetzen; veranlassen; **~•ga•tor** *s* Anstifter(in); (Auf)Hetzer(in).
in•stil, *Am. a.* **-still** *fig.* [ɪn'stɪl] *v/t* (***-ll-***) beibringen, einflößen (***into*** *dat*).
in•stinct ['ɪnstɪŋkt] *s* Instinkt *m*; **instinc•tive** [ɪn'stɪŋktɪv] *adj* □ instinktiv.
in•sti|tute ['ɪnstɪtjuːt] **1.** *s* Institut *n*; *group of scientists, etc.*: Gesellschaft *f*; **2.** *v/t organization*: einrichten, gründen; *reforms*: einführen; einleiten; **~•tu•tion** [ɪnstɪ'tjuːʃn] *s* Institut *n*, Anstalt *f*; Einführung *f*; Institution *f*, Einrichtung *f*.
in•struct [ɪn'strʌkt] *v/t* unterrichten; belehren; *j-n* anweisen, beauftragen (***to do s.th.*** et. zu tun); **in•struc•tion** [ˌkʃn] *s* Unterricht *m*; Anweisung *f*, Instruktion *f*; *computer*: Befehl *m*; ***~s for use*** Gebrauchsanweisung *f*; ***operating ~s*** Bedienungsanleitung *f*; **instruc•tive** *adj* □ instruktiv, lehrreich; **in•struc•tor** *s* Lehrer *m*; Ausbilder *m*; *Am. univ.* Dozent *m*.
in•stru|ment ['ɪnstrʊmənt] *s* Instrument *n*; Werkzeug *n* (*a. fig.*); ***~ panel*** *tech.* Armaturenbrett *n*; **~•men•tal** [ɪnstrʊ'mentl] *adj* □ behilflich, dienlich; *mus.* Instrumental...
in•sub•or•di|nate [ɪnsə'bɔːdənət] *adj* aufsässig; **~•na•tion** [ˌɪ'neɪʃn] *s* Auflehnung *f*.
in•suf•fe•ra•ble [ɪn'sʌfərəbl] *adj* □ unerträglich, unausstehlich.
in•suf•fi•cient [ɪnsə'fɪʃnt] *adj* □ unzulänglich, ungenügend.
in•su•lar ['ɪnsjʊlə] *adj* □ insular, Insel...; *fig.* engstirnig.
in•su|late ['ɪnsjʊleɪt] *v/t house, etc.*: isolieren; **~•la•tion** [ɪnsjʊ'leɪʃn] *s* Isolierung *f*; Isoliermaterial *n*.
in•sult **1.** *s* ['ɪnsʌlt] Beleidigung *f*; **2.** *v/t* [ɪn'sʌlt] beleidigen.
in•sur|ance [ɪn'ʃʊərəns] *s* Versicherung *f*; Versicherungssumme *f*; ***~ company*** Versicherungsgesellschaft *f*; ***~ policy*** Versicherungspolice *f*; **~e** [ɪn'ʃʊə] *v/t* versichern (***against*** gegen).
in•sur•moun•ta•ble *fig.* [ɪnsə'maʊntəbl] *adj* □ unüberwindlich.
in•tact [ɪn'tækt] *adj* unberührt; unversehrt, intakt.
in•tan•gi•ble [ɪn'tændʒəbl] *adj* nicht greifbar; unbestimmt.
in•te|gral ['ɪntɪgrəl] *adj* □ ganz, vollständig; wesentlich; **~•grate** [ˌeɪt] *v/t* integrieren, zu e-m Ganzen zusammenfassen; einbeziehen, -gliedern; *Am.* die Rassenschranken aufheben zwischen (*dat*); *v/i* sich integrieren; **~•grat•ed** *adj* einheitlich; *tech.* eingebaut; ohne Rassentrennung; **~•gra•tion** [ˌ'greɪʃn] *s* Integration *f*.
in•teg•ri•ty [ɪn'tegrətɪ] *s* Integrität *f*, Rechtschaffenheit *f*; Vollständigkeit *f*.
in•tel|lect ['ɪntəlekt] *s* Intellekt *m*, Verstand *m*; **~•lec•tual** [ɪntə'lektʃʊəl] **1.** *adj* □ intellektuell, Verstandes..., geistig; ***~ property*** geistiges Eigentum; **2.** *s* Intellektuelle(r *m*) *f*.
in•tel•li|gence [ɪn'telɪdʒəns] *s* Intelligenz *f*, Verstand *m*; Informationen *pl*; *a.* ***~ department*** Geheimdienst *m*; **~•gent** *adj* □ intelligent, klug.
in•tel•li•gi•ble [ɪn'telɪdʒəbl] *adj* □ verständlich (***to*** für).
in•tend [ɪn'tend] *v/t* beabsichtigen, vorhaben, planen; ***~ed for*** bestimmt für.
in•tense [ɪn'tens] *adj* □ intensiv; stark, heftig; angespannt; ernsthaft.
in•ten|si•fy [ɪn'tensɪfaɪ] *v/t* intensivieren; (*a. v/i* sich) verstärken; **~•si•ty** [ˌsətɪ] *s* Intensität *f*; **~•sive** *adj* intensiv; stark, heftig; ***~ care unit*** *med.* Intensivstation *f*; ***~ farming*** *of animals*: Intensivhaltung *f*.
in•tent [ɪn'tent] **1.** *adj* □ gespannt, aufmerksam; ***~ on*** fest entschlossen zu (*dat*); konzentriert auf (*acc*); **2.** *s* Absicht *f*, Vorhaben *n*; ***to all ~s and purposes*** in jeder Hinsicht; **in•ten•tion** *s* Absicht *f*; *jur.* Vorsatz *m*; **in•ten•tion-**

I

al *adj* □ absichtlich, vorsätzlich.

in•ter|- ['ɪntə] zwischen, Zwischen…; gegenseitig, einander; **~•act** [~r'ækt] *v/i* aufeinander (ein)wirken, sich gegenseitig beeinflussen; **~•act•ive** [~r'æktɪv] interaktiv; **~•cede** [~'si:d] *v/i* vermitteln, sich einsetzen (***with*** bei; ***for*** für).

in•ter|cept [ɪntə'sept] *v/t* abfangen; aufhalten; **~•cep•tion** [~pʃn] *s* Abfangen *n*; Aufhalten *n*.

in•ter•ces•sion [ɪntə'seʃn] *s* Fürbitte *f*, -sprache *f*.

in•ter•change **1.** *v/t* [ɪntə'tʃeɪndʒ] austauschen; **2.** *s* ['~tʃeɪndʒ] Austausch *m*; kreuzungsfreier Verkehrsknotenpunkt.

in•ter•course ['ɪntəkɔ:s] *s* (***sexual ~***) (Geschlechts)Verkehr *m*; *communication*: Verkehr *m*, Umgang *m*.

in•ter•cul•tur•al [ɪntə'kʌltʃərəl] *adj* □ interkulturell.

in•ter|dict **1.** *v/t* [ɪntə'dɪkt] untersagen, verbieten (***s.th. to s.o.*** *j-m* et.; ***s.o. from doing*** *j-m* zu tun); **2.** *s* ['ɪntədɪkt] Verbot *n*; **~•dic•tion** [ɪntə'dɪkʃn] *s* Verbot *n*.

in•terest ['ɪntrɪst] **1.** *s* Interesse *n* (***in*** an *dat*, für), (An)Teilnahme *f*; Nutzen *m*; *econ.* Anteil *m*, Beteiligung *f*; *econ.* Zins(en *pl*) *m*; *mst pl econ.* Interessenten *pl*, Interessengruppe(n *pl*) *f*; ***take an ~ in*** sich interessieren für; **2.** *v/t* interessieren (***in*** für *et.*); ***be ~ed in*** sich interessieren für; **~•ing** *adj* □ interessant.

in•ter•face ['ɪntəfeɪs] *s computer*: Schnittstelle *f*, Knoten *m*.

in•ter|fere [ɪntə'fɪə] *v/i* sich einmischen (***with*** in *acc*); stören; **~•fer•ence** *s* Einmischung *f*; Störung *f*.

in•ter•gov•ern•ment•al [ɪntəgʌvn'mentl] *adj pol.* zwischenstaatlich; ***~ agreement*** Regierungsabkommen *n*; ***~ talks*** *pl* Gespräche *pl* auf Regierungsebene.

in•ter•im phase ['ɪntərɪmfeɪs] *s* Übergangsphase *f*.

in•te•ri•or [ɪn'tɪərɪə] **1.** *adj* □ innere(r, -s), Innen…; Binnen…; Inlands…; ***~ decorator*** Innenarchtitekt(in); **2.** *s das* Innere; Interieur *n*; *pol.* innere Angelegenheiten *pl*; ***Department of the ≗*** *Am.* Innenministerium *n*.

in•ter|ject [ɪntə'dʒekt] *v/t remark*: einwerfen; **~•jec•tion** [~kʃn] *s* Einwurf *m*; Ausruf *m*; *ling.* Interjektion *f*.

in•ter|lace [ɪntə'leɪs] *v/t* (ineinander) verflechten; **~•lock** [~'lɒk] *v/i* ineinandergreifen; *v/t* (miteinander) verzahnen; **~•lop•er** ['~ləʊpə] *s* Eindringling *m*; **~•lude** ['~lu:d] *s* Zwischenspiel *n*; Pause *f*; ***~s of bright weather*** zeitweilig schön.

in•ter•me•di|a•ry [ɪntə'mi:dɪərɪ] *s* Vermittler(in); **~•ate** [~ət] *adj* □ in der Mitte liegend, Mittel…, Zwischen…; ***~-range missile*** Mittelstreckenrakete *f*; ***~ test*** *or* ***exam(ination)*** Zwischenprüfung *f*.

in•ter•mi•na•ble [ɪn'tɜ:mɪnəbl] *adj* □ endlos.

in•ter•mis•sion [ɪntə'mɪʃn] *s* Unterbrechung *f*, Aussetzen *n*; *esp. Am. thea.*, *in concert, etc.*: Pause *f*.

in•ter•mit•tent [ɪntə'mɪtənt] *adj* □ (zeitweilig) aussetzend, periodisch (auftretend); ***~ fever*** *med.* Wechselfieber *n*.

in•tern[1] [ɪn'tɜ:n] *v/t* internieren.

in•tern[2] *Am. med.* ['ɪntɜ:n] *s* Arzt *m* im Praktikum (*abbr.* AIP).

in•ter•nal [ɪn'tɜ:nl] *adj* □ innere(r, -s); einheimisch, Inlands…; ***~-combustion engine*** Verbrennungsmotor *m*.

in•ter•na•tion•al [ɪntə'næʃənl] **1.** *adj* □ international; ***~ law*** *jur.* Völkerrecht *n*; **2.** *s sports*: Internationale *m*, *f*, Nationalspieler(in); internationaler Wettkampf; Länderspiel *n*.

In•ter•net ['ɪntənet] *s* Internet *n*; ***~ café*** Internet-Café *n*; ***~ portal*** Internetportal *n*; ***~ provider*** Internetanbieter *m*.

in•ter•pose [ɪntə'pəʊz] *v/t veto*: einlegen; *remark*: einwerfen; *v/i* eingreifen.

in•ter|pret [ɪn'tɜ:prɪt] *v/t* auslegen, erklären, deuten, interpretieren; *a. v/i* dolmetschen; **~•pre•ta•tion** [ɪntɜ:prɪ'teɪʃn] *s* Auslegung *f*, Deutung *f*, Interpretation *f*; **~•pret•er** [ɪn'tɜ:prɪtə] *s* Dolmetscher(in); Interpret(in).

in•ter•ro|gate [ɪn'terəgeɪt] *v/t* (be-, aus)fragen; verhören; **~•ga•tion** [ɪnterə'geɪʃn] *s* Befragung *f*; Verhör *m*; Frage *f*; ***note*** *or* ***mark*** *or* ***point of ~*** *ling.* Fragezeichen *n*; **~g•a•tive** [ɪntə'rɒgətɪv] *adj* □ fragend, Frage…; *gr.* Interrogativ…, Frage…

in•ter|rupt [ɪntə'rʌpt] *v/t and v/i* unterbrechen; **~•rup•tion** [~pʃn] *s* Unterbrechung *f*.

in•ter|sect [ɪntə'sekt] *v/t* durchschneiden; *v/i* sich schneiden *or* kreuzen; **~•sec•tion** [~kʃn] *s* Schnittpunkt *m*; (Straßen- *etc.*) Kreuzung *f.*
in•ter•sperse [ɪntə'spɜːs] *v/t* einstreuen, hier u. da einfügen.
in•ter•state *Am.* [ɪntə'steɪt] *adj* zwischen den einzelnen Bundesstaaten.
in•ter•twine [ɪntə'twaɪn] *v/t and v/i* (sich ineinander) verschlingen; ***inextricably ~d*** *of fate, etc.*: untrennbar verbunden.
in•ter•val ['ɪntəvl] *s* Intervall *n* (*a. mus.*), Abstand *m*; *thea., in concert, etc.*: Pause *f*; ***at ~s of*** in Abständen von; ***at ten-minute ~s*** *of bus, etc.*: im Zehnminutentakt.
in•ter|vene [ɪntə'viːn] *v/i of person*: einschreiten, intervenieren; *of time*: dazwischenliegen; *of event*: (unerwartet) dazwischenkommen; **~•ven•tion** [~'venʃn] *s* Eingreifen *n*, -griff *m*, Intervention *f*; **~ *price*** *econ.* Interventionspreis *m*.
in•ter•view ['ɪntəvjuː] **1.** *s TV, etc.*: Interview *n*; Unterredung *f*; (Vorstellungs)Gespräch *n*; **2.** *v/t j-n* interviewen, befragen; ein Vorstellungsgespräch führen mit; **~•er** *s* Interviewer(in); Leiter(in) e-s Vorstellungsgesprächs.
in•ter•weave [ɪntə'wiːv] *v/t* (***-wove, -woven***) (miteinander) verweben, -flechten, -schlingen.
in•tes•tine *anat.* [ɪn'testɪn] *s* Darm *m*; ***~s*** *pl* Eingeweide *pl.*
in•ti•ma•cy ['ɪntɪməsɪ] *s* Intimität *f* (*a. sexual*), Vertrautheit *f*; Vertraulichkeit *f.*
in•ti•mate[1] ['ɪntɪmət] **1.** *adj* □ intim (*a. sexual*), vertraut; vertraulich; **2.** *s* Vertraute(r *m*) *f.*
in•ti|mate[2] ['ɪntɪmeɪt] *v/t* andeuten; **~•ma•tion** [ɪntɪ'meɪʃn] *s* Andeutung *f.*
in•tim•i|date [ɪn'tɪmɪdeɪt] *v/t* einschüchtern; **~•da•tion** [ɪntɪmɪ'deɪʃn] *s* Einschüchterung *f.*
in•to ['ɪntʊ, 'ɪntə] *prp* in (*acc*), in (*acc*) … hinein; gegen (*acc*); *math.* in (*acc*); ***4 ~ 20 goes five times*** 4 geht fünfmal in 20; F ***be ~ s.th.*** F (voll) abfahren auf et., auf et. stehen.
in•tol•e|ra•ble [ɪn'tɒlərəbl] *adj* □ unerträglich; **~•rance** [ɪn'tɒlərəns] *s* Intoleranz *f*; **~•rant** *adj* intolerant.
in•to•na•tion [ɪntəʊ'neɪʃn] *s gr.* Intonation *f*, Tonfall *m*; *mus.* Intonation *f.*
in•tra|- ['ɪntrə] intra…, binnen…; ***~-Community trade*** EG-Binnenhandel *m*.
in•trac•ta•ble [ɪn'træktəbl] *adj* □ unlenksam, eigensinnig (*a. child*); *material*: unnachgiebig; schwer zu handhaben(d); *illness*: hartnäckig.
in•tra•net ['ɪntrənet] *s computer*: Intranet *n*.
in•tran•si•tive *gr.* [ɪn'trænsətɪv] *adj* □ intransitiv.
in•tra•ve•nous *med.* [ɪntrə'viːnəs] *adj* intravenös.
in•trep•id [ɪn'trepɪd] *adj* □ unerschrocken.
in•tri•cate ['ɪntrɪkət] *adj* □ verwickelt, kompliziert.
in•trigue [ɪn'triːg] **1.** *s* Intrige *f*; Machenschaft *f*; **2.** *v/t* faszinieren, interessieren; *v/i* intrigieren.
in•trin•sic [ɪn'trɪnsɪk] *adj* (***~ally***) wirklich, wahr, inner(lich).
in•tro|duce [ɪntrə'djuːs] *v/t* vorstellen (***to*** *dat*), *j-n* bekannt machen (***to*** mit); einführen; einleiten; **~•duc•tion** [~'dʌkʃn] *s* Vorstellung *f*; Einführung *f*; Einleitung *f*; ***letter of ~*** Empfehlungsschreiben *n*; **~•duc•to•ry** [~tərɪ] *adj* einleitend, Einführungs…, Einleitungs…
in•tro•spec|tion [ɪntrəʊ'spekʃn] *s* Selbstbeobachtung *f*; **~•tive** [~tɪv] *adj* selbst beobachtend.
in•tro•vert *psych.* ['ɪntrəʊvɜːt] *s* introvertierter Mensch; **~•ed** *adj psych.* introvertiert, in sich gekehrt.
in•trude [ɪn'truːd] *v/i* sich einmischen; sich ein- *or* aufdrängen; stören; ***am I intruding?*** störe ich?; **in•trud•er** *s* Eindringling *m*; **in•tru•sion** [~ʒn] *s* Aufdrängen *n*; Einmischung *f*; Auf-, Zudringlichkeit *f*; Störung *f*; Verletzung *f*; **in•tru•sive** [~sɪv] *adj* □ aufdringlich.
in•tu•i|tion [ɪntjuː'ɪʃn] *s* Intuition *f*; Ahnung *f*; **~•tive** [ɪn'tjuːɪtɪv] *adj* □ intuitiv.
in•un•date ['ɪnʌndeɪt] *v/t* überschwemmen, -fluten (*a. fig.*).
in•vade [ɪn'veɪd] *v/t* eindringen in, einfallen in, *mil. a.* einmarschieren in (*acc*); *fig.* überlaufen, -schwemmen; **in•vad•er** *s* Eindringling *m*.
in•va•lid[1] ['ɪnvəlɪd] **1.** *adj* dienstunfä-

I

hig; kränklich, invalide; Kranken...; **2.** *s* Invalide *m, f.*

in•val|id² [ɪn'vælɪd] *adj* □ *ticket, etc.*: ungültig; *argument*: nicht schlüssig; **~•i•date** [~eɪt] *v/t argument, theory, etc.*: entkräften; *jur.* ungültig machen.

in•val•u•a•ble [ɪn'væljʊəbl] *adj* □ unschätzbar.

in•var•i•a|ble [ɪn'veərɪəbl] *adj* □ unveränderlich; **~•bly** [~lɪ] *adv* ausnahmslos.

in•va•sion [ɪn'veɪʒn] *s* Invasion *f*, Einfall *m*; *fig.* Eingriff *m*, Verletzung *f.*

in•vec•tive [ɪn'vektɪv] *s* Schmähung *f*, Beschimpfung *f.*

in•vent [ɪn'vent] *v/t* erfinden; **in•ven•tion** [~nʃn] *s* Erfindung(sgabe) *f*; **in•ven•tive** *adj* □ erfinderisch; **in•ven•tor** *s* Erfinder(in); **in•ven•tory** ['ɪnvəntrɪ] *s* Inventar *n*; Bestandsverzeichnis *n*; *Am.* Inventur *f.*

in•verse ['ɪn'vɜːs] **1.** *adj* □ umgekehrt; **2.** *s* Umkehrung *f*, Gegenteil *n*; **in•ver•sion** [ɪn'vɜːʃn] *s* Umkehrung *f*; *gr.* Inversion *f.*

I

in•vert [ɪn'vɜːt] *v/t* umkehren; *gr. sentence, etc.*: umstellen; ***~ed commas*** *pl* Anführungszeichen *pl.*

in•ver•te•brate *zo.* [ɪn'vɜːtɪbrət] **1.** *adj* wirbellos; **2.** *s* wirbelloses Tier.

in•vest *econ.* [ɪn'vest] *v/t and v/i* investieren, anlegen.

in•ves•ti|gate [ɪn'vestɪgeɪt] *v/t* untersuchen; überprüfen; *v/i* Untersuchungen *or* Ermittlungen anstellen (***into*** über *acc*), nachforschen; **~•ga•tion** [ɪnvestɪ'geɪʃn] *s* Untersuchung *f*; Ermittlung *f*, Nachforschung *f*; **~•ga•tor** [ɪn'vestɪgeɪtə] *s* Untersuchungs-, Ermittlungsbeamte(r) *m*; ***private ~*** Privatdetektiv *m.*

in•vest|ment *econ.* [ɪn'vestmənt] *s* Investition *f*, (Kapital)Anlage *f*; ***~ consultant*** Anlageberater *m*; ***~ incentive*** Investitionsanreiz *m*; **~•or** *s* Kapitalanleger *m*, Investor *m.*

in•vin•ci•ble [ɪn'vɪnsəbl] *adj* □ unbesiegbar; unüberwindlich.

in•vi•o•la|ble [ɪn'vaɪələbl] *adj* □ unverletzlich, unantastbar; **~te** [~lət] *adj* unverletzt; unversehrt.

in•vis•i•ble [ɪn'vɪzəbl] *adj* □ unsichtbar.

in•vi•ta•tion [ɪnvɪ'teɪʃn] *s* Einladung *f*; Aufforderung *f*; **in•vite** [ɪn'vaɪt] *v/t* einladen; auffordern; *danger, etc.*: herausfordern; ***~ s.o. in*** *j-n* hereinbitten; **in•vit•ing** *adj* □ einladend, verlockend.

in•voice *econ.* ['ɪnvɔɪs] **1.** *s* (Waren-)Rechnung *f*; Lieferschein *m*; **2.** *v/t* in Rechnung stellen, berechnen.

in•voke [ɪn'vəʊk] *v/t* anrufen; zu Hilfe rufen (*acc*); appellieren an (*acc*); *spirits*: (herauf)beschwören.

in•vol•un•ta•ry [ɪn'vɒləntərɪ] *adj* □ unfreiwillig; unabsichtlich; unwillkürlich.

in•volve [ɪn'vɒlv] *v/t* verwickeln, hineinziehen (***in*** in *acc*); umfassen; zur Folge haben, mit sich bringen; betreffen; **~d** *adj* kompliziert; *person*: betroffen; **~•ment** *s* Verwicklung *f*; Beteiligung *f*; Engagement *n*; (Geld)Verlegenheit *f.*

in•vul•ne•ra•ble [ɪn'vʌlnərəbl] *adj* □ unverwundbar; *fig.* unanfechtbar.

in•ward ['ɪnwəd] **1.** *adj* innere(r, -s), innerlich; **2.** *adv mst* ***~s*** einwärts, nach innen.

i•o•dine *chem.* ['aɪədiːn] *s* Jod *n.*

i•on *phys.* ['aɪən] *s* Ion *n.*

IOU F [aɪəʊ'juː] *s* (= ***I owe you***) Schuldschein *m.*

I•ra•ni•an [ɪ'reɪnɪən] **1.** *adj* iranisch, persisch; **2.** *s* Iraner(in), Perser(in); *ling.* Iranisch *n*, Persisch *n.*

I•raq [ɪ'rɑːk] Irak *m.*

I•ra•qi [ɪ'rɑːkɪ] **1.** *adj* irakisch; **2.** *s* Iraker(in); *ling.* Irakisch *n.*

i•ras•ci•ble [ɪ'ræsəbl] *adj* □ jähzornig.

i•rate [aɪ'reɪt] *adj* □ zornig, wütend.

Ire•land ['aɪələnd] Irland *n.*

ir•i•des•cent [ɪrɪ'desnt] *adj* schillernd.

i•ris ['aɪərɪs] *s anat.* Regenbogenhaut *f*, Iris *f*; *bot.* Schwertlilie *f*, Iris *f.*

I•rish ['aɪərɪʃ] **1.** *adj* irisch; **2.** *s ling.* Irisch *n*; ***the ~*** *pl* die Iren *pl*; **~•man** *s* Ire *m*; **~•wom•an** *s* Irin *f.*

irk•some ['ɜːksəm] *adj* lästig, ärgerlich.

i•ron ['aɪən] **1.** *s* Eisen *n*; *a.* ***flat-~*** Bügeleisen *n*; ***~s*** *pl* Hand- u. Fußschellen *pl*; ***strike while the ~ is hot*** *fig.* das Eisen schmieden, solange es heiß ist; **2.** *adj* eisern (*a. fig.*), Eisen..., aus Eisen; **3.** *v/t* bügeln; ***~ out*** *fig. et.* ausbügeln, *difficulties*: beseitigen; **♀ Cur•tain** *s hist.* Eiserner Vorhang.

i•ron•ic [aɪ'rɒnɪk] (***~ally***), **i•ron•i•cal** [~kl] *adj* □ ironisch, spöttisch.

i•ron|ing ['aɪənɪŋ] *s* Bügeln *n*; Bügelwäsche *f*; ***~ board*** Bügelbrett *n*; **~ lung** *s*

med. eiserne Lunge; **~•mon•ger** *s Br.* Eisenwarenhändler *m*; **~•mon•ger•y** *s Br.* Eisenwaren *pl*; **~•works** *s sg* Eisenhütte *f*.
i•ron•y ['aɪrənɪ] *s* Ironie *f*.
ir•ra•tion•al [ɪ'ræʃənl] *adj* □ irrational; unvernünftig; vernunftlos (*animal*).
ir•rec•on•ci•la•ble [ɪ'rekənsaɪləbl] *adj* □ unversöhnlich; unvereinbar.
ir•re•cov•e•ra•ble [ɪrɪ'kʌvərəbl] *adj* □ unersetzlich; unwiederbringlich.
ir•ref•u•ta•ble [ɪ'refjʊtəbl] *adj* □ unwiderlegbar, nicht zu widerlegen.
ir•reg•u•lar [ɪ'regjʊlə] *adj* □ unregelmäßig; uneben; ungleichmäßig; regelwidrig; ungesetzlich; ungehörig.
ir•rel•e•vant [ɪ'reləvənt] *adj* □ irrelevant, nicht zur Sache gehörig; unerheblich, belanglos (***to*** für).
ir•rep•a•ra•ble [ɪ'repərəbl] *adj* □ irreparabel, nicht wieder gutzumachen(d).
ir•re•place•a•ble [ɪrɪ'pleɪsəbl] *adj* unersetzlich.
ir•re•pres•si•ble [ɪrɪ'presəbl] *adj* □ nicht zu unterdrücken(d); unerschütterlich; un(be)zähmbar.
ir•re•proa•cha•ble [ɪrɪ'prəʊtʃəbl] *adj* □ einwandfrei, tadellos, untadelig.
ir•re•sis•ti•ble [ɪrɪ'zɪstəbl] *adj* □ unwiderstehlich.
ir•res•o•lute [ɪ'rezəluːt] *adj* □ unentschlossen.
ir•re•spec•tive [ɪrɪ'spektɪv] *adj* □: **~ *of*** ungeachtet (*gen*), ohne Rücksicht auf (*acc*); unabhängig von.
ir•re•spon•si•ble [ɪrɪ'spɒnsəbl] *adj* □ unverantwortlich; verantwortungslos.
ir•re•trie•va•ble [ɪrɪ'triːvəbl] *adj* □ unwiederbringlich, unersetzlich; nicht wieder gutzumachen(d).
ir•rev•e•rent [ɪ'revərənt] *adj* □ respektlos.
ir•rev•o•ca•ble [ɪ'revəkəbl] *adj* □ unwiderruflich, unabänderlich, endgültig.
ir•ri•gate ['ɪrɪgeɪt] *v/t* (künstlich) bewässern.
ir•ri•ta|ble ['ɪrɪtəbl] *adj* □ reizbar; **~te** [~teɪt] *v/t* reizen; ärgern; **~t•ing** [~tɪŋ] *adj* □ aufreizend; *annoying*: ärgerlich; **~•tion** [ɪrɪ'teɪʃn] *s* Reizung *f*; Gereiztheit *f*, Ärger *m*.
is [ɪz] *3. sg pres of* ***be***.
ISBN ***international standard book number*** ISBN-Nummer *f*.
Is•lam ['ɪzlɑːm] *s* der Islam.
is•land ['aɪlənd] *s* Insel *f*; *a.* ***traffic* ~** Verkehrsinsel *f*; **~•er** *s* Inselbewohner(in).
isle *poet.* [aɪl] *s* Insel *f*.
is•let ['aɪlɪt] *s* Inselchen *n*.
i•so|late ['aɪsəleɪt] *v/t* absondern; isolieren; **~•lat•ed** *adj* einsam, abgeschieden; einzeln; **~•la•tion** [aɪsə'leɪʃn] *s* Isolierung *f*; Absonderung *f*; ***live in* ~** zurückgezogen leben; **~ *ward*** *med.* Isolierstation *f*.
Is•ra•el ['ɪzreɪəl] Israel *n*.
Is•rae•li [ɪz'reɪlɪ] **1.** *adj* israelisch; **2.** *s* Israeli *m*, Bewohner(in) des Staates Israel.
is•sue ['ɪʃuː, 'ɪsjuː] **1.** *s subject*: Thema *n*, Frage *f*; *econ.* Ausgabe *f* (*of banknotes, etc.*); Erteilung *f* (*of order, etc.*); *print.* Ausgabe *f*, Exemplar *n* (*of book, etc.*); *print.* Ausgabe *f*, Nummer *f* (*of newspaper, etc.*); *esp. jur.* Streitfrage *f*; *fig.* Ausgang *m*, Ergebnis *n*; ***at* ~** zur Debatte stehend; ***contemporary* ~*s*** aktuelle Fragen; ***date of* ~** *stamps, etc.*: Ausgabedatum *n*, -tag *m*; ***point at* ~** strittiger Punkt; **2.** *v/i* herauskommen; *problems*: herkommen, -rühren (***from*** von); *v/t econ., materials, etc.*: ausgeben; *orders, etc.*: erteilen; *book, newspaper, etc.*: herausgeben, veröffentlichen.
isth•mus ['ɪsməs] *s* Landenge *f*.
it [ɪt] *pron* es; er, ihn, sie; *after prp*: ***by* ~** dadurch; ***for* ~** dafür.
I•tal•i•an [ɪ'tæljən] **1.** *adj* italienisch; **2.** *s* Italiener(in); *ling.* Italienisch *n*.
i•tal•ics *print.* [ɪ'tælɪks] *s pl* Kursivschrift *f*.
It•a•ly ['ɪtəlɪ] Italien *n*.
itch [ɪtʃ] **1.** *s med.* Krätze *f*; Jucken *n*; Verlangen *n*; **2.** *v/i and v/t* jucken; ***I'm* ~*ing all over*** es juckt mich überall; ***it* ~*es*** es juckt; ***be* ~*ing to*** *inf* darauf brennen, zu *inf*.
i•tem ['aɪtəm] *s* Punkt *m*; Gegenstand *m*; Posten *m*, Artikel *m*; *a.* ***news* ~** (Zeitungs)Notiz *f*, (kurzer) Artikel; *radio, TV*: (kurze) Meldung; **~•ize** [~aɪz] *v/t* einzeln angeben *or* aufführen.
i•tin•e|rant [ɪ'tɪnərənt] *adj* □ reisend; umherziehend, Reise..., Wander...; **~•ra•ry** [aɪ'tɪnərərɪ] *s* Reiseroute *f*; Reisebeschreibung *f*.
its [ɪts] *pron* sein(e), ihr(e), dessen, deren.
it•self [ɪt'self] *pron* sich; (sich) selbst;

by ~ (für sich) allein; von selbst; ***in ~*** an sich.

i•vo•ry ['aɪvərɪ] *s* Elfenbein *n*.

i•vy *bot.* ['aɪvɪ] *s* Efeu *m*.

J

J ***joule(s)*** J, Joule *n* (*od. pl*).

jab [dʒæb] **1.** *v/t* (**-bb-**) stechen; stoßen; **2.** *s* Stich *m*, Stoß *m*; F *med.* Spritze *f*.

jab•ber ['dʒæbə] *v/t and v/i* (daher)plappern.

jack [dʒæk] **1.** *s tech.* Hebevorrichtung *f*; *tech.* Wagenheber *m*; *electr.* Klinke *f*; *electr.* Steckdose *f*, Buchse *f*; *mar.* Gösch *f*, kleine Bugflagge; *playing card*: Bube *m*; **2.** *v/t*: ***~ up*** *car*: aufbocken.

jack•al *zo.* ['dʒækɔːl] *s* Schakal *m*.

jack•ass ['dʒækæs] *s* Esel *m* (*a. fig.*).

jack•et ['dʒækɪt] *s* Jacke *f*, Jackett *n*; *tech.* Mantel *m*; Schutzumschlag *m* (*of book*); *Am.* (Schall)Plattenhülle *f*.

jack|-knife ['dʒæknaɪf] **1.** *s* Klappmesser *n*; **2.** *v/i* zusammenklappen, -knicken; **~-of-all-trades** *s* Alleskönner *m*, Hansdampf *m* in allen Gassen; **~•pot** *s* Haupttreffer *m*, -gewinn *m*; Jackpot *m*; ***hit the ~*** F den Haupttreffer machen; *fig.* das große Los ziehen.

jade [dʒeɪd] *s* Jade *m*, *f*; Jadegrün *n*.

jag [dʒæg] *s* Zacken *m*; **~•ged** ['dʒægɪd] *adj* □ gezackt; zackig.

jag•u•ar *zo.* ['dʒægjʊə] *s* Jaguar *m*.

jail [dʒeɪl] **1.** *s* Gefängnis *n*; **2.** *v/t* einsperren; **~•bird** *s* F Knastbruder *m*; **~•er** *s* Gefängnisaufseher *m*; **~•house** *s Am.* Gefängnis *n*.

jam[1] [dʒæm] *s* Konfitüre *f*, Marmelade *f*.

jam[2] [~] **1.** *s* Gedränge *n*, Gewühl *n*; *tech.* Klemmen *n*, Blockierung *f*; Stauung *f*, Stockung *f*; ***traffic ~*** Verkehrsstau *m*; ***be in a ~*** F in der Klemme sein; **2.** *v/t and v/i* (**-mm-**) *tech.* (sich) (ver-) klemmen, blockieren; (hinein)zwängen, (-)stopfen; einklemmen; pressen, quetschen; ***~ the brakes on, ~ on the brakes*** auf die Bremse steigen.

Ja•mai•ca [dʒə'meɪkə] Jamaika *n*.

jamb [dʒæm] *s* (Tür-, Fenster)Pfosten *m*.

jan•gle ['dʒæŋgl] *v/i and v/t* klimpern *or* klirren (mit); bimmeln (lassen); F tratschen.

Jan•u•a•ry ['dʒænjʊərɪ] *s* Januar *m*.

Ja•pan [dʒə'pæn] Japan *n*.

Jap•a•nese [dʒæpə'niːz] **1.** *adj* japanisch; **2.** *s* Japaner(in); *ling.* Japanisch *n*; ***the ~*** *pl* die Japaner *pl*.

jar[1] [dʒɑː] *s* Krug *m*, Topf *m*; (Marmelade- *etc.*) Glas *n*.

jar[2] [~] **1.** *v/i* (**-rr-**) knarren, kreischen, quietschen; sich nicht vertragen; *v/t* erschüttern (*a. fig.*); **2.** *s* Knarren *n*, Kreischen *n*, Quietschen *n*; Erschütterung *f* (*a. fig.*); Schock *m*.

jar•gon ['dʒɑːgən] *s* Jargon *m*, Fachsprache *f*.

jaun•dice *med.* ['dʒɔːndɪs] *s* Gelbsucht *f*; **~d** *adj med.* gelbsüchtig; *fig.* neidisch, eifersüchtig, voreingenommen.

jaunt [dʒɔːnt] **1.** *s* Ausflug *m*, Spritztour *f*; **2.** *v/i* e-n Ausflug machen; **jaun•ty** ['dʒɔːntɪ] *adj* □ (**-ier, -iest**) munter, unbeschwert; flott.

jav•e•lin ['dʒævlɪn] *s sports*: Speer *m*; ***~ (throw[ing]), throwing the ~*** Speerwerfen *n*; ***~ thrower*** Speerwerfer(in).

jaw [dʒɔː] *s anat.* Kinnbacken *m*, Kiefer *m*; **~s** *pl* Rachen *m*; Maul *n*; Schlund *m*; *tech.* Backen *pl*; **~•bone** *s anat.* Kieferknochen *m*.

jay *zo.* [dʒeɪ] *s* Eichelhäher *m*.

jay•walk ['dʒeɪwɔːk] *v/i* unachtsam über die Straße gehen; **~•er** *s* unachtsamer Fußgänger.

jazz *mus.* [dʒæz] *s* Jazz *m*.

jeal•ous ['dʒeləs] *adj* □ eifersüchtig (***of*** auf *acc*); neidisch; **~•y** *s* Eifersucht *f*; Neid *m*.

jeans [dʒiːnz] *s pl* Jeans *pl*.

jeep *TM* [dʒiːp] *s* Jeep *m*.

jeer [dʒɪə] **1.** *s* Spott *m*; höhnische Bemerkung; **2.** *v/i* spotten (***at*** über *acc*); *v/t* verspotten, -höhnen.

jel•lied ['dʒelɪd] *adj* eingedickt (*fruit juice*); in Gelee.

jel•ly ['dʒelɪ] **1.** *s* Gallert(e *f*) *n*; Gelee *n*; **2.** *v/i and v/t* gelieren; **~ ba•by** *s Br.* Gummibärchen *n*; **~ bean** *s* Gummi-,

Geleebonbon *m, n*; **~•fish** *s zo.* Qualle *f.*

jeop•ar|dize ['dʒepədaɪz] *v/t* gefährden; **~•dy** [~ɪ] *s* Gefahr *f*; ***put in ~*** gefährden.

jerk [dʒɜːk] **1.** *s* (plötzlicher) Ruck; Sprung *m*, Satz *m*; *med.* Zuckung *f*, Zucken *n*; F Schwachkopf *m*, Blödmann *m*; **2.** *v/t and v/i* (plötzlich) ziehen, zerren, reißen (an *dat*); schleudern; schnellen; **~•y** *adj* □ (***-ier, -iest***) ruckartig; holprig; abgehackt (*way of speaking*).

jer•sey ['dʒɜːzɪ] *s* Pullover *m*; *sports*: Trikot *n*.

Jer•sey ['dʒɜːzɪ] *island in the English Channel.*

Je•ru•sa•lem [dʒə'ruːsələm] Jerusalem *n*.

jest [dʒest] **1.** *s* Spaß *m*; **2.** *v/i* scherzen; **~•er** *s hist.* (Hof)Narr *m*.

jet [dʒet] **1.** *s* (Wasser-, Gas- *etc.*) Strahl *m*; *tech.* Düse *f*; → ***~ engine***, ***~ plane***; **2.** *v/i* (***-tt-***) hervorschießen, (her)ausströmen; *aer.* jetten; **~ en•gine** *s tech.* Düsen-, Strahltriebwerk *n*; **~ lag** *s* Jetlag *m*; ***I'm suffering from ~*** ich habe noch mit dem Zeitunterschied zu kämpfen; **~ plane** *s* Düsenflugzeug *n*, Jet *m*; **~-pro•pelled** *adj* mit Düsenantrieb, Düsen...; **~ set** *s* Jetset *m*; **~ set- ter** *s* Angehörige(r *m*) *f* des Jetsets.

jet•ty *mar.* ['dʒetɪ] *s* Mole *f*; Pier *m*.

Jew [dʒuː] *s* Jude *m*, Jüdin *f*; *attr* Juden...

jew•el ['dʒuːəl] *s* Juwel *m, n*, Edelstein *m*; Schmuckstück *n*; **~•ler**, *Am.* **~•er** *s* Juwelier *m*; **~•lery**, *Am.* **~•ry** [~lrɪ] *s* Juwelen *pl*; Schmuck *m*.

Jew|ess ['dʒuːɪs] *s* Jüdin *f*; **~•ish** [~ɪʃ] *adj* jüdisch.

jib *mar.* [dʒɪb] *s* Klüver *m*.

jif•fy F ['dʒɪfɪ] *s*: ***in a ~*** im Nu, sofort.

jig•saw ['dʒɪgsɔː] *s* Laubsäge *f*; → **~ puz•zle** *s* Puzzle(spiel) *n*.

jilt [dʒɪlt] *v/t girl*: sitzen lassen; *lover*: den Laufpass geben (*dat*).

jin•gle ['dʒɪŋgl] **1.** *s* Geklingel *n*, Klimpern *n*; Spruch *m*, Vers *m*; ***advertising ~*** Werbespruch *m*; **2.** *v/i and v/t* klingeln; klimpern (mit); klinge(l)n lassen.

jit•ters F ['dʒɪtəz] *s pl*: ***the ~*** Bammel *m*, das große Zittern.

Jnr ***Junior*** jr., jun., junior, der Jüngere.

job [dʒɒb] *s* (ein Stück) Arbeit *f*; *econ.* Akkordarbeit *f*; Beruf *m*, Beschäftigung *f*, Stellung *f*, Stelle *f*, Arbeit *f*, Job *m*; Aufgabe *f*, Sache *f*; ***by the ~*** im Akkord; ***out of ~*** arbeitslos; **~ a•gen•cy** *s* Arbeitsagentur *f*; **~•ber** *s Br. econ.* Börsenspekulant *m*; **~-hop•ping** *s Am.* häufiger Arbeitsplatzwechsel; **~ hunt•er** *s* Arbeit(s)suchende(r *m*) *f*; **~ hunt•ing** *s*: ***be ~*** auf Arbeitssuche sein; **~ in•ter•view** *s* Vorstellungsgespräch *n*, Bewerbungsgespräch *n*; **~•less** *adj* arbeitslos; **~ work** *s* Akkordarbeit *f*.

jock•ey ['dʒɒkɪ] *s* Jockei *m*, Rennreiter(in).

jog [dʒɒg] **1.** *s* (leichter) Stoß, Schubs *m*; *sports*: Dauerlauf *m*; Trott *m*; **2.** (***-gg-***) *v/t* (an)stoßen, (*fig.* auf)rütteln; *v/i mst* ***~ along***, ***~ on*** dahintrotten, -zuckeln; *sports*: Dauerlauf machen, joggen; **~•ging** *s sports*: Dauerlauf *m*, Jogging *n*, Joggen *n*.

join [dʒɔɪn] **1.** *v/t* verbinden, zusammenfügen (***to*** mit); vereinigen; sich anschließen (*dat*) *or* an (*acc*), sich gesellen zu; eintreten in (*acc*), beitreten (*dat*); ***~ hands*** sich die Hände reichen; *fig.* sich zusammentun; *v/i* sich verbinden *or* vereinigen; ***~ in*** teilnehmen an (*dat*), mitmachen bei, sich beteiligen an (*dat*); ***~ up*** Soldat werden; **2.** *s* Verbindungsstelle *f*, Naht *f*.

join•er ['dʒɔɪnə] *s* Tischler *m*, Schreiner *m*; **~•y** *s esp. Br.* Tischlerhandwerk *n*; Tischlerarbeit *f*.

joint [dʒɔɪnt] **1.** *s* Verbindung(sstelle) *f*; Naht(stelle) *f*; *anat., tech.* Gelenk *n*; *bot.* Knoten *m*; *Br.* Braten *m*; *sl.* Spelunke *f*; *sl.* Joint *m*; ***out of ~*** ausgerenkt; *fig.* aus den Fugen; **2.** *adj* □ gemeinsam; Mit...; ***~ heir*** Miterbe *m*; ***~ stock*** *econ.* Aktienkapital *n*; → ***venture*** 1; **3.** *v/t* verbinden, zusammenfügen; *meat*: zerlegen; **~•ed** *adj* gegliedert; Glieder...; **~-stock** *s econ.* Aktien...; ***~ company*** *Br.* Aktiengesellschaft *f*.

joke [dʒəʊk] **1.** *s* Witz *m*; Scherz *m*, Spaß *m*; ***practical ~*** Streich *m*; **2.** *v/i* scherzen, Witze machen; **jok•er** *s* Spaßvogel *m*; *playing card*: Joker *m*.

jol•ly ['dʒɒlɪ] **1.** *adj* (***-ier, -iest***) lustig, fidel, vergnügt; **2.** *adv Br.* F mächtig, sehr; ***~ good*** prima.

jolt [dʒəʊlt] **1.** *v/t and v/i* stoßen, rütteln,

J

holpern; *fig.* aufrütteln; **2.** *s* Ruck *m*, Stoß *m*; *fig.* Schock *m*.

jos•tle ['dʒɒsl] **1.** *v/t* (an)rempeln; drängeln; **2.** *s* Stoß *m*, Rempelei *f*; Zusammenstoß *m*.

jot [dʒɒt] **1.** *s*: ***not a ~*** keine Spur, kein bisschen; **2.** *v/t* (**-tt-**) *mst* ***~ down*** schnell hinschreiben *or* notieren.

jour•nal ['dʒɜːnl] *s* Journal *n*; (Fach-) Zeitschrift *f*; (Tages)Zeitung *f*; Tagebuch *n*; **~•is•m** *s* Journalismus *m*; **~•ist** *s* Journalist(in).

jour•ney ['dʒɜːnɪ] **1.** *s* Reise *f*; Fahrt *f*; ***go on a ~*** verreisen; **2.** *v/i* reisen; **~•man** *s* Geselle *m*.

jo•vi•al ['dʒəʊvɪəl] *adj* □ heiter, jovial.

joy [dʒɔɪ] *s* Freude *f*; ***for ~*** vor Freude; **~•ful** *adj* □ freudig; erfreut; **~•less** *adj* □ freudlos, traurig; **~•stick** *s aer.* Steuerknüppel *m*; F *of computer etc.*: Joystick *m*.

jr → ***Jnr.***

jub•i•lant ['dʒuːbɪlənt] *adj* jubelnd, überglücklich.

ju•bi•lee ['dʒuːbɪliː] *s* Jubiläum *n*.

judge [dʒʌdʒ] **1.** *s jur.* Richter *m*; Schieds-, Preisrichter *m*; Kenner(in), Sachverständige(r *m*) *f*; **2.** *v/i* urteilen; *v/t jur.* verhandeln, die Verhandlung führen über (*acc*); *jur.* ein Urteil fällen über (*acc*); richten; beurteilen; halten für.

judg(e)•ment ['dʒʌdʒmənt] *s jur.* Urteil *n*; Urteilsvermögen *n*; Meinung *f*, Ansicht *f*, Urteil *n*; *eccl.* (Straf)Gericht; ***pass ~ on*** *jur.* ein Urteil fällen über (*acc*); ***♀ Day, Day of ♀*** *eccl.* Tag *m* des Jüngsten Gerichts.

ju•di•cial [dʒuː'dɪʃl] *adj* □ *jur.* gerichtlich, Gerichts…; kritisch; unparteiisch.

ju•di•cia•ry *jur.* [dʒuː'dɪʃɪərɪ] *s* Richter(stand *m*) *pl*.

jug [dʒʌg] *s* Krug *m*, Kanne *f*.

jug•gle ['dʒʌgl] *v/t and v/i* jonglieren (mit); manipulieren, *facts, figures, etc.*: frisieren; **~r** *s* Jongleur *m*; Schwindler(in).

juice [dʒuːs] *s* Saft *m*; *sl. mot.* Sprit *m*; **juic•y** *adj* □ (***-ier, -iest***) saftig; F pikant, gepfeffert.

juke•box ['dʒuːkbɒks] *s* Musikbox *f*, Musikautomat *m*.

Ju•ly [dʒuː'laɪ] *s* Juli *m*.

jum•ble ['dʒʌmbl] **1.** *s* Durcheinander *n*; **2.** *v/t a.* ***~ together, ~ up*** durcheinanderbringen, durcheinanderwerfen; **~ sale** *s Br.* Wohltätigkeitsbasar *m*.

jum•bo ['dʒʌmbəʊ] **1.** *s* (*pl* ***-bos***) Koloss *m*; *aer.* Jumbo *m*; **2.** *adj a.* ***~-sized*** riesig; ***~ jet*** *aer.* Jumbojet *m*.

jump [dʒʌmp] **1.** *s* Sprung *m*; ***the ~s*** *pl* große Nervosität; ***high (long) ~*** *sports*: Hoch-(Weit)sprung *m*; ***get the ~ on*** F zuvorkommen; **2.** *v/i* springen; zusammenzucken, -fahren, hochfahren; ***~ at the chance*** mit beiden Händen zugreifen; ***~ to conclusions*** übereilte Schlüsse ziehen; *v/t* (hinweg)springen über (*acc*); überspringen; springen lassen; ***~ the queue*** *Br.* sich vordränge(l)n; ***~ the lights*** bei Rot über die Kreuzung fahren, F bei Rot drüberfahren; **~ ball** *s sports*: Sprungball *m*; *esp. basketball*: Jump *m*; **~•er** *s* Springer(in); *Br.* Pullover *m*; *Am.* Trägerkleid *n*; F *basketball*: Sprungwurf *m*; **~•ing jack** *s* Hampelmann *m*; **~•y** *adj* (***-ier, -iest***) nervös.

jun., **junr** ***junior*** jr., jun., junior.

Jun. *Junior* → ***Jnr.***

junc|tion ['dʒʌŋkʃn] *s* Verbindung *f*; (Straßen)Kreuzung *f*; *rail.* Knotenpunkt *m*; **~•ture** [~ktʃə] *s*: ***at this ~*** an dieser Stelle, in diesem Augenblick.

June [dʒuːn] *s* Juni *m*.

jun•gle ['dʒʌŋgl] *s* Dschungel *m*.

ju•ni•or ['dʒuːnɪə] **1.** *adj* jüngere(r, -s); untergeordnet, rangniedriger; *sports*: Junioren…, Jugend…; **2.** *s* Jüngere(r *m*) *f*; F Junior *m*; *Am. univ.* Student(in) im vorletzten Studienjahr.

junk[1] *mar.* [dʒʌŋk] *s* Dschunke *f*.

junk[2] F [~] *s* Plunder *m*, Kram *m*; *sl.* Stoff *m* (*esp. heroin*); ***~ food*** Junkfood *n*; **~•ie, ~•y** *sl.* ['dʒʌŋkɪ] *s* Fixer(in), Junkie *m*; **~ mail** *s* F Reklame(zettel *m*) *f*; **~ yard** *s* Schrottplatz *m*.

jur•is•dic•tion [dʒʊərɪs'dɪkʃn] *s jur.* Gerichtsbarkeit *f*; Zuständigkeit(sbereich *m*) *f*.

ju•ris•pru•dence *jur.* [dʒʊərɪs'pruːdəns] *s* Rechtswissenschaft *f*.

ju•ror *jur.* ['dʒʊərə] *s* Geschworene(r *m*) *f*, Schöffe *m*, Schöffin *f*.

ju•ry ['dʒʊərɪ] *s jur. die* Geschworenen *pl*; Jury *f*, Preisrichter *pl*; **~•man** *s jur.* Geschworene(r) *m*; **~•wom•an** *s jur.* Geschworene *f*.

just [dʒʌst] **1.** *adj* □ gerecht; berechtigt; angemessen; **2.** *adv* gerade, (so)eben;

gerade, genau, eben; gerade (noch), ganz knapp; nur, bloß; F einfach, wirklich; F **~ *about*** F so ziemlich, in etwa; **~ *now*** gerade (jetzt); (so)eben; ***that's ~ like you*** das sieht dir ähnlich.

jus•tice ['dʒʌstɪs] *s* Gerechtigkeit *f*; Rechtmäßigkeit *f*; Recht *n*; Gerichtsbarkeit *f*, Justiz *f*; *jur.* Richter *m*; **♀ *of the Peace*** Friedensrichter *m*; ***court of ~*** Gericht(shof *m*) *n*.

jus•ti|fi•ca•tion [dʒʌstɪfɪ'keɪʃn] *s* Rechtfertigung *f*; **~•fy** ['~ɪfaɪ] *v/t* rechtfertigen.

just•ly ['dʒʌstlɪ] *adv* mit *or* zu Recht.

jut [dʒʌt] (**-tt-**) *v/i*: **~ *out*** vorspringen, hervorragen, -stehen.

ju•ve•nile ['dʒu:vənaɪl] **1.** *adj* jung, jugendlich; Jugend…, für Jugendliche; **~ *court*** Jugendgericht *n*; **~ *delinquency*** Jugendkriminalität *f*; **~ *delinquent*** jugendlicher Straftäter; **2.** *s* Jugendliche(r *m*) *f*.

K

Kam•pu•chea [ˌkæmpʊ'tʃɪə] Kamputschea *n*

kan•ga•roo *zo.* [kæŋgə'ru:] *s* (*pl* **-roos**) Känguru *n*.

keel *mar.* [ki:l] **1.** *s* Kiel *m*; **2.** *v/i*: **~ *over*** umschlagen, kentern.

keen [ki:n] *adj* □ scharf (*a. fig.*); schneidend (*cold*); heftig; stark, groß (*appetite, etc.*); **~ *on*** F scharf *or* erpicht auf (*acc*); ***be ~ on hunting*** ein leidenschaftlicher Jäger sein; **~•ness** *s* Schärfe *f*; Heftigkeit *f*; Scharfsinn *m*.

keep [ki:p] **1.** *s* (Lebens)Unterhalt *m*; ***for ~s*** F für immer; **2.** (***kept***) *v/t* (auf-, [bei]be-, er-, fest-, zurück)halten; unterhalten, sorgen für; *law, etc.*: einhalten, befolgen; *goods, diary, etc.*: führen; *secret*: für sich behalten; *promise*: halten, einlösen; (auf)bewahren; abhalten (***from*** von), hindern (an *dat*); *animals*: halten; *bed*: hüten; (be)schützen; **~ *s.o. company*** *j-m* Gesellschaft leisten; **~ *company with*** verkehren mit; **~ *one's head*** die Ruhe bewahren; **~ *early hours*** früh zu Bett gehen; **~ *one's temper*** sich beherrschen; **~ *time*** richtig gehen (*clock, watch*); Takt *or* Schritt halten; **~ *s.o. waiting*** *j-n* warten lassen; **~ *away*** fernhalten; **~ *s.th. from s.o.*** *j-m* et. vorenthalten *or* verschweigen *or* verheimlichen; **~ *in*** *pupil*: nachsitzen lassen; **~ *on*** *clothes*: anbehalten, *hat*: aufbehalten; **~ *up*** aufrechterhalten; *courage*: bewahren; instand halten; fortfahren mit, weitermachen; nicht schlafen lassen; **~ *it up*** so weitermachen; *v/i* bleiben; sich halten; fortfahren, weitermachen; **~ *doing*** immer wieder tun; **~ *going*** weitergehen; **~ *away*** sich fernhalten; **~ *from doing s.th.*** et. nicht tun; **~ *off*** weg-, fernbleiben; **~ *on*** fortfahren (***doing*** zu tun); **~ *on talking*** weiterreden; **~ *to*** sich halten an (*acc*); **~ *up*** stehen bleiben; andauern, anhalten; **~ *up with*** Schritt halten mit; **~ *up with the Joneses*** nicht hinter den Nachbarn zurückstehen (wollen).

keep|er ['ki:pə] *s* Wärter(in), Wächter(in), Aufseher(in); Verwalter(in); Inhaber(in); **~-fit cen•tre** *s* Fitnesscenter *n*; **~•ing** Verwahrung *f*; Obhut *f*; ***be in (out of) ~ with …*** (nicht) übereinstimmen mit …; **~•sake** *s* Andenken *n* (*present*).

keg [keg] *s* Fässchen *n*, kleines Fass.

ken•nel ['kenl] *s* Hundehütte *f*; **~s** *pl* Hundezwinger *m*; Hundepension *f*.

Ken•ya ['kenjə] Kenia *n*.

kept [kept] *pret and pp of* ***keep*** 2.

kerb [kɜ:b], **~•stone** ['~stəʊn] *s* Bordstein *m*.

ker•nel ['kɜ:nl] *s* Kern *m* (*a. fig.*).

ketch•up ['ketʃəp] *s* Ketschup *m*, *n*.

ket•tle ['ketl] *s* (Koch)Kessel *m*; **~•drum** *s mus.* (Kessel)Pauke *f*.

key [ki:] **1.** *s* Schlüssel *m*; *of typewriter, piano, computer, etc.*: Taste *f*; (Druck-)Taste *f*; *mus.* Tonart *f*; *fig.* Ton *m*; *fig.* Schlüssel *m*, Lösung *f*; *attr* Schlüssel…; **2.** *v/t* anpassen (***to*** an *acc*); **~*ed up*** nervös, aufgeregt, überdreht; **~•board** *s* Klaviatur *f*; Tastatur *f*; **~•hole** *s* Schlüsselloch *n*; **~ man** *s* Schlüsselfigur *f*; **~ mon•ey** *s Br.* Abstand(ssumme *f*) *m* (*for a flat*); **~•note** *s mus.* Grundton *m*; *fig.* Grundgedanke *m*, Tenor *m*; **~ ring** *s* Schlüsselring *m*; **~•stone** *s arch.* Schlussstein *m*; *fig.* Grundpfeiler *m*; **~•word** *s* Schlüssel-, Stichwort *n*.

kick [kɪk] **1.** *s* (Fuß)Tritt *m*; Stoß *m*; F Kraft *f*, Feuer *n*; F Nervenkitzel *m*; ***get a ~ out of s.th.*** e-n Riesenspaß an et. haben; ***for ~s*** (nur) zum Spaß; **2.** *v/t* (mit dem Fuß) stoßen *or* treten; *soccer*: schießen, treten, kicken; **~ *off*** von sich schleudern; **~ *out*** hinauswerfen; **~ *up*** hochschleudern; **~ *up a fuss*** *or* ***row*** F Krach schlagen; *v/i* (mit dem Fuß) treten *or* stoßen; (hinten) ausschlagen; strampeln; **~ *off*** *soccer*: anstoßen, den Anstoß ausführen; **~•er** *s* Fußballspieler *m*; **~-off** *s soccer*: Anstoß *m*.

kid [kɪd] **1.** *s* Zicklein *n*, Kitz *n*; Ziegenleder *n*; F Kind *n*; **~ *brother*** F kleiner Bruder; **2.** (**-*dd-***) *v/t j-n* aufziehen; **~ *s.o.*** *j-m* et. vormachen; *v/i* Spaß machen; ***he is only ~ding*** er macht ja nur Spaß; ***no ~ding!*** im Ernst!; **~ glove** *s* Glacéhandschuh *m* (*a. fig.*).

kid•nap ['kɪdnæp] *v/t* (**-*pp-***, *Am. a.* **-*p-***) entführen, kidnappen; **~•per** *s* Entführer(in), Kidnapper(in); **~•ping** *s* Entführung *f*, Kidnapping *n*.

kid•ney ['kɪdnɪ] *s anat.* Niere *f* (*a. food*); **~ *bean*** *bot.* weiße Bohne; **~ *machine*** Dialysegerät *n*, künstliche Niere.

kill [kɪl] **1.** *v/t* töten (*a. fig.*); umbringen; vernichten; beseitigen; *animals*: schlachten; *hunt.* erlegen, schießen; ***be ~ed in an accident*** tödlich verunglücken; **~ *time*** die Zeit totschlagen; **2.** *s* Tötung *f*; *hunt.* Jagdbeute *f*; **~•er** *s* Mörder(in), F Killer *m*; **~•ing** *adj* □ mörderisch, tödlich.

kiln [kɪln] *s* Brenn-, Darrofen *m*.

ki•lo F ['kiːləʊ] *s* (*pl* **-*los***) Kilo *n*.

kil•o|gram(me) ['kɪləgræm] *s* Kilogramm *n*; **~•me•tre**, *Am.* **~•me•ter** *s* Kilometer *m*.

kilt [kɪlt] *s* Kilt *m*, Schottenrock *m*.

kin [kɪn] *s* Verwandtschaft *f*, Verwandte *pl*.

kind [kaɪnd] **1.** *adj* □ gütig, freundlich, liebenswürdig, nett; **2.** *s* Art *f*, Sorte *f*; Art *f*, Gattung *f*, Geschlecht *n*; ***pay in ~*** in Naturalien zahlen; *fig.* mit gleicher Münze heimzahlen.

kin•der•gar•ten ['kɪndəgɑːtn] *s* Kindergarten *m*.

kind-heart•ed [kaɪnd'hɑːtɪd] *adj* □ gütig.

kin•dle ['kɪndl] *v/t* anzünden; *a. v/i* (sich) entzünden (*a. fig.*).

kin•dling ['kɪndlɪŋ] *s* Material *n* zum Anzünden, Anmachholz *n*.

kind|ly ['kaɪndlɪ] *adj* (**-*ier*, -*iest***) *and adv* freundlich, liebenswürdig, nett; gütig; **~•ness** *s* Güte *f*; Freundlichkeit *f*, Liebenswürdigkeit *f*; Gefälligkeit *f*.

kin•dred ['kɪndrɪd] **1.** *adj* verwandt; *fig.* gleichartig; **~ *spirits*** *pl* Gleichgesinnte *pl*; **2.** *s* Verwandtschaft *f*.

king [kɪŋ] *s* König *m* (*a. fig., in chess and card games*); **~•dom** ['kɪŋdəm] *s* Königreich *n*; *eccl.* Reich *n* Gottes; ***animal (mineral, vegetable) ~*** Tier-(Mineral-, Pflanzen)reich *n*; **~•ly** *adj* (**-*ier*, -*iest***) königlich; **~-size(d)** *adj* extrem groß.

kink [kɪŋk] *s* Schleife *f*, Knoten *m*; *fig.* Schrulle *f*, Tick *m*, Spleen *m*; **~•y** ['kɪŋkɪ] *adj* (**-*ier*, -*iest***) schrullig, spleenig; F (*sexually*) pervers.

ki•osk ['kiːɒsk] *s* Kiosk *m*.

kip•per ['kɪpə] *s* Räucherhering *m*.

kiss [kɪs] **1.** *s* Kuss *m*; **2.** *v/t and v/i* (sich) küssen.

kit [kɪt] *s* Ausrüstung *f* (*a. mil. and sports*); Werkzeug(e *pl*) *n*; Werkzeugtasche *f*, -kasten *m*; Bastelsatz *m*; → ***first-aid***; **~•bag** ['kɪtbæg] *s* Seesack *m*.

kitch•en ['kɪtʃɪn] *s* Küche *f*; *attr* Küchen…; **~•ette** [kɪtʃɪ'net] *s* Kleinküche *f*, Kochnische *f*; **~ gar•den** *s* Küchen-, Gemüsegarten *m*.

kite [kaɪt] *s* (Papier-, Stoff)Drachen *m*; *zo.* Milan *m*.

kit•ten ['kɪtn] *s* Kätzchen *n*.

knack [næk] *s* Kniff *m*, Trick *m*, Dreh *m*; Geschick *n*, Talent *n*.

knave [neɪv] *s* Schurke *m*, Spitzbube *m*; *playing card*: Bube *m*, Unter *m*.

knead [niːd] *v/t* kneten; massieren.

knee [niː] *s* Knie *n*; *tech.* Kniestück *n*; **~•cap** *s anat.* Kniescheibe *f*; **~-deep** *adj* knietief, bis an die Knie (reichend); **~-joint** *s anat.* Kniegelenk *n* (*a. tech.*); **~l** [niːl] *v/i* (***knelt***, *Am. a.* ***kneeled***) knien (***to*** vor *dat*); **~-length** *adj* knielang (*skirt, etc.*).

knell [nel] *s* Totenglocke *f*.

knelt [nelt] *pret and pp of* ***kneel***.

knew [njuː] *pret of* ***know***.

knick•er|bock•ers ['nɪkəbɒkəz] *s pl* Knickerbocker *pl*, Kniehosen *pl*; **~s**

Br. F [₋z] *s pl* (Damen)Schlüpfer *m.*

knife [naɪf] **1.** *s* (*pl* ***knives*** [₋vz]) Messer *n*; **2.** *v/t* schneiden; mit e-m Messer verletzen; erstechen.

knight [naɪt] **1.** *s* Ritter *m*; *in chess*: Springer *m*; **2.** *v/t* zum Ritter schlagen; **~•hood** *s* Ritterwürde *f*, -stand *m*; Ritterschaft *f*.

knit [nɪt] (**-tt-**; ***knit*** *or* ***knitted***) *v/t* stricken; *a.* **~ *together*** zusammenfügen, verbinden; **~ *one's brows*** die Stirn runzeln; *v/i* stricken; zusammenwachsen (*of bones*); **~•ting** *s* Stricken *n*; Strickzeug *n*; *attr* Strick…; **~•wear** *s* Strickwaren *pl*.

knives [naɪvz] *pl of* ***knife*** 1.

knob [nɒb] *s* Knopf *m*, Knauf *m*; Buckel *m*; Brocken *m*.

knock [nɒk] **1.** *s* Stoß *m*; Klopfen *n* (*a. mot.*), Pochen *n*; ***there is a*** **~** es klopft; **2.** *v/i* schlagen, pochen, klopfen; stoßen (***against, into*** gegen); **~ *about*, ~ *around*** F sich herumtreiben; F herumliegen; **~ *at the door*** an die Tür klopfen; **~ *off*** F Feierabend *or* Schluss machen, aufhören; *v/t* stoßen, schlagen; F schlechtmachen, verreißen; **~ *about*, ~ *around*** herumstoßen, übel zurichten; **~ *down*** niederschlagen, umwerfen; um-, überfahren; *at an auction*: *et.* zuschlagen (***to s.o.*** *j-m*); *price*: herabsetzen; *tech.* auseinandernehmen, zerlegen; *house*: abreißen; *tree*: fällen; ***be ~ed down*** überfahren werden; **~ *off*** herunterstoßen; abschlagen; F aufhören mit; F hinhauen (*do quickly*); *deduct*: abziehen, nachlassen; *Br.* F ausrauben; **~ *out*** (her)ausschlagen, (he-r)ausklopfen; k.o. schlagen; *fig.* F umwerfen, schocken; ***be ~ed out of*** ausscheiden aus (*from a competition*); **~ *over*** umwerfen, umstoßen; um-, überfahren; ***be ~ed over*** überfahren werden; **~ *up*** hochschlagen; *Br.* F rasch auf die Beine stellen, improvisieren (*a meal*); *sl. woman*: schwängern, V anbumsen; **~•er** *s* Türklopfer *m*; **~•ers** *s pl* V Titten *pl*; **~-kneed** *adj* X-beinig; **~•out** *s boxing*: Knock-out *m*, K.o. *m*.

knoll [nəʊl] *s* kleiner runder Hügel.

knot [nɒt] **1.** *s* Knoten *m*; Astknorren *m*; *mar.* Knoten *m*, Seemeile *f*; Gruppe *f*, Knäuel *m*, *n* (*of people*); **2.** *v/t* (**-tt-**) (ver)knoten, (-)knüpfen; **~•ty** *adj* (**-*ier*, -*iest***) knotig; knorrig; *fig.* verzwickt.

know [nəʊ] *v/t and v/i* (***knew, known***) wissen; kennen; erfahren; (wieder) erkennen, unterscheiden; (es) können *or* verstehen; **~ *French*** Französisch können; ***come to*** **~** erfahren; ***get to*** **~** kennenlernen; **~ *one's business*, ~ *the ropes*, ~ *a thing or two*, ~ *what's what*** F sich auskennen, Erfahrung haben; ***you*** **~** wissen Sie; **~-how** ['nəʊhaʊ] *s* Know-how *n*, praktische (Sach-, Spezial)Kenntnis(se *pl*) *f*; **~•ing** *adj* □ klug; schlau; verständnisvoll; wissend; **~•ing•ly** *adv* wissend; absichtlich, bewusst; **~l•edge** ['nɒlɪdʒ] *s* Kenntnis(se *pl*) *f*; Wissen *n*; ***my*** **~** ***of English*** meine Englischkenntnisse; ***to my*** **~** meines Wissens; **~n** [nəʊn] *pp of* ***know***; bekannt; ***make*** **~** bekannt machen.

knuck•le ['nʌkl] **1.** *s* (Finger)Knöchel *m*; **2.** *v/i*: **~ *down to work*** sich an die Arbeit machen; **~-dust•er** *s* Schlagring *m*.

KO F [keɪ'əʊ] *s* (*pl* ***KO's***) *boxing*: K.o. *m*.

kook *sl. Am.* [kuːk] *s* Spinner(in); **~•y** *adj* versponnen; idiotisch.

Ko•rea [kə'rɪə] Korea *n*.

Krem•lin ['kremlɪn] *s*: ***the*** **~** der Kreml.

Ku•wait [kʊ'weɪt] Kuwait *n*.

L

L *Br.* ***learner*** (***driver***) Fahrschüler(in) (*Plakette an Kraftfahrzeugen*); ***large*** (***size***) groß; ***Lake*** See *m*.

lab F [læb] *s* Labor *n*.

Lab. *Br. pol.* ***Labour*** (die) Labour Party.

la•bel ['leɪbl] **1.** *s* Etikett *n*, Aufkleber *m*, Schild(chen) *n*; Aufschrift *f*, Beschriftung *f*; (Schall)Plattenfirma *f*; **2.** *v/t* (*esp. Br.* **-ll-**, *Am.* **-l-**) etikettieren, beschriften; *fig.* abstempeln als.

la•bor•a•to•ry [lə'bɒrətərɪ] *s* Labor(atorium) *n*; **~ *assistant*** Laborant(in).

la•bo•ri•ous [lə'bɔːrɪəs] *adj* □ mühsam; schwerfällig (*style*).

la•bo(u)r ['leɪbə] **1.** *s* (schwere) Arbeit; Mühe *f*; *med.* Wehen *pl*; Arbeiter *pl*, Arbeitskräfte *pl*; ***Labour*** *Br. pol.* die Labour Party; ***labor union*** *Am.* Gewerkschaft *f*; ***hard ~*** *jur.* Zwangsarbeit *f*; **2.** *adj* Arbeiter..., Arbeits...; **3.** *v/i* (schwer) arbeiten; sich abmühen, sich quälen; ***~ under*** leiden unter (*dat*), zu kämpfen haben mit; *v/t* ausführlich behandeln; **~ed** *adj* schwerfällig (*style*); mühsam (*breathing, etc.*); **~•er** *s* (*esp.* ungelernter) Arbeiter, Hilfsarbeiter *m*; **La•bour Exchange** *s Br.* F *or hist.* Arbeitsamt *n*; **La•bour Par•ty** *s Br. pol.* Labour Party *f*.

lace [leɪs] **1.** *s* Spitze *f*; Borte *f*; Schnürsenkel *m*; **2.** *v/t*: ***~ up*** (zu-, zusammen)schnüren; *shoe*: zubinden; ***~d with brandy*** mit e-m Schuss Weinbrand.

la•ce•rate ['læsəreɪt] *v/t* zerfleischen, aufreißen; *feelings*: verletzen.

lack [læk] **1.** *s* (***of***) Fehlen *n* (von), Mangel *m* (an *dat*); **2.** *v/t* nicht haben; ***he ~s money*** es fehlt ihm an Geld; *v/i*: ***be ~ing*** fehlen; ***he is ~ing in courage*** ihm fehlt der Mut; **~-lus•tre**, *Am.* **~-lus•ter** ['læklʌstə] *adj* glanzlos, matt.

la•con•ic [lə'kɒnɪk] *adj* (***~ally***) lakonisch, wortkarg, kurz und prägnant.

lac•quer ['lækə] **1.** *s* Lack *m*; Haarspray *m, n*; Nagellack *m*; **2.** *v/t* lackieren.

lad [læd] *s* Bursche *m*, Junge *m*.

lad•der ['lædə] *s* Leiter *f*; *Br.* Laufmasche *f*; **~•proof** *adj* (lauf)maschenfest.

la•den ['leɪdn] *adj* (schwer) beladen.

la•ding ['leɪdɪŋ] *s* Ladung *f*, Fracht *f*.

la•dle ['leɪdl] **1.** *s* (Schöpf)Kelle *f*, Schöpflöffel *m*; **2.** *v/t*: ***~ out*** *soup*: austeilen.

la•dy ['leɪdɪ] *s* Dame *f*; Lady *f* (*a. title*); ***~ doctor*** Ärztin *f*; ***Ladies(')***, *Am.* ***Ladies' room*** Damentoilette *f*; ***ladies and gentlemen*** m-e Damen und Herren; **~•bird** *s zo.* Marienkäfer *m*; **~•like** *adj* damenhaft.

lag [læg] **1.** *v/i* (**-gg-**) ***~ behind*** zurückbleiben; sich verzögern; **2.** *s* Verzögerung *f*; Zeitabstand *m*, -differenz *f*.

la•ger ['lɑːgə] *s* helles Bier; ***a pint of ~, please!*** ein Helles, bitte!

la•goon [lə'guːn] *s* Lagune *f*.

laid [leɪd] *pret and pp of* ***lay***[3].

lain [leɪn] *pp of* ***lie***[2] 2.

lair [leə] *s of wild animal*: Höhle *f*, Bau *m*; *fig.* Schlupfwinkel *m*.

la•i•ty ['leɪətɪ] *s* Laien *pl*.

lake [leɪk] *s* See *m*.

lamb [læm] **1.** *s* Lamm *n*; **2.** *v/i* lammen.

lame [leɪm] **1.** *adj* □ lahm (*a. fig.*); **2.** *v/t* lähmen; **~ duck** *s person*: Versager(in); *Am. pol.* nicht nochmals wählbarer Politiker; *econ. a.* ***~ company*** zahlungsunfähige Firma, finanziell angeschlagene Firma.

la•ment [lə'ment] **1.** *s* Wehklage *f*; Klagelied *n*; **2.** *v/i and v/t* (be)klagen; (be-)trauern; **lam•en•ta•ble** ['læməntəbl] *adj* □ beklagenswert; kläglich; **lam•en•ta•tion** [læmən'teɪʃn] *s* Wehklage *f*.

lamp [læmp] *s* Lampe *f*; Laterne *f*; ***~post*** Laternenpfahl *m*; ***~shade*** Lampenschirm *m*.

lam•poon [læm'puːn] *s* Schmähschrift *f*.

lance [lɑːns] *s* Lanze *f*.

land [lænd] **1.** *s* Land *n*; *agr.* Land *n*, Boden *m*; Land-, Grundbesitz *m*; *pol.* Land *n*, Staat *m*, Nation *f*; ***by ~*** auf dem Landweg; **~s** *pl* Ländereien *pl*; **2.** *v/i* landen; *v/t* landen; *goods*: löschen; F *job, etc.*: erwischen, kriegen; F ***~ s.o.*** (***o.s.***) ***into*** *trouble, etc.*: *j-n* (sich) bringen in (*acc*); **~-a•gent** *s* Gutsverwalter *m*; **~•ed** *adj* Land..., Grund...; **~•hold•er** *s* Grundbesitzer(in).

land•ing ['lændɪŋ] *s* Landung *f*; Anlegen *n* (*of ship*); Anlegestelle *f*; Treppenabsatz *m*; Flur *m*, Gang *m* (*on stairs*); **~-field** *s aer.* Landebahn *f*; **~-gear** *s aer.* Fahrgestell *n*; **~-stage** *s mar.* Landungsbrücke *f*, -steg *m*.

land|la•dy ['lændleɪdɪ] *s* Vermieterin *f*; Wirtin *f*; **~•lord** ['-lɔːd] *s* Vermieter *m*; Wirt *m*; Hauseigentümer *m*; Grundbesitzer *m*; **~•mark** *s* Grenzstein *m*; Orientierungspunkt *m*; Wahrzeichen *n*; *fig.* Markstein *m*; **~•own•er** *s* Grundbesitzer(in); **~•scape** *s* Landschaft *f* (*a. paint.*); **~•slide** *s* Erdrutsch *m* (*a. pol.*); ***a ~ victory*** *pol.* ein überwältigender Wahlsieg; **~•slip** *s* (kleiner) Erdrutsch.

lane [leɪn] *s* Feldweg *m*; Gasse *f*, Sträßchen *n*; *mar.* (Fahrt)Route *f*; *aer.* Flugschneise *f*; *mot.* Fahrbahn *f*, Spur *f*; *Sport*: (einzelne) Bahn; ***get in ~!*** bitte einordnen!

lan•guage ['læŋgwɪdʒ] *s* Sprache *f*; ***~ barrier*** Sprachbarriere *f*; ***~ course***

Sprachkurs *m*; ~ ***laboratory*** Sprachlabor *n*; ~ ***teaching*** Sprachunterricht *m*.
lan•tern ['læntən] *s* Laterne *f*.
lap[1] [læp] *s* Schoß *m*.
lap[2] [~] **1.** *s sports*: Runde *f*; **2.** (***-pp-***) *v/t sports*: überrunden; *wrap*: wickeln; *v/i sports*: e-e Runde zurücklegen.
lap[3] [~] (***-pp-***) *v/t*: ~ ***up*** auflecken, -schlecken; *v/i* plätschern.
la•pel [lə'pel] *s* Revers *n*, *m*.
lapse [læps] **1.** *s of time*: Verlauf *m*; *small fault*: (kleiner) Fehler *or* Irrtum; *jur*. Verfall *m*; **2.** *v/i* verfallen (*a. jur.*), erlöschen.
lar•ce•ny *jur*. ['lɑːsənɪ] *s* Diebstahl *m*.
larch *bot*. [lɑːtʃ] *s* Lärche *f*.
lard [lɑːd] **1.** *s* Schweinefett *n*, -schmalz *n*; **2.** *v/t meat*: spicken; **lar•der** *s* Speisekammer *f*; Speiseschrank *m*.
large [lɑːdʒ] *adj* □ (***~r, ~st***) groß; umfassend, weitgehend, ausgedehnt; ***at*** ~ in Freiheit, auf freiem Fuß; ganz allgemein; in der Gesamtheit; (sehr) ausführlich; **~•ly** *adv* zum großen Teil; im Wesentlichen; **~-mind•ed** *adj* tolerant; **~•ness** *s* Größe *f*; ~ **screen** *s* Großbildschirm *m*.
lar•i•at *esp. Am.* ['lærɪət] *s* Lasso *n*, *m*.
lark[1] *zo*. [lɑːk] *s* Lerche *f*.
lark[2] F [~] *s* Jux *m*, Spaß *m*.
lar•va *zo*. ['lɑːvə] *s* (*pl* ***-vae*** [-viː]) Larve *f*.
lar•ynx *anat*. ['lærɪŋks] *s* Kehlkopf *m*.
las•civ•i•ous [lə'sɪvɪəs] *adj* □ lüstern.
la•ser *phys*. ['leɪzə] *s* Laser *m*; ~ **beam** *s* Laserstrahl *m*.
lash [læʃ] **1.** *s* Peitschenschnur *f*; Peitschenhieb *m*; Wimper *f*; **2.** *v/t* peitschen, schlagen; (fest)binden; *v/i*: ~ ***out*** (wild) um sich schlagen; ~ ***out at*** *fig*. heftig angreifen (*acc*).
lass, **~•ie** [læs, 'læsɪ] *s* Mädchen *n*.
las•si•tude ['læsɪtjuːd] *s* Mattigkeit *f*.
las•so [læ'suː] *s* (*pl* ***-[e]s***) Lasso *n*, *m*.
last[1] [lɑːst] **1.** *adj* letzte(r, -s); vorige(r, -s); äußerste(r, -s); neueste(r, -s); ~ ***but one*** vorletzte(r,-s); ~ ***night*** gestern Abend; ~ ***date of sale*** *econ*. Verfallsdatum *n*; **2.** *s der, die, das* Letzte; ***at*** ~ endlich; ***to the*** ~ bis zum Schluss; **3.** *adv* zuletzt; ~ ***but not least*** nicht zuletzt.
last[2] [~] *v/i* (an-, fort)dauern; *flowers, etc.*: (sich) halten; *food, etc.*: (aus)reichen.
last[3] [~] *s* (Schuhmacher)Leisten *m*.
last•ing ['lɑːstɪŋ] *adj* □ dauerhaft; beständig.
last•ly ['lɑːstlɪ] *adv* schließlich, zum Schluss.
latch [lætʃ] **1.** *s* Klinke *f*; Schnappschloss *n*; **2.** *v/t* ein-, zuklinken; **~•key** *s* Hausschlüssel *m*.
late [leɪt] *adj* □ (***~r, ~st***) spät; jüngste(r, -s), letzte(r, -s); frühere(r, -s), ehemalig; verstorben; ***be*** ~ zu spät kommen, sich verspäten; ***at*** (***the***) ***~st*** spätestens; ***as*** ~ ***as*** noch, erst; ***of*** ~ kürzlich; ***~r on*** später; **~•ly** *adv* kürzlich.
la•tent ['leɪtənt] *adj* □ verborgen, latent.
lath [lɑːθ] *s* Latte *f*.
lathe *tech*. [leɪð] *s* Drehbank *f*.
la•ther ['lɑːðə] **1.** *s* (Seifen)Schaum *m*; **2.** *v/t* einseifen; *v/i* schäumen.
Lat•in ['lætɪn] **1.** *adj ling*. lateinisch; romanisch; südländisch; **2.** *s ling*. Latein *n*; Roman|e *m*, -in *f*, Südländer(in).
lat•i•tude ['lætɪtjuːd] *s geogr*. Breite *f*; *fig*. Spielraum *m*.
lat•ter ['lætə] *adj* letztere(r, -s) (*of two*); letzte(r, -s), spätere(r, -s).
lat•tice ['lætɪs] *s* Gitter *n*.
Lat•via ['lætvɪə] Lettland *n*.
lau•da•ble ['lɔːdəbl] *adj* □ lobenswert.
laugh [lɑːf] **1.** *s* Lachen *n*, Gelächter *n*; ***have the last*** ~ es (am Ende) *j-m* zeigen; ***have a good*** ~ ***about*** sich köstlich amüsieren über (*acc*); **2.** *v/i* lachen; ~ ***at*** *j-n* auslachen, sich lustig machen über *j-n*; **~•a•ble** *adj* □ lächerlich; **~•ter** *s* Lachen *n*, Gelächter *n*.
launch [lɔːntʃ] **1.** *v/t ship*: vom Stapel laufen lassen; *boat*: aussetzen; *hurl*: schleudern; *rocket*: starten, abschießen; *fig*. in Gang setzen; *company*: gründen; *product*: einführen, auf den Markt bringen; **2.** *s mar*. Barkasse *f*; **~•ing** *s mar*. Stapellauf *m*; Abschuss *m* (*of rocket*); *fig*. Start(en *n*) *m*; ~ ***pad*** Abschussrampe *f*; ~ ***site*** Abschussbasis *f*.
laun|de•rette [lɔːndə'ret], *esp. Am.* **~•dro•mat** ['~drəmæt] *s* Waschsalon *m*, Münzwäscherei *f*; **~•dry** ['~drɪ] *s* Wäscherei *f*; *clothes, etc.*: Wäsche *f*.
laur•el *bot*. ['lɒrəl] *s* Lorbeer *m* (*a. fig.*).
lav•a•to•ry ['lævətərɪ] *s* Toilette *f*, Klosett *n*; ***public*** ~ Bedürfnisanstalt *f*.
lav•ish ['lævɪʃ] **1.** *adj* □ freigebig, verschwenderisch; **2.** *v/t*: ~ ***s.th. on s.o.***

L

j-n mit et. überhäufen *or* überschütten.

law [lɔː] *s* Gesetz *n*; Recht *n*; (Spiel)Regel *f*; Rechtswissenschaft *f*, Jura *pl*; F *die* Polizei; **~ *and order*** Recht *or* Ruhe u. Ordnung; **~-a•bid•ing** *adj* gesetzestreu; **~•court** *s* Gericht(shof *m*) *n*; **~•ful** *adj* □ gesetzlich; rechtmäßig, legitim; rechtsgültig; **~•less** *adj* □ gesetzlos; gesetzwidrig; zügellos.

lawn [lɔːn] *s* Rasen *m*.

law|suit ['lɔːsjuːt] *s* Prozess *m*; **~•yer** ['lɔːjə] *s* (Rechts)Anwalt *m*, (-)Anwältin *f*.

lax [læks] *adj* □ locker, lax; schlaff; lasch; **~•a•tive** *med.* ['læksətɪv] **1.** *adj* abführend; **2.** *s* Abführmittel *n*.

lay[1] [leɪ] *pret of* ***lie***[2] 2.

lay[2] [~] *adj eccl.* weltlich; Laien…

lay[3] [~] (***laid***) *v/t* legen; umlegen; *plan*: schmieden; *table*: decken; *eggs*: legen; beruhigen, besänftigen; auferlegen; *complaint*: vorbringen, *charge*: erheben; *bet*: abschließen, *risk money*: wetten; **~ *in*** einlagern, sich eindecken mit; **~ *low*** niederstrecken, -werfen; **~ *off*** *econ. workers*: vorübergehend entlassen, *work*: einstellen; **~ *open*** darlegen; **~ *out*** ausbreiten; *garden, etc.*: anlegen; entwerfen, planen; *print.* gestalten; **~ *up*** *supplies*: anlegen, sammeln; ***be laid up*** das Bett hüten müssen; *v/i of hens*: (Eier) legen.

lay-by *Br. mot.* ['leɪbaɪ] *s* Parkbucht *f*, -streifen *m*; Park-, Rastplatz *m*.

lay•er ['leɪə] *s* Lage *f*, Schicht *f*.

lay•man ['leɪmən] *s* Laie *m*.

lay|-off *econ.* ['leɪɒf] *s* vorübergehende Arbeitseinstellung, Feierschicht(en *pl*) *f*; **~•out** *s* Anlage *f*; Plan *m*; *print.* Layout *n*, Gestaltung *f*.

la•zy ['leɪzɪ] *adj* □ (***-ier, -iest***) faul; träg(e), langsam; müde *or* faul machend.

lb., **lb** ***pound(s)*** Pfund *n* (*od. pl*) (*Gewicht*).

lbs ***pounds*** Pfund *pl* (*Gewicht*).

LCD ***liquid crystal display*** Flüssigkristallanzeige *f*.

lead[1] [led] *s chem.* Blei *n*; *mar.* Lot *n*.

lead[2] [liːd] **1.** *s* Führung *f*; Leitung *f*; Spitzenposition *f*; Beispiel *n*; *thea.* Hauptrolle *f*; *thea.* Hauptdarsteller(in); *sports and fig.*: Führung *f*, Vorsprung *m*; *card games*: Vorhand *f*; *electr.* Leitung *f*; (Hunde)Leine *f*; Hinweis *m*, Tipp *m*, Anhaltspunkt *m*; **2.** (***led***) *v/t* führen; leiten; (an)führen; verleiten, bewegen (***to*** zu); *card*: ausspielen; **~ *on*** F *j-n* anführen, auf den Arm nehmen; *v/i* führen; vorangehen; *sports and fig.*: in Führung liegen; **~ *off*** den Anfang machen; **~ *up to*** führen zu, überleiten zu.

lead•ed ['ledɪd] *adj* verbleit, bleihaltig.

lead•en ['ledn] *adj* bleiern (*a. fig.*), Blei…

lead•er ['liːdə] *s* (An)Führer(in), Leiter(in); Erste(r *m*) *f*; *Br.* Leitartikel *m*; **~•ship** [~ʃɪp] *s* Führung *f*, Leitung *f*.

lead-free ['ledfriː] *adj* bleifrei.

lead•ing ['liːdɪŋ] *adj* leitend; führend; Haupt…

leaf [liːf] **1.** *s* (*pl* ***leaves*** [~vz]) Blatt *n*; (*of door, etc.*) Flügel *m*; (*of table*) Klappe *f*; **2.** *v/i*: **~ *through*** durchblättern; **~•let** ['liːflɪt] *s* Prospekt *m*; Broschüre *f*, Informationsblatt *n*; Merkblatt *n*; **~•y** *adj* (***-ier, -iest***) belaubt.

league [liːg] *s* Liga *f* (*a. hist. and sports*); Bund *m*.

leak [liːk] **1.** *s* Leck *n*, undichte Stelle (*a. fig.*); **2.** *v/i* lecken, leck sein; tropfen; **~ *out*** auslaufen, -strömen, entweichen; *fig.* durchsickern; **~•age** ['~ɪdʒ] *s* Lecken *n*, Auslaufen *n*, -strömen *n*; *fig.* Durchsickern; **~•y** *adj* (***-ier, -iest***) leck, undicht.

lean[1] [liːn] *v/i and v/t* (*esp. Br.* ***leant***, *esp. Am.* ***leaned***) (sich) lehnen; (sich) stützen; (sich) neigen; **~ *on***, **~ *upon*** sich verlassen auf (*acc*).

lean[2] [~] **1.** *adj* mager; **2.** *s* mageres Fleisch.

leant *esp. Br.* [lent] *pret and pp of* ***lean***[1].

leap [liːp] **1.** *s* Sprung *m*, Satz *m*; **2.** *v/i and v/t* (***leapt** or **leaped***) (über)springen; **~ *at*** *fig.* sich stürzen auf (*acc*); **~t** [lept] *pret and pp of* ***leap*** 2; **~ *year*** ['liːpjɜː] *s* Schaltjahr *n*.

learn [lɜːn] *v/t and v/i* (***learned** or **learnt***) (er)lernen; erfahren, hören; **~•ed** ['lɜːnɪd] *adj* gelehrt; **~•er** *s* Anfänger(in); Lernende(r *m*) *f*; **~ *driver*** *mot.* Fahrschüler(in); **~•ing** *s* (Er)Lernen *n*; Gelehrsamkeit *f*; **~t** [lɜːnt] *pret and pp of* ***learn***.

lease [liːs] **1.** *s* Pacht *f*, Miete *f*; Pacht-, Mietvertrag *m*; **2.** *v/t* (ver)pachten, (ver)mieten.

leash [liːʃ] *s* (Hunde)Leine *f*.

least [liːst] **1.** *adj* (*sup of* ***little*** 1) kleinste(r, -s), geringste(r, -s), wenigste(r, -s); **2.** *adv* (*sup of* ***little*** 2) am wenigsten; ~ ***of all*** am allerwenigsten; **3.** *s das* Geringste, *das* Mindeste, *das* Wenigste; ***at*** ~ wenigstens; ***to say the*** ~ gelinde gesagt.

leath•er ['leðə] **1.** *s* Leder *n*; **2.** *adj* ledern; Leder…

leave [liːv] **1.** *s* Erlaubnis *f*; *a.* ~ ***of absence*** Urlaub *m*; Abschied *m*; ***take*** (***one's***) ~ sich verabschieden; **2.** (***left***) *v/t* (hinter-, ver-, zurück)lassen übrig lassen; stehen lassen, liegen lassen, vergessen; vermachen, -erben; *v/i* (fort-, weg)gehen, abreisen, abfahren, abfliegen (***for*** nach).

leaves [liːvz] *s pl of* ***leaf*** 1; Laub *n*.

leav•ings ['liːvɪŋz] *s pl* Überreste *pl*.

Leb•a•non ['lebənən] *der* Libanon.

lech•er•ous ['letʃərəs] *adj* □ lüstern.

lec|ture ['lektʃə] **1.** *s univ.* Vorlesung *f*; Vortrag *m*; Strafpredigt *f*; **2.** *v/i univ.* e-e Vorlesung halten; e-n Vortrag halten; *v/t* tadeln, abkanzeln; **~•tur•er** [~rə] *s univ.* Dozent(in); Redner(in).

led [led] *pret and pp of* ***lead***[2] 2.

led•ger *econ.* ['ledʒə] *s* Hauptbuch *n*.

leech [liːtʃ] *s zo.* Blutegel *m*; *fig.* Blutsauger *m*, Schmarotzer *m*.

leek *bot.* [liːk] *s* Lauch *m*, Porree *m*.

leer [lɪə] **1.** *s* anzüglicher (Seiten)Blick; **2.** *v/i* anzüglich *od.* lüstern blicken; schielen (***at*** nach).

lee|ward *mar.* ['liːwəd] *adv* leewärts; **~•way** *s mar.* Abtrift *f*; *fig.* Rückstand *m*; *fig.* Spielraum *m*.

left[1] [left] *pret and pp of* ***leave*** 2; **~*-luggage*** (***office***) *Br. rail.* Gepäckaufbewahrung *f*.

left[2] [~] **1.** *adj* linke(r, -s); **2.** *adv* (nach) links; **3.** *s* Linke *f* (*a. pol., boxing*), linke Seite; ***on*** *or* ***to the*** ~ links; **~-hand** *adj* linke(r, -s); ~ ***drive*** *mot.* Linkssteuerung *f*; **~-hand•ed** *adj* □ linkshändig; für Linkshänder.

left-o•vers ['leftəʊvəz] *s pl* (Speise-) Reste *pl*.

left wing [left'wɪŋ] **1.** *adj pol.* linke(r, -s), linksgerichtet; **2.** *s pol., sports*: linker Flügel, Linksaußen *m*.

lefty ['leftɪ] *s esp. Br.* F Linke(r *m*) *f*; *esp. Am.* Linkshänder(in).

leg [leg] *s* Bein *n*; Keule *f*; (Stiefel-) Schaft *m*; *math.* Schenkel *m*; ***pull s.o.'s*** ~ F *j-n* auf den Arm nehmen; ***stretch one's*** **~*s*** sich die Beine vertreten.

leg•a•cy ['legəsɪ] *s* Vermächtnis *n*.

le•gal ['liːgl] *adj* □ legal, gesetz-, rechtmäßig; gesetzlich, rechtlich; juristisch, Rechts…; **~•ize** [~aɪz] *v/t* legalisieren, rechtskräftig machen.

le•ga•tion [lɪ'geɪʃn] *s* Gesandtschaft *f*.

le•gend ['ledʒənd] *s* Legende *f*, Sage *f*; Bildunterschrift *f*; **le•gen•da•ry** *adj* legendär, sagenhaft.

leg•gings ['legɪŋz] *s pl* Gamaschen *pl*; *fashion*: Leggings *pl*.

le•gi•ble ['ledʒəbl] *adj* □ leserlich.

le•gion *fig.* ['liːdʒən] *s* Legion *f*, Heer *n*.

le•gis•la|tion [ledʒɪs'leɪʃn] *s* Gesetzgebung *f*; **~•tive** *pol.* ['ledʒɪslətɪv] **1.** *adj* □ gesetzgebend, legislativ; **2.** *s* Legislative *f*, gesetzgebende Gewalt; **~•tor** ['ledʒɪsleɪtə] *s* Gesetzgeber *m*.

le•git•i•mate [lɪ'dʒɪtɪmət] *adj* □ legitim; gesetz-, rechtmäßig, berechtigt; ehelich.

leg|less ['leglɪs] *adj* ohne Beine; *sl.* sternhagelvoll; **~-pull** *s* F Jux *m*, Scherz *m*; **~-room** *s in car*: Beinfreiheit *f*.

Leices•ter ['lestə] *county town of* **Leices•ter•shire** ['~ʃə].

lei•sure ['leʒə] *s* Muße *f*, Freizeit *f*; ***at*** ~ in Ruhe, ohne Hast; ~ ***activities*** *pl* Freizeitgestaltung *f*; ~ ***wear*** Freizeitkleidung *f*; **~•ly** *adj and adv* gemächlich.

lem•on *bot.* ['lemən] *s* Zitrone *f*; **~•ade** [lemə'neɪd] *s* Zitronenlimonade *f*; ~ **squash** *s Br.* Zitronenwasser *n*.

lend [lend] *v/t* (***lent***) (ver-, aus)leihen, (aus)borgen.

length [leŋθ] *s* Länge *f*; Strecke *f*; (Zeit)Dauer *f*; ***at*** ~ endlich, schließlich; ausführlich; ***go to any*** *or* ***great*** *or* ***considerable*** **~*s*** sehr weit gehen; **~•en** *v/t* verlängern; *v/i* länger werden; **~•ways**, **~•wise** *adv* der Länge nach; **~•y** *adj* □ (***-ier, -iest***) sehr lang.

le•ni•ent ['liːnɪənt] *adj* □ mild(e), nachsichtig.

lens *opt.* [lenz] *s* Linse *f*.

lent[1] [lent] *pret and pp of* ***lend.***

Lent[2] [~] *s* Fastenzeit *f*.

len•til *bot.* ['lentɪl] *s* Linse *f*.

leop•ard *zo.* ['lepəd] *s* Leopard *m*.

lep•ro•sy *med.* ['leprəsɪ] *s* Lepra *f*.

les•bi•an ['lezbɪən] **1.** *adj* lesbisch; **2.** *s* Lesbierin *f*, F Lesbe *f*.

L

less [les] **1.** *adj and adv* (*comp of* ***little*** 1, 2) kleiner, geringer, weniger; **2.** *prp* weniger, minus, abzüglich.

less•en ['lesn] *v/t and v/i* (sich) vermindern *or* -ringern; abnehmen; herabsetzen.

less•er ['lesə] *adj* kleiner, geringer.

les•son ['lesn] *s* Lektion *f*; (Unterrichts)Stunde *f*; *fig.* Lektion *f*, Lehre *f*; ***~s*** *pl* Unterricht *m.*

let [let] (***let***) *v/t* lassen; vermieten, -pachten; ***~ alone*** in Ruhe lassen; geschweige denn; ***~ down*** herab-, herunterlassen; *clothes*: verlängern; *j-n* im Stich lassen; (*a v/i*) ***~ go*** loslassen; ***~ o.s. go*** sich gehen lassen; ***~ in*** (her)einlassen; ***~ o.s. in for s.th.*** sich et. aufhalsen *or* einbrocken; ***~ s.o. in on s.th.*** *j-n* in et. einweihen; ***~ off*** abschießen; *j-n* laufen lassen; aussteigen lassen; ***~ out*** hinauslassen; ausplaudern; vermieten; *v/i*: ***~ up*** aufhören.

le•thal ['li:θl] *adj* □ tödlich; Todes…

leth•ar•gy ['leθədʒɪ] *s* Lethargie *f.*

let•ter ['letə] **1.** *s* Buchstabe *m*; *print.* Type *f*; Brief *m*, Schreiben *n*; ***~s*** *pl* Literatur *f*; *attr* Brief…; **2.** *v/t* beschriften; ***~-box*** *s* Briefkasten *m*; ***~ed*** *adj* (literarisch) gebildet; ***~•ing*** *s* Beschriftung *f.*

let•tuce *bot.* ['letɪs] *s* (*esp.* Kopf)Salat *m.*

leu•k(a)e•mia *med.* [lju:'ki:mɪə] *s* Leukämie *f.*

lev•el ['levl] **1.** *adj* waag(e)recht; eben; gleich; ausgeglichen; ***my ~ best*** F mein Möglichstes; ***~ crossing*** *Br.* Bahnübergang *m*; **2.** *s* Ebene *f*, ebene Fläche; (gleiche) Höhe, (Wasser)Spiegel *m*, (-)Stand *m*; Wasserwaage *f*; *fig.* Niveau *n*, Stand *m*, Stufe *f*; ***on the ~*** F ehrlich, aufrichtig; **3.** *v/t* (*esp. Br.* **-ll-**, *Am.* **-l-**) (ein)ebnen, planieren; niederschlagen, fällen; ***~ at*** *weapon*: richten auf (*acc*); *accusations*: erheben gegen; ***~-headed*** *adj* vernünftig, nüchtern.

le•ver ['li:və] *s* Hebel *m*; ***~•age*** *s* Hebelkraft *f*, -wirkung *f*; *fig.* Einfluss *m*; ***~•aged*** *adj*: ***~ buyout*** *or* ***takeover*** *econ. appr.* kreditfinanzierte Übernahme.

lev•y ['levɪ] **1.** *s* Steuereinziehung *f*; Steuer *f*; *mil.* Aushebung *f*; **2.** *v/t taxes* einziehen, erheben; *mil.* ausheben.

lewd [lju:d] *adj* □ unanständig, obszön; schmutzig.

li•a•bil•i•ty [laɪə'bɪlətɪ] *s jur.* Haftung *f*, Haftpflicht *f*; *pl* Verbindlichkeiten *pl*; *econ.* Passiva *pl.*

li•a•ble ['laɪəbl] *adj jur.* haftbar, -pflichtig; ***be ~ for*** haften für; ***be ~ to*** neigen zu; anfällig sein für.

li•ar ['laɪə] *s* Lügner(in).

Lib. *Br. pol.* ***Liberal*** Liberale *m*, *f*; liberal.

li•bel *jur.* ['laɪbl] **1.** *s* schriftliche Verleumdung *or* Beleidigung *f*; **2.** *v/t* (*esp. Br.* **-ll-**, *Am.* **-l-**) verleumden, beleidigen.

lib•e•ral ['lɪbərəl] **1.** *adj* □ liberal (*a. pol.*), aufgeschlossen; großzügig; reichlich; **2.** *s* Liberale(r *m*) *f* (*a. pol.*); ***~•i•ty*** [lɪbə'rælətɪ] *s* Großzügigkeit *f*; Aufgeschlossenheit *f.*

lib•e|rate ['lɪbəreɪt] *v/t* befreien; ***~•ra•tion*** [\~'reɪʃn] *s* Befreiung *f*; ***~ theology*** Befreiungstheologie *f*; ***~•ra•tor*** *s* Befreier *m.*

lib•er•ty ['lɪbətɪ] *s* Freiheit *f*; ***take liberties*** sich Freiheiten herausnehmen; ***be at ~*** frei sein.

li•brar•i•an [laɪ'breərɪən] *s* Bibliothekar(in); **li•bra•ry** ['laɪbrərɪ] *s* Bibliothek *f*; Bücherei *f.*

Lib•ya ['lɪbɪə] Libyen *n.*

lice [laɪs] *pl of* ***louse.***

li•cence, *Am.* **-cense** ['laɪsəns] *s* Lizenz *f*, Konzession *f*; Freiheit *f*; Zügellosigkeit *f*; ***license plate*** *Am. mot.* Nummernschild *n*; ***driving ~***, *Am.* ***driver's license*** Führerschein *m.*

li•cense, -cence [\~] *v/t j-m* e-e Lizenz *or* Konzession erteilen; (amtlich) genehmigen *or* zulassen.

lick [lɪk] **1.** *s* Lecken *n*; Salzlecke *f*; **2.** *v/t* (ab-, auf-, be)lecken; F verdreschen, -prügeln; F schlagen, besiegen; *v/i* lecken; *flames*: züngeln.

lid [lɪd] *s* Deckel *m*; (Augen)Lid *n.*

lie[1] [laɪ] **1.** *s* Lüge *f*; ***give s.o. the ~*** *j-n* Lügen strafen; **2.** *v/i* lügen.

lie[2] [\~] **1.** *s* Lage *f*; **2.** *v/i* (***lay, lain***) liegen; ***~ behind*** *fig.* dahinter stecken; ***~ down*** sich hinlegen; ***let sleeping dogs ~*** *fig.* daran rühren wir lieber nicht; ***~-down*** *s* F Nickerchen *n*; ***~-in*** *s*: ***have a ~*** *Br.* F sich gründlich ausschlafen.

lieu•ten•ant [lef'tenənt; mar. le'tenənt; *Am.* lu:'tenənt] *s* Leutnant *m.*

life [laɪf] *s* (*pl* ***lives*** [\~vz]) Leben *n*; Menschenleben *n*; Lebensbeschreibung *f*, Biographie *f*; ***for ~*** fürs (ganze) Leben, *job*, *etc.*: auf Lebenszeit; *esp. jur.* lebenslänglich; ***be imprisoned for ~*** lebenslänglich bekommen; ***~ imprisonment, ~ sentence*** lebenslängliche Freiheitsstrafe; **~ as•su•rance** *s* Lebensversicherung *f*; **~•belt** *s* Rettungsgürtel *m*; **~•boat** *s* Rettungsboot *n*; **~•cy•cle a•nal•y•sis** *s* Ökobilanz *f*; **~•guard** *s mil.* Leibgarde *f*; Bademeister *m*; Rettungsschwimmer *m*; **~ in•sur•ance** *s* Lebensversicherung *f*; **~•jack•et** *s* Schwimmweste *f*; **~•less** *adj* □ leblos; matt, schwung-, lustlos; **~•like** *adj* lebensecht; **~•long** *adj* lebenslang; **~ pre•serv•er** *s Am.* Schwimmweste *f*; Rettungsgürtel *m*; **~•time 1.** *s* Lebenszeit *f*; **2.** *adj* auf Lebenszeit, lebenslang.

lift [lɪft] **1.** *s* (Hoch-, Auf)Heben *n*; *phys.*, *aer.* Auftrieb *m*; *esp. Br.* Lift *m*, Aufzug *m*, Fahrstuhl *m*; ***give s.o. a ~ cheer s.o. up***: *j-n* aufmuntern, *j-m* Auftrieb geben; *hitchhiker*: *j-n* (im Auto) mitnehmen; **2.** *v/t* (hoch-, auf)heben; erheben; *ban*: aufheben; *skin*: straffen; F klauen, stehlen; *v/i* sich heben (*fog*); ***~ off*** abheben (*rocket*, *etc.*); **~-off** ['lɪftɒf] *s* Start *m*, Abheben *n* (*of rocket*, *etc.*).

light[1] [laɪt] **1.** *s* Licht *n* (*a. fig.*); Lampe *f*; Leuchten *n*, Glanz *m*; *fig.* Aspekt *m*; ***can you give me a ~, please?*** haben Sie Feuer?; ***put a ~ to*** anzünden; **2.** *adj* licht, hell; blond; **3.** (***lit*** *or* ***lighted***) *v/t*: **~ (*up*)** be-, erleuchten; anzünden; *v/i* sich entzünden, brennen; ***~ up*** aufleuchten.

light[2] [‿] *adj and adv* leicht (*a. fig.*); ***make ~ of*** *et.* leichtnehmen.

light•en[1] ['laɪtn] *v/t* erhellen; aufhellen; aufheitern; *v/i* hell(er) werden, sich aufhellen.

light•en[2] [‿] *v/t and v/i* leichter machen *or* werden; erleichtern.

light•er ['laɪtə] *s* Anzünder *m*; Feuerzeug *n*; *mar.* Leichter *m*.

light|-head•ed ['laɪthedɪd] *adj* benommen, benebelt; leichtfertig, töricht; **~-heart•ed** *adj* □ fröhlich, unbeschwert; **~•house** *s* Leuchtturm *m*.

light•ing ['laɪtɪŋ] *s* Beleuchtung *f*; Anzünden *n*.

light|-mind•ed [laɪt'maɪndɪd] *adj* leichtfertig; **~•ness** *s* Leichtheit *f*; Leichtigkeit *f*.

light•ning ['laɪtnɪŋ] *s* Blitz *m*; *attr* blitzschnell, Blitz...; **~ con•duc•tor**, *Am.* **~ rod** *s* Blitzableiter *m*.

light•weight ['laɪtweɪt] *s boxing*, *etc.*: Leichtgewicht(ler *m*) *n*.

like [laɪk] **1.** *adj and prp* gleich; ähnlich; (so) wie; F als ob; ***~ that*** so; ***feel ~*** Lust haben auf (*acc*) *or* zu; ***what is he ~?*** wie ist er?; ***that is just ~ him!*** das sieht ihm ähnlich!; ***that's more ~ it!*** F das gefällt mir schon besser!; **2.** *s der*, *die*, *das* Gleiche, *et.* Gleiches; ***his ~*** seinesgleichen; ***the ~*** dergleichen; ***the ~s of you*** Leute wie du; ***my ~s and dislikes*** was ich mag und was ich nicht mag; **3.** *v/t* gernhaben, (gern) mögen; gern tun *etc.*; ***how do you ~ it?*** wie gefällt es dir?, wie findest du es?; ***I ~ that!*** *iro.* das hab ich gern!; ***I should ~ to come*** ich würde gern kommen; *v/i* wollen; ***as you ~*** wie du willst; ***if you ~*** wenn Sie wollen; **~•li•hood** ['‿lɪhʊd] *s* Wahrscheinlichkeit *f*; **~•ly**; **1.** *adj* (***-ier, -iest***) wahrscheinlich; geeignet; **2.** *adv* wahrscheinlich; ***not ~!*** F bestimmt nicht!; **~•ness** Ähnlichkeit *f*; (Ab)Bild *n*; Gestalt *f*; **~•wise** *adv* gleich-, ebenfalls; auch.

lik•ing ['laɪkɪŋ] *s* (***for***) Vorliebe *f* (für), Gefallen *n* (an *dat*).

li•lac ['laɪlək] **1.** *adj* lila; **2.** *s bot.* Flieder *m*.

lil•y *bot.* ['lɪlɪ] *s* Lilie *f*; ***~ of the valley*** Maiglöckchen *n*; **~-white** *adj* schneeweiß.

limb [lɪm] *s arms*, *legs*: Glied *n*; Ast *m*.

lime[1] [laɪm] *s* Kalk *m*.

lime[2] *bot.* [‿] *s* Linde *f*; Limone *f*.

lime•light *fig.* ['laɪmlaɪt] *s* Rampenlicht *n*.

lim•it ['lɪmɪt] **1.** *s fig.* Grenze *f*; ***within ~s*** in Grenzen; ***off ~s*** *Am.* Zutritt verboten (***to*** für); ***that is the ~!*** F das ist der Gipfel!, das ist (doch) die Höhe!; ***go to the ~*** bis zum Äußersten gehen; **2.** *v/t* beschränken (***to*** auf *acc*).

lim•i•ta•tion [lɪmɪ'teɪʃn] *s* Ein-, Beschränkung *f*; *fig.* Grenze *f*.

lim•it|ed ['lɪmɪtɪd] *adj* beschränkt, begrenzt; **~ (*liability*) *company*** *Br. econ.* Gesellschaft *f* mit beschränkter Haftung; **~•less** *adj* □ grenzenlos.

limp [lɪmp] **1.** *v/i* hinken, humpeln; **2.** *s* Hinken *n*, Humpeln *n*; **3.** *adj* schlaff;

L

schwach, müde; weich.

lim•pid ['lɪmpɪd] *adj* □ klar, durchsichtig.

line [laɪn] **1.** *s* Linie *f* (*a. math.*), Strich *m*; *written*: Zeile *f*; *of poem*: Vers *m*; *on face*: Falte *f*, Runzel *f*, Furche *f*; *row*: Reihe *f*; *queue*: (Menschen)Schlange *f*; *of ancestors*: (Ahnen)Reihe *f*, Linie *f*; *of railway, etc.*: (Bahn-, Verkehrs)Linie *f*, Strecke *f*; (Eisenbahn-, Verkehrs)Gesellschaft *f*; *teleph., etc.*: Leitung *f*; Branche *f*, Fach *n*, Gebiet *n*; *sports*: (Ziel)Linie *f*; Leine *f*, Angelschnur *f*; Äquator *m*; Richtung *f*; *econ. goods*: Posten *m*; *fig.* Grenze *f*; **~s** *pl thea.* Rolle *f*, Text *m*; ***be in ~ for*** gute Aussichten haben auf (*acc*); ***be in ~ with*** übereinstimmen mit; ***draw the ~*** Halt machen, e-e Grenze ziehen (***at*** bei); ***hold the ~*** *teleph.* am Apparat bleiben; ***stand in ~*** *Am.* Schlange stehen; **2.** *v/t* lin(i)ieren; *face*: zeichnen; *streets, etc.*: säumen; *clothes*: füttern; *tech.* auskleiden; (*a. v/i*) ***~ up*** (sich) in e-r Reihe aufstellen.

lin•e•ar ['lɪnɪə] *adj* linear, geradlinig; Längen…

lin•en ['lɪnɪn] **1.** *s* Leinen *n*; (Bett-, Tisch)Wäsche *f*; **2.** *adj* leinen, Leinen…; **~-clos•et**, **~-cup•board** *s* Wäscheschrank *m*.

lin•er ['laɪnə] *s* Linien-, Passagierschiff *n*; Verkehrsflugzeug *n*; → ***eyeliner***.

lin•ger ['lɪŋgə] *v/i* zögern; verweilen, sich aufhalten; dahinsiechen; *a.* ***~ on*** sich hinziehen.

lin•ge•rie ['lɛ̃ːnʒəriː] *s* Damenunterwäsche *f*.

lin•ing ['laɪnɪŋ] *s* Futter(stoff *m*) *n*; *mot.* (Brems)Belag *m*; *tech.* Aus-, Verkleidung *f*.

link [lɪŋk] **1.** *s* (Ketten)Glied *n*; Manschettenknopf *m*; *fig.* (Binde)Glied *n*, Verbindung *f*; **2.** *v/t and v/i* (sich) verbinden; ***~ up*** miteinander verbinden; *spacecraft*: (an)koppeln.

links [lɪŋks] *s pl* Dünen *pl*; *a.* ***golf ~*** Golfplatz *m*.

link-up ['lɪŋkʌp] *s* Zusammenschluss *m*, Verbindung *f*, Kopplung(smanöver *n*) *f* (*of spacecraft*).

lin•seed ['lɪnsiːd] *s bot.* Leinsamen *m*; ***~ oil*** Leinöl *n*.

li•on *zo.* ['laɪən] *s* Löwe *m*; **~ess** *zo.* [~nɪs] *s* Löwin *f*.

lip [lɪp] *s* Lippe *f*; *of cup, etc.*: Rand *m*; *sl.* Unverschämtheit *f*; **~•stick** *s* Lippenstift *m*.

li•que•fy ['lɪkwɪfaɪ] *v/i and v/t* (sich) verflüssigen.

liq•uid ['lɪkwɪd] **1.** *adj* flüssig; *eyes*: feucht (schimmernd); **2.** *s* Flüssigkeit *f*.

liq•ui•date ['lɪkwɪdeɪt] *v/t* liquidieren (*a. econ.*); *debt*: tilgen.

liq•uid|ize ['lɪkwɪdaɪz] *v/t* zerkleinern, pürieren; **~•iz•er** [~ə] *s* Mixgerät *n*, Mixer *m*.

liq•uor ['lɪkə] *s Br.* alkoholisches Getränk; *Am.* Schnaps *m*.

Lis•bon ['lɪzbən] Lissabon *n*.

lisp [lɪsp] **1.** *s* Lispeln *n*; **2.** *v/i and v/t* lispeln.

list [lɪst] **1.** *s* Liste *f*, Verzeichnis *n*; **2.** *v/t* (in e-e Liste) eintragen; verzeichnen, auflisten.

lis•ten ['lɪsn] *v/i* (***to***) lauschen, horchen (auf *acc*); anhören (*acc*), zuhören (*dat*); hören (auf *acc*); ***~ in*** (im Radio) hören (***to*** *acc*); *secretly*: mithören; **~•er** *s* Zuhörer(in); (Rundfunk)Hörer(in).

list•less ['lɪstlɪs] *adj* teilnahms-, lustlos.

lit [lɪt] *pret and pp of* ***light***[1] 3.

lit•e•ral ['lɪtərəl] *adj* □ (wort)wörtlich; buchstäblich; prosaisch.

lit•e•ra|ry ['lɪtərərɪ] *adj* □ literarisch, Literatur…; **~•ture** [~rətʃə] *s* Literatur *f*.

Lith•u•a•nia [ˌlɪθjuː'eɪnjə] Litauen *n*.

lit•i•ga•tion *jur.* [lɪtɪ'geɪʃn] *s* Prozess *m*.

li•tre, *Am.* **-ter** ['liːtə] *s* Liter *m,n*.

lit•ter ['lɪtə] **1.** *s vehicle*: Sänfte *f*; *stretcher*: Tragbahre *f*, Trage *f*; *straw*: Streu *f*; *zo.* Wurf *m*; *waste*: Abfall *m*, *esp.* herumliegendes Papier; *mess*: Durcheinander *n*, Unordnung *f*; **2.** *v/t zo.* werfen; verstreuen; ***be ~ed with*** übersät sein mit; *v/i zo.* Junge werfen; **~ bas•ket**, **~ bin** *s* Abfallkorb *m*.

lit•tle ['lɪtl] **1.** *adj* (***less, least***) klein; gering(fügig), unbedeutend; wenig; ***~ one*** Kleiner *m*, Kleine *f*, Kleines *n* (*child*); **2.** *adv* (***less, least***) wenig, kaum; überhaupt nicht; **3.** *s* Kleinigkeit *f*; ***a ~*** ein bisschen, etwas; ***~ by ~*** nach und nach; ***not a ~*** nicht wenig.

live[1] [lɪv] *v/i* leben; wohnen; ***~ to see*** erleben; ***~ off s.th.*** leben von et.; ***~ off s.o.*** auf *j-s* Kosten leben; ***~ on*** leben von; ***~ through*** durchmachen, -stehen; ***~ up to*** *one's reputation*: gerecht wer-

den (*dat*), *one's principles*: gemäß leben (*dat*); *promise*: halten; *expectations*: erfüllen; **~ *with*** mit *j-m* zusammenleben; mit *et.* leben; ***you ~ and learn*** man lernt nie aus; *v/t life*: führen.
live² [laɪv] **1.** *adj* lebend, lebendig; wirklich, richtig; aktuell; *coal*: glühend; *ammunition*: scharf; *electr.* Strom führend, geladen; *TV*: direkt, Direkt…, live, Live…, Original…; **2.** *adv TV*: direkt, live, original.
live•able ['lɪvəbl] *adj life*: erträglich, lebenswert; *house*: wohnlich.
live|li•hood ['laɪvlɪhʊd] *s* (Lebens)Unterhalt *m*; **~•li•ness** [~nɪs] *s* Lebhaftigkeit *f*; **~•ly** [~lɪ] *adj* (***-ier, -iest***) lebhaft, lebendig; aufregend; schnell; bewegt.
liv•er *anat.* ['lɪvə] *s* Leber *f*.
lives [laɪvz] *pl of* ***life***.
live•stock ['laɪvstɒk] *s* Vieh(bestand *m*) *n*.
liv•ing ['lɪvɪŋ] **1.** *adj* □ lebend(ig); ***the ~ image of*** das genaue Ebenbild *gen*; **2.** *s* *das* Leben; Lebensweise *f*; Lebensunterhalt *m*; *eccl.* Pfründe *f*; ***the ~ pl*** die Lebenden *pl*; ***standard of ~*** Lebensstandard *m*; **~ room** *s* Wohnzimmer *n*.
liz•ard *zo.* ['lɪzəd] *s* Eidechse *f*.
load [ləʊd] **1.** *s* Last *f* (*a. fig.*); Ladung *f*; Belastung *f*; **2.** *v/t* (auf-, be)laden; *gun*: laden; *j-n* überhäufen (***with*** mit); ***~ a camera*** e-n Film einlegen; **~•ing** *s* Laden *n*; Ladung *f*, Fracht *f*; *attr* Lade…
loaf¹ [ləʊf] *s* (*pl* ***loaves*** [~vz]) Laib *m* (Brot); Brot *n*.
loaf² [~] *v/i* herumlungern; **~•er** *s* Faulenzer(in).
loam [ləʊm] *s* Lehm *m*; **~•y** *adj* (***-ier, -iest***) lehmig.
loan [ləʊn] **1.** *s* Anleihe *f*; Darlehen *n*; Leihgabe *f*; ***on ~*** leihweise; **2.** *v/t esp. Am. j-m et.* ausleihen; **~•word** *s* Lehnwort *n*.
loath [ləʊθ] *adj* □ abgeneigt; ***be ~ to do s.th.*** et. ungern tun; **~e** [ləʊð] *v/t* sich ekeln vor (*dat*); verabscheuen; **~•ing** *s* Ekel *m*; Abscheu *m*; **~•some** *adj* □ abscheulich, ekelhaft; verhasst.
loaves [ləʊvz] *pl of* ***loaf¹***.
lob [lɒb] *tennis* **1.** *s* Lob *m*; **2.** *v/t j-n* überlobben; *ball*: lobben; *v/i* e-n Lob spielen.
lob•by ['lɒbɪ] **1.** *s* Vorhalle *f*; *of theatre*: Foyer *n*; *parl.* Wandelhalle *f*; *pol.* Lobby *f*, Interessengruppe *f*; **2.** *v/t pol.* beeinflussen, Einfluss nehmen auf (*acc*).
lobe *anat.*, *bot.* [ləʊb] *s* Lappen *m*; *a.* ***ear~*** Ohrläppchen *n*.
lob•ster *zo.* ['lɒbstə] *s* Hummer *m*.
lo•cal ['ləʊkl] **1.** *adj* □ örtlich, Orts…, lokal, Lokal…; ***~ elections*** *pl* Kommunalwahlen *pl*; ***~ government*** Gemeindeverwaltung *f*; **2.** *s* Einheimische(r *m*) *f*; *a.* ***~ train*** Nahverkehrszug *m*; ***the ~*** *Br.* F die Stammkneipe; **~•i•ty** [ləʊ'kælətɪ] *s* Örtlichkeit *f*; Lage *f*; **~•ize** ['ləʊkəlaɪz] *v/t* lokalisieren.
lo•cate [ləʊ'keɪt] *v/t* ausfindig machen; orten; ***be ~d*** liegen, sich befinden; **lo•ca•tion** [~eɪʃn] *s* Lage *f*; Standort *m*; Platz (***for*** für); *film*: Drehort *m*; ***on ~*** auf Außenaufnahme.
loch *ScotE.* [lɒx, lɒk] *s* See *m*.
Loch Lo•mond [ˌlɒk'ləʊmənd], **Loch Ness** [ˌlɒk'nes] *lakes in Scotland*.
lock¹ [lɒk] **1.** *s of door, gun, etc.*: Schloss *n*; Schleuse(nkammer) *f*; *tech.* Sperrvorrichtung *f*; **2.** *v/t* (ab-, ver-, zu)schließen, zu-, versperren; umschließen, umfassen; ***~ away*** wegschließen; ***~ in*** einschließen, -sperren; ***~ out*** aussperren; ***~ up*** abschließen; wegschließen; einsperren; *v/i* sich schließen lassen; *tech.* blockieren.
lock² [~] *s* (Haar)Locke *f*.
lock|er ['lɒkə] *s* Schrank *m*, Spind *m*; Schließfach *n*; ***~ room*** Umkleideraum *m*; **~•et** [~ɪt] *s* Medaillon *n*; **~-out** *s* *econ.* Aussperrung *f*; **~•smith** *s* Schlosser *m*; **~-up** *s* (Haft)Zelle *f*; F Gefängnis *n*.
lo•co *Am. sl.* ['ləʊkəʊ] *adj* bekloppt.
lo•co•mo|tion [ləʊkə'məʊʃn] *s* Fortbewegung(sfähigkeit) *f*; **~•tive** ['ləʊkəməʊtɪv] **1.** *adj* (Fort)Bewegungs…; **2.** *s a.* ***~ engine*** Lokomotive *f*.
lo•cust *zo.* ['ləʊkəst] *s* Heuschrecke *f*.
lodge [lɒdʒ] **1.** *s* Häuschen *n*; Jagd-, Skihütte *f etc.*; Pförtnerhaus *n*, -loge *f*; (*masonic ~*) (Freimaurer)Loge *f*; **2.** *v/i* (*esp.* vorübergehend *or* in Untermiete) wohnen; stecken (bleiben) (*bullet, etc.*), (fest)sitzen; *v/t* aufnehmen, beherbergen, unterbringen; *bullet*: jagen (***in*** in *acc*); *complaint*: einlegen; *charge*: einreichen; **lodg•er** *s* Untermieter(in); **lodg•ing** *s* Unterkunft *f*; **~s** *pl* (*esp.* möbliertes) Zimmer.
loft [lɒft] *s* (Dach)Boden *m*; Heuboden *m*; Empore *f*; **~•y** *adj* □ (***-ier, -iest***)

hoch; erhaben; stolz.

log [lɒg] *s* (Holz)Klotz *m*, (gefällter) Baumstamm; *mar.* Log *n*; → **~-book** *s mar., aer.* Logbuch *n*; *mot.* Fahrtenbuch *n*; *Br. mot.* Kraftfahrzeugbrief *m*; **~ cab•in** *s* Blockhaus *n*, -hütte *f*.

log•ger•head ['lɒgəhed] *s*: ***be at ~s*** sich in den Haaren liegen.

lo•gic ['lɒdʒɪk] *s* Logik *f*; **~•al** *adj* □ logisch.

log| in [lɒg'ɪn] *v/i computer*: (sich) einloggen; **~ out** [‿aʊt] *v/i computer*: (sich) ausloggen.

loin [lɔɪn] *s anat.* Lende *f*; *cooking*: Lende(nstück *n*) *f*.

loi•ter ['lɔɪtə] *v/i* trödeln, schlendern, bummeln; herumlungern.

loll [lɒl] *v/i* sich rekeln *or* lümmeln; ***~ about*** herumlümmeln; ***~ out*** *tongue*: heraushängen.

lol|li•pop ['lɒlɪpɒp] *s* Lutscher *m*; Eis *n* am Stiel; ***~ man, ~ woman*** *Br.* F Schülerlotse *m*; **~•ly** F ['lɒlɪ] *s* Lutscher *m*; ***ice(d) ~*** Eis *n* am Stiel.

Lon•don ['lʌndən] London *n*.

lone|li•ness ['ləʊnlɪnɪs] *s* Einsamkeit *f*; **~•ly** (***-ier, -iest***), **~•some** *adj* □ einsam.

long[1] [lɒŋ] **1.** *s* (e-e) lange Zeit; ***before ~*** bald; ***for ~*** lange; ***take ~*** lange brauchen *or* dauern; **2.** *adj* lang; langfristig; ***in the ~ run*** schließlich; ***be ~*** lange brauchen; **3.** *adv* lang(e); ***as** or **so ~ as*** solange; vorausgesetzt, dass; ***~ ago*** vor langer Zeit; ***no ~er*** nicht mehr, nicht länger; ***so ~!*** F bis dann!, tschüs!

long[2] [‿] *v/i* sich sehnen (***for*** nach).

long|-dis•tance [lɒŋ'dɪstəns] *adj* Fern…; Langstrecken…; ***~ call*** *teleph.* Ferngespräch *n*; ***~ runner*** *sports*: Langstreckenläufer(in); **~•hand** *s* Schreibschrift *f*.

long•ing ['lɒŋɪŋ] **1.** *adj* □ sehnsüchtig; **2.** *s* Sehnsucht *f*, Verlangen *n*.

lon•gi•tude *geogr.* ['lɒndʒɪtjuːd] *s* Länge *f*.

long| jump ['lɒŋdʒʌmp] *s sports*: Weitsprung *m*; **~•range** *adj plan*: langfristig; *mil.* Langstrecken…; **~•shore•man** *s* Hafenarbeiter *m*; **~•sight•ed** *adj* □ weitsichtig; **~-stand•ing** *adj* seit langer Zeit bestehend; alt; **~-term** *adj* langfristig, auf lange Sicht; ***~ unemployed*** langzeitarbeitslos; ***~ unemployment*** Langzeitarbeitslosigkeit *f*; **~ wave** *s electr.* Langwelle *f*; **~-wind•ed** *adj* □ langatmig.

loo *Br.* F [luː] *s* Klo *n*.

look [lʊk] **1.** *s* Blick *m*; Miene *f*, (Gesichts)Ausdruck *m*; (***good***) ***~s*** *pl* gutes Aussehen; ***have a ~ at s.th.*** sich et. ansehen; ***I don't like the ~ of it*** es gefällt mir nicht; **2.** *v/t and v/i* sehen, blicken, schauen (***at, on*** auf *acc*, nach); nachsehen; *pale, etc.*: aussehen; aufpassen, achten; *face in a direction*: liegen, gehen (*window, etc.*); ***~ here!*** schau mal (her); hör mal (zu)!; ***~ like*** aussehen wie; ***it ~s as if*** es sieht (so) aus, als ob; ***~ after*** aufpassen auf (*acc*), sich kümmern um, sorgen für; ***~ ahead*** nach vorne sehen; *fig.* vorausschauen; ***~ around*** sich umsehen; ***~ at*** ansehen; ***~ back*** sich umsehen; ***~ back to*** *fig.* zurückblicken auf (*acc*), zurückdenken an (*acc*); ***~ down*** herab-, heruntersehen (*a. fig.* ***on s.o.*** auf *j-n*); ***~ for*** suchen; ***~ forward to*** sich freuen auf (*acc*); ***~ in*** F hereinschauen (***on*** bei) (*as a visitor*); F fernsehen; ***~ into*** untersuchen, prüfen; ***~ on*** zusehen, -schauen (*dat*); ***~ on to*** liegen zu, (hinaus)gehen auf (*acc*) (*window, etc.*); ***~ on, ~ upon*** betrachten, ansehen (***as*** als); ***~ out*** hinaus-, heraussehen; aufpassen, sich vorsehen; Ausschau halten (***for*** nach); ***~ over*** *et.* durchsehen; *j-n* mustern; ***~ round*** sich umsehen; ***~ through*** *et.* durchsehen; ***~ up*** aufblicken, -sehen; *et.* nachschlagen; *j-n* aufsuchen.

look-a•like ['lʊkəlaɪk] *s* F Doppelgänger(in); genaues Gegenstück.

look-out ['lʊkaʊt] *s* Ausguck *m*; Ausschau *f*; *fig.* F Aussicht(en *pl*) *f*; ***that is my ~*** F das ist meine Sache.

loom [luːm] **1.** *s* Webstuhl *m*; **2.** *v/i a.* ***~ up*** undeutlich sichtbar werden *or* auftauchen.

loony ['luːnɪ] F **1.** *s* Verrückte(r *m*) *f*; **2.** *adj* verrückt, bekloppt; ***~ bin*** F Klapsmühle *f*.

loop [luːp] **1.** *s* Schlinge *f*, Schleife *f*; Schlaufe *f*; Öse *f*; *aer.* Looping *m, n*; *computer*: Programmschleife *f*; **2.** *v/t* in Schleifen legen; schlingen; *v/i* e-e Schleife machen; sich schlingen; **~•hole** ['luːphəʊl] *s mil.* Schießscharte *f*; *fig.* Hintertürchen *n*; ***a ~ in the law*** e-e Gesetzeslücke.

loose [luːs] **1.** *adj* □ (***~r, ~st***) los(e); locker; weit; frei; ungenau; liederlich;

let ~ loslassen; frei lassen; **2.** *s*: ***be on the ~*** frei herumlaufen; **loos•en** ['lu:sn] *v/t and v/i* (sich) lösen, (sich) lockern; ***~ up*** *sports*: Lockerungsübungen machen.
loot [lu:t] **1.** *v/t* plündern; **2.** *s* Beute *f*.
lop [lɒp] *v/t* (***-pp-***) *tree*: beschneiden, stutzen; ***~ off*** abhauen, abhacken; **~•sid•ed** *adj* □ schief; einseitig.
lord [lɔ:d] *s* Herr *m*, Gebieter *m*; Lord *m*; ***the*** ♎ der Herr (*God*); ***my ~*** [mɪ'lɔ:d] *address*: Mylord, Euer Gnaden, Euer Ehren; ♎ ***Mayor*** *Br.* Oberbürgermeister *m*; ***the*** ♎***'s Prayer*** das Vaterunser; ***the*** ♎***'s Supper*** das Abendmahl; **~•ly** *adj* (***-ier, -iest***) vornehm, edel; gebieterisch; hochmütig, arrogant; **~•ship** *s*: ***his*** *or* ***your ~*** Seine *or* Euer Lordschaft.
lore [lɔ:] *s* Kunde *f*; Überlieferungen *pl*.
Lor•raine [lɒ'reɪn] Lothringen *n*.
lor•ry *Br.* ['lɒrɪ] *s* Last(kraft)wagen *m*, Lastauto *n*, Laster *m*; *rail.* Lore *f*.
lose [lu:z] (***lost***) *v/t* verlieren (*a. job, etc.*); verpassen, -säumen; *et.* nicht mitbekommen; nachgehen (*watch, etc.*); ***~ o.s.*** sich verirren; sich verlieren; *v/i* Verluste erleiden; verlieren; nachgehen (*watch, etc.*); **los•er** ['lu:zə] *s* Verlierer(in).
loss [lɒs] *s* Verlust *m*; Schaden *m*; ***at a ~*** *econ.* mit Verlust; ***be at a ~*** nicht mehr weiterwissen; → ***dead.***
lost [lɒst] **1.** *pret and pp of* ***lose***; **2.** *adj* verloren; verloren gegangen; verirrt; verschwunden; *time*: verloren, vergeudet; *chance*: versäumt; ***be ~ in thought*** in Gedanken versunken *or* vertieft sein; ***~ property office*** Fundbüro *n*.
lot [lɒt] *s* Los *n*; *econ.* Partie *f*, Posten *m* (*of goods*); *esp. Am.* Bauplatz *m*; *esp. Am.* Parkplatz *m*; *esp. Am.* Filmgelände *n*; F Gruppe *f*, Gesellschaft *f*; Los *n*, Schicksal *n*; ***the ~*** F alles, das Ganze; ***a ~ of*** F, ***~s of*** F viel, e-e Menge; ***~s and ~s of*** F jede Menge; ***a bad ~*** F ein übler Kerl; ***cast*** *or* ***draw ~s*** losen.
loth [ləʊθ] → ***loath.***
lo•tion ['ləʊʃn] *s* Lotion *f*.
lot•te•ry ['lɒtərɪ] *s* Lotterie *f*.
loud [laʊd] *adj* □ laut (*a. adv*); *fig.* schreiend, grell (*colours, etc.*); **~•speaker** *s* Lautsprecher *m*.
lounge [laʊndʒ] **1.** *v/i* faulenzen; herumlungern; schlendern; **2.** *s* Bummel *m*; Wohnzimmer *n*; Aufenthaltsraum *m*, Lounge *f* (*of hotel*); Warteraum *m*, Lounge *f* (*of airport*); **~ suit** *s* Straßenanzug *m*.
louse *zo.* [laʊs] *s* (*pl* ***lice*** [laɪs]) Laus *f*;
lou•sy ['laʊzɪ] *adj* (***-ier, -iest***) verlaust; F miserabel, mies, saumäßig.
lout [laʊt] *s* Flegel *m*, Lümmel *m*.
lov•a•ble ['lʌvəbl] *adj* □ liebenswert; reizend.
love [lʌv] **1.** *s* Liebe *f* (***of, for, to, towards*** zu); Liebling *m*, Schatz *m*; *Br.* (*address*) m-e Liebe, mein Lieber, mein Liebes; *tennis*: null; ***be in ~ with s.o.*** in *j-n* verliebt sein; ***fall in ~ with s.o.*** sich in *j-n* verlieben; ***make ~*** sich lieben, miteinander schlafen, F Liebe machen; ***give my ~ to her*** grüße sie herzlich von mir; ***send one's ~ to*** *j-n* grüßen lassen; ***~ from*** herzliche Grüße von (*in letter*); **2.** *v/t* lieben; gern mögen; **~ af•fair** *s* Liebesaffäre *f*; **~•ly** *adj* (***-ier, -iest***) lieblich, wunderschön, entzückend, reizend; **lov•er** *s* Liebhaber *m*, Geliebte(r) *m*; Geliebte *f*; *of art, music, etc.*: Liebhaber(in), Freund(in).
lov•ing ['lʌvɪŋ] *adj* □ liebevoll, liebend.
low[1] [ləʊ] **1.** *adj* nieder, niedrig (*a. fig.*); tief; gering(schätzig); *supplies*: knapp; *light*: gedämpft, schwach; *unhappy*: niedergeschlagen; *socially*: untere(r, -s), niedrig; *mean*: gewöhnlich, niedrig, gemein; *mus. note*: tief; *voice*: leise; **2.** *adv* niedrig; tief (*a. fig.*); leise; **3.** *s meteor.* Tief(druckgebiet) *n*; Tiefstand *m*, Tiefpunkt *m*.
low[2] [~] *v/i* brüllen, muhen (*cow*).
low|brow F ['ləʊbraʊ] **1.** *s* geistig Anspruchslose(r *m*) *f*; **2.** *adj* geistig anspruchslos; **~-cal** F, **~-cal•o•rie** *adj* kalorienarm; **~-carb**, F **lo-carb** ['ləʊka:b] *adj* kohlenhydratarm, mit wenig Kohlenhydraten; ***~ bread*** kohlenhydratarmes Brot; **~-cost** *adj* preiswert, preisgünstig; ***~ airline*** Billigfluglinie *f*, F Billigflieger *m*.
low•er ['ləʊə] **1.** *adj* niedriger, tiefer; geringer; leiser; untere(r, -s), Unter…; **2.** *v/t* herunterlassen; niedriger machen; *eyes, voice, price, etc.*: senken; (ab-) schwächen; *standard*: herabsetzen; erniedrigen; ***~ o.s.*** sich herablassen; sich demütigen; *v/i* fallen, sinken; **~ deck** *s mar.* Unterdeck *n*.

L

low|land ['ləʊlənd] *s mst* **~s** *pl* Tiefland *n*; **~•li•ness** *s* Niedrigkeit *f*; Bescheidenheit *f*; **~•ly** *adj and adv* (**-ier, -iest**) niedrig; bescheiden; **~•necked** *adj* (tief) ausgeschnitten (*of blouse, dress, etc.*); **~-pitched** *adj mus.* tief; **~-pressure** *adj meteor.* Tiefdruck…; *tech.* Niederdruck…; **~-priced** *adj* preisgünstig; **~-rise** *adj esp. Am.* niedrig (gebaut); **~ sea•son** *s* Nebensaison *f*; **~-spir•it•ed** *adj* niedergeschlagen.

loy•al ['lɔɪəl] *adj* □ loyal, treu; **~•ty** [ˌtɪ] *s* Loyalität *f*, Treue *f*; **~ *card*** *econ.* Paybackkarte *f*.

loz•enge ['lɒzɪndʒ] *s math.* Raute *f*; *sweet*: Pastille *f*.

Ltd, **ltd *limited*** mit beschränkter Haftung.

lu•bri|cant ['luːbrɪkənt] *s* Schmiermittel *n*; **~•cate** [ˌkeɪt] *v/t* schmieren, ölen; **~•ca•tion** [luːbrɪ'keɪʃn] *s* Schmieren *n*, Ölen *n*.

lu•cid ['luːsɪd] *adj* □ klar; deutlich.

luck [lʌk] *s* Schicksal *n*; Glück *n*; ***bad* ~, *hard* ~** Unglück *n*, Pech *n*; ***good* ~** Glück *n*; ***good* ~!** viel Glück!; ***be in* (*out of*) ~** (kein) Glück haben; **~•i•ly** ['lʌkɪlɪ] *adv* glücklicherweise, zum Glück; **~•y** *adj* □ (**-ier, -iest**) glücklich; Glücks…; ***be* ~** Glück haben.

lu•cra•tive ['luːkrətɪv] *adj* □ einträglich, lukrativ.

lu•di•crous ['luːdɪkrəs] *adj* □ lächerlich.

lug [lʌg] *v/t* (**-gg-**) zerren, schleppen.

lug•gage *esp. Br.* ['lʌgɪdʒ] *s* (Reise)Gepäck *n*; **~ lock•er** *s* (Gepäck)Schließfach *n*; **~ rack** *s* Gepäcknetz *n*, -ablage *f*; **~ trol•ley** *s* Kofferkuli *m*; **~ van** *s esp. Br.* Gepäckwagen *m*.

luke•warm ['luːkwɔːm] *adj* □ lau(-warm); *fig.* lau, mäßig.

lull [lʌl] **1.** *v/t* beruhigen; *mst* **~ *to sleep*** einlullen; *v/i* sich legen *or* beruhigen; **2.** *s* Pause *f*; Flaute *f* (*a. econ.*), Windstille *f*.

lul•la•by ['lʌləbaɪ] *s* Wiegenlied *n*.

lum•ba•go *med.* [lʌm'beɪgəʊ] *s* Hexenschuss *m*.

lum•ber ['lʌmbə] **1.** *s esp. Am.* Bau-, Nutzholz *n*; *esp. Br.* Gerümpel *n*; **2.** *v/t*: **~ *s.o. with s.th.*** *Br.* F *j-m* et. aufhalsen; *v/i* rumpeln, poltern (*truck, etc.*); schwerfällig gehen, trampeln; **~•jack, ~•man** *s esp. Am.* Holzfäller *m*, -arbeiter *m*; **~ mill** *s* Sägewerk *n*; **~ room** *s* Rumpelkammer *f*; **~•yard** *s* Holzplatz *m*, -lager *n*.

lu•mi|na•ry ['luːmɪnərɪ] *s* Himmelskörper *m*; *fig.* Leuchte *f*, Koryphäe *f*; **~•nous** [ˌəs] *adj* □ leuchtend, Leucht…

lump [lʌmp] **1.** *s* Klumpen *m*; Beule *f*; Stück *n* (*sugar, etc.*); ***in the* ~** in Bausch und Bogen; **~ *sugar*** Würfelzucker *m*; **~ *sum*** Pauschalsumme *f*; **2.** *v/t* zusammentun, -stellen, -legen, -werfen, -fassen; *v/i* Klumpen bilden; **~•y** *adj* □ (**-ier, -iest**) klumpig.

lu•na•cy ['luːnəsɪ] *s* Wahnsinn *m*.

lu•nar ['luːnə] *adj* Mond…; **~ *module*** *space travel*: Mond(lande)fähre *f*.

lu•na•tic ['luːnətɪk] **1.** *adj* irr-, wahnsinnig; **2.** *s* Irre(r *m*) *f*, Wahnsinnige(r *m*) *f*, Geisteskranke(r *m*) *f*.

lunch [lʌntʃ], *formal* **lun•cheon** ['lʌntʃən] **1.** *s* Lunch *m*, Mittagessen *n*; **2.** *v/i* zu Mittag essen; **~ hour, ~ time** *s* Mittagszeit *f*, -pause *f*.

lung *anat.* [lʌŋ] *s* Lunge(nflügel *m*) *f*; ***the* ~*s*** *pl* die Lunge.

lunge [lʌndʒ] **1.** *s fencing*: Ausfall *m*; **2.** *v/i fencing*: e-n Ausfall machen (***at*** gegen); losstürzen (***at*** auf *acc*).

lurch [lɜːtʃ] **1.** *v/i* taumeln, torkeln; **2.** *s*: ***leave in the* ~** im Stich lassen.

lure [ljʊə] **1.** *s* Köder *m*; *fig.* Lockung *f*; **2.** *v/t* ködern, (an)locken.

lu•rid ['ljʊərɪd] *adj* □ grell, schreiend (*colours, etc.*); schockierend, widerlich.

lurk [lɜːk] *v/i* lauern; **~ *about*, ~ *around*** herumschleichen.

lus•cious ['lʌʃəs] *adj* □ köstlich, lecker; üppig; *girl*: knackig.

lush [lʌʃ] *adj* saftig, üppig.

lust [lʌst] **1.** *s* sinnliche Begierde, Lust *f*; Gier *f*; **2.** *v/i*: **~ *after*, ~ *for*** begehren; gierig sein nach.

lus|tre, *Am.* **-ter** ['lʌstə] *s* Glanz *m*, Schimmer *m*; **~•trous** *adj* □ glänzend, schimmernd.

lust•y ['lʌstɪ] *adj* □ (**-ier, -iest**) kräftig, stark u. gesund, vital; kraftvoll.

lute *mus.* [luːt] *s* Laute *f*.

Lu•ther•an ['luːθərən] *adj* lutherisch.

lux•ate *med.* ['lʌkseɪt] *v/t* sich *et.* verrenken.

Lux•em•bourg ['lʌksəmbɜːg] Luxemburg *n*.

lux•u|ri•ant [lʌg'zjʊərɪənt] *adj* □ üppig;

~•ri•ate [~ɪeɪt] *v/i* schwelgen (**in** in *dat*); **~•ri•ous** [~ɪəs] *adj* □ luxuriös, üppig, Luxus…; **~•ry** ['lʌkʃərɪ] *s* Luxus *m*; Komfort *m*; Luxusartikel *m*; *attr* Luxus…

LW ***long wave*** LW, Langwelle *f*.

lye [laɪ] *s* Lauge *f*.

ly•ing ['laɪɪŋ] **1.** *ppr of* **lie**[1] 2 *and* **lie**[2] 2; **2.** *adj* lügnerisch, verlogen; **~-in** *med.* [~'ɪn] *s* Wochenbett *n*.

lymph *physiol.* [lɪmf] *s* Lymphe *f*.

lynch [lɪntʃ] *v/t* lynchen; **~ law** ['lɪntʃlɔː] *s* Lynchjustiz *f*.

lynx *zo.* [lɪŋks] *s* Luchs *m*.

lyr|ic ['lɪrɪk] **1.** *adj* lyrisch; **2.** *s* lyrisches Gedicht; **~s** *pl* Lyrik *f*; *of song*: (Lied-) Text *m*; **~•i•cal** *adj* □ lyrisch, gefühlvoll; schwärmerisch.

M

m ***metre(s)*** m, Meter *m*, *n* (*od. pl*); ***mile(s)*** Meile(n *pl*) *f*; ***male, masculine*** männlich; ***million(s)*** Mio., Mill., Million(en *pl*) *f*; ***minute(s)*** min., Min., Minute(n *pl*) *f*.

M *Br.* ***motorway*** Autobahn *f*; ***medium (size)*** mittelgroß.

ma F [mɑː] *s* Mama *f*, Mutti *f*.

MA ***Master of Arts*** Magister *m* der Philosophie.

ma'am [mæm] *s addressing the Queen*: Majestät; *Am. addressing a woman politely*: gnä' Frau (*dated or formal*).

mac *Br.* F [mæk] → ***mackintosh.***

ma•ca•bre [mə'kɑːbrə] *adj* makaber.

mac•a•ro•ni [mækə'rəʊnɪ] *s sg* Makkaroni *pl*.

mach•i•na•tion [mækɪ'neɪʃn] *s mst pl* Machenschaften *pl*.

ma•chine [mə'ʃiːn] **1.** *s* Maschine *f*; Mechanismus *m*; **2.** *v/t* maschinell herstellen *or* drucken; mit der (Näh)Maschine nähen; **~-made** *adj* maschinell hergestellt; **~-rea•da•ble** *adj computer*: maschinenlesbar.

ma•chin|e•ry [mə'ʃiːnərɪ] *s* Maschinen *pl*; Maschinerie *f*; **~•ist** [~ɪst] *s* Maschinenbauer *m*; Maschinist *m*; Maschinennäherin *f*.

ma•chine| time [mə'ʃiːntaɪm] *s* Betriebszeit *f*; *computer*: Rechenzeit *f*; **~ trans•la•tion** *s* maschinelle Übersetzung.

mack *Br.* F [mæk] → ***mackintosh.***

mack•e•rel *zo.* ['mækrəl] *s* Makrele *f*.

mack•in•tosh *esp. Br.* ['mækɪntɒʃ] *s* Regenmantel *m*.

mac•ro(-) ['mækrəʊ] **1.** *in compounds*: Makro…, makro…; **2.** *s* (*pl* ***-ros***) *computer*: Makro *n*.

mad [mæd] *adj* □ wahnsinnig, verrückt; toll(wütig); F wütend; *fig.* wild; ***go ~***, *Am.* ***get ~*** verrückt *or* wahnsinnig werden; ***drive s.o. ~*** *j-n* verrückt *or* wahnsinnig machen; ***like ~*** wie toll, wie verrückt (*work, etc.*); ***~-cow disease*** *med.* Rinderwahn(sinn) *m*.

mad•am ['mædəm] *s addressing a woman politely*: gnädige Frau, gnädiges Fräulein (*both dated or formal*); → ***sir.***

mad|cap ['mædkæp] **1.** *adj* verrückt; **2.** *s* verrückter Kerl; **~•den** *v/t* verrückt *or* rasend machen; **~•den•ing** *adj* □ verrückt *or* rasend machend.

made [meɪd] *pret and pp of* **make** 1; ***~ of gold*** aus Gold.

Ma•dei•ra [mə'dɪərə] Madeira *n*.

mad|house ['mædhaʊs] *s* Irrenhaus *n*; **~•ly** *adv* wie verrückt, wie besessen; F irre, wahnsinnig; **~•man** *s* Wahnsinnige(r) *m*, Verrückte(r) *m*; **~•ness** *s* Wahnsinn *m*; (Toll)Wut *f*; **~•wom•an** *s* Wahnsinnige *f*, Verrückte *f*.

Ma•drid [mə'drɪd] Madrid *n*.

mag•a•zine [mægə'ziːn] *s* Magazin *n*; (Munitions)Lager *n*; Zeitschrift *f*.

Ma•gi ['meɪdʒaɪ] *s pl*: ***the (three) ~*** die (drei) Weisen aus dem Morgenland, die Heiligen Drei Könige.

ma•gic ['mædʒɪk] **1.** *adj* (***~ally***) magisch, Zauber…; **2.** *s* Zauber(ei *f*) *m*; *fig.* Wunder *n*; **~•al** □ magisch, Zauber…; **ma•gi•cian** [mə'dʒɪʃn] *s* Zauberer *m*; Zauberkünstler *m*.

ma•gis•trate ['mædʒɪstreɪt] *s* Friedensrichter *m*.

mag•net ['mægnɪt] *s* Magnet *m*; ***~ school*** *Br. appr.* Eliteschule *f*; **~•ic** [mæg'netɪk] *adj* (***~ally***) magnetisch, Magnet…; ***~ field*** *phys.* Magnetfeld

M

n; ~ ***tape*** Magnetband *n*.
mag•nif|i•cence [mæg'nɪfɪsns] *s* Pracht *f*, Herrlichkeit *f*; **~•i•cent** [~t] *adj* prächtig, herrlich.
mag•ni|fy ['mægnɪfaɪ] *v/t* vergrößern; ~***ing glass*** Vergrößerungsglas *n*, Lupe *f*; **~•tude** [~tju:d] *s* Größe *f*; Wichtigkeit *f*; Ausmaß *n*.
mag•num ['mægnəm] *s champagne*: Magnum *f*, Anderthalbliterflasche *f*.
mag•pie *zo*. ['mægpaɪ] *s* Elster *f*.
ma•hog•a•ny [mə'hɒgənɪ] *s* Mahagoni(holz) *n*.
maid [meɪd] *s* (Dienst)Mädchen *n*, Hausangestellte *f*; *old or lit*.: (junges) Mädchen, (junge) unverheiratete Frau; ***old*** ~ alte Jungfer; ~ ***of hono(u)r*** Ehren-, Hofdame *f*; *esp. Am*. (erste) Brautjungfer.
maid•en ['meɪdn] **1.** *s* → ***maid***; **2.** *adj* jungfräulich; unverheiratet; *fig*. Jungfern…, Erstlings…; ~ ***name*** *of married woman*: Mädchenname *m*; **~•ly** *adj* jungfräulich; mädchenhaft.
mail[1] [meɪl] *s hist*. (Ketten)Panzer *m*.
mail[2] [~] **1.** *s* Post(dienst *m*) *f*; Post(sendung) *f*; ***by*** ~ mit der Post; **2.** *v/t esp. Am*. mit der Post schicken, aufgeben; **~•a•ble** *adj Am*. postversandfähig; **~-bag** *s* Postsack *m*; *Am. postman's bag*: Posttasche *f*; **~•box** *s Am*. Briefkasten *m*; ~ **car•ri•er** *Am*., **~•man** *s Am*. Briefträger *m*, Postbote *m*; ~ **order** *s of goods*: postalische Bestellung; Mailorder *f*; **~-order …** *in compounds*: Versand…, Versandhaus…
maim [meɪm] *v/t* verstümmeln, zum Krüppel machen.
main [meɪn] **1.** *adj* Haupt…, größte(r, -s), wichtigste(r, -s); hauptsächlich; ***by*** ~ ***force*** mit äußerster Kraft; ~ ***road*** Haupt(verkehrs)straße *f*; **2.** *s mst* ~***s*** *pl* Haupt(gas-, -wasser-, -strom)leitung *f*; (Strom)Netz *n*; ***in the*** ~ in der Hauptsache, im Wesentlichen; **~•frame** *s computer*: Großrechner *m*; **~•land** *s* Festland *n*; **~•ly** *adv* hauptsächlich; ~ **mem•o•ry** *s computer*: Arbeitsspeicher *m*; **~•spring** *s* Hauptfeder *f* (*in a watch*); *tech. and fig*. Triebfeder *f*; **~•stay** *s mar*. Großstag *n*; *fig*. Hauptstütze *f*; **~•stream** *s* Hauptstrom *m*; *fig*. Hauptrichtung *f*; *mus*. Mainstream *m*.
main•tain [meɪn'teɪn] *v/t* (aufrecht)erhalten, beibehalten; instand halten; *tech., mot. a*. warten; unterstützen; unterhalten; behaupten.
main•te•nance ['meɪntənəns] *s* Erhaltung *f*; Unterhalt *m*; Instandhaltung *f*; *tech., mot. a*. Wartung *f*.
maize *esp. Br. bot*. [meɪz] *s* Mais *m*.
ma•jes|tic [mə'dʒestɪk] *adj* (~***ally***) majestätisch; **~•ty** ['mædʒəstɪ] *s* Majestät *f*; Würde *f*, Hoheit *f*.
ma•jor ['meɪdʒə] **1.** *adj* größere(r, -s); *fig. a*. bedeutend, wichtig; *jur*. volljährig; ***C*** ~ *mus*. C-Dur *n*; ~ ***key*** *mus*. Dur(tonart *f*) *n*; ~ ***league*** *Am. baseball, etc*.: oberste Spielklasse; ~ ***road*** Haupt(verkehrs)straße *f*; **2.** *s mil*. Major *m*; *jur*. Volljährige(r *m*) *f*; *Am. univ*. Hauptfach *n*; *mus*. Dur *n*.
Ma•jor•ca [mə'dʒɔ:kə] Mallorca *n*.
ma•jor•i•ty [mə'dʒɒrətɪ] *s* Mehrheit *f*, Mehrzahl *f*; *jur*. Volljährigkeit *f*; ***a two-thirds*** ~ e-e Zweidrittelmehrheit; ~ ***decision*** Mehrheitsentscheidung *f*; ~ **vot•ing** *s pol*. Mehrheitswahl(system *n*) *f*.
make [meɪk] **1.** (***made***) *v/t* machen; *manufacture*: anfertigen, herstellen, erzeugen; *meal*: (zu)bereiten; *create*: (er)schaffen; *result*: (aus)machen, (er-)geben; *appoint*: machen zu, ernennen zu; *compel*: *j-n* lassen, veranlassen zu, bringen zu, *force*: zwingen zu; *money*: verdienen; *turn out to be*: sich erweisen als, abgeben; *achieve*: F *et*. erreichen, *et*. schaffen; *mistake*: machen; *peace, etc*.: schließen; *speech*: halten; F *distance*: zurücklegen; *time*: feststellen; ~ ***s.th. do***, ~ ***do with s.th.*** mit et. auskommen, sich mit et. behelfen; ***do you*** ~ ***one of us?*** machen Sie mit?; ***what do you*** ~ ***of it?*** was halten Sie davon?; ~ ***friends with*** sich anfreunden mit; ~ ***good*** wieder gutmachen; *promise, etc*.: halten, erfüllen; ~ ***haste*** sich beeilen; ~ ***way*** Platz machen; vorwärtskommen; *v/i* sich anschicken (***to do*** zu tun); sich begeben; führen, gehen (*way, etc*.); *with adverbs and prepositions*: ~ ***away with*** sich davonmachen mit (*money, etc*.); beseitigen; ~ ***for*** zugehen auf (*acc*); sich aufmachen nach; ~ ***into*** verarbeiten zu; ~ ***off*** sich davonmachen, sich aus dem Staub machen; ~ ***out*** ausfindig machen; erkennen; verstehen; entziffern; *bill, etc*.:

ausstellen; ~ ***over*** *property*: überschreiben, übertragen; ~ ***up*** ergänzen, vervollständigen; zusammenstellen; bilden, ausmachen; *invent*: sich *et*. ausdenken; *quarrel*: beilegen; (sich) zurechtmachen *or* schminken; ~ ***up one's mind*** sich entschließen; ***be made up of*** bestehen aus, sich zusammensetzen aus; ~ ***up for*** nach-, aufholen; für *et*. entschädigen; **2.** *s* Mach-, Bauart *f*; (Körper)Bau *m*; Form *f*; Fabrikat *n*, Erzeugnis *n*.

make|-be•lieve ['meɪkbɪliːv] *s* Schein *m*, Vorwand *m*, Verstellung *f*; **mak•er** *s* Hersteller *m*; ♀ Schöpfer *m* (*God*); **~•shift 1.** *s* Notbehelf *m*; **2.** *adj* behelfsmäßig, Behelfs…; **~-up** *s cosmetics*: Schminke *f*, Make-up *n*; *theatre*: Maske *f*; *print*. Umbruch *m*; Aufmachung *f*.

mak•ing ['meɪkɪŋ] *s* Machen *n*; Erzeugung *f*, Herstellung *f*; ***be in the*** ~ im Entstehen sein, F in der Mache sein; ***he has the ~s of …*** er hat das Zeug zu …

mal•ad•just|ed [mælə'dʒʌstɪd] *adj* schlecht angepasst *or* angeglichen; **~•ment** *s* schlechte Anpassung.

mal•ad•min•i•stra•tion [mælədmɪnɪ'streɪʃn] *s* schlechte Verwaltung; *pol*. Misswirtschaft *f*.

male [meɪl] **1.** *adj* männlich; Männer…; **2.** *s* Mann *m*; *zo*. Männchen *n*; ~ **chau•vin•ist** *s* Chauvinist *m*, F Chauvi *m*; ~ ***pig*** F Chauvischwein *n*; ~ **nurse** *s med*. Krankenpfleger *m*.

mal•e•dic•tion [mælɪ'dɪkʃn] Fluch *m*, Verwünschung *f*.

mal•for•ma•tion [mælfɔː'meɪʃn] *s* Missbildung *f*.

mal•ice ['mælɪs] *s* Bosheit *f*; Groll *m*.

ma•li•cious [mə'lɪʃəs] *adj* □ boshaft; böswillig; **~•ness** *s* Bosheit *f*.

ma•lign [mə'laɪn] **1.** *adj* □ schädlich; *med*. → ***malignant***; **2.** *v/t* verleumden; **ma•lig•nant** [mə'lɪgnənt] *adj med*. bösartig, maligne; boshaft; **ma•lig•ni•ty** [₋ətɪ] *s* Bösartigkeit *f* (*a. med*.); Bosheit *f*.

mall *Am*. [mɔːl, mæl] *s* Einkaufszentrum *n*, Einkaufsstraße *f*.

mal•let ['mælɪt] *s* Holzhammer *m*; (Polo-, Krocket)Schläger *m*.

mal•nu•tri•tion [mælnjuː'trɪʃn] *s* Unterernährung *f*; Fehlernährung *f*.

mal•prac•tice [mæl'præktɪs] *s med*. falsche Behandlung; *jur*. Amtsvergehen *n*; Untreue *f* (*in an official position, etc*.).

malt [mɔːlt] *s* Malz *n*.

Mal•ta ['mɔːltə] Malta *n*.

mal•treat [mæl'triːt] *v/t* schlecht behandeln; misshandeln.

ma•ma, **mam•ma** [mə'mɑː] *s* Mama *f*, Mutti *f*.

mam•mal *zo*. ['mæml] *s* Säugetier *n*.

mam•moth ['mæməθ] **1.** *s zo*. Mammut *n*; **2.** *adj* riesig.

mam•my F ['mæmɪ] *s* Mami *f*; *Am. contp*. farbiges Kindermädchen.

man [mæn, -mən] **1.** *s* (*pl* ***men*** [men; -mən]) Mann *m*; Mensch(en *pl*) *m*; Menschheit *f*; *servant*: Diener *m*; Angestellte(r) *m*; *worker*: Arbeiter *m*; *mil*. Mann *m*, (einfacher) Soldat; F *husband*: (Ehe)Mann *m*; F *boyfriend*: Freund *m*; F *lover*: Geliebte(r) *m*; *chess*: (Schach)Figur *f*; *draughts*: Damestein *m*; ***the*** ~ ***in*** (*Am. a.* ***on***) ***the street*** der Mann auf der Straße, der Durchschnittsbürger; **2.** *adj* männlich; **3.** *v/t* (**-nn-**) *mil*., *mar*. bemannen; ~ ***o.s.*** sich ermannen.

man•age ['mænɪdʒ] *v/t* handhaben; verwalten; *company, etc*.: leiten *or* führen; *estate, etc*.: bewirtschaften; *artist, actor, etc*.: managen; mit *j-m* fertigwerden; *et*. fertigbringen; F *work, meal, etc*.: bewältigen, schaffen; ~ ***to*** *inf* es fertigbringen, zu *inf*; *v/i* die Aufsicht haben, das Geschäft führen; auskommen; F es schaffen; F es einrichten, es ermöglichen; **~•a•ble** *adj* □ handlich; lenksam; **~•ment** *s* Verwaltung *f*; *econ*. Management *n*, Unternehmensführung *f*; *econ*. (Geschäfts)Leitung *f*, Direktion *f*; (kluge) Taktik; ~ ***studies*** Betriebswirtschaft *f*; ***labo(u)r and*** ~ Arbeitnehmer u. Arbeitgeber.

man•ag•er ['mænɪdʒə] *s* Verwalter *m*; *econ*. Manager *m*; *econ*. Geschäftsführer *m*, Leiter *m*, Direktor *m*; *thea*. Intendant *m*; *thea*. Regisseur *m*; Manager *m* (*of artist, actor, etc*.); (Guts)Verwalter *m*; *sports*: Cheftrainer *m*; ***be a good*** ~ gut *or* sparsam wirtschaften können; **~•ess** *s* Verwalterin *f*; *econ*. Managerin *f*; *econ*. Geschäftsführerin *f*, Leiterin *f*, Direktorin *f*; Managerin *f* (*of artist, actor, etc*.).

man•a•ge•ri•al *econ*. [mænə'dʒɪərɪəl]

adj geschäftsführend, leitend; ~ ***position*** leitende Stellung; ~ ***staff*** leitende Angestellte *pl.*
man•ag•ing *econ.* ['mænɪdʒɪŋ] *adj* geschäftsführend; Betriebs...
man|date ['mændeɪt] *s* Mandat *n*; Auftrag *m*; Vollmacht *f*; **~•da•to•ry** [~ətərɪ] *adj* vorschreibend; obligatorisch.
mane [meɪn] *s* Mähne *f.*
ma•neu•ver [mə'nu:və] → ***manoeuvre.***
man•ful ['mænfl] *adj* □ mannhaft, beherzt.
mange *vet.* [meɪndʒ] *s* Räude *f.*
man•ger ['meɪndʒə] *s* Krippe *f.*
mang•y ['meɪndʒɪ] *adj* □ (***-ier, -iest***) *vet.* räudig; *fig.* schäbig.
man•hood ['mænhʊd] *s* Mannesalter *n*; Männlichkeit *f*; die Männer *pl.*
ma•ni•a ['meɪnɪə] *s* Wahn(sinn) *m*; *fig.* (***for***) Sucht *f* (nach), Leidenschaft (für), Manie *f* (für); **~c** ['meɪnɪæk] *s* Wahnsinnige(r *m*) *f*; *fig.* Fanatiker(in).
man•i•cure ['mænɪkjʊə] **1.** *s* Maniküre *f*; **2.** *v/t* maniküren.
man•i|fest ['mænɪfest] **1.** *adj* □ offenbar, -kundig, deutlich (erkennbar); **2.** *v/t* offenbaren, kundtun, deutlich zeigen; **3.** *s mar.* Ladungsverzeichnis *n*; **~•fes•ta•tion** [mænɪfe'steɪʃn] *s* Offenbarung *f*; Kundgebung *f*; **~•fes•to** [mænɪ'festəʊ] *s* (*pl* ***-tos, -toes***) Manifest *n*; *pol.* Grundsatzerklärung *f*, (Wahl)Programm *n* (*of a party*).
man•i•fold ['mænɪfəʊld] **1.** *adj* □ mannigfaltig; **2.** *v/t* vervielfältigen.
ma•nip•u|late [mə'nɪpjʊleɪt] *v/t* manipulieren; (geschickt) handhaben; **~•la•tion** [mənɪpjʊ'leɪʃn] *s* Manipulation *f*; Handhabung *f*, Behandlung *f*, Verfahren *n*; Kniff *m.*
man| jack [mæn'dʒæk] *s*: ***every*** ~ jeder Einzelne; **~•kind** [~'kaɪnd] *s* die Menschheit, die Menschen *pl*; ['~kaɪnd] die Männer *pl*; **~•ly** *adj* (***-ier, -iest***) männlich; mannhaft.
man•ner ['mænə] *s* Art *f*, Weise *f*, Art *f* u. Weise *f*; Stil(art *f*) *m*; ***in this*** ~ auf diese Art und Weise; **~*s*** *pl* Benehmen *n*, Manieren *pl*; Sitten *pl*; **~ed** *adj* ... geartet; gekünstelt; **~•ly** *adj* manierlich, gesittet, anständig.
ma•noeu•vre, *Am.* **ma•neu•ver** [mə'nu:və] **1.** *s* Manöver *n* (*a. fig.*); **2.** *v/i and v/t* manövrieren (*a. fig.*).
man•or *Br.* ['mænə] *s hist.* Rittergut *n*; (Land)Gut *n*; *sl.* Polizeibezirk *m*; ***lord of the*** ~ Gutsherr *m*; **~-house** *s* Herrenhaus *n*, -sitz *m.*
man•pow•er ['mænpaʊə] *s* menschliche Arbeitskraft; Menschenpotenzial *n*; Personal *n*, Arbeitskräfte *pl.*
man•ser•vant ['mænsɜ:vənt] *s* (*pl* ***menservants***) Diener *m.*
man•sion ['mænʃn] *s* (herrschaftliches) Wohnhaus, Villa *f.*
man•slaugh•ter *jur.* ['mænslɔ:tə] *s* Totschlag *m*, fahrlässige Tötung.
man•tel|piece ['mæntlpi:s], **~•shelf** *s* Kaminsims *m.*
man•tle ['mæntl] **1.** *s tech.* Glühstrumpf *m*; *fig.* Hülle *f*; ***a*** ~ ***of snow*** e-e Schneedecke; **2.** *v/t* einhüllen, bedecken.
man•u•al ['mænjʊəl] **1.** *adj* □ Hand...; mit der Hand (gemacht); **2.** *s* Handbuch *n.*
man•u•fac|ture [mænjʊ'fæktʃə] **1.** *s* Herstellung *f*, Fabrikation *f*; Fabrikat *n*; **2.** *v/t* (an-, ver)fertigen, erzeugen, herstellen, fabrizieren; verarbeiten; **~•tur•er** *s* Hersteller *m*, Erzeuger *m*; Fabrikant *m*; **~•tur•ing** *s* Herstellungs...; Fabrik...; Gewerbe...; Industrie...
ma•nure [mə'njʊə] **1.** *s* Dünger *m*, Mist *m*, Dung *m*; **2.** *v/t* düngen.
man•u•script ['mænjʊskrɪpt] *s* Manuskript *n*; Handschrift *f.*
man•y ['menɪ] **1.** *adj* (***more, most***) viel(e); ~ (***a***) manche(r, -s), manch eine(r, -s); ~ ***times*** oft; ***as*** ~ (***as***) ebenso viele (wie); ***he's had one too*** ~ F er hat e-n zu viel getrunken; **2.** *s* viele; Menge *f*; ***a good*** ~ ziemlich viel(e); ***a great*** ~ sehr viele.
map [mæp] **1.** *s* (Land-, Straßen- *etc.*) Karte *f*; *of streets, town*: Stadtplan *m*; **2.** *v/t* (***-pp-***) e-e Karte machen von; auf e-r Karte eintragen; ~ ***out*** *fig.* planen; einteilen.
ma•ple *bot.* ['meɪpl] *s* Ahorn *m.*
mar [mɑ:] *v/t* (***-rr-***) schädigen; verderben.
mar•ble ['mɑ:bl] **1.** *s* Marmor *m*; Murmel *f*; **2.** *adj* marmorn, aus Marmor.
march[2] [~] **1.** *s* Marsch *m*; *fig.* Fortgang *m*; ***the*** ~ ***of events*** der Lauf der Dinge; **2.** *v/i and v/t* marschieren (lassen); *fig.* fort-, vorwärtsschreiten.
March[1] [mɑ:tʃ] *s* März *m.*
mare [meə] *s zo.* Stute *f*; **~'s nest** *fig.*

M

Schwindel *m*, (Zeitungs)Ente *f*.
mar•ga•rine [mɑːdʒəˈriːn], *Br.* F **marge** [mɑːdʒ] *s* Margarine *f*.
mar•gin [ˈmɑːdʒɪn] *s* Rand *m* (*a. fig.*); Grenze *f* (*a. fig.*); Spielraum *m*; Verdienst-, Gewinn-, Handelsspanne *f*; ***by a narrow ~*** *fig.* mit knapper Not; **~•al** *adj* □ am Rande (befindlich); Rand…; **~ *note*** Randbemerkung *f*.
ma•ri•na [məˈriːnə] *s* Bootshafen *m*, Jachthafen *m*.
ma•rine [məˈriːn] *s* Marine *f*; *mar.* Marineinfanterist *m*; *paint.* Seestück *n*; *attr* See…; Meeres…; Marine…; Schiffs…; **mar•i•ner** [ˈmærɪnə] *s* Seemann *m*.
mar•i•tal [ˈmærɪtl] *adj* □ ehelich, Ehe…; **~ *status*** *jur.* Familienstand *m*.
mar•i•time [ˈmærɪtaɪm] *adj* an der See liegend *or* lebend; See…; Küsten…; Schifffahrts…
mark[1] [mɑːk] *s* (deutsche) Mark.
mark[2] [˷] **1.** *s* Marke *f*, Markierung *f*, Bezeichnung *f*; *sign*: Zeichen *n* (*a. fig.*); *indication*: Merkmal *n*; *birth~*: (Körper-)Mal *n*; *target*: Ziel *n* (*a. fig.*); *of feet, tyres*: (Fuß-, Brems-, Reifen)Spur *f* (*a. fig.*); *trade name*: (Fabrik-, Waren)Zeichen *n*, (Schutz-, Handels)Marke *f*; *econ.* Preisangabe *f*; *at school*: (Schul-)Note *f*, Zensur *f*, Punkt *m*; *sports*: Startlinie *f*; *fig.* Norm *f*; *fig.* Bedeutung *f*, Rang *m*; ***a man of ~*** e-e bedeutende Persönlichkeit; ***be up to the ~*** (gesundheitlich) auf der Höhe sein; ***be wide of the ~*** *fig.* sich gewaltig irren; den Kern der Sache nicht treffen; ***hit the ~*** *fig.* (ins Schwarze) treffen; ***miss the ~*** danebenschießen; *fig.* sein Ziel verfehlen; **2.** *v/t* (be)zeichnen; markieren; kennzeichnen; be(ob)achten, Acht geben auf (*acc*); sich *et.* merken; Zeichen hinterlassen auf (*dat*); *at school*: benoten, zensieren; *note*: notieren, vermerken; *econ. goods*: auszeichnen; *econ. price*: festsetzen; *sports*: decken; ***~ my words*** denke an m-e Worte; ***to ~ the occasion*** zur Feier des Tages; ***~ down*** notieren, vermerken; *econ. price*: herabsetzen; ***~ off*** abgrenzen; *esp. on a list*: abhaken; ***~ out*** *with lines, etc.*: markieren, bezeichnen; ***~ up*** *econ. price*: heraufsetzen; *v/i* markieren; Acht geben, aufpassen; *sports*: decken; **~ed** *adj* □ auffallend; merklich; ausgeprägt; **~•er** [ˈmɑːkə] *s* Markierstift *m*; Lesezeichen *n*; *sports*: Bewacher(in).
mar•ket [ˈmɑːkɪt] **1.** *s* Markt(platz) *m*; *Am.* (Lebensmittel)Geschäft *n*, Laden *m*; *econ.* Absatz *m*; *econ.* (***for***) Nachfrage *f* (nach), Bedarf *m* (an *dat*); ***in the ~*** auf dem Markt; ***be on the ~*** (zum Verkauf) angeboten werden; ***play the ~*** (an der Börse) spekulieren; **2.** *v/t* auf den Markt bringen; verkaufen; *v/i esp. Am.* ***go ~ing*** einkaufen gehen; **~•a•ble** *adj* □ marktfähig, -gängig; **~ e•con•o•my** *s econ.* Marktwirtschaft *f*; **~ expert** *s econ.* Branchenkenner(in), Marktexperte *m*, Marktexpertin *f*; **~ for•ces** *s pl econ.* Marktkräfte *f*; **~ gar•den** *s Br.* Gemüsegärtnerei *f*; **~•ing** *s econ.* Marketing *n*, Absatzpolitik *f*; Marktbesuch *m*; **~ mech•a•nis•ms** *s pl econ.* Marktmechanismen *pl*; **~ po•sition** *s econ.*: ***dominant ~*** marktbeherrschende Rolle; **~ re•search** *s econ.* Marktforschung *f*; **~ sector** *s econ.* Marktsegment *n*, Marktsektor *m*.
marks•man [ˈmɑːksmən] *s* Scharfschütze *m*; **~•ship** *s* Treffsicherheit *f*.
mar•ma•lade [ˈmɑːməleɪd] *s esp.* Orangenmarmelade *f*.
mar•mot *zo.* [ˈmɑːmət] *s* Murmeltier *n*.
ma•roon [məˈruːn] **1.** *adj* kastanienbraun; **2.** *v/t on island*: aussetzen; **3.** *s* Leuchtrakete *f*.
mar•riage [ˈmærɪdʒ] *s* Heirat *f*, Hochzeit *f*; Ehe(stand *m*) *f*; ***civil ~*** standesamtliche Trauung; **mar•ria•gea•ble** [˷dʒəbl] *adj* heiratsfähig; **~ ar•ti•cles** *s pl* Ehevertrag *m*; **~ cer•tif•i•cate** *s*, **~ lines** *s pl esp. Br.* F Trauschein *m*; **~ por•tion** *s* Mitgift *f*.
mar•ried [ˈmærɪd] *adj* verheiratet; ehelich, Ehe…; ***~ couple*** Ehepaar *n*; ***~ life*** Ehe(leben *n*) *f*.
mar•row [ˈmærəʊ] *s anat.* (Knochen-)Mark *n*; *fig.* Kern *m*, *das* Wesentlichste; (***vegetable***) **~** *Br. bot.* Kürbis *m*; ***frozen to the ~*** bis auf die Knochen durchgefroren.
mar•ry [ˈmærɪ] *v/t* (ver)heiraten; *eccl.* trauen; ***get married to*** sich verheiraten mit; *v/i* (sich ver)heiraten.
marsh [mɑːʃ] *s* Sumpf *m*; Morast *m*.
mar•shal [ˈmɑːʃl] **1.** *s mil.* Marschall *m*; *hist.* Hofmarschall *m*, Zeremonienmeister *m*; *Am.* Branddirektor *m*; *Am.* Polizeidirektor *m*; *Am.* Bezirks-

M

polizeichef *m*; ***US*~** *Am.* (Bundes)Vollzugsbeamte(r) *m*; **2.** *v/t* (*esp. Br.* ***-ll-***, *Am.* ***-l-***) ordnen, aufstellen; führen; *rail. train*: zusammenstellen.

marsh•y ['mɑːʃɪ] *adj* (***-ier, -iest***) sumpfig, morastig.

mar•ten *zo.* ['mɑːtɪn] *s* Marder *m*.

mar•tial ['mɑːʃl] *adj* □ kriegerisch; militärisch; Kriegs...; ~ ***law*** *mil.* Kriegsrecht *n*; (***state of***) ~ ***law*** *mil.* Ausnahmezustand *m*.

mar•tyr ['mɑːtə] **1.** *s* Märtyrer(in) (***to*** *gen*); **2.** *v/t* (zu Tode) martern.

mar•vel ['mɑːvl] **1.** *s* Wunder *n*, *et.* Wunderbares; **2.** *v/i* (*esp. Br.* ***-ll-***, *Am.* ***-l-***) sich wundern; **~•(l)ous** ['mɑːvələs] *adj* □ wunderbar; erstaunlich.

mar•zi•pan [mɑːzɪ'pæn] *s* Marzipan *n*.

mas•ca•ra [mæ'skɑːrə] *s* Wimperntusche *f*.

mas•cot ['mæskət] *s* Maskottchen *n*.

mas•cu•line ['mæskjʊlɪn] *adj gr.* maskulin; *appearance*, *voice*: männlich, maskulin; Männer...

mash [mæʃ] **1.** *s* Gemisch *n*; *brewing*: Maische *f*; *fodder*: Mengfutter *n*; Püree *n*; **2.** *v/t* zerdrücken; (ein)maischen; ***~ed potatoes*** *pl* Kartoffelbrei *m*, Kartoffelpüree *n*; **~•er** *s* (Kartoffel)Stampfer *m*.

mask [mɑːsk] **1.** *s* Maske *f*; **2.** *v/t* maskieren; *fig.* verbergen; tarnen; **~ed** *adj* maskiert; ~ ***advertising*** Schleichwerbung *f*; ~ ***ball*** Maskenball *m*.

ma•son ['meɪsn] *s* Steinmetz *m*; *Am.* Maurer *m*; *mst* ♀ Freimaurer *m*; **~•ry** *s* Mauerwerk *n*.

mas•que•rade [mæskə'reɪd] **1.** *s* Maskenball *m*; *fig.* Maske *f*, Verkleidung *f*; **2.** *v/i fig.* sich maskieren.

mass [mæs] **1.** *s eccl. a.* ♀ Messe *f*; Masse *f*; Menge *f*; ***the ~es*** *pl* die (breite) Masse; ~ ***media*** *pl* Massenmedien *pl*; ~ ***meeting*** Massenversammlung *f*; **2.** *v/t and v/i* (sich) (an)sammeln.

mas•sa•cre ['mæsəkə] **1.** *s* Blutbad *n*; **2.** *v/t* niedermetzeln.

mas•sage ['mæsɑːʒ] **1.** *s* Massage *f*; **2.** *v/t* massieren.

mas•sif ['mæsiːf] *s* (Gebirgs)Massiv *n*.

mas•sive ['mæsɪv] *adj* massiv; groß u. schwer; *fig.* gewaltig.

mast *mar.* [mɑːst] *s* Mast *m*.

mas•ter ['mɑːstə] **1.** *s* Meister *m*; Herr *m* (*a. fig.*); Gebieter *m*; *esp. Br.* Lehrer *m*; *mar. of merchant ship*: Kapitän *m*; *univ.* Rektor *m*; ♀ ***of Arts*** (*abbr.* ***MA***) Magister *m* Artium; ~ ***of ceremonies*** *esp. Am.* Conférencier *m*; ***be one's own*** ~ sein eigener Herr sein; **2.** *adj* Meister...; Haupt..., hauptsächlich; *fig.* führend; **3.** *v/t* Herr sein *or* herrschen über (*acc*); *language, etc.*: meistern, beherrschen; **~-key** *s* Hauptschlüssel *m*; **~•ly** *adj* meisterhaft, virtuos; **~•piece** *s* Meisterstück *n*; **~•ship** *s* Meisterschaft *f*; Herrschaft *f*; *esp. Br.* Lehramt *n*; **~•y** *s* Herrschaft *f*; Überlegenheit *f*, Oberhand *f*; Meisterschaft *f*; Beherrschung *f*.

mas•tur•bate ['mæstəbeɪt] *v/i and v/t* masturbieren.

mat [mæt] **1.** *s* Matte *f*; Deckchen *n*; Unterlage *f*, -setzer *m*; **2.** *v/t and v/i* (***-tt-***) (sich) verflechten *or* -filzen; *fig.* bedecken; **3.** *adj* mattiert, matt.

match[1] [mætʃ] *s* Zünd-, Streichholz *n*.

match[2] [~] **1.** *s sports*: Partie *f*, Wettkampf *m*, Treffen *n*, Match *n*, Spiel *n*; Heirat *f*; *der, die, das* Gleiche; ***be a*** ~ ***for*** *j-m* gewachsen sein; ***find*** *or* ***meet one's*** ~ s-n Meister finden; **2.** *v/t* passend machen, anpassen; passen zu; et. Passendes finden *or* geben zu; es aufnehmen mit; passend verheiraten; ***be well ~ed*** gut zusammenpassen; *v/i* zusammenpassen.

match•box ['mætʃbɒks] *s* Zünd-, Streichholzschachtel *f*.

match|less ['mætʃlɪs] *adj* □ unvergleichlich, einzigartig; **~•mak•er** *s* Ehestifter(in), Kuppler(in).

mate[1] [meɪt] → ***checkmate.***

mate[2] [~] **1.** *s* Kamerad(in), F Kumpel *m*; *work~*: (Arbeits)Kolle|ge *m*, -gin *f*; *spouse*: Gatt|e *m*, -in *f*; *of animals*: Männchen *n*, Weibchen *n*; *assistant*: Gehilf|e *m*, -in *f*; *mar.* Maat *m*; **2.** *v/t and v/i* (sich) verheiraten; (sich) paaren.

ma•te•ri•al [mə'tɪərɪəl] **1.** *adj* □ materiell; körperlich; wesentlich; **2.** *s* Material *n*; Stoff *m*; Werkstoff *m*; ***writing ~s*** *pl* Schreibmaterial(ien *pl*) *n*.

ma•ter|nal [mə'tɜːnl] *adj* □ mütterlich, Mutter...; mütterlicherseits; **~•ni•ty** [~ətɪ] **1.** *s* Mutterschaft *f*; **2.** *adj* Schwangerschafts..., Umstands...; ~ ***hospital*** Entbindungsklinik *f*; ~ ***leave*** Mutterschaftsurlaub *m*; ~ ***ward*** Ent-

M

bindungsstation *f.*
math *Am.* F [mæθ] *s* F Mathe *f.*
math•e|ma•ti•cian [mæθəmə'tɪʃn] *s* Mathematiker *m*; **~•mat•ics** [ˌ'mætɪks] *s mst sg* Mathematik *f.*
maths *Br.* F [mæθs] *s mst sg* F Mathe *f.*
mat•i•née *thea., mus.* ['mætɪneɪ] *s* Nachmittagsvorstellung *f*, Frühvorstellung *f*; Matinee *f.*
ma•tric•u•late [mə'trɪkjʊleɪt] *v/t and v/i* (sich) immatrikulieren.
mat•ri•mo|ni•al [mætrɪ'məʊnɪəl] *adj* ehelich, Ehe…; **~•ny** ['mætrɪmənɪ] *s* Ehe(stand *m*) *f.*
ma•trix ['meɪtrɪks] *s* (*pl* ***-trices*** [-trɪsiːz], ***-trixes***) *s tech.* Matrize *f*; *math.* Matrix *f.*
ma•tron ['meɪtrən] *s* Matrone *f*; Hausmutter *f*; *Br.* Oberschwester *f.*
mat•ter ['mætə] **1.** *s* Materie *f*, Material *n*, Substanz *f*, Stoff *m*; *med.* Eiter *m*; Gegenstand *m*; Sache *f*; Angelegenheit *f*; Anlass *m*, Veranlassung *f* (***for*** zu); ***printed ~*** *mail*: Drucksache *f*; ***what's the ~ (with you)?*** was ist los (mit Ihnen)?; ***no ~*** es hat nichts zu sagen; ***no ~ who*** gleichgültig, wer; ***a ~ of course*** e-e Selbstverständlichkeit; ***for that ~, for the ~ of that*** was das betrifft; ***a ~ of fact*** e-e Tatsache; **2.** *v/i* von Bedeutung sein; ***it doesn't ~*** es macht nichts; **~-of-fact** *adj* sachlich.
mat•tress ['mætrɪs] *s* Matratze *f.*
ma•ture [mə'tjʊə] **1.** *adj* □ (***~r, ~st***) reif (*a. fig.*); *econ.* fällig; *fig.* reiflich erwogen; **2.** *v/t* zur Reife bringen; *v/i* reifen; *econ.* fällig werden; **ma•tu•ri•ty** [ˌrətɪ] *s* Reife *f*; *econ.* Fälligkeit *f.*
maul [mɔːl] *v/t* übel zurichten, roh umgehen mit; *fig.* verreißen.
Maun•dy Thurs•day *eccl.* [mɔːndɪ'θɜːzdɪ] *s* Gründonnerstag *m.*
maw *zo.* [mɔː] *s* (Tier)Magen *m*, *esp.* Labmagen *m*; Rachen *m*; Kropf *m.*
mawk•ish ['mɔːkɪʃ] *adj* □ rührselig, sentimental.
max•i- ['mæksɪ] Maxi…, riesig, Riesen…
max•im ['mæksɪm] *s* Grundsatz *m.*
max•i•mum ['mæksɪməm] **1.** *s* (*pl* ***-ma*** [-mə], ***-mums***) Maximum *n*, Höchstmaß *n*, -stand *m*, -betrag *m*; **2.** *adj* höchste(r, -s), maximal, Höchst…
may[2] [ˌ] *v/aux* (***might***) mögen, können, dürfen.
May[1] [meɪ] *s* Mai *m.*
may•be ['meɪbiː] *adv* vielleicht.
may|-bee•tle *zo.* ['meɪbiːtl], **~-bug** *s zo.* Maikäfer *m.*
May•day ['meɪdeɪ] **1.** *int* Mayday; **2.** *s* Maydaysignal *n.*
May Day ['meɪdeɪ] *s* der 1. Mai.
mayor [meə] *s* Bürgermeister *m*; **~•ess** [ˌ'res] *s* Bürgermeisterin *f*; Frau *f* des Bürgermeisters.
may•pole ['meɪpəʊl] *s* Maibaum *m.*
maze [meɪz] *s* Irrgarten *m*, Labyrinth *n*; *fig.* Verwirrung *f*; ***in a ~*** verwirrt; **~d** [meɪzd] *adj* verwirrt.
MBA ***Master of Business Administration*** Magister *m* der Betriebswirtschaftslehre.
me [miː, mɪ] *pron* mich; mir; F ich.
mead [miːd] *s* Met *m.*
mead•ow ['medəʊ] *s* Wiese *f.*
mea•gre, *Am.* **-ger** ['miːgə] *adj* □ mager (*a. fig.*), dürr; dürftig.
meal [miːl] *s* Mahl(zeit *f*) *n*; Essen *n*; Mehl *n*; ***go out for a ~*** essen gehen; ***enjoy your ~*** guten Appetit!; ***~-ticket*** Essensmarke *f.*
mean[1] [miːn] *adj* □ gemein, niedrig, gering; armselig; knauserig; schäbig; *Am.* boshaft, ekelhaft.
mean[2] [ˌ] **1.** *adj* mittel, mittlere(r, -s); Mittel…, Durchschnitts…; **2.** *s* Mitte *f*; ***~s*** *pl* (Geld)Mittel *pl*; (*a. sg*) Mittel *n*; ***by all ~s*** auf alle Fälle, unbedingt; ***by no ~s*** keineswegs; ***by ~s of*** mittels (*gen*).
mean[3] [ˌ] (***meant***) *v/t* meinen; beabsichtigen; bestimmen; bedeuten; *v/i*: ***~ well (ill)*** es gut (schlecht) meinen.
mean•ing ['miːnɪŋ] **1.** *adj* □ bedeutsam; **2.** *s* Sinn *m*, Bedeutung *f*; **~•ful** *adj* □ bedeutungsvoll; sinnvoll; **~•less** *adj* bedeutungslos; sinnlos.
meant [ment] *pret and pp of* ***mean***[3].
mean|time ['miːntaɪm] **1.** *adv* mittlerweile, inzwischen; **2.** *s*: ***in the ~*** inzwischen; **~•while** → ***meantime*** 1.
mea•sles *med.* ['miːzlz] *s sg* Masern *pl.*
mea•su•ra•ble ['meʒərəbl] *adj* □ messbar.
mea•sure ['meʒə] **1.** *s* Maß *n*; Maß *n*, Messgerät *n*; *mus.* Takt *m*; Maßnahme *f*; *fig.* Maßstab *m*; ***~ of capacity*** Hohlmaß *n*; ***beyond ~*** über alle Maßen; ***in a great ~*** großenteils; ***made to ~*** nach Maß gemacht; ***take ~s*** Maßnahmen

treffen *or* ergreifen; **2.** *v/t* (ab-, aus-, ver)messen; *j-m* Maß nehmen; *v/i*: ~ ***up to*** den Ansprüchen (*gen*) genügen; **~d** *adj* gemessen; wohlüberlegt; maßvoll; **~•less** *adj* □ unermesslich; **~•ment** *s* Messung *f*; Maß *n*.

meat [miːt] *s* Fleisch *n*; *fig*. Gehalt *m*; ***cold*** ~ kalte Platte; **~•y** *adj* (***-ier, -iest***) fleischig; *fig*. gehaltvoll.

me•chan|ic [mɪ'kænɪk] *s* Mechaniker *m*; **~•i•cal** *adj* □ mechanisch; Maschinen…; ~ ***engineering*** Maschinenbau *m*; **~•ics** *s mst sg phys*. Mechanik *f*.

mech•a|nis•m ['mekənɪzəm] *s* Mechanismus *m*; **~•nize** [~aɪz] *v/t* mechanisieren; **~d** *mil*. motorisiert, Panzer…

med. ***medical*** medizinisch; ***medicine*** Medizin *f*; ***medium*** (***size***) mittelgroß.

med•al ['medl] *s* Medaille *f*; Orden *m*; **~•(l)ist** [~ɪst] *s sports*: Medaillengewinner(in).

med•dle ['medl] *v/i* sich einmischen (***with, in*** in *acc*); **~•some** [~səm] *adj* zu-, aufdringlich.

me•di•a ['miːdɪə] *s pl die* Medien *pl* (*newspapers, TV, etc*.); F ~ ***bashing*** Medienschelte *f*; F ~ ***circus*** Medienlandschaft *f*, F Medienrummel *m*.

med•i•ae•val [medɪ'iːvl] → ***medieval.***

me•di•al ['miːdɪəl] *adj* Mittel…

me•di•an ['miːdɪən] *adj* die Mitte bildend *or* einnehmend, Mittel…

me•di|ate ['miːdɪeɪt] *v/i* vermitteln (***between*** zwischen *dat*); **~•a•tion** [miːdɪ'eɪʃn] *s* Vermittlung *f*; **~•a•tor** ['miːdɪeɪtə] *s* Vermittler *m*.

med•i•cal ['medɪkl] **1.** *adj* □ medizinisch, ärztlich; ~ ***certificate*** ärztliches Attest; ~ ***man*** F Doktor *m*; **2.** *s* ärztliche Untersuchung.

med•i•cate ['medɪkeɪt] *v/t* medizinisch behandeln; mit Arzneistoff(en) versetzen; **~d *bath*** medizinisches Bad.

me•di•ci•nal [me'dɪsɪnl] *adj* □ medizinisch; heilend, Heil…; *fig*. heilsam.

medi•cine ['medsɪn] *s* Medizin *f* (*substance, science*).

med•i•e•val [medɪ'iːvl] *adj* □ mittelalterlich.

me•di•o•cre [miːdɪ'əʊkə] *adj* mittelmäßig, zweitklassig.

med•i|tate ['medɪteɪt] *v/i* nachdenken, überlegen; meditieren; *v/t* im Sinn haben, planen, erwägen; **~•ta•tion** [~'teɪʃn] *s* Nachdenken *n*; Meditation *f*; **~•ta•tive** ['~tətɪv] *adj* □ nachdenklich, meditativ.

Med•i•ter•ra•ne•an [medɪtə'reɪnɪən] **1.** *s* Mittelmeer *n*; **2.** *adj* Mittelmeer…

Med•i•ter•ra•ne•an (Sea) [ˌmedɪtə'reɪnjən('siː)] *das* Mittelmeer.

me•di•um ['miːdɪəm] **1.** *s* (*pl **-dia*** [-dɪə], ***-diums***) Mitte *f*; Mittel *n*; Vermittlung *f*; Medium *n*; (Lebens)Element *n*; **2.** *adj steak*: halb durch, medium; mittlere(r, -s), Mittel…, Durchschnitts…

med•ley ['medlɪ] *s* Gemisch *n*; *mus*. Medley *n*, Potpourri *n*.

meek [miːk] *adj* □ sanft-, demütig, bescheiden; **~•ness** *s* Sanft-, Demut *f*.

meet [miːt] (***met***) *v/t* treffen (auf *acc*); begegnen (*dat*); abholen; *opponent*; stoßen auf (*acc*); *need, demand, etc*.: nachkommen (*dat*); *requirements*: genügen (*dat*); *deadline*: einhalten; *j-n* kennenlernen; *Am*. *j-m* vorgestellt werden; *fig*. *j-m* entgegenkommen; *v/i* sich treffen; zusammenstoßen; sich versammeln; sich kennenlernen; *sports*: sich begegnen; ~ ***with*** stoßen auf (*acc*); erleiden; **~•ing** *s* Begegnung *f*; (Zusammen)Treffen *n*; Versammlung *f*; Tagung *f*.

mel•an•chol•y ['melənkəlɪ] **1.** *s* Melancholie *f*, Schwermut *f*; **2.** *adj* melancholisch, traurig.

mel•low ['meləʊ] **1.** *adj* □ mürbe; reif; weich; mild; **2.** *v/t and v/i* reifen (lassen); weich machen *or* werden; (sich) mildern.

me•lo|di•ous [mɪ'ləʊdɪəs] *adj* □ melodisch; **~•dy** ['melədɪ] *s* Melodie *f*; Lied *n*.

mel•on *bot*. ['melən] *s* Melone *f*.

melt [melt] *v/i* (zer)schmelzen (*a. v/t*); *fig*. zerfließen, dahinschmelzen, sich erweichen lassen (***at*** durch); **~•ing-point** *s phys*. Schmelzpunkt *m*; **~•ing-pot** *s fig*. Schmelztiegel *m*.

mem•ber ['membə] *s* Mitglied *n*; Angehörige(r *m*) *f*; ♀ ***of Parliament*** *parl. Br.* Mitglied *n* des Unterhauses, Abgeordnete(r *m*) *f*; ♀ ***of Congress*** *parl. Am.* Kongressabgeordnete(r *m*) *f*; ♀ ***of the European Parliament*** (*abbr.* ***MEP***) Mitglied *n* des europäischen Parlaments, Europaabgeordnete(r *m*) *f*; **~•ship** *s* Mitgliedschaft *f*; Mitgliederzahl *f*; ~ ***card*** Mitgliedsausweis *m*; ~ **state** *s pol. of EC*: Mitgliedsstaat *m*.

M

mem•brane ['membreɪn] *s* Membran(e) *f*, Häutchen *n*.
me•men•to [mɪ'mentəʊ] *s* (*pl* ***-toes, -tos***) Mahnzeichen *n*; Andenken *n*.
mem•o ['meməʊ] *s* (*pl* ***-os***) → ***memorandum.***
mem•oir ['memwɑː] *s* Denkschrift *f*; **~s** *pl* Memoiren *pl*.
mem•o|ra•ble ['memərəbl] *adj* □ denkwürdig; **~•ran•dum** [~'rændəm] *s* (*pl* ***-da*** [-də], ***-dums***) Notiz *f*; *pol.* Note *f*; *jur.* Schriftsatz *m*; **~•ri•al** [mɪ'mɔːrɪəl] *s* Denkmal *n* (***to*** für); Gedenkfeier *f*; Denkschrift *f*, Eingabe *f*; *attr* Gedächtnis…, Gedenk…; **~•rize** ['meməraɪz] *v/t* auswendig lernen, memorieren; **~•ry** ['memərɪ] *s* Gedächtnis *n*; Erinnerung *f*; Andenken *n*; *computer*: Speicher *m*; ***in ~ of*** zum Andenken an (*acc*); **~•ry stick** *s computer*: Speicherkarte *f*, Memory Stick *m*.
men [men] *pl of* ***man*** 1; Mannschaft *f*.
men•ace ['menəs] **1.** *v/t* (be)drohen; **2.** *s* (Be)Drohung *f*; drohende Gefahr.
mend [mend] **1.** *v/t* (ver)bessern; ausbessern, flicken; besser machen; ***~ one's ways*** sich bessern; *v/i* sich bessern; **2.** *s* ausgebesserte Stelle; ***on the ~*** auf dem Wege der Besserung.
men•da•cious [men'deɪʃəs] *adj* □ lügnerisch, verlogen; unwahr.
men•di•cant ['mendɪkənt] **1.** *adj* bettelnd, Bettel…; **2.** *s* Bettler(in); Bettelmönch *m*.
men•in•gi•tis *med.* [menɪn'dʒaɪtɪs] *s* Meningitis *f*, Hirnhautentzündung *f*.
men•stru|ate *physiol.* ['menstrʊeɪt] *v/i* menstruieren, die Regel *or* Periode haben; **~•a•tion** [~'eɪʃn] *s* Menstruation *f*.
men•tal ['mentl] *adj* □ geistig, Geistes…; *esp. Br.* F geisteskrank, -gestört; ***~ arithmetic*** Kopfrechnen *n*; ***~ handicap*** geistige Behinderung; ***~ home, ~ hospital*** Nervenklinik *f*; ***~ly handicapped*** geistig behindert; **~•i•ty** [men'tælətɪ] *s* Mentalität *f*.
men•tion ['menʃn] **1.** *s* Erwähnung *f*; **2.** *v/t* erwähnen; ***don't ~ it!*** bitte (sehr)!
men•u ['menjuː] *s* Speise(n)karte *f*; Speisenfolge *f*; *computer*: Menü *n*; **~ as•sist•ance** *s computer*: Menüführung *f*.
MEP ***Member of the European Parliament*** Mitglied *n* des Europaparlaments.
mer•can•tile ['mɜːkəntaɪl] *adj* kaufmännisch, Handels…
mer•ce•na•ry ['mɜːsɪnərɪ] **1.** *adj* gewinnsüchtig; **2.** *s mil.* Söldner *m*.
mer•chan•dise ['mɜːtʃəndaɪz] *s* Ware(n *pl*) *f*.
mer•chant ['mɜːtʃənt] **1.** *s* Kaufmann *m*; *esp. Am.* Ladenbesitzer *m*, Einzelhändler *m*; **2.** *adj* Handels…, Kaufmanns…; **~ bank** *s* Handelsbank *f*; **~•man**, **~•ship** *s* Handelsschiff *n*.
mer•ci|ful ['mɜːsɪfl] *adj* □ barmherzig; **~•less** *adj* □ unbarmherzig.
mer•cu•ry ['mɜːkjʊrɪ] *s* Quecksilber *n*.
mer•cy ['mɜːsɪ] *s* Barmherzigkeit *f*; Gnade *f*; ***be at the ~ of s.o.*** *j-m* auf Gedeih u. Verderb ausgeliefert sein.
mere [mɪə] *adj* □ rein; bloß; **~•ly** ['mɪəlɪ] *adv* bloß, nur, lediglich.
merge [mɜːdʒ] *v/t and v/i* verschmelzen (***in*** mit); *econ.* fusionieren; **merg•er** *s* Verschmelzung *f*; *econ.* Fusion *f*.
me•rid•i•an [mə'rɪdɪən] *s geogr.* Meridian *m*; *fig.* Gipfel *m*.
mer|it ['merɪt] **1.** *s* Verdienst *n*; Wert *m*; Vorzug *m*; **2.** *v/t* verdienen; **~•i•toc•ra•cy** [merɪ'tɒkrəsɪ] *s* Leistungsgesellschaft *f*; **~•i•to•ri•ous** [~'tɔːrɪəs] *adj* □ verdienstvoll; lobenswert.
mer•maid ['mɜːmeɪd] *s* Nixe *f*.
mer•ri•ment ['merɪmənt] *s* Lustigkeit *f*; Belustigung *f*.
mer•ry ['merɪ] *adj* □ (***-ier, -iest***) lustig, fröhlich; ***make ~*** sich amüsieren, lustig sein, feiern; **~-go-round** *s* Karussell *n*; **~-mak•ing** *s* Feiern *n*.
mesh [meʃ] **1.** *s* Masche *f*; *fig. often* **~es** *pl* Netz *n*; ***be in ~*** *tech.* (ineinander-) greifen; **2.** *v/t* in e-m Netz fangen.
mess[1] [mes] **1.** *s* Unordnung *f*; Schmutz *m*, F Schweinerei *f*; *trouble*: F Patsche *f*; ***make a ~ of*** verpfuschen; **2.** *v/t* in Unordnung bringen; verpfuschen; *v/i*: ***~ about, ~ around*** F herummurksen; sich herumtreiben.
mess[2] [~] *s* Kasino *n*, Messe *f*.
mes•sage ['mesɪdʒ] *s* Botschaft *f* (***to*** an *acc*); Mitteilung *f*, Bescheid *m*; ***give s.o. a ~*** *j-m* et. ausrichten.
mes•sen•ger ['mesɪndʒə] *s* Bote *m*.
Messrs ['mesəz] ***Messieurs*** Herren *pl* (*in Briefadressen*).
mess•y ['mesɪ] *adj* □ (***-ier, -iest***) unordentlich; unsauber, schmutzig.
met [met] *pret and pp of* ***meet.***

met•al ['metl] *s* Metall *n*; **me•tal•lic** [mɪ'tælɪk] *adj* (*~ally*) metallisch, Metall…

met•a•phor ['metəfə] *s* Metapher *f*.

me•te•or ['miːtɪə] *s* Meteor *m*.

me•te•o•rol•o•gy [miːtɪə'rɒlədʒɪ] *s* Meteorologie *f*, Wetterkunde *f*.

me•ter *tech*. ['miːtə] *s* Messer *m*, Messgerät *n*, Zähler *m*.

meth•od ['meθəd] *s* Methode *f*; Art *f* u. Weise *f*; Verfahren *n*; Ordnung *f*, System *n*; **me•thod•ic** [mɪ'θɒdɪk] (*~ally*), **me•thod•i•cal** [~kl] *adj* □ methodisch, planmäßig; überlegt.

me•tic•u•lous [mɪ'tɪkjʊləs] *adj* □ peinlich genau, übergenau.

me•tre, *Am*. **-ter** ['miːtə] *s* Meter *m*, *n*; Versmaß *n*.

met•ric ['metrɪk] *adj* (*~ally*) metrisch; Maß…; Meter…; *~ system* metrisches (Maß- u. Gewichts)System.

me•trop•o•lis [mɪ'trɒpəlɪs] *s* Metropole *f*, Hauptstadt *f*; **met•ro•pol•i•tan** [metrə'pɒlɪtən] *adj* hauptstädtisch.

Mex•i•can ['meksɪkən] **1.** *adj* mexikanisch; **2.** *s* Mexikaner(in).

Mex•i•co ['meksɪkəʊ] Mexiko *n*.

mg ***milligram(me)(s)*** mg, Milligramm *n* (*od. pl*).

mi•aow [miː'aʊ] *v/i* miauen.

mice [maɪs] *pl of* ***mouse.***

mickey ['mɪkɪ] *s*: F ***take the ~ out of s.o.*** *j-n* auf den Arm nehmen, F *j-n* verarschen.

mi•cro- ['maɪkrəʊ] Mikro…, (sehr) klein.

mi•cro|chip ['maɪkrəʊtʃɪp] *s computer*: Microchip *m*; **~•el•ec•tron•ics** *s sg* Mikroelektronik *f*; **~•phone** *s* Mikrofon *n*; **~•pro•ces•sor** *s* Mikroprozessor *m*; **~•scope** *s* Mikroskop *n*; **~•wave (ov•en)** *s* Mikrowellenherd *m*, F Mikrowelle *f*; **~•wave-safe** *adj* mikrowellengeeignet.

mid [mɪd] *adj* mittlere(r, -s), Mitt(el)…; ***in ~-air*** (mitten) in der Luft; ***be in one's ~-forties*** Mitte vierzig sein; **~•day 1.** *s* Mittag *m*; **2.** *adj* mittägig; Mittag(s)…

mid•dle ['mɪdl] **1.** *s* Mitte *f*; F *waist*: Taille *f*; **2.** *adj* mittlere(r, -s), Mittel…; **~-aged** *adj* mittleren Alters; **♀ Ag•es** *s pl* Mittelalter *n*; **~-class** *adj* bürgerlich, Mittelstands…; **~ class(•es** *pl*) *s* Mittelstand *m*; **~ name** *s* zweiter Vorname; **~-of-the-road** *adj ideas, political views*: gemäßigt, moderat; **~-sized** *adj* mittelgroß; **~ weight** *s boxing*: Mittelgewicht(ler *m*) *n*.

mid•dling ['mɪdlɪŋ] *adj* mittelmäßig, Mittel…; leidlich, F passabel.

midge *zo*. [mɪdʒ] *s* Stechmücke *f*.

midg•et ['mɪdʒɪt] *s* Zwerg *m*, Knirps *m*.

midland ['mɪdlənd] **1.** *adj* binnenländisch; **2.** *s* Binnenland *n*.

Mid•lands ['mɪdləndz] *pl die* Midlands *pl central part of England*.

mid|•night *s* Mitternacht *f*; **~•ship•man** *s mar*. Midshipman *m*; *Br*. Fähnrich *m* zur See; *Am*. Seeoffiziersanwärter *m*; **~st** [mɪdst] *s* Mitte *f*; ***in the ~ of*** mitten in (*dat*); **~•sum•mer** *s ast*. Sommersonnenwende *f*; Hochsommer *m*; **~•way 1.** *adj* in der Mitte befindlich, mittlere(r, -s); **2.** *adv* auf halbem Wege; **~•wife** *s* Hebamme *f*; **~•wif•e•ry** ['~wɪfərɪ] *s* Geburtshilfe *f*; **~•win•ter** *s ast*. Wintersonnenwende *f*; Mitte *f* des Winters; ***in ~*** mitten im Winter.

might [maɪt] **1.** *s* Macht *f*, Gewalt *f*; Kraft *f*; ***with ~ and main*** *dated* mit aller Kraft *or* Gewalt; **2.** *pret of* ***may***[2]; **~•y** *adj* □ (***-ier, -iest***) mächtig, gewaltig.

mi•grant ['maɪgrənt] *s* Auswanderer *m*; *~ worker*: Wanderarbeiter(in); *bird*: Zugvogel *m*; → ***economic***; **mi•grate** [maɪ'greɪt] *v/i* (aus)wandern, (fort)ziehen (*a. zo*.); **mi•gra•tion** [~ʃn] *s* Wanderung *f*; **mi•gra•to•ry** ['maɪgrətərɪ] *adj* wandernd; *zo*. Zug…

mike F [maɪk] *s microphone*: Mikro *n*.

mil•age ['maɪlɪdʒ] → ***mileage.***

Mi•lan [mɪ'læn] Mailand *n*.

mild [maɪld] *adj* □ mild; sanft; gelind; leicht; ***to put it ~ly*** gelinde gesagt; **~•ness** Milde *f*.

mile [maɪl] *s* Meile *f* (*1,609 km*).

mile•age ['maɪlɪdʒ] *s* zurückgelegte Meilenzahl *or* Fahrtstrecke, Meilenstand *m*; *a*. ***~ allowance*** Meilen-, *appr*. Kilometergeld *n*.

mile•stone ['maɪlstəʊn] *s* Meilenstein *m* (*a. fig*.).

mil•i|tant ['mɪlɪtənt] *adj* □ militant; streitend; streitbar, kriegerisch; **~•ta•ry** [~ərɪ] **1.** *adj* □ militärisch, Militär…; Heeres…, Kriegs…; ***♀ Government*** Militärregierung *f*; **2.** *s das* Militär, Soldaten *pl*, Truppen *pl*.

mi•li•tia [mɪ'lɪʃə] *s* Miliz *f*, Bürgerwehr

M

f.

milk [mɪlk] **1.** *s* Milch *f*; ***it's no use crying over spilt ~*** geschehen ist geschehen; **2.** *v/t* melken; *v/i* Milch geben; **~•maid** *s* Melkerin *f*; Milchmädchen *n*; **~•man** *s* Milchmann *m*; **~ pow•der** *s* Milchpulver *n*; **~ shake** *s* Milchmixgetränk *n*; **~•sop** *s* Weichling *m*, Muttersöhnchen *n*; **~•y** *adj* (***-ier, -iest***) milchig; Milch…; **ℒ *Way*** *ast.* Milchstraße *f.*

mill [mɪl] **1.** *s* Mühle *f*; Fabrik *f*, Spinnerei *f*; **2.** *v/t grain, etc.*: mahlen; *tech.* fräsen; *coin*: rändeln.

mil•le•pede *zo.* ['mɪlɪpiːd] *s* Tausendfüß(l)er *m.*

mill•er ['mɪlə] *s* Müller *m.*

mil•let ['mɪlɪt] *s* Hirse *f.*

mil•lion ['mɪljən] *s* Million *f*; **~•aire** [mɪljə'neə] *s* Millionär(in); **~th** ['mɪljənθ] **1.** *adj* millionste(r, -s); **2.** *s* Millionstel *n.*

mil•li•pede *zo.* ['mɪlɪpiːd] → ***millepede.***

mill|-pond ['mɪlpɒnd] *s* Mühlteich *m*; **~•stone** *s* Mühlstein *m.*

mim•ic ['mɪmɪk] **1.** *adj* mimisch; Schein…; **2.** *s* Imitator *m*; **3.** *v/t* (***-ck-***) nachahmen; nachäffen; **~•ry** [~rɪ] *s* Nachahmung *f*; *zo.* Mimikry *f.*

min. ***minute(s)*** Min., min., Minute(n *pl*) *f*; ***minimum*** Min., Minimum *n.*

mince [mɪns] **1.** *v/t* zerhacken, -stückeln; ***he does not ~ matters*** er nimmt kein Blatt vor den Mund; *v/i* sich zieren; **2.** *s a.* ***~d meat*** Hackfleisch *n*; **~•meat** *s* (e-e süße) Pastetenfüllung; **~ pie** *s* Pastete *f* (*filled with mincemeat*); **minc•er** [~ə] *s* Fleischwolf *m.*

mind [maɪnd] **1.** *s* Sinn *m*, Gemüt *n*, Herz *n*; Geist *m* (*a. phls.*); Verstand *m*; Meinung *f*, Ansicht *f*; Absicht *f*; Neigung *f*, Lust *f*; Gedächtnis *n*; ***in*** *or* ***to my ~*** meiner Ansicht nach; ***be out of one's ~*** verrückt sein, von Sinnen sein, den Verstand verloren haben; ***change one's ~*** seine Meinung ändern; ***bear*** *or* ***keep s.th. in ~*** (immer) an et. denken; ***have*** (***half***) ***a ~ to*** (beinahe) Lust haben zu; ***have s.th. on one's ~*** et. auf dem Herzen haben; ***make up one's ~*** sich entschließen; → ***presence***; **2.** *v/t and v/i* merken *or* achten auf (*acc*); sich kümmern um; etwas (einzuwenden) haben gegen; ***~!*** gib Acht!; ***never ~!*** macht nichts!; ***~ the step!*** Achtung, Stufe!; ***I don't ~*** (***it***) ich habe nichts dagegen; ***do you ~ if I smoke?*** stört es Sie, wenn ich rauche?; ***would you ~ taking off your hat?*** würden Sie bitte den Hut abnehmen?; ***~ your own business!*** kümmern Sie sich um Ihre Angelegenheiten!; **~•ful** *adj* □ (***of***) eingedenk (*gen*); achtsam (auf *acc*); **~•less** *adj* □ (***of***) unbekümmert (um), ohne Rücksicht (auf *acc*).

mine[1] [maɪn] *pron* der, die, das meinige *or* meine.

mine[2] [~] **1.** *s* Bergwerk *n*, Mine *f*, Zeche *f*, Grube *f*; *mil.* Mine *f*; *fig.* Fundgrube *f*; **2.** *v/i* graben; minieren; *v/t* graben in (*dat*); *mining*: fördern; *mil.* verminen; **min•er** ['maɪnə] *s* Bergmann *m.*

min•e•ral ['mɪnərəl] **1.** *s* Mineral *n*; **~*s*** *pl Br.* Mineralwasser *n*; **2.** *adj* mineralisch, Mineral…; **~ *water*** Mineralwasser *n.*

min•gle ['mɪŋgl] *v/t* (ver)mischen; *v/i* sich mischen *or* mengen (***with*** unter *acc*).

min•i ['mɪnɪ] *s* Minikleid *n*, -rock *m*; *car*: *TM* Mini *m.*

min•i- ['mɪnɪ] Mini…, Klein(st)…

min•i•a•ture ['mɪnɪətʃə] **1.** *s* Miniatur(-gemälde *n*) *f*; **2.** *adj* in Miniatur; Miniatur…; Klein…; **~ *camera*** Kleinbildkamera *f.*

min•i|mize ['mɪnɪmaɪz] *v/t* auf ein Minimum reduzieren, minimieren (*risk, etc.*); schlechtmachen; bagatellisieren; **~•mum** [~əm] **1.** *s* (*pl* ***-ma*** [-mə], ***-mums***) Minimum *n*, Mindestmaß *n*, -betrag *m*; **2.** *adj* niedrigste(r, -s), minimal, Mindest…

min•ing ['maɪnɪŋ] *s* Bergbau *m*; *attr* Berg(bau)…, Bergwerks…; Gruben…; **~ *industry*** Bergbau *m.*

min•i•skirt ['mɪnɪskɜːt] *s* Minirock *m.*

min•is•ter ['mɪnɪstə] **1.** *s eccl.* Geistliche(r) *m*; *pol.* Minister(in); *diplomat*: Gesandte(r) *m*; **2.** *v/i*: **~ *to*** helfen (*dat*), unterstützen (*acc*).

min•is•try ['mɪnɪstrɪ] *s eccl.* geistliches Amt; *pol.* Ministerium *n*, Regierung *f.*

mink *zo.* [mɪŋk] *s* Nerz *m.*

mi•nor ['maɪnə] **1.** *adj* kleinere(r, -s), geringere(r, -s); *fig. a.* unbedeutend, geringfügig; *jur.* minderjährig; ***A ~*** *mus.* a-Moll *n*; **~ *key*** *mus.* Moll(tonart *f*) *n*; **~ *league*** *Am. baseball, etc.*: untere Spielklasse; **2.** *s jur.* Minderjährige(r

M

m) *f*; *Am. univ.* Nebenfach *n*; *mus.* Moll *n*; **~•i•ty** [~'nɒrətɪ] *s* Minderheit *f*; *jur.* Minderjährigkeit *f*.

min•ster ['mɪnstə] *s* Münster *n*.

min•strel ['mɪnstrəl] *s* Minnesänger *m*; Bänkelsänger *m*.

mint[1] [mɪnt] **1.** *s* Münze *f*, Münzamt *n*; ***a ~ of money*** e-e Menge Geld; **2.** *v/t* münzen, prägen.

mint[2] *bot.* [~] *s* Minze *f*.

min•u•et *mus.* [mɪnjʊ'et] *s* Menuett *n*.

mi•nus ['maɪnəs] **1.** *prp* minus, weniger; F ohne; **2.** *adj* negativ.

min•ute[1] ['mɪnɪt] *s* Minute *f*; Augenblick *m*; ***in a ~*** sofort; ***just a ~*** Moment mal!; ***it won't take a ~*** es dauert nicht lange; ***have you got a ~?*** hast du einen Augenblick Zeit?; ***at the last ~*** in letzter Minute; **~*s*** *pl* Protokoll *n*.

mi•nute[2] [maɪ'nju:t] *adj* □ sehr klein, winzig; unbedeutend; sehr genau; **~•ness** *s* Kleinheit *f*; Genauigkeit *f*.

mir•a•cle ['mɪrəkl] *s* Wunder *n*; ***as if by (a) ~*** wie durch ein Wunder; ***work (perform) ~s*** Wunder tun (vollbringen); **mi•rac•u•lous** [mɪ'rækjʊləs] *adj* □ wunderbar.

mi•rage ['mɪrɑ:ʒ] *s* Luftspiegelung *f*; *fig* Illusion *f*.

mire ['maɪə] *s* Sumpf *m*; Schlamm *m*; Kot *m*.

mir•ror ['mɪrə] **1.** *s* Spiegel *m*(*a. fig.*); **2.** *v/t* (wider)spiegeln (*a. fig.*).

mirth [mɜ:θ] *s* Fröhlichkeit *f*, Heiterkeit *f*; **~•ful** *adj* □ fröhlich, heiter; **~•less** *adj* □ freudlos.

mis- [mɪs] miss…, falsch, schlecht.

mis•ad•ven•ture [mɪsəd'ventʃə] *s* Missgeschick *n*; Unglück(sfall *m*) *n*.

mis•an|thrope ['mɪzənθrəʊp], **~•thro•pist** [mɪ'zænθrəpɪst] *s* Menschenfeind *m*; Misanthrop *m*.

mis|ap•ply [mɪsə'plaɪ] *v/t* falsch anwenden; **~ap•pre•hend** [~æprɪ'hend] *v/t* missverstehen; **~•ap•pro•pri•ate** [~ə'prəʊprɪeɪt] *v/t* unterschlagen, veruntreuen; **~be•have** [~bɪ'heɪv] *v/i* sich schlecht benehmen; **~cal•cu•late** [~'kælkjʊleɪt] *v/t* falsch berechnen; *v/i* sich verrechnen.

mis•car|riage [mɪs'kærɪdʒ] *s med.* Fehlgeburt *f*; Misslingen *n*; *of letters*: Verlust *m*, Fehlleitung *f*; ***~ of justice*** Fehlspruch *m*, -urteil *n*; **~•ry** [~ɪ] *v/i* misslingen, scheitern; verloren gehen (*letter*); *med.* e-e Fehlgeburt haben.

mis•cel•la|ne•ous [mɪsɪ'leɪnɪəs] *adj* □ ge-, vermischt; verschiedenartig; "~" „Verschiedenes"; **~•ny** [mɪ'selənɪ] *s* Gemisch *n*; Sammelband *m*.

mis•chief ['mɪstʃɪf] *s* Schaden *m*; Unfug *m*; Mutwille *m*, Übermut *m*; **~-mak•er** *s* Unheil-, Unruhestifter(in).

mis•chie•vous ['mɪstʃɪvəs] *adj* □ schädlich; boshaft, mutwillig; schelmisch.

mis•con•ceive [mɪskən'si:v] *v/t* falsch auffassen, missverstehen.

mis•con•duct **1.** *s* [mɪs'kɒndʌkt] schlechtes Benehmen; Verfehlung *f*; schlechte Verwaltung; **2.** *v/t* [mɪskən'dʌkt] schlecht verwalten; ***~ o.s.*** sich schlecht benehmen.

mis|con•strue [mɪskən'stru:] *v/t* falsch auslegen, missdeuten; **~•deed** ['~di:d] *s* Missetat *f*, Vergehen *n*; Verbrechen *n*; **~•de•mea•no(u)r** *jur.* [~dɪ'mi:nə] *s* Vergehen *n*; **~•di•rect** [~dɪ'rekt] *v/t* fehl-, irreleiten; *letter, etc.*: falsch adressieren; **~•do•ing** ['~du:ɪŋ] *s mst* **~*s*** *pl* → ***misdeed.***

mise en scène *thea.* [mi:zɑ~:n'seɪn] *s* Inszenierung *f*.

mi•ser ['maɪzə] *s* Geizhals *m*.

mis•e•ra•ble ['mɪzərəbl] *adj* □ elend; unglücklich; erbärmlich.

mi•ser•ly ['maɪzəlɪ] *adj pay*: armselig; *person*: geizig, knick(e)rig.

mis•e•ry ['mɪzərɪ] *s* Elend *n*, Not *f*.

mis|fire [mɪs'faɪə] *v/i* versagen (*gun*); *mot.* fehlzünden, aussetzen; **~•fit** ['~fɪt] *s* Außenseiter *m*, Einzelgänger *m*; schlecht sitzendes Kleidungsstück; **~•for•tune** [~'fɔ:tʃən] *s* Unglück(sfall *m*) *n*; Missgeschick *n*; **~•giv•ing** [~'gɪvɪŋ] *s* böse Ahnung, Befürchtung *f*; **~•guide** [~'gaɪd] *v/t* fehl-, irreleiten; **~•hap** ['~hæp] *s* Unglück *n*; Unfall *m*; Missgeschick *n*; Panne *f*; **~•in•form** [~ɪn'fɔ:m] *v/t* falsch unterrichten; **~•in•ter•pret** [~ɪn'tɜ:prɪt] *v/t* missdeuten, falsch auffassen; **~•lay** [~'leɪ] *v/t* (***-laid***) *et.* verlegen; **~•lead** [~'li:d] *v/t* (***-led***) irreführen; verleiten.

mis•man•age [mɪs'mænɪdʒ] *v/t* schlecht verwalten *or* führen *or* handhaben; **~•ment** *s* Misswirtschaft *f*.

mis•place [mɪs'pleɪs] *v/t* an e-e falsche Stelle legen *or* setzen; *et.* verlegen; falsch anbringen.

M

mis•print **1.** *v/t* [mɪs'prɪnt] verdrucken; **2.** *s* ['mɪsprɪnt] Druckfehler *m*.

mis•read [mɪs'ri:d] *v/t* (**-read** [-red]) falsch lesen *or* deuten.

mis•rep•re•sent [mɪsreprɪ'zent] *v/t* falsch darstellen, verdrehen.

miss[1] [mɪs] *s* (*before the name* ♀) Fräulein *n*; ♀ **Germany 1999** (die) Miss Germany 1999.

miss[2] [~] **1.** *s* Fehlschlag *m*, -schuss *m*, -stoß *m*, -wurf *m*; Versäumen *n*, Entrinnen *n*; **2.** *v/t* (ver)missen; verfehlen, -passen, -säumen; auslassen, übergehen; übersehen; überhören; **he ~ed ...** ihm entging ...; **you haven't ~ed much** du hast nicht viel verpasst; *v/i* nicht treffen; missglücken.

mis•shap•en [mɪs'ʃeɪpən] *adj* missgebildet.

mis•sile ['mɪsaɪl, *Am.* 'mɪsəl] **1.** *s* (Wurf)Geschoss *n*; *mil.* Rakete *f*; **2.** *adj mil.* Raketen...

miss•ing ['mɪsɪŋ] *adj* fehlend, weg, nicht da; *mil.* vermisst; **be ~** *object*: fehlen, weg sein; *person*: vermisst sein *or* werden.

mis•sion ['mɪʃn] *s pol.* Auftrag *m*; (innere) Berufung, Sendung *f*, Lebensziel *n*; *pol.* Gesandtschaft *f*; *eccl., pol.* Mission *f*; *mil.* Einsatz *m*, (Kampf)Auftrag *m*; **~•a•ry** ['mɪʃənrɪ] **1.** *s* Missionar *m*; **2.** *adj* Missions..., missionarisch.

mis•spell [mɪs'spel] *v/t* (**-spelt** *or* **-spelled**) falsch buchstabieren *or* schreiben.

mis•spend [mɪs'spend] *v/t* (**-spent**) falsch verwenden; vergeuden.

mist [mɪst] **1.** *s* (feiner *or* leichter) Nebel; Dunst *m*; **2.** *v/i* sich trüben; beschlagen.

mis|take [mɪ'steɪk] **1.** *v/t* (**-took, -taken**) sich irren in (*dat*); verkennen; missverstehen; verwechseln (**for** mit); **2.** *s* Missverständnis *n*; Irrtum *m*; Versehen *n*; Fehler *m*; **~•tak•en** [~ən] *adj* □ irrig, falsch (verstanden); **be ~** sich irren.

mis•ter ['mɪstə] *s* (*before the name* ♀) Herr *m* (*abbr.* **Mr**).

mis•tle•toe *bot.* ['mɪsltəʊ] *s* Mistel *f*.

mis•tress ['mɪstrɪs] *s* Herrin *f*; *of household*: Frau *f* des Hauses; *esp. Br. teacher*: Lehrerin *f*; *lover*: Geliebte *f*; *expert*: Meisterin *f*, Expertin *f*.

mis•trust [mɪs'trʌst] **1.** *v/t* misstrauen (*dat*); **2.** *s* Misstrauen *n*; **~•ful** *adj* □ misstrauisch.

mist•y ['mɪstɪ] *adj* □ (**-ier, -iest**) neb(e)lig; unklar.

mis•un•der|stand [mɪsʌndə'stænd] *v/t* (**-stood**) missverstehen; *j-n* nicht verstehen; **~•stand•ing** *s* Missverständnis *n*; **~•stood** *adj* unverstanden, *writer, etc.*: verkannt.

mis|us•age [mɪs'ju:zɪdʒ] *s* Missbrauch *m*; Misshandlung *f*; **~•use** **1.** *v/t* [mɪs'ju:z] missbrauchen, -handeln; **2.** *s* [~s] Missbrauch *m*.

mite [maɪt] *s zo.* Milbe *f*; *small child or animal*: Wurm *m*, kleines Ding; *hist.* Heller *m*; *fig.* Scherflein *n*.

mit•i•gate ['mɪtɪgeɪt] *v/t* mildern, lindern.

mi•tre, *Am.* **-ter** ['maɪtə] *s* Mitra *f*, Bischofsmütze *f*.

mitt [mɪt] *s baseball*: (Fang)Handschuh *m*; *sl.* Boxhandschuh *m*; → **mitten.**

mit•ten ['mɪtn] *s* Fausthandschuh *m*; Halbhandschuh *m* (*with bare fingers*).

mix [mɪks] *v/t and v/i* (sich) (ver)mischen; mixen; verkehren (**with** mit); **~ed** gemischt; *fig.* zweifelhaft; **~ed doubles** *sports*: gemischtes Doppel, Mixed *n*; **~ed school** *esp. Br.* Koedukationsschule *f*; **~ up** durcheinanderbringen; **be ~ed up with** in *e-e Sache* verwickelt sein; **~•ture** ['mɪkstʃə] *s* Mischung *f*.

mm ***millimetre(s)*** mm, Millimeter *m*, *n* (*od. pl*).

moan [məʊn] **1.** *s* Stöhnen *n*; **2.** *v/i* stöhnen.

moat [məʊt] *s* Burg-, Wassergraben *m*.

mob [mɒb] **1.** *s* Mob *m*, Pöbel *m*; **2.** *v/t* (**-bb-**) (lärmend) bedrängen; *gang*: herfallen über (*acc*), angreifen.

mo•bile ['məʊbaɪl] **1.** *adj* beweglich; *mil.* mobil, motorisiert; *face*: lebhaft; *work-force*: mobil; **~ home** *esp. Am.* Wohnwagen *m*; **2.** *s Br. teleph.*, *a.* **~ phone** Handy *n*, Mobiltelefon *n*.

mo•bil•i|za•tion *mil.* [məʊbɪlaɪ'zeɪʃn] *s* Mobilmachung *f*; **~ze** *mil.* ['məʊbɪlaɪz] *v/t and v/i* mobil machen.

moc•ca•sin ['mɒkəsɪn] *s* weiches Leder; Mokassin *m* (*shoe*).

mock [mɒk] **1.** *s* Spott *m*; **2.** *adj* Schein...; falsch, nachgemacht; **3.** *v/t* verspotten; nachmachen; täuschen; spotten (*gen*); *v/i* spotten (**at** über *acc*); **~•e•ry** *s* Spott *m*, Hohn *m*, Spötterei *f*; Gespött *n*; Nachäfferei *f*; **~•ing-**

M

bird *s zo.* Spottdrossel *f*; **~ tur•tle soup** *s* Mockturtlesuppe *f*, falsche Schildkrötensuppe.
mode [məʊd] *s* (Art *f* u.) Weise *f*; (Erscheinungs)Form *f*; Mode *f*, Brauch *m*.
mod•el ['mɒdl] **1.** *s* Modell *n*; Muster *n*; Vorbild *n*; Mannequin *n*, (Foto)Modell *n*; ***male* ~** Dressman *m*; **2.** *adj* Muster…; **3.** *v/t* (*esp. Br.* **-ll-**, *Am.* **-l-**) modellieren; (ab)formen; *show clothes, etc.*: vorführen; *fig.* formen, bilden; *v/i for an artist*: Modell stehen; als Mannequin *or* (Foto)Modell arbeiten.
mod•e|rate 1. *adj* □ ['mɒdərət] (mittel-) mäßig; gemäßigt; vernünftig, angemessen; **2.** *v/t and v/i* [˷reɪt] (sich) mäßigen; **˷•ra•tion** [˷'reɪʃn] *s* Mäßigung *f*; Mäßigkeit *f*.
mod•ern ['mɒdən] *adj* modern, neu; **˷•ize** [˷aɪz] *v/t* modernisieren.
mod|est ['mɒdɪst] *adj* □ bescheiden; anständig, sittsam; **˷•es•ty** *s* Bescheidenheit *f*.
mod•i|fi•ca•tion [mɒdɪfɪ'keɪʃn] *s* Ab-, Veränderung *f*; Einschränkung *f*; **˷•fy** ['mɒdɪfaɪ] *v/t* (ab)ändern; mildern.
mods *Br.* [mɒdz] *s pl in the sixties*: Halbstarke *pl*.
mod•ule ['mɒdju:l] *s* Verhältniszahl *f*; *tech.* Baueinheit *f*; *tech.*, *electr.* Modul *n*, *electr. a.* Baustein *m*; *of spacecraft*: (Kommando- *etc.*) Kapsel *f*.
moist [mɔɪst] *adj* feucht; **˷•en** ['mɔɪsn] *v/t* be-, anfeuchten; *v/i* feucht werden; **mois•ture** [˷stʃə] *s* Feuchtigkeit *f*.
mo•lar ['məʊlə] *s* Backenzahn *m*.
mo•las•ses [mə'læsɪz] *s sg* Melasse *f*; *Am.* Sirup *m*.
mole[1] *zo.* [məʊl] *s* Maulwurf *m*.
mole[2] [˷] *s* Muttermal *n*.
mole[3] [˷] *s* Mole *f*, Hafendamm *m*.
mol•e•cule ['mɒlɪkju:l] *s* Molekül *n*.
mole•hill ['məʊlhɪl] *s* Maulwurfshügel *m*; ***make a mountain out of a* ~** aus e-r Mücke e-n Elefanten machen.
mo•lest [məʊ'lest] *v/t* belästigen.
mol•li•fy ['mɒlɪfaɪ] *v/t* besänftigen, beruhigen.
mol•ly•cod•dle ['mɒlɪkɒdl] **1.** *s* Weichling *m*, Muttersöhnchen *n*; **2.** *v/t* verweichlichen, -zärteln.
mol•ten ['məʊltən] *adj* geschmolzen.
mom *Am.* F [mɒm] *s* Mami *f*, Mutti *f*.
mo•ment ['məʊmənt] *s* Moment *m*, Augenblick *m*; Bedeutung *f*; → ***momentum***; **mo•men•ta•ry** [˷ərɪ] *adj* □ momentan, augenblicklich; vorübergehend; **mo•men•tous** [mə'mentəs] *adj* □ bedeutend, folgenschwer; **mo•men•tum** [mə'mentəm] *s phys.* (*pl* **-ta** [-tə], ***-tums***) Moment *n*; Triebkraft *f*.
mon|arch ['mɒnək] *s* Monarch(in); **˷•ar•chy** [˷ɪ] *s* Monarchie *f*.
mon•as•tery ['mɒnəstrɪ] *s* (Mönchs-) Kloster *n*.
Mon•day ['mʌndɪ] *s* Montag *m*.
mon•e•ta•ry *econ.* ['mʌnɪtərɪ] *adj* monetär, währungspolitisch; Währungs…; Geld…; **~ *fund*** Währungsfonds *m*; **~ *policy*** Währungspolitik *f*; **~ *system*** Währungsordnung *f*; **~ *union*** Währungsunion *f*.
mon•ey ['mʌnɪ] *s* Geld *n*; ***ready* ~** Bargeld *n*; ***earn good* ~** gut verdienen; **˷-box** *s* Sparbüchse *f*; **~ burn•er** *s* F Milliardengrab *n*; **˷-chang•er** *s* (Geld)Wechsler *m* (*person*); *Am.* Wechselautomat *m*; **~ or•der** *s* Postanweisung *f*.
mon•grel ['mʌŋgrəl] *s* Mischling *m*, Bastard *m*; *attr* Bastard…
mon•i•tor ['mɒnɪtə] **1.** *s tech.*, *TV*: Monitor *m*; *pupil*: (Klassen)Ordner *m*; **2.** *v/t* kontrollieren; *weather, etc.*: beobachten; *listen*: abhören.
monk [mʌŋk] *s* Mönch *m*.
mon•key ['mʌŋkɪ] **1.** *s zo.* Affe *m*; *tech.* Rammbock *m*; ***put s.o.'s* ~ *up*** F *j-n* auf die Palme bringen; **~ *business*** F fauler Zauber; Blödsinn *m*, Unfug *m*; **2.** *v/i*: **~ *about*, ~ *around*** F (herum)albern; **~ (*about* or *around*) *with*** F herummurksen an (*dat*); **˷-wrench** *s tech. tool*: Engländer *m*.
monk•ish ['mʌŋkɪʃ] *adj* mönchisch.
mon•o F ['mɒnəʊ] *s* (*pl* **-os**) *Radio etc.*: Mono *n*; Monogerät *n*; *attr* Mono…
mon•o- ['mɒnəʊ] *adj* ein(fach), einzeln.
mon•o•chrome ['mɒnəkrəʊm] *adj* einfarbig, monochrom; *TV, etc.*: Schwarzweiß…
mo•nog•a•my [mɒ'nɒgəmɪ] *s* Einehe *f*.
mon•o|logue, *Am. a.* **˷•log** ['mɒnəlɒg] *s* Monolog *m*.
mo•nop•o|list [mə'nɒpəlɪst] *s* Monopolist *m*; **˷•lize** *v/t* monopolisieren; *fig.* an sich reißen; **˷•ly** *s* Monopol *n* (**of** auf *acc*).
mo•not•o|nous [mə'nɒtənəs] *adj* □ monoton, eintönig; **˷•ny** *s* Monotonie

M

f.

mon•soon [mɒn'suːn] *s* Monsun *m.*

mon•ster ['mɒnstə] *s* Ungeheuer *n* (*a. fig.*); Monstrum *n*; *attr* Riesen…

mon|stros•i•ty [mɒn'strɒsətɪ] *s* Ungeheuer(lichkeit *f*) *n*; **~•strous** ['mɒnstrəs] *adj* □ ungeheuer(lich), grässlich.

month [mʌnθ] *s* Monat *m*; ***this day ~*** heute in e-m Monat; **~•ly 1.** *adj* monatlich; Monats…; **2.** *s* Monatsschrift *f.*

mon•u•ment ['mɒnjʊmənt] *s* Denkmal *n*; **~•al** [mɒnjʊ'mentl] *adj* □ monumental; großartig; Gedenk…

moo [muː] *v/i* muhen.

mood [muːd] *s* Stimmung *f*, Laune *f*; **~s** *pl* schlechte Laune; **~•y** *adj* □ (***-ier, -iest***) launisch; übellaunig; niedergeschlagen.

moon [muːn] **1.** *s* Mond *m*; ***once in a blue ~*** F alle Jubeljahre (einmal); **2.** *v/i*: ***~ about, ~ around*** F herumirren; träumen, dösen; **~•light** *s* Mondlicht *n*, -schein *m*; **~•lit** *adj* mondhell; **~•struck** *adj* mondsüchtig; **~ walk** *s* Mondspaziergang *m.*

moor[2] [-] *s* Moor *n*; Ödland *n*, Heideland *n.*

moor[3] *mar.* [-] *v/t* vertäuen; **~•ings** *s pl mar.* Vertäuung *f*; Liegeplatz *m.*

Moor[1] [mʊə] *s* Maure *m*, Mohr *m.*

moose *zo.* [muːs] *s* nordamerikanischer Elch.

mop [mɒp] **1.** *s* Mopp *m*; (Haar)Wust *m*; **2.** *v/t* (***-pp-***) auf-, abwischen.

mope [məʊp] *v/i* den Kopf hängen lassen.

mo•ped *Br. mot.* ['məʊped] *s* Moped *n.*

mor•al ['mɒrəl] **1.** *adj* □ moralisch; Moral…, Sitten…; **2.** *s* Moral *f*; Lehre *f*; **~s** *pl* Sitten *pl*; **mo•rale** [mɒ'rɑːl] *s esp. mil., sports, etc.*: Moral *f*, Stimmung *f*, Haltung *f*; **mo•ral•i•ty** [mə'rælətɪ] *s* Moralität *f*; Sittlichkeit *f*, Moral *f*; **mor•al•ize** ['mɒrəlaɪz] *v/i* moralisieren.

mo•rass [mə'ræs] *s* Morast *m*, Sumpf *m.*

mor•bid ['mɔːbɪd] *adj* □ krankhaft.

more [mɔː] **1.** *adj and adv* mehr; noch (mehr); ***~ and ~*** immer mehr; ***~ and ~ difficult*** immer schwieriger; **2.** *s and pron*: ***no ~*** nichts mehr; ***no ~ than*** ebenso wenig wie; ***once ~*** noch einmal, wieder; (***all***) ***the ~ so*** (nur) umso mehr; ***so much the ~ as*** umso mehr als.

mo•rel *bot.* [mɒ'rel] *s* Morchel *f.*

more•o•ver [mɔː'rəʊvə] *adv* außerdem, überdies, weiter, ferner.

morgue [mɔːg] *s Am.* Leichenschauhaus *n*; F (Zeitungs)Archiv *n.*

morn•ing ['mɔːnɪŋ] *s* Morgen *m*; Vormittag *m*; ***good ~!*** guten Morgen!; ***in the ~*** morgens; morgen früh; ***tomorrow ~*** morgen früh; **~ mar•ket** *s econ.* Vormittagsmarkt *m*; **~ pa•per** *s* Morgenzeitung *f.*

Mo•roc•co [mə'rɒkəʊ] Marokko *n.*

mo•ron ['mɔːrən] *s* Schwachsinnige(r *m*) *f*; *contp.* Idiot *m.*

mo•rose [mə'rəʊs] *adj* □ mürrisch.

mor•phine ['mɔːfiːn] *s* Morphium *n.*

Morse code ['mɔːskəʊd] *s* Morsealphabet *n.*

mor•sel ['mɔːsl] *s* Bissen *m*; Stückchen *n*, *fig.* das *or* ein bisschen.

mor•tal ['mɔːtl] **1.** *adj* □ sterblich; tödlich; Tod(es)…; **2.** *s* Sterbliche(r *m*) *f*; **~•i•ty** [mɔː'tælətɪ] *s* Sterblichkeit *f.*

mor•tar ['mɔːtə] *s* Mörser *m*; Mörtel *m.*

mort|gage ['mɔːgɪdʒ] **1.** *s* Hypothek *f*; **2.** *v/t* mit e-r Hypothek belasten, e-e Hypothek aufnehmen auf (*acc*); **~•ga•gee** [mɔːgə'dʒiː] *s* Hypothekengläubiger *m*; **~•gag•er** ['mɔːgɪdʒə], **~•ga•gor** [mɔːgə'dʒɔː] *s* Hypothekenschuldner *m.*

mor•ti•cian *Am.* [mɔː'tɪʃn] *s* Leichenbestatter *m.*

mor•ti|fi•ca•tion [mɔːtɪfɪ'keɪʃn] *s* Kränkung *f*; Ärger *m*; **~•fy** ['mɔːtɪfaɪ] *v/t* kränken; ärgern.

mor•tu•a•ry ['mɔːtjʊərɪ] *s* Leichenhalle *f.*

mo•sa•ic [məʊ'zeɪɪk] *s* Mosaik *n.*

Mos•cow ['mɒskəʊ] Moskau *n.*

Mo•selle [məʊ'zel] Mosel *f.*

mosque [mɒsk] *s* Moschee *f.*

mos•qui•to *zo.* [mə'skiːtəʊ] *s* (*pl* ***-toes***) Moskito *m*; Stechmücke *f.*

moss *bot.* [mɒs] *s* Moos *n*; **~•y** *adj bot.* (***-ier, -iest***) moosig, bemoost.

most [məʊst] **1.** *adj* □ meiste(r, -s); die meisten; ***~ people*** *pl* die meisten Leute *pl*; **2.** *adv* am meisten; *very*: höchst, äußerst; *forming the superlative*: ***the ~ important point*** der wichtigste Punkt; ***~ of all*** am allermeisten; **3.** *s das* meiste, *das* Höchste; das meiste; die meisten *pl*; ***at*** (***the***) ***~*** höchstens; ***make the ~***

M

of möglichst ausnutzen; **~•ly** *adv* hauptsächlich, meistens.

MOT [emәʊ'tiː] *s* F *Br. appr.* TÜV *m.*

mo•tel [mәʊ'tel] *s* Motel *n.*

moth *zo.* [mɒθ] *s* Motte *f*; **~-eat•en** ['mɒθiːtn] *adj* mottenzerfressen.

moth•er ['mʌðә] **1.** *s* Mutter *f*; **2.** *v/t* bemuttern; **~ coun•try** *s* Vater-, Heimatland *n*; Mutterland *n*; **~•hood** *s* Mutterschaft *f*; **~-in-law** *s* Schwiegermutter *f*; **~•ly** *adj* mütterlich; **2's Day** *s* Muttertag *m*; **~ tongue** *s* Muttersprache *f.*

mo•tif *mus., paint.* [mәʊ'tiːf] *s* (Leit-) Motiv *n.*

mo•tion ['mәʊʃn] **1.** *s* Bewegung *f*; Gang *m* (*a. tech.*); *parl.* Antrag *m*; *physiol.* Stuhlgang *m*; *often* **~s** *pl* Stuhl *m*; **2.** *v/t j-m* (zu)winken, *j-m* ein Zeichen geben; *v/i* winken; **~•less** *adj* bewegungslos; **~ pic•ture** *s* Film *m.*

mo•ti|vate ['mәʊtɪveɪt] *v/t* motivieren, begründen; **~•va•tion** [mәʊtɪ'veɪʃn] *s* Motivierung *f*, Begründung *f*; Motivation *f.*

mo•tive ['mәʊtɪv] **1.** *s* Motiv *n*, Beweggrund *m*; **2.** *adj* bewegend, treibend (*a. fig.*); Antriebs…

mot•ley ['mɒtlɪ] *adj* bunt, scheckig.

mo•tor ['mәʊtә] **1.** *s* Motor *m*; *fig.* treibende Kraft; *Br. dated*: Auto *n*; **2.** *adj* motorisch; bewegend; Motor…; Kraft…; Auto…; **3.** *v/i Br. dated*: mit dem Auto fahren; **~ bi•cy•cle** *s* Motorrad *n*; *Am.* Moped *n*; *Am.* Mofa *n*; **~•bike** *s* F Motorrad *n*; *Am.* Moped *n*; *Am.* Mofa *n*; **~•boat** *s* Motorboot *n*; **~ bus** *s* Autobus *m*; **~•cade** *s* Autokolonne *f*; **~ car** *s Br. dated*: (Kraft)Wagen *m*, Kraftfahrzeug *n*, Auto(mobil) *n*; **~ coach** *s* Reisebus *m*; **~ cy•cle** *s* Motorrad *n*; **~-cy•clist** *s* Motorradfahrer(in); **~•ing** *s* Autofahren *n*; ***school of ~*** Fahrschule *f*; **~•ist** *s* Kraft-, Autofahrer(in); **~•ize** *v/t* motorisieren; **~ launch** *s* Motorbarkasse *f*; **~•way** *s Br.* Autobahn *f.*

mot•tled ['mɒtld] *adj* gefleckt.

mo(u)ld [mәʊld] **1.** *s agr.* Gartenerde *f*, Humus(boden) *m*; Schimmel *m*, Moder *m*; *tech.* (Guss)Form *f* (*a. fig.*); *geol.* Abdruck *m*; *character*: Art *f*; **2.** *v/t* formen, gießen (***on, upon*** nach).

mo(u)l•der ['mәʊldә] *v/i* zerfallen.

mo(u)ld•y ['mәʊldɪ] *adj* (**-ier, -iest**) schimm(e)lig, dumpfig, mod(e)rig.

mo(u)lt [mәʊlt] *v/i and v/t* (sich) mausern; *hair*: verlieren.

mound [maʊnd] *s* Erdhügel *m*, -wall *m.*

mount [maʊnt] **1.** *s* Berg *m*; Reitpferd *n*; **2.** *v/i* (auf-, hoch)steigen; aufsitzen, aufs Pferd steigen; *v/t* be-, ersteigen; montieren; aufziehen, -kleben; *jewel*: fassen; ***~ed police*** berittene Polizei.

moun•tain ['maʊntɪn] **1.** *s* Berg *m*; **~s** *pl* Gebirge *n*; **2.** *adj* Berg…, Gebirgs…; **~•eer** [~'nɪә] *s* Bergbewohner(in); Bergsteiger(in); **~•eer•ing** [~'nɪәrɪŋ] *s* Bergsteigen *n*; **~•ous** ['~әs] *adj* bergig, gebirgig.

mourn [mɔːn] *v/t and v/i* (be)trauern; trauern um; **~•er** *s* Trauernde(r *m*) *f*; **~•ful** *adj* □ traurig; Trauer…; **~•ing** *s* Trauer *f*; *attr* Trauer…

mouse [maʊs] *s* (*pl* ***mice*** [maɪs]) Maus *f* (*a. computer*); **~ click** *s computer*: Mausklick *m*; ***with a ~*** per Mausklick; **~ po•ta•to** *s* F Computer-Junkie *m* F, Mouse Potato *f* F.

mous•tache [mә'stɑːʃ], *Am.* **mus•tache** ['mʌstæʃ] *s* Schnurrbart *m.*

mouth [maʊθ] *s* (*pl* ***mouths*** [maʊðz]) Mund *m*; Maul *n*; Mündung *f*; Öffnung *f*; **~•ful** *s* Schluck *m*; Bissen *m*; **~-or•gan** *s* Mundharmonika *f*; **~•piece** *s* Mundstück *n*; *fig.* Sprachrohr *n.*

mo•va•ble ['muːvәbl] *adj* □ beweglich.

move [muːv] **1.** *v/t* (fort)bewegen; in Bewegung setzen; (weg)rücken; (an)treiben; *chess, etc.*: e-n Zug machen mit; *et.* beantragen; *provoke*: er-, aufregen; *affect*: bewegen, rühren, ergreifen; ***~ down*** *pupil*: zurückstufen; ***~ up*** *pupil*: versetzen; ***~ house*** *Br.* umziehen; ***~ heaven and earth*** Himmel und Hölle in Bewegung setzen; *v/i* sich (fort)bewegen; sich rühren; *chess*: ziehen; (um)ziehen (***to*** nach); *med.* sich entleeren; *fig.* voran-, fortschreiten; ***~ away*** weg-, fortziehen; ***~ for s.th.*** *et.* beantragen; ***~ in*** einziehen; anrücken (*police, etc.*); vorgehen (***on*** *demonstrators, etc.* gegen); ***~ on*** weitergehen; ***~ out*** ausziehen; **2.** *s* (Fort)Bewegung *f*, Aufbruch *m*; Umzug *m*; *chess, etc.*: Zug *m*; *fig.* Schritt *m*; ***on the ~*** in Bewegung; auf den Beinen; ***get a ~ on!*** Tempo!, mach(t) schon!, los!; ***make a ~*** aufbrechen; *fig.* handeln; **~•a•ble** → ***movable***; **~•ment** *s* Bewegung *f*; *tendency, etc.*: Bestrebung *f*, Tendenz *f*, Richtung

M

f; *mus.* Tempo *n*; *mus.* Satz *m*; *tech.* (Geh)Werk *n*; *physiol.* Stuhlgang *m*.

mov•ie *esp. Am.* F ['muːvɪ] *s* Film *m*; **~s** *pl* Kino *n*.

mov•ing ['muːvɪŋ] *adj* □ bewegend (*a. fig.*); sich bewegend, beweglich; **~ *staircase*** Rolltreppe *f*.

mow [məʊ] *v/t and v/i* (**~*ed***, **~*n*** *or* **~*ed***) mähen; **~•er** ['məʊə] *s* Mäher(in); Mähmaschine *f*, *esp.* Rasenmäher *m*; **~•ing-ma•chine** *s* Mähmaschine *f*; **~n** *pp of* ***mow***.

Mo•zam•bique [ˌməʊzæm'biːk] Mosambik *n*.

MP ***Member of Parliament*** *Br.* Unterhausabgeordnete *m*, *f*; ***military police*** Militärpolizei *f*.

mph ***miles per hour*** Stundenmeilen *pl*.

Mr ['mɪstə] ***Mister*** Herr *m*.

Mrs ['mɪsɪz] *ursprünglich* ***Mistress*** Frau *f*.

Ms [mɪz] Frau *f* (*neutrale Form für unverheiratete u. verheiratete Frauen*).

MSc ***Master of Science*** Magister *m* der Naturwissenschaften.

much [mʌtʃ] **1.** *adj* (***more, most***) viel; **2.** *adv* sehr; *in compounds*: viel…; *before comp*: viel; *before sup*: bei weitem; fast; **~ *as I would like*** so gern ich möchte; ***I thought as* ~** das dachte ich mir; **~ *to my surprise*** zu m-r großen Überraschung; → ***so***; **3.** *s* Menge *f*, große Sache, Besondere(s) *n*; ***make* ~ *of*** viel Wesens machen von; ***I am not* ~ *of a dancer*** F ich bin kein großer Tänzer.

muck [mʌk] *s* Mist *m* (F *a. fig.*); **~•rake 1.** *s* Mistgabel *f*; **2.** *v/i* Skandale aufdecken; *contp.* im Schmutz wühlen.

mud [mʌd] *s* Schlamm *m*; Kot *m*, Schmutz *m* (*a. fig.*).

mud•dle ['mʌdl] **1.** *v/t* verwirren; *a.* **~ *up*, ~ *together*** durcheinanderbringen; F benebeln; *v/i* pfuschen, stümpern; **~ *through*** F sich durchwursteln; **2.** *s* Durcheinander *n*; Verwirrung *f*.

mud|dy ['mʌdɪ] *adj* □ (***-ier, -iest***) schlammig; trüb; **~•guard** *s* Kotflügel *m*; Schutzblech *n*.

muff [mʌf] *s* Muff *m*.

muf•fle ['mʌfl] *v/t often* **~ *up*** ein-, umhüllen, umwickeln; *voice, etc.*: dämpfen; **~r** *s* (dicker) Schal; *Am. mot.* Auspufftopf *m*.

mug[1] [mʌg] *s* Krug *m*; Becher *m*.

mug[2] F [~] *v/t* (***-gg-***) überfallen u. ausrauben; **~•ger** *s* F Straßenräuber *m*; **~•ging** *s* F Raubüberfall *m*.

mug•gy ['mʌgɪ] *adj* schwül.

mug•wump *Am. iro.* ['mʌgwʌmp] *s* hohes Tier; *pol.* Unabhängige(r) *m*.

mu•lat•to *mst contp.* [mjuː'lætəʊ] *s* (*pl* ***-tos***, *Am.* ***-toes***) Mulatt|e *m*, -in *f*.

mul•ber•ry *bot.* ['mʌlbərɪ] *s* Maulbeerbaum *m*; Maulbeere *f*.

mule [mjuːl] *s zo.* Maultier *n*, -esel *m*; *fig.* störrischer Mensch; **mu•le•teer** [~ɪ'tɪə] *s* Maultiertreiber *m*.

mull[1] [mʌl] *s* Mull *m*.

mull[2] [~] *v/i*: **~ *over*** überdenken.

mulled [mʌld] *adj*: **~ *claret*, ~ *wine*** Glühwein *m*.

mul•li•gan *Am.* F ['mʌlɪgən] *s* Eintopfgericht *n*.

mul•ti- ['mʌltɪ] *in compounds*: viel…, mehr…, …reich, Mehrfach…, Multi…

mul•ti|chan•nel [mʌltɪ'tʃænl] *adj TV etc.* Mehrkanal…; **~•cul•tu•ral** [~'kʌltʃərəl] *adj society*: multikulturell; **~ *society*** Multikulti-Gesellschaft *f*; **~•cul•tu•ral•is•m** [~'kʌltʃərəlɪzəm] Multikulti *n*; **~•far•i•ous** [~'feərɪəs] *adj* mannigfaltig; **~•fo•cals** [ˌmʌltɪ'fəʊkəlz] *pl Brille*: Gleitsichtgläser *pl*; **~•form** *adj* vielförmig, -gestaltig; **~•lat•e•ral** *adj* vielseitig; *pol.* multilateral, mehrseitig; **~•lin•gual** *adj dictionary, etc.*: mehrsprachig; **~•na•tion•al 1.** *s* multinationaler Konzern, F Multi *m*; **2.** *adj* multinational; **~-par•ty system** *s pol.* Mehrparteiensystem *n*; **~•ple** ['mʌltɪpl]; **1.** *adj* vielfach; **2.** *s math.* Vielfache(s) *n*; **~•pli•ca•tion** [~plɪ'keɪʃn] *s* Vervielfachung *f*; Vermehrung *f*; *math.* Multiplikation *f*; **~ *table*** Einmaleins *n*; **~•pli•ci•ty** [~'plɪsətɪ] *s* Vielfalt *f*; **~•ply** ['~plaɪ] *v/t and v/i* (sich) vermehren (*a. biol.*); vervielfältigen; *math.* multiplizieren, malnehmen (***by*** mit); **~ *3 by 4*** drei mit vier multiplizieren *or* malnehmen.

mul•ti•sto•rey [mʌltɪ'stɔːrɪ] *adj* mehrstöckig; **~ *car-park*** Park(hoch)haus *n*.

mul•ti|tude ['mʌltɪtjuːd] *s* Vielheit *f*; Menge *f*; **~•tu•di•nous** [mʌltɪ'tjuːdɪnəs] *adj* zahlreich.

mum[1] [mʌm] **1.** *int*: **~*'s the word*** nichts verraten!; **2.** *adj*: ***keep* ~** den Mund halten.

mum[2] *Br.* F [~] *s* Mami *f*, Mutti *f*.

mum•ble ['mʌmbl] *v/t and v/i* murmeln, nuscheln.
mum•my[1] ['mʌmɪ] *s* Mumie *f*.
mum•my[2] *Br.* F [~] *s* Mami *f*, Mutti *f*.
mumps *med.* [mʌmps] *s sg* Ziegenpeter *m*, Mumps *m*.
munch [mʌntʃ] *v/t and v/i* geräuschvoll *or* schmatzend kauen, mampfen.
mun•dane [mʌn'deɪn] *adj* □ weltlich.
Mu•nich ['mju:nɪk] München *n*.
mu•ni•ci•pal [mju:'nɪsɪpl] *adj* □ städtisch, Stadt…, kommunal, Gemeinde…; **~•i•ty** [mju:nɪsɪ'pæləti] *s* Stadt *f* mit Selbstverwaltung; Stadtverwaltung *f*.
mu•ral ['mjʊərəl] **1.** *s* Wandgemälde *n*; **2.** *adj* Mauer…, Wand…
mur•der ['mɜ:də] **1.** *s* Mord *m*; ***it was ~*** *a. fig.* es war mörderisch; ***she can get away with ~*** sie kann sich alles erlauben; **2.** *v/t* (er)morden; *fig.* F verhunzen; **~•er** *s* Mörder *m*; **~•ess** *s* Mörderin *f*; **~•ous** *adj* □ mörderisch; Mord…
murk•y ['mɜ:kɪ] *adj* □ (**-ier, -iest**) dunkel, finster.
mur•mur ['mɜ:mə] **1.** *s* Murmeln *n*; Gemurmel *n*; Murren *n*; **2.** *v/t and v/i* murmeln; murren.
mur•rain ['mʌrɪn] *s* Viehseuche *f*.
mus|cle ['mʌsl] *s* Muskel *m*; **~•cu•lar** ['mʌskjʊlə] *adj* Muskel…; muskulös.
muse[2] [~] *v/i* (nach)sinnen, (-)grübeln.
Muse[1] [mju:z] *s* Muse *f*.
mu•se•um [mju:'zɪəm] *s* Museum *n*.
mush [mʌʃ] *s* Brei *m*, Mus *n*; *Am.* Maisbrei *m*.
mush•room ['mʌʃrʊm] **1.** *bot.* Pilz *m*, *esp.* Champignon *m*; **2.** *v/i* rasch wachsen; **~ *up*** (wie Pilze) aus dem Boden schießen.
mu•sic ['mju:zɪk] *s* Musik *f*, Musikstück *n*; Noten *pl*; ***set to ~*** vertonen; *fig.* ***that's ~ to my ears*** das ist Musik in meinen Ohren; **~•al 1.** *s* Musical *n*; **2.** *adj* □ musikalisch; Musik…; wohlklingend; **~ *box*** *esp. Br.* Spieldose *f*; **~ box** *s esp. Am.* Spieldose *f*; **~-hall** *s Br.* Varieté(theater) *n*; **mu•si•cian** [mju:'zɪʃn] *s* Musiker(in); **~-stand** *s* Notenständer *m*; **~-stool** *s* Klavierstuhl *m*.
musk [mʌsk] *s* Moschus *m*, Bisam *m*; **~ deer** *zo.* [mʌsk'dɪə] *s* Moschustier *n*.
mus•ket *mil. hist.* ['mʌskɪt] *s* Muskete *f*.
musk•rat ['mʌskræt] *s zo.* Bisamratte *f*; Bisampelz *m*.
muss *Am.* F [mʌs] *s* Durcheinander *n*.
mus•sel *zo.* ['mʌsl] *s* (Mies)Muschel *f*.
must[1] [mʌst] **1.** *v/aux* müssen; dürfen; ***I ~ go to the bank*** ich muss auf die Bank; ***you ~ not*** (F ***mustn't***) du darfst nicht; ***you ~ be crazy*** du bist wohl verrückt!; **2.** *s* Muss *n*; ***this film is a(n absolute) ~*** diesen Film muss man (unbedingt) gesehen haben.
must[2] [~] *s* Schimmel *m*, Moder *m*.
must[3] [~] *s* Most *m*.
mus•tache *Am.* ['mʌstæʃ] → ***moustache.***
mus•ta•chi•o [mə'stɑ:ʃɪəʊ] *s* (*pl* **-os**) *mst* **~s** *pl* Schnauzbart *m*.
mus•tard ['mʌstəd] *s* Senf *m*.
mus•ter ['mʌstə] **1.** *s mil.* Appell *m*; ***pass ~*** *fig.* den Anforderungen genügen (***with*** bei); **2.** *v/t mil.* versammeln, antreten lassen; *a.* **~ *up*** *courage, etc.*: aufbieten, zusammennehmen.
must•y ['mʌstɪ] *adj* (**-ier, -iest**) mod(e)rig, muffig.
mu•ta|ble ['mju:təbl] *adj* □ veränderlich; *fig.* wankelmütig; **~•tion** [mju:'teɪʃn] *s* Veränderung *f*; *biol.* Mutation *f*.
mute [mju:t] **1.** *adj* □ stumm; **2.** *s* Stumme(r *m*) *f*; Statist(in); **3.** *v/t* dämpfen.
mu•ti•late ['mju:tɪleɪt] *v/t* verstümmeln.
mu•ti|neer [mju:tɪ'nɪə] *s* Meuterer *m*; **~•nous** ['mju:tɪnəs] *adj* □ meuterisch; rebellisch; **~•ny** ['mju:tɪnɪ] **1.** *s* Meuterei *f*; **2.** *v/i* meutern.
mut•ter ['mʌtə] **1.** *s* Gemurmel *n*; Murren *n*; **2.** *v/t and v/i* murmeln; murren.
mut•ton ['mʌtn] *s* Hammel-, Schaffleisch *n*; ***leg of ~*** Hammelkeule *f*; **~ chop** *s* Hammelkotelett *n*.
mu•tu•al ['mju:tʃʊəl] *adj* □ wechselseitig, gegenseitig; F *shared*: gemeinsam.
muz•zle ['mʌzl] **1.** *s zo.* Maul *n*, Schnauze *f*; Mündung *f* (*of gun*); Maulkorb *m*; **2.** *v/t* e-n Maulkorb anlegen (*dat*); *fig.* den Mund stopfen (*dat*).
MW ***medium wave*** MW, Mittelwelle *f*.
my [maɪ] *pron* mein(e).
my•self [maɪ'self] *pron* (ich) selbst; mir; mich; ***by ~*** allein.
mys•te|ri•ous [mɪ'stɪərɪəs] *adj* □ geheimnisvoll, mysteriös; **~•ry** ['mɪstərɪ] *s* Mysterium *n*; Geheimnis *n*; Rätsel *n*; **~•ry shop•per** *s* Testkäufer(in).

mys|tic ['mɪstɪk] **1.** *adj* (**~ally**) mystisch; geheimnisvoll; **2.** *s* Mystiker(in); **~•ti•c•al** [~kl] *adj* □ mystisch; geheimnisvoll; **~•ti•fy** [~faɪ] *v/t* täuschen; verwirren; in Dunkel hüllen.
myth [mɪθ] *s* Mythe *f*, Mythos *m*, Sage *f*.

N

n ***name*** Name *m*; ***noun*** Subst., Substantiv *n*; ***neuter*** Neutrum *n*; sächlich.
N ***north*** N, Nord(en *m*); ***north(ern)*** n, nördlich.
nab F [næb] *v/t* (**-bb-**) schnappen, erwischen.
nag [næg] **1.** *s* F Gaul *m*, Klepper *m*; **2.** (**-gg-**) *v/i* nörgeln, F meckern; **~ *at*** herumnörgeln an (*dat*); *v/t* herumnörgeln, -meckern an (*dat*).
nail [neɪl] **1.** *s* (Finger-, Zehen)Nagel *m*; *tech.* Nagel *m*; *zo.* Kralle *f*, Klaue *f*; **2.** *v/t* (an-, fest)nageln; *eyes, etc.*: heften (***to*** auf *acc*); **~•ar•i•um** [neɪ'lærɪəm] *s Am.* Maniküresalon *m*, Nagelstudio *n*; **~ e•nam•el**, **~ pol•ish** *s Am.* Nagellack *m*; **~ *remover*** Nagellackentferner *m*; **~ scis•sors** *s pl* Nagelschere *f*; **~ var•nish** *s Br.* Nagellack *m*.
na•ïve, **na•ive** [nɑː'iːv] *adj* □ naiv.
na•ked ['neɪkɪd] *adj* □ nackt, bloß; kahl; *fig.* ungeschminkt; **~•ness** *s* Nacktheit *f*, Blöße *f*; Kahlheit *f*; *fig.* Ungeschminktheit *f*.
name [neɪm] **1.** *s* Name *m*; Ruf *m*; ***by the ~ of …*** namens …; ***what's your ~?*** wie heißen Sie?; ***call s.o. ~s*** *j-n* beschimpfen; **2.** *v/t* (be)nennen; erwähnen; ernennen zu; **~•less** *adj* □ namenlos; unbekannt; **~•ly** *adv* nämlich; **~•plate** *s* Namens-, Tür-, Firmenschild *n*; **~•sake** [~seɪk] *s* Namensvetter *m*.
nan•ny ['nænɪ] *s* Kindermädchen *n*; **~-goat** *s zo.* Ziege *f*.
nap [næp] **1.** *s* Schläfchen *n*; ***have or take a ~*** ein Nickerchen machen; **2.** *v/i* (**-pp-**) ein Nickerchen machen.
nape [neɪp] *s mst* **~ *of the neck*** Genick *n*, Nacken *m*.
nap|kin ['næpkɪn] *s* Serviette *f*; *Br.* Windel *f*; **~•py** *Br.* F ['næpɪ] *s* Windel *f*.
Na•ples ['neɪplz] Neapel *n*.
nar•co•sis *med.* [nɑː'kəʊsɪs] *s* (*pl* **-ses** [-siːz]) Narkose *f*.
nar•cot•ic [nɑː'kɒtɪk] **1.** *adj* (**~ally**) narkotisch, betäubend, einschläfernd; Rauschgift…; **~ *addiction*** Rauschgiftsucht *f*; **~ *drug*** Rauschgift *n*; **2.** *s* Betäubungsmittel *n*; Rauschgift *n*; **~*s squad*** Rauschgiftdezernat *n*.
nar|rate [nə'reɪt] *v/t* erzählen; **~•ra•tion** [~ʃn] *s* Erzählung *f*; **~•ra•tive** ['nærətɪv] **1.** *adj* □ erzählend; **2.** *s* Erzählung *f*; **~•ra•tor** [nə'reɪtə] *s* Erzähler(in).
nar•row ['nærəʊ] **1.** *adj* eng, schmal; beschränkt; knapp (*majority, escape*); engherzig; **2.** **~*s*** *s pl* Engpass *m*; Meerenge *f*; **3.** *v/i and v/t* (sich) verengen; beschränken; einengen; *stitch*: abnehmen; **~-chest•ed** *adj* schmalbrüstig; **~-mind•ed** *adj* □ engherzig, -stirnig, beschränkt; **~•ness** *s* Enge *f*; Beschränktheit *f* (*a. fig.*); Engherzigkeit *f*.
na•sal ['neɪzl] *adj* □ nasal; Nasen…
nas•ty ['nɑːstɪ] *adj* □ (**-ier, -iest**) schmutzig; garstig; eklig, widerlich; böse; hässlich; abstoßend, unangenehm.
na•tal ['neɪtl] *adj* Geburts…
na•tion ['neɪʃn] *s* Nation *f*, Volk *n*.
na•tion•al ['næʃənl] **1.** *adj* □ national, National…, Landes…, Volks…, Staats…; **2.** *s* Staatsangehörige(r *m*) *f*; **~ an•them** *s* Nationalhymne *f*; **~ dress** *s* National-, Landestracht *f*; **♀ Health (Ser•vice)** *s Br.* staatlicher Gesundheitsdienst; **~ hol•i•day** *s* gesetzlicher Feiertag; **♀ In•sur•ance** *s Br.* Sozialversicherung *f*.
na•tion•al|i•ty [næʃə'nælətɪ] *s* Nationalität *f*, Staatsangehörigkeit *f*; **~•is•m** ['næʃənəlɪzm] *s* Nationalismus *m*; **~•ist** *s* Nationalist(in); **~•ize** *v/t person*: naturalisieren, einbürgern; *property*: verstaatlichen.
na•tion•al| park [næʃənl'pɑːk] *s* Nationalpark *m*; **♀ So•cial•is•m** *s hist. der* Nationalsozialismus; **♀ So•cial•ist** *hist.* **1.** *adj* nationalsozialistisch; **2.** *s* Nationalsozialist(in).
na•tion-wide ['neɪʃnwaɪd] *adj* die gan-

ze Nation umfassend, landesweit.

na•tive ['neɪtɪv] **1.** *adj* □ angeboren; heimatlich, Heimat…; eingeboren; einheimisch; ~ ***language*** Muttersprache *f*; **2.** *s* Eingeborene(r *m*) *f*; ~ ***speaker*** Muttersprachler(in); **~-born** *adj* gebürtig.

nat•u•ral ['nætʃrəl] *adj* □ natürlich; angeboren; ungezwungen; ~ ***science*** Naturwissenschaft *f*; **~•ist** *s* Naturforscher(in), *esp.* Biolog|e *m*, -in *f*; *phls.* Naturalist(in); **~•ize** *v/t* einbürgern; **~•ly** *adv* von Natur aus; natürlich (*a. of course*); **~•ness** *s* Natürlichkeit *f*.

na•ture ['neɪtʃə] *s* Natur *f*; ~ ***reserve*** Naturschutzgebiet *n*; ~ ***trail*** Naturlehrpfad *m*.

-na•tured ['neɪtʃəd] *in compounds*: …artig, …mütig.

na•tur•is•m ['neɪtʃərɪzəm] → ***nudism***; **na•tur•ist** ['neɪtʃərɪst] → ***nudist.***

naugh•ty ['nɔːtɪ] *adj* □ (***-ier, -iest***) unartig, frech, ungezogen.

nau•se|a ['nɔːsɪə] *s* Übelkeit *f*; Ekel *m*; **~•ate** ['nɔːsɪeɪt] *v/t*: ~ ***s.o.*** (bei) *j-m* Übelkeit verursachen; ***be ~d*** sich ekeln; **~•at•ing** *adj* ekelerregend; **~•ous** ['nɔːsɪəs] *adj* □ ekelhaft.

nau•ti•cal ['nɔːtɪkl] *adj* nautisch, See…

na•val *mil.* ['neɪvl] *adj* See…; Marine…; ~ ***base*** Flottenstützpunkt *m*.

na•vel ['neɪvl] *s anat.* Nabel *m*; *fig.* Mittelpunkt *m*; ~ **piercing** *s Mode*: Nabelpiercing *n*.

N

nav•i|ga•ble ['nævɪgəbl] *adj* □ schiffbar; fahrbar; lenkbar; **~•gate** [~eɪt] *v/i* fahren, segeln; steuern; *v/t sea, etc.*: befahren; steuern; **~•ga•tion** [~'geɪʃn] *s* Schifffahrt *f*; Navigation *f*; **~•ga•tor** ['~geɪtə] *s mar.* Seefahrer *m*; *mar.* Steuermann *m*; *aer.* Navigator *m*.

na•vy ['neɪvɪ] *s* Kriegsmarine *f*.

near [nɪə] **1.** *adj and adv* nahe; kurz (*distance*); *related*: nahe verwandt; *friend*: eng befreundet *or* vertraut; knapp; genau, wörtlich; sparsam, geizig; ~ ***at hand*** dicht dabei; **2.** *prp* nahe, in der Nähe (*gen*) *or* von, nahe an (*dat*) *or* bei; **3.** *v/t* sich nähern (*dat*); **~•by** *adj and adv* in der Nähe (gelegen); nahe; **~•ly** *adv* nahe; fast, beinahe; annähernd; genau; **~•ness** *s* Nähe *f*; **~•side** *s Br. mot.* Beifahrerseite *f*; ~ ***door*** Beifahrertür *f*; **~-sight•ed** *adj* kurzsichtig.

neat [niːt] *adj* □ ordentlich; sauber; gepflegt; hübsch, adrett; *esp. Br.* pur (*whisky, etc.*); **~•ness** *s* Sauberkeit *f*; nettes Aussehen; Gewandtheit *f*.

neb•u•lous ['nebjʊləs] *adj* □ neb(e)lig.

ne•ces|sa•ry ['nesəsərɪ] **1.** *adj* □ notwendig; unvermeidlich; **2.** *s mst* ***necessaries*** *pl* Bedürfnisse *pl*; **~•si•tate** [nɪ'sesɪteɪt] *v/t et.* erfordern, verlangen; **~•si•ty** [~ətɪ] *s* Notwendigkeit *f*; Bedürfnis *n*; Not *f*.

neck [nek] **1.** *s* (*a. of bottle*) Hals *m*; Nacken *m*, Genick *n*; Ausschnitt *m* (*of dress*); ~ ***and*** ~ Kopf an Kopf; ~ ***or nothing*** auf Biegen od. Brechen; F ***be a pain in the*** ~ *j-m* auf die Nerven (*or* F auf den Geist) gehen; **2.** *v/t and v/i* F (ab)knutschen, knutschen *or* schmusen (mit); **~•er•chief** ['nekətʃɪf] *s* Halstuch *n*; **~•ing** *s* F Geschmuse *n*, Geknutsche *n*; **~•lace** ['neklɪs], **~•let** [~lɪt] *s* Halskette *f*; **~•line** *s* (*of dress, etc.*) Ausschnitt *m*; **~•tie** *s Am.* Krawatte *f*, Schlips *m*.

nec•ro•man•cy ['nekrəʊmænsɪ] *s* Toten-, Geisterbeschwörung *f*.

née, *Am. a.* **nee** [neɪ] *adj before a woman's original family name*: geborene …

need [niːd] **1.** *s* Not *f*; Notwendigkeit *f*; Bedürfnis *n*; Mangel *m*, Bedarf *m*; ***be*** *or* ***stand in*** ~ ***of*** dringend brauchen; ***if*** ~ ***be*** falls nötig, nötigenfalls; **2.** *v/t* nötig haben, brauchen, bedürfen (*gen*); *v/aux* müssen, brauchen; **~•ful** *adj* □ notwendig.

nee•dle ['niːdl] **1.** *s* Nadel *f*; Zeiger *m*; **2.** *v/t* nähen; *fig.* F aufziehen, reizen; *fig.* anstacheln.

need•less ['niːdlɪs] *adj* □ unnötig.

nee•dle|wom•an ['niːdlwʊmən] *s* Näherin *f*; **~•work** *s* Handarbeit *f*.

need•y ['niːdɪ] *adj* □ (***-ier, -iest***) bedürftig, arm.

neg. ***negative*** neg., negativ.

ne•gate [nɪ'geɪt] *v/t* verneinen; **ne•ga•tion** [nɪ'geɪʃn] *s* Verneinung *f*; **neg•a•tive** ['negətɪv] **1.** *adj* □ negativ; verneinend; **2.** *s* Verneinung *f*; *phot.* Negativ *n*; ***answer in the*** ~ verneinen; **3.** *v/t* verneinen; ablehnen.

ne•glect [nɪ'glekt] **1.** *s* Vernachlässigung *f*; Nachlässigkeit *f*; **2.** *v/t* vernachlässigen; **~•ful** *adj* □ nachlässig.

neg•li|gence ['neglɪdʒəns] *s* Nachlässigkeit *f*; **~•gent** *adj* □ nachlässig.

neg•li•gi•ble ['neglɪdʒəbl] *adj* nebensächlich; unbedeutend.

ne•go•ti|ate [nɪ'ɡəʊʃɪeɪt] *v/t and v/i* verhandeln (über *acc*); zustande bringen; *hill, etc.*: bewältigen; **~•a•tion** [nɪɡəʊʃɪ'eɪʃn] *s* Ver-, Unterhandlung *f*; Bewältigung *f*; ***enter into ~*** Verhandlungen aufnehmen; ***be in ~ with s.o.*** mit j-m verhandeln; **~•a•tor** [nɪ'ɡəʊʃɪeɪtə] *s* Unterhändler *m*.

neigh [neɪ] **1.** *s* Wiehern *n*; **2.** *v/i* wiehern.

neigh•bo(u)r ['neɪbə] *s* Nachbar(in); Nächste(r *m*) *f*; **~•hood** *s* Nachbarschaft *f*, Umgebung *f*, Nähe *f*; **~•ing** *adj* benachbart; **~•ly** *adj* nachbarlich, freundlich; **~•ship** *s* Nachbarschaft *f*.

nei•ther ['naɪðə, *Am.* 'niːðə] **1.** *adj and pron* keine(r, -s) (von beiden); **2.** *adv* noch, auch nicht; **3.** *cj*: ***~ ... nor ...*** weder … noch …

neo-con F ['niːəʊkɒn], **neo-conservative** *adj pol.* neokonservativ; **neo-lib** F ['niːəʊlɪb], **neo-liberal** *adj pol.* neoliberal.

ne•on *chem.* ['niːən] *s* Neon *n*; ***~ lamp*** Neonlampe *f*; ***~ sign*** Leuchtreklame *f*.

Ne•pal [nɪ'pɔːl] Nepal *n*.

neph•ew ['nevjuː] *s* Neffe *m*.

nep•o•tis•m ['nepətɪzəm] *s* Vetternwirtschaft *f*, F Filzokratie *f*.

nerve [nɜːv] **1.** *s* Nerv *m*; Sehne *f*; *of leaf*: Rippe *f*; Kraft *f*, Mut *m*; Dreistigkeit *f*; ***lose one's ~*** den Mut verlieren; ***get on s.o.'s ~s*** *j-m* auf die Nerven gehen, F *j-n* nerven; ***you've got a ~!*** F Sie haben Nerven!; **2.** *v/t* kräftigen; ermutigen; **~•less** *adj* □ kraftlos.

ner•vous ['nɜːvəs] *adj* □ Nerven…; nervös; nervig, kräftig; **~•ness** *s* Nervigkeit *f*; Nervosität *f*.

nest [nest] **1.** *s* Nest *n* (*a. fig.*); **2.** *v/i* nisten.

nes•tle ['nesl] *v/i* (sich) (an)schmiegen *or* kuscheln (***to, against*** an *acc*); *a.* ***~ down*** sich behaglich niederlassen.

net[1] [net] **1.** *s* Netz *n*; **2.** *v/t* (***-tt-***) mit e-m Netz fangen *or* umgeben.

net[2] [~] **1.** *adj* netto; Rein…; ***~ profit*** Reingewinn *m*; **2.** *v/t* (***-tt-***) netto einbringen.

Neth•er•lands ['neðələndz] *pl die* Niederlande *pl*.

net•i•quette [netɪ'ket] *s Internet*: Netikette *f*.

net•tle ['netl] **1.** *s bot.* Nessel *f*; **2.** *v/t* ärgern.

net•work ['netwɜːk] *s* (Straßen-, Kanal- *etc.*)Netz *n*; *TV, etc.*: Sendernetz *n*, -gruppe *f*; *cooperation*: Netzwerk *n*.

neu•ro•sis *psych.* [njʊə'rəʊsɪs] *s* (*pl* ***-ses*** [-siːz]) Neurose *f*; **neu•rot•ic** [njʊ'rɒtɪk] **1.** *adj* neurotisch; **2.** *s* Neurotiker(in).

neu•ter ['njuːtə] **1.** *adj* geschlechtslos; *gr.* sächlich; **2.** *s* kastriertes Tier; *gr.* Neutrum *n*.

neu•tral ['njuːtrəl] **1.** *adj* neutral; unparteiisch; ***~ gear*** *mot.* Leerlauf *m*; **2.** *s* Neutrale(r *m*) *f*; Null(punkt *m*) *f*; *mot.* Leerlauf(stellung *f*) *m*; **~•i•ty** [njuː'trælətɪ] *s* Neutralität *f*; **~•ize** ['njuːtrəlaɪz] *v/t* neutralisieren.

neu•tron *phys.* ['njuːtrɒn] *s* Neutron *n*.

nev•er ['nevə] *adv* nie(mals); gar nicht; **~•more** *adv* nie wieder; **~•the•less** [nevəðə'les] *adv* nichtsdestoweniger, dennoch.

new [njuː] *adj* neu; frisch; unerfahren; **~-com•er** *s* Neuankömmling *m*; Neuling *m*; **~•ly** ['njuːlɪ] *adv* neulich; neu.

New•cas•tle-up•on-Tyne [ˌnjuːˌkɑːsləˌpɒn'taɪn] *industrial city and port in northeastern England*.

New Del•hi [ˌnjuː'delɪ] Neu-Delhi *n*.

news [njuːz] *s mst sg* Neuigkeit(en *pl*) *f*, Nachricht(en *pl*) *f*; ***be in the ~*** Schlagzeilen machen; **~•a•gent** *s* Zeitungshändler *m*; **~•boy** *s* Zeitungsjunge *m*, -austräger *m*; **~•cast** *s TV etc.* Nachrichtensendung *f*; **~•cast•er** *s TV etc.* Nachrichtensprecher(in); **~•deal•er** *s Am.* Zeitungshändler *m*; **~•mon•ger** *s* Klatschmaul *n*; **~•pa•per** *s* Zeitung *f*; *attr* Zeitungs…; **~•print** *s* Zeitungspapier *n*; **~•reel** *s* (*dated*) *film*: Wochenschau *f*; **~•room** *s* Nachrichtenredaktion *f*; **~•stand** *s* Zeitungskiosk *m*.

new year [njuː'jɜː] *s* Neujahr *n*, *das* neue Jahr; ***New Year's Day*** Neujahrstag *m*; ***New Year's Eve*** Silvester *m*, *n*; ***Happy New Year!*** Gutes neues Jahr!

New York [ˌnjuː'jɔːk; *Am.* ˌnuː'jɔːrk] *state in the US*; *largest city in the US*.

New Zea•land [ˌnjuː'ziːlənd] Neuseeland *n*.

next [nekst] **1.** *adj* nächste(r, -s); (***the***) ***~ day*** am nächsten Tag; ***~ to*** gleich neben *or* nach; *fig.* fast; ***~ but one*** übernächste(r, -s); ***~-door to*** *fig.* beinahe, fast; **2.** *adv* als Nächste(r, -s), gleich darauf;

das nächste Mal; **3.** *s der, die, das* Nächste; **~-door** *adj* benachbart, nebenan; **~ of kin** *s der, die* nächste Verwandte, *die* nächsten Angehörigen *pl.*

NHS *Br.* ***National Health Service*** Staatlicher Gesundheitsdienst.

Ni•ag•a•ra [naɪ'ægərə] Niagara *m (river).*

nib•ble ['nɪbl] *v/t* knabbern an *(dat)*; *v/i*: ***~ at*** nagen *or* knabbern an *(dat)*; *fig.* (herum)kritteln an *(dat).*

Nic•a•ra•gua [ˌnɪkə'rægjʊə] Nicaragua *n.*

nice [naɪs] *adj* □ (***~r, ~st***) fein; wählerisch; (peinlich) genau; heikel; nett; sympathisch; schön; hübsch; **~•ly** *adv* (sehr) gut; **ni•ce•ty** [~ətɪ] *s* Feinheit *f*; Genauigkeit *f*; Spitzfindigkeit *f.*

niche [nɪtʃ] *s* Nische *f.*

nick [nɪk] **1.** *s* Kerbe *f*; ***in the ~ of time*** im richtigen Augenblick *or* letzten Moment; **2.** *v/t* (ein)kerben, *Br. sl. j-n* schnappen, einlochen; F klauen.

nick•el ['nɪkl] **1.** *s min.* Nickel *m*; *Am. a.* Fünfcentstück *n*; **2.** *v/t* vernickeln.

nick•name ['nɪkneɪm] **1.** *s* Spitzname *m*; **2.** *v/t j-m* den Spitznamen … geben.

niece [niːs] *s* Nichte *f.*

nif•ty F ['nɪftɪ] *adj* (***-ier, -iest***) hübsch, schick, fesch; *clever*: geschickt.

Ni•ger ['naɪdʒə] Niger *m river in Westafrica*; [niː'ʒeə] Niger *n republic in Westafrica.*

Ni•ge•ria [naɪ'dʒɪərɪə] Nigeria *n.*

nig•gard ['nɪgəd] *s* Geizhals *m*; **~•ly** *adj* geizig, knaus(e)rig; karg.

night [naɪt] *s* Nacht *f*; Abend *m*; ***at ~, by ~, in the ~*** nachts; **~•cap** *s* Nachtmütze *f*, -haube *f*; Schlaftrunk *m*; **~•club** *s* Nachtklub *m*, -lokal *n*; **~•dress** *s* (Damen-, Kinder)Nachthemd *n*; **~•fall** *s* Einbruch *m* der Nacht; **~•gown** *esp. Am.*, **~•ie** F → ***nightdress***; **nigh•tin•gale** *zo.* [~ɪŋgeɪl] *s* Nachtigall *f*; **~•life** *s* Nachtleben *n*; **~•ly** *adj and adv* nächtlich; jede Nacht *or* jeden Abend (stattfindend); **~•mare** *s* Albtraum *m*; **~•nurse** *s* Nachtschwester *f*, *man*: Pfleger *m* im Nachtdienst; **~-owl** *s zo.* Eule *f*; F *fig.* Nachtschwärmer(in); **~ school** *s* Abendschule *f*; **~•shirt** *s* (Herren-) Nachthemd *n*; **~•y** F → ***nightgown.***

nil [nɪl] *s esp. sports*: null.

Nile [naɪl] Nil *m.*

nim•ble ['nɪmbl] *adj* □ (***~r, ~st***) flink, behänd(e).

nine [naɪn] **1.** *adj* neun; ***~ to five*** normale Dienststunden; ***a ~-to-five job*** e-e (An)Stellung mit geregelter Arbeitszeit; **2.** *s* Neun *f*; **~•pin** *s* Kegel *m*; ***~s*** *sg* Kegeln *n*; **~•teen** [~'tiːn]; **1.** *adj* neunzehn; **2.** *s* Neunzehn *f*; **~•teenth** [~θ] *adj* neunzehnte(r, -s); **~•tieth** ['~tɪɪθ] *adj* neunzigste(r, -s); **~•ty** ['~tɪ]; **1.** *adj* neunzig; **2.** *s* Neunzig *f.*

nin•ny F ['nɪnɪ] *s* Dummkopf *m.*

ninth [naɪnθ] **1.** *adj* neunte(r, -s); **2.** *s* Neuntel *n*; **~•ly** ['~lɪ] *adv* neuntens.

nip [nɪp] **1.** *s* Kneifen *n*; *tech.* Knick *m*; Frost *m*; Schlückchen *n*; **2.** *v/t and v/i* (***-pp-***) kneifen, klemmen; *cold*: schneiden; *sl.* flitzen; nippen (an *dat*); ***~ in the bud*** im Keim ersticken.

nip•per ['nɪpə] *s zo. of crab*: Schere *f*; (***a pair of***) ***~s*** *pl* (e-e) (Kneif)Zange *f.*

nip•ple ['nɪpl] *s* Brustwarze *f.*

no [nəʊ] **1.** *adj* kein(e); ***at ~ time*** nie; ***in ~ time*** im Nu; ***~ one*** keiner; **2.** *adv* nein; nicht; ***I won't say ~*** da kann ich nicht nein sagen; **3.** *s* (*pl* ***noes***) Nein *n.*

no. ***numero*** (= ***number***) Nr., Nummer *f.*

No. ***north*** N, Nord(en *m*); ***numero*** (= ***number***) Nr., Nummer *f.*

no•bil•i•ty [nəʊ'bɪlətɪ] *s* Adel *m (a. fig.)*

no•ble ['nəʊbl] **1.** *adj* □ (***~r, ~st***) adlig; edel; vornehm; vortrefflich; **2.** *s* Adlige(r *m*) *f*; **~•man** *s* Adlige(r) *m*; **~-mind•ed** *s* edelmütig; **~•wom•an** *s* Adlige *f.*

no•bod•y ['nəʊbədɪ] **1.** *pron* niemand, keiner; **2.** *s* Niemand *m*, Null *f.*

no-claim bo•nus [nəʊ'kleɪmbəʊnəs] *s* Schadenfreiheitsrabatt *m.*

nod [nɒd] **1.** *v/i and v/t* (***-dd-***) nicken (mit); sich neigen; ***~ off*** einnicken; ***~ding acquaintance*** oberflächliche Bekanntschaft; **2.** *s* Nicken *n*; ***give s.o. a ~*** *j-m* zunicken.

node ['nəʊd] *s computer*: Einwahlknoten *m.*

noise [nɔɪz] **1.** *s* Lärm *m*; Geräusch *n*; Geschrei *n*; ***big ~*** *contp. person*: großes Tier; **2.** *v/t*: ***~ abroad*** (***about, around***) *et.* verbreiten; **~•less** *adj* □ geräuschlos.

nois•y ['nɔɪzɪ] *adj* □ (***-ier, -iest***) geräuschvoll; laut; lärmend; *colour*: grell, aufdringlich.

nom•i|nal ['nɒmɪnl] *adj* □ nominell; (nur) dem Namen nach (vorhanden);

namentlich; **~ value** *econ.* Nennwert *m*; **~•nate** [~eɪt] *v/t* ernennen; nominieren, (zur Wahl) vorschlagen; **~•nation** [nɒmɪ'neɪʃn] *s* Ernennung *f*; *of candidate*: Nominierung *f*, Aufstellung *f*; **~•nee** [~'niː] *s* Kandidat(in).

nom•i•na•tive *gr.* ['nɒmɪnətɪv] *s* (*a. adj* **~ case**) Nominativ *m*, erster Fall.

non- [nɒn] *in compounds*: nicht…, Nicht…, un…

non|-al•co•hol•ic [nɒnælkə'hɒlɪk] *adj* alkoholfrei; **~•a•ligned** *pol.* [~ə'laɪnd] *adj* blockfrei; **~-cash** *adj econ.* bargeldlos.

nonce [nɒns] *s*: **for the ~** nur für diesen Fall.

non|-com•mis•sioned [nɒnkə'mɪʃnd] *adj* nicht bevollmächtigt; **~ officer** *mil.* Unteroffizier *m*; **~-com•mit•tal** [~kə'mɪtl] *adj* unverbindlich; **be ~** sich nicht festlegen; **~-con•duc•tor** *s esp. electr.* Nichtleiter *m*; **~•con•form•ist** [~kən'fɔːmɪst] *s* Nonkonformist(in); ♀ *Br. eccl.* Dissident(in); **~•de•script** ['nɒndɪskrɪpt] *adj* nichtssagend; *person*: unscheinbar.

none [nʌn] **1.** *pron* keine(r, -s); nichts; **2.** *adv* keineswegs, gar nicht; **~ the less** nichtsdestoweniger.

non-EU coun•try [nɒn-iːjuː'kʌntrɪ] *s pol.* Nicht-EU-Land *n*.

non-e•vent [nɒnɪ'vent] *s* F Reinfall *m*.

non-ex•ist•ence [nɒnɪg'zɪstəns] *s* Nicht(vorhanden)sein *n*; Fehlen *n*.

non-fic•tion [nɒn'fɪkʃn] *s* Sachbücher *pl*.

non-par•ty [nɒn'pɑːtɪ] *adj* parteilos.

non-per•form•ance *jur.* [nɒnpə'fɔːməns] *s* Nichterfüllung *f*.

non•plus [nɒn'plʌs] **1.** *s* Verlegenheit *f*; **2.** *v/t* **(-ss-)** *j-n* (völlig) verwirren.

non-pol•lut•ant [nɒnpə'luːtənt] **1.** *s* umweltverträgliche Substanz; **2.** *adj* umweltverträglich, umweltfreundlich; **non-pol•lut•ing** [nɒnpə'luːtɪŋ] *adj* umweltfreundlich, ungiftig.

non-res•i•dent [nɒn'rezɪdənt] *adj* nicht im Haus *or* am Ort wohnend.

non|sense ['nɒnsəns] *s* Unsinn *m*; Quatsch *m*, Nonsens *m*; **~•sen•si•cal** [nɒn'sensɪkl] *adj* □ unsinnig.

non-skid [nɒn'skɪd] *adj* rutschfest.

non-smok•er [nɒn'sməʊkə] *s* Nichtraucher(in); *rail.* Nichtraucher(abteil *n*) *m*.

non-stop [nɒn'stɒp] *adj* Nonstop…, ohne Halt, durchgehend (*train*), ohne Zwischenlandung (*aircraft*).

non-u•nion [nɒn'juːnɪən] *adj* nicht (gewerkschaftlich) organisiert.

non-vi•o•lence [nɒn'vaɪələns] *s* (Politik *f* der) Gewaltlosigkeit *f*.

noo•dle ['nuːdl] *s* Nudel *f*.

nook [nʊk] *s* Ecke *f*, Winkel *m*.

noon [nuːn] *s* Mittag *m*; **at (high) ~** um 12 Uhr mittags; **~•day**, **~•tide**, **~•time** *Am.* → **noon.**

noose [nuːs] **1.** *s* Schlinge *f*; **2.** *v/t* mit der Schlinge fangen; schlingen.

nope F [nəʊp] *adv* ne(e), nein.

nor [nɔː] *cj* noch; auch nicht.

norm [nɔːm] *s* Norm *f*, Regel *f*; Muster *n*; Maßstab *m*; **nor•mal** ['nɔːml] *adj* □ normal; **nor•mal•ize** ['~əlaɪz] *v/t* normalisieren; normen.

Nor•man•dy ['nɔːməndɪ] die Normandie.

north [nɔːθ] **1.** *s* Nord(en *m*); **2.** *adj* nördlich, Nord…; **~-east**; **1.** *s* Nordost(en *m*); **2.** *adj a.* **~-east•ern** nordöstlich; **nor•ther•ly** ['nɔːðəlɪ], **nor•thern** *adj* nördlich, Nord…; **~•ward(s)** ['nɔːθwəd(z)] *adv* nördlich, nordwärts; **~-west**; **1.** *s* Nordwest(en *m*); **2.** *adj* nordwestlich; **~-west•ern** *adj* nordwestlich.

North•ern Ire•land [ˌnɔːðn'aɪələnd] „Nordirland *n*.

North Sea [ˌnɔːθ'siː] *die* Nordsee.

Nor•way ['nɔːweɪ] Norwegen *n*.

Nor•we•gian [nɔː'wiːdʒən] **1.** *adj* norwegisch; **2.** *s* Norweger(in); *ling.* Norwegisch *n*.

nose [nəʊz] **1.** *s* Nase *f*; Spitze *f*; Schnauze *f*; **follow your ~** immer der Nase nach!; **pay through the ~** F sich dumm und dämlich zahlen; **2.** *v/t* riechen; **~ one's way** vorsichtig fahren; *v/i* (**~ about** *or* **around**) (herum-) schnüffeln; **~•bleed** *s* Nasenbluten *n*; **have a ~** Nasenbluten haben; **~•dive** *s aer.* Sturzflug *m*; **~•gay** *s* Sträußchen *n*.

nos•ey ['nəʊzɪ] → **nosy.**

nos•tal•gia [nɒ'stældʒɪə] *s* Nostalgie *f*, Sehnsucht *f*.

nos•tril ['nɒstrəl] *s* Nasenloch *n*; Nüster *f* (*of horse*).

nos•y F ['nəʊzɪ] *adj* (**-ier, -iest**) neugierig.

not [nɒt] *adv* nicht; **~ a** kein(e).

N

no•ta•ble ['nəʊtəbl] **1.** *adj* □ bemerkenswert; **2.** *s* angesehene Person.
no•ta•ry ['nəʊtərɪ] *s mst* ~ ***public*** Notar *m*.
no•ta•tion [nəʊ'teɪʃn] *s* Bezeichnung *f*.
notch [nɒtʃ] **1.** *s* Kerbe *f*, Einschnitt *m*; Scharte *f*; *Am. geol.* Engpass *m*; **2.** *v/t* (ein)kerben.
note [nəʊt] **1.** *s* Zeichen *n*; Notiz *f*; *print.* Anmerkung *f*; Briefchen *n*, Zettel *m*; *esp. Br.* Banknote *f*; (*esp.* Schuld-) Schein *m*; *diplomacy, mus.*: Note *f*; *mus.* Ton *m* (*a. fig.*); *fig.* Ruf *m*; Beachtung *f*; ***take ~s*** sich Notizen machen; **2.** *v/t* bemerken; (besonders) beachten *or* achten auf (*acc*); besonders erwähnen; *a.* ~ ***down*** niederschreiben, notieren; **~•book** *s* Notizbuch *n*; **not•ed** ['nəʊtɪd] *adj* bekannt, berühmt (***for*** wegen); **~•pa•per** *s* Briefpapier *n*; **~•wor•thy** *adj* bemerkenswert.
noth•ing ['nʌθɪŋ] **1.** *pron* nichts; **2.** *s* Nichts *n*; Null *f*; ~ ***but*** nichts als, nur; ***for*** ~ umsonst; ***good for*** ~ zu nichts zu gebrauchen; ***come to*** ~ zunichtewerden; ***to say*** ~ ***of*** ganz zu schweigen von; ***there is*** ~ ***like*** es geht nichts über (*acc*).
no•tice ['nəʊtɪs] **1.** *s* Nachricht *f*, Bekanntmachung *f*; Anzeige *f*, Ankündigung *f*; Kündigung *f*; Be(ob)achtung *f*; ***at short*** ~ kurzfristig; ***give*** ~ ***that*** bekannt geben, dass; ***give*** (***a week's***) ~ (acht Tage vorher) kündigen; ***hand in*** (*Am.* ***give***) ***one's*** ~ kündigen; ***take*** ~ ***of*** Notiz nehmen von; ***without*** ~ fristlos; **2.** *v/t* bemerken; (besonders) beachten *or* achten auf (*acc*); **~•a•ble** *adj* □ wahrnehmbar; bemerkenswert; ~ **board** *s Br.* Schwarzes Brett.
no•ti|fi•ca•tion [nəʊtɪfɪ'keɪʃn] *s* Anzeige *f*, Meldung *f*; Bekanntmachung *f*; **~•fy** ['nəʊtɪfaɪ] *v/t et.* anzeigen, melden; *j-n* benachrichtigen.
no•tion ['nəʊʃn] *s* Begriff *m*, Vorstellung *f*; Absicht *f*; **~s** *pl Am.* Kurzwaren *pl*.
no•to•ri•ous [nəʊ'tɔːrɪəs] *adj* □ notorisch; all-, weltbekannt; berüchtigt.
not•with•stand•ing [nɒtwɪθ'stændɪŋ] **1.** *prp* ungeachtet, trotz (*gen*); **2.** *adv* dennoch, trotzdem.
nought [nɔːt] *s* Null *f*; *poet. or dated*: Nichts *n*.
noughties ['nɔːtɪz] *pl* F *first decade in our millenium*: Nullerjahre *pl*, Nulliger *pl*.
noun *gr.* [naʊn] *s* Substantiv *n*, Hauptwort *n*.
nour•ish ['nʌrɪʃ] *v/t* (er)nähren; *fig.* hegen; **~•ing** *adj* nahrhaft; **~•ment** *s* Ernährung *f*; Nahrung(smittel *n*) *f*.
nov•el ['nɒvl] **1.** *adj* neu(artig); **2.** *s* Roman *m*; **~•ist** *s* Romanschriftsteller(in); **no•vel•la** [nəʊ'velə] *s* (*pl* **-las, -le**) Novelle *f*; **~•ty** *s* Neuheit *f*.
No•vem•ber [nəʊ'vembə] *s* November *m*.
nov•ice ['nɒvɪs] *s* Neuling *m*, Anfänger(in) (***at*** auf dem Gebiet *gen*); *eccl.* Novize *m, f*.
now [naʊ] **1.** *adv* nun, jetzt; eben; ***just*** ~ gerade eben; ~ ***and again*** *or* ***then*** dann und wann; **2.** *cj a.*: ~ ***that*** nun da.
now•a•days ['naʊədeɪz] *adv* heutzutage.
no•where ['nəʊweə] *adv* nirgends, nirgendwo(hin); ~ ***near*** nicht annähernd; ***get*** ~ nichts erreichen, nicht vorankommen.
nox•ious ['nɒkʃəs] *adj* □ schädlich.
noz•zle *tech.* ['nɒzl] *s* Düse *f*; Tülle *f*.
Nth ***North*** Nord-…, Nord…
nu•ance [njuː'ɑːns] *s* Nuance *f*.
nub [nʌb] *s* Knötchen *n*; kleiner Klumpen; ***the*** ~ *fig.* der springende Punkt (***of*** bei).
nu•cle•ar ['njuːklɪə] *adj* nuklear, Nuklear…, atomar, Atom…, Kern…; **~-free** *adj* atomwaffenfrei; **~-pow•ered** *adj* atomgetrieben; ~ **pow•er sta•tion** *s* Kernkraftwerk *n*; ~ **re•ac•tor** *s* Kernreaktor *m*; ~ **war•head** *s mil.* Atomsprengkopf *m*; ~ **weap•ons** *s pl* Kernwaffen *pl*; ~ **waste** *s* Atommüll *m*.
nude [njuːd] **1.** *adj* nackt; **2.** *s paint.* Akt *m*.
nudge [nʌdʒ] **1.** *v/t j-n* anstoßen, (an-) stupsen; **2.** *s* Stups(er) *m*.
nud•is•m ['njuːdɪzəm] *s* Nudismus *m*, Freikörperkultur *f*, FKK *n*; **nud•ist** ['njuːdɪst] *s* Nudist(in), FKK-Anhänger(in); **nu•di•ty** ['njuːdɪtɪ] *s* Nacktheit *f*.
nug•get ['nʌgɪt] *s* (*esp.* Gold)Klumpen *m*.
nui•sance ['njuːsns] *s* Ärgernis *n*, Unfug *m*, Plage *f*; lästiger Mensch, Nervensäge *f*; ***what a ~!*** wie ärgerlich!; ***be a*** ~ ***to s.o.*** *j-m* lästig fallen; ***make***

N

a ~ of o.s. den Leuten auf die Nerven gehen *or* fallen.

nuke [nju:k] **1.** *s Am. sl.* Kernwaffe *f*; **2.** *v/t* F mit Atomwaffen angreifen; *fig. vermin, weed*: vernichten, vertilgen.

null [nʌl] **1.** *adj* nichtssagend; ***~ and void*** null und nichtig; **2.** *s tech., math.* Null *f*.

numb [nʌm] **1.** *adj* starr (***with*** vor *dat*); *fingers, etc.*: taub; **2.** *v/t* starr *or* taub machen; ***~ed*** erstarrt.

num•ber ['nʌmbə] **1.** *s math.* Zahl *f*; *of car, house, etc.*: Nummer *f*; (An)Zahl *f*; *of periodical, etc.*: Heft *n*, Ausgabe *f*, Nummer *f*; *bus, etc.*: Linie *f*; ***without ~*** zahllos; ***in ~*** an der Zahl; **2.** *v/t* zählen; nummerieren; **~•less** *adj* zahllos; **~•plate** *s esp. Br. mot.* Nummernschild *n*.

nu•me|ral ['nju:mərəl] **1.** *adj* Zahl(en)…; **2.** *s math.* Ziffer *f*; *ling.* Numerale *n*, Zahlwort *n*; **~•rous** *adj* □ zahlreich.

nun [nʌn] *s* Nonne *f*; **~•ne•ry** *s* Nonnenkloster *n*.

Nu•rem•berg ['njʊərəmbɜ:g] Nürnberg *n*.

nurse [nɜ:s] **1.** *s* Kindermädchen *n*; *a.* ***dry-~*** Säuglingsschwester *f*; *a.* ***wet-~*** Amme *f*; (Kranken)Pflegerin *f*, (Kranken)Schwester *f*; ***at ~*** in Pflege; ***put out to ~*** in Pflege geben; **2.** *v/t and v/i* stillen, nähren; großziehen; pflegen; hätscheln; **~•maid** *s* Kindermädchen *n*; **nur•se•ry** *s* Kinderzimmer *n*; *agr.* Baum-, Pflanzschule *f*; ***~ rhymes*** *pl* Kinderlieder *pl*, -reime *pl*; ***~ school*** Kindergarten *m*; ***~ slope*** *skiing*: F Idiotenhügel *m*.

nurs•ing ['nɜ:sɪŋ] *s* Stillen *n*; (Kranken)Pflege *f*; **~ bot•tle** *s* (Säuglings-, Saug)Flasche *f*; **~ home** *s Br.* Privatklinik *f*.

nur•ture ['nɜ:tʃə] **1.** *s* Pflege *f*; Erziehung *f*; **2.** *v/t* aufziehen; (er)nähren.

nut [nʌt] *s bot.* Nuss *f*; *tech.* (Schrauben)Mutter *f*; *sl.* verrückter Kerl; ***~s*** *pl Am. sl.* Eier *pl*; ***be ~s*** *sl.* verrückt sein; **~•crack•er** *s a.* ***~s*** *pl* Nussknacker *m*; **~•meg** *s bot.* Muskatnuss *f*.

nu•tri•ment ['nju:trɪmənt] *s* Nahrung *f*.

nu•tri|tion [nju:'trɪʃn] *s* Ernährung *f*; Nahrung *f*; **~•tious** [~ʃəs], **~•tive** ['nju:trɪtɪv] *adj* □ nahrhaft.

nut|shell ['nʌtʃel] *s* Nussschale *f*; ***in a ~*** in aller Kürze; **~•ty** ['nʌtɪ] *adj* (***-ier, -iest***) voller Nüsse; nussartig; *sl.* verrückt.

NW ***northwest*** NW, Nordwest(en *m*); ***northwest(ern)*** nw, nordwestlich.

ny•lon ['naɪlɒn] *s* Nylon *n*; ***~s*** *pl* Nylonstrümpfe *pl*.

nymph [nɪmf] *s* Nymphe *f*.

O

o [əʊ] **1.** *int* oh!; ach!; **2.** *s in phone numbers*: Null *f*.

oaf [əʊf] *s* Dummkopf *m*; Tölpel *m*.

oak *bot.* [əʊk] *s* Eiche *f*.

OAP *Br.* ***old-age pensioner*** (Alters-)Rentner(in), Pensionär(in).

oar [ɔ:] *s* Ruder *n*; **~s•man** ['ɔ:zmən] *s* Ruderer *m*.

o•a•sis [əʊ'eɪsɪs] *s* (*pl* ***-ses*** [-si:z]) Oase *f* (*a. fig.*).

oat [əʊt] *s mst* ***~s*** *pl bot.* Hafer *m*; ***feel one's ~s*** F groß in Form sein; *Am.* sich wichtig vorkommen; ***sow one's wild ~s*** sich die Hörner abstoßen.

oath [əʊθ] *s* (*pl* ***~s*** [əʊðz]) Eid *m*, Schwur *m*; Fluch *m*; ***be on ~*** unter Eid stehen; ***take (make, swear) an ~*** e-n Eid leisten, schwören.

oat•meal ['əʊtmi:l] *s* Hafermehl *n*.

ob•du•rate ['ɒbdjʊrət] *adj* □ verstockt.

o•be•di|ence [ə'bi:dɪəns] Gehorsam *m*; **~•ent** *adj* □ gehorsam.

o•bei•sance [əʊ'beɪsəns] *s* Ehrerbietung *f*; Verbeugung *f*; ***do (make, pay) ~ to s.o.*** *j-m* huldigen.

o•bese [əʊ'bi:s] *adj* fett(leibig); **o•bes•i•ty** [~ətɪ] *s* Fettleibigkeit *f*.

o•bey [ə'beɪ] *v/t and v/i* gehorchen (*dat*); *order, etc.*: befolgen, Folge leisten (*dat*).

o•bit•u•a•ry [ə'bɪtjʊərɪ] *s* Todesanzeige *f*; Nachruf *m*; *attr* Todes…, Toten…

ob•ject **1.** *s* ['ɒbdʒɪkt] Gegenstand *m*; Ziel *n*, Zweck *m*, Absicht *f*; Objekt *n* (*a. gr.*); **2.** [əb'dʒekt] *v/t* einwenden (***to*** gegen); *v/i* et. dagegen haben (***to***

ger dass).

ob•jec|tion [əb'dʒekʃn] *s* Einwand *m*, -spruch *m*; **~•tio•na•ble** *adj* □ nicht einwandfrei; unangenehm.

ob•jec•tive [əb'dʒektɪv] **1.** *adj* □ objektiv, sachlich; **2.** *s* Ziel *n*; *opt.* Objektiv *n*.

ob•li•ga•tion [ɒblɪ'geɪʃn] *s* Verpflichtung *f*; *econ.* Schuldverschreibung *f*; ***be under an ~ to s.o.*** *j-m* (zu Dank) verpflichtet sein; ***be under ~ to*** *inf* die Verpflichtung haben, zu *inf*; **ob•lig•a•to•ry** [ə'blɪgətərɪ] *adj* □ verpflichtend, (rechts)verbindlich.

o•blige [ə'blaɪdʒ] *v/t* (zu Dank) verpflichten; nötigen, zwingen; ***~ s.o.*** *j-m* e-n Gefallen tun; ***much ~d*** sehr verbunden, danke bestens; **o•blig•ing** *adj* □ verbindlich, zuvor-, entgegenkommend, gefällig.

o•blique [ə'bli:k] *adj* □ schräg, schief (*a. fig.*: *look, etc.*); *hint*: indirekt.

o•blit•er•ate [ə'blɪtəreɪt] *v/t* auslöschen, tilgen (*a. fig.*); F *opponents*: vernichten (*a. sports*).

o•bliv•i|on [ə'blɪvɪən] *s* Vergessen(heit *f*) *n*; **~•ous** *adj* □: ***be ~ of s.th.*** et. vergessen haben; ***be ~ to s.th.*** blind sein gegen et., et. nicht beachten.

ob•long ['ɒblɒŋ] *adj* länglich; rechteckig.

ob•nox•ious [əb'nɒkʃəs] *adj* □ anstößig; widerwärtig, verhasst.

ob•scene [əb'si:n] *adj* □ obszön, unanständig; *fig.* ***the ~ poverty in the Third World*** der Skandal der Armut in der Dritten Welt.

O

ob•scure [əb'skjʊə] **1.** *adj* □ *fig.* dunkel, unklar; unbekannt; **2.** *v/t hide*: verdecken; **ob•scu•ri•ty** [~rətɪ] *s* Dunkelheit *f* (*a. fig.*), Unklarheit *f*; ***sink into ~*** in Vergessenheit geraten.

ob•ser|va•ble [əb'zɜ:vəbl] *adj* □ bemerkbar; bemerkenswert; **~•vance** [~ns] *s* Befolgung *f*; Brauch *m*; **~•vant** *adj* □ beachtend; aufmerksam; **~•vat•ion** [ɒbzə'veɪʃn] *s* Beobachtung *f*; Bemerkung *f*; *attr* Beobachtungs…; Aussichts…; **~•va•to•ry** [əb'zɜ:vətrɪ] *s* Observatorium *n*, Stern-, Wetterwarte *f*.

ob•serve [əb'zɜ:v] *v/t* be(ob)achten; sehen; *custom, etc.*: (ein)halten; *law, etc.*: befolgen; bemerken, äußern; *v/i* sich äußern.

ob•sess [əb'ses] *v/t* heimsuchen, quälen; ***~ed by*** *or* ***with*** besessen von; **ob•ses•sion** *s* Besessenheit *f*; **ob•ses•sive** *adj* □ *psych.* zwanghaft, Zwangs…

ob•so•lete ['ɒbsəli:t] *adj* veraltet.

ob•sta•cle ['ɒbstəkl] *s* Hindernis *n*.

ob•sti|na•cy ['ɒbstɪnəsɪ] *s* Hartnäckigkeit *f*; Eigensinn *m*; **~•nate** [~ənət] *adj* □ halsstarrig; eigensinnig; hartnäckig.

ob•struct [əb'strʌkt] *v/t* verstopfen, -sperren; blockieren; (be)hindern; **ob•struc•tion** [~kʃn] *s* Verstopfung *f*; Blockierung *f*; Behinderung *f*; Hindernis *n*; **ob•struc•tive** *adj* □ blockierend; hinderlich.

ob•tain [əb'teɪn] *v/t* erlangen, erhalten, erreichen, bekommen; **ob•tai•na•ble** *adj econ.* erhältlich.

ob•trude [əb'tru:d] *v/t and v/i* (sich) aufdrängen (***on*** *dat*); **ob•tru•sive** [~sɪv] *adj* □ aufdringlich.

ob•tuse [əb'tju:s] *adj* □ stumpf; dumpf; begriffsstutzig.

ob•vi•ate ['ɒbvɪeɪt] *v/t* beseitigen; vorbeugen (*dat*).

ob•vi•ous ['ɒbvɪəs] *adj* □ offensichtlich, augenfällig, klar, einleuchtend.

oc•ca•sion [ə'keɪʒn] **1.** *s* Gelegenheit *f*; Anlass *m*; Veranlassung *f*; (festliches) Ereignis; ***on the ~ of*** anlässlich (*gen*); **2.** *v/t* veranlassen; **~•al** *adj* □ gelegentlich, Gelegenheits…

Oc•ci|dent ['ɒksɪdənt] *s* Westen *m*; Okzident *m*, Abendland *n*; **♀•den•tal** [ɒksɪ'dentl] *adj* □ abendländisch, westlich.

oc•cu|pant ['ɒkjʊpənt] *s of flat, etc.*: Bewohner(in); *of car*: Insass|e *m*, -in *f*; *jur.* Besitzer(in); **~•pa•tion** [ɒkjʊ'peɪʃn] *s* Besitz(nahme *f*) *m*; *mil.* Besetzung *f*, Besatzung *f*, Okkupation *f*; *profession*: Beruf *m*; *activity*: Beschäftigung *f*; **~•py** ['ɒkjʊpaɪ] *v/t* einnehmen; in Besitz nehmen; *mil.* besetzen; besitzen; innehaben; *flat, etc.*: bewohnen; *take up time*: in Anspruch nehmen; beschäftigen.

oc•cur [ə'kɜ:] *v/i* (**-rr-**) vorkommen; sich ereignen; ***it ~red to me*** mir fiel ein; **~•rence** [ə'kʌrəns] *s* Vorkommen *n*; Vorfall *m*, Ereignis *n*.

o•cean ['əʊʃn] *s* Ozean *m*, Meer *n*.

O•ce•an•ia [ˌəʊʃɪ'eɪnjə] Ozeanien *n*.

o'clock [ə'klɒk] *adv telling the time*:

Uhr; (***at***) ***five*** ~ (um) fünf Uhr.

Oc•to•ber [ɒk'təʊbə] *s* Oktober *m*.

oc•u|lar ['ɒkjʊlə] *adj* Augen…; **~•list** [~ɪst] *s* Augenarzt *m*.

odd [ɒd] *adj* □ *number*: ungerade; einzeln; *after numbers*: und einige *or* etwas darüber; überzählig; gelegentlich; sonderbar, merkwürdig; ***five pounds*** ~ F fünf Pfund und ein paar Zerquetschte; **~•i•ty** ['ɒdətɪ] *s* Seltsamkeit *f*.

odds [ɒdz] *s often sg* (Gewinn)Chancen *pl*; Vorteil *m*; Verschiedenheit *f*; Unterschied *m*; Uneinigkeit *f*; ***be at*** ~ ***with s.o.*** mit *j-m* im Streit sein, uneins sein mit *j-m*; ***the*** ~ ***are that*** es ist sehr wahrscheinlich, dass; ~ ***and ends*** Reste *pl*; Krimskrams *m*.

ode [əʊd] *s poem*: Ode *f*.

o•di•ous ['əʊdɪəs] *adj* □ verhasst; ekelhaft.

o•do(u)r ['əʊdə] *s* Geruch *m*; Duft *m*.

of [ɒv, əv] *prp* von; um (***cheat*** ~ betrügen um); *with cause*: von, an (*dat*) (***die*** ~ sterben an); aus (~ ***charity*** aus Menschenfreundlichkeit); vor (*dat*) (***be afraid*** ~ Angst haben vor); auf (*acc*) (***proud*** ~ stolz auf); über (*acc*) (***be ashamed*** ~ sich schämen über *or* wegen); nach (***smell*** ~ ***roses*** nach Rosen riechen); von, über (*acc*) (***speak*** ~ ***s.th.*** von et. sprechen); an (*acc*) (***think*** ~ ***s.o.*** an *j-n* denken); *origin*: von, aus; *material*: aus, von; ***nimble*** ~ ***foot*** leichtfüßig; ***the city*** ~ ***London*** die Stadt London; ***the works*** ~ ***Dickens*** Dickens' Werke; ***your letter*** ~ ***…*** Ihr Schreiben vom …; ***five minutes*** ~ ***twelve*** *Am.* fünf Minuten vor zwölf.

off [ɒf] **1.** *adv* fort, weg; ab, herunter(…), los(…); *distance*: entfernt; *time*: bis hin (***3 months*** ~); *light, etc.*: aus(-), ab(geschaltet); *tap, etc.*: zu; *button, etc.*: ab(-), los(gegangen); frei (*at work*); ganz, zu Ende; *econ.* flau; verdorben (*meat, etc.*); *fig.* aus, vorbei; ***be*** ~ *a*) fort *or* weg sein, (weg)gehen *b*) *cancelled*: abgesagt sein, ausfallen; ~ ***and on*** ab u. an; ab u. zu; ***well*** (***badly***) ~ gut (schlecht) daran; ***I'm*** ~ ich geh jetzt; ~ ***we go!*** auf geht's!; **2.** *prp* fort von, weg von; von (… ab, weg, herunter); abseits von, entfernt von; frei von (*work*); *mar.* auf der Höhe von; ***be*** ~ ***duty*** dienstfrei haben; ***be*** ~ ***smoking*** nicht mehr rauchen; **3.** *adj* (weiter) entfernt; Seiten…, Neben…; (arbeits-, dienst)frei; *econ.* flau, still, tot; *int.* fort!, weg!, raus!

of•fal ['ɒfl] *s* Abfall *m*; **~s** *pl esp. Br. of animal*: Innereien *pl*.

of•fence, *Am.* **-fense** [ə'fens] *s* Angriff *m*; Beleidigung *f*, Kränkung *f*, Ärgernis *n*, Vergehen *n*, Verstoß *m*; *jur.* Straftat *f*.

of•fend [ə'fend] *v/t* beleidigen, verletzen, kränken; *v/i* verstoßen (***against*** gegen); **~•er** *s* Übel-, Missetäter(in); *jur.* Straffällige(r *m*) *f*; ***first*** ~ *jur.* nicht Vorbestrafte(r *m*) *f*, Ersttäter(in).

of•fen•sive [ə'fensɪv] **1.** *adj* □ beleidigend; anstößig; ekelhaft; Offensiv…, Angriffs…; **2.** *s* Offensive *f*.

of•fer ['ɒfə] **1.** *s* Angebot *n*; Anerbieten *n*; ~ ***of marriage*** Heiratsantrag *m*; **2.** *v/t* anbieten (*a. econ.*); *price, advice, etc.*: bieten; *prize, award*: aussetzen; *prayers, sacrifice*: darbringen; *be willing*: sich bereit erklären zu; *resistance*: leisten; *v/i* sich bieten; **~•ing** *s eccl.* Opfer(n) *n*; Anerbieten *n*, Angebot *n*.

off•hand [ɒf'hænd] *adj and adv* aus dem Stegreif, auf Anhieb; Stegreif…, unvorbereitet; ungezwungen, frei.

of•fice ['ɒfɪs] *s* Büro *n*; Geschäftsstelle *f*; Amt *n*; Pflicht *f*; Dienst *m*, Gefälligkeit *f*; *eccl.* Gottesdienst *m*; ♀ Ministerium *n*; ~ ***hours*** *pl* Dienststunden *pl*, Geschäftszeit *f*; **of•fi•cer** *s* Beamt|e(r) *m*, -in *f*; Polizist *m*, Polizeibeamte(r) *m*; *mil.* Offizier *m*.

of•fi•cial [ə'fɪʃl] **1.** *adj* □ offiziell, amtlich; Amts…; **2.** *s* Beamt|e(r) *m*, -in *f*.

of•fi•ci•ate [ə'fɪʃɪeɪt] *v/i* amtieren.

of•fi•cious [ə'fɪʃəs] *adj* □ aufdringlich, übereifrig.

off|-li•cence *Br.* ['ɒflaɪsəns] *s* Alkoholkonzession *f*; Spirituosengeschäft *n*; **~•print** *s* Sonderdruck *m*; **~•peak** *adj*: ~ ***fare*** verbilligter Fahr-, Flugpreis; ~ ***ticket*** verbilligte Fahr-, Flugkarte; **~-put•ting** *adj smell, etc.*: abstoßend; **~-sea•son** *s* Nebensaison *f*; **~•set** **1.** *v/t* [ɒf'set] ausgleichen; **2.** *s* ['ɒfset] *print.* Offsetdruck *m*; **~•shoot** *s bot.* Spross *m*, Ableger *m*; **~•side**; **1.** *s sports*: Abseits(stellung *f*, -position *f*) *n*; *mot.* Fahrerseite *f*; ~ ***door*** Fahrertür *f*; **2.** *adj sports*: abseits; **~•spring** *s* Nachkomme(nschaft *f*) *m*; *fig.* Ergebnis *n.*

of•ten ['ɒfn] *adv* oft(mals), häufig.

o•gle ['əʊgl] *v/t* (*a. v/i* ~ ***at***) liebäugeln mit, schöne Augen machen (*dat*).

oh [əʊ] *int* oh!; ach!

oil [ɔɪl] **1.** *s* Öl *n*; **2.** *v/t* ölen; schmieren (*a. fig.*); **~•cloth** *s* Wachstuch *n*; **~ rig** *s* (Öl)Bohrinsel *f*; **~•skin** *s* Ölleinwand *f*; **~s** *pl* Ölzeug *n*; **~ slick** *s* Ölteppich *m*; **~•y** *adj* □ (**-ier, -iest**) ölig (*a. fig.*); fettig; schmierig (*a. fig.*).

oint•ment ['ɔɪntmənt] *s* Salbe *f.*

O.K., **o•kay** F [əʊ'keɪ] **1.** *adj* richtig, gut, in Ordnung; **2.** *int* einverstanden!; gut!, in Ordnung!; **3.** *v/t* genehmigen, zustimmen (*dat*).

old [əʊld] **1.** *adj* (**~er, ~est**, *a.* ***elder, eldest***) alt; altbekannt; erfahren; **~ *age*** (das) Alter; **~ *people's home*** Alters-, Altenheim *n*; ***grow*** **~** alt werden; F **~ *chap*** F alter Junge; **2.** *s*: ***the*** **~** *things*: das Alte, Altes *n*; *people*: alte Menschen; **~-age** *adj* Alters…; **~ *poverty*** Altersarmut *f*; **~-fashioned** *adj* altmodisch; **~•ish** *adj* ältlich.

ol•ive ['ɒlɪv] *s bot.* Olive *f*; Olivgrün *n.*

O•lym•pic Games [əlɪmpɪk'geɪmz] *s pl* Olympische Spiele *pl*; ***Summer*** (***Winter***) **~** *pl* Olympische Sommer-(Winter)spiele *pl.*

om•i•nous ['ɒmɪnəs] *adj* □ unheilvoll.

o•mis•sion [əʊ'mɪʃn] *s* Unterlassung *f*; Auslassung *f.*

o•mit [ə'mɪt] *v/t* (**-tt-**) unterlassen; auslassen.

om•nip•o|tence [ɒm'nɪpətəns] *s* Allmacht *f*; **~•tent** *adj* □ allmächtig.

on [ɒn] **1.** *prp mst* auf (*dat, acc*); an (*dat*) (**~ *the wall*** an der Wand); *direction, aim*: auf (*acc*) … (hin), an (*acc*), nach (*dat*) … (hin); *fig.* auf (*acc*) … (hin); *day, date, etc.*: an (*dat*) (**~ *Sunday*** am Sonntag; **~ *the 1st of April*** am ersten April); (gleich) nach, bei (**~ *his arrival*** bei s-r Ankunft); *belonging to*: zu, *employed*: bei (***be*** **~ *a committee*** e-m Ausschuss angehören; ***be*** **~ *the Daily Mail*** bei der Daily Mail arbeiten); *situation*: in (*dat*), auf (*dat*), zu (**~ *duty*** im Dienst); *topic*: über (*acc*); ***be*** **~ *the pill*** die Pille nehmen; **~ *the street*** *Am.* auf der Straße; ***get*** **~ *a train*** *esp. Am.* in e-n Zug einsteigen; **~ *hearing it*** als ich *etc.* es hörte; **2.** *adj and adv light, etc.*: an(-geschaltet), eingeschaltet; *tap*: laufend, auf; (dar)auf (*put* ~, *etc.*); *clothes*: an (*put* ~) (***have a coat*** **~** e-n Mantel anhaben); auf (*keep* ~); weiter (*go* ~, *speak* ~, *etc.*); ***and so*** **~** und so weiter; **~ *and*** **~** immer weiter; **~ *to*** … auf (hinauf *or* hinaus); ***be*** **~** im Gange sein, los sein; *thea.* gespielt werden; laufen (*movie*); ***what's*** **~?** was ist los?, was gibt's?

once [wʌns] **1.** *adv* einmal; je(mals); einst; ***at*** **~** (so)gleich, sofort; zugleich; ***all at*** **~** plötzlich; ***for*** **~** diesmal, ausnahmsweise; **~** (***and***) ***for all*** ein für alle Mal; **~ *again*, ~ *more*** noch einmal; **~ *in a while*** dann und wann; **2.** *cj a.* **~ *that*** sobald.

one [wʌn] **1.** *adj* ein(e); einzig; eine(r, -s); man; eins; **~'s** sein(e); **~ *day*** eines Tages; **~ *Smith*** ein gewisser Smith; **2.** *pron* ein(e); man; ***the*** **~ *who*** derjenige, welcher; **~ *another*** einander; **3.** *s*: **~ *by*** **~, ~ *after another*, ~ *after the other*** e-r nach dem andern; ***be at*** **~ *with s.o.*** mit *j-m* einig sein; ***I for*** **~** ich für meinen Teil; ***the little*** **~s** *pl* die Kleinen *pl.*

one|self [wʌn'self] *pron* sich (selbst); (sich) selbst; **~-sid•ed** *adj* □ einseitig; **~-way** *adj*: **~ *street*** Einbahnstraße *f*; **~ *ticket*** *Am.* einfache Fahrkarte; *aer.* einfaches Ticket.

on•ion *bot.* ['ʌnɪən] *s* Zwiebel *f.*

on•line ['ɒnlaɪn] *adj computer*: online; **~ *auction*** Internetauktion *f*; **~ *trader*** Internethändler *m*; **~ *service*** Onlinedienst *m.*

on•look•er ['ɒnlʊkə] *s* Zuschauer(in).

on•ly ['əʊnlɪ] **1.** *adj* einzige(r, -s); **2.** *adv* nur, bloß; erst; **~ *yesterday*** erst gestern; **3.** *cj*: **~** (***that***) nur dass.

o.n.o. ***or near*(*est*) *offer*** VB, Verhandlungsbasis *f.*

on•rush ['ɒnrʌʃ] *s* Ansturm *m.*

on•set ['ɒnset], **on•slaught** ['ɒnslɔːt] *s* Angriff *m*; Anfang *m*; *med.* Ausbruch *m* (*of fever, etc.*).

on•ward ['ɒnwəd] **1.** *adj* fortschreitend; **2.** *a.*: **~s** *adv* vorwärts, weiter.

ooze [uːz] **1.** *s* Schlamm *m*; **2.** *v/i* sickern; **~ *away*** *fig.* schwinden; *v/t* ausströmen, -schwitzen.

OPEC ['əʊpek] ***Organization of Petroleum Exporting Countries*** Organisation *f* der Erdöl exportierenden Länder.

o•pen ['əʊpən] **1.** *adj* □ offen; geöffnet,

auf; frei (*fields, etc.*); öffentlich; offen, unentschieden; offen, freimütig; freigebig; *fig.* zugänglich (***to*** *dat*), aufgeschlossen (***to*** für); **2.** *s*: ***in the ~*** (***air***) im Freien; ***come out into the ~*** *fig.* an die Öffentlichkeit treten; **3.** *v/t* öffnen; eröffnen (*a. fig.*); *v/i* sich öffnen, aufgehen; *fig.* öffnen, aufmachen; anfangen; ***~ into*** führen nach (*door, etc.*); ***~ on to*** hinausgehen auf (*acc*) (*window, etc.*); ***~ out*** sich ausbreiten.

o•pen|-air [əʊpən'eə] *adj* im Freien (stattfindend), Freilicht..., Freiluft..., *a.* Open-Air-...; **~•er** *s for cans, bottles, etc.*: Öffner *m*; **~-eyed** *adj* staunend; wach; mit offenen Augen; **~-hand•ed** *adj* freigebig, großzügig; **~-heart•ed** *adj* offen(herzig), aufrichtig; **~•ing** *s* (Er)Öffnung *f*; freie Stelle; Gelegenheit *f*; *attr* Eröffnungs...; **~-mind•ed** *adj fig.* aufgeschlossen; **~-plan of•fice** *s* Großraumbüro *n*.

op•e•ra ['ɒpərə] *s* Oper *f*; **~-glass•es** *s pl* Opernglas *n*.

op•e|rate ['ɒpəreɪt] *v/t* bewirken, (mit sich) bringen; *tech. machine*: bedienen, *et.* betätigen; *business*: betreiben; *v/i tech.* arbeiten, funktionieren, laufen; wirksam werden *or* sein; *mil.* operieren; *med.* operieren (***on*** *or* ***upon s.o.*** *j-n*); ***operating room*** *Am.*, ***operating theatre*** *Br.* Operationssaal *m*; **~•ra•tion** [ɒpə'reɪʃn] *s* Wirkung *f* (***on*** auf *acc*); *tech.* Betrieb *m*, Tätigkeit *f*; *med., mil.* Operation *f*; ***be in ~*** in Betrieb sein; ***come into ~*** *jur.* in Kraft treten; **~•ra•tive** ['ɒpərətɪv] **1.** *adj* □ wirksam, tätig; praktisch; *med.* operativ; **2.** *s* Arbeiter *m*; **~•ra•tor** [~eɪtə] *s tech.* Bedienungsperson *f*; Telefonist(in).

o•pin•ion [ə'pɪnɪən] *s* Meinung *f*; Ansicht *f*; Stellungnahme *f*; Gutachten *n*; ***in my ~*** meines Erachtens.

opp. ***opposite*** gegenüber(liegend); entgegengesetzt.

op•po•nent [ə'pəʊnənt] *s* Gegner *m*.

op•por|tune ['ɒpətjuːn] *adj* □ passend; rechtzeitig; günstig; **~•tu•ni•ty** [ɒpə'tjuːnətɪ] *s* (günstige) Gelegenheit.

op•pose [ə'pəʊz] *v/t* entgegen-, gegenüberstellen; sich widersetzen (*dat*), bekämpfen; **~d** *adj* entgegengesetzt; ***be ~ to*** gegen ... sein; **op•po•site** ['ɒpəzɪt] **1.** *adj* □ gegenüberliegend; entgegengesetzt; **2.** *prp and adv* gegenüber; **3.** *s* Gegenteil *n*, -satz *m*; **op•po•si•tion** [ɒpə'zɪʃn] *s* Widerstand *m*; Gegensatz *m*; Widerspruch *m*; Opposition *f* (*a. pol. and fig.*).

op•press [ə'pres] *v/t* be-, unterdrücken; **op•pres•sion** *s* Unterdrückung *f*; Druck *m*, Bedrängnis *f*; Bedrücktheit *f*; **op•pres•sive** *adj* □ (be)drückend; hart, grausam; schwül (*weather*).

opt [ɒpt] *v/i* sich entscheiden (***for*** für).

op•tic ['ɒptɪk] *adj* Augen..., Seh...; **op•ti•cal** *adj* □ optisch; **op•ti•cian** [ɒp'tɪʃn] *s* Optiker *m*.

op•ti|mis•m ['ɒptɪmɪzəm] *s* Optimismus *m*; **~•mist** [~mɪst] *s* Optimist(in); **~•mist•ic** [~'mɪstɪk] *adj* (***~ally***) optimistisch.

op•tion ['ɒpʃn] *s* Wahl(freiheit) *f*; Alternative *f*; *econ.* Vorkaufsrecht *n*, Option *f*; **~•al** *adj* □ freigestellt, wahlfrei.

op•u•lence ['ɒpjʊləns] *s* (großer) Reichtum, Überfluss *m*.

o•pus ['əʊpəs] *s* Opus *n*, Werk *n*.

or [ɔː] *cj* oder; ***~ else*** sonst.

or•a•cle ['ɒrəkl] *s* Orakel *n*.

o•ral ['ɔːrəl] **1.** *adj* □ mündlich; Mund...; **2.** *s* F *exam*: mündliche Prüfung.

or•ange ['ɒrɪndʒ] **1.** *s* Orange *n* (*colour*); *bot.* Orange *f*, Apfelsine *f*; **2.** *adj* orange(farben); **~•ade** [~'eɪd] *s* Orangenlimonade *f*.

or•bit ['ɔːbɪt] **1.** *s* Kreis-, Umlaufbahn *f*; ***get*** *or* ***put into ~*** in e-e Umlaufbahn gelangen *or* bringen; **2.** *v/t planet*: umkreisen; *satellite*: auf e-e Umlaufbahn bringen; *v/i* die Erde *etc.* umkreisen, sich auf e-r Umlaufbahn bewegen.

or•ches•tra ['ɔːkɪstrə] *s mus.* Orchester *n*; *Am. thea.* Parkett *n*.

or•chid *bot.* ['ɔːkɪd] *s* Orchidee *f*.

or•deal *fig.* [ɔː'diːl] *s* schwere Prüfung; Qual *f*, Tortur *f*.

or•der ['ɔːdə] **1.** *s* Ordnung *f*; Anordnung *f*, Reihenfolge *f*; Befehl *m*; *in restaurant, etc.*: Bestellung *f*; *econ.* Bestellung *f*, Auftrag *m*; *econ.* Zahlungsauftrag *m*; *parl. etc.* (Geschäfts)Ordnung *f*; Klasse *f*, Rang *m*; Orden *m* (*a. eccl.*); ***in ~ to*** *inf* um zu *inf*; ***in ~ that*** damit; ***out of ~*** nicht in Ordnung; defekt; nicht in Betrieb; ***get out of ~*** durcheinandergeraten, durcheinanderkommen; ***make to ~*** auf Bestellung anferti-

O

gen; **2.** *v/t* (an-, *med.* ver)ordnen; befehlen; *econ., in restaurant, etc.*: bestellen; *j-n* schicken; ~ **book** *s econ.* Auftragsbuch *n*; **~•ly**; **1.** *adj* ordentlich; *fig.* ruhig; **2.** *s mil.* (Offiziers)Bursche *m*; *mil.* Sanitätssoldat *m*; Krankenpfleger *m*.

or•di•nal ['ɔːdɪnl] **1.** *adj* Ordnungs…; **2.** *s a.* ~ ***number*** *math.* Ordnungszahl *f.*

or•di•nary ['ɔːdnrɪ] *adj* □ üblich, gewöhnlich, normal.

ore [ɔː] *s* Erz *n*.

or•gan ['ɔːgən] *s mus.* Orgel *f*; *anat. and fig.* Organ *n*; **~•ic** [ɔː'gænɪk] *adj* (**~ally**) organisch; *farming*: biodynamisch; ~ ***product*** Bioprodukt *n*; ~ ***waste*** Biomüll *m*; ~ ***waste bin*** Biotonne *f*; **~•is•m** *s* Organismus *m*.

or•gan|i•za•tion [ɔːgənaɪ'zeɪʃn] *s* Organisation *f*; **~•ize** ['ɔːgənaɪz] *v/t* organisieren; **~*d crime*** das organisierte Verbrechen; **~•iz•er** *s* Organisator(in).

or•gas•m ['ɔːgæzəm] *s* Orgasmus *m*.

or•gy ['ɔːdʒɪ] *s* Orgie *f* (*a. fig.*).

o•ri|ent ['ɔːrɪənt] **1.** *s*: ♀ Osten *m*; Orient *m*, Morgenland *n*; **2.** *v/t*: ~ ***o.s.*** sich orientieren (***by*** an *dat*, nach) (*a. fig.*); **~•en•tal** [ɔːrɪ'entl]; **1.** *adj* □ orientalisch, östlich; **2.** *s*: ♀ Oriental|e *m*, -in *f*; **~•en•tate** ['ɔːrɪənteɪt] *v/t* → ***orient*** 2.

or•i•gin ['ɒrɪdʒɪn] *s* Ursprung *m*; Anfang *m*; Herkunft *f*.

o•rig•i•nal [ə'rɪdʒənl] **1.** *adj* □ ursprünglich; originell; Original…; **2.** *s* Original *n*; **~•i•ty** [ərɪdʒə'nælətɪ] *s* Orginalität *f*; **~•ly** *adv* originell; ursprünglich, zuerst.

o•rig•i|nate [ə'rɪdʒɪneɪt] *v/t* hervorbringen, schaffen; *v/i* entstehen; **~•na•tor** *s* Urheber(in).

Ork•ney ['ɔːknɪ]; ~ **Is•lands** [ˌɔːknɪ-'aɪləndz] *pl die* Orkneyinseln *pl*.

or•na|ment 1. *s* ['ɔːnəmənt] Verzierung *f*; *fig.* Zierde *f*; **2.** *v/t* [~ment] verzieren, schmücken; **~•men•tal** [ɔːnə'mentl] *adj* □ schmückend, Zier…

or•nate [ɔː'neɪt] *adj* □ reich verziert, reich geschmückt; überladen.

or•phan ['ɔːfn] **1.** *s* Waise *f*; **2.** *adj a.*: **~*ed*** verwaist; **~•age** [~ɪdʒ] *s* Waisenhaus *n*.

or•tho•dox ['ɔːθədɒks] *adj* □ orthodox; strenggläubig; üblich, anerkannt.

os•cil•late ['ɒsɪleɪt] *v/i* schwingen; *fig.* schwanken.

Ost•end [ɒ'stend] Ostende *n*.

os•ten•si•ble [ɒ'stensəbl] *adj* □ angeblich.

os•ten•ta|tion [ɒstən'teɪʃn] *s* Zurschaustellung *f*; Protzerei *f*; **~•tious** [~ʃəs] *adj* □ großtuerisch, prahlerisch.

os•tra•cize ['ɒstrəsaɪz] *v/t* verbannen; ächten.

os•trich *zo.* ['ɒstrɪtʃ] *s* Strauß *m*.

oth•er ['ʌðə] *adj* andere(r, -s); ***some*** ~ ***time*** ein andermal; ***one*** ~ ***thing*** noch etwas, noch eins; ***the*** ~ ***day*** neulich; ***the*** ~ ***morning*** neulich morgens; ***every*** ~ ***day*** jeden zweiten Tag; **~•wise** *adv* anders; andernfalls, sonst.

ot•ter ['ɒtə] *s zo.* Otter *m*; Otterfell *n*.

ought [ɔːt] *v/aux* sollte(st) *etc.*; ***you*** ~ ***to have done it*** Sie hätten es tun sollen.

ounce [aʊns] *s* Unze *f* (*Br.* = *28,35 g*; *Am.* = *29,6 g*).

our ['aʊə] *pron* unser; **~s** *pron* der, die, das uns(e)re; unser; **~•selves** [aʊə'selvz] *pron* uns (selbst); *wir* selbst.

oust [aʊst] *v/t* verdrängen, -treiben, hinauswerfen; *from office*: entheben.

out [aʊt] **1.** *adv* aus; hinaus (*go, throw, etc.*); heraus (*come, etc.*); außen, draußen; nicht zu Hause; *sports*: aus, draußen; aus der Mode, F out; vorbei; erloschen; aus(gegangen); verbraucht; (bis) zu Ende; ~ ***and about*** (wieder) auf den Beinen; ***way*** ~ Ausgang *m*; ***be*** ~ nicht da *or* ausgegangen sein; ~ ***of*** aus (… heraus); hinaus; außerhalb; ~ ***of breath*** außer Atem; (hergestellt) aus; ~ ***of fear*** aus Furcht; ***in nine cases*** ~ ***of ten*** in neun von zehn Fällen; ***be*** ~ ***of s.th.*** et. nicht mehr haben; **2.** *s* Ausweg *m*; ***the*** **~*s*** *pl parl.* die Opposition; **3.** *int* hinaus!, raus!; **4.** *v/t j-n* outen.

out|bal•ance [aʊt'bæləns] *v/t* überwiegen, -treffen; **~•bid** *v/t* (***-dd-***; ***-bid***) überbieten; **~•board** *adj* Außenbord…; **~•box**, ~ **box** *s E-Mail*: Postausgang *m*; **~•break** *s* Ausbruch *m*; ~ ***of war*** Kriegsausbruch *m*; **~•build•ing** *s* Nebengebäude *n*; **~•burst** *s* Ausbruch *m* (*a. fig.*); **~•cast 1.** *adj* ausgestoßen; **2.** *s* Ausgestoßene(r *m*) *f*; **~•come** *s* Ergebnis *n*, Resultat *n*; **~•cry** *s* Aufschrei *m*, Schrei *m* der Entrüstung; **~•dat•ed** *adj* überholt, veraltet; **~•distance** *v/t* (weit) überholen, hinter sich lassen; **~•do** *v/t* (***-did, -done***) übertreffen.

out•door ['aʊtdɔː] *s* Außen…, außerhalb des Hauses, im Freien, draußen; **~s** *adv* draußen, im Freien.

out•er ['aʊtə] *adj* äußere(r, -s); Außen...; **~ space** All *n*, Weltraum *m*; **~•most** [-məʊst] *adj* äußerst.

out•fit ['aʊtfɪt] *s* Ausrüstung *f*, Ausstattung *f*; F Haufen *m*, Trupp *m*, (Arbeits)Gruppe *f*; *Am. mil.* Einheit *f*; **~•ter** *s Br.* Herrenausstatter *m*.

out|go•ing ['aʊtgəʊɪŋ] **1.** *adj* weg-, abgehend; *retiring*: scheidend; *friendly*: kontaktfreudig; **2.** *s* Ausgehen *n*; **~s** *pl* (Geld)Ausgaben *pl*; **~•grow** *v/t* (***-grew, -grown***) herauswachsen aus (*clothes*); größer werden als, hinauswachsen über (*acc*); **~•house** *s* Nebengebäude *n*; *Am.* Außenabort *m*.

out•ing ['aʊtɪŋ] *s* Ausflug *m*.

out|last [aʊt'lɑːst] *v/t* überdauern, -leben; **~•law** *s* Geächtete(r *m*) *f*; **~•lay** *s* (Geld)Auslage(n *pl*) *f*, Ausgabe(n *pl*) *f*; **~•let** *s* Auslass *m*, Abfluss *m*, Austritt *m*, Abzug *m*; *econ.* Absatzmarkt *m*; *Am. electr.* Anschluss *m*, Steckdose *f*; *fig.* Ventil *n*; **~•line 1.** *s* Umriss *m*; Überblick *m*; Skizze *f*; **2.** *v/t* umreißen; skizzieren; **~•live** *v/t* überleben; **~•look** *s* Ausblick *m* (*a. fig.*); Auffassung *f*; **~•ly•ing** *adj* entlegen; **~•match** *v/t* weit übertreffen; **~•num•ber** *v/t* zahlenmäßig übertreffen.

out-pa•tient *med.* ['aʊtpeɪʃnt] *s* ambulanter Patient, ambulante Patientin; **~s(' *department*)** Ambulanz *f*.

out|post ['aʊtpəʊst] *s* Vorposten *m*; **~•pour•ing** *s* (*esp.* Gefühls)Erguss *m*.

out•put ['aʊtpʊt] *s* Output *m*; *econ. and tech.* Arbeitsertrag *m*, -leistung *f*; *econ.* Produktion *f*, Ausstoß *m*, Ertrag *m*; *electr.* Ausgangsleistung *f*; *electr.* Ausgang *m* (*of amplifier, etc.*); *computer*: (Daten)Ausgabe *f*.

out|rage ['aʊtreɪdʒ] **1.** *s* Ausschreitung *f*; Gewalttat *f*; **2.** *v/t* empören; beleidigen; Gewalt antun (*dat*); **~•ra•geous** [aʊt'reɪdʒəs] *adj* □ abscheulich; empörend, unerhört.

out|right [adj 'aʊtraɪt, adv aʊt'raɪt] geradeheraus; völlig; direkt; **~•run** *v/t* (***-nn-; -ran, -run***) schneller laufen als; *fig.* übertreffen, hinausgehen über (*acc*); **~•set** *s* Anfang *m*; Aufbruch *m*; **~•shine** *v/t* (***-shone***) überstrahlen; *fig. a.* in den Schatten stellen.

out|side [aʊt'saɪd] **1.** *s* Außenseite *f*; *das* Äußere; *sports*: Außenstürmer *m*; ***at the*** (***very***) **~** (aller)höchstens; *attr*: **~ *left*** (***right***) *sports*: Linksaußen (Rechtsaußen) *m*; **2.** *adj* äußere(r, -s), Außen...; außerhalb, draußen; äußerste(r, -s) (*price*); **3.** *adv* draußen, außerhalb; heraus, hinaus; **4.** *prp* außerhalb; **~•sid•er** *s* Außenseiter(in), -stehende(r *m*) *f*.

out|size ['aʊtsaɪz] *s* Übergröße *f*; **~•skirts** *s pl* Außenbezirke *pl*, (Stadt-)Rand *m*; **~•smart** *v/t* F überlisten; **~•source** *v/t production*: auslagern, outsourcen; **~•sourc•ing** *s of production*: Auslagerung *f*, Outsourcing *n*; **~•spo•ken** *adj* offen, freimütig; **~•spread** *adj* ausgestreckt, -breitet; **~•stand•ing** *adj* hervorragend (*a. fig.*); ausstehend (*debts*); ungeklärt (*question*); unerledigt (*work*); **~•stay** *v/t* länger bleiben als; **~ *one's welcome*** j-s Gastfreundschaft überbeanspruchen *or* ausnützen; **~•stretched** → ***outspread***; **~•strip** *v/t* (***-pp-***) überholen (*a. fig.*); **~•vote** *v/t pol., a. fig.* überstimmen.

out•ward ['aʊtwəd] **1.** *adj* äußere(r, -s); äußerlich; nach (dr)außen gerichtet; **2.** *adv mst* **~s** (nach) auswärts, nach (dr)außen; **~•ly** *adv* äußerlich.

out|weigh [aʊt'weɪ] *v/t* schwerer sein als; *fig.* überwiegen; **~•wit** *v/t* (***-tt-***) überlisten; **~•worn** *adj* erschöpft; *fig.* abgegriffen; überholt.

o•val ['əʊvl] **1.** *adj* □ oval; **2.** *s* Oval *n*.

o•va•ry *anat.* ['əʊvərɪ] *s* Eierstock *m*.

o•va•tion [əʊ'veɪʃn] *s* begeisterter Beifall, Ovation *f*; ***standing*** **~** stehende Ovationen *pl*.

ov•en ['ʌvn] *s* Backofen *m*; ***put s.th. in the*** **~** et. backen; **~•able**, **~•proof** *adj* hitzebeständig, backofenfest; **~-read•y** *adj* backfertig, bratfertig.

o•ver ['əʊvə] **1.** *adv* hinüber; darüber; herüber; drüben; über...; darüber...; ***hand*** **~** *et.* übergeben; ***boil*** **~** überkochen; ***fall*** **~** umfallen; ***turn*** **~** herumdrehen; ***read*** **~** (von Anfang bis Ende) durchlesen; ganz, über u. über; ***switch*** **~** umschalten; ***think*** **~** (gründlich) überlegen; nochmals, wieder; übermäßig, über...; darüber, mehr; übrig; zu Ende, vorüber, vorbei, aus; (***all***) **~ *again*** noch einmal, (ganz) von vorn; **~ *against*** gegenüber (*dat*); ***all*** **~** ganz

O

vorbei; **~ and ~ again** immer wieder; **2.** *prp* über; über (*acc*) … hin(weg); **~ and above** neben, zusätzlich zu.

o•ver•act [əʊvər'ækt] *v/t thea. etc.* übertrieben spielen; *v/i fig.* übertreiben.

o•ver•all 1. *s* ['əʊvərɔːl] *Br.* (Arbeits-) Kittel *m*; **~s** *pl* Arbeitsanzug *m*, Overall *m*; **2.** *adj* [əʊvər'ɔːl] gesamt, Gesamt…; *parl.* **~ majority** absolute Mehrheit; **~ control** Globalsteuerung *f*.

o•ver|awe [əʊvər'ɔː] *v/t* einschüchtern; **~•bal•ance 1.** *s* Übergewicht *n*; **2.** *v/i* das Gleichgewicht verlieren; umkippen; überwiegen (*a. fig.*); *v/t* aus dem Gleichgewicht bringen; **~•bear•ing** *adj* □ anmaßend; **~•board** *adv mar.* über Bord; **~•cast** *adj* bewölkt; **~•charge**; **1.** *v/t electr., tech.* überladen; *v/i* zu viel verlangen (**for** für); **2.** *s* Überpreis *m*; Aufschlag *m*; **~•coat** *s* Mantel *m*; **~•come** *v/t* (**-came, -come**) überwinden, -wältigen; **~•crowd** *v/t* überfüllen; **~•do** *v/t* (**-did, -done**) übertreiben; zu sehr kochen *or* braten; überanstrengen; **~•draft** *s econ.* Kontoüberziehung *f*; **~•draw** *v/t* (**-drew, -drawn**) *econ. bank account*: überziehen; **~•due** *adj* überfällig; **~•eat** *v/i* (**-ate, -eaten**) *a.* **~ o.s.** sich überessen.

o•ver•flow 1. [əʊvə'fləʊ] *v/t* überfluten, -schwemmen; *v/i* überfließen, -laufen; **2.** *s* ['əʊvəfləʊ] Überschwemmung *f*; Überschuss *m*; *tech.* Überlauf *m*.

o•ver|grow [əʊvə'grəʊ] (**-grew, -grown**) *v/t* überwuchern; *v/i* zu groß werden; **~•grown** *adj* überwuchert; übergroß.

o•ver|hang 1. [əʊvə'hæŋ] (**-hung**) *v/t* über (*dat*) hängen; *v/i* überhängen; **2.** *s* ['əʊvəhæŋ] Überhang *m*; **~•haul** *v/t* *car, etc.*: überholen.

o•ver•head 1. *adv* [əʊvə'hed] (dr)oben; **2.** *adj* ['əʊvəhed] Hoch…, Ober…; *econ.* allgemein (*costs*); **~ projector** Overheadprojektor *m*; **3.** *s mst Br.* **~s** *pl econ.* allgemeine Unkosten *pl*.

o•ver|hear [əʊvə'hɪə] *v/t* (**-heard**) (zufällig) belauschen, (mit an)hören; **~•joyed** *adj* überglücklich (**at** über *acc*); **~•kill** *s mil.* Overkill *m*; *fig.* Übermaß *n*, Zuviel *n* (**of** an *dat*); **~•lap** *v/t and v/i* (**-pp-**) sich überschneiden (mit); *tech.* (sich) überlappen; **~•lay** *v/t* (**-laid**) belegen, überziehen; **~•leaf** *adv* umseitig; **~•load** *v/t* überladen; **~•look** *v/t* übersehen (*a. fig.*); **~ing the sea** mit Blick auf das Meer; **~•night 1.** *adv* über Nacht; **stay ~** übernachten; **2.** *adj* Nacht…, Übernachtungs…; **~•pay** *v/t* (**-paid**) zu viel bezahlen für; **~-peo•pled** *adj* übervölkert; **~•plus** *s* Überschuss *m* (**of** an *dat*); **~•pow•er** *v/t* überwältigen; **~•pro•duction** *s econ.* Überproduktion *f*; **~•rate** *v/t* überschätzen; **~•reach** *v/t* übervorteilen; **~ o.s.** sich übernehmen; **~•ride** *v/t* (**-rode, -ridden**) *fig.* sich hinwegsetzen über (*acc*); umstoßen; **~•rule** *v/t* überstimmen; *jur. verdict*: aufheben.

o•ver•run [əʊvə'rʌn] *v/t* (**-nn-; -ran, -run**) *land*: überfluten; überwuchern; *signal*: überfahren; *time*: überziehen; **be ~ with** wimmeln von.

o•ver•sea(s) [əʊvə'siː(z)] **1.** *adj* überseeisch, Übersee…; **2.** *adv* in *or* nach Übersee.

o•ver|see [əʊvə'siː] *v/t* (**-saw, -seen**) beaufsichtigen; **~•seer** ['əʊvəsɪə] *s* Aufseher *m*; Vorarbeiter *m*.

o•ver|shad•ow [əʊvə'ʃædəʊ] *v/t* überschatten (*a. fig.*); *fig.* in den Schatten stellen; **~•sight** *s* Versehen *n*; **~•sleep** *v/i* (**-slept**) verschlafen; **~•staffed** *adj* (personell) überbesetzt.

o•ver•state [əʊvə'steɪt] *v/t* übertreiben; **~•ment** *s* Übertreibung *f*.

o•ver•strain 1. *v/t* [əʊvə'streɪn] überanstrengen; **~ o.s.** sich übernehmen; **2.** *s* ['əʊvəstreɪn] Überanstrengung *f*.

o•ver|take [əʊvə'teɪk] *v/t* (**-took, -taken**) *j-n* überraschen; überholen; **~•tax** *v/t* zu hoch besteuern; *fig.* überschätzen; überfordern.

o•ver•throw 1. *v/t* [əʊvə'θrəʊ] (**-threw, -thrown**) (um)stürzen (*a. fig.*); besiegen; **2.** *s* ['əʊvəθrəʊ] (Um)Sturz *m*; Niederlage *f*.

o•ver•time *econ.* ['əʊvətaɪm] *s* Überstunden *pl*; **be on ~, do ~** Überstunden machen.

o•ver•ture ['əʊvətjʊə] *s mus.* Ouvertüre *f*; *mus.* Vorspiel *n*; *mst* **~s** *pl* Vorschlag *m*, Antrag *m*.

o•ver|turn [əʊvə'tɜːn] *v/t and v/i* (um-) stürzen (*a. fig.*); **~•weight** *s* Übergewicht *n*; **~•whelm** *v/t* überwältigen (*a. fig.*); **~•work 1.** *s* Überarbeitung *f*; **2.** *v/i* sich überarbeiten; *v/t* überanstren-

O

gen.

owe [əʊ] *v/t money, etc.*: schulden, schuldig sein; verdanken; ~ ***s.th. to s.o.*** *j-m* et. zu verdanken haben.

ow•ing ['əʊɪŋ] *adj*: ***be*** ~ zu zahlen sein; ~ ***to*** infolge (*gen*); wegen (*gen*); dank (*dat*).

owl *zo.* [aʊl] *s* Eule *f*.

own [əʊn] **1.** *adj* eigen; selbst; einzig, (innig) geliebt; **2.** *s*: ***my*** ~ mein Eigentum; ***a house of one's*** ~ ein eigenes Haus; ***hold one's*** ~ standhalten; **3.** *v/t* besitzen; *admit*: zugeben.

own•er ['əʊnə] *s* Eigentümer(in); **~•ship** ['əʊnəʃɪp] *s* Eigentum(srecht) *n*.

ox *zo.* [ɒks] *s* (*pl* ***oxen*** ['ɒksn]) Ochse *m*.

ox•i•da•tion *chem.* [ɒksɪ'deɪʃn] *s* Oxidation *f*, Oxidierung *f*; **ox•ide** *chem.* ['ɒksaɪd] *s* Oxid *n*; **ox•i•dize** *chem.* ['ɒksɪdaɪz] *v/t and v/i* oxidieren; **oxy-gen** *chem.* ['ɒksɪdʒən] *s* Sauerstoff *m*.

oy•ster *zo.* ['ɔɪstə] *s* Auster *f*.

oz ***ounce(s)*** Unze(n *pl*) *f* (*28,35 g*).

o•zone *chem.* ['əʊzəʊn] *s* Ozon *n*; **~-friend•ly** *adj of aerosols, etc.*: FCKW-frei; ~ **hole** *s* Ozonloch *n*; ~ **lay•er** *s* Ozonschicht *f*; ***the hole in the*** ~ das Ozonloch.

P

p *Br.* ***penny, pence*** (*Währungseinheit*).

p. ***page*** S., Seite *f*; ***part*** T., Teil *m*.

p. a. ***per annum*** (= ***per year***) pro Jahr.

pace [peɪs] **1.** *s* Schritt *m*; Gang *m*; Tempo *n*; **2.** *v/t* abschreiten; durchschreiten; *v/i* (einher)schreiten; ~ ***up and down*** auf u. ab gehen.

Pa•cif•ic [pə'sɪfɪk] *der* Pazifik.

pac•i|fi•er *Am.* ['pæsɪfaɪə] *s* Schnuller *m*; **~•fy** [-aɪ] *v/t* beruhigen, besänftigen.

pack [pæk] **1.** *s* Pack(en) *m*, Paket *n*, Ballen *m*, Bündel *n*; *Am.* Packung *f* (*cigarettes*); Meute *f* (*dogs*); Rudel *n* (*wolves*); Pack *n*, Bande *f*; *med., cosmetic*: Packung *f*; *a.* ~ ***of cards*** Spiel *n* Karten; *a.* ~ ***of films*** *phot.* Filmpack *m*; ***a*** ~ ***of lies*** ein Haufen Lügen; **2.** *v/t* (voll)packen; bepacken; vollstopfen; zusammenpferchen; *econ.* eindosen; *tech.* (ab)dichten; *Am.* F *gun, etc.*: (bei sich) tragen; *often* ~ ***up*** zusammen-, ver-, ein-, abpacken; *mst* ~ ***off*** (rasch) fortschicken, -jagen; *v/i* sich *gut etc.* verpacken *or* konservieren lassen; *often* ~ ***up*** (zusammen)packen; ***send s.o.*** ~***ing*** *j-n* fortjagen; ~ ***into*** *car, etc.*: sich hineinquetschen *or* sich drängen in (*acc*).

pack|age ['pækɪdʒ] *s* Pack *m*, Ballen *m*; Paket *n*; Packung *f*; Frachtstück *n*; ~ ***tour*** Pauschalreise *f*; ~ ***of austerity measures*** *pol.* Sparpaket *n*; **~•ag•ing in•dus•try** [ˌpækɪdʒɪŋ'ɪndəstrɪ] *s* Verpackungsindustrie *f*; **~•er** *s* Packer(in); *Am.* Konservenhersteller *m*; **~•et** *s* Päckchen *n*; Packung *f* (*cigarettes*); *a.* **~-*boat*** *mar.* Postschiff *n*; **~•ing** *s* Packen *n*; Verpackung *f*.

pact [pækt] *s* Vertrag *m*, Pakt *m*.

pad [pæd] **1.** *s* Polster *n*; *sports*: Beinschutz *m*; Schreib-, Zeichenblock *m*; Abschussrampe *f* (*for rockets*); *a.* ***ink***~ Stempelkissen *n*; **2.** *v/t* (**-*dd*-**) (aus)polstern, wattieren; **~•ding** *s* Polsterung *f*, Wattierung *f*.

pad•dle ['pædl] **1.** *s* Paddel *n*; *mar.* (Rad)Schaufel *f*; **2.** *v/t and v/i* paddeln; plantschen; **~-wheel** *s mar.* Schaufelrad *n*.

pad•lock ['pædlɒk] *s* Vorhängeschloss *n*.

pa•gan ['peɪgən] **1.** *adj* heidnisch; **2.** *s* Heid|e *m*, -in *f*.

page[1] [peɪdʒ] **1.** *s* Seite *f* (*of book, etc.*); **2.** *v/t* paginieren.

page[2] [-] **1.** *s* (Hotel)Page *m*; **2.** *v/t j-n* ausrufen lassen.

paid [peɪd] *pret and pp of* ***pay*** 2.

pail [peɪl] *s* Eimer *m*.

pain [peɪn] **1.** *s* Schmerz(en *pl*) *m*; Kummer *m*; ~***s*** *pl* Mühe *f*; ***on*** *or* ***under*** ~ ***of death*** bei Todesstrafe; ***be in*** (***great***) ~ (große) Schmerzen haben; ***take*** ~***s*** sich Mühe geben; → ***arse***, ***neck*** 1; **2.** *v/t j-n* schmerzen, *j-m* wehtun; **~•ful** *adj* □ schmerzhaft; schmerzlich; peinlich; mühsam; *memories*: *a.* traurig; **~•less** *adj* □ schmerzlos; **~s•tak•ing** *adj* □ sorgfältig, gewissenhaft.

P

paint [peɪnt] **1.** *s* Farbe *f*; *contp.* Schminke *f*; Anstrich *m*; **2.** *v/t* (an-, be)malen; (an)streichen; **~•box** *s* Malkasten *m*; **~•brush** *s* (Maler)Pinsel *m*; **~•er** *s* Maler(in); **~•ing** *s* Malen *n*; Malerei *f*; Gemälde *n*, Bild *n*.

pair [peə] **1.** *s* Paar *n*; ***a ~ of ...*** ein Paar ..., ein(e) ...; ***a ~ of scissors*** e-e Schere; **2.** *v/i zo.* sich paaren; zusammenpassen; ***~ off*** Paare bilden; paarweise weggehen.

pa•ja•ma(s) *Am.* [pə'dʒɑːmə(z)] → ***pyjama.***

pal [pæl] *s* Kumpel *m*, Kamerad *m*.

pal•ace ['pælɪs] *s* Palast *m*, Schloss *n*.

pal•a•ta•ble ['pælətəbl] *adj* □ wohlschmeckend, schmackhaft (*a. fig.*).

pal•ate ['pælɪt] *s anat.* Gaumen *m*; *fig.* Geschmack *m*.

pale[1] [peɪl] *s* Pfahl *m*; *fig.* Grenzen *pl*.

pale[2] [~] **1.** *adj* □ (***~r, ~st***) blass, bleich, fahl; ***~ ale*** helles Bier; **2.** *v/i* blass *or* bleich werden; **~•ness** *s* Blässe *f*.

Pal•es•tine ['pæləstaɪn] Palästina *n*.

pal•ings ['peɪlɪŋz] *s pl* Pfahlzaun *m*.

pal•i•sade [pælɪ'seɪd] *s* Palisade *f*; ***~s*** *pl Am.* Steilufer *n*.

pal•li|ate ['pælɪeɪt] *v/t med.* lindern; *fig.* bemänteln; **~•a•tive** *med.* [~ətɪv] *s* Linderungsmittel *n*.

pal|lid ['pælɪd] *adj* □ blass; **~•lid•ness, ~•lor** [~ə] *s* Blässe *f*.

palm [pɑːm] **1.** *s* Handfläche *f*; *bot.* Palme *f*; **2.** *v/t* in der Hand verbergen; ***~ s.th. off on*** *or* ***upon s.o.*** *j-m* et. andrehen; **~-tree** *s bot.* Palme *f*.

pal•pi|tate *med.* ['pælpɪteɪt] *v/i* klopfen (*heart*); **~•ta•tion** *med.* [pælpɪ'teɪʃn] *s* Herzklopfen *n*.

P

pal•try ['pɔːltrɪ] *adj* □ (***-ier, -iest***) armselig; wertlos.

pam•per ['pæmpə] *v/t* verwöhnen; *child*: *a.* verhätscheln, verzärteln.

pam•phlet ['pæmflɪt] *s* Broschüre *f*; (kurze, kritische) Abhandlung.

pan [pæn] *s* Pfanne *f*; Tiegel *m*.

pan- [~] *in compounds*: all..., ganz..., gesamt..., pan..., Pan...

pan•a•ce•a [pænə'sɪə] *s* Allheilmittel *n*.

pan•cake ['pænkeɪk] *s* Pfann-, Eierkuchen *m*; ♀ ***Day*** *Br.* Faschingsdienstag *m*; ***~ landing*** *aer.* F Bauchlandung *f*.

pan•da *zo.* ['pændə] *s* Panda *m*; ***~ car*** *s Br.* (Funk)Streifenwagen *m*; ***~ crossing*** *s Br.* Fußgängerübergang *m* mit Druckampel.

pan•dem•ic [pæn'demɪk] *s med.* Pandemie *f*.

pan•de•mo•ni•um *fig.* [pændɪ'məʊnɪəm] *s* Hölle(nlärm *m*) *f*.

pane [peɪn] *s* (Fenster)Scheibe *f*.

pan•e•gyr•ic [pænɪ'dʒɪrɪk] *s* Lobrede *f*.

pan•el ['pænl] **1.** *s arch.* Fach *n*, *of door*: Füllung *f*, *of wall*: Täfelung *f*; *electr., tech.* Instrumentenbrett *n*, Schalttafel *f*; *jur.* Geschworenenliste *f*; *jur. die* Geschworenen *pl*; *die* Diskussionsteilnehmer *pl*; **2.** *v/t* (*esp. Br.* **-ll-**, *Am.* **-l-**) täfeln.

pang [pæŋ] *s* plötzlicher Schmerz; *fig.* Angst *f*, Qual *f*; ***~s*** *pl* ***of conscience*** Gewissensbisse *pl*.

pan•han•dle ['pænhændl] **1.** *s* Pfannenstiel *m*; *Am. stretch of land*: schmaler Landstreifen; **2.** *v/i Am.* F betteln.

pan•ic ['pænɪk] **1.** *adj* panisch; **2.** *s* Panik *f*; **3.** *v/i* (***-ck-***) in Panik geraten.

pan•sy *bot.* ['pænzɪ] *s* Stiefmütterchen *n*.

pant [pænt] *v/i breathe*: nach Luft schnappen, keuchen, schnaufen.

pan•ther *zo.* ['pænθə] *s* Panther *m*; *Am.* Puma *m*.

pan•ties ['pæntɪz] *s pl* (Damen)Schlüpfer *m*; Kinderhöschen *n*.

pan•ti•hose *esp. Am.* ['pæntɪhəʊz] *s* Strumpfhose *f*.

pan•try ['pæntrɪ] *s* Speisekammer *f*.

pants [pænts] *s pl esp. Am.* Hose *f*; *esp. Br.* Unterhose; *esp. Br.* Schlüpfer *m*.

pap [pæp] *s* Brei *m*.

pa•pa [pə'pɑː] *s* Papa *m*.

pa•pal ['peɪpl] *adj* □ päpstlich.

pa•per ['peɪpə] **1.** *s* Papier *n*; Zeitung *f*; schriftliche Prüfung; Prüfungsarbeit *f*; Vortrag *m*, Aufsatz *m*; ***~s*** *pl* (Ausweis-) Papiere *pl*; **2.** *v/t* tapezieren; **~•back** *s* Taschenbuch *n*, Paperback *n*; **~-bag** *s* (Papier)Tüte *f*; **~-clip** *s* Büroklammer *f*; **~-hang•er** *s* Tapezierer *m*; **~-mill** *s* Papierfabrik *f*; **~•weight** *s* Briefbeschwerer *m*.

pap•py ['pæpɪ] *adj* (***-ier, -iest***) breiig.

par [pɑː] *s econ.* Nennwert *m*, Pari *n*; *golf*: Par *n*; ***at ~*** zum Nennwert; ***be on a ~ with*** gleich *or* ebenbürtig sein (*dat*).

par. ***paragraph*** Abs., Absatz *m*; Abschn., Abschnitt *m*.

par•a•ble ['pærəbl] *s* Gleichnis *n*, Parabel *f*.

par•a|chute ['pærəʃuːt] **1.** *s* Fallschirm *m*; **2.** *v/i* mit dem Fallschirm abspringen; **~•chut•ist** *s* Fallschirmspringer(in).

pa•rade [pə'reɪd] **1.** *s* (Um)Zug *m*; *mil.* (Truppen)Parade *f*; Zurschaustellung *f*, Vorführung *f*; (Strand)Promenade *f*; ***make a ~ of*** *fig.* zur Schau stellen; **2.** *v/i and v/t mil.* antreten (lassen); *mil.* vorbeimarschieren (lassen); zur Schau stellen; **~-ground** *s mil.* Exerzier-, Paradeplatz *m*.

par•a•dise ['pærədaɪs] *s* Paradies *n*.

par•a•gon ['pærəgən] *s* Vorbild *n*, Muster *n*; ***a ~ of virtue*** F ein Ausbund an Tugend(haftigkeit).

par•a•graph ['pærəgrɑːf] *s print.* Absatz *m*, Abschnitt *m*; kurze Zeitungsnotiz.

Par•a•guay ['pærəgwaɪ] Paraguay *n*.

par•al•lel ['pærəlel] **1.** *adj* parallel; **2.** *s math.* Parallele *f* (*a. fig.*); Gegenstück *n*; Vergleich *m*; ***without*** **(*a*)** **~** ohnegleichen; **3.** *v/t* (**-l-**, *Br. a.* **-ll-**) vergleichen; entsprechen (*dat*); gleichen (*dat*); parallel (ver)laufen zu.

par•a•lyse, *Am.* **-lyze** ['pærəlaɪz] *v/t med.* lähmen (*a. fig.*); *fig.* zunichtemachen; **pa•ral•y•sis** *med.* [pə'rælɪsɪs] *s* (*pl* ***-ses*** [-siːz]) Paralyse *f*, Lähmung *f*.

par•a•mount ['pærəmaʊnt] *adj* höherstehend (***to*** als), übergeordnet, oberste(r, -s); höchste(r, -s); *fig.* größte(r, -s).

par•a|noi•a [pærə'nɔɪə] *s med.* Paranoia *f*; *a.* Verfolgungswahn *m*, krankhaftes Misstrauen; **~•noid** ['pærənɔɪd] *adj med.* paranoid; *fig.* krankhaft.

par•a•pet ['pærəpɪt] *s* Brüstung *f*; Geländer *n*.

par•a•site ['pærəsaɪt] *s* Schmarotzer *m*.

par•a•sol ['pærəsɒl] *s* Sonnenschirm *m*.

par•a•troop|er *mil.* ['pærətruːpə] *s* Fallschirmjäger *m*; **~s** *s pl mil.* Fallschirmtruppen *pl*.

par•boil ['pɑːbɔɪl] *v/t* ankochen.

par•cel ['pɑːsl] **1.** *s* Paket *n*, Päckchen *n*; Bündel *n*; Parzelle *f*; **2.** *v/t* (*esp. Br.* **-ll-**, *Am.* **-l-**): **~ *out*** aus-, aufteilen.

parch [pɑːtʃ] *v/t and v/i* rösten, (aus-) dörren.

parch•ment ['pɑːtʃmənt] *s* Pergament *n*.

pard *Am. sl.* [pɑːd] *s* Partner *m*.

par•don ['pɑːdn] **1.** *s* Verzeihung *f*; *jur.* Begnadigung *f*; ***~?*** wie bitte?; **2.** *v/t* verzeihen; *jur.* begnadigen; **~ *me!*** Entschuldigung!; **~•a•ble** *adj* □ verzeihlich.

pare [peə] *v/t* (be)schneiden (*a. fig.*); schälen.

par•ent ['peərənt] *s* Elternteil *m*; *fig.* Ursache *f*; **~s** *pl* Eltern *pl*; ***~-teacher meeting*** *school*: Elternabend *m*; → ***single parent***; **~•age** [˷ɪdʒ] *s* Abstammung *f*; **pa•ren•tal** [pə'rentl] *adj* elterlich, Eltern...; **~ *leave*** Elternzeit *f*.

pa•ren•the•sis [pə'renθɪsɪs] *s* (*pl* ***-ses*** [-siːz]) Einschaltung *f*; *print.* (runde) Klammer.

par•ing ['peərɪŋ] *s* Schälen *n*; (Be-) schneiden *n*; **~s** *pl* Schalen *pl*; Schnipsel *pl*.

Par•is ['pærɪs] Paris *n*.

par•ish ['pærɪʃ] **1.** *s* Gemeinde *f*; **2.** *adj* Pfarr..., Kirchen...; *pol.* Gemeinde...; **~ *church*** Pfarrkirche *f*; **~ *council*** Gemeinderat *m*; **pa•rish•io•ner** [pə'rɪʃənə] *s* Gemeindemitglied *n*.

par•i•ty ['pærətɪ] *s* Gleichheit *f*.

park [pɑːk] **1.** *s* Park *m*, Anlagen *pl*; Naturschutzgebiet *n*, Park *m*; *Am.* (Sport)Platz *m*; ***the ~*** *Br.* F der Fußballplatz, das Stadion; *mst* ***car-~*** Parkplatz *m*; **2.** *v/t and v/i mot.* parken.

par•ka ['pɑːkə] *s* Parka *f*, *m*.

park•ing *mot.* ['pɑːkɪŋ] *s* Parken *n*; ***no ~*** Parkverbot, Parken verboten; ***~ for 200 cars*** 200 Parkplätze; **~ disc** *s* Parkscheibe *f*; **~ fee** *s* Parkgebühr *f*; **~ lot** *s Am.* Parkplatz *m*; **~ me•ter** *s* Parkuhr *f*; **~ or•bit** *s space travel*: Parkbahn *f*; **~ tick•et** *s* Strafzettel *m*.

par•lance ['pɑːləns] *s* Ausdrucksweise *f*, Sprache *f*.

par•lia|ment ['pɑːləmənt] *s* Parlament *n*; ***member of ~*** Abgeordnete(r *m*) *f*; ***Member of*** ♀ *Br.* Unterhausmitglied *n*; **~•men•tar•i•an** [˷men'teərɪən] *s* Parlamentarier(in); **~•men•ta•ry** [˷'mentərɪ] *adj* □ parlamentarisch, Parlaments...

par•lo(u)r ['pɑːlə] *s dated* Wohnzimmer *n*; Empfangs-, Sprechzimmer *n*; ***beauty ~*** *Am.* Schönheitssalon *m*; **~ *car*** *rail. Am.* Salonwagen *m*; **~•maid** *s Br.* Hausmädchen *n*.

pa•ro•chi•al [pə'rəʊkɪəl] *adj* □ Pfarr..., Kirchen..., Gemeinde...; *fig.* engstirnig, beschränkt.

par•o•dy ['pærədɪ] **1.** *s* Parodie *f*; **2.** *v/t* parodieren.

pa•role [pə'rəʊl] **1.** *s mil.* Parole *f*; *jur.* bedingte Haftentlassung; *jur.* Hafturlaub *m*; ***he is out on ~*** *jur.* er wurde bedingt entlassen; er hat Hafturlaub; **2.** *v/t*: **~ *s.o.*** *jur.* *j-n* bedingt entlassen; *j-m* Hafturlaub gewähren.

par•quet ['pɑːkeɪ] *s* Parkett(fußboden *m*) *n*; *Am. thea.* Parkett *n*.

par•rot ['pærət] **1.** *s zo.* Papagei *m* (*a. fig.*); **2.** *v/t* nachplappern.

par•ry ['pærɪ] *v/t* abwehren, parieren.

par•si•mo•ni•ous [pɑːsɪ'məʊnɪəs] *adj* □ sparsam, geizig, knaus(e)rig.

pars•ley *bot.* ['pɑːslɪ] *s* Petersilie *f*.

par•son ['pɑːsn] *s* Pfarrer *m*; **~•age** [-ɪdʒ] *s* Pfarrei *f*, Pfarrhaus *n*.

part [pɑːt] **1.** *s* Teil *m*; Anteil *m*; Seite *f*, Partei *f*; *thea.*, *fig.* Rolle *f*; Stimme *f*; Gegend *f*; *Am. of hair*: Scheitel *m*; ***a man of*** (***many***) **~*s*** ein fähiger Mensch; ***take ~ in s.th.*** an e-r Sache teilnehmen; ***take s.th. in bad*** (***good***) **~** et. (nicht) übel nehmen; ***for my ~*** ich für mein(en) Teil; ***for the most ~*** meistens; ***in ~*** teilweise, zum Teil; ***on the ~ of*** vonseiten, seitens (*gen*); ***on my ~*** meinerseits; **2.** *adj* Teil...; **3.** *adv* teils; **4.** *v/t* (ab-, ein-, zer)teilen; trennen; *hair*: scheiteln; **~ *company*** sich trennen (***with*** von); *v/i* sich trennen (***with*** von).

part ex•change [pɑːtɪks'tʃeɪndʒ] *s econ.*: ***take*** (***offer***) ***s.th. in ~*** et. in Zahlung nehmen (geben).

par|tial ['pɑːʃl] *adj* □ Teil..., teilweise, partiell; parteiisch, eingenommen (***to*** für); **~•ti•al•i•ty** [pɑːʃɪ'ælətɪ] *s* Parteilichkeit *f*; Vorliebe *f* (***for*** für).

par•tic•i|pant [pɑː'tɪsɪpənt] *s* Teilnehmer(in); **~•pate** [-peɪt] *v/i* teilnehmen, sich beteiligen (***in*** an *dat*); **~•pa•tion** [-'peɪʃn] *s* Teilnahme *f*, Beteiligung *f*.

par•ti•ci•ple *gr.* ['pɑːtɪsɪpl] *s* Partizip *n*.

par•ti•cle ['pɑːtɪkl] *s* Teilchen *n*.

par•tic•u•lar [pə'tɪkjʊlə] **1.** *adj* □ besondere(r, -s), einzeln, Sonder...; genau, eigen; wählerisch; **2.** *s* Einzelheit *f*; **~*s*** *pl* nähere Umstände *pl or* Angaben *pl*; Personalien *pl*; ***for further ~s apply to ...*** nähere Auskünfte erteilt ...; ***in ~*** insbesondere; **~•i•ty** [-'lærətɪ] *s* Besonderheit *f*; Ausführlichkeit *f*; Eigenheit *f*; **~•ly** [-lɪ] *adv* besonders, vor allem.

part•ing ['pɑːtɪŋ] **1.** *s* Trennung *f*, Abschied *m*; *of hair*: Scheitel *m*; ***~ of the ways*** *esp. fig.* Scheideweg *m*; **2.** *adj* Abschieds...

par•ti•san [pɑːtɪ'zæn] *s* Parteigänger(in); *mil.* Partisan *m*; *attr* Partei...

par•ti•tion [pɑː'tɪʃn] **1.** *s* Teilung *f*; Trennwand *f*; Verschlag *m*; Fach *n*; **2.** *v/t*: **~ *off*** abteilen, abtrennen.

part•ly ['pɑːtlɪ] *adv* teilweise, zum Teil.

part•ner ['pɑːtnə] **1.** *s* Partner(in); **2.** *v/t* zusammenbringen; sich zusammentun mit (*j-m*); **~•ship** *s* Teilhaber-, Partnerschaft *f*; *econ.* Handelsgesellschaft *f*.

part-own•er ['pɑːtəʊnə] *s* Miteigentümer(in).

par•tridge *zo.* ['pɑːtrɪdʒ] *s* Rebhuhn *n*.

part|-time [pɑːt'taɪm] **1.** *adj* Teilzeit..., Halbtags...; **2.** *adv* halbtags; **~•tim•er** *s* Teilzeitbeschäftigte(r *m*) *f*.

par•ty ['pɑːtɪ] *s* Party *f*, Fest *n*; *pol.* Partei *f*; *group*: (Arbeits-, Reise- *etc.*) Gruppe *f*; *rescue team, etc.*: Mannschaft *f*; Beteiligte(r *m*) *f*; F *person*: Type *f*, Individuum *n*; **~ *line*** *s pol.* Parteilinie *f*; **~ *pol•i•tics*** *s sg* Parteipolitik *f*.

pass [pɑːs] **1.** *s* (Dienst)Ausweis *m*; Passier-, Erlaubnisschein *m*; *of exam*: Bestehen *n*; *Br. univ. appr.*: ausreichend, bestanden; kritische Lage; *sports*: Pass *m*, (Ball)Abgabe *f*, Vorlage *f*, Zuspiel *n*; (Gebirgs)Pass *m*; Durch-, Zugang *m*; *card games*: Passen *n*; Handbewegung *f*, (Zauber)Trick *m*; F Annäherungsversuch *m*; ***free ~*** Freikarte *f*; **2.** *v/i* (vorbei)gehen, (-)fahren, (-)kommen, (-)ziehen *etc.*; *move from s.o. to s.o.*: übergehen, übertragen werden (***to*** auf *acc*); *change*: übergehen; herumgereicht werden, von Hand zu Hand gehen; *sports*: (den Ball) abspielen *or* abgeben *or* passen (***to*** zu); vergehen, vorübergehen (*time, pain, etc.*); angenommen werden, gelten; durchkommen; *univ.*, *school*: (die Prüfung) bestehen; *parl.* Rechtskraft erlangen; *card games*: passen; **~ *away*** sterben, *formal*: die Augen schließen; **~ *by*** vorüber- *or* vorbeigehen, passieren; **~ *for*** *or* ***as*** gelten für *or* als, gehalten werden für; **~ *off*** ablaufen, vonstattengehen; **~ *out*** F ohnmächtig werden; *v/t* vorbei-, vorübergehen, -fahren, -fließen, -kommen, -ziehen *etc.* an (*dat*); *et.* passieren; vorbeifahren an

P

(*dat*), überholen (*a. mot.*); durch-, überschreiten, durchqueren, passieren; vorbeilassen; reichen, geben; streichen (*with hand over s.th.*); (*sports*) *ball*: abspielen, abgeben, passen (***to*** zu); *exam*: bestehen; *candidate*: bestehen *or* durchkommen lassen; *et.* durchgehen lassen; *time*: ver-, zubringen; *money*: in Umlauf bringen; *parl.* verabschieden; *suggestion, etc.*: durchbringen, annehmen; *judgement*: abgeben; *opinion*: äußern; *remark*: machen; *fig.* (hinaus)gehen über (*acc*), übersteigen.

pass•a•ble ['pɑːsəbl] *adj* □ *river, road*: passierbar; *fig.* gangbar; *knowledge*: passabel, leidlich.

pas•sage ['pæsɪdʒ] *s* Durchgang *m*; Durchfahrt *f*; Durchreise *f*; Korridor *m*, Gang *m*; Reise *f*, (Über)Fahrt *f*, Flug *m*; *parl.* Annahme *f* (*of law*); *mus.* Passage *f*; (Text)Stelle *f*; ***bird of ~*** Zugvogel *m*.

pass•book *econ.* ['pɑːsbʊk] *s* Bankbuch *n*; Sparbuch *n*.

pas•sen•ger ['pæsɪndʒə] *s* Passagier *m*, Fahr-, Fluggast *m*, Reisende(r *m*) *f*, (*of car, etc.*) Insasse *m*.

pass•er-by [pɑːsə'baɪ] *s* Vorbei-, Vorübergehende(r *m*) *f*, Passant(in).

pas•sion ['pæʃn] *s* Leidenschaft *f*; (Gefühls)Ausbruch *m*; Wut *f*, Zorn *m*; ♀ *eccl.* Passion *f*; ♀ ***Week*** *eccl.* Karwoche *f*; **~•ate** [~ət] *adj* □ leidenschaftlich.

pas•sive ['pæsɪv] *adj* □ passiv (*a. gr.*); teilnahmslos; untätig.

pass•port ['pɑːspɔːt] *s* (Reise)Pass *m*.

pass•word ['pɑːswɜːd] *s* Kennwort *n*; *computer*: Passwort *n*.

past [pɑːst] **1.** *adj* vergangen, *pred* vorüber; *gr.* Vergangenheits…; frühere(r, -s); ***for some time ~*** seit einiger Zeit; ***~ tense*** *gr.* Vergangenheit *f*, Präteritum *n*; **2.** *adv* vorbei; **3.** *prp time*: nach, über (*acc*); über … (*acc*) hinaus; an … (*dat*) vorbei; ***half ~ two*** halb drei; ***~ endurance*** unerträglich; ***~ hope*** hoffnungslos; **4.** *s* Vergangenheit *f* (*a. gr.*).

paste [peɪst] **1.** *s* Teig *m*; Kleister *m*; Paste *f*; **2.** *v/t* (be)kleben; **~•board** ['~bɔːd] *s* Pappe *f*; *attr* Papp…

pas•tel [pæ'stel] *s* Pastell(zeichnung *f*) *n*.

pas•teur•ize ['pæstəraɪz] *v/t* pasteurisieren, keimfrei machen.

pas•time ['pɑːstaɪm] *s* Zeitvertreib *m*, Freizeitbeschäftigung *f*.

pas•tor ['pɑːstə] *s* Pastor *m*, Seelsorger *m*; **~•al** *adj* □ Hirten…; idyllisch; *eccl.* pastoral.

pas•try ['peɪstrɪ] *s* Kuchen *m*, Torte *f*; Konditorwaren *pl*, Feingebäck *n*; **~-cook** *s* Konditor *m*.

pas•ture ['pɑːstʃə] **1.** *s* Weide(land *n*) *f*; Grasfutter *n*; **2.** *v/t and v/i* grasen, (ab-) weiden (lassen).

pat [pæt] **1.** *s* Klaps *m*; Portion *f* (*butter*); **2.** *v/t* (**-tt-**) tätscheln; klopfen; **3.** *adj* gerade recht; parat, bereit.

patch [pætʃ] **1.** *s* Fleck *m*; Flicken *m*; Stück *n* Land; *med.* Pflaster *n*; ***in ~es*** stellenweise; **2.** *v/t* flicken; **~•work** *s* Patchwork *n*; *contp.* Flickwerk *n*.

pa•tent ['peɪtənt, *Am.* 'pætənt] **1.** *adj* offen(kundig); patentiert; Patent…; ***~ agent***, *Am.* ***~ attorney*** Patentanwalt *m*; ***letters ~*** ['pætənt] *pl* Patenturkunde *f*; ***~ leather*** Lackleder *n*; **2.** *s* Patent *n*; Privileg *n*, Freibrief *m*; Patenturkunde *f*; **3.** *v/t* patentieren (lassen); **~•ee** [peɪtən'tiː] *s* Patentinhaber(in); **~ office** *s* Patentamt *n*; **~ pro•tec•tion** *s* Patentschutz *m*.

pa•ter|nal [pə'tɜːnl] *adj* □ väterlich(erseits); **~•ni•ty** [~ətɪ] *s* Vaterschaft *f*; ***~ leave*** Vaterschaftsurlaub *m*.

path [pɑːθ] *s* (*pl* ***paths*** [pɑːðz]) Pfad *m*; Weg *m*.

pa•thet•ic [pə'θetɪk] *adj* (***~ally***) bemitleidenswert, mitleiderregend; *attempt*: kläglich, erbärmlich; ***it's ~*** F es ist zum Heulen; ***a ~ sight*** ein Bild des Jammers; **pa•thos** ['peɪθɒs] *s* Mitleid *n*; Pathos *n*.

pa•tience ['peɪʃns] *s* Geduld *f*; Ausdauer *f*; *Br.* Patience *f* (*card game*); **pa•tient** [~t] **1.** *adj* □ geduldig; **2.** *s* Patient(in).

pat•i•o ['pætɪəʊ] *s* (*pl* **-os**) Terrasse *f*; Innenhof *m*, Patio *m*.

pat•ri•ot ['pætrɪət] *s* Patriot(in); **~•ic** [pætrɪ'ɒtɪk] *adj* (***~ally***) patriotisch.

pa•trol [pə'trəʊl] **1.** *s mil.* Patrouille *f*; (Polizei)Streife *f*; ***on ~*** auf Patrouille, auf Streife; **2.** *v/t and v/i* (**-ll-**) patrouillieren, auf Streife sein (in *dat*), s-e Runde machen (in *dat*); **~ car** *s* (Funk)Streifenwagen *m*; **~•man** *s Am.* (Streifen-) Polizist *m*; *Br.* (motorisierter) Pannenhelfer (*of automobile association*).

pa•tron ['peɪtrən] *s* Schirmherr *m*;

Gönner *m*; (Stamm)Kunde *m*, Stammgast *m*; **pat•ron•age** ['pætrənɪdʒ] *s* Schirmherrschaft *f*; Gönnerschaft *f*; Kundschaft *f*; Schutz *m*; **pat•ron•ize** ['pætrənaɪz] *v/t* fördern, unterstützen; (Stamm)Kunde *or* Stammgast sein bei; gönnerhaft *or* herablassend behandeln; **~ saint** *s* Schutzheilige(r *m*) *f*.

pat•ter ['pætə] *v/i* plappern; prasseln (*rain*); trappeln (*feet*).

pat•tern ['pætən] **1.** *s* Muster *n* (*a. fig.*); Modell *n*; **2.** *v/t* (nach)bilden, formen (***after, on*** nach).

paunch ['pɔːnʃ] *s* (dicker) Bauch.

pau•per ['pɔːpə] *s* Arme(r *m*) *f*.

pause [pɔːz] **1.** *s* Pause *f*, Unterbrechung *f*; **2.** *v/i* e-e Pause machen.

pave [peɪv] *v/t* pflastern; ***~ the way for*** *fig.* den Weg ebnen für; **~•ment** *s Br.* Gehsteig *m*; Pflaster *n*; *Am.* Fahrbahn *f*; ***~ artist*** Pflastermaler(in).

paw [pɔː] **1.** *s* Pfote *f*, Tatze *f*; F ***keep your ~s off*** Pfoten weg!; **2.** *v/t* F betatschen; F derb *or* ungeschickt anfassen; F befummeln; *a. v/i*: **~** (***the ground***) (mit den Hufen *etc.*) scharren.

paw•ky *esp. Br.* ['pɔːkɪ] *adj* □ *humour*: trocken.

pawn [pɔːn] **1.** *s chess*: Bauer *m*; Pfand *n*; ***in or at ~*** verpfändet; **2.** *v/t* verpfänden; **~•bro•ker** *s* Pfandleiher *m*; **~•shop** *s* Leihhaus *n*.

pay [peɪ] **1.** *s* (Be)Zahlung *f*; Sold *m*; Lohn *m*; **2.** (***paid***) *v/t* (be)zahlen; (be-)lohnen; sich lohnen für; *attention*: schenken; *visit*: abstatten; *honour*: erweisen; *compliment*: machen; ***~ attention or heed to*** Acht geben auf (*acc*); ***~ down, ~ cash*** bar bezahlen; ***~ in*** einzahlen; ***~ into*** *account*: einzahlen auf (*acc*); ***~ off*** *et.* ab(be)zahlen; *j-n* bezahlen und entlassen; *j-n* voll auszahlen; *v/i* zahlen; sich lohnen; ***~ for*** (*fig.* für) *et.* bezahlen; **~•a•ble** *adj* zahlbar, fällig; **~-as-you-earn (tax) sys•tem** *s appr.* direkter Lohnsteuerabzug; **~-bed** *s in hospital*: Privatbett *n*; **~-day** *s* Zahltag *m*; **~•ee** [~'iː] *s* Zahlungsempfänger(in); **~ en•ve•lope** *s Am.* Lohntüte *f*; **~ freeze** *s* Lohnstopp *m*; **~ in•crease** *s econ.* Lohn-, Gehaltserhöhung *f*; **~•ing** *adj* lohnend; **~•mas•ter** *s* Zahlmeister *m*; **~•ment** *s* (Be-, Ein-, Aus)-Zahlung *f*; Lohn *m*, Sold *m*; **~ pack•et** *s Br.* Lohntüte *f*; **~ phone** *s Br.* Münzfernsprecher *m*; **~•roll** *s* Lohnliste *f*; **~ slip** *s* Lohn-, Gehaltsstreifen *m*; **~ sta- tion** *Am.*, **~ tel•e•phone** *s* Münzfernsprecher *m*; **~-TV** *s* Abonnementsfernsehen *n*, Bezahlfernsehen *n*.

PC *Br.* ***police constable*** Polizei *m*, Wachtmeister *m*; ***personal computer*** PC, Personal Computer *m*.

pea *bot.* [piː] *s* Erbse *f*.

peace [piːs] *s* Frieden *m*; Ruhe *f*; ***at ~*** in Frieden; **~•a•ble** *adj* □ friedliebend, friedlich; **~•ful** *adj* □ friedlich; **~-keep•ing** *adj* zur Friedenssicherung; ***~ force*** Friedenstruppe *f*; **~•ma•ker** *s* Friedensstifter *m*.

peach *bot.* [piːtʃ] *s* Pfirsich(baum) *m*.

pea|cock *zo.* ['piːkɒk] *s* Pfau(hahn) *m*; **~•hen** *s zo.* Pfauhenne *f*.

peak [piːk] *s* Spitze *f*, Gipfel *m*; *attr* Spitzen…, Höchst…, Haupt…; ***~ hours*** *pl* Hauptverkehrs-, Stoßzeit *f*; **~ed** *adj* spitz.

peal [piːl] **1.** *s* (Glocken)Läuten *n*; Glockenspiel *n*; Dröhnen *n*; ***~s*** *pl* ***of laughter*** schallendes Gelächter; **2.** *v/i and v/t* erschallen (lassen); dröhnen.

pea•nut *bot.* ['piːnʌt] *s* Erdnuss *f*.

pear *bot.* [peə] *s* Birne *f*; Birnbaum *m*.

pearl [pɜːl] **1.** *s* Perle *f* (*a. fig.*); *attr* Perl(en)…; **2.** *v/i* tropfen, perlen; **~•y** *adj* (***-ier, -iest***) perlenartig, Perl(en)…

peas•ant ['peznt] **1.** *s* Kleinbauer *m*; **2.** *adj* kleinbäuerlich, Kleinbauern…; **~•ry** [~rɪ] *s* Kleinbauernstand *m*; *die* Kleinbauern *pl*.

peat [piːt] *s* Torf *m*.

peb•ble ['pebl] *s* Kiesel(stein) *m*.

peck [pek] **1.** *v/t* picken (*bird*); F *j-m* e-n flüchtigen Kuss geben; **2.** *s* F flüchtiger Kuss, Küsschen *n*.

pe•cu•li•ar [pɪ'kjuːlɪə] *adj* □ eigen(-tümlich); besondere(r, -s); seltsam; **~•i•ty** [~'ærətɪ] *s* Eigenheit *f*.

ped•a|gog•ics [pedə'gɒdʒɪks] *s mst sg* Pädagogik *f*; **~•gogue**, *Am. a.* **~•gog** ['pedəgɒg] *s* Pädagoge *m*; F Pedant *m*, Schulmeister *m*.

ped•al ['pedl] **1.** *s* Pedal *n*; *attr* Fuß…; **2.** *v/i* (*esp. Br.* **-ll-**, *Am.* **-l-**) das Pedal treten; Rad fahren; F strampeln.

pe•dan•tic [pɪ'dæntɪk] *adj* (***~ally***) pedantisch.

ped•dle ['pedl] *v/t and v/i* hausieren gehen (mit); ***~ drugs*** mit Drogen handeln; **~r** *s* Drogenhändler *m*; *Am.* →

pedlar.

pe•des•tri•an [pɪ'destrɪən] **1.** *adj* zu Fuß; *fig.* prosaisch, trocken; **2.** *s* Fußgänger(in); **~ cross•ing** *s* Fußgängerübergang *m*; **~ pre•cinct** *s* Fußgängerzone *f.*

ped•i•gree ['pedɪgriː] *s* Stammbaum *m.*

ped•lar ['pedlə] *s* Hausierer *m.*

pee [piː] F **1.** *s*: ***have*** (***go for***) ***a ~*** pinkeln (gehen); **2.** *v/i* pinkeln.

peek [piːk] **1.** *v/i* spähen, gucken, lugen; **2.** *s* flüchtiger *or* heimlicher Blick.

peel [piːl] **1.** *s* Schale *f*, Rinde *f*, Haut *f*; **2.** *v/t* schälen; *a.* ***~ off*** abschälen, *label, etc.*: abziehen; *clothes*: abstreifen; *v/i a.* ***~ off*** sich (ab)schälen, abblättern.

peep [piːp] **1.** *s* neugieriger *or* verstohlener Blick; Piep(s)en *n*; **2.** *v/i* gucken, neugierig *or* verstohlen blicken; *a.* ***~ out*** hervorschauen; *fig.* sich zeigen; piep(s)en; **~•hole** *s* Guckloch *n*; **~•ing Tom** *s* Spanner *m*, Voyeur *m.*

peer [pɪə] **1.** *v/i* spähen, lugen; ***~ at*** (sich) genau ansehen, anstarren; **2.** *s* Gleiche(r *m*) *f*; *Br.* Peer *m*; **~•less** *adj* □ unvergleichlich.

peev•ish ['piːvɪʃ] *adj* □ verdrießlich, gereizt.

peg [peg] **1.** *s* (Holz)Stift *m*, Zapfen *m*, Dübel *m*, Pflock *m*; *for clothes*: Haken *m*; *Br. a. clothes* **~**: (Wäsche)Klammer *f*; *for tent*: (Zelt)Hering *m*; *mus.* Wirbel *m*; *fig.* Aufhänger *m*; ***take s.o. down a ~*** (***or two***) F *j-m* e-n Dämpfer aufsetzen; **2.** (**-gg-**) *v/t* festpflocken; *mst* ***~ out*** *boundary, etc.*: abstecken; *v/i*: ***~ away, ~ along*** F dranbleiben (***at*** an *dat*).

Pe•king [piː'kiŋ] Peking *n.*

pel•i•can *zo.* ['pelɪkən] *s* Pelikan *m.*

pel•let ['pelɪt] *s* Kügelchen *n*; Pille *f*; Schrotkorn *n.*

pelt [pelt] **1.** *s* Fell *n*, (rohe) Haut, (Tier-) Pelz *m*; **2.** *v/t* bewerfen; *v/i a.* ***~ down*** (nieder)prasseln (*rain, etc.*).

pel•vis *anat.* ['pelvɪs] *s* (*pl* ***-vises, -ves*** [-viːz]) Becken *n.*

pen[1] [pen] **1.** *s* Füller *m*; Kugelschreiber *m*; *dated*: (Schreib)Feder *f*; Federhalter *m*; **2.** *v/t* (**-nn-**) schreiben.

pen[2] [~] **1.** *s* Pferch *m*, (Schaf)Hürde *f*; **2.** *v/t* (**-nn-**): ***~ in, ~ up*** einpferchen, -sperren.

pe•nal ['piːnl] *adj* □ Straf…; strafbar; ***~ code*** Strafgesetzbuch *n*; ***~ servitude*** Zwangsarbeit *f*; **~•ize** [~əlaɪz] *v/t* bestrafen; **pen•al•ty** ['penltɪ] *s* Strafe *f*; *sports*: *a.* Strafpunkt *m*; *soccer*: Elfmeter *m*; ***~ area*** *soccer*: Strafraum *m*; ***~ box*** *soccer*: Strafraum *m*; *ice hockey*: Strafbank *f*; ***~ goal*** *soccer*: Elfmetertor *n*; ***~ kick*** *soccer*: Strafstoß *m.*

pen•ance ['penəns] *s* Buße *f.*

pence [pens] *pl of* ***penny.***

pen•cil ['pensl] **1.** *s* (Blei-, Farb-, Zeichen)Stift *m*; **2.** *v/t* (*esp. Br.* **-ll-**, *Am.* **-l-**) zeichnen; (mit Bleistift) aufschreiben *or* anzeichnen *or* anstreichen; *eyebrows*: nachziehen; **~-sharp•en•er** *s* Bleistiftspitzer *m.*

pend•ing ['pendɪŋ] **1.** *adj jur.* schwebend; **2.** *prp* während; bis zu.

pen•du•lum ['pendjʊləm] *s* Pendel *n.*

pen•e|tra•ble ['penɪtrəbl] *adj* □ durchdringbar; **~•trate** [~eɪt] *v/t and v/i* durchdringen; **~** (***into***) eindringen in (*acc*) (*a. fig.*); **~•trat•ing** *adj* □ durchdringend, scharf (*mind*); scharfsinnig; **~•tra•tion** [~'treɪʃn] *s* Durch-, Eindringen *n*; Scharfsinn *m*; **~•tra•tive** ['penɪtrətɪv] *adj* □ → ***penetrating.***

pen-friend ['penfrend] *s* Brieffreund(in).

pen•guin *zo.* ['peŋgwɪn] *s* Pinguin *m.*

pen•hold•er ['penhəʊldə] *s dated* Federhalter *m.*

pe•nin•su•la [pə'nɪnsjʊlə] *s* Halbinsel *f.*

pe•nis *anat.* ['piːnɪs] *s* Penis *m.*

pen•i|tence ['penɪtəns] *s* Buße *f*, Reue *f*; **~•tent** [~t] **1.** *adj* □ reuig, bußfertig; **2.** *s* Büßer(in); **~•ten•tia•ry** [penɪ'tenʃərɪ] *s Am.* (Staats)Gefängnis *n.*

pen|knife ['pennaɪf] *s* Taschenmesser *n*; **~-name** *s* Schriftstellername *m*, Pseudonym *n.*

pen•ni•less ['penɪlɪs] *adj* ohne e-n Pfennig (Geld), mittellos.

pen•ny ['penɪ] *s* (*pl* ***-nies***, *coll.* ***pence*** [pens]): *Br.* Penny *m*; *Am.* Cent(stück *n*) *m*; *fig.* Pfennig *m*; ***the ~ has dropped*** *F* der Groschen ist gefallen.

pen•sion[1] ['penʃn] **1.** *s* Rente *f*, Pension *f*, Ruhegeld *n*; **2.** *v/t often* ***~ off*** pensionieren; **~•er** [~ə] *s*, Rentner(in), Pensionär(in).

pen•sion[2] ['pɒnsɪɒn] *s boardinghouse*: Pension *f.*

pen•sion| fund ['penʃnfʌnd] *s* Pensionsfonds *m*; **~ plan** ['penʃnplæn] *s* Altersvorsorge *f*; ***personal ~*** private Al-

P

tersvorsorge.

pen•sive ['pensɪv] *adj* □ nachdenklich.

pen•tath|lete [pen'tæθliːt] *s sports*: Fünfkämpfer(in); **~•lon** [~ɒn] *s sports*: Fünfkampf *m*.

Pen•te•cost ['pentɪkɒst] *s* Pfingsten *n*.

pent•house ['penthaʊs] *s* Penthouse *n*, -haus *n*, Dachterrassenwohnung *f*; Vor-, Schutzdach *n*.

pent-up [pent'ʌp] *adj emotions*: an-, aufgestaut.

peo•ple ['piːpl] **1.** *s* Volk *n*, Nation *f*; Leute *pl*; Angehörige *pl*; *coll.* die Leute *pl*; man; **2.** *v/t* besiedeln, bevölkern.

pep F [pep] **1.** *s* Elan *m*, Schwung *m*, Pep *m*; **~ *pill*** Aufputschpille *f*; **2.** *v/t* (**-*pp*-**) *mst* **~ *up*** *j-n or et.* in Schwung bringen.

pep•per ['pepə] **1.** *s* Pfeffer *m*; **2.** *v/t* pfeffern; **~•mint** *s bot.* Pfefferminze *f*; Pfefferminzbonbon *m*, *n*; **~•y** *adj* pfefferig; *fig.* hitzig.

per [pɜː] *prp* per, durch; pro, für, je.

per•am•bu•la•tor *esp. Br.* ['præmbjʊleɪtə] *s* → ***pram***.

per•ceive [pə'siːv] *v/t* (be)merken, wahrnehmen, empfinden; erkennen.

per cent, *Am.* **per•cent** [pə'sent] *s* Prozent *n*.

per•cen•tage [pə'sentɪdʒ] *s* Prozentsatz *m*; Prozente *pl*; (An)Teil *m*.

per•cep|ti•ble [pə'septəbl] *adj* □ wahrnehmbar, merklich; **~•tion** [~pʃn] *s* Wahrnehmung(svermögen *n*) *f*; Erkenntnis *f*; Auffassung(sgabe) *f*.

perch [pɜːtʃ] **1.** *s zo.* Barsch *m*; (Sitz-)Stange *f* (*for birds*); **2.** *v/i* sich setzen *or* niederlassen, sitzen (*birds*).

per•co|late ['pɜːkəleɪt] *v/t coffee, etc.*: filtern, durchsickern lassen; *v/i* durchsickern (*a. fig.*); gefiltert werden; **~•lator** *s* Kaffeemaschine *f*, -automat *m*.

per•cus•sion [pə'kʌʃn] *s* Schlag *m*, Erschütterung *f*; *med.* Abklopfen *n*; *mus. coll.* Schlagzeug *n*; **~ *instrument*** *mus.* Schlaginstrument *n*.

per•e•gri•na•tion [perɪgrɪ'neɪʃn] *s* Wanderschaft *f*; Wanderung *f*.

pe•ren•ni•al [pə'renɪəl] *adj* immer wiederkehrend, beständig; immer während; *bot.* perennierend.

per|fect **1.** *adj* □ ['pɜːfɪkt] vollkommen; vollendet; virtuos; gänzlich, völlig; **2.** *s* [~] *a.* **~ *tense*** *gr.* Perfekt *n*; **3.** *v/t* [pə'fekt] vervollkommnen; vollenden; **~•fec•tion** [pə'fekʃn] *s* Vollendung *f*; Vollkommenheit *f*; *fig.* Gipfel *m*.

per|fid•i•ous [pə'fɪdɪəs] *adj* □ treulos (***to*** gegen), verräterisch; **~•fi•dy** ['pɜːfɪdɪ] *s* Treulosigkeit *f*, Verrat *m*.

per•fo•rate ['pɜːfəreɪt] *v/t* durchlöchern.

per•form [pə'fɔːm] *v/t* verrichten, ausführen, tun; *duty, etc.*: erfüllen; *thea.*, *mus.* aufführen, spielen, vortragen (*a. v/i*); **~•ance** *s* Verrichtung *f*, Ausführung *f*; Leistung *f*; *thea.*, *mus.* Aufführung *f*, Vorstellung *f*, Vortrag *m*; **~•er** *s* Künstler(in).

per•fume **1.** *s* ['pɜːfjuːm] Duft *m*, Wohlgeruch *m*; Parfüm *n*; **2.** *v/t* [pə'fjuːm] mit Duft erfüllen, parfümieren.

per•haps [pə'hæps, præps] *adv* vielleicht.

per•il ['perəl] **1.** *s* Gefahr *f*; **2.** *v/t* gefährden; **~•ous** [~əs] *adj* □ gefährlich.

pe•rim•e•ter [pə'rɪmɪtə] *s math.* Umkreis *m*; Umgrenzungslinie *f*, Grenze *f*.

pe•ri•od ['pɪərɪəd] *s* Periode *f*; Zeitraum *m*; *gr. esp. Am.* Punkt *m*; *gr.* Gliedsatz *m*, Satzgefüge *n*; (Unterrichts)Stunde *f*; *physiol.* Periode *f*, Regel *f*, Tage *pl*; **~•ic** [pɪərɪ'ɒdɪk] *adj* periodisch; **~•i•cal** [~ɪkl] **1.** *adj* □ periodisch; **2.** *s* Zeitschrift *f*.

pe•riph|e•ral [pə'rɪfərəl] **1.** *adj* peripher; *fig.* nebensächlich; **~ *region*** *geogr.*, *econ.* Randgebiet *n*; **2.** *s computer*: Peripheriegerät *n*; **~•e•ry** *s* Peripherie *f*, Rand *m*.

per•ish ['perɪʃ] *v/i* umkommen, zugrunde gehen; **~•a•ble** *adj* □ leicht verderblich; **~•ing** *adj* □ *esp. Br.* F sehr kalt; F verdammt, verflixt.

per|jure ['pɜːdʒə] *v/t*: **~ *o.s.*** e-n Meineid leisten; **~•ju•ry** [~rɪ] *s* Meineid *m*; ***commit* ~** e-n Meineid leisten.

perk [pɜːk] *v/i*: **~ *up*** sich wieder erholen, munter werden (*person*); *v/t*: **~ *up*** *head*: heben, *ears*: spitzen; schmücken, verschönern; *j-n* aufmöbeln, munter machen.

perk•y ['pɜːkɪ] *adj* □ (**-*ier*, -*iest***) munter; keck, dreist, flott.

perm F [pɜːm] **1.** *s* Dauerwelle *f*; **2.** *v/t j-m* e-e Dauerwelle machen.

per•ma|nence ['pɜːmənəns] *s* Dauer *f*; **~•nent** *adj* □ dauernd, ständig; dauerhaft; Dauer…; **~ *wave*** Dauerwelle *f*.

per•me|a•ble ['pɜːmɪəbl] *adj* □ durchlässig; **~•ate** [~ɪeɪt] *v/t* durchdringen;

v/i dringen (***into*** in *acc*, ***through*** durch).

per•mis|si•ble [pəˈmɪsəbl] *adj* □ zulässig; **~•sion** [~ʃn] *s* Erlaubnis *f*; ***ask ~*** um Erlaubnis bitten; ***with your ~*** wenn Sie gestatten; **~•sive** [~sɪv] *adj* □ zulässig, erlaubt; tolerant; (sexuell) freizügig; ***~ society*** tabufreie Gesellschaft.

per•mit 1. [pəˈmɪt] (***-tt-***) *v/t* erlauben, gestatten; *v/i*: ***weather ~ting*** wenn das Wetter es zulässt; **2.** *s* [ˈpɜːmɪt] Erlaubnis *f*, Genehmigung *f*; Passierschein *m*.

per•ni•cious [pəˈnɪʃəs] *adj* □ verderblich, schädlich; *med.* bösartig.

per•pen•dic•u•lar [pɜːpənˈdɪkjʊlə] *adj* □ senkrecht; aufrecht; steil.

per•pe•trate [ˈpɜːpɪtreɪt] *v/t* verüben.

per•pet•u|al [pəˈpetʃʊəl] *adj* □ fortwährend, ständig, ewig; **~•ate** [~eɪt] *v/t* bewahren; verewigen.

per•plex [pəˈpleks] *v/t* verwirren; **~•i•ty** [~ətɪ] *s* Verwirrung *f*.

per pro(c). ***per procurationem*** (= ***by proxy***) pp-, ppa-, per Prokura; i. A., im Auftrag.

per•se|cute [ˈpɜːsɪkjuːt] *v/t* verfolgen; **~•cu•tion** [pɜːsɪˈkjuːʃn] *s* Verfolgung *f*; **~•cu•tor** [ˈpɜːsɪkjuːtə] *s* Verfolger(in).

per•se•ver|ance [pɜːsɪˈvɪərəns] *s* Beharrlichkeit *f*, Ausdauer *f*; **~e** [pɜːsɪˈvɪə] *v/i* beharrlich weitermachen (***at, in, with*** mit).

per|sist [pəˈsɪst] *v/i* beharren, bestehen (***in*** auf *dat*); fortdauern, anhalten; **~•sis•tence, ~•sis•ten•cy** [~əns, ~sɪ] *s* Beharrlichkeit *f*; Hartnäckigkeit *f*, Ausdauer *f*; **~•sis•tent** *adj* □ beharrlich, ausdauernd; anhaltend.

per•son [ˈpɜːsn] *s* Person *f* (*a. gr., jur.*); **~•age** *s* (hohe *or* bedeutende) Persönlichkeit; **~•al** *adj* □ persönlich (*a. gr.*); *attr* Personal…; Privat…; ***~ call*** *teleph.* Privatgespräch *n*; ***~ computer*** Personal Pomputer *m*, PC *m*; ***~ data*** *pl* Personalien *pl*; **~•al•i•ty** [pɜːsəˈnælətɪ] *s* Persönlichkeit *f*; ***personalities*** *pl* anzügliche *or* persönliche Bemerkungen *pl*; **~•i•fy** [pɜːˈsɒnɪfaɪ] *v/t* verkörpern; **~•nel** [pɜːsəˈnel] *s* Personal *n*, Belegschaft *f*; *mil.* Mannschaften *pl*; *mar., aer.* Besatzung *f*; ***~ department*** Personalabteilung *f*; ***~ manager*** Personalchef *m*.

per•spec•tive [pəˈspektɪv] *s* Perspektive *f*; Ausblick *m*, Fernsicht *f*.

per•spic•u•ous [pəˈspɪkjʊəs] *adj* klar.

per|spi•ra•tion [pɜːspəˈreɪʃn] *s* Schwitzen *n*; Schweiß *m*; Transpiration *f*; **~•spire** [pəˈspaɪə] *v/i* schwitzen, transpirieren.

per|suade [pəˈsweɪd] *v/t* überreden; überzeugen; **~•sua•sion** [~ʒn] *s* Überredung *f*; Überzeugung *f*, (feste) Meinung; Glaube *m*; **~•sua•sive** [~sɪv] *adj* □ überredend; überzeugend.

pert [pɜːt] *adj* □ keck (*a. hat*), vorlaut, frech, naseweis.

per•ti•nent [ˈpɜːtɪnənt] *adj* □ sachdienlich, relevant, zur Sache gehörig.

per•turb [pəˈtɜːb] *v/t* beunruhigen.

Pe•ru [pəˈruː] Peru *n*.

pe•rus|al [pəˈruːzl] *s* sorgfältige Durchsicht; **~e** [~z] *v/t* (sorgfältig) durchlesen; prüfen.

per•vade [pəˈveɪd] *v/t* durchdringen (*smell, idea, etc.*).

per|verse [pəˈvɜːs] *adj* □ *psych.* pervers; eigensinnig, verstockt; **~•version** [~ʃn] *s* Verdrehung *f*; Abkehr *f*; *psych.* Perversion *f*; **~•ver•si•ty** [~ˈvɜːsətɪ] *s psych.* Perversität *f*; Eigensinn *m*, Verstocktheit *f*.

per•vert 1. *v/t* [pəˈvɜːt] verdrehen; verführen; **2.** *s psych.* [ˈpɜːvɜːt] perverser Mensch, Perverse(r *m*) *f*.

pes•si|mis•m [ˈpesɪmɪzəm] *s* Pessimismus *m*; **~•mist** [~mɪst] *s* Pessimist(in); **~•mist•ic** [~ˈmɪstɪk] *adj* (***~ally***) pessimistisch.

pest [pest] *s* lästiger Mensch, Nervensäge *f*; lästige Sache, Plage *f*; *zo.* Schädling *m*; **pes•ter** *v/t* belästigen, plagen.

pet [pet] **1.** *s* Heimtier *n*; Liebling *m*; **2.** *adj* Lieblings…; Tier…; ***~ dog*** Schoßhund *m*; ***~ name*** Kosename *m*; ***~ shop*** Tierhandlung *f*, Zoogeschäft *n*; **3.** (***-tt-***) *v/t* (ver)hätscheln; streicheln, liebkosen; *v/i* F Petting machen.

pet•al *bot.* [ˈpetl] *s* Blütenblatt *n*.

pe•ti•tion [pɪˈtɪʃn] **1.** *s* Bittschrift *f*, Eingabe *f*, Gesuch *n*, Petition *f*; Unterschriftenliste *f*; **2.** *v/t* bitten, ersuchen; *v/i* ein Gesuch einreichen (***for*** um), e-n Antrag stellen (***for*** auf *acc*).

pet•ri•fy [ˈpetrɪfaɪ] *v/t* versteinern.

pet•rol [ˈpetrəl] *s Br.* Benzin *n*; ***~ pump*** Zapfsäule *f*; ***~ station*** Tankstelle *f*.

pe•tro•le•um *chem.* [pɪˈtrəʊlɪəm] *s* Petroleum *n*, Erd-, Mineralöl *n*; ***~ refinery***

Erdölraffinerie *f.*
pet•ti•coat ['petɪkəʊt] *s* Unterrock *m.*
pet•ting F ['petɪŋ] *s* Petting *n.*
pet•tish ['petɪʃ] *adj* □ launisch, reizbar.
pet•ty ['petɪ] *adj* □ (**-ier, -iest**) klein, geringfügig, Bagatell...; ~ ***cash*** Portokasse *f*; ~ ***larceny*** *jur.* einfacher Diebstahl.
pet•u•lant ['petjʊlənt] *adj* □ gereizt.
pew [pjuː] *s* Kirchenbank *f.*
pew•ter ['pjuːtə] *s* Zinn *n*; Zinngeschirr *n*; Zinnkrug *m.*
phan•tom ['fæntəm] *s* Phantom *n*, Trugbild *n*; Gespenst *n.*
phar•ma•cy ['fɑːməsɪ] *s* Pharmazie *f*; Apotheke *f.*
phase [feɪz] **1.** *s* Phase *f*; **2.** *v/t* schritt- *or* stufenweise planen *or* durchführen; ~ ***in*** *scheme, etc.*: schrittweise einführen; ~ ***out*** *scheme, etc.*: auslaufen lassen.
phat [fæt] *adj sl.* abgefahren *sl.*, geil *sl.*, fett *sl.*
PhD ***philosophiae doctor*** (= ***Doctor of Philosophy***) Dr. phil.
pheas•ant *zo.* ['feznt] *s* Fasan *m.*
phe•nom•e•non [fɪ'nɒmɪnən] *s* (*pl* **-na** [-ə]) Phänomen *n*, Erscheinung *f.*
phi•al ['faɪəl] *s* Phiole *f*, Fläschchen *n.*
phi•lan•thro•pist [fɪ'lænθrəpɪst] *s* Philanthrop *m*, Menschenfreund *m.*
Phil•ip•pines ['fɪlɪpiːnz] *pl die* Philippinen *pl.*
phi•lol•o|gist [fɪ'lɒlədʒɪst] *s* Philolog|e *m*, -in *f*; **~•gy** [~ɪ] *s* Philologie *f.*
phi•los•o|pher [fɪ'lɒsəfə] *s* Philosoph *m*; **~•phize** [~aɪz] *v/i* philosophieren; **~•phy** [~ɪ] *s* Philosophie *f.*
phlegm [flem] *s* Schleim *m*; Phlegma *n.*
phone F [fəʊn] **1.** *s* Telefon *n*; ***pick up*** (***put down***) ***the*** ~ den Hörer abnehmen (auflegen); ~ ***book***, ~ ***directory*** Telefonbuch *n*; ~ ***booth***, ~ ***box*** Telefonzelle *f*; ~ ***card*** Telefonkarte *f*; *a.* Kartentelefon *n*; → *a.* ***telephone***; **2.** *v/i* telefonieren; *v/t j-n* anrufen.
pho•net•ics [fə'netɪks] *s sg* Phonetik *f*, Lautlehre *f*; phonetische Umschrift *or* Angaben *pl.*
pho•n(e)y *sl.* ['fəʊnɪ] **1.** *s* Fälschung *f*; Schwindler(in); **2.** *adj* (**-ier, -iest**) falsch, unecht.
phos•pho•rus *chem.* ['fɒsfərəs] *s* Phosphor *m.*
pho•to F ['fəʊtəʊ] *s* (*pl* **-tos**) Foto *n*, Bild *n.*
pho•to- [~] Licht..., Photo..., Foto...; **~•cop•i•er** *s* Fotokopiergerät *n*; **~•cop•y** **1.** *s* Fotokopie *f*; **2.** *v/t* fotokopieren; **~•gen•ic** [~'dʒenɪk] *adj* fotogen.
pho|to•graph ['fəʊtəgrɑːf] **1.** *s* Fotografie *f* (*picture*); **2.** *v/t* fotografieren; **~•tog•ra•pher** [fə'tɒgrəfə] *s* Fotograf(in); **~•tog•ra•phy** [~ɪ] *s* Fotografie *f* (*art, business*).
phras•al ['freɪzl] *adj*: ~ ***verb*** Verb *n* mit Adverb u./od. Präposition; **phrase** [freɪz] **1.** *s* (Rede)Wendung *f*, Redensart *f*, (idiomatischer) Ausdruck; ~ ***book*** Sprachführer *m*; **2.** *v/t* ausdrücken.
phys|i•cal ['fɪzɪkl] *adj* □ physisch; körperlich; physikalisch; ~ ***education***, ~ ***training*** Leibeserziehung *f*; ~ ***handicap*** Körperbehinderung *f*; **~*ly handicapped*** körperbehindert; **phy•si•cian** [fɪ'zɪʃn] *s* Arzt *m*; **~•i•cist** ['fɪzɪsɪst] *s* Physiker *m*; **~•ics** [~ɪks] *s sg* Physik *f.*
phy•sique [fɪ'ziːk] *s* Körper(bau) *m*, Statur *f.*
pi•an•o ['pjænəʊ] *s* (*pl* **-os**) Klavier *n.*
pi•az•za [pɪ'ætsə] *s* Piazza *f*, (Markt-) Platz *m*; *Am.* (große) Veranda.
pick[1] [pɪk] → ***pickaxe.***
pick[2] [pɪk] **1.** *s* (Aus)Wahl *f*; ***take your*** ~ suchen Sie sich etwas aus; **2.** *v/t* (auf-) hacken; (auf)picken (*bird*); entfernen; pflücken; *bone*: abnagen; bohren *or* stochern in (*dat*); *lock*: mit e-m Dietrich öffnen, F knacken; *quarrel*: vom Zaun brechen; (sorgfältig) (aus)wählen; *Am. mus. strings*: zupfen, *banjo*: spielen; ~ ***one's nose*** in der Nase bohren; ~ ***one's teeth*** in den Zähnen (herum)stochern; ~ ***s.o.'s pocket*** *j-n* bestehlen; ***have a bone to*** ~ ***with s.o.*** mit *j-m* ein Hühnchen zu rupfen haben; ~ ***out*** *et.* auswählen; heraussuchen; ~ ***up*** aufhacken; aufheben, -lesen, -nehmen; aufpicken (*bird*); *trail*: aufnehmen; *criminal*: aufgreifen; F *et.* aufschnappen; *foreign language*: sich aneignen; *in a car*: mitnehmen *or* abholen; F *j-n* zufällig kennenlernen, auflesen; *a.* ~ ***up speed*** *mot.* schneller werden; **~-a-back** *adv* huckepack.
pick|axe, *Am.* **~•ax** ['pɪkæks] *s* Spitzhacke *f.*
pick•et ['pɪkɪt] **1.** *s* Pfahl *m*; Streikposten *m*; ~ ***line*** Streikpostenkette *f*; **2.**

v/t mit Streikposten besetzen, Streikposten aufstellen vor (*dat*); *v/i* Streikposten stehen.

pick•ings ['pɪkɪŋz] *s pl* Überbleibsel *pl*, Reste *pl*; Ausbeute *f*; Profit *m*, (unehrlicher) Gewinn.

pick•le ['pɪkl] **1.** *s* (Salz)Lake *f*; *mst* **~s** *pl* Eingepökelte(s) *n*, Pickles *pl*; F missliche Lage; **2.** *v/t* einlegen, (-)pökeln; **~d herring** Salzhering *m*.

pick|lock ['pɪklɒk] *s* Einbrecher *m*; Dietrich *m*; **~•pock•et** *s* Taschendieb *m*; **~-up** *s* Tonabnehmer *m*; Kleinlieferwagen *m*; F Staßenbekanntschaft *f*.

pic•nic ['pɪknɪk] **1.** *s* Picknick *n*; **2.** *v/i* (**-ck-**) ein Picknick machen, picknicken.

pic•to•ri•al [pɪk'tɔːrɪəl] **1.** *adj* □ malerisch; illustriert; **2.** *s* Illustrierte *f*.

pic•ture ['pɪktʃə] **1.** *s* Bild *n*; Gemälde *n*; bildschöne Sache *or* Person; Film *m*; *attr* Bilder…; **~s** *pl esp. Br.* Kino *n*; **put s.o. in the ~** *j-n* ins Bild setzen, *j-n* informieren; **2.** *v/t* abbilden; *fig.* schildern, beschreiben; *fig.* sich *et.* vorstellen; **~ post•card** *s* Ansichtskarte *f*; **picture•some** ['-səm] *adj* fotogen; **pic•tur•esque** [-'resk] *adj* □ malerisch.

pie [paɪ] *s* Pastete *f*; Obstkuchen *m*.

pie•bald ['paɪbɔːld] *adj* (bunt)scheckig.

piece [piːs] **1.** *s* Stück *n*; Teil *m*, *n* (*of machine, etc.*); *chess*: Figur *f*; *board games*: Stein *m*; **by the ~** stückweise; im Akkord; **a ~ of advice** ein Rat; **a ~ of news** e-e Neuigkeit; **of a ~** einheitlich; **give s.o. a ~ of one's mind** *j-m* gründlich die Meinung sagen; **take to ~s** zerlegen; **2.** *v/t*: **~ together** zusammensetzen, -flicken; **~•meal** *adj and adv* stückweise; **~-work** *s* Akkordarbeit *f*; **do ~** im Akkord arbeiten.

pier [pɪə] *s* Pfeiler *m*; *mar.* Pier *m*, Hafendamm *m*, Mole *f*, Landungsbrücke *f*.

pierce [pɪəs] *v/t* durchbohren, -stechen, -stoßen; durchdringen; eindringen in (*acc*).

pi•e•ty ['paɪətɪ] *s* Frömmigkeit *f*; Pietät *f*.

pig [pɪg] *s zo.* Schwein *n* (*a. fig.* F); *esp. Am.* Ferkel *n*; *sl. contp.* Bulle *m* (*policeman*).

pi•geon ['pɪdʒɪn] *s* Taube *f*; **~-hole 1.** *s* Fach *n*; **2.** *v/t* in Fächer einordnen.

pig|head•ed [pɪg'hedɪd] *adj* dickköpfig; **~-i•ron** *s* Roheisen *n*; **~•skin** *s* Schweinsleder *n*; **~•sty** *s* Schweinestall *m*; **~•tail** *s* (Haar)Zopf *m*.

pike [paɪk] *s zo.* Hecht *m*; Schlagbaum *m*; Mautstraße *f*; Maut *f*; *mil. hist.* Pike *f*, Spieß *m*.

pile [paɪl] **1.** *s* Haufen *m*; Stapel *m*, Stoß *m*; F Haufen *m*, Masse *f*; *electr.* Batterie *f*; Pfahl *m*; Flor *m* (*of carpets, etc.*); **~s** *pl* F *med.* Hämorrhoiden *pl*; (**atomic**) **~** Atommeiler *m*, (Kern)Reaktor *m*; **2.** *v/t often* **~ up, ~ on** (an-, auf)häufen, (auf)stapeln, aufschichten.

pil•fer ['pɪlfə] *v/t* stehlen, F stibitzen.

pil•grim ['pɪlgrɪm] *s* Pilger(in); **~•age** [-ɪdʒ] *s* Pilger-, Wallfahrt *f*.

pill [pɪl] *s* Pille *f* (*a. fig.*); **the ~** die (Antibaby)Pille.

pil•lar ['pɪlə] *s* Pfeiler *m*, Ständer *m*; Säule *f*; **~-box** *s Br.* Briefkasten *m*.

pil•li•on *mot.* ['pɪlɪən] *s* Soziussitz *m*.

pil•lo•ry ['pɪlərɪ] **1.** *s hist.* Pranger *m*; **2.** *v/t hist. and fig.* an den Pranger stellen; *fig.* anprangern.

pil•low ['pɪləʊ] *s* (Kopf)Kissen *n*; **~•case, ~•slip** *s* (Kopf)Kissenbezug *m*.

pi•lot ['paɪlət] **1.** *s aer.* Pilot *m*; *mar.* Lotse *m*; **2.** *adj* Versuchs…, Probe…, Pilot…; **~ film** *TV* Pilotfilm *m*; **~ project** Pilotprojekt *n*; **~ scheme** Versuchsprojekt *n*; **~ test** Pilotversuch *m*, Modellversuch *m*; **3.** *v/t* lotsen; steuern.

pimp [pɪmp] **1.** *s* Zuhälter *m*; **2.** *v/i* Zuhälter sein.

pim•ple ['pɪmpl] *s* Pickel *m*, Pustel *f*.

pin [pɪn] **1.** *s* (Steck-, Krawatten-, Hut- *etc.*) Nadel *f*; *tech.* Pflock *m*, Bolzen *m*, Stift *m*, Dorn *m*; *mus.* Wirbel *m*; *ninepins*: Kegel *m*; *bowling*: Pin *m*; (**clothes**) **~** *esp. Am.* Wäscheklammer *f*; (**drawing-**)**~** *Br.* Reißzwecke *f*; **2.** *v/t* (**-nn-**) (an)heften, anstecken (**to** an *acc*), befestigen (**to** an *dat*); pressen, drücken (**against, to** gegen, an *acc*).

PIN [pɪn] **personal identification number** (*Nummer auf Scheckkarten etc*).

pin•a•fore ['pɪnəfɔː] *s* Schürze *f*.

pin•cers ['pɪnsəz] *s pl* (**a pair of ~** e-e) (Kneif)Zange.

pinch [pɪnʃ] **1.** *s* Kneifen *n*; Prise *f* (*salt, tobacco, etc.*); *fig.* Druck *m*, Not *f*; **2.** *v/t* kneifen, zwicken, (ein)klemmen; F klauen; F *arrest*: F schnappen, erwischen; *v/i* drücken (*shoe, poverty,* *etc.*); *a.* ~ ***and scrape*** sich einschränken, knausern.

pin•cush•ion ['pɪnkʊʃn] *s* Nadelkissen *n*.

pine [paɪn] **1.** *s bot.* Kiefer *f*, Föhre *f*; **2.** *v/i* sich sehnen (***for*** nach); ~ (***away***) vor Gram vergehen; **~•ap•ple** *bot.* ['-æpl] *s* Ananas *f*.

pin•ion ['pɪnɪən] **1.** *s zo.* Flügelspitze *f*; *zo.* Schwungfeder *f*; *tech.* Ritzel *n*; **2.** *v/t* die Flügel stutzen (*dat*); fesseln.

pink [pɪŋk] **1.** *s bot.* Nelke *f*; Rosa *n*; ***be in the*** ~ (***of condition*** *or* ***health***) in Top- *or* Hochform sein; **2.** *adj* rosa(farben).

pin-mon•ey ['pɪnmʌnɪ] *s* Taschengeld *n*; F *small sum*: Taschen-, Trinkgeld *n*.

pin•na•cle ['pɪnəkl] *s arch.* Fiale *f*; (Berg)Spitze *f*; *fig.* Gipfel *m*, Höhepunkt *m*.

pint [paɪnt] *s* Pint *n* (*= 0,57 or Am. 0,47 litre*); *Br.* F Halbe *f* (*beer*).

pi•o•neer [paɪə'nɪə] **1.** *s* Pionier *m* (*a. mil.*); **2.** *v/i and v/t* den Weg bahnen (für).

pi•ous ['paɪəs] *adj* □ fromm, religiös.

pip [pɪp] *s vet.* Pips *m*; F miese Laune; (Obst)Kern *m*; Auge *n* (*on dice, etc.*); *mil. Br.* F Stern *m* (*indicating rank*); *sound*: Ton *m*, Piepsen *n*.

pipe [paɪp] **1.** *s* Rohr *n*, Röhre *f*; Pfeife *f* (*a. mus.*); *mus.* Flöte *f*; *of bird*: Pfeifen *n*, Lied *n*; Pipe *f* (*wine cask = 477,3 litres*); **2.** *v/t* (durch Rohre) leiten; *a. v/i* pfeifen; flöten; piep(s)en (*bird, etc.*); **~•line** *s* Rohrleitung *f*; *for oil, gas, etc.*: Pipeline *f*; **pip•er** *s* Pfeifer *m*.

pip•ing ['paɪpɪŋ] **1.** *adj* pfeifend, schrill; *adv* ~ ***hot*** siedend heiß; **2.** *s* Rohrleitung *f*, -netz *n*; *tailoring*: Paspel *f*, Biese *f*; Pfeifen *n*, Piep(s)en *n*.

pi•quant ['piːkənt] *adj* □ pikant.

pique [piːk] **1.** *s* Groll *m*; **2.** *v/t* kränken, reizen; ~ ***o.s. on*** sich brüsten mit.

pi•ra•cy ['paɪərəsɪ] *s* Piraterie *f*, Seeräuberei *f*; **pi•rate** [-ət] **1.** *s* Pirat *m*, Seeräuber *m*; Piratenschiff *n*; ~ ***radio station*** Piratensender *m*; **2.** *v/t idea, etc.*: stehlen, klauen; *book, record, etc.*: e-n Raubdruck *or* e-e Raubkopie herstellen von.

PISA study ['pɪːzastʌdɪ] *s* PISA-Studie *f*.

piss V [pɪs] *v/i* pissen; ~ ***off!*** verpiss dich!, hau ab!; **~ed** V *adj Br.* F besoffen, *Am.* stocksauer; ***be*** ~ ***off with*** die Schnauze vollhaben von.

pis•tol ['pɪstl] *s* Pistole *f*.

pis•ton *tech.* ['pɪstən] *s* Kolben *m*.

pit [pɪt] **1.** *s* Grube *f* (*a. mining, anat.*); *agr.* Miete *f*; Fallgrube *f*, Falle *f*; *motor sports*: Box *f*; *athletics*: Sprunggrube *f*; *thea. Br.* Parterre *n*; *a.* ***orchestra*** ~ Orchestergraben *m*; *Am.* (Obst)Stein *m*, Kern *m*; **2.** *v/t* (**-tt-**) *agr.* einmieten; mit Narben bedecken; *Am.* entsteinen, -kernen.

pitch [pɪtʃ] **1.** *s min.* Pech *n*; *Br.* Stand (-platz) *m* (*of street trader, etc.*); *mus.* Tonhöhe *f*; Grad *m*, Stufe *f*, Höhe *f*; Gefälle *n*, Neigung *f*; Wurf *m* (*a. sports*); *esp. Br. sports*: Spielfeld *n*, Platz *m*; *mar.* Stampfen *n* (*of ship*); **2.** *v/t* werfen; schleudern; *tent, etc.*: aufschlagen, -stellen; *mus.* (an)stimmen; ~ ***too high*** *fig. expectations*: zu hoch stecken; *v/i mil.* (sich) lagern; hinschlagen; *mar.* stampfen (*ship*); ~ ***into*** F herfallen über (*acc*); **~-black**, **~-dark** *adj* pechschwarz; stockdunkel.

pitch•er ['pɪtʃə] *s* Krug *m*; *baseball*: Werfer *m*.

pitch•fork ['pɪtʃfɔːk] *s* Heu-, Mistgabel *f*.

pit•e•ous ['pɪtɪəs] *adj* □ kläglich.

pit•fall ['pɪtfɔːl] *s* Fallgrube *f*; *fig.* Falle *f*.

pith [pɪθ] *s* Mark *n*; *fig.* Kern *m*; *fig.* Kraft *f*; **~•y** ['pɪθɪ] *adj* □ (**-ier, -iest**) markig, kernig.

pit•i|a•ble ['pɪtɪəbl] *adj* □ bemitleidenswert; erbärmlich; **~•ful** *adj* □ bemitleidenswert; erbärmlich, jämmerlich (*a. contp.*); **~•less** *adj* □ unbarmherzig.

pit•tance ['pɪtəns] *s* Hungerlohn *m*.

pit•y ['pɪtɪ] **1.** *s* Mitleid *n* (***on*** mit); ***it is a*** ~ es ist schade; **2.** *v/t* bemitleiden.

piv•ot ['pɪvət] **1.** *s tech.* (Dreh)Zapfen *m*; *fig.* Dreh-, Angelpunkt *m*; **2.** *v/i* sich drehen (***on, upon*** um).

piz•za ['piːtsə] *s* Pizza *f*.

pl ***plural*** Pl., pl., Plural *m*.

pla•ca•ble ['plækəbl] *adj* □ versöhnlich.

plac•ard ['plækɑːd] **1.** *s* Plakat *n*; Transparent *n*; **2.** *v/t* anschlagen; mit e-m Plakat bekleben.

place [pleɪs] **1.** *s* Platz *m*; Ort *m*; Stelle *f*; Stätte *f*; (Arbeits)Stelle *f*, (An)Stellung *f*; Wohnsitz *m*, Haus *n*, Wohnung *f*; Wohnort *m*; (soziale) Stellung; ~ ***of de-***

livery *econ.* Erfüllungsort *m*; ***give ~ to*** *j-m* Platz machen; ***in ~ of*** anstelle (*gen*); ***out of ~*** fehl am Platz; **2.** *v/t* stellen, legen, setzen; *j-n* ein-, anstellen; *order*: erteilen (***with s.o.*** *j-m*); ***be ~d*** *sports*: sich platzieren; ***I can't ~ him*** *fig.* ich weiß nicht, wo ich ihn hintun soll.

plac•id ['plæsɪd] *adj* □ sanft; ruhig.

pla•gia|ris•m ['pleɪdʒərɪzəm] *s* Plagiat *n*; **~•rize** [~raɪz] *v/i and v/t* plagiieren.

plague [pleɪg] **1.** *s* Seuche *f*; Pest *f*; Plage *f*; **2.** *v/t* plagen, quälen.

plaice *zo.* [pleɪs] *s* Scholle *f*.

plain [pleɪn] **1.** *adj* □ klar; deutlich; einfach, schlicht; unscheinbar, wenig anziehend; hässlich (*person*); offen (u. ehrlich); einfarbig; rein (*truth, nonsense, etc.*); **2.** *adv* klar, deutlich; **3.** *s* Ebene *f*, Flachland *n*; ***the Great* ~*s*** *pl Am.* die Prärien *pl*; **~ choc•o•late** *s* Zartbitterschokolade *f*; **~-clothes man** *s* Polizist *m or Kriminalbeamte*(*r*) *m in Zivil*; **~ deal•ing** *s* Redlichkeit *f*; **~s•man** *s Am.* Präriebewohner *m*.

plain|tiff *jur.* ['pleɪntɪf] *s* Kläger(in); **~•tive** [~v] *adj* □ traurig, klagend.

plait [plæt, *Am.* pleɪt] **1.** *s* (Haar- *etc.*) Flechte *f*; Zopf *m*; **2.** *v/t* flechten.

plan [plæn] **1.** *s* Plan *m*; **2.** *v/t* (***-nn-***) planen; entwerfen; ausarbeiten.

plane [pleɪn] **1.** *adj* flach, eben (*a. math.*); **2.** *s* Ebene *f*, (ebene) Fläche; *aer.* Tragfläche *f*; *aircraft*: Flugzeug *n*, F Maschine *f*; *tech. tool*: Hobel *m*; *fig.* Stufe *f*, Niveau *n*; ***by ~*** mit dem Flugzeug, auf dem Luftweg; ***go by ~*** fliegen; **3.** *v/t* (ein)ebnen; *tech.* hobeln.

plan•et *ast.* ['plænɪt] *s* Planet *m*.

plank [plæŋk] **1.** *s* Planke *f*, Bohle *f*, Diele *f*; *pol.* Programmpunkt *m*; **2.** *v/t* dielen; verschalen; ***~ down*** F *et.* hinknallen; *money*: auf den Tisch legen, blechen.

plant [plɑːnt] **1.** *s bot.* Pflanze *f*; *tech.* Anlage *f*; Fabrik *f*; **2.** *v/t* (an-, ein)pflanzen (*a. fig.*); bepflanzen; besiedeln; anlegen; (auf)stellen; *punch*: verpassen; **plan•ta•tion** [plæn'teɪʃn] *s* Pflanzung *f*, Plantage *f*; Besied(e)lung *f*; **~•er** *s* Pflanzer *m*; Plantagenbesitzer *m*; *agr.* Pflanzmaschine *f*; Übertopf *m*.

plaque [plɑːk] *s* (Schmuck)Platte *f*; Gedenktafel *f*; *med.* Zahnbelag *m*.

plash [plæʃ] *v/i* platschen.

plas•ter ['plɑːstə] **1.** *s arch.* (Ver)Putz *m*; (*a.* ***sticking ~***) *med.* Pflaster *n*; *a.* ***~ of Paris*** Gips *m* (*a. med.*); **2.** *v/t* verputzen; *wall*: bekleben; *med. wound*: verpflastern, ein Pflaster kleben auf (*acc*); **~ cast** *s* Gipsabdruck *m*, -abguss *m*; *med.* Gipsverband *m*; **plas•tered** ['plɑːstəd] *adj sl. drunk*: blau.

plas•tic ['plæstɪk] **1.** *adj* (***~ally***) plastisch (*a. med.*); aus Plastik, Plastik...; ***~ money*** F Kreditkarten *pl*; ***~ packaging*** Kunststoffverpackung *f*; **2.** *s often* ***~s*** *sg* Plastik(material) *n*, Kunststoff *m*.

plate [pleɪt] **1.** *s* Platte *f*; Teller *m*; (Bild)Tafel *f*; Schild *n*; (Kupfer-, Stahl)Stich *m*; (Tafel)Besteck *n*; *tech.* Grobblech *n*; **2.** *v/t* plattieren; panzern.

plat•form ['plætfɔːm] *s* Plattform *f*; *geol.* Hochebene *f*; *rail.* Bahnsteig *m*; *Br. of bus*: Plattform *f*; (Redner)Tribüne *f*, Podium *n*; *tech.* Rampe *f*, Bühne *f*; *pol.* Parteiprogramm *n*; *esp. Am. pol.* Aktionsprogramm *n* (*for election campaign*).

plat•i•num *chem.* ['plætɪnəm] *s* Platin *n*.

plat•i•tude *fig.* ['plætɪtjuːd] *s* Plattheit *f*.

plau•si•ble ['plɔːzəbl] *adj* □ glaubhaft.

play [pleɪ] **1.** *s* Spiel *n*; Schauspiel *n*, (Theater)Stück *n*; *tech.* Spiel *n*; *fig.* Spielraum *m*; **2.** *v/t and v/i* spielen; *tech.* Spiel(raum) haben; ***~ back*** *ball*: zurückspielen (***to*** zu); *tape*: abspielen; ***~ off*** *fig.* ausspielen (***against*** gegen); ***~ on, ~ upon*** *fig. s.o.'s weakness*: ausnutzen; ***~ed out*** *fig.* erledigt, erschöpft; **~-back** *s* Wiedergabe *f*, Abspielen *n*; **~•bill** *s* Theaterplakat *n*; *Am.* Programm(heft) *n*; **~•boy** *s* Playboy *m*; **~•er** *s* (Schau-)Spieler(in); Plattenspieler *m*; **~•fel•low** *s* Spielgefährt|e *m*, -in *f*; **~•ful** *adj* □ verspielt; spielerisch, scherzhaft; **~•girl** *s* Playgirl *n*; **~•go•er** *s* (*esp.* häufige[r]) Theaterbesucher(in); **~•ground** *s* Spielplatz *m*; Schulhof *m*; **~•house** *s thea.* Schauspielhaus *n*; Spielhaus *n* (*for children*); **~•mate** → ***playfellow***; Gespiel|e *m*, -in *f*; **~-off** *s Sport*: Play-off *n*, Entscheidungsspiel *n*; **~•thing** *s* Spielzeug *n*; **~•wright** *s* Dramatiker *m*.

PLC, Plc, plc *Br.* ***public limited company*** AG, Aktiengesellschaft *f*.

plea [pliː] *s jur.* Einspruch *m*; Ausrede *f*; Gesuch *n*; ***on the ~ of*** *or* ***that*** unter

P

dem Vorwand (*gen or* dass).

plead [pliːd] (**~ed**, *esp. ScotE., Am.* **pled**) *v/i jur.* plädieren; **~ for** für *j-n* sprechen; sich einsetzen für; **~ (not) guilty** sich (nicht) schuldig bekennen; *v/t* sich berufen auf (*acc*), *et.* vorschützen; *s.o.'s case*: vertreten; *jur.* (als Beweis) anführen; **~•ing** *s jur.* Plädoyer *n*.

pleas•ant ['pleznt] *adj* □ angenehm, erfreulich; freundlich; sympathisch; **~•ry** *s* Scherz *m*, Spaß *m*.

please [pliːz] **1.** *v/i and v/t* (*j-m*) gefallen, angenehm sein; befriedigen; belieben; **~ yourself** (ganz) wie Sie wünschen; **2.** *int* bitte; (**yes,**) **~** (ja,) bitte; (oh ja,) gerne; **~ come in!** bitte treten Sie ein!; **~d** *adj* erfreut, zufrieden; **be ~ at** erfreut sein über (*acc*); **be ~ to do** *et.* gerne tun; **~ to meet you!** angenehm!; **be ~ with** befriedigt sein von; Vergnügen haben an (*dat*); **pleas•ing** ['pliːzɪŋ] *adj* □ angenehm, gefällig.

plea•sure ['pleʒə] *s* Vergnügen *n*, Freude *f*; Belieben *n*; *attr* Vergnügungs…; **at ~** nach Belieben; **my ~, it's a ~** gern geschehen, es war mir ein Vergnügen; **~-boat** *s* Vergnügungs-, Ausflugsdampfer *m*; **~-ground** *s* (Park)Anlage(n *pl*) *f*; Vergnügungspark *m*.

pleat [pliːt] **1.** *s* (Plissee)Falte *f*; **2.** *v/t* fälteln, plissieren.

pled [pled] *pret and pp of* **plead.**

pledge [pledʒ] **1.** *s* Pfand *n*; Trinkspruch *m*, Toast *m*; Versprechen *n*, Gelöbnis *n*; **2.** *v/t* verpfänden; *j-m* zutrinken; **he ~d himself** er gelobte.

ple•na•ry ['pliːnərɪ] *adj* Voll…, Plenar…

plen•ti•ful ['plentɪfl] *adj* □ reichlich.

plen•ty ['plentɪ] **1.** *s* Fülle *f*, Überfluss *m*; **~ of** reichlich; **2.** *adv* F reichlich.

pli•a•ble ['plaɪəbl] *adj* □ biegsam; *fig.* geschmeidig, nachgiebig.

pli•ers ['plaɪəz] *s pl* (**a pair of ~** e-e) (Draht-, Kombi)Zange.

plight [plaɪt] *s* (schlechter) Zustand, schwierige Lage, Notlage *f*.

plim•soll *Br.* ['plɪmsəl] *s* Turnschuh *m*.

plod [plɒd] *v/i* (**-dd-**) *a.* **~ along, ~ on** sich dahinschleppen; **~ away** sich abplagen (**at** mit), schuften.

plop [plɒp] *v/i and v/t* (**-pp-**) plumpsen *or* (*esp. into water*) platschen (lassen).

plot [plɒt] **1.** *s* Stück *n* Land, Parzelle *f*, Grundstück *n*; (geheimer) Plan, Komplott *n*, Anschlag *m*, Intrige *f*; Handlung *f* (*of drama, etc.*); **2.** (**-tt-**) *v/t* auf-, einzeichnen; planen, anzetteln; *v/i* sich verschwören (**against** gegen).

plough, *Am.* **plow** [plaʊ] **1.** *s* Pflug *m*; **2.** *v/i and v/t* (um)pflügen; **~•share** *s* Pflugschar *f*.

pluck [plʌk] **1.** *s* Rupfen *n*, Zupfen *n*, Zerren *n*, Reißen *n*; Zug *m*, Ruck *m*; Innereien *pl*; *fig.* Mut *m*, Schneid *m*; **2.** *v/t* pflücken; *bird*: rupfen (*a. fig.*); *mus. strings*: zupfen; **~ up courage** Mut fassen; *v/i* zupfen, ziehen, zerren (**at** an *dat*); **~•y** F *adj* □ (**-ier, -iest**) mutig.

plug [plʌg] **1.** *s* Pflock *m*, Dübel *m*, Stöpsel *m*; *electr.* Stecker *m*, F Steckdose *f*; Hydrant *m*; *mot.* (Zünd)Kerze *f*; *radio, TV*: F Schleichwerbung *f*; **2.** *v/t* (**-gg-**) (*a.* **~ up**) zu-, verstopfen, zustöpseln; F *radio, TV, etc.*: (ständig) Reklame machen für; **~ in** *electr.* einstecken, einstöpseln, anschließen.

plum [plʌm] *s bot.* Pflaume(nbaum *m*) *f*; Rosine *f* (*a. fig.*).

plum•age ['pluːmɪdʒ] *s* Gefieder *n*.

plumb [plʌm] **1.** *adj and adv* lot-, senkrecht; *fig.* völlig; F total; **2.** *s* (Blei)Lot *n*; **3.** *v/t* loten; sondieren (*a. fig.*); Wasser- *or* Gasleitungen legen in (*dat*); **~ in** *connect*: anschließen; *v/i* als Rohrleger arbeiten; **~•er** *s* Klempner *m*, Installateur *m*; **~•ing** *s* Klempnerarbeit *f*; Rohrleitungen *pl*; sanitäre Installation.

plume [pluːm] **1.** *s* Feder *f*; Federbusch *m*; **2.** *v/t* mit Federn schmücken; *plumage*: putzen; **~ o.s. on** sich brüsten mit.

plump [plʌmp] **1.** *adj* drall, prall, mollig; F glatt (*refusal, etc.*); **2.** *v/i and v/t a.* **~ down** (hin)plumpsen (lassen); **3.** *s* Plumps *m*; **4.** *adv* F unverblümt, geradeheraus.

plum pud•ding [plʌm'pʊdɪŋ] *s* Plumpudding *m*.

plun•der ['plʌndə] **1.** *s* Plünderung *f*; Raub *m*, Beute *f*; **2.** *v/t* plündern.

plunge [plʌndʒ] **1.** *s* (Ein-, Unter)Tauchen *n*; (Kopf)Sprung *m*; Sturz *m*; **take the ~** *fig.* den entscheidenden Schritt wagen; **2.** *v/i and v/t* (ein-, unter)tauchen; (sich) stürzen (**into** in *acc*); *knife, etc.*: stoßen; *mar.* stampfen (*ship*).

plu•per•fect *gr.* [pluː'pɜːfɪkt] *s* (*a. adj* **~**

tense) Plusquamperfekt *n*.

plu•ral *gr*. ['plʊərəl] *s* Plural *m*, Mehrzahl *f*; **~•i•ty** [plʊə'rælətɪ] *s* Vielzahl *f*.

plus [plʌs] **1.** *prp* plus; **2.** *adj* positiv; Plus…; **3.** *cj* F und außerdem, wie auch; **4.** *s* Plus *n*; Mehr *n*.

plush [plʌʃ] *s* Plüsch *m*.

ply [plaɪ] **1.** *s* Lage *f*, Schicht *f* (*of cloth, wood, etc.*); Strähne *f* (*thread, etc.*); *fig*. Neigung *f*; ***three-~*** dreifach (*thread, etc.*); dreifach gewebt (*carpet*); **2.** *v/t* handhaben, umgehen mit; *fig. j-m* zusetzen, *j-n* überhäufen (***with*** mit); *v/i bus, etc.*: regelmäßig fahren (***between*** zwischen *dat*); **~•wood** *s* Sperrholz *n*.

p.m., pm *Br*. ***post meridiem*** (= ***after noon***) nachm., nachmittags, abends.

PM *Br*. ***Prime Minister*** Premierminister(in); *Am*. → ***p.m.***

pneu•mat•ic [njuː'mætɪk] *adj* (***~ally***) Luft…; pneumatisch; ***~ brake*** *tech*. Druckluftbremse *f*.

pneu•mo•ni•a *med*. [njuː'məʊnɪə] *s* Lungenentzündung *f*.

poach[1] [pəʊtʃ] *v/t* pochieren; ***~ed eggs*** *pl* verlorene Eier *pl*.

poach[2] [~] *v/t and v/i* wildern; **~•er** *s* Wilddieb *m*, Wilderer *m*.

PO Box [piː'əʊbɒks] *s* Postfach *n*.

pock *med*. [pɒk] *s* Pocke *f*, Blatter *f*.

pock•et ['pɒkɪt] **1.** *s* (Hosen- *etc*.)Tasche *f*; *billiards*: Loch *n*; *aer*. → ***airpocket***; ***with an empty ~*** mit leeren Taschen; ***it's beyond my ~*** es übersteigt meine finanziellen Möglichkeiten; … ***to suit every ~, … easy on the ~ …*** für jeden Geldbeutel; **2.** *v/t* einstecken (*a. fig.*); *emotion*: unterdrücken; *billiards*: einlochen; ***~ one's pride*** s-n Stolz überwinden; **3.** *adj* im Taschenformat, Taschen…; **~ bil•liards** *s sg* Pool-, Lochbillard *n*; **~•book** *s notebook*: Notizbuch *n*; *wallet*: Brieftasche *f*; *Am. handbag*: Handtasche *f*; *Am. paperback*: Taschenbuch *n*; **~ cal•cu•la•tor** *s* Taschenrechner *m*; **~ knife** *s* Taschenmesser *n*; **~ mon•ey** *s* Taschengeld *n*.

pod *bot*. [pɒd] *s* Hülse *f*, Schote *f*.

POD ***pay on delivery*** per Nachnahme.

po•em ['pəʊɪm] *s* Gedicht *n*.

po•et ['pəʊɪt] *s* Dichter *m*; **~•ess** *s* Dichterin *f*; **~•ic** [pəʊ'etɪk] (***~ally***), **~•i•cal** *adj* □ dichterisch; **~•ics** *s sg* Poetik *f*; **~•ry** ['pəʊɪtrɪ] *s* Dichtkunst *f*; Dichtung *f*; *coll*. Dichtungen *pl*, Gedichte *pl*.

point [pɔɪnt] **1.** *s* Spitze *f*; *geogr*. Landspitze *f*; *gr., math., phys., etc*. Punkt *m*; *math*. (Dezimal)Punkt *m*, Komma *n*; *phys*. Grad *m* (*on scale*); *mar*. Kompassstrich *m*; Auge *n* (*on playing card, etc.*); *sports*: Punkt *m*; *place*: Punkt *m*, Stelle *f*, Ort *m*; *main idea*: springender Punkt; *purpose*: Zweck *m*, Ziel *n*; *of joke*: Pointe *f*; *fig*. hervorstechende Eigenschaft; **~s** *pl Br. rail*. Weiche *f*; ***~ of view*** Stand-, Gesichtspunkt *m*; ***the ~ is that …*** die Sache ist die, dass …; ***make a ~ of s.th.*** auf e-r Sache bestehen; ***there is no ~ in doing*** es hat keinen Zweck, zu tun; ***in ~ of*** hinsichtlich (*gen*); ***to the ~*** zur Sache (gehörig); ***off*** *or* ***beside the ~*** nicht zur Sache (gehörig); ***on the ~ of*** *ger* im Begriff zu *inf*; *boxing, etc.*: ***beat s.o. on ~s*** *j-n* nach Punkten schlagen; ***win*** (***lose***) ***on ~s*** nach Punkten gewinnen (verlieren); ***winner on ~s*** Punktsieger *m*; ***1.5*** [wʌnpɔɪnt'faɪv] eins Komma fünf (1,5); ***~ of presence*** (*abbr*. ***POP***) *computer*: Einwahlknoten *m*; **2.** *v/t* (zu-)spitzen; ***~ at*** *weapon, etc.*: richten auf (*acc*); *with fingers*: zeigen auf (*acc*); ***~ out*** zeigen; *fig*. hinweisen auf (*acc*); *v/i*: ***~ at*** deuten *or* weisen auf (*acc*); ***~ to*** *compass needle*: weisen *or* zeigen nach; hinweisen auf (*acc*); **~•ed** *adj* □ spitz; Spitz…; *fig*. scharf, unmissverständlich; **~•er** *s* Zeiger *m*; Zeigestock *m*; *zo*. **~** (***dog***) Vorstehhund *m*; F Tipp *m*, Hinweis *m*; **~•less** *adj* □ sinnlos; zwecklos.

poise [pɔɪz] **1.** *s* Gleichgewicht *n*; (Körper-, Kopf)Haltung *f*; **2.** *v/t* im Gleichgewicht halten; *head, etc.*: tragen, halten; *v/i* schweben.

poi•son ['pɔɪzn] **1.** *s* Gift *n*; **2.** *v/t* vergiften; **~ gas** *s* Giftgas *n*; **~•ing** *s* Vergiftung *f*; **~•ous** *adj* □ giftig (*a. fig.*).

poke [pəʊk] **1.** *s* Stoß *m*; F Faustschlag *m*; **2.** *v/t* stoßen, puffen; *fire*: schüren; *hole*: bohren; ***~ fun at*** sich über *j-n* lustig machen; ***~ one's nose into everything*** F s-e Nase überall hineinstecken; *v/i* (herum)stochern (***among, at, in*** in *dat*).

pok•er[1] ['pəʊkə] *s* Feuerhaken *m*.

po•ker[2] [~] *s card game*: Poker *n*; ***play ~*** pokern, Poker spielen.

pok•y F ['pəʊkɪ] *adj* (***-ier, -iest***) eng;

P

schäbig.

Po•land ['pəʊlənd] Polen *n*.

po•lar ['pəʊlə] *adj* polar; ~ ***bear*** *zo*. Eisbär *m*.

pole[2] [~] *s* Pol *m*; Stange *f*; Mast *m*; Deichsel *f*; *sports*: (Sprung)Stab *m*.

Pole[1] [pəʊl] *s* Pole *m*, Polin *f*.

po•lem|ic [pə'lemɪk], *a*. **~•i•cal** *adj* □ polemisch.

pole-star ['pəʊlstɑː] *s ast*. Polarstern *m*; *fig*. Leitstern *m*.

pole-vault ['pəʊlvɔːlt] **1.** *s* Stabhochsprung *m*; **2.** *v/i* stabhochspringen; **~•er** *s* Stabhochspringer *m*; **~•ing** *s* Stabhochspringen *n*, -sprung *m*.

po•lice [pə'liːs] **1.** *s pl* Polizei *f*; **2.** *v/t* überwachen; **~•man** *s* Polizist *m*; **~-of- fi•cer** *s* Polizeibeamte(r) *m*, Polizist *m*; **~ sta•tion** *s* Polizeiwache *f*, -revier *n*; **~•wom•an** *s* Polizistin *f*.

pol•i•cy ['pɒləsɪ] *s* Vorgehensweise *f*, Politik *f*, Taktik *f*; Klugheit *f*; (Versicherungs)Police *f*.

po•li•o *med*. ['pəʊlɪəʊ] *s* Polio *f*, Kinderlähmung *f*.

pol•ish[2] ['pɒlɪʃ] **1.** *s* Politur *f*; Schuhcreme *f*; *fig*. Schliff *m*; **2.** *v/t* polieren; *shoes*: putzen; *fig*. verfeinern.

Pol•ish[1] ['pəʊlɪʃ] **1.** *adj* polnisch; **2.** *s ling*. Polnisch *n*.

po•lite [pə'laɪt] *adj* □ (**~r, ~st**) artig, höflich; **~•ness** *s* Höflichkeit *f*.

pol•i•tic ['pɒlɪtɪk] *adj* □ diplomatisch; klug.

po•lit•i•cal [pə'lɪtɪkl] *adj* □ politisch; staatlich, Staats...; ~ ***asylum*** politisches Asyl; **pol•i•ti•cian** [pɒlɪ'tɪʃn] *s* Politiker(in); **pol•i•tick•ing** ['pɒlɪtɪkɪŋ] *s contp*. politisches Hickhack; **pol•i•tics** ['pɒlɪtɪks] *s sg or pl* Politik *f*; *univ*. Politologie *f*.

pol•ka ['pɒlkə] *s* Polka *f*.

poll [pəʊl] **1.** *s* (Ergebnis *n* e-r) (Meinungs)Umfrage *f*; Wahl *f*, Abstimmung *f*; Stimmenzahl *f*; ***heavy*** ~ hohe Wahlbeteiligung; ***go to the ~s*** wählen (gehen), zur Wahl gehen; **2.** *v/t votes*: erhalten; *v/i* wählen.

pol•len *bot*. ['pɒlən] *s* Pollen *m*, Blütenstaub *m*; **~ count** *s* Pollenwerte *pl*.

poll•ing ['pəʊlɪŋ] *s* Wählen *n*, Wahl *f*; ~ ***booth*** Wahlkabine *f*, -zelle *f*; ~ ***district*** Wahlbezirk *m*; ~ ***place*** *Am*., ~ ***station*** *esp. Br*. Wahllokal *n*.

poll-tax ['pəʊltæks] *s* Kopfsteuer *f*.

pol|lut•ant [pə'luːtənt] *s* Schadstoff *m*; **~•lute** *v/t* be-, verschmutzen; verunreinigen; *fig*. verderben; **~•lut•er** *s* Umweltverschmutzer *m*, Umweltsünder *m*; **~•lu•tion** *s* Verunreinigung *f*; (Luft-, Wasser-, Umwelt)Verschmutzung *f*; *a*. Schadstoffe *pl*; ~ ***control*** *appr*. Reduzierung *f* der Umweltbelastung; ~ ***count*** Immissionswert *m*; ~ ***level*** der Grad der Umweltverschmutzung.

po•lo ['pəʊləʊ] *s sports*: Polo *n*; **~-neck** *s* Rollkragen(pullover) *m*.

Pom•er•a•nia [ˌpɒmə'reɪnjə] Pommern *n*.

pomp [pɒmp] *s* Pomp *m*, Prunk *m*.

pom•pous ['pɒmpəs] *adj* □ pompös, prunkvoll; aufgeblasen; schwülstig.

pond [pɒnd] *s* Teich *m*, Weiher *m*.

pon•der ['pɒndə] *v/t* erwägen; *v/i* nachdenken.

po•ny *zo*. ['pəʊnɪ] *s* Pony *n*.

poo•dle *zo*. ['puːdl] *s* Pudel *m*.

pool [puːl] **1.** *s* Teich *m*; Pfütze *f*, Lache *f*; (Schwimm)Becken *n*; Pool *m*; *card games*: Gesamteinsatz *m*; *econ*. Kartell *n*; *econ*. Fonds *m*, F Topf *m*; *mst* **~s** *pl* (Fußball- *etc*.) Toto *n*, *m*; *Am*. Poolbillard *n*; ***~room*** *Am*. Billardspielhalle *f*; Wettannahmestelle *f*; **2.** *v/t money, ideas, etc*.: in e-n Topf werfen, zusammenlegen.

poop *mar*. [puːp] *s* Heck *n*; *a*. ~ ***deck*** (erhöhtes) Achterdeck.

poop•er scoop•er ['puːpəskuːpə] *s* F *Schaufel für Hundekot*.

poor [pʊə] *adj* □ arm(selig); dürftig; schlecht; **~•ly** **1.** *adj* kränklich, unpässlich; **2.** *adv* arm(selig), dürftig.

pop[1] [pɒp] **1.** *s* Knall *m*; F *lemonade*: Limo *f*; **2.** (**-pp-**) *v/t* knallen lassen; F *put*: tun, stecken; *v/i* knallen; *balloon*: platzen; huschen; ~ ***in*** hereinplatzen (*visitor*); ~ ***in for a cup of tea*** auf e-e Tasse Tee vorbeischauen.

pop[2] [~] **1.** *s a*. ~ ***music*** Schlagermusik *f*; Pop(musik *f*) *m*; **2.** *adj* volkstümlich, beliebt; Schlager...; Pop...; ~ ***concert*** Popkonzert *n*; ~ ***singer*** Schlagersänger(in); ~ ***song*** Schlager *m*.

pop[3] *Am*. F [~] *s* Paps *m*, Papa *m*; *elderly man*: Opa *m*.

pop•corn ['pɒpkɔːn] *s* Popcorn *n*, Puffmais *m*.

pope [pəʊp] *s mst* ♀ Papst *m*.

pop-eyed F ['pɒpaɪd] *adj* glotzäugig.

P

pop-icon F ['pɒpaɪkɒn] *s* Popikone *f*, Popidol *n*.
pop•lar *bot.* ['pɒplə] *s* Pappel *f*.
pop•py *bot.* ['pɒpɪ] *s* Mohn *m*; **~•cock** *s* F Quatsch *m*, dummes Zeug.
pop•u|lace ['pɒpjʊləs] *s die* breite Masse, *contp*. Pöbel *m*; **~•lar** *adj* □ beliebt, populär; weit verbreitet; Volks…; **~•lar•i•ty** [~'lærətɪ] *s* Popularität *f*, Beliebtheit *f*.
pop•u|late ['pɒpjʊleɪt] *v/t* bevölkern, bewohnen; **~•la•tion** [~'leɪʃn] *s* Bevölkerung *f*; **~•lous** *adj* □ dicht besiedelt, dicht bevölkert.
pop-up window [ˌpɒpʌp'wɪndəʊ] *s PC*: Popup-Fenster *n*.
porce•lain ['pɔːslɪn] *s* Porzellan *n*.
porch [pɔːtʃ] *s* Vorhalle *f*, Portal *n*, Vorbau *m*; *Am*. Veranda *f*.
por•cu•pine *zo*. ['pɔːkjʊpaɪn] *s* Stachelschwein *n*.
pore [pɔː] **1.** *s* Pore *f*; **2.** *v/i*: **~ *over*** *et*. eifrig studieren.
pork [pɔːk] *s* Schweinefleisch *n*; **~•y** *adj* F fett; dick.
porn F [pɔːn], **por•no** F ['pɔːnəʊ] **1.** *s* (*pl* ***-nos***) Porno(film) *m*; **2.** *adj* Porno…; **por•nog•ra•phy** [pɔː'nɒgrəfɪ] *s* Pornographie *f*.
po•rous ['pɔːrəs] *adj* □ porös.
por•poise *zo*. ['pɔːpəs] *s* Tümmler *m*.
por•ridge ['pɒrɪdʒ] *s* Haferbrei *m*.
port[1] [pɔːt] *s* Hafen(stadt *f*) *m*.
port[2] [~] *s mar*. (Lade)Luke *f*; *mar*., *aer*. → ***porthole***.
port[3] *mar*., *aer*. [~] *s* Backbord *n*.
port[4] [~] *s* Portwein *m*.
por•ta•ble ['pɔːtəbl] **1.** *adj* tragbar; **2.** *s TV*, *computer*: Portable *m*.
por•tal ['pɔːtl] *s* Portal *n*, Tor *n*.
porta•loo *TM* ['pɔːtəluː] *s* Mobiltoilette *f*.
por•ter ['pɔːtə] *s* (Gepäck)Träger *m*; *esp*. *Br*. Pförtner *m*, Portier *m*; *Am*. *rail*. Schlafwagenschaffner *m*; *beer*: Porter *m*, *n*.
port•hole *mar*., *aer*. ['pɔːthəʊl] *s* Bullauge *n*.
por•tion ['pɔːʃn] **1.** *s* (An)Teil *m*; Portion *f* (*food*); Erbteil *n*; Aussteuer *f*; *fig*. Los *n*; **2.** *v/t*: **~ *out*** aus-, verteilen (***among*** unter *acc*).
por•trait ['pɔːtrɪt] *s* Porträt *n*, Bild *n*.
por•tray [pɔː'treɪ] *v/t* malen, porträtieren; schildern; **~•al** [~əl] *s* Porträtieren *n*; Schilderung *f*.
Por•tu•gal ['pɔːtʃʊgl; '~jʊgl] Portugal *n*.
pose [pəʊz] **1.** *s* Pose *f*; Haltung *f*; **2.** *v/t* aufstellen; *question*, *etc*.: stellen, aufwerfen; *v/i* posieren; Modell sitzen *or* stehen; **~ *as*** sich ausgeben als *or* für.
posh F [pɒʃ] *adj* schick, piekfein.
po•si•tion [pə'zɪʃn] *s* Position *f*, Lage *f*, Stellung *f* (*a. fig*.); Stand *m*; *fig*. Standpunkt *m*.
pos•i•tive ['pɒzətɪv] **1.** *adj* □ positiv (*a. math*.); bestimmt, ausdrücklich; feststehend, sicher; bejahend; überzeugt; rechthaberisch; **2.** *s phot*. Positiv *n*.
pos|sess [pə'zes] *v/t* besitzen, haben; beherrschen; *fig*. erfüllen; **~ *o.s. of*** *et*. in Besitz nehmen; **~•sessed** *adj* besessen; **~•ses•sion** *s* Besitz *m*; *fig*. Besessenheit *f*; **~•ses•sive 1.** *adj* □ *gr*. possessiv, besitzanzeigend; *person*: besitzergreifend; **~ *case*** *gr*. Genitiv *m*; **2.** *s gr*. Possessivpronomen *n*, besitzanzeigendes Fürwort; Genitiv *m*; **~•sessor** *s* Besitzer(in).
pos•si|bil•i•ty [pɒsə'bɪlətɪ] *s* Möglichkeit *f*; **~•ble** ['pɒsəbl] *adj* möglich; **~•bly** [~lɪ] *adv* möglicherweise, vielleicht; ***if I ~ can*** wenn ich irgend kann.
post [pəʊst] **1.** *s* Pfosten *m*, Pfahl *m*; *job*: Stelle *f*, Amt *n*; *esp*. *Br*. Post *f*; **2.** *v/t notice*, *etc*.: anschlagen; aufstellen, postieren; eintragen; *esp*. *Br*. *letter*, *etc*.: einstecken, abschicken, aufgeben; **~ *up*** *j-n* informieren.
post•age ['pəʊstɪdʒ] *s* Porto *n*; **~ stamp** *s* Briefmarke *f*.
post•al ['pəʊstl] **1.** *adj* □ postalisch, Post…; **~ *order*** *Br*. Postanweisung *f*; **2.** *s a*. **~ *card*** *Am*. Postkarte *f*.
post|-bag *esp*. *Br*. ['pəʊstbæg] *s* Postsack *m*, -beutel *m*; **~-box** *s esp*. *Br*. Briefkasten *m*; **~•card** *s* Postkarte *f*; *a*. ***picture* ~** Ansichtskarte *f*; **~•code** *s Br*. Postleitzahl *f*.
post•er ['pəʊstə] *s* Plakat *n*; Poster *n*, *m*.
poste res•tante [pəʊst'restɑːnt] *esp*. *Br*. **1.** *s* Schalter *m* für postlagernde Sendungen; **2.** *adj letter*: postlagernd.
pos•te•ri•or [pɒ'stɪərɪə] **1.** *adj* □ später (***to*** als); hinter; **2.** *s often pl* Hinterteil *n*.
pos•ter•i•ty [pɒ'sterətɪ] *s* Nachwelt *f*; Nachkommen(schaft *f*) *pl*.
post-free *esp*. *Br*. [pəʊst'friː] *adj* porto-

frei; freigemacht, frankiert.

post-grad•u•ate [pəʊst'grædjʊət] **1.** *adj* nach dem ersten akademischen Grad; **~ *study*** Aufbaustudium *n*; **2.** *s* j-d, der nach dem ersten akademischen Grad weiterstudiert; *in Germany mst*: Doktorand(in).

post•hu•mous ['pɒstjʊməs] *adj* □ nachgeboren; post(h)um.

post|man *esp. Br.* ['pəʊstmən] *s* Briefträger *m*; **~•mark 1.** *s* Poststempel *m*; **2.** *v/t* (ab)stempeln; **~•mas•ter** *s* Postamtsvorsteher *m*; **~ of•fice** *s* Post(amt *n*) *f*; **~-of•fice box** *s* Postfach *n*; **~-paid** *adj* portofrei; freigemacht, frankiert.

post•pone [pəʊst'pəʊn] *v/t* ver-, aufschieben; **~•ment** *s* Verschiebung *f*, Aufschub *m*.

post•script ['pəʊsskrɪpt] *s* (*abbr.* ***PS***) Postskriptum *n*.

pos•ture ['pɒstʃə] **1.** *s* (Körper)Haltung *f*, Stellung *f*; **2.** *v/i* posieren, sich in Positur werfen.

post-war [pəʊst'wɔː] *adj* Nachkriegs…

po•sy ['pəʊzɪ] *s* Sträußchen *n*.

pot [pɒt] **1.** *s* Topf *m*; Kanne *f*; Tiegel *m*; F *sports*: Pokal *m*; *sl. hashish*: Hasch *n*; *sl. marijuana*: Grass *n*; **2.** *v/t* (**-tt-**) in e-n Topf geben; *plant*: eintopfen; *billiards*: einlochen.

po•ta•to [pə'teɪtəʊ] *s* (*pl* ***-toes***) Kartoffel *f*; → ***chip*** 1, ***crisp*** 3.

pot-bel•ly ['pɒtbelɪ] *s* F Schmerbauch *m*, Wampe *f*; *person*: Dickwanst *m*.

po•ten|cy ['pəʊtənsɪ] *s* Macht *f*; Stärke *f*; *physiol.* Potenz *f*; **~t** *adj* mächtig; stark; *physiol.* potent; **~•tial** [pə'tenʃl] **1.** *adj* potenziell; möglich; **2.** *s* Potenzial *n*; Leistungsfähigkeit *f*.

pot-herb ['pɒthɜːb] *s* Küchenkraut *n*.

po•tion ['pəʊʃn] *s* (Arznei-, Gift-, Zauber)Trank *m*.

pot•ter[1] ['pɒtə] *v/i*: **~ *about*** herumwerkeln.

pot•ter[2] [~] *s* Töpfer(in); **~•y** *s* Töpferei *f*; Töpferware(n *pl*) *f*.

pot•ty ['pɒtɪ] *adj* F verrückt.

pouch [paʊtʃ] *s* Tasche *f*; Beutel *m* (*a. zo.*); *anat.* Tränensack *m*.

poul•try ['pəʊltrɪ] *s* Geflügel *n*; **~ plague** *s vet.* Geflügelpest *f*.

pounce [paʊns] **1.** *s* Satz *m*, Sprung *m*; **2.** *v/i* sich stürzen; *eagle, etc.*: herabstoßen (***on, upon*** auf *acc*).

pound[1] [paʊnd] *s* Pfund *n* (*weight*); **~ (*sterling*)** Pfund *n* (Sterling) (*abbr.* **£** *= 100 pence*).

pound[2] [~] *s for stray animals*: Zwinger *m*, Tierheim *n*; *for cars*: Abstellplatz *m*.

pound[3] [~] *v/t* zerstoßen; -stampfen; *v/i* stampfen; **~ *at*** *or* ***on*** hämmern *or* trommeln an (*acc*) *or* gegen.

pour [pɔː] *v/t* gießen, schütten; **~ *out*** *drink*: eingießen; *v/i* strömen, rinnen; ***it's ~ing down*** es gießt in Strömen.

pout [paʊt] **1.** *s* Schmollen *n*; **2.** *v/t lips*: schürzen; *v/i* e-n Schmollmund machen; schmollen.

pov•er•ty ['pɒvətɪ] *s* Armut *f*; Mangel *m*.; **~ risk** *s sociol.* Armutsrisiko *n*.

pow•der ['paʊdə] **1.** *s* Pulver *n*; Puder *m*; **2.** *v/t* pulverisieren; (sich *et.*) pudern; bestreuen; **~-box** *s* Puderdose *f*; **~-room** *s* Damentoilette *f*.

pow•er ['paʊə] **1.** *s* Kraft *f*, Stärke *f*; Macht *f*; Gewalt *f*; *tech.* Leistung *f*; *jur.* Vollmacht *f*; *math.* Potenz *f*; ***in ~*** an der Macht, im Amt; **2.** *v/t tech.* antreiben; ***rocket-~ed*** raketengetrieben; **~ current** *s electr.* Starkstrom *m*; **~ cut** *s electr.* Stromsperre *f*; Strom-, Netzausfall *m*; **~•ful** *adj* □ mächtig; kräftig; wirksam; **~•less** *adj* □ macht-, kraftlos; **~ plant** → ***power station***; **~ pol•itics** *s often sg* Machtpolitik *f*; **~ sta•tion** *s* Elektrizitäts-, Kraftwerk *n*.

pow•wow *Am.* F ['paʊwaʊ] *s* Versammlung *f*.

pp. ***pages*** Seiten *pl*.

p. p. → ***per pro(c)***.

prac•ti|ca•ble ['præktɪkəbl] *adj* □ durchführbar; begeh-, befahrbar (*road*); brauchbar; **~•cal** *adj* □ praktisch; tatsächlich; sachlich; **~ *joke*** Streich *m*; **~•cal•ly** *adv* so gut wie.

prac•tice, *Am. a.* **prac•tise** ['præktɪs] **1.** *s* Praxis *f* (*a. med.*); Übung *f*; Gewohnheit *f*; Brauch *m*; Praktik *f*; ***it is common ~*** es ist allgemein üblich; ***put into ~*** in die Praxis umsetzen; **2.** *v/t Am.* → ***practise***; **prac•tise** [~] *v/t* in die Praxis umsetzen; ausüben; betreiben; üben; *v/i* (sich) üben; praktizieren; **~*d*** geübt (***in*** in *dat*).

prac•ti•tion•er [præk'tɪʃnə] *s*: ***general ~*** Allgemeinarzt *m*, praktischer Arzt; ***legal ~*** Rechtsanwalt *m*.

Prague [prɑːg] Prag *n*.

prai•rie ['preərɪ] *s* Grasebene *f*; Prärie *f*

P

(*in North America*).
praise [preɪz] **1.** *s* Lob *n*; **2.** *v/t* loben, preisen; **~•wor•thy** ['~wɜːðɪ] *adj* lobenswert.
pram *esp. Br.* [præm] *s* Kinderwagen *m*.
prance [prɑːns] *v/i* sich bäumen, steigen; tänzeln (*horse*); (einher)stolzieren.
prank [præŋk] *s* Streich *m*.
prat F [præt] *s* Schwachkopf *m*, Trottel *m*.
prat•tle F ['prætl] **1.** *s* Geplapper *n*; **2.** *v/i and v/t* (*et.* daher)plappern.
prawn *zo.* [prɔːn] *s* Garnele *f*.
pray [preɪ] *v/i and v/t* beten; inständig (er)bitten; **~er** [preə] *s* Gebet *n*; *often* **~s** *pl* Andacht *f*; ***the Lord's*** ♀ das Vaterunser; **~-*book*** Gebetbuch *n*.
pre- [priː; prɪ] *temporal*: vor, vorher, früher als; *of place*: vor, davor.
preach [priːtʃ] *v/i and v/t* predigen; **~•er** *s* Prediger(in).
pre•am•ble [priː'æmbl] *s* Einleitung *f*.
pre•car•i•ous [prɪ'keərɪəs] *adj* □ unsicher, bedenklich; gefährlich.
pre•cau•tion [prɪ'kɔːʃn] *s* Vorkehrung *f*, Vorsicht(smaßregel, -smaßnahme) *f*; **~•a•ry** *adj* vorbeugend.
pre|cede [priː'siːd] *v/t* voraus-, vorangehen (*dat*); **~•ce•dence**, **~•ce•den•cy** ['presɪdəns, ~sɪ] *s* Vorrang *m*; **~•ce•dent** ['presɪdənt] *s* Präzedenzfall *m*.
pre•cept ['priːsept] *s* Grundsatz *m*.
pre•cinct ['priːsɪŋkt] *s* Bezirk *m*; *Am.* Wahlbezirk *m*, -kreis *m*; *Am.* (Polizei-) Revier *n*; **~s** *pl* Umgebung *f*; Bereich *m*; Grenzen *pl*; → ***pedestrian precinct.***
pre•cious ['preʃəs] **1.** *adj* □ kostbar; edel (*gems, etc.*); F schön, nett, fein; **2.** *adv* F reichlich, herzlich.
pre•ci•pice ['presɪpɪs] *s* Abgrund *m*.
pre•cip•i|tate 1. [prɪ'sɪpɪteɪt] *v/t* (hinab)stürzen; *chem.* (aus)fällen; *fig.* beschleunigen; *v/i chem.* ausfallen; *meteor.* sich niederschlagen; **2.** [~tət] *adj* □ überstürzt, hastig; **3.** *chem.* [~teɪt] *s* Niederschlag *m*; **~•ta•tion** [prɪsɪpɪ'teɪʃn] *s* Sturz *m*; *chem.* Ausfällen *n*; *meteor.* Niederschlag *m*; *fig.* Überstürzung *f*, Hast *f*; **~•tous** [prɪ'sɪpɪtəs] *adj* □ steil (abfallend), jäh.
pré•cis ['preɪsiː] *s* (*pl* **-*cis*** [-siːz]) (gedrängte) Übersicht, Zusammenfassung *f*, Inhaltsangabe *f*.
pre|cise [prɪ'saɪs] *adj* □ genau, präzis; ***at one o'clock ~ly*** genau *or* pünktlich um ein Uhr; ***be more ~!*** drücke dich deutlicher aus!; **~•ci•sion** [~'sɪʒn] *s* Genauigkeit *f*; Präzision *f*.
pre•clude [prɪ'kluːd] *v/t* ausschließen; *e-r Sache* vorbeugen; *j-n* hindern.
pre•co•cious [prɪ'kəʊʃəs] *adj* □ frühreif; altklug.
pre•con|ceived [priːkən'siːvd] *adj* vorgefasst (*opinion*); **~•cep•tion** [~'sepʃn] *s* vorgefasste Meinung.
pre•de•ces•sor ['priːdɪsesə] *s* Vorgänger(in).
pre•de•ter•mine [priːdɪ'tɜːmɪn] *v/t* vorher festsetzen; vorherbestimmen.
pre•dic•a•ment [prɪ'dɪkəmənt] *s* missliche Lage, Zwangslage *f*.
pred•i•cate 1. *v/t* ['predɪkeɪt] behaupten; gründen (***on*** auf *dat*); **2.** *s gr.* [~kət] Prädikat *n*, Satzaussage *f*.
pre|dict [prɪ'dɪkt] *v/t* vorhersagen, prophezeien; **~•dic•tion** *s* Prophezeiung *f*.
pre•di•lec•tion [priːdɪ'lekʃn] *s* Vorliebe *f*.
pre•dis|pose [priːdɪ'spəʊz] *v/t j-n* (im Voraus) geneigt *or* empfänglich machen (***to*** für); **~•po•si•tion** [~pə'zɪʃn] *s*: **~ *to*** Neigung *f* zu; *esp. med.* Anfälligkeit *f* für.
pre•dom•i|nance [prɪ'dɒmɪnəns] *s* Vorherrschaft *f*; Vormacht(stellung) *f*; *fig.* Übergewicht *n*; **~•nant** [~t] *adj* □ vorherrschend; **~•nate** [~eɪt] *v/i* die Oberhand haben; vorherrschen.
pre-em•i•nent [priː'emɪnənt] *adj* □ herausragend.
pre-emp|tion [priː'empʃn] *s econ.* Vorkauf(srecht *n*) *m*; **~•tive** [~tɪv] *adj* Vorkaufs…; *mil.* Präventiv…
pre-ex•ist [priːɪg'zɪst] *v/i* vorher da sein.
pre•fab F ['priːfæb] *s* Fertighaus *n*.
pre•fab•ri•cate [priː'fæbrɪkeɪt] *v/t* vorfabrizieren; **~*d house*** Fertighaus *n*.
pref•ace ['prefɪs] **1.** *s* Vorrede *f*, Vorwort *n*, Einleitung *f*; **2.** *v/t* einleiten.
pre•fect ['priːfekt] *s* Präfekt *m*; *school*: *Br.* Aufsichts-, Vertrauensschüler(in).
pre•fer [prɪ'fɜː] *v/t* (**-*rr-***) vorziehen, bevorzugen, lieber haben *or* mögen *or* tun; *jur. charges*: einreichen; *eccl.* befördern.
pref•e|ra•ble ['prefərəbl] *adj* (***to***) vorzuziehen(d) (*dat*), besser (als); **~•ra•bly**

P

[.lɪ] *adv* vorzugsweise, besser; **~•rence** [.əns] *s* Vorliebe *f*; Vorzug *m*; **~•ren•t•ial** [prefə'renʃl] *adj* □ bevorzugt; Vorzugs…

pre•fix ['priːfɪks] *s* Präfix *n*, Vorsilbe *f*.

preg•nan|cy ['pregnənsɪ] *s* Schwangerschaft *f*; Trächtigkeit *f* (*of animal*); *fig*. Bedeutung(sgehalt *m*) *f*, Tragweite *f*; **~t** *adj* □ schwanger; trächtig (*animal*); *fig*. bedeutungsvoll.

pre•judge [priː'dʒʌdʒ] *v/t* im Voraus *or* vorschnell be- *or* verurteilen.

prej•u|dice ['predʒʊdɪs] **1.** *s* Voreingenommenheit *f*, Vorurteil *n*; Nachteil *m*, Schaden *m*; **2.** *v/t j-n* (günstig *or* ungünstig) beeinflussen, einnehmen (***in favour of*** für; ***against*** gegen); benachteiligen; *chances*: beeinträchtigen; **~d** (vor)eingenommen; **~•di•cial** [.'dɪʃl] *adj* □ nachteilig.

pre•lim•i•na•ry [prɪ'lɪmɪnərɪ] **1.** *adj* □ vorläufig; einleitend; Vor…; **2.** *s* Einleitung *f*; Vorbereitung *f*.

pre-loaded [ˌpriː'ləʊdɪd] *adj software etc.*: vorinstalliert.

prel•ude ['preljuːd] *s* Vorspiel *n*.

pre•mar•i•tal [priː'mærɪtəl] *adj* vorehelich.

pre•ma•ture [premə'tjʊə] *adj* □ vorzeitig, verfrüht; *fig*. vorschnell.

pre•med•i|tate [priː'medɪteɪt] *v/t* vorsätzlich planen; **~•tat•ed** *adj* vorsätzlich; **~•ta•tion** [.'teɪʃn] *s* Vorsatz *m*.

prem•i•er ['premɪə] **1.** *adj* führend; **2.** *s pol*. Premierminister *m*.

prem•is•es ['premɪsɪz] *s pl* Grundstück *n*, Gebäude *n or pl*, Anwesen *n*; Lokal *n*.

pre•mi•um ['priːmɪəm] *s* Prämie *f*; *econ*. Agio *n*; Versicherungsprämie *f*; ***at a ~*** über pari; *fig*. sehr gefragt.

pre•mo•ni•tion [priːmə'nɪʃn] *s* (Vor-)Warnung *f*; (Vor)Ahnung *f*.

pre•oc•cu|pied [priː'ɒkjʊpaɪd] *adj* gedankenverloren; **~•py** [.aɪ] *v/t* ausschließlich beschäftigen; *j-n* (völlig) in Anspruch nehmen.

prep F [prep] → ***preparation***, ***preparatory***

pre•paid *mail* [priː'peɪd] *adj* frankiert; ***~ envelope*** Freiumschlag *m*; ***~ mobile phone***, *Am*. ***~ cell (phone)*** Prepaidhandy *n*.

prep•a•ra•tion [prepə'reɪʃn] *s* Vorbereitung *f*; Zubereitung *f*; **pre•par•a•to•ry** [prɪ'pærətərɪ] *adj* □ vorbereitend; ***~ (school)*** Vor(bereitungs)schule *f*.

pre•pare [prɪ'peə] *v/t* vorbereiten; zurechtmachen; (zu)bereiten; *v/i* sich vorbereiten, sich anschicken; **~d** *adj* □ bereit; gefasst.

pre•pay [priː'peɪ] *v/t* (***-paid***) vorausbezahlen; frankieren.

pre•pon•de|rance [prɪ'pɒndərəns] *s fig*. Übergewicht *n*; **~•rant** [.t] *adj* überwiegend; **~•rate** [.reɪt] *v/i* überwiegen.

prep•o•si•tion *gr*. [prepə'zɪʃn] *s* Präposition *f*, Verhältniswort *n*.

pre•pos•sess [priːpə'zes] *v/t* einnehmen; ***be ~ed by*** eingenommen sein von; **~•ing** *adj* □ einnehmend, anziehend.

pre•pos•ter•ous [prɪ'pɒstərəs] *adj* absurd; lächerlich, grotesk.

pre•req•ui•site [priː'rekwɪzɪt] *s* Vorbedingung *f*, (Grund)Voraussetzung *f*.

pre•rog•a•tive [prɪ'rɒgətɪv] *s* Vorrecht *n*.

Pres. ***president*** Präsident *m*.

pres•age ['presɪdʒ] **1.** *s* (böses) Vorzeichen; (Vor)Ahnung *f*; **2.** *v/t* (vorher) ankündigen; prophezeien.

pre•scribe [prɪ'skraɪb] *v/t* vorschreiben; *med*. verschreiben.

pre•scrip•tion [prɪ'skrɪpʃn] *s* Vorschrift *f*, Verordnung *f*; *med*. Rezept *n*.

pres•ence ['prezns] *s* Gegenwart *f*, Anwesenheit *f*; ***~ of mind*** Geistesgegenwart *f*.

pres•ent[1] ['preznt] **1.** *adj* □ gegenwärtig; anwesend, vorhanden; jetzig; laufend (*year, etc.*); vorliegend (*case, etc.*); ***~ tense*** *gr*. Präsens *n*, Gegenwart *f*; **2.** *s* Gegenwart *f*, *gr. a*. Präsens *n*; Geschenk *n*; ***at ~*** jetzt; ***for the ~*** vorläufig.

pre•sent[2] [prɪ'zent] *v/t* (dar)bieten; *thea*., *film*: bringen, zeigen; *radio*, *TV*: bringen, moderieren; vorlegen, (-)zeigen; *j-n* vorstellen; (über)reichen; (be)schenken.

pre•sen•ta•tion [prezən'teɪʃn] *s* Verleihung *f*, Überreichung *f*; *gift*: Geschenk *n*; *of person*: Vorstellung *f*; Schilderung *f*; *thea*., *film*: Darbietung *f*; *radio*, *TV*: Moderation *f*; *of petition*: Einreichung *f*; *of cheque, etc*.: Vorlage *f*.

pres•ent-day [preznt'deɪ] *adj* heutig, gegenwärtig, modern.

pre•sen•ti•ment [prɪ'zentɪmənt] *s* Vor-

gefühl *n*, (*mst* böse Vor)Ahnung *f*.
pres•ent•ly ['prezntlɪ] *adv* bald (darauf); *Am.* zurzeit, jetzt.
pres•er•va•tion [prezə'veɪʃn] *s* Bewahrung *f*, Schutz *m*, Erhaltung *f* (*a. fig.*); Konservierung *f*; Einmachen *n*, -kochen *n*; ~ ***agent*** Haltbarmacher *m*; **pre•ser•va•tive** [prɪ'zɜːvətɪv] **1.** *adj* bewahrend; konservierend; ~ ***agent*** Haltbarmacher *m*; **2.** *s* Konservierungsmittel *n*.
pre•serve [prɪ'zɜːv] **1.** *v/t* bewahren, behüten; erhalten; einmachen; **2.** *s hunt.* (Jagd)Revier *n*, (Jagd-, Fisch)Gehege *n*; *fig.* Reich *n*; *mst* **~s** *pl das* Eingemachte.
pre•side [prɪ'zaɪd] *v/i* den Vorsitz führen (***at, over*** bei).
pres•i|den•cy ['prezɪdənsɪ] *s* Vorsitz *m*; Präsidentschaft *f*; **~•dent** [~t] *s* Präsident(in); Vorsitzende(r *m*) *f*; *univ.* Rektor *m*; *Am. econ.* Direktor *m*; ***President of the Central Bank*** Zentralbankpräsident *m*.
press [pres] **1.** *s* Druck *m* (*a. fig.*); (Wein- *etc.*) Presse *f*; *printing house*: Druckerei *f*; *publishing firm*: Verlag *m*; Druck(en *n*) *m*; *a.* **printing-~** Druckerpresse *f*; *newspapers, etc.*: *die* Presse; *crowd*: Andrang *m*, (Menschen-) Menge *f*; **2.** *v/t* (aus)pressen; (zusammen)drücken; drücken auf (*acc*); *clothes*: bügeln; (be)drängen; bestehen auf (*dat*); aufdrängen (**on** *dat*); ***be ~ed for time*** es eilig haben; *v/i* pressen, drücken; bügeln; (sich) drängen; ~ ***for*** dringen *or* drängen auf (*acc*), fordern; ~ ***on*** (zügig) weitermachen; ~ **a•gen•cy** *s* Nachrichtenbüro *n*, Presseagentur *f*; ~ **a•gent** *s* Presseagent *m*; **~-but•ton** *s* Druckknopf *m*; **~•ing** *adj* □ dringend; **~-stud** *s Br.* Druckknopf *m*; **pres•sure** [~ʃə] *s* Druck *m* (*a. fig.*); Bedrängnis *f*, Belastung *f*.
pres•tige [pre'stiːʒ] *s* Prestige *n*.
pre•su|ma•ble [prɪ'zjuːməbl] *adj* □ vermutlich; **~me** [~'zjuːm] *v/t* annehmen, vermuten, voraussetzen; sich *et.* herausnehmen; *v/i* sich erdreisten; anmaßend sein; ~ ***on***, ~ ***upon*** ausnutzen *or* missbrauchen (*acc*).
pre•sump|tion [prɪ'zʌmpʃn] *s* Vermutung *f*; Wahrscheinlichkeit *f*; Anmaßung *f*; **~•tive** *adj* □ mutmaßlich; **~•tu•ous** [~tjʊəs] *adj* □ überheblich; vermessen.
pre•sup|pose [priːsə'pəʊz] *v/t* voraussetzen; **~•po•si•tion** [priːsʌpə'zɪʃn] *s* Voraussetzung *f*.
pre•tence, *Am.* **-tense** [prɪ'tens] *s* Vortäuschung *f*; Vorwand *m*; Schein *m*, Verstellung *f*.
pre•tend [prɪ'tend] *v/t* vorgeben; vortäuschen; heucheln; *v/i* sich verstellen; Anspruch erheben (***to*** auf *acc*); **~•ed** *adj* □ angeblich.
pre•ten•sion [prɪ'tenʃn] *s* Anspruch *m* (***to*** auf *acc*); Anmaßung *f*.
pre•ter•it(e) *gr.* ['pretərɪt] *s* Präteritum *n*, erste Vergangenheit.
pre•text ['priːtekst] *s* Vorwand *m*.
pret•ty ['prɪtɪ] **1.** *adj* □ (***-ier, -iest***) hübsch, niedlich; nett; F ***a ~ penny*** F e-e schöne Stange Geld; **2.** *adv* ziemlich.
pre•vail [prɪ'veɪl] *v/i* die Oberhand haben *or* gewinnen; (vor)herrschen; maßgebend *or* ausschlaggebend sein; ~ ***on*** *or* ***upon s.o. to do s.th.*** *j-n* dazu bewegen, et. zu tun; **~•ing** *adj* □ (vor-) herrschend.
pre|vent [prɪ'vent] *v/t* verhindern, -hüten; vorbeugen (*dat*); *j-n* hindern; **~•ven•tion** [~ʃn] *s* Verhinderung *f*, Verhütung *f*; **~•ven•tive** *adj* □ *esp. med.* vorbeugend, präventiv.
pre•view ['priːvjuː] *s* Vorschau *f*; Vorbesichtigung *f*.
pre•vi•ous ['priːvɪəs] *adj* □ vorher-, vorausgehend, Vor…; voreilig; ~ ***to*** bevor, vor (*dat*); ~ ***knowledge*** Vorkenntnisse *pl*; **~•ly** *adv* vorher, früher.
pre-war [priː'wɔː] *adj* Vorkriegs…
prey [preɪ] **1.** *s* Raub *m*, Beute *f*; ***beast of ~*** Raubtier *n*; ***bird of ~*** Raubvogel *m*; ***be*** *or* ***fall a ~ to*** die Beute (*gen*) werden; *fig.* geplagt werden von; **2.** *v/i*: ~ ***on***, ~ ***upon*** *zo.* Jagd machen auf (*acc*), fressen (*acc*); *fig.* berauben (*acc*), ausplündern (*acc*); *fig.* ausbeuten (*acc*); *fig.* nagen *or* zehren an (*dat*).
price [praɪs] **1.** *s* Preis *m*; Lohn *m*; **2.** *v/t goods*: auszeichnen; den Preis festsetzen für; *fig.* bewerten, schätzen; ~ **control** *s econ.* Preiskontrolle *f*; **~-cut** *s* Preissenkung *f*; **~•less** *adj* von unschätzbarem Wert, unbezahlbar; ~ **sta•bil•i•ty** *s* Preisstabilität *f*; ~ **support** *s econ.* Preisstützung *f*, Subvention *f*; **pric•ing** *s econ.* Preispolitik *f*,

Preisgestaltung *f*.

prick [prɪk] **1.** *s* Stich *m*; V Schwanz *m* (*penis*); **~*s*** *pl* ***of conscience*** Gewissensbisse *pl*; **2.** *v/t* (durch)stechen; *fig*. peinigen; *a*. **~ *out*** *pattern*: ausstechen; **~ *up one's ears*** die Ohren spitzen; *v/i* stechen.

prick|le ['prɪkl] *s* Stachel *m*, Dorn *m*; **~•ly** *adj* (**-*ier*, -*iest***) stach(e)lig.

pride [praɪd] **1.** *s* Stolz *m*; Hochmut *m*; ***take*** (***a***) **~ *in*** stolz sein auf (*acc*); **2.** *v/t*: **~ *o.s. on*** *or* ***upon*** stolz sein auf (*acc*).

priest [priːst] *s* Priester *m*.

prig [prɪg] *s* Tugendbold *m*, selbstgefälliger Mensch; Pedant *m*.

prim [prɪm] *adj* □ (**-*mm*-**) steif; prüde.

pri•ma|cy ['praɪməsɪ] *s* Vorrang *m*; **~•ri•ly** [-rəlɪ] *adv* in erster Linie; **~•ry** [-rɪ] **1.** *adj* □ ursprünglich; hauptsächlich; primär; elementar; höchst; Erst…, Ur…, Anfangs…; Haupt…; **2.** *s a*. **~ *election*** *Am. pol*. Vorwahl *f*; **~•ry school** *s Br*. Grundschule *f*.

pri•m(a)e•val [praɪ'miːvl] *adj* uranfänglich, Ur…

prime [praɪm] **1.** *adj* □ erste(r, -s), wichtigste(r, -s), Haupt…; erstklassig, vorzüglich; **~ *cost*** *econ*. Selbstkosten *pl*; **~ *minister*** Premierminister *m*, Ministerpräsident *m*; **~ *number*** *math*. Primzahl *f*; **~ *time*** *TV* Hauptsendezeit *f*, beste Sendezeit; **2.** *s fig*. Blüte(zeit) *f*; *das* Beste, höchste Vollkommenheit; **3.** *v/t* vorbereiten; *pump*: anlassen; instruieren; *paint*. grundieren.

prim•i•tive ['prɪmɪtɪv] *adj* □ ursprünglich, Ur…; primitiv (*a. contp*.); *art*: naiv.

P

prince [prɪns] *s* Fürst *m*; Prinz *m*; **prin-cess** [prɪn'ses, attr 'prɪnses] *s* Fürstin *f*; Prinzessin *f*.

prin•ci•pal ['prɪnsəpl] **1.** *adj* □ erste(r, -s), hauptsächlich, Haupt…; **2.** *s* Hauptperson *f*; Vorsteher *m*; (Schul-)Direktor *m*, Rektor *m*; Chef(in); *jur*. Haupttäter(in); *econ*. (Grund)Kapital *n*; **~•i•ty** [prɪnsɪ'pæləti] *s* Fürstentum *n*.

prin•ci•ple ['prɪnsəpl] *s* Prinzip *n*, Grundsatz *m*; ***on*** **~** grundsätzlich, aus Prinzip.

print [prɪnt] **1.** *s print*. Druck *m*; Druckbuchstaben *pl*; (Finger- *etc*.) Abdruck *m*; (Stahl-, Kupfer)Stich *m*; *phot*. Abzug *m*; Drucksache *f*, *esp*. *Am*. Zeitung *f*; ***in*** **~** gedruckt; ***out of*** **~** vergriffen; **2.** *v/t* (ab-, auf-, be)drucken; in Druckbuchstaben schreiben; *fig*. einprägen (***on*** *dat*); **~** (***off*** *or* ***out***) *phot*. abziehen, kopieren; **~ *out*** *computer*: ausdrucken; **~-*out*** *computer*: Ausdruck *m*; **~*ed matter*** *mail*: Drucksache *f*; **~•er** ['prɪntə] *s person, machine*: Drucker *m*.

print•ing ['prɪntɪŋ] *s* Druck *m*; Drucken *n*; *phot*. Abziehen *n*, Kopieren *n*; **~-ink** *s* Druckerschwärze *f*; **~-of•fice** *s* (Buch)Druckerei *f*; **~-press** *s* Druckerpresse *f*.

pri•or ['praɪə] **1.** *adj* früher, älter (***to*** als); **2.** *adv*: **~ *to*** vor (*dat*); **3.** *s eccl*. Prior *m*; **~•i•ty** [praɪ'ɒrɪtɪ] *s* Priorität *f*; Vorrang *m*; *mot*. Vorfahrt(srecht *n*) *f*; ***a top*** **~** e-e Sache von höchster Dringlichkeit.

prise *esp. Br*. [praɪz] → ***prize***[2].

pris•m ['prɪzəm] *s* Prisma *n*.

pris•on ['prɪzn] *s* Gefängnis *n*; **~•er** [-ə] *s* Gefangene(r *m*) *f*, Häftling *m*; ***take s.o.*** **~** *j-n* gefangen nehmen.

priv•a•cy ['prɪvəsɪ] *s* Zurückgezogenheit *f*; Privatleben *n*; Intim-, Privatsphäre *f*; Geheimhaltung *f*.

pri•vate ['praɪvɪt] **1.** *adj* □ privat, Privat…; persönlich; vertraulich; geheim; F **~ *eye*** Privatdetektiv *m*, F Schnüffler *m*; **~ *parts*** *pl* Geschlechtsteile *pl*; **~ *sector*** *econ*. Privatwirtschaft *f*; **2.** *s mil*. Gefreite(r *m*) *f*; ***in*** **~** privat, im Privatleben; unter vier Augen.

pri•va•tion [praɪ'veɪʃn] *s* Not *f*, Entbehrung *f*.

pri•vat|i•za•tion *econ*. [praɪvətaɪ'zeɪʃn] *s* Privatisierung *f*; **~•ize** *econ*. ['praɪvətaɪz] *v/t* privatisieren.

priv•i•lege ['prɪvɪlɪdʒ] *s* Privileg *n*; Vorrecht *n*; **~d** *adj* privilegiert.

priv•y ['prɪvɪ] *adj* (**-*ier*, -*iest***): **~ *to*** eingeweiht in (*acc*); **♀ *Council*** Staatsrat *m*; **♀ *Councillor*** Geheimer Rat (*person*).

prize[1] [praɪz] **1.** *s* (Sieges)Preis *m*, Prämie *f*, Auszeichnung *f*; (Lotterie)Gewinn *m*; **2.** *adj* preisgekrönt; Preis…; **~-*winner*** Preisträger(in); **3.** *v/t* (hoch) schätzen.

prize[2], *esp. Br*. **prise** [praɪz] *v/t* (auf-) stemmen; **~ *open*** aufbrechen.

pro[1] [prəʊ] **1.** *prp* für; **2.** *s*: ***the*** **~*s and cons*** das Für und Wider, das Pro und Kontra.

pro[2] F [-] *s* (*pl* ***pros***) *sports*: F Profi *m*;

prostitute: F Nutte *f*.

pro- [prəʊ] *in compounds*: (eintretend) für, pro…, …freundlich.

prob•a|bil•i•ty [prɒbə'bɪlətɪ] *s* Wahrscheinlichkeit *f*; **~•ble** *adj* □ wahrscheinlich.

pro•ba•tion [prə'beɪʃn] *s* Probe *f*, Probezeit *f*; *jur.* Bewährung(sfrist) *f*; **~ *officer*** Bewährungshelfer(in).

probe [prəʊb] **1.** *s med., tech.* Sonde *f*; *fig.* Sondierung *f*; ***lunar* ~** Mondsonde *f*; **2.** *v/t* sondieren (*a. med.*); untersuchen.

prob•lem ['prɒbləm] *s* Problem *n*; *math.* Aufgabe *f*; **~•at•ic** [ˌ'mætɪk] (***~ally***), **~•at•i•cal** *adj* □ problematisch, zweifelhaft.

pro•ce•dure [prə'siːdʒə] *s* Verfahren *n*; Handlungsweise *f*.

pro•ceed [prə'siːd] *v/i* weitergehen (*a. fig.*); sich begeben (***to*** nach); fortfahren; vor sich gehen; vorgehen; **~ *from*** kommen *or* ausgehen *or* herrühren von; **~ *to*** schreiten *or* übergehen zu, sich machen an (*acc*); **~•ing** *s* Vorgehen *n*; Handlung *f*; **~s** *pl jur.* Verfahren *n*, (Gerichts)Verhandlung(en *pl*) *f*; (Tätigkeits)Bericht *m*; **~s** *pl* Erlös *m*, Ertrag *m*, Gewinn *m*.

pro|cess ['prəʊses] **1.** *s* Fortschreiten *n*, Fortgang *m*; Vorgang *m*; Verlauf *m* (*of time*); Prozess *m*, Verfahren *n*; ***be in* ~** in Gang sein; ***in* ~ *of construction*** im Bau (befindlich); **2.** *v/t tech.* bearbeiten; *waste*: aufbereiten; *phot.* entwickeln; *jur.* gerichtlich belangen; **~•ces•sion** [prə'seʃn] *s* Prozession *f*; **~•ces•sor** *s* Prozessor *m*.

pro•claim [prə'kleɪm] *v/t* proklamieren, erklären, ausrufen; **proc•la•ma•tion** [prɒklə'meɪʃn] *s* Proklamation *f*, Bekanntmachung *f*; Erklärung *f*.

pro•cure [prə'kjʊə] *v/t* be-, verschaffen; *v/i* Kuppelei betreiben.

prod [prɒd] **1.** *s* Stich *m*, Stoß *m*; *fig.* Ansporn *m*; **2.** *v/t* **(-dd-)** stoßen (*a. v/i*); *fig.* anstacheln, anspornen.

prod•i•gal ['prɒdɪgl] **1.** *adj* □ verschwenderisch; **2.** *s* Verschwender(in).

pro•di•gious [prə'dɪdʒəs] *adj* □ erstaunlich, ungeheuer; **prod•i•gy** ['prɒdɪdʒɪ] *s* Wunder *n* (*object or person*); ***child*** *or* ***infant* ~** Wunderkind *n*.

prod•uce[1] ['prɒdjuːs] *s* (Natur)Erzeugnis(se *pl*) *n*, (Landes)Produkte *pl*; Ertrag *m*; *tech.* Leistung *f*, Ausstoß *m*.

pro|duce[2] [prə'djuːs] *v/t* produzieren; erzeugen, herstellen; hervorbringen; *econ. interest, etc.*: (ein)bringen; heraus-, hervorziehen; (vor)zeigen; *proof, etc.*: beibringen; *reasons*: vorbringen; *math. line*: verlängern; *film*: produzieren; *fig.* hervorrufen, erzielen; **~•duc•er** *s* Erzeuger(in), Hersteller(in); *film, TV*: Produzent(in); *thea., etc.*: *Br.* Regisseur(in).

prod•uct ['prɒdʌkt] *s* Produkt *n*, Erzeugnis *n*; **~ *liability*** *econ.* Produkthaftung *f*.

pro•duc|tion [prə'dʌkʃn] *s* Produktion *f*; Erzeugung *f*, Herstellung *f*; Erzeugnis *n*; Hervorbringen *n*; Vorlegung *f*, Beibringung *f*; *thea., etc.*: Inszenierung *f*; **~•tive** *adj* □ produktiv; ertragreich; schöpferisch; **~•tive•ness**, **~•tiv•i•ty** [prɒdʌk'tɪvətɪ] *s* Produktivität *f*.

prof F [prɒf] *s* Professor *m*, F Prof *m*.

Prof. ***Professor*** Prof., Professor *m*.

pro|fa•na•tion [prɒfə'neɪʃn] *s* Entweihung *f*; **~•fane** [prə'feɪn] **1.** *adj* □ profan, weltlich; gottlos, lästerlich; **2.** *v/t* entweihen; **~•fan•i•ty** [ˌ'fænətɪ] *s* Gottlosigkeit *f*; Fluchen *n*.

pro•fess [prə'fes] *v/t* erklären, beteuern; *interest, etc.*: bekunden; *declare one's faith in*: sich bekennen zu; **~ed** *adj* □ erklärt; angeblich.

pro•fes•sion [prə'feʃən] *s* Bekenntnis *n*; Erklärung *f*; Beruf *m*; **~•al** **1.** *adj* □ Berufs…; Amts…; professionell; beruflich; fachmännisch; freiberuflich; **~ *man*** (***woman***) Akademiker(in); **2.** *s* Fachmann *m*; *sports*: Berufsspieler(in), -sportler(in), Profi *m*; Berufskünstler(in).

pro•fes•sor [prə'fesə] *s* Professor(in); *Am.* Dozent(in).

pro•fi•cien|cy [prə'fɪʃənsɪ] *s* Tüchtigkeit *f*; **~t** [ˌt] *adj* □ tüchtig; bewandert.

pro•file ['prəʊfaɪl] *s* Profil *n*.

prof|it ['prɒfɪt] **1.** *s* Gewinn *m*, Profit *m*; Vorteil *m*, Nutzen *m*; **2.** *v/t j-m* nützen; *v/i*: **~ *from*** *or* ***by*** Nutzen ziehen aus; **~•i•ta•ble** *adj* □ nützlich, vorteilhaft; gewinnbringend, einträglich; **~•i•teer** [ˌ'tɪə]; **1.** *v/i* Schiebergeschäfte machen; **2.** *s* Profitmacher *m*, Schieber *m*; **~•it shar•ing** *s* Gewinnbeteiligung *f*; **~•it take•ing** *s* Gewinnmitnahme *f*; **~•it warn•ing** *s* Gewinnwarnung *f*.

P

prof•li•gate ['prɒflɪgət] *adj* lasterhaft; verschwenderisch.

pro•found [prə'faʊnd] *adj* □ tief; tiefgründig, gründlich, profund.

pro|fuse [prə'fjuːs] *adj* □ verschwenderisch; (über)reich; **~•fu•sion** *fig.* [~ʒn] *s* Überfluss *m*, (Über)Fülle *f*.

pro•gen•i•tor [prəʊ'dʒenɪtə] *s* Vorfahr *m*, Ahn *m*; **prog•e•ny** ['prɒdʒənɪ] *s* Nachkommen(schaft *f*) *pl*; *zo.* Brut *f*.

prog•no•sis [prɒg'nəʊsɪs] *s* (*pl* ***-ses*** [~siːz]) Prognose *f*.

pro•gram ['prəʊgræm] **1.** *s computer*: Programm *n*; **2.** *v/t* (***-mm-***) *computer*: programmieren; **~•er** → ***programmer.***

pro|gramme, *Am.* **-gram** ['prəʊgræm] **1.** *s* Programm *n*; *radio*, *TV*: *a.* Sendung *f*; **2.** *v/t* (vor)programmieren; planen; **~•gram•mer** *s computer*: Programmierer(in).

pro|gress **1.** *s* ['prəʊgres] Fortschritt(e *pl*) *m*; Vorrücken *n*; Fortgang *m*; ***in ~*** im Gang; **2.** *v/i* [prə'gres] fortschreiten; **~•gres•sion** *s* Fortschreiten *n*; Weiterentwicklung *f*; **~•gres•sive**; **1.** *adj* □ fortschreitend; fortschrittlich; **2.** *s pol.* Progressive(r *m*) *f*.

pro|hib•it [prə'hɪbɪt] *v/t* verbieten; verhindern; **~•hi•bi•tion** [prəʊɪ'bɪʃn] *s* Verbot *n*; Prohibition *f*; **~•hi•bi•tion•ist** *s* Prohibitionist *m*; **~•hib•i•tive** [prə'hɪbɪtɪv] *adj* □ verbietend; Schutz…; unerschwinglich (*price*).

proj•ect[1] ['prɒdʒekt] *s* Projekt *n*; Vorhaben *n*, Plan *m*.

pro|ject[2] [prə'dʒekt] *v/t* planen, entwerfen; werfen, schleudern; projizieren; *v/i* vorspringen, -ragen; **~•jec•tile** [~aɪl] *s* Projektil *n*, Geschoss *n*; **~•jec•tion** [~kʃn] *s* Entwurf *m*; Vorsprung *m*, vorspringender Teil; *math.*, *phot.* Projektion *f*; **~•jec•tion•ist** [~kʃənɪst] *s* Filmvorführer(in); **~•jec•tor** *opt.* [~tə] *s* Projektor *m*.

pro•le•tar•i•an [prəʊlɪ'teərɪən] **1.** *adj* proletarisch; **2.** *s* Proletarier(in).

pro•lif•e•rate [prə'lɪfəreɪt] *v/i number*: sich stark erhöhen; *plants*, *etc.*: wuchern, sich stark vermehren; **pro•lif•e•ra•tion** [~'reɪʃn] *s* starke Erhöhung *or* Vermehrung; *of nuclear weapons*: Weitergabe *f*; ***~ of algae*** Algenpest *f*.

pro•lif•ic [prə'lɪfɪk] *adj* (***~ally***) fruchtbar.

pro•logue, *Am. a.* **-log** ['prəʊlɒg] *s* Prolog *m*.

pro•long [prə'lɒŋ] *v/t* verlängern.

prom•e•nade [prɒmə'nɑːd] **1.** *s* (Strand)Promenade *f*; **2.** *v/i and v/t* promenieren (auf *dat*).

prom•i•nent ['prɒmɪnənt] *adj* □ vorstehend, hervorragend (*a. fig.*); *fig.* prominent.

pro•mis•cu•ous [prə'mɪskjʊəs] *adj* □ unordentlich, verworren; sexuell freizügig.

prom|ise ['prɒmɪs] **1.** *s* Versprechen *n*; *fig.* Aussicht *f*; **2.** *v/t* versprechen; **~•is•ing** *adj* □ vielversprechend.

prom•on•to•ry *geol.* ['prɒməntrɪ] *s* Vorgebirge *n*.

pro|mote [prə'məʊt] *v/t et.* fördern; *j-n* befördern; *Am. school*: versetzen; *parl.* unterstützen; *econ.* gründen; *sales figures*: steigern; *econ.* werben für; *organize*: veranstalten; **~•mot•er** *s* Förderer *m*, Befürworter *m*; *sports*: Veranstalter *m*; **~•mo•tion** *s* Förderung *f*; Beförderung *f*; *econ.* Gründung *f*; *econ.* Verkaufsförderung *f*, Werbung *f*.

prompt [prɒmpt] **1.** *adj* □ umgehend, unverzüglich, sofortig; bereit(willig); pünktlich; **2.** *v/t j-n* veranlassen; *idea*: eingeben; *j-m* vorsagen, soufflieren; **~•er** *s* Souffleu|r *m*, -se *f*; **~•ness** *s* Schnelligkeit *f*; Bereitschaft *f*.

prone [prəʊn] *adj* □ mit dem Gesicht nach unten (liegend); hingestreckt; ***be ~ to*** *fig.* neigen zu.

prong [prɒŋ] *s* Zinke *f*; Spitze *f*.

pro•noun *gr.* ['prəʊnaʊn] *s* Pronomen *n*, Fürwort *n*.

pro•nounce [prə'naʊns] *v/t* aussprechen; verkünden; erklären für.

pron•to F ['prɒntəʊ] *adv* fix, schnell.

pro•nun•ci•a•tion [prənʌnsɪ'eɪʃn] *s* Aussprache *f*.

proof [pruːf] **1.** *s* Beweis *m*; Probe *f*; *print.* Korrekturfahne *f*, -bogen *m*; *print.*, *phot.* Probeabzug *m*; **2.** *adj* fest; *in compounds*: …fest, …beständig, …dicht, …sicher; **~-read** *v/i and v/t* (***-read***) Korrektur lesen; **~-read•er** *s* Korrektor *m*.

prop [prɒp] **1.** *s* Stütze *f* (*a. fig.*); **2.** *v/t* (***-pp-***) *a.* ***~ up*** stützen; *sich*, *et.* lehnen (***against*** gegen).

prop•a•gan•da [prɒpə'gændə] *s* Propaganda *f*.

prop•a|gate ['prɒpəgeɪt] *v/i and v/t*

P

(sich) fortpflanzen; verbreiten; **~•ga•tion** [~'geɪʃn] *s* Fortpflanzung *f*; Verbreitung *f*.

pro•pel [prə'pel] *v/t* (**-ll-**) (vorwärts, an)treiben; **~•ler** *s* Propeller *m*, (Luft-, Schiffs)Schraube *f*; **~•ling pen•cil** *s* Drehbleistift *m*.

prop•er ['prɒpə] *adj* □ eigen(tümlich); passend; richtig; anständig, korrekt; zuständig; *esp. Br.* F ordentlich, tüchtig, gehörig; Eigen…; **~ *name*** Eigenname *m*; **~•ty** [~tɪ] *s* Eigentum *n*, Besitz *m*; Vermögen *n*; Eigenschaft *f*.

proph•e|cy ['prɒfɪsɪ] *s* Prophezeiung *f*; **~•sy** [~aɪ] *v/t* prophezeien, weissagen.

proph•et ['prɒfɪt] *s* Prophet *m*.

pro•por•tion [prə'pɔːʃn] **1.** *s* Verhältnis *n*; Gleichmaß *n*; (An)Teil *m*; **~*s*** *pl* (Aus)Maße *pl*; **2.** *v/t* in das richtige Verhältnis bringen; **~•al** *adj* □ proportional; **~•ate** [~nət] *adj* □ im richtigen Verhältnis (***to*** zu), angemessen.

pro•pos|al [prə'pəʊzl] *s* Vorschlag *m*, (*a.* Heirats)Antrag *m*; Angebot *n*; **~e** *v/t* vorschlagen; beabsichtigen, vorhaben; e-n Toast ausbringen auf (*acc*); **~ *s.o.'s health*** auf j-s Gesundheit trinken; *v/i* e-n Heiratsantrag machen (***to*** *dat*); **prop•o•si•tion** [prɒpə'zɪʃn] *s* Vorschlag *m*, Antrag *m*; *econ.* Angebot *n*; Behauptung *f*.

pro•pound [prə'paʊnd] *v/t question, etc.*: vorlegen; vorschlagen.

pro•pri•e|ta•ry [prə'praɪətərɪ] *adj* Eigentümer…, Eigentums…; *econ.* gesetzlich geschützt (*as patent*); **~•tor** [~ə] *s* Eigentümer *m*, Geschäftsinhaber *m*; **~•ty** [~ɪ] *s* Richtigkeit *f*; Schicklichkeit *f*, Anstand *m*; ***the proprieties*** *pl* die Anstandsformen *pl*.

pro•pul•sion *tech.* [prə'pʌlʃn] *s* Antrieb *m*.

pro•sa•ic *fig.* [prəʊ'zeɪɪk] *adj* (**~*ally***) prosaisch, nüchtern, trocken.

prose [prəʊz] *s* Prosa *f*.

pros•e|cute ['prɒsɪkjuːt] *v/t* (*a.* strafrechtlich) verfolgen; *studies, etc.*: betreiben; *jur.* anklagen (***for*** wegen); **~•cu•tion** [~'kjuːʃn] *s* Durchführung *f* (*of plan, etc.*); *jur.* Strafverfolgung *f*, Anklage *f*; **~•cu•tor** *jur.* ['~kjuːtə] *s* Ankläger *m*; ***public ~*** Staatsanwalt *m*.

pros•pect 1. *s* ['prɒspekt] Aussicht *f* (*a. fig.*); *econ.* Interessent *m*; **2.** *v/i* [prə'spekt]: **~ *for*** *mining*: schürfen nach; bohren nach (*oil*).

pro•spec•tive [prə'spektɪv] *adj* □ (zu-)künftig, voraussichtlich.

pro•spec•tus [prə'spektəs] *s* (*pl* ***-tuses***) (Werbe)Prospekt *m*.

pros•per ['prɒspə] *v/i* Erfolg haben; gedeihen, blühen; *v/t* begünstigen; segnen; **~•i•ty** [prɒ'sperətɪ] *s* Gedeihen *n*, Wohlstand *m*, Glück *n*; *econ.* Wohlstand *m*, Konjunktur *f*, Blüte(zeit) *f*; **~•i•ty gap** *s pol.* Wohlstandsgefälle *n*; **~•ous** ['prɒspərəs] *adj* □ erfolgreich, blühend; wohlhabend; günstig.

pros•ti•tute ['prɒstɪtjuːt] *s* Prostituierte *f*, Dirne *f*; ***male ~*** Strichjunge *m*.

pros|trate 1. *adj* ['prɒstreɪt] hingestreckt; erschöpft; daniederliegend; demütig; gebrochen; **2.** *v/t* [prɒ'streɪt] niederwerfen; erschöpfen; *fig.* niederschmettern; **~•tra•tion** [~'streɪʃn] *s* Niederwerfen *n*, Fußfall *m*; Erschöpfung *f*.

pros•y *fig.* ['prəʊzɪ] *adj* (***-ier, -iest***) prosaisch; langweilig.

pro•tag•o•nist [prəʊ'tægənɪst] *s thea.* Hauptfigur *f*; *fig.* Vorkämpfer(in).

pro|tect [prə'tekt] *v/t* (be)schützen; **~•tec•tion** [~kʃn] *s* Schutz *m*; *jur.* (Rechts)Schutz *m*; *econ.* Schutzzoll *m*; **~•tec•tion•is•m** *s econ.* Protektionismus *m*; **~•tec•tive** *adj* □ (be)schützend; Schutz…; **~ *duty*** *econ.* Schutzzoll *m*; **~•tec•tor** *s* (Be)Schützer *m*; Schutz-, Schirmherr *m*; **~•tec•tor•ate** [~rət] *s pol.* Protektorat *n*.

pro•test 1. *s* ['prəʊtest] Protest *m*; Einspruch *m*; **2.** [prə'test] *v/i* protestieren (***against*** gegen); *v/t Am.* protestieren gegen; beteuern.

Prot•es•tant ['prɒtɪstənt] **1.** *adj* protestantisch; **2.** *s* Protestant(in).

prot•es•ta•tion [prɒte'steɪʃn] *s* Beteuerung *f*; Protest *m* (***against*** gegen).

pro•to•col ['prəʊtəkɒl] **1.** *s* Protokoll *n*; **2.** *v/t* (**-ll-**) protokollieren.

pro•to•type ['prəʊtətaɪp] *s* Prototyp *m*, Urbild *n*.

pro•tract [prə'trækt] *v/t* in die Länge ziehen, hinziehen.

pro|trude [prə'truːd] *v/i* heraus-, (her-)vorstehen, -ragen, -treten; **~•tru•sion** *s* Herausragen *n*, (Her)Vorstehen *n*, Hervortreten *n*.

pro•tu•ber•ance [prə'tjuːbərəns] *s* Auswuchs *m*, Beule *f*.

proud [praʊd] *adj* □ stolz (***of*** auf *acc*).
prove [pru:v] (***proved, proved*** *or esp. Am.* ***proven***) *v/t* be-, er-, nachweisen; prüfen; *v/i* sich herausstellen *or* erweisen als; **prov•en** ['pru:vən] **1.** *esp. Am. pp of* ***prove***; **2.** *adj* be-, erwiesen; bewährt.
prov•erb ['prɒvɜ:b] *s* Sprichwort *n*.
pro•vide [prə'vaɪd] *v/t* besorgen, beschaffen, liefern; bereitstellen; versorgen, ausstatten; *jur.* vorsehen, festsetzen; *v/i* (vor)sorgen; ***~d*** (***that***) vorausgesetzt, dass; sofern; ***~ for*** *family*: sorgen für, versorgen; ***the treaty ~s for …*** der Vertrag sieht vor, ….
prov•i|dence ['prɒvɪdəns] *s* Vorsehung *f*; Voraussicht *f*, Vorsorge *f*; **~•dent** *adj* □ vorausblickend, vorsorglich; haushälterisch; **~•den•tial** [~'denʃl] *adj* □ durch die (göttliche) Vorsehung bewirkt; glücklich, günstig.
pro•vid•er [prə'vaɪdə] *s of family*: Ernährer *m*; *econ.* Lieferant *m*.
prov•ince ['prɒvɪns] *s* Provinz *f*; *fig.* Gebiet *n*; *fig.* Fach *n*, Aufgabenbereich *m*; **pro•vin•cial** [prə'vɪnʃl] **1.** *adj* □ Provinz…, provinziell; kleinstädtisch; **2.** *s* Provinzbewohner(in).
pro•vi•sion [prə'vɪʒn] *s* Beschaffung *f*; Vorsorge *f*; *jur.* Bestimmung *f*; Vorkehrung *f*, Maßnahme *f*; **~*s*** *pl* (Lebensmittel)Vorrat *m*, Proviant *m*, Lebensmittel *pl*; ***~s for one's old age*** Altersvorsorge *f*; **~•al** *adj* □ provisorisch; *driving licence, etc.*: vorläufig.
pro•vi•so [prə'vaɪzəʊ] *s* (*pl* ***-sos****, Am. a.* ***-soes***) Bedingung *f*, Vorbehalt *m*.
prov•o•ca•tion [prɒvə'keɪʃn] *s* Herausforderung *f*; **pro•voc•a•tive** [prə'vɒkətɪv] *adj* herausfordernd; aufreizend; **pro•voke** [prə'vəʊk] *v/t* reizen; herausfordern; provozieren.
prov•ost ['prɒvəst] *Br. mst* ♀ *of certain colleges*: Rektor *m*; *ScotE.* Bürgermeister *m*.
prow *mar.* [praʊ] *s* Bug *m*.
prowl [praʊl] **1.** *v/i a.* ***~ about, ~ around*** herumstreichen; *v/t* durchstreifen; **2.** *s* Herumstreifen *n*; **~ car** *s Am.* (Funk-)Streifenwagen *m*.
prox•im•i•ty [prɒk'sɪmətɪ] *s* Nähe *f*.
prox•y ['prɒksɪ] *s* (Stell)Vertreter(in); (Stell)Vertretung *f*, Vollmacht *f*; ***by ~*** in Vertretung.
prude [pru:d] *s* prüder Mensch; ***be a ~*** prüde sein.
pru|dence ['pru:dns] *s* Klugheit *f*, Vernunft *f*; Vorsicht *f*; **~•dent** *adj* □ klug, vernünftig; vorsichtig.
prud|er•y ['pru:dərɪ] *s* Prüderie *f*; **~•ish** *adj* □ prüde, spröde.
prune [pru:n] **1.** *s* Backpflaume *f*; **2.** *v/t agr.* beschneiden (*a. fig.*); *a.* ***~ away, ~ off*** wegschneiden.
Prus•sia ['prʌʃə] *hist.* Preußen *n*.
pry[1] [praɪ] *v/i* neugierig gucken *or* sein; ***~ about*** herumschnüffeln; ***~ into*** s-e Nase stecken in (*acc*).
pry[2] [~] → ***prize***[2].
PS ***postscript*** PS, Postskript(um) *n*.
psalm [sɑ:m] *s* Psalm *m*.
pseu•do- ['sju:dəʊ] *in compounds*: Pseudo…, falsch.
pseu•do•nym ['sju:dənɪm] *s* Pseudonym *n*, Deckname *m*.
psy•chi•a|trist [saɪ'kaɪətrɪst] *s* Psychiater *m*; **~•try** *s* Psychiatrie *f*.
psy|chic ['saɪkɪk] (***~ally***), **~•chi•cal** *adj* □ übersinnlich, übernatürlich; psychisch.
psy|cho•log•i•cal [saɪkə'lɒdʒɪkl] *adj* □ psychologisch; **~•chol•o•gist** [saɪ'kɒlədʒɪst] *s* Psycholog|e *m*, -in *f*; **~•chol•o•gy** *s* Psychologie *f*.
PTO, p.t.o. ***please turn over*** b.w., bitte wenden.
pub *Br.* F [pʌb] *s* Pub *n*, *m*, Kneipe *f*; ***~ crawl*** F Kneipentour *f*.
pu•ber•ty ['pju:bətɪ] *s* Pubertät *f*.
pu•bic *anat.* ['pju:bɪk] *adj* Scham…; ***~ bone*** Schambein *n*; ***~ hair*** Schamhaare *pl*.
pub•lic ['pʌblɪk] **1.** *adj* □ öffentlich; staatlich, Staats…; allgemein bekannt; ***~ spirit*** Gemein-, Bürgersinn *m*; ***go ~*** *econ. company*: an die Börse gehen; **2.** *s* Öffentlichkeit *f*; *die* Öffentlichkeit, *das* Publikum, *die* Leute *pl*.
pub•li•can *esp. Br.* ['pʌblɪkən] *s* Gastwirt(in).
pub•li•ca•tion [pʌblɪ'keɪʃn] *s* Bekanntmachung *f*; Veröffentlichung *f*; ***monthly ~*** Monatsschrift *f*.
pub•lic| com•pa•ny *s econ.* Aktiengesellschaft *f*; **~ con•ve•ni•ence** *s Br.* öffentliche Toiletten *pl*; **~ health** *s die* öffentliche Gesundheit; ***~ service*** *das* öffentliche Gesundheitswesen; **~ hol•i•day** *s* gesetzlicher Feiertag; **~ house** *s Br.* → ***pub***.

pub•lic•i•ty [pʌb'lɪsətɪ] *s* Öffentlichkeit *f*; Reklame *f*, Werbung *f*.; **~ tour** *s* Werbetour *f*; ***be on a ~*** auf Werbetour sein.

pub•lic| law *jur.* **1.** *s* öffentliches Recht; **2.** *adj* öffentlich-rechtlich; **~ li•bra•ry** *s* Leihbücherei *f*; **~ mon•ey** *s* öffentliche Gelder *pl*; **~ o•pin•ion** *s die* öffentliche Meinung; **~ *poll*** Meinungsumfrage *f*; **~ pur•chas•er** *s econ.* öffentlicher Auftraggeber; **~ pur•chas•ing** *s econ. die* Vergabe öffentlicher Aufträge; **~ rela•tions** *s pl* Public Relations *pl*, Öffentlichkeitsarbeit *f*; **~ school** *s Br.* Privatschule *f*, Public School *f*; *Am.* staatliche Schule; **~ ser•vice** *s* öffentlicher Dienst; **~ spend•ing** *s pol., econ.* Ausgaben *pl* der öffentlichen Hand; **~ trans•port** *s* öffentliche Verkehrsmittel *pl*.

pub•lish ['pʌblɪʃ] *v/t* bekannt machen; veröffentlichen; *book, etc.*: herausgeben, verlegen; ***~ing house*** Verlag *m*; **~•er** *s* Herausgeber *m*, Verleger *m*; ***~s*** *pl* Verlag(sanstalt *f*) *m*.

pud•ding ['pʊdɪŋ] *s* Pudding *m*; (*solid*) Süßspeise, Nachspeise *f*, -tisch *m*; *with meat, etc.*: Fleischpastete *f*; ***black ~*** Blutwurst *f*; ***white ~*** Presssack *m*.

pud•dle ['pʌdl] *s* Pfütze *f*.

puff [pʌf] **1.** *s* kurzer Atemzug, Schnaufer *m*; leichter Windstoß, Hauch *m*; *at cigarette*: Zug *m*; (Dampf-, Rauch-)Wölkchen *n*; (Puder)Quaste *f*; **2.** *v/i and v/t* (auf)blasen; pusten; paffen; schnauben, schnaufen, keuchen; ***~ out, ~ up*** sich (auf)blähen; ***~ed up eyes*** geschwollene Augen; **~ pas•try** *s* Blätterteiggebäck *n*; **~•y** *adj* (***-ier, -iest***) geschwollen; aufgedunsen; bauschig.

pug *zo.* [pʌg] *s a.* ***~-dog*** Mops *m*.

puke *sl.* [pjuːk] *v/i and v/t* (aus)kotzen.

pull [pʊl] **1.** *s* Ziehen *n*, Zerren *n*; Zug *m*; *of planet*: Anziehungskraft *f*; *of tide*: Sog *m*; *print.* Fahne *f*, (Probe)Abzug *m*; *rowing*: Ruderpartie *f*; Zug *m* (***from*** *a cigarette, etc.* an); Schluck *m* (***at*** *a bottle* aus); *fig.* Einfluss *m*, Beziehungen *pl*; **2.** *v/t and v/i* ziehen; reißen; **~** (***at*** *or* ***on***) ziehen an (*dat*); ***~ about*** herumzerren; ***~ ahead of*** vorbeiziehen an (*dat*), überholen (*acc*) (*car, etc.*); ***~ away*** anfahren (*bus, etc.*); sich losreißen (***from*** von); ***~ down*** niederreißen; ***~ in*** einfahren (*train*); anhalten (*car, boat*); ***~ off*** F zustande bringen, schaffen; ***~ out*** herausfahren (***of*** aus), abfahren (*train, etc.*); ausscheren (*car, etc.*); *fig.* sich zurückziehen, aussteigen; ***~ over*** (s-n Wagen) an die *or* zur Seite fahren; ***~ round*** *patient*: durchbringen; durchkommen (*patient*); ***~ through*** *j-n* durchbringen; ***~ o.s. together*** sich zusammennehmen, sich zusammenreißen; ***~ up*** *car, horse, etc.*: anhalten; (an)halten (*car, etc.*); ***~ up with, ~ up to*** *j-n* einholen.

pul•ley *tech.* ['pʊlɪ] *s* Rolle *f*; Flaschenzug *m*.

pull|-in *Br.* ['pʊlɪn] *s* Raststätte *f* (*esp. for truckers*); **~•o•ver** *s* Pullover *m*; **~-up** *s Br.* → ***pull-in***.

pulp [pʌlp] *s* Brei *m*; Fruchtfleisch *n*; ***~ magazine*** Schundblatt *n*.

pul•pit ['pʊlpɪt] *s* Kanzel *f*.

pulp•y ['pʌlpɪ] *adj* (***-ier, -iest***) breiig; fleischig.

pul•sate [pʌl'seɪt] *v/i* pulsieren, schlagen; **pulse** [pʌls] *s* Puls(schlag) *m*.

pul•ver•ize ['pʌlvəraɪz] *v/t* pulverisieren; *v/i* zu Staub werden.

pum•mel ['pʌml] *v/t* (*esp. Br.* ***-ll-***, *Am.* ***-l-***) mit den Fäusten bearbeiten, verprügeln.

pump [pʌmp] **1.** *s* Pumpe *f*; *shoe*: Pumps *m*; **2.** *v/t* pumpen; F *j-n* aushorchen, -fragen; ***~ up*** *tyre, etc.*: aufpumpen; **~ at•tend•ant** *s* Tankwart *m*.

pump•kin *bot.* ['pʌmpkɪn] *s* Kürbis *m*.

pun [pʌn] **1.** *s* Wortspiel *n*; **2.** *v/i* (***-nn-***) ein Wortspiel machen.

punch[2] [~] **1.** *s* (Faust)Schlag *m*; Punsch *m*; *tool*: Locher *m*, Lochzange *f*; **2.** *v/t* schlagen (*with fist*), boxen; (ein)hämmern auf (*acc*); (aus)stanzen, lochen; *esp. Am. time clock*: stechen, *card*: stempeln; *Am. cattle*: treiben; ***~(ed) card/tape*** Lochkarte *f*/-streifen *m*; **~-line** *s* Pointe *f*.

Punch[1] [pʌntʃ] *s* Kasper(le *n*) *m*; ***~ and Judy show*** Kasperl(e)theater *n*.

punc•tu•al ['pʌŋktʃʊəl] *adj* pünktlich; **~•i•ty** [~'ælətɪ] *s* Pünktlichkeit *f*.

punc•tu|ate *gr.* ['pʌŋktʃʊeɪt] *v/t* interpunktieren; **~•a•tion** *gr.* [~'eɪʃn] *s* Interpunktion *f*, Zeichensetzung *f*; ***~ mark*** Satzzeichen *n*.

punc•ture ['pʌŋktʃə] **1.** *s* (Ein)Stich *m*, Loch *n*; *mot.* Reifenpanne *f*; **2.** *v/t* durchstechen; ein Loch machen in

P

(*dat or acc*); *v/i* platzen (*balloon*); **be ~d** *mot.* e-n Platten haben, platt sein.

pun•gen|cy ['pʌndʒənsɪ] *s* Schärfe *f*; **~t** [~t] *adj* stechend, beißend, scharf.

pun•ish ['pʌnɪʃ] *v/t* (be)strafen; *boxing*: übel zurichten; **~•a•ble** *adj* □ strafbar; **~•ing** *adj* F *blow, pace, etc.*: mörderisch; *strenuous*: aufreibend; **~•ment** *s* Strafe *f*; Bestrafung *f*; *boxing*: Prügel *pl*; **take a lot of ~** F schwer einstecken müssen.

punk [pʌŋk] *s sl.* Punk *m* (*a. mus.*), Punker(in); Ganove *m*; **~ rock(er)** *mus.* Punkrock(er) *m*.

pu•ny ['pju:nɪ] *adj* (**-ier, -iest**) winzig; schwächlich.

pup *zo.* [pʌp] *s* Welpe *m*, junger Hund.

pu•pa *zo.* ['pju:pə] *s* (*pl* **-pae** [-pi:], **-pas**) Puppe *f*.

pu•pil ['pju:pl] s *anat.* Pupille *f*; Schüler(in).

pup•pet ['pʌpɪt] *s* Marionette *f* (*a. fig.*); **~-show** *s* Puppenspiel *n*.

pup•py ['pʌpɪ] *s zo.* Welpe *m*, junger Hund; *fig.* Schnösel *m*.

pur|chase ['pɜ:tʃəs] **1.** *s* (An-, Ein)Kauf *m*; *jur.* Erwerb(ung *f*) *m*; Anschaffung *f*; *grip*: Halt *m*; **make ~s** Einkäufe machen; **2.** *v/t* (er)kaufen; *jur.* erwerben; **~•chas•er** *s* Käufer(in); → **public purchaser**; **~•chas•ing pow•er** *s econ.* Kaufkraft *f*.

pure [pjʊə] *adj* □ (**~r, ~st**) rein; pur; **~-bred** *adj* reinrassig.

pu•rée ['pjʊəreɪ] *s* Püree *n*; **tomato ~** Tomatenmark *n*.

pur•ga|tive *med.* ['pɜ:gətɪv] **1.** *adj* abführend; **2.** *s* Abführmittel *n*; **~•to•ry** *eccl.* [~ərɪ] *s* Fegefeuer *n*.

P

purge [pɜ:dʒ] **1.** *s med.* Abführmittel *n*; *pol.* Säuberung *f*; **2.** *v/t mst fig.* reinigen; *pol.* säubern; *v/i med.* abführen.

pu•ri•fy ['pjʊərɪfaɪ] *v/t* reinigen; läutern.

pu•ri•tan ['pjʊərɪtən] (*hist.* ♀) **1.** *s* Puritaner(in); **2.** *adj* puritanisch.

pu•ri•ty ['pjʊərətɪ] *s* Reinheit *f* (*a. fig.*).

purl [pɜ:l] *v/i* murmeln (*stream*).

pur•loin [pɜ:'lɔɪn] *v/t* entwenden.

pur•ple ['pɜ:pl] **1.** *adj* purpurn, purpurrot; **2.** *s* Purpur *m*; **3.** *v/t and v/i* (sich) purpurn färben.

pur•pose ['pɜ:pəs] **1.** *s* Absicht *f*, Vorhaben *n*; Zweck *m*; Entschlusskraft *f*; **for the ~ of** *ger* um zu *inf*; **on ~** absichtlich; **to the ~** zweckdienlich; **to no ~** vergebens; **2.** *v/t* beabsichtigen, vorhaben; **~•ful** *adj* □ zweckmäßig; absichtlich; zielbewusst; **~•less** *adj* □ zwecklos; ziellos; **~•ly** *adv* absichtlich.

purr [pɜ:] *v/i* schnurren (*cat*); summen (*engine*).

purse [pɜ:s] **1.** *s* Geldbeutel *m*, -börse *f*; *Am.* (Damen)Handtasche *f*; Geldgeschenk *n*; Siegprämie *f*; *boxing*: Börse *f*; **~ snatcher** *Am.* Handtaschenräuber *m*; **2.** *v/t*: **~ (up) one's lips** e-n Schmollmund machen.

pur•su•ance [pə'sju:əns] *s*: **in (the) ~ of** bei der Ausführung *or* Ausübung (*gen*).

pur|sue [pə'sju:] *v/t* verfolgen (*a. fig.*); streben nach; *profession*: nachgehen (*dat*); *studies*: betreiben, nachgehen (*dat*); fortsetzen, -fahren in (*dat*); **~•su•er** *s* Verfolger(in); **~•suit** *s* Verfolgung *f*; *mst* **~s** *pl* Beschäftigung *f*.

pur•vey [pə'veɪ] *v/t goods*: liefern; **~•or** *s* Lieferant *m*.

pus [pʌs] *s* Eiter *m*.

push [pʊʃ] **1.** *s* (An-, Vor)Stoß *m*; Schub *m*; Druck *m*; Notfall *m*; Anstrengung *f*, Bemühung *f*; F Schwung *m*, Energie *f*, Tatkraft *f*; **2.** *v/t and v/i* stoßen; schieben; drängen; *button*: drücken; (an-)treiben; *a.* **~ through** durchführen; *claim, etc.*: durchsetzen; F verkaufen, *drugs*: pushen; **~ s.th. on s.o.** *j-m* et. aufdrängen; **~ one's way** sich durch- *or* vordrängen; **~ along, ~ on, ~ forward** weitermachen, -gehen, -fahren *etc.*; **~-but•ton** *s tech.* Druckknopf *m*, -taste *f*; **~-chair** *s Br.* (Falt)Sportwagen *m* (*for small children*); **~•er** *s* F Pusher *m*; **~•o•ver** *s* Kinderspiel *n*, Kleinigkeit *f*; **be a ~ for** auf *j-n or et.* hereinfallen.

puss [pʊs] *s* Mieze *f* (*a. fig.*: *girl*), Kätzchen *n*, Katze *f*; **pus•sy** *s*: *a.* **~-cat** Mieze *f*, Kätzchen *n*; **pus•sy•foot** *v/i* F leisetreten, sich nicht festlegen.

put [pʊt] (**-tt-; put**) *v/t* setzen, legen, stellen, stecken, tun; bringen (*to bed*); *time, work*: verwenden (**into** auf *acc*); *question*: stellen, vorlegen; *sports shot*: stoßen; werfen; *say*: ausdrücken, sagen; **~ to school** zur Schule schicken; **~ s.o. to work** *j-n* an die Arbeit setzen; **~ about** *rumours*: verbreiten; *mar. ship*: wenden (*a. v/i*); **~ across** *idea, etc.*: an den Mann bringen, verkaufen;

~ ***back*** zurückstellen (*a. watch, clock*), -tun; *fig.* aufhalten; ~ ***by*** *money*: zurücklegen; ~ ***down*** *v/t* hin-, niederlegen, -setzen, -stellen; *j-n* absetzen, aussteigen lassen; (auf-, nieder)schreiben; eintragen; zuschreiben (***to*** *dat*); *revolt*: niederschlagen; *mismanagement*: unterdrücken; (*a. v/i*) *aer.* landen, aufsetzen; ~ ***forth*** *energy*: aufbieten; *buds, leaves, etc.*: treiben; ~ ***forward*** *watch, clock*: vorstellen; *opinion, etc.*: vorbringen; ~ ***o.s. forward*** sich bemerkbar machen; ~ ***in*** *v/t* herein-, hineinlegen, -setzen, -stellen, -stecken; hineintun; *claim*: erheben; *petition*: einreichen; *document*: vorlegen; *application*: stellen; *as employee*: einstellen; *remark*: einwerfen; *v/i* einkehren (***at*** in *dat*); *mar.* einlaufen (***at*** in *dat*); ~ ***off*** *v/t clothes*: ablegen (*a. fig.*); *postpone*: auf-, verschieben; vertrösten; *j-n* abbringen; hindern; *passengers*: aussteigen lassen; *v/i mar.* auslaufen; ~ ***on*** *clothes*: anziehen; *hat, glasses*: aufsetzen; *watch, clock*: vorstellen; an-, einschalten; vortäuschen, -spielen; ~ ***on airs*** sich aufspielen; ~ ***on speed*** beschleunigen; ~ ***on weight*** zunehmen; ~ ***out*** *v/t* ausmachen, (-)löschen; sich *et.* verrenken; (her)ausstrecken; verwirren; ärgern; *j-m* Ungelegenheiten bereiten; *energy*: aufbieten; *money*: ausleihen; *v/i mar.* auslaufen; ~ ***right*** in Ordnung bringen; ~ ***through*** *teleph.* verbinden (***to*** mit); ~ ***together*** zusammensetzen; zusammenstellen; ~ ***up*** *v/t* hinauflegen, -stellen; hochheben, -schieben, -ziehen; *picture, etc.*: aufhängen; *hair*: hochstecken; *umbrella*: aufspannen; *tent, etc.*: aufstellen; errichten, bauen; *goods*: anbieten; *price*: erhöhen; *resistance*: leisten; *fight*: liefern; *guests*: unterbringen, (bei sich) aufnehmen; *announcement*: anschlagen; *v/i*: ~ ***up at*** einkehren *or* absteigen in (*dat*); ~ ***up for*** kandidieren für, sich bewerben um; ~ ***up with*** sich gefallen lassen, sich abfinden mit.

pu•tre•fy ['pju:trɪfaɪ] *v/i* verwesen.

pu•trid ['pju:trɪd] *adj* □ faul, verfault, verwest; *sl.* scheußlich, saumäßig; **~•i•ty** [pju:'trɪdətɪ] *s* Fäulnis *f*.

put•ty ['pʌtɪ] **1.** *s* Kitt *m*; **2.** *v/t* kitten.

put-you-up *Br.* F ['pʊtju:ʌp] *s* Schlafcouch *f*, -sessel *m*.

puz•zle ['pʌzl] **1.** *s* Rätsel *n*; schwierige Aufgabe; Verwirrung *f*; Geduld(s)spiel *n*; **2.** *v/t* verwirren; *j-m* Kopfzerbrechen machen; ~ ***out*** austüfteln; *v/i* verwirrt sein; sich den Kopf zerbrechen; **~-head•ed** *adj* konfus.

pyg•my ['pɪgmɪ] *s* Pygmäe *m*; Zwerg *m*; *attr* zwergenhaft.

py•ja•ma *Br.* [pə'dʒɑ:mə] *s* Schlafanzug…, Pyjama…; **~s** *Br.* [~əz] *s pl* Schlafanzug *m*, Pyjama *m*.

py•lon ['paɪlən] *s* (Leitungs)Mast *m*.

pyr•a•mid ['pɪrəmɪd] *s* Pyramide *f*.

pyre ['paɪə] *s* Scheiterhaufen *m*.

Py•thag•o•re•an [paɪθægə'rɪən] **1.** *adj* pythagoreisch; **2.** *s* Pythagoreer *m*.

py•thon *zo.* ['paɪθn] *s* Pythonschlange *f*.

pyx *eccl.* [pɪks] *s* Hostienbehälter *m*.

Q

quack[1] [kwæk] **1.** *s* Quaken *n*; **2.** *v/i* quaken.

quack[2] [~] *s* Scharlatan *m*; *a.* ~ ***doctor*** Quacksalber *m*, Kurpfuscher *m*; **~•er•y** ['kwækərɪ] *s* Quacksalberei *f*.

quad•ran|gle ['kwɒdræŋgl] *s* Viereck *n*; *court*: viereckiger Innenhof; **~•gu•lar** [kwɒ'dræŋgjʊlə] *adj* □ viereckig.

quad•ren•nial [kwɒ'drenɪəl] *adj* □ vierjährig; vierjährlich (wiederkehrend).

quad•ru|ped ['kwɒdrʊped] *s* Vierfüß(-l)er *m*; **~•ple** [~pl] **1.** *adj* □ vierfach; Vierer…; **2.** *v/t and v/i* (sich) vervierfachen; **~•plets** [~plɪts] *s pl* Vierlinge *pl*.

quag•mire ['kwægmaɪə] *s* Sumpf(land *n*) *m*, Moor *n*; Morast *m*.

quail[1] *zo.* [kweɪl] *s* Wachtel *f*.

quail[2] [~] *v/i* verzagen; (vor Angst) zittern (***before*** vor *dat*; ***at*** bei).

quaint [kweɪnt] *adj* □ anheimelnd, malerisch; wunderlich, drollig.

quake [kweɪk] **1.** *v/i* zittern, beben (***with, for*** vor *dat*); **2.** *s* F Erdbeben *n*.

Quak•er ['kweɪkə] *s* Quäker *m*.

qual•i|fi•ca•tion [kwɒlɪfɪ'keɪʃn] *s* Qualifikation *f*, Eignung *f*, Befähigung *f*; Einschränkung *f*; *gr.* nähere Bestimmung; **~•fy** ['kwɒlɪfaɪ] *v/t* (*v/i* sich) qualifizieren; befähigen; bezeichnen; *gr.* näher bestimmen; einschränken; abschwächen, mildern; **~•fy•ing game** *s sports*: Vorrundenspiel *n*, Qualifikationsspiel *n*; **~•fy•ing group** *s sports*: Vorrundengruppe *f*, Qualifikationsgruppe *f*.

qua•li•ta•tive ['kwɒlɪtətɪv] *adj* qualitativ; **qual•i•ty** ['kwɒlətɪ] *s* Eigenschaft *f*; Beschaffenheit *f*; *econ.* Qualität *f*; **~ *assurance*** Qualitätssicherung *f*; **~ *control*** Qualitätskontrolle *f*; **~ *improvement*** Qualitätssteigerung *f*; **~ *management*** Qualitätsmanagement *n*.

qualm [kwɑːm] *s* Übelkeit *f*; *often* **~s** *pl* Skrupel *m*, Bedenken *n*.

quan•ti|fy ['kwɒntɪfaɪ] *v/t* quantifizieren, in Zahlen ausdrücken; **~•ta•tive** ['~tətɪv] *adj* quantitativ, mengenmäßig; **~•ty** ['kwɒntətɪ] *s* Quantität *f*, Menge *f*; große Menge.

quan•tum ['kwɒntəm] *s* (*pl* **-ta** [-tə]) Quantum *n*, Menge *f*; *phys.* Quant *n*.

quar•an•tine ['kwɒrəntiːn] **1.** *s* Quarantäne *f*; **2.** *v/t* unter Quarantäne stellen.

quar•rel ['kwɒrəl] **1.** *s* Streit *m*; **2.** *v/i* (*esp. Br.* **-ll-**, *Am.* **-l-**) (sich) streiten; **~•some** *adj* □ zänkisch, streitsüchtig.

quar•ry ['kwɒrɪ] **1.** *s* Steinbruch *m*; *hunt.* (Jagd)Beute *f*; *fig.* Fundgrube *f*; **2.** *v/t stone*: brechen.

quart [kwɔːt] *s* Quart *n* (= *1,136 l*).

quar•ter ['kwɔːtə] **1.** *s* Viertel *n*, vierter Teil; Viertel(stunde *f*) *n*; Vierteljahr *n*, Quartal *n*; Viertelpfund *n*; Viertelzentner *m*; *Am.* Vierteldollar *m* (*25 cents*); *sports*: (Spiel)Viertel *n*; (*esp.* Hinter)Viertel *n* (*of animal*); (Stadt-)Viertel *n*; (Himmels-, Wind)Richtung *f*; Gegend *f*, Richtung *f*; **~s** *pl* Quartier *n* (*a. mil.*), Unterkunft *f*; ***a ~* (*of an hour*)** e-e Viertelstunde; *time*: ***a ~ to*** (*Am.* ***of***) (ein) Viertel vor; ***a ~ past*** (*Am.* ***after***) (ein) Viertel nach; ***at close ~s*** in *or* aus nächster Nähe; ***from official ~s*** von amtlicher Seite; **2.** *v/t* vierteln, in vier Teile teilen; beherbergen; *mil.* einquartieren; **~•back** *s American Football*: Quarterback *m*; **~-day** *s* Quartalstag *m*; **~•deck** *s mar.* Achterdeck *n*; **~-fi•nal** *s sports*: Viertelfinalspiel *n*; **~s** *pl* Viertelfinale *n*; **~•ly**; **1.** *adj and adv* vierteljährlich; **2.** *s* Vierteljahresschrift *f*.

quar•tet(te) *mus.* [kwɔː'tet] *s* Quartett *n*.

quartz *min.* [kwɔːts] *s* Quarz *m*; **~ *clock*** Quarzuhr *f*; **~ *watch*** Quarzarmbanduhr *f*.

qua•si ['kweɪzaɪ] *adv* gleichsam, sozusagen; Quasi…, Schein…

qua•ver ['kweɪvə] **1.** *s* Zittern *n*; *mus.* Triller *m*; **2.** *v/t and v/i* mit zitternder Stimme sprechen *or* singen; *mus.* trillern.

quay [kiː] *s* Kai *m*.

quea•sy ['kwiːzɪ] *adj* □ (**-*ier*, -*iest***) empfindlich (*stomach*, *conscience*); ***I feel ~*** mir ist übel *or* schlecht.

queen [kwiːn] *s* Königin *f* (*a. zo.*); *card games*, *chess*: Dame *f*; *sl. homosexual*: Schwule(r) *m*, Homo *m*; **~ *bee*** Bienenkönigin *f*; **~•like**, **~•ly** *adj* wie e-e Königin, königlich.

queer [kwɪə] *adj* sonderbar, seltsam; wunderlich; komisch; F schwul.

quench [kwentʃ] *v/t flames*, *fire*: (aus-) löschen; *thirst*, *etc.*: löschen, stillen; *hope*: zunichtemachen.

quer•u•lous ['kwerʊləs] *adj* □ quengelig, mürrisch, verdrossen.

que•ry ['kwɪərɪ] **1.** *s* Frage(zeichen *n*) *f*; Zweifel *m*; **2.** *v/t* (be)fragen; be-, anzweifeln.

quest [kwest] **1.** *s* Suche *f*; **2.** *v/i* suchen (***for*** nach).

ques•tion ['kwestʃən] **1.** *s* Frage *f*; Problem *n*, (Streit)Frage *f*, (Streit-) Punkt *m*; Zweifel *m*; Sache *f*, Angelegenheit *f*; ***ask ~s*** Fragen stellen; ***beyond* (*all*) *~*** ohne Frage; ***in ~*** fraglich; ***call in ~*** *et.* an-, bezweifeln; ***that is out of the ~*** das kommt nicht infrage; **2.** *v/t* (be)fragen; *jur.* vernehmen, -hören; *et.* an-, bezweifeln; **~•a•ble** *adj* □ fraglich; fragwürdig; **~•er** *s* Fragesteller(in); **~ mark** *s* Fragezeichen *n*; **~•mas- ter** *s Br.* Quizmaster *m*; **~•naire** [kwestʃə'neə] *s* Fragebogen *m*.

queue [kjuː] **1.** *s* Reihe *f* (*of persons*, *etc.*), (Warte)Schlange *f*; **2.** *v/i mst* ***~ up*** Schlange stehen; anstehen; sich anstellen.

quib•ble ['kwɪbl] **1.** *s* Spitzfindigkeit *f*, Haarspalterei *f*; **2.** *v/i* spitzfindig sein;

~ with s.o. about or **over s.th.** sich mit *j-m* über et. herumstreiten.

quick [kwɪk] **1.** *adj* schnell, rasch; prompt; aufgeweckt, wach (*mind*); scharf (*eye, ear*); lebhaft; hitzig, aufbrausend; ***be ~!*** mach schnell!; **2.** *s*: ***cut s.o. to the ~*** *fig. j-n* tief verletzen; **~ dial** *s teleph.* Kurzwahl *f*; **~-dial button** *s teleph.* Kurzwahltaste *f*; **~•en** *v/t and v/i* (sich) beschleunigen; *v/i* schneller werden; **~-freeze** *v/t* (***-froze, -frozen***) einfrieren, tiefkühlen; **~•ie** *s* F auf die Schnelle gemachte Sache; kurze Sache, kurze Frage; F e-r auf die Schnelle (*a. sex*); **~•ly** *adv* schnell, rasch; **~•ness** *s* Schnelligkeit *f*; rasche Auffassungsgabe; Schärfe *f* (*of eye, etc.*); Lebhaftigkeit *f*; Hitzigkeit *f*; **~•sand** *s* Treibsand *m*; **~-wit•ted** *adj* geistesgegenwärtig; schlagfertig.

quid *Br. sl.* [kwɪd] *s* (*pl* ***~s***) Pfund *n* (Sterling).

qui•es|cence [kwaɪ'esns] *s* Ruhe *f*, Stille *f*; **~•cent** [~t] *adj* □ ruhend; *fig.* ruhig, still.

qui•et ['kwaɪət] **1.** *adj* □ ruhig, still; ***be ~!*** sei still!; **2.** *s* Ruhe *f*; ***on the ~*** heimlich(, still u. leise); **3.** *esp. Am.* → ***quieten***; **~•en** *esp. Br.* [~tn] *v/t* beruhigen; *v/i mst* ***~ down*** sich beruhigen; **~•ness** *s* Ruhe *f*, Stille *f*.

quilt [kwɪlt] **1.** *s* Steppdecke *f*; **2.** *v/t* steppen; wattieren.

quin•ine [kwɪ'niːn, *Am.* 'kwaɪnaɪn] *s* Chinin *n*.

quin•quen•ni•al [kwɪŋ'kwenɪəl] *adj* □ fünfjährig; fünfjährlich.

quin•tes•sence [kwɪn'tesns] *s* Quintessenz *f*; Inbegriff *m*.

quin•tu|ple ['kwɪntjʊpl] **1.** *adj* □ fünffach; **2.** *v/t and v/i* (sich) verfünffachen; **~•plets** [~lɪts] *s pl* Fünflinge *pl*.

quip [kwɪp] **1.** *s* geistreiche Bemerkung; Stichelei *f*; **2.** *v/i* (***-pp-***) witzeln, spötteln.

quirk [kwɜːk] *s* Eigenart *f*, seltsame Angewohnheit; Laune *f* (*of fate, etc.*); *arch.* Hohlkehle *f*.

quit [kwɪt] **1.** (***-tt-***; *Br.* ***~ted*** or **~**, *Am. mst* **~**) *v/t* verlassen; *job*: aufgeben; aufhören mit; *v/i* aufhören; weggehen; ausziehen (*tenant*); ***give notice to ~*** *j-m* kündigen; **2.** *adj* frei, los.

quite [kwaɪt] *adv* ganz, völlig, vollständig; ziemlich, recht; ganz, sehr, durchaus; ***~ nice*** ganz *or* recht nett; ***~ (so)!*** ganz recht; ***~ the thing*** F ganz große Mode; ***she's ~ a beauty*** sie ist e-e wirkliche Schönheit; ***I ~ agree*** ganz meine Meinung.

quits [kwɪts] *adj*: ***be ~ with s.o.*** mit *j-m* quitt sein.

quit•ter F ['kwɪtə] *s* Drückeberger *m*.

quiv•er¹ ['kwɪvə] *v/i* zittern, beben.

quiv•er² [~] *s* Köcher *m*.

quiz [kwɪz] **1.** *s* (*pl* ***quizzes***) Prüfung *f*, Test *m*; Quiz *n*; **2.** *v/t* (***-zz-***) ausfragen; *j-n* prüfen; **~•mas•ter** *s esp. Am.* Quizmaster *m*; **~•zi•cal** *adj* □ spöttisch.

quoit [kɔɪt] *s* Wurfring *m*; ***~s*** *sg* Wurfringspiel *n*.

quo•rum ['kwɔːrəm] *s* beschlussfähige Anzahl *or* Mitgliederzahl, Quorum *n*.

quot. *econ.* ***quotation*** Kurs-, Preisnotierung *f*.

quo•ta ['kwəʊtə] *s* Quote *f*, Anteil *m*, Kontingent *n*.

quo•ta•tion [kwəʊ'teɪʃn] *s* Anführung *f*, Zitat *n*; Beleg(stelle *f*) *m*; *econ.* (Börsen-, Kurs)Notierung *f*; Preis(angabe *f*) *m*; *estimate*: Kostenvoranschlag *m*; **~ marks** *s pl* Anführungszeichen *pl*.

quote [kwəʊt] **1.** *s from author*: Zitat *n*; ***~s*** *pl* Anführungszeichen *pl*, F Gänsefüßchen *pl*; ***~ ... unquote*** Zitat Anfang… Zitat Ende; **2.** *v/t* anführen, zitieren (*text*); *econ. price*: nennen, berechnen; *stock exchange*: notieren (***at*** mit); *v/i* zitieren (***from*** aus); ***I ~ :...*** ich zitiere:…

quo•tient *math.* ['kwəʊʃnt] *s* Quotient *m*.

R

rab•bi ['ræbaɪ] *s* Rabbiner *m*.
rab•bit ['ræbɪt] *s* Kaninchen *n*.
rab•ble ['ræbl] *s* Pöbel *m*, Mob *m*; **~-rous•er** *s* Aufrührer *m*, Demagoge *m*; **~-rous•ing** *adj* □ aufwieglerisch, demagogisch.
rab•id ['ræbɪd] *adj* □ tollwütig (*animal*); *fig*. wild, wütend.
ra•bies *vet*. ['reɪbiːz] *s* Tollwut *f*.
rac•coon *zo*. [rə'kuːn] *s* Waschbär *m*.
race[1] [reɪs] *s* Rasse *f*; Geschlecht *n*, Stamm *m*; Volk *n*, Nation *f*; (Menschen)Schlag *m*.
race[2] [~] **1.** *s* Lauf *m* (*a. fig.*); (Wett)Rennen *n*; Strömung *f*; **~s** *pl* Pferderennen *n*; **2.** *v/i and v/t* rennen; rasen; um die Wette laufen *or* fahren (mit); *tech*. durchdrehen; **~•course** *s* Rennbahn *f*, -strecke *f*; **~•horse** *s* Rennpferd *n*; **rac•er** *s* Läufer(in); Rennpferd *n*; Rennboot *n*; Rennwagen *m*; Rennrad *n*.
ra•cial ['reɪʃl] *adj* rassisch; Rassen…; **~•is•m** *s* Rassismus *m*.
rac•ing ['reɪsɪŋ] *s* (Wett)Rennen *n*; (Pferde)Rennsport *m*; *attr* Renn…
rack [ræk] **1.** *s* Gestell *n*; Kleiderständer *m*; *in train, etc.*: Gepäcknetz *n*; *on car*: Dachgepäckträger *m*; *for fodder*: Raufe *f*, Futtergestell *n*; *for torture*: Folter(bank) *f*; ***go to ~ and ruin*** verfallen (*building, person*); dem Ruin entgegentreiben (*country, economy*); **2.** *v/t* strecken; foltern, quälen (*a. fig.*); ***~ one's brains*** sich den Kopf zerbrechen.
rack•et ['rækɪt] **1.** *s tennis, etc.*: Schläger *m*; *loud noise*: Lärm *m*, Trubel *m*; F Schwindel(geschäft *n*) *m*, Gaunerei *f*; F *occupation*: Job *m*; **2.** *v/i* lärmen; sich amüsieren.
rack•e•teer [rækə'tɪə] *s* Gauner *m*, Erpresser *m*; **~•ing** *s* Gaunereien *pl*, kriminelle Geschäfte *pl*.
ra•coon *Br. zo.* [rə'kuːn] → ***raccoon.***
rac•y ['reɪsɪ] *adj* □ (**-ier, -iest**) kraftvoll, lebendig; stark; würzig; urwüchsig; *Am. risqué*: gewagt.
ra•dar ['reɪdə] *s* Radar(gerät) *n*.
ra•di|ance ['reɪdɪəns] *s* Strahlen *n*, strahlender Glanz (*a. fig.*); **~•ant** *adj* □ strahlend, leuchtend (*a. fig.* ***with*** vor *dat*); ***~ heater*** Heizstrahler *m*.
ra•di|ate ['reɪdɪeɪt] *v/t* (aus)strahlen; *v/i* strahlenförmig ausgehen; **~•a•tion** [~'eɪʃn] *s* (Aus)Strahlung *f*; **~•a•tor** ['~ə] *s* Heizkörper *m*; *mot.* Kühler *m*.
rad•i•cal ['rædɪkl] **1.** *adj* □ *bot., math.* Wurzel…; Grund…; radikal, drastisch; eingewurzelt; *pol.* radikal; **2.** *s pol.* Radikale(r *m*) *f*; *math.* Wurzel *f*; *chem.* Radikal *n*.
ra•di•o ['reɪdɪəʊ] **1.** *s* (*pl* **-os**) Radio(apparat *m*) *n*; Funk(spruch) *m*; Funk…; ***~ play*** Hörspiel *n*; ***~ set*** Radiogerät *n*; ***by ~*** über Funk; ***on the ~*** im Radio; **2.** *v/t* funken; **~•ac•tive** *adj* radioaktiv; ***~ waste*** Atommüll *m*; **~•ac•tiv•i•ty** *s* Radioaktivität *f*; **~•ther•a•py** *s med.* Strahlen-, Röntgentherapie *f*.
rad•ish *bot.* ['rædɪʃ] *s* Rettich *m*; (***red***) ***~*** Radieschen *n*.
ra•di•us ['reɪdɪəs] *s* (*pl* **-dii** [-dɪaɪ], **-uses**) Radius *m*.
raf•fle ['ræfl] **1.** *s* Tombola *f*, Verlosung *f*; **2.** *v/t* verlosen.
raft [rɑːft] **1.** *s* Floß *n*; **2.** *v/i and v/t* flößen; **~•er** *s tech.* (Dach)Sparren *m*; **~s•man** *s* Flößer *m*.
rag[1] [ræg] *s* Lumpen *m*; Fetzen *m*; Lappen *m*; ***in ~s*** zerlumpt; ***~-and-bone man*** *esp. Br.* Lumpensammler *m*.
rag[2] *sl.* [~] **1.** *s* Unfug *m*; Radau *m*; Schabernack *m*; **2.** (**-gg-**) *v/t j-n* aufziehen; *j-n* anschnauzen; *j-m* e-n Schabernack spielen; *v/i Br.* herumtollen, Radau machen.
rag•a•muf•fin ['rægəmʌfɪn] *s* zerlumpter Kerl; Gassenjunge *m*.
rage [reɪdʒ] **1.** *s* Wut(anfall *m*) *f*, Zorn *m*, Raserei *f*; Wüten *n*, Toben *n* (*of storm, etc.*); Sucht *f*, Gier *f* (***for*** nach); Manie *f*; Ekstase *f*; ***it is*** (***all***) ***the ~*** es ist jetzt die große Mode; **2.** *v/i* wüten, rasen, toben.
rag•ged ['rægɪd] *adj* □ rau; *hair*: zottig; *rocks*: zerklüftet, zackig; *person*: zerlumpt; *clothes*: ausgefranst; *exhausted*:

ausgelaugt; F erledigt; F **be run ~** F völlig fertig sein.

raid [reɪd] **1.** *s* Überfall *m*, (*esp. air* ~: Luft)Angriff *m*; *by police*: Razzia *f*; **2.** *v/t* einbrechen in (*acc*); überfallen; plündern; e-e Razzia durchführen in (*dat*).

rail[1] [reɪl] *v/i* schimpfen.

rail[2] [~] **1.** *s* Geländer *n*; Stange *f*; *mar.* Reling *f*; *rail.* Schiene *f*; (Eisen)Bahn *f*; **by ~** mit der Bahn; **off the ~s** *fig.* aus dem Geleise, durcheinander; verrückt; **run off** *or* **leave, jump the ~s** entgleisen; **2.** *v/t a.* **~ in** mit e-m Geländer umgeben; *a.* **~ off** durch ein Geländer (ab)trennen.

rail•ing ['reɪlɪŋ] *s a.* **~s** *pl* Geländer *n*.

rail•ler•y ['reɪlərɪ] *s* Stichelei *f*.

rail•road *Am.* ['reɪlrəʊd] *s* Eisenbahn *f*.

rail•way *esp. Br.* ['reɪlweɪ] *s* Eisenbahn *f*; **~•man** *s* Eisenbahner *m*.

rain [reɪn] **1.** *s* Regen *m*; **~s** *pl* Regenfälle *pl*; **the ~s** *pl* die Regenzeit (*in tropical countries*); **~ or shine** bei jedem Wetter; **2.** *v/i and v/t* regnen; **it's ~ing buckets** *or* **cats and dogs** es schüttet wie aus Kübeln; **it never ~s but it pours** es kommt immer gleich knüppeldick, ein Unglück kommt selten allein; **~•bow** *s* Regenbogen *m*; **~•bow fam•i•ly** *s gleichgeschlechtliches Paar mit einem Kind oder mehreren Kindern*: Regenbogenfamilie *f*; **~•bow flag** *s* Regenbogenfahne *f*, Regenbogenflagge *f*; **~•coat** *s* Regenmantel *m*; **~•fall** *s* Regenmenge *f*; **~ for•est** *s* Regenwald *m*; **~-proof**; **1.** *adj* regen-, wasserundurchlässig; imprägniert (*material*); **2.** *s* Regenmantel *m*; **~•y** *adj* (**-ier, -iest**) regnerisch; Regen...; **for a ~ day** *fig.* für schlechte Zeiten *or* Notzeiten.

raise [reɪz] **1.** *v/t often* **~ up** (auf-, hoch)heben; (*often fig.*) erheben; errichten; erhöhen (*a. fig.*: *salary*); *money, etc.*: aufbringen; *loan*: aufnehmen; *family*: gründen; *children*: aufziehen; (auf)erwecken; anstiften; züchten, ziehen; *siege, etc.*: aufheben; **2.** *s* Lohn-, Gehaltserhöhung *f*.

rai•sin ['reɪzn] *s* Rosine *f*.

rake [reɪk] **1.** *s* Rechen *m*, Harke *f*; Wüstling *m*; Lebemann *m*; **2.** *v/t* (glatt) harken, (glatt) rechen; *fig.* durchstöbern; *v/i*: **~ about** (herum)stöbern; **~-off** *s* F (Gewinn)Anteil *m*.

rak•ish ['reɪkɪʃ] *adj* □ *life*: liederlich, ausschweifend; *person*: verwegen, keck; *mar.* schnittig (*ship*).

ral•ly ['rælɪ] **1.** *s* Treffen *n*; (Massen)Versammlung *f*; Kundgebung *f*; Erholung *f*; *mot.* Rallye *f*; **2.** *v/t and v/i* (sich ver)sammeln; sich erholen.

ram [ræm] **1.** *s zo.* Widder *m*, Schafbock *m*; ♈ *ast.* Widder *m*; *tech., mar.* Ramme *f*; **2.** *v/t* (**-mm-**) (fest)rammen; *mar.* rammen; **~ s.th. down s.o.'s head** *fig. j-m* et. eintrichtern.

RAM [ræm] *Computer*: **random access memory** Speicher *m* mit wahlfreiem Zugriff, Direktzugriffsspeicher *m*.

ram|ble ['ræmbl] **1.** *s* Streifzug *m*; Wanderung *f*; **2.** *v/i* umherstreifen; abschweifen; **~•bler** *s* Wanderer *m*; **~•bling** *adj* abschweifend; weit schweifend; weitläufig; *plant*: rankend; **~ rose** *bot.* Kletterrose *f*.

ram•i•fy ['ræmɪfaɪ] *v/i* sich verzweigen.

ramp [ræmp] *s* Rampe *f*.

ram•pant ['ræmpənt] *adj* □ wuchernd; *fig.* zügellos.

ram•part ['ræmpɑːt] *s* Wall *m*.

ram•shack•le ['ræmʃækl] *adj* baufällig; wack(e)lig; klapp(e)rig.

ran [ræn] *pret of* **run** 1.

ranch [rɑːntʃ, *Am.* ræntʃ] *s* Ranch *f*, Viehfarm *f*; **~•er** *s* Rancher *m*, Viehzüchter *m*; Farmer *m*.

ran•cid ['rænsɪd] *adj* □ ranzig.

ran•co(u)r ['ræŋkə] *s* Groll *m*, Hass *m*.

ran•dom ['rændəm] **1.** *s*: **at ~** aufs Geratewohl, blindlings; **2.** *adj* ziel-, wahllos; zufällig; willkürlich.

rang [ræŋ] *pret of* **ring**[1] 2.

range [reɪndʒ] **1.** *s* Reihe *f*; *mountains*: (Berg)Kette *f*; *econ.* Kollektion *f*, Sortiment *n*; *stove*: Herd *m*; *scope*: Raum *m*, Umfang *m*, Bereich *m*; *distance*: Reichweite *f*, Schussweite *f*, Entfernung *f*; *area*: (ausgedehnte) Fläche; *shooting* ~: Schießstand *m*; *grazing ground*: offenes Weidegebiet; **at close ~** aus nächster Nähe; **within ~ of vision** in Sichtweite; **a wide ~ of** eine große Auswahl an (*dat*); **2.** *v/t* (ein)reihen, ordnen; *area, etc.*: durchstreifen; *v/i* in e-r Reihe *or* Linie stehen; (umher-)streifen; sich erstrecken, reichen; zählen, gehören (**among, with** zu); **~ from ... to ..., ~ between ... and ...** sich zwischen (*dat*) ... und ... bewegen (*prices, etc.*).

rang•er ['reɪndʒə] *s* Förster *m*; Aufseher *m* e-s Forsts *or Parks*; *Angehörige(r) m e-r berittenen Schutztruppe.*

rank [ræŋk] **1.** *s row*: Reihe *f*, Linie *f*; *class*: Klasse *f*; *social* **~**: Rang *m*, Stand *m*; *taxi* **~**: Taxistand *m*; ***the ~ and file*** *fig.* die große Masse; *pol., of party*: das Fußvolk, die Basis; *mil.* Glied *n*; **~s** *pl mil. die* Mannschaften *pl*; **2.** *v/t* einreihen, (ein)ordnen; einstufen; *v/i* gehören (***among, with*** zu); e-n Rang *or* e-e Stelle einnehmen (***above*** über *dat*); **~ *as*** gelten als; **3.** *adj plants*: üppig; *smell*: ranzig, stinkend; *beginner*: blutig; *injustice, etc.*: krass.

ran•kle *fig.* ['ræŋkl] *v/i* nagen, wehtun.

ran•sack ['rænsæk] *v/t* durchwühlen, -stöbern, -suchen; ausrauben.

ran•som ['rænsəm] **1.** *s* Lösegeld *n*; Auslösung *f*; **2.** *v/t* loskaufen, auslösen.

rant [rænt] **1.** *s* Schwulst *m*; **2.** *v/i* Phrasen dreschen; *v/t* mit Pathos vortragen.

rap[1] [ræp] **1.** *s* Klaps *m*; Klopfen *n*; **2.** *v/i and v/t* (***-pp-***): **~** (***at***) klopfen an (*acc*); **~** (***on***) klopfen auf (*acc*).

rap[2] *fig.* [~] *s* Heller *m*, Deut *m*.

ra•pa|cious [rə'peɪʃəs] *adj* □ habgierig; (raub)gierig; **~•ci•ty** [rə'pæsətɪ] *s* Habgier *f*; (Raub)Gier *f*.

rape[1] [reɪp] **1.** *s* Notzucht *f*, Vergewaltigung *f* (*a. fig.*); **2.** *v/t* vergewaltigen.

rape[2] *bot.* [~] *s* Raps *m*.

rap•id ['ræpɪd] **1.** *adj* □ schnell, rasch, rapid(e); steil; **2.** *s*: **~s** *pl* Stromschnelle(n *pl*) *f*; **ra•pid•i•ty** [rə'pɪdətɪ] *s* Schnelligkeit *f*.

rap•proche•ment *pol.* [ræ'prɒʃmɑ̃ːŋ] *s* Wiederannäherung *f*.

rapt [ræpt] *adj* □ entzückt; versunken;

rap•ture ['ræptʃə] *s* Entzücken *n*; ***go into ~s*** in Entzücken geraten.

rare [reə] *adj* □ (***~r, ~st***) selten; *phys.* dünn (*air*); halb gar, nicht durchgebraten (*meat*); F ausgezeichnet, köstlich.

rare•bit ['reəbɪt] *s*: ***Welsh ~*** überbackener Käsetoast.

rar•i•ty ['reərətɪ] *s* Seltenheit *f*; Rarität *f*.

ras•cal ['rɑːskəl] *s* Schuft *m*; *co.* Gauner *m*, Schlingel *m*.

rash[1] [ræʃ] *adj* □ hastig, vorschnell; übereilt; unbesonnen; waghalsig.

rash[2] *med.* [~] *s* (Haut)Ausschlag *m*.

rash•er ['ræʃə] *s* Speckscheibe *f*.

rasp [rɑːsp] **1.** *s* Raspel *f*; **2.** *v/t* raspeln; krächzen.

rasp•ber•ry *bot.* ['rɑːzbərɪ] *s* Himbeere *f*.

rat [ræt] *s zo.* Ratte *f*; *pol.* Überläufer *m*; ***smell a ~*** Lunte *or* den Braten riechen; **~*s!*** *sl.* Quatsch!

rate [reɪt] **1.** *s* (Verhältnis)Ziffer *f*; Rate *f*; Verhältnis *n*; (Aus)Maß *n*; Satz *m*; Preis *m*, Gebühr *f*; Taxe *f*; (Gemeinde)Abgabe *f*, (Kommunal)Steuer *f*; Grad *m*, Rang *m*, Klasse *f*; Geschwindigkeit *f*; Tempo *n*; ***at any ~*** auf jeden Fall; **~ *of exchange*** (Umrechnungs-, Wechsel)Kurs *m*; **~ *of interest*** Zinssatz *m*, -fuß *m*; **2.** *v/t* (ein)schätzen; besteuern; **~ *among*** rechnen *or* zählen zu; ***be ~d*** gelten als.

ra•ther ['rɑːðə] *adv* eher, lieber; vielmehr; besser gesagt; ziemlich, fast; *int*: **~*!*** F und ob!, allerdings!; ***I'd ~ not!*** lieber nicht!; ***I had*** *or* ***would ~*** (***not***) ***go*** ich möchte lieber (nicht) gehen.

rat•i•fy *pol.* ['rætɪfaɪ] *v/t* ratifizieren.

rat•ing ['reɪtɪŋ] *s* Schätzung *f*; Steuersatz *m*; *mar.* Dienstgrad *m*; Matrose *m*; *sports*: Klasse *f*, Kategorie *f* (*sailing, etc.*); *TV* Einschaltquote *f*; **~s hit** *s TV* Quotenhit *m*.

ra•ti•o *math.* ['reɪʃɪəʊ] *s* (*pl* ***-os***) Verhältnis *n*.

ra•tion ['ræʃn] **1.** *s* Ration *f*, Zuteilung *f*; **2.** *v/t* rationieren.

ra•tion•al ['ræʃənl] *adj* □ vernunftgemäß; vernünftig; rational (*a. math.*); **~•i•ty** [ræʃə'nælətɪ] *s* Vernunft *f*; **~•ize** *econ.* ['ræʃnəlaɪz] *v/t* rationalisieren.

Rat•is•bon ['rætɪzbɒn] Regensburg *n*.

rat race ['rætreɪs] *s* täglicher Konkurrenzkampf.

rat•tle ['rætl] **1.** *s* Gerassel *n*; Geklapper *n*; Klapper *f*; **2.** *v/i and v/t* rasseln (mit); klappern; **~** (***at***) rüffeln an (*dat*); **~ *off*** *poem, etc.*: herunterrasseln; **~•snake** *s zo.* Klapperschlange *f*; **~•trap** *s fig.* Klapperkasten *m* (*car, etc.*).

rat•tling ['rætlɪŋ] **1.** *adj* rasselnd; F schnell, flott; **2.** *adv* F sehr, äußerst; **~ *good*** prima.

rau•cous ['rɔːkəs] *adj* □ heiser, rau.

rav•age ['rævɪdʒ] **1.** *s* Verwüstung *f*; **2.** *v/t* verwüsten; plündern.

R

rave [reɪv] *v/i* rasen, toben; schwärmen (***about, of*** von).

rav•el ['rævl] (*esp. Br.* **-ll-**, *Am.* **-l-**) *v/t* verwickeln; ~ (***out***) auftrennen; *fig.* entwirren; *v/i a.* ~ ***out*** ausfasern, aufgehen.

ra•ven *zo.* ['reɪvn] *s* Rabe *m.*

rav•e•nous ['rævənəs] *adj* □ gefräßig; heißhungrig; gierig; raubgierig.

ra•vine [rə'viːn] *s* Hohlweg *m*; Schlucht *f*; Klamm *f.*

rav•ish ['rævɪʃ] *v/t* entzücken; hinreißen; **~•ing** *adj* □ hinreißend, entzückend; **~•ment** *s* Entzücken *n.*

raw [rɔː] *adj* □ roh; Roh…, *data*: unaufbereitet; *sore*: wund; rau (*climate*); *inexperienced*: ungeübt, unerfahren; **~-boned** *adj* knochig, hager; ~ **hide** *s* Rohleder *n.*

ray [reɪ] *s* Strahl *m*; *fig.* Schimmer *m.*

ray•on ['reɪɒn] *s* Kunstseide *f.*

raze [reɪz] *v/t house, etc.*: abreißen; *fortress*: schleifen; *fig.* ausmerzen, tilgen; ~ ***s.th. to the ground*** et. dem Erdboden gleichmachen.

ra•zor ['reɪzə] *s* Rasiermesser *n*; Rasierapparat *m*; **~-blade** *s* Rasierklinge *f*; **~-edge** *s fig.* kritische Lage; ***be on a*** ~ auf des Messers Schneide stehen.

RC ***Roman Catholic*** r.-k., römisch-katholisch.

Rd ***Road*** Str., Straße *f.*

re- [riː] *in compounds*: wieder, noch einmal, neu; zurück, wider.

reach [riːtʃ] **1.** *s* Griff *m*; Reichweite *f*; Fassungskraft *f*; ***beyond ~, out of ~*** unerreichbar; ***within easy ~*** leicht erreichbar; **2.** *v/i* reichen; langen, greifen; sich erstrecken; *v/t* (hin-, her)reichen, (hin-, her)langen; erreichen, erzielen; *a.* ~ ***out*** ausstrecken.

re•act [rɪ'ækt] *v/i* reagieren (***to*** auf *acc*); (ein)wirken (***on, upon*** auf *acc*).

re•ac•tion [rɪ'ækʃn] *s* Reaktion *f* (*a. chem., pol.*); Rückwirkung *f*; **~•a•ry 1.** *adj* reaktionär; **2.** *s* Reaktionär(in).

re•ac•tor *phys.* [rɪ'æktə] *s* (Kern)Reaktor *m.*

read [riːd] (***read*** [red]) *v/t* lesen; *interpret*: deuten; (an)zeigen (*thermometer*); *univ.* studieren; ~ ***medicine*** Medizin studieren; *v/i book, essay, etc.*: sich lesen (lassen); *text*: lauten; ~ ***to s.o.*** *j-m* vorlesen; **rea•da•ble** *adj* □ lesbar; leserlich; lesenswert; **read•er** *s* (Vor)Leser(in); *print.* Korrektor *m*; Lektor *m*; *univ.* Dozent *m*; Lesebuch *n.*

read•i|ly ['redɪlɪ] *adv* gleich; leicht; bereitwillig, gern; **~•ness** *s* Bereitschaft *f*; Bereitwilligkeit *f.*

read•ing ['riːdɪŋ] *s* Lesen *n*; Lesung *f* (*a. parl.*); Stand *m* (*of thermometer*); Belesenheit *f*; Lektüre *f*; Lesart *f*; Auslegung *f*; Auffassung *f*; *attr* Lese…

re•ad•just [riːə'dʒʌst] *v/t* wieder in Ordnung bringen; wieder anpassen; *tech.* nachstellen, neu einstellen; **~•ment** *s* Wiederanpassung *f*; Neuordnung *f*; *tech.* Korrektur *f*, Neueinstellung *f.*

read-on•ly mem•o•ry [riːdəʊnlɪ'meməri] *s computer*: Festspeicher *m.*

read•y ['redɪ] *adj* □ (**-ier, -iest**) bereit, fertig; bereitwillig; im Begriff (***to do*** zu tun); schnell; schlagfertig, gewandt; leicht; *econ.* bar; ~ ***for use*** gebrauchsfertig; ***get*** ~ (sich) fertig machen; ~ ***cash***, ~ ***money*** Bargeld *n*; **~-made** *adj* fertig, Konfektions…

re•a•gent *chem.* [riː'eɪdʒənt] *s* Reagens *n.*

real [rɪəl] *adj* □ wirklich, tatsächlich, real, wahr, eigentlich; echt; ~ **es•tate** *s* Grundbesitz *m*, Immobilien *pl.*

re•a•lis|m ['rɪəlɪzəm] *s* Realismus *m*; **~t** [~ɪst] *s* Realist *m*; **~•tic** [rɪə'lɪstɪk] *adj* (**~*ally***) realistisch; sachlich; wirklichkeitsnah.

re•al•i•ty [rɪ'ælətɪ] *s* Wirklichkeit *f.*

re•a•li|za•tion [rɪəlaɪ'zeɪʃn] *s* Realisierung *f* (*a. econ.*); Verwirklichung *f*; Erkenntnis *f*; **~ze** ['rɪəlaɪz] *v/t* sich klarmachen; erkennen, einsehen; verwirklichen; realisieren (*a. econ.*); zu Geld machen.

real•ly ['rɪəlɪ] *adv* wirklich, tatsächlich; ***~!*** ich muss schon sagen!

realm [relm] *s* Königreich *n*; Reich *n*; Bereich *m.*

real|tor *Am.* ['rɪəltə] *s* Grundstücksmakler *m*; **~•ty** *jur.* [~ɪ] *s* Grundeigentum *n*, -besitz *m.*

reap [riːp] *v/t grain*: schneiden; *field*: mähen; *fig.* ernten.

re•ap•pear [riːə'pɪə] *v/i* wieder erscheinen.

rear [rɪə] **1.** *v/t* auf-, großziehen; züchten; (er)heben; *v/i horse*: sich aufbäumen; **2.** *s* Rück-, Hinterseite *f*; Hintergrund *m*; *mot., mar.* Heck *n*; *mil.* Nachhut *f*; ***at*** (*Am.* ***in***) ***the ~ of*** hinter (*dat*); **3.** *adj* Hinter…, Rück…; ***~ wheel drive*** Hinterradantrieb *m*; **~-lamp**, **~-light** *s mot.* Rücklicht *n*.

re•arm *mil.* [riː'ɑːm] *v/i and v/t* (wieder) aufrüsten; **re•ar•ma•ment** *mil.* [~məmənt] *s* (Wieder)Aufrüstung *f*.

rear|most ['rɪəməʊst] *adj* hinterste(r, -s); **~-view mir•ror** *s mot.* Rückspiegel *m*; **~•ward 1.** *adj* rückwärtig; **2.** *adv a.* **~s** rückwärts.

rea•son ['riːzn] **1.** *s* Vernunft *f*; Verstand *m*; Recht *n*, Billigkeit *f*; Ursache *f*, Grund *m*; ***for ~s of …*** aus …gründen; ***by ~ of*** wegen; ***for this ~*** aus diesem Grund; ***with ~*** aus gutem Grund; ***without any ~, for no ~*** ohne jeden Grund, grundlos; ***listen to ~*** Vernunft annehmen; ***it stands to ~ that*** es leuchtet ein, dass; **2.** *v/i* vernünftig *or* logisch denken; argumentieren; *v/t* folgern, schließen (***from*** aus); *a.* ***~ out*** (logisch) durchdenken; ***~ away*** wegdiskutieren; ***~ s.o. into*** (***out of***) ***s.th.*** *j-m* et. ein-- (aus)reden; **rea•so•na•ble** *adj* □ vernünftig; angemessen; berechtigt.

re•as•sure [riːə'ʃʊə] *v/t* (nochmals) versichern; beteuern; beruhigen.

re•bate ['riːbeɪt] *s econ.* Rabatt *m*, Abzug *m*; Rückzahlung *f*.

reb•el[1] ['rebl] **1.** *s* Rebell *m*; Aufrührer *m*; Aufständische(r) *m*; **2.** *adj* rebellisch, aufrührerisch.

re•bel[2] [rɪ'bel] *v/i* rebellieren, sich auflehnen; **~•lion** [~lɪən] *s* Empörung *f*; **~•lious** [~lɪəs] → ***rebel***[1] 2.

re•birth [riː'bɜːθ] *s* Wiedergeburt *f*.

re•bound [rɪ'baʊnd] **1.** *v/i* zurückprallen; **2.** *s* [mst 'riːbaʊnd] Rückprall *m*; *in ball games*: Abpraller *m*, *esp. basketball*: Rebound *m*.

re•buff [rɪ'bʌf] **1.** *s* schroffe Abweisung, Abfuhr *f*; **2.** *v/t* abblitzen lassen, abweisen.

re•build [riː'bɪld] *v/t* (***-built***) wieder aufbauen; *house*: *a.* umbauen.

re•buke [rɪ'bjuːk] **1.** *s* Tadel *m*; **2.** *v/t* tadeln.

re•call [rɪ'kɔːl] **1.** *s* Zurückrufung *f*; Abberufung *f*; Widerruf *m*; ***beyond ~, past ~*** unwiderruflich; **2.** *v/t* zurückrufen; ab(be)rufen; sich erinnern an (*acc*); *j-n* erinnern (***to*** an *acc*); widerrufen; *econ. capital*: kündigen.

re•ca•pit•u•late [riːkə'pɪtjʊleɪt] *v/t and v/i* rekapitulieren, kurz wiederholen, zusammenfassen.

re•cap•ture [riː'kæptʃə] *v/t* wieder ergreifen; *mil.* zurückerobern; *fig.* wieder einfangen (*past emotions, etc.*).

re•cast [rɪ'kɑːst] *v/t* (***-cast***) *tech.* umgießen; umarbeiten, neu gestalten; *thea. part*: umbesetzen.

re•cede [rɪ'siːd] *v/i* zurücktreten; ***receding*** fliehend (*chin, forehead*).

re•ceipt [rɪ'siːt] **1.** *s* Empfang *m*; *econ.* Eingang *m* (*of goods*); Quittung *f*; **~s** *pl* Einnahmen *pl*; **2.** *v/t* quittieren.

re•cei•va•ble [rɪ'siːvəbl] *adj* annehmbar; *econ.* ausstehend; **re•ceive** [~v] *v/t* empfangen; erhalten, bekommen; aufnehmen; annehmen; anerkennen; **re•ceived** *adj* (allgemein) anerkannt; **re•ceiv•er** *s* Empfänger *m*; *teleph.* Hörer *m*; Hehler *m*; *of taxes*: Einnehmer *m*; ***official ~*** *jur., econ.* Konkursverwalter *m*, Insolvenzverwalter *m*.

re•cent ['riːsnt] *adj* □ neu; frisch; modern; ***~ events*** *pl die* jüngsten Ereignisse *pl*; **~•ly** *adv* kürzlich, neulich.

re•cep•ta•cle [rɪ'septəkl] *s* Behälter *m*.

re•cep•tion [rɪ'sepʃn] *s* Aufnahme *f* (*a. fig.*); Empfang *m* (*a. radio, TV*); Annahme *f*; **~ desk** *s* Rezeption *f* (*in hotel*); **~•ist** *s* Empfangsdame *f*, -chef *m*; *of doctor*: Sprechstundenhilfe *f*; **~ room** *s* Empfangszimmer *n*.

re•cep•tive [rɪ'septɪv] *adj* □ empfänglich, aufnahmefähig (***of, to*** für).

re•cess [rɪ'ses] *s* Unterbrechung *f*, (*Am. a.* Schul)Pause *f*; *esp. parl.* Ferien *pl*; (entlegener) Winkel; Nische *f*; ***~es*** *pl fig. das* Innere, Tiefe(n *pl*) *f*; **re•ces•sion** *s* Zurückziehen *n*, Zurücktreten *n*; *econ.* Rezession *f*, Konjunkturrückgang *m*.

re•ci•pe ['resɪpɪ] *s* (Koch)Rezept *n*.

re•cip•i•ent [rɪ'sɪpɪənt] *s* Empfänger(in).

re•cip•ro|cal [rɪ'sɪprəkl] *adj* wechsel-, gegenseitig; **~•cate** [~eɪt] *v/i* sich erkenntlich zeigen; *tech.* sich hin- und herbewegen; *v/t good wishes, etc.*: erwidern; **re•ci•pro•ci•ty** [resɪ'prɒsətɪ] *s* Gegenseitigkeit *f*.

re•cit•al [rɪ'saɪtl] *s* Bericht *m*; Erzählung *f*; *mus.* (Solo)Vortrag *m*, Konzert *n*; **re•ci•ta•tion** [resɪ'teɪʃn] *s* Hersagen *n*; Vortrag *m*; **re•cite** [rɪ'saɪt] *v/t* vortragen; aufsagen; berichten.

reck•less ['reklɪs] *adj* □ unbekümmert; rücksichtslos; leichtsinnig.

reck•on ['rekən] *v/t* er-, berechnen; glauben, schätzen (***that*** dass); ~ ***among*** rechnen *or* zählen zu; ~ ***as*** halten für; ~ ***up*** zusammenrechnen; *v/i*: ~ ***on***, ~ ***upon*** zählen auf (*acc*); ~ ***with***(***out***) (nicht) rechnen mit; **~•ing** *s* (Be)Rechnung *f*; ***be out in one's*** ~ sich verrechnet haben.

re•claim [rɪ'kleɪm] *v/t* zurückfordern; *j-n* bekehren, bessern; zivilisieren; urbar machen; *tech.* (zurück)gewinnen.

re•cline [rɪ'klaɪn] *v/i* sich zurücklehnen; liegen, ruhen; **~d** liegend; ***reclining seat*** verstellbarer Sitz, *in car, etc.*: Liegesitz *m*.

re•cluse [rɪ'kluːs] *s* Einsiedler(in).

rec•og|ni•tion [rekəg'nɪʃn] *s* Anerkennung *f*; (Wieder)Erkennen *n*; **~•nize** ['rekəgnaɪz] *v/t* anerkennen; (wieder) erkennen; zugeben, einsehen.

re•coil 1. *v/i* [rɪ'kɔɪl] zurückprallen; zurückschrecken; **2.** *s* ['riːkɔɪl] Rückstoß *m*, -lauf *m*.

rec•ol|lect [rekə'lekt] *v/t* sich erinnern an (*acc*); **~•lec•tion** [~'lekʃn] *s* Erinnerung *f* (***of*** an *acc*); Gedächtnis *n*.

rec•om|mend [rekə'mend] *v/t* empfehlen; **~•men•da•tion** [rekəmen'deɪʃn] *s* Empfehlung *f*; Vorschlag *m*.

rec•om•pense ['rekəmpens] **1.** *s* Belohnung *f*, Vergeltung *f*; Entschädigung *f*; Ersatz *m*; **2.** *v/t* belohnen, vergelten; entschädigen; ersetzen.

rec•on|cile ['rekənsaɪl] *v/t* aus-, versöhnen; in Einklang bringen; *disagreement*: schlichten; **~•cil•i•a•tion** [rekənsɪlɪ'eɪʃn] *s* Ver-, Aussöhnung *f*.

re•con•di•tion [riːkən'dɪʃn] *v/t* wieder herrichten; *tech.* (general)überholen; **~*ed engine*** *mot.* Austauschmotor *m*.

re•con|nais•sance [rɪ'kɒnɪsəns] *s mil.* Aufklärung *f*, Erkundung *f*; **~•noi•tre**, *Am.* **~•noi•ter** [rekə'nɔɪtə] *v/t* erkunden, auskundschaften.

re•con•sid•er [riːkən'sɪdə] *v/t* wieder erwägen; nochmals überlegen.

re•con•sti•tute [riː'kɒnstɪtjuːt] *v/t* wiederherstellen.

re•con|struct [riːkən'strʌkt] *v/t* wieder aufbauen; **~•struc•tion** [~kʃn] *s* Wiederaufbau *m*, Wiederherstellung *f*.

rec•ord[1] ['rekɔːd] *s* Aufzeichnung *f*; *jur.* Protokoll *n*; (Gerichts)Akte *f*; Urkunde *f*; Register *n*, Verzeichnis *n*; (schriftlicher) Bericht; Ruf *m*, Leumund *m*; Schallplatte *f*; *sports*: Rekord *m*; ***place on*** ~ schriftlich niederlegen; ~ ***office*** Archiv *n*; ~ ***player*** Plattenspieler *m*; ***off the*** ~ inoffiziell.

re•cord[2] [rɪ'kɔːd] *v/t* aufzeichnen, schriftlich niederlegen; *on disc, tape, etc.*: aufnehmen; **~•er** *s* Aufnahmegerät *n*, *esp.* Tonbandgerät *n*, Kassetten-, Videorekorder *m*; *mus.* Blockflöte *f*; **~•ing** *s TV etc.* Aufzeichnung *f*, -nahme *f*.

re•coup [rɪ'kuːp] *v/t j-n* entschädigen (***for*** für); *et.* wieder einbringen.

re•cov•er [rɪ'kʌvə] *v/t* wiedererlangen, -bekommen, wieder finden; *losses*: wieder einbringen, wieder gutmachen; *debts, etc.*: eintreiben; *car, ship, etc.*: bergen; ***be*** **~*ed*** wiederhergestellt sein; *v/i* sich erholen; genesen; **~•y** *s* Wiedererlangung *f*; Bergung *f*; Genesung *f*; Erholung *f*; ***past*** ~ unheilbar krank.

rec•re|ate ['rekrɪeɪt] *v/t* erfrischen; *v/i* (*a.* ~ ***o.s.***) ausspannen, sich erholen; **~•a•tion** [rekrɪ'eɪʃn] *s* Erholung *f*; ~ ***centre*** Freizeitzentrum *n*.

re•crim•i•na•tion [rɪkrɪmɪ'neɪʃn] *s* Gegenbeschuldigung *f*; **~*s*** *pl* gegenseitige Beschuldigungen.

re•cruit [rɪ'kruːt] **1.** *s mil.* Rekrut *m*; *fig.* Neuling *m*; **2.** *v/t staff, etc.*: einstellen; *members*: werben.

rec•tan•gle *math.* ['rektæŋgl] *s* Rechteck *n*.

rec•ti|fy ['rektɪfaɪ] *v/t* berichtigen; verbessern; *damage*: korrigieren; *electr.* gleichrichten; **~•tude** [~tjuːd] *s* Geradheit *f*, Redlichkeit *f*.

rec|tor ['rektə] *s Br. eccl.* Pfarrer *m*; Rektor *m*; **~•to•ry** *s* Pfarre(i) *f*; Pfarrhaus *n*.

re•cum•bent [rɪ'kʌmbənt] *adj* liegend.

re•cu•pe•rate [rɪ'kjuːpəreɪt] *v/i* sich erholen; *v/t health*: wiedererlangen.

re•cur [rɪ'kɜː] *v/i* (***-rr-***) wiederkehren (***to*** zu), sich wiederholen; zurückkommen (***to*** auf *acc*); **~•rence** [rɪ'kʌrəns] *s* Rückkehr *f*, Wiederauftreten *n*; **~•rent** *adj* □ wiederkehrend.

re•cy|cle [riː'saɪkl] *v/t waste*: wieder verwerten, recyceln; **~•cling** [~ɪŋ] *s* Wiederverwertung *f*, Recycling *n*; **~•cling site** *s* Recyclinghof *m*, Wertstoffhof *m*.

red [red] **1.** *adj* rot; ~ ***heat*** Rotglut *f*; **2.** *s*

R

Rot *n*; *esp. pol.* Rote(r *m*) *f*; ***be in the*** **~** in den roten Zahlen sein.
red|breast *zo.* ['redbrest] *s a.* ***robin*** **~** Rotkehlchen *n*; **~•den** *v/i and v/t* (sich) röten; erröten; **~•dish** *adj* rötlich.
re•dec•o•rate [riː'dekəreɪt] *v/t room*: neu streichen *or* tapezieren.
re•deem [rɪ'diːm] *v/t* zurück-, loskaufen; ablösen; *promise*: einlösen; büßen; entschädigen für; erlösen; **ℒ•er** *s eccl.* Erlöser *m*, Heiland *m*.
re•demp•tion [rɪ'dempʃn] *s* Rückkauf *m*; Auslösung *f*; Erlösung *f*.
re•de•vel•op [riːdɪ'veləp] *v/t building, part of town*: sanieren; **~•ment** *s* Sanierung *f*; **~ *area*** Sanierungsgebiet *n*; **~ *of hazardous waste sites*** Altlastensanierung *f*.
red|-hand•ed [red'hændɪd] *adj*: ***catch s.o.*** **~** *j-n* auf frischer Tat ertappen; **~•head** *s* Rotschopf *m*; **~-head•ed** *adj* rothaarig; **~-hot** *adj* rot glühend; *fig.* hitzig; **ℒ In•di•an** *s neg!* Indianer(in); **~-let•ter day** *s* Festtag *m*; *fig.* Freudentag *m*, Glückstag *m*; denkwürdiger Tag; **~ light** *s* Rotlicht *n*, rotes Licht; **~-light dis•trict** *s* Rotlichtbezirk *m*, Bordellviertel *n*; **~•ness** *s* Röte *f*.
re•dou•ble [riː'dʌbl] *v/t and v/i* (sich) verdoppeln.
re•dress [rɪ'dres] **1.** *s* Abhilfe *f*; Wiedergutmachung *f*; *jur.* Entschädigung *f*; **2.** *v/t* abhelfen (*dat*); abschaffen, beseitigen; wieder gutmachen.
red tape [red'teɪp] *s* Bürokratismus *m*, F Amtsschimmel *m*, F Papierkrieg *m*.
re•duce [rɪ'djuːs] *v/t* verringern, -mindern; einschränken; *price*: herabsetzen; zurückführen, bringen (***to*** auf, in *acc*, zu); verwandeln (***to*** in *acc*), machen zu; *math.*, *chem.* reduzieren; *med.* einrenken; **~ *to writing*** schriftlich niederlegen; **re•duc•tion** [rɪ'dʌkʃn] *s* Herabsetzung *f*, (Preis)Nachlass *m*, Rabatt *m*; Verminderung *f*; Verkleinerung *f*; Reduktion *f*; Verwandlung *f*; *med.* Einrenkung *f*.
re•dun•dant [rɪ'dʌndənt] *adj* □ überflüssig; *style*: weitschweifig; *worker*: arbeitslos; ***be made*** **~** *worker*: entlassen werden.
reed *bot.* [riːd] *s* Schilfrohr *n*.
re-ed•u•ca•tion [riːedjʊ'keɪʃn] *s* Umschulung *f*, Umerziehung *f*.
reef [riːf] *s* (Felsen)Riff *n*; *mar.* Reff *n*.
reek [riːk] **1.** *s* Gestank *m*, unangenehmer Geruch; **2.** *v/i* stinken, unangenehm riechen (***of*** nach).
reel [riːl] **1.** *s* Haspel *f*; (Garn-, Film)Rolle *f*, Spule *f*; **2.** *v/t*: **~ (*up*)** (auf)wickeln, (-)spulen; *v/i* wirbeln; schwanken; taumeln.
re-e•lect [riːɪ'lekt] *v/t* wieder wählen.
re-en•ter [riː'entə] *v/i and v/t* wieder eintreten (in *acc*).
re-es•tab•lish [riːɪ'stæblɪʃ] *v/t* wiederherstellen.
ref F [ref] → ***referee.***
re•fer [rɪ'fɜː] *v/t and v/i*: **~ *to*** ver- *or* überweisen an (*acc*); sich beziehen auf (*acc*); erwähnen (*acc*); zuordnen (*dat*); befragen (*acc*), nachschlagen in (*dat*); zurückführen auf (*acc*), zuschreiben (*dat*).
ref•er•ee [refə'riː] **1.** *s* Schiedsrichter *m*; *boxing*: Ringrichter *m*; *wrestling*: Kampfrichter *m*; *arbitrator*: Schlichter *m*; *Br.* Gutachter(in), Referenz *f* (*person*); **2.** *v/t and v/i sports*: als Schiedsrichter fungieren (bei), schiedsrichtern; *match*: *a.* pfeifen.
ref•er•ence ['refrəns] *s* Referenz *f*, Empfehlung *f*, Zeugnis *n*; *note*: Verweis *m*, Hinweis *m*; Erwähnung *f*, Anspielung *f*; Bezugnahme *f*; Beziehung *f*; Nachschlagen *n*, Befragen *n*; ***in*** *or* ***with*** **~ *to*** was … betrifft, bezüglich (*gen*); **~ *book*** Nachschlagewerk *n*; **~ *library*** Handbibliothek *f*; **~ *number*** Aktenzeichen *n*; ***make*** **~ *to*** *et.* erwähnen.
ref•e•ren•dum [refə'rendəm] *s* (*pl* ***-da*** [₋də], ***-dums***) Volksentscheid *m*.
re•fill 1. *s* ['riːfɪl] Nachfüllung *f*; Ersatzpackung *f*; Ersatzmine *f* (*for pen*); **2.** *v/t* [riː'fɪl] wieder füllen, auffüllen.
re•fine [rɪ'faɪn] *v/t tech.* raffinieren, veredeln; verfeinern, kultivieren; (*v/i* sich) läutern; *v/i*: **~ *on*, ~ *upon*** *et.* verfeinern, -bessern; **~d** *adj* fein, vornehm; **~•ment** *s* Vered(e)lung *f*; Verfeinerung *f*; Läuterung *f*; Feinheit *f*, Vornehmheit *f*; **re•fin•e•ry** *s tech.* Raffinerie *f*; *metall.* (Eisen)Hütte *f*.
re•fit *mst mar.* [riː'fɪt] (***-tt-***) *v/t* ausbessern; neu ausrüsten; *v/i* ausgebessert werden; neu ausgerüstet werden.
re•flect [rɪ'flekt] *v/t* zurückwerfen, reflektieren; widerspiegeln (*a. fig.*); zum Ausdruck bringen; *v/i*: **~ *on*, ~ *upon*** nachdenken über (*acc*); ein schlechtes

Licht werfen auf (*acc*); **re•flec•tion** *s* Reflexion *f*, Zurückstrahlung *f*; Widerspiegelung *f* (*a. fig.*); Reflex *m*; Spiegelbild *n*; *careful thought*: Überlegung *f*, Reflexion *f*, Gedanke *m*; **re•flec•tive** *adj* □ reflektierend, zurückstrahlend; nachdenklich.

re•flex ['riːfleks] **1.** *adj* Reflex...; **2.** *s* Widerschein *m*, Reflex *m* (*a. physiol.*); **~•ive** *gr.* [rɪ'fleksɪv] *adj* □ reflexiv, rückbezüglich.

re•for•est [riː'fɒrɪst] *v/t* aufforsten.

re•form [rɪ'fɔːm] **1.** *s* Verbesserung *f*, Reform *f*; **2.** *v/t* verbessern, reformieren; (*v/i* sich) bessern.

ref•or•ma•tion [refə'meɪʃn] *s* Reformierung *f*; Besserung *f*; *eccl.* ♀ Reformation *f*; **re•form•er** [rɪ'fɔːmə] *s eccl.* Reformator *m*; *esp. pol.* Reformer *m*.

re•fract [rɪ'frækt] *v/t light*: brechen; **re•frac•tion** *s* (Licht)Brechung *f*.

re•frain [rɪ'freɪn] **1.** *v/i* sich enthalten (***from*** *gen*), unterlassen (***from*** *acc*); **2.** *s* Kehrreim *m*, Refrain *m*.

re•fresh [rɪ'freʃ] *v/t* (***o.s.*** sich) erfrischen, stärken; *memory*, *etc.*: auffrischen; **~•ment** *s* Erfrischung *f* (*a. drink*).

re•fri•ge|rant [rɪ'frɪdʒərənt] *s tech.* Kühlmittel *n*; **~•rate** [~reɪt] *v/t* kühlen; **~•ra•tor** *s* Kühlschrank *m*, -raum *m*; ***~ van***, *Am.* ***~ car*** *rail.* Kühlwagen *m*.

re•fu•el [riː'fjʊəl] *v/t* (auf)tanken.

ref|uge ['refjuːdʒ] *s* Zuflucht(sstätte) *f*; Verkehrsinsel *f*; ***women's ~*** Frauenhaus *n*; **~•u•gee** [refjʊ'dʒiː] *s* Flüchtling *m*; ***~ camp*** Flüchtlingslager *n*.

re•fund **1.** *v/t* [riː'fʌnd] zurückzahlen; ersetzen; **2.** *s* ['riːfʌnd] Rückzahlung *f*; Erstattung *f*.

re•fur•bish [riː'fɜːbɪʃ] *v/t* aufpolieren (*a. fig.*).

re•fus•al [rɪ'fjuːzl] *s* Ablehnung *f*, (Ver)Weigerung *f*; *econ.* Vorkaufsrecht *n* (***of*** auf *acc*).

re•fuse[1] [rɪ'fjuːz] *v/t* verweigern; abweisen, ablehnen; ***~ to do s.th.*** sich weigern, et. zu tun; *v/i* sich weigern; verweigern (*horse*).

ref•use[2] ['refjuːs] *s* Ausschuss *m*; Abfall *m*, Müll *m*.

re•fute [rɪ'fjuːt] *v/t* widerlegen.

re•gain [rɪ'geɪn] *v/t* wiedergewinnen.

re•gard [rɪ'gɑːd] **1.** *s* (Hoch)Achtung *f*; Rücksicht *f*; Hinblick *m*, -sicht *f*; ***with ~ to*** hinsichtlich (*gen*); ***~s*** *pl* Grüße *pl* (*esp. in letters*); ***kind ~s*** herzliche Grüße; **2.** *v/t* ansehen; betrachten; (be)achten; betreffen; ***~ s.o. as*** *j-n* halten für; ***as ~s ...*** was ... betrifft; **~•ing** *prp* hinsichtlich (*gen*); **~•less** *adv*: ***~ of*** ohne Rücksicht auf (*acc*), ungeachtet (*gen*).

re•gen•e•rate [rɪ'dʒenəreɪt] *v/t and v/i* (sich) erneuern; (sich) regenerieren; (sich) neu bilden.

re•gent ['riːdʒənt] *s* Regent(in); ***Prince ♀*** Prinzregent *m*.

re•gi•ment **1.** *s* ['redʒɪmənt] *mil.* Regiment *n*; **2.** *v/t* ['~ment] organisieren; reglementieren; **~•als** *mil.* [redʒɪ'mentlz] *s pl* Uniform *f*.

re•gion ['riːdʒən] *s* Gegend *f*, Gebiet *n*; *fig.* Bereich *m*; **~•al** *adj* □ regional; örtlich; Regional..., Orts...; **~•al•ize** ['riːdʒənəlaɪz] *v/t* regionalisieren.

re•gis•ter ['redʒɪstə] **1.** *s* Register *n*, Verzeichnis *n*; *tech.* Schieber *m*, Ventil *n*; *mus.* Register *n*; Zählwerk *n*; ***cash ~*** Registrierkasse *f*; **2.** *v/t and v/i* registrieren; *enter*: (sich) eintragen *or* -schreiben (lassen); *enrol*: (sich) anmelden; *record*: (an)zeigen, auf-, verzeichnen; *letter*: einschreiben (lassen); *Br. luggage*: aufgeben; *with police*: sich melden; ***~ed letter*** Einschreibebrief *m*; ***~ed office*** *econ.* eingetragener Firmensitz.

re•gis|trar [redʒɪ'strɑː] *s* Standesbeamte(r) *m*; **~•tra•tion** [~eɪʃn] *s* Eintragung *f*; Anmeldung *f*; *mot.* Zulassung *f*; ***~ fee*** Anmeldegebühr *f*; **~•try** ['redʒɪstrɪ] *s* Eintragung *f*; Registratur *f*; Register *n*; ***~ office*** Standesamt *n*.

re•gress ['riːgres], **re•gres•sion** [rɪ'greʃn] *s* Rückwärtsbewegung *f*; rückläufige Entwicklung.

re•gret [rɪ'gret] **1.** *s* Bedauern *n*; Schmerz *m*; **2.** *v/t* (**-tt-**) bedauern; *loss*: beklagen; **~•ful** *adj* □ bedauernd; **~•ta•ble** *adj* □ bedauerlich.

reg•u•lar ['regjʊlə] *adj* □ regelmäßig; regulär, normal, gewohnt; geregelt, geordnet; genau, pünktlich; richtig, recht, ordentlich; F richtig(gehend); *mil.* regulär; **~•i•ty** [regjʊ'lærətɪ] *s* Regelmäßigkeit *f*; Richtigkeit *f*, Ordnung *f*.

reg•u|late ['regjʊleɪt] *v/t* regeln, ordnen; regulieren; **~•la•tion** [regjʊ'leɪʃn] **1.** *s* Regulierung *f*; ***~s*** *pl* Vorschrift *f*,

Bestimmung *f*; **2.** *adj* vorschriftsmäßig.
re•hash *fig.* [riː'hæʃ] **1.** *v/t* wieder aufwärmen; **2.** *s* Aufguss *m*.
re•hears|al [rɪ'hɜːsl] *s thea.* Probe *f*; Wiederholung *f*; **~e** [rɪ'hɜːs] *v/t thea.* proben (*a. v/i*); wiederholen; aufsagen.
reign [reɪn] **1.** *s* Regierung *f*; *a. fig.* Herrschaft *f*; **2.** *v/i* herrschen, regieren.
re•im•burse [riːɪm'bɜːs] *v/t j-n* entschädigen; *expenses*: erstatten.
rein [reɪn] **1.** *s* Zügel *m*; **2.** *v/t* zügeln.
rein•deer *zo.* ['reɪndɪə] *s* Ren(tier) *n*.
re•in•force [riːɪn'fɔːs] *v/t* verstärken; **~•ment** *s* Verstärkung *f*.
re•in•state [riːɪn'steɪt] *v/t* wieder einsetzen; wieder instand setzen.
re•in•sure [riːɪn'ʃʊə] *v/t* rückversichern.
re•it•e•rate [riː'ɪtəreɪt] *v/t* (dauernd) wiederholen.
re•ject [rɪ'dʒekt] *v/t* ab-, zurückweisen; abschlagen; verwerfen; ablehnen; **re•jec•tion** *s* Verwerfung *f*; Ablehnung *f*; Zurückweisung *f*.
re•joice [rɪ'dʒɔɪs] *v/t* erfreuen; *v/i* sich freuen (***at, over*** über *acc*); **re•joic•ing** **1.** *adj* □ freudig; **2.** *s* Freude *f*; **~s** *pl* Freudenfest *n*.
re•join [riː'dʒɔɪn] *v/t* sich wieder vereinigen mit; wieder zurückkehren zu; [rɪ'dʒɔɪn] *reply*: erwidern.
re•ju•ve•nate [rɪ'dʒuːvɪneɪt] *v/t* verjüngen.
re•kin•dle [riː'kɪndl] *v/t and v/i* (sich) wieder entzünden; *love, etc.*: wieder entflammen.
re•lapse [rɪ'læps] **1.** *s* Rückfall *m*; **2.** *v/i* rückfällig werden; e-n Rückfall haben.
re•late [rɪ'leɪt] *v/t* erzählen; in Beziehung bringen; *v/i* sich beziehen (***to*** auf *acc*); **re•lat•ed** *adj* verwandt (***to*** mit).
re•la•tion [rɪ'leɪʃn] *s* Beziehung *f*, Verhältnis *n*; Verwandtschaft *f*; Verwandte(r *m*) *f*; *account*: Bericht *m*; **~s** *pl* Beziehungen *pl*; ***in ~ to*** in Bezug auf (*acc*); **~•ship** *s* Verwandtschaft *f*; Beziehung *f*.
rel•a•tive ['relətɪv] **1.** *adj* □ relativ, verhältnismäßig; bezüglich (***to*** *gen*); *gr.* Relativ..., bezüglich; entsprechend; **2.** *s gr.* Relativpronomen *n*, bezügliches Fürwort; Verwandte(r *m*) *f*.
re•lax [rɪ'læks] *v/t and v/i* (sich) lockern; nachlassen (in *dat*); (sich) entspannen, ausspannen; **~•a•tion** [riːlæk'seɪʃn] *s* Lockerung *f*; Nachlassen *n*; Entspannung *f*, Erholung *f*; **~ed** *adj* locker, entspannt.
re•lay[1] **1.** *s* ['riːleɪ] Ablösung *f*; *electr.* Relais *n*; *radio*: Übertragung *f*; *sports*: Staffel *f*; **~ *race*** Staffellauf *m*; **2.** *v/t* [riː'leɪ] *radio*: übertragen.
re•lay[2] [riː'leɪ] *v/t* (***-laid***) *cable*: neu verlegen.
re•lease [rɪ'liːs] **1.** *s* Freilassung *f*; Befreiung *f*; Freigabe *f*; *tech., phot.* Auslöser *m*; **2.** *v/t* frei lassen; erlösen; frei geben; *right*: aufgeben, übertragen; *film*: herausbringen; *tech.* auslösen.
re•lent [rɪ'lent] *v/i* nachgeben; *storm, etc.*: nachlassen; **~•less** *adj* □ unbarmherzig.
rel•e•vant ['reləvənt] *adj* □ sachdienlich; zutreffend; relevant, erheblich.
re•li•a|bil•i•ty [rɪlaɪə'bɪlətɪ] *s* Zuverlässigkeit *f*; **~•ble** [rɪ'laɪəbl] *adj* □ zuverlässig.
re•li•ance [rɪ'laɪəns] *s* Vertrauen *n*; Verlass *m*.
rel•ic ['relɪk] *s* (Über)Rest *m*; Reliquie *f*.
re•lief [rɪ'liːf] *s* Erleichterung *f*; (angenehme) Unterbrechung; *mil.* Ablösung *f*, Entsatz *m*; Hilfe *f*; *art*: Relief *n*.
re•lieve [rɪ'liːv] *v/t* erleichtern; mildern, lindern; *mil.* ablösen, entsetzen; (ab-) helfen (*dat*); entlasten, befreien; (angenehm) unterbrechen, beleben; **~ *o.s.*** *or* ***nature*** *euphem.* seine Notdurft verrichten, sich erleichtern.
re•li|gion [rɪ'lɪdʒən] *s* Religion *f*; **~•gious** *adj* □ Religions...; religiös; gewissenhaft.
re•lin•quish [rɪ'lɪŋkwɪʃ] *v/t* aufgeben; verzichten auf (*acc*); loslassen.
rel•ish ['relɪʃ] **1.** *s* (Wohl)Geschmack *m*; Würze *f*; Genuss *m*; *fig.* Reiz *m*; ***with great ~*** mit großem Appetit; *fig.* mit großem Vergnügen, *esp. iro.* mit Wonne; **2.** *v/t* genießen; gern essen; Geschmack *or* Gefallen finden an (*dat*).
re•luc|tance [rɪ'lʌktəns] *s* Widerstreben *n*; *esp. phys.* Widerstand *m*; **~•tant** *adj* □ widerstrebend, widerwillig.
re•ly [rɪ'laɪ] *v/i*: **~ *on*, ~ *upon*** sich verlassen auf (*acc*), bauen auf (*acc*).
re•main [rɪ'meɪn] **1.** *v/i* (ver)bleiben; übrig bleiben; **2.** *s*: **~s** *pl* Überbleibsel *pl*, (Über)Reste *pl*; *a.* ***mortal ~s*** *die*

sterblichen Überreste *pl*; **~•der** *s* Rest *m*.

re•mand *jur.* [rɪ'mɑːnd] **1.** *v/t*: **~ *s.o.*** (***in custody***) *j-n* in Untersuchungshaft halten; **2.** *s a.* **~ *in custody*** Verbleiben *n* in der Untersuchungshaft; ***prisoner on* ~** Untersuchungsgefangene(r *m*) *f*; **~ *home centre*** *Br.* Untersuchungsgefängnis *n* für Jugendliche.

re•mark [rɪ'mɑːk] **1.** *s* Bemerkung *f*; Äußerung *f*; **2.** *v/t* bemerken; äußern; *v/i* sich äußern (***on, upon*** über *acc*, zu); **re•mar•ka•ble** *adj* □ bemerkenswert; außergewöhnlich.

rem•e•dy ['remədɪ] **1.** *s* (Heil-, Hilfs-, Gegen-, Rechts)Mittel *n*; (Ab)Hilfe *f*; **2.** *v/t* heilen; abhelfen (*dat*).

re•mem|ber [rɪ'membə] *v/t and v/i* sich erinnern (an *acc*); denken an (*acc*); beherzigen; ***do you* ~ *when …*** weißt du noch, als *or* wann …; **~ *me to her*** grüße sie von mir; **~•brance** *s* Erinnerung *f*; Gedächtnis *n*; Andenken *n*.

re•mind [rɪ'maɪnd] *v/t j-n* erinnern (***of*** an *acc*); ***that* ~*s me …*** dabei fällt mir ein …; **~•er** *s* Gedächtnisstütze *f*, -hilfe *f*.

rem•i•nis|cence [remɪ'nɪsns] *s* Erinnerung *f*; **~•cent** *adj* □ (sich) erinnernd; ***be* ~ *of*** sich erinnern an.

re•mis•sion [rɪ'mɪʃn] *s* Vergebung *f* (*of sins*); Erlass *m* (*of penalty, etc.*); Nachlassen *n*.

re•mit [rɪ'mɪt] *v/t* (***-tt-***) *sins*: vergeben; *debts, etc.*: erlassen; *money*: überweisen; **~•tance** *s econ.* (Geld)Sendung *f*, Überweisung *f*.

rem•nant ['remnənt] *s* (Über)Rest *m*.

re•mod•el [riː'mɒdl] *v/t* umbilden.

re•mon•strance [rɪ'mɒnstrəns] *s* Einspruch *m*; Protest *m*; **rem•on•strate** ['remənstreɪt] *v/i* Vorhaltungen machen (***about*** wegen; ***with s.o.*** *j-m*); protestieren.

re•morse [rɪ'mɔːs] *s* Gewissensbisse *pl*; Reue *f*; ***without* ~** unbarmherzig; **~•less** *adj* □ unbarmherzig.

re•mote [rɪ'məʊt] *adj* □ (**~*r*, ~*st***) entfernt, entlegen; **~ *control*** *tech.* Fernlenkung *f*, -steuerung *f*, -bedienung *f* (*a. TV*); **~•ness** *s* Entfernung *f*; Abgelegenheit *f*.

re•mov|al [rɪ'muːvl] *s* Entfernen *n*; Beseitigung *f*; *change of house*: Umzug *m*; *dismissal*: Entlassung *f*; **~ *van*** Möbelwagen *m*; **~e** [ˍuːv] **1.** *v/t* entfernen; wegräumen, wegschaffen; beseitigen; entlassen; *v/i* (aus-, um-, ver)ziehen; **2.** *s* Entfernung *f*; *fig.* Schritt *m*, Stufe *f*; **~•er** *s* (Möbel)Spediteur *m*.

Re•nais•sance [rə'neɪsəns] *s die* Renaissance.

re•name [riː'neɪm] *v/t* umbenennen, umtaufen.

re•nas|cence [rɪ'næsns] *s* Wiedergeburt *f*; Erneuerung *f*; Renaissance *f*; **~•cent** [ˍnt] *adj* wieder auflebend, wieder erwachend.

ren•der ['rendə] *v/t* machen; (wieder-) geben; *help, etc.*: leisten; *honour, etc.*: erweisen; *thanks*: abstatten; *translate*: übersetzen; *mus.* vortragen; *thea.* gestalten, interpretieren; *reason*: angeben; *econ. account*: vorlegen; übergeben; machen zu; *fat*: auslassen; **~•ing** *s* Wiedergabe *f*; Vortrag *m*; Interpretation *f*; Übersetzung *f*, Übertragung *f*.

ren•di•tion *esp. Am.* [ren'dɪʃn] *s* Wiedergabe *f*; Interpretation *f*; Vortrag *m*.

ren•e•gade ['renɪgeɪd] *s* Abtrünnige(r *m*) *f*; Renegat(in).

re•new [rɪ'njuː] *v/t* erneuern; *conversation, etc.*: wieder aufnehmen; *strength, etc.*: wiedererlangen; *passport, etc.*: verlängern; **~•a•ble** *adj* erneuerbar; zu erneuern; *passport*: verlängerbar; **~ *sources of energy*** regenerationsfähige Energiequellen; **~•al** *s* Erneuerung *f*; *of passport*: Verlängerung *f*; → ***urban.***

re•nounce [rɪ'naʊns] *v/t* entsagen (*dat*); verzichten auf (*acc*); verleugnen.

ren•o•vate ['renəʊveɪt] *v/t* renovieren; erneuern.

re•nown [rɪ'naʊn] *s* Ruhm *m*, Ansehen *n*; **re•nowned** *adj* berühmt, namhaft.

rent[1] [rent] *s* Riss *m*; Spalte *f*.

rent[2] [ˍ] **1.** *s* Miete *f*; Pacht *f*; ***for* ~** zu vermieten; **2.** *v/t* (ver)mieten, (-)pachten; *car, etc.*: leihen; **~•al** *s* Miete *f*; Pacht *f*; Leihgebühr *f*.

re•nun•ci•a•tion [rɪnʌnsɪ'eɪʃn] *s* Entsagung *f*; Verzicht *m* (***of*** auf *acc*).

re•pair [rɪ'peə] **1.** *s* Ausbesserung *f*, Reparatur *f*; **~*s*** *pl* Instandsetzungsarbeiten *pl*; **~ *shop*** Reparaturwerkstatt *f*; ***in good* ~** in gutem Zustand, gut erhalten; ***out of* ~** baufällig; **2.** *v/t* reparieren, ausbessern; wieder gutmachen.

rep•a•ra•tion [repə'reɪʃn] *s* Wiedergut-

R

machung *f*; Entschädigung *f*; **~s** *pl pol.* Reparationen *pl.*

rep•ar•tee [repɑː'tiː] *s* schlagfertige Antwort; Schlagfertigkeit *f.*

re•pay [riː'peɪ] *v/t* (**-paid**) *et.* zurückzahlen; *visit*: erwidern; *et.* vergelten; *j-n* entschädigen; **~•ment** *s* Rückzahlung *f.*

re•peal [rɪ'piːl] **1.** *s* Aufhebung *f* (*of law*); **2.** *v/t* aufheben; widerrufen.

re•peat [rɪ'piːt] **1.** *v/t* wiederholen; nachsprechen; aufsagen; nachliefern; *v/i* aufstoßen (**on** *dat*) (*food*); **2.** *s* Wiederholung *f*; *mus.* Wiederholungszeichen *n*; **~ order** *econ.* Nachbestellung *f.*

re•pel [rɪ'pel] *v/t* (**-ll-**) *enemy*: zurückschlagen; *fig.* zurückweisen; *j-n* abstoßen; **~•lent** [~ənt] **1.** *adj* abstoßend (*a. fig.*); **2.** *s*: (**insect**) **~** Insektenschutzmittel *n.*

re•per•cus•sion [riːpə'kʌʃn] *s* Rückprall *m*; *mst pl* **~s** Auswirkungen *pl.*

rep•er•to•ry ['repətərɪ] *s thea.* Repertoire *n*; *fig.* Fundgrube *f.*

rep•e•ti•tion [repɪ'tɪʃn] *s* Wiederholung *f*; Aufsagen *n*; Nachbildung *f.*

re•place [rɪ'pleɪs] *v/t* wieder hinstellen *or* -legen; an *j-s* Stelle treten; ablösen; **~•ment** *s* Ersatz *m.*

re•plant [riː'plɑːnt] *v/t* umpflanzen.

re•play *sports* **1.** *s* ['riːpleɪ] Wiederholungsspiel *n*; (**action**) **~** Wiederholung *f*; **2.** *v/t* [riː'pleɪ] *match*: wiederholen.

re•plen•ish [rɪ'plenɪʃ] *v/t* (wieder) auffüllen; ergänzen; **~•ment** *s* Auffüllung *f*; Ergänzung *f.*

re•plete [rɪ'pliːt] *adj* reich ausgestattet, voll(gepfropft) (**with** mit).

rep•li•ca ['replɪkə] *s of painting, etc.*: Originalkopie *f*; Nachbildung *f.*

R

re•ply [rɪ'plaɪ] **1.** *v/i and v/t* antworten, erwidern (**to** auf *acc*); **2.** *s* Antwort *f*, Erwiderung *f*; **in ~ to your letter** in Beantwortung Ihres Schreibens; **~-paid envelope** Freiumschlag *m.*

re•port [rɪ'pɔːt] **1.** *s* Bericht *m*; Meldung *f*, Nachricht *f*; *rumour*: Gerücht *n*; *reputation*: Ruf *m*; *of gun*: Knall *m*; (**school**) **~** (Schul)Zeugnis *n*; **2.** *v/t* berichten (über *acc*); (*v/i* sich) melden; anzeigen; **it is ~ed that** es heißt, (dass); **~ed speech** *gr.* indirekte Rede; **~•er** *s* Reporter(in), Berichterstatter(in).

re•pose [rɪ'pəʊz] **1.** *s* Ruhe *f*; **2.** *v/t* (**o.s.** sich) ausruhen; (aus)ruhen lassen; **~ trust**, *etc.*, **in** Vertrauen *etc.* setzen auf *or* in (*acc*); *v/i* (sich) ausruhen; ruhen; beruhen (**on** auf *dat*).

re•pos•i•to•ry [rɪ'pɒzɪtərɪ] *s* (Waren-) Lager *n*; *fig.* Fundgrube *f*, Quelle *f.*

rep•re|sent [reprɪ'zent] *v/t* darstellen; verkörpern; *thea. part*: darstellen, *play*: aufführen; (fälschlich) hinstellen, darstellen (**as, to be** als); *act for*: vertreten; **~•sen•ta•tion** [~'teɪʃn] *s* Darstellung *f*; *thea.* Aufführung *f*; Vertretung *f*; **~•sen•ta•tive** [~'zentətɪv] **1.** *adj* □ darstellend (**of** *acc*); (stell)vertretend; *a. parl.* repräsentativ; typisch; **2.** *s* Vertreter(in); Bevollmächtigte(r *m*) *f*; Repräsentant(in); *parl.* Abgeordnete(r *m*) *f*; **House of** **℞s** *Am. parl.* Repräsentantenhaus *n.*

re•press [rɪ'pres] *v/t* unterdrücken; *psych.* verdrängen; **re•pres•sion** [~ʃn] *s* Unterdrückung *f*; *psych.* Verdrängung *f.*

re•prieve [rɪ'priːv] **1.** *s* Begnadigung *f*; (Straf)Aufschub *m*; *fig.* Gnadenfrist *f*; **2.** *v/t* begnadigen; *j-m* Strafaufschub *or fig.* e-e Gnadenfrist gewähren.

rep•ri•mand ['reprɪmɑːnd] **1.** *s* Verweis *m*; **2.** *v/t j-m* e-n Verweis erteilen.

re•print 1. *v/t* [riː'prɪnt] neu auflegen *or* drucken, nachdrucken; **2.** *s* ['riːprɪnt] Neuauflage *f*, Nachdruck *m.*

re•pri•sal [rɪ'praɪzl] *s* Repressalie *f*, Vergeltungsmaßnahme *f.*

re•proach [rɪ'prəʊtʃ] **1.** *s* Vorwurf *m*; Schande *f*; **2.** *v/t* vorwerfen (**s.o. with s.th.** *j-m* et.); *j-m* Vorwürfe machen; **~•ful** *adj* □ vorwurfsvoll.

re•pro•cess [riː'prəʊses] *v/t atomic waste*: wieder aufbereiten; **~•ing plant** *s* Wiederaufbereitungsanlage *f.*

re•pro|duce [riːprə'djuːs] *v/t* (wieder) erzeugen; (*v/i* sich) fortpflanzen; wiedergeben, reproduzieren; **~•duc•tion** [~'dʌkʃn] *s* Wiedererzeugung *f*; Fortpflanzung *f*; Reproduktion *f*; **~•duc•tive** [~'dʌktɪv] *adj* Fortpflanzungs…

re•proof [rɪ'pruːf] *s* Tadel *m*, Rüge *f.*

re•prove [rɪ'pruːv] *v/t* tadeln, rügen.

rep•tile *zo.* ['reptaɪl] *s* Reptil *n.*

re•pub|lic [rɪ'pʌblɪk] *s* Republik *f*; **~•li•can 1.** *adj* republikanisch; **2.** *s* Republikaner(in).

re•pu•di•ate [rɪ'pjuːdɪeɪt] *v/t* nicht anerkennen; ab-, zurückweisen; *j-n* verstoßen.

re•pug|nance [rɪ'pʌgnəns] *s* Abneigung *f*, Widerwille *m*; **~•nant** *adj* □ abstoßend; widerlich.
re•pulse [rɪ'pʌls] **1.** *s mil.* Abwehr *f*; Zurück-, Abweisung *f*; **2.** *v/t mil.* zurückschlagen, abwehren; zurück-, abweisen; **re•pul•sion** *s* Abscheu *m*, Widerwille *m*; *phys.* Abstoßung *f*; **re•pulsive** *adj* □ abstoßend (*a. phys.*), widerwärtig.
rep•u•ta|ble ['repjʊtəbl] *adj* □ angesehen, achtbar; ehrbar, anständig; **~•tion** [repjʊ'teɪʃn] *s* Ruf *m*, Ansehen *n*; **repute** [rɪ'pju:t] **1.** *s* Ruf *m*; **2.** *v/t* halten für; ***be ~d*** (***to be***) gelten als; **re•put•ed** *adj* vermeintlich; angeblich.
re•quest [rɪ'kwest] **1.** *s* Bitte *f*, Gesuch *n*; Ersuchen *n*; *econ.* Nachfrage *f*; ***by ~, on ~*** auf Wunsch; ***in*** (***great***) ***~*** (sehr) gesucht *or* begehrt; ***~ stop*** Bedarfshaltestelle *f*; **2.** *v/t* um *et.* bitten *or* ersuchen; *j-n* (höflich) bitten *or* ersuchen.
re•quire [rɪ'kwaɪə] *v/t* verlangen, fordern; brauchen, erfordern; ***if ~d*** falls notwendig; **~d** *adj* erforderlich; **~•ment** *s* (An)Forderung *f*; Erfordernis *n*; *to get a job*: Voraussetzung *f*; ***~s*** *pl* Bedarf *m*.
req•ui|site ['rekwɪzɪt] **1.** *adj* erforderlich; **2.** *s* Erfordernis *n*; (Bedarfs-, Gebrauchs)Artikel *m*; ***toilet ~s*** *pl* Toilettenartikel *pl*; **~•si•tion** [rekwɪ'zɪʃn]; **1.** *s* Anforderung *f*; *mil.* Requisition *f*; **2.** *v/t* anfordern; *mil.* requirieren.
re•sale ['ri:seɪl] *s* Wieder-, Weiterverkauf *m*; ***~ price*** Wiederverkaufspreis *m*.
re•scind *jur.* [rɪ'sɪnd] *v/t judgement, etc.*: aufheben; *contract*: annullieren; **rescis•sion** *jur.* [rɪ'sɪʒn] *s* Aufhebung *f*; Annullierung *f*.
res•cue ['reskju:] **1.** *s* Rettung *f*; Hilfe *f*; Befreiung *f*; **2.** *v/t* retten; befreien.
re•search [rɪ'sɜ:tʃ] **1.** *s* Forschung *f*; Untersuchung *f*; Nachforschung *f*; **2.** *v/i* forschen, Nachforschungen anstellen; *v/t et.* untersuchen, erforschen; **~•er** *s* Forscher(in).
re•sem|blance [rɪ'zembləns] *s* Ähnlichkeit *f* (***to*** mit); ***bear ~ to*** Ähnlichkeit haben mit; **~•ble** [rɪ'zembl] *v/t* gleichen, ähnlich sein (*dat*).
re•sent [rɪ'zent] *v/t* übel nehmen; sich ärgern über (*acc*); **~•ful** *adj* □ ärgerlich; **~•ment** *s* Ärger *m*; Groll *m*.
res•er•va•tion [rezə'veɪʃn] *s of rooms, etc.*: Reservierung *f*, Vorbestellung *f*; Vorbehalt *m*; Reservat(ion *f*) *n*; ***central ~*** *Br. of motorway*: Mittelstreifen *m*.
re•serve [rɪ'zɜ:v] **1.** *s* Reserve *f* (*a. mil.*); Vorrat *m*; *econ.* Rücklage *f*; Zurückhaltung *f*; Vorbehalt *m*; *sports*: Ersatzmann *m*; **2.** *v/t* aufbewahren, aufsparen; (sich) vorbehalten; (sich) zurückhalten mit; *ticket, seat, etc.*: reservieren (lassen), belegen, vorbestellen; **~d** *adj* □ *fig.* zurückhaltend, reserviert.
res•er•voir ['rezəvwɑ:] *s for water*: Behälter *m*, Sammel-, Staubecken *n*; *fig.* Reservoir *n*.
re•side [rɪ'zaɪd] *v/i* wohnen, ansässig sein, s-n Wohnsitz haben; ***~ in*** *fig.* innewohnen (*dat*).
res•i|dence ['rezɪdəns] *s* Wohnsitz *m*, -ort *m*; Aufenthalt *m*; (Amts)Sitz *m*; (herrschaftliches) Wohnhaus; Residenz *f*; ***~ permit*** Aufenthaltsgenehmigung *f*; **~•dent 1.** *adj* wohnhaft; ortsansässig; **2.** *s* Ortsansässige(r *m*) *f*, Einwohner(in); Bewohner(in); Hotelgast *m*; *mot.* Anlieger *m*; **~•den•tial** [rezɪ'denʃl] *adj* Wohn…; ***~ area*** Wohngegend *f*.
re•sid•u•al [rɪ'zɪdjʊəl] *adj* übrig (geblieben); zurückbleibend; restlich; ***~ pollution*** Altlasten *pl*; **res•idue** ['rezɪdju:] *s* Rest *m*; Rückstand *m*.
re•sign [rɪ'zaɪn] *v/t* aufgeben; *office*: niederlegen; überlassen; verzichten auf (*acc*); ***~ o.s. to*** sich ergeben in (*acc*); sich abfinden mit; *v/i* zurücktreten; **res•ig•na•tion** [rezɪg'neɪʃn] *s* Rücktritt(sgesuch *n*) *m*; Resignation *f*; **~ed** [rɪ'zaɪnd] *adj* □ ergeben, resigniert.
re•sil•i|ence [rɪ'zɪlɪəns] *s* Elastizität *f*; *fig.* Unverwüstlichkeit *f*; **~•ent** *adj* elastisch; *fig.* unverwüstlich.
res•in ['rezɪn] *s* Harz *n*.
re•sist [rɪ'zɪst] *v/t* widerstehen (*dat*); sich widersetzen (*dat*); *v/i* Widerstand leisten; **~•ance** *s* Widerstand *m* (*a. electr., phys.*); *med.* Widerstandsfähigkeit *f*; ***line of least ~*** Weg *m* des geringsten Widerstands; **re•sis•tant** *adj* widerstandsfähig.
re•skill [rɪ'skɪl] *v/t* umschulen; **~•ing** Umschulung *f*.
res•o|lute ['rezəlu:t] *adj* □ entschlos-

R

sen, energisch; **~•lu•tion** [rezəˈluːʃn] *s* Entschlossenheit *f*; Bestimmtheit *f*; Beschluss *m*; *pol.* Resolution *f*; Lösung *f*.

re•solve [rɪˈzɒlv] **1.** *v/t* auflösen; *fig.* lösen; *doubts, etc.*: zerstreuen; beschließen, entscheiden; *v/i* (*a.* **~ o.s.**) sich auflösen; **~ on, ~ upon** sich entschließen zu; **2.** *s* Entschluss *m*; Beschluss *m*; **~d** *adj* □ entschlossen.

res•o|nance [ˈrezənəns] *s* Resonanz *f*; **~•nant** *adj* □ nach-, widerhallend.

re•sort [rɪˈzɔːt] **1.** *s* Zuflucht *f*, Ausweg *m*; Aufenthalt(sort) *m*; *holiday* **~**: Urlaubsort *m*, Erholungsort *m*; **health ~** Kurort *m*; **seaside ~** Seebad *n*; **summer ~** Sommerurlaubsort *m*; **2.** *v/i*: **~ to** oft besuchen; seine Zuflucht nehmen zu.

re•sound [rɪˈzaʊnd] *v/i and v/t* widerhallen (lassen).

re•source [rɪˈsɔːs] *s* Hilfsquelle *f*, -mittel *n*; Zuflucht *f*; Findigkeit *f*; **~s** *pl* (natürliche) Reichtümer *pl*, Mittel *pl*, Bodenschätze *pl*; **~•ful** *adj* □ einfallsreich, findig.

re•spect [rɪˈspekt] **1.** *s* Beziehung *f*, Hinsicht *f*; Achtung *f*, Respekt *m*; Rücksicht *f*; **with ~ to ...** was ... (an)betrifft; **in this ~** in dieser Hinsicht; **~s** *pl* Empfehlungen *pl*, Grüße *pl*; **give my ~s to ...** grüßen Sie ... von mir; **2.** *v/t* achten, schätzen; respektieren; betreffen; **as ~s ...** was ... betrifft *or* anbelangt; **re•spec•ta•ble** *adj* □ ehrbar; anständig; angesehen, geachtet (*person*); ansehnlich, beachtlich (*sum*); **~•ful** *adj* □ ehrerbietig; **yours ~ly** hochachtungsvoll; **~•ing** *prp* hinsichtlich (*gen*).

re•spect•ive [rɪˈspektɪv] *adj* □ jeweilig; **we went to our ~ places** wir gingen jeder an seinen Platz; **~•ly** *adv* beziehungsweise.

res•pi•ra|tion [respəˈreɪʃn] *s* Atmung *f*; **~•tor** *med.* [ˈrespəreɪtə] *s* Atemgerät *n*; **re•spire** [rɪˈspaɪə] *v/i* atmen.

re•spite [ˈrespaɪt] *s* Frist *f*; Aufschub *m*; Stundung *f*; Ruhepause *f* (**from** von); **without** (**a**) **~** ohne Unterbrechung.

re•splen•dent [rɪˈsplendənt] *adj* □ glänzend, strahlend.

re•spond [rɪˈspɒnd] *v/i and v/t* antworten, erwidern; **~ to** reagieren *or* ansprechen auf (*acc*).

re•sponse [rɪˈspɒns] *s* Antwort *f*, Erwiderung *f*; *fig.* Reaktion *f*; **meet with little ~** wenig Anklang finden.

re•spon•si|bil•i•ty [rɪspɒnsəˈbɪlətɪ] *s* Verantwortung *f*; **on one's own ~** auf eigene Verantwortung; **sense of ~** Verantwortungsgefühl *n*; **take** (**accept, assume**) **~ for** die Verantwortung übernehmen für; **~•ble** [rɪˈspɒnsəbl] *adj* □ verantwortlich; verantwortungsvoll.

rest[1] [rest] **1.** *s* Ruhe *f*; Rast *f*; Pause *f*, Unterbrechung *f*; Erholung *f*; *tech.* Stütze *f*; (Telefon)Gabel *f*; **have** *or* **take a ~** sich ausruhen; **be at ~** ruhig sein; **2.** *v/i* ruhen; rasten; schlafen; sich lehnen, sich stützen (**on** auf *acc*); **~ on, ~ upon** ruhen auf (*eyes, load*); *fig.* beruhen auf (*dat*); **~ with** *fig.* liegen bei (*mistake, responsibility*); *v/t* (aus)ruhen lassen; stützen (**on** auf *acc*); lehnen (**against** gegen).

rest[2] [~] *s*: **the ~** der Rest; **and all the ~ of it** und so weiter und so fort; **for the ~** im Übrigen.

res•tau•rant [ˈrestərɔ̃ːŋ, ~rɒnt] *s* Restaurant *n*, Gaststätte *f*.

rest•ful [ˈrestfl] *adj* ruhig, erholsam.

rest•ing-place [ˈrestɪŋpleɪs] *s* Ruheplatz *m*; (letzte) Ruhestätte.

res•ti•tu•tion [restɪˈtjuːʃn] *s* Wiederherstellung *f*; Rückerstattung *f*.

res•tive [ˈrestɪv] *adj* □ widerspenstig.

rest•less [ˈrestlɪs] *adj* □ ruhelos; rastlos; unruhig; **~•ness** *s* Ruhelosigkeit *f*; Rastlosigkeit *f*; Unruhe *f*.

res•to•ra•tion [restəˈreɪʃn] *s* Wiederherstellung *f*; Wiedereinsetzung *f*; Restaurierung *f*; Rekonstruktion *f*, Nachbildung *f*; (Rück)Erstattung *f*.

re•store [rɪˈstɔː] *v/t* wieder herstellen; wieder einsetzen (**to** in *acc*); restaurieren; (rück)erstatten, zurückgeben; zurücklegen; **~ s.o.** (**to health**) *j-n* wieder herstellen.

re•strain [rɪˈstreɪn] *v/t* zurückhalten (**from** von); in Schranken halten; bändigen, zügeln; *emotions*: unterdrücken; **~t** *s* Zurückhaltung *f*; Zwang *m*.

re•strict [rɪˈstrɪkt] *v/t* be-, einschränken; **re•stric•tion** *s* Be-, Einschränkung *f*; *econ. often pl* Restriktionen *pl*; **without ~s** uneingeschränkt.

rest room *Am.* [ˈrestruːm] *s* Toilette *f*.

re•struc•ture [riːˈstrʌktʃə] *v/t economy, etc.*: umstrukturieren.

re•sult [rɪ'zʌlt] **1.** *s* Ergebnis *n*, Resultat *n*; Folge *f*; **2.** *v/i* folgen, sich ergeben (***from*** aus); **~ *in*** hinauslaufen auf (*acc*), zur Folge haben.

re•sume [rɪ'zjuːm] *v/t* wieder aufnehmen; fortsetzen; *seat*: wieder einnehmen; **re•sump•tion** [rɪ'zʌmpʃn] *s* Wiederaufnahme *f*; Fortsetzung *f*.

re•sur•rec•tion [rezə'rekʃn] *s* Wiederaufleben *n*; ♀ *eccl.* Auferstehung *f*.

re•sus•ci•tate [rɪ'sʌsɪteɪt] *v/t* wieder beleben; *fig.* wieder aufleben lassen.

re•tail **1.** ['riːteɪl] *s* Einzelhandel *m*; ***by ~***, *adv* **~** im Einzelhandel; **2.** *adj* [-] Einzelhandels…; **3.** *v/t* [riː'teɪl] im Einzelhandel verkaufen; **~•er** *s* Einzelhändler(in); **~ price** *s econ.* Einzelhandelspreis *m*; **~ *index*** *econ.* Einzelhandelspreisindex *m*.

re•tain [rɪ'teɪn] *v/t* behalten; zurück(be)halten; beibehalten; **~ *power*** an der Macht bleiben.

re•tal•i|ate [rɪ'tælɪeɪt] *v/i* Vergeltung üben, sich revanchieren (***against*** an *dat*); *sports*: *a.* kontern; **~•a•tion** [rɪtælɪ'eɪʃn] *s* Vergeltung *f*.

re•tard [rɪ'tɑːd] *v/t* verzögern, aufhalten, hemmen; **(*mentally*) *~ed*** *psych.* (geistig) zurückgeblieben.

retch [retʃ] *v/i* würgen.

re•tell [riː'tel] *v/t* **(*-told*)** nacherzählen; wiederholen.

re•think [riː'θɪŋk] *v/t* **(*-thought*)** *et.* nochmals überdenken.

ret•i•cent ['retɪsənt] *adj* verschwiegen; schweigsam; zurückhaltend.

ret•i•nue ['retɪnjuː] *s* Gefolge *n*.

re•tire [rɪ'taɪə] *v/t* zurückziehen; pensionieren; *v/i* sich zurückziehen; zurück-, abtreten; sich zur Ruhe setzen; in Pension *or* Rente gehen, sich pensionieren lassen; **~d** *adj* □ zurückgezogen; pensioniert, im Ruhestand (lebend); ***be ~*** in Pension *or* Rente sein; **~ *pay*** Ruhegeld *n*; **~•ment** *s* Ausscheiden *n*, Aus-, Rücktritt *m*; Ruhestand *m*; Zurückgezogenheit *f*; **~ *pension*** Ruhegeld *n*; **re•tir•ing** *adj* zurückhaltend.

re•tort [rɪ'tɔːt] **1.** *s* (scharfe *or* treffende) Erwiderung; **2.** *v/t* (scharf *or* treffend) erwidern.

re•touch [riː'tʌtʃ] *v/t et.* überarbeiten; *phot.* retuschieren.

re•trace [rɪ'treɪs] *v/t* zurückverfolgen; **~ *one's steps*** zurückgehen.

re•tract [rɪ'trækt] *v/t offer*: zurückziehen; *statement*: zurücknehmen; *claws, aer. undercarriage*: einziehen; *v/i* eingezogen werden (*claws, undercarriage*).

re•train [riː'treɪn] *v/t and v/i* umschulen; ***~ing course*** Umschulung *f*; ***~ing measure*** (*or **scheme***) Umschulungsmaßnahme *f*; **~•ee** [riː'treɪniː] Umschüler(in).

re•tread **1.** *v/t* [riː'tred] *tyres*: runderneuern; **2.** *s* ['riːtred] runderneuerter Reifen.

re•treat [rɪ'triːt] **1.** *s* Rückzug *m*; Zuflucht(sort *m*) *f*; Schlupfwinkel *m*; ***sound the ~*** *mil.* zum Rückzug blasen; **2.** *v/i* sich zurückziehen.

ret•ri•bu•tion [retrɪ'bjuːʃn] *s* Vergeltung *f*; ***in ~*** als Vergeltung.

re•trieve [rɪ'triːv] *v/t* wieder finden, -bekommen; -gewinnen, -erlangen; wieder gutmachen; *hunt.* apportieren.

ret•ro- ['retrəʊ] (zu)rück…; **~•ac•tive** *jur.* [-'æktɪv] *adj* □ rückwirkend; **~•grade** ['-greɪd] *adj* rückläufig; rückschrittlich; **~•spect** [-spekt] *s* Rückblick *m*; **~•spec•tive** [-'spektɪv] *adj* □ (zu)rückblickend; *jur.* rückwirkend.

re•try *jur.* [riː'traɪ] *v/t* wieder aufnehmen, neu verhandeln.

re•turn [rɪ'tɜːn] **1.** *s* Rück-, Wiederkehr *f*; Wiederauftreten *n*; *Br.* Rückfahrkarte *f*, *aer.* Rückflugticket *n*; *econ.* Rückzahlung *f*; Rückgabe *f*; Entgelt *n*, Gegenleistung *f*; (amtlicher) Bericht; (Steuer)Erklärung *f*; *parl.* Wahl *f* (*of candidate*); *sports*: Rückspiel *n*; *tennis, etc.*: Rückschlag *m*, Return *m*; Erwiderung *f*; *attr* Rück…; **~s** *pl econ.* Umsatz *m*; Ertrag *m*, Gewinn *m*; ***many happy ~s of the day*** herzliche Glückwünsche zum Geburtstag; ***in ~ for*** (als Gegenleistung) für; ***by ~ (of post), by ~ mail*** *Am.* postwendend; **~ *match*** *sports*: Rückspiel *n*; **~ *ticket*** *Br.* Rückfahrkarte *f*, *aer.* Rückflugticket *n*; **2.** *v/i* zurückkehren, -kommen; wieder kommen; *v/t* zurückgeben; *money*: zurückzahlen; zurückschicken, -senden; zurückstellen, -bringen, -tun; *profit*: abwerfen; (zur Steuerveranlagung) angeben; *parl. candidate*: wählen; (*tennis, etc.*) *ball*: zurückschlagen, -geben; erwidern; vergelten; **~ *a verdict of guilty***

jur. j-n schuldigsprechen.

re•u•ni•fi•ca•tion *pol.* [riːjuːnɪfɪˈkeɪʃn] *s* Wiedervereinigung *f.*

re•u•nion [riːˈjuːnɪən] *s* Wiedervereinigung *f;* Treffen *n,* Zusammenkunft *f.*

re•val•ue *econ.* [riːˈvæljuː] *v/t currency:* aufwerten.

re•vamp F [riːˈvæmp] *v/t* renovieren; *company:* auf Vordermann bringen; *text, etc.:* überarbeiten.

re•veal [rɪˈviːl] *v/t* enthüllen; offenbaren; **~•ing** *adj* aufschlussreich.

rev•el [ˈrevl] *v/i* (*esp. Br.* **-ll-**, *Am.* **-l-**) ausgelassen sein; **~ *in*** schwelgen in (*dat*); sich weiden an (*dat*).

rev•e•la•tion [revəˈleɪʃn] *s* Enthüllung *f;* Offenbarung *f.*

rev•el•ry [ˈrevlrɪ] *s* (laute) Festlichkeit.

re•venge [rɪˈvendʒ] **1.** *s* Rache *f; esp. sports, match:* Revanche *f;* ***in* ~ *for*** als Rache für; **2.** *v/t* rächen; **~•ful** *adj* □ rachsüchtig; **re•veng•er** *s* Rächer(in).

rev•e•nue *econ.* [ˈrevənjuː] *s* Staatseinkünfte *pl,* -einnahmen *pl; Br.* ***Inland*** ♀ Finanzamt *n.*

re•ver•be•rate *phys.* [rɪˈvɜːbəreɪt] *v/t* zurückwerfen; zurückstrahlen; *v/i* widerhallen.

re•vere [rɪˈvɪə] *v/t* (ver)ehren.

rev•e|rence [ˈrevərəns] **1.** *s* Verehrung *f;* Ehrfurcht *f;* **2.** *v/t* (ver)ehren; **~•rend;** **1.** *adj* ehrwürdig; **2.** *s* Geistliche(r) *m.*

rev•e|rent [ˈrevərənt], **~•ren•tial** [ˌ-ˈrenʃl] *adj* □ ehrerbietig, ehrfurchtsvoll.

re•vers|al [rɪˈvɜːsl] *s* Umkehrung *f,* Umschwung *m;* **~e** **1.** *s* Gegenteil *n;* Rück-, Kehrseite *f; mot.* Rückwärtsgang *m;* Rückschlag *m;* **2.** *adj* □ umgekehrt; Rück(wärts)...; ***in* ~ *order*** in umgekehrter Reihenfolge; **~ *gear*** *mot.* Rückwärtsgang *m;* **~ *side*** *of cloth:* linke (Stoff)Seite; **3.** *v/t* umkehren; *judgement:* umstoßen; *mot. car:* rückwärtsfahren; *v/i mot.* zurücksetzen, -stoßen; **~•i•ble** *adj* □ doppelseitig (tragbar).

re•vert [rɪˈvɜːt] *v/i* (***to***) zurückkehren (zu); zurückkommen (auf *acc*); wieder zurückfallen (in *acc*); *jur.* zurückfallen (an *j-n*).

re•view [rɪˈvjuː] **1.** *s* Nachprüfung *f,* (Über)Prüfung *f,* Revision *f; mil.* Parade *f;* Rückblick *m; of book:* (Buch)Besprechung *f,* Kritik *f,* Rezension *f;* ***pass s.th. in* ~** et. Revue passieren lassen; **2.** *v/t* (über-, nach)prüfen; *mil.* inspizieren; *book, etc.:* besprechen, rezensieren; *fig.* überblicken, -schauen; **~•er** *s* Rezensent(in).

re•vise [rɪˈvaɪz] *v/t* überarbeiten, durchsehen, revidieren; *Br.* (*v/i* den Stoff) wiederholen (***for*** *an exam* für); **re•vi•sion** [rɪˈvɪʒn] *s* Revision *f;* Überarbeitung *f; Br.* Wiederholung.

re•viv•al [rɪˈvaɪvl] *s* Wiederbelebung *f;* Wiederaufleben *n,* -blühen *n;* Erneuerung *f; fig.* Erweckung *f;* **re•vive** *v/t* wieder beleben; wieder aufleben lassen; wieder herstellen; *v/i* wieder aufleben; sich erholen.

re•voke [rɪˈvəʊk] *v/t* widerrufen, zurücknehmen, rückgängig machen.

re•volt [rɪˈvəʊlt] **1.** *s* Revolte *f,* Aufstand *m,* -ruhr *m;* **2.** *v/i* sich auflehnen, revoltieren (***against*** gegen); *v/t fig.* abstoßen; **~•ing** *adj* □ abstoßend; ekelhaft; scheußlich.

rev•o•lu•tion [revəˈluːʃn] *s tech.* Umdrehung *f; fig.* Revolution *f* (*a. pol.*), Umwälzung *f,* Umschwung *m;* **~•ar•y** **1.** *adj* revolutionär; Revolutions...; **2.** *s pol. and fig.* Revolutionär(in); **~•ize** *v/t fig.* revolutionieren.

re•volve [rɪˈvɒlv] *v/i* sich drehen (***about, round*** um); **~ *around*** *fig.* sich um *j-n or et.* drehen; *v/t* drehen; **re•volv•ing** *adj* sich drehend, Dreh...

re•vue [rɪˈvjuː] *s* Revue *f;* Kabarett *n.*

re•vul•sion *fig.* [rɪˈvʌlʃn] *s* Abscheu *m.*

re•ward [rɪˈwɔːd] **1.** *s* Belohnung *f;* Entgelt *n;* **2.** *v/t* belohnen; **~ card** *s econ.* Kundenkarte *f,* Paybackkarte *f;* **~•ing** *adj* □ lohnend; *task:* dankbar.

re•write [riːˈraɪt] *v/t* (***-wrote, -written***) neu (*or* um)schreiben.

rhap•so•dy [ˈræpsədɪ] *s mus.* Rhapsodie *f; fig.* Schwärmerei *f,* Wortschwall *m.*

rhe•to•ric [ˈretərɪk] *s* Rhetorik *f; fig. contp.* leere Phrasen *pl.*

rheu•ma•tis•m *med.* [ˈruːmətɪzəm] *s* Rheumatismus *m.*

Rhine [raɪn] *der* Rhein.

Rhodes [rəʊdz] Rhodos *n.*

rhu•barb *bot.* [ˈruːbɑːb] *s* Rhabarber *m.*

rhyme [raɪm] **1.** *s* Reim *m;* Vers *m;* ***without* ~ *or reason*** ohne Sinn und Verstand; **2.** *v/i and v/t* (sich) reimen.

rhyth|m [ˈrɪðəm] *s* Rhythmus *m;* **~•mic**

(**~ally**), **~•mi•cal** *adj* □ rhythmisch.

rib [rɪb] **1.** *s anat.* Rippe *f*; **2.** *v/t* (**-bb-**) F hänseln, aufziehen.

rib•ald ['rɪbəld] *adj* lästerlich, zotig.

rib•bon ['rɪbən] *s* Band *n*; Ordensband *n*; Farbband *n*; Streifen *m*; **~s** *pl* Fetzen *pl.*

rib cage *anat.* ['rɪbkeɪdʒ] *s* Brustkorb *m.*

rice *bot.* [raɪs] *s* Reis *m.*

rich [rɪtʃ] **1.** *adj* □ reich (**in** an *dat*); *splendid*: prächtig, kostbar; fruchtbar, fett (*soil*); voll (*sound*); schwer, nahrhaft (*food*); schwer (*wine, smell*); satt (*colour*); **2.** *s*: **the ~** *pl* die Reichen *pl*; **~•es** *s pl* Reichtum *m*, Reichtümer *pl.*

rid [rɪd] *v/t* (**-dd-**; **rid**) befreien, frei machen (**of** von); **get ~ of** loswerden.

rid•dance F ['rɪdəns] *s*: **good ~!** den (die, das) wären wir (Gott sei Dank) los!

rid•den ['rɪdn] **1.** *pp of* **ride** 2; **2.** *in compounds*: geplagt von …; **fever-~** fieberkrank.

rid•dle[1] ['rɪdl] *s* Rätsel *n.*

rid•dle[2] [~] **1.** *s* grobes (Draht)Sieb; **2.** *v/t* durchsieben; durchlöchern.

ride [raɪd] **1.** *s* Ritt *m*; Fahrt *f*; Reitweg *m*; **give s.o. a ~** *j-n* (im Auto) mitnehmen; **2.** (**rode, ridden**) *v/i* reiten; fahren (**on a bicycle** auf e-m Fahrrad; **in**, *Am.* **on a bus** im Bus); *v/t horse, etc.*: reiten; *bicycle, motorbike*: fahren, fahren auf (*dat*); **rid•er** *s* Reiter(in); Fahrer(in).

ridge [rɪdʒ] *s* (Gebirgs)Kamm *m*, Grat *m*; *arch.* First *m*; *agr.* Rain *m*; **~ tent** *s* Hauszelt *n.*

rid•i•cule ['rɪdɪkjuːl] **1.** *s* Spott *m*; **2.** *v/t* lächerlich machen, verspotten; **ri•dic•u•lous** [rɪ'dɪkjʊləs] *adj* □ lächerlich; **make o.s.** (**look**) **~** sich lächerlich machen.

rid•ing ['raɪdɪŋ] *s* Reiten *n*; *attr* Reit…

riff-raff ['rɪfræf] *s* Gesindel *n.*

ri•fle[1] ['raɪfl] *s* Gewehr *n*; Büchse *f.*

ri•fle[2] [~] *v/t* (aus)plündern; durchwühlen.

rift [rɪft] *s* Riss *m*, Sprung *m*; Spalte *f.*

rig[1] [rɪg] *v/t* (**-gg-**) manipulieren.

rig[2] [~] **1.** *s mar.* Takelage *f*; *tech.* Bohranlage *f*, -turm *m*, Förderturm *m*; F Aufmachung *f*; **2.** *v/t* (**-gg-**) *ship*: auftakeln; **~ up** F (behelfsmäßig) herrichten, zusammenbauen; **~•ging** *s mar.* Takelage *f.*

right [raɪt] **1.** *adj* □ recht; richtig; rechte(r, -s), Rechts…; **all ~!** in Ordnung!, gut!; **that's all ~!** das macht nichts!, schon gut!, bitte!; **I am perfectly all ~** mir geht es ausgezeichnet; **that's ~!** richtig!, ganz recht!, stimmt!; **be ~** recht haben; **put ~, set ~** in Ordnung bringen; berichtigen, korrigieren; …, **~? …**, nicht wahr?, oder (nicht)?; **2.** *adv* rechts; recht, richtig; gerade(-wegs), direkt; ganz (und gar); genau, gerade; **~ away** sofort; **~ on** geradeaus; **turn ~** (sich) nach rechts wenden, rechts abbiegen; **3.** *s* Recht *n*; Rechte *f* (*a. pol., boxing*), rechte Seite *or* Hand; **by ~ of** aufgrund (*gen*); **on** *or* **to the ~** rechts; **~ of way** Durchgangsrecht *n*; *mot.* Vorfahrt *f*; **4.** *v/t* aufrichten; *et.* wieder gutmachen; in Ordnung bringen; **~•eous** ['raɪtʃəs] *adj* □ rechtschaffen; selbstgerecht; gerecht(fertigt), berechtigt; **~•ful** *adj* □ rechtmäßig; gerecht; **~-hand** *adj* rechte(r, -s); **~ drive** Rechtssteuerung *f*; **~-hand•ed** *adj* rechtshändig; **~•ly** *adv* richtig; mit Recht; **~-wing** *adj pol.* rechte(r, -s), rechtsgerichtet.

rig•id ['rɪdʒɪd] *adj* □ starr, steif; *fig.* streng, hart; **~•i•ty** [rɪ'dʒɪdətɪ] *s* Starrheit *f*; Strenge *f*, Härte *f.*

rig•or•ous ['rɪgərəs] *adj* □ streng, rigoros; (peinlich) genau.

rig•o(u)r ['rɪgə] *s* Strenge *f*, Härte *f.*

rile F [raɪl] *v/t* ärgern, reizen.

rim [rɪm] *s* Rand *m*; Krempe *f*; Felge *f*; Radkranz *m*; **~•less** *adj* randlos (*glasses*); **~med** *adj* mit (e-m) Rand.

ring[1] [rɪŋ] **1.** *s* Klang *m*; Geläut(e) *n*; Klingeln *n*, Läuten *n*; (Telefon)Anruf *m*; **give s.o. a ~** *j-n* anrufen; **there was a ~ at the door** es hat geklingelt; **2.** *v/i and v/t* (**rang, rung**) läuten; klingeln; klingen; erschallen; *esp. Br. teleph.* anrufen; **~ the bell** läuten, klingeln; F *fig.* **this tune ~s a bell** diese Melodie kommt mir bekannt vor; *esp. Br. teleph.* **~ back** zurückrufen; **~ off** (den Hörer) auflegen, Schluss machen; **~ s.o. up** *j-n or* bei *j-m* anrufen.

ring[2] [~] **1.** *s* Ring *m*; Kreis *m*; Manege *f*; (Box)Ring *m*; (Verbrecher-, Spionage- *etc.*)Ring *m*; **2.** *v/t* umringen; beringen; **~ bind•er** *s* Ringbuch *n*; **~•lead•er** *s* Rädelsführer *m*; **~•let** *s* (Ringel)Locke

R

f; **~•mas•ter** *s* Zirkusdirektor *m*; **~ road** *s Br.* Umgehungsstraße *f*; Ringstraße *f*; **~•side** *s*: ***at the ~*** *boxing*: am Ring; **~ *seat*** Ringplatz *m*; Manegenplatz *m*.

ring•tone ['rɪŋtəʊn] *s for mobile phone*: Klingelton *m*.

rink [rɪŋk] *s* (*esp.* Kunst)Eisbahn *f*; Rollschuhbahn *f*.

rinse [rɪns] **1.** *s* Spülung *f*; **2.** *v/t often* **~ *out*** (ab-, aus)spülen.

ri•ot ['raɪət] **1.** *s* Aufruhr *m*; Tumult *m*, Krawall *m*; ***run ~*** randalieren; **2.** *v/i* Krawall machen, randalieren; e-n Aufstand machen; **~•er** *s* Aufrührer(in); Randalierer *m*; **~•ous** *adj* □ aufrührerisch; lärmend; ausgelassen, wild.

rip [rɪp] **1.** *s* Riss *m*; **2.** (***-pp-***) *v/t* zerreißen; *v/t* (zer)reißen; F sausen, rasen.

ripe [raɪp] *adj* □ reif; **rip•en** *v/i and v/t* reifen (lassen), reif werden; **~•ness** *s* Reife *f*.

rip•ple ['rɪpl] **1.** *s* kleine Welle; Kräuselung *f*; Rieseln *n*; **2.** *v/i and v/t* (sich) kräuseln; rieseln.

rise [raɪz] **1.** *s* (An-, Auf)Steigen *n*; (Preis-, Gehalts-, Lohn)Erhöhung *f*; Steigung *f*; Anhöhe *f*; *origin*: Ursprung *m*; *fig.* Aufstieg *m*; ***give ~ to*** verursachen, führen zu; **2.** *v/i* (***rose, risen***) sich erheben, aufstehen; *end a meeting*: die Sitzung schließen; auf-, hoch-, emporsteigen; (an)steigen; sich erheben, emporragen; aufkommen (*storm, etc.*); *eccl.* auferstehen; aufgehen (*sun, seed*); entspringen (*river*); (an)wachsen, sich steigern; sich erheben, revoltieren; *in one's job*: aufsteigen; ***~ to the occasion*** sich der Lage gewachsen zeigen; F ***~ and shine!*** F raus aus den Federn!; **ris•en** *pp of* ***rise*** 2; **ris•er** *s*: ***early ~*** Frühaufsteher(in).

ris•ing ['raɪzɪŋ] *s* (An-, Auf)Steigen *n*; *ast.* Aufgehen *n*, -gang *m*; Aufstand *m*.

risk [rɪsk] **1.** *s* Gefahr *f*, Wagnis *n*, Risiko *n* (*a. econ.*); ***be at ~*** in Gefahr sein; ***run the ~ of doing s.th.*** Gefahr laufen, et. zu tun; ***run or take a ~*** ein Risiko eingehen; **2.** *v/t* wagen, riskieren; **~•y** *adj* □ riskant, gefährlich, gewagt.

rite [raɪt] *s* Ritus *m*; Zeremonie *f*; **rit•u•al** ['rɪtʃʊəl] **1.** *adj* □ rituell; Ritual...; **2.** *s* Ritual *n*.

ri•val ['raɪvl] **1.** *s* Rival|e *m*, -in *f*, Konkurrent(in); **2.** *adj* rivalisierend, Konkurrenz...; **3.** *v/t* (*esp. Br.* ***-ll-***, *Am.* ***-l-***) rivalisieren *or* konkurrieren mit; **~•ry** *s* Rivalität *f*; Konkurrenz(kampf *m*) *f*.

riv•er ['rɪvə] *s* Fluss *m*, Strom *m* (*a. fig.*); **~•side 1.** *s* Flussufer *n*; **2.** *adj* am Ufer *or* Fluss (gelegen).

riv•et ['rɪvɪt] **1.** *s tech.* Niet(e *f*) *m*, *n*; **2.** *v/t tech.* (ver)nieten; *fig. eyes, etc.*: heften; *fig.* fesseln.

road [rəʊd] *s* (Auto-, Land)Straße *f*; *fig.* Weg *m*; ***on the ~*** unterwegs; *thea.* auf Tournee; ***across the ~*** über die *or* der Straße, gegenüber; ***is this the ~ to ...?*** geht es hier nach ...?; ***the ~ to success*** der Weg zum Erfolg; **~ ac•ci•dent** *s* Verkehrsunfall *m*; **~•block** *s* Straßensperre *f*; **~ haul•age** *s* Spedition *f*; **~ haul•i•er** *s* Spediteur *m*; **~-hog** *s* Verkehrsrowdy *m*; **~ map** *s* Straßenkarte *f*; **~ safe•ty** *s* Verkehrssicherheit *f*; **~•side 1.** *s* Straßen-, Wegrand *m*; **2.** *adj* an der Landstraße (gelegen); **~•way** *s* Fahrbahn *f*; **~ works** *s pl* Straßenbauarbeiten *pl*; **~•wor•thy** *adj mot.* verkehrssicher.

roam [rəʊm] *v/i* (umher)streifen, (-)wandern; *v/t* durchstreifen.

roar [rɔː] **1.** *v/i* brüllen (*a. v/t*); brausen, tosen, donnern; **2.** *s* Brüllen *n*, Gebrüll *n*; Brausen *n*; Krachen *n*, Getöse *n*; *laughter*: schallendes Gelächter.

roast [rəʊst] **1.** *s* Braten *m*; **2.** *v/t* braten; rösten; **3.** *adj* gebraten; **~ *beef*** Rost- *or* Rinderbraten *m*.

rob [rɒb] *v/t* (***-bb-***) berauben; **~•ber** *s* Räuber *m*; **~•ber•y** *s* Raub *m*; **~ *with violence*** *jur.* schwerer Raub.

robe [rəʊb] *s* (Amts)Robe *f*, Talar *m*; Bade-, Hausmantel *m*, Morgenrock *m*.

rob•in *zo.* ['rɒbɪn] *s* Rotkehlchen *n*.

ro•bot ['rəʊbɒt] *s* Roboter *m*.

ro•bust [rə'bʌst] *adj* □ robust, kräftig.

rock [rɒk] **1.** *s* Fels(en) *m*; Klippe *f*; Gestein *n*; *Br. sweet*: Zuckerstange *f*; ***on the ~s*** *a)* mit Eiswürfeln (*whisky, etc.*) *b)* kaputt, in die Brüche gegangen (*marriage*); **~ *crystal*** Bergkristall *m*; **2.** *v/t* schaukeln, wiegen; erschüttern (*a. fig.*); **~-bot•tom** *s* F: **~ *prices*** *pl* Schleuderpreise *pl*; ***our spirits reached ~*** unsere Stimmung sank auf den Nullpunkt.

rock•er ['rɒkə] *s* Kufe *f*; *Am.* Schaukelstuhl *m*; *Br.* Rocker *m*; ***off one's ~*** *sl.* übergeschnappt.

rock•et ['rɒkɪt] *s* Rakete *f*; *attr* Raketen…; **~-pro•pelled** *adj* mit Raketenantrieb; **~•ry** *s* Raketentechnik *f*.
rock•ing|-chair ['rɒkɪŋtʃeə] *s* Schaukelstuhl *m*; **~-horse** *s* Schaukelpferd *n*.
rock•y ['rɒkɪ] *adj* felsig, Felsen…
rod [rɒd] *s* Rute *f*; Stab *m*; *tech.* Stange *f*.
rode [rəʊd] *pret of* ***ride*** 2.
ro•dent *zo.* ['rəʊdənt] *s* Nagetier *n*.
ro•de•o [rəʊ'deɪəʊ] *s* (*pl* ***-os***) Rodeo *m*, *n*.
roe[1] *zo.* [rəʊ] *s* Reh *n*.
roe[2] *zo.* [~] *s a.* ***hard ~*** Rogen *m*; *a.* ***soft ~*** Milch *f*.
rogue [rəʊg] *s* Schurke *m*, Gauner *m*; Schlingel *m*, Spitzbube *m*; **ro•guish** *adj* □ spitzbübisch.
role, **rôle** *thea.* [rəʊl] *s* Rolle *f* (*a. fig.*).
roll [rəʊl] **1.** *s* Rolle *f*; Brötchen *n*, Semmel *f*; (*esp. of names*: Namens-, Anwesenheits)Liste *f*; Brausen *n*; *of thunder*: Rollen *n*; *of drums*: Wirbel *m*; *mar.* Schlingern *n*; **2.** *v/t* rollen; wälzen; walzen; *cigarette*: drehen; ***~ up*** *sleeve*: hochkrempeln; *mot. window*: hochkurbeln; *v/i* rollen; fahren; sich wälzen; (g)rollen (*thunder*); dröhnen; brausen; wirbeln (*drums*); *mar.* schlingern; **~-call** *s* Namensaufruf *m*; *mil.* Appell *m*.
roll•er ['rəʊlə] *s* Rolle *f*, Walze *f*; (Locken)Wickler *m*; *mar.* Sturzwelle *f*, Brecher *m*; **~ coast•er** *s* Achterbahn *f*; **~ skate** *s* Rollschuh *m*; **~-skate** *v/i* Rollschuh laufen; **~-skat•ing** *s* Rollschuhlaufen *n*; **~ tow•el** *s* Rollhandtuch *n*.
rol•lick•ing ['rɒlɪkɪŋ] *adj* übermütig.
roll•ing ['rəʊlɪŋ] *adj* rollend *etc.*; Roll…, Walz…; ***~ mill*** *tech.* Walzwerk *n*; ***~ pin*** Nudelholz *n*.
roll-neck ['rəʊlnek] **1.** *s* Rollkragen(-pullover) *m*; **2.** *adj* Rollkragen…; **~ed** *adj* Rollkragen…
ROM [rɒm] *Computer*: ***read only memory*** Nur-Lese-Speicher *m*, Fest(wert)speicher *m*.
Ro•man ['rəʊmən] **1.** *adj* römisch; **2.** *s* Römer(in).
ro•mance[1] [rəʊ'mæns] **1.** *s* (Ritter-, Vers)Roman *m*; Abenteuer-, Liebesroman *m*; Romanze *f* (*a. fig.*); Romantik *f*, Zauber *m*; **2.** *v/i* fantasieren.
Ro•mance[2] *ling.* [~] *s* (*a. adj*: ***~ languages***) die romanischen Sprachen *pl*.
Ro•ma•nia [ruː'meɪnjə; rʊ~; *Am.* rəʊ~] Rumänien *n*.
Ro•ma•ni•an [ruː'meɪnɪən] **1.** *adj* rumänisch; **2.** *s* Rumän|e *m*, -in *f*; *ling.* Rumänisch *n*.
ro•man|tic [rə'mæntɪk] **1.** *adj* (***~ally***) romantisch (veranlagt); **2.** *s* Romantiker(in); Schwärmer(in); **~•ti•cis•m** *s* Romantik *f*.
Rome [rəʊm] Rom *n*.
romp [rɒmp] **1.** *s* Tollen *n*, Toben *n*; **2.** *v/i a.* ***~ about, ~ around*** herumtollen, -toben; **~•er-suit** *s*, *a.* **~•ers** *s pl* Strampelanzug *m*, -hose *f*.
roof [ruːf] **1.** *s* Dach *n* (*a. fig.*); ***~ of the mouth*** *anat.* Gaumen *m*; **2.** *v/t* mit e-m Dach versehen; ***~ in, ~ over*** überdachen; **~•ing**; **1.** *s* Material *n* zum Dachdecken; **2.** *adj* Dach…; ***~ felt*** Dachpappe *f*; **~ rack** *s* Dachgepäckträger *m*.
rook [rʊk] **1.** *s chess*: Turm *m*; *zo.* Saatkrähe *f*; **2.** *v/t* betrügen (***of*** um).
room [ruːm] **1.** *s* Raum *m*; Platz *m*; Zimmer *n*; *fig.* Spielraum *m*; **~s** *pl* (Miet-)Wohnung *f*; **2.** *v/i Am.* wohnen; **~•er** *s esp. Am.* Untermieter(in); **~•ing house** *s Am.* Fremdenheim *n*, Pension *f*; **~•mate** *s* Zimmergenoss|e *m*, -in *f*; **~•y** *adj* □ (***-ier, -iest***) geräumig.
roost [ruːst] **1.** *s* Schlafplatz *m* (*of birds*); Hühnerstange *f*; **2.** *v/i* sich zum Schlaf niederhocken (*birds*); **~•er** *s esp. Am. zo.* (Haus)Hahn *m*.
root [ruːt] **1.** *s* Wurzel *f*; **2.** *v/i* Wurzeln schlagen; wühlen (***for*** nach); ***~ about, ~ around*** herumwühlen (***among*** in *dat*); *v/t* tief einpflanzen; ***~ out*** ausrotten; ***~ up*** ausgraben; **~•ed** *adj* eingewurzelt; ***deeply ~*** *fig.* tief verwurzelt; ***stand ~ to the spot*** wie angewurzelt stehen (bleiben).
rope [rəʊp] **1.** *s* Tau *n*; Seil *n*; Strick *m*; Schnur *f* (*pearls, etc.*); ***be at the end of one's ~*** mit s-m Latein am Ende sein; ***know the ~s*** sich auskennen; **2.** *v/t* verschnüren; festbinden; ***~ off*** (durch ein Seil) absperren *or* abgrenzen; **~ ladder** *s* Strickleiter *f*; **~ tow** *s* Schlepplift *m*; **~•way** *s* (Seil)Schwebebahn *f*.
ro•sa•ry *eccl.* ['rəʊzərɪ] *s* Rosenkranz *m*.
rose[1] [rəʊz] *s bot.* Rose *f*; (Gießkannen)Brause *f*; Rosa-, Rosenrot *n*.
rose[2] [~] *pret of* ***rise*** 2.

R

ros•trum ['rɒstrəm] *s* (*pl* ***-tra*** [-trə], ***-trums***) Rednertribüne *f*, -pult *n*.

ros•y ['rəʊzɪ] *adj* □ (***-ier, -iest***) rosig.

rot [rɒt] **1.** *s* Fäulnis *f*; *Br.* F Quatsch *m*; **2.** (***-tt-***) *v/t* (ver)faulen lassen; *v/i* (ver-) faulen, (-)modern, verrotten.

ro•ta•ry ['rəʊtərɪ] *adj* rotierend, sich drehend; Rotations…; **ro•tate** [rəʊ'teɪt] *v/i and v/t* rotieren (*a. pol.*) *or* kreisen (lassen), (sich) drehen; *agr. crops*: wechseln; **ro•ta•tion** *s* Rotation *f* (*a. pol.*), (Um)Drehung *f*, Umlauf *m*; Wechsel *m*.

ro•tor *esp. aer.* ['rəʊtə] *s* Rotor *m*.

rot•ten ['rɒtn] *adj* □ verfault, faul(ig); morsch; mies; gemein; ***feel ~*** *sl.* sich beschissen fühlen.

ro•tund [rəʊ'tʌnd] *adj* □ rundlich.

rough [rʌf] **1.** *adj* □ rau; roh; grob; barsch; hart; holp(e)rig, uneben; grob, ungefähr (*estimate, etc.*); unfertig, Roh…; ***~ copy*** erster Entwurf, Konzept *n*; ***~ draft*** Rohfassung *f*; **2.** *adv* roh, rau, hart; **3.** *s* holp(e)riger Boden; *golf*: Rough *n*; **4.** *v/t* an-, aufrauen; ***~ it*** F primitiv *or* anspruchslos leben; **~•age** *s* Ballaststoffe *pl*; **~•cast**; **1.** *s tech.* Rohputz *m*; **2.** *adj* unfertig; **3.** *v/t* (***-cast***) *tech.* roh verputzen; roh entwerfen; **~•en** *v/i* rau werden; *v/t* an-, aufrauen; **~•neck** *s Am.* F Grobian *m*; Ölbohrarbeiter *m*; **~•ness** *s* Rauheit *f*; raue Stelle; Rohheit *f*; Grobheit *f*; **~•shod** *adv*: ***ride ~ over*** *j-n* rücksichtslos behandeln; rücksichtslos über *et.* hinweggehen.

round [raʊnd] **1.** *adj* □ rund; voll (*voice, etc.*); abgerundet (*style*); unverblümt; ***a ~ dozen*** ein rundes Dutzend; ***in ~ figures*** auf- *or* abgerundet; **2.** *adv* rund-, rings(her)um; überall, auf *or* von *or* nach allen Seiten; ***ask s.o. ~*** *j-n* zu sich einladen; ***~ about*** ungefähr; ***all the year ~*** das ganze Jahr hindurch; ***the other way ~*** umgekehrt; **3.** *prp* (rund) um; um (… herum); in *or auf* (*dat*) … *herum*; **4.** *s* Rund *n*, Kreis *m*; Runde *f*; (Leiter)Sprosse *f*; *Br.* Scheibe *f* (*bread, etc.*); (Dienst)Runde *f*, Rundgang *m*; *med.* Visite *f* (*in hospital*); *mus.* Kanon *m*; **5.** *v/t* runden; (herum-) gehen *or* (-)fahren um, biegen um; ***~ off*** abrunden; *fig.* krönen, beschließen; ***~ up*** *figure, etc.*: aufrunden (***to*** auf *acc*); *cattle*: zusammentreiben; *people, etc.*: zusammentrommeln, auftreiben.

round|a•bout ['raʊndəbaʊt] **1.** *adj*: ***~ way*** *or* ***route*** Umweg *m*; ***in a ~ way*** *fig.* auf Umwegen; **2.** *s Br.* Karussell *n*; *Br.* Kreisverkehr *m*; **~•ish** *adj* rundlich; **~ trip** *s* Rundreise *f*; *Am.* Hin- u. Rückfahrt *f*, *aer.* Hin- u. Rückflug *m*; **~-trip** *adj*: ***~ ticket*** *Am.* Rückfahrkarte *f*, aer. Rückflugticket *n*; **~-up** *s* Zusammentreiben *n* (*of cattle*).

rouse [raʊz] *v/t* wecken; *game birds*: aufjagen; *j-n* aufrütteln; *j-n* reizen, erzürnen; *anger*: erregen; ***~ o.s.*** sich aufraffen; *v/i* aufwachen.

route [ruːt] *s* (Reise-, Fahrt)Route *f*, (-)Weg *m*; (Bahn-, Bus-, Flug)Strecke *f*; *mil.* Marschroute *f*.

rou•tine [ruː'tiːn] **1.** *s* Routine *f*; **2.** *adj* üblich, routinemäßig, Routine…

rove [rəʊv] *v/i* umherstreifen, -wandern; *v/t* durchstreifen, -wandern.

row[1] [rəʊ] *s* Reihe *f*.

row[2] F [raʊ] **1.** *s* Krach *m*, Lärm *m*; (lauter) Streit, Krach *m*; **2.** *v/i* (sich) streiten.

row[3] [rəʊ] **1.** *s* Rudern *n*; Ruderpartie *f*; **2.** *v/i and v/t* rudern; **~•boat** *s Am.* Ruderboot *n*; **~•er** *s* Ruder|er *m*, -in *f*; **~•ing boat** *s Br.* Ruderboot *n*.

roy•al ['rɔɪəl] *adj* königlich; **~•ty** *s* Königtum *n*; Königswürde *f*; *coll.* das Königshaus, die königliche Familie; *econ.* Tantieme *f*.

RSVP ***répondez s'il vous plaît*** (= ***please reply***) u.A.w.g., um Antwort wird gebeten.

Rt Hon. ***Right Honourable*** *der* Sehr Ehrenwerte (*Titel u. Anrede*).

rub [rʌb] **1.** *s*: ***give s.th. a good ~*** et. (ab)reiben; et. polieren; **2.** (***-bb-***) *v/t* reiben; polieren; (wund) scheuern; ***~ down*** abschmirgeln, abschleifen; trockenreiben, (ab)frottieren; ***~ in*** einreiben; ***~ it in*** *fig.* F darauf herumreiten; ***~ off*** ab-, wegreiben, ab-, wegwischen; ***~ out*** *Br.* ausradieren; ***~ up*** aufpolieren; ***~ s.o. up the wrong way*** *j-n* verstimmen; *v/i* reiben (***against, on*** an *dat*, gegen); *collar*: scheuern.

rub•ber ['rʌbə] *s* Gummi *n, m*; (Radier)Gummi *m*; Wischtuch *n*; F *condom*: Gummi *m*, Präser *m*; **~s** *pl Am.* (Gummi)Überschuhe *pl*; *Br.* Turnschuhe *pl*; **~ band** *s* Gummiband *n*; **~**

cheque, *Am.* ~ **check** *s* geplatzter Scheck; **~•neck** *Am.* F **1.** *s* Gaffer(in); **2.** *v/i* gaffen; **~•y** *adj* gummiartig; zäh, wie Gummi (*meat*).

rub•bish ['rʌbɪʃ] *s* Schutt *m*; Abfall *m*, Müll *m*; *fig.* Schund *m*; Quatsch *m*, Blödsinn *m*; ~ **bin** *s Br.* Mülleimer *m*; ~ **chute** *s* Müllschlucker *m*.

rub•ble ['rʌbl] *s* Schutt *m*.

ru•by ['ruːbɪ] *s* Rubin(rot *n*) *m*.

ruck•sack ['rʌksæk] *s* Rucksack *m*.

rud•der ['rʌdə] *s mar.* (Steuer)Ruder *n*; *aer.* Seitenruder *n*.

rud•dy ['rʌdɪ] *adj* □ (***-ier, -iest***) rot, rötlich; frisch, gesund.

rude [ruːd] *adj* □ (***~r, ~st***) unhöflich, grob; unanständig; heftig, wild; ungebildet; einfach, kunstlos.

ru•di|men•ta•ry [ruːdɪ'mentərɪ] *adj* elementar, Anfangs...; **~•ments** ['ruːdɪmənts] *s pl* Anfangsgründe *pl*.

rue•ful ['ruːfl] *adj* □ reuig.

ruf•fle ['rʌfl] **1.** *s* Krause *f*, Rüsche *f*; Kräuseln *n*; **2.** *v/t* kräuseln; *hair, feathers*: sträuben; zerknüllen; *fig.* aus der Ruhe bringen; (ver)ärgern.

rug [rʌg] *s* (Reise-, Woll)Decke *f*; Vorleger *m*, Brücke *f*, (kleiner) Teppich.

rug•ged ['rʌgɪd] *adj* □ rau (*a. fig.*); wild, zerklüftet, schroff.

ru•in ['rʊɪn] **1.** *s* Ruin *m*, Verderben *n*, Untergang *m*; *mst* ***~s*** *pl* Ruine(n *pl*) *f*, Trümmer *pl*; **2.** *v/t* ruinieren, zugrunde richten, zerstören, zunichtemachen, zerrütten; **~•ous** *adj* □ verfallen; ruinös.

rule [ruːl] **1.** *s* Regel *f*; Spielregel *f*; Vorschrift *f*; Satzung *f*; Herrschaft *f*, Regierung *f*; Lineal *n*; ***as a ~*** in der Regel; ***work to ~*** Dienst nach Vorschrift tun; ***~s*** *pl* (Geschäfts-, Gerichts- *etc.*) Ordnung *f*; ***~(s) of the road*** Straßenverkehrsordnung *f*; ***stick to the ~s*** sich an die Spielregeln halten; ***~ of thumb*** Faustregel *f*; **2.** *v/t* beherrschen, herrschen über (*acc*); lenken, leiten; anordnen, verfügen; liniieren; ***~ out*** ausschließen; *v/i* herrschen; **rul•er** *s* Herrscher(in); Lineal *n*.

rum [rʌm] *s* Rum *m*; *Am.* Alkohol *m*.

rum•ble ['rʌmbl] *v/i* rumpeln, poltern, (g)rollen (*thunder*), knurren (*stomach*).

ru•mi|nant *zo.* ['ruːmɪnənt] **1.** *adj* wiederkäuend; **2.** *s* Wiederkäuer *m*; **~•nate** [‿eɪt] *v/i zo.* wiederkäuen; *fig.* grübeln (***about, over*** über *acc or dat*).

rum•mage ['rʌmɪdʒ] **1.** *s* gründliche Durchsuchung; Ramsch *m*; ***~ sale*** *Am.* Ramschverkauf *m*; Wohltätigkeitsbasar *m*; **2.** *v/i a.* ***~ about*** herumstöbern, -wühlen (***among, in*** in *dat*).

ru•mo(u)r ['ruːmə] **1.** *s* Gerücht *n*; **2.** *v/t*: ***it is ~ed*** man sagt *or* munkelt, es geht das Gerücht.

rump [rʌmp] *s* Steiß *m*, F *of person*: Hinterteil *n*, *of animal*: Hinterbacken *pl*.

rum•ple ['rʌmpl] *v/t* zerknittern, -knüllen.

run [rʌn] **1.** (***-nn-; ran, run***) *v/i* laufen, rennen, eilen; fahren; verkehren, fahren, gehen (*train, bus*); fließen, strömen; verlaufen (*road*), führen (*route*); *tech.* laufen; in Betrieb *or* Gang sein; gehen (*watch, clock, etc.*); schmelzen (*butter, etc.*); zer-, auslaufen (*colour*); lauten (*text*); gehen (*tune*); laufen (*play, film*), gegeben werden; *jur.* gelten, laufen; *esp. Am. pol.* kandidieren (***for*** für); ***~ across s.o.*** *j-n* zufällig treffen, auf *j-n* stoßen; ***~ after*** hinter (*dat*) herlaufen, *j-m etc.* nachlaufen; ***~ along!*** F ab mit dir!; ***~ away*** davonlaufen; ***~ away with*** durchbrennen mit; durchgehen mit (*temper, enthusiasm, etc.*); ***~ down*** ablaufen (*clock, watch, etc.*); *fig.* herunterkommen; ***~ dry*** austrocknen; ***~ into*** (hinein)laufen *or* (-)rennen in (*acc*); fahren gegen; *j-n* zufällig treffen; geraten in (*debts, etc.*); sich belaufen auf (*acc*); ***~ low*** knapp werden; ***~ off with*** durchbrennen mit; ***~ out*** ablaufen (*time*); ausgehen, knapp werden; ***~ out of petrol*** kein Benzin mehr haben; ***~ over*** überlaufen, -fließen; überfliegen, durchgehen, -lesen; ***~ short*** knapp werden; ***~ short of petrol*** kein Benzin mehr haben; ***~ through*** überfliegen, durchgehen, -lesen; ***~ up to*** sich belaufen auf (*acc*); *v/t distance*: durchlaufen, *route*: einschlagen; fahren; laufen lassen; *train, bus*: fahren *or* verkehren lassen; *hand, etc.*: gleiten lassen; *business*: betreiben; *company*: führen, leiten; fließen lassen; *temperature, fever*: haben; ***~ down*** an-, überfahren; *fig.* schlechtmachen; herunterwirtschaften; ***~ errands*** Besorgungen *or* Botengänge machen; ***~ s.o. home*** F *j-n* nach Hause bringen

R

or fahren; ~ ***in*** *car*: einfahren; F *criminal*: einbuchten; ~ ***over*** überfahren; ~ ***s.o. through*** *j-n* durchbohren; ~ ***up*** *price, etc.*: in die Höhe treiben; *bill, debts, etc.*: auflaufen lassen; **2.** *s* Laufen *n*, Rennen *n*, Lauf *m*; Verlauf *m*; Fahrt *f*; Spazierfahrt *f*; Reihe *f*, Folge *f*, Serie *f*; *econ.* Ansturm *m*, Run *m* (***on*** auf *acc*), stürmische Nachfrage (nach); *Am.* Bach *m*; *Am.* Laufmasche *f*; Gehege *n*; Auslauf *m*, (Hühner)Hof *m*; *sports*: Bob-, Rodelbahn *f*; (Ski-) Abfahrt(sstrecke) *f*; *thea., film*: Laufzeit *f*; F ***the*** ~***s*** *pl diarrhoea*: F Dünnpfiff *m*; ***have a*** ~ ***of 20 nights*** *thea.* 20-mal nacheinander gegeben werden; ***in the long*** ~ auf die Dauer; ***in the short*** ~ fürs Nächste; ***on the*** ~ auf der Flucht.

run|a•bout F *mot.* ['rʌnəbaut] *s* kleiner leichter Wagen; ~**•a•way** *s* Ausreißer *m*.

rung[1] [rʌŋ] *pp of* ***ring***[1] 2.

rung[2] [~] *s* (Leiter)Sprosse *f* (*a. fig.*).

run•ner ['rʌnə] *s* Läufer(in); *horse*: Rennpferd *n*; Bote *m*; (Schlitten-, Schlittschuh)Kufe *f*; *carpet*: Läufer *m*; *for table*: Tischläufer *m*; *Am.* Laufmasche *f*; ~ **bean** *s Br. bot.* Stangenbohne; ~**-up** *s* (*pl* **runners-up**) *sports*: Zweite(r *m*) *f*.

run•ning ['rʌnɪŋ] **1.** *adj* laufend; fließend; ***two days*** ~ zwei Tage hintereinander; **2.** *s* Laufen *n*; Rennen *n*; ~**-board** *s* Trittbrett *n*.

run•way *aer.* ['rʌnweɪ] Start-, Lande-, Rollbahn *f*.

rup•ture ['rʌptʃə] **1.** *s* Bruch *m*, Riss *m*; (Zer)Platzen *n*; **2.** *v/i* brechen; bersten, (zer)platzen.

ru•ral ['rʊərəl] *adj* □ ländlich, Land…

ruse [ruːz] *s* List *f*, Kniff *m*, Trick *m*.

rush[1] *bot.* [rʌʃ] *s* Binse *f*.

rush[2] [~] **1.** *s* Eile *f*; (An)Sturm *m*; Andrang *m*, Gedränge *n*; *econ.* stürmische Nachfrage; Hetze *f*, Hochbetrieb *m*; **2.** *v/i* stürzen, jagen, hetzen, stürmen; ~ ***at*** sich stürzen auf (*acc*); ~ ***in*** hereinstürzen, -stürmen; *v/t* jagen, hetzen, drängen, (an)treiben; losstürmen auf (*acc*), angreifen; schnell bringen; ~ **hour** *s* Hauptverkehrszeit *f*, Stoßzeit *f*; ~**-hour traf•fic** *s* Stoßverkehr *m*.

Rus•sia ['rʌʃə] Russland *n*.

Rus•sian ['rʌʃn] **1.** *adj* russisch; **2.** *s* Russ|e *m*, -in *f*; *ling.* Russisch *n*.

rust [rʌst] **1.** *s* Rost *m*; Rostbraun *n*; **2.** *v/i and v/t* (ver-, ein)rosten (lassen).

rus•tic ['rʌstɪk] **1.** *adj* (~***ally***) ländlich, rustikal; bäurisch; **2.** *s* Bauer *m*.

rus•tle ['rʌsl] **1.** *v/i* rascheln; rauschen; *v/t* rascheln mit; *Am. cattle*: stehlen; **2.** *s* Rascheln *n*; Rauschen *n*.

rust|less ['rʌstlɪs] *adj* rostfrei; ~**•y** *adj* □ (***-ier, -iest***) rostig; *fig.* eingerostet.

rut[1] [rʌt] *s* Wagenspur *f*; *esp. fig.* ausgefahrenes Geleise.

rut[2] *zo.* [~] *s* Brunst *f*, Brunft *f*.

ruth•less ['ruːθlɪs] *adj* □ umbarmherzig; rücksichts-, skrupellos.

rut|ted ['rʌtɪd], ~**•ty** [~ɪ] *adj* (***-ier, -iest***) ausgefahren (*path*).

rye *bot.* [raɪ] *s* Roggen *m*.

S

S ***south*** S, Süd(en *m*); ***south***(***ern***) s, südlich; ***small*** (***size***) klein.

sa•ble ['seɪbl] *s zo.* Zobel(pelz) *m*.

sab•o•tage ['sæbətɑːʒ] **1.** *s* Sabotage *f*; **2.** *v/t* sabotieren.

sa•bre, *Am. mst* **-ber** ['seɪbə] *s* Säbel *m*.

sack [sæk] **1.** Sack *m*; *Am.* (Einkaufs-) Tüte *f*; Sackkleid *n*; *hist.* Plünderung *f*; ***get the*** ~ F entlassen werden; F den Laufpass bekommen; ***give s.o. the*** ~ F *j-n* entlassen; F *j-m* den Laufpass geben; **2.** *v/t* einsacken; F rausschmeißen, entlassen; F *j-m* den Laufpass geben; *hist.* plündern; ~**•cloth** *s* Sackleinen *n*, -leinwand *f*; ~**•ing** *s* Sackleinen *n*; F Entlassung *f*.

sac•ra•ment *eccl.* ['sækrəmənt] *s* Sakrament *n*.

sa•cred ['seɪkrɪd] *adj* □ heilig; geistlich.

sac•ri•fice ['sækrɪfaɪs] **1.** *s* Opfer *n*; ***at a*** ~ *econ.* mit Verlust; **2.** *v/t* opfern; *econ.* mit Verlust verkaufen.

sac•ri|lege ['sækrɪlɪdʒ] *s* Sakrileg *n*; Entweihung *f*; Frevel *m*; ~**•le•gious** [~'lɪdʒəs] *adj* □ frevelhaft.

sad [sæd] *adj* □ traurig; jämmerlich,

elend; schlimm; *colour*: dunkel, matt.

sad•dle ['sædl] **1.** *s* Sattel *m*; **2.** *v/t* satteln; *fig*. belasten; **~r** *s* Sattler *m*.

sa•dis•m ['seɪdɪzəm] *s* Sadismus *m*.

sad•ness ['sædnɪs] *s* Traurigkeit *f*.

safe [seɪf] **1.** *adj* □ (**~r, ~st**) sicher; unversehrt; zuverlässig; **2.** *s* Safe *m, n*, Geldschrank *m*; Fliegenschrank *m*; **~ con•duct** *s* freies Geleit; Geleitbrief *m*; **~•guard**; **1.** *s* Schutz *m* (***against*** gegen, vor *dat*); **2.** *v/t* sichern, schützen (***against*** gegen, vor *dat*).

safe•ty ['seɪftɪ] *s* Sicherheit *f*; Sicherheits…; **~-belt** *s* Sicherheitsgurt *m*; **~ cage** *s mot.* Sicherheits-Fahrgastzelle *f*; **~ hel•met** *s* Schutzhelm *m*; **~ is•land** *s Am.* Verkehrsinsel *f*; **~-lock** *s* Sicherheitsschloss *n*; **~-pin** *s* Sicherheitsnadel *f*; **~ ra•zor** *s* Rasierapparat *m*.

saf•fron ['sæfrən] *s* Safran(gelb *n*) *m*.

sag [sæg] *v/i* (**-gg-**) durchsacken; *tech.* durchhängen; abfallen, (herab)hängen; sinken, fallen, absacken.

sage[1] [seɪdʒ] **1.** *adj* □ (**~r, ~st**) klug, weise; **2.** *s* Weise(r) *m*.

sage[2] *bot.* [~] *s* Salbei *m, f*.

said [sed] *pret and pp of* ***say*** 1.

sail [seɪl] **1.** *s* Segel *n or pl*; (Segel)Fahrt *f*; Windmühlenflügel *m*; (Segel-) Schiff(e *pl*) *n*; ***set* ~** auslaufen (***for*** nach); **2.** *v/i* segeln, fahren; auslaufen (*ship*); absegeln; *fig.* schweben; *v/t mar.* befahren; *ship*: steuern; *sailboat*: segeln; **~•boat** *s Am.* Segelboot *n*; **~•er** *s* Segler *m* (*ship*); **~•ingboat** *s Br.* Segelboot *n*; **~•ing ship**, **~•ing ves•sel** *s* Segelschiff *n*; **~•or** *s* Seemann *m*, Matrose *m*; ***be a good*** (***bad***) **~** (nicht) seefest sein; **~•plane** *s* Segelflugzeug *n*.

saint [seɪnt] **1.** *s* Heilige(r *m*) *f*; *before name*: Sankt …; **2.** *v/t* heiligsprechen; **~•ly** ['seɪntlɪ] *adj* heilig, fromm.

sake [seɪk] *s*: ***for the* ~ *of*** um … (*gen*) willen; ***for my* ~** meinetwegen; ***for God's* ~** um Gottes willen.

sa•la•ble ['seɪləbl] → ***saleable.***

sal•ad ['sæləd] *s* Salat *m*.

sal•a•ried ['sælərɪd] *adj* (fest) angestellt, (-)bezahlt; **~ *employee*** Angestellte(r *m*) *f*, Gehaltsempfänger(in); **~ *job*** feste Anstellung.

sal•a•ry ['sælərɪ] *s* Gehalt *n*; **~ earn•er** *s* Angestellte(r *m*) *f*, Gehaltsempfänger(in).

sale [seɪl] *s* Verkauf *m*; Ab-, Umsatz *m*; (Saison)Schlussverkauf *m*; Auktion *f*; ***for* ~** zu verkaufen; ***be on* ~** verkauft werden, erhältlich sein.

sale•a•ble *esp. Br.* ['seɪləbl] *adj* verkäuflich.

sales|clerk *Am.* ['seɪlzklɑːk] *s* (Laden-) Verkäufer(in); **~•man** *s* Verkäufer *m*; (Handels)Vertreter *m*; **~•per•son** *s* Verkäufer(in); (Handels)Vertreter(in); **~ slip** *s Am.* Kassenbeleg *m*, -zettel *m*; **~•wom•an** *s* Verkäuferin *f*; (Handels)Vertreterin *f*.

sa•line ['seɪlaɪn] *adj* salzig, Salz…

sa•li•va [sə'laɪvə] *s* Speichel *m*.

sal•low ['sæləʊ] *adj* blass, gelblich, fahl.

salm•on *zo.* ['sæmən] *s* Lachs *m*, Salm *m*.

sa•loon [sə'luːn] *s* Salon *m*; Saal *m*; erste Klasse (*on ships*); *Am.* Kneipe *f*, Wirtschaft *f*, Saloon *m*; **~ (*car*)** *Br. mot.* Limousine *f*.

salt [sɔːlt] **1.** *s* Salz *n*; *fig.* Würze *f*; **2.** *adj* salzig; gesalzen, gepökelt; Salz…; Pökel…; **3.** *v/t* (ein)salzen; pökeln; **~-cel•lar** *s* Salzfässchen *n*, -streuer *m*; **~•petre**, *Am.* **~•pe•ter** *chem.* [~'piːtə] *s* Salpeter *m*; **~-wa•ter** *adj* Salzwasser…; **~•y** *adj* (**-ier, -iest**) salzig.

sa•lu•bri•ous [sə'luːbrɪəs], **sal•u•ta•ry** ['sæljʊtərɪ] *adj* □ heilsam, gesund.

sal•u•ta•tion [sæljuː'teɪʃn] *s* Gruß *m*, Begrüßung *f*; Anrede *f* (*in letter*).

sa•lute [sə'luːt] **1.** *s* Gruß *m*; *mil.* Salut *m*; **2.** *v/t* (be)grüßen; *v/i mil.* salutieren.

sal•vage ['sælvɪdʒ] **1.** *s* Bergung(sgut *n*) *f*; Bergegeld *n*; **2.** *v/t* bergen; retten.

sal•va•tion [sæl'veɪʃn] *s* Erlösung *f*; (Seelen)Heil *n*; Rettung *f*; **♀ *Army*** Heilsarmee *f*.

salve[1] [sælv] *v/t* retten, bergen.

salve[2] [~] **1.** *s* Salbe *f*; *fig.* Balsam *m*, Trost *m*; **2.** *v/t fig.* beschwichtigen, beruhigen.

same [seɪm] *adj, pron, adv*: ***the* ~** der-, die-, dasselbe; ***all the* ~** trotzdem; ***it is all the* ~ *to me*** es ist mir (ganz) gleich; **~ *to you!*** danke gleichfalls!

same-sex| mar•riage [seɪmseks'mærɪdʒ] *s* gleichgeschlechtliche Ehe, F Homoehe *f*; **~ re•la•tion•ship** *s* gleichgeschlechtliche Beziehung.

sam•ple ['sɑːmpl] **1.** *s* Probe *f*, Muster *n*; **2.** *v/t* probieren; kosten.

san•a•to•ri•um [sænə'tɔːrɪəm] *s* (*pl* ***-ums, -a*** [-ə]) Sanatorium *n*.

S

sanc•ti•fy ['sæŋktɪfaɪ] *v/t eccl.* heiligen; weihen; sanktionieren.
sanc•tion ['sæŋkʃn] **1.** *s* Sanktion *f* (*a. pol.*); Billigung *f*, Zustimmung *f*; **2.** *v/t* billigen; sanktionieren.
sanc|ti•ty ['sæŋktətɪ] *s* Heiligkeit *f*; **~•tu•a•ry** ['sæŋktʃʊərɪ] *s* Heiligtum *n*; *das* Allerheiligste; Asyl *n*; Schutzgebiet *n* (*for animals*); ***seek ~ with*** Zuflucht suchen bei.
sand [sænd] **1.** *s* Sand *m*; **~*s*** *pl* Sand(fläche *f*) *m*; Sandbank *f*; **2.** *v/t* mit Sand bestreuen; schmirgeln.
san•dal ['sændl] *s* Sandale *f*.
sand|bag ['sændbæg] **1.** *s* Sandsack *m*; **2.** *v/t* mit Sandsäcken befestigen; **~ dune** *s* Sanddüne *f*; **~-glass** *s* Sanduhr *f*; **~-hill** *s* Sanddüne *f*.
sand•wich ['sænwɪdʒ] **1.** *s* Sandwich *n*; **2.** *v/t* einklemmen, -zwängen; *a.* **~ *in*** *fig.* ein-, dazwischenschieben.
sand•y ['sændɪ] *adj* (***-ier, -iest***) sandig; *hair*: rotblond.
sane [seɪn] *adj* (**~*r*, ~*st***) geistig gesund; *jur.* zurechnungsfähig; vernünftig.
sang [sæŋ] *pret of* ***sing***.
san|gui•na•ry ['sæŋgwɪnərɪ] *adj* □ blutdürstig; blutig; **~•guine** [~ŋgwɪn] *adj* □ leichtblütig; zuversichtlich; rot, frisch, blühend (*complexion*).
san•i•tar•i•um *Am.* [sænɪ'teərɪəm] *s* (*pl* ***-ums, -a*** [-ə]) → ***sanatorium***.
san•i•ta•ry ['sænɪtərɪ] *adj* □ Gesundheits…, gesundheitlich, sanitär (*a. tech.*); **~ *napkin*** *Am.*, **~ *towel*** Damenbinde *f*.
san•i•ta•tion [sænɪ'teɪʃn] *s* Hygiene *f*; sanitäre Einrichtungen *pl*.
san•i•ty ['sænətɪ] *s* geistige Gesundheit; *jur.* Zurechnungsfähigkeit *f*.
sank [sæŋk] *pret of* ***sink*** 1.
San•ta Claus [sæntə'klɔːz] *s* der Weihnachtsmann, der Nikolaus.
sap [sæp] **1.** *s bot.* Saft *m* (*in plants*); *fig.* Lebenskraft *f*; **2.** *v/t* (***-pp-***) schwächen; **~•less** *adj* saft-, kraftlos; **~•ling** *s bot.* junger Baum.
sap•phire ['sæfaɪə] *s* Saphir *m*.
sap•py ['sæpɪ] *adj* (***-ier, -iest***) saftig; *fig.* kraftvoll.
sar•cas•m ['sɑːkæzəm] *s* Sarkasmus *m*.
sar•dine *zo.* [sɑː'diːn] *s* Sardine *f*.
sash [sæʃ] *s* Schärpe *f*; Fensterrahmen *m*; **~-win•dow** *s* Schiebefenster *n*.
sat [sæt] *pret and pp of* ***sit***.
Sa•tan ['seɪtən] *s* Satan *m*.
satch•el ['sætʃəl] *s* Schulmappe *f*, -tasche *f*, -ranzen *m*.
sate [seɪt] *v/t* übersättigen.
sa•teen [sæ'tiːn] *s* (Baum)Wollsatin *m*.
sat•el•lite ['sætəlaɪt] *s* Satellit *m*; *a.* **~ *state*** Satellit(enstaat) *m*; **~ dish** *s TV* Parabolantenne *f*; **~ re•ceiv•er** *s TV* Satellitenempfänger *m*.
sa•ti•ate ['seɪʃɪeɪt] *v/t* übersättigen.
sat•in ['sætɪn] *s* (Seiden)Satin *m*.
sat|ire ['sætaɪə] *s* Satire *f*; **~•ir•ist** [~ərɪst] *s* Satiriker(in); **~•ir•ize** [~əraɪz] *v/t* verspotten.
sat•is•fac|tion [sætɪs'fækʃn] *s* Befriedigung *f*; Genugtuung *f*; Zufriedenheit *f*; *eccl.* Sühne *f*; Gewissheit *f*; **~•to•ry** [~'fæktərɪ] *adj* □ befriedigend, zufriedenstellend.
sat•is•fy ['sætɪsfaɪ] *v/t* befriedigen, zufriedenstellen; überzeugen; ***be satisfied with*** zufrieden sein mit.
sat•u•rate *chem. and fig.* ['sætʃəreɪt] *v/t* sättigen.
Sat•ur•day ['sætədɪ] *s* Sonnabend *m*, Samstag *m*.
sat•ur•nine ['sætənaɪn] *adj* □ *fig.* düster, finster.
sauce [sɔːs] **1.** *s* Soße *f*; *Am.* Kompott *n*; *fig.* Würze *f*, Reiz *m*; F Frechheit *f*; ***none of your ~!*** werd bloß nicht frech!; **2.** *v/t* F frech sein zu *j-m*; **~-boat** *s* Soßenschüssel *f*; **~•pan** *s* Kochtopf *m*; Kasserolle *f*.
sau•cer ['sɔːsə] *s* Untertasse *f*.
sauc•y ['sɔːsɪ] *adj* □ (***-ier, -iest***) frech; F flott, kess.
Sau•di A•ra•bia [ˌsaʊdɪə'reɪbɪə] Saudi-Arabien *n*.
saun•ter ['sɔːntə] **1.** *s* Schlendern *n*, Bummel *m*; **2.** *v/i* schlendern, bummeln.
saus•age ['sɒsɪdʒ] *s* Wurst *f*; *a.* ***small ~*** Würstchen *n*.
sav|age ['sævɪdʒ] **1.** *adj* □ wild; roh, grausam; **2.** *s* Wilde(r *m*) *f*; Rohling *m*, Barbar(in); **~•ag•e•ry** *s* Wildheit *f*; Rohheit *f*, Grausamkeit *f*.
save [seɪv] **1.** *v/t* retten; *eccl.* erlösen; bewahren; (auf-, er)sparen; schonen; (*sports*) *ball, shot*: halten, *goal*: verhindern; **2.** *prp and cj*: *rhet.* außer (*dat*); **~ *for*** bis auf (*acc*); **~ *that*** nur dass; **3.** *s sports*: Ballabwehr *f*, Parade *f*.
sav•er ['seɪvə] *s* Retter(in); Sparer(in); ***it***

S

is a time-~ es spart Zeit.
sav•ing ['seɪvɪŋ] **1.** *adj* □ ...sparend; rettend; **2.** *s* Rettung *f*; **~s** *pl* Ersparnisse *pl*; **~s ac•count** *s* Sparkonto *n*; **~s bank** *s* Sparkasse *f*; **~s book** *s* Sparbuch *n*; **~s de•pos•it** *s* Spareinlage *f*.
sa•vio(u)r ['seɪvjə] *s* Retter *m*; ***the ~*** *eccl.* der Erlöser, der Heiland.
sa•vo(u)r ['seɪvə] **1.** *s* (Wohl)Geschmack *m*; *fig.* Beigeschmack *m*; *fig.* Würze *f*, Reiz *m*; **2.** *v/t fig.* genießen; *v/i fig.* schmecken, riechen (***of*** nach); **~•y** *adj* □ schmackhaft; appetitlich; pikant.
saw[1] [sɔː] *pret of* ***see***[1].
saw[2] [~] *s* Sprichwort *n*.
saw[3] [~] **1.** *v/t* (***~ed, ~n*** *or* ***~ed***) sägen; **2.** *s* Säge *f*; **~•dust** *s* Sägemehl *n*, -späne *pl*; **~•mill** *s* Sägewerk *n*; **~n** *pp of* ***saw***[3] 1.
Sax•on ['sæksn] **1.** *adj* sächsisch; *ling. often* germanisch; **2.** *s* Sachse *m*, Sächsin *f*.
Sax•o•ny ['sæksnɪ] Sachsen *n*.
say [seɪ] **1.** *v/t and v/i* (***said***) sagen; auf-, hersagen; berichten; ***~ grace*** das Tischgebet sprechen; ***what do you ~ to ...?*** was hältst du von ...?, wie wäre es mit ...?, wie steht es mit ...?; ***it ~s*** es lautet (*writing, document, etc.*); ***it ~s here*** hier heißt es, hier steht; ***that is to ~*** das heißt; (***and***) ***that's ~ing s.th.*** (und) das will was heißen; ***you don't ~ (so)!*** was Sie nicht sagen!; ***I ~!*** sag(en Sie) mal!; ich muss schon sagen!; ***you can ~ that again***, F ***you said it*** F das kannst du laut sagen; ***he is said to be ...*** er soll ... sein; ***no sooner said than done*** gesagt, getan; **2.** *s* Rede *f*, Wort *n*; Mitspracherecht *n*; ***let him have his ~*** lass(t) ihn (doch auch mal) reden *or* s-e Meinung äußern; ***have a*** *or* ***some*** (***no***) ***~ in s.th.*** et. (nichts) zu sagen haben bei et.; ***have the final ~*** das letzte Wort haben; **~•ing** *s* Reden *n*; Sprichwort *n*, Redensart *f*; Ausspruch *m*; ***it goes without ~*** es versteht sich von selbst; ***as the ~ goes*** wie es so schön heißt.
scab [skæb] *s med., bot.* Schorf *m*; *vet.* Räude *f*; *sl.* Streikbrecher *m*.
scaf•fold ['skæfəld] *s* (Bau)Gerüst *n*; Schafott *n*; **~•ing** *s* (Bau)Gerüst *n*.
scald [skɔːld] **1.** *s* Verbrühung *f*; **2.** *v/t* sich *et.* verbrühen; *milk*: abkochen; ***~ing hot*** kochend heiß; glühend heiß (*day, etc.*).
scale[1] [skeɪl] **1.** *s* Schuppe *f*; Kesselstein *m*; *med.* Zahnstein *m*; **2.** *v/t and v/i* (sich) (ab)schuppen, (sich) ablösen; *med. teeth*: von Zahnstein reinigen.
scale[2] [~] **1.** *s* Waagschale *f*; (***a pair of***) ***~s*** *pl* (e-e) Waage; **2.** *v/t* wiegen.
scale[3] [~] **1.** *s* Stufenleiter *f*; *mus.* Tonleiter *f*; Skala *f*; Maßstab *m*; *fig.* Ausmaß *n*; **2.** *v/t* ersteigen; ***~ up*** (***down***) maßstab(s)getreu vergrößern (verkleinern).
scalp [skælp] **1.** *s* Kopfhaut *f*; Skalp *m*; **2.** *v/t* skalpieren.
scal•y ['skeɪlɪ] *adj* (***-ier, -iest***) schuppig.
scamp [skæmp] **1.** *s* Taugenichts *m*; **2.** *v/t* pfuschen bei.
scam•per ['skæmpə] **1.** *v/i a.* ***~ about, ~ around*** (herum)tollen, herumhüpfen; hasten; **2.** *s* (Herum)Tollen *n*, Herumhüpfen *n*.
scan [skæn] *v/t* (***-nn-***) genau prüfen; forschend ansehen; *horizon, etc.*: absuchen; *radar, TV*: abtasten; *computer*: *a.* ***~ in*** einscannen; *headlines*: überfliegen.
scan•dal ['skændl] *s* Skandal *m*; Ärgernis *n*; Klatsch *m*; **~•ize** [~dəlaɪz] *v/t*: ***be ~d at s.th.*** über et. empört *or* entrüstet sein; **~•mon•ger** *s* F Klatschmaul *n*; *journalist*: Klatschkolumnist(in); **~•ous** *adj* □ skandalös, anstößig.
Scan•di•na•via [ˌskændɪ'neɪvjə] Skandinavien *n*.
Scan•di•na•vi•an [skændɪ'neɪvɪən] **1.** *adj* skandinavisch; **2.** *s* Skandinavier(in); *ling.* Skandinavisch *n*.
scant [skænt] *adj* □ knapp, gering; **~•y** *adj* □ (***-ier, -iest***) knapp, spärlich, kärglich, dürftig.
scape|goat ['skeɪpgəʊt] *s* Sündenbock *m*; **~•grace** [~greɪs] *s* Taugenichts *m*.
scar [skɑː] **1.** *s* Narbe *f*; *fig.* (Schand-) Fleck *m*, Makel *m*; Klippe *f*; **2.** (***-rr-***) *v/t* e-e Narbe *or* Narben hinterlassen auf (*dat*); *v/i*: ***~ over*** vernarben.
scarce [skeəs] *adj* (***~r, ~st***) knapp; rar, selten; **~•ly** *adv* kaum; **scar•ci•ty** [~ətɪ] *s* Mangel *m*, Knappheit *f* (***of*** an *dat*).
scare [skeə] **1.** *v/t* erschrecken; ***~ away, ~ off*** verscheuchen; ***be ~d*** (***of s.th.***) (vor et.) Angst haben; **2.** *s* Schreck(en) *m*, Panik *f*; **~•crow** *s* Vogelscheuche *f*

(*a. fig.*).

scarf [skɑːf] *s* (*pl* ***scarfs*** [-fs], ***scarves*** [-vz]) Schal *m*, Hals-, Kopf-, Schultertuch *n*.

scar•let ['skɑːlət] **1.** *s* Scharlach(rot *n*) *m*; **2.** scharlachrot; ~ ***fever*** *med.* Scharlach *m*; ~ ***runner*** *bot.* Feuerbohne *f*.

scarred [skɑːd] *adj* narbig.

scarves [skɑːvz] *pl of* ***scarf***.

scath•ing ['skeɪðɪŋ] *adj look*: vernichtend; *critisism*: beißend.

scat•ter ['skætə] *v/t and v/i* (sich) zerstreuen; aus-, verstreuen; auseinanderstieben (*birds, etc.*); **~•brain** *s* F Schussel *m*; **~•brained** *adj* zerstreut, F schusselig; **~ed** *adj* verstreut; *showers, etc.*: vereinzelt.

sce•na•ri•o [sɪ'nɑːrɪəʊ] *s* (*pl* ***-os***) *film*: Drehbuch *n*.

scene [siːn] *s* Szene *f*; Schauplatz *m*; **~s** *pl* Kulissen *pl*; **sce•ne•ry** ['siːnərɪ] *s* Szenerie *f*, Bühnenbild *n*, Kulissen *pl*, Dekoration *f*; Landschaft *f*.

scent [sent] **1.** *s* (*esp.* Wohl)Geruch *m*, Duft *m*; *esp. Br.* Parfüm *n*; *hunt.* Witterung *f*; *gute etc.* Nase; Fährte *f* (*a. fig.*); **2.** *v/t* wittern; *esp. Br.* parfümieren; **~•less** *adj* geruchlos.

scep|tic, *Am.* **skep-** ['skeptɪk] *s* Skeptiker(in); **~•ti•cal**, *Am.* **skep-** *adj* □ skeptisch.

scep•tre, *Am.* **-ter** ['septə] *s* Zepter *n*.

sched•ule ['ʃedjuːl, *Am.* 'skedʒuːl] **1.** *s* Zeitplan *m*, Stundenplan *m*; *esp. Am.* Verzeichnis *n*, Tabelle *f*; Plan *m*; *esp. Am.* Fahr-, Flugplan *m*; ***be ahead of*** ~ dem Zeitplan voraus sein; ***be behind*** ~ Verspätung haben; im Rückstand sein; ***be on*** ~ (fahr)planmäßig *or* pünktlich ankommen; **2.** *v/t* (in e-e Liste *etc.*) eintragen; festlegen, -setzen, planen; **~d** *adj* planmäßig (*departure, etc.*); ~ ***flight*** *aer.* Linienflug *m*.

scheme [skiːm] **1.** *s* Schema *n*; Plan *m*, Projekt *n*, Programm *n*; Intrige *f*; **2.** *v/t* planen; *v/i* Pläne machen; intrigieren.

schol•ar ['skɒlə] *s* Gelehrte(r *m*) *f*; Gebildete(r *m*) *f*; *univ.* Stipendiat(in); *dated*: Schüler(in); **~•ly** *adj* gelehrt; **~•ship** *s* Gelehrsamkeit *f*; *univ.* Stipendium *n*.

school [skuːl] **1.** *s zo.* Schwarm *m*; Schule *f* (*a. fig.*); *univ.* Fakultät *f*; *Am.* Hochschule *f*; ***at*** ~ auf *or* in der Schule; **2.** *v/t* schulen, ausbilden; *animal*: dressieren; **~•boy** *s* Schüler *m*; **~•chil•dren** *s pl* Schulkinder *pl*, Schüler *pl*; **~•fel•low** *s* Mitschüler(in); **~•girl** *s* Schülerin *f*; **~•ing** *s* (Schul)Ausbildung *f*; **~•mate** *s* Mitschüler(in); **~•teach•er** *s* Lehrer(in).

schoo•ner ['skuːnə] *s mar.* Schoner *m*; *Am.* großes Bierglas; *Br.* großes Sherryglas.

sci•ence ['saɪəns] *s* Wissenschaft *f*; *a.* ***natural*** ~ *die* Naturwissenschaft(en *pl*); Kunst(fertigkeit) *f*, Technik *f*; ~ **fic•tion** *s* Sciencefiction *f*.

sci•en•tif•ic [saɪən'tɪfɪk] *adj* (**~ally**) (natur)wissenschaftlich; exakt, systematisch; kunstgerecht.

sci•en•tist ['saɪəntɪst] *s* (Natur)Wissenschaftler(in).

scin•til•late ['sɪntɪleɪt] *v/i* funkeln.

scis•sors ['sɪzəz] *s pl* (***a pair of*** ~ e-e) Schere.

scoff [skɒf] **1.** *s* Spott *m*; **2.** *v/i* spotten.

scone [skɒn] *s* (weiches) Teegebäck.

scoop [skuːp] **1.** *s* Schaufel *f*; Schöpfkelle *f*, *for icecream, etc.*: Portionierer *m*; F Coup *m*, gutes Geschäft; *newspaper*: F Exklusivmeldung *f*, Knüller *m*; **2.** *v/t* schöpfen, schaufeln; ~ ***up*** (auf-) schaufeln; zusammenraffen.

scoot•er ['skuːtə] *s* (Kinder)Roller *m*; (Motor)Roller *m*.

scope [skəʊp] *s* Bereich *m*; Gesichtskreis *m*, (geistiger) Horizont; Spielraum *m*.

scorch [skɔːtʃ] *v/t* versengen, -brennen; *v/i* F (dahin)rasen.

score [skɔː] **1.** *s sports*: (Spiel)Stand *m*, Punkt-, Trefferzahl *f*, (Spiel)Ergebnis *n*; große (An)Zahl, Menge *f*; *mus.* Partitur *f*; Kerbe *f*; ***keep*** ~ *sports*: anschreiben; ***what's the*** ~? wie steht es?; ***the*** ~ ***is 2-2*** es steht zwei zu zwei; **~*s of*** viele; ***run up a*** ~ Schulden machen; ***on the*** ~ ***of*** wegen (*gen*); **2.** *v/t and v/i sports*: erzielen (*points, goals*), punkten, *goals*: *a.* schießen; *record the score*: anschreiben; *mus.* instrumentieren; *Am.* F scharf kritisieren; einkerben; **~•board** *s sports*: Anzeigetafel *f*; **~•keep•er** *s sports*: Anschreiber(in); **scor•er** *s* Anschreiber(in); *soccer*: Torschütze *m*, -schützin *f*.

scorn [skɔːn] **1.** *s* Verachtung *f*; Spott *m*; **2.** *v/t* verachten; verschmähen; **~•ful** *adj* □ verächtlich.

Scot [skɒt] *s* Schott|e *m*, -in *f*.

S

Scotch [skɒtʃ] **1.** *adj* schottisch; **2.** *s ling.* Schottisch *n*; schottischer Whisky; **~•man, ~•wom•an** → ***Scotsman, Scotswoman.***

scot-free [skɒt'fri:] *adj* ungestraft; ***go*** *od.* ***get away ~*** ungeschoren davonkommen.

Scot•land ['skɒtlənd] Schottland *n*.

Scots [skɒts] ***the ~*** *pl* die Schotten *pl*; **~•man** *s* Schotte *m*; **~•wom•an** *s* Schottin *f*.

Scot•tish ['skɒtɪʃ] *adj* schottisch.

scour[1] ['skaʊə] *v/t* scheuern; reinigen.

scour[2] [~] *v/t* durchsuchen, -stöbern.

scourge [skɜːdʒ] **1.** *s* Geißel *f* (*a. fig.*); *fig.* Plage *f*; **2.** *v/t* geißeln.

scout [skaʊt] **1.** *s esp. mil.* Späher *m*, Kundschafter *m*; *sports*: Spion *m*, Beobachter *m*; *aer.* Aufklärer *m*; *Br. mot.* motorisierter Pannenhelfer; (***boy***) **~** Pfadfinder *m*; (***girl***) **~** *Am.* Pfadfinderin *f*; ***talent ~*** Talentsucher *m*; **2.** *v/t* auskundschaften; *v/i esp. mil.* auf Erkundung sein; ***~ about, ~ around*** sich umsehen (***for*** nach).

scowl [skaʊl] **1.** *s* finsteres Gesicht; **2.** *v/i* finster blicken.

scrab•ble ['skræbl] *v/i* scharren; (herum)tasten, (-)wühlen.

scram•ble ['skræmbl] **1.** *v/i* klettern; sich balgen (***for*** um); *v/t* verrühren; ***~d eggs*** *pl* Rührei *n*; **2.** *s* Kletterei *f*; Balgerei *f*; *fig.* Gerangel *n*.

scrap [skræp] **1.** *s* Stückchen *n*, Fetzen *m*; (Zeitungs)Ausschnitt *m*; Altmaterial *n*; Schrott *m*; ***~s*** *pl* Abfall *m*, (*esp.* Speise)Reste *pl*; **2.** *v/t* (**-pp-**) ausrangieren; verschrotten; **~-book** *s* Sammelalbum *n*.

scrape [skreɪp] **1.** *s* Kratzen *n*; Kratzer *m*, Schramme *f*; *fig.* Klemme *f*; **2.** *v/t* (ab)schaben, (ab)kratzen (***from*** von); ***~ together*** F *money*: zusammenkratzen; *v/i* scheuern (***against*** an *dat*).

scrap|-heap ['skræphi:p] *s* Abfall-, Schrotthaufen *m*; **~-i•ron, ~-met•al** *s* Alteisen *n*, Schrott *m*; **~-pa•per** *s* Schmierpapier *n*; Altpapier *n*.

scratch [skrætʃ] **1.** *s* Kratzer *m*, Schramme *f*; Kratzen *n*; *sports*: Startlinie *f*; ***start from ~*** *fig.* ganz von vorn (*or* von null) anfangen; ***be up to ~*** den Erwartungen entsprechen, F auf Zack sein; ***bring s.th. up to ~*** et. auf Vordermann bringen; **2.** *adj* zusammengewürfelt; improvisiert; *sports*: ohne Vorgabe; **3.** *v/t and v/i* (zer)kratzen; (zer-)schrammen; (sich) kratzen, *animal*: kraulen; ***~ out, ~ through, ~ off*** aus-, durchstreichen; **~ pad** *s Am.* Notizblock *m*; **~ pa•per** *s Am.* Schmierpapier *n*.

scrawl [skrɔ:l] **1.** *v/t* kritzeln; **2.** *s* Gekritzel *n*, F Klaue *f*.

scraw•ny ['skrɔ:nɪ] *adj* (**-ier, -iest**) dürr.

scream [skri:m] **1.** *s* Schrei *m*; Gekreisch *n*; ***he is a ~*** F er ist zum Schreien komisch; **2.** *v/i and v/t* schreien, kreischen.

screech [skri:tʃ] → ***scream.***

screen [skri:n] **1.** *s* Wand-, Ofen-, Schutzschirm *m*; (Film)Leinwand *f*; *der* Film, *das* Kino; *radar, TV, computer*: Bildschirm *m*; Fliegengitter *n*; *fig.* Schutz *m*, Tarnung *f*; ***large ~*** Großbildschirm *m*; **2.** *v/t* abschirmen (*a.* ***~ off***) (***from*** gegen); (be)schützen (***from*** vor *dat*); *picture*: projizieren; *TV*: senden; *film*: vorführen, zeigen; verfilmen; *fig. j-n* decken; *fig. person*: überprüfen; **~-play** *s* Drehbuch *n*; **~ sav•er** *s computer*: Bildschirmschoner *m*.

screw [skru:] **1.** *s* Schraube *f*; (Flugzeug-, Schiffs)Schraube *f*; Propeller *m*; **2.** *v/t* schrauben; V bumsen, vögeln; ***~ up*** zuschrauben, F *spoil*: vermasseln; ***~ up one's courage*** sich ein Herz fassen; **~•ball** *s Am. sl.* komischer Kauz, Spinner *m*; **~•driv•er** *s* Schraubenzieher *m*.

scrib•ble ['skrɪbl] **1.** *s* Gekritzel *n*; **2.** *v/t* (hin)kritzeln.

scrimp [skrɪmp] *v/i* sparen, knausern (***on*** mit).

script [skrɪpt] *s* Schrift *f*; Handschrift *f*; *print.* Schreibschrift *f*; Manuskript *n*; *film, TV*: Drehbuch *n*.

Scrip•ture ['skrɪptʃə] *s*: (***Holy***) **~, *The*** (***Holy***) ***~s*** *pl* die Heilige Schrift.

scroll[1] [skrəʊl] *s* Schriftrolle *f*; Schnecke *f* (*of violin*); Schnörkel *m*.

scroll[2] [~] *v/t computer*: rollen, scrollen.

scro•tum *anat.* ['skrəʊtəm] *s* (*pl* ***-ta*** [-tə], ***-tums***) Hodensack *m*.

scrub[1] [skrʌb] *s* Gestrüpp *n*, Buschwerk *n*; Knirps *m*; *contp.* Null *f* (*person*); *Am. sports*: zweite (Spieler)Garnitur.

scrub[2] [~] **1.** *s* Schrubben *n*, Scheuern *n*; **2.** *v/t* (***-bb-***) schrubben, scheuern.

scru|ple ['skruːpl] **1.** *s* Skrupel *m*, Zweifel *m*, Bedenken *n*; **2.** *v/i* Bedenken haben; **~•pu•lous** [~jʊləs] *adj* □ voller Skrupel; gewissenhaft; ängstlich.
scru•ti|nize ['skruːtɪnaɪz] *v/t* (genau) prüfen; **~•ny** [~ɪ] *s* forschender Blick; genaue (*esp. pol.* Wahl)Prüfung.
scu•ba ['skuːbə] *s* Unterwasser-Atemgerät *n*; **~ *diving*** Sporttauchen *n*.
scuff [skʌf] *v/t* abwetzen; *v/i* schlurfen.
scuf•fle ['skʌfl] **1.** *s* Balgerei *f*, Rauferei *f*; **2.** *v/i* sich balgen, raufen.
scull [skʌl] *s* **1.** Skull *n* (*oar*); Skullboot *n*; **2.** *v/t and v/i* rudern, skullen.
scul•le•ry ['skʌlərɪ] *s* Spülküche *f*.
sculp|tor ['skʌlptə] *s* Bildhauer *m*; **~•tress** *s* Bildhauerin *f*; **~•ture 1.** *s* Bildhauerei *f*, Skulptur *f*, Plastik *f*; **2.** *v/t* (heraus)meißeln, formen.
scum [skʌm] *s* (Ab)Schaum *m*; ***the ~ of the earth*** *fig.* der Abschaum der Menschheit.
scurf [skɜːf] *s* (Haut-, *esp.* Kopf)Schuppen *pl*.
scur•ri•lous ['skʌrɪləs] *adj* □ gemein, unflätig; beleidigend.
scur•ry ['skʌrɪ] *v/i* hasten, huschen.
scur•vy *med.* ['skɜːvɪ] *s* Skorbut *m*.
scut•tle ['skʌtl] **1.** *s* Kohleneimer *m*; **2.** *v/i* sich hastig zurückziehen; → ***scurry***.
scythe *agr.* [saɪð] *s* Sense *f*.
sea [siː] *s* See *f*, Meer *n* (*a. fig.*); hohe Welle; ***at ~*** auf See; **(*all*) *at ~*** *fig.* (völlig) ratlos; ***by ~*** auf dem Seeweg, mit dem Schiff; ***by the ~*** am Meer, an der See; **~•board** *s* Küste(ngebiet *n*) *f*; **~•coast** *s* Meeresküste *f*; **~•far•ing** [~feərɪŋ] *adj* seefahrend; **~•food** *s* Meeresfrüchte *pl*; **~•front** *s appr.* Uferstraße *f*, Uferpromenade *f*; **~•go•ing** *adj mar.* (hoch)seetüchtig; (Hoch)See…; **~-gull** *s zo.* Möwe *f*.
seal[1] [siːl] **1.** *s* Siegel *n*; Stempel *m*; *tech.* Dichtung *f*; *fig.* Bestätigung *f*; **2.** *v/t* versiegeln; *fig.* besiegeln; **~ *off*** *fig.* abriegeln; **~ *up*** (fest) verschließen *or* abdichten.
seal[2] *zo.* [~] *s* Robbe *f*, Seehund *m*.
sea-lev•el ['siːlevl] *s* Meeresspiegel *m*, -höhe *f*.
seal•ing-wax ['siːlɪŋwæks] *s* Siegellack *m*.
seam [siːm] **1.** *s* Naht *f*; *mar.* Fuge *f*; *geol.* Flöz *n*; Narbe *f*; **2.** *v/t*: **~ *together*** zusammennähen; **~*ed with*** *face*: zerfurcht von.
sea•man ['siːmən] *s* Seemann *m*, Matrose *m*.
seam•stress ['semstrɪs] *s* Näherin *f*.
sea|plane ['siːpleɪn] *s* Wasserflugzeug *n*; **~•port** *s* Seehafen *m*; Hafenstadt *f*; **~ pow•er** *s* Seemacht *f*.
sear [sɪə] *v/t* versengen, -brennen; *med.* ausbrennen; verdorren lassen.
search [sɜːtʃ] **1.** *s* Suche *f*, Suchen *n*, Forschen *n*; *jur.* Fahndung *f* (***for*** nach); Unter-, Durchsuchung *f*; ***in ~ of*** auf der Suche nach; **2.** *v/t* durch-, untersuchen; *med.* sondieren; *conscience*: erforschen, prüfen; **~ *me!*** F keine Ahnung!; *v/i* suchen, forschen (***for*** nach); **~ *into*** untersuchen, ergründen; **~ en•gine** *s computer*: Suchmaschine *f*; **~•ing** *adj* □ forschend, prüfend; eingehend (*examination, inquiry, etc.*); **~•light** *s* (Such)Scheinwerfer *m*; **~-par•ty** *s* Suchmannschaft *f*; **~-war•rant** *s jur.* Haussuchungs-, Durchsuchungsbefehl *m*.
sea|-shore ['siːʃɔː] *s* See-, Meeresküste *f*; **~•sick** *adj* seekrank; **~•sick•ness** *s* Seekrankheit *f*; **~•side** *s*: ***at the ~*** am Meer; ***go to the ~*** ans Meer fahren; **~ *place*, ~ *resort*** Seebad *n*.
sea•son ['siːzn] **1.** *s* Jahreszeit *f*; (rechte) Zeit; Saison *f*; *Br.* F → ***season ticket***; ***cherries are now in ~*** jetzt ist Kirschenzeit; ***out of ~*** nicht (auf dem Markt) zu haben; *fig.* zur Unzeit; ***with the compliments of the ~*** mit den besten Wünschen zum Fest; **2.** *v/t* würzen; *wood*: ablagern; **sea•so•na•ble** *adj* □ zeitgemäß; rechtzeitig; **~•al** *adj* □ saisonbedingt, Saison…; **~•ing** *s* Würze *f* (*a. fig.*); Gewürz *n*; **~ tick•et** *s rail., etc.* Dauerkarte *f*, Zeitkarte *f*; *thea.* Abonnement *n*.
seat [siːt] **1.** *s* Sitz *m*; Sessel *m*, Stuhl *m*, Bank *f*; (Sitz)Platz *m*; Platz *m*, Sitz *m* (*in theatre, etc.*); (***country***) **~** Landsitz *m*; *buttocks*: Gesäß *n*, Hosenboden *m*; *fig.* Sitz *m* (*membership*), *pol. a.* Mandat *n*; *fig.* Stätte *f*, Ort *m*, Schauplatz *m*; → ***take*** 1; **2.** *v/t* (hin)setzen; fassen, Sitzplätze haben für; **~*ed*** sitzend; …sitzig; ***be ~ed*** sitzen; ***be ~ed!*** nehmen Sie Platz!; ***remain ~ed*** sitzen bleiben; **~-belt** *s aer., mot.* Sicherheitsgurt *m*.
sea|-ur•chin *zo.* ['siːɜːtʃɪn] *s* Seeigel *m*;

S

~•ward 1. *adj* seewärts gerichtet; **2.** *adv a.* **~s** seewärts; **~•weed** *s bot.* (See)Tang *m*; **~•wor•thy** *adj* seetüchtig.
sec. ***second(s)*** Sek., sek., s, Sekunde(n *pl*) *f*; ***secretary*** Sekr., Sekretär(in).
Sec. ***Secretary*** Sekr., Sekretär(in); Minister(in).
se•cede [sɪ'siːd] *v/i* sich trennen, abfallen (***from*** von); **se•ces•sion** [sɪ'seʃn] *s* Abfall *m*, Abspaltung *f*, Sezession *f*; **se•ces•sion•ist** *s* Abtrünnige(r *m*) *f*.
se•clude [sɪ'kluːd] *v/t* abschließen, absondern; **se•clud•ed** *adj* einsam; zurückgezogen; abgelegen; **se•clu•sion** [~ʒn] *s* Zurückgezogen-, Abgeschiedenheit *f*.
sec•ond[1] ['sekənd] *s* Sekunde *f*; ***just a ~!*** Moment, bitte!; ***have you got a ~?*** hast du e-n Moment Zeit?
sec•ond[2] [~] **1.** *adj* □ zweite(r, -s); ***~ to none*** unübertroffen; ***on ~ thought*** nach reiflicher Überlegung; **2.** *adv* als Zweite(r, -s), an zweiter Stelle; **3.** *s der, die, das* Zweite; Sekundant *m*; Beistand *m*; **~s** *pl* Ware(n *pl*) *f* zweiter Wahl, zweite Wahl; F Nachschlag *m*; **4.** *v/t* sekundieren (*dat*); unterstützen.
sec•ond•a•ry ['sekəndərɪ] *adj* □ sekundär, untergeordnet; Neben…; Hilfs…; Sekundär..; ***~ education*** höhere Schulbildung; ***~ modern (school)*** *Br. (appr.) Kombination f aus Real- u. Hauptschule*; ***~ school*** höhere Schule.
sec•ond|-hand [sekənd'hænd] *adj* aus zweiter Hand (*a. adv*); gebraucht; antiquarisch; ***~ smoking*** *Am.* Passivrauchen *n*, passives Rauchen; **~•ly** [~lɪ] *adv* zweitens; **~-rate** *adj* zweitklassig.
se•cre|cy ['siːkrɪsɪ] *s* Heimlichkeit *f*; Verschwiegenheit *f*; **~t** [~t] **1.** *adj* □ geheim; Geheim…; verschwiegen; verborgen; **2.** *s* Geheimnis *n*; ***in ~*** heimlich, insgeheim; ***be in the ~*** eingeweiht sein; ***keep s.th. a ~ from s.o.*** *j-m* et. verheimlichen.
sec•re•ta•ry ['sekrətrɪ] *s* Schriftführer *m*; Sekretär(in); ***ℒ of State*** *Br.* Staatssekretär *m*; *Br.* Minister *m*; *Am.* Außenminister *m*.
se•crete [sɪ'kriːt] *v/t* verbergen; *biol., med.* absondern; **se•cre•tion** [~ʃn] *s* Verbergen *n*; *biol., med.* Absonderung *f*; **se•cre•tive** [~tɪv] *adj* verschlossen, geheimnistuerisch.
se•cret•ly ['siːkrɪtlɪ] *adv* heimlich, insgeheim.
sec•tion ['sekʃn] *s med.* Sektion *f*; Schnitt *m*; Teil *m*; Abschnitt *m*; *jur.* Paragraph *m*; *print.* Absatz *m*; Abteilung *f*; Gruppe *f*.
se•cure [sɪ'kjʊə] **1.** *adj* □ sicher; fest; gesichert; **2.** *v/t* (sich *et.*) sichern; schützen; garantieren; befestigen; (fest) (ver)schließen; **se•cu•ri•ty** *s* Sicherheit *f*; Sicherheitsmaßnahmen *pl*; Sorglosigkeit *f*; Garantie *f*; Bürge *m*; Kaution *f*; ***securities*** *pl* Wertpapiere *pl*; ***~ check*** Sicherheitskontrolle *f*; ***~ markets*** *pl* Wertpapiermärkte *pl*.
se•date [sɪ'deɪt] *adj* □ gesetzt; ruhig.
sed•a•tive *mst med.* ['sedətɪv] **1.** *adj* beruhigend; **2.** *s* Beruhigungsmittel *n*.
sed•i•ment ['sedɪmənt] *s* Sediment *n*; (Boden)Satz *m*; *geol.* Ablagerung *f*.
se•duce [sɪ'djuːs] *v/t* verführen; **se•du•cer** *s* Verführer *m*; **se•duc•tion** [sɪ'dʌkʃn] *s* Verführung *f*; **se•duc•tive** *adj* □ verführerisch.
see[1] [siː] (***saw, seen***) *v/i* sehen; *make sure*: nachsehen; *reflect*: überlegen; ***I ~!*** ich verstehe; ach so!; ***~ about*** sich kümmern um; ***I'll ~ about it*** ich werde es mir überlegen, mal sehen; ***~ into*** untersuchen, nachgehen (*dat*); ***~ through*** *j-n or et.* durchschauen; ***~ to*** sich kümmern um; *v/t* sehen; *meet*: besuchen, treffen; dafür sorgen(, dass); *doctor, etc.*: aufsuchen, konsultieren; einsehen; ***~ s.o. home*** *j-n* nach Hause bringen *or* begleiten; ***~ you!*** F bis dann!, auf bald!, wir sehen uns!; ***~ you later!*** bis später!, bis nachher!; ***~ s.o. off*** *j-n* verabschieden (***at*** *station, etc.* am *Bahnhof etc.*); ***~ s.o. out*** *j-n* hinausbegleiten; ***~ through*** *et.* durchhalten; *j-m* durchhelfen; ***live to ~*** erleben.
see[2] [~] *s*: ***the Holy ℒ*** der Heilige Stuhl.
seed [siːd] **1.** *s* Same(n) *m*, Saat(gut *n*) *f*; (Obst)Kern *m*; *coll.* Samen *pl*; *mst* **~s** *pl fig.* Saat *f*, Keim *m*; ***go*** *or* ***run to ~*** schießen (*salad, etc.*); *fig.* herunterkommen; **2.** *v/t* (be)säen; entkernen; *v/i* in Samen schießen; **~•less** *adj* kernlos (*fruit*); **~•ling** *s agr.* Sämling *m*; **~•y** *adj* □ F (***-ier, -iest***) schäbig; elend.
seek [siːk] *v/t and v/i* (***sought***) suchen (***after, for*** nach); streben nach.
seem [siːm] *v/i* (er)scheinen; ***it ~s to me that …*** mir scheint, dass …; **~•ing** *adj* □ scheinbar.

S

seen [siːn] *pp of* ***see***[1]
seep [siːp] *v/i* (durch)sickern.
see-saw ['siːsɔː] **1.** *s* Wippe *f*, Wippschaukel *f*; **2.** *v/i* wippen; *fig.* schwanken.
seethe [siːð] *v/i* sieden; schäumen (*a. fig.*); *fig.* kochen.
seg•ment ['segmənt] *s* Abschnitt *m*; Segment *n*.
seg•re|gate ['segrɪgeɪt] *v/t* absondern, trennen (*a. social groups*); **~•ga•tion** [~'geɪʃn] *s* Absonderung *f*; Rassentrennung *f*.
seize [siːz] *v/t* ergreifen, packen, fassen; an sich reißen; *jur.* beschlagnahmen; *j-n* ergreifen, festnehmen; (ein)nehmen, erobern; *fig.* erfassen.
sei•zure ['siːʒə] *s* Ergreifung *f*; *jur.* Beschlagnahme *f*; *med.* Anfall *m*.
sel•dom ['seldəm] *adv* selten.
se•lect [sɪ'lekt] **1.** *v/t* auswählen, -suchen; **2.** *adj* ausgewählt; erlesen; exklusiv; **se•lec•tion** *s* Auswahl *f*; Auslese *f*.
self [self] **1.** *s* (*pl* ***selves*** [selvz]) Selbst *n*, Ich *n*; **2.** *pron* selbst; *econ. or* F → ***myself***, *etc.*; **~-as•sured** *adj* selbstbewusst, -sicher; **~-ca•ter•ing**; **1.** *s* Selbstversorgung *f*; **2.** *adj* mit Selbstversorgung; **~-cen•t(e)red** *adj* egozentrisch; **~-col•o(u)red** *adj esp. bot.* einfarbig; **~-com•mand** *s* Selbstbeherrschung *f*; **~-con•fi•dence** *s* Selbstvertrauen *n*, -bewusstsein *n*; **~-con•fi•dent** *adj* □ selbstsicher, -bewusst; **~-con•scious** *adj* □ befangen, gehemmt, unsicher; **~-con•tained** *adj* (in sich) geschlossen, selbstständig; *fig.* verschlossen; **~ *flat*** *Br.* abgeschlossene *or* separate Wohnung; **~-con•trol** *s* Selbstbeherrschung *f*; **~-de•fence**, *Am.* **~-de•fense** *s* Selbstverteidigung *f*; ***in*** **~** in Notwehr; **~-de•ni•al** *s* Selbstverleugnung *f*; **~-de•ter•mi•na•tion** *s esp. pol.* Selbstbestimmung *f*; **~-drive** *adj*: **~ *hire*** Autovermietung *f*; **~ *vehicle*** Mietwagen *m*; **~-em•ployed** *adj econ.* selbstständig; **~-ev•i•dent** *adj* selbstverständlich; **~-gov•ern•ment** *s pol.* Selbstverwaltung *f*, Autonomie *f*; **~-help** *s* Selbsthilfe *f*; **~-in•dul•gent** *adj* maßlos, zügellos; **~-in•struc•tion** *s* Selbstunterricht *m*; **~-in•terest** *s* Eigennutz *m*, eigenes Interesse; **~•ish** *adj* □ selbstsüchtig; **~-made** *adj* selbst gemacht; **~ *man*** Selfmademan *m*; **~-pit•y** *s* Selbstmitleid *n*; **~-pos•ses•sion** *s* Selbstbeherrschung *f*; **~-re•li•ant** *adj* selbstsicher, -bewusst; **~-re•spect** *s* Selbstachtung *f*; **~-right•eous** *adj* □ selbstgerecht; **~-ser•vice**; **1.** *adj* mit Selbstbedienung, Selbstbedienungs…; **2.** *s* Selbstbedienung *f*; **~-willed** *adj* eigenwillig, -sinnig.
sell [sel] (***sold***) *v/t* verkaufen (*a. fig.*); *j-m et.* aufschwatzen; **~ *off*** abstoßen; **~ *out*** ausverkaufen; *v/i* sich verkaufen (lassen), gehen (*goods*); verkauft werden (***at, for*** für); **~-by date** *s* Verfallsdatum *n*; **~•er** *s* Verkäufer(in); ***good* ~** *econ.* gut gehender Artikel; **~•ing point** *s econ.* Verkaufsanreiz *m*, Verkaufsargument *n*.
selves [selvz] *pl of* ***self*** 1.
sem•blance ['sembləns] *s* Anschein *m*.
se•men *biol.* ['siːmen] *s* Samen *m*, Sperma *n*.
sem•i ['semɪ] **1.** *s Br.* F Doppelhaushälfte *f*; **2.** *adj* halb…, Halb…; **~•co•lon** *s* Semikolon *n*, Strichpunkt *m*; **~-de•tached (house)** *s* Doppelhaushälfte *f*; **~•fi•nal** *s sports*: Halb-, Semifinalspiel *n*; **~s** *pl* Halb-, Semifinale *n*, Vorschlussrunde *f*.
sem•i•nar ['semɪnɑː] *s* Seminar *n*; *Am.* Konferenz *f*; **sem•i•na•ry** ['semɪnərɪ] *s* (Priester)Seminar *n*; *fig.* Schule *f*.
semp•stress ['semstrɪs] → ***seamstress***.
Sen., **sen.** ***Senior*** sen., der Ältere.
sen•ate ['senɪt] *s* Senat *m*; **sen•a•tor** ['senətə] *s* Senator *m*.
send [send] (***sent***) *v/t* senden, schicken; (*with adj or ppr*) machen; **~ *s.o. mad*** *j-n* wahnsinnig machen; **~ *forth*** aussenden, -strahlen; hervorbringen; veröffentlichen; **~ *in*** einsenden, -schicken, -reichen; **~ *up*** *fig. price, etc.*: steigen lassen, in die Höhe treiben; **~ *word to s.o.*** *j-m* Nachricht geben; *v/i*: **~ *for*** nach *j-m* schicken, *j-n* kommen lassen, *j-n* holen *or* rufen (lassen); **~•er** *s* Absender(in).
se•nile ['siːnaɪl] *adj* greisenhaft, senil; **se•nil•i•ty** [sɪ'nɪlətɪ] *s* Senilität *f*.
se•ni•or ['siːnɪə] **1.** *adj* senior; älter; rang-, dienstälter; Ober…; **~ *citizens*** *pl* ältere Mitbürger *pl*, Senioren *pl*; **♀ *Citizen's Railcard*** Seniorenpass *m*; **~ *partner*** *econ.* Seniorpartner *m*; **2.** *s* Äl-

S

tere(r *m*) *f*; Rang-, Dienstältere(r *m*) *f*; Senior(in); ***he is my ~ by a year*** er ist ein Jahr älter als ich; **~•i•ty** [siːnɪ'ɒrətɪ] *s* höheres Alter *or* Dienstalter.

sen•sa•tion [sen'seɪʃn] *s* (Sinnes)Empfindung *f*; Gefühl *n*; Eindruck *m*; Sensation *f*; **~•al** *adj* □ sensationell; aufsehenerregend.

sense [sens] **1.** *s* Sinn *m* (***of*** für); Empfindung *f*, Gefühl *n*; Verstand *m*; Bedeutung *f*; Ansicht *f*; ***in*** (***out of***) ***one's ~s*** bei (von) Sinnen; ***bring s.o. to his or her ~s*** *j-n* zur Vernunft bringen; ***make ~*** Sinn haben; ***talk ~*** vernünftig reden; **2.** *v/t* spüren, fühlen.

sense•less ['senslɪs] *adj* □ bewusstlos; unvernünftig, dumm; sinnlos; **~•ness** *s* Bewusstlosigkeit *f*; Unvernunft *f*; Sinnlosigkeit *f*.

sen•si•bil•i•ty [sensɪ'bɪlətɪ] *s* Sensibilität *f*, Empfindungsvermögen *n*; *phys., etc.*: Empfindlichkeit *f*; ***sensibilities*** *pl* Empfindsamkeit *f*, Zartgefühl *n*.

sen•si•ble ['sensəbl] *adj* □ vernünftig; spür-, fühlbar; ***be ~ of s.th.*** sich e-r Sache bewusst sein; et. empfinden.

sen•si|tive ['sensɪtɪv] *adj* empfindlich (***to*** gegen); Empfindungs…; sensibel, empfindsam, feinfühlig; **~•tive•ness** *s*, **~•tiv•i•ty** [~'tɪvətɪ] *s* Sensibilität *f*; Empfindlichkeit *f*.

sen•sor *tech.* ['sensə] *s* Sensor *m*.

sen•su•al ['senʃʊəl] *adj* □ sinnlich.

sen•su•ous ['senʃʊəs] *adj* □ sinnlich; Sinnes…; sinnenfroh.

sent [sent] *pret and pp of* ***send.***

sen•tence ['sentəns] **1.** *s jur.* (Straf)Urteil *n*; *gr.* Satz *m*; ***serve one's ~*** s-e Strafe absitzen; **2.** *v/t jur.* verurteilen.

sen•ti|ment ['sentɪmənt] *s* (seelische) Empfindung, Gefühl *n*; Meinung *f*; → ***sentimentality***; **~•ment•al** [~'mentl] *adj* □ empfindsam; sentimental; **~•mental•i•ty** [~men'tælətɪ] *s* Sentimentalität *f*.

sen•try *mil.* ['sentrɪ] *s* Wache *f*, (Wach[t])Posten *m*.

sep•a|ra•ble ['sepərəbl] *adj* □ trennbar; **~•rate 1.** *adj* □ ['seprət] (ab)getrennt, gesondert, separat; einzeln; **2.** *v/t and v/i* ['sepəreɪt] (sich) trennen; (sich) absondern; (sich) scheiden; aufteilen (***into*** in *acc*); **~•ra•tion** [sepə'reɪʃn] *s* Trennung *f*; Scheidung *f*.

sep•sis *med.* ['sepsɪs] *s* (*pl* ***-ses*** [-siːz]) Sepsis *f*, Blutvergiftung *f*.

Sep•tem•ber [sep'tembə] *s* September *m*.

sep•tic *med.* ['septɪk] *adj* (**~*ally***) septisch.

se•pul•chral [sɪ'pʌlkrəl] *adj* Grab…; *fig.* düster, Grabes…; **sep•ul•chre**, *Am.* **-cher** ['sepəlkə] *s* Grab(stätte *f*) *n*.

se•quel ['siːkwəl] *s* Folge *f*; Nachspiel *n*; (Roman- *etc.*) Fortsetzung *f*; ***a four-~ program(me)*** *TV* ein Vierteiler *m*, e-e vierteilige Serie.

se•quence ['siːkwəns] *s* (Aufeinander-, Reihen)Folge *f*; *film*: Szene *f*; **sequent** [~t] *adj* (aufeinander)folgend.

se•ques•trate *jur.* [sɪ'kwestreɪt] *v/t property*: einziehen; beschlagnahmen.

ser•e•nade *mus.* [serə'neɪd] **1.** *s* Serenade *f*, Ständchen *n*; **2.** *v/t j-m* ein Ständchen bringen.

se•rene [sɪ'riːn] *adj* □ klar; heiter; ruhig; **se•ren•i•ty** [sɪ'renətɪ] *s* Heiterkeit *f*; Ruhe *f*.

ser•geant ['sɑːdʒənt] *s mil.* Feldwebel *m*; (Polizei)Wachtmeister *m*.

se•ri•al ['sɪərɪəl] **1.** *adj* □ serienmäßig, Reihen…, Serien…, Fortsetzungs…; **2.** *s* Fortsetzungsroman *m*; (Hörspiel-, Fernseh)Folge *f*, Serie *f*.

se•ries ['sɪəriːz] *s* (*pl* ***-ries***) Reihe *f*; Serie *f*; Folge *f*.

se•ri•ous ['sɪərɪəs] *adj* □ ernst; ernsthaft, ernstlich; *newspaper*: seriös; ***be ~*** es ernst meinen (***about*** mit); ***you can't be ~!*** das kann nicht dein Ernst sein!; ***take s.o. ~ly*** *j-n* ernst nehmen; ***~ly wounded*** schwer verletzt; **~•ness** *s* Ernst(haftigkeit *f*) *m*.

ser•mon ['sɜːmən] *s eccl.* Predigt *f*; *iro.* (Moral-, Straf)Predigt *f*.

ser|pent *zo.* ['sɜːpənt] *s* Schlange *f*; **~•pen•tine** [~aɪn] *adj* schlangenförmig; gewunden, *road*: kurvenreich, Serpentinen…

se•rum ['sɪərəm] *s* (*pl* ***-rums, -ra*** [-rə]) Serum *n*.

ser•vant ['sɜːvənt] *s a.* ***domestic ~*** Diener(in), Hausangestellte(r *m*) *f*, Dienstbote *m*, -mädchen *n*, Bedienstete(r *m*) *f*; ***public ~*** Staatsbeamt|er *m*, -in *f*; Angestellte(r *m*) *f* im öffentlichen Dienst; → ***civil.***

serve [sɜːv] **1.** *v/t* dienen (*dat*); *period of service* (*a. mil.*): ableisten; *apprenticeship*: (durch)machen; *jur. sentence*: ver-

S

büßen; genügen (*dat*); *customers*: bedienen; *meal*: servieren, auftragen, reichen; *drink*: servieren, einschenken; versorgen (***with*** mit); *be useful*: nützen, dienlich sein (*dat*); *purpose*: erfüllen; *tennis*, *etc*.: aufschlagen, *volleyball*: *a*. aufgeben; **(*it*) *~s him right*** (das) geschieht ihm ganz recht; ***~ out*** *et*. aus-, verteilen; *v/i* dienen (*a. mil*.; ***as, for*** als); *econ*. bedienen; nützen; genügen; *tennis*, *etc*.: aufschlagen, *volleyball*: *a*. aufgeben; ***XY to ~*** *tennis*, *etc*.: Aufschlag XY; ***~ at table*** (bei Tisch) servieren, bedienen; **2.** *s tennis*, *etc*.: Aufschlag *m*, *volleyball*: *a*. Aufgabe *f*.

ser•vice ['sɜːvɪs] **1.** *s* Dienst *m*; *econ*., *etc*.: Dienstleistung *f*; *in hotel*, *etc*.: Bedienung *f*; *favour*: Gefälligkeit *f*; *eccl*. Gottesdienst *m*; *mil*. (Wehr-, Militär-) Dienst *m*; *tech*. Wartung *f*, *mot*. *a*. Inspektion *f*; Service *m*, Kundendienst *m*; *trains*, *etc*.: (Zug- *etc*.) Verkehr *m*; *set of dishes*: Service *n*; *tennis*, *etc*.: Aufschlag *m*, *volleyball*: *a*. Aufgabe *f*; ***be at s.o.'s ~*** *j-m* zur Verfügung stehen; **2.** *v/t tech*. warten, pflegen; **ser•vice•a•ble** *adj* □ brauchbar, nützlich; praktisch; strapazierfähig; **~ ar•e•a** *s Br*. (Autobahn)Raststätte *f*; **~ charge** *s* Bedienungszuschlag *m*; Bearbeitungsgebühr *f*; **~ con•tract** *s* Wartungsvertrag *m*; **~ in•dus•try** *s econ*. Dienstleistungsgewerbe *n*; **~ sec•tor** *s* Dienstleistungssektor *m*; **~ sta•tion** *s* Tankstelle *f*; (Reparatur)Werkstatt *f*.

ser|vile ['sɜːvaɪl] *adj* □ sklavisch (*a. fig*.); unterwürfig, kriecherisch; **~•vil•ity** [sɜː'vɪlətɪ] *s* Unterwürfigkeit *f*, Kriecherei *f*.

serv•ing ['sɜːvɪŋ] *s of food*: Portion *f*.

ser•vi•tude ['sɜːvɪtjuːd] *s* Knechtschaft *f*; Sklaverei *f*.

ses•sion ['seʃn] *s* Sitzung(speriode) *f*; ***be in ~*** *jur*., *parl*. tagen.

S

set [set] **1.** (**-*tt-*; *set***) *v/t* setzen; stellen; legen; *causing to happen*: (ver)setzen, bringen; veranlassen zu; ein-, herrichten, ordnen; *tech*. (ein)stellen; *(alarm-) clock*: stellen; *gem*: fassen; besetzen (***with*** *jewels* mit); *liquid*: erstarren lassen; *hair*: legen; *med. fracture*, *bone*: einrenken, -richten; *mus*. vertonen; *print*. absetzen; *task*: stellen; *time*, *price*: festsetzen; *record*: aufstellen; ***~ s.o. laughing*** *j-n* zum Lachen bringen; ***~ an example*** ein Beispiel geben; ***~ one's hopes on*** s-e Hoffnung setzen auf (*acc*); ***~ the table*** den Tisch decken; ***~ one's teeth*** die Zähne zusammenbeißen; ***~ at ease*** beruhigen; ***~ s.o.'s mind at rest*** *j-n* beruhigen; ***~ great*** (***little***) ***store by*** großen (geringen) Wert legen auf (*acc*); ***~ aside*** beiseitelegen, weglegen; *jur*. aufheben; verwerfen; ***~ forth*** darlegen; ***~ off*** hervorheben; ***~ up*** errichten; aufstellen; einrichten, gründen; *government*: bilden; *j-n* etablieren; *v/i* untergehen (*sun*, *etc*.); gerinnen, fest werden; erstarren (*a. face*, *muscles*); *med*. sich einrenken; *hunt*. vorstehen (*pointer*); ***~ about doing s.th.*** sich daranmachen, et. zu tun; ***~ about s.o.*** F über *j-n* herfallen; ***~ forth*** aufbrechen; ***~ in*** einsetzen (*begin*); ***~ off*** aufbrechen; ***~ on*** angreifen; ***~ out*** aufbrechen; ***~ to*** sich daranmachen; ***~ up*** sich niederlassen (***as*** als); ***~ up as*** sich ausgeben für; **2.** *adj* fest; starr; festgesetzt, bestimmt; bereit, entschlossen; vorgeschrieben; ***~ fair*** *barometer*: beständig; ***~ phrase*** feststehender Ausdruck; ***~ speech*** wohlüberlegte Rede; **3.** *s* Satz *m*, Garnitur *f*; Service *n*; Set *n*, *m*; gesammelte Ausgabe (*of author*); (Schriften)Reihe *f*, (Artikel)Serie *f*; *radio*, *TV*: Gerät *n*, Apparat *m*; *thea*. Bühnenausstattung *f*; *film*: Szenenaufbau *m*; *tennis*, *etc*.: Satz *m*; *hunt*. Vorstehen *n*; *agr*. Setzling *m*; (Personen-)Kreis *m*, *contp*. Clique *f*; Sitz *m*, Schnitt *m* (*clothes*); *poet*. Untergang *m* (*sun*); *fig*. Richtung *f*, Tendenz *f*; ***have a shampoo and ~*** sich die Haare waschen und legen lassen; **~•a•side** [setə'saɪd] *agr*. Flächenstilllegung *f*; **~-back** *s fig*. Rückschlag *m*.

set•tee [se'tiː] *s* (kleines) Sofa.

set the•o•ry *math*. ['setθɪərɪ] *s* Mengenlehre *f*.

set•ting ['setɪŋ] *s* Setzen *n*; Einrichten *n*; Fassung *f* (*of jewel*); Gedeck *n*; *tech*. Einstellung *f*; *thea*. Bühnenbild *n*; *film*: Ausstattung *f*; *mus*. Vertonung *f*; (Sonnen- *etc*.) Untergang *m*; Umgebung *f*; Schauplatz *m*; *fig*. Rahmen *m*.

set•tle ['setl] **1.** *s* Sitzbank *f*; **2.** *v/t* vereinbaren, abmachen, festsetzen; erledigen, in Ordnung bringen, regeln; *question*, *etc*.: klären, entscheiden; *deal*: abschließen; *bill*: begleichen;

econ. account: ausgleichen; *quarrel, dispute*: beilegen, schlichten; *a.* **~ down** beruhigen; *child*: versorgen; *property*: vermachen (**on** *dat*); *annuity*: aussetzen (**on** *dat*); ansiedeln; *land*: besiedeln; **~ s.o. in** *j-m* helfen, sich einzugewöhnen; **~ o.s.** sich niederlassen; **~ one's affairs** s-e Angelegenheiten in Ordnung bringen; **that ~s it** F damit ist der Fall erledigt; **that's ~d then** das ist also klar; *v/i* sich niederlassen *or* setzen; *a.* **~ down** sich ansiedeln *or* niederlassen; sich (häuslich) niederlassen; sich senken (*walls, etc.*); beständig werden (*weather*); *a.* **~ down** *fig.* sich beruhigen, sich legen; sich setzen (*sediment*); sich klären (*liquid*); sich legen (*dust*); **~ back** sich (gemütlich) zurücklehnen; **~ down to** sich widmen (*dat*); **~ in** sich einrichten; sich einleben *or* eingewöhnen; **~ on, ~ upon** sich entschließen zu; **~d** *adj* fest; geregelt (*life*); beständig (*weather*); **~•ment** *s* (Be-) Siedlung *f*; Klärung *f*, Erledigung *f*; Übereinkunft *f*, Abmachung *f*; Bezahlung *f*; Schlichtung *f*, Beilegung *f*; *jur.* (Eigentums)Übertragung *f*; **~r** *s* Siedler *m*.

set-up ['setʌp] *s* F Um-, Zustände *pl*, Arrangement *n*; abgekartete Sache.

sev•en ['sevn] **1.** *adj* sieben; **2.** *s* Sieben *f*; **~•teen** [ˌ'tiːn]; **1.** *adj* siebzehn; **2.** *s* Siebzehn *f*; **~•teenth** [ˌ'tiːnθ] *adj* siebzehnte(r, -s); **~th** ['ˌθ]; **1.** *adj* sieb(en)te(r, -s); **2.** *s* Sieb(en)tel *n*; **~th•ly** [ˌθlɪ] *adv* sieb(en)tens; **~•ti•eth** [ˌtɪɪθ] *adj* siebzigste(r, -s); **~•ty** [ˌtɪ]; **1.** *adj* siebzig; **2.** *s* Siebzig *f*.

sev•e•ral ['sevrəl] *adj* □ mehrere; verschieden; einige; einzeln; eigen; getrennt; **~•ly** *adv* einzeln, gesondert, getrennt.

se•vere [sɪ'vɪə] *adj* □ (**~r, ~st**) streng; scharf; hart; rau (*weather*); hart (*winter*); ernst, finster (*look, etc.*); heftig (*pain, etc.*); schlimm, schwer (*disease, etc.*); **se•ver•i•ty** [sɪ'verətɪ] *s* Strenge *f*, Härte *f*; Heftigkeit *f*, Stärke *f*; Ernst *m*.

sew [səʊ] *v/t and v/i* (**sewed, sewn** *or* **sewed**) nähen; heften.

sew•age ['sjuːɪdʒ] *s* Abwasser *n*; **~ pollution** Abwasserverunreinigung *f*.

sew•er[1] ['səʊə] *s* Näherin *f*.

sew•er[2] [sjʊə] *s* Abwasserkanal *m*; **~•age** ['ˌrɪdʒ] *s* Kanalisation *f*.

sew|ing ['səʊɪŋ] *s* Nähen *n*; Näharbeit *f*; *attr* Näh…; **~n** [səʊn] *pp of* **sew.**

sex [seks] *s* Geschlecht *n*; Sexualität *f*; Sex *m*; **~•is•m** *s* Sexismus *m*; **~•ist 1.** *s* Sexist(in); **2.** *adj* sexistisch.

sex•ton ['sekstən] *s* Küster *m* (u. Totengräber *m*).

sex|u•al ['sekʃʊəl] *adj* □ geschlechtlich, Geschlechts…, sexuell, Sexual…; **~ intercourse** Geschlechtsverkehr *m*; → **harassment**; **~•u•al•i•ty** [ˌ'ælətɪ] *s* Sexualität *f*; **~•y** *adj* F (**-ier, -iest**) sexy, aufreizend.

shab•by ['ʃæbɪ] *adj* □ (**-ier, -iest**) schäbig; gemein.

shack [ʃæk] *s* Hütte *f*, Bude *f*.

shack•le ['ʃækl] **1.** *s* Fessel *f* (*fig. mst pl*); **2.** *v/t* fesseln.

shade [ʃeɪd] **1.** *s* Schatten *m* (*a. fig.*); (Lampen- *etc.*) Schirm *m*; Schattierung *f*; *Am.* Rouleau *n*; *fig.* Nuance *f*; *fig.* F Spur *f*; **2.** *v/t* beschatten; verdunkeln (*a. fig.*); abschirmen; schützen; schattieren; *v/i*: **~ off** allmählich übergehen (**into** in *acc*).

shad•ow ['ʃædəʊ] **1.** *s* Schatten *m* (*a. fig.*); Phantom *n*; *fig.* Spur *f*; **2.** *v/t* e-n Schatten werfen auf (*acc*); *fig. j-n* beschatten, überwachen; **~ e•con•o•my** *s econ.* Schattenwirtschaft *f*; **~•y** *adj* (**-ier, -iest**) schattig, dunkel; unbestimmt, vage.

shad•y ['ʃeɪdɪ] *adj* □ (**-ier, -iest**) Schatten spendend; schattig, dunkel; F zweifelhaft.

shaft [ʃɑːft] *s* Schaft *m*; Stiel *m*; *poet.* Pfeil *m* (*a. fig.*); *poet.* Strahl *m*; *tech.* Welle *f*; Deichsel *f*; *mining*: Schacht *m*.

shag•gy ['ʃægɪ] *adj* (**-ier, -iest**) zottig.

shake [ʃeɪk] **1.** (**shook, shaken**) *v/t* schütteln; rütteln an (*dat*); erschüttern; **~ down** herunterschütteln; **~ hands** sich die Hand geben *or* schütteln; **~ off** abschütteln (*a. fig.*); **~ up** *bed*: aufschütteln; *fig.* aufrütteln; *v/i* zittern (*a. voice*), beben, wackeln, (sch)wanken (**with** vor *dat*); *mus.* trillern; **~ down** F kampieren; **2.** *s* Schütteln *n*; Erschütterung *f*; Beben *n*; *mus.* Triller *m*; (Milch- *etc.*) Shake *m*; **~•down**; **1.** *s* (Behelfs)Lager *n*; *Am.* F Erpressung *f*; *Am.* F Durchsuchung *f*; **2.** *adj*: **~ flight** *aer.* Testflug *m*; **~ voyage** *mar.* Testfahrt *f*; **shak•en**; **1.** *pp of* **shake** 1; **2.**

adj erschüttert.
shak•y ['ʃeɪkɪ] *adj* □ (**-ier, -iest**) wack(e)lig (*a. fig.*); (sch)wankend; zitternd; zitt(e)rig; ***feel ~*** sich etwas schwach (auf den Beinen) fühlen.
shall [ʃæl] *v/aux* (***pret should***; ***negative***: ***~ not, shan't***) *ich, du etc.* soll(st) *etc.*; *ich* werde, *wir* werden.
shal•low ['ʃæləʊ] **1.** *adj* □ seicht; flach; *fig.* oberflächlich; **2.** *s* seichte Stelle, Untiefe *f*; **3.** *v/i* (sich) verflachen.
sham [ʃæm] **1.** *adj* falsch; Schein…; **2.** *s* (Vor)Täuschung *f*, Heuchelei *f*; Fälschung *f*; Schwindler(in); **3.** (**-mm-**) *v/t* vortäuschen; *v/i* sich verstellen; simulieren; ***~ ill(ness)*** sich krank stellen.
sham•ble ['ʃæmbl] *v/i* watscheln; **~s** *s sg* Schlachtfeld *n*, wüstes Durcheinander, Chaos *n*.
shame [ʃeɪm] **1.** *s* Scham *f*; Schande *f*; ***for ~!, ~ on you!*** pfui!, schäm dich!; ***put to ~*** beschämen; **2.** *v/t* beschämen; *j-m* Schande machen; **~•faced** *adj* □ schüchtern, schamhaft; **~•ful** *adj* □ schändlich, beschämend; **~•less** *adj* □ schamlos.
sham•poo [ʃæm'puː] **1.** *s* Shampoo *n*, Schampon *n*, Schampun *n*; Kopf-, Haarwäsche *f*; → ***set*** 3; **2.** *v/t head, hair*: waschen; *j-m* den Kopf *or* die Haare waschen.
sham•rock *bot.* ['ʃæmrɒk] *s* Kleeblatt *n*.
shank [ʃæŋk] *s* Unterschenkel *m*, Schienbein *n*; *bot.* Stiel *m*; (*mar.* Anker)Schaft *m*.
shan•ty ['ʃæntɪ] *s* Hütte *f*, Bude *f*; Seemannslied *n*.
shape [ʃeɪp] **1.** *s* Gestalt *f*, Form *f* (*a. fig.*); *physical or mental*: Verfassung *f*; **2.** *v/t* gestalten, formen, bilden; anpassen (***to*** *dat*); *v/i a.* ***~ up*** sich entwickeln; **~d** *adj* geformt; …**~** …förmig; **~•less** *adj* formlos; **~•ly** *adj* (**-ier, -iest**) wohlgeformt.
S
share [ʃeə] **1.** *s* (An)Teil *m*; Beitrag *m*; *econ.* Aktie *f*; *agr.* Pflugschar *f*; ***have a ~ in*** Anteil haben an (*dat*); ***go ~s*** teilen; **2.** *v/t* teilen; *v/i* teilhaben (***in*** an *dat*); **~•crop•per** *s Am.* Farmpächter *m*; **~•hold•er**, **~•own•er** *s econ.* Aktionär(in), Anteilseigner(in).
shark [ʃɑːk] *s zo.* Hai(fisch) *m*; Gauner *m*, Betrüger *m*; Kredit- *or* Miethai *m*.
sharp [ʃɑːp] **1.** *adj* □ scharf (*a. fig.*); *needle*: spitz; *slope, etc.*: steil, jäh; *pain*: schneidend, stechend, heftig; *acid, etc.*: beißend, scharf; *sound*: durchdringend, schrill; *mind, etc.*: schnell, pfiffig, schlau, gerissen; *mus.* (um e-n Halbton) erhöht; ***C ~*** *mus.* Cis *n*; **2.** *adv* scharf; jäh, plötzlich; *mus.* zu hoch; pünktlich, genau; ***at eight o'clock ~*** Punkt 8 (Uhr); ***look ~!*** F pass auf!, gib Acht!; F mach fix *or* schnell!; **3.** *s mus.* Kreuz *n*; *mus.* durch ein Kreuz erhöhte Note.
sharp|en ['ʃɑːpən] *v/t* (ver)schärfen; spitzen; verstärken; **~•en•er** *s for knife*: Schärfer *m*; (Bleistift)Spitzer *m*; **~•er** *s* Gauner *m*, Schwindler *m*; Falschspieler *m*; **~-eyed** *adj* scharfsichtig; *fig. a.* scharfsinnig; **~•ness** *s* Schärfe *f* (*a. fig.*); **~•shoot•er** *s* Scharfschütze *m*; **~•sight•ed** *adj* scharfsichtig; *fig. a.* scharfsinnig; **~-wit•ted** *adj* scharfsinnig.
shat [ʃæt] *pret and pp of* ***shit*** 2.
shat•ter ['ʃætə] *v/t* zerschmettern, -schlagen; *health, nerves*: zerstören, -rütten.
shave [ʃeɪv] **1.** *v/t and v/i* (***shaved, shaved*** *or* ***as adj shaven***) (sich) rasieren; (ab)schaben; (glatt) hobeln; streifen; *a.* knapp vorbeikommen an (*dat*); **2.** *s* Rasieren *n*, Rasur *f*; ***have (get) a ~*** sich rasieren (lassen); ***have a close*** *or* ***narrow ~*** mit knapper Not davonkommen *or* entkommen; ***that was a close ~*** das war knapp; **shav•en** *pp of* ***shave*** 1; **shav•ing**; **1.** *s* Rasieren *n*; **~s** *pl* (*esp.* Hobel)Späne *pl*; **2.** *adj* Rasier…
shawl [ʃɔːl] *s* (Umhänge)Tuch *n*, Umhang *m*; Kopftuch *n*.
she [ʃiː] **1.** *pron* sie; **2.** *s* Sie *f*; *zo.* Weibchen *n*; **3.** *adj in compounds, esp. zo.*: weiblich, …weibchen *n*; **~-dog** Hündin *f*; **~-goat** Geiß *f*.
sheaf [ʃiːf] *s* (*pl* ***sheaves***) *agr.* Garbe *f*; Bündel *n*.
shear [ʃɪə] **1.** *v/t* (***sheared, shorn*** *or* ***sheared***) scheren; **2.** *s* (***a pair of***) **~s** *pl* (e-e) große Schere.
sheath [ʃiːθ] *s* (*pl* ***sheaths*** [-ðz]) Scheide *f*; Futteral *n*, Hülle *f*; **~e** [ʃiːð] *v/t* in die Scheide *or* in ein Futteral stecken; *esp. tech.* umhüllen.
sheaves [ʃiːvz] *pl of* ***sheaf***.
she•bang *esp. Am. sl.* [ʃə'bæŋ] *s*: ***the***

whole **~** der ganze Kram.

shed[1] [ʃed] *v/t* (***-dd-; shed***) aus-, vergießen; verbreiten; *leaves, etc.*: abwerfen.

shed[2] [~] *s* Schuppen *m*; Stall *m*.

sheep [ʃiːp] *s* (*pl* ***sheep***) *zo.* Schaf *n*; Schafleder *n*; **~-dog** *s* Schäferhund *m*; **~•ish** *adj* □ einfältig; verlegen; **~•skin** *s* Schaffell *n*; Schafleder *n*.

sheer [ʃɪə] *adj* rein; bloß; glatt; hauchdünn; steil; senkrecht; direkt.

sheet [ʃiːt] *s* Bett-, Leintuch *n*, Laken *n*; *of glass, etc.*: Platte *f*; *of paper*: Blatt *n*, Bogen *m*; weite Fläche (*water, etc.*); *mar.* Schot(e) *f*, Segelleine *f*; ***the rain came down in ~s*** es regnete in Strömen; **~ i•ron** *s tech.* Eisenblech *n*; **~ light•ning** *s* Wetterleuchten *n*.

shelf [ʃelf] *s* (*pl* ***shelves***) (Bücher-, Wand- *etc.*) Brett *n*, Regal *n*, Fach *n*; Riff *n*; ***on the ~*** *fig.* ausrangiert; **~-life** *s of food, etc.*: Haltbarkeit *f*, Lagerfähigkeit *f*.

shell [ʃel] **1.** *s* Schale *f*; *bot.* Hülse *f*, Schote *f*; Muschel *f*; Schneckenhaus *n*; *zo.* Panzer *m*; Gerüst *n*, Gerippe *n*, *arch. a.* Rohbau *m*; *mil.* Granate *f*; (Geschoss-, Patronen)Hülse *f*; *Am.* Patrone *f*; **2.** *v/t* schälen; enthülsen; *mil.* (mit Granaten) beschießen; **~-fire** *s* Granatfeuer *n*; **~•fish** *s zo.* Schal(en)tier *n*; **~** *pl* Meeresfrüchte *pl*; **~-proof** *adj* bombensicher.

shel•ter [ˈʃeltə] **1.** *s* Schutzhütte *f*, -raum *m*, -dach *n*; Zufluchtsort *m*; Obdach *n*; Schutz *m*, Zuflucht *f*; ***take ~*** Schutz suchen; ***bus ~*** Wartehäuschen *n*; **2.** *v/t* (be)schützen; beschirmen; *j-m* Schutz *or* Zuflucht gewähren; *v/i* Schutz *or* Zuflucht suchen.

shelve [ʃelv] *v/t* in ein Regal stellen; *fig. et.* auf die lange Bank schieben; *fig. et.* zurückstellen; *v/i* sanft abfallen (*land*).

shelves [ʃelvz] *pl of* ***shelf.***

she•nan•i•gans F [ʃɪˈnænɪgəns] *s pl* Blödsinn *m*, Mumpitz *m*; übler Trick.

shep•herd [ˈʃepəd] **1.** *s* Schäfer *m*, Hirt *m*; **2.** *v/t* hüten; führen, leiten.

sher•iff *Am.* [ˈʃerɪf] *s* Sheriff *m*.

Shet•land [ˈʃetlənd]; **~ Is•lands** [ˌ~ˈaɪləndz] *pl die* Shetlandinseln *pl*.

shield [ʃiːld] **1.** *s* (Schutz)Schild *m*; Wappenschild *m*, *n*; *fig.* Schutz *m*; **2.** *v/t* (be)schützen (***from*** vor *dat*); *j-n* decken.

shift [ʃɪft] **1.** *s* Veränderung *f*, Verschiebung *f*, Wechsel *m*; *trick*: List *f*, Kniff *m*, Ausflucht *f*; (Arbeits)Schicht *f*; ***work in ~s*** Schicht arbeiten; ***make ~*** es fertigbringen (***to do*** zu tun); sich behelfen; sich durchschlagen; **2.** *v/t* (um-, aus)wechseln, verändern; *a. fig.* verlagern, -schieben, -legen; *guilt, etc.*: (ab-) schieben (***onto*** auf *acc*); ***~ gear(s)*** *esp. Am. mot.* schalten; *v/i* wechseln; sich verlagern *or* -schieben; *esp. Am. mot.* schalten (***into, to*** in *acc*); ***~ from one foot to the other*** von e-m Fuß auf den anderen treten; ***~ in one's chair*** auf s-m Stuhl (ungeduldig *etc.*) hin u. her rutschen; ***~ for o.s.*** sich selbst (weiter)helfen; **~ key** *s typewriter*: Umschalttaste *f*; **~•less** *adj* □ hilflos; faul; **~•y** *adj* □ (***-ier, -iest***) *fig.* gerissen; verschlagen; unzuverlässig.

shil•ling [ˈʃɪlɪŋ] *s until 1971 British coin*: Schilling *m*.

shim•mer [ˈʃɪmə] **1.** *s* Schimmer *m*; **2.** *v/i* schimmern.

shin [ʃɪn] **1.** *s a.* ***~-bone*** Schienbein *n*; **2.** *v/i* (***-nn-***) ***~ up*** hinaufklettern.

shine [ʃaɪn] **1.** *s* Schein *m*; Glanz *m*; **2.** *v/i* (***shone***) scheinen; leuchten; *fig.* glänzen, strahlen; → ***rise*** 2; *v/t* (***shined***) polieren, putzen.

shin•gle [ˈʃɪŋgl] *s* Schindel *f*; *Am.* F (Firmen)Schild *n*; grober Strandkies; ***~s*** *sg med.* Gürtelrose *f*.

shin•y [ˈʃaɪnɪ] *adj* (***-ier, -iest***) blank, glänzend.

ship [ʃɪp] **1.** *s* Schiff *n*; F Flugzeug *n*; F Raumschiff *n*; **2.** (***-pp-***) *v/t mar.* an Bord nehmen *or* bringen; *mar.* verschiffen; *econ.* transportieren, versenden; *mar.* (an)heuern; *v/i mar.* anheuern; **~•board** *s mar.*: ***on ~*** an Bord; **~•ment** *s* Verschiffung *f*; Versand *m*; Schiffsladung *f*; **~•own•er** *s* Schiffseigner(in); Reeder *m*; **~•ping** *s* Verschiffung *f*; Versand *m*; *coll.* Schiffe *pl*, Flotte *f*; *attr* Schiffs...; Versand...; **~•wreck**; **1.** *s* Schiffbruch *m*; *fig.* Scheitern *n*; **2.** *v/t*: ***be ~ed*** schiffbrüchig werden *or* sein; *fig. a.* scheitern; **~•yard** *s* (Schiffs)Werft *f*.

shirk [ʃɜːk] *v/i and v/t* sich drücken (vor *dat*); **~•er** *s* Drückeberger(in).

shirt [ʃɜːt] *s* (Herren-, Ober)Hemd *n*; *sports*: Trikot *n*; *a.* ***~ blouse*** Hemdbluse *f*; F ***keep your ~ on*** F reg dich nicht auf!; **~-sleeve 1.** *s* Hemdsärmel *m*; **2.**

adj hemdsärmelig; leger, ungezwungen; **~•waist** *s Am.* Hemdbluse *f.*

shit V [ʃɪt] **1.** *s* Scheiße *f* (*a. fig.*); Scheißen *n*; *sl. hashish*: Shit *m, n*; F ***don't give me that ~*** F erzähl (mir) nicht so einen Scheiß!; **2.** *v/i* (**-tt-**; ***shit[ted]*** *or* ***shat***) scheißen.

shiv•er [ˈʃɪvə] **1.** *s* Splitter *m*; Schauer *m*, Zittern *n*, Frösteln *n*; **2.** *v/i* zersplittern; zittern, (er)schauern, frösteln; **~•y** *adj* fröstelnd.

shoal [ʃəʊl] *s* Schwarm *m* (*esp. fish*); Masse *f*; Untiefe *f*, seichte Stelle; Sandbank *f*.

shock [ʃɒk] **1.** *s* (heftiger) Stoß; (*a. emotional*) Erschütterung *f*, Schock *m*, Schreck *m*, (plötzlicher) Schlag (***to*** für); *med.* (Nerven)Schock *m*; *of hair*: Schopf *m*; **2.** *v/t* erschüttern; *fig.* schockieren, empören; **~ ab•sorb•er** *s tech.* Stoßdämpfer *m*; **~•ing** *adj* □ schockierend, empörend, anstößig; haarsträubend; F scheußlich.

shod [ʃɒd] *pret and pp of* ***shoe*** 2.

shod•dy [ˈʃɒdɪ] **1.** *s* Reißwolle *f*; *fig.* Schund *m*; **2.** *adj* (***-ier, -iest***) falsch; minderwertig, schäbig.

shoe [ʃuː] **1.** *s* Schuh *m*; Hufeisen *n*; **2.** *v/t* (***shod***) *horse*: beschlagen; **~•black** *s* Schuhputzer *m*; **~•horn** *s* Schuhanzieher *m*; **~-lace** *s* Schnürsenkel *m*; **~•mak•er** *s* Schuhmacher *m*; **~•shine** *s esp. Am.* Schuhputzen *n*; ***~ boy*** *Am.* Schuhputzer *m*; **~-string** *s* Schnürsenkel *m*.

shone [ʃɒn, *Am.* ʃəʊn] *pret and pp of* ***shine*** 2.

shook [ʃʊk] *pret of* ***shake*** 1.

shoot [ʃuːt] **1.** *s* Jagd *f*; Jagd(revier *n*) *f*; Jagdgesellschaft *f*; *bot.* Schößling *m*, (Seiten)Trieb *m*; **2.** (***shot***) *v/t* (ab)schießen; erschießen; werfen, stoßen; fotografieren, aufnehmen, *film*: drehen; unter (*dat*) hindurchschießen, über (*acc*) hinwegschießen; *bot.* treiben; *bot.* (ein)spritzen; ***~ up*** *sl. heroin, etc.*: drücken; *v/i* schießen; jagen; stechen (*pain*); (dahin-, vorbei- *etc.*) schießen, (-)jagen, (-)rasen; *bot.* sprießen, keimen; fotografieren; filmen; ***~ ahead of*** überholen (*acc*); **~•er** *s* Schütz|e *m*, -in *f*; F Schießeisen *n* (*gun*).

shoot•ing [ˈʃuːtɪŋ] **1.** *s* Schießen *n*; Schießerei *f*; Erschießung *f*; Jagd *f*; *film*: Dreharbeiten *pl*; **2.** *adj* stechend (*pain*); **~-gal•le•ry** *s* Schießstand *m*, -bude *f*; **~-range** *s* Schießplatz *m*; **~ star** *s* Sternschnuppe *f*.

shop [ʃɒp] **1.** *s* Laden *m*, Geschäft *n*; Werkstatt *f*; Betrieb *m*; ***talk ~*** fachsimpeln; **2.** *v/i* (**-pp-**) *mst* ***go ~ping*** einkaufen gehen; **~ as•sis•tant** *s Br.* Verkäufer(in); **~•keep•er** *s* Ladenbesitzer(in); **~-lift•er** *s* Ladendieb(in); **~-lift•ing** *s* Ladendiebstahl *m*; **~•per** *s* Käufer(in).

shop•ping [ˈʃɒpɪŋ] **1.** *s* Einkauf *m*, Einkaufen *n*; Einkäufe *pl* (*goods*); ***do one's ~*** (s-e) Einkäufe machen; **2.** *adj* Laden…, Einkaufs…; ***~ bag*** *Am.* Tragtasche *f*; ***~ centre*** (*Am.* ***center***) Einkaufszentrum *n*; ***~ street*** Geschäfts-, Ladenstraße *f*.

shop|-stew•ard [ʃɒpˈstjʊəd] *s* gewerkschaftlicher Vertrauensmann; **~•walk•er** *s Br.* Aufsicht(sperson) *f* (*in large shop*); **~-win•dow** *s* Schaufenster *n*.

shore [ʃɔː] *s* Küste *f*, Ufer *n*, Strand *m*; ***on ~*** an Land.

shorn [ʃɔːn] *pp of* ***shear*** 1.

short [ʃɔːt] **1.** *adj* □ kurz; klein; knapp; kurz angebunden, barsch (***with*** gegen); mürbe (*pastry*); stark, unverdünnt (*drink*); ***in ~*** kurz(um); ***~ of*** knapp an (*dat*); ***a ~ time or while ago*** vor kurzem; **2.** *adv* plötzlich, jäh, abrupt; ***~ of*** abgesehen von, außer (*dat*); ***come or fall ~ of*** *et.* nicht erreichen; ***cut ~*** plötzlich unterbrechen; ***stop ~*** plötzlich innehalten, stutzen; ***stop ~ of*** zurückschrecken vor (*dat*); → ***run*** 1; **~•age** *s* Fehlbetrag *m*; Knappheit *f*, Mangel *m* (***of*** an *dat*); **~•com•ing** *s* Unzulänglichkeit *f*; Fehler *m*, Mangel *m*; **~ cut** *s* Abkürzung(sweg *m*) *f*; ***take a ~*** (den Weg) abkürzen; **~-dat•ed** *adj econ.* kurzfristig; **~-dis•tance** *adj* Nah…; **~•en** *v/t* (ab-, ver)kürzen; *v/i* kürzer werden; **~•en•ing** *s* Backfett *n*; **~•hand** *s* Kurzschrift *f*; ***~ typist*** Stenotypistin *f*; **~•ly** *adv* kurz; bald; **~•ness** *s* Kürze *f*; Mangel *m*; Schroffheit *f*; **~s** *s pl* (***a pair of ~***) Shorts *pl*; *esp. Am.* (e-e) (Herren)Unterhose; **~-sight•ed** *adj* □ kurzsichtig (*a. fig.*); **~-term** *adj econ.* kurzfristig; **~ wave** *s phys.* Kurzwelle *f*; **~-wind•ed** *adj* □ kurzatmig.

shot [ʃɒt] **1.** *pret and pp of* ***shoot*** 2; **2.** *s* Schuss *m*; Abschuss *m*; Geschoss *n*, Kugel *f*; *a.* ***small ~*** Schrot(kugeln *pl*) *m, n*; Schussweite *f*; Schütz|e *m*, -in *f*;

S

soccer, etc.: Schuss *m*, *basketball, etc.*: Wurf *m*, *tennis, golf*: Schlag *m*; *phot., film*: Aufnahme *f*; *med.* F Spritze *f*, Injektion *f*; F Schuss *m* (*injection of drug, small quantity of alcohol*); *fig.* Versuch *m*; *fig.* Vermutung *f*; ***have a ~ at*** *et.* versuchen; ***not by a long ~*** F noch lange nicht; ***big ~*** F großes Tier; ***like a ~*** F blitzartig, sofort; **~•gun** *s* Schrotflinte *f*; ***~ marriage*** *or* ***wedding*** F Mussheirat *f*; **~ put** *s sports*: Kugelstoßen *n*; Stoß *m*, Wurf *m*; **~-put•ter** *s sports*: Kugelstoßer(in).

should [ʃʊd, ʃəd] *pret of* ***shall.***

shoul•der [ˈʃəʊldə] **1.** *s* Schulter *f* (*a. of animals*; *a. fig.*); Achsel *f*; *Am.* Bankett *n* (*of road*); **2.** *v/t* auf die Schulter *or fig.* auf sich nehmen; schultern; drängen; **~•blade** *s anat.* Schulterblatt *n*; **~-strap** *s* Träger *m* (*of dress, etc.*).

shout [ʃaʊt] **1.** *s* (lauter) Schrei *or* Ruf; Geschrei *n*; **2.** *v/i and v/t* (laut) rufen; schreien.

shove [ʃʌv] **1.** *s* Schubs *m*, Stoß *m*; **2.** *v/t and v/i* schieben, stoßen.

shov•el [ˈʃʌvl] **1.** *s* Schaufel *f*; **2.** *v/t* (*esp. Br.* **-ll-**, *Am.* **-l-**) schaufeln.

show [ʃəʊ] **1.** (***showed, shown*** *or* ***showed***) *v/t* zeigen; ausstellen; erweisen; beweisen; ***~ in*** herein-, hineinführen; ***~ off*** zur Geltung bringen; ***~ out*** heraus-, hinausführen, -bringen; ***~ round*** herumführen; ***~ up*** herauf-, hinaufführen; *j-n* bloßstellen; *et.* aufdecken; *v/i a.* ***~ up*** sichtbar werden *or* sein; sich zeigen; zu sehen sein; ***~ off*** angeben, prahlen, sich aufspielen; ***~ up*** F auftauchen, sich blicken lassen; **2.** *s* (Her)Zeigen *n*; Zurschaustellung *f*; Ausstellung *f*; Vorführung *f*, -stellung *f*, Schau *f*; F (Theater-, Film)Vorstellung *f*, *radio, TV*: Sendung *f*, Show *f*; *outward appearance*: Schein *m*; ***on ~*** zu besichtigen; ***bad ~!*** F das ist ein schwaches Bild!; ***good ~!*** gut gemacht!; **~•biz** F, **~ busi•ness** *s* Showbusiness *n*, Showgeschäft *n*, Vergnügungs-, Unterhaltungsbranche *f*; **~-case** *s* Schaukasten *m*, Vitrine *f*; **~-down** *s* Aufdecken *n* der Karten (*a. fig.*); *fig.* Kraftprobe *f*.

show•er [ˈʃaʊə] **1.** *s* (Regen- *etc.*) Schauer *m*; Dusche *f*; *fig.* Fülle *f*; ***have*** *or* ***take a ~*** duschen; **2.** *v/t* überschütten, -häufen; *v/i* gießen; (sich) brausen *or* duschen; ***~ down*** niederprasseln; **~•y** *adj* (**-ier, -iest**) regnerisch.

show|-jump•er [ˈʃəʊdʒʌmpə] *s sports*: Springreiter(in); **~-jump•ing** *s sports*: Springreiten *n*; **~n** *pp of* ***show*** 1; **~•room** *s* Ausstellungsraum *m*; **~-window** *s* Schaufenster *n*; **~•y** *adj* □ (**-ier, -iest**) prächtig; protzig.

shrank [ʃræŋk] *pret of* ***shrink.***

shred [ʃred] **1.** *s* Stückchen *n*; Fetzen *m* (*a. fig.*); *fig.* Spur *f*; **2.** *v/t* (**-dd-**) zerfetzen; in Streifen schneiden.

shrew [ʃruː] *s woman*: F Hausdrachen *m*.

shrewd [ʃruːd] *adj* □ scharfsinnig; schlau.

shriek [ʃriːk] **1.** *s* schriller Schrei; Gekreisch *n*; **2.** *v/i* kreischen, schreien.

shrill [ʃrɪl] **1.** *adj* □ schrill, gellend; **2.** *v/i* schrillen, gellen; *v/t et.* kreischen.

shrimp [ʃrɪmp] *s zo.* Garnele *f*, Krabbe *f*; *fig. contp.* Knirps *m*.

shrine [ʃraɪn] *s* Schrein *m*.

shrink [ʃrɪŋk] *v/i* (***shrank, shrunk***) (ein-, zusammen)schrumpfen; einlaufen; zurückweichen (***from*** vor *dat*); zurückschrecken (***from, at*** vor *dat*); **~•age** [ˈ-ɪdʒ] *s* Einlaufen *n*; (Ein-, Zusammen)Schrumpfen *n*; Schrumpfung *f*; *fig.* Verminderung *f*.

shriv•el [ˈʃrɪvl] *v/i and v/t* (*esp. Br.* **-ll-**, *Am.* **-l-**) (ein-, zusammen)schrumpfen (lassen), (ver)welken (lassen).

shroud [ʃraʊd] **1.** *s* Leichentuch *n*; *fig.* Schleier *m*; **2.** *v/t* in ein Leichentuch (ein)hüllen; *fig.* hüllen.

Shrove|tide [ˈʃrəʊvtaɪd] *s* Fastnachts-, Faschingszeit *f*; **~ Tues•day** *s* Fastnachts-, Faschingsdienstag *m*.

shrub [ʃrʌb] *s* Strauch *m*; Busch *m*; **~•be•ry** [ˈʃrʌbərɪ] *s* Gebüsch *n*.

shrug [ʃrʌg] **1.** (**-gg-**) *v/i* (*and v/t*: ***~ one's shoulders***) mit den Achseln zucken; **2.** *s* Achselzucken *n*.

shrunk [ʃrʌŋk] *pp of* ***shrink***; **~•en** [ˈ-ən] *adj* (ein-, zusammen)geschrumpft.

shud•der [ˈʃʌdə] **1.** *v/i* schaudern; (er-)zittern, (er)beben; **2.** *s* Schauder *m*.

shuf•fle [ˈʃʌfl] **1.** *v/t playing cards*: mischen; (*a. v/i*) ***~*** (***one's feet***) schlurfen; ***~ off*** *clothes*: abstreifen; *fig. work, etc.*: abwälzen (***on, upon*** auf *acc*); **2.** *s* (Karten)Mischen *n*; Schlurfen *n*; Umstellung *f*; *pol.* (Kabinetts)Umbildung *f*; *fig.* Ausflucht *f*, Schwindel *m*.

shun [ʃʌn] *v/t* (***-nn-***) (ver)meiden.

shunt [ʃʌnt] **1.** *s rail.* Rangieren *n*; *electr.* Nebenschluss *m*; **2.** *v/t rail.* rangieren; *electr.* nebenschließen; verschieben, beiseiteschieben; *fig. et.* aufschieben.

shut [ʃʌt] *v/t and v/i* (***-tt-***; ***shut***) (sich) schließen; zumachen; ~ ***down*** *company, etc.*: schließen; ~ ***off*** *water, gas, etc.*: abstellen; ~ ***up*** einschließen; *house, etc.*: verschließen; einsperren; *person*: zum Schweigen bringen; ~ ***up!*** F halt die Klappe!; **~•ter** *s* Fensterladen *m*; *phot.* Verschluss *m*; ~ ***speed*** *phot.* Belichtung(szeit) *f*.

shut•tle ['ʃʌtl] **1.** *s tech.* Schiffchen *n*; Pendelverkehr *m*; → ***space shuttle***; **2.** *v/i bus, etc.*: pendeln; **~•cock** *s sports*: Federball *m*; ~ **di•plo•ma•cy** *s pol.* Pendeldiplomatie *f*; ~ **ser•vice** *s* Pendelverkehr *m*.

shy [ʃaɪ] **1.** *adj* □ (***~er*** *or* ***shier, ~est*** *or* ***shiest***) scheu; schüchtern; **2.** *v/i* scheuen (***at*** vor *dat*); ~ ***away from*** *fig.* zurückschrecken vor (*dat*); **~•ness** *s* Schüchternheit *f*; Scheu *f*.

Si•be•ria [saɪ'bɪərɪə] Sibirien *n*.

Si•be•ri•an [saɪ'bɪərɪən] **1.** *adj* sibirisch; **2.** *s* Sibirier(in).

Sic•i•ly ['sɪsɪlɪ] Sizilien *n*.

sick [sɪk] *adj* krank (***of*** an *dat*; ***with*** vor *dat*); überdrüssig (***of*** *gen*); *fig.* krank (***of*** vor *dat*; ***for*** nach); F *fig.* geschmacklos, makaber (*joke, etc.*); ***be*** ~ sich übergeben (müssen); F ***be*** ~ ***of s.th.*** et. satthaben; F ***be*** ~ ***and tired of …*** F die Nase (gestrichen) vollhaben von …; ***fall*** ~ krank werden; ***I feel*** ~ mir ist schlecht *or* übel; ***go*** ~, ***report*** ~ sich krank melden; ***be off*** ~ wegen Krankheit fehlen, krank(geschrieben) sein; ***skive off*** ~ krankmachen, krankfeiern; **~-ben•e•fit** *s Br.* Krankengeld *n*; **~•en** *v/i* krank werden; kränkeln; ~ ***at*** sich ekeln vor (*dat*); *v/t* krank machen; anekeln; **~•en•ing** *adj* □ ekelhaft, widerlich; *fig.* unerträglich, F zum Kotzen.

S

sick•le ['sɪkl] *s* Sichel *f*.

sick|-leave ['sɪkli:v] *s* Fehlen *n* wegen Krankheit; ***be on*** ~ wegen Krankheit fehlen; **~•ly** *adj* (***-ier, -iest***) kränklich; schwächlich; bleich, blass; ungesund (*climate*); ekelhaft; matt (*smile*); **~•ness** *s* Krankheit *f*; Übelkeit *f*.

side [saɪd] **1.** *s* Seite *f*; ~ ***by*** ~ Seite an Seite; ***take ~s with*** Partei ergreifen für; **2.** *adj* Seiten…; Neben…; **3.** *v/i* Partei ergreifen (***with*** für); **~•board** *s* Anrichte *f*, Sideboard *n*; **~-car** *s mot.* Beiwagen *m*; **~•dish** *s* Beilage *f* (*with main dish*); **~•long**; **1.** *adv* seitwärts; **2.** *adj* seitlich; Seiten…; **~-road**, **~-street** *s* Nebenstraße *f*; **~•walk** *s Am.* Gehsteig *m*; ~ ***artist*** *Am.* Pflastermaler(in); **~•ward(s)**, **~•ways** *adv* seitlich; seitwärts.

sid•ing *rail.* ['saɪdɪŋ] *s* Nebengleis *n*.

siege [si:dʒ] *s* Belagerung *f*; ***lay*** ~ ***to*** belagern; *fig. j-n* bestürmen.

sieve [sɪv] **1.** *s* Sieb *n*; **2.** *v/t* sieben.

sift [sɪft] *v/t* sieben; *fig.* sichten, prüfen.

sigh [saɪ] **1.** *s* Seufzer *m*; **2.** *v/i* seufzen.

sight [saɪt] **1.** *s* Sehvermögen *n*, Sehkraft *f*, Auge(nlicht) *n*; Anblick *m*; Sicht *f* (*a. econ.*); Visier *n*; *fig.* Auge *n*; **~s** *pl* Sehenswürdigkeiten *pl*; ***at*** ~, ***on*** ~ sofort; *mus.* ***at*** ~ vom Blatt; ***at the*** ~ ***of*** beim Anblick (*gen*); ***at first*** ~ auf den ersten Blick; ***be out of*** ~ außer Sicht sein; ***catch*** ~ ***of*** erblicken; ***know by*** ~ vom Sehen kennen; ***lose*** ~ ***of*** aus den Augen verlieren; (***with***)***in*** ~ in Sicht(weite); **2.** *v/t* sichten, erblicken; (an)visieren; **~•ed** *adj* sehend; **…~** …sichtig; **~•ly** *adj* (***-ier, -iest***) ansehnlich, stattlich; **~•see•ing**; **1.** *s* Besichtigung *f* von Sehenswürdigkeiten; ***go*** ~ e-e Besichtigungstour machen; **2.** *adj*: ~ ***tour*** Besichtigungstour *f*, (Stadt)Rundfahrt *f*; **~•se•er** *s* Tourist(in).

sign [saɪn] **1.** *s* Zeichen *n*; Wink *m*; *notice*: Schild *n*; ***in*** ~ ***of*** zum Zeichen (*gen*); **2.** *v/t and v/i* unterzeichnen, unterschreiben.

sig•nal ['sɪgnl] **1.** *s* Signal *n* (*a. fig.*); Zeichen *n*; **2.** *adj* bemerkenswert; außerordentlich; **3.** (*esp. Br.* ***-ll-***, *Am.* ***-l-***) *v/t fig. readiness, etc.*: signalisieren; ~ ***s.o. to do s.th.*** *j-m* (ein) Zeichen geben, et. zu tun; *v/i*: ~ ***for a taxi*** e-m Taxi winken.

sig•na|to•ry ['sɪgnətərɪ] **1.** *s* Unterzeichner(in); **2.** *adj* unterzeichnend; ~ ***powers*** *pl pol.* Signatarmächte *pl*; **~•ture** [~tʃə] *s* Signatur *f*; Unterschrift *f*.

sign|board ['saɪnbɔ:d] *s* (Aushänge-) Schild *n*; **~•er** *s* Unterzeichner(in).

sig•nif•i|cance [sɪg'nɪfɪkəns] *s* Bedeutung *f*; **~•cant** *adj* □ bedeutsam; be-

zeichnend (*of* für); **~•ca•tion** [sɪgnɪfɪ'keɪʃn] *s* Bedeutung *f*, Sinn *m*.
sig•ni•fy ['sɪgnɪfaɪ] *v/t* andeuten; zu verstehen geben; bedeuten.
sign•post ['saɪnpəʊst] *s* Wegweiser *m*.
si•lence ['saɪləns] **1.** *s* (Still)Schweigen *n*; Stille *f*, Ruhe *f*; **~!** Ruhe!; ***put*** *or* ***reduce to ~*** zum Schweigen bringen; **2.** *v/t* zum Schweigen bringen; **si•lenc•er** *s tech.* Schalldämpfer *m*; *mot.* Auspufftopf *m*.
si•lent ['saɪlənt] *adj* □ still; schweigend; schweigsam; stumm; ***~ partner*** *Am. econ.* stiller Teilhaber.
silk [sɪlk] *s* Seide *f*; *attr* Seiden…; **~•en** *adj* seiden, Seiden…; **~•worm** *s zo.* Seidenraupe *f*; **~•y** *adj* □ (***-ier, -iest***) seidig, seidenartig.
sill [sɪl] *s* Schwelle *f*; Fensterbrett *n*.
sil•ly ['sɪlɪ] *adj* □ (***-ier, -iest***) albern, töricht, dumm, verrückt; ***~ fool*** F Dummkopf *m*; ***~ season*** *press*: Sauregurkenzeit *f*.
silt [sɪlt] **1.** *s* Schlamm *m*; **2.** *v/i and v/t mst* ***~ up*** verschlammen.
sil•ver ['sɪlvə] **1.** *s* Silber *n*; **2.** *adj* silbern, Silber…; **3.** *v/t* versilbern; **~ plate**, **~•ware** *s* Tafelsilber *n*; **~•y** *adj* silberglänzend; *fig.* silberhell.
sim•i•lar ['sɪmɪlə] *adj* □ ähnlich, gleich; **~•i•ty** [sɪmɪ'lærətɪ] *s* Ähnlichkeit *f*.
sim•mer ['sɪmə] *v/i and v/t* köcheln, leicht kochen *or* sieden (lassen); *fig.* kochen (***with*** vor *dat*), gären (*emotions*); ***~ down*** sich beruhigen *or* abregen.
sim•per ['sɪmpə] **1.** *s* einfältiges Lächeln; **2.** *v/i* einfältig lächeln.
sim•ple ['sɪmpl] *adj* □ (***~r, ~st***) einfach, simpel; *clothes, etc.*: schlicht; *foolish*: einfältig, arglos, naiv; **~-heart•ed**, **~-mind•ed** *adj* einfältig, arglos, naiv.
sim•pli|ci•ty [sɪm'plɪsətɪ] *s* Einfachheit *f*; Unkompliziertheit *f*; Schlichtheit *f*; Einfalt *f*; **~•fi•ca•tion** [~fɪ'keɪʃn] *s* Vereinfachung *f*; **~•fy** ['~faɪ] *v/t* vereinfachen.
sim•ply ['sɪmplɪ] *adv* einfach; bloß.
sim•u•late ['sɪmjʊleɪt] *v/t* vortäuschen; simulieren; *mil., tech. a. conditions*: (wirklichkeitsgetreu) nachahmen.
sim•ul•ta•ne•ous [sɪml'teɪnɪəs] *adj* □ gleichzeitig, simultan.
sin [sɪn] **1.** *s* Sünde *f*; **2.** *v/i* (***-nn-***) sündigen.
since [sɪns] **1.** *prp* seit; **2.** *adv* seitdem; **3.** *cj* seit(dem); da (ja).
sin•cere [sɪn'sɪə] *adj* □ aufrichtig, ehrlich, offen; ***Yours ~ly*** *letter*: Mit freundlichen Grüßen; **sin•cer•i•ty** [~'serətɪ] *s* Aufrichtigkeit *f*; Offenheit *f*.
sin•ew *anat.* ['sɪnjuː] *s* Sehne *f*; **~•y** [~juːɪ] *adj* sehnig; *fig.* kraftvoll.
sin•ful ['sɪnfl] *adj* □ sündig, sündhaft.
sing [sɪŋ] *v/t and v/i* (***sang, sung***) singen; ***~ to s.o.*** *j-m* vorsingen.
Sin•ga•pore [ˌsɪŋə'pɔː] Singapur *n*.
singe [sɪndʒ] *v/t* (ver-, ab)sengen.
sing•er ['sɪŋə] *s* Sänger(in).
sing•ing ['sɪŋɪŋ] *s* Gesang *m*, Singen *n*; ***~ bird*** Singvogel *m*.
sin•gle ['sɪŋgl] **1.** *adj* □ einzig; einzeln; Einzel…; einfach; ledig, unverheiratet; ***bookkeeping by ~ entry*** *econ.* einfache Buchführung; ***in ~ file*** im Gänsemarsch; **2.** *s Br.* einfache Fahrkarte, *aer.* einfaches Ticket; Single *f* (*record*); Single *m, f*, Unverheiratete(r *m*) *f*; *Br.* Einpfund-, *Am.* Eindollarschein *m*; **~s** *sg, pl tennis*: Einzel *n*; **3.** *v/t*: ***~ out*** auswählen, -suchen; **~-breast•ed** *adj* einreihig (*jacket, etc.*); **~-en•gined** *adj aer.* einmotorig; **2 Eu•ro•pe•an Act** *s pol. die* Einheitliche Europäische Akte; **~ (Eu•ro•pe•an) cur•ren•cy** *s* europäische Einheitswährung; **2 (Eu•ro•pe•an) Mar•ket** *s pol.* europäischer Binnenmarkt; **~-hand•ed** *adj* eigenhändig, allein; **~-heart•ed**, **~-mind•ed** *adj* □ aufrichtig; zielstrebig; **~ par•ent** *s* Alleinerziehende(r *m*) *f*; ***~ family*** Familie *f* mit nur einem Elternteil.
sin•glet *Br.* ['sɪŋglɪt] *s* ärmelloses Unterhemd *or* Trikot.
sin•gle-track ['sɪŋgltræk] *adj rail.* eingleisig; F *fig.* einseitig.
sin•gu•lar ['sɪŋgjʊlə] **1.** *adj* □ einzigartig; eigenartig; sonderbar; **2.** *s a.* ***~ number*** *gr.* Singular *m*, Einzahl *f*; **~•i•ty** [~'lærətɪ] *s* Einzigartigkeit *f*; Eigentümlichkeit *f*.
sin•is•ter ['sɪnɪstə] *adj* □ unheilvoll; böse.
sink [sɪŋk] **1.** (***sank, sunk***) *v/i* sinken; ein-, nieder-, unter-, versinken; sich senken; (ein)dringen, (-)sickern; *v/t* (ver)senken; *well*: bohren; *money*: fest anlegen; **2.** *s* Ausguss *m*, Spülbecken *n*, Spüle *f*; **~•ing** *s* (Ein-, Ver)Sinken *n*;

Versenken *n*; *econ.* Tilgung *f*; **~-*fund*** Tilgungsfonds *m*.
sin•less ['sɪnlɪs] *adj* □ sündenfrei; **sinner** *s* Sünder(in).
sin•u•ous ['sɪnjʊəs] *adj* □ gewunden.
sip [sɪp] **1.** *s* Schlückchen *n*; **2.** (***-pp-***) *v/t* nippen an (*dat*) *or* von; schluckweise trinken; *v/i* nippen (***at*** an *dat or* von).
sir [sɜː] *s* Herr *m* (*form of address*); **♀** [sə] Sir *m* (*title*); ***Dear Sir or Madam*** Sehr geehrte Damen und Herren.
sire ['saɪə] *s mst poet.* Vater *m*; Vorfahr *m*; *zo.* Vater(tier *n*) *m*.
si•ren ['saɪərən] *s* Sirene *f* (*a. myth.*).
sir•loin ['sɜːlɔɪn] *s* Lendenstück *n*.
sis•sy F ['sɪsɪ] *s* Weichling *m*.
sis•ter ['sɪstə] *s* (*a.* Ordens-, Ober-, Kranken)Schwester *f*; **~-in-law** *s* Schwägerin *f*; **~•ly** *adj* schwesterlich.
sit [sɪt] (***-tt-***; ***sat***) *v/i* sitzen; e-e Sitzung halten, tagen; *fig.* liegen, stehen; **~ *down*** sich setzen; **~ *in*** ein Sit-in veranstalten; **~ *in for*** für *j-n* einspringen; **~ *up*** aufrecht sitzen; aufbleiben; *v/t* setzen; sitzen auf (*dat*); *exam*: machen.
site [saɪt] *s* Lage *f*; Stelle *f*; Stätte *f*; (Bau)Gelände *n*.
sits vac ['sɪtsvæk] *pl* (= ***situations vacant***) F *in newspaper etc.*: Stellenangebote *pl*.
sit•ting ['sɪtɪŋ] *s of law court or parliament*: Sitzung *f*; **~ room** *s* Wohnzimmer *n*.
sit•u|at•ed ['sɪtjʊeɪtɪd] *adj* gelegen; ***be* ~** liegen, gelegen sein; **~•a•tion** [~'eɪʃn] *s* Lage *f*, Situation *f*; *job*: Stellung *f*, Stelle *f*; **~*s vacant*** *in newspaper etc.*: Stellenangebote *pl*; **~*s wanted*** *in newspaper etc.*: Stellengesuche *pl*.
six [sɪks] **1.** *adj* sechs; **2.** *s* Sechs *f*; **~•teen** [~'tiːn]; **1.** *adj* sechzehn; **2.** *s* Sechzehn *f*; **~•teenth** [~'tiːnθ] *adj* sechzehnte(r, -s); **~th** [~θ]; **1.** *adj* sechste(r, -s); **2.** *s* Sechstel *n*; **~th•ly** ['~θlɪ] *adv* sechstens; **~•ti•eth** [~tɪɪθ] *adj* sechzigste(r, -s); **~•ty** [~tɪ]; **1.** *adj* sechzig; **2.** *s* Sechzig *f*.
size [saɪz] **1.** *s* Größe *f*; Format *n*; **2.** *v/t* nach Größe(n) ordnen; **~ *up*** F abschätzen; **~d** *adj* von *or* in … Größe.
siz(e)•a•ble ['saɪzəbl] *adj* □ (ziemlich) groß.
siz•zle ['sɪzl] *v/i* zischen; knistern; brutzeln; ***sizzling*** (***hot***) glühend heiß.
skate [skeɪt] **1.** *s* Schlittschuh *m*; Rollschuh *m*; **2.** *v/i* Schlittschuh laufen, eislaufen; Rollschuh laufen; **~•board**; **1.** *s* Skateboard *n*; **2.** *v/i* Skateboard fahren; **skat•er** *s* Schlittschuhläufer(in); Rollschuhläufer(in); **skat•ing** *s* Schlittschuh-, Eislaufen *n*, Eislauf *m*; Rollschuhlauf(en *n*) *m*.
ske•dad•dle F [skɪ'dædl] *v/i* abhauen.
skel•e•ton ['skelɪtn] *s* Skelett *n*; Gerippe *n*; Gestell *n*; *attr* Skelett…; **~ *key*** Nachschlüssel *m*.
skep|tic ['skeptɪk], **~•ti•cal** [~l] *Am.* → ***sceptic.***
sketch [sketʃ] **1.** *s* Skizze *f*; Entwurf *m*; *thea.* Sketch *m*; **2.** *v/t* skizzieren; entwerfen.
ski [skiː] **1.** *s* Schi *m*, Ski *m*; *attr* Schi…, Ski…; **2.** *v/i* Schi *or* Ski laufen *or* fahren.
skid [skɪd] **1.** *s* Bremsklotz *m*; *aer.* (Gleit)Kufe *f*; *mot.* Rutschen *n*, Schleudern *n*; **~ *mark*** *mot.* Bremsspur *f*; **2.** *v/i* (***-dd-***) rutschen; schleudern.
ski|er ['skiːə] *s* Schi-, Skiläufer(in); **~•ing** *s* Schi-, Skilauf(en *n*) *m*, -fahren *n*, -sport *m*.
skil•ful ['skɪlfl] *adj* □ geschickt; geübt.
skill [skɪl] *s* Geschicklichkeit *f*, Fertigkeit *f*; **~ed** *adj* geschickt; ausgebildet, Fach…; **~ *worker*** Facharbeiter *m*; **~•ful** *Am.* → ***skilful.***
skim [skɪm] (***-mm-***) *v/t* abschöpfen; *milk*: entrahmen; (hin)gleiten über (*acc*); *book*: überfliegen; *v/i*: **~ *through*** durchblättern; **~ milk** *s* Magermilch *f*.
skimp [skɪmp] *v/t j-n* knapphalten; sparen an (*dat*); *v/i* knausern (***on*** mit); **~•y** *adj* □ (***-ier, -iest***) knapp; dürftig.
skin [skɪn] **1.** *s* Haut *f*; Fell *n*; Schale *f*; **2.** (***-nn-***) *v/t* (ent)häuten; *animal*: abziehen; *fruit*: schälen; *v/i a.* **~ *over*** zuheilen; **~-deep** *adj* (nur) oberflächlich; **~ div•ing** *s* Sporttauchen *n*; **~•flint** *s* Knicker *m*; **~•ny** *adj* (***-ier, -iest***) mager; **~•ny-dip** *v/i* (***-pp-***) F nackt baden.
skip [skɪp] **1.** *s* Sprung *m*; **2.** (***-pp-***) *v/i* hüpfen, springen; seilhüpfen; *v/t* überspringen.
skip•per ['skɪpə] *s mar.* Schiffer *m*; *mar., aer., sports*: Kapitän *m*.
skir•mish ['skɜːmɪʃ] **1.** *s mil. and fig.* Geplänkel *n*; **2.** *v/i* plänkeln.
skirt [skɜːt] **1.** *s* (Damen)Rock *m*; (Rock)Schoß *m*; *often* **~*s pl*** Rand *m*, Saum *m*; **2.** *v/t* (um)säumen; sich entlangziehen an (*dat*).

S

skit [skɪt] *s* Stichelei *f*; Satire *f*; **~•tish** *adj* □ ausgelassen; scheu (*horse*).
skit•tle ['skɪtl] *s* Kegel *m*; ***play* (*at*) ~*s*** kegeln; **~-al•ley** *s* Kegelbahn *f*.
skive [skaɪv] *v/i* blaumachen; *a.* **~ *off* (*sick*)** krankmachen, krankfeiern; **skiv•er** *s* Drückeberger(in).
skulk [skʌlk] *v/i* (herum)schleichen; lauern; sich drücken.
skull [skʌl] *s* Schädel *m*.
skul(l)•dug•ge•ry F [skʌl'dʌgərɪ] *s* Gaunerei *f*.
skunk *zo.* [skʌŋk] *s* Skunk *m*, Stinktier *n*.
sky [skaɪ] *s often* ***skies*** *pl* Himmel *m*; **~•jack** *v/t* F *aircraft*: entführen; **~•jack•er** *s* F Flugzeugentführer(in); **~•lab** *s Am.* Raumlabor *n*; **~•light** *s* Oberlicht *n*, Dachfenster *n*; **~•line** *s* Horizont *m*; Silhouette *f*, Skyline *f*; **~-rock•et** *v/i* F in die Höhe schießen (*prices*), sprunghaft ansteigen; **~•scrap•er** *s* Wolkenkratzer *m*; **~•ward(s)** *adj and adv* himmelwärts.
slab [slæb] *s* Platte *f*, Fliese *f*; (dicke) Scheibe (*of cheese, etc.*).
slack [slæk] **1.** *adj* □ schlaff; locker; (nach)lässig; flau (*a. econ.*); **2.** *s mar.* Lose *f*; Flaute *f* (*a. econ.*); Kohlengrus *m*; **~•en** *v/i and v/t* nachlassen; (sich) verringern; (sich) lockern; (sich) entspannen; (sich) verlangsamen; **~s** *s pl* Freizeithose *f*.
slag [slæg] *s* Schlacke *f*.
slain [sleɪn] *pp of* ***slay.***
slake [sleɪk] *v/t lime*: löschen; *thirst*: löschen, stillen.
slam [slæm] **1.** *s* Zuschlagen *n*; Knall *m*; **2.** *v/t* **(-*mm*-)** *door, etc.*: zuschlagen, zuknallen; **~ *the book on the desk*** das Buch auf den Tisch knallen.
slan•der ['slɑːndə] **1.** *s* Verleumdung *f*; **2.** *v/t* verleumden; **~•ous** *adj* □ verleumderisch.
slang [slæŋ] **1.** *s* Slang *m*; Berufssprache *f*; lässige Umgangssprache; **2.** *v/t j-n* wüst beschimpfen.
slant [slɑːnt] **1.** *s* schräge Fläche; Abhang *m*; Neigung *f*; Standpunkt *m*, Einstellung *f*; Tendenz *f*; **2.** *v/i and v/t* schräg legen *or* liegen; sich neigen; **~•ing** *adj* □, **~•wise** *adv* schief, schräg.
slap [slæp] **1.** *s* Klaps *m*, Schlag *m*; ***a ~ in the face*** ein Schlag ins Gesicht (*a. fig.*); **2.** **(-*pp*-)** *v/t* e-n Klaps geben (*dat*); schlagen; *v/i* klatschen; **~•stick** *s* F Klamotte *f*; *a.* **~ *comedy*** *film, etc.*: Slapstickkomödie *f*.
slash [slæʃ] **1.** *s* Hieb *m*; Schnitt(wunde *f*) *m*; Schlitz *m*; **2.** *v/t* (auf)schlitzen; schlagen, hauen; *fig.* scharf kritisieren.
slate [sleɪt] **1.** *s* Schiefer *m*; Schiefertafel *f*; *esp. Am. pol.* Kandidatenliste *f*; **2.** *v/t* mit Schiefer decken; *Br.* F heftig kritisieren; *Am.* F *candidates*: aufstellen; **~-pen•cil** *s* Griffel *m*.
slaugh•ter ['slɔːtə] **1.** *s* Schlachten *n*; *fig.* Blutbad *n*, Gemetzel *n*; **2.** *v/t* schlachten; *fig.* niedermetzeln; **~•house** *s* Schlachthaus *n*, -hof *m*.
Slav [slɑːv] **1.** *s* Slaw|e *m*, -in *f*; **2.** *adj* slawisch.
slave [sleɪv] **1.** *s* Sklav|e *m*, -in *f* (*a. fig.*); **2.** *v/i* sich (ab)placken, schuften.
slav•er ['slævə] **1.** *s* Geifer *m*, Sabber *m*; **2.** *v/i* geifern, sabbern.
sla•ve•ry ['sleɪvərɪ] *s* Sklaverei *f*; Plackerei *f*; **slav•ish** *adj* □ sklavisch.
slay [sleɪ] *v/t* (***slew, slain***) erschlagen; töten.
sled [sled] **1.** → ***sledge***[1] 1; **2.** **(-*dd*-)** → ***sledge***[1] 2.
sledge[1] [sledʒ] **1.** *s* Schlitten *m*; **2.** *v/i* Schlitten fahren, rodeln.
sledge[2] [~] *s a.* ***~-hammer*** Vorschlaghammer *m*.
sleek [sliːk] **1.** *adj* □ glatt, glänzend (*hair, fur*); geschmeidig; **2.** *v/t* glätten.
sleep [sliːp] **1.** (***slept***) *v/i* schlafen; **~ (*up*)*on*** *or* ***over*** *et.* überschlafen; **~ *with s.o.*** *have sex*: mit *j-m* schlafen; *v/t* schlafen; *j-n* für die Nacht unterbringen; **~ *away*** *time*: verschlafen; **2.** *s* Schlaf *m*; ***get*** *or* ***go to ~*** einschlafen; ***put to ~*** *animal*: einschläfern.
sleep•er ['sliːpə] *s* Schlafende(r *m*) *f*; *on railway track*: Schwelle *f*; *rail.* Schlafwagen *m*; **~•ette** [~'ret] *s on train, aircraft, etc.*: Liege-, Ruhesitz *m*.
sleep•ing ['sliːpɪŋ] *adj* schlafend; Schlaf…; **ℒ Beau•ty** *s* Dornröschen *n*; **~-car(•riage)** *s rail.* Schlafwagen *m*; **~ part•ner** *s Br. econ.* stiller Teilhaber.
sleep|less ['sliːpləs] *adj* □ schlaflos; **~•less•ness** *s* Schlaflosigkeit *f*; **~-walk•er** *s* Schlafwandler(in); **~•y** *adj* □ (***-ier, -iest***) schläfrig; müde; verschlafen.
sleet [sliːt] **1.** *s* Schneeregen *m*; Graupelschauer *m*; **2.** *v/i*: ***it was ~ing*** es

S

gab Schneeregen; es graupelte.

sleeve [sliːv] *s* Ärmel *m*; *tech.* Muffe *f*; *Br.* (Schall)Plattenhülle *f*.

sleigh [sleɪ] *s* (*esp.* Pferde)Schlitten *m*.

sleight [slaɪt] *s*: ~ ***of hand*** (Taschenspieler)Trick *m*; Fingerfertigkeit *f*.

slen•der ['slendə] *adj* □ schlank; schmächtig; *fig.* schwach; dürftig.

slept [slept] *pret and pp of* ***sleep*** 1.

sleuth [sluːθ] *s a.* ~***-hound*** Spürhund *m* (*a. fig. detective*).

slew [sluː] *pret of* ***slay.***

slice [slaɪs] **1.** *s* Schnitte *f*, Scheibe *f*, Stück *n*; (An)Teil *m*; **2.** *v/t* (in) Scheiben schneiden; aufschneiden.

slick [slɪk] **1.** *adj* □ glatt, glitschig; F geschickt, raffiniert; **2.** *adv* direkt; **3.** *s* Ölfleck *m*, -teppich *m*; ~***•er*** *s Am.* F Regenmantel *m*; gerissener Kerl.

slid [slɪd] *pret and pp of* ***slide*** 1.

slide [slaɪd] **1.** *v/i and v/t* (***slid***) gleiten (lassen); rutschen; schlittern; ausgleiten; ~ ***into*** *fig.* in *et.* hineinschlittern; ***let things*** ~ *fig.* die Dinge laufen lassen; **2.** *s* Gleiten *n*, Rutschen *n*, Schlittern *n*; Rutschbahn *f*; Rutsche *f*; *tech.* Schieber *m*; *phot.* Dia(positiv) *n*; *Br.* (Haar)Spange *f*; *a.* ***land***~ Erdrutsch *m*; ~***-rule*** *s math.* Rechenschieber *m*.

slid•ing ['slaɪdɪŋ] *adj* □ gleitend, rutschend; Schiebe…; ~ ***door*** Schiebetür *f*.

slight [slaɪt] **1.** *adj* □ leicht; schmächtig; schwach; gering, unbedeutend; **2.** *s* Geringschätzung *f*; **3.** *v/t* geringschätzig behandeln; beleidigen, kränken.

slim (***-mm-***) [slɪm] **1.** *adj* □ schlank, dünn; *fig.* gering, dürftig; **2.** *v/i* e-e Schlankheitskur machen, abnehmen.

slime [slaɪm] *s* Schlamm *m*; Schleim *m*; ***slim•y*** *adj* (***-ier, -iest***) schlammig; schleimig; *fig.* schmierig; kriecherisch.

sling [slɪŋ] **1.** *s* (Stein)Schleuder *f*; (Trag)Schlinge *f*, Tragriemen *m*; *med.* Schlinge *f*, Binde *f*; **2.** *v/t* (***slung***) schleudern; auf-, umhängen; *a.* ~ ***up*** hochziehen.

slink [slɪŋk] *v/i* (***slunk***) schleichen.

slip [slɪp] **1.** *v/i and v/t* (***-pp-***) gleiten (lassen); rutschen, *on ice*: *a.* schlittern; ausgleiten, -rutschen; (ver)rutschen; loslassen; ~ ***away*** wegschleichen, sich fortstehlen; ~ ***by*** *time*: verstreichen; ~ ***in*** *remark*: dazwischenwerfen; ~ ***into*** hineinstecken *or* hineinschieben in (*acc*); ~ ***off*** (***on***) *ring, dress, etc.*: abstreifen (überstreifen); ~ ***up*** (e-n) Fehler machen; ***have*** ~***ped s.o.'s memory or mind*** *j-m* entfallen sein; ***she let*** ~ ***that …*** ihr ist herausgerutscht, dass …; **2.** *s* (Aus)Gleiten *n*, (-)Rutschen *n*; Fehltritt *m* (*a. fig.*); (Flüchtigkeits-) Fehler *m*; Fehler *m*, Panne *f*; Streifen *m*, Zettel *m*; *econ.* (Kontroll)Abschnitt *m*; (Kissen)Bezug *m*; Unterkleid *n*, -rock *m*; ***a*** ~ ***of a boy*** (***girl***) ein schmächtiges Bürschchen (ein zartes Ding); ~ ***of the tongue*** Versprecher *m*; ***give s.o. the*** ~ *j-m* entwischen; ~***ped disc*** *s med.* Bandscheibenvorfall *m*; ~***•per*** *s* Pantoffel *m*, Hausschuh *m*; ~***•per•y*** *adj* □ (***-ier, -iest***) glatt, schlüpfrig; *fig. person*: zwielichtig; ~***-road*** *s Br.* Autobahnauffahrt *f*, -ausfahrt *f*; Zubringer(straße *f*) *m*; ~***•shod*** *adj* schlampig, nachlässig; ~***•stream*** *sports*; **1.** *s* Windschatten *m*; **2.** *v/i* im Windschatten fahren.

slit [slɪt] **1.** *s* Schlitz *m*, Spalt *m*; **2.** *v/t* (***-tt-***; ***slit***) (auf-, zer)schlitzen.

slith•er ['slɪðə] *v/i* gleiten, rutschen.

sliv•er ['slɪvə] *s* Splitter *m*.

slob•ber ['slɒbə] **1.** *s* Sabber *m*, Geifer *m*; **2.** *v/i* geifern, sabbern.

slo•gan ['sləʊgən] *s* Slogan *m*; Schlagwort *n*; Werbespruch *m*.

slo•mo F ['sləʊməʊ] → ***slowmo.***

sloop *mar.* [sluːp] *s* Schaluppe *f*.

slop [slɒp] **1.** *s for sick people*: Süppchen *n*; ~***s*** *pl* Spül-, Schmutzwasser *n*; **2.** (***-pp-***) *v/t* verschütten; *v/i*: ~ ***over*** überschwappen.

slope [sləʊp] **1.** *s* (Ab)Hang *m*; Neigung *f*, Gefälle *n*; **2.** *v/t tech.* abschrägen; *v/i* abfallen; schräg verlaufen; sich neigen.

slop•py ['slɒpɪ] *adj* □ (***-ier, -iest***) nass, schmutzig; schlampig; labb(e)rig (*food*); rührselig.

slot [slɒt] *s* Schlitz *m*, (Münz)Einwurf *m*.

sloth [sləʊθ] *s* Faulheit *f*; *zo.* Faultier *n*.

slot-ma•chine ['slɒtməʃiːn] *s* (Waren-, Spiel)Automat *m*.

slouch [slaʊtʃ] **1.** *v/i* krumm *or* (nach-) lässig dastehen *or* dasitzen; F (herum-) latschen; **2.** *s* schlaffe, schlechte Haltung; ~ ***hat*** Schlapphut *m*.

slough[1] [slaʊ] *s* Sumpf(loch *n*) *m*.

slough[2] [slʌf] *v/t skin*: abwerfen.

Slo•vak Re•pub•lic [sləʊ'vɑːkrɪ'pʌ-

S

blık] *die* Slowakische Republik.

Slo•ve•ni•a [slǝʊ'vi:njǝ] Slowenien *n.*

slow [slǝʊ] **1.** *adj* □ langsam; schwerfällig; träge; ***be ~*** nachgehen (*clock, watch*); **2.** *adv* langsam; **3.** ***~ down, ~ up*** *v/t speed*: verlangsamen, -ringern; *v/i* langsamer werden; **~•coach** *s* Langweiler *m*; **~-down** *s* Verlangsamung *f*; *of inflation, etc.*: Sinken *n*; *a.* **~ (*strike*)** *Am. econ.* Bummelstreik *m*; **~ lane** *s mot.* Kriechspur *f*; **~•mo** F, **~ mo•tion** *s TV* Zeitlupe *f*; **~•poke** *Am.* → ***slow-coach***; **~-worm** *s zo.* Blindschleiche *f.*

sludge [slʌdʒ] *s* Schlamm *m*; Matsch *m.*

slug [slʌg] **1.** *s zo.* Wegschnecke *f*; Stück *n* Rohmetall; *esp. Am.* (Pistolen)Kugel *f*; *Am.* (Faust)Schlag *m*; **2.** *v/t* **(*-gg-*)** *Am.* F *j-m* e-n harten Schlag versetzen.

slug|gard ['slʌgǝd] *s* Faulpelz *m*; **~•gish** *adj* □ träge; *econ.* schleppend.

sluice *tech.* [slu:s] *s* Schleuse *f.*

slum•ber ['slʌmbǝ] **1.** *s mst* **~s** *pl* Schlummer *m*; **2.** *v/i* schlummern.

slump [slʌmp] **1.** *v/i* plumpsen; *econ.* fallen, stürzen (*prices*); **2.** *s econ.* (Kurs-, Preis)Sturz *m*; (starker) Konjunkturrückgang.

slums [slʌmz] *s pl* Slums *pl*, Elendsviertel *n or pl.*

slung [slʌŋ] *pret and pp of* ***sling*** 2.

slunk [slʌŋk] *pret and pp of* ***slink.***

slur [slɜ:] **1.** *v/t* **(*-rr-*)** verunglimpfen, verleumden; undeutlich (aus)sprechen; *mus. notes*: binden; **2.** *s* Verunglimpfung *f*, Verleumdung *f*; undeutliche Aussprache; *mus.* Bindebogen *m.*

slush [slʌʃ] *s* Schlamm *m*, Matsch *m*; Schneematsch *m*; Kitsch *m.*

slut [slʌt] *s* Schlampe *f*; Nutte *f.*

sly [slaı] *adj* □ **(*~er, ~est*)** schlau, listig; hinterlistig; ***on the ~*** heimlich.

smack [smæk] **1.** *s* (Bei)Geschmack *m*; Schmatz *m* (*kiss*); Schmatzen *n*; klatschender Schlag, Klatsch *m*, Klaps *m*; (Peitschen)Knall *m*; *fig.* Spur *f*, Andeutung *f*; **2.** *v/i* schmecken (***of*** nach); *v/t* klatschend schlagen; knallen mit; *j-m* e-n Klaps geben; ***~ one's lips*** schmatzen.

small [smɔ:l] **1.** *adj* klein; *effect, etc.*: gering; *not much*: wenig; *minor*: unbedeutend, bescheiden; (sozial) niedrig; *petty*: kleinlich; ***feel ~*** sich schämen; sich ganz klein und hässlich vorkommen; ***look ~*** beschämt *or* schlecht dastehen; ***the ~ hours*** *pl* die frühen Morgenstunden *pl*; ***in a ~ way*** bescheiden; ***it's a ~ world*** wie klein doch die Welt ist; **2.** *s*: ***~ of the back*** *anat.* Kreuz *n*; **~s** *pl Br.* F Unterwäsche *f*, Taschentücher *pl etc.*; ***wash one's ~s*** kleine Wäsche waschen; **~ arms** *s pl* Handfeuerwaffen *pl*; **~ change** *s* Kleingeld *n*; **~•ish** *adj* ziemlich klein; **~•pox** *s med.* Pocken *pl*; **~ talk** *s* oberflächliche Konversation; **~-time** *adj* F unbedeutend.

smart [smɑ:t] **1.** *adj* □ klug; gewandt, geschickt; gerissen, raffiniert; elegant, schick, fesch; forsch; flink; hart, scharf; heftig; schlagfertig; ***~ aleck*** F Klugscheißer *m*; **2.** *s* stechender Schmerz; **3.** *v/i* schmerzen; leiden; **~ card** *s* Chipkarte *f*; **~•ness** *s* Klugheit *f*; Gewandtheit *f*; Gerissenheit *f*; Eleganz *f*; Schärfe *f.*

smash [smæʃ] **1.** *v/t* zerschlagen, -trümmern; (zer)schmettern; *fig.* vernichten; *v/i* zersplittern; krachen; zusammenstoßen; *fig.* zusammenbrechen; **2.** *s* heftiger Schlag; Zerschmettern *n*; Krach *m*; Zusammenbruch *m* (*a. econ.*); *tennis, etc.*: Schmetterball *m*; *a.* ***~ hit*** F toller Erfolg; **~•ing** *adj esp. Br.* F toll, sagenhaft; **~-up** *s* Zusammenstoß *m*; Zusammenbruch *m.*

smat•ter•ing ['smætǝrıŋ] *s* oberflächliche Kenntnis; ***have a ~ of German*** ein paar Brocken Deutsch können.

smear [smıǝ] **1.** *v/t* (be-, ein-, ver)-schmieren; *fig.* verleumden; *v/i* schmieren; **2.** *s* Schmiere *f*; Fleck *m.*

smell [smel] **1.** *s* Geruch(ssinn) *m*; Duft *m*; Gestank *m*; **2.** **(*smelt or smelled*)** *v/t* riechen (an *dat*); *v/i* riechen (***at*** an *dat*); duften; stinken; **~•y** *adj* **(*-ier, -iest*)** übel riechend, stinkend.

smelt[1] [smelt] *pret and pp of* ***smell*** 2.

smelt[2] *metall.* [~] *v/t ore*: (ein)schmelzen, verhütten.

smile [smaıl] **1.** *s* Lächeln *n*; **2.** *v/i* lächeln; ***~ at*** *j-n* anlächeln; **smi•ley** ['smaılı] *s computer*: Emoticon *n.*

smirch [smɜ:tʃ] *v/t* besudeln.

smirk [smɜ:k] *v/i* grinsen.

smith [smıθ] *s* Schmied *m.*

smith•e•reens [smıðǝ'ri:nz] *s pl* Stücke *pl*, Splitter *pl*, Fetzen *pl*; ***smash to ~*** in tausend Stücke schlagen *or* zerbrechen.

smith•y ['smıðı] *s* Schmiede *f.*

smit•ten ['smɪtn] *adj* betroffen, heimgesucht; *fig.* hingerissen (***with*** von); *co.* verliebt, -knallt (***with*** in *acc*).
smock [smɒk] *s* Kittel *m.*
smog [smɒg] *s* Smog *m.*
smoke [sməʊk] **1.** *s* Rauch *m*; ***have a ~*** (eine) rauchen; **2.** *v/i* rauchen; qualmen dampfen; *v/t* rauchen; räuchern; **~-dried** *adj* geräuchert; **smok•er** *s* Raucher(in); *rail.* F Raucher(abteil *n*) *m*; **~-stack** *s rail., mar.* Schornstein *m.*
smok•ing ['sməʊkɪŋ] *s* Rauchen *n*; *attr* Rauch(er)…; **~-com•part•ment** *s rail.* Raucherabteil *n.*
smok•y ['sməʊkɪ] *adj* □ (***-ier, -iest***) rauchig; verräuchert.
smooth [smu:ð] **1.** *adj* □ glatt; eben; ruhig (*tech., sea, journey*); sanft (*voice*); flüssig (*style, etc.*); mild (*wine*); (aal-) glatt, gewandt (*manner*); **2.** *v/t* glätten; *fig.* besänftigen; ***~ away*** *fig.* wegräumen; ***~ down*** *v/i* sich glätten; *v/t* glatt streichen; ***~ out*** *wrinkles*: glatt streichen; **~•ness** *s* Glätte *f.*
smo(u)l•der ['sməʊldə] *v/i* schwelen.
smudge [smʌdʒ] **1.** *v/t* (ver-, be)schmieren; *v/i* schmutzig werden; **2.** *s* Schmutzfleck *m.*
smug•gle ['smʌgl] *v/t* schmuggeln; **~r** *s* Schmuggler(in).
smut [smʌt] *s* Ruß(fleck) *m*; Schmutzfleck *m*; *fig.* Zote(n *pl*) *f*; **~•ty** *adj* □ (***-ier, -iest***) schmutzig.
snack [snæk] *s* Imbiss *m*; ***have a ~*** e-e Kleinigkeit essen; **~-bar** *s* Snackbar *f*, Imbissstube *f.*
snag [snæg] *s fig.* Haken *m*, Schwierigkeit *f.*
snail *zo.* [sneɪl] *s* Schnecke *f*; **~ mail** *s* Schneckenpost *f.*
snake *zo.* [sneɪk] *s* Schlange *f.*
snap [snæp] **1.** *s* (Zu)Schnappen *n*, Biss *m*; *sound*: Knacken *n*, Krachen *n*; Knacks *m*; *of whip*: Knallen *n*; F *phot.* Schnappschuss *m*; *fig.* F Schwung *m*, Schmiss *m*; ***cold ~*** Kälteeinbruch *m*; **2.** (***-pp-***) *v/i* schnappen (***at*** nach); *a.* ***~ shut*** zuschnappen (*lock*); *sound*: krachen, knacken, knallen; *break*: (zer)brechen; zerkrachen, -springen, -reißen; ***~ at s.o.*** *j-n* anschnauzen; ***~ to it!***, *Am. a.* ***~ it up!*** *sl.* mach schnell!, Tempo!; ***~ out of it!*** *sl.* hör auf (damit)!, komm, komm!; *v/t* schnappen nach, schnell greifen nach; knallen mit; (auf- *or* zu)schnappen *or* zuknallen lassen; *phot.* knipsen; zerbrechen; *j-n* anschnauzen, anfahren; ***~ one's fingers*** mit den Fingern schnalzen; ***~ one's fingers at*** *fig. j-n, et.* nicht ernst nehmen; ***~ out*** *words*: hervorstoßen; ***~ up*** wegschnappen; an sich reißen; **~-fas•ten•er** *s* Druckknopf *m*; **~•pish** *adj* □ bissig; schnippisch; **~•py** *adj* (***-ier, -iest***) bissig; F flott; F schnell; ***make it ~!***, *Br. a.* ***look ~!*** F mach fix!; **~•shot** *s* Schnappschuss *m*, Momentaufnahme *f.*
snare [sneə] **1.** *s* Schlinge *f*, Falle *f* (*a. fig.*); **2.** *v/t* fangen; *fig.* umgarnen.
snarl [snɑ:l] **1.** *v/i and v/t* wütend knurren; **2.** *s* Knurren *n*, Zähnefletschen *n*; Knoten *m*; *fig.* Gewirr *n.*
snatch [snætʃ] **1.** *s* schneller Griff; Ruck *m*; Stückchen *n*; **2.** *v/t* schnappen; ergreifen; *et.* an sich reißen; nehmen; *v/i*: ***~ at*** greifen nach.
sneak [sni:k] **1.** *v/i* schleichen; *Br. sl.* petzen; *v/t sl.* stibitzen; **2.** *s* F Leisetreter *m*, Kriecher *m*; *Br. sl.* Petze *f*; **~•ers** *s pl esp. Am.* Turnschuhe *pl*; **~•y** *adj* F gerissen, raffiniert.
sneer [snɪə] **1.** *s* höhnisches Grinsen; höhnische Bemerkung; **2.** *v/i* höhnisch grinsen; spotten; höhnen.
sneeze [sni:z] **1.** *v/i* niesen; **2.** *s* Niesen *n.*
snick•er ['snɪkə] *v/i esp. Am.* kichern; *esp. Br.* wiehern.
sniff [snɪf] *v/t and v/i* riechen, schnuppern; schnüffeln (*a. glue*), schnupfen (*snuff, cocaine*); *fig.* die Nase rümpfen.
snig•ger *esp. Br.* ['snɪgə] *v/i* kichern.
snip [snɪp] **1.** *s* Schnitt *m*; Schnipsel *m, n*; **2.** *v/t* (***-pp-***) schnippeln, schnipseln.
snipe [snaɪp] **1.** *s zo.* Schnepfe *f*; **2.** *v/i* aus dem Hinterhalt schießen; **snip•er** *s* Heckenschütze *m.*
snob [snɒb] *s* Snob *m*; **~•bish** *adj* □ versnobt.
snoop F [snu:p] **1.** *v/i*: ***~ about, ~ around*** F *fig.* herumschnüffeln; **2.** *s* Schnüffler(in).
snooze F [snu:z] **1.** *s* Nickerchen *n*; **2.** *v/i* ein Nickerchen machen; dösen.
snore [snɔ:] **1.** *v/i* schnarchen; **2.** *s* Schnarchen *n.*
snort [snɔ:t] *v/i and v/t* schnauben; prusten.

S

snout [snaʊt] *s* Schnauze *f*; Rüssel *m*.

snow [snəʊ] **1.** *s* Schnee *m*; (*a. sl.*: *cocaine, heroin*); **2.** *v/i* schneien; ***~ed in** or **up*** eingeschneit; ***be ~ed under*** *fig.* erdrückt werden; **~-bound** *adj* eingeschneit; **~-capped**, **~•clad**, **~•cov•ered** *adj* schneebedeckt; **~-drift** *s* Schneewehe *f*; **~•drop** *s bot.* Schneeglöckchen *n*; **~-white** *adj* schneeweiß; **~•y** *adj* □ (***-ier, -iest***) schneeig; schneebedeckt, verschneit; schneeweiß.

snub [snʌb] **1.** *v/t* (***-bb-***) *j-n* vor den Kopf stoßen, brüskieren; *j-m* über den Mund fahren; *j-n* schneiden; **2.** *s* Brüskierung *f*; **~-nosed** *adj* stupsnasig.

snuff [snʌf] **1.** *s* Schnupftabak *m*; ***take ~*** schnupfen; **2.** *v/t* schnupfen; *candle*: ausdrücken.

snug [snʌg] *adj* □ (***-gg-***) geborgen; behaglich; eng anliegend; **~•gle** *v/i* sich anschmiegen *or* kuscheln (***up to s.o.*** an *j-n*).

so [səʊ] *adv* so; *cj* also, deshalb; ***I hope ~*** ich hoffe es; ***I think ~*** ich glaube *or* denke schon; ***are you tired? - ~ I am*** bist du müde? Ja; ***you are tired, ~ am I*** du bist müde, ich auch; ***I hope ~*** hoffentlich; ***~ far*** bisher; ***~ much for …*** so viel zu …; ***~ much for that*** das hätten wir; ***very much ~!*** allerdings!, und wie!

soak [səʊk] *v/t* einweichen; durchnässen; (durch)tränken; ***~ in*** einsaugen; ***~ up*** aufsaugen; *v/i* sich vollsaugen; ein-, durchsickern; ***~ing*** (***wet***) klatschnass.

soap [səʊp] **1.** *s* Seife *f*; ***soft ~*** Schmierseife *f*; *sl. fig.* Schmeichelei *f*; ***~*** (***opera***) F *TV*: Seifenoper *f*; **2.** *v/t* ab-, einseifen; **~-box** *s* Seifenkiste *f*; ***get up on one's ~*** F *fig.* Volksreden halten; **~•y** *adj* □ (***-ier, -iest***) seifig; *fig.* F schmeichlerisch.

soar [sɔː] *v/i* (hoch) aufsteigen, sich erheben; in großer Höhe fliegen *or* schweben; *aer.* segeln, gleiten.

sob [sɒb] **1.** *s* Schluchzen *n*; **2.** *v/i and v/t* (***-bb-***) schluchzen.

so•ber ['səʊbə] **1.** *adj* □ nüchtern; **2.** *v/t and v/i mst **~ up*** (wieder) nüchtern machen *or* werden; **~•ness** *s*, **so•bri•e•ty** [səʊ'braɪətɪ] *s* Nüchternheit *f*.

Soc. ***society*** Gesellschaft *f*, Verein *m*.

so-called [səʊ'kɔːld] *adj* sogenannt.

soc•cer ['sɒkə] *s* Fußball *m*.

so•cia•ble ['səʊʃəbl] **1.** *adj* □ gesellig; gemütlich; **2.** *s* geselliges Beisammensein.

so•cial ['səʊʃl] **1.** *adj* □ gesellig; gesellschaftlich; sozial; Sozial…, Gesellschafts…; **2.** *s* geselliges Beisammensein; **♀ Char•ter** *s of EC*: *die* Sozialcharta; **~ dem•o•crat** *s pol.* Sozialdemokrat(in); **~ dem•o•crat•ic** *adj pol.* sozialdemokratisch; **~ fab•ric** *s* Gesellschaftsgefüge *n*; **~ in•sur•ance** *s* Sozialversicherung *f*.

so•cial|is•m ['səʊʃəlɪzəm] *s* Sozialismus *m*; **~•ist 1.** *s* Sozialist(in); **2.** *adj* → ***socialistic***; **~•is•tic** [ˌ'lɪstɪk] *adj* (***~ally***) sozialistisch; **~•ize** *v/t* sozialisieren; vergesellschaften; *v/i* gesellschaftlich verkehren (***with*** mit).

so•cial| pol•i•cy [səʊʃl'pɒləsɪ] *s* Sozialpolitik *f*; **~ sci•ence** *s* Sozialwissenschaft *f*; **~ se•cu•ri•ty** *s* Sozialhilfe *f*; ***be on ~*** Sozialhilfe beziehen; **~ serv•ic•es** *s pl* staatliche Sozialleistungen *pl*; ***cuts in ~*** Sozialabbau *m*; **~ work** *s* Sozialarbeit *f*; **~ work•er** *s* Sozialarbeiter(in).

so•ci•e•ty [sə'saɪətɪ] *s* Gesellschaft *f*; Verein *m*, Vereinigung *f*.

so•ci•ol•o•gy [səʊsɪ'ɒlədʒɪ] *s* Soziologie *f*.

sock [sɒk] *s* Socke *f*; Einlegesohle *f*.

sock•et ['sɒkɪt] *s anat.* (Augen-, Zahn)-Höhle *f*; *anat.* (Gelenk)Pfanne *f*; *tech.* Muffe *f*; *electr.* Fassung *f*; *electr.* Steckdose *f*; *electr.* (Anschluss)Buchse *f*.

sod [sɒd] *s* Grasnarbe *f*; Rasenstück *n*; *sl. person*: V Sau *f*, F blöder Hund.

so•da ['səʊdə] *s chem.* Soda *f*, *n*; Soda (-wasser) *n*; **~-foun•tain** *s* Siphon *m*; *Am.* Erfrischungshalle *f*, Eisbar *f*.

soft [sɒft] **1.** *adj* □ weich; mild; sanft; sacht, leise; gedämpft (*light, etc.*); leicht, angenehm (*job*); weichlich; *a.* ***~ in the head*** F einfältig, doof; alkoholfrei (*drink*); weich (*drugs*); ***have a ~ job*** F e-e ruhige Kugel schieben; **2.** *adv* sanft, leise; **~•en** ['sɒfn] *v/t* weich machen; *voice, etc.*: dämpfen; *water*: enthärten; *j-n* erweichen; *fig.* mildern; *v/i* weich(er) *or* sanft(er) *or* mild(er) werden; **~-head•ed** *adj* doof; **~-heart•ed** *adj* weichherzig; **~•ware** *s computer*: Software *f*; **~•y** *s* F Trottel *m*; weichlicher Typ; Schwächling *m*.

sog•gy ['sɒgɪ] *adj* (***-ier, -iest***) durchnässt; feucht.

S

soil [sɔɪl] *s* Boden *m*, Erde *f*.
sol•ace ['sɒləs] **1.** *s* Trost *m*; **2.** *v/t* trösten.
so•lar ['səʊlə] *adj* Sonnen…, Solar…
sold [səʊld] *pret and pp of* **sell.**
sol•dier ['səʊldʒə] *s* Soldat *m*.
sole[1] [səʊl] *adj* ☐ alleinig, einzig, Allein…; ~ ***agent*** Alleinvertreter *m*.
sole[2] [~] **1.** *s* (Fuß-, Schuh)Sohle *f*; **2.** *v/t* besohlen.
sole[3] *zo.* [~] *s* Seezunge *f*.
sol|emn ['sɒləm] *adj* ☐ feierlich; ernst; **so•lem•ni•ty** [sə'lemnətɪ] *s* Feierlichkeit *f*.
so•li•cit [sə'lɪsɪt] *v/t* (dringend) bitten (um); *v/i* sich anbieten (*prostitute*).
so•lic•i•tor [sə'lɪsɪtə] *s Br. jur.* Anwalt; *Am.* Agent *m*, Werber *m*.
sol•id ['sɒlɪd] **1.** *adj* ☐ fest; derb, kräftig; stabil; massiv; *math.* körperlich, räumlich, Raum…; gewichtig, triftig; solid(e), gründlich; solid(e), zuverlässig (*person*); einmütig, solidarisch; ***a ~ hour*** e-e volle Stunde; **2.** *s* fester Stoff; *geom.* Körper *m*; ***~s*** *pl* feste Nahrung; **sol•i•dar•i•ty** [sɒlɪ'dærətɪ] *s* Solidarität *f*.
so•lid•i|fy [sə'lɪdɪfaɪ] *v/i and v/t* fest werden (lassen); verdichten; **~•ty** *s* Festigkeit *f*; Solidität *f*.
so•lil•o•quy [sə'lɪləkwɪ] *s* Selbstgespräch *n*; *esp. thea.* Monolog *m*.
sol•i•taire [sɒlɪ'teə] *s gem*: Solitär *m*; *Am. card game*: Patience *f*.
sol•i|ta•ry ['sɒlɪtərɪ] *adj* ☐ einsam; einzeln; einsiedlerisch; ***~ confinement*** Einzelhaft *f*; **~•tude** *s* Einsamkeit *f*; Verlassenheit *f*; Öde *f*.
so•lo ['səʊləʊ] *s* (*pl* ***-los***) Solo *n*; *aer.* Alleinflug *m*; **~•ist** *s mus.* Solist(in).
sol•u•ble ['sɒljʊbl] *adj* löslich; *fig.* lösbar; **so•lu•tion** [sə'luːʃn] *s* (Auf)Lösung *f*.
solve [sɒlv] *v/t* lösen; **sol•vent** **1.** *adj chem.* (auf)lösend; *econ.* zahlungsfähig; **2.** *s chem.* Lösungsmittel *n*.
So•ma•lia [səʊ'mɑːlɪə] Somalia *n*.
som•bre, *Am.* **-ber** ['sɒmbə] *adj* ☐ düster, trüb(e); *fig.* trübsinnig.
some [sʌm, səm] *adj and pron* (irgend-) ein; *before pl*: einige, ein paar, manche; etwas; etwa; F beachtlich, vielleicht ein (*in exclamations*); ***~ 20 miles*** etwa 20 Meilen; ***to ~ extent*** einigermaßen; **~•bod•y** *pron* (irgend)jemand, irgendeiner; **~•day** *adv* eines Tages; **~•how** *adv* irgendwie; ***~ or other*** irgendwie; **~•one** *pron* (irgend)jemand, irgendeiner; **~•place** *adv Am.* → ***somewhere.***
som•er•sault ['sʌməsɔːlt] **1.** *s* Salto *m*; Purzelbaum *m*; ***turn a ~*** e-n Salto machen; e-n Purzelbaum schlagen; **2.** *v/i* e-n Salto machen; e-n Purzelbaum schlagen.
some|thing ['sʌmθɪŋ] *adv and pron* (irgend)etwas; ***~ like*** so etwas wie, so ungefähr; ***~ or other*** irgendetwas; ***the book is really ~*** F das Buch ist echt spitze; **~•time** **1.** *adv* irgendwann; **2.** *adj* ehemalige(r, -s); **~•times** *adv* manchmal; **~•what** *adv* etwas, ziemlich; irgendwie; **~•where** *adv* irgendwo(hin); F ***get ~*** weiterkommen, es zu etwas bringen.
son [sʌn] *s* Sohn *m*.
song [sɒŋ] *s* Lied *n*; Gesang *m*; Gedicht *n*; ***for a ~*** für ein Butterbrot; **~•bird** *s* Singvogel *m*.
son•ic ['sɒnɪk] *adj* Schall…; **~ boom**, *Br. a.* **~ bang** *s* Überschallknall *m*.
son-in-law ['sʌnɪnlɔː] *s* Schwiegersohn *m*.
son•net ['sɒnɪt] *s* Sonett *n*.
so•nor•ous [sə'nɔːrəs] *adj* ☐ klangvoll.
soon [suːn] *adv* bald; früh; gern; ***as*** *or* ***so ~ as*** so bald als *or* wie; **~•er** *adv* eher; früher; lieber; ***~ or later*** früher oder später; ***the ~ the better*** je eher, desto besser; ***no ~ … than*** kaum … als; ***no ~ said than done*** gesagt, getan.
soot [sʊt] **1.** *s* Ruß *m*; **2.** *v/i* verrußen.
soothe [suːð] *v/t* beruhigen, besänftigen, beschwichtigen; lindern, mildern; **sooth•ing** *adj* ☐ besänftigend; lindernd; **sooth•say•er** ['suːθseɪə] *s* Wahrsager(in).
soot•y ['sʊtɪ] *adj* ☐ (***-ier, -iest***) rußig.
sop [sɒp] **1.** *s* eingetunktes Brotstück; **2.** *v/t* (***-pp-***) eintunken.
so•phis•ti•cat•ed [sə'fɪstɪkeɪtɪd] *adj* anspruchsvoll, kultiviert; intellektuell; blasiert; *tech.* hoch entwickelt; *tech.* kompliziert; verfälscht; **soph•ist•ry** ['sɒfɪstrɪ] *s* Spitzfindigkeit *f*.
soph•o•more *Am.* ['sɒfəmɔː] *s* College-Student(in) *or* Schüler(in) e-r Highschool im zweiten Jahr.
sop•o•rif•ic [sɒpə'rɪfɪk] **1.** *adj* (***~ally***) einschläfernd; **2.** *s* Schlafmittel *n*.

S

sor•cer|er ['sɔːsərə] *s* Zauberer *m*, Hexenmeister *m*; **~•ess** *s* Zauberin *f*, Hexe *f*; **~•y** *s* Zauberei *f*, Hexerei *f*.
sor•did ['sɔːdɪd] *adj* □ schmutzig; schäbig, elend, miserabel.
sore [sɔː] **1.** *adj* □ (**~r, ~st**) schlimm, entzündet; wund, weh; gereizt; verärgert, böse; ***a ~ throat*** Halsschmerzen *pl*, Angina *f*; **2.** *s* Wunde *f*, Entzündung *f*; **~•head** *s Am.* F mürrischer Mensch.
sor•row ['sɒrəʊ] *s* Kummer *m*, Leid *n*; Schmerz *m*, Jammer *m*; **~•ful** *adj* □ traurig, betrübt.
sor•ry ['sɒrɪ] *adj and int* (**-ier, -iest**) betrübt, bekümmert; traurig; ***be ~ about s.th.*** et. bereuen *or* bedauern; ***I am (so) ~!*** es tut mir (sehr) leid, Verzeihung!; ***~!*** Verzeihung!, Entschuldigung!; ***I am ~ for him*** er tut mir leid; ***we are ~ to say*** wir müssen leider sagen.
sort [sɔːt] **1.** *s* Sorte *f*, Art *f*; ***what ~ of*** was für; ***of a ~, of ~s*** F so was wie; ***~ of*** F irgendwie, gewissermaßen; ***out of ~s*** F nicht auf der Höhe; **2.** *v/t* sortieren; ***~ out*** (aus)sortieren; *fig.* in Ordnung bringen.
sot [sɒt] *s* Säufer *m*, Trunkenbold *m*.
sought [sɔːt] *pret and pp of* ***seek.***
soul [səʊl] *s* Seele *f* (*a. fig.*); Inbegriff *m*; *mus.* Soul *m*.
sound [saʊnd] **1.** *adj* □ gesund; intakt; *econ.* solid(e), stabil, sicher; vernünftig; *jur.* gültig; zuverlässig; kräftig, tüchtig; fest, tief (*sleep*); **2.** *s* Ton *m*, Schall *m*, Laut *m*, Klang *m*; *mus.* Sound *m*; *med.* Sonde *f*; *geogr.* Sund *m*, Meerenge *f*; **3.** *v/i and v/t* (er)tönen, (-)klingen; erschallen (lassen); sich anhören; sondieren; *mar.* (aus)loten; *med.* abhorchen; **~ bar•ri•er** *s* Schallmauer *f*; **~ card** *s computer*: Soundkarte *f*; **~-film** *s* Tonfilm *m*; **~•ing** *s mar.* Lotung *f*; *pl* lotbare Wassertiefe; **~•less** *adj* □ lautlos; **~ lev•el** *s* Geräusch-, Lärmpegel *m*; **~•ness** *s* Gesundheit *f* (*a. fig.*); **~ pol•lu•tion** *s* Lärmbelästigung *f*; **~-proof** *adj* schalldicht; **~-track** *s of film*: Tonspur *f*; Filmmusik *f*; **~-wave** *s* Schallwelle *f*.
soup [suːp] **1.** *s* Suppe *f*; (***some***) **~** e-e Suppe; **2.** *v/t*: **~ *up*** F *engine*: frisieren.
sour ['saʊə] **1.** *adj* □ sauer; *fig.* verbittert; **2.** *v/t* säuern; *fig.* ver-, erbittern; *v/i* sauer (*fig.* verbittert) werden.
source [sɔːs] **1.** *s* Quelle *f*; Ursprung *m*; **2.** *v/t esp. econ.* erwerben.
sour|ish ['saʊərɪʃ] *adj* □ säuerlich; **~•ness** *s* saurer Geschmack; *fig. of person*: Bitterkeit *f*.
south [saʊθ] **1.** *s* Süden *m*; **2.** *adj* südlich, Süd...; **~-east**; **1.** *s* Südosten *m*; **2.** *adj* südöstlich; **~-east•er** *s* Südostwind *m*; **~-east•ern** *adj* südöstlich.
south•er|ly ['sʌðəlɪ], **~n** [‿n] *adj* südlich, Süd...; **~n•most** *adj* südlichste(r, -s).
south•ward(s) ['saʊθwəd(z)] *adv* südwärts, nach Süden.
south|-west [saʊθ'west] **1.** *s* Südwesten *m*; **2.** *adj* südwestlich; **~-west•er** *s* Südwestwind *m*; *mar.* Südwester *m*; **~-west•er•ly, ~-west•ern** *adj* südwestlich.
sou•ve•nir [suːvə'nɪə] *s* Souvenir *n*, Andenken *n*.
sove•reign ['sɒvrɪn] **1.** *adj* □ höchste(r,-s); unübertrefflich; souverän, unumschränkt; **2.** *s* Herrscher(in); Monarch(in); Sovereign *m* (*former British coin*); **~•ty** [‿əntɪ] *s* höchste (Staats-) Gewalt; Souveränität *f*, Landeshoheit *f*.
So•viet Un•ion [ˌsəʊvɪət'juːnjən] *hist. bis Ende 1991*: *die* Sowjetunion.
sow[1] [saʊ] *s* Sau *f*, (Mutter)Schwein *n*.
sow[2] [səʊ] *v/t* (***sowed, sown*** *or* ***sowed***) (aus)säen, ausstreuen; besäen; **~n** [‿n] *pp of* ***sow***[2].
spa [spɑː] *s* Heilbad *n*; Kurort *m*.
space [speɪs] **1.** *s* (Welt)Raum *m*; Raum *m*, Platz *m*; Abstand *m*, Zwischenraum *m*; Zeitraum *m*; **2.** *v/t mst* **~ *out*** *print.* sperren; **~ age** *s* Weltraumzeitalter *m*; **~ cap•sule** *s* Raumkapsel *f*; **~•craft** *s* Raumfahrzeug *n*; **~ flight** *s* (Welt-) Raumflug *m*; **~•lab** *s* Raumlabor *n*; **~•port** *s* Raumfahrtzentrum *n*; **~ probe** *s* (Welt)Raumsonde *f*; **~ re•search** *s* (Welt)Raumforschung *f*; **~-sav•ing** *adj* platzsparend; **~•ship** *s* Raumschiff *n*; **~ shut•tle** *s* Raumfähre *f*; **~ sta•tion** *s* (Welt)Raumstation *f*; **~•suit** *s* Raumanzug *m*; **~ walk** *s* Weltraumspaziergang *m*; **~•wom•an** *s* (Welt)Raumfahrerin *f*.
spa•cious ['speɪʃəs] *adj* □ geräumig; weit; umfassend.
spade [speɪd] *s* Spaten *m*; *playing-card*: Pik *n*, Grün *n*; ***king of ~s*** Pik-König *m*;

call a ~ a ~ das Kind beim (rechten) Namen nennen.
Spain [speɪn] Spanien *n.*
spam [spæm] *v/t or v/i computer*: zumüllen (*with e-mails*); **~ block•er, ~ fil- ter** *s computer*: Spamfilter *m.*
span [spæn] **1.** *s* Spanne *f*; *arch.* Spannweite *f*; **2.** *v/t* (**-nn-**) um-, überspannen; (aus)messen.
span•gle ['spæŋgl] **1.** *s* Flitter *m*, Paillette *f*; **2.** *v/t* mit Flitter *or* Pailletten besetzen; *fig.* übersäen.
Span•iard ['spænjəd] *s* Spanier(in).
Span•ish ['spænɪʃ] **1.** *adj* spanisch; **2.** *s ling.* Spanisch *n*; ***the ~*** *pl coll.* die Spanier *pl.*
spank F [spæŋk] **1.** *v/t* verhauen; **2.** *s* Klaps *m*, Schlag *m*; **~•ing**; **1.** *adj* □ schnell, flott; tüchtig, gehörig; **2.** *adv*: ***~ clean*** blitzsauber; F ***~ new*** F funkelnagelneu; **3.** *s* F Haue *f*, (Tracht *f*) Prügel *pl.*
span•ner *tech.* ['spænə] *s* Schraubenschlüssel *m.*
spar [spɑː]*v/i* (**-rr-**) *boxing*: sparren; *fig.* sich streiten.
spare [speə] **1.** *adj* □ sparsam; kärglich, mager; überzählig; überschüssig; Ersatz…, Reserve…; ***~ part*** Ersatzteil *n*, *a. m*; ***~ room*** Gästezimmer *n*; ***~ time, ~ hours*** *pl* Freizeit *f*, Mußestunden *pl*; **2.** *s tech.* Ersatzteil *n*, *a. m*; **3.** *v/t* (ver)schonen; erübrigen; entbehren; (übrig) haben; ersparen; sparen mit; *trouble*, *expense*: scheuen.
spar•ing ['speərɪŋ] *adj* □ sparsam.
spark [spɑːk] **1.** *s* Funke(n) *m*; **2.** *v/i* Funken sprühen; **~•ing-plug** *s Br. mot.* Zündkerze *f.*
spar|kle ['spɑːkl] **1.** *s* Funke(n) *m*; Funkeln *n*; **2.** *v/i* funkeln; blitzen; perlen (*wine*); **~•kling** *adj* □ funkelnd, sprühend; *fig.* geistsprühend, spritzig; ***~ wine*** Schaumwein *m.*
spark-plug *Am. mot.* ['spɑːkplʌg] *s* Zündkerze *f.*
spar•row *zo.* ['spærəʊ] *s* Sperling *m*, Spatz *m*; **~-hawk** *s zo.* Sperber *m.*
sparse [spɑːs] *adj* □ spärlich, dünn.
spas•m ['spæzəm] *s med.* Krampf *m*; Anfall *m*; **spas•mod•ic** [spæz'mɒdɪk] *adj* (***~ally***) *med.* krampfhaft, -artig; *fig.* sprunghaft.
spas•tic *med.* ['spæstɪk] **1.** *adj* (***~ally***) spastisch; **2.** *s* Spastiker(in).

spat [spæt] *pret and pp of* **spit**[2] 2.
spat•ter ['spætə] *v/t and v/i* (be)spritzen.
spawn [spɔːn] **1.** *s zo.* Laich *m*; *fig. contp.* Brut *f*; **2.** *v/i zo.* laichen; *v/t fig.* hervorbringen.
speak [spiːk] (***spoke, spoken***) *v/i* sprechen, reden (***to*** mit; ***about*** über *acc*); ***~ out, ~ up*** laut u. deutlich sprechen; offen reden; ***~ to s.o.*** *j-n or* mit *j-m* sprechen; *v/t* (aus)sprechen; sagen; äußern; *language*: sprechen, können; **~•er** *s* Sprecher(in), Redner(in); *of radio, etc.*: Lautsprecher *m*; ♀ *parl.* Präsident *m*; ***Mr ♀!*** Herr Vorsitzender!
spear [spɪə] **1.** *s* Speer *m*; Spieß *m*, Lanze *f*; **2.** *v/t* durchbohren, aufspießen.
spe•cial ['speʃl] **1.** *adj* □ besondere(r, -s); speziell; Sonder…; Spezial…; ***~ character*** *computer*: Sonderzeichen *n*; **2.** *s newspaper*: Sonderausgabe *f*; *rail.* Sonderzug *m*; *radio*, *TV*: Sondersendung *f*; *constable*: Hilfspolizist(in); *Am.* Tagesgericht *n* (*in restaurant*); *Am. econ.* Sonderangebot *n*; ***on ~*** *Am. econ.* im Angebot; **~•ist** *s* Spezialist(in), Fachmann *m*, -frau *f*; *med.* Facharzt *m*, -ärztin *f*; **spe•ci•al•i•ty** [speʃɪ'ælətɪ] *s* Besonderheit *f*; Spezialfach *n*; *econ.* Spezialität *f*; **~•ize** ['speʃəlaɪz] *v/i and v/t* (sich) spezialisieren; **~•ly** ['speʃəlɪ] *adv* besonders; extra; **~•ty** *esp. Am.* → ***speciality.***
spe•cies ['spiːʃiːz] *s* (*pl* **-cies**) Art *f*, Spezies *f.*
spe|cif•ic [spɪ'sɪfɪk] *adj* (***~ally***) spezifisch; besondere(r, -s); bestimmt; **~•ci•fy** ['spesɪfaɪ] *v/t* spezifizieren, einzeln angeben; **~•ci•men** ['spesɪmən] *s* Probe *f*, Muster *n*; Exemplar *n.*
spe•cious ['spiːʃəs] *adj* □ blendend, bestechend; trügerisch; Schein…
speck [spek] *s* Fleck(en) *m*; Stückchen *n*; **~•le** *s* Fleck(en) *m*, Sprenkel *m*, Tupfen *m*; **~•led** *adj* gefleckt, gesprenkelt, getüpfelt.
spec•ta•cle ['spektəkl] *s* Schauspiel *n*; Anblick *m*; (***a pair of***) ***~s*** *pl* (e-e) Brille.
spec•tac•u•lar [spek'tækjʊlə] **1.** *adj* □ spektakulär, sensationell, aufsehenerregend; **2.** *s* große (Fernseh)Schau, Galavorstellung *f.*
spec•ta•tor [spek'teɪtə] *s* Zuschauer(in).

S

spec|tral ['spektrəl] *adj* □ gespenstisch; **~•tre**, *Am.* **~•ter** *s* Gespenst *n.*
spec•u|late ['spekjʊleɪt] *v/i* grübeln, nachsinnen; *econ.* spekulieren; **~•la•tion** [~'leɪʃn] *s* theoretische Betrachtung; Nachdenken *n*; Grübeln *n*; *econ.* Spekulation *f*; **~•la•tive** ['~lətɪv] *adj* □ grüblerisch; theoretisch; *econ.* spekulativ; **~ *application*** Blindbewerbung *f*; **~•la•tor** ['~leɪtə] *s econ.* Spekulant *m.*
sped [sped] *pret and pp of* **speed** 2.
speech [spiːtʃ] *s* Sprache *f*; Reden *n*, Sprechen *n*; Rede *f*, Ansprache *f*; ***make a ~*** e-e Rede halten; **~-day** *s Br. school*: (Jahres)Schlussfeier *f*; **~•less** *adj* □ sprachlos; **~ rec•og•ni•tion** *s computer*: Spracherkennung *f*; **~ *software*** Spracherkennungssoftware *f.*
speed [spiːd] **1.** *s* Geschwindigkeit *f*, Tempo *n*, Schnelligkeit *f*, Eile *f*; *tech.* Drehzahl *f*; *mot.* Gang *m*; *phot.* Lichtempfindlichkeit *f*; *phot.* Belichtungszeit *f*; *sl.* Speed *n* (*drug*); ***full** or **top ~*** Höchstgeschwindigkeit *f*; ***a ten-~ bicycle*** ein Zehngangfahrrad; **2.** (***sped***) *v/i* (dahin)eilen, schnell fahren, rasen; ***~ up*** (***pret and pp speeded***) die Geschwindigkeit erhöhen; *v/t* rasch befördern; ***~ up*** (***pret and pp speeded***) beschleunigen; **~•boat** *s* Rennboot *n*; **~ di•al** *s teleph.* Kurzwahl *f*; **~-di•al but•ton** *s teleph.* Kurzwahltaste *f*; **~•ing** *s mot.* zu schnelles Fahren, Geschwindigkeitsüberschreitung *f*; **~ lim•it** *s mot.* Geschwindigkeitsbegrenzung *f*, Tempolimit *n*; **~•o** F *mot.* [~əʊ] *s* (*pl* ***-os***) Tacho *m*; **~•om•e•ter** *mot.* [spɪ'dɒmɪtə] *s* Tachometer *m, n*; **~-up** *s* Beschleunigung *f*, Temposteigerung *f*; *econ.* Produktionserhöhung *f*; **~•way** *s sports*: Speedwayrennen *n*; Speedwaybahn *f*; *Am. mot.* Schnellstraße *f*; *Am. sports*: *mot.* Rennstrecke *f*; **~•y** *adj* □ (***-ier, -iest***) schnell, rasch.
spell [spel] **1.** *s* Weile *f*, Weilchen *n*; Anfall *m*; Zauber(spruch) *m*; *fig.* Zauber *m*; ***a ~ of fine weather*** e-e Schönwetterperiode; ***hot ~*** Hitzewelle *f*; **2.** *v/t*: ***~ s.o. at s.th.*** *esp. Am.* *j-n* bei et. ablösen; (***spelt** or Am. **spelled***) buchstabieren; richtig schreiben; bedeuten; geschrieben werden, sich schreiben; **~•bound** *adj* (wie) gebannt, fasziniert, gefesselt; **~•er** *s computer*: Rechtschreib(korrektur)system *n*; ***be a good*** (***bad***) **~** in Rechtschreibung gut (schlecht) sein; **~•check•er** *s computer*: Rechtschreibprüfprogramm *n*; **~•ing** *s* Buchstabieren *n*; Rechtschreibung *f*; ***~ reform*** Rechtschreibreform *f.*
spelt [spelt] *pret and pp of* **spell** 2.
spend [spend] **1.** *v/t* (***spent***) verwenden; *money*: ausgeben; verbrauchen; verschwenden; *energy, etc.*: aufwenden; *time, holiday*: zu-, verbringen; ***~ o.s.*** sich erschöpfen; **2.** *s* Ausgaben(höhe *f*) *pl*; **~•thrift** *s* Verschwender(in).
spent [spent] **1.** *pret and pp of* **spend** 1; **2.** *adj* erschöpft, matt.
sperm [spɜːm] *s* Sperma *n*, Samen *m.*
spew [spjuː] *v/i* F *vomit*: brechen, speien; ***~ out*** *of water, etc.*: hervorsprudeln.
sphere [sfɪə] *s* Kugel *f*; Erd-, Himmelskugel *f*; *fig.* Sphäre *f*; (Wirkungs)Kreis *m*, Bereich *m*, Gebiet *n*; **spher•i•cal** ['sferɪkl] *adj* □ sphärisch; kugelförmig.
spice [spaɪs] **1.** *s* Gewürz(e *pl*) *n*; *fig.* Würze *f*; Anflug *m*; **2.** *v/t* würzen.
spick and span [spɪkən'spæn] *adj* blitzsauber; wie aus dem Ei gepellt; funkelnagelneu.
spic•y ['spaɪsɪ] *adj* □ (***-ier, -iest***) würzig; gewürzt; *fig.* pikant.
spi•der *zo.* ['spaɪdə] *s* Spinne *f.*
spig•ot ['spɪgət] *s* (Fass)Zapfen *m*; (Zapf-, *Am.* Leitungs)Hahn *m.*
spike [spaɪk] **1.** *s* Stift *m*; Spitze *f*; Dorn *m*; Stachel *m*; *agr.* Ähre *f*; *sports*: Spike *m*; ***~s*** *pl sports, mot.*: Spikes *pl*, *mot. a.* Spikereifen *pl*; **2.** *v/t* festnageln; mit (Eisen)Spitzen *etc.* versehen; **~ heel** *s* Pfennigabsatz *m.*
spill [spɪl] **1.** (***spilt** or **spilled***) *v/t* ver-, ausschütten; *blood*: vergießen; verstreuen; *rider*: abwerfen; *sl.* ausplaudern; → ***milk*** 1; *v/i* überlaufen; *sl.* auspacken, singen; **2.** *s* Sturz *m* (*from horse, etc.*).
spilt [spɪlt] *pret and pp of* **spill** 1.
spin [spɪn] **1.** (***-nn-**; **spun***) *v/t* spinnen; schnell drehen, (herum)wirbeln; *coin*: hochwerfen; *fig.* sich *et.* ausdenken, erzählen; ***~ s.th. out*** et. in die Länge ziehen, et. ausspinnen; *v/i* spinnen; sich drehen; *aer.* trudeln; *mot.* durchdrehen (*wheels*); ***~ along*** dahinrasen; **2.** *s* schnelle Drehung; *aer.* Trudeln *n*; ***go***

for a ~ e-e Spritztour machen.
spin•ach *bot.* ['spɪnɪdʒ] *s* Spinat *m.*
spin•al *anat.* ['spaɪnl] *adj* Rückgrat…; ~ ***column*** Wirbelsäule *f*, Rückgrat *n*; ~ ***cord***, ~ ***marrow*** Rückenmark *n.*
spin•dle ['spɪndl] *s* Spindel *f.*
spin|-dri•er ['spɪndraɪə] *s* (Wäsche-) Schleuder *f*; **~-dry** *v/t washing*: schleudern; **~-dry•er** → ***spin-drier.***
spine [spaɪn] *s anat.* Wirbelsäule *f*, Rückgrat *n*; *bot., zo.* Stachel *m*; (Gebirgs)Grat *m*; (Buch)Rücken *m.*
spin•ning|-mill ['spɪnɪŋmɪl] *s* Spinnerei *f*; **~-wheel** *s* Spinnrad *n.*
spin•ster ['spɪnstə] *s jur.* ledige Frau; *contp.* alte Jungfer.
spin•y *bot., zo.* ['spaɪnɪ] *adj* (***-ier, -iest***) stach(e)lig.
spi•ral ['spaɪərəl] **1.** *adj* □ spiralig; Spiral…; gewunden; ~ ***staircase*** Wendeltreppe *f*; **2.** *s* Spirale *f*; ***price*** ~ Preisspirale *f.*
spire ['spaɪə] *s* (Turm-, Berg- *etc.*) Spitze *f*; Kirchturm(spitze *f*) *m.*
spir•it ['spɪrɪt] **1.** *s* Geist *m*; Schwung *m*; Elan *m*; Mut *m*; Gesinnung *f*; *chem.* Spiritus *m*; **~s** *pl* alkoholische *or* geistige Getränke *pl*, Spirituosen *pl*; ***high*** (***low***) **~s** *pl* gehobene (gedrückte) Stimmung; ***that's the ~!*** das lobe ich mir!; **2.** *v/t*: ~ ***away*** *or* ***off*** wegschaffen, -zaubern; **~•ed** *adj* □ temperamentvoll, lebhaft; energisch; feurig (*horse, etc.*); geistvoll; **~•less** *adj* □ geistlos; temperamentlos; mutlos.
spir•i•tu•al ['spɪrɪtjʊəl] **1.** *adj* □ geistig; geistlich; geistreich; **2.** *s mus.* Spiritual *n*; **~•is•m** [~ɪzəm] *s* Spiritismus *m.*
spit[1] [spɪt] **1.** *s* (Brat)Spieß *m*; *geogr.* Landzunge *f*; **2.** *v/t* (***-tt-***) aufspießen.
spit[2] [~] **1.** *s* Speichel *m*, Spucke *f*; Fauchen *n*; F Ebenbild *n*; **2.** *v/i and v/t* (***-tt-***; ***spat***, *Am. a.* ***spit***) spucken; fauchen; *rain*: sprühen; *a.* ~ ***out*** (aus)spucken.
spite [spaɪt] **1.** *s* Bosheit *f*; Groll *m*; ***in ~ of*** trotz (*gen*); **2.** *v/t j-n* ärgern; **~•ful** *adj* □ boshaft, gehässig.
spit•fire ['spɪtfaɪə] *s* Hitzkopf *m.*
spit•ting im•age [spɪtɪŋ'ɪmɪdʒ] *s* Ebenbild *n.*
spit•tle ['spɪtl] *s* Speichel *m*, Spucke *f.*
spit•toon [spɪ'tuːn] *s* Spucknapf *m.*
splash [splæʃ] **1.** *s* Spritzer *m*, (Spritz-) Fleck *m*; Klatschen *n*, Platschen *n*; **2.** *v/t and v/i* (be)spritzen; platschen; plantschen; (hin)klecksen; ~ ***down*** wassern (*spacecraft*); **~-down** *s of spacecraft*: Wasserung *f.*
spleen [spliːn] *s anat.* Milz *f*; schlechte Laune.
splen|did ['splendɪd] *adj* □ glänzend, prächtig, herrlich; F großartig, hervorragend; **~•do(u)r** [~ə] *s* Glanz *m*, Pracht *f*, Herrlichkeit *f.*
splice [splaɪs] *v/t ropes*: spleißen; *film*: zusammenkleben.
splint *med.* [splɪnt] **1.** *s* Schiene *f*; **2.** *v/t* schienen.
splin•ter ['splɪntə] **1.** *s* Splitter *m*; **2.** *v/t and v/i* (zer)splittern; ~ ***off*** (*fig.* sich) absplittern.
split [splɪt] **1.** *s* Spalt *m*, Riss *m*, Sprung *m*; *fig.* Spaltung *f*; **2.** *adj* gespalten; **3.** (***-tt-***; ***split***) *v/t* (zer)spalten; zerreißen; ~ ***hairs*** Haarspalterei treiben; ~ ***one's sides laughing*** *or* ***with laughter*** sich totlachen; *v/i* sich spalten; sich teilen (***into*** in *acc*); zerspringen, (-)platzen, (-)bersten; **~•ting** *adj* heftig, rasend (*headache*).
splut•ter ['splʌtə] *v/t and v/i* (heraus-) stottern; *spit*: prusten, spucken; *of fire*: zischen; *of engine*: stottern.
spoil [spɔɪl] **1.** *s mst* **~s** *pl* Beute *f*; *fig.* Ausbeute *f*, Gewinn *m*; **2.** *v/t* (***spoilt*** *or* ***spoiled***) verderben; ruinieren; *child*: verwöhnen, -ziehen; **~•er** *s mot.* Spoiler *m*; **~•sport** *s* Spielverderber(in); **~t** *pret and pp of* ***spoil*** 2.
spoke[1] [spəʊk] *s* Speiche *f*; (Leiter-) Sprosse *f.*
spoke[2] [~] *pret of* ***speak***; **spok•en 1.** *pp of* ***speak***; **2.** *adj* gesprochen (*language*); **~s•man** *s* Wortführer *m*, Sprecher *m*; **~•per•son** *s* Sprecher(in); **~s•wom•an** *s* Wortführerin *f*, Sprecherin *f.*
sponge [spʌndʒ] **1.** *s* Schwamm *m*; F *fig.* Schmarotzer(in); *Br.* → ***sponge-cake***; **2.** *v/t* mit e-m Schwamm (ab)wischen; ~ ***off*** weg-, abwischen; ~ ***up*** aufsaugen, -wischen; *v/i* F *fig.* schmarotzen; **~-cake** *s* Biskuitkuchen *m*; **spong•er** *s* F *fig.* Schmarotzer(in); **spong•y** *adj* (***-ier, -iest***) schwammig.
spon•sor ['spɒnsə] **1.** *s* Geldgeber(in), Sponsor(in) (*a. sports*); Bürg|e *m*, -in *f*; (Tauf)Pat|e *m*, -in *f*; Förderer *m*, Gönner(in); Schirmherr(in); **2.** *v/t sports, etc.*: sponsern; bürgen für; för-

dern; die Schirmherrschaft (*gen*) übernehmen; **~•ship** *s* Bürgschaft *f*; Patenschaft *f*; Schirmherrschaft *f*; Unterstützung *f*, Förderung *f*.

spon•ta•ne|i•ty [spɒntə'neɪətɪ] *s* Spontaneität *f*, eigener Antrieb; Ungezwungenheit *f*; **~•ous** [spɒn'teɪnɪəs] *adj* □ spontan; unvermittelt; ungezwungen, natürlich; von selbst (entstanden); Selbst…

spook [spuːk] *s* Spuk *m*; **~•y** *adj* (***-ier, -iest***) gespenstisch, Spuk…

spool [spuːl] *s* Spule *f*; Rolle *f*; *a.* ***~ of thread*** *Am.* Garnrolle *f*.

spoon [spuːn] **1.** *s* Löffel *m*; **2.** *v/t* löffeln; **~•ful** *s* (ein) Löffel *m* (voll).

spo•rad•ic [spə'rædɪk] *adj* (***~ally***) sporadisch, gelegentlich, vereinzelt.

spore *bot.* [spɔː] *s* Spore *f*, Keimkorn *n*.

sport [spɔːt] **1.** *s* Sport(art *f*) *m*; Zeitvertreib *m*; *fun*: Spaß *m*, Scherz *m*; F feiner Kerl; ***~s*** *pl* Sport *m*; *Br. school*: Sportfest *n*; ***do ~*** Sport treiben; ***be a bad*** (***good***) ***~*** ein schlechter (guter) Verlierer sein; **2.** *v/i* herumtollen; spielen; *v/t* F stolz (zur Schau) tragen, protzen mit; **~•ing** *adj* sportlich, Sport…; *chance*: fair; **spor•tive** *adj* □ verspielt; **~s** *adj* Sport…; **~s•man** *s* Sportler *m*; **~s•man•ship** *s* (sportliche) Fairness; **~s•wom•an** *s* Sportlerin *f*.

spot [spɒt] **1.** *s* Fleck *m*; Tupfen *m*; Makel *m*; Stelle *f*, Ort *m*; *med.* Leberfleck *m*; *med.* Pickel *m*; *radio, TV*: (Werbe-) Spot *m*; *Br.* F Tropfen *m*, Schluck *m*; ***a ~ of*** *Br.* F etwas; ***on the ~*** auf der Stelle, sofort; **2.** *adj econ.* sofort liefer- *or* zahlbar; **3.** (***-tt-***) *v/t* bespritzen, sprenkeln; entdecken, sehen, erkennen; *v/i* fleckig werden; **~•less** *adj* □ fleckenlos; *fig.* makellos, tadellos; **~•light** *s thea.* Scheinwerfer(licht *n*) *m*; *fig.* ***be in the ~*** im Rampenlicht der Öffentlichkeit stehen; **~•ter** *s* Beobachter *m*; *mil.* Aufklärer *m*; **~•ty** *adj* (***-ier, -iest***) fleckig; pickelig.

spouse [spaʊz] *s* Gatt|e *m*, -in *f*.

spout [spaʊt] **1.** *s* Ausguss *m*, Schnabel *m* (*of teapot, etc.*); *tube*: Strahlrohr *n*; *water ~*: (Wasser)Strahl *m*; **2.** *v/i* (heraus)spritzen; hervorsprudeln.

sprain *med.* [spreɪn] **1.** *s* Verstauchung *f*; **2.** *v/t* sich *et.* verstauchen.

sprang [spræŋ] *pret of* ***spring*** 2.

sprat *zo.* [spræt] *s* Sprotte *f*.

sprawl [sprɔːl] *v/i* sich rekeln; ausgestreckt daliegen; *bot.* wuchern.

spray [spreɪ] **1.** *s* Sprühregen *m*, Gischt *m*, *f*, Schaum *m*; Spray *m*, *n*; → ***sprayer***; **2.** *v/t* zerstäuben; (ver)sprühen; besprühen; *hair*: sprayen; *plants*: spritzen; *v/i* sprühen; spritzen; **~•er** *s* Zerstäuber *m*, Sprüh-, Spraydose *f*.

spread [spred] **1.** (***spread***) *v/t a.* ***~ out*** ausbreiten; ausstrecken; spreizen; ausdehnen; verbreiten; belegen; *butter, etc.*: (auf)streichen; *bread, etc.*: streichen; ***~ the word*** es weitersagen; *eccl.* das Wort Gottes verkünden; ***~ the table*** den Tisch decken; *v/i* sich aus- *or* verbreiten; sich ausdehnen; **2.** *s* Aus-, Verbreitung *f*; Ausdehnung *f*; Spannweite *f*; Fläche *f*; (Bett)Decke *f*; (Brot)Aufstrich *m*; F Festessen *n*.

spree F [spriː] *s*: ***go*** (***out***) ***on a ~*** e-e Sauftour machen; ***go on a buying*** (*or* ***shopping, spending***) ***~*** wie verrückt einkaufen.

sprig *bot.* [sprɪg] *s* kleiner Zweig.

spright•ly ['spraɪtlɪ] *adj* (***-ier, -iest***) lebhaft, munter.

spring [sprɪŋ] **1.** *s* Sprung *m*, Satz *m*; *tech.* (Sprung)Feder *f*; Sprungkraft *f*, Elastizität *f*; Quelle *f*; *fig.* Triebfeder *f*; *fig.* Ursprung *m*; Frühling *m* (*a. fig.*), Frühjahr *n*; **2.** (***sprang*** *or Am.* ***sprung, sprung***) *v/t* springen lassen; (zer)sprengen; *game*: aufjagen; ***~ a leak*** *mar.* leck werden; ***~ a surprise on s.o.*** *j-n* überraschen; *v/i* springen; entspringen (***from*** *dat*), *fig.* herkommen, stammen (***from*** von); *bot.* sprießen; ***~ up*** aufkommen (*ideas, etc.*); **~•board** *s* Sprungbrett *n*; **~ tide** *s* Springflut *f*; **~•time** *s* Frühling(szeit *f*) *m*, Frühjahr *n*; **~•y** *adj* □ (***-ier, -iest***) federnd.

sprin|kle ['sprɪŋkl] *v/t and v/i* (be)streuen; (be)sprengen; sprühen (*rain*); **~•kler** *s* Berieselungsanlage *f*; Sprinkler *m*; Rasensprenger *m*; **~•kling** *s* Sprühregen *m*; ***a ~ of*** *fig.* ein wenig, ein paar.

sprint [sprɪnt] *sports* **1.** *v/i* sprinten; spurten; **2.** *s* Sprint *m*; Spurt *m*; **~•er** *s sports*: Sprinter(in).

sprout [spraʊt] **1.** *v/i* sprießen; wachsen; **2.** *s bot.* Spross *m*; (***Brussels***) ***~s*** *pl bot.* Rosenkohl *m*.

spruce[1] [spruːs] *adj* □ schmuck, adrett.

S

spruce[2] *bot.* [~] *s a.* ~ ***fir*** Fichte *f*, Rottanne *f*.
sprung [sprʌŋ] *pret and pp of* ***spring*** 2.
spry [spraɪ] *adj* munter, flink.
spun [spʌn] *pret and pp of* ***spin*** 1.
spur [spɜː] **1.** *s* Sporn *m* (*a. zo., bot.*); Vorsprung *m*, Ausläufer *m* (*of mountains*); *fig.* Ansporn *m*; ***on the ~ of the moment*** der Eingebung des Augenblicks folgend, spontan; **2.** *v/t* (*-rr-*) *horse*: die Sporen geben (*dat*); *often* ~ ***on*** *fig.* anspornen.
spurt[1] [spɜːt] **1.** *v/i* plötzlich aktiv werden; *sports*: spurten, sprinten; **2.** *s* plötzliche Aktivität *or* Anspannung; *sports*: Spurt *m*, Sprint *m*.
spurt[2] [~] **1.** *v/i* (heraus)spritzen; **2.** *s* (Wasser- *etc.*) Strahl *m*.
sput•ter ['spʌtə] → ***splutter***.
spy [spaɪ] **1.** *s* Spion(in); Spitzel *m*; **2.** *v/t* erspähen, entdecken; ausspionieren; *v/i* spionieren; ~ ***on***, ~ ***upon*** *j-m* nachspionieren; *j-n* bespitzeln; **~•glass** *s* Fernglas *n*; **~•hole** *s* Guckloch *n*, Spion *m*.
sq. ***square*** Quadrat…
Sq. ***Square*** Pl., Platz *m*.
squab•ble ['skwɒbl] **1.** *s* Zank *m*, Kabbelei *f*; **2.** *v/i* sich zanken.
squad [skwɒd] *s* Gruppe *f* (*a. mil.*); *police*: (Überfall- *etc.*) Kommando *n*; Dezernat *n*; *sports*: Mannschaft *f*, Truppe *f*; ~ ***car*** *Am.* (Funk)Streifenwagen *m*; **~•ron** *mil.* ['skwɒdrən] *s* Schwadron *f*; (Panzer)Bataillon *n*; *aer.* Staffel *f*; *mar.* Geschwader *n*.
squal•id ['skwɒlɪd] *adj* ☐ schmutzig, verwahrlost, -kommen, armselig.
squall [skwɔːl] **1.** *s meteor.* Bö *f*; Schrei *m*; **~*s*** *pl* Geschrei *n*; **2.** *v/i* schreien.
squal•or ['skwɒlə] *s* Schmutz *m*.
squan•der ['skwɒndə] *v/t* verschwenden, -geuden.
square [skweə] **1.** *adj* ☐ (vier)eckig; quadratisch, Quadrat…; … im Quadrat; rechtwink(e)lig; stimmend, in Ordnung; *quits*: quitt, gleich; *honest*: anständig, ehrlich, offen; *stocky*: gedrungen; F *old-fashioned*: überholt, altmodisch, spießig; **2.** *s* Quadrat *n* (*a. math.*); Viereck *n*; Feld *n* (*on game-board*); *in town*: Platz *m*; *sl.* altmodischer Spießer; **3.** *v/t* quadratisch *or* rechtwink(e)lig machen; *number*: ins Quadrat erheben; *shoulders*: straffen; *sports*: unentschieden beenden (*match*); *econ.* ausgleichen (*account*); *econ.* begleichen (*debt*); *fig.* in Einklang bringen *or* (*v/i*) stehen (***with*** mit); anpassen (***to*** an *acc*); *v/i* passen (***with*** zu); **~-built** *adj person*: gedrungen; ~ **dance** *s esp. Am.* Squaredance *m*; ~ **mile** *s* Quadratmeile *f*.
squash[1] [skwɒʃ] **1.** *s* Gedränge *n*; Brei *m*, Matsch *m*; *Br.* (Orangen- *etc.*) Saft *m*; *sports*: Squash *n*; **2.** *v/t* (zer-, zusammen)quetschen; zusammendrücken.
squash[2] *bot.* [~] *s* Kürbis *m*.
squat [skwɒt] **1.** (*-tt-*) *v/i* hocken, kauern; (*a. v/t*) sich illegal ansiedeln (auf *dat*); ~ ***down*** sich hinhocken; *v/t empty building*: besetzen; **2.** *adj* in der Hocke; untersetzt, vierschrötig; **~•ter** *s* Squatter *m*, illegaler Siedler; Schafzüchter *m* (*in Australia*); Hausbesetzer(in); ~ ***movement*** Hausbesetzerszene *f*.
squawk [skwɔːk] **1.** *v/i* kreischen, schreien; **2.** *s* Gekreisch *n*, Geschrei *n*.
squeak [skwiːk] *v/i* quiek(s)en, piepen, piepsen; quietschen.
squeal [skwiːl] *v/i* schreien, kreischen; quietschen, kreischen (*brakes, etc.*); quiek(s)en, piep(s)en.
squeam•ish ['skwiːmɪʃ] *adj* ☐ empfindlich; mäkelig; heikel; penibel.
squeeze [skwiːz] **1.** *v/t* (aus-, zusammen)drücken, (-)pressen, (aus)quetschen; *v/i* sich zwängen *or* quetschen; **2.** *s* Druck *m*; Gedränge *n*; **squeez•er** *s* (Frucht)Presse *f*.
squid *zo.* [skwɪd] *s* Tintenfisch *m*.
squint [skwɪnt] *v/i* schielen; blinzeln.
squire ['skwaɪə] *s* Gutsherr *m*.
squirm F [skwɜːm] *v/i* sich winden.
squir•rel *zo.* ['skwɪrəl, *Am.* 'skwɜːrəl] *s* Eichhörnchen *n*.
squirt [skwɜːt] **1.** *s* Spritze *f*; Strahl *m*; F Wichtigtuer *m*; **2.** *v/i and v/t* (be)spritzen.
st. *Br.* ***stone*** (*Gewichtseinheit von 6,35 kg*).
St ***Saint …*** St. …, Sankt …; ***Street*** Str., Straße *f*.
stab [stæb] **1.** *s* Stich *m*, (Dolch- *etc.*) Stoß *m*; **2.** (*-bb-*) *v/t* niederstechen; *et.* aufspießen; *v/i* stechen (***at*** nach).
sta•bil|i•ty [stə'bɪlətɪ] *s* Stabilität *f*; Standfestigkeit *f*, Beständigkeit *f*; **~•ize** ['steɪbəlaɪz] *v/t and v/i* (sich) stabilisieren.

sta•ble[1] ['steɪbl] *adj* □ stabil, fest.

sta•ble[2] [~] **1.** *s* Stall *m*; **2.** *v/t* in den Stall bringen; im Stall halten.

stack [stæk] **1.** *s agr.* (Heu-, Stroh-, Getreide)Schober *m*; Stapel *m*; F Haufen *m*; Schornstein(reihe *f*) *m*; ***~s*** *pl* (Haupt)Magazin *n* (*in library*); **2.** *v/t a.* ***~ up*** (auf)stapeln.

sta•di•um ['steɪdɪəm] *s* (*pl* ***-diums, -dia*** [-dɪə]) *sports*: Stadion *n*.

staff [stɑːf] **1.** *s* Stab *m* (*a. mil.*), Stock *m*; Stütze *f*; (*pl* ***staves*** [steɪvz]) *mus.* Notensystem *n*; (Mitarbeiter)Stab *m*; Personal *n*, Belegschaft *f*; Beamtenstab *m*; Lehrkörper *m*; **2.** *v/t* besetzen (***with*** mit); **~ mem•ber** *s* Mitarbeiter(in); **~ room** *s* Lehrerzimmer *n*.

stag *zo.* [stæg] *s* Hirsch *m*.

stage [steɪdʒ] **1.** *s thea.* Bühne *f*; *das* Theater; *fig.* Schauplatz *m*; Stufe *f*, Stadium *n*, Phase *f*; Teilstrecke *f*, Fahrzone *f* (*bus, etc.*); Etappe *f*; *tech.* Bühne *f*, Gerüst *n*; *tech.* Stufe *f* (*of rocket*); **2.** *v/t* inszenieren; veranstalten; **~•coach** *s hist.* Postkutsche *f*; **~•craft** *s* dramaturgisches *or* schauspielerisches Können; **~ de•sign** *s* Bühnenbild *n*; **~ de•sign•er** *s* Bühnenbildner(in); **~ di•rec•tion** *s* Regieanweisung *f*; **~ fright** *s* Lampenfieber *n*; **~ prop•er•ties** *s pl* Requisiten *pl*.

stag•ger ['stægə] **1.** *v/i* schwanken, taumeln, torkeln; *fig.* wanken(d werden); ***~ about*** *or* ***around*** herumtorkeln; *v/t* ins Wanken bringen; *working hours, etc.*: staffeln; *fig.* überwältigen, sprachlos machen; **2.** *s* Schwanken *n*, Taumeln *n*; **~•ing** *adj fig.* atemberaubend, umwerfend (*news, revelations*).

stag|nant ['stægnənt] *adj* □ stehend (*water, air*); stagnierend; stockend; *econ.* still, flau; *fig.* träge; **~•nate** [~'neɪt] *v/i* stagnieren, stillstehen, stocken.

stain [steɪn] **1.** *s* Fleck *m*; Beize *f*; *fig.* Schandfleck *m*; **2.** *v/t* beschmutzen, beflecken; färben, *wood*: beizen; *glass*: bemalen; *v/i* schmutzen, Flecken geben; ***~ed glass*** Buntglas *n*; **~•less** *adj* □ rostfrei, nicht rostend; *esp. fig.* fleckenlos.

stair [steə] *s* Stufe *f*; ***~s*** *pl* Treppe *f*, Stiege *f*; **~•case, ~•way** *s* Treppe(nhaus *n*) *f*.

stake [steɪk] **1.** *s* Pfahl *m*, Pfosten *m*; Marterpfahl *m*; (Wett-, Spiel)Einsatz *m* (*a. fig.*); ***~s*** *pl horse-race*: Dotierung *f*; Rennen *n*; ***pull up ~s*** *esp. Am. fig.* F s-e Zelte abbrechen; ***be at ~*** *fig.* auf dem Spiel stehen; **2.** *v/t* wagen, aufs Spiel setzen; ***~ off, ~ out*** abstecken.

stale [steɪl] *adj* □ (***~r, ~st***) *not fresh*: alt; *beer, etc.*: schal, abgestanden; *air*: verbraucht; *fig.* fad.

stalk[1] *bot.* [stɔːk] *s* Stängel *m*, Stiel *m*, Halm *m*.

stalk[2] [~] *v/i hunt.* (sich an)pirschen; *often* ***~ along*** (einher)stolzieren; *v/t* sich heranpirschen an (*acc*); verfolgen, hinter *j-m* herschleichen.

stall[1] [stɔːl] **1.** *s* Box *f* (*in stable*); (Verkaufs)Stand *m*, (Markt)Bude *f*; Chorstuhl *m*; ***~s*** *pl Br. thea.* Parkett *n*; **2.** *v/t animal*: in Boxen unterbringen; *mot. engine*: abwürgen; *v/i* absterben (*engine*).

stall[2] [~] *v/i* ausweichen; *a.* ***~ for time*** Zeit schinden; *sports*: auf Zeit spielen.

stal•li•on *zo.* ['stæljən] *s* (Zucht-)Hengst *m*.

stal•wart ['stɔːlwət] *adj* □ stramm, kräftig; *supporter*: unerschütterlich, treu.

stam•i•na ['stæmɪnə] *s* Ausdauer *f*, Zähigkeit *f*; Durchhaltevermögen *n*, Kondition *f*.

stam•mer ['stæmə] **1.** *v/i and v/t* stottern, stammeln; **2.** *s* Stottern *n*.

stamp [stæmp] **1.** *s* (Auf)Stampfen *n*; Stempel *m* (*a. fig.*); (Brief)Marke *f*; *fig.* Gepräge *n*; *fig.* Art *f*; **2.** *v/t* aufstampfen mit; (ab)stempeln (*a. fig.*); *letter*: frankieren; (auf)prägen; ***~ out*** (aus)stanzen; *v/i* (auf)stampfen; **~ al•bum** *s* Briefmarkenalbum *n*; **~ col•lec•tion** *s* Briefmarkensammlung *f*.

stam•pede [stæm'piːd] **1.** *s* Panik *f*, wilde, panische Flucht; (Massen)Ansturm *m*; **2.** *v/i of horses, etc.*: durchgehen; *v/t* in Panik versetzen.

stanch [stɑːntʃ] → ***staunch***[1] → ***staunch***[2]

stand [stænd] **1.** (***stood***) *v/i* stehen; sich befinden; bleiben; *fig.* festbleiben; *mst* ***~ still*** still stehen, stehen bleiben; ***~ about*** herumstehen; ***~ aside*** beiseitetreten; ***~ back*** zurücktreten; ***~ by*** dabei sein, -stehen; bereitstehen; *fig.* zu *j-m* halten *or* stehen, *j-m* helfen; ***~ for*** kandidieren für; bedeuten; eintreten für; F

S

sich *et.* gefallen lassen; ~ ***in*** einspringen (***for s.o.*** für *j-n*); ~ ***in for*** *film*: *j-n* doubeln; ~ ***off*** sich entfernt halten; *fig.* Abstand halten; ~ ***out*** hervorstehen, -treten; sich abheben (***against*** gegen); aus-, durchhalten; *fig.* herausragen; standhalten (*dat*); ~ ***over*** liegen bleiben; (sich) vertagen (***to*** auf *acc*); ~ ***to*** stehen zu; *mil.* in Bereitschaft stehen *or* versetzen; ~ ***up*** aufstehen, sich erheben; ~ ***up for*** eintreten für; ~ ***up to*** mutig gegenüberstehen (*dat*); standhalten (*dat*); *v/t* stellen; *endure*: aushalten, vertragen, ertragen; *test, etc.*: sich unterziehen (*dat*); *exam*: *a.* bestehen; *chance*: haben; F spendieren; ~ ***a round*** F e-e Runde schmeißen; **2.** *s* Stand *m*; Stillstand *m*; (Stand)Platz *m*, Standort *m*; Stand(platz) *m* (*for taxis*); (Verkaufs-, Messe)Stand *m*; *fig.* Standpunkt *m*; *support*: Ständer *m*; *in stadium*: Tribüne *f*; *esp. Am. jur.* Zeugenstand *m*; ***make a*** ~ ***against*** sich entgegenstellen (*dat*).

stan•dard ['stændəd] **1.** *s* Standarte *f*, Fahne *f*, Flagge *f*; *norm*: Standard *m*, Norm *f*; Maßstab *m*; *level*: Niveau *n*, Stand *m*, Grad *m*; *of currency*: Münzfuß *m*, (Gold- *etc.*) Währung *f*; *of lamp, etc.*: Ständer *m*; ~ ***of living*** Lebensstandard *m*; **2.** *adj* maßgebend; normal; Normal…; ~**•ize** *v/t* norm(ier)en, standardisieren, vereinheitlichen.

stand|-by ['stændbaɪ] **1.** *s* (*pl* ***-bys***) Beistand *m*, Hilfe *f*; Bereitschaft *f*; Ersatz *m*; **2.** *adj* Not…, Ersatz…, Reserve…; Bereitschafts…; ~**-in** *s film*: Double *n*; Ersatzmann *m*, Vertreter(in).

stand•ing ['stændɪŋ] **1.** *adj* stehend (*a. fig.*); (fest)stehend; *econ.* laufend; ständig; **2.** *s* Stellung *f*, Rang *m*; Ruf *m*, Ansehen *n*; Dauer *f*; ***of long*** ~ alt; ~ ***order*** *s econ.* Dauerauftrag *m*; ~**-room** *s* Stehplatz *m*.

stand|-off•ish [stænd'ɒfɪʃ] *adj* reserviert, ablehnend, zurückhaltend; ~**•point** *s* Standpunkt *m*; ~**•still** *s* Stillstand *m*; ***be at a*** ~ stocken, ruhen, an e-m toten Punkt angelangt sein; stillstehen; ~**-up** *adj* stehend; im Stehen (eingenommen) (*meal*); ~ ***collar*** Stehkragen *m*.

stank [stæŋk] *pret of* **stink** 2.

stan•za ['stænzə] *s* Stanze *f*; Strophe *f*.

sta•ple[1] ['steɪpl] *s* Haupterzeugnis *n*; Hauptgegenstand *m*; *attr* Haupt…

sta•ple[2] [~] **1.** *s* Krampe *f*; Heftklammer *f*; **2.** *v/t* heften; ~**r** *s* Heftmaschine *f*.

star [stɑː] **1.** *s* Stern *m*; *thea., film, sports*: Star *m*; ***The*** ℒ***s and Stripes*** *pl* das Sternenbanner; **2.** (***-rr-***) *v/t* mit Sternen schmücken; in der *or* e-r Hauptrolle zeigen; ***a film*** ~***ring …*** ein Film mit … in der Hauptrolle; *v/i* die *or* e-e Hauptrolle spielen (***in*** in *dat*).

star•board *mar.* ['stɑːbəd] *s* Steuerbord *n*.

stare [steə] **1.** *s* Starren *n*; starrer *or* erstaunter Blick; **2.** *v/i* (~ ***at*** an)starren; erstaunt blicken.

stark [stɑːk] **1.** *adj* □ starr; rein, bar, völlig (*nonsense*); **2.** *adv* völlig; ~ ***naked*** *or Br.* F ~***ers*** splitternackt.

star•light ['stɑːlaɪt] *s* Sternenlicht *n*.

star•ling *zo.* ['stɑːlɪŋ] *s* Star *m*.

star•lit ['stɑːlɪt] *s* stern(en)klar.

star|ry ['stɑːrɪ] *adj* (***-ier, -iest***) sternklar; ~**•ry-eyed** *adj* F naiv; romantisch; ~**-span•gled** *adj* sternenbesät; ***The*** ℒ ***Banner*** das Sternenbanner.

start [stɑːt] **1.** *s* Start *m*; Aufbruch *m*, Abreise *f*, Abfahrt *f*, *aer.* Abflug *m*, Start *m*; Beginn *m*, Anfang *m*; *sports*: Vorgabe *f*; *fig.* Vorsprung *m*; *in surprise, etc.*: Auffahren *n*, -schrecken *n*; Schreck *m*; ***for a*** ~ fürs Erste, zunächst einmal; ***from the*** ~ von Anfang an; ***get the*** ~ ***of s.o.*** *j-m* zuvorkommen; **2.** *v/i set out*: sich auf den Weg machen, aufbrechen; abfahren (*train*), auslaufen (*ship*), *aer.* abfliegen, starten; *sports*: starten; *tech.* anspringen (*engine*), anlaufen (*machine*); *begin*: anfangen, beginnen; *in surprise*: auffahren, hochschrecken; stutzen; ***to*** ~ ***with*** zunächst einmal; ~ ***from scratch*** F ganz von vorne anfangen; *v/t* in Gang setzen *or* bringen, *tech. a.* anlassen; anfangen, beginnen; *sports*: starten (lassen); ~**•er** *s sports*: Starter *m*; *mot.* Anlasser *m*, Starter *m*; ~**s** *pl* F Vorspeise *f*.

start|le ['stɑːtl] *v/t* erschrecken; aufschrecken; ~**•ling** *adj* erschreckend; überraschend, aufsehenerregend.

starv|a•tion [stɑː'veɪʃn] *s* Hungern *n*; Verhungern *n*, Hungertod *m*; *attr* Hunger…; ~**e** [stɑːv] *v/i and v/t* verhungern (lassen); *fig.* verkümmern (lassen); ***I'm starving!*** F ich bin am Verhungern!

state [steɪt] **1.** *s* Zustand *m*, Stand *m*; *of-*

ten ♀ *pol.* Staat *m*, *attr* Staats...; ***lie in*** **~** feierlich aufgebahrt liegen; ***the ~ of things*** der Stand der Dinge; **2.** *v/t* angeben; erklären, darlegen; feststellen; festsetzen, -legen.

state| aid ['steɪteɪd] *s mst pl econ.* staatliche Hilfe, Subvention *f*; ♀ **De•part•ment** *s Am. pol.* Außenministerium *n*; **~•ly** *adj* (***-ier, -iest***) stattlich; würdevoll; erhaben; **~•ment** *s* Angabe *f*; (Zeugen- *etc.*) Aussage *f*; Darstellung *f*; Erklärung *f*, Verlautbarung *f*, Statement *n*; Aufstellung *f*, *esp. econ.* (Geschäfts-, Monats- *etc.*) Bericht *m*; ***~ of account*** Kontoauszug *m*; **~-of-the-art** *adj* auf dem neuesten Stand der Technik; **~-owned** *adj* staatseigen; **~s•man** *s pol.* Staatsmann *m*; **~ sub•si•dies** *s pl* → ***state aid.***

stat•ic ['stætɪk] *adj* (***~ally***) statisch.

sta•tion ['steɪʃn] **1.** *s* Platz *m*, Posten *m*; Station *f*; (Polizei- *etc.*) Wache *f*; (Tank- *etc.*) Stelle *f*; (Fernseh-, Rundfunk)Sender *m*; *rail.* Bahnhof *m*; *rank*: Stellung *f*, Rang *m*; **2.** *v/t* aufstellen, postieren; *mar.*, *mil.* stationieren; **~•a•ry** *adj* □ (still)stehend; fest(stehend); gleichbleibend.

sta•tion|er ['steɪʃnə] *s* Schreibwarenhändler *m*; **~'s** (***shop***) Schreibwarenhandlung *f*; **~•er•y** *s* Schreibwaren *pl*; Briefpapier *n*.

sta•tion|-mas•ter ['steɪʃnmɑːstə] *s rail.* Stationsvorsteher *m*; **~ wag•on** *s Am. mot.* Kombiwagen *m*.

sta•tis•tics [stə'tɪstɪks] *s pl and sg* Statistik *f*; → ***vital statistics.***

stat•ue ['stætʃuː] *s* Standbild *n*, Plastik *f*, Statue *f*.

stat•ure ['stætʃə] *s* Statur *f*, Wuchs *m*.

sta•tus ['steɪtəs] *s* (Familien)Stand *m*; Stellung *f*, Rang *m*; Status *m*.

stat•ute ['stætjuːt] *s* Statut *n*, Satzung *f*; Gesetz *n*.

staunch[1] [stɔːntʃ] *v/t blood*: stillen.

staunch[2] [~] *adj* □ treu, zuverlässig.

stay [steɪ] **1.** *s* Aufenthalt *m*, Besuch *m*; *jur.* Aufschub *m*; *tech.* Stütze *f*; ***~s*** *pl* Korsett *n*; **2.** *v/i* bleiben (***with s.o.*** bei *j-m*); sich (vorübergehend) aufhalten, wohnen (***at, in*** in *dat*; ***with s.o.*** bei *j-m*); ***~ away*** (***from***) fernbleiben (*dat*), wegbleiben (von); F die Finger lassen (von); ***~ up*** aufbleiben, wach bleiben.

stead•y ['stedɪ] **1.** *adj* □ (***-ier, -iest***) fest; gleichmäßig, stetig, (be)ständig; zuverlässig; ruhig, sicher; **2.** *adv*: ***go ~ with s.o.*** F (fest) mit *j-m* gehen; **3.** *v/i and v/t* (sich) festigen, fest *or* sicher *or* ruhig machen *or* werden; (sich) beruhigen; **4.** *s* F feste Freundin, fester Freund.

steak [steɪk] *s* Steak *n*.

steal [stiːl] **1.** (***stole, stolen***) *v/t* stehlen (*a. fig.*); *v/i* stehlen; ***~ away*** sich davonstehlen; **2.** *s Am. sl.* Diebstahl *m*; *esp. Am.* F *bargain*: Geschenk *n*; ***it's a ~*** das ist ja geschenkt.

stealth [stelθ] *s*: ***by ~*** heimlich, verstohlen; **~•y** *adj* □ (***-ier, -iest***) heimlich, verstohlen.

steam [stiːm] **1.** *s* Dampf *m*; Dunst *m*; *attr* Dampf...; **2.** *v/i* dampfen; ***~ up*** (sich) beschlagen (*glass*); *v/t food*: dünsten, dämpfen; **~•er** *s mar.* Dampfer *m*; **~•y** *adj* □ (***-ier, -iest***) dampfig, dampfend; dunstig; beschlagen (*glass*).

steel [stiːl] **1.** *s* Stahl *m*; **2.** *adj* stählern; Stahl...; **3.** *v/t fig.* stählen, wappnen; **~•work•er** *s* Stahlarbeiter *m*; **~•works** *s sg* Stahlwerk *n*.

steep [stiːp] **1.** *adj* □ steil, jäh; F toll; **2.** *v/t* einweichen; eintauchen; ziehen lassen; ***be ~ed in s.th.*** *fig.* von et. durchdrungen sein.

stee•ple ['stiːpl] *s* (spitzer) Kirchturm; **~•chase** *s horse-race*: Hindernisrennen *n*; *athletics*: Hindernislauf *m*.

steer[1] *zo.* [stɪə] *s* junger Ochse.

steer[2] [~] *v/t* steuern, lenken; **~•age** *s mar.* Steuerung *f*; Zwischendeck *n*.

steer•ing ['stɪərɪŋ] *s mot.* Lenkung *f*; *mar.* Steuerung *f*; **~ col•umn** *s mot.* Lenksäule *f*; **~ wheel** *s mar.* Steuerrad *n*; *mot. a.* Lenkrad *n*.

stem [stem] **1.** *s* (Baum-, Wort)Stamm *m*; Stiel *m*; Stängel *m*; **2.** (***-mm-***) *v/i* stammen (***from*** von); *v/t* eindämmen; *bleeding*: stillen; ankämpfen gegen.

stench [stentʃ] *s* Gestank *m*.

sten•cil ['stensl] *s* Schablone *f*; *print.* Matrize *f*.

ste•nog•ra|pher [stə'nɒgrəfə] *s* Stenograph(in); **~•phy** *s* Stenographie *f*.

step [step] **1.** *s* Schritt *m*, Tritt *m*; kurze Strecke; (Treppen)Stufe *f*; Trittbrett *n*; *fig.* Fußstapfe *f*; (***a pair of***) ***~s*** *pl* (e-e) Trittleiter; ***mind the ~!*** Vorsicht, Stufe!; ***take ~s*** *fig.* Schritte unternehmen; **2.** (***-pp-***) *v/i* schreiten, treten; gehen; **~**

out forsch ausschreiten; *v/t*: ~ ***off***, ~ ***out*** abschreiten; ~ ***up*** ankurbeln, steigern.

step- [~] *in compounds*: Stief…; **~•fa•ther** *s* Stiefvater *m*; **~•moth•er** *s* Stiefmutter *f*.

steppe [step] *s* Steppe *f*.

step•ping-stone *fig.* ['stepɪŋstəʊn] *s* Sprungbrett *n*.

ster•e•o ['sterɪəʊ] *s* (*pl* ***-os***) *radio, etc.*: Stereo *n*; Stereogerät *n*; *attr* Stereo…

ster|ile ['steraɪl] *adj* unfruchtbar; steril; **ste•ril•i•ty** [stə'rɪlətɪ] *s* Sterilität *f*; **~•il•ize** ['sterəlaɪz] *v/t* sterilisieren.

ster•ling ['stɜːlɪŋ] **1.** *adj* lauter, echt, gediegen; **2.** *s econ.* Sterling *m* (*currency*).

stern [stɜːn] **1.** *adj* □ ernst; finster, streng, hart; **2.** *s mar.* Heck *n*; **~•ness** *s* Ernst *m*; Strenge *f*.

stew [stjuː] **1.** *v/t and v/i* schmoren, dünsten; **2.** *s* Eintopf *m*, Schmorgericht *n*; ***be in a*** ~ in heller Aufregung sein.

stew•ard [stjʊəd] *s* Verwalter *m*; *mar., aer.* Steward *m*; (Fest)Ordner *m*; **~•ess** *s mar., aer.* Stewardess *f*.

Sth ***South*** Süd-…, Süd…

stick [stɪk] **1.** *s* Stock *m*; Stecken *m*; trockener Zweig; Stängel *m*, Stiel *m*; (Lippen- *etc.*) Stift *m*; Stab *m*; Stange *f*; (Besen- *etc.*) Stiel *m*; **~*s*** *pl* Kleinholz *n*; **2.** (***stuck***) *v/i* stecken (bleiben); (fest)kleben (***to*** an *dat*); sich heften (***to*** an *acc*); ~ ***at nothing*** vor nichts zurückschrecken; ~ ***out*** ab-, hervor-, herausstehen; ~ ***to*** bleiben bei; *v/t* (ab)stechen; stecken, heften (***to*** an *acc*); kleben; F *knife*: stoßen; F *et., j-n* (v)ertragen, ausstehen; ~ ***out*** herausst(r)ecken; ~ ***it out*** F durchhalten; **~•er** *s* Aufkleber *m*; ***anti-…*** ~ Anti-…-Aufkleber *m*; **~•ing plas•ter** *s* Heftpflaster *n*.

stick•y ['stɪkɪ] *adj* □ (***-ier, -iest***) klebrig; schwierig, heikel.

stiff [stɪf] **1.** *adj* □ steif; starr; hart; fest; mühsam; stark (*alcoholic drink*); ***be bored*** ~ F zu Tode gelangweilt sein; ***keep a*** ~ ***upper lip*** Haltung bewahren; **2.** *s sl.* Leiche *f*; **~•en** *v/i* sich versteifen; steif werden, erstarren; *v/t* versteifen; **~-necked** *adj* halsstarrig.

sti•fle ['staɪfl] *v/t* ersticken; *fig.* unterdrücken.

sti•let•to [stɪ'letəʊ] *s* (*pl* ***-tos, -toes***) Stilett *n*; ~ **heel** *s* Pfennigabsatz *m*.

still [stɪl] **1.** *adj* □ still; ruhig; unbeweglich; ***keep*** ~ stillhalten; **2.** *adv* noch (immer), (immer) noch; *nevertheless*: trotzdem, und doch, dennoch; **3.** *v/t* stillen; beruhigen; **4.** *s* Destillierapparat *m*; **~•born** *adj* tot geboren; ~ **life** *s* (*pl* ***still lifes***) *paint.* Stillleben *n*; **~•ness** *s* Stille *f*, Ruhe *f*.

stilt [stɪlt] *s* Stelze *f*; **~•ed** *adj* □ gestelzt (*style*).

stim•u|lant ['stɪmjʊlənt] **1.** *adj med.* stimulierend; **2.** *s med.* Reiz-, Aufputschmittel *n*; Genussmittel *n*; Anreiz *m*; **~•late** ['~leɪt] *v/t med.* stimulieren (*a. fig.*), anregen, aufputschen; *fig. a.* anspornen; **~•la•tion** [~'leɪʃn] *s med.* Reiz *m*, Reizung *f*; Anreiz *m*, Antrieb *m*, Anregung *f*; **~•lus** ['~ləs] *s* (*pl* ***-li*** [-laɪ]) *med.* Reiz *m*; (An)Reiz *m*, Antrieb *m*.

sting [stɪŋ] **1.** *s* Stachel *m*; Stich *m*, Biss *m*; **2.** *v/t and v/i* (***stung***) stechen; brennen; schmerzen; *fig.* anstacheln, reizen.

stin|gi•ness ['stɪndʒɪnɪs] *s* Geiz *m*; **~•gy** *adj* □ (***-ier, -iest***) geizig, knaus(e)rig; dürftig.

stink [stɪŋk] **1.** *s* Gestank *m*; ***kick up*** *or* ***raise a*** ~ F Stunk machen; **2.** *v/i* (***stank*** *or* ***stunk, stunk***) stinken.

stint [stɪnt] **1.** *s* Einschränkung *f*; Arbeit *f*; **2.** *v/t* knausern mit; einschränken; *j-n* knapphalten.

stip•u|late ['stɪpjʊleɪt] *v/t and v/i*: ~ (***for***) sich *et.* ausbedingen, ausmachen, vereinbaren; **~•la•tion** [~'leɪʃn] *s* Abmachung *f*; Klausel *f*, Bedingung *f*.

stir [stɜː] **1.** *s* Rühren *n*; Bewegung *f*; Aufregung *f*, Aufruhr *m*; Aufsehen *n*; **2.** *v/t and v/i* (***-rr-***) (sich) rühren; (sich) bewegen; erwachen; (um)rühren; *fig.* erregen; ~ ***up*** aufhetzen; *dispute, etc.*: entfachen.

stir•rup ['stɪrəp] *s* Steigbügel *m*.

stitch [stɪtʃ] **1.** *s* Stich *m*; Masche *f*; Seitenstechen *n*; **2.** *v/t* nähen; heften.

stock [stɒk] **1.** *s of tree*: (Baum)Strunk *m*; *handle*: Griff *m*; *of gun*: (Gewehr-)Schaft *m*; *origin*: Stamm *m*, Familie *f*, Herkunft *f*; Rohstoff *m*; *cookery*: (Gemüse-, Fleisch)Brühe *f*; *supply*: Vorrat *m*; *econ.* Waren(lager *n*) *pl*; (Wissens-)Schatz *m*; *a.* ***live***~ Vieh(bestand *m*) *n*; *econ.* Stammkapital *n*; *econ.* Anleihekapital *n*; **~s** *pl econ.* Effekten *pl*; Aktien *pl*; Staatspapiere *pl*; **in (out of) ~** *econ.* (nicht) vorrätig *or* auf Lager; **take ~** *econ.* Inventur machen; **take ~ of** *fig.* sich klar werden über (*acc*); **2.** *adj* vorrätig; Serien…, Standard…; *fig.* stehend, stereotyp; **3.** *v/t* ausstatten, versorgen; *econ. goods*: führen, vorrätig haben.

stock|breed•er ['stɒkbriːdə] *s* Viehzüchter *m*; **~•brok•er** *s econ.* Börsenmakler *m*; **~ ex•change** *s econ.* Börse *f*; **~ farm•er** *s* Viehzüchter *m*; **~•hold•er** *s esp. Am. econ.* Aktionär(in).

Stock•holm ['stɒkhəʊm] Stockholm *n*.

stock•ing ['stɒkɪŋ] *s* Strumpf *m*.

stock|job•ber *econ.* ['stɒkdʒɒbə] *s* Börsenhändler *m*; *Am.* Börsenspekulant *m*; **~ mar•ket** *s econ.* Börse *f*; Börsengeschäft *n*; **~-still** *adv* stockstill, unbeweglich; **~-tak•ing** *s econ.* Bestandsaufnahme *f* (*a. fig.*), Inventur *f*; **~•y** *adj* (**-ier, -iest**) stämmig, untersetzt.

stok•er ['stəʊkə] *s* Heizer *m*.

stole [stəʊl] *pret of* **steal** 1; **sto•len** ['stəʊlən] *pp of* **steal** 1.

stol•id ['stɒlɪd] *adj* □ gleichmütig; stur.

stom•ach ['stʌmək] **1.** *s* Magen *m*; Leib *m*, Bauch *m*; *fig.* Lust *f*; **2.** *v/t fig.* (v)ertragen; **~•ache** *s* Magenschmerzen *pl*, Bauchweh *n*; **~ up•set** *s* Magenverstimmung *f*.

stone [stəʊn] **1.** *s* Stein *m*; (Obst)Stein *m*, (-)Kern *m*; (*pl* **stone**) *Br. unit of weight (= 14 lb = 6,35 kg)*; **2.** *adj* steinern; Stein…; **3.** *v/t* steinigen; entsteinen, -kernen; **~-blind** *adj* stockblind.

stoned *sl.* [stəʊnd] *adj of alcohol*: F stockbesoffen; *of drugs*: *sl.* stoned.

stone|-dead [stəʊn'ded] *adj* mausetot; **~-deaf** *adj* stocktaub; **~•ma•son** *s* Steinmetz *m*; **~•ware** *s* Steinzeug *n*.

ston•y ['stəʊnɪ] *adj* □ (**-ier, -iest**) steinig; *fig.* steinern, kalt.

stood [stʊd] *pret and pp of* **stand** 1.

stool [stuːl] *s* Hocker *m*, Schemel *m*; *physiol.* Stuhl(gang) *m*; **~-pi•geon** *s* Lockvogel *m*; Spitzel *m*.

stoop [stuːp] **1.** *v/i* sich bücken; gebeugt gehen; *fig.* sich erniedrigen *or* herablassen; *v/t* neigen, beugen; **2.** *s* gebeugte Haltung.

stop [stɒp] **1.** (**-pp-**) *v/t* aufhören (mit); stoppen; anhalten; aufhalten; hindern; *payment, activity, etc.*: einstellen; *bleeding*: stillen; *a.* **~ up** ver-, zustopfen; *v/i* (an)halten, stehen bleiben, stoppen; aufhören; bleiben; **~ dead** plötzlich stehen bleiben *or* aufhören; **~ off** F kurz Halt machen; **~ over** kurz Halt machen; Zwischenstation machen; **~ short** plötzlich anhalten; **2.** *s* Halt *m*; Stillstand *m*; Ende *n*; Pause *f*; *rail., etc.*: Aufenthalt *m*, Station *f*, (Bus)Haltestelle *f*; *mar.* Anlegestelle *f*; *phot.* Blende *f*; *mst* **full ~** *gr.* Punkt *m*; **~•gap** *s* Notbehelf *m*; **~-light** *s mot.* Brems-, Stopplicht *n*; **~•o•ver** *s esp. Am.* Zwischenstation *f*; *aer.* Zwischenlandung *f*; **~•page** [‿ɪdʒ] *s* Unterbrechung *f*; Stopp *m*; (Verkehrs)Stockung *f*, Stau *m*; Verstopfung *f*; (Gehalts-, Lohn)Abzug *m*; Sperrung *f* (*of cheque*); (Arbeits-, Zahlungs- *etc.*)Einstellung *f*; **~•per** *s* Stöpsel *m*, Pfropfen *m*; **~•ping** *s med.* Plombe *f*; **~ sign** *s mot.* Stoppschild *n*; **~•watch** *s* Stoppuhr *f*.

stor•age ['stɔːrɪdʒ] *s* Lagerung *f*, Speicherung *f*; *computer*: Speicher *m*; Lagergeld *n*; *attr* Speicher… (*a. computer*); **~ charges** *pl econ.* Lagerkosten *pl*.

store [stɔː] **1.** *s* Vorrat *m*; Lagerhaus *n*; *Br.* Kauf-, Warenhaus *n*; *esp. Am.* Laden *m*, Geschäft *n*; *fig.* Fülle *f*, Reichtum *m*; **in ~** vorrätig, auf Lager; **2.** *v/t* versorgen; *a.* **~ up, ~ away** (auf)speichern, (ein)lagern; *electr., computer*: (ab)speichern; **~•house** *s* Lagerhaus *n*; *fig.* Fundgrube *f*; **~•keep•er** *s* Lagerverwalter *m*; *esp. Am.* Ladenbesitzer(in).

sto•rey, *esp. Am.* **-ry** ['stɔːrɪ] *s* Stock(-werk *n*) *m*; **-sto•reyed**, *esp. Am.* **-sto•ried** *adj* mit … Stockwerken, …stöckig.

stork *zo.* [stɔːk] *s* Storch *m*.

storm [stɔːm] **1.** *s* Sturm *m*; Unwetter *n*; Gewitter *n*; **2.** *v/i* stürmen; toben; *v/t* stürmen (*a. mil.*); **~•y** *adj* □ (**-ier, -iest**) stürmisch.

sto•ry[1] ['stɔːrɪ] *s* Geschichte *f*; Erzählung *f*; *thea., etc.*: Handlung *f*; F Lüge *f*, Märchen *n*; **short ~** Kurzgeschichte *f*; Erzählung *f*.

sto•ry[2] *esp. Am.* [‿] → **storey.**

stout [staʊt] *adj* □ stark, kräftig; derb; dick; tapfer.

stove [stəʊv] *s* Ofen *m*, Herd *m*.

stow [stəʊ] *v/t* (ver)stauen, packen; ~

away wegräumen; **~•a•way** *s mar., aer.* blinder Passagier.

strad•dle ['strædl] **1.** *v/i* die Beine spreizen; *v/t* rittlings sitzen auf (*dat*); *jump*: grätschen über (*acc*); **2.** *s sports*: Grätsche *f*; *high jump*: Straddle *m*.

straight [streɪt] **1.** *adj* □ gerade; glatt (*hair*); pur (*whisky, etc.*); aufrichtig, offen, ehrlich; ***put ~*** in Ordnung bringen; **2.** *adv* gerade(aus); gerade(wegs); direkt; klar (*think*); ehrlich, anständig; *a.* ***~ out*** offen, rundheraus; ***~ away*** sofort; **~•en** *v/t* gerade machen, (gerade) richten; ***~ out*** in Ordnung bringen; *v/i* gerade werden; ***~ up*** sich aufrichten; **~•for•ward** *adj* □ ehrlich, redlich, offen; einfach.

strain [streɪn] **1.** *s biol.* Rasse *f*, Art *f*; (Erb)Anlage *f*, Hang *m*, Zug *m*; *tech.* Spannung *f*; *mental tension*: (Über-) Anstrengung *f*, Anspannung *f*, Belastung *f*, Druck *m*, Stress *m*; *med.* Zerrung *f*; *fig.* Ton(art *f*) *m*; *mst* **~s** *pl mus.* Weise *f*, Melodie *f*; **2.** *v/t* (an-) spannen; (über)anstrengen; *med.* sich *et.* zerren *or* verstauchen; *fig et.* strapazieren, überfordern; durchseihen, filtern; *v/i* sich spannen; sich anstrengen; sich abmühen (***after*** um); zerren (***at*** an *dat*); **~ed** *adj* gezwungen, unnatürlich; **~•er** *s* Sieb *n*, Filter *m*.

strait [streɪt] *s* (*in proper names*: **Ꝭs** *pl*) Meerenge *f*, Straße *f*; **~s** *pl* Not(lage) *f*; ***be in dire ~s*** in großen Nöten sein; **~•ened** *adj*: ***in ~ circumstances*** in bescheidenen *or* beschränkten Verhältnissen; **~•jack•et** *s* Zwangsjacke *f*.

strand [strænd] **1.** *s* Strang *m*; (Haar-) Strähne *f*; *poet.* Gestade *n*, Ufer *n*; **2.** *v/t and v/i* auf den Strand setzen; *fig.* stranden (lassen).

strange [streɪndʒ] *adj* □ (**~r, ~st**) fremd; seltsam, merkwürdig, sonderbar; **strang•er** *s* Fremde(r *m*) *f*.

stran•gle ['stræŋgl] *v/t* erwürgen.

strap [stræp] **1.** *s* Riemen *m*; Gurt *m*; Band *n*; Träger *m* (*of dress*); **2.** *v/t* (**-pp-**) festschnallen; mit e-m Riemen schlagen; **~•hang** *v/i* F *in bus, etc.*: stehen; **~•hang•er** *s* F stehender Fahrgast.

stra•te•gic [strə'tiːdʒɪk] *adj* (**~ally**) strategisch; **strat•e•gy** ['strætɪdʒɪ] *s* Strategie *f*.

Strat•ford-on-A•von [ˌstrætfədɒn'eɪvn] *Stadt in Mittelengland.*

stra•tum *geol.* ['strɑːtəm] *s* (*pl* ***-ta*** [-tə]) Schicht *f* (*a. fig.*), Lage *f*.

straw [strɔː] **1.** *s* Stroh(halm *m*) *n*; **2.** *adj* Stroh...; **~•ber•ry** *s bot.* Erdbeere *f*.

stray [streɪ] **1.** *v/i* (herum)streunen; (herum)streifen; sich verirren; **2.** *adj* verirrt, streunend; vereinzelt; **3.** *s* verirrtes *or* streunendes Tier.

streak [striːk] **1.** *s* Strich *m*, Streifen *m*; *fig.* Spur *f*; *fig.* (Glücks- *etc.*) Strähne *f*; ***~ of lightning*** Blitzstrahl *m*; **2.** *v/t* streifen; *v/i* rasen, flitzen; F *run naked*: flitzen, blitzen; **~•er** *s* F Flitzer(in), Blitzer(in).

stream [striːm] **1.** *s* Bach *m*, Flüsschen *n*; Strom *m*, Strömung *f*; **2.** *v/i* strömen; tränen (*eyes*); triefen; flattern, wehen; **~•er** *s* Wimpel *m*; (flatterndes) Band.

street [striːt] *s* Straße *f*; *attr* Straßen...; ***in*** (*Am.* ***on***) ***the ~*** auf der Straße; **~•car** *s Am.* Straßenbahn(wagen *m*) *f*; **~•map** *s* Stadtplan *m*; **~•wise** *adj sl. appr.* F mit allen Wassern gewaschen.

strength [streŋθ] *s* Stärke *f*, Kraft *f*; ***on the ~ of*** auf (*acc*) … hin, aufgrund (*gen*); **~•en** *v/t* (ver)stärken; *fig.* bestärken; *v/i* stark werden.

stren•u•ous ['strenjʊəs] *adj* □ anstrengend; eifrig.

stress [stres] **1.** *s* Akzent *m*, Betonung *f*; *fig.* Nachdruck *m*; *fig.* Belastung *f*, Anspannung *f*; *strain*: Stress *m*; **2.** *v/t* betonen.

stretch [stretʃ] **1.** *v/t* strecken; (aus)dehnen; recken; *fig.* übertreiben; *fig.* es nicht allzu genau nehmen mit; ***~ out*** ausstrecken; *v/i* sich erstrecken; sich dehnen (lassen); **2.** *s* Dehnen *n*; Übertreibung *f*, Zeit(raum *m*, -spanne) *f*; Strecke *f*, Fläche *f*; **~•er** *s* (Kranken-) Trage *f*.

strick•en ['strɪkən] *adj* heimgesucht, schwer betroffen; ergriffen.

strict [strɪkt] *adj* □ streng; genau; ***~ly speaking*** genau genommen; **~•ness** *s* Genauigkeit *f*; Strenge *f*.

strid•den ['strɪdn] *pp of* **stride** 1.

stride [straɪd] **1.** *v/i* (***strode, stridden***) (*a.* ***~ out*** aus)schreiten; **2.** *s* großer Schritt.

strife [straɪf] *s* Streit *m*, Hader *m*.

strike [straɪk] **1.** *s econ.* Streik *m*; (Öl-, Erz)Fund *m*; *mil.* (Luft)Angriff *m*; *mil.* Atomschlag *m*; ***be on ~*** streiken;

go on ~ in (den) Streik treten; ***a lucky ~*** ein Glückstreffer; ***first ~*** *mil.* Erstschlag *m*; **2.** (***struck***) *v/t* schlagen; treffen; stoßen; schlagen *or* stoßen gegen *or* auf (*acc*); *find suddenly*: stoßen *or* treffen auf (*acc*); *flag, sail*: streichen; *mus.* anschlagen; *match*: anzünden; *light*: machen; *tent*: abbrechen; einschlagen in (*acc*) (*lightning*); *root*: schlagen; *impress*: *j-n* beeindrucken; *occur*: *j-m* auf- *or* einfallen; ***be struck by*** beeindruckt sein von; ***it ~s me as rather strange*** es kommt mir recht seltsam vor; ***~ off, ~ out*** (aus)streichen; ***~ up*** *mus.* anstimmen; *friendship*: schließen; *v/i* schlagen; *mar.* auflaufen (***on*** auf *acc*); *econ.* streiken; ***~ home*** *fig.* ins Schwarze treffen; **strik•er** *s econ.* Streikende(r *m*) *f*; *soccer*: Stürmer(in); **strik•ing** *adj* □ Schlag…; auffallend; eindrucksvoll; treffend.

string [strɪŋ] **1.** *s* Schnur *f*; Bindfaden *m*; Band *n*; Faden *m*, Draht *m*; (Bogen-)Sehne *f*; *bot.* Faser *f*; Reihe *f*, Kette *f*; *mus.* Saite *f*; ***~s*** *pl mus.* Streichinstrumente *pl*, *die* Streicher *pl*; ***pull the ~s*** *fig.* der Drahtzieher sein; ***no ~s attached*** ohne Bedingungen; **2.** *v/t* (***strung***) spannen; *pearls, etc.*: aufreihen; *mus.* besaiten, bespannen; (ver-, zu)schnüren; *beans*: abziehen; ***be strung up*** angespannt *or* erregt sein; **~ band** *s mus.* Streichorchester *n*.

strin•gent ['strɪndʒənt] *adj* □ streng, scharf; zwingend; knapp.

string•y ['strɪŋɪ] *adj* (***-ier, -iest***) faserig; sehnig; zäh.

strip [strɪp] **1.** (***-pp-***) *v/t* entkleiden (*a. fig.*); *a.* ***~ off*** abziehen, abstreifen, (ab-) schälen; *a.* ***~ down*** *tech.* zerlegen, auseinandernehmen; *fig.* entblößen, berauben; *v/i* sich ausziehen; **2.** *s* Streifen *m*.

stripe [straɪp] *s* Streifen *m*; *mil.* Tresse *f*.

strip mall ['strɪpmɒːl] *s Am.* Einkaufsmeile *f*.

strive [straɪv] *v/i* (***strove, striven***) streben; sich bemühen; ringen (***for*** um); **striv•en** ['strɪvn] *pp of* ***strive.***

strode [strəʊd] *pret of* ***stride*** 1.

stroke [strəʊk] **1.** *s* Schlag *m*; Streich *m*, Stoß *m*; Strich *m*; *med.* Schlag(anfall) *m*; ***~ of (good) luck*** Glücksfall *m*; **2.** *v/t* streichen über (*acc*); streicheln.

stroll [strəʊl] **1.** *v/i* schlendern, (herum-) bummeln; herumziehen; **2.** *s* Bummel *m*, Spaziergang *m*; **~•er** *s* Spaziergänger(in); *esp. Am. pram*: Sportwagen *m*, Buggy *m*.

strong [strɒŋ] *adj* □ stark, kräftig; energisch; überzeugt; fest; stark, schwer (*drink, etc.*); **~-box** *s* Geld-, Stahlkassette *f*; **~•hold** *s* Festung *f*; *fig.* Hochburg *f*; **~-mind•ed** *adj* willensstark; **~-room** *s* Stahlkammer *f*, Tresor(raum) *m*.

strove [strəʊv] *pret of* ***strive.***

struck [strʌk] *pret and pp of* ***strike*** 2.

struc•ture ['strʌktʃə] *s* Bau(werk *n*) *m*; Struktur *f*, Gefüge *n*; Gebilde *n*.

strug•gle ['strʌgl] **1.** *v/i* sich (ab)mühen; kämpfen, ringen; sich winden, zappeln, sich sträuben; **2.** *s* Kampf *m*, Ringen *n*; Anstrengung *f*.

strung [strʌŋ] *pret and pp of* ***string*** 2.

stub [stʌb] **1.** *s* (Baum)Stumpf *m*; Stummel *m*; Kontrollabschnitt *m*; **2.** *v/t* (***-bb-***) (aus)roden; *toe*: sich *et.* stoßen; ***~ out*** *cigarette, etc.*: ausdrücken.

stub•ble ['stʌbl] *s* Stoppel(n *pl*) *f*; → ***designer stubble.***

stub•born ['stʌbən] *adj* □ eigensinnig; widerspenstig; stur; hartnäckig.

stuck [stʌk] *pret and pp of* ***stick*** 2; **~-up** *adj* F hochnäsig.

stud[1] [stʌd] **1.** *s* Ziernagel *m*; Knauf *m*; Manschetten-, Kragenknopf *m*; **2.** *v/t* (***-dd-***) mit Nägeln *etc.* beschlagen; übersäen.

stud[2] [~] *s* Gestüt *n*; *a.* ***~-horse*** (Zucht-)Hengst *m*; ***~-farm*** Gestüt *n*; ***~-mare*** Zuchtstute *f*.

stu•dent ['stjuːdnt] *s* Student(in); *Am.* Schüler(in).

stud•ied ['stʌdɪd] *adj* □ einstudiert; gesucht, gewollt; wohlüberlegt.

stu•di•o ['stjuːdɪəʊ] *s* (*pl* ***-os***) Atelier *n*, Studio *n*; *TV, etc.*: Studio *n*, Aufnahme-, Senderaum *m*; **~ couch** *s* Schlafcouch *f*.

stu•di•ous ['stjuːdɪəs] *adj* □ fleißig; eifrig bemüht; sorgfältig, peinlich.

stud•y ['stʌdɪ] **1.** *s* Studium *n*; *room*: Studier-, Arbeitszimmer *n*; *paint., etc.*: Studie *f*; ***studies*** *pl* Studium *n*, Studien *pl*; ***in a brown ~*** in Gedanken versunken, geistesabwesend; **2.** *v/t and v/i* (ein)studieren; lernen; studieren, erforschen.

stuff [stʌf] **1.** *s* Stoff *m*; Zeug *n*; **2.** *v/t* (voll)stopfen, (aus)stopfen; *cookery*: füllen; ***get ~ed!*** F hau ab!, F verpiss dich!; *v/i* sich vollstopfen; **~•ing** *s* Füllung *f*; **~•y** □ *adj* (***-ier, -iest***) dumpf, muffig, stickig; langweilig, fad; F spießig; F prüde.

stum•ble ['stʌmbl] **1.** *s* Stolpern *n*, Straucheln *n*; Fehltritt *m*; **2.** *v/i* stolpern, straucheln; **~ *across*, ~ *on*, ~ *upon*** zufällig stoßen auf (*acc*).

stump [stʌmp] **1.** *s* Stumpf *m*, Stummel *m*; **2.** *v/t* F verblüffen; *v/i* stampfen, stapfen; **~•y** *adj* □ (***-ier, -iest***) gedrungen; plump.

stun [stʌn] *v/t* (***-nn-***) betäuben (*a. fig.*).

stung [stʌŋ] *pret and pp of* ***sting*** 2.

stunk [stʌŋk] *pret and pp of* ***stink*** 2.

stun•ning F ['stʌnɪŋ] *adj* □toll, fantastisch.

stunt[1] [stʌnt] *s* Kunststück *n*; (Reklame)Trick *m*; Sensation *f*; **~ *man*** *film*: Stuntman *m*, Double *n*.

stunt[2] [~] *v/t* (im Wachstum *etc.*) hemmen; **~•ed** *adj* verkümmert.

stu•pe•fy ['stju:pɪfaɪ] *v/t* betäuben; *fig.* verblüffen.

stu•pen•dous [stju:'pendəs] *adj* □ verblüffend, erstaunlich.

stu•pid ['stju:pɪd] *adj* □ dumm, einfältig; stumpfsinnig, blöd; **~•i•ty** [~'pɪdətɪ] *s* Dummheit *f*; Stumpfsinn *m*.

stu•por ['stju:pə] *s* Erstarrung *f*, Betäubung *f*.

stur•dy ['stɜ:dɪ] *adj* □ (***-ier, -iest***) robust, kräftig; *fig.* entschlossen.

stut•ter ['stʌtə] **1.** *v/i and v/t* stottern; stammeln; **2.** *s* Stottern *n*; Stammeln *n*.

sty[1] [staɪ] *s* Schweinestall *m*.

sty[2], **stye** *med.* [~] *s* Gerstenkorn *n*.

style [staɪl] **1.** *s* Stil *m*; Mode *f*; (Mach-)Art *f*; Titel *m*, Anrede *f*; **2.** *v/t* entwerfen; gestalten.

styl|ish ['staɪlɪʃ] *adj* □ stilvoll; elegant; **~•ish•ness** *s* Eleganz *f*; **~•ist** *s* Stilist(in).

Styr•ia ['stɪrɪə] *die* Steiermark.

suave [swɑ:v] *adj* □ verbindlich; mild.

sub- [sʌb] *in compounds*: Unter…, unter…; Neben…, untergeordnet; Hilfs…; fast …

sub•di•vi•sion ['sʌbdɪvɪʒn] *s* Unterteilung *f*; Unterabteilung *f*.

sub•due [səb'dju:] *v/t* unterwerfen; bezwingen; bändigen; dämpfen.

sub|ject 1. *adj* ['sʌbdʒɪkt] unterworfen; untergeben; abhängig; untertan; ausgesetzt (***to*** *dat*); ***be ~ to*** neigen zu; **~ *to*** vorbehaltlich (*gen*); **2.** *s* [~] Untertan (-in); Staatsbürger(in), Staatsangehörige(r *m*) *f*; *gr.* Subjekt *n*, Satzgegenstand *m*; Thema *n*, Gegenstand *m*; (Lehr-, Schul-, Studien)Fach *n*; **3.** *v/t* [səb'dʒekt] unterwerfen; *fig.* unterwerfen, -ziehen, aussetzen (***to*** *dat*); **~•jec•tion** [səb'dʒekʃn] *s* Unterwerfung *f*; Abhängigkeit *f*.

sub•ju•gate ['sʌbdʒʊgeɪt] *v/t* unterjochen, -werfen.

sub•junc•tive *gr.* [səb'dʒʌŋktɪv] *s* (*a. adj* **~ *mood***) Konjunktiv *m*.

sub|lease [sʌb'li:s], **~•let** *v/t* (***-tt-; -let***) untervermieten.

sub•lime [sə'blaɪm] *adj* □ erhaben; *ideas, etc.*: sublim.

sub•ma•chine gun [sʌbmə'ʃi:ngʌn] *s* Maschinenpistole *f*.

sub•ma•rine ['sʌbməri:n] **1.** *adj* unterseeisch, Untersee…; **2.** *s mar.*, *mil.* Unterseeboot *n*.

sub•merge [səb'mɜ:dʒ] *v/t and v/i* (unter)tauchen; überschwemmen.

sub•mis|sion [səb'mɪʃn] *s* Unterwerfung *f*; Unterbreitung *f*; **~•sive** [~sɪv] *adj* □ unterwürfig; ergeben.

sub•mit [səb'mɪt] (***-tt-***) *v/t* (*v/i* sich) unterwerfen *or* -ziehen; unterbreiten, vorlegen (***to*** *dat*); *v/i* sich fügen *or* ergeben (***to*** *dat or* in *acc*).

sub•or•di•nate 1. *adj* □ [sə'bɔ:dɪnət] untergeordnet; nebensächlich; **~ *clause*** *gr.* Nebensatz *m*; **2.** *s* [~] Untergebene(r *m*) *f*; **3.** *v/t* [~eɪt] unterordnen.

sub|scribe [səb'skraɪb] *v/t money*: stiften, spenden (***to*** für); *specified sum*: zeichnen; *with one's name*: unterzeichnen, unterschreiben mit; *v/i*: **~ *to*** *newspaper, etc.*: abonnieren; **~•scrib•er** *s* Unterzeichner(in); Spender(in); Abonnent(in); *teleph.* Teilnehmer(in), Anschluss *m*; **~•scrip•tion** [~'skrɪpʃn] *s* Vorbestellung *f*, Subskription *f*, *of newspaper, etc.*: Abonnement *n*; *membership fee*: (Mitglieds)Beitrag *m*; Spende *f*.

sub•se•quent ['sʌbsɪkwənt] *adj* (nach)folgend; später; **~*ly*** nachher; später.

sub|side [səb'saɪd] *v/i* sinken; sich senken; sich setzen; sich legen (*wind, etc.*); **~ into** verfallen in (*acc*); **~•sid•i•a•ry** [~'sɪdɪərɪ] **1.** *adj* □ Hilfs…; Neben…, untergeordnet; **2.** *s econ.* Tochter(gesellschaft) *f*; **~•si•dize** *econ.* ['sʌbsɪdaɪz] *v/t* subventionieren; **~•si•dy** *econ.* [~ɪ] *s* Beihilfe *f*; Subvention *f*; **~ policies** *econ.* Subventionspolitik *f*.

sub|sist [səb'sɪst] *v/i* leben, sich ernähren (**on** von); **~•sis•tence** *s* Dasein *n*, Existenz *f*; (Lebens)Unterhalt *m*.

sub•stance ['sʌbstəns] *s* Substanz *f*; *das* Wesentliche, Kern *m*, Gehalt *m*; Vermögen *n*.

sub•stan•dard [sʌb'stændəd] *adj* unter der Norm; **~ film** Schmalfilm *m*.

sub•stan•tial [səb'stænʃl] *adj* □ wesentlich; wirklich (vorhanden); beträchtlich; reichlich, kräftig (*a. meal*); stark; solid; vermögend; namhaft (*sum*).

sub•stan•ti•ate [səb'stænʃɪeɪt] *v/t* beweisen, begründen.

sub•stan•tive *gr.* ['sʌbstəntɪv] *s* Substantiv *n*, Hauptwort *n*.

sub•sti|tute ['sʌbstɪtjuːt] **1.** *v/t and v/i* an die Stelle setzen *or* treten (**for** von); **~ A for B** B durch A ersetzen, B gegen A austauschen *or* auswechseln; **2.** *s* Stellvertreter(in), Vertretung *f*; Ersatz *m*; **~•tu•tion** [~'tjuːʃn] *s* Stellvertretung *f*; Ersatz *m*; *sports*: Auswechslung *f*.

sub•ter•ra•ne•an [sʌbtə'reɪnɪən] *adj* □ unterirdisch.

sub•ti•tle ['sʌbtaɪtl] *s* Untertitel *m*.

sub•tle ['sʌtl] *adj* □ (**~r, ~st**) fein(sinnig); subtil; scharf(sinnig).

sub•tract *math.* [səb'trækt] *v/t* abziehen, subtrahieren.

sub•trop•i•cal [sʌb'trɒpɪkl] *adj* subtropisch.

sub|urb ['sʌbɜːb] *s* Vorstadt *f*, -ort *m*; **~•ur•ban** [sə'bɜːbən] *adj* vorstädtisch; **~ railway** *Br.* S-Bahn *f*.

sub•ven•tion *econ.* [səb'venʃn] *s* Subvention *f*.

sub•ver|sion [səb'vɜːʃn] *s* Subversion *f*; Umsturz *m*; **~•sive** *adj* □ umstürzlerisch, subversiv; **~t** *v/t* stürzen.

sub•way ['sʌbweɪ] *s* (Straßen-, Fußgänger)Unterführung *f*; *Am.* Untergrundbahn *f*, U-Bahn *f*.

suc•ceed [sək'siːd] *v/i* Erfolg haben; glücken, gelingen; **~ to** folgen (*dat*) *or* auf (*acc*), nachfolgen (*dat*); *v/t* (nach-) folgen (*dat*), *j-s* Nachfolger werden.

suc•cess [sək'ses] *s* Erfolg *m*; **~•ful** *adj* □ erfolgreich.

suc•ces|sion [sək'seʃn] *s* (Nach-, Erb-, Reihen)Folge *f*; **in ~** nacheinander; **~•sive** *adj* □ aufeinanderfolgend; **~•sor** *s* Nachfolger(in).

suc•cumb [sə'kʌm] *v/i*: **~ to** *illness, etc.*: unter-, erliegen (*dat*).

such [sʌtʃ] *adj* solche(r, -s); derartige(r, -s); *adv* so; *pron* solch; **~ a man** ein solcher Mann; **no ~ thing** nichts dergleichen; **~ is life** so ist das Leben; **~ as** wie (zum Beispiel).

suck [sʌk] **1.** *v/t* saugen (an *dat*); aussaugen; lutschen (an *dat*); *v/i* saugen (**at** an *dat*); **2.** *s* Saugen *n*; **~•er** *s* Saugnapf *m*, -organ *n*; *bot.* Wurzelschößling *m*; F Trottel *m*, Simpel *m*; **~•le** *v/t* säugen, stillen; **~•ling** *s* Säugling *m*.

suc•tion ['sʌkʃn] *s* (An)Saugen *n*; Sog *m*; *attr* (An)Saug…

Su•dan [suː'dɑːn] *der* Sudan.

sud•den ['sʌdn] *adj* □ plötzlich; **(all) of a ~** (ganz) plötzlich.

suds [sʌdz] *s pl* Seifenlauge *f*; Seifenschaum *m*; **~•y** *adj* (**-ier, -iest**) schaumig.

sue [sjuː] *v/t* verklagen (**for** auf *acc*, wegen); *a.* **~ out** erwirken; *v/i* nachsuchen (**for** um); klagen.

suede, suède [sweɪd] *s* Wildleder *n*.

suf•fer ['sʌfə] *v/i* leiden (**from** an, unter *dat*); büßen; *v/t* erleiden, erdulden; (zu)lassen; **~•ance** *s* Duldung *f*; **~•er** *s* Leidende(r *m*) *f*; Dulder(in); **~•ing** *s* Leiden *n*.

suf•fice [sə'faɪs] *v/i and v/t* (*j-m*) genügen; **~ it to say** es genügt wohl, wenn ich sage.

suf•fi•cien|cy [sə'fɪʃnsɪ] *s* genügende Menge; Auskommen *n*; **~t** *adj* genügend, genug, ausreichend; **be ~** genügen, (aus)reichen.

suf•fix ['sʌfɪks] *s* Suffix *n*, Nachsilbe *f*.

suf•fo•cate ['sʌfəkeɪt] *v/i and v/t* ersticken.

suf•frage *pol.* ['sʌfrɪdʒ] *s* Wahl-, Stimmrecht *n*.

suf•fuse [sə'fjuːz] *v/t* übergießen; überziehen.

sug•ar ['ʃʊgə] **1.** *s* Zucker *m*; **2.** *v/t* zuckern; **~-ba•sin**, *esp. Am.* **~ bowl** *s* Zuckerdose *f*; **~-cane** *s bot.* Zuckerrohr *n*;

~-coat *v/t* überzuckern; *fig.* versüßen; **~•y** *adj* zuckerig; *fig.* zuckersüß.

sug|gest [sə'dʒest, *Am.* səg'dʒest] *v/t* vorschlagen, anregen; nahelegen; hinweisen auf (*acc*); *idea*: eingeben; andeuten; denken lassen an (*acc*); **~•ges- tion** *s* Anregung *f*, Vorschlag *m*; *psych.* Suggestion *f*; Eingebung *f*; Andeutung *f*; **~•ges•tive** *adj* □ anregend; vielsagend; zweideutig; ***be ~ of s.th.*** auf et. hindeuten; an et. denken lassen; den Eindruck von et. erwecken.

su•i•cide ['sjʊɪsaɪd] **1.** *s* Selbstmord *m*; Selbstmörder(in); ***commit ~*** Selbstmord begehen; **2.** *v/i Am.* Selbstmord begehen; **~ at•tack** *s* Selbstmordanschlag *m*; **~ at•tack•er** *s* Selbstmordattentäter(in); **~ bomb•er** *s* Selbstmordattentäter(in).

suit [sju:t] **1.** *s* (Herren)Anzug *m*; (Damen)Kostüm *n*; Anliegen *n*; *cards*: Farbe *f*; *jur.* Prozess *m*; ***follow ~*** *fig.* dem Beispiel folgen, dasselbe tun; **2.** *v/t* *j-m* passen, zusagen, bekommen; *j-n* kleiden, *j-m* stehen, passen zu; ***~ oneself*** tun, was e-m beliebt; ***~ yourself*** mach, was du willst; ***~ s.th. to*** et. anpassen (*dat*) *or* an (*acc*); ***be ~ed*** geeignet sein (***for, to*** für, zu); *v/i* passen; **sui•ta•ble** *adj* □ passend, geeignet (***for, to*** für, zu); **~•case** *s* (Hand)Koffer *m*.

suite [swi:t] *s* Gefolge *n*; *mus.* Suite *f*; Zimmerflucht *f*, Suite *f*; (Möbel-, Sitz)Garnitur *f*, (Zimmer)Einrichtung *f*.

sul•fur *Am.* ['sʌlfə] → ***sulphur.***

sulk [sʌlk] *v/i* schmollen, eingeschnappt sein; **~•i•ness** *s*, **~s** *s pl* Schmollen *n*; **~•y 1.** *adj* □ (***-ier, -iest***) verdrießlich; schmollend; **2.** *s sports*: Sulky *n*, Traberwagen *m*.

sul•len ['sʌlən] *adj* □ verdrossen, mürrisch; düster, trübe.

sul|phur *chem.* ['sʌlfə] *s* Schwefel *m*; **~•phu•ric** *chem.* [sʌl'fjʊərɪk] *adj* Schwefel…

sul•tri•ness ['sʌltrɪnɪs] *s* Schwüle *f*; **sultry** *adj* □ (***-ier, -iest***) schwül; *fig.* heftig, hitzig.

sum [sʌm] **1.** *s* Summe *f*; Betrag *m*; Rechenaufgabe *f*; *fig.* Inbegriff *m*; ***do ~s*** rechnen; **2.** *v/t* (***-mm-***): ***~ up*** zusammenzählen, addieren; *j-n* kurz einschätzen; *situation*: erfassen; zusammenfassen.

sum|mar•ize ['sʌməraɪz] *v/t* zusammenfassen; **~•ma•ry 1.** *adj* □ kurz (zusammengefasst); *jur.* Schnell…; **2.** *s* (kurze) Inhaltsangabe, Zusammenfassung *f*.

sum•mer ['sʌmə] *s* Sommer *m*; ***in early (late) ~*** im Früh-(Spät)sommer; ***~ school*** Ferienkurs *m*; **~•ly, ~•y** *adj* sommerlich; **~•time** *s* Sommerzeit *f*.

sum•mit ['sʌmɪt] *s* Gipfel *m* (*a. fig.*).

sum•mon ['sʌmən] *v/t* auffordern; (einbe)rufen; *jur.* vorladen; ***~ up*** *courage, etc.*: zusammennehmen, aufbieten; **~s** *s* Aufforderung *f*; *jur.* Vorladung *f*.

sump•tu•ous ['sʌmptʃʊəs] *adj* □ kostspielig; üppig, aufwendig.

sun [sʌn] **1.** *s* Sonne *f*; *attr* Sonnen…; **2.** *v/t* (**-nn-**) der Sonne aussetzen; ***~ o.s.*** sich sonnen; **~-bath** *s* Sonnenbad *n*; **~•beam** *s* Sonnenstrahl *m*; **~•burn** *s* Sonnenbrand *m*.

sun•dae ['sʌndeɪ] *s* Eisbecher *m* mit Früchten.

Sun•day ['sʌndɪ] *s* Sonntag *m*; ***on ~*** (am) Sonntag; ***on ~s*** sonntags.

sun|di•al ['sʌndaɪəl] *s* Sonnenuhr *f*; **~•down** → ***sunset.***

sun|dries ['sʌndrɪz] *s pl* Verschiedene(s) *n*; **~•dry** *adj* verschiedene.

sung [sʌŋ] *pp of* ***sing.***

sun•glass•es ['sʌnglɑ:sɪz] *s pl* (***a pair of ~*** e-e) Sonnenbrille.

sunk [sʌŋk] *pret and pp of* ***sink*** 1.

sunk•en ['sʌŋkən] *adj* versunken; tief liegend; *fig.* eingefallen.

sun|-loung•er ['sʌnlaʊndʒə] *s* Sonnenstuhl *m*, Sonnenliege *f*; **~•ny** *adj* □ (***-ier, -iest***) sonnig; **~•rise** *s* Sonnenaufgang *m*; **~•rise in•dus•try** *s* Zukunftsindustrie *f*; **~•set** *s* Sonnenuntergang *m*; **~•shade** *s* Sonnenschirm *m*; Markise *f*; **~•shine** *s* Sonnenschein *m*; **~•stroke** *s med.* Sonnenstich *m*; **~•tan** *s* (Sonnen)Bräune *f*; **~•wor•ship•per** *s* Sonnenanbeter(in).

su•per F ['su:pə] *adj* super, toll, prima, spitze, klasse.

su•per- ['sju:pə] *in compounds*: Über…, über…; Ober…, ober…; Super…, Groß…; **~•a•bun•dant** [~rə'bʌndənt] *adj* □ überreichlich; überschwänglich.

su•per•an•nu|ate [sju:pə'rænjʊeɪt] *v/t* pensionieren; **~d** pensioniert; veraltet;

~a•tion [~'eɪʃn] *s pension*: Rente *f*; *contribution*: Beitrag *m* zur Rentenversicherung.

su•perb [sjuː'pɜːb] *adj* □ prächtig, herrlich, großartig; ausgezeichnet.

su•per|charg•er *mot*. ['sjuːpətʃɑːdʒə] *s* Kompressor *m*; **~cil•i•ous** [~'sɪlɪəs] *adj* □ hochmütig; **~e•go** *s psych*. Überich *n*; **~fi•cial** [~'fɪʃl] *adj* □ oberflächlich; **~fine** *adj* extrafein; **~flu•i•ty** [~'flʊətɪ] *s* Überfluss *m*; **~flu•ous** [sjuː'pɜːflʊəs] *adj* □ überflüssig; überreichlich; **~grass** *s* F *of police*: (Top)Informant(in); **~heat** *v/t mot*. überhitzen; **~hu•man** *adj* □ übermenschlich; **~im•pose** *v/t* darauflegen, darüberlegen; überlagern; **~in•tend** *v/t* die (Ober)Aufsicht haben über (*acc*), überwachen; leiten; **~in•tend•ent** **1.** *s* Leiter *m*, Direktor *m*; (Ober)Aufseher *m*, Inspektor *m*; *Br*. Kommissar(in); *Am*. Polizeichef *m*; *Am*. Hausverwalter *m*; **2.** *adj* Aufsicht führend.

su•pe•ri•or [sjuː'pɪərɪə] **1.** *adj* □ höhere(r, -s), höherstehend, vorgesetzt; besser, hochwertiger; überlegen (***to*** *dat*); hervorragend; **2.** *s* Vorgesetzte(r *m*) *f*; *mst* ***Father*** ♀ *eccl*. Superior *m*; *mst* ***Lady*** ♀, ***Mother*** ♀ *eccl*. Oberin *f*; **~i•ty** [sjuːpɪərɪ'ɒrətɪ] *s* Überlegenheit *f*.

su•per•la•tive [sjuː'pɜːlətɪv] **1.** *adj* □ höchste(r, -s); überragend; **2.** *s a*. ***~ degree*** *gr*. Superlativ *m*.

su•per|mar•ket ['sjuːpəmɑːkɪt] *s* Supermarkt *m*; **~nat•u•ral** *adj* □ übernatürlich; **~sede** [~'siːd] *v/t* ersetzen; verdrängen; absetzen; ablösen; **~son•ic** *adj phys*. Überschall…; **~sti•tion** [~'stɪʃn] *s* Aberglaube *m*; **~sti•tious** *adj* □ abergläubisch; **~struc•ture** *s* Aufbau *m*; *sociol*. Überbau *m*; **~vene** [~'viːn] *v/i* (noch) hinzukommen; dazwischenkommen; **~vise** ['~vaɪz] *v/t* beaufsichtigen, überwachen; **~vi•sion** [~'vɪʒn] *s* (Ober)Aufsicht *f*; Beaufsichtigung *f*, Überwachung *f*; **~vi•sor** ['~vaɪzə] *s* Aufseher(in); Leiter(in); *univ*. Doktorvater *m*.

sup•per ['sʌpə] *s* Abendessen *n*; ***the*** (***Lord's***) ♀ das heilige Abendmahl; ***have ~*** zu Abend essen.

sup•plant [sə'plɑːnt] *v/t* verdrängen.

sup•ple|ment **1.** *s* ['sʌplɪmənt] Ergänzung *f*; Nachtrag *m*; (Zeitungs- *etc*.) Beilage *f*; **2.** *v/t* [~ment] ergänzen; **~men•tal** [~'mentl] □, **~men•ta•ry** [~'mentərɪ] *adj* Ergänzungs…; nachträglich; Nachtrags…; ***supplementary budget*** *pol*. Nachtragshaushalt *m*, Nachtragsetat *m*.

sup•pli•er [sə'plaɪə] *s* Lieferant(in); *a*. ***~s*** *pl* Lieferfirma *f*.

sup•ply [sə'plaɪ] **1.** *v/t* liefern; *deficiency*: abhelfen (*dat*); *post, etc*.: ausfüllen; beliefern, ausstatten, versorgen; ergänzen; **2.** *s* Lieferung *f*; Versorgung *f*; Zufuhr *f*; *econ*. Angebot *n*; (Stell-)Vertretung *f*; *mst* ***supplies*** *pl* Vorrat *m*; *econ*. Artikel *m*, Bedarf *m*; *parl*. bewilligter Etat; ***~ and demand*** *econ*. Angebot und Nachfrage.

sup•port [sə'pɔːt] **1.** *s* Stütze *f*; Hilfe *f*; *tech*. Träger *m*; Unterstützung *f*; (Lebens)Unterhalt *m*; **2.** *v/t* tragen, (ab-)stützen; unterstützen; unterhalten, sorgen für (*family, etc*.); ertragen; **~er** *s* Anhänger(in) (*a. sports*), Befürworter(in).

sup•pose [sə'pəʊz] *v/t* annehmen; voraussetzen; vermuten; ***he is ~d to …*** er soll …; ***~ we go*** gehen wir!; wie wär's, wenn wir gingen?; ***what is that ~d to mean?*** was soll denn das?; *after question*: ***I ~ not*** ich glaube kaum; ***I ~ so*** ich nehme es an, vermutlich.

sup|posed [sə'pəʊzd] *adj* □ vermeintlich; **~pos•ed•ly** *adv* angeblich.

sup•po•si•tion [sʌpə'zɪʃn] *s* Voraussetzung *f*; Annahme *f*, Vermutung *f*.

sup|press [sə'pres] *v/t* unterdrücken; **~pres•sion** [~ʃn] *s* Unterdrückung *f*.

sup•pu•rate *med*. ['sʌpjʊəreɪt] *v/i* eitern.

su•pra•na•tion•al [suːprə'næʃənəl] *adj pol*. supra-, übernational, überstaatlich.

su•prem|a•cy [sjʊ'preməsɪ] *s* Oberhoheit *f*; Vorherrschaft *f*; Überlegenheit *f*; Vormachtstellung *f*; Vorrang *m*; **~e** [~'priːm] *adj* höchste(r, -s); oberste(r, -s); Ober…; größte(r, -s).

sur•charge **1.** *v/t* [sɜː'tʃɑːdʒ] e-n Zuschlag *or* ein Nachporto erheben auf (*acc*); **2.** *s* ['sɜːtʃɑːdʒ] Zuschlag *m*; Nach-, Strafporto *n*; Über-, Aufdruck *m* (*on stamps*).

sure [ʃʊə] **1.** *adj* □ (***~r, ~st***): ***~*** (***of***) sicher, gewiss (*gen*), überzeugt (von); ***make ~ that*** sich (davon) überzeugen, dass;

for ~! F auf jeden Fall!; **2.** *adv Am.* F wirklich; ***it ~ was cold*** *Am.* F es war vielleicht kalt!; ***~!*** klar!, aber sicher!; ***~ enough*** ganz bestimmt; tatsächlich; **~•ly** *adv* sicher(lich); **sure•ty** ['ʃɔːrətɪ] *s sum*: Kaution *f*; *person*: Bürge *m*.

surf [sɜːf] **1.** *s* Brandung *f*; **2.** *v/i sports*: surfen; ***~ the Net*** (im Internet) surfen.

sur•face ['sɜːfɪs] **1.** *s* (Ober)Fläche *f*; *aer.* Tragfläche *f*; **2.** *v/i mar.* auftauchen (*submarine*).

surf|board ['sɜːfbɔːd] *s* Surfbrett *n*; **~•boat** *s* Brandungsboot *n*.

sur•feit ['sɜːfɪt] **1.** *s* Übersättigung *f*; Überdruss *m*; **2.** *v/t and v/i* (sich) übersättigen *or* -füttern.

surf|er ['sɜːfə] *s sports*: Surfer(in), Wellenreiter(in); **~•ing**, **~-rid•ing** *s sports*: Surfen *n*, Wellenreiten *n*.

surge [sɜːdʒ] **1.** *s* Woge *f*; **2.** *v/i* wogen; (vorwärts)drängen; *a.* ***~ up*** (auf)wallen (*emotions*).

sur|geon ['sɜːdʒən] *s* Chirurg *m*; **~•ge•ry** *s* Chirurgie *f*; operativer Eingriff, Operation *f*; *Br.* Sprechzimmer *n*; ***~ hours*** *pl Br.* Sprechstunde(n *pl*) *f*.

sur•gi•cal ['sɜːdʒɪkl] *adj* □ chirurgisch.

sur•ly ['sɜːlɪ] *adj* □ (***-ier, -iest***) mürrisch; grob.

sur•mount [sɜː'maʊnt] *v/t* überwinden.

sur•name ['sɜːneɪm] *s* Familien-, Nach-, Zuname *m*.

sur•pass *fig.* [sə'pɑːs] *v/t* übersteigen, -treffen; **~•ing** *adj* unvergleichlich.

sur•plus ['sɜːpləs] **1.** *s* Überschuss *m*, Mehr *n*; **2.** *adj* überschüssig; Über(schuss)…

sur•prise [sə'praɪz] **1.** *s* Überraschung *f*; Überrump(e)lung *f*; **2.** *v/t* überraschen; überrumpeln.

sur•ren•der [sə'rendə] **1.** *s* Übergabe *f*; Kapitulation *f*; Aufgabe *f*, Verzicht *m*; Hingabe *f*; **2.** *v/t et.* übergeben; aufgeben; *v/i* sich ergeben (***to*** *dat*), kapitulieren; sich hingeben *or* überlassen (***to*** *dat*); *to police*: sich stellen.

sur•ro•gate ['sʌrəgɪt] *s* Ersatz *m*; ***~ mother*** Leihmutter *f*.

sur•round [sə'raʊnd] *v/t* umgeben; *mil.* umzingeln, -stellen; **~•ing** *adj* umliegend; **~•ings** *s pl* Umgebung *f*.

sur•tax ['sɜːtæks] *s* Steuerzuschlag *m*.

sur•vey **1.** *v/t* [sə'veɪ] überblicken; sorgfältig prüfen; begutachten; *area*: vermessen; **2.** *s* ['sɜːveɪ] Überblick *m* (*a. fig.*); sorgfältige Prüfung; Inspektion *f*, Besichtigung *f*; Gutachten *n*; (Land-)Vermessung *f*; (Lage)Karte *f*, (-)Plan *m*; **~•or** [sə'veɪə] *s* Landmesser *m*; (Bau)Inspektor *m*.

sur|viv•al [sə'vaɪvl] *s* Überleben *n*; Fortleben *n*; Überbleibsel *n*; ***~ kit*** Überlebensausrüstung *f*; **~•vive** [~aɪv] *v/i* überleben (*a. v/t*), am Leben bleiben; noch leben; fortleben; bestehen bleiben; **~•vi•vor** *s* Überlebende(r *m*) *f*.

sus•cep•ti•ble [sə'septəbl] *adj* □ empfänglich (***to*** für); empfindlich (***to*** gegen); ***be ~ of*** *et.* zulassen.

sus•pect **1.** *v/t* [sə'spekt] (be)argwöhnen; in Verdacht haben, verdächtigen; vermuten, befürchten; **2.** *s* ['sʌspekt] Verdächtige(r *m*) *f*; **3.** *adj* [~] verdächtig; **~•ed** [sə'spektɪd] *adj* verdächtig.

sus•pend [sə'spend] *v/t* (auf)hängen; aufschieben; in der Schwebe lassen; *payment*: einstellen; *jur. sentence, etc.*: aussetzen; suspendieren; *sports*: *j-n* sperren; **~•ed** *adj* schwebend; hängend; *jur.* zur Bewährung ausgesetzt; suspendiert; **~•er** *s Br.* Strumpf-, Sockenhalter *m*; (*a.* ***a pair of***) **~s** *pl Am.* Hosenträger *pl*.

sus|pense [sə'spens] *s* Ungewissheit *f*; Unentschiedenheit *f*; Spannung *f*; **~•pen•sion** *s* Aufhängung *f*; Aufschub *m*; (einstweilige) Einstellung; Suspendierung *f*, Amtsenthebung *f*; *sports*: Sperre *f*; ***~ bridge*** Hängebrücke *f*; ***~ railroad***, *esp. Br.* ***~ railway*** Schwebebahn *f*.

sus•pi|cion [sə'spɪʃn] *s* Verdacht *m*; Misstrauen *n*; *fig.* Spur *f*; **~•cious** *adj* □ verdächtig; misstrauisch.

sus•tain [sə'steɪn] *v/t* stützen, tragen; *et.* (aufrecht)erhalten; aushalten (*a. fig.*); erleiden; *family*: ernähren; *j-m* Kraft geben; *jur. objection*: stattgeben (*dat*).

swab [swɒb] **1.** *s* Scheuerlappen *m*, Mopp *m*; *med.* Tupfer *m*; *med.* Abstrich *m*; **2.** *v/t* (***-bb-***): ***~ up*** aufwischen.

swad•dle ['swɒdl] *v/t baby*: wickeln.

swag•ger ['swægə] *v/i* stolzieren; prahlen, großtun.

swal•low[1] *zo.* ['swɒləʊ] *s* Schwalbe *f*.

swal•low[2] [~] **1.** *s* Schluck *m*; **2.** *v/t* (hinunter-, ver)schlucken; *insult*: einstecken, schlucken; F für bare Münze

S

nehmen; *fig.* ~ **the bait** den Köder schlucken; *v/i* schlucken.

swam [swæm] *pret of* **swim** 1.

swamp [swɒmp] **1.** *s* Sumpf *m*; **2.** *v/t* überschwemmen (*a. fig.*); *boat*: volllaufen lassen; **~•y** *adj* (**-ier, -iest**) sumpfig.

swan *zo.* [swɒn] *s* Schwan *m*.

swank F [swæŋk] **1.** *s* Angabe *f*, Protzerei *f*; **2.** *v/i* angeben, protzen; **~•y** *adj* □ (**-ier, -iest**) protzig, angeberisch.

Swan•sea ['swɒnzɪ] *Hafenstadt in Wales*.

swap F [swɒp] **1.** *s* Tausch *m*; **2.** *v/t* (**-pp-**) (ein-, aus)tauschen.

swarm [swɔːm] **1.** *s* (Bienen- *etc.*) Schwarm *m*; Haufen *m*, Schar *f*, Horde *f*; **2.** *v/i* schwärmen (*bees*); wimmeln (**with** von).

swar•thy ['swɔːðɪ] *adj* (**-ier, -iest**) dunkel(häutig).

swas•ti•ka ['swɒstɪkə] *s* Hakenkreuz *n*.

swat [swɒt] *v/t* (**-tt-**) *fly, etc.*: totschlagen.

sway [sweɪ] **1.** *s* Schwanken *n*; Einfluss *m*; Herrschaft *f*; **2.** *v/i and v/t* schwanken; (sich) wiegen; schwingen; beeinflussen; beherrschen.

swear [sweə] *v/i and v/t* (**swore, sworn**) schwören; fluchen; ~ **s.o. in** *j-n* vereidigen; **~•word** *s* Fluch *m*, Kraftausdruck *m*, Schimpfwort *n*.

sweat [swet] **1.** *s* Schweiß *m*; Schwitzen *n*; **by the ~ of one's brow** im Schweiße seines Angesichts; **in a ~**, F **all of a ~** in Schweiß gebadet (*a. fig.*); **2.** (**sweated**, *Am. a.* **sweat**) *v/i* schwitzen; *v/t* (aus-) schwitzen; in Schweiß bringen; *employees*: schuften lassen, ausbeuten; **~•er** ['swetə] *s* Sweater *m*, Pullover *m*; *econ.* Ausbeuter *m*; **~•shirt** *s* Sweatshirt *n*; ~ **suit** *s sports*: *esp. Am.* Trainingsanzug *m*; **~•y** *adj* □ (**-ier, -iest**) schweißig; verschwitzt.

Swede [swiːd] *s* Schwed|e *m*, -in *f*; **Swed•ish** [~ɪʃ] **1.** *adj* schwedisch; **2.** *s ling.* Schwedisch *n*.

Swe•den ['swiːdn] Schweden *n*.

sweep [swiːp] **1.** (**swept**) *v/t* fegen (*a. fig.*), kehren; *scan*: absuchen; gleiten *or* schweifen über (*acc*); *v/i* (majestätisch) gleiten; *on skis*: (dahin)rauschen; **2.** *s* Kehren *n*; Schwung *m*; schwungvolle Bewegung; (*fig.* Dahin-) Fegen *n*; Spielraum *m*, Bereich *m*; *esp. Br.* Schornsteinfeger *m*; **make a clean ~** gründlich aufräumen (**of** mit); *sports*: überlegen siegen; **~•er** *s* (Straßen)Kehrer *m*; Kehrmaschine *f*; *soccer*: Ausputzer *m*; **~•ing** *adj* □ schwungvoll; umfassend; *victory, success*: durchschlagend; **~•ings** *s pl* Kehricht *m*, Müll *m*.

sweet [swiːt] **1.** *adj* □ süß; lieblich; freundlich; frisch; duftend; **have a ~ tooth** gern Süßes essen, gerne naschen; **2.** *s Br.* Süßigkeit *f*, Bonbon *m, n*; *Br.* Nachtisch *m*; *form of address*: Süße(r *m*) *f*, Schatz *m*; **~•en** *v/t* (ver)süßen; **~•en•er** *s* Süßstoff *m*; **~•heart** *s* Schatz *m*, Liebste(r *m*) *f*; **~•ish** *adj* süßlich; **~-shop** *s Br.* Süßwarenladen *m*.

swell [swel] **1.** (**swelled, swollen** *or* **swelled**) *v/i* (an)schwellen; sich (auf-) blähen; sich bauschen; *v/t* aufblähen; (an)schwellen lassen; **2.** *adj Am.* F prima; **3.** *s* Anschwellen *n*; Schwellung *f*; *mar.* Dünung *f*; **~•ing**; **1.** *s med.* Schwellung *f*, Geschwulst *f*; **2.** *adj sail*: gebläht; *sound, etc.*: anschwellend.

swel•ter ['sweltə] *v/i* vor Hitze (fast) umkommen.

swept [swept] *pret and pp of* **sweep** 1.

swerve [swɜːv] **1.** *v/i* ausbrechen (*car, horse*); schwenken (*road*); *mot.* das Steuer *or* den Wagen herumreißen; **2.** *s mot.* Schlenker *m*; Ausweichbewegung *f*; Schwenk *m* (*of road*).

swift [swɪft] *adj* □ schnell, eilig, flink; **~•ness** *s* Schnelligkeit *f*.

swill [swɪl] **1.** *s* (Ab)Spülen *n*; Schmutzwasser *n*; **2.** *v/t and v/i* (ab)spülen; F saufen.

swim [swɪm] **1.** *v/t and v/i* (**-mm-**; **swam, swum**) (durch)schwimmen; schweben; **my head ~s** mir ist schwind(e)lig; **2.** *s* Schwimmen *n*; **go for a ~** schwimmen gehen; **have** *or* **take a ~** baden, schwimmen; **be in the ~** auf dem Laufenden sein; **~•mer** *s* Schwimmer(in); **~•ming**; **1.** *s* Schwimmen *n*; **2.** *adj* Schwimm…; ***~-bath(s*** *pl*) *Br.* Schwimmbad *n*, *esp.* Hallenbad *n*; ***~-pool*** Schwimmbecken *n*, Swimmingpool *m*; Schwimmbad *n*; (**a pair of**) ***~-trunks*** *pl* (e-e) Badehose; **~-suit** *s* Badeanzug *m*.

swin•dle ['swɪndl] **1.** *v/t* beschwindeln; betrügen; **2.** *s* Schwindel *m*, Betrug *m*.

swine [swaɪn] *s* Schwein *n*.

swing [swɪŋ] **1.** *v/i and v/t* (**swung**)

S

schwingen; schwenken; schlenkern; baumeln (lassen); (sich) schaukeln; *of door*: sich (in den Angeln) drehen; F baumeln, hängen; **2.** *s* Schwingen *n*; Schwung *m*; Schaukel *f*; Spielraum *m*; **~ *in opinion*** Meinungsumschwung *m*; ***in full* ~** in vollem Gange; **~ door** *s Br.* Pendel-, Drehtür *f*; **~•ing** *adj step, music*: schwungvoll; **~ *door*** *Am.* → ***swing door.***

swin•ish ['swaɪnɪʃ] *adj* □ schweinisch.

swipe [swaɪp] **1.** *v/i*: **~ *at*** schlagen nach; *v/t* F klauen; **2.** *s* harter Schlag.

swirl [swɜːl] **1.** *v/i and v/t* (herum)wirbeln, strudeln; **2.** *s* Wirbel *m*, Strudel *m*.

Swiss [swɪs] **1.** *adj* schweizerisch, Schweizer…; **2.** *s* Schweizer(in); ***the* ~** *pl* die Schweizer *pl*.

switch [swɪtʃ] **1.** *s electr.* Schalter *m*; *stick*: Gerte *f*; *Am. rail.* Weiche *f*; *of hair*: Haarteil *n*; ***do** or **make a* ~** tauschen; **2.** *v/t and v/i electr., TV, etc.*: (um)schalten; *fig.* wechseln, überleiten; peitschen; *esp. Am. rail.* rangieren; **~ *off*** ab-, ausschalten; **~ *on*** an-, einschalten; **~•board** *s electr.* Schalttafel *f*; *teleph.* Zentrale *f*, Vermittlung *f*.

Swit•zer•land ['switsələnd] *die* Schweiz.

swol•len ['swəʊlən] *pp of **swell*** 1; **~-head•ed** *adj* F eingebildet.

swoop [swuːp] **1.** *v/i*: **~ *down on*** *or* ***upon*** herabstoßen auf (*acc*) (*bird of prey*); *fig.* herfallen über (*acc*); **2.** *s* Herabstoßen *n*; Razzia *f*.

swop F [swɒp] → ***swap.***

sword [sɔːd] *s* Schwert *n*.

swore [swɔː] *pret of **swear.***

sworn [swɔːn] *pp of **swear.***

swum [swʌm] *pp of **swim*** 1.

swung [swʌŋ] *pret and pp of **swing*** 1.

syl•la•ble ['sɪləbl] *s* Silbe *f*.

syl•la•bus ['sɪləbəs] *s* (*pl* ***-buses, -bi*** [-baɪ]) (*esp.* Vorlesungs)Verzeichnis *n*; Lehrplan *m*.

sym•bol ['sɪmbl] *s* Symbol *n*, Sinnbild *n*; **~•ic** [sɪm'bɒlɪk], **~•i•cal** *adj* □ sinnbildlich; **~•is•m** ['sɪmbəlɪzəm] *s* Symbolik *f*; **~•ize** *v/t* symbolisieren.

sym|met•ric [sɪ'metrɪk], **~•met•ri•cal** *adj* □ symmetrisch, ebenmäßig; **~•me•try** ['sɪmɪtrɪ] *s* Symmetrie *f*; Ebenmaß *n*.

sym•pa|thet•ic [sɪmpə'θetɪk] *adj* (**~*ally***) mitfühlend; **~ *strike*** Sympathiestreik *m*; **~•thize** ['sɪmpəθaɪz] *v/i* sympathisieren, mitfühlen; **~•thy** *s* Anteilnahme *f*, Mitgefühl *n*.

sym•pho•ny *mus.* ['sɪmfənɪ] *s* Sinfonie *f*, Symphonie *f*; **~ *orchestra*** Sinfonie-, Symphonieorchester *n*.

symp•tom ['sɪmptəm] *s* Symptom *n*.

syn•chro|nize ['sɪŋkrənaɪz] *v/i* synchron gehen (*clock*) *or* laufen (*machine*); *v/t machines*: synchronisieren; *actions*: aufeinander abstimmen; **~•nous** *adj* □ gleichzeitig; synchron.

syn•di•cate ['sɪndɪkət] *s* Syndikat *n*.

syn•o•nym ['sɪnənɪm] *s* Synonym *n*; **sy•non•y•mous** [sɪ'nɒnɪməs] *adj* □ synonym; gleichbedeutend.

sy•nop•sis [sɪ'nɒpsɪs] *s* (*pl* ***-ses*** [-siːz]) Übersicht *f*, Zusammenfassung *f*.

syn|the•sis ['sɪnθəsɪs] *s* (*pl* ***-ses*** [-siːz]) Synthese *f*; **~•the•siz•er** *s mus.* Synthesizer *m*; **~•thet•ic** [sɪn'θetɪk], **~•theti•cal** *adj* □ synthetisch; **~ *fibre*** Kunstfaser *f*.

Syr•ia ['sɪrɪə] Syrien *n*.

sy•ringe ['sɪrɪndʒ] **1.** *s* Spritze *f*; **2.** *v/t* (be-, ein-, aus)spritzen.

syr•up ['sɪrəp] *s* Sirup *m*.

sys|tem ['sɪstəm] *s* System *n*; *physiol.* Organismus *m*, Körper *m*; Plan *m*, Ordnung *f*; **~ *of government*** *pol.* Regierungssystem *n*; **~•te•mat•ic** [sɪstɪ'mætɪk] *adj* (**~*ally***) systematisch.

sys•tems| ad•min•is•tra•tor ['sɪstəmz ədˌmɪnɪstreɪtə] *s computer*: Systembetreuer(in); **~ en•gi•neer** ['sɪstəmzˌendʒɪnɪə] *s computer*: Systemtechniker(in).

T

t ton(s) Tonne(n *pl*) *f* (*Br. 1016 kg, Am. 907,18 kg*); **tonne(s)** (= **metric ton[s]**) t, Tonne(n *pl*) *f* (*1000 kg*).

ta *Br.* F [tɑː] *int* danke.

tab [tæb] *s* Streifen *m*; Etikett *n*, Schildchen *n*, Anhänger *m*; Schlaufe *f*, (Mantel)Aufhänger *m*; F Rechnung *f*.

ta•ble ['teɪbl] **1.** *s* Tisch *m*; Tafel *f*; Tisch-, Tafelrunde *f*; Tabelle *f*, Verzeichnis *n*; ***at ~*** bei Tisch; ***turn the ~s*** den Spieß umdrehen (***on s.o.*** *j-m* gegenüber); **2.** *v/t* tabellarisch anordnen; *parl. motion*: einbringen; **~-cloth** *s* Tischtuch *n*, -decke *f*; **~-lin•en** *s* Tischwäsche *f*; **~-mat** *s* Untersetzer *m*; Set *n*; **~ set** *s radio, TV*: Tischgerät *n*; **~•spoon** *s* Esslöffel *m*.

tab•let ['tæblɪt] *s pill*: Tablette *f*; (Gedenk)Tafel *f*; (Schreib- *etc.*) Tafel *f*; *piece*: Stück *n*; Tafel *f* (*chocolate*).

ta•ble|top ['teɪbltɒp] *s* Tischplatte *f*; **~•ware** *s* Geschirr *n* u. Besteck *n*.

ta•boo [tə'buː] **1.** *adj* tabu, unantastbar; verboten; verpönt; **2.** *s* (*pl* ***-boos***) Tabu *n*; **3.** *v/t et.* für tabu erklären.

tab•u|lar ['tæbjʊlə] *adj* □ tabellarisch; **~•late** [⌣eɪt] *v/t* tabellarisch (an)ordnen.

tack [tæk] **1.** *s* Stift *m*, Reißnagel *m*, Zwecke *f*; *sewing*: Heftstich *m*; *mar.* Halse *f*; *mar.* (Auf)Kreuzen *n*; *fig.* Weg *m*; **2.** *v/t* heften (***to*** an *acc*); *v/i mar.* wenden; *fig.* lavieren.

tack•le ['tækl] **1.** *s* Gerät *n*; *mar.* Takel-, Tauwerk *n*; *tech.* Flaschenzug *m*; *soccer*: Angriff *m* auf e-n Gegenspieler; **2.** *v/t* (an)packen; *soccer*: angreifen (*opponent*); *problem, etc.*: in Angriff nehmen; lösen, fertigwerden mit.

tack•y ['tækɪ] *adj* (***-ier, -iest***) klebrig; *Am.* F schäbig.

tact [tækt] *s* Takt *m*, Feingefühl *n*; **~•ful** *adj* □ taktvoll.

tac•tics ['tæktɪks] *s pl and sg* Taktik *f*.

tact•less ['tæktlɪs] *adj* □ taktlos.

tad•pole *zo.* ['tædpəʊl] *s* Kaulquappe *f*.

tag [tæg] **1.** *s* (Schnürsenkel)Stift *m*; Schildchen *n*, Etikett *n*; loses Ende, Fetzen *m*, Lappen *m*; Redensart *f*, Zitat *n*; *a.* ***question ~*** *gr.* Frageanhängsel *n*; Fangen *n* (*game*); **2.** (***-gg-***) *v/t* etikettieren, auszeichnen; anhängen (***to, on to*** an *acc*); *v/i*: ***~ along*** F mitkommen; ***~ along behind s.o.*** hinter *j-m* hertrotten *or* -zockeln.

tail [teɪl] **1.** *s* Schwanz *m*; Schweif *m*; hinteres Ende, Schluss *m*; ***~s*** *pl* Rückseite *f* (*of coin*); F Frack *m*; ***turn ~*** davonlaufen; ***~s up*** in Hochstimmung, fidel; **2.** *v/t*: ***~ s.o.*** F *j-n* beschatten; *v/i*: ***~ after s.o.*** *j-m* hinterherlaufen; ***~ away, ~ off*** abflauen, sich verlieren; nachlassen; **~•back** *s mot.* Rückstau *m*; **~•coat** *s* Frack *m*; **~•light** *s mot. etc.* Rück-, Schlusslicht *n*.

tai•lor ['teɪlə] **1.** *s* Schneider *m*; **2.** *v/t* schneidern; **~-made** *adj* Schneider…, Maß…

taint [teɪnt] **1.** *s* (Schand)Fleck *m*, Makel *m*; *of illness, etc.*: (verborgene) Anlage; **2.** *v/t* beflecken; verderben; *med.* anstecken; ***become ~ed*** verderben, schlecht werden (*meat, etc.*).

Tai•wan [ˌtaɪ'wɑːn] Taiwan *n*.

take [teɪk] **1.** (***took, taken***) *v/t* nehmen; (an-, ein-, entgegen-, heraus-, hin-, mit-, weg)nehmen; *grasp*: fassen, packen, ergreifen (*a. prisoner*); fangen, *mil.* gefangen nehmen; *assume possession*: sich aneignen, Besitz ergreifen von; *carry*: (hin-, weg)bringen; *accept, etc.*: (*et. gut*) aufnehmen; *insult*: hinnehmen; *et.* ertragen, aushalten; halten (***for*** für); auffassen; *fig.* fesseln; *phot. et.* aufnehmen, *picture*: machen; *temperature*: messen; *notes*: machen, niederschreiben; *exam*: machen, ablegen; *holidays, rest, etc.*: machen; *day off, bath*: nehmen; *standard size, etc.*: haben; *illness*: sich holen; *food*: zu sich nehmen, *meal*: einnehmen; *newspaper*: beziehen; *train, bus, etc.*: nehmen; *route*: wählen; *show the way*: *j-n wohin* führen; *prize*: gewinnen; *opportunity, measures*: ergreifen; *presidency, etc.*: übernehmen; *oath*: ablegen; *time, patience*: erfordern, brauchen; *time*: dauern; *courage*: fassen; *offence*: nehmen;

I ~ it that ich nehme an, dass; ***~ it or leave it*** F mach, was du willst; ***~n all in all*** im Großen und Ganzen; ***be ~n*** besetzt sein; ***be ~n ill*** *or* F ***bad*** krank werden; ***be ~n with*** begeistert *or* entzückt sein von; ***~ breath*** verschnaufen; ***~ comfort*** sich trösten; ***~ compassion on*** Mitleid mit *j-m* haben; sich erbarmen (*gen*); ***~ counsel*** beraten; ***~ a drive*** e-e Fahrt machen; ***~ fire*** Feuer fangen; ***~ in hand*** unternehmen; ***~ hold of*** ergreifen; ***~ a look*** e-n Blick tun *or* werfen (**at** auf *acc*); ***can I ~ a message?*** kann ich et. ausrichten?; ***~ to pieces*** auseinandernehmen, zerlegen; ***~ pity on*** Mitleid haben mit; ***~ place*** stattfinden; spielen (*plot*); ***~ a risk*** ein Risiko eingehen *or* auf sich nehmen; ***~ a seat*** Platz nehmen; ***~ a walk*** e-n Spaziergang machen; ***~ my word for it*** verlass dich drauf; ***~ along*** mitnehmen; ***~ apart*** auseinandernehmen, zerlegen; ***~ around*** *j-n* herumführen; ***~ away*** wegnehmen; … ***to ~ away*** *Br. of food*: … zum Mitnehmen; ***~ down*** herunternehmen; *building*: abreißen; notieren; ***~ from*** *j-m* wegnehmen; *math.* abziehen von; ***~ in*** kürzer *or* enger machen; *newspaper*: halten; aufnehmen (*as a guest, etc.*); *situation*: überschauen; *fig.* einschließen; verstehen; erfassen; F *j-n* reinlegen; ***be ~n in*** reingefallen sein; ***~ in lodgers*** (Zimmer) vermieten; ***~ off*** ab-, wegnehmen; *clothes*: ablegen, ausziehen; *hat, etc.*: abnehmen; ***~ a day off*** e-n Tag Urlaub machen, e-n Tag frei nehmen; ***~ on*** an-, übernehmen; *workers, etc.*: einstellen; *passengers*: zusteigen lassen; ***~ out*** heraus-, entnehmen; *stain*: entfernen; *j-n* ausführen; *insurance*: abschließen; ***~ over*** *office, task, idea, etc.*: übernehmen; ***~ up*** aufheben, -nehmen; sich befassen mit; *case, idea, etc.*: aufgreifen; *space, time*: in Anspruch nehmen; *v/i med.* wirken, anschlagen (*medicine*); F gefallen, ankommen, ziehen; ***~ after*** *resemble*: *j-m* ähnlich sein; ***~ off*** abspringen; *aer., space travel*: starten; ***~ on*** Anklang finden; ***~ over*** die Amtsgewalt (*etc.*) übernehmen; ***~ to*** sich hingezogen fühlen zu, Gefallen finden an (*dat*); ***~ to doing s.th.*** anfangen, et. zu tun; ***~ up with*** sich anfreunden mit; **2.** *s fishing*: Fang *m*; (Geld)Einnahme(n *pl*) *f*; *hunt.* Beute *f*; Anteil *m* (**of** an *dat*); *film*: Szene(naufnahme) *f*, Take *m*; **~-a•way**; **1.** *adj food, etc.*: zum Mitnehmen; **2.** *s* Restaurant *n* mit Straßenverkauf; Essen *n* zum Mitnehmen; **~-in** *s* F Schwindel *m*, Betrug *m*; **tak•en** *pp of* **take** 1; **~-off** *s* Absprung *m*; *aer., space travel*: Start *m*, Abflug *m*; Abheben *n*; F Nachahmung *f*; **~•o•ver** *s econ.* Übernahme *f*; ***unfriendly ~*** unerwünschte *or* feindliche Übernahme; → ***leveraged***; **~•o•ver bid** *s econ.* Übernahmeangebot *n*.

tak•ing ['teɪkɪŋ] **1.** *adj* □ F anziehend, fesselnd, einnehmend; ansteckend; **2.** *s* (An-, Ab-, Auf-, Ein-, Ent-, Hin-, Weg- *etc.*) Nehmen *n*; Inbesitznahme *f*; *mil.* Einnahme *f*; F Aufregung *f*; **~s** *pl econ.* Einnahme(n *pl*) *f*.

tale [teɪl] *s* Erzählung *f*; Geschichte *f*; Märchen *n*, Sage *f*; ***tell ~s*** klatschen; ***it tells its own ~*** es spricht für sich selbst.

tal•ent ['tælənt] *s* Talent *n*, Begabung *f*, Anlage *f*; **~•ed** *adj* talentiert, begabt.

talk [tɔːk] **1.** *s* Gespräch *n*; Unterhaltung *f*; Unterredung *f*; Plauderei *f*; *lecture*: Vortrag *m*; *contp.* Geschwätz *n*; *way of conversation*: Sprache *f*, Art *f* zu reden; **2.** *v/i and v/t* sprechen; reden; plaudern; ***~ to s.o.*** mit *j-m* sprechen *od.* reden; ***~ at s.o.*** auf *j-n* einreden; ***~ over s.th.*** et. besprechen; **~•a•tive** *adj* □ gesprächig, geschwätzig; **~•er** *s* Schwätzer(in); Sprechende(r *m*) *f*; **~ show** *s TV*: Talkshow *f*; **~-show host** *s TV*: Talkmaster(in).

tall [tɔːl] *adj* groß; lang; hoch; F übertrieben, unglaublich; ***that's a ~ order*** F das ist ein bisschen viel verlangt.

tal•low ['tæləʊ] *s* Talg *m*.

tal•ly ['tælɪ] **1.** *s econ.* (Ab-, Gegen-)Rechnung *f*; Kontogegenbuch *n*; Etikett *n*, Kennzeichen *n*; *sports*: Punkt(-zahl *f*) *m*; **2.** *v/t* in Übereinstimmung bringen; *v/i* übereinstimmen.

tal•on ['tælən] *s* Kralle *f*, Klaue *f*.

tame [teɪm] **1.** *adj* □ (***~r, ~st***) zahm; folgsam; harmlos; lahm, fad(e); **2.** *v/t* zähmen, bändigen.

tam•per ['tæmpə] *v/i*: ***~ with*** sich (unbefugt) zu schaffen machen an (*dat*); *j-n* zu bestechen suchen; *document*: fälschen.

tam•pon *med.* ['tæmpən] *s* Tampon *m*.

tan [tæn] **1.** *s* (Sonnen)Bräune *f*; **2.** *adj* gelbbraun; **3.** (**-*nn*-**) *v/t* gerben; bräunen; *v/i* braun werden.

tang [tæŋ] *s* scharfer Geschmack *or* Geruch; (scharfer) Klang.

tan•gent ['tændʒənt] *s math.* Tangente *f*; ***fly*** *or* ***go off at a ~*** plötzlich (vom Thema) abschweifen.

tan•ge•rine *bot.* [tændʒə'ri:n] *s* Mandarine *f*.

tan•gi•ble ['tændʒəbl] *adj* □ fühl-, greifbar; klar.

tan•gle ['tæŋgl] **1.** *s* Gewirr *n*; *fig.* Verwirrung *f*, Verwicklung *f*; **2.** *v/t and v/i* (sich) verwirren, (sich) verwickeln.

tank [tæŋk] **1.** *s mot., etc.*: Tank *m*; (Wasser)Becken *n*, Zisterne *f*; *mil.* Panzer *m*, Tank *m*; **2.** *v/t*: **~ (*up*)** auf-, volltanken.

tank•ard ['tæŋkəd] *s* Humpen *m*, *esp.* (Bier)Krug *m*.

tank•er ['tæŋkə] *s mar.* Tanker *m*; *aer.* Tankflugzeug *n*; *mot.* Tankwagen *m*.

tan|ner ['tænə] *s* Gerber *m*; **~•ne•ry** *s* Gerberei *f*.

tan•ta•lize ['tæntəlaɪz] *v/t* quälen.

tan•ta•mount ['tæntəmaʊnt] *adj* gleichbedeutend (***to*** mit).

tan•trum ['tæntrəm] *s* Wutanfall *m*.

tap [tæp] **1.** *s* leichtes Klopfen; (Wasser-, Gas-, Zapf)Hahn *m*; Zapfen *m*; **~ *room*** *Br.* Schankstube *f*; ***on* ~** vom Fass (*beer*); **~*s*** *pl Am. mil.* Zapfenstreich *m*; **2.** *v/t and v/i* (**-*pp*-**) leicht pochen, klopfen, tippen (***on, at*** auf, an, gegen *acc*); anzapfen (*a. telephone*); abzapfen; **~•dance** *s* Stepptanz *m*.

tape [teɪp] **1.** *s* schmales Band, Streifen *m*; *sports*: Zielband *n*; *tel.* Papierstreifen *m*; (Magnet-, Video-, Ton)Band *n*; → ***red tape***; **2.** *v/t* mit e-m Band befestigen; mit Klebestreifen verkleben; auf (Ton)Band aufnehmen; *TV*: aufzeichnen; **~ cas•sette** *s* Tonbandkassette *f*; **~ deck** *s* Tapedeck *n*; **~ li•bra•ry** *s* Bandarchiv *n*; **~ mea•sure** *s* Bandmaß *n*, Maßband *n*.

ta•per ['teɪpə] **1.** *s* dünne Wachskerze; **2.** *adj* spitz (zulaufend); **3.** *v/i often* **~ *off*** spitz zulaufen; *v/t* zuspitzen.

tape|-re•cord ['teɪprɪkɔ:d] *v/t* auf (Ton-)Band aufnehmen; **~ re•cord•er** *s* (Ton)Bandgerät *n*; **~ re•cord•ing** *s* (Ton)Bandaufnahme *f*; **~ speed** *s* Bandgeschwindigkeit *f*.

ta•pes•try ['tæpɪstrɪ] *s* Gobelin *m*, Wandteppich *m*.

tape•worm *zo., med.* ['teɪpwɜ:m] *s* Bandwurm *m*.

tar [tɑ:] **1.** *s* Teer *m*; **2.** *v/t* (**-*rr*-**) teeren.

tar•dy ['tɑ:dɪ] *adj* □ (**-*ier*, -*iest***) langsam; *Am.* spät.

tare *econ.* [teə] *s* Tara *f*.

tar•get ['tɑ:gɪt] *s* (Schieß-, Ziel)Scheibe *f*; *mil., radar*: Ziel *n*; *objective, goal*: (Leistungs- *etc.*) Ziel *n*, (-)Soll *n*; *fig.* Zielscheibe *f* (*of joke, etc.*); **~ *group*** *econ.* Zielgruppe *f*; **~ *language*** *ling.* Zielsprache *f*; **~ *practice*** Übungsschießen *n*.

tar•iff ['tærɪf] *s* (*esp.* Zoll)Tarif *m*; **~ *restrictions*** *pl*, **~ *walls*** *pl econ.* Zollschranken *pl*.

tar•nish ['tɑ:nɪʃ] **1.** *v/t tech.* matt *or* blind machen; *ideals, reputation*: trüben; *v/i* matt *or* trüb werden, anlaufen; **2.** *s* Trübung *f*; Belag *m*.

tart [tɑ:t] **1.** *adj* □ sauer, herb; *fig.* scharf, beißend; **2.** *s esp. Br.* Obstkuchen *m*, (Obst)Torte *f*; *sl.* Flittchen *n*.

tar•tan ['tɑ:tn] *s* Tartan *m*; Schottentuch *n*; Schottenmuster *n*.

task [tɑ:sk] *s* Aufgabe *f*; Arbeit *f*; ***take to* ~** zur Rede stellen; **~ *force*** *s mar., mil.* Sonder-, Spezialeinheit *f*; Sonderdezernat *n* (*of police*).

tas•sel ['tæsl] *s* Troddel *f*, Quaste *f*.

taste [teɪst] **1.** *s* Geschmack *m*; (Kost-)Probe *f*; Neigung *f*, Vorliebe *f* (***for*** für, zu); **2.** *v/t* kosten; (ab)schmecken; *food*: probieren, versuchen; *v/i* schmecken (***of*** nach); **~•ful** *adj* □ schmackhaft; *fig.* geschmackvoll; **~•less** *adj* □ fad(e); *fig.* geschmacklos.

tast•y ['teɪstɪ] *adj* □ (**-*ier*, -*iest***) schmackhaft; *sl. music, woman, etc.*: F super, spitze.

ta-ta F [tæ'tɑ:] *int* auf Wiedersehen!

tat•ter ['tætə] *s* Fetzen *m*.

tat•tle F ['tætl] **1.** *v/i* klatschen, tratschen; **2.** *s* Klatsch *m*, Tratsch *m*.

tat•too [tə'tu:] **1.** *s* (*pl* **-*toos***) *mil.* Zapfenstreich *m*; Tätowierung *f*; **2.** *v/i fig.* trommeln (***at, an*** gegen, an *acc*); *v/t* tätowieren.

taught [tɔ:t] *pret and pp of* ***teach***.

taunt [tɔ:nt] **1.** *s* Stichelei *f*, Spott *m*; **2.** *v/t* verhöhnen, verspotten.

taut [tɔ:t] *adj* □ straff; angespannt.

tav•ern *dated* ['tævn] *s* Wirtshaus *n*,

Schenke *f*.

taw•dry ['tɔːdrɪ] *adj* □ (*-ier, -iest*) billig, geschmacklos; knallig.

taw•ny ['tɔːnɪ] *adj* (*-ier, -iest*) gelbbraun.

tax [tæks] **1.** *s* Steuer *f*, Abgabe *f*; *fig.* Belastung *f* (***on, upon*** *gen*); → ***incentive, include***; **2.** *v/t* besteuern; *fig.* strapazieren, auf e-e harte Probe stellen; *j-n* zur Rede stellen; **~ *s.o. with s.th.*** *j-n* e-r Sache beschuldigen; **~•a•tion** [tæk'seɪʃn] *s* Besteuerung *f*; Steuer(n *pl*) *f*; ***double*** **~** *econ.* Doppelbesteuerung *f*.

tax•i F ['tæksɪ] **1.** *s a.* **~*-cab*** Taxi *n*, Taxe *f*; **2.** *v/i* (**~*ing, taxying***) *aer.* rollen; **~ driv•er** *s* Taxifahrer(in); **~ rank**, *esp. Am.* **~ stand** *s* Taxistand *m*.

tax|pay•er ['tækspeɪə] *s* Steuerzahler(in); **~ re•turn** *s* Steuererklärung *f*.

tea [tiː] *s* Tee *m*; → ***high tea***; **~•bag** *s* Tee-, Aufgussbeutel *m*.

teach [tiːtʃ] *v/t* (***taught***) lehren, unterrichten, *j-m et.* beibringen; **~•a•ble** *adj* gelehrig; lehrbar; **~•er** *s* Lehrer(in); **~-in** *s* Teach-in *n*.

tea|-co•sy ['tiːkəʊzɪ] *s* Teewärmer *m*; **~•cup** *s* Teetasse *f*; ***storm in a* ~** *fig.* Sturm *m* im Wasserglas; **~•ket•tle** *s* Tee-, Wasserkessel *m*.

team [tiːm] *s* Team *n*, Arbeitsgruppe *f*; Gespann *n*; *sports and fig.*: Mannschaft *f*, Team *n*; **~•ster** *s Am.* Lkw-Fahrer *m*; **~•work** *s* Zusammenarbeit *f*, Teamwork *n*; Zusammenspiel *n*.

tea•pot ['tiːpɒt] *s* Teekanne *f*.

tear[1] [teə] **1.** *v/t and v/i* (***tore, torn***) zerren; (zer)reißen; rasen; **2.** *s* Riss *m*.

tear[2] [tɪə] *s* Träne *f*; ***in* ~*s*** weinend, in Tränen (aufgelöst); **~•ful** *adj* □ tränenreich; weinend.

tea•room ['tiːrʊm] *s* Teestube *f*.

tease [tiːz] *v/t* necken, hänseln; ärgern.

teat [tiːt] *s zo.* Zitze *f*; *anat.* Brustwarze *f* (*of woman*); (Gummi)Sauger *m*.

tech•ni•cal ['teknɪkl] *adj* □ technisch; *fig.* rein formal; Fach...; **~•i•ty** [ˌ'kælətɪ] *s* technische Besonderheit *or* Einzelheit; Fachausdruck *m*; reine Formsache.

tech•ni•cian [tek'nɪʃn] *s* Techniker(in); Facharbeiter(in).

tech•nique [tek'niːk] *s* Technik *f*, Verfahren *n*, Methode *f*.

tech•no•crat ['teknəkræt] *s* Technokrat(in).

tech•nol•o•gy [tek'nɒlədʒɪ] *s* Technologie *f*, Technik *f*; **~ trans•fer** *s* Technologietransfer *m*.

ted•dy| bear ['tedɪbeə] *s* Teddybär *m*; **ℒ boy** *s esp. Br.* (*in the 1950's*) Halbstarke(r) *m*.

te•di•ous ['tiːdɪəs] *adj* □ langweilig, ermüdend; *style*: *a.* weitschweifig.

teen [tiːn] → ***teenage(d), teenager.***

teen|age(d) ['tiːneɪdʒ(d)] *adj* im Teenageralter; für Teenager; **~•ag•er** *s* Teenager *m*.

teens [tiːnz] *s pl* Teenageralter *n*; Teenager *pl*; ***be in one's* ~** ein Teenager sein.

tee•ny[1] F ['tiːnɪ] *s* Teeny *m*.

tee•ny[2] F [ˌ], *a.* **~-wee•ny** F [ˌ'wiːnɪ] *adj* (*-ier, -iest*) klitzeklein, winzig.

tee shirt ['tiːʃɜːt] → ***T-shirt.***

teeth [tiːθ] *pl of* ***tooth***; **~e** [tiːð] *v/i* zahnen, Zähne bekommen.

tee•to•tal•(l)er [tiː'təʊtlə] *s* Abstinenzler(in).

tel. ***telephone*** (***number***) Tel., Telefon(-nummer *f*) *n*.

tel•e|book ['telɪbʊk] *s to a TV series*: Begleitbuch *n*; **~•cast 1.** *s* Fernsehsendung *f*; **2.** *v/t* (***-cast***) im Fernsehen übertragen *or* bringen; **~•com•mu•ni•ca•tions** *s pl* Telekommunikation *f*; **~•con•fe•rence** *s* Telekonferenz *f*; **~•course** *s* Fernsehlehrgang *m*, -kurs *m*; **~•fax** → ***fax***; **~•gram** *s* Telegramm *n*.

tel•e•graph ['telɪgrɑːf] **1.** *s* Telegraf *m*; **2.** *v/t* telegrafieren; **~•ese** [ˌgrə'fiːz] *s* Telegrammstil *m*; **~•ic** [ˌ'græfɪk] *adj* (**~*ally***) telegrafisch; im Telegrammstil; **te•leg•ra•phy** [tɪ'legrəfɪ] *s* Telegrafie *f*.

tel•e•phone ['telɪfəʊn] **1.** *s* Telefon *n*, Fernsprecher *m*; **2.** *v/i and v/t* telefonieren; anrufen; **~ booth** *esp. Am.*, **~ box** *s Br.* Telefonzelle *f*; **tel•e•phon•ic** [ˌ'fɒnɪk] *adj* (**~*ally***) telefonisch.

tel•e|pho•to lens *phot.* [telɪfəʊtəʊ'lenz] *s* Teleobjektiv *n*; **~•print•er** *s* Fernschreiber *m*; **~•scope** ['ˌskəʊp] **1.** *s* Fernrohr *n*; **2.** *v/i and v/t* (sich) ineinanderschieben; **~•type•writ•er** *Am.* [ˌ'taɪpraɪtə] *s* Fernschreiber *m*; **~•vise** ['ˌvaɪz] *v/t* im Fernsehen übertragen *or* bringen; **~•vi•sion** ['ˌvɪʒn] *s* Fernsehen *n*; ***be on* ~** im Fernsehen kommen; ***watch* ~** fernsehen; *a.* **~ *set*** Fernsehapparat *m*, -gerät *n*.

T

tel•ex ['teleks] **1.** *s* Telex *n*, Fernschreiben *n*; **2.** *v/t j-m et.* telexen *or* per Fernschreiben mitteilen.
tell [tel] (***told***) *v/t* sagen, erzählen; *see*: erkennen, nennen; *distinguish*: unterscheiden; *count*: zählen; ***~ s.o. to do s.th.*** *j-m* sagen, er solle et. tun; ***~ off*** abzählen; F abkanzeln; *v/i* erzählen (***of*** von; ***about*** über *acc*); sich auswirken (***on*** auf *acc*); sitzen (*punch, etc.*); ***~ on s.o.*** *j-n* verpetzen; ***you never can ~*** man kann nie wissen; **~•er** *s esp. Am.* (Bank)Kassierer *m*; **~•ing** *adj* ☐ wirkungsvoll; aufschlussreich, vielsagend; **~•tale 1.** *s* Klatschbase *f*, Petze *f*; **2.** *adj fig.* verräterisch.
tel•ly *Br.* F ['telɪ] *s* Fernseher *m*.
temp F [temp] **1.** Zeitarbeitskraft *f*; **2.** *v/i* Zeitarbeit machen; **~ a•gen•cy** *s* F Zeitarbeitsunternehmen *n*.
tem•per ['tempə] **1.** *v/t* mäßigen, mildern; *tech.* tempern; *metal*: härten; **2.** *s tech.* Härte(grad *m*) *f*; Temperament *n*, Charakter *m*; Laune *f*, Stimmung *f*; Wut *f*; ***keep one's ~*** sich beherrschen; ***lose one's ~*** in Wut geraten.
tem•pe|ra•ment ['tempərəmənt] *s* Temperament *n*; **~•ra•men•tal** [~'mentl] *adj* ☐ von Natur aus; launisch; **~•rance** *s* Mäßigkeit *f*; Enthaltsamkeit *f*; **~•rate** ['~rət] *adj* ☐ gemäßigt; zurückhaltend; maßvoll; mäßig; **~•ra•ture** ['~prətʃə] *s* Temperatur *f*.
tem|pest ['tempɪst] *s* Sturm *m*; Gewitter *n*; **~•pes•tu•ous** [tem'pestʃʊəs] *adj* ☐ stürmisch; ungestüm.
tem•ple ['templ] *s* Tempel *m*; *anat.* Schläfe *f*.
tem•po|ral ['tempərəl] *adj* ☐ zeitlich; weltlich; **~•ra•ry** *adj* ☐ zeitweilig; vorläufig; vorübergehend; Not…, (Aus-)Hilfs…, Behelfs…
tempt [tempt] *v/t j-n* versuchen; verleiten; (ver)locken; **temp•ta•tion** [~'teɪʃn] *s* Versuchung *f*; Reiz *m*; **~•ing** *adj* ☐ verführerisch.
ten [ten] **1.** *adj* zehn; **2.** *s* Zehn *f*.
ten•a•ble ['tenəbl] *adj* haltbar (*theory, etc.*); verliehen (*office*).
te•na|cious [tɪ'neɪʃəs] *adj* zäh; gut (*memory*); ***be ~ of s.th.*** zäh an et. festhalten; **~•ci•ty** [tɪ'næsətɪ] *s* Zähigkeit *f*; Festhalten *n*; Verlässlichkeit *f* (*of memory*).
ten•ant ['tenənt] *s* Pächter *m*; Mieter *m*.
tend [tend] *v/i* sich bewegen, streben (***to*** nach, auf *acc* … zu); *fig.* tendieren, neigen (***to*** zu); *v/t* pflegen; hüten; *tech.* bedienen; **ten•den•cy** *s* Tendenz *f*; Richtung *f*; Neigung *f*; Zweck *m*.
ten•der ['tendə] **1.** *adj* ☐ zart; weich; empfindlich; heikel (*subject*); sanft, zart, zärtlich; **2.** *s* Angebot *n*; *econ.* Kostenvoranschlag *m*; *rail., mar.* Tender *m*; ***legal ~*** gesetzliches Zahlungsmittel; **3.** *v/i econ.*: **~ *for*** ein Angebot machen für; *v/t resignation*: einreichen; **~•foot** *s* (*pl* ***-foots, -feet***) *Am.* F Neuling *m*, Anfänger *m*; **~•loin** *s* Filet *n*; **~•ness** *s* Zartheit *f*; Zärtlichkeit *f*.
ten•don *anat.* ['tendən] *s* Sehne *f*.
ten•dril *bot.* ['tendrɪl] *s* Ranke *f*.
ten•e•ment ['tenɪmənt] *s* Mietwohnung *f*; *a.* ***~ house*** Mietshaus *n*, *contp.* Mietskaserne *f*.
ten•nis ['tenɪs] *s* Tennis *n*; **~ court** *s* Tennisplatz *m*.
ten•or ['tenə] *s* Fortgang *m*, Verlauf *m*; Inhalt *m*, 'Tenor *m*; *mus.* Te'nor *m*.
tense [tens] **1.** *s gr.* Zeit(form) *f*, Tempus *n*; **2.** *adj* ☐ (***~r, ~st***) gespannt (*a. fig.*); straff; (über)nervös, verkrampft; **tension** *s* Spannung *f*.
tent [tent] **1.** *s* Zelt *n*; **2.** *v/i* zelten.
ten•ta•cle *zo.* ['tentəkl] *s* Fühler *m*; Fangarm *m* (*of octopus*).
ten•ta•tive ['tentətɪv] *adj* ☐ versuchend; Versuchs…; vorsichtig, zögernd, zaghaft; ***~ly*** versuchsweise.
ten•ter•hooks *fig.* ['tentəhʊks] *s pl*: ***be on ~*** wie auf (glühenden) Kohlen sitzen.
tenth [tenθ] **1.** *adj* zehnte(r, -s); **2.** *s* Zehntel *n*; **~•ly** ['~lɪ] *adv* zehntens.
tent|-peg ['tentpeg] *s* Hering *m*; **~ pole** *s* Zeltstange *f*.
ten•u•ous ['tenjʊəs] *adj* ☐ dünn; zart, fein; *fig.* dürftig.
ten•ure ['tenjʊə] *s* Besitz(art *f*, -dauer *f*) *m*; ***~ of office*** Amtsdauer *f*.
tep•id ['tepɪd] *adj* ☐ lau(warm).
term [tɜːm] **1.** *s* (bestimmte) Zeit, Dauer *f*; Frist *f*; Termin *m*; Zahltag *m*; Amtszeit *f*; *jur.* Sitzungsperiode *f*; *univ.* Semester *n*, Quartal *n*, Trimester *n*; *expression*: (Fach)Ausdruck *m*, Wort *n*, Bezeichnung *f*, Begriff *m*; **~s** *pl* (Vertrags)Bedingungen *pl*; Beziehungen *pl*; ***be on good*** (***bad***) ***~s with*** gut (schlecht) stehen mit; ***we are not on***

speaking ~s wir sprechen nicht (mehr) miteinander; ***come to ~s*** sich einigen; **2.** *v/t* (be)nennen; bezeichnen.

ter•mi|nal ['tɜːmɪnl] **1.** *adj* □ End…; letzte(r, -s); *med.* unheilbar; **~ly** zum Schluss; **2.** *s* Endstück *n*; *electr.* Pol *m*; *rail., etc.*: Endstation *f*, Endbahnhof *m*; *aer.* Terminal *m, n*, Abfertigungsgebäude *n*; *computer*: Terminal *n*; **~•nate** [~neɪt] *v/t* begrenzen; beend(ig)en; *contract*: lösen, kündigen; **~•na•tion** [~'neɪʃn] *s* Beendigung *f*; Ende *n*; *gr.* Endung *f*.

ter•mi•nus ['tɜːmɪnəs] *s* (*pl* ***-ni*** [-naɪ], ***-nuses***) Endstation *f*.

ter•race ['terəs] *s* Terrasse *f*; *of houses*: Häuserreihe *f*; **~d** *adj* terrassenförmig (angelegt); **~ *house*** *Br.* Reihenhaus *n*; **~ house** *s Br.* Reihenhaus *n*.

ter•res•tri•al [tɪ'restrɪəl] *adj* □ irdisch; Erd…; *zo., bot.* Land…; *TV*: terrestrisch.

ter•ri•ble ['terəbl] *adj* □ schrecklich.

ter•rif•ic F [tə'rɪfɪk] *adj* (***~ally***) toll, fantastisch; irre (*speed, heat, etc.*).

ter•ri•fy ['terɪfaɪ] *v/t j-m* Angst u. Schrecken einjagen.

ter•ri•to|ri•al [terɪ'tɔːrɪəl] *adj* □ territorial, Land…; **~•ry** ['terɪtərɪ] *s* Territorium *n*, (Hoheits-, Staats)Gebiet *n*.

ter•ror ['terə] *s* Entsetzen *n*; Terror *m*; **~•is•m** *s* Terrorismus *m*; **~•ist** *s* Terrorist(in); **~•ist cell** *s* Terrorzelle *f*; **~•ist net•work** *s* Terrornetzwerk *n*; **~•ize** *v/t* terrorisieren.

terse [tɜːs] *adj* □ (***~r, ~st***) knapp; kurz u. bündig.

test [test] **1.** *s* Probe *f*; Versuch *m*; Test *m*; Untersuchung *f*; (Eignungs)Prüfung *f*; *chem.* Reagens *n*; **2.** *v/t* probieren; prüfen; testen; **3.** *adj* Probe…, Versuchs…, Test…

tes•ta•ment ['testəmənt] *s* Testament *n*; ***last will and ~*** *jur.* Testament *n*.

tes•ti•cle *anat.* ['testɪkl] *s* Hoden *m*.

tes•ti•fy ['testɪfaɪ] *v/t* bezeugen; *v/i* (als Zeuge) aussagen.

tes•ti•mo|ni•al [testɪ'məʊnɪəl] *s* (Führungs)Zeugnis *n*; Zeichen *n* der Anerkennung; **~•ny** ['testɪmənɪ] *s jur.* Zeugenaussage *f*; Beweis *m*.

test-tube ['testtjuːb] *s chem.* Reagenzglas *n*; **~ ba•by** *s* Retortenbaby *n*.

tes•ty ['testɪ] *adj* □ (***-ier, -iest***) gereizt, reizbar, kribbelig.

teth•er ['teðə] **1.** *s* Haltestrick *m*; *fig.* Spielraum *m*; ***at the end of one's ~*** *fig.* am Ende s-r Kräfte; **2.** *v/t* anbinden.

text [tekst] *s* Text *m*; Wortlaut *m*; **~•book** *s* Lehrbuch *n*.

tex•tile ['tekstaɪl] **1.** *adj* Textil…, Gewebe…; **2.** *s*: **~s** *pl* Textilwaren *pl*, Textilien *pl*.

text| in•put [tekst'ɪnpʊt] *s computer*: Texteingabe *f*; **~ pro•cess•ing** *s computer*: Textverarbeitung *f*.

tex•ture ['tekstʃə] *s* Gewebe *n*; Gefüge *n*; Struktur *f*.

Thai•land ['taɪlænd] Thailand *n*.

Thames [temz] *die* Themse

than [ðæn, ðən] *cj* als.

thank [θæŋk] **1.** *v/t* danken (*dat*); ***~ you*** danke; ***no, ~ you*** nein, danke; (***yes,***) ***~ you*** ja, bitte; **2.** *s*: **~s** *pl* Dank *m*; **~s** danke (schön); ***no, ~s*** nein, danke; ***~s to*** dank (*dat or gen*); **~•ful** *adj* □ dankbar; **~•less** *adj* □ undankbar (*a. job*); **~s•giving** *s* Dankgebet *n*; ♀ (***Day***) *Am.* Erntedankfest *n*.

that [ðæt, ðət] **1.** *pron and adj* (*pl* ***those*** [ðəʊz]) jene(r, -s), der, die, das, der-, die-, dasjenige; solche(r, -s); *only sg*: das; F … ***and all ~*** F … und so; ***~ is*** (***to say***) das heißt; ***~'s it!*** das wär's!, *showing approval*: richtig so!; **2.** *adv* F so, dermaßen; ***~ much*** so viel; **3.** *rel pron* (*pl* ***that***) der, die, das, welche(r, -s); **4.** *cj* dass; damit; weil; da, als.

thatch [θætʃ] **1.** *s* Reet *n*; Strohdach *n*; **2.** *v/t* mit Stroh decken.

thaw [θɔː] **1.** *s* Tauwetter *n*; (Auf)Tauen *n*; **2.** *v/t and v/i* (auf)tauen.

the [ðiː; *before vowel*: ðɪ; *before consonant*: ðə] **1.** *def art* der, die, das, *pl* die; **2.** *adv* desto, umso; **~ … ~** je …, desto.

the•a•tre, *Am.* **-ter** ['θɪətə] *s* Theater *n*; *fig.* Schauplatz *m*; **the•at•ri•cal** [θɪ'ætrɪkl] *adj* □ Theater…; *fig.* theatralisch.

theft [θeft] *s* Diebstahl *m*.

their [ðeə] *poss pron pl* ihr(e); **~s** [~z] *poss pron* der (die, das) ihrige *or* ihre.

them [ðem, ðəm] *pron* sie (*acc pl*); ihnen.

theme [θiːm] *s* Thema *n*; *film, TV*: Melodie *f*.

them•selves [ðəm'selvz] *pron* sie (*acc pl*) selbst; sich (selbst).

T

then [ðen] **1.** *adv* dann; damals; da; denn; also, folglich; ***by ~*** bis dahin; inzwischen; ***every now and ~*** ab und zu, gelegentlich; ***there and ~*** sofort; ***now ~*** also (nun); ***but ~*** andererseits aber; **2.** *attr adj* damalig.

the•ol•o•gy [θɪˈɒlədʒɪ] *s* Theologie *f*.

the•o|ret•ic [θɪəˈretɪk] (**~ally**), **~•ret•i•cal** *adj* □ theoretisch; **~•re•ti•cian** [-rəˈtɪʃn] *s*, **~•rist** [ˈθɪərɪst] *s* Theoretiker(in); **~•ry** [ˈθɪərɪ] *s* Theorie *f*.

ther•a|peu•tic [θerəˈpjuːtɪk] *adj* (**~ally**) therapeutisch; **~•pist** [ˈ-pɪst] *s* Therapeut(in); **~•py** [ˈ-pɪ] *s* Therapie *f*.

there [ðeə] *adv* da, dort; darin; (da-, dort)hin; *int* da!, na!; ***~ is***, *pl* ***~ are*** es gibt, es ist, es sind; ***~ you are!*** *giving s.th. to s.o.*: bitte sehr!, *spotting s.o.*: da bist du ja!; ***we are getting ~*** wir schaffen es (schon); **~•a•bout(s)** *adv* da herum; so ungefähr; **~•af•ter** *adv* danach; **~•by** *adv* dadurch; **~•fore** *adv* darum, deswegen, deshalb, daher; **~•up•on** *adv* darauf(hin); **~•with** *adv* damit.

ther•mal [ˈθɜːml] **1.** *adj* □ Thermal…; *phys.* thermisch, Wärme…; **2.** *s* Thermik *f*; **ther•mom•e•ter** [θəˈmɒmɪtə] *s* Thermometer *n*.

Ther•mos *TM* [ˈθɜːməs] *s a.* ***~ flask*** Thermosflasche *f TM*.

these [ðiːz] *pl of* ***this***.

the•sis [ˈθiːsɪs] *s* (*pl* ***-ses*** [-siːz]) These *f*; Dissertation *f*.

they [ðeɪ] *pron pl* sie; man.

thick [θɪk] **1.** *adj* □ dick; *hair, forest*: *a.* dicht; *liquid*: trüb; *soup*: legiert; *accent*: stark; F dumm; F *very friendly*: F dick befreundet; ***~ with*** über und über bedeckt von; voll von, voller; ***that's a bit ~!*** *sl.* das ist ein starkes Stück!; **2.** *s* dickster Teil; *fig.* Brennpunkt *m*; ***in the ~ of*** mitten in (*dat*); **~•en** *v/t and v/i* (sich) verdicken; (sich) verstärken; legieren; (sich) verdichten; dick(er) werden; **~•et** *s* Dickicht *n*; **~-head•ed** *adj* dumm; **~•ness** *s* Dicke *f*, Stärke *f*; Dichte *f*; **~•skinned** *adj fig.* dickfellig.

thief [θiːf] *s* (*pl* ***thieves*** [θiːvz]) Dieb(in); **thieve** [θiːv] *v/i and v/t* stehlen.

thigh *anat.* [θaɪ] *s* (Ober)Schenkel *m*.

thim•ble [ˈθɪmbl] *s* Fingerhut *m*.

thin [θɪn] **1.** *adj* □ (***-nn-***) dünn; *hair, forest*: *a.* licht; *not fat*: mager; *sparse*: spärlich, dürftig, schwach; *excuse*: fadenscheinig; **2.** *v/t and v/i* (***-nn-***) verdünnen; (sich) lichten; abnehmen.

thing [θɪŋ] *s* Ding *n*; Sache *f*; Gegenstand *m*; Geschöpf *n*; ***~s*** *pl* Sachen *pl*; die Dinge *pl* (*circumstances*); ***the ~*** das Richtige.

think [θɪŋk] (***thought***) *v/i* denken (***of*** an *acc*); überlegen, nachdenken (***about*** über *acc*); ***~ of*** sich erinnern an (*acc*); sich *et.* ausdenken; ***~ of doing s.th.*** beabsichtigen, et. zu tun; ***it made me ~*** es machte mich nachdenklich; ***~ again!*** denk noch mal nach; ***what do you ~ of …?*** was hältst du von …?; *v/t et.* denken; meinen, glauben; sich vorstellen; halten für; *et.* halten (***of*** von); beabsichtigen, vorhaben; ***~ s.th. over*** sich et. überlegen, über et. nachdenken.

third [θɜːd] **1.** *adj* dritte(r, -s); **2.** *s* Drittel *n*; **~•ly** *adv* drittens; **~-rate** *adj* drittklassig.

thirst [θɜːst] *s* Durst *m*; **~•y** *adj* □ (***-ier, -iest***) durstig; dürr (*land*); ***be ~*** Durst haben, durstig sein.

thir|teen [θɜːˈtiːn] **1.** *adj* dreizehn; **2.** *s* Dreizehn *f*; **~•teenth** [-iːnθ] *adj* dreizehnte(r, -s); **~•tieth** [ˈθɜːtɪɪθ] *adj* dreißigste(r, -s); **~•ty** [ˈθɜːtɪ]; **1.** *adj* dreißig; **2.** *s* Dreißig *f*.

this [ðɪs] *pron and adj* (*pl* ***these*** [ðiːz]) diese(r, -s); ***~ morning*** heute Morgen; ***~ is John speaking*** *teleph.* hier (spricht) John.

this•tle *bot.* [ˈθɪsl] *s* Distel *f*.

thorn [θɔːn] *s* Dorn *m*; **~•y** *adj* (***-ier, -iest***) dornig; *fig.* schwierig; heikel.

thor•ough [ˈθʌrə] *adj* □ gründlich, genau; vollkommen; vollständig, völlig; vollendet; **~•bred** *s* Vollblut(pferd) *n*; *attr* Vollblut…; **~•go•ing** *adj* gründlich; kompromisslos; durch und durch.

those [ðəʊz] *pl of* ***that*** 1.

though [ðəʊ] *cj* obwohl, wenn auch; zwar; *adv* jedoch, doch; ***as ~*** als ob.

thought [θɔːt] **1.** *pret and pp of* ***think***; **2.** *s* Gedanke *m*, Einfall *m*; (Nach)Denken *n*; ***on second ~s*** nach reiflicher Überlegung; **~•ful** *adj* □ gedankenvoll, nachdenklich; rücksichtsvoll (***of*** gegen); **~•less** *adj* □ gedankenlos, unbesonnen; rücksichtslos (***of*** gegen).

thou•sand [ˈθaʊzənd] **1.** *adj* tausend; **2.** *s* (*pl* ***~, ~s***) Tausend *n*; **~th** [-ntθ]; **1.** *adj* tausendste(r, -s); **2.** *s* Tausendstel *n*.

T

thrash [θræʃ] *v/t* verdreschen, -prügeln; *sports*: *j-m* e-e Abfuhr erteilen; **~ out** *fig.* gründlich erörtern; *v/i*: **~ about, ~ around** *in bed*: sich hin und her werfen; um sich schlagen; zappeln (*fish*); **~•ing** *s* Dresche *f*, (Tracht *f*) Prügel; *sports*: Abfuhr *f*, Schlappe *f*.
thread [θred] **1.** *s* Faden *m* (*a. fig.*); Zwirn *m*, Garn *n*; *tech.* (Schrauben-)Gewinde *n*; **2.** *v/t* einfädeln; aufreihen; *v/i fig.* sich durchwinden (**through** durch); **~•bare** *adj* fadenscheinig (*a. fig.*); *fig.* abgedroschen.
threat [θret] *s* (Be)Drohung *f*; **~•en** *v/t* (be-, an)drohen; **~•en•ing** *adj* drohend; bedrohlich.
three [θriː] **1.** *adj* drei; **2.** *s* Drei *f*; **~•fold** *adj* dreifach.
thresh *agr.* [θreʃ] *v/t and v/i* dreschen; **~•er** *s* Drescher *m*; Dreschmaschine *f*; **~•ing** *s* Dreschen *n*; **~•ing-ma•chine** *s* Dreschmaschine *f*.
thresh•old [ˈθreʃhəʊld] *s* Schwelle *f*.
threw [θruː] *pret of* **throw** 1.
thrift [θrɪft] *s* Sparsamkeit *f*, Wirtschaftlichkeit *f*; **~•less** *adj* □ verschwenderisch; **~•y** *adj* □ (**-ier, -iest**) sparsam; *poet.* blühend.
thrill [θrɪl] **1.** *v/t* erschauern lassen, erregen, packen; *v/i* (er)beben, erschauern, zittern; **2.** *s* Zittern *n*, Erregung *f*; (Nerven)Kitzel *m*, Sensation *f*; Beben *n*; **~•er** *s* Reißer *m*, Thriller *m* (*film, etc.*); **~•ing** *adj* spannend, aufregend.
thrive [θraɪv] (**thrived** *or* **throve, thrived** *or* **thriven**) *v/i* gedeihen; *fig.* blühen; Erfolg haben.
throat [θrəʊt] *s* Kehle *f*, Gurgel *f*; Hals *m*; **clear one's ~** sich räuspern.
throb [θrɒb] **1.** *v/i* (**-bb-**) (heftig) pochen, klopfen, schlagen; pulsieren; **2.** *s* Pochen *n*; Schlagen *n*; Pulsschlag *m*.
throm•bo•sis *med.* [θrɒmˈbəʊsɪs] *s* (*pl* **-ses** [-siːz]) Thrombose *f*.
throne [θrəʊn] *s* Thron *m*.
throng [θrɒŋ] **1.** *s* Gedränge *n*; (Menschen)Menge *f*; **2.** *v/i and v/t* sich drängen (in *dat*); **be ~ed with** wimmeln von.
throt•tle [ˈθrɒtl] **1.** *v/t* erdrosseln; *v/i*: **~ back, ~ down** *mot., tech.* drosseln, Gas wegnehmen; **2.** *s a.* **~-valve** *mot., tech.* Drosselklappe *f*.
through [θruː] **1.** *prp* durch; hindurch; *Am.* (von ...) bis; **Monday ~ Friday** *Am.* von Montag bis Freitag; **live ~ s.th.** *survive*: et. überleben; *experience*: et. erleben; **2.** *adj* Durchgangs...; durchgehend; **~ car** *Am.*, **~ carriage, ~ coach** *Br. rail.* Kurswagen *m*; **~ flight** *aer.* Direktflug *m*; **~ travel(l)er** Transitreisende(r *m*) *f*; **~•out**; **1.** *prp* überall in (*dat*); während; **2.** *adv* durch und durch, ganz und gar, durchweg; **~•put** *s econ. computer*: Durchsatz *m*, Leistung *f*; **~ traf•fic** *s* Durchgangsverkehr *m*; **~•way** *s Am.* Schnellstraße *f*.
throve [θrəʊv] *pret of* **thrive.**
throw [θrəʊ] **1.** (**threw, thrown**) *v/t* (ab-)werfen, schleudern; *Am. competition, etc.*: absichtlich verlieren; *dice*: werfen, *number*: würfeln; *tech.* ein-, ausschalten; **~ away** wegwerfen; *money*: verschwenden; **~ over** *fig.* aufgeben (*friend, etc.*); **~ up** hochwerfen; *fig.* et. aufgeben, hinwerfen (*job, etc.*); *v/i*: **~ up** F *vomit*: erbrechen, sich übergeben; **2.** *s* Wurf *m*; **~•a•way** *adj* Wegwerf...; Einweg...; **~ price** Schleuderpreis *m*; **~ society** Wegwerfgesellschaft *f*; **~n** *pp of* **throw** 1.
thrush *zo.* [θrʌʃ] *s* Drossel *f*.
thrust [θrʌst] **1.** *s* Stoß *m*; Vorstoß *m*; *tech.* Druck *m*, Schub *m*; **2.** *v/t* (**thrust**) stoßen; stecken, schieben; **~ o.s. into** sich drängen in (*acc*); **~ s.th. upon s.o.** *j-m* et. aufdrängen.
thud [θʌd] **1.** *v/i* (**-dd-**) dumpf (auf)schlagen, F bumsen; **2.** *s* dumpfer (Auf-)Schlag, F Bums *m*.
thug [θʌg] *s* (Gewalt)Verbrecher *m*, Schläger *m*.
thumb [θʌm] **1.** *s* Daumen *m*; **2.** *v/t*: **~ a lift** *or* **ride** per Anhalter fahren; **well-~ed** *book, etc.*: abgegriffen; *v/i*: **~ through a book** ein Buch durchblättern; **~•tack** *s Am.* Reißzwecke *f*, -nagel *m*.
thump [θʌmp] **1.** *s* dumpfer Schlag; **2.** *v/t* heftig schlagen *or* hämmern *or* pochen gegen *or* auf (*acc*); *v/i* (auf)schlagen; (laut) pochen (*heart*).
thun•der [ˈθʌndə] **1.** *s* Donner *m*; **2.** *v/i and v/t* donnern; **~•bolt** *s* Blitz *m* (und Donner *m*); **~•clap** *s* Donnerschlag *m*; **~•ous** *adj* □ donnernd; **~•storm** *s* Gewitter *n*; **~•struck** *adj fig.* wie vom Donner gerührt.
Thu•rin•gia [θjʊəˈrɪndʒɪə] Thüringen *n*.
Thurs•day [ˈθɜːzdɪ] *s* Donnerstag *m*.
thus [ðʌs] *adv* so; also, somit.

T

thwart [θwɔːt] **1.** *v/t* durchkreuzen, vereiteln; **2.** *s* Ruderbank *f.*
Ti•bet [tɪ'bet] Tibet *n.*
tick[1] *zo.* [tɪk] *s* Zecke *f.*
tick[2] [~] **1.** *s* Ticken *n*; (Vermerk)Häkchen *n*, Haken *m*; **2.** *v/i* ticken; *v/t* anhaken; **~ *off*** abhaken.
tick[3] [~] *s of pillow*: Inlett *n*; *of mattress*: Matratzenbezug *m.*
tick•er tape ['tɪkəteɪp] *s* Lochstreifen *m*; **~ *parade*** *esp. Am.* Konfettiparade *f.*
tick•et ['tɪkɪt] **1.** *s* Fahrkarte *f*, -schein *m*; Flugkarte *f*, Ticket *n*; (Eintritts-, Theater- *etc.*) Karte *f*; *mot.* Strafzettel *m*, gebührenpflichtige Verwarnung; Etikett *n*, Schildchen *n*, (Preis- *etc.*) Zettel *m*; *esp. Am. pol.* (Wahl-, Kandidaten)Liste *f*; **2.** *v/t* etikettieren, *goods*: auszeichnen; **~-can•cel•(l)ing machine** *s* (Fahrschein)Entwerter *m*; **~ col•lec•tor** *s rail.* (Bahnsteig)Schaffner(in), Fahrkartenkontrolleur(in); **~ ma•chine** *s a.* ***automatic ~*** Fahrkartenautomat *m*; **~ of•fice** *s rail.* Fahrkartenschalter *m*; *thea.* Kasse *f.*
tick|le ['tɪkl] *v/t and v/i* kitzeln (*a. fig.*); **~•lish** *adj* □ kitz(e)lig; *fig.* heikel.
tid•al ['taɪdl] *adj* Gezeiten…; **~ *wave*** Flutwelle *f.*
tid•bit *Am.* ['tɪdbɪt] → ***titbit.***
tide [taɪd] **1.** *s* Gezeiten *pl*; Ebbe *f* und Flut *f*; *fig.* Strom *m*, Strömung *f*; ***high ~*** Flut *f*; ***low ~*** Ebbe *f*; **2.** *v/t*: **~ *over*** *fig. j-m* hinweghelfen über (*acc*); *j-n* über Wasser halten.
ti•dy ['taɪdɪ] **1.** *adj* □ (***-ier, -iest***) ordentlich, sauber, reinlich, aufgeräumt; F ganz schön, beträchtlich (*sum*); **2.** *s* Behälter *m*; Abfallkorb *m*; **3.** *v/t a.* **~ *up*** zurechtmachen; in Ordnung bringen; aufräumen.
tie [taɪ] **1.** *s* (Schnür)Band *n*; Schleife *f*; Krawatte *f*, Schlips *m*; *fig.* Band *n*, Bindung *f*; *fig.* (lästige) Fessel, Last *f*; *sports*: Punktegleichstand *m*, Unentschieden *n*; *parl.* Stimmengleichheit *f*; *sports*: *a.* (Ausscheidungs)Spiel *n*; *Am. rail.* Schwelle *f*; **2.** *v/t* (an-, fest-, *fig.* ver)binden; *v/i sports*: punktgleich sein; *with adverbs*: **~ *down*** *fig.* binden (***to*** an *acc*); **~ *in with*** passen zu; verbinden *or* koppeln mit; **~ *up*** zu-, an-, ver-, zusammenbinden; **~-break(•er)** *s tennis*: Tiebreak *m*, *n*; **~-in** *s econ.* KoppIungsgeschäft *n*, -verkauf *m*; ***a book movie ~*** *Am. appr.* das Buch zum Film; **~-up** *s* (Ver)Bindung *f*; *econ.* Fusion *f*; Stockung *f*; *esp. Am.* Streik *m.*
ti•ger *zo.* ['taɪgə] *s* Tiger *m.*; **~ e•con•o•my** *s econ.* Tigerstaat *m.*
tight [taɪt] **1.** *adj* □ dicht; fest; eng; knapp (sitzend); straff, (an)gespannt; *econ.* knapp; F blau, besoffen; F knick(e)rig, geizig; ***be in a ~ corner*** *or* ***place*** *or* F ***spot*** *fig.* in der Klemme sein; **2.** *adv* fest; ***hold ~*** festhalten; **~•en** *v/t* fest-, anziehen; *belt*: enger schnallen; *a.* **~ *up*** (*v/i* sich) zusammenziehen; **~-fist•ed** *adj* knick(e)rig, geizig; **~•ness** *s* Festigkeit *f*; Dichte *f*; Straffheit *f*; Knappheit *f*; Enge *f*; Geiz *m*; **~s** *s pl* (Tänzer- *etc.*) Trikot *n*; *esp. Br.* Strumpfhose *f.*
ti•gress *zo.* ['taɪgrɪs] *s* Tigerin *f.*
tile [taɪl] **1.** *s* (Dach)Ziegel *m*; Kachel *f*; Platte *f*; Fliese *f*; **2.** *v/t* (mit Ziegeln *etc.*) decken; kacheln; fliesen.
till[1] [tɪl] *s* (Laden)Kasse *f.*
till[2] [~] **1.** *prp* bis (zu); **2.** *cj* bis.
tilt [tɪlt] **1.** *s* Kippen *n*; Neigung *f*; Stoß *m*; **2.** *v/i and v/t* (um)kippen.
tim•ber ['tɪmbə] **1.** *s* (Bau-, Nutz)Holz *n*; *aer.* Spant *m*; Baumbestand *m*, Bäume *pl*; **2.** *v/t* zimmern; **~ed** *adj a.* ***half-~*** Fachwerk…
time [taɪm] **1.** *s* Zeit *f*; Uhrzeit *f*; Frist *f*; Mal *n*; *mus.* Takt *m*; Tempo *n*; **~s** *pl* mal, …mal; **~ *is up*** die Zeit ist um *or* abgelaufen; ***for the ~ being*** vorläufig; ***have a good ~*** sich gut unterhalten *or* amüsieren; ***what's the ~?, what ~ is it?*** wie viel Uhr ist es?, wie spät ist es?; **~ *and again*** immer wieder; ***all the ~*** ständig, immer; ***at a ~*** auf einmal, zusammen; ***at any ~, at all ~s*** jederzeit; ***at the same ~*** gleichzeitig, zur selben Zeit; ***in ~*** rechtzeitig; ***in no ~*** im Nu, im Handumdrehen; ***on ~*** pünktlich; **2.** *v/t* messen, (ab)stoppen; zeitlich abstimmen; timen (*a. sports*), den richtigen Zeitpunkt wählen *or* bestimmen für; **~ card** *s* Stechkarte *f*; **~ clock** *s* Stechuhr *f*; **~-con•sum•ing** *adj* zeitraubend; **~•keep•er** *s sports* Zeitnehmer(in); **~ lim•it** *s* zeitliche Begrenzung; Frist *f*; **~•ly** *adj* rechtzeitig; **~ man- age•ment** *s* Zeitmanagement *n.*
tim•er ['taɪmə] *s* Timer *m*, Schaltuhr *f.*
time| sheet ['taɪmʃiːt] *s* Stechkarte *f*; **~ sig•nal** *s radio*, *TV*: Zeitzeichen *n*;

T

~•ta•ble *s* Terminkalender *m*; Fahr-, Flug-, Stundenplan *m*.

tim|id ['tɪmɪd], **~•or•ous** [~ərəs] *adj* □ ängstlich; schüchtern.

tin [tɪn] **1.** *s* Zinn *n*; Weißblech *n*; *esp. Br.* (Konserven)Dose *f*, (-)Büchse *f*; **2.** *v/t* (**-nn-**) verzinnen; *esp. Br.* (in Büchsen) einmachen, eindosen.

tinc•ture ['tɪŋktʃə] *s med.* Tinktur *f*; *fig.* Anstrich *m*.

tin•foil ['tɪnfɔɪl] *s* Stanniol(papier) *n*.

tinge [tɪndʒ] **1.** *s* Tönung *f*; *fig.* Anflug *m*, Spur *f*; **2.** *v/t* tönen, färben; *fig.* e-n Anstrich geben (*dat*).

tin•gle ['tɪŋgl] *v/i* klingen; prickeln.

tink•er ['tɪŋkə] *v/i* herumpfuschen, -basteln (***at*** an *dat*).

tin•kle ['tɪŋkl] *v/i and v/t* klingeln (mit).

tin| o•pen•er *esp. Br.* ['tɪnəʊpnə] *s* Dosenöffner *m*; **~ plate** *s* Weißblech *n*.

tin•sel ['tɪnsl] *s* Flitter *m*; Lametta *n*.

tint [tɪnt] **1.** *s* (zarte) Farbe; (Farb)Ton *m*, Tönung *f*, Schattierung *f*; **2.** *v/t* (leicht) färben; tönen.

ti•ny ['taɪnɪ] *adj* □ (***-ier, -iest***) winzig, sehr klein.

tip [tɪp] **1.** *s* Spitze *f*; Filter *m* (*of cigarette*); *for waiter, etc.*: Trinkgeld *n*; *advice*: Tipp *m*, Wink *m*; *Br. dump*: Schuttabladeplatz *m*; **2.** *v/t* (**-pp-**) mit e-r Spitze versehen; (um)kippen; *j-m* ein Trinkgeld geben; *a.* ***~ off*** *j-m* e-n Tipp *or* Wink geben.

tip•sy ['tɪpsɪ] *adj* □ (***-ier, -iest***) angeheitert.

tip•toe ['tɪptəʊ] **1.** *v/i* auf Zehenspitzen gehen; **2.** *s*: ***on ~*** auf Zehenspitzen.

tire[1] *Am.* ['taɪə] → ***tyre.***

tire[2] [~] *v/t and v/i* ermüden, müde machen *or* werden; **~d** *adj* □ müde; **~•less** *adj* □ unermüdlich; **~•some** *adj* □ ermüdend; lästig.

tis•sue ['tɪʃuː] *s* Gewebe *n*; Papiertaschentuch *n*, Papiertuch *n*; **~ pa•per** *s* Seidenpapier *n*.

tit[1] [tɪt] → ***teat.***

tit[2] *zo.* [~] *s a.* ***~mouse*** Meise *f*.

tit•bit *esp. Br.* ['tɪtbɪt] *s* Leckerbissen *m*.

ti•tle ['taɪtl] *s* (Buch-, Ehren- *etc.*) Titel *m*; Überschrift *f*; *jur.* Rechtsanspruch *m*; **~d** *adj* ad(e)lig.

tit•ter ['tɪtə] **1.** *v/i* kichern; **2.** *s* Kichern *n*.

tit•tle-tat•tle F ['tɪtltætl] **1.** *s* Tratsch *m*, Klatsch *m*; **2.** *v/i* tratschen, klatschen.

TM *econ.* ***trademark*** Wz., Warenzeichen *n*.

to [tuː, tʊ, tə] **1.** *prp* zu; gegen, nach, an, in, auf (*acc*); bis zu, bis an (*acc*); für; ***a quarter ~ one*** (ein) Viertel vor eins; ***from Monday ~ Friday*** *Br.* von Montag bis Freitag; ***~ me***, *etc.* mir *etc.*; ***here's to you!*** auf Ihr Wohl!, prosit!; **2.** *Partikel*: um zu; ***I weep ~ think of it*** ich weine, wenn ich daran denke; **3.** *adv* zu, geschlossen; ***pull ~*** *door*: zuziehen; ***come ~*** (wieder) zu sich kommen; ***~ and fro*** hin und her, auf und ab.

toad *zo.* [təʊd] *s* Kröte *f*; **~•stool** *s bot.* ungenießbarer Pilz, Giftpilz *m*; **~•y 1.** *s* Speichellecker(in); **2.** *v/i fig.* kriechen (***to*** vor *dat*).

toast [təʊst] **1.** *s* Toast *m*; Toast *m*, Trinkspruch *m*; **2.** *v/t* toasten; rösten; *fig.* wärmen; trinken auf (*acc*).

to•bac•co [tə'bækəʊ] *s* (*pl* ***-cos***) Tabak *m*; **~•nist** [~ənɪst] *s* Tabakhändler *m*.

to•bog•gan [tə'bɒgən] **1.** *s* Rodelschlitten *m*; **2.** *v/i* rodeln.

to•day [tə'deɪ] *adv* heute; heutzutage; ***a week ~, ~ week*** heute in einer Woche.

tod•dle ['tɒdl] *v/i* wackeln, auf wack(e)ligen Beinen gehen (*esp. small child*); F (dahin)zotteln; **~r** *s* Kleinkind *n*.

tod•dy ['tɒdɪ] *s appr.* Grog *m*.

to-do F [tə'duː] *s* Lärm *m*; Getue *n*, Aufheben *n*.

toe [təʊ] **1.** *s anat.* Zehe *f*; Spitze *f* (*of shoe, etc.*); → ***tread*** 1; **2.** *v/t*: ***~ the line*** sich einordnen; ***~ the party line*** linientreu sein; **~•nail** *s* Zehennagel *m*.

tof|fee, *a.* **~•fy** ['tɒfɪ] *s* Sahnebonbon *m*, *n*, Toffee *n*.

to•geth•er [tə'geðə] *adv* zusammen; zugleich; *days, etc.*: nacheinander.

toil [tɔɪl] **1.** *s* mühselige Arbeit, Mühe *f*, Plackerei *f*; **2.** *v/i* sich plagen.

toi•let ['tɔɪlɪt] *s* Toilette *f*; ***go to the ~*** auf die Toilette gehen; **~-pa•per** *s* Toilettenpapier *n*.

to•ken ['təʊkən] **1.** *s* Zeichen *n*; Andenken *n*, Geschenk *n*; *voucher*: Gutschein *m*; ***as a ~, in ~ of*** als *or* zum Zeichen (*gen*); **2.** *adj* symbolisch; Schein…, Alibi…; ***~ strike*** Warnstreik *m*.

To•kyo ['təʊkjəʊ] Tokio *n*.

told [təʊld] *pret and pp of* ***tell.***

tol•e|ra•ble ['tɒlərəbl] *adj* □ erträglich; **~•rance** *s* Toleranz *f*; Nachsicht *f*;

~•rant *adj* □ tolerant (***of*** gegen); **~•rate** ['~eɪt] *v/t* dulden; ertragen; **~•ra•tion** [~'reɪʃn] *s* Duldung *f.*

toll [təʊl] **1.** *s* Straßenbenutzungsgebühr *f*, Maut *f*; *fig.* Tribut *m*, (Zahl *f* der) Todesopfer *pl*; ***the ~ of the road*** die Verkehrsopfer *pl*; **2.** *v/i and v/t* läuten; **~•bar**, **~•gate** *s* Schlagbaum *m.*

to•ma•to *bot.* [tə'mɑːtəʊ, *Am.* tə'meɪtəʊ] *s* (*pl* ***-toes***) Tomate *f.*

tomb [tuːm] *s* Grab(mal) *n.*

tom•boy ['tɒmbɔɪ] *s girl*: Wildfang *m.*

tomb•stone ['tuːmstəʊn] *s* Grabstein *m.*

tom-cat *zo.* ['tɒmkæt] *s* Kater *m.*

to•mor•row [tə'mɒrəʊ] **1.** *adv* morgen; **2.** *s das* Morgen; ***~'s*** *paper, etc.*: morgig, von morgen.

ton [tʌn] *s unit of weight*: Tonne *f.*

tone [təʊn] **1.** *s* Ton *m*, Klang *m*, Laut *m*; (Farb)Ton *m*; **2.** *v/t* (ab)tönen; ***~ down*** (*v/i* sich) abschwächen *or* mildern.

tongs [tɒŋz] *s pl* (***a pair of ~*** e-e) Zange.

tongue [tʌŋ] *s anat.* Zunge *f*; Sprache *f*; *of shoe*: Zunge *f*, Lasche *f*; ***hold one's ~*** den Mund halten; → ***slip*** 2; **~-tied** *adj fig.* stumm, sprachlos; **~ twist•er** *s* Zungenbrecher *m.*

ton•ic ['tɒnɪk] **1.** *adj* (***~ally***) stärkend, belebend; **2.** *s mus.* Grundton *m*; Stärkungsmittel *n*, Tonikum *n.*

to•night [tə'naɪt] *adv* heute Abend *or* Nacht.

ton•nage *mar.* ['tʌnɪdʒ] *s* Tonnage *f.*

ton•sil *anat.* ['tɒnsl] *s* Mandel *f*; **~•li•tis** *med.* [tɒnsɪ'laɪtɪs] *s* Mandelentzündung *f.*

too [tuː] *adv* zu, allzu; auch, ebenfalls.

took [tʊk] *pret of* ***take*** 1.

tool [tuːl] *s* Werkzeug *n*, Gerät *n*; **~-bag** *s* Werkzeugtasche *f*; **~-box** *s* Werkzeugkasten *m*; **~-kit** *s* Werkzeugtasche *f.*

toot [tuːt] **1.** *v/i* blasen (*a. v/t*), tuten; hupen; **2.** *s* Tuten *n.*

tooth [tuːθ] *s* (*pl* ***teeth*** [tiːθ]) Zahn *m*; **~•ache** *s* Zahnschmerzen *pl*; **~•brush** *s* Zahnbürste *f*; **~•less** *adj* □ zahnlos; **~•paste** *s* Zahnpasta *f*, -creme *f*; **~•pick** *s* Zahnstocher *m.*

top[1] [tɒp] **1.** *s* ober(st)es Ende; Oberteil *n*; Spitze *f* (*a. fig.*); Gipfel *m* (*a. fig.*); *of tree*: Wipfel *m*; Kopf(ende *n*) *m*; (Topf- *etc.*) Deckel *m*; *mot.* Verdeck *n*; ***at the ~ of one's voice*** aus vollem Halse; ***on ~*** oben(auf); obendrein; ***on ~ of*** (oben) auf (*dat*); **2.** *adj* oberste(r, -s), höchste(r, -s), Höchst…, Spitzen…; **3.** *v/t* (***-pp-***) oben bedecken; überragen (*a. fig.*); *list, etc.*: an der Spitze (*gen*) stehen; ***~ up*** *tank, etc.*: auf-, nachfüllen; ***~ s.o. up*** *j-m* nachschenken.

top[2] [~] *s* Kreisel *m.*

top|-flight ['tɒpflaɪt] *adj* erstklassig, Spitzen…; **~ hat** *s* Zylinder(hut) *m.*

top•ic ['tɒpɪk] *s* Gegenstand *m*, Thema *n*; **~•al** *adj* □ lokal; aktuell.

top|less ['tɒplɪs] *adj* oben ohne, Oben-ohne-…; **~-lev•el** *adj* Spitzen…; **~•most** *adj* höchste(r, -s), oberste(r, -s).

top•ple ['tɒpl] *v/t*: (***~ down, ~ over*** um)kippen; *fig. government*: stürzen.

top•sy-tur•vy [tɒpsɪ'tɜːvɪ] *adj and adv* auf den Kopf (gestellt); drunter und drüber.

torch [tɔːtʃ] *s* Fackel *f*; *a.* ***electric ~*** *esp. Br.* Taschenlampe *f*; **~•light** *s* Fackelschein *m*; ***~ procession*** Fackelzug *m.*

tore [tɔː] *pret of* ***tear***[1] 1.

tor•ment **1.** *s* ['tɔːment] Qual *f*, Marter *f*; **2.** *v/t* [tɔː'ment] quälen, peinigen, plagen.

torn [tɔːn] *pp of* ***tear***[1] 1.

tor•na•do [tɔː'neɪdəʊ] *s* (*pl* ***-does, -dos***) Wirbelsturm *m*, Tornado *m.*

tor•pe•do [tɔː'piːdəʊ] **1.** *s* (*pl* ***-does***) Torpedo *m*; **2.** *v/t* torpedieren (*a. fig.*).

tor|rent ['tɒrənt] *s* Sturz-, Wildbach *m*; reißender Strom; *fig.* Strom *m*, Schwall *m*; **~•ren•tial** [tə'renʃl] *adj*: ***~ rain(s)*** sintflutartige Regenfälle.

tor•toise *zo.* ['tɔːtəs] *s* (Land)Schildkröte *f.*

tor•tu•ous ['tɔːtjʊəs] *adj* □ gewunden.

tor•ture ['tɔːtʃə] **1.** *s* Folter(ung) *f*; Tortur *f*; **2.** *v/t* foltern.

toss [tɒs] **1.** *s* (Hoch)Werfen *n*, Wurf *m*; Zurückwerfen *n* (*of head*); **2.** *v/t* werfen, schleudern; *a. v/i* ***~ about*** (sich) hin- und herwerfen; schütteln; ***~ off*** *drink*: hinunterstürzen; *work*: hinhauen; V *masturbate*: (sich) e-n runterholen; *a.* ***~ up*** hochwerfen; *with a coin*: losen, knobeln (***for*** um).

T

tot F [tɒt] *s small child*: Knirps *m.*

to•tal ['təʊtl] **1.** *adj* □ ganz, gänzlich, völlig; total; gesamt; **2.** *s* Gesamtbetrag *m*, -menge *f*; **3.** *v/t* (*esp. Br.* ***-ll-***, *Am.* ***-l-***) sich belaufen auf (*acc*); **~•i•tar•i•an** [təʊtælɪ'teərɪən] *adj* totalitär; **~•i•ty**

[təʊ'tælətɪ] *s* Gesamtheit *f*.

tot•ter ['tɒtə] *v/i* torkeln, (sch)wanken, wackeln.

touch [tʌtʃ] **1.** *v/t* berühren; anrühren; anfassen; grenzen *or* stoßen an (*acc*); *fig*. rühren; erreichen; *mus*. anschlagen; **~ *glasses*** anstoßen; ***a bit ~ed*** *fig*. ein bisschen verrückt; **~ *up*** auffrischen; retuschieren; *v/i* sich berühren; **~ *at*** *mar*. anlegen in (*dat*); **~ *down*** *aer*. aufsetzen; **2.** *s* Berührung *f*; Tastsinn *m*, -gefühl *n*; Verbindung *f*, Kontakt *m*; *mus*. Anschlag *m*; *paint*. (Pinsel-) Strich *m*; ***a ~ of vinegar***, *etc*. e-e Spur Essig *etc*.; ***he has a ~ of style*** er hat irgendwie Stil; ***be in ~*** Kontakt haben; ***keep in ~*** lass von dir hören!, melde dich mal wieder!; **~-and-go** *adj*: ***it is ~*** es steht auf des Messers Schneide; **~•ing** *adj* □ rührend; **~•stone** *s* Prüfstein *m*; **~•y** *adj* □ (***-ier, -iest***) empfindlich; heikel.

tough [tʌf] *adj* □ zäh (*a. fig*.); robust, stark; hart, grob, brutal, übel; **~•en** *v/t and v/i* zäh machen *or* werden; **~•ness** *s* Zähigkeit *f*.

tour [tʊə] **1.** *s* (Rund)Reise *f*, Tour *f*; Rundgang *m*, -fahrt *f*; *thea*. Tournee *f* (*a. sports*); **~ *operator*** Reiseveranstalter *m*; → ***conduct*** 2; **2.** *v/t* bereisen; **~•is•m** *s* Tourismus *m*, Fremdenverkehr *m*; **~•ist** *s* Tourist(in); **~ *agency*** Reisebüro *n*; **~ *information* (*centre*), ~ *office*** Verkehrsverein *m*, Fremdenverkehrsbüro *n*, Touristeninformation *f*; **~ *season*** Reisesaison *f*, -zeit *f*; **~ *trap*** *bar, etc*.: *appr*. Nepplokal *n*; *resort*: *appr*. überteuerter Touristenort.

tour•na•ment ['tʊənəmənt] *s* Turnier *n*.

tow [təʊ] **1.** *s* Schleppen *n*; ***take in ~*** ins Schlepptau nehmen; **2.** *v/t* (ab)schleppen; ziehen.

to•ward(s) [tə'wɔːd(z)] *prp in direction of*: gegen; nach … zu, auf (*acc*) … zu; *in relation to*: gegenüber, zu.

tow•el ['taʊəl] **1.** *s* Handtuch *n*; **2.** *v/t* (*esp. Br*. ***-ll-***, *Am*. ***-l-***) (ab)trocknen; (ab)reiben.

tow•er ['taʊə] **1.** *s* Turm *m*; *fig*. Stütze *f*, Bollwerk *n*; *a*. **~ *block*** (Büro-, Wohn-)-Hochhaus *n*; **2.** *v/i* (hoch)ragen, sich erheben; **~•ing** *adj* □ (turm)hoch; rasend (*rage*).

town [taʊn] **1.** *s* Stadt *f*; **2.** *adj* Stadt…; städtisch; **~ cen•tre**, *Am*. **~ cen•ter** *s* Innenstadt *f*, City *f*; **~ clerk** *s Br*. städtischer Verwaltungsbeamter; **~ coun•cil** *s Br*. Stadtrat *m*; **~ coun•ci(l)•lor** *s Br*. Stadtrat *m*, -rätin *f*; **~ hall** *s* Rathaus *n*; **~s•folk** *s pl* Städter *pl*; **~•ship** *s* Stadtgemeinde *f*; Stadtgebiet *n*; **~s•man** *s* Städter *m*; (Mit)Bürger *m*; **~s•peo•ple** *s pl* → ***townsfolk***; **~s•wo•m•an** *s* Städterin *f*; (Mit)Bürgerin *f*.

tox|ic ['tɒksɪk] *adj* (**~*ally***) giftig; Gift…; **~ *waste*** Giftmüll *m*; **~•in** *s* Giftstoff *m*.

toy [tɔɪ] **1.** *s* Spielzeug *n*; **~*s*** *pl* Spielsachen *pl*, -waren *pl*; **2.** *adj* Spielzeug…; Miniatur…; Zwerg…; **3.** *v/i* spielen.

trace [treɪs] **1.** *s* Spur *f* (*a. fig*.); **2.** *v/t* nachspüren (*dat*), *j-s* Spur folgen; verfolgen; herausfinden; (auf)zeichnen; (durch)pausen.

trac•ing ['treɪsɪŋ] *s* Pauszeichnung *f*.

track [træk] **1.** *s* Spur *f*, Fährte *f*; *rail*. Gleis *n*, Geleise *n and pl*; Pfad *m* (*a. computer*); *of tape*: Spur *f*; (Raupen-) Kette *f*; *sports*: (Renn-, Aschen)Bahn *f*; **~*-and-field*** *sports*: Leichtathletik…; **~ *events*** *pl sports*: Laufdisziplinen *pl*; **~ *suit*** Trainingsanzug *m*; **2.** *v/t* nachgehen, -spüren (*dat*), verfolgen; ***~ down, ~ out*** aufspüren; **~*ing station*** *space travel*: Bodenstation *f*.

tract [trækt] *s* Fläche *f*, Strecke *f*, Gegend *f*; *text*: Traktat *n*, Abhandlung *f*.

trac|tion ['trækʃn] *s* Ziehen *n*, Zug *m*; **~ *engine*** Zugmaschine *f*; **~•tor** *s tech*. Trecker *m*, Traktor *m*.

trade [treɪd] **1.** *s* Handel *m*; Gewerbe *n*, Beruf *m*, Handwerk *n*; **2.** *v/i* Handel treiben, handeln; **~ *on*** ausnutzen; **~ def•i•cit** *s* Handelsbilanzdefizit *n*; **~ mark** *s* Warenzeichen *n*; **~ price** *s* Großhandelspreis *m*; **trad•er** *s* Händler *m*; **~s•man** *s* (Einzel)Händler *m*; **~(s) u•nion** *s* Gewerkschaft *f*; **~(s) u•n-ion•ist** *s* Gewerkschaftler(in); **~ wind** *s* Passat(wind) *m*; **trad•ing part•ner** *s* Handelspartner *m*.

tra•di•tion [trə'dɪʃn] *s* Tradition *f*; Überlieferung *f*; **~•al** *adj* □ traditionell.

Tra•fal•gar [trə'fælgə]: ***Cape ~*** Kap *n* Trafalgar (*an der Südwestküste Spaniens*); **~ *Square*** *Platz in London*.

traf•fic ['træfɪk] **1.** *s* Verkehr *m*; Handel *m*; **2.** *v/i* (***-ck-***) (*a*. illegal) handeln (***in*** mit); **~ cir•cle** *s Am*. Kreisverkehr *m*; **~ jam** *s* (Verkehrs)Stau *m*, Verkehrsstockung *f*; ~ **light**(**s** *pl*) *s* Verkehrsampel *f*; ~ **sign** *s* Verkehrszeichen *n*, -schild *n*; ~ **sig•nal** → ***traffic light***; ~ **war•den** *s Br.* Politesse *f*.

tra|ge•dy ['trædʒɪdɪ] *s* Tragödie *f*; ~**•gic** (~***ally***), **trag•i•cal** *adj* □ tragisch.

trail [treɪl] **1.** *s* Schleppe *f*; Spur *f*; Pfad *m*, Weg *m*; *fig.* Schweif *m*; **2.** *v/t* hinter sich herziehen; verfolgen, *j-n* beschatten; *v/i* schleifen; sich schleppen; *bot.* kriechen, sich ranken; ~**•er** *s bot.* Kriechpflanze *f*; *mot.* Anhänger *m*; *Am. mot.* Wohnwagen *m*, Wohnanhänger *m*, Caravan *m*; *film*, *TV*: (Programm)Vorschau *f*.

train [treɪn] **1.** *s rail.* (Eisenbahn)Zug *m*; *line of people*, *etc.*: Zug *m*; Gefolge *n*; Reihe *f*, Folge *f*, Kette *f*; Schleppe *f* (*of dress*); **2.** *v/t* erziehen; schulen; *dog*: abrichten; ausbilden; *sports*: trainieren; ~**•ee** [~'niː] *s* Auszubildende(r *m*) *f*, F Azubi *m*, *f*; ~**•er** *s* Ausbilder *m*; *sports*: Trainer *m*; ~**•ing** *s* Ausbildung *f*; Üben *n*; *esp. sports*: Training *n*.

trai•tor ['treɪtə] *s* Verräter *m*.

tram(**•car**) *Br.* ['træm(kɑː)] *s* Straßenbahn(wagen *m*) *f*.

tramp [træmp] **1.** *s* Getrampel *n*; Wanderung *f*; Tramp *m*, Landstreicher(in), *in city*: Stadtstreicher(in); **2.** *v/i* trampeln, treten; (*v/t* durch)wandern.

tram•ple ['træmpl] *v/i* (*v/t* zer)trampeln.

trance [trɑːns] *s* Trance *f*.

tran•quil ['træŋkwɪl] *adj* □ ruhig; gelassen; ~**•(l)i•ty** [~'kwɪlətɪ] *s* Ruhe *f*; Gelassenheit *f*; ~**•(l)ize** *v/t* beruhigen; ~**•(l)iz•er** *s* Beruhigungsmittel *n*.

trans|act [træn'zækt] *v/t* abwickeln, abmachen; ~**•ac•tion** *s* Erledigung *f*; Geschäft *n*, Transaktion *f*.

trans•al•pine [trænz'ælpaɪn] *adj* transalpin.

trans•at•lan•tic [trænzət'læntɪk] *adj* transatlantisch, Übersee…

tran|scend [træn'send] *v/t* überschreiten, hinausgehen über (*acc*); übertreffen; ~**•scen•dence**, ~**•scen•den•cy** *s* Überlegenheit *f*; *phls.* Transzendenz *f*.

tran•scribe [træn'skraɪb] *v/t* abschreiben; *from shorthand*: übertragen.

tran|script ['trænskrɪpt], ~**•scrip•tion** [~'skrɪpʃn] *s* Abschrift *f*; Umschrift *f*.

trans•fer 1. [træns'fɜː] (**-rr-**) *v/t* übertragen; versetzen, -legen; *money*: überweisen; (*sports*) *player*: transferieren (***to*** zu), abgeben (***to*** an *acc*); *v/i* übertreten; *sports*: wechseln (*player*); *rail.*, *etc.*: umsteigen; **2.** *s* ['trænsfɜː] Übertragung *f*; Versetzung *f*, -legung *f*; *econ.* (Geld)Überweisung *f*; *sports*: Transfer *m*, Wechsel *m*; *Am. rail.*, *etc.*: Umsteigefahrschein *m*; ~**•a•ble** [træns'fɜːrəbl] *adj* übertragbar; ~ **fee** ['trænsfɜː] *s sports*: Ablösesumme *f*.

trans•fig•ure [træns'fɪgə] *v/t* umgestalten; verklären.

trans•fix [træns'fɪks] *v/t* durchstechen; ~**ed** *adj fig.* versteinert, starr (***with*** vor *dat*).

trans|form [træns'fɔːm] *v/t* umformen; um-, verwandeln; ~**•for•ma•tion** [trænsfə'meɪʃn] *s* Umformung *f*; Um-, Verwandlung *f*.

trans|fuse *med.* [træns'fjuːz] *v/t blood*: übertragen; ~**•fu•sion** *s med.* (Blut-)Übertragung *f*, (-)Transfusion *f*.

trans|gen•ic [træns'giːnɪk] *adj* transgen; ~**•gress** [træns'gres] *v/t* überschreiten; *law*, *etc.*: übertreten, verletzen; *v/i* sich vergehen; ~**•gres•sion** *s* Überschreitung *f*; Übertretung *f*; Vergehen *n*; ~**•gres•sor** *s* Übeltäter(in); Rechtsbrecher(in).

tran•sient ['trænzɪənt] **1.** *adj* □ → ***transitory***; **2.** *s Am.* Durchreisende(r *m*) *f*.

tran•sis•tor [træn'sɪstə] *s* Transistor *m*.

tran•sit ['trænsɪt] *s* Durchgang *m*; Transit-, Durchgangsverkehr *m*; *econ.* Transport *m* (*of goods*); ~ ***camp*** Durchgangslager *n*; ~ ***visa*** Transit-, Durchreisevisum *n*.

tran•si•tion [træn'sɪʒn] *s* Übergang *m*; ~**•al** *adj* Übergangs… (*period*, *etc.*); ~ ***phase*** Übergangsphase *f*.

tran•si•tive *gr.* ['trænsɪtɪv] *adj* □ transitiv.

tran•si•to•ry ['trænsɪtərɪ] *adj* □ vorübergehend; vergänglich, flüchtig.

translate [træns'leɪt] *v/t* übersetzen, -tragen; *fig.* umsetzen.

trans•la•tion [træns'leɪʃən] *s* Übersetzung *f*, -tragung *f*; ~ ***agency*** Übersetzungsbüro *n*, -dienst *m*; ~ ***program*** Übersetzungsprogramm *n*; ~ ***software*** Übersetzungssoftware *f*.

trans•la•tor [træns'leɪə] *s* Übersetzer(in).

trans•lu•cent [trænz'luːsnt] *adj* lichtdurchlässig.

trans•mi•gra•tion [trænzmaɪ'greɪʃn] *s*

Seelenwanderung *f.*

trans•mis•sion [trænz'mɪʃn] *s* Übermittlung *f*; Übertragung *f*; *biol.* Vererbung *f*; *phys.* Fortpflanzung *f*; *mot.* Getriebe *n*; *radio*, *TV*: Sendung *f*; **~ rate** *s TV*, *WWW*: Übertragungsrate *f*, Übertragungsgeschwindigkeit *f.*

trans•mit [trænz'mɪt] *v/t* (**-tt-**) übermitteln, -senden; übertragen; *radio*, *TV*: senden; *biol.* vererben; *phys.* (weiter-) leiten; **~•ter** *s* Übermittler(in); *radio*, *tel.*, *etc.*: Sender *m.*

trans•par•ent [træns'pærənt] *adj* □ durchsichtig (*a. fig.*).

tran•spire [træn'spaɪə] *v/t* ausdünsten, -schwitzen; *v/i fig.* durchsickern.

trans|plant [træns'plɑːnt] **1.** *s med.* Verpflanzung *f*, Transplantation *f*; *organ*: Transplantat *n*; **2.** *v/t* umpflanzen; verpflanzen (*a. med.*), transplantieren; **~•plan•ta•tion** [~'teɪʃn] *s* Verpflanzung *f* (*a. med.*), Transplantation *f.*

trans|port **1.** *v/t* [træns'pɔːt] transportieren, befördern, fortschaffen; *fig.* *j-n* hinreißen; **2.** *s* ['trænspɔːt] Transport *m*, Beförderung *f*; Versand *m*; Verkehr *m*; Beförderungsmittel *n*; *mil.* Transportschiff *n*, -flugzeug *n*; ***public ~*** öffentliche Verkehrsmittel *pl*; ***be in ~s of*** außer sich sein vor (*dat*); **~•por•ta•tion** [~'teɪʃn] *s* Transport *m*, Beförderung *f.*

trans•pose [træns'pəʊz] *v/t* versetzen, umstellen; *mus.* transponieren.

trap [træp] **1.** *s* Falle *f* (*a. fig.*); *tech.* Klappe *f*; *sl. mouth*: Schnauze *f*; ***keep one's ~ shut*** *sl.* die Schnauze halten; ***set a ~ for s.o.*** *j-m* e-e Falle stellen; **2.** *v/t* (**-pp-**) (in e-r Falle) fangen; *fig.* in e-e Falle locken; **~•door** *s* Falltür *f*; *thea.* Versenkung *f.*

tra•peze [trə'piːz] *s* Trapez *n.*

trap•per ['træpə] *s* Trapper *m*, Fallensteller *m*, Pelztierjäger *m.*

trash [træʃ] *s esp. Am.* Abfall *m*, Abfälle *pl*, Müll *m*; Unsinn *m*, F Blech *n*; *contp. people*: Gesindel *n*; *film*, *etc.*: Kitsch *m*; **~ can** *s Am.* Abfall-, Mülleimer *m*; *Am.* Abfall-, Mülltonne *f*; **~•y** *adj* □ (**-ier, -iest**) wertlos, kitschig.

T

trav•el ['trævl] **1.** (*esp. Br.* **-ll-**, *Am.* **-l-**) *v/i* reisen; sich bewegen; *esp. fig.* schweifen, wandern; *econ.* Vertreter sein; *v/t* bereisen; **2.** *s* Reisen *n*; *tech.* (Kolben-) Hub *m*; **~s** *pl* Reisen *pl*; **~ a•gency**, **~ bu•reau** *s* Reisebüro *n*; **~•(l)er** *s* Reisende(r *m*) *f*; *econ.* Vertreter *m*; ***~'s cheque*** (*Am.* ***check***) Reisescheck *m*; **~ sick•ness** *s* Reisekrankheit *f.*

tra•verse ['trævəs] *v/t* durch-, überqueren; durchziehen; führen über (*acc*).

trav•es•ty ['trævɪstɪ] **1.** *s* Travestie *f*; Karikatur *f*, Zerrbild *n*; **2.** *v/t* travestieren; ins Lächerliche ziehen.

trawl *mar.* [trɔːl] **1.** *s* (Grund)Schleppnetz *n*; **2.** *v/i and v/t* mit dem Schleppnetz fischen; **~•er** *s mar.* Trawler *m.*

tray [treɪ] *s* (Servier)Brett *n*, Tablett *n*; Ablagekorb *m.*

treach•er|ous ['tretʃərəs] *adj* □ verräterisch, treulos; (heim)tückisch; trügerisch; **~•y** *s* Verrat *m* (***to*** an *dat*), Treulosigkeit *f* (***to*** gegen).

trea•cle ['triːkl] *s* Sirup *m.*

tread [tred] **1.** *v/i and v/t* (***trod, trodden***) treten; (be)schreiten; trampeln; ***~ on s.o.'s toes*** *fig.* *j-m* auf die Füße *or* Zehen treten *or* F steigen; **2.** *s* Tritt *m*, Schritt *m*; *tech.* Lauffläche *f*; *mot.* Profil *n*; **trea•dle** *s* Pedal *n*; Tritt *m*; **~•mill** *s* Tretmühle *f* (*a. fig.*).

trea|son ['triːzn] *s* Verrat *m*; **~•so•n•a•ble** *adj* □ verräterisch.

treas|ure ['treʒə] **1.** *s* Schatz *m*, Reichtum *m*; **~ *trove*** Schatzfund *m*; **2.** *v/t* sehr schätzen; **~ *up*** sammeln, anhäufen; **~•ur•er** *s* Schatzmeister *m*; Kassenwart *m.*

treas•ur•y ['treʒərɪ] *s* Schatzkammer *f*; ♀ Finanzministerium *n*; **♀ Bench** *s Br. parl.* Regierungsbank *f*; **♀ De•part•ment** *s Am.* Finanzministerium *n.*

treat [triːt] **1.** *v/t* behandeln, umgehen mit; betrachten; ***~ s.o. to s.th.*** *j-m* et. spendieren; *v/i*: **~ *of*** handeln von; **~ *with*** verhandeln mit; **2.** *s* Vergnügen *n*; ***school ~*** Schulausflug *m*, -fest *n*; ***it is my ~*** es geht auf meine Rechnung.

trea•tise ['triːtɪz] *s* Abhandlung *f.*

treat•ment ['triːtmənt] *s* Behandlung *f.*

treat•y ['triːtɪ] *s* Vertrag *m*; ***the ♀ of Rome*** *pol. hist.* die Römischen Verträge.

tre•ble ['trebl] **1.** *adj* □ dreifach; **2.** *s mus.* Diskant *m*, Sopran *m*; *radio*: Höhen *pl*; **3.** *v/t and v/i* (sich) verdreifachen.

tree [triː] *s* Baum *m.*

tre•foil *bot.* ['trefɔɪl] *s* Klee *m.*

trem•ble ['trembl] *v/i* zittern.
tre•men•dous [trɪ'mendəs] *adj* □ gewaltig; F enorm; riesig; F klasse, toll.
trem•or ['tremə] *s* Zittern *n*; Beben *n*.
trem•u•lous ['tremjʊləs] *adj* □ zitternd, bebend.
trench [trentʃ] **1.** *s* (*mil.* Schützen)Graben *m*; Furche *f*; **2.** *v/t* mit Gräben durchziehen; *v/i* (*mil.* Schützen)Gräben ausheben.
tren•chant ['trentʃənt] *adj* □ scharf (*comment, criticism*).
trend [trend] *s* Richtung *f*; *fig.* (Ver-) Lauf *m*; *fig.* Trend *m*, Entwicklung *f*, Tendenz *f*; **~•y** *esp. Br.* F (**-ier, -iest**) *adj* modern; **be ~** Mode sein, F in sein.
trep•i•da•tion [trepɪ'deɪʃn] *s* Zittern *n*; Angst *f*, Beklommenheit *f*.
tres•pass ['trespəs] **1.** *s jur.* unbefugtes Betreten; Vergehen *n*; **2.** *v/i*: **~ (up)on** *jur.* widerrechtlich betreten; über Gebühr in Anspruch nehmen; **no ~ing** Betreten verboten; **~•er** *s jur.* Rechtsverletzer *m*; Unbefugte(r *m*) *f*.
tres•tle ['tresl] *s* Gestell *n*, Bock *m*.
Treves [triːvz] Trier *n*.
tri•al ['traɪəl] **1.** *s* Versuch *m*; Probe *f*, Prüfung *f* (*a. fig.*); *jur.* Prozess *m*, Verhandlung *f*; *fig.* Plage *f*; **by ~ and error** durch Ausprobieren; **on ~** auf *or* zur Probe; **give s.th. (s.o.) a ~** e-n Versuch mit et. (*j-m*) machen; **be on ~** *jur.* angeklagt sein; **put s.o. on ~** *jur. j-n* vor Gericht bringen; **2.** *adj* Versuchs…, Probe…
tri•an|gle ['traɪæŋgl] *s* Dreieck *n*; **~•gu•lar** [-'æŋgjʊlə] *adj* □ dreieckig.
tri•ath•lon [traɪ'æθlɒn] *s* Triathlon *n*.
tribe [traɪb] *s* (Volks)Stamm *m*; *contp.* Sippe *f*; *bot., zo.* Klasse *f*.
tri•bu•nal [traɪ'bjuːnl] *s jur.* Gericht(shof *m*) *n*; *fig.* Tribunal *n*; **trib•une** ['trɪbjuːn] *s hist.* Tribun *m*; *platform*: Tribüne *f*.
trib|u•ta•ry ['trɪbjʊtərɪ] **1.** *adj* □ zinspflichtig; *fig.* helfend; *geogr.* Neben…; **2.** *s* Nebenfluss *m*; **~•ute** ['-juːt] *s* Tribut *m* (*a. fig.*), Zins *m*; Anerkennung *f*.
trice [traɪs] *s*: F **in a ~** im Nu.
trick [trɪk] **1.** *s* Kniff *m*, List *f*, Trick *m*; Kunststück *n*; Streich *m*; (schlechte) Angewohnheit; **play a ~ on s.o.** *j-m* e-n Streich spielen; **2.** *v/t* überlisten, F hereinlegen; **~•e•ry** *s* Betrügerei *f*.
trick•le ['trɪkl] *v/i* tröpfeln, rieseln.
trick|ster ['trɪkstə] *s* Gauner(in); **~•y** *adj* □ (**-ier, -iest**) verschlagen; F heikel; verzwickt, verwickelt, schwierig.
tri•cy•cle ['traɪsɪkl] *s* Dreirad *n*.
tri•dent ['traɪdənt] *s* Dreizack *m*.
tri|fle ['traɪfl] **1.** *s* Kleinigkeit *f*; Lappalie *f*; **a ~** ein bisschen, ein wenig, etwas; **2.** *v/i* spielen; spaßen; *v/t*: **~ away** verschwenden; **~•fling** *adj* □ geringfügig; unbedeutend.
trig•ger ['trɪgə] *s* Abzug *m* (*of gun*); *phot.* Auslöser *m*.
trill [trɪl] **1.** *s* Triller *m*; gerolltes r; **2.** *v/i and v/t* trillern; *esp.* das r rollen.
tril•lion ['trɪlɪən] *s Br.* Trillion *f* = 1018, *Am.* Billion *f* = 1012.
trim [trɪm] **1.** *adj* □ (**-mm-**) ordentlich; schmuck; gepflegt; **2.** *s* (guter) Zustand; Ordnung *f*; **in good ~** in Form; **3.** *v/t* (**-mm-**) zurechtmachen, in Ordnung bringen; (*a.* **~ up** heraus)putzen, schmücken; *dress, etc.*: besetzen; stutzen, trimmen, (be)schneiden; *budget*: kürzen; *aer., mar.* trimmen; **~•ming** *s*: **~s** *pl* Besatz *m*; Zutaten *pl*, Beilagen *pl* (*of dish*).
Trin•i•ty *eccl.* ['trɪnɪtɪ] *s* Dreieinigkeit *f*.
trip [trɪp] **1.** *s* (kurze) Reise, Fahrt *f*; Ausflug *m*, Spritztour *f*; *fall*: Stolpern *n*, Fallen *n*, Fehltritt *m* (*a. fig.*); *fig.* Versehen *n*, Fehler *m*; *sl.* Trip *m* (*on drugs*); **we make a ~ to …** wir fahren nach …; **2.** (**-pp-**) *v/i* trippeln; stolpern (**over** über *acc*); *fig.* (e-n) Fehler machen; *v/t a.* **~ up** *j-m* ein Bein stellen (*a. fig.*).
tripe [traɪp] *s* Kaldaunen *pl*, Kutteln *pl*; F Quatsch *m*.
trip|le ['trɪpl] *adj* dreifach; **~ jump** *sports*: Dreisprung *m*; **~•lets** *s pl* Drillinge *pl*.
trip•li•cate **1.** *adj* ['trɪplɪkɪt] dreifach; in dreifacher Ausfertigung; **2.** *v/t* [-keɪt] verdreifachen.
tri•pod ['traɪpɒd] *s* Dreifuß *m*; *phot.* Stativ *n*.
trip•per *esp. Br.* ['trɪpə] *s* Ausflügler(in).
trite [traɪt] *adj* □ abgedroschen, banal.
tri|umph ['traɪəmf] **1.** *s* Triumph *m*, Sieg *m*; **2.** *v/i* triumphieren; **~•um•phal** [-'ʌmfl] *adj* Sieges…, Triumph…; **~•um•phant** [-'ʌmfənt] *adj* □ triumphierend.
triv•i•al ['trɪvɪəl] *adj* □ bedeutungslos; unbedeutend; trivial; alltäglich.

trod [trɒd] *pret of* ***tread*** 1; **~•den** *pp of* ***tread*** 1.
trol•l(e)y ['trɒlɪ] *s Br.* Handwagen *m*; *for suitcases, etc.*: Gepäckwagen *m*, Kofferkuli *m*; *in shops, etc.*: Einkaufswagen *m*, *golf*: Caddie *m*; *Br. rail.* Draisine *f*; *Br.* Tee-, Servierwagen *m*; *electr. of tram*: Kontaktrolle *f*; *Am.* Straßenbahn(wagen *m*) *f*; **~•bus** *s* Oberleitungsbus *m*, O-Bus *m*.
troop [tru:p] **1.** *s* Trupp *m*; ***~s*** *pl mil.* Truppen *pl*; **2.** *v/i* sich scharen; (herein- *etc.*) strömen, marschieren; ***~ away, ~ off*** F abziehen; *v/t*: ***~ the colours*** *Br. mil.* e-e Fahnenparade abhalten; **~•er** *s mil.* Kavallerist *m*; *Am.* Polizist(in).
tro•phy ['trəʊfɪ] *s* Trophäe *f*.
trop|ic ['trɒpɪk] **1.** *s* Wendekreis *m*; ***~s*** *pl* Tropen *pl*; **2.** *adj* (***~ally***) tropisch; **~•i•cal** *adj* □ tropisch; ***~ rain forest*** tropischer Regenwald.
trot [trɒt] **1.** *s* Trott *m*, Trab *m*; **2.** *v/i and v/t* (***-tt-***) trotten; traben (lassen).
trou•ble ['trʌbl] **1.** *s* Mühe *f*, Plage *f*, Last *f*, Belästigung *f*, Störung *f*; Ärger *m*, Unannehmlichkeiten *pl*, Schwierigkeiten *pl*, Scherereien *pl*; ***ask or look for ~*** unbedingt Ärger haben wollen; ***take (the) ~*** sich (die) Mühe machen; ***don't go to a lot of ~*** mach dir keine (allzu) großen Umstände; ***what's the ~?*** was ist los?; **2.** *v/t* stören, beunruhigen, belästigen; quälen, plagen; *j-m* Mühe machen; bitten (***for*** um); ***don't ~ yourself*** bemühen Sie sich nicht; **~•mak•er** *s* Unruhestifter(in); **~•some** *adj* □ beschwerlich; lästig.
trough [trɒf] *s* Trog *m*; Rinne *f*; Wellental *n*.
trounce [traʊns] *v/t sports*: vernichtend schlagen.
troupe *thea.* [tru:p] *s* Truppe *f*.
trou•ser ['traʊzə] *s*: (***a pair of***) ***~s*** *pl* (e-e) (lange) Hose; Hosen *pl*; *attr* Hosen…; **~ suit** *s Br.* Hosenanzug *m*.
trous•seau ['tru:səʊ] *s* Aussteuer *f*.
trout *zo.* [traʊt] *s* Forelle(n *pl*) *f*.
trow•el ['traʊəl] *s* Maurerkelle *f*.
tru•ant ['tru:ənt] *s* Schulschwänzer(in); ***play ~*** (die Schule) schwänzen.
truce *mil.* [tru:s] *s* Waffenstillstand *m*.
truck [trʌk] *s rail.* offener Güterwagen; *esp. Am.* Last(kraft)wagen *m*, Lkw *m*; Transportkarren *m*; Tausch(handel) *m*; *Am.* Gemüse *n*; **~•er** *s Am.* Lastwagen-, Fernfahrer *m*; **~ farm** *s Am.* Gemüsegärtnerei *f*.
truc•u•lent ['trʌkjʊlənt] *adj* □ wild, roh, grausam; gehässig.
trudge [trʌdʒ] *v/i* sich (mühsam dahin)schleppen, (mühsam) stapfen.
true [tru:] *adj* □ (***~r, ~st***) wahr; echt, wirklich; treu; genau; richtig; (***it is***) ***~*** gewiss, freilich, zwar; ***come ~*** in Erfüllung gehen; wahr werden; ***~ to nature*** naturgetreu.
tru•ly ['tru:lɪ] *adv* wirklich; wahrhaft; aufrichtig; genau; treu; ***Yours ~*** *ending a letter*: Hochachtungsvoll.
trump [trʌmp] **1.** *s* Trumpf(karte *f*) *m*; **2.** *v/t* (über)trumpfen; ***~ up*** erfinden.
trum•pet ['trʌmpɪt] **1.** *s mus.* Trompete *f*; **2.** *v/i* trompeten; *v/t fig.* ausposaunen.
trun•cheon ['trʌntʃən] *s* (Gummi-) Knüppel *m*, Schlagstock *m*.
trunk [trʌŋk] *s* (Baum)Stamm *m*; Rumpf *m*; Rüssel *m*; (Schrank)Koffer *m*, Truhe *f*; *Am. mot.* Kofferraum *m*; **~s** *s pl* Turnhose *f*; Badehose *f*; *sports*: Shorts *pl*; *esp. Br.* (Herren)Unterhose *f*.
truss [trʌs] **1.** *s* Bündel *n*, Bund *n*; *med.* Bruchband *n*; *arch.* Träger *m*, Fachwerk *n*; **2.** *v/t* (zusammen)binden; *arch.* stützen.
trust [trʌst] **1.** *s* Vertrauen *n*; Glaube *m*; Kredit *m*; Pfand *n*; Verwahrung *f*; *jur.* Treuhand *f*; *jur.* Treuhandvermögen *n*; *econ.* Trust *m*; *econ.* Kartell *n*; ***~ company*** Treuhandgesellschaft *f*; ***in ~*** zu treuen Händen; **2.** *v/t* (ver)trauen (*dat*); anvertrauen, übergeben (***s.o. with s.th., s.th. to s.o.*** *j-m* et.); zuversichtlich hoffen; *v/i* vertrauen (***in, to*** auf *acc*); **~•ee** [trʌs'ti:] *s jur.* Sach-, Verwalter *m*; Treuhänder *m*; **~•ful, ~•ing** *adj* □ vertrauensvoll; **~•wor•thy** *adj* □ vertrauenswürdig, zuverlässig.
truth [tru:θ] *s* (*pl* ***~s*** [tru:ðz, tru:θs]) Wahrheit *f*; Wirklichkeit *f*; Genauigkeit *f*; **~•ful** *adj* □ wahr(heitsliebend).
try [traɪ] **1.** *v/t* versuchen; probieren; prüfen; *jur.* verhandeln über *et. or* gegen *j-n*; vor Gericht stellen; *eyes, etc.*: anstrengen; ***~ on*** *dress, etc.*: anprobieren; ***~ out*** ausprobieren; *v/i* sich bemühen *or* bewerben (***for*** um); **2.** *s* Versuch *m*; **~•ing** *adj* □ anstrengend; kritisch.
tsar *hist.* [zɑ:] *s* Zar *m*.

T

T-shirt ['ti:ʃɜ:t] *s* T-Shirt *n.*
tub [tʌb] *s* Fass *n*, Tonne *f*; Zuber *m*, Kübel *m*; *Br.* F (Bade)Wanne *f*; *Br.* F (Wannen)Bad *n*.
tube [tju:b] *s* Rohr *n*; *electr.* Röhre *f*; Tube *f*; (***inner*** ~ Luft)Schlauch *m*; Tunnel *m*; die Londoner U-Bahn; ***the*** ~ *Am.* F die Röhre, die Glotze (*TV*); **~•less** *adj* schlauchlos.
tu•ber *bot.* ['tju:bə] *s* Knolle *f*.
tu•ber•cu•lo•sis *med.* [tju:bɜ:kjʊ'ləʊsɪs] *s* Tuberkulose *f*.
tu•bu•lar ['tju:bjʊlə] *adj* □ röhrenförmig, Röhren…
TUC *Br.* ***Trades Union Congress*** Gewerkschaftsverband *m*.
tuck [tʌk] **1.** *s* Biese *f*; Saum *m*, Abnäher *m*; **2.** *v/t* stecken; ~ ***away*** weg-, verstecken; ~ ***in***, ~ ***up*** (warm) zudecken; ~ ***s.o. up in bed*** *j-n* ins Bett packen; ~ ***up*** *skirt*: schürzen; *sleeve*: hochkrempeln.
Tues•day ['tju:zdɪ] *s* Dienstag *m*.
tuft [tʌft] *s* Büschel *n*; (Haar)Schopf *m*.
tug [tʌg] **1.** *s* Zerren *n*, heftiger Ruck; *a.* **~*boat*** *mar.* Schlepper *m*; *fig.* Anstrengung *f*; **2.** (**-gg-**) *v/t* ziehen, zerren; *mar.* schleppen; *v/i* sich mühen; ~ ***of war*** *s* Tauziehen *n*.
tu•i•tion [tju:'ɪʃn] *s* Unterricht *m*; Schulgeld *n*.
tu•lip *bot.* ['tju:lɪp] *s* Tulpe *f*.
tum•ble ['tʌmbl] **1.** *v/i* fallen, stürzen; purzeln; taumeln; sich wälzen; **2.** *s* Sturz *m*; Wirrwarr *m*; **~•down** *adj* baufällig; **~-dri•er**, **~-dry•er** *s* Wäschetrockner *m*.
tum•bler ['tʌmblə] *s* Becher *m*; *zo.* Tümmler *m*; → ***tumble-drier***.
tu•mid ['tju:mɪd] *adj* geschwollen.
tum•my F ['tʌmɪ] *s* Bauch *m*, Bäuchlein *n*.
tu•mo(u)r *med.* ['tju:mə] *s* Tumor *m*.
tu•mult ['tju:mʌlt] *s* Tumult *m*; **tu•mul•tu•ous** [tju:'mʌltʃʊəs] *adj* □ lärmend; stürmisch.
tu•na *zo.* ['tu:nə] *s* Thunfisch *m*.
tune [tju:n] **1.** *s* Melodie *f*; *mus.* (Ein-)Stimmung *f*; *fig.* Harmonie *f*; ***in*** ~ (gut) gestimmt; ***out of*** ~ verstimmt; **2.** *v/t mus.* stimmen; ~ ***in*** *v/i* (das Radio *etc.*) einschalten; *v/t radio, etc.*: einstellen (***to*** auf *acc*); ~ ***up*** *v/i* die Instrumente stimmen; *v/t mot. engine*: tunen; **~•ful** *adj* □ melodisch; **~•less** *adj* □ unmelodisch.
tun•er ['tju:nə] *s radio, TV*: Tuner *m*.
Tu•ni•sia [tju:'nɪzɪə; *Am.* tu:'ni:ʒə] Tunesien *n*.
tun•nel ['tʌnl] **1.** *s* Tunnel *m*; *mining*: Stollen *m*; ***wind*** ~ Windkanal *m*; **2.** *v/t and v/i* (*esp. Br.* **-ll-**, *Am.* **-l-**) e-n Tunnel bohren (durch).
tun•ny *zo.* ['tʌnɪ] *s* Thunfisch *m*.
tur•bine *tech.* ['tɜ:baɪn] *s* Turbine *f*.
tur•bot *zo.* ['tɜ:bət] *s* Steinbutt *m*.
tur•bu•lent ['tɜ:bjʊlənt] *adj* □ unruhig; ungestüm; stürmisch, turbulent.
tu•reen [tə'ri:n] *s* Terrine *f*.
turf [tɜ:f] **1.** *s* (*pl* **~*s***, ***turves*** [tɜ:vz]) Rasen *m*; Torf *m*; ***the*** ~ die (Pferde)Rennbahn; der Pferderennsport *m*; **2.** *v/t* mit Rasen bedecken.
tur•gid ['tɜ:dʒɪd] *adj* □ geschwollen; *fig. style*: *a.* schwülstig.
Turk [tɜ:k] *s* Türk|e *m*, -in *f*.
tur•key ['tɜ:kɪ] *s zo.* Truthahn *m*, -henne *f*, Pute(r *m*) *f*; ***talk*** ~ *esp. Am.* F offen *or* sachlich reden.
Tur•key ['tɜ:kɪ] *die* Türkei.
Turk•ish ['tɜ:kɪʃ] **1.** *adj* türkisch; **2.** *s ling.* Türkisch *n*.
tur•moil ['tɜ:mɔɪl] *s* Aufruhr *m*, Unruhe *f*; Durcheinander *n*.
turn [tɜ:n] **1.** *v/t* (um-, herum)drehen; (um)wenden; *page*: umdrehen, -blättern; lenken, richten; verwandeln; *j-n* abbringen (***from*** von); abwenden; *text*: übertragen, -setzen; bilden, formen; *tech.* drechseln; *leaves*: verfärben; ~ ***a corner*** um eine Ecke biegen; ~ ***loose*** los-, frei lassen; ~ ***s.o. sick*** *j-n* krank machen; ~ ***sour*** *milk*: sauer werden lassen; → ***somersault***; ~ ***s.o. against*** *j-n* aufhetzen gegen; ~ ***aside*** abwenden; ~ ***away*** abwenden; abweisen; ~ ***down*** umbiegen; *collar*: umschlagen; *bed*: aufdecken, *blanket*: zurückschlagen; *gas, etc.*: klein(er) stellen; *radio, etc.*: leiser stellen; *j-n, et.* ablehnen, F *j-m* e-n Korb geben; ~ ***in*** *esp. Am.* einreichen, -senden; ~ ***off*** *gas, water, etc.*: abdrehen; *light, radio, etc.*: ausschalten, -machen; ~ ***on*** *gas, water, etc.*: aufdrehen; *radio, etc.*: anstellen; *light, radio, etc.*: anmachen, einschalten; F antörnen; F anmachen (*a. sexually*); ~ ***out*** *econ. goods*: produzieren; hinauswerfen; *light*: ausschalten; ~ ***over*** *econ. goods*: umsetzen; umdrehen; *page*:

T

umblättern; umwerfen; übergeben (***to*** *dat*); überlegen; ~ ***up*** nach oben drehen *or* biegen; *collar*: hochschlagen; *sleeve*: hochkrempeln; *trousers, etc.*: auf-, umschlagen; *gas, etc.*: aufdrehen; *radio, etc.*: lauter stellen; *v/i* sich drehen (lassen); sich (um-, herum)drehen; *mot.* wenden; sich (ab-, hin-, zu)wenden; (ab-, ein)biegen; e-e Biegung machen (*road, etc.*); sich (ver)wandeln; umschlagen (*weather, etc.*); *become*: werden; ~ (***sour***) sauer werden (*milk*); ~ ***upside down*** sich überschlagen (*car*); ~ ***about*** sich umdrehen; *mil.* kehrtmachen; ~ ***aside,*** ~ ***away*** sich abwenden; ~ ***back*** zurückkehren; ~ ***in*** F ins Bett gehen; ~ ***off*** abbiegen; ~ ***out*** *develop*: ausfallen, -gehen; sich herausstellen (als); ~ ***over*** sich umdrehen; ~ ***to*** nach … abbiegen; sich zuwenden (*dat*); sich an *j-n* wenden; werden zu; ~ ***up*** *fig.* auftauchen; **2.** *s* (Um)Drehung *f*; *bend*: Biegung *f*, Kurve *f*, Kehre *f*; (einzelne) Windung (*of cable, etc.*); *change of direction*: Wendung *f*, Wendepunkt *m* (*a. fig.*), Wende *f*, Wechsel *m*; *trip*: (kurze) Fahrt; *service*: Dienst *m*, Gefallen *m*, Zweck *m*; *inclination*: Neigung *f*, Talent *n*; F Schrecken *m*; ~ (***of mind***) Denkart *f*, -weise *f*; ***at every*** ~ auf Schritt und Tritt; ***by*** ~***s*** abwechselnd; ***in*** ~ der Reihe nach; ***it is my*** ~ ich bin an der Reihe; ***take*** ~***s*** (mit)einander *or* sich (gegenseitig) abwechseln (***at*** in *dat*, bei); **~•coat** *s* Abtrünnige(r) *m*, Überläufer(in); F Wendehals *m*; **~•er** *s tech.* Drechsler *m*; Dreher *m*; **~•ing** *s* Biegung *f*; Straßenecke *f*; (Weg)Abzweigung *f*; Querstraße *f*; *tech.* Drehen *n*, Drechseln *n*; **~•ing-point** *s fig.* Wendepunkt *m*; **~•out** *s* Aufmachung *f*, *esp.* Kleidung *f*; Teilnahme *f*, Besucher(zahl *f*) *pl*, Beteiligung *f*; *econ.* Gesamtproduktion *f*; **~•o•ver** *s econ.* Umsatz *m*; Personalwechsel *m*, Fluktuation *f*; **~•pike** *s a.* ~ ***road*** *Am.* gebührenpflichtige Schnellstraße; **~•stile** *s* Drehkreuz *n*; **~•ta•ble** *s rail.* Drehscheibe *f*; Plattenteller *m*.

tur•pen•tine *chem.* ['tɜːpəntaɪn] *s* Terpentin *n*.

tur•ret ['tʌrɪt] *s* Türmchen *n*; *mil., mar.* Geschützturm *m*.

tur•tle *zo.* ['tɜːtl] *s* (See)Schildkröte *f*; **~-dove** *s zo.* Turteltaube *f*; **~-neck** *s* Rollkragen *m*; *a.* ~ ***sweater*** Rollkragenpullover *m*.

Tus•ca•ny ['tʌskənɪ] *die* Toskana.

tusk [tʌsk] *s* Fangzahn *m*; Stoßzahn *m*; Hauer *m*.

tus•sle ['tʌsl] **1.** *s* Rauferei *f*, Balgerei *f*; **2.** *v/i* raufen, sich balgen.

tut [tʌt] *int* ach was!; Unsinn!

tu•te•lage ['tjuːtɪlɪdʒ] *s jur.* Vormundschaft *f*; (An)Leitung *f*.

tu•tor ['tjuːtə] **1.** *s* Privat-, Hauslehrer *m*; *Br. univ.* Tutor *m*; *Am. univ.* Assistent *m*; **2.** *v/t* unterrichten; schulen, erziehen; **tu•to•ri•al** [tjuː'tɔːrɪəl]; **1.** *s Br. univ.* Tutorenkurs *m*; **2.** *adj* Tutor(en)…

tux•e•do *Am.* [tʌk'siːdəʊ] *s* (*pl* ***-dos, -does***) Smoking *m*.

TV F [tiː'viː] **1.** *s* TV *n*, Fernsehen *n*; Fernseher *m*, Fernsehapparat *m*; ***on*** ~ im Fernsehen; **2.** *adj* Fernseh…

twang [twæŋ] **1.** *s* Schwirren *n*; *mst* ***nasal*** ~ näselnde Aussprache; **2.** *v/i and v/t* schwirren (lassen); näseln; klimpern *or* kratzen auf (*dat*), zupfen.

tweak [twiːk] *v/t* zwicken, kneifen.

tweet [twiːt] *v/i* zwitschern.

tweez•ers ['twiːzəz] *s pl* (***a pair of*** ~ e-e) Pinzette.

twelfth [twelfθ] **1.** *adj* zwölfte(r, -s); **2.** *s* Zwölftel *n*; **2-Night** *s* Dreikönigsabend *m*.

twelve [twelv] **1.** *adj* zwölf; **2.** *s* Zwölf *f*.

twen|ti•eth ['twentɪɪθ] *adj* zwanzigste(r, -s); **~•ty 1.** *adj* zwanzig; **2.** *s* Zwanzig *f*.

twenty-four seven, 24–7 [twentɪfɔː-'sevən] **1.** *n Geschäft, das an sieben Tagen und 24 Stunden am Tag geöffnet hat*; **2.** *attr sieben Tage und 24 Stunden am Tag*, ≈ rund um die Uhr; ***twenty--four seven service*** Service, der rund um die Uhr zur Verfügung steht.

twice [twaɪs] *adv* zweimal.

twid•dle ['twɪdl] *v/t*: ~ ***one's thumbs*** Däumchen drehen (*a. fig.*).

twig [twɪg] *s* dünner Zweig, Ästchen *n*.

twi•light ['twaɪlaɪt] *s* Zwielicht *n*; (*esp.* Abend)Dämmerung *f*; *fig.* Verfall *m*.

twin [twɪn] **1.** *adj* Zwillings…; doppelt; **2.** *s* Zwilling *m*; ~***s*** *pl* Zwillinge *pl*; ~***-bedded room*** Zweibettzimmer *n*; ~ ***brother*** Zwillingsbruder *m*; ~***-engined*** *aer.* zweimotorig; ~***-jet*** *aer.* zwei-, doppelstrahlig; ~***-lens reflex***

T

camera *phot.* Spiegelreflexkamera *f*; **~ sister** Zwillingsschwester *f*; **~ town** Partnerstadt *f*; **3.** *v/i towns*: e-e (Städte)Partnerschaft eingehen.

twine [twaɪn] **1.** *s* Bindfaden *m*, Schnur *f*; Zwirn *m*; **2.** *v/t* zusammendrehen; verflechten; (*v/i* sich) schlingen *or* winden; umschlingen, -ranken.

twinge [twɪndʒ] *s* stechender Schmerz, Zwicken *n*, Stich *m*.

twin•kle ['twɪŋkl] **1.** *v/i* funkeln, blitzen; huschen; zwinkern; **2.** *s* Funkeln *n*, Blitzen *n*; (Augen)Zwinkern *n*, Blinzeln *n*.

twirl [twɜːl] **1.** *s* Wirbel *m*; **2.** *v/t and v/i* wirbeln.

twist [twɪst] **1.** *s* Drehung *f*; Windung *f*; Biegung *f*; *thread*: Twist *m*, Garn *n*; Kringel *m*, Zopf *m* (*bread, cakes, etc.*); *mus.* Twist *m*; *fig.* Entstellung *f*; *fig.* (ausgeprägte) Neigung *or* Veranlagung; **2.** *v/t and v/i* (sich) drehen *or* winden; zusammendrehen; verdrehen; (sich) verziehen *or* -zerren; *mus.* twisten, Twist tanzen.

twit *fig.* [twɪt] *v/t* (**-tt-**) *j-n* aufziehen.

twitch [twɪtʃ] **1.** *v/t* zucken mit; zupfen an (*dat*); *v/i* zucken; **2.** *s* Zuckung *f*.

twit•ter ['twɪtə] **1.** *v/i* zwitschern; **2.** *s* Gezwitscher *n*; ***in a ~, all of a ~*** aufgeregt.

two [tuː] **1.** *adj* zwei; ***in ~s*** zu zweit, zu zweien; ***in ~*** entzwei; ***put ~ and ~ together*** *fig.* zwei und zwei zusammenzählen, sich einen Vers darauf machen; **2.** *s* Zwei *f*; ***the ~*** die beiden; ***the ~ of us*** wir zwei, wir beide(n); ***that makes ~ of us*** F mir geht's ebenso; **~-bit** *adj Am. fig.* unbedeutend, klein; **~-cy•cle** *adj Am. tech.* Zweitakt…; **~-edged** *adj* zweischneidig; **~•fold** *adj* zweifach; **~•pence** *Br.* ['tʌpəns] *s* zwei Pence *pl*; **~•pen•ny** *Br.* ['tʌpnɪ] *adj* zwei Pence wert; **~-piece**; **1.** *adj* zweiteilig; **2.** *s a.* ***~ dress*** Jackenkleid *n*; *a.* ***~ swimming costume*** Zweiteiler *m*; **~-seat•er** *s mot., aer.* Zweisitzer *m*; **~-stroke** *adj esp. Br. tech.* Zweitakt…; **~-way** *adj* Doppel…; ***~ adapter*** *electr.* Doppelstecker *m*; ***~ traffic*** Gegenverkehr *m*.

ty•coon *Am.* F [taɪ'kuːn] *s* Industriemagnat *m*; ***oil ~*** Ölmagnat *m*.

type [taɪp] **1.** *s* Typ *m*; Urbild *n*; Vorbild *n*; Muster *n*; Art *f*, Sorte *f*; *print.* Type *f*, Buchstabe *m*; ***true to ~*** artgemäß, typisch; ***set in ~*** *print.* setzen; **2.** *v/t et.* mit der Maschine (ab)schreiben, (ab-) tippen; *v/i* Maschine schreiben, tippen; **~•writ•er** *s* Schreibmaschine *f*; ***~ ribbon*** Farbband *n*.

ty•phoid *med.* ['taɪfɔɪd] **1.** *adj* typhös; ***~ fever*** (Unterleibs)Typhus *m*; **2.** *s* (Unterleibs)Typhus *m*.

ty•phoon [taɪ'fuːn] *s* Taifun *m*.

ty•phus *med.* ['taɪfəs] *s* Flecktyphus *m*, -fieber *n*.

typ•i|cal ['tɪpɪkl] *adj* □ typisch; bezeichnend, kennzeichnend (***of*** für); **~•fy** *v/t* typisch sein für; versinnbildlichen.

typ•ist ['taɪpɪst] *s* Maschinenschreiber(in); Schreibkraft *f*.

ty•ran|nic [tɪ'rænɪk] (***~ally***), **~•ni•cal** *adj* □ tyrannisch.

tyr•an|nize ['tɪrənaɪz] *v/t* tyrannisieren; **~•ny** *s* Tyrannei *f*.

ty•rant ['taɪərənt] *s* Tyrann(in).

tyre *Br.* ['taɪə] *s* (Rad-, Auto)Reifen *m*.

Ty•rol ['tɪrəl; tɪ'rəʊl] Tirol *n*.

Tyr•o•lese [tɪrə'liːz] **1.** *s* Tiroler(in); **2.** *s* tirolisch, Tiroler…

tzar *hist.* [zɑː] *s* Zar *m*.

u•biq•ui•tous [juː'bɪkwɪtəs] *adj* □ allgegenwärtig, überall zu finden.

U

ud•der ['ʌdə] *s* Euter *n*.

UEFA [juː'eɪfə] ***Union of European Football Associations*** UEFA *f*.

ug•ly ['ʌglɪ] *adj* □ (***-ier, -iest***) hässlich; schlimm; gemein; widerwärtig, übel.

UK ***United Kingdom*** Vereinigtes Königreich (*England, Schottland, Wales u. Nordirland*).

U•kraine [juː'kreɪn] *die* Ukraine.

ul•cer *med.* ['ʌlsə] *s* Geschwür *n*; **~•ate** *med.* ['-reɪt] *v/i and v/t* eitern (lassen); **~•ous** *adj med.* eiternd.

Ul•ster ['ʌlstə]; *F* Nordirland *n*.

ul•te•ri•or [ʌl'tɪərɪə] *adj* □ jenseitig;

weiter; tiefer (liegend), versteckt.

ul•ti•mate ['ʌltɪmət] *adj* □ äußerste(r, -s), letzte(r, -s); End...; **~•ly** *adv* letztlich; schließlich.

ul•ti•ma•tum [ʌltɪ'meɪtəm] *s (pl* ***-tums, -ta*** [-tə]) Ultimatum *n*.

ul•tra ['ʌltrə] *adj* übermäßig; extrem; super...; Ultra..., ultra...; **~•fash•ion•a•ble** *adj* hypermodern; **~-mod•ern** *adj* hypermodern.

um•bil•i•cal cord *anat*. [ʌmbɪlɪkl'kɔːd] *s* Nabelschnur *f*.

um•brel•la [ʌm'brelə] *s* Regenschirm *m*; *mil., aer*. Abschirmung *f*; *fig*. Schutz *m*.

um•pire ['ʌmpaɪə] **1.** *s* Schiedsrichter *m*; **2.** *v/i and v/t* als Schiedsrichter fungieren (bei); schlichten; *match*: *a*. leiten.

un- [ʌn] *in compounds*: un..., Un...; ent...; nicht...

un•a•bashed [ʌnə'bæʃt] *adj* unverfroren; unerschrocken.

un•a•bat•ed [ʌnə'beɪtɪd] *adj* unvermindert.

un•a•ble [ʌn'eɪbl] *adj* unfähig, außerstande, nicht in der Lage.

un•ac•com•mo•dat•ing [ʌnə'kɒmədeɪtɪŋ] *adj* unnachgiebig; ungefällig.

un•ac•coun•ta•ble [ʌnə'kaʊntəbl] *adj* unerklärlich, seltsam.

un•ac•cus•tomed [ʌnə'kʌstəmd] *adj* ungewohnt; ungewöhnlich.

un•ac•quaint•ed [ʌnə'kweɪntɪd] *adj*: ***be ~ with s.th.*** et. nicht kennen, mit e-r Sache nicht vertraut sein.

un•ad•vised [ʌnəd'vaɪzd] *adj* unbesonnen, unüberlegt; unberaten.

un•af•fect•ed [ʌnə'fektɪd] *adj* □ unberührt; ungerührt; ungekünstelt.

un•aid•ed [ʌn'eɪdɪd] *adj* ohne Unterstützung, (ganz) allein; *eye*: bloß.

un•al•ter•a•ble [ʌn'ɔːltərəbl] *adj* unveränderlich; **un•al•tered** *adj* unverändert.

u•na•nim•i•ty [juːnə'nɪmətɪ] *s* Einmütigkeit *f*; **u•nan•i•mous** [juː'nænɪməs] *adj* □ einmütig, -stimmig; **~ *voting*** *pol*. Einstimmigkeitsprinzip *n*.

un•an•swe•ra•ble [ʌn'ɑːnsərəbl] *adj* □ unwiderleglich; **un•an•swered** [ʌn'ɑːnsəd] *adj* unbeantwortet.

un•ap•proa•cha•ble [ʌnə'prəʊtʃəbl] *adj* □ unzugänglich, unnahbar.

un•apt [ʌn'æpt] *adj* □ ungeeignet.

un•a•shamed [ʌnə'ʃeɪmd] *adj* □ schamlos.

un•asked [ʌn'ɑːskt] *adj* ungefragt; ungebeten; uneingeladen.

un•as•sist•ed [ʌnə'sɪstɪd] *adj* ohne Hilfe *or* Unterstützung.

un•as•sum•ing [ʌnə'sjuːmɪŋ] *adj* □ anspruchslos, bescheiden.

un•at•tached [ʌnə'tætʃt] *adj* nicht gebunden; ungebunden, ledig, frei.

un•at•trac•tive [ʌnə'træktɪv] *adj* □ wenig anziehend, reizlos, unattraktiv.

un•au•thor•ized [ʌn'ɔːθəraɪzd] *adj* unberechtigt; unbefugt.

un•a•vai•la•ble [ʌnə'veɪləbl] *adj* nicht verfügbar.

un•a•void•a•ble [ʌnə'vɔɪdəbl] *adj* □ unvermeidlich.

un•a•ware [ʌnə'weə] *adj*: ***be ~ of*** *et*. nicht bemerken; **~s** *adv* unversehens, unvermutet; versehentlich.

un•bal•ance [ʌn'bæləns] *v/t* aus dem Gleichgewicht bringen; **~d** *adj* unausgeglichen; ***of ~ mind*** geistesgestört.

un•bear•a•ble [ʌn'beərəbl] *adj* □ unerträglich.

un•beat•a•ble [ʌn'biːtəbl] *adj team, price, etc.*: unschlagbar, unbesiegbar.

un•beat•en [ʌn'biːtn] *adj* ungeschlagen, unbesiegt; unübertroffen.

un•be•com•ing [ʌnbɪ'kʌmɪŋ] *adj* □ unkleidsam; unpassend, unschicklich.

un•be•known(st) [ʌnbɪ'nəʊn(st)] *adv* (***to***) ohne (*j-s*) Wissen; unbekannt (***to*** *dat*).

un•be•lief *eccl*. [ʌnbɪ'liːf] *s* Unglaube *m*.

un•be•lie•va•ble [ʌnbɪ'liːvəbl] *adj* □ unglaublich; **un•be•liev•ing** *adj* □ ungläubig.

un•bend [ʌn'bend] *v/i* (***-bent***) sich entspannen; aus sich herausgehen, auftauen; **~•ing** *adj* □ unbiegsam; *fig*. unbeugsam.

un•bi•as(s)ed [ʌn'baɪəst] *adj* □ unvoreingenommen; *jur*. unbefangen.

un•bid•den [ʌn'bɪdn] *adj* unaufgefordert; ungebeten; ungeladen.

un•bind [ʌn'baɪnd] *v/t* (***-bound***) losbinden, befreien; lösen; den Verband abnehmen von.

un•born [ʌn'bɔːn] *adj* (noch) ungeboren; (zu)künftig, kommend.

un•break•a•ble [ʌn'breɪkəbl] *adj* unzerbrechlich.

un•bri•dled *fig*. [ʌn'braɪdld] *adj* unge-

U

zügelt; ~ ***tongue*** lose Zunge.

un•bro•ken [ʌn'brəʊkən] *adj* ungebrochen; unversehrt; ununterbrochen; nicht zugeritten (*horse*).

un•bur•den [ʌn'bɜːdn] *v/t*: ~ ***o.s.*** (***to s.o.***) (*j-m*) sein Herz ausschütten.

un•but•ton [ʌn'bʌtn] *v/t* aufknöpfen.

un•called-for [ʌn'kɔːldfɔː] *adj* unerwünscht; unverlangt; unpassend.

un•can•ny [ʌn'kænɪ] *adj* (***-ier, -iest***) unheimlich.

un•cared-for [ʌn'keədfɔː] *adj* unbeachtet; vernachlässigt; ungepflegt.

un•ceas•ing [ʌn'siːsɪŋ] *adj* □ unaufhörlich.

un•ce•re•mo•ni•ous [ʌnserɪ'məʊnɪəs] *adj* □ ungezwungen; grob; unhöflich.

un•cer•tain [ʌn'sɜːtn] *adj* □ unsicher; ungewiss; unbestimmt; unzuverlässig; **~•ty** *s* Unsicherheit *f*.

un•chal•lenged [ʌn'tʃæləndʒd] *adj* unangefochten.

un•change•a•ble [ʌn'tʃeɪndʒəbl] *adj* □ unveränderlich, unwandelbar; **un•changed** *adj* unverändert; **un•chang•ing** *adj* □ unveränderlich.

un•char•i•ta•ble [ʌn'tʃærɪtəbl] *adj* □ lieblos; unbarmherzig; unfreundlich.

un•chart•ed [ʌn'tʃɑːtɪd] *adj* auf keiner Landkarte verzeichnet, unerforscht (*a. fig.*).

un•checked [ʌn'tʃekt] *adj* ungehindert; unkontrolliert.

un•civ•il [ʌn'sɪvl] *adj* □ unhöflich; **un•civ•i•lized** *adj* unzivilisiert.

un•claimed [ʌn'kleɪmd] *adj right, claim*: nicht beansprucht.

un•clas•si•fied [ʌn'klæsɪfaɪd] *adj* nicht klassifiziert; nicht geheim.

un•cle ['ʌŋkl] *s* Onkel *m*.

un•clean [ʌn'kliːn] *adj* unrein, unsauber, schmutzig.

un•col•oured [ʌn'kʌləd] *adj* farblos; *fig*. unparteiisch.

un•com•for•ta•ble [ʌn'kʌmfətəbl] *adj* □ unbehaglich, ungemütlich; unangenehm; ***be*** ~ sich unbehaglich fühlen.

un•com•mon [ʌn'kɒmən] *adj* □ ungewöhnlich.

un•com•mu•ni•ca•tive [ʌnkə'mjuːnɪkətɪv] *adj* □ wortkarg, verschlossen.

un•com•plain•ing [ʌnkəm'pleɪnɪŋ] *adj* □ klaglos, ohne Murren, geduldig.

un•com•pli•cat•ed [ʌn'kɒmplɪkeɪtɪd] *adj* unkompliziert.

un•com•pro•mis•ing [ʌn'kɒmprəmaɪzɪŋ] *adj* □ kompromisslos.

un•con•cern [ʌnkən'sɜːn] *s* Unbekümmertheit *f*; Gleichgültigkeit *f*; **~ed** *adj* □ unbekümmert; unbeteiligt; gleichgültig; uninteressiert (***with*** an *dat*).

un•con•di•tion•al [ʌnkən'dɪʃənl] *adj* □ bedingungslos (*surrender*); vorbehaltlos (*promise*).

un•con•firmed [ʌnkən'fɜːmd] *adj* unbestätigt; *eccl*. nicht konfirmiert.

un•con•nect•ed [ʌnkə'nektɪd] *adj* □ unverbunden; unzusammenhängend.

un•con•quer•a•ble [ʌn'kɒŋkərəbl] *adj* □ unüberwindlich, unbesiegbar; **un•con•quered** *adj* unbesiegt.

un•con•scious [ʌn'kɒnʃəs] **1.** *adj* □ unbewusst; *med*. bewusstlos; ***be ~ of s.th.*** sich e-r Sache nicht bewusst sein; **2.** *s psych. das* Unbewusste; **~•ness** *s med*. Bewusstlosigkeit *f*.

un•con•sti•tu•tion•al [ʌnkɒnstɪ'tjuːʃənl] *adj* □ *pol*. verfassungswidrig.

un•con•trol•la•ble [ʌnkən'trəʊləbl] *adj* □ unkontrollierbar; unbeherrscht; **un•con•trolled** *adj* □ unbeaufsichtigt; unbeherrscht.

un•con•ven•tion•al [ʌnkən'venʃənl] *adj* □ unkonventionell; unüblich; ungezwungen.

un•con•vinced [ʌnkən'vɪnst] *adj* nicht überzeugt (***of*** von); **un•con•vinc•ing** *adj* nicht überzeugend.

un•cooked [ʌn'kʊkt] *adj* roh.

un•cork [ʌn'kɔːk] *v/t* entkorken.

un•count|a•ble [ʌn'kaʊntəbl] *adj* unzählbar; **~•ed** *adj* ungezählt.

un•coup•le [ʌn'kʌpl] *v/t* ab-, aus-, loskoppeln.

un•couth [ʌn'kuːθ] *adj* □ ungehobelt.

un•cov•er [ʌn'kʌvə] *v/t* aufdecken, frei legen; entblößen.

un•cul•ti•vat•ed [ʌn'kʌltɪveɪtɪd], **un•cultured** [-tʃəd] *adj* unkultiviert.

un•dam•aged [ʌn'dæmɪdʒd] *adj* unbeschädigt, unversehrt, heil.

un•daunt•ed [ʌn'dɔːntɪd] *adj* unerschrocken, furchtlos.

un•de•ceive [ʌndɪ'siːv] *v/t j-m* die Augen öffnen; *j-n* aufklären.

un•de•cid•ed [ʌndɪ'saɪdɪd] *adj* unentschieden, offen; unentschlossen.

un•de•fined [ʌndɪ'faɪnd] *adj* □ unbestimmt; unbegrenzt.

un•de•mon•stra•tive [ʌndɪ'mɒnstrətɪv] *adj* □ zurückhaltend, reserviert.

un•de•ni•a•ble [ʌndɪ'naɪəbl] *adj* □ unleugbar; unbestreitbar.

un•der ['ʌndə] **1.** *adv* unten; darunter; **2.** *prp* unter (*acc or dat*); **3.** *adj in compounds*: unter…, Unter…; ungenügend, zu gering; **~•age** *adj* minderjährig; **~•bid** *v/t* (***-dd-***; ***-bid***) unterbieten; **~•brush** *s* Unterholz *n*; **~•car•riage** *s aer.* Fahrwerk *n*, -gestell *n*; *mot.* Fahrgestell *n*; **~•clothes** *pl*, **~•cloth•ing** *s* Unterkleidung *f*, -wäsche *f*; **~•cov•er** *adj* getarnt; verdeckt; *spy, etc.*: geheim, Geheim…; **~•cut** *v/t* (***-tt-***; ***-cut***) *price*: unterbieten; **~•dog** *s* Verlierer *m*, Unterlegene(r *m*) *f*; *der* sozial Schwächere *or* Benachteiligte; **~•done** *adj* nicht gar, nicht durchgebraten; **~•es•ti•mate** *v/t* unterschätzen; **~•ex•pose** *v/t phot.* unterbelichten; **~•fed** *adj* unterernährt; **~•floor heat•ing** *s* Fußbodenheizung *f*; **~•go** *v/t* (***-went, -gone***) durchmachen; erdulden; sich unterziehen (*dat*); **~•grad•u•ate** *s* Student(in); **~•ground**; **1.** *adj* unterirdisch; Untergrund…; **2.** *s esp. Br.* Untergrundbahn *f*, U-Bahn *f*; **~-growth** *s* Unterholz *n*; **~•hand(•ed)** *adj* □ hinterhältig; **~•lie** *v/t* (***-lay, -lain***) zugrunde liegen (*dat*); **~•line** *v/t* unterstreichen; **~•ling** *s contp.* Untergebene(r *m*) *f*; **~•mine** *v/t* unterminieren; *fig.* untergraben; schwächen; **~•most** *adj* unterste(r, -s); **~•neath**; **1.** *prp* unter(halb); **2.** *adv* unten; darunter; **~•nour•ished** *adj* unterernährt; **~•pass** *s* Unterführung *f*; **~•pin** *v/t* (***-nn-***) untermauern (*a. fig.*); **~•plot** *s thea. etc.* Nebenhandlung *f*; **~•priv•i•leged** *adj* benachteiligt, unterprivilegiert; **~•rate** *v/t* unterschätzen; **~-sec•re•ta•ry** *s pol.* Staatssekretär *m*; **~•sell** *v/t* (***-sold***) *econ. j-n* unterbieten; *goods*: verschleudern; **~•shirt** *s Am.* Unterhemd *n*; **~•signed** *s*: ***the ~*** der, die Unterzeichnete; **~•size(d)** *adj* zu klein; **~•skirt** *s* Unterrock *m*; **~•staffed** *adj* (personell) unterbesetzt.

un•der•stand [ʌndə'stænd] *v/t and v/i* (***-stood***) verstehen; sich verstehen auf (*acc*); (als sicher) annehmen; erfahren, hören; (sinngemäß) ergänzen; ***make o.s. understood*** sich verständlich machen; ***an understood thing*** e-e abgemachte Sache; **~•a•ble** *adj* verständlich; **~•ing** *s* Verstand *m*; Einvernehmen *n*; Verständigung *f*, Abmachung *f*, Einigung *f*; Voraussetzung *f*.

un•der•state [ʌndə'steɪt] *v/t* herunterspielen; untertreiben; **~•ment** *s* Understatement *n*, Untertreibung *f*.

un•der|take [ʌndə'teɪk] *v/t* (***-took, -taken***) unternehmen; übernehmen; sich verpflichten; **~•tak•er** ['ʌndəteɪkə] *s* Leichenbestatter *m*; Beerdigungs-, Bestattungsinstitut *n*; **~•tak•ing** *s* [ʌndə'teɪkɪŋ] *s* Unternehmen *n*; Zusicherung *f*; ['ʌndəteɪkɪŋ] Leichenbestattung *f*.

un•der|tone ['ʌndətəʊn] *s* leiser Ton; *fig.* Unterton *m*; **~•val•ue** *v/t* unterschätzen; **~•wear** *s* Unterkleidung *f*, -wäsche *f*; **~•wood** *s* Unterholz *n*; **~•world** *s* Unterwelt *f*; **~•writ•er** *s insurance*: Versicherer *m*.

un•de•served [ʌndɪ'zɜːvd] *adj* □ unverdient; **un•de•serv•ing** *adj* □ unwürdig.

un•de•signed [ʌndɪ'zaɪnd] *adj* □ unbeabsichtigt, unabsichtlich.

un•de•si•ra•ble [ʌndɪ'zaɪərəbl] **1.** *adj* □ unerwünscht; **2.** *s* unerwünschte Person.

un•de•vel•oped [ʌndɪ'veləpt] *adj* unerschlossen (*site*); unentwickelt.

un•de•vi•at•ing [ʌn'diːvɪeɪtɪŋ] *adj* □ unentwegt, unbeirrbar.

un•dies F ['ʌndɪz] *s pl* (Damen)Unterwäsche *f*.

un•dig•ni•fied [ʌn'dɪgnɪfaɪd] *adj* □ unwürdig, würdelos.

un•dis•ci•plined [ʌn'dɪsɪplɪnd] *adj* undiszipliniert; ungeschult.

un•dis•guised [ʌndɪs'gaɪzd] *adj* □ nicht verkleidet; *fig.* unverhohlen.

un•dis•put•ed [ʌndɪ'spjuːtɪd] *adj* □ unbestritten.

un•do [ʌn'duː] *v/t* (***-did, -done***) aufmachen; (auf)lösen; ungeschehen machen, aufheben; vernichten; **~•ing** *s* Aufmachen *n*; Ungeschehenmachen *n*; Vernichtung *f*; Verderben *n*; **undone** *adj* zugrunde gerichtet, ruiniert, erledigt.

un•doubt•ed [ʌn'daʊtɪd] *adj* □ unzweifelhaft, zweifellos.

un•dreamed [ʌn'driːmd], **un•dreamt** [ʌn'dremt] *adj*: **~-of** ungeahnt.

un•dress [ʌn'dres] *v/t* (*v/i* sich) entkleiden *or* ausziehen; **~ed** *adj* unbekleidet.

un•due [ʌn'djuː] *adj* □ unpassend;

übermäßig; *econ.* noch nicht fällig.

un•du|late ['ʌndjʊleɪt] *v/i* wogen; wallen; wellenförmig verlaufen; **~•la•tion** [-'leɪʃn] *s* wellenförmige Bewegung.

un•du•ly [ʌn'dju:lɪ] *adj* übertrieben, unmäßig; unangemessen.

un•earth [ʌn'ɜ:θ] *v/t* ausgraben; *fig.* aufstöbern; **~•ly** *adj* überirdisch; unheimlich; ***at an ~ hour*** F zu e-r unchristlichen Zeit.

un•eas|i•ness [ʌn'i:zɪnɪs] *s* Unruhe *f*; Unbehagen *n*; **~•y** *adj* □ (**-ier, -iest**) unbehaglich; unruhig; unsicher.

un•ed•u•cat•ed [ʌn'edjʊkeɪtɪd] *adj* ungebildet.

un•e•mo•tion•al [ʌnɪ'məʊʃənl] *adj* □ leidenschaftslos; passiv; nüchtern.

un•em|ployed [ʌnɪm'plɔɪd] **1.** *adj* arbeitslos; ungenützt; **2.** *s*: ***the ~ pl*** die Arbeitslosen *pl*; **~•ploy•ment** *s* Arbeitslosigkeit *f*; ***~ benefit*** *Br.*, ***~ compensation*** *Am.* Arbeitslosenunterstützung *f*.

un•end•ing [ʌn'endɪŋ] *adj* □ endlos.

un•en•dur•a•ble [ʌnɪn'djʊərəbl] *adj* □ unerträglich.

un•e•qual [ʌn'i:kwəl] *adj* □ ungleich; nicht gewachsen (***to*** *dat*); **~(l)ed** *adj* unerreicht, unübertroffen.

un•er•ring [ʌn'ɜ:rɪŋ] *adj* □ unfehlbar.

un•es•sen•tial [ʌnɪ'senʃl] *adj* unwesentlich, unwichtig.

un•e•ven [ʌn'i:vn] *adj* □ uneben; ungleich(mäßig); *temper*: unausgeglichen; *number*: ungerade.

un•e•vent•ful [ʌnɪ'ventfl] *adj* □ ereignislos; ohne Zwischenfälle.

un•ex•am•pled [ʌnɪg'zɑ:mpld] *adj* beispiellos.

un•ex•cep•tio•na•ble [ʌnɪk'sepʃnəbl] *adj* □ untadelig; einwandfrei.

un•ex•pec•ted [ʌnɪk'spektɪd] *adj* □ unerwartet.

un•fail•ing [ʌn'feɪlɪŋ] *adj* □ unfehlbar, nie versagend; unerschöpflich; *fig.* treu.

un•fair [ʌn'feə] *adj* □ unfair; ungerecht; *econ. competition*: unlauter.

un•faith•ful [ʌn'feɪθfl] *adj* □ un(ge)treu, treulos; nicht wortgetreu.

un•fa•mil•i•ar [ʌnfə'mɪlɪə] *adj* ungewohnt; unbekannt; nicht vertraut (***with*** mit).

un•fash•ion•a•ble [ʌn'fæʃənəbl] *adj* unmodern.

un•fas•ten [ʌn'fɑ:sn] *v/t* öffnen, aufmachen; lösen; **~ed** *adj* unbefestigt, lose.

un•fath•o•ma•ble [ʌn'fæðəməbl] *adj* □ unergründlich.

un•fa•vo(u)•ra•ble [ʌn'feɪvərəbl] *adj* □ ungünstig; unvorteilhaft.

un•feel•ing [ʌn'fi:lɪŋ] *adj* □ gefühllos.

un•fin•ished [ʌn'fɪnɪʃt] *adj* unvollendet; unfertig; unerledigt.

un•fit [ʌn'fɪt] **1.** *adj* □ ungeeignet, untauglich; *sports*: nicht fit, nicht in (guter) Form; **2.** *v/t* (**-tt-**) ungeeignet *or* untauglich machen.

un•fix [ʌn'fɪks] *v/t* losmachen, lösen.

un•fledged [ʌn'fledʒd] *adj bird*: ungefiedert, (noch) nicht flügge; *fig.* unreif.

un•flinch•ing [ʌn'flɪntʃɪŋ] *adj* □ entschlossen, unnachgiebig; unerschrocken.

un•fold [ʌn'fəʊld] *v/t and v/i* (sich) entfalten, (sich) öffnen; auseinanderfalten, auseinanderklappen; *fig.* darlegen, enthüllen.

un•forced [ʌn'fɔ:st] *adj* ungezwungen.

un•fore|see•a•ble [ʌnfɔ:'si:əbl] *adj* unvorhersehbar; **~•seen** *adj* unvorhergesehen, unerwartet.

un•for•get•ta•ble [ʌnfə'getəbl] *adj* □ unvergesslich.

un•for•giv•ing [ʌnfə'gɪvɪŋ] *adj* unversöhnlich, nachtragend.

un•for•got•ten [ʌnfə'gɒtn] *adj* unvergessen.

un•for•tu•nate [ʌn'fɔ:tʃnət] **1.** *adj* □ unglücklich; **2.** *s* Unglückliche(r *m*) *f*; **~•ly** *adv* unglücklicherweise, leider.

un•found•ed [ʌn'faʊndɪd] *adj* □ unbegründet, grundlos.

un•friend•ly [ʌn'frendlɪ] *adj* (**-ier, -iest**) unfreundlich; ungünstig; ***~ takeover*** *econ.* feindliche Übernahme.

un•furl [ʌn'fɜ:l] *v/t* entfalten, aufrollen.

un•fur•nished [ʌn'fɜ:nɪʃt] *adj* unmöbliert.

un•gain•ly [ʌn'geɪnlɪ] *adj* unbeholfen, plump, linkisch.

un•gen•er•ous [ʌn'dʒenərəs] *adj* □ nicht freigebig; kleinlich; unfair.

un•god•ly [ʌn'gɒdlɪ] *adj* gottlos; F scheußlich; ***at an ~ hour*** F zu e-r unchristlichen Zeit.

un•gov•er•na•ble [ʌn'gʌvənəbl] *adj* □ *country*: unregierbar; *passion*: zügellos, wild.

un•grace•ful [ʌn'greɪsfl] *adj* □ ungrazi-

ös, ohne Anmut; unbeholfen.
un•gra•cious [ʌn'greɪʃəs] *adj* □ ungnädig; unfreundlich.
un•grate•ful [ʌn'greɪtfl] *adj* □ undankbar.
un•guard•ed [ʌn'gɑːdɪd] *adj* □ unbewacht; ungeschützt; unvorsichtig.
un•guent *pharm.* ['ʌŋgwənt] *s* Salbe *f*.
un•ham•pered [ʌn'hæmpəd] *adj* ungehindert.
un•han•dy [ʌn'hændɪ] *adj* □ (*-ier, -iest*) unhandlich; ungeschickt; unbeholfen.
un•hap•py [ʌn'hæpɪ] *adj* □ (*-ier, -iest*) unglücklich.
un•harmed [ʌn'hɑːmd] *adj* unversehrt.
un•health•y [ʌn'helθɪ] *adj* □ (*-ier, -iest*) ungesund.
un•heard-of [ʌn'hɜːdɒv] *adj* unerhört; beispiellos.
un•heed|ed [ʌn'hiːdɪd] *adj* □ unbeachtet; **~•ing** *adj* sorglos.
un•hes•i•tat•ing [ʌn'hezɪteɪtɪŋ] *adj* prompt; anstandslos, bereitwillig.
un•ho•ly [ʌn'həʊlɪ] *adj* (*-ier, -iest*) unheilig; gottlos; F → ***ungodly***.
un•hoped-for [ʌn'həʊptfɔː] *adj* unverhofft, unerwartet.
un•hurt [ʌn'hɜːt] *adj* unverletzt.
u•ni•fi•ca•tion [juːnɪfɪ'keɪʃn] *s* Vereinigung *f*; Vereinheitlichung *f*.
u•ni•form ['juːnɪfɔːm] **1.** *adj* □ gleichförmig, -mäßig, gleich; einheitlich; **2.** *s* Uniform *f*, Dienstkleidung *f*; **3.** *v/t* uniformieren; **~•i•ty** [~'fɔːmətɪ] *s* Gleichförmigkeit *f*; Einheitlichkeit *f*.
u•ni•fy ['juːnɪfaɪ] *v/t* verein(ig)en; vereinheitlichen.
u•ni•lat•e•ral [juːnɪ'lætərəl] *adj* □ einseitig.
un•i•ma•gi•na|ble [ʌnɪ'mædʒɪnəbl] *adj* □ unvorstellbar; **~•tive** *adj* □ fantasie-, einfallslos.
un•im•por•tant [ʌnɪm'pɔːtənt] *adj* □ unwichtig, unbedeutend.
un•in•formed [ʌnɪn'fɔːmd] *adj* nicht unterrichtet *or* eingeweiht.
un•in•hab|i•ta•ble [ʌnɪn'hæbɪtəbl] *adj* unbewohnbar; **~•it•ed** *adj* unbewohnt.
un•in•jured [ʌn'ɪndʒəd] *adj* unbeschädigt, unverletzt.
un•in•tel•li•gi•ble [ʌnɪn'telɪdʒəbl] *adj* □ unverständlich.
un•in•ten•tion•al [ʌnɪn'tenʃənl] *adj* □ unabsichtlich, unbeabsichtigt.
un•in•terest•ing [ʌn'ɪntrɪstɪŋ] *adj* □ uninteressant.
un•in•ter•rupt•ed [ʌnɪntə'rʌptɪd] *adj* □ ununterbrochen.
u•nion ['juːnɪən] *s* Vereinigung *f*; Verbindung *f*; Union *f*; Verband *m*, Verein *m*, Bund *m*; *pol.* Vereinigung *f*, Zusammenschluss *m*; Gewerkschaft *f*; **~•ist** *s* Gewerkschaftler(in); **♀ Jack** *s* Union Jack *m*; **~ suit** *s Am.* lange Hemdhose.
u•nique [juː'niːk] *adj* □ einzigartig, einmalig.
u•ni•son *mus. and fig.* ['juːnɪzn] *s* Einklang *m*.
u•nit ['juːnɪt] *s* Einheit *f*; *tech.* (Bau-)Einheit *f*; *math.* Einer *m*; ***kitchen ~*** Küchenelement *n*.
u•nite [juː'naɪt] *v/t and v/i* (sich) vereinigen, (sich) verbinden; (sich) zusammenschließen; **u•nit•ed** *adj* vereinigt, vereint; **u•ni•ty** ['juːnətɪ] *s* Einheit *f*; Einigkeit *f*, Eintracht *f*.
U•nit•ed King•dom [juːˌnaɪtɪd'kɪŋdəm] *das* Vereinigte Königreich (*Great Britain and Northern Ireland*).
U•nit•ed States of A•mer•i•ca [juːˌnaɪtɪdˌsteɪtsəvə'merɪkə] *pl die* Vereinigten Staaten *pl* von Amerika.
u•ni•ver•sal [juːnɪ'vɜːsl] *adj* □ allgemein; allumfassend; Universal…; Welt…; **~•i•ty** [~'sælətɪ] *s* Allgemeinheit *f*; umfassende Bildung; Vielseitigkeit *f*.
u•ni•verse ['juːnɪvɜːs] *s* Weltall *n*, Universum *n*.
u•ni•ver•si•ty [juːnɪ'vɜːsətɪ] *s* Universität *f*; **~ *graduate*** Hochschulabsolvent(in), Akademiker(in).
un•just [ʌn'dʒʌst] *adj* □ ungerecht; ***~ly*** zu Unrecht.
un•jus•ti•fi•a•ble [ʌn'dʒʌstɪfaɪəbl] *adj* □ nicht zu rechtfertigen(d), unentschuldbar.
un•kempt [ʌn'kempt] *adj* ungekämmt, zerzaust; ungepflegt.
un•kind [ʌn'kaɪnd] *adj* □ unfreundlich.
un•know•ing [ʌn'nəʊɪŋ] *adj* □ unwissend; unbewusst; **un•known 1.** *adj* unbekannt; ***~ to me*** ohne mein Wissen; **2.** *s der, die, das* Unbekannte.
un•lace [ʌn'leɪs] *v/t* aufschnüren.
un•latch [ʌn'lætʃ] *v/t door:* aufklinken.
un•law•ful [ʌn'lɔːfl] *adj* □ ungesetzlich, widerrechtlich, illegal.
un•lead•ed ['ʌnledɪd] *adj* bleifrei.
un•learn [ʌn'lɜːn] *v/t* (***-ed*** *or* ***-learnt***)

U

verlernen.
un•less [ən'les] *cj* wenn … nicht, außer wenn …, es sei denn, dass …
un•like [ʌn'laɪk] **1.** *adj* □ ungleich; **2.** *prp* unähnlich (***s.o.*** *j-m*); anders als; im Gegensatz zu; **~•ly** *adj* unwahrscheinlich.
un•lim•it•ed [ʌn'lɪmɪtɪd] *adj* unbegrenzt.
un•load [ʌn'ləʊd] *v/t* ent-, ab-, ausladen; *mar. cargo*: löschen.
un•lock [ʌn'lɒk] *v/t* aufschließen; **~ed** *adj* unverschlossen.
un•looked-for [ʌn'lʊktfɔː] *adj* unerwartet, überraschend.
un•loose [ʌn'luːs], **un•loos•en** [ʌn'luːsn] *v/t* lösen; lockern; losmachen.
un•love•ly [ʌn'lʌvlɪ] *adj* reizlos, unschön; **un•lov•ing** *adj* □ lieblos.
un•luck•y [ʌn'lʌkɪ] *adj* □ (***-ier, -iest***) unglücklich; unheilvoll; ***be ~*** Pech haben.
un•man [ʌn'mæn] *v/t* (***-nn-***) entmannen; entmutigen; ***~ned*** *space travel*: unbemannt.
un•man•age•a•ble [ʌn'mænɪdʒəbl] *adj* □ unkontrollierbar.
un•mar•ried [ʌn'mærɪd] *adj* unverheiratet, ledig.
un•mask [ʌn'mɑːsk] *v/t* demaskieren; *fig.* entlarven.
un•matched [ʌn'mætʃt] *adj* unerreicht, unübertroffen, unvergleichlich.
un•mean•ing [ʌn'miːnɪŋ] *adj* □ nichtssagend.
un•mea•sured [ʌn'meʒəd] *adj* ungemessen; unermesslich.
un•mind•ful [ʌn'maɪndfl] *adj* □: ***be ~ of*** nicht achten auf (*acc*); nicht denken an (*acc*).
un•mis•ta•ka•ble [ʌnmɪ'steɪkəbl] *adj* □ unverkennbar; unmissverständlich.
un•mit•i•gat•ed [ʌn'mɪtɪgeɪtɪd] *adj* ungemildert; ***~ scoundrel*** Erzhalunke *m*.
un•mount•ed [ʌn'maʊntɪd] *adj* unberitten; ungefasst (*gem*); nicht aufgezogen (*picture*).
un•moved [ʌn'muːvd] *adj* unbewegt, ungerührt.
un•mu•sic•al [ʌn'mjuːzɪkl] *adj* *tune*: unmelodiös; *person*: unmusikalisch.
un•named [ʌn'neɪmd] *adj* ungenannt; *without name*: namenlos.
un•nat•u•ral [ʌn'nætʃrəl] *adj* □ unnatürlich.
un•ne•ces•sa•ry [ʌn'nesəsərɪ] *adj* □ unnötig; überflüssig.
un•neigh•bo(u)r•ly [ʌn'neɪbəlɪ] *adj* nicht gutnachbarlich; unfreundlich.
un•nerve [ʌn'nɜːv] *v/t* entnerven.
un•no•ticed [ʌn'nəʊtɪst] *adj* unbemerkt.
UNO ['juːnəʊ] ***United Nations Organization*** UNO *f*.
un•ob•jec•tio•na•ble [ʌnəb'dʒekʃnəbl] *adj* □ einwandfrei.
un•ob•serv•ant [ʌnəb'zɜːvənt] *adj* □ unachtsam; **un•ob•served** *adj* □ unbemerkt.
un•ob•tai•na•ble [ʌnəb'teɪnəbl] *adj* unerreichbar.
un•ob•tru•sive [ʌnəb'truːsɪv] *adj* □ unaufdringlich, bescheiden.
un•oc•cu•pied [ʌn'ɒkjʊpaɪd] *adj* unbesetzt; unbewohnt; unbeschäftigt.
un•of•fend•ing [ʌnə'fendɪŋ] *adj* harmlos.
un•of•fi•cial [ʌnə'fɪʃl] *adj* □ nichtamtlich, inoffiziell.
un•op•posed [ʌnə'pəʊzd] *adj* ungehindert.
un•owned [ʌn'əʊnd] *adj* herrenlos.
un•pack [ʌn'pæk] *v/t* auspacken.
un•paid [ʌn'peɪd] *adj* unbezahlt.
un•par•al•leled [ʌn'pærəleld] *adj* einmalig, beispiellos, ohnegleichen.
un•par•don•a•ble [ʌn'pɑːdnəbl] *adj* □ unverzeihlich.
un•per•ceived [ʌnpə'siːvd] *adj* □ unbemerkt.
un•per•turbed [ʌnpə'tɜːbd] *adj* ruhig, gelassen.
un•pick [ʌn'pɪk] *v/t* *stitches, etc.*: auftrennen.
un•placed [ʌn'pleɪst] *adj*: ***be ~*** *sports*: sich nicht platzieren können.
un•pleas•ant [ʌn'pleznt] *adj* □ unangenehm, unerfreulich; unfreundlich; **~•ness** *s* Unannehmlichkeit *f*; Unstimmigkeit *f*.
un•pol•ished [ʌn'pɒlɪʃt] *adj* unpoliert; *fig.* ungehobelt, ungebildet.
un•pol•lut•ed [ʌnpə'luːtɪd] *adj* unverschmutzt, unverseucht, sauber (*environment*).
un•pop•u•lar [ʌn'pɒpjʊlə] *adj* □ unpopulär, unbeliebt; **~•i•ty** [-'lærətɪ] *s* Unbeliebtheit *f*.
un•prac|ti•cal [ʌn'præktɪkl] *adj* □ unpraktisch; **~•tised**, *Am.* **~•ticed** *adj* un-

U

geübt.
un•pre•ce•dent•ed [ʌn'presɪdəntɪd] *adj* □ beispiellos; noch nie da gewesen.
un•prej•u•diced [ʌn'predʒʊdɪst] *adj* □ unbefangen, unvoreingenommen.
un•pre•med•i•tat•ed [ʌnprɪ'medɪteɪtɪd] *adj* □ unüberlegt; nicht vorsätzlich.
un•pre•pared [ʌnprɪ'peəd] *adj* unvorbereitet.
un•pre•ten•tious [ʌnprɪ'tenʃəs] *adj* □ bescheiden, schlicht.
un•prin•ci•pled [ʌn'prɪnsəpld] *adj* ohne Grundsätze; gewissenlos.
un•prof•i•ta•ble [ʌn'prɒfɪtəbl] *adj* □ unrentabel.
un•proved [ʌn'pruːvd], **un•prov•en** [ʌn'pruːvn] *adj* unbewiesen.
un•pro•vid•ed [ʌnprə'vaɪdɪd] *adj*: **~ with** nicht versehen mit, ohne; **~ for** unversorgt, mittellos.
un•pro•voked [ʌnprə'vəʊkt] *adj* □ ohne Anlass, grundlos.
un•qual•i•fied [ʌn'kwɒlɪfaɪd] *adj* unqualifiziert, ungeeignet; uneingeschränkt.
un•ques|tio•na•ble [ʌn'kwestʃənəbl] *adj* □ unzweifelhaft, fraglos; **~•tion•ing** *adj* □ bedingungslos, blind.
un•quote [ʌn'kwəʊt] *adv*: **~!** Ende des Zitats!
un•rav•el [ʌn'rævl] *v/t* (*esp. Br.* **-ll-**, *Am.* **-l-**) auftrennen; (*v/i* sich) entwirren.
un•read [ʌn'red] *adj book*: ungelesen; *person*: wenig belesen; **un•rea•da•ble** [ʌn'riːdəbl] *adj writing*: unleserlich; *book*: schwer lesbar.
un•real [ʌn'rɪəl] *adj* □ unwirklich, irreal; **un•re•a•lis•tic** *adj* (**~ally**) wirklichkeitsfremd, unrealistisch.
un•rea•so•na•ble [ʌn'riːznəbl] *adj* □ unvernünftig; unsinnig; unmäßig.
un•rec•og•niz•a•ble [ʌn'rekəgnaɪzəbl] *adj* □ nicht wieder zu erkennen.
un•re•deemed [ʌnrɪ'diːmd] *adj* □ *eccl.* unerlöst; nicht eingelöst (*bill*, *pawn*); ungetilgt (*debt*).
un•re•fined [ʌnrɪ'faɪnd] *adj* nicht raffiniert, roh, Roh…; *fig.* unkultiviert.
un•re•flect•ing [ʌnrɪ'flektɪŋ] *adj* □ gedankenlos, unüberlegt.
un•re•gard•ed [ʌnrɪ'gɑːdɪd] *adj* unbeachtet; unberücksichtigt.
un•re•lat•ed [ʌnrɪ'leɪtɪd] *adj* unzusammenhängend, ohne Beziehung (**to** zu).
un•re•lent•ing [ʌnrɪ'lentɪŋ] *adj* □ erbarmungslos (*fight*, *etc.*); unvermindert.
un•rel•i•a•ble [ʌnrɪ'laɪəbl] *adj* □ unzuverlässig.
un•re•lieved [ʌnrɪ'liːvd] *adj* ungemildert; ungemindert.
un•re•mit•ting [ʌnrɪ'mɪtɪŋ] *adj* □ unablässig, unaufhörlich; unermüdlich.
un•re•quit•ed [ʌnrɪ'kwaɪtɪd] *adj*: **~ love** unerwiderte Liebe.
un•re•served [ʌnrɪ'zɜːvd] *adj* □ rückhaltlos; frei, offen; nicht reserviert.
un•re•sist•ing [ʌnrɪ'zɪstɪŋ] *adj* □ widerstandslos.
un•re•spon•sive [ʌnrɪ'spɒnsɪv] *adj* □ unempfänglich (**to** für); teilnahmslos.
un•rest [ʌn'rest] *s* Unruhe *f*, *pol. a.* Unruhen *pl.*
un•re•strained [ʌnrɪ'streɪnd] *adj* □ ungehemmt; uneingeschränkt.
un•re•strict•ed [ʌnrɪ'strɪktɪd] *adj* □ uneingeschränkt.
un•right•eous [ʌn'raɪtʃəs] *adj* □ ungerecht; unredlich.
un•ripe [ʌn'raɪp] *adj* unreif.
un•ri•val(l)ed [ʌn'raɪvld] *adj* unvergleichlich, unerreicht, einzigartig.
un•roll [ʌn'rəʊl] *v/t* ent-, aufrollen; *v/i* sich entfalten.
un•ruf•fled [ʌn'rʌfld] *adj* glatt; *fig.* gelassen, ruhig.
un•ru•ly [ʌn'ruːlɪ] *adj* (**-ier, -iest**) ungebärdig, widerspenstig.
un•safe [ʌn'seɪf] *adj* □ unsicher.
un•said [ʌn'sed] *adj* unausgesprochen.
un•sal(e)•a•ble [ʌn'seɪləbl] *adj* unverkäuflich.
un•san•i•tar•y [ʌn'sænɪtərɪ] *adj* unhygienisch.
un•sat•is|fac•to•ry [ʌnsætɪs'fæktərɪ] *adj* □ unbefriedigend, unzulänglich; **~•fied** [ʌn'sætɪsfaɪd] *adj* unbefriedigt; **~•fy•ing** → ***unsatisfactory.***
un•sa•vo(u)r•y [ʌn'seɪvərɪ] *adj* □ unappetitlich (*a. fig.*), widerwärtig.
un•say [ʌn'seɪ] *v/t* (**-said**) zurücknehmen, widerrufen.
un•scathed [ʌn'skeɪðd] *adj* unversehrt, unverletzt.
un•schooled [ʌn'skuːld] *adj* ungeschult, nicht ausgebildet.
un•screw [ʌn'skruː] *v/t* ab-, los-, aufschrauben; *v/i* sich abschrauben lassen.
un•scru•pu•lous [ʌn'skruːpjʊləs] *adj*

□ bedenken-, gewissen-, skrupellos.
un•sea•soned [ʌn'siːznd] *adj* nicht abgelagert (*timber*); ungewürzt; *fig.* nicht abgehärtet.
un•seat [ʌn'siːt] *v/t rider*: abwerfen; *from office*: *j-n* s-s Postens entheben; *pol. j-m* s-n Sitz (im Parlament) nehmen.
un•see•ing [ʌn'siːɪŋ] *adj* □ *fig.* blind; ***with ~ eyes*** mit leerem Blick.
un•seem•ly [ʌn'siːmlɪ] *adj* ungehörig.
un•self•ish [ʌn'selfɪʃ] *adj* □ selbstlos, uneigennützig; **~•ness** *s* Selbstlosigkeit *f*.
un•set•tle [ʌn'setl] *v/t* durcheinanderbringen; beunruhigen; aufregen; erschüttern; **~d** *adj* unbeständig, veränderlich (*weather*).
un•shak•en [ʌn'ʃeɪkən] *adj* unerschüttert; unerschütterlich.
un•shaved [ʌn'ʃeɪvd], **un•shav•en** [ʌn'ʃeɪvn] *adj* unrasiert.
un•ship [ʌn'ʃɪp] *v/t* ausschiffen.
un•shrink|a•ble [ʌn'ʃrɪŋkəbl] *adj* nicht einlaufend (*fabric*); **~•ing** *adj* □ unverzagt, furchtlos.
un•sight•ly [ʌn'saɪtlɪ] *adj* hässlich.
un•skil(l)•ful [ʌn'skɪlfl] *adj* □ ungeschickt; **un•skilled** *adj worker*: ungelernt.
un•so•cia•ble [ʌn'səʊʃəbl] *adj* □ ungesellig; **un•so•cial** *adj* unsozial; asozial; ***work ~ hours*** *Br.* außerhalb der normalen Arbeitszeit arbeiten.
un•so•lic•it•ed [ʌnsə'lɪsɪtɪd] *adj* unaufgefordert; ***~ application*** Blindbewerbung *f*; ***~ goods*** *econ.* unbestellte *or* nicht bestellte Ware(n).
un•solv•a•ble [ʌn'sɒlvəbl] *adj chem.* unlöslich; *fig.* unlösbar; **un•solved** *adj* ungelöst.
un•so•phis•ti•cat•ed [ʌnsə'fɪstɪkeɪtɪd] *adj* ungekünstelt, natürlich, naiv.
un•sound [ʌn'saʊnd] *adj* □ ungesund; verdorben; wurmstichig, morsch; nicht stichhaltig (*argument*); verkehrt; ***of ~ mind*** *jur.* unzurechnungsfähig.
un•spar•ing [ʌn'speərɪŋ] *adj* □ freigebig; schonungslos, unbarmherzig.
un•spea•ka•ble [ʌn'spiːkəbl] *adj* □ unsagbar, unbeschreiblich, entsetzlich.
un•spoiled, **un•spoilt** [ʌn'spɔɪld, -t] *adj* unverdorben; nicht verzogen (*child*).
un•spo•ken [ʌn'spəʊkən] *adj* ungesagt; ***~-of*** unerwähnt.
un•stead•y [ʌn'stedɪ] *adj* □ (***-ier, -iest***) unsicher; schwankend, unbeständig; unregelmäßig; *fig.* unsolide.
un•strained [ʌn'streɪnd] *adj* unfiltriert; *fig.* ungezwungen.
un•strap [ʌn'stræp] *v/t* (***-pp-***) ab-, auf-, losschnallen.
un•stressed *ling.* [ʌn'strest] *adj* unbetont.
un•strung [ʌn'strʌŋ] *adj mus.* saitenlos; *mus.* entspannt (*string*); *fig.* zerrüttet, entnervt (*person*).
un•stuck [ʌn'stʌk] *adj*: ***come ~*** sich lösen, abgehen; *fig.* scheitern (*person, plan*).
un•stud•ied [ʌn'stʌdɪd] *adj* ungekünstelt, natürlich.
un•suc•cess•ful [ʌnsək'sesfl] *adj* □ erfolglos, ohne Erfolg.
un•suit•a•ble [ʌn'sjuːtəbl] *adj* □ unpassend; unangemessen.
un•sure [ʌn'ʃɔː] *adj* (***~r, ~st***) unsicher.
un•sus•pect|ed [ʌnsə'spektɪd] *adj* □ unverdächtig; unvermutet; **~•ing** *adj* □ nichts ahnend; arglos.
un•sus•pi•cious [ʌnsə'spɪʃəs] *adj* □ arglos; unverdächtig.
un•tan•gle [ʌn'tæŋgl] *v/t* entwirren.
un•tapped [ʌn'tæpt] *adj* unangezapft (*barrel*); ungenutzt (*resources, energy*).
un•teach•a•ble [ʌn'tiːtʃəbl] *adj* unbelehrbar (*person*); nicht lehrbar (*subject*).
un•ten•a•ble [ʌn'tenəbl] *adj* unhaltbar (*theory, position, etc.*).
un•thank•ful [ʌn'θæŋkfl] *adj* □ undankbar.
un•think|a•ble [ʌn'θɪŋkəbl] *adj* undenkbar; **~•ing** *adj* □ gedankenlos.
un•thought [ʌn'θɔːt] *adj* unüberlegt; ***~-of*** unvorstellbar; unerwartet.
un•ti•dy [ʌn'taɪdɪ] *adj* □ (***-ier, -iest***) unordentlich.
un•tie [ʌn'taɪ] *v/t* aufknoten, *knot, etc.*: lösen; losbinden.
un•til [ən'tɪl] **1.** *prp* bis; **2.** *cj* bis (dass); ***not ~*** erst als *or* wenn.
un•time•ly [ʌn'taɪmlɪ] *adj* vorzeitig; ungelegen.
un•tir•ing [ʌn'taɪərɪŋ] *adj* □ unermüdlich.
un•to ['ʌntʊ] → ***to*** 1.
un•told [ʌn'təʊld] *adj* unerzählt; ungesagt; unermesslich; unsäglich.

un•touched [ʌn'tʌtʃt] *adj* unberührt (*meal, etc.*); *fig*. ungerührt.
un•trou•bled [ʌn'trʌbld] *adj* ungestört; ruhig.
un•true [ʌn'tru:] *adj* □ unwahr, falsch.
un•trust•wor•thy [ʌn'trʌstwɜ:ðɪ] *adj* unzuverlässig, nicht vertrauenswürdig.
un•truth•ful [ʌn'tru:θfl] *adj* □ unwahr; unaufrichtig; falsch.
un•used[1] [ʌn'ju:zd] *adj* unbenutzt, ungebraucht.
un•used[2] [ʌn'ju:st] *adj* nicht gewöhnt (***to*** an *acc*); nicht gewohnt (***to doing*** zu tun).
un•u•su•al [ʌn'ju:ʒʊəl] *adj* □ ungewöhnlich.
un•var•nished *fig*. [ʌn'vɑ:nɪʃt] *adj* ungeschminkt.
un•veil [ʌn'veɪl] *v/t* entschleiern; *monument, etc*.: enthüllen.
un•versed [ʌn'vɜ:st] *adj* unbewandert, unerfahren (***in*** in *dat*).
un•want•ed [ʌn'wɒntɪd] *adj* unerwünscht.
un•war•rant•ed [ʌn'wɒrəntɪd] *adj* ungerechtfertigt, unberechtigt.
un•wel•come [ʌn'welkəm] *adj* unwillkommen.
un•well [ʌn'wel] *adj*: ***she is** or **feels** ~* sie fühlt sich unwohl *or* unpässlich, sie ist unpässlich.
un•wield•y [ʌn'wi:ldɪ] *adj* □ unhandlich, sperrig; unbeholfen.
un•will•ing [ʌn'wɪlɪŋ] *adj* □ widerwillig; ungern; ***be ~ to do*** *et*. nicht tun wollen.
un•wind [ʌn'waɪnd] *v/t and v/i* (***-wound***) auf-, loswickeln; (sich) abwickeln; F sich entspannen, abschalten.
un•wise [ʌn'waɪz] *adj* □ unklug.
un•wor•thy [ʌn'wɜ:ðɪ] *adj* unwürdig; ***he is ~ of it*** er verdient es nicht, er ist es nicht wert.
un•wrap [ʌn'ræp] *v/t* (***-pp-***) auswickeln, auspacken, aufwickeln.
un•writ•ten ['ʌnrɪtn] *adj*: ***~ law*** ungeschriebenes Gesetz.
un•yield•ing [ʌn'ji:ldɪŋ] *adj* □ starr, fest; *fig*. unnachgiebig.
un•zip [ʌn'zɪp] *v/t* (***-pp-***) den Reißverschluss (*gen*) öffnen.

U

up [ʌp] **1.** *adv* nach oben, hoch…, (her-, hin)auf…, in die Höhe, empor…, aufwärts…; oben; von … an; flussaufwärts; *Br. esp. to capital*: in der *or* in die (Haupt-)Stadt; *Br. esp*. in *or* nach London; *~right*: aufrecht, gerade; *baseball*: am Schlag; ***~ to*** hinauf nach *or* zu; bis (zu); ***~ North*** im Norden; ***~ there*** dort oben, dorthinauf; ***~ here*** hier oben, hierherauf; ***~ and away*** auf und davon; ***walk ~ and down*** auf und ab gehen, hin und her gehen; ***rents have gone ~*** die Mieten sind gestiegen; ***it is ~ to him*** es liegt an ihm; es hängt von ihm ab; ***what are you ~ to?*** was hast du vor?, was machst du (***there*** da)?; **2.** *adj* oben; hoch; aufgegangen (*sun*); gestiegen (*prices*); abgelaufen, um (*time*); auf(gestanden); ***~ and about*** wieder auf den Beinen; ***what's ~?*** was ist los?; ***~ train*** Zug *m* nach der Stadt; **3.** *prp* hinauf; ***~ (the) country*** landeinwärts; F ***~ yours!*** F du kannst mich mal!; **4.** (***-pp-***) *v/i* aufstehen, sich erheben; *v/t prices, etc*.: erhöhen; **5.** *s*: ***the ~s and downs*** *pl* das Auf u. Ab, die Höhen u. Tiefen *pl* (***of life*** des Lebens).
up-and-com•ing [ʌpən'kʌmɪŋ] *adj* aufstrebend, vielversprechend.
up•bring•ing ['ʌpbrɪŋɪŋ] *s* Erziehung *f*.
up•com•ing *Am*. ['ʌpkʌmɪŋ] *adj* bevorstehend.
up•coun•try [ʌp'kʌntrɪ] *adj and adv* landeinwärts; im Inneren des Landes (gelegen).
up•date [ʌp'deɪt] *v/t* auf den neuesten Stand bringen.
up•end [ʌp'end] *v/t* hochkant stellen; *receptacle*: umstülpen.
up-front F [ʌp'frʌnt] *adj* vorne; *of payment*: Voraus…; *person*: aufgeschlossen, offen.
up•grade [ʌp'greɪd] *v/t j-n* (im Rang) befördern.
up•heav•al *fig*. [ʌp'hi:vl] *s* Umwälzung *f*.
up•hill [ʌp'hɪl] *adj and adv* bergauf; *fig*. mühsam.
up•hold [ʌp'həʊld] *v/t* (***-held***) aufrechterhalten, unterstützen; *jur*. bestätigen.
up•hol•ster [ʌp'həʊlstə] *v/t chair, etc*.: polstern; ***~•er*** *s* Polsterer *m*; ***~•y*** *s* Polsterung *f*; (Möbel)Bezugsstoff *m*; Polstern *n*; Polsterei *f*.
up•keep ['ʌpki:p] *s* Instandhaltung(skosten *pl*) *f*; Unterhalt(ungskosten *pl*) *m*.
up•land ['ʌplənd] *s mst **~s*** *pl* Hochland

n.

up•lift *fig.* [ʌp'lɪft] *v/t* aufrichten, erbauen.

up-mar•ket ['ʌpmɑːkɪt] *adj goods, etc.*: exklusiv, Luxus…

up•on [ə'pɒn] *prp* → **on** 1; ***once ~ a time there was*** es war einmal.

up•per ['ʌpə] *adj* obere(r, -s), höhere(r, -s), Ober…; ***~ middle class*** obere Mittelschicht; **~ class** *s* Oberschicht *f*; **~•most 1.** *adj* oberste(r, -s), höchste(r, -s); **2.** *adv* obenan, ganz oben.

up•right ['ʌpraɪt] **1.** *adj* □ aufrecht; *fig.* rechtschaffen; **2.** *s* (senkrechte) Stütze, Träger *m.*

up•ris•ing ['ʌpraɪzɪŋ] *s* Erhebung *f*, Aufstand *m.*

up•roar ['ʌprɔː] *s* Aufruhr *m*; **~•i•ous** [ʌp'rɔːrɪəs] *adj* □ lärmend, laut, tosend (*applause*), schallend (*laughter*).

up•root [ʌp'ruːt] *v/t* entwurzeln; (her-)ausreißen.

up•set [ʌp'set] *v/t* (***-tt-***; ***-set***) umwerfen, (um)stürzen, umkippen, umstoßen; durcheinanderbringen (*a. fig.*); *stomach*: verderben; *fig. j-n* aus der Fassung bringen; ***be ~*** aufgeregt sein, aus der Fassung sein, durcheinander sein.

up•shot ['ʌpʃɒt] *s* Ergebnis *n.*

up•side down [ʌpsaɪd'daʊn] *adv* das Oberste zuunterst; verkehrt (herum).

up•stairs [ʌp'steəz] *adj and adv* im oberen Stockwerk (gelegen); die Treppe hinauf, (nach) oben.

up•start ['ʌpstɑːt] *s* Emporkömmling *m.*

up•stream [ʌp'striːm] *adv* fluss-, stromaufwärts.

up•tight F ['ʌptaɪt] *adj* nervös.

up-to-date [ʌptə'deɪt] *adj* modern; auf dem neuesten Stand.

up•town *Am.* [ʌp'taʊn] *adj and adv* im *or* in das Wohn- *or* Villenviertel.

up•turn ['ʌptɜːn] *s* Aufschwung *m.*

up•ward(s) ['ʌpwəd(z)] *adv* aufwärts (gerichtet).

u•ra•ni•um *chem.* [jʊə'reɪnɪəm] *s* Uran *n.*

ur•ban ['ɜːbən] *adj* städtisch, Stadt…; ***~ renewal*** Stadtsanierung *f*; **~e** [ɜː'beɪn] *adj* □ gewandt, weltmännisch; gebildet.

urge [ɜːdʒ] **1.** *v/t j-n* (be)drängen (***to do*** zu tun); dringen auf (*acc*); *claim*: geltend machen; *often* ***~ on*** *j-n* drängen, (an)treiben; **2.** *s* Verlangen *n*, Drang *m*; **ur•gen•cy** ['ɜːdʒənsɪ] *s* Dringlichkeit *f*; Drängen *n*; **ur•gent** *adj* □ dringend; dringlich; eilig.

u•ri|nal ['jʊərɪnl] *s* Harnglas *n*; Pissoir *n*; **~•nate** ['-neɪt] *v/i* urinieren; **u•rine** ['jʊərɪn] *s* Urin *m*, Harn *m.*

urn [ɜːn] *s* Urne *f*; *in cafeteria, etc.*: Tee-, Kaffeemaschine *f.*

us [ʌs, əs] *pron* uns; ***all of ~*** wir alle; ***both of ~*** wir beide.

US ***United States*** Vereinigte Staaten *pl.*

USA ***United States of America*** *die* USA *pl*, Vereinigte Staaten *pl* von Amerika.

us•age ['juːzɪdʒ] *s* Brauch *m*, Gepflogenheit *f*; Sprachgebrauch *m*; Behandlung *f*; Verwendung *f*, Gebrauch *m.*

use 1. *s* [juːs] Gebrauch *m*, Benutzung *f*, Verwendung *f*; *custom*: Gewohnheit *f*, Brauch *m*; *~fulness*: Nutzen *m*; ***(of) no ~*** nutz-, zwecklos; ***have no ~ for*** keine Verwendung haben für; *Am.* F nicht mögen; **2.** *v/t* [juːz] gebrauchen, benutzen, ver-, anwenden; handhaben; ***~ up*** ver-, aufbrauchen; ***I ~d to do*** ich pflegte zu tun, früher tat ich; **~-by date** *s* Haltbarkeitsdatum *n*; **~d** *adj* [juːzd] ge-, verbraucht; [juːst] gewöhnt (***to*** an *acc*), gewohnt (***to*** zu *or acc*); **~•ful** *adj* □ brauchbar, nützlich; Nutz…; **~•less** *adj* □ nutz-, zwecklos, unnütz.

us•er ['juːzə] *s* Benutzer(in); *of drugs*: Konsument(in); **~-friend•ly** *adj* benutzerfreundlich; **~ in•ter•face** *s computer*: Benutzeroberfläche *f*; **~ name** *s* Benutzername *m.*

ush•er ['ʌʃə] **1.** *s* Gerichtsdiener *m*; Platzanweiser *m*; **2.** *v/t mst* ***~ in*** herein-, hineinführen, *era*: einleiten; **~•ette** [-'ret] *s* Platzanweiserin *f.*

u•su•al ['juːʒʊəl] *adj* □ gewöhnlich, üblich, gebräuchlich.

u•surp [juː'zɜːp] *v/t* sich widerrechtlich aneignen; *power*: an sich reißen, usurpieren; **~•er** *s* Usurpator *m.*

u•ten•sil [juː'tensl] *s* Gerät *n.*

u•te•rus *anat.* ['juːtərəs] *s* (*pl* ***-ri*** [-raɪ]) Gebärmutter *f.*

u•til•i•ty [juː'tɪlətɪ] **1.** *s* Nützlichkeit *f*, Nutzen *m*; ***utilities*** *pl* Leistungen *pl* der öffentlichen Versorgungsbetriebe; **2.** *adj* Gebrauchs…

u•ti|li•za•tion [juːtɪlaɪ'zeɪʃn] *s* (Aus-) Nutzung *f*, Verwertung *f*, Verwendung

f; **~•lize** ['juːtɪlaɪz] *v/t* (aus)nutzen, verwerten, verwenden.
ut•most ['ʌtməʊst] *adj* äußerste(r, -s), größte(r, -s)*etc*.
u•to•pi•an [juː'təʊpɪən] **1.** *adj* utopisch; **2.** *s* Utopist(in).
ut•ter ['ʌtə] **1.** *adj* □ *fig*. äußerste(r, -s), völlig; **2.** *v/t* äußern; *sigh, etc*.: ausstoßen, von sich geben; **~•ance** *s* Äußerung *f*; Aussprache *f*.
U-turn ['juːtɜːn] *s mot*. Wende *f*; *fig*. Kehrtwendung *f*.
u•vu•la *anat*. ['juːvjʊlə] *s* (*pl* ***-lae*** [-liː], ***-las***) (Gaumen)Zäpfchen *n*.

V

V ***volt(s)*** V, Volt *n* (*od. pl*).
vac F [væk] *s Br. univ*. Semesterferien *pl*.
va|can•cy ['veɪkənsɪ] *s* Leere *f*; freies Zimmer (*hotel*); offene *or* freie Stelle; *fig*. geistige Leere; **~•cant** *adj* □ leer (*a. fig*.); frei (*room, seat*); leer (stehend), unbewohnt (*house*); offen, frei (*job*); unbesetzt, vakant (*office*); *fig*. geistesabwesend.
va•cate [və'keɪt, *Am*. 'veɪ-] *v/t* räumen, *job*: aufgeben, *post*: scheiden aus, *office*: niederlegen; **va•ca•tion** [və'keɪʃn, *Am*. veɪ'-] **1.** *s esp. Am*. Schulferien *pl*; *univ*. Semesterferien *pl*; *jur*. Gerichtsferien *pl*; *esp. Am*. Urlaub *m*, Ferien *pl*; ***be on ~*** *esp. Am*. im Urlaub sein, Urlaub machen; ***take a ~*** *esp. Am*. sich Urlaub nehmen, Urlaub machen; **2.** *v/i esp. Am*. Urlaub machen; **va•ca•tionist** *s esp. Am*. Urlauber(in).
vac|cin•ate ['væksɪneɪt] *v/t* impfen; **~•cin•a•tion** [~'neɪʃn] *s* (Schutz)Impfung *f*; **~•cine** *med*. ['~siːn] *s* Impfstoff *m*.
vac•il•late *mst fig*. ['væsɪleɪt] *v/i* schwanken.
vac•u•um ['vækjʊəm] **1.** *s* (*pl* ***-uums, -ua***) *phys*. Vakuum *n*; ***~ bottle*** Thermosflasche *f TM*; ***~ cleaner*** Staubsauger *m*; ***~ flask*** Thermosflasche *f TM*; ***~-packed*** vakuumverpackt; **2.** *v/t carpet*: saugen; *v/i* (staub)saugen.
vag•a•bond ['vægəbɒnd] *s* Landstreicher(in).
va•ga•ry ['veɪgərɪ] *s* Laune *f*; *strange idea*: verrückter Einfall.
va•gi|na *anat*. [və'dʒaɪnə] *s* Vagina *f*, Scheide *f*; **~•nal** *adj anat*. vaginal, Vaginal…, Scheiden…
va|grant ['veɪgrənt] **1.** *adj* □ wandernd, vagabundierend; *fig*. unstet; **2.** *s* Landstreicher(in).
vague [veɪg] *adj* □ (***~r, ~st***) vage, verschwommen; unbestimmt; unklar.
vain [veɪn] *adj* □ eitel, eingebildet; nutzlos, vergeblich; ***in ~*** vergebens, vergeblich, umsonst.
vale [veɪl] *s poet. or in place names*: Tal *n*.
val•en•tine ['væləntaɪn] *s* Valentinsgruß *m* (*sent on St Valentine's Day, 14th February*); Empfänger(in) e-s Valentinsgrußes.
va•le•ri•an *bot*. [və'lɪərɪən] *s* Baldrian *m*.
val•et ['vælɪt] *s* (Kammer)Diener *m*; Hoteldiener *m*.
val|id ['vælɪd] *adj* □ gültig; *argument*: triftig, stichhaltig; *claim*: berechtigt; ***be ~*** gelten; ***become ~*** Rechtskraft erlangen; **~•i•date** *v/t jur*. für gültig erklären, bestätigen; **~•id•i•ty** [və'lɪdətɪ] *s* (*jur*. Rechts)Gültigkeit *f*; Stichhaltigkeit *f*; Richtigkeit *f*.
val•ley ['vælɪ] *s* Tal *n*.
val•o(u)r ['vælə] *s* Mut *m*, Tapferkeit *f*.
val•u•a•ble ['væljʊəbl] **1.** *adj* □ wertvoll; **2.** *s*: **~s** *pl* Wertsachen *pl*.
val•u•a•tion [væljʊ'eɪʃn] *s* Bewertung *f*, Schätzung *f*; Schätz-, Taxwert *m*.
val•ue ['væljuː] **1.** *s* Wert *m*; *econ*. Währung *f*; *mst* **~s** *pl fig*. (*cultural or ethical*) Werte *pl*; ***at ~*** *econ*. zum Tageskurs; ***give*** (***get***) ***good ~ for money*** *econ*. reell bedienen (bedient werden); **2.** *v/t* (ab)schätzen, veranschlagen; *fig*. schätzen, bewerten; **~-ad•ded tax** *s econ*. (*abbr*. ***VAT***) Mehrwertsteuer *f* (*abbr*. *MWSt*); **~d** *adj* veranschlagt; geschätzt; **~•less** *adj* wertlos.
valve [vælv] *s tech*. Ventil *n*; *anat*. (Herz- *etc*.) Klappe *f*; *Br. electr*. (Ra-

dio-, Fernseh)Röhre *f.*
vam•pire ['væmpaɪə] *s* Vampir *m.*
van[1] [væn] *s* Lieferwagen *m*; *esp. Br. rail.* Güter-, Gepäckwagen *m*; F Wohnwagen *m.*
van[2] *mil.* [~] → ***vanguard.***
van•dal ['vændəl] *hist.* Vandale *m*; *fig.* Vandale *m*, Rowdy *m*; **~•is•m** *s* Vandalismus *m*; **~•ize** *v/t* wie die Vandalen hausen in (*dat*), mutwillig zerstören, verwüsten.
vane [veɪn] *s* Wetterfahne *f*; (Propeller)Flügel *m*; *tech.* Schaufel *f.*
van•guard *mil.* ['vængɑːd] *s* Vorhut *f.*
va•nil•la [və'nɪlə] *s* Vanille *f.*
van•ish ['vænɪʃ] *v/i* verschwinden.
van•i•ty ['vænətɪ] *s* Eitelkeit *f*; Nichtigkeit *f*; **~ *bag*** Kosmetiktäschchen *n*; **~ *case*** Kosmetikkoffer *m.*
van•quish ['væŋkwɪʃ] *v/t* besiegen.
van•tage *rare* ['vɑːntɪdʒ] *s tennis*: Vorteil *m*; **~-ground** *s mst mil.* günstige Stellung.
vap•id ['væpɪd] *adj* □ schal; fad(e).
va•por•ize ['veɪpəraɪz] *v/i and v/t* verdampfen, verdunsten (lassen).
va•po(u)r ['veɪpə] *s* Dampf *m*, Dunst *m*; **~ *trail*** *aer.* Kondensstreifen *m.*
var•i|a•ble ['veərɪəbl] **1.** *adj* □ veränderlich, wechselnd, unbeständig; *tech.* ver-, einstellbar; **2.** *s* veränderliche Größe; **~•ance** *s*: ***be at ~ (with)*** uneinig sein (mit *j-m*), anderer Meinung sein (als *j-d*); im Widerspruch stehen (zu); **~•ant**; **1.** *adj* abweichend, verschieden; **2.** *s* Variante *f*; **~•a•tion** [~'eɪʃn] *s* Schwankung *f*, Abweichung *f*; Variation *f.*
var•i•cose veins *med.* [værɪkəʊs'veɪnz] *s pl* Krampfadern *pl.*
var•ied ['veərɪd] *adj* □ verschieden, unterschiedlich; *life, etc.*: abwechslungsreich.
va•ri•e•ty [və'raɪətɪ] *s* Mannigfaltigkeit *f*, Vielzahl *f*, Abwechslung *f*; *econ.* Auswahl *f*; Sorte *f*, Art *f*; Spielart *f*, Variante *f*; ***for the sake of ~*** zur Abwechslung; ***for a ~ of reasons*** aus den verschiedensten Gründen; **~ *show*** Varietévorstellung *f*; **~ *theatre*** Varieté(theater) *n.*
var•i•ous ['veərɪəs] *adj* □ verschiedene, mehrere; verschiedenartig.
var•mint F ['vɑːmɪnt] *s zo.* Schädling *m*; Halunke *m.*
var•nish ['vɑːnɪʃ] **1.** *s* Firnis *m*; Lack *m*; Politur *f*; *fig.* Tünche *f*; **2.** *v/t* firnissen; lackieren; *furniture*: (auf)polieren; *fig.* beschönigen.
var•y ['veərɪ] *v/i and v/t* (sich) (ver)ändern; variieren; wechseln (mit *et.*); abweichen *or* verschieden sein (***from*** von); **~ *in price*** sich im Preis unterscheiden; ***opinions on this matter ~*** in dieser Sache gehen die Meinungen auseinander; **~•ing** *adj* □ unterschiedlich.
vase [vɑːz, *Am.* veɪs, veɪz] *s* Vase *f.*
vast [vɑːst] *adj* □ ungeheuer, gewaltig, riesig, umfassend, weit; *majority*: überwältigend.
vat [væt] *s* Fass *n*, Bottich *m.*
VAT [ˌviːeɪ'tiː; væt] ***value-added tax*** MwSt., Mehrwertsteuer *f.*
Vat•i•can ['vætɪkən] *der* Vatikan.
vau•de•ville *Am.* ['vəʊdəvɪl] *s* Varietee *n.*
vault[1] [vɔːlt] *s* (Keller)Gewölbe *n*; Wölbung *f*; Stahlkammer *f*, Tresorraum *m*; Gruft *f.*
vault[2] [~] **1.** *s esp. sports*: Sprung *m*; **2.** *v/i* springen (***over*** über *acc*); *v/t* überspringen, springen über (*acc*); **~•ing-horse** *s gymnastics*: Pferd *n*; **~•ing-pole** *s athletics*: Sprungstab *m.*
VCR ***video cassette recorder*** Videorekorder *m.*
VDU [viːdiː'juː] → ***visual***; **~ work** *s* Bildschirmarbeit *f.*
veal [viːl] *s* Kalbfleisch *n*; **~ *chop*** Kalbskotelett *n*; **~ *cutlet*** Kalbsschnitzel *n*; ***roast ~*** Kalbsbraten *m.*
veer [vɪə] *v/i* sich drehen; *car*: *a.* plötzlich die Richtung ändern, ausscheren.
vege•ta•ble ['vedʒtəbl] **1.** *adj* Gemüse…; pflanzlich; **2.** *s* Pflanze *f*; *mst* **~s** *pl* Gemüse *n.*
veg•e|tar•i•an [vedʒɪ'teərɪən] **1.** *s* Vegetarier(in); ***be a ~*** vegetarisch leben, Vegetarier sein; **2.** *adj* vegetarisch; **~•tate** *fig.* ['~teɪt] *v/i* (dahin)vegetieren; **~•ta•tive** ['~tətɪv] *adj* □ vegetativ; wachstumsfördernd.
ve•he|mence ['viːɪməns] *s* Heftigkeit *f*; Gewalt *f*; **~•ment** *adj* □ heftig; ungestüm.
ve•hi•cle ['viːɪkl] *s* Fahrzeug *n*; *fig.* Vermittler *m*, Träger *m*; *fig.* Ausdrucksmittel *n.*
veil [veɪl] **1.** *s* Schleier *m*; **2.** *v/t* verschlei-

ern; *fig.* verbergen.
vein [veɪn] *s anat.* Vene *f*; Ader *f* (*a. fig.*); *fig.* Veranlagung *f*, Neigung *f*; *fig.* Stimmung *f*.
ve•loc•i•pede *Am.* [vɪ'lɒsɪpiːd] *s* (Kinder)Dreirad *n*.
ve•loc•i•ty [vɪ'lɒsətɪ] *s* Geschwindigkeit *f*.
vel•vet ['velvɪt] **1.** *s* Samt *m*; **2.** *adj* aus Samt, Samt…; **~•y** *adj* samtig.
ve•nal ['viːnl] *adj* käuflich; bestechlich, korrupt.
vend [vend] *v/t* verkaufen; **~•ing-ma-chine** *s* (Verkaufs)Automat *m*; **~•or** *s esp. jur.* Verkäufer(in); (Verkaufs)Automat *m*.
ve•neer [və'nɪə] **1.** *s* Furnier *n*; *fig.* äußerer Anstrich, Tünche *f*; **2.** *v/t* furnieren.
ven•e|ra•ble ['venərəbl] *adj* □ ehrwürdig; **~•rate** ['~reɪt] *v/t* (ver)ehren; **~•ra•tion** [~'reɪʃn] *s* Verehrung *f*.
ve•ne•re•al [vɪ'nɪərɪəl] *adj* Geschlechts…; **~ *disease*** *med.* Geschlechtskrankheit *f*.
Ve•ne•tian [vɪ'niːʃn] **1.** *adj* venezianisch; **≗ *blind*** Jalousie *f*; **2.** *s* Venezianer(in).
Ven•e•zu•e•la [ˌvenɪ'zweɪlə] Venezuela *n*.
ven•geance ['vendʒəns] *s* Rache *f*; ***with a ~*** F wie verrückt, ganz gehörig.
ve•ni•al ['viːnɪəl] *adj* □ verzeihlich; *eccl.* lässlich (*sin*).
Ven•ice ['venɪs] Venedig *n*.
ven•i•son ['venɪzn] *s* Wildbret *n*.
ven•om ['venəm] *s* (*esp.* Schlangen)Gift *n*; *fig.* Gift *n*, Gehässigkeit *f*; **~•ous** *adj* □ giftig (*a. fig.*).
ve•nous ['viːnəs] *adj* Venen…; venös.
vent [vent] **1.** *s* (Abzugs)Öffnung *f*; Luft-, Spundloch *n*; Schlitz *m*; ***give ~ to*** *fig. anger, etc.*: Luft machen (*dat*), auslassen, abreagieren (***on*** an *dat*); **2.** *v/t fig. anger, etc.*: Luft machen (*dat*), auslassen, abreagieren (***on*** an *dat*).
ven•ti|late ['ventɪleɪt] *v/t* ventilieren, (be-, ent-, durch)lüften; *fig.* erörtern; **~•la•tion** [~'leɪʃn] *s* Ventilation *f*, Lüftung *f*; *fig.* Erörterung *f*; **~•la•tor** *s* Ventilator *m*; *med. a.* **~ *machine*** Beatmungsgerät *n*.
ven•tril•o•quist [ven'trɪləkwɪst] *s* Bauchredner *m*.
ven•ture ['ventʃə] **1.** *s* Wagnis *n*, Risiko *n*; Abenteuer *n*; *econ.* Unternehmen *n*; *econ.* Spekulation *f*; ***at a ~*** auf gut Glück; ***joint ~*** *econ.* Gemeinschaftsunternehmen *n*, Joint Venture *n*; **2.** *v/t* (*v/i* sich) wagen; riskieren.
ve•ra•cious [və'reɪʃəs] *adj* □ wahrhaftig; wahrheitsgemäß.
verb *gr.* [vɜːb] *s* Verb *n*, Zeitwort *n*; **~•al** *adj* □ wörtlich; mündlich; **ver•bi•age** ['vɜːbɪɪdʒ] *s* Wortschwall *m*; **ver•bose** [vɜː'bəʊs] *adj* □ wortreich, langatmig.
ver•dant *poet.* ['vɜːdənt] *adj* grün; *fig.* unreif.
ver•dict ['vɜːdɪkt] *s jur.* Spruch *m* (*of jury*); *fig.* Urteil *n*; ***bring in*** *or* ***return a ~ of guilty*** auf schuldig erkennen.
ver•di•gris ['vɜːdɪgrɪs] *s* Grünspan *m*.
ver•dure ['vɜːdʒə] *s* (frisches) Grün.
verge [vɜːdʒ] **1.** *s* Rand *m*, Grenze *f*; *of road*: Bankett *n*; ***on the ~ of*** am Rande (*gen*), dicht vor (*dat*); ***on the ~ of despair*** der Verzweiflung nahe; **2.** *v/i*: **~ (*up*)*on*** grenzen an (*acc*) (*a. fig.*).
ver•i|fi•able ['verɪfaɪəbl] *adj* nachprüfbar; **~•fi•ca•tion** [~fɪ'keɪʃn] *s* Überprüfung *f*; Nachweis *m*; Bestätigung *f*; **~•fy** *v/t* (nach)prüfen; beweisen; bestätigen.
ver•i•ta•ble ['verɪtəbl] *adj* wahr, wirklich.
ver•mi•cel•li [vɜːmɪ'selɪ] *s sg* Fadennudeln *pl*, Vermicelli *pl*.
ver•mi•form ap•pen•dix *anat.* [vɜːmɪfɔːmə'pendɪks] *s* Wurmfortsatz *m*.
ver•min ['vɜːmɪn] *s* Ungeziefer *n*; Schädling(e *pl*) *m*; *fig.* Gesindel *n*, Pack *n*; **~•ous** *adj* voller Ungeziefer.
ver•nac•u•lar [və'nækjʊlə] **1.** *adj* □ einheimisch; Volks…; **2.** *s* Landes-, Volkssprache *f*; Jargon *m*.
ver•sa•tile ['vɜːsətaɪl] *adj* □ vielseitig; flexibel.
verse [vɜːs] *s* Vers(e *pl*) *m*; Strophe *f*; Dichtung *f*; **~d** *adj* bewandert; ***be (well) ~ in*** sich (gut) auskennen in (*dat*).
ver•si•fy ['vɜːsɪfaɪ] *v/t* in Verse bringen; *v/i* Verse machen.
ver•sion ['vɜːʃn] *s* Fassung *f*, Darstellung *f*; Version *f*, Lesart *f*; *translation*: Übersetzung *f*; *tech.* Ausführung *f*, Modell *n* (*of car, etc.*).
ver•sus ['vɜːsəs] *prp jur., sports*: gegen.
ver•te|bra *anat.* ['vɜːtɪbrə] *s* (*pl* ***-brae*** [-briː]) Wirbel *m*; **~•brate** *zo.* [~eɪt] *s* Wirbeltier *n*.

ver•ti•cal ['vɜːtɪkl] *adj* □ vertikal, senkrecht.
ver•tig•i•nous [vɜː'tɪdʒɪnəs] *adj* schwindelerregend, schwindelnd (*height*).
ver•ti•go ['vɜːtɪgəʊ] *s* (*pl* ***-gos***) Schwindel(anfall) *m*.
verve [vɜːv] *s* Schwung *m*, Begeisterung *f*; Elan *m*.
ver•y ['verɪ] **1.** *adv* sehr; *with sup.*: aller…; ***the ~ best*** das allerbeste; ***~ little*** sehr wenig; ***thank you ~ much*** danke sehr; ***the ~ same car*** genau das gleiche Auto; **2.** *adj* gerade, genau; bloß; rein; der-, die-, dasselbe; ***the ~ same*** ebenderselbe; ***in the ~ act*** auf frischer Tat; gerade dabei; ***the ~ opposite*** genau das Gegenteil; ***the ~ thing*** genau das (richtige); ***the ~ thought*** der bloße Gedanke (***of*** an *acc*).
ves•i•cle *med.* ['vesɪkl] *s* Bläschen *n*.
ves•sel ['vesl] *s* Gefäß *n* (*a. anat.*, *bot.*, *fig.*); *mar.* Fahrzeug *n*, Schiff *n*.
vest [vest] *s* *Br.* Unterhemd *n*; *Am.* Weste *f*.
ves•ti•bule ['vestɪbjuːl] *s* *anat.* Vorhof *m*; *of house*: (Vor)Halle *f*.
ves•tige *fig.* ['vestɪdʒ] *s* Spur *f*.
vest•ment ['vestmənt] *s* Amtstracht *f*, Robe *f*.
ves•try *eccl.* ['vestrɪ] *s* Sakristei *f*.
vet F [vet] **1.** *s* Tierarzt *m*; *Am. mil.* Veteran *m*; **2.** *v/t* (***-tt-***) *co.* verarzten; gründlich prüfen.
vet•e•ran ['vetərən] **1.** *adj* altgedient; erfahren; **2.** *s* Veteran *m*.
vet•e•ri•nar•i•an *Am.* [vetərɪ'neərɪən] *s* Tierarzt *m*.
vet•e•ri•na•ry ['vetərɪnərɪ] **1.** *adj* tierärztlich; **2.** *s* *a.* ***~ surgeon*** *Br.* Tierarzt *m*.
ve•to ['viːtəʊ] **1.** *s* (*pl* ***-toes***) Veto *n*; **2.** *v/t* sein Veto einlegen gegen.
vex [veks] *v/t* ärgern; schikanieren; **~•a•tion** [~'seɪʃn] *s* Verdruss *m*; Ärger(nis *n*) *m*; **~•a•tious** *adj* ärgerlich.
vi•a ['vaɪə] *prp* über (*acc*), via.
vi•a•duct ['vaɪədʌkt] *s* Viadukt *m*, *n*.
vi•al ['vaɪəl] *s* Phiole *f*, Fläschchen *n*.
vi•brate [vaɪ'breɪt] *v/i* vibrieren; zittern; **vi•bra•tion** *s* Schwingung *f*; Zittern *n*, Vibrieren *n*.
vic•ar *eccl.* ['vɪkə] *s* Vikar *m*; **~•age** ['~rɪdʒ] *s* Pfarrhaus *n*.
vice[1] [vaɪs] *s* Laster *n*; Untugend *f*; Fehler *m*; ***~ squad*** Sittenpolizei *f*, -dezernat *n*, F Sitte *f*.
vice[2] *Br. tech.* [~] *s* Schraubstock *m*.
vi•ce[3] ['vaɪsɪ] *prp* anstelle von.
vice[4] F [vaɪs] *s* Vize *m*; *attr* stellvertretend, Vize…; **~•roy** *s* Vizekönig *m*.
vi•ce ver•sa [vaɪsɪ'vɜːsə] *adv* umgekehrt.
vi•cin•i•ty [vɪ'sɪnətɪ] *s* Nachbarschaft *f*; Nähe *f*.
vi•cious ['vɪʃəs] *adj* □ lasterhaft; bösartig; boshaft; ***~ circle*** Teufelskreis *m*.
vi•cis•si•tude [vɪ'sɪsɪtjuːd] *s* Wandel *m*, Wechsel *m*; **~s** *pl* Wechselfälle *pl*, *das* Auf und Ab.
vic•tim ['vɪktɪm] *s* Opfer *n*; **~•ize** *v/t* (auf)opfern; schikanieren; (ungerechterweise) bestrafen.
vic|tor ['vɪktə] *s* Sieger(in); **♀•to•ri•an** *hist.* [~'tɔːrɪən] *adj* Viktorianisch; **~•to•ri•ous** *adj* □ siegreich; Sieges…; **~•to•ry** ['~tərɪ] *s* Sieg *m*.
vid•e•o ['vɪdɪəʊ] **1.** *s* (*pl* ***-os***) Video *n*; *a.* Videogerät *n*, -rekorder *m*; **2.** *adj* Video…; **3.** *v/t* auf Video(kassette) aufnehmen; **~ cas•sette** *s* Videokassette *f*; **~ (cas•sette) re•cord•er** *s* Videorekorder *m*; **~ disc** *s* Bildplatte *f*; **~ game** *s* Videospiel *n*; **~ nas•ty** *s* F Gewalt-, Horror- *or* Pornovideo(film *m*) *n*; **~•phone** *s* Bildtelefon *n*; **~•tape**; **1.** *s* Videoband *n*; **2.** *v/t* auf Videoband aufnehmen.
vie [vaɪ] *v/i* wetteifern (***with*** mit; ***for*** um).
Vi•en•na [vɪ'enə] Wien *n*.
Vi•en•nese [vɪə'niːz] **1.** *s* Wiener(in); **2.** *adj* wienerisch, Wiener…
view [vjuː] **1.** *s* Sicht *f*, Blick *m*; Besichtigung *f*; Aussicht *f* (***of*** auf *acc*); Anblick *m*; Ansicht *f* (*a. fig.*); Absicht *f*; ***in ~*** sichtbar, zu sehen; ***in ~ of*** im Hinblick auf (*acc*); angesichts (*gen*); ***on ~*** zu besichtigen; ***with a ~ to*** *inf or* ***of*** *ger* in der Absicht zu *inf*; ***have*** (***keep***) ***in ~*** im Auge haben (behalten); **2.** *v/t* ansehen, besichtigen; *fig.* betrachten; *v/i* fernsehen; **~ da•ta** *s pl* Bildschirmtext *m*; **~•er** *s* Fernsehzuschauer(in), Fernseher(in); *tech.* Diabetrachter *m*; **~•find•er** *s* *phot.* (Bild)Sucher *m*; **~•less** *adj* ohne eigene Meinung; *poet.* unsichtbar; **~•point** *s* Gesichts-, Standpunkt *m*.
vig|il ['vɪdʒɪl] *s* Nachtwache *f*; **~•i•lance**

s Wachsamkeit *f*; **~·i·lant** *adj* □ wachsam; **~·i·lan·te** [~'lænti:] *s*: ~ ***group*** Bürgerwehr *f*.

vig|or·ous ['vɪgərəs] *adj* □ kräftig; energisch; nachdrücklich; **~·o(u)r** *s* Kraft *f*; Vitalität *f*; Energie *f*; Nachdruck *m*; ***with*** ~ kräftig, schwungvoll.

Vi·king ['vaɪkɪŋ] **1.** *s* Wiking(er) *m*; **2.** *adj* wikingisch, Wikinger…

vile [vaɪl] *adj* □ gemein; abscheulich.

vil·la ['vɪlə] *s for holidays*: Ferienhaus *n*; *country house*: Landhaus *n*, Villa *f*.

vil·lage ['vɪlɪdʒ] *s* Dorf *n*; ~ **green** *s* Dorfanger *m*, -wiese *f*; ~ **id·i·ot** *s* F Dorftrottel *m*; **vil·lag·er** *s* Dorfbewohner(in).

vil·lain ['vɪlən] *s* Schurke *m*, Schuft *m*, Bösewicht *m*; **~·ous** *adj* □ schurkisch; F scheußlich; **~·y** *s* Schurkerei *f*.

vim F [vɪm] *s* Schwung *m*, Schmiss *m*.

vin·di|cate ['vɪndɪkeɪt] *v/t* rechtfertigen; rehabilitieren; **~·ca·tion** [~'keɪʃn] *s* Rechtfertigung *f*.

vin·dic·tive [vɪn'dɪktɪv] *adj* □ rachsüchtig, nachtragend.

vine *bot*. [vaɪn] *s* Wein(stock) *m*, (Wein)Rebe *f*.

vin·e·gar ['vɪnɪgə] *s* (Wein)Essig *m*.

vine| grow·er ['vaɪngrəʊə] *s* Winzer(in); **~-grow·ing** *s* Weinbau *m*; ~ ***district*** Weingegend *f*; **~·yard** ['vɪnjəd] *s* Weinberg *m*.

vin|tage ['vɪntɪdʒ] **1.** *s* Weinlese *f*; (Wein)Jahrgang *m*; **2.** *adj* klassisch; erlesen; altmodisch; ~ ***car*** *mot*. Oldtimer *m*; **~·tag·er** *s* Weinleser(in).

vi·o·la *mus*. [vɪ'əʊlə] *s* Bratsche *f*.

vi·o|late ['vaɪəleɪt] *v/t* verletzen; *oath, etc*.: brechen; *rape*: vergewaltigen; **~·la·tion** [~'leɪʃn] *s* Verletzung *f*; (Eid- *etc*.) Bruch *m*; Vergewaltigung *f*.

vi·o|lence ['vaɪələns] *s* Gewalt(tätigkeit) *f*; Heftigkeit *f*; **~·lent** *adj* □ gewaltsam, gewalttätig; heftig.

vi·o·let *bot*. ['vaɪələt] *s* Veilchen *n*.

vi·o·lin *mus*. [vaɪə'lɪn] *s* Violine *f*, Geige *f*.

VIP F [vi:aɪ'pi:] *s* prominente Persönlichkeit, VIP *m*.

vi·per *zo*. ['vaɪpə] *s* Viper *f*, Natter *f*.

vir·gin ['vɜ:dʒɪn] **1.** *s* Jungfrau *f*; **2.** *adj* jungfräulich; **~·al** *adj* □ jungfräulich; **~·i·ty** [və'dʒɪnətɪ] *s* Jungfräulichkeit *f*.

vir·ile ['vɪraɪl] *adj* männlich; Mannes…; **vi·ril·i·ty** [vɪ'rɪlətɪ] *s* Männlichkeit *f*; *physiol*. Mannes-, Zeugungskraft *f*.

vir·tu·al ['vɜ:tʃʊəl] *adj* □ eigentlich; **~·ly** *adv* praktisch.

vir|tue ['vɜ:tʃu:] *s* Tugend *f*; Vorzug *m*; ***in*** *or* ***by*** ~ ***of*** kraft, vermöge (*gen*); ***make a*** ~ ***of necessity*** aus der Not e-e Tugend machen; **~·tu·os·i·ty** [vɜ:tjʊ'ɒsətɪ] *s* Virtuosität *f*; **~·tu·ous** ['vɜ:tʃʊəs] *adj* □ tugendhaft; rechtschaffen.

vir·u·lent ['vɪrʊlənt] *adj* □ *med*. (sehr) giftig, bösartig (*a. fig*.).

vi·rus ['vaɪərəs] *s med*. Virus *n*, *m*; *fig*. Gift *n*.

vi·sa ['vi:zə] *s* Visum *n*, Sichtvermerk *m*; **~ed**, **~d** *adj* mit e-m Sichtvermerk *or* Visum (versehen).

vis·cose ['vɪskəʊs] *s* Viskose *f*.

vis·count ['vaɪkaʊnt] *s* Vicomte *m*; **~·ess** *s* Vicomtesse *f*.

vis·cous ['vɪskəs] *adj* □ zähflüssig.

vise *Am. tech*. [vaɪs] *s* Schraubstock *m*.

vis·i|bil·i·ty [vɪzɪ'bɪlətɪ] *s* Sichtbarkeit *f*; Sichtweite *f*; **~·ble** ['vɪzəbl] *adj* □ sichtbar; *fig*. (er)sichtlich; *pred* zu sehen (*object*).

vi·sion ['vɪʒn] *s* Sehvermögen *n*, -kraft *f*; *fig*. Seherblick *m*; Vision *f*; **~·a·ry** **1.** *adj* fantastisch; **2.** *s* Hellseher(in); Fantast(in).

vis|it ['vɪzɪt] **1.** *v/t* besuchen; aufsuchen; besichtigen; *dated fig*. heimsuchen; ~ ***s.th. on s.o.*** *eccl*. *j-n* für et. (be)strafen; *v/i* e-n Besuch *or* Besuche machen; *Am*. plaudern (***with*** mit); **2.** *s* Besuch *m*; ***pay*** *or* ***make a*** ~ ***to s.o.*** *j-m* e-n Besuch abstatten; **~·i·ta·tion** [~'teɪʃn] *s* Besuch *m*; Besichtigung *f*; *fig*. Heimsuchung *f*; **~·it·ing** *s* Besuche *pl*; ~ ***hours*** *pl in hospital, etc*.: Besuchszeit *f*; ~ ***team*** *sports*: Gastmannschaft *f*, *die* Gäste *pl*; **~·it·or** *s* Besucher(in), Gast *m*; *pl sports*: *die* Gäste *pl*.

vi·sor ['vaɪzə] *s* Visier *n*; (Mützen-) Schirm *m*; *mot*. Sonnenblende *f*.

vis·ta ['vɪstə] *s* (Aus-, Durch)Blick *m*.

vis·u·al ['vɪzjʊəl] *adj* Seh…, Gesichts…; visuell; ~ ***aids*** *pl school*: Anschauungsmaterial *n*; ~ ***display unit*** *computer*: Bildschirm *m*, Datensichtgerät *n*; ~ ***instruction*** *school*: Anschauungsunterricht *m*; **~·ize** *v/t* sich vorstellen, sich ein Bild machen von.

vi·tal ['vaɪtl] **1.** *adj* □ Lebens…; lebenswichtig; wesentlich; (hoch)wichtig; vital; ~ ***parts*** *pl* lebenswichtige Organe *pl*, edle Teile *pl*; **2.** *s*: ~***s*** *pl* lebenswichtige Organe *pl*, edle Teile *pl*; **~•i•ty** [vaɪ'tælətɪ] *s* Lebenskraft *f*, Vitalität *f*; **~•ize** *v/t* beleben; ~ **sta•tis•tics** *s pl* Bevölkerungsstatistik *f*; F *Br. of woman*: *die* Maße *pl*.

vit•a•min ['vɪtəmɪn] *s* Vitamin *n*; ~ ***deficiency*** Vitaminmangel *m*.

vi•ti•ate ['vɪʃɪeɪt] *v/t* verderben; beeinträchtigen.

vit•re•ous ['vɪtrɪəs] *adj* □ Glas…, gläsern.

vi•va•cious [vɪ'veɪʃəs] *adj* □ lebhaft; **vi•vac•i•ty** [vɪ'væsətɪ] *s* Lebhaftigkeit *f*.

viv•id ['vɪvɪd] *adj* □ lebhaft, lebendig.

vix•en ['vɪksn] *s* Füchsin *f*; zänkisches Weib, Drachen *m*.

V-neck ['vi:nek] *s* V-Ausschnitt *m*; **V-necked** *adj* mit V-Ausschnitt.

vo•cab•u•la•ry [və'kæbjʊlərɪ] *s* Wörterverzeichnis *n*; Wortschatz *m*.

vo•cal ['vəʊkl] *adj* □ stimmlich, Stimm…; laut; *mus*. Vokal…, Gesang…; klingend; *ling*. stimmhaft; **~•ist** ['vəʊkəlɪst] *s* Sänger(in); **~•ize** ['vəʊkəlaɪz] *v/t* (*ling*. stimmhaft) aussprechen.

vo•ca•tion [vəʊ'keɪʃn] *s* Berufung *f*; Beruf *m*; **~•al** *adj* □ beruflich, Berufs…; ~ ***adviser*** Berufsberater *m*; ~ ***education*** Berufsausbildung *f*; ~ ***guidance*** Berufsberatung *f*; ~ ***school*** *Am. appr*. Berufsschule *f*; ~ ***training*** Berufsausbildung *f*.

vogue [vəʊg] *s* Mode *f*; ***be in*** ~ (in) Mode sein.

voice [vɔɪs] **1.** *s* Stimme *f*; ***active*** (***passive***) ~ *gr*. Aktiv *n* (Passiv *n*); ***give*** ~ ***to*** Ausdruck geben *or* verleihen (*dat*); **2.** *v/t* äußern, ausdrücken; *ling*. (stimmhaft) (aus)sprechen.

void [vɔɪd] **1.** *adj* leer; *jur*. (rechts)unwirksam, ungültig; ~ ***of*** frei von, arm an (*dat*), ohne; **2.** *s* Leere *f*; *fig*. Lücke *f*.

vol. ***volume*** Bd., Band *m*.

vol•a•tile ['vɒlətaɪl] *adj chem*. flüchtig (*a. fig*.); flatterhaft.

vol•ca•no [vɒl'keɪnəʊ] *s* (*pl* ***-noes, -nos***) Vulkan *m*.

vol•ley ['vɒlɪ] **1.** *s* Salve *f*; (Geschoss- *etc*.) Hagel *m*; *fig*. Schwall *m*; *tennis*: Volley *m*, Flugball *m*; **2.** *v/i tennis*: e-n Volley spielen *or* schlagen; *mil*. e-e Salve *or* Salven abgeben; **~•ball** *s sports*: Volleyball(spiel *n*) *m*.

vols ***volumes*** Bde., Bände *pl*.

volt *electr*. [vəʊlt] *s* Volt *n*; **~•age** *electr*. ['~ɪdʒ] *s* Spannung *f*; **~•me•ter** *s electr*. Volt-, Spannungsmesser *m*.

vol•ume ['vɒlju:m] *s* Band *m* (*book*); Volumen *n*; *fig*. Masse *f*, große Menge; (*esp*. Stimm)Umfang *m*; *sound*: Lautstärke *f*; **vo•lu•mi•nous** [və'lju:mɪnəs] *adj* □ vielbändig; umfangreich, voluminös.

vol•un|ta•ry ['vɒləntərɪ] *adj* □ freiwillig; **~•teer** [vɒlən'tɪə] **1.** *s* Freiwillige(r *m*) *f*; **2.** *v/i* freiwillig dienen; sich freiwillig melden; sich erbieten; *v/t help, etc*.: freiwillig anbieten; *remark, etc*.: sich erlauben.

vo•lup•tu|a•ry [və'lʌptjʊərɪ] *s* Lüstling *m*; **~•ous** *adj* □ wollüstig; *body*: üppig, sinnlich, verlockend.

vom•it ['vɒmɪt] **1.** *v/t* (er)brechen; *v/i* (sich er)brechen; **2.** *s* Erbrochene(s) *n*; Erbrechen *n*.

vo•ra•cious [və'reɪʃəs] *adj* □ gefräßig, gierig, unersättlich; **vo•rac•i•ty** [vɒ'ræsətɪ] *s* Gefräßigkeit *f*, Gier *f*.

vor•tex ['vɔ:teks] *s* (*pl* ***-texes, -tices*** [-tɪsi:z]) Wirbel *m*, Strudel *m* (*mst fig*.).

vote [vəʊt] **1.** *s* (Wahl)Stimme *f*; Abstimmung *f*; Stimm-, Wahlrecht *n*; Beschluss *m*, Votum *n*; ~ ***of no confidence*** Misstrauensvotum *n*; ***take a*** ~ ***on s.th.*** über et. abstimmen; **2.** *v/t* wählen; bewilligen; *v/i* abstimmen; wählen; ~ ***for*** stimmen für; F für *et*. sein; **vot•er** *s* Wähler(in).

vot•ing ['vəʊtɪŋ] *s* Abstimmung *f*, Stimmabgabe *f*; *attr* Wahl…; ~ **pa•per** *s* Stimmzettel *m*; ~ **right** *s* Wahl-, Stimmrecht *n*; ~***s in local elections*** Kommunalwahlrecht *n*; ~ **sys•tem** *s* Wahlsystem *n*.

vouch [vaʊtʃ] *v/i*: ~ ***for*** (sich ver)bürgen für; **~•er** *s* Beleg *m*, Unterlage *f*; Gutschein *m*.

vow [vaʊ] **1.** *s* Gelübde *n*; (Treu)Schwur *m*; ***take a*** ~, ***make a*** ~ ein Gelübde ablegen; **2.** *v/t* geloben.

vow•el *ling*. ['vaʊəl] *s* Vokal *m*, Selbstlaut *m*.

voy|age ['vɔɪɪdʒ] *s* (längere) (See-, Flug)Reise; **~•ag•er** *s* (See)Reisende(r

m) *f*.
vs. ***versus*** kontra, gegen.
vul•gar ['vʌlgə] *adj* □ gewöhnlich, unfein, ordinär; vulgär, pöbelhaft; geschmacklos; ~ ***tongue*** *die* Sprache des Volkes; **~•i•ty** [vʌl'gærətɪ] *s* Vulgarität *f*; ungehobeltes Wesen; Ungezogenheit *f*; Geschmacklosigkeit *f*.
vul•ne•ra•ble ['vʌlnərəbl] *adj* □ verwundbar, verletzlich (*a. fig.*); *mil., sports*: ungeschützt, offen; *fig.* angreifbar.
vul•pine ['vʌlpaɪn] *adj* Fuchs…, fuchsartig; schlau, listig.
vul•ture *zo.* ['vʌltʃə] *s* Geier *m*.
vy•ing ['vaɪɪŋ] *adj* wetteifernd.

W

W ***west*** W, West(en *m*); ***west(ern)*** w, westlich; ***watt(s)*** W, Watt *n* (*od. pl*).
wad [wɒd] **1.** *s* (Watte)Bausch *m*; Pfropf, Pfropfen *m*; Banknotenbündel *n*; **2.** *v/t* (**-*dd-***) wattieren, auspolstern; zu e-m Bausch zusammenpressen; **~•ding** *s for packing*: Einlage *f*, Füllmaterial *n*; Wattierung *f*; Watte *f*.
wad•dle ['wɒdl] **1.** *v/i* watscheln; **2.** *s* watschelnder Gang, Watscheln *n*.
wade [weɪd] *v/i* waten; ~ ***through*** *fig.* F sich (hin)durcharbeiten; *v/t* durchwaten.
wa•fer ['weɪfə] *s* Waffel *f*; Oblate *f*; *eccl.* Hostie *f*.
waf•fle[1] ['wɒfl] *s* Waffel *f*.
waf•fle[2] *Br.* F [~] **1.** *v/i* schwafeln; **2.** *s* Geschwafel *n*.
waft [wɑːft] **1.** *v/t and v/i* wehen; **2.** *s* Hauch *m*.
wag [wæg] **1.** *v/t and v/i* (**-*gg-***) wackeln *or* wedeln (mit); **2.** *s* Schütteln *n*; Wedeln *n*; Spaßvogel *m*.
wage[1] [weɪdʒ] *v/t war*: führen, *campaign*: unternehmen (***on, against*** gegen).
wage[2] [~] *s mst* **~*s*** *pl* (Arbeits)Lohn *m*; **~-earn•er** *s econ.* Lohnempfänger(in); **~ freeze** *s econ.* Lohnstopp *m*; **~ increase** *s* Lohnerhöhung *f*; **~ pack•et** *s econ.* Lohntüte *f*.
wag•gish ['wægɪʃ] *adj* □ schelmisch.
wag•gle ['wægl] *v/i and v/t* wackeln (mit).
wag•(g)on ['wægən] *s* (Last-, Roll)Wagen *m*; *Br. rail.* (offener) Güterwagen; **~•er** *s* Fuhrmann *m*.
wag•tail *zo.* ['wægteɪl] *s* Bachstelze *f*.
wail [weɪl] **1.** *s* (Weh)Klagen *n*; **2.** *v/i* (weh)klagen; schreien, wimmern, heulen (*a. wind*).
waist [weɪst] *s* Taille *f*; schmalste Stelle; *mar.* Mitteldeck *n*; **~•coat** *s* Weste *f*; **~•line** *s* Taille *f*.
wait [weɪt] **1.** *v/i* warten (***for*** auf *acc*); *a.* ~ ***at*** (*Am.* ***on***) ***table*** bedienen, servieren; ~ ***on***, ~ ***upon*** *j-n* bedienen; *v/t* abwarten; **2.** *s* Warten *n*; ***lie in ~ for s.o.*** *j-m* auflauern; **~•er** *s* Kellner *m*; ~, ***the bill*** (*Am.* ***check***), ***please!*** (Herr) Ober, bitte zahlen!
wait•ing ['weɪtɪŋ] *s* Warten *n*; Dienst *m*; ***in*** ~ Dienst tuend; **~-room** *s* Wartezimmer *n*; *rail., etc.*: Wartesaal *m*.
wait•ress ['weɪtrɪs] *s* Kellnerin *f*, Bedienung *f*; ~, ***the bill*** (*Am.* ***check***), ***please!*** Bedienung, bitte zahlen!
waive [weɪv] *v/t* verzichten auf (*acc*).
wake [weɪk] **1.** *s mar.* Kielwasser *n* (*a. fig.*); ***in the ~ of*** im Kielwasser (*of a ship*); *fig.* im Gefolge (*gen*); **2.** (***woke*** *or* ***waked, woken*** *or* ***waked***) *v/i a.* ~ ***up*** aufwachen; *v/t a.* ~ ***up*** (auf)wecken; *fig.* wachrufen; **~•ful** *adj* □ wachsam; schlaflos; **wak•en** → ***wake*** 2.
walk [wɔːk] **1.** *v/i* gehen (*a. sports*), zu Fuß gehen, laufen; spazieren gehen; wandern; im Schritt gehen; ~ ***out*** *econ.* streiken; ~ ***out on*** F im Stich lassen, *boy-, girlfriend*: verlassen; *v/t* (zu Fuß) gehen; führen, *dog*: ausführen; *horse*: im Schritt gehen lassen; begleiten; durchwandern; auf und ab gehen in *or* auf (*dat*); **2.** *s* (Spazier)Gang *m*; *hike*: Wanderung *f*; Spazierweg *m*; ***a 5 minutes'*** ~ fünf Minuten zu Fuß; ~ ***of life*** (soziale) Schicht; Beruf *m*; **~•a•bout** *s of politician, etc.*: Bad *n* in der Menge; **~•er** *s* Spaziergänger(in); *sports*: Geher *m*; ***be a good*** ~ gut zu Fuß sein.
walk•ie-talk•ie [wɔːkɪ'tɔːkɪ] *s* Walkie-

Talkie *n*, tragbares Funksprechgerät.
walk•ing ['wɔːkɪŋ] *s* (Zufuß)Gehen *n*; Spazierengehen *n*, Wandern *n*; *attr* Spazier…; Wander…; **~ pa•pers** *s pl Am*. F Laufpass *m* (*dismissal*); **~-stick** *s* Spazierstock *m*; **~-tour** *s* Wanderung *f*.
walk|-out *econ*. ['wɔːkaut] *s* Ausstand *m*, Streik *m*; **~-o•ver** *s* F *fig*. Spaziergang *m*, leichter Sieg; **~-up** *s Am*. (Miets-)Haus *n* ohne Fahrstuhl; Wohnung *f* in e-m Haus ohne Fahrstuhl.
wall [wɔːl] **1.** *s* Wand *f*; Mauer *f*; **2.** *v/t a*. **~ *in*** mit e-r Mauer umgeben; **~ *up*** zumauern.
wal•let ['wɒlɪt] *s* Brieftasche *f*.
wall•flow•er *fig*. ['wɔːlflauə] *s* Mauerblümchen *n*.
wal•lop F ['wɒləp] *v/t j-n* verdreschen.
wal•low ['wɒləu] *v/i* sich wälzen.
wall|-pa•per ['wɔːlpeɪpə] **1.** *s* Tapete *f*; **2.** *v/t* tapezieren; **~-sock•et** *s electr*. (Wand)Steckdose *f*; **~-to-~** *adj*: **~ *carpet*** Spannteppich *m*; **~ *carpeting*** Teppichboden *m*.
wal•nut *bot*. ['wɔːlnʌt] *s* Walnuss(baum *m*) *f*.
wal•rus *zo*. ['wɔːlrəs] *s* Walross *n*.
waltz [wɔːls] **1.** *s* Walzer *m*; **2.** *v/i* Walzer tanzen.
wand [wɒnd] *s* Zauberstab *m*.
wan•der ['wɒndə] *v/i* herumwandern, -laufen, umherstreifen; *fig*. abschweifen; irregehen; fantasieren.
wane [weɪn] **1.** *v/i* abnehmen (*moon*); *fig*. schwinden; **2.** *s* Abnehmen *n*.
wan•gle F ['wæŋgl] *v/t* deichseln, hinkriegen; *v/i* mogeln.
wank V [wæŋk] **1.** *v/i* wichsen, sich e-n runterholen; **2.** *s*: ***have a ~*** sich e-n runterholen; **~•er** *s* V Wichser *m*.
want [wɒnt] **1.** *s* Mangel *m* (***of*** an *dat*); Bedürfnis *n*; Not *f*; **2.** *v/i* ermangeln (***for*** *gen*); ***he ~s for nothing*** es fehlt ihm an nichts; *v/t* wünschen, (haben) wollen; *need*: bedürfen (*gen*), brauchen; nicht (genug) haben; ***you ~ to ...*** du solltest …; ***it ~s s.th.*** es fehlt an et. (*dat*); ***he ~s energy*** es fehlt ihm an Energie; **~*ed*** gesucht; **~-ad** *s* F Stellenangebot *n*, -gesuch *n*; *Am*. Kaufgesuch *n*; **~•ing** *adj*: ***be ~*** es fehlen lassen (***in*** an *dat*); unzulänglich sein.
wan•ton ['wɒntən] *adj* □ mutwillig; ausgelassen.
war [wɔː] *s* Krieg *m*; *attr* Kriegs…; ***make*** *or* ***wage ~*** Krieg führen (***on, against*** gegen).
war•ble ['wɔːbl] *v/i and v/t* trillern; trällern.
ward [wɔːd] **1.** *s* (Krankenhaus)Station *f*, Abteilung *f*; Krankenzimmer *n*; (Gefängnis)Trakt *m*; Zelle *f*; (Stadt-, Wahl)Bezirk *m*; *jur*. Mündel *n*; ***in ~*** *jur*. unter Vormundschaft (stehend); **2.** *v/t*: **~ *off*** abwehren; **war•den** *s* Aufseher *m*; *univ*. Rektor *m*; *Am*. (Gefängnis)Direktor *m*; **~•er** *s Br*. Aufsichtsbeamte(r) *m* (*in prison*).
war•drobe ['wɔːdrəub] *s* Garderobe *f*; Kleiderschrank *m*; **~ *trunk*** Schrankkoffer *m*.
ware [weə] *s in compounds*: Ware(n *pl*) *f*, Artikel *m or pl*; **~•house 1.** *s* (Waren)Lager *n*; Lagerhaus *n*, Speicher *m*; **2.** *v/t* auf Lager bringen, (ein)lagern.
war|fare ['wɔːfeə] *s* Krieg(führung *f*) *m*; **~•head** *s mil*. Spreng-, Gefechtskopf *m* (*of missile, etc*.).
war•i•ness ['weərɪnɪs] *s* Vorsicht *f*.
war•like ['wɔːlaɪk] *adj* kriegerisch.
warm [wɔːm] **1.** *adj* □ warm (*a. fig*.); heiß; *fig*. hitzig; *applause*: begeistert; *smile*: herzlich; **2.** *s et*. Warmes; (Auf-, An)Wärmen *n*; **3.** *v/t a*. **~ *up*** (auf-, an-, er)wärmen; *v/i a*. **~ *up*** warm werden, sich erwärmen; warm laufen (*engine, etc*.); *sports*: sich warm machen, sich aufwärmen; **~-heart•ed** *adj* herzlich; *person*: warmherzig; **~th** *s* Wärme *f*.
warn [wɔːn] *v/t* warnen (***of, against*** vor *dat*); verwarnen; ermahnen; verständigen; **~•ing** *s* (Ver)Warnung *f*; Mahnung *f*; Kündigung *f*; *attr* warnend, Warn…
warp [wɔːp] *v/i* sich verziehen (*wood*); *v/t fig*. verdrehen, verzerren; beeinflussen; *j-n* abbringen (***from*** von).
war|rant ['wɒrənt] **1.** *s* Vollmacht *f*; Rechtfertigung *f*; Berechtigung *f*; *jur*. Durchsuchungs-, Haftbefehl *m*; Berechtigungsschein *m*; **~ *of arrest*** *jur*. Haftbefehl *m*; **2.** *v/t* bevollmächtigen; rechtfertigen; verbürgen, garantieren; **~•ran•ty** *s econ*.: ***it's still under ~*** darauf ist noch Garantie.
war•ri•or ['wɒrɪə] *s* Krieger *m*.
War•saw ['wɔːsɔː] Warschau *n*.
wart [wɔːt] *s* Warze *f*; Auswuchs *m*.

War•wick•shire ['wɒrɪkʃə] *county in England.*
war•y ['weərɪ] *adj* □ (**-ier, -iest**) wachsam, vorsichtig.
was [wɒz, wəs] *1. and 3. sg pret of be*: war; *past pass of be*: wurde.
wash [wɒʃ] **1.** *v/t* waschen; (ab)spülen; **~ up** abwaschen, abspülen; *v/i* sich waschen (lassen); *by the sea, river*: gespült *or* geschwemmt werden; **~ up** *Br.* Geschirr spülen; **2.** *s* Waschen *n*; Wäsche *f*; Wellenschlag *m*; Spülwasser *n*; **mouth~** Mundwasser *n*; **3.** *adj* Wasch...; **~•a•ble** *adj* waschbar; **~-and-wear** *adj* bügelfrei; pflegeleicht; **~-ba•sin** *s* Waschbecken *n*; **~•cloth** *s Am.* Waschlappen *m*; **~•er** *s* Wäscherin *f*; Waschmaschine *f*; → **dishwasher**; *tech.* Unterlegscheibe *f*; **~•ing**; **1.** *s* Waschen *n*; Wäsche *f*; **2.** *adj* Wasch...; **~•ing machine** *s* Waschmaschine *f*; **~•ing powder** *s* Waschpulver *n*, -mittel *n*; **~•ing-up** *s Br.* Abwasch *m*; **~•rag** *s Am.* Waschlappen *m*; **~•y** *adj* (**-ier, -iest**) wässerig, wässrig.
wasp *zo.* [wɒsp] *s* Wespe *f*.
wast•age ['weɪstɪdʒ] *s* Verlust *m*; Vergeudung *f*.
waste [weɪst] **1.** *adj land*: öde, unbebaut; *superfluous*: überflüssig; Abfall...; **lay ~** verwüsten; **2.** *s* Verschwendung *f*, -geudung *f*; *refuse*: Abfall *m*; *land*: Ödland *n*, Wüste *f*; **3.** *v/t* verwüsten; verschwenden; verzehren; *v/i* verschwendet werden; **~ a•void•ance** *s* Müllvermeidung *f*; **~ dis•pos•al** *s* Müllbeseitigung *f*, Abfallentsorgung *f*; **~ unit** Müllschlucker *m*; **~•ful** *adj* □ verschwenderisch; **~ man•age•ment** *s* Abfall-Management *n*; **~ pa•per** *s* Abfallpapier *n*; Altpapier *n*; **~(-pa•per) bas•ket** *s* Papierkorb *m*; **~ pipe** *s* Abflussrohr *n*; **~ pro•ces•sing** *s* Abfallaufbereitung *f*; **~ prod•uct** *s* Abfallprodukt *n*; **~ re•cov•er•y** *s*, **~ re•cy•cling** *s* Abfallverwertung *f*; **~ re•duc•tion** *s* Müllverringerung *f*, Reduzierung *f* der Abfallmenge; **~ sep•a•ra•tion** *s* Mülltrennung *f*; **~ wa•ter** *s* Abwasser *n*; **~ treatment** Abwasseraufbereitung *f*.
watch [wɒtʃ] **1.** *s* Wache *f*; (Taschen-, Armband)Uhr *f*; **2.** *v/i* zusehen, zuschauen; wachen; **~ for** warten auf (*acc*); **~ out** (**for**) aufpassen, Acht geben (auf *acc*); sich hüten (vor *dat*); **~ out!** Achtung!, Vorsicht!; *v/t* bewachen; beobachten; Acht geben auf (*acc*); *chance*: abwarten; **~•dog** *s* Wachhund *m*; *fig*. Überwacher(in); **~•ful** *adj* □ wachsam; **~•mak•er** *s* Uhrmacher *m*; **~•man** *s* (Nacht)Wächter *m*.
wa•ter ['wɔːtə] **1.** *s* Wasser *n*; Gewässer *n*; **the ~s** *pl* Heilquelle *f*; **drink** *or* **take the ~s** e-e (Trink)Kur machen; **2.** *v/t* bewässern; (be)sprengen; (be)gießen; mit Wasser versorgen; tränken; verwässern (*a. fig.*); *v/i* wässern (*mouth*); tränen (*eyes*); **~ can•non** *s* Wasserwerfer *m*; **~ clos•et** *s* (Wasser)Klosett *n*; **~•col•o(u)r** *s* Wasser-, Aquarellfarbe *f*; Aquarell(malerei *f*) *n*; **~•course** *s* Wasserlauf *m*; Flussbett *n*; Kanal *m*; **~•fall** *s* Wasserfall *m*; **~•front** *s* Hafengebiet *n*, -viertel *n*; **~ ga(u)ge** *s tech.* Wasserstandsanzeiger *m*; Pegel *m*; **~•hole** *s* Wasserloch *n*.
wa•ter•ing ['wɔːtərɪŋ] *s* Bewässern *n*; (Be)Gießen *n*; Tränken *n* (*of animals*); **~-can** *s* Gießkanne *f*; **~-place** *s* Wasserstelle *f*; Tränke *f*; Bad(eort *m*) *n*; Seebad *n*; **~-pot** *s* Gießkanne *f*.
wa•ter| lev•el ['wɔːtəlevl] *s* Wasserspiegel *m*; Wasserstand(slinie *f*) *m*; *tech.* Wasserwaage *f*; **~ main** *s tech.* Hauptwasserrohr *n*; **~•mark** *s print.* Wasserzeichen *n*; **~•mel•on** *s bot.* Wassermelone *f*; **~ pol•lu•tion** *s* Wasserverschmutzung *f*; **~ po•lo** *s sports*: Wasserball(spiel *n*) *m*; **~•proof 1.** *adj* wasserdicht; **2.** *s* Regenmantel *m*; **3.** *v/t* imprägnieren; **~•shed** *s geogr.* Wasserscheide *f*; *fig.* Wendepunkt *m*; **~•side** *s* Fluss-, Seeufer *n*; **~ ski•ing** *s sports*: Wasserski(laufen) *n*; **~•tight** *adj* wasserdicht; *fig.* unanfechtbar; stichhaltig (*argument*); **~•way** *s* Wasserstraße *f*; **~•works** *s often sg* Wasserwerk *n*; **turn on the ~** *fig.* F losheulen; **~•y** *adj* wässerig, wässrig.
watt *electr.* [wɒt] *s* Watt *n*.
wave [weɪv] **1.** *s* Welle *f* (*a. phys.*); Woge *f*; Winken *n*; **2.** *v/t* wellen; schwingen; schwenken; **~ s.o. aside** *j-n* beiseitewinken; *v/i* wogen; wehen, flattern; **~ at** *or* **to s.o.** *j-m* (zu)winken, *j-m* ein Zeichen geben; **~•length** *s phys.* Wellenlänge *f* (*a. fig.*).
wa•ver ['weɪvə] *v/i hesitate*: (sch)wanken; *light*: flackern.

wav•y ['weɪvɪ] *adj* (*-ier, -iest*) wellig; wogend.
wax[1] [wæks] **1.** *s* Wachs *n*; Siegellack *m*; Ohrenschmalz *n*; **2.** *v/t* wachsen; bohnern.
wax[2] [~] *v/i* zunehmen (*moon*).
wax|works ['wæksw3ːks] *s sg* Wachsfigurenkabinett *n*; **~•y** *adj* (*-ier, -iest*) wachsartig; weich.
way [weɪ] **1.** *s* Weg *m*; Straße *f*; Art *f* und Weise *f*; (Eigen)Art *f*; Strecke *f*; Richtung *f*; *fig.* Hinsicht *f*; **~ in** Eingang *m*; **~ out** Ausgang *m*; *fig.* Ausweg *m*; ***right of ~*** *jur.* Wegerecht *n*, *esp. mot.* Vorfahrt(srecht *n*) *f*; ***this ~*** hierher, hier entlang; ***by the ~*** übrigens; ***by ~ of*** durch; ***on the ~, on one's ~*** unterwegs; ***out of the ~*** ungewöhnlich; ***under ~*** in Fahrt; ***give ~*** zurückweichen; *mot.* die Vorfahrt lassen (***to*** *dat*); nachgeben; abgelöst werden (***to*** von); sich hingeben (***to*** *dat*); ***have one's ~*** s-n Willen haben; ***lead the ~*** vorangehen; **2.** *adv* weit; **~ off** weit weg; **~ back** vor *or* seit langer Zeit; **~•bill** *s* Frachtbrief *m*; **~•lay** *v/t* (*-laid*) *j-m* auflauern; *j-n* abfangen, abpassen; **~ sta•tion** *s Am.* Zwischenstation *f*; **~ train** *s Am.* Bummelzug *m*; **~•ward** *adj* □ launisch; eigensinnig.
we [wiː, wɪ] *pron* wir.
weak [wiːk] *adj* □ schwach; schwächlich; dünn (*drink*); **~•en** *v/t* schwächen; *v/i physically*: schwach werden; *fig.* schwachwerden; **~•ling** *s* Schwächling *m*; **~-mind•ed** *adj* schwachsinnig; willensschwach; **~•ness** *s* Schwäche *f*.
weal [wiːl] *s* Strieme(n *m*) *f*.
wealth [welθ] *s* Reichtum *m*; *econ.* Besitz *m*, Vermögen *n*; *fig.* Fülle *f*; **~•y** *adj* (*-ier, -iest*) reich; wohlhabend.
wean [wiːn] *v/t* entwöhnen; ***~ s.o. from s.th.*** *j-m* et. abgewöhnen.
weap•on ['wepən] *s* Waffe *f*; ***~ of mass destruction*** Massenvernichtungswaffe *f*.
wear [weə] **1.** (*wore, worn*) *v/t clothing, etc.*: tragen; zur Schau tragen; *a.* ***~ away, ~ down, ~ off, ~ out*** *clothes, etc.*: abnutzen, abtragen, verschleißen, *tyres*: abfahren; *a.* ***~ out*** ermüden; *patience*: erschöpfen; *a.* ***~ away, ~ down*** zermürben; entkräften; *v/i shoes, etc.*: sich tragen; *last*: sich halten; *a.* ***~ away, ~ down, ~ off, ~ out*** sich abnutzen *or* abtragen, verschleißen; sich abfahren (*tyres*); ***~ off*** *fig.* sich verlieren; ***~ on*** sich dahinschleppen (*time, etc.*); ***~ out*** *fig.* sich erschöpfen; **2.** *s* Tragen *n*; (Be-)Kleidung *f*; Abnutzung *f*; ***for hard ~*** strapazierfähig; ***the worse for ~*** abgetragen; **~ and tear** *s* Verschleiß *m*; **~•er** *s* Träger(in).
wear|i•ness ['wɪərɪnɪs] *s* Müdigkeit *f*; Überdruss *m*; **~•i•some** *adj* □ ermüdend; langweilig; **~•y** ['wɪərɪ] **1.** *adj* □ (*-ier, -iest*) müde; überdrüssig; ermüdend; anstrengend; **2.** *v/t and v/i* ermüden; überdrüssig werden (***of*** *gen*).
wea•sel *zo.* ['wiːzl] *s* Wiesel *n*.
weath•er ['weðə] **1.** *s* Wetter *n*, Witterung *f*; **2.** *v/t* dem Wetter aussetzen; *mar. storm*: abwettern; *fig.* überstehen; *v/i* verwittern; **~-beat•en** *adj* vom Wetter mitgenommen; **~ bu•reau** *s* Wetteramt *n*; **~ chart** *s* Wetterkarte *f*; **~ fore-cast** *s* Wetterbericht *m*, -vorhersage *f*; **~-worn** *adj* verwittert.
weave [wiːv] *v/t and v/i* (***wove, woven***) weben; flechten; *fig.* ersinnen, erfinden; **weav•er** *s* Weber *m*.
web[1] [web] *s* Gewebe *n*, Netz *n*; *zo.* Schwimm-, Flughaut *f*.
web[2] *s computer*: ***the*** ♀ das (World Wide) Web; **~ de•sign•er** *s computer*: Webdesigner(in).
wed•ding ['wedɪŋ] **1.** *s* Hochzeit *f*, *ceremony*: Trauung *f*; **2.** *adj* Hochzeits…, Braut…, Trau…; ***~ ring*** Ehe-, Trauring *m*.
wedge [wedʒ] **1.** *s* Keil *m*; **2.** *v/t* (ver-)keilen; (ein)keilen, (ein)zwängen (***in*** in *acc*).
Wednes•day ['wenzdɪ] *s* Mittwoch *m*.
wee [wiː] *adj* klein, winzig; F ***a ~ bit*** ein klein wenig.
weed [wiːd] **1.** *s* Unkraut *n*; **2.** *v/t* jäten; säubern (***of*** von); ***~ out*** *fig.* aussondern, -sieben; *v/i* Unkraut jäten; **~-kill•er** *s* Unkrautvertilgungsmittel *n*; **~•y** *adj* (*-ier, -iest*) voller Unkraut, unkrautbewachsen; F schmächtig.
week [wiːk] *s* Woche *f*; ***today ~, this day ~*** heute in *or* vor e-r Woche; ***a ~ on Monday, Monday ~*** Montag in einer Woche; **~•day** *s* Wochentag *m*; ***on ~s*** werktags; **~•end** *s* Wochenende *n*; ***a long ~*** ein verlängertes Wochenende; **~•end•er** *s* Wochenendausflügler(in); **~•ly 1.** *adj* wöchentlich; Wochen…; **~**

season-ticket Wochenkarte *f*; **2.** *s a.* ~ ***paper*** Wochenblatt *n*, Wochenzeitschrift *f*.

weep [wi:p] *v/i and v/t* (***wept***) weinen; tropfen; **~•ing** *adj*: ~ ***willow*** *bot.* Trauerweide *f*; **~•y** *adj* F (***-ier, -iest***) weinerlich; rührselig, sentimental.

weigh [weɪ] *v/t* (ab)wiegen; *fig.* ab-, erwägen; ~ ***anchor*** *mar.* den Anker lichten; ***~ed down*** niedergedrückt; *v/i* wiegen (*a. fig.*); ausschlaggebend sein; ~ ***on,*** ~ ***upon*** lasten auf (*dat*).

weight [weɪt] **1.** *s* Gewicht *n* (*a. fig.*); Last *f*; *fig.* Bedeutung *f*; *fig.* Last *f*, Bürde *f*; ***put on*** **~,** ***gain*** ~ zunehmen; ***lose*** ~ abnehmen; **2.** *v/t* beschweren; belasten; **~•less** *adj* schwerelos; **~•less•ness** *s* Schwerelosigkeit *f*; ~ **lift•ing** *s sports*: Gewichtheben *n*; **~•y** *adj* □ (***-ier, -iest***) (ge)wichtig; wuchtig.

weir [wɪə] *s* Wehr *n*; Fischreuse *f*.

weird [wɪəd] *adj* □ unheimlich; F sonderbar, seltsam.

wel•come ['welkəm] **1.** *adj* willkommen; ***you are*** ~ ***to*** *inf* es steht Ihnen frei, zu *inf*; (***you are***) ***~!*** nichts zu danken!, bitte sehr!; **2.** *s* Willkommen *n*, Empfang *m*; **3.** *v/t* willkommen heißen; *fig.* begrüßen.

weld *tech.* [weld] *v/t* (ver-, zusammen)schweißen.

wel•fare ['welfeə] *s* Wohl(ergehen) *n*; Sozialhilfe *f*; Wohlfahrt *f*; ~ **state** *s pol.* Wohlfahrtsstaat *m*; ~ **work** *s* Sozialarbeit *f*; ~ **work•er** *s* Sozialarbeiter(in).

well[1] [wel] **1.** *s* Brunnen *m*; Quelle *f*; *tech.* Bohrloch *n*; Fahrstuhl-, Licht-, Luftschacht *m*; **2.** *v/i* quellen.

well[2] [~] **1.** *adj and adv* (***better, best***) wohl; gut; ordentlich, gründlich; gesund; ***be*** **~,** ***feel*** ~ sich wohlfühlen; ***be*** ~ ***off*** in guten Verhältnissen leben, wohlhabend sein; **2.** *int* nun!, na!; **~-bal•anced** *adj* ausgewogen (*diet*); (innerlich) ausgeglichen (*person*); **~-be•ing** *s* Wohl(befinden) *n*; **~-born** *adj* aus guter Familie; **~-de•fined** *adj* deutlich; klar umrissen; **~-done** *adj* gutgemacht; (gut) durchgebraten (*meat*); **~-in•ten•tioned** *adj* wohlmeinend; gut gemeint; **~-kept** *adj* gepflegt, in gutem Zustand; **~-known** *adj* bekannt; **~-man•nered** *adj* mit guten Manieren; **~-off** *adj* wohlhabend; **~-read** *adj* belesen; **~-timed** *adj* (zeitlich) günstig, im richtigen Augenblick; *sports*: gut getimt (*pass, etc.*); **~-to-do** *adj* wohlhabend; **~-worn** *adj* abgetragen; *fig.* abgedroschen.

Welsh [welʃ] **1.** *adj* walisisch; **2.** *s ling.* Walisisch *n*; ***the*** ~ *pl* die Waliser *pl*; ~ **rab•bit,** ~ **rare•bit** *s* überbackener Käsetoast.

welt [welt] *s* Strieme(n *m*) *f*.

wel•ter ['weltə] *s* Wirrwarr *m*, Durcheinander *n*.

went [went] *pret of* **go** 1.

wept [wept] *pret and pp of* ***weep.***

were [wɜ:, wə] **1.** *pret of* **be** (*German forms*:) *du* warst, *Sie* waren, *wir, sie* waren, *ihr* wart; **2.** *pret pass of be*: wurde(n); **3.** *subj past of be*: wäre(n).

west [west] **1.** *s* West(en *m*); *a.* Westen *m*, westlicher Landesteil; ***the*** 𝔖 der Westen, die Weststaaten *pl* (*of the USA*); *pol.* der Westen; **2.** *adj* West…, westlich; **3.** *adv* westwärts, nach Westen; **~•er•ly** *adj* westlich; **~•ern**; **1.** *adj* westlich; **2.** *s* Western *m*, Wildwestfilm *m*; **~•ward(s)** *adj and adv* westwärts.

West•min•ster ['westmɪnstə] *a.* ***City of*** ~ *borough of London.*

West•pha•lia [west'feɪljə] Westfalen *n*.

wet [wet] **1.** *adj* nass, feucht; F *weak*: F schlapp(schwänzig); **2.** *s* Nässe *f*, Feuchtigkeit *f*; F *Br.* (*a. pol.*) F Waschlappen *m*, Schlappschwanz *m*; **3.** *v/t* (***-tt-***; ***wet*** *or* ***wetted***) nass machen, anfeuchten.

weth•er *zo.* ['weðə] *s* Hammel *m*.

wet|lands ['wetlændz] *s pl* Feuchtgebiete *pl*; **~-nurse** *s* Amme *f*.

whack [wæk] **1.** *s* (knallender) Schlag; F (An)Teil *m*; **2.** *v/t* F schlagen; **~ed** *adj* F *exhausted*: fertig, erledigt; **~•ing**; **1.** *adj and adv* F Mords…; **2.** *s* (Tracht *f*) Prügel *pl*.

whale *zo.* [weɪl] *s* Wal *m*; **~•bone** *s* Fischbein *n*; ~ **oil** *s* Tran *m*.

whal|er ['weɪlə] *s* Walfänger *m* (*a. ship*); **~•ing** *s* Walfang *m*.

wharf [wɔ:f] *s* (*pl* ***wharfs, wharves*** [~vz]) Kai *m*.

what [wɒt] **1.** *pron* was; wie; was für ein(e), welche(r, -s), *with pl*: was für; (das,) was; ***know*** **~'s** ~ Bescheid wissen; ~ ***about …?*** wie steht's mit …?; ~ ***for?*** wozu?; ~ ***of it?,*** ***so*** **~?** na und?; ~ ***next?*** was sonst noch?; *iro.*

sonst noch was?, das fehlte noch!; ***and ~'s more*** und außerdem; ***~ luck!*** was für ein Glück!; **2.** *int* was!, wie!; *interrogative*: was?, wie?; **~•(so•)ev•er** *adj and pron* was auch (immer); alles, was; ***no … ~*** überhaupt kein(e).

wheat *bot.* [wiːt] *s* Weizen *m.*

wheel [wiːl] **1.** *s* Rad *n*; *mot.* Steuer(rad) *n*, Lenkrad *n*; *a.* ***potter's ~*** Töpferscheibe *f*; *movement*: Drehung *f*; *mil.* Schwenkung *f*; **2.** *v/t and v/i* rollen, fahren, schieben; sich drehen; *mil.* schwenken; **~•bar•row** *s* Schubkarre(n *m*) *f*; **~•chair** *s* Rollstuhl *m*; **~ clamp** *s mot.* Parkkralle *f*; **~ed** *adj* mit Rädern; fahrbar; *in compounds*: …räd(e)rig.

-wheel•er ['wiːlə] *in compounds*: Wagen *m or Fahrzeug n mit … Rädern.*

wheeze [wiːz] *v/i* schnaufen, keuchen.

whelp [welp] **1.** *s zo.* Welpe *m*; Junge(s) *n*; *dated* F *naughty child*: Lauser *m*; **2.** *v/i* (Junge) werfen.

when [wen] **1.** *adv* wann; **2.** *cj* wenn; als; während, obwohl, wo … (doch).

when•ev•er [wen'evə] *cj* (immer) wenn, sooft (als); wann auch immer; *interrogative*: wann denn, wann … nur.

where [weə] *adv and cj* wo; wohin; ***~ … from?*** woher …?; ***~ … to?*** wohin …?; **~•a•bouts 1.** *adv* [weərə'bauts] wo etwa; woher, wohin; **2.** *s* ['weərəbauts] Aufenthalt(sort) *m*, Verbleib *m*; **~•as** *cj* wohingegen, während (doch); **~•by** *adv* wodurch; **~•up•on** *cj* worauf(hin); **wher•ev•er** *adv* wo(hin) (auch) immer; **~•with•al** *s* F *die* (nötigen) Mittel *pl*, *das* nötige (Klein)Geld.

whet [wet] *v/t* (***-tt-***) wetzen, schärfen; *fig.* anstacheln.

wheth•er ['weðə] *cj* ob; ***~ or no*** so oder so.

whey [weɪ] *s* Molke *f.*

which [wɪtʃ] **1.** *adj* welche(r, -s); **2.** *pron* der, die, das; was; **~•ev•er** *adj and pron* welche(r, -s) (auch) immer.

whiff [wɪf] **1.** *s* Hauch *m*; Duftwolke *f*, Geruch *m*; F Zigarillo *m, n*; *puff*: Zug *m*; ***have a few ~s*** ein paar Züge machen; **2.** *v/t and v/i* paffen; *smell*: F duften.

while [waɪl] **1.** *s* Weile *f*, Zeit *f*; ***for a ~*** e-e Zeit lang; **2.** *v/t mst* ***~ away*** *time*: sich vertreiben; verbringen; **3.** *cj* während; **whilst** [waɪlst] *cj* während.

whim [wɪm] *s* Laune *f*, Grille *f.*

whim•per ['wɪmpə] **1.** *v/i and v/t* wimmern, winseln; **2.** *s* Wimmern *n*, Winseln.

whim|si•cal ['wɪmzɪkl] *adj* □ wunderlich; launisch (*a. weather, etc.*); **~•sy** *s* Grille *f*, Laune *f.*

whine [waɪn] *v/i* jaulen (*dog*).

whin•ny ['wɪnɪ] *v/i* wiehern.

whip [wɪp] **1.** (***-pp-***) *v/t* peitschen; geißeln (*a. fig.*); *j-n* verprügeln; schlagen; *a. eggs, cream*: schlagen; ***~ped cream*** Schlagsahne *f*, -rahm *m*; ***~ped eggs*** *pl* Eischnee *m*; *v/i* sausen, flitzen; **2.** *s* Peitsche *f*; (Reit)Gerte *f*; *Br. parl. appr.* Fraktionsgeschäftsführer(in).

whip•ping ['wɪpɪŋ] *s* (Tracht *f*) Prügel *pl*; **~ boy** *s* Prügelknabe *m.*

whirl [wɜːl] **1.** *v/i* wirbeln; sich drehen; **2.** *s* Wirbel *m*, Strudel *m*; **~•pool** *s* Strudel *m* (*a. fig.*); Whirlpool *m*; **~•wind** *s* Wirbelwind *m* (*a. fig.*).

whir(r) [wɜː] *v/i* (***-rr-***) schwirren.

whisk [wɪsk] **1.** *s* schnelle *or* heftige Bewegung; Wisch *m*; Staubwedel *m*; *cooking*: Schneebesen *m*; **2.** *v/t* (ab-, weg)wischen, (ab-, weg)fegen; *eggs*: schlagen; ***~ its tail*** *horse*: mit dem Schwanz schlagen; ***~ away*** schnell verschwinden lassen, wegnehmen; *v/i* huschen, flitzen; **whis•ker** *s* Barthaar *n*; ***~s*** *pl* Backenbart *m.*

whis•per ['wɪspə] **1.** *v/i and v/t* flüstern; **2.** *s* Flüstern *n*, Geflüster *n*; ***in a ~, in ~s*** flüsternd, im Flüsterton.

whis•tle ['wɪsl] **1.** *v/i and v/t* pfeifen; **2.** *s* Pfeife *f*; Pfiff *m*; F Kehle *f*; **~ stop** *s Am. rail.* Bedarfshaltestelle *f*; Kleinstadt *f*; *pol. of candidate*: Stippvisite *f*, kurzes Auftreten.

Whit [wɪt] *in compounds*: Pfingst…

white [waɪt] **1.** *adj* (***~r, ~st***) weiß; rein; F anständig; Weiß…; **2.** *s* Weiß(e) *n*; Weiße(r *m*) *f*; **~-col•lar** *adj* Büro…; ***~ worker*** (Büro)Angestellte(r *m*) *f*; ***~ crime*** Wirtschaftskriminalität *f*; Wirtschaftsverbrechen *n*; **~ el•e•phant** *s* F nutzloses Zeug; (*costly*: teure) Fehlinvestition; **~ heat** *s* Weißglut *f*; **~ hope** *s* F Hoffnungsträger(in); **~ horse** *s* Schimmel *m*; **♀ House** *s pol. das* Weiße Haus; **~ knight** *s fig.* Retter *m* in der Not; *econ.* freundliches Übernahmeangebot; **~ lie** *s* Notlüge *f*, fromme Lüge; **whit•en** *v/t and v/i* weiß machen *or* werden; bleichen; **~•ness** *s* Weiße *f*;

Blässe *f*; **~•wash**; **1.** *s* Tünche *f*; *fig.* Schönfärberei *f*; **2.** *v/t* weißen, tünchen; *fig.* reinwaschen; *sports*: zu null schlagen.

whit•ish ['waɪtɪʃ] *adj* weißlich.

Whit•sun ['wɪtsn] *adj* Pfingst…; **~•tide** *s* Pfingsten *n or pl.*

whiz(z) [wɪz] *v/i* (**-zz-**) zischen, sausen; **~ kid** *s* F Senkrechtstarter(in).

who [huː, hʊ] *pron* wer; welche(r, -s), der, die, das.

who•dun(n)•it F [huː'dʌnɪt] *s* Krimi *m.*

who•ev•er [huː'evə] *pron* wer (auch) immer.

whole [həʊl] **1.** *adj* □ ganz; voll(ständig); heil, unversehrt; **2.** *s* Ganze(s) *n*; ***the ~ of London*** ganz London; ***on the ~*** im Großen und Ganzen; im Allgemeinen; **~-heart•ed** *adj* □ aufrichtig; **~•meal** *adj* Vollkorn…; ***~ bread*** Vollkornbrot *n*; **~•sale**; **1.** *s econ.* Großhandel *m*; **2.** *adj econ.* Großhandels…; *fig.* Massen…; ***~ dealer*** Großhändler *m*; **~•sal•er** *s econ.* Großhändler *m*; **~•some** *adj* □ gesund; **~ wheat** *esp. Am.* → ***wholemeal.***

whol•ly ['həʊllɪ] *adv* ganz, gänzlich.

whom [huːm, hʊm] *pron* wen, wem; *rel* welche(n, -s), welche(m, -r); den (die, das); dem (der).

whoop [huːp] **1.** *s* (*esp.* Freuden)Schrei *m*; *med.* Keuchen *n* (*in whooping cough*); **2.** *v/i* schreien, *a.* ***~ with joy*** jauchzen; *v/t*: ***~ it up*** F auf den Putz hauen; **~•ee** F ['wʊpiː] *s*: ***make ~*** F auf den Putz hauen; **~•ing cough** *s med.* Keuchhusten *m*; **~s** [wʊps] *int* hoppla!

whore [hɔː] *s* Hure *f.*

whose [huːz] *pron* wessen; *rel* dessen, deren.

why [waɪ] **1.** *adv* warum, weshalb; ***~ so?*** wieso?; **2.** *int* nun (gut); ja doch.

wick [wɪk] *s* Docht *m.*

wick•ed ['wɪkɪd] *adj* □ böse, schlecht, schlimm; **~•ness** *s* Bosheit *f.*

wick•er ['wɪkə] *adj* aus Weiden geflochten, Weiden…, Korb…; ***~ basket*** Weidenkorb *m*; ***~ bottle*** Korbflasche *f*; ***~ chair*** Korbstuhl *m*; ***~work*** Korbwaren *pl*; Flechtwerk *n.*

wick•et ['wɪkɪt] *s cricket*: Dreistab *m*, Tor *n*, Wicket *n.*

wide [waɪd] *adj and adv* weit; ausgedehnt; großzügig; breit; weitab; *sports*: daneben (*of ball, etc.*); ***six meters ~*** sechs Meter breit; ***~ awake*** völlig (*or* hell)wach; aufgeweckt, wach; **wid•en** *v/t and v/i* (sich) verbreitern; (sich) erweitern (*knowledge, etc.*); **~-o•pen** *adj* weit geöffnet; *Am. laws*: *appr.* äußerst großzügig; **~•spread** *adj* weit verbreitet; ausgedehnt.

wid•ow ['wɪdəʊ] *s* Witwe *f*; *attr* Witwen…; **~ed** *adj* verwitwet; **~•er** *s* Witwer *m.*

width [wɪdθ] *s* Breite *f*, Weite *f.*

wield [wiːld] *v/t influence, etc.*: ausüben.

wife [waɪf] *s* (*pl* ***wives*** [waɪvz]) (Ehe-)Frau *f*, Gattin *f.*

wig [wɪg] *s* Perücke *f.*

wild [waɪld] **1.** *adj* □ wild; toll; rasend; wütend; ausgelassen; planlos; ***~ about*** (ganz) verrückt nach; **2.** *adv*: ***run ~*** verwildern (*garden, etc.*; *a. fig. children*); ***talk ~*** (wild) drauflosreden; dummes Zeug reden; **3.** *s a.* ***~s*** *pl* Wildnis *f*; **~•cat**; **1.** *s zo.* Wildkatze *f*; *econ. Am.* Schwindelunternehmen *n*; **2.** *adj* wild (*strike*); *econ. Am.* Schwindel…; **wil•der•ness** ['wɪldənɪs] *s* Wildnis *f*, Wüste *f*; **~•fire** *s*: ***like ~*** wie ein Lauffeuer; **~•life** *s coll.* Tier- und Pflanzenwelt *f.*

will [wɪl] **1.** *s* Wille *m*; Wunsch *m*; Testament *n*; ***of one's own free ~*** aus freien Stücken; **2.** *v/aux* (***pret would***; ***negative***: ***~ not, won't***) *ich, du etc.* will(st) *etc.*; *ich* werde, *wir* werden; wollen; werden; **3.** *v/t* wollen; durch Willenskraft zwingen; entscheiden; *jur.* vermachen.

will(l)•ful ['wɪlfl] *adj* □ eigensinnig; absichtlich, *esp. jur.* vorsätzlich.

will•ing ['wɪlɪŋ] *adj* □ gewillt, willens, bereit; (bereit)willig; **~•ness** *s* Bereitschaft *f*; Bereitwilligkeit *f.*

wil•low *bot.* ['wɪləʊ] *s* Weide *f*; **~•y** *adj fig.* geschmeidig; gertenschlank.

will•pow•er ['wɪlpaʊə] *s* Willenskraft *f.*

wil•ly-nil•ly [wɪlɪ'nɪlɪ] *adv* wohl oder übel.

wilt [wɪlt] *v/i* (ver)welken.

wi•ly ['waɪlɪ] *adj* □ (***-ier, -iest***) listig, gerissen.

win [wɪn] **1.** (***-nn-***; ***won***) *v/t* gewinnen; erringen; erlangen; erreichen; *j-n* dazu bringen (***to do*** zu tun); ***~ s.o. over*** *or* ***round*** *j-n* für sich gewinnen; *v/i* gewinnen, siegen; **2.** *s sports*: Sieg *m.*

wince [wɪns] *v/i* (zusammen)zucken.

winch [wɪntʃ] *s* Winde *f*; Kurbel *f*.
wind[1] [wɪnd] **1.** *s* Wind *m*; Atem *m*, Luft *f*; *med.* Blähung(en *pl*) *f*; ***the ~*** *sg or pl mus.* die Bläser; ***a load of ~*** F leeres Geschwätz; **2.** *v/t hunt.* wittern; verschnaufen lassen; *make breathless*: außer Atem bringen.
wind[2] [waɪnd] (***wound***) *v/t* winden, wickeln, schlingen; kurbeln; (***winded*** *or* ***wound***) *horn*: blasen; ***~ up*** *clock, etc.*: aufziehen; *speech, etc.*: beschließen; *v/i* sich winden; sich schlängeln; ***~ up*** (*esp.* s-e Rede) schließen (***by saying*** mit den Worten); F enden, landen.
wind|bag F ['wɪndbæg] *s* Schwätzer(in); **~•fall** *s fruit*: Fallobst *n*; *fig.* Glücksfall *m*, F warmer Regen.
wind•ing ['waɪndɪŋ] **1.** *s* Windung *f*; **2.** *adj* sich windend; ***~ stairs*** *pl* Wendeltreppe *f*.
wind-in•stru•ment *mus.* ['wɪndɪnstrʊmənt] *s* Blasinstrument *n*.
wind•mill ['wɪnmɪl] *s* Windmühle *f*.
win•dow ['wɪndəʊ] *s* Fenster *n* (*a. computer*); Schaufenster *n*; *of bank, etc.*: Schalter *m*; **~•dress•ing** *s* Schaufensterdekoration *f*; *fig.* Aufmachung *f*, Mache *f*; **~ shade** *s Am.* Rouleau *n*; **~ shop•ping** *s* Schaufensterbummel *m*; ***go ~*** e-n Schaufensterbummel machen.
wind|pipe *anat.* ['wɪndpaɪp] *s* Luftröhre *f*; **~•screen**, *Am.* **~•shield** *s mot.* Windschutzscheibe *f*; ***~ wiper*** Scheibenwischer *m*; **~•surf•ing** *s sports*: Windsurfing *n*, -surfen *n*.
wind•y ['wɪndɪ] *adj* □ (***-ier, -iest***) windig (*a. fig.*); *person*: geschwätzig.
wine [waɪn] *s* Wein *m*; **~•press** *s* (Wein-)Kelter *f*.
wing [wɪŋ] **1.** *s* Flügel *m* (*a. mil., arch., sports, pol.*); *of bird*: *a.* Schwinge *f*; *Br. mot.* Kotflügel *m*; *aer.* Tragfläche *f*; *aer., mil.* Geschwader *n*; ***~s*** *pl thea.* Seitenkulisse *f*; ***take ~*** weg-, auffliegen; ***on the ~*** im Flug; **2.** *v/i and v/t* fliegen; *fig.* beflügeln.
wink [wɪŋk] **1.** *s* Blinzeln *n*, Zwinkern *n*; ***not get a ~ of sleep*** kein Auge zutun; → ***forty***; **2.** *v/i* blinzeln, zwinkern; blinken (*a. v/t*: ***~ one's lights***); ***~ at*** *j-m* zublinzeln; *fig.* ein Auge zudrücken bei *et.*; *v/t* blinzeln *or* zwinkern mit.
win|ner ['wɪnə] *s* Gewinner(in); Sieger(in); **~•ning** **1.** *adj* □ einnehmend, gewinnend; **2.** *s*: ***~s*** *pl* Gewinn *m*.
win|ter ['wɪntə] **1.** *s* Winter *m*; **2.** *v/i* überwintern; den Winter verbringen; **~•ter sports** *s pl* Wintersport *m*; **~•try** *adj* winterlich; *fig.* frostig.
wipe [waɪp] *v/t* (ab-, auf)wischen; reinigen; (ab)trocknen; ***~ out*** auswischen; wegwischen, (aus)löschen; *fig.* vernichten; ***~ up*** aufwischen; **wip•er** *s mot.* Scheibenwischer *m*.
wire ['waɪə] **1.** *s* Draht *m*; *electr.* Leitung *f*; F Telegramm *n*; ***pull the ~s*** der Drahtzieher sein; s-e Beziehungen spielen lassen; **2.** *v/t* (ver)drahten; telegrafieren; **~•less** *adj* □ drahtlos, Funk…; ***~ phone*** drahtloses Telefon; **~ net•ting** *s* Maschendraht *m*; **~•tap** *v/i* (***-pp-***) Telefongespräche abhören, die Telefonleitung anzapfen.
wir•y ['waɪərɪ] *adj* □ (***-ier, -iest***) drahtig, sehnig.
wis•dom ['wɪzdəm] *s* Weisheit *f*, Klugheit *f*; ***~ tooth*** Weisheitszahn *m*.
wise[1] [waɪz] *adj* □ (***~r, ~st***) weise, klug; verständig; erfahren; ***~ guy*** F Klugscheißer *m*.
wise[2] *dated* [~] *s* Weise *f*, Art *f*.
wise•crack F ['waɪzkræk] **1.** *s* witzige Bemerkung; **2.** *v/i* witzeln.
wish [wɪʃ] **1.** *v/t and v/i* wünschen; wollen; ***~ for*** (sich) *et.* wünschen; ***~ s.o. well*** (***ill***) *j-m* Gutes (Böses) wünschen; **2.** *s* Wunsch *m*; **~•ful** *adj* □ sehnsüchtig; ***~ thinking*** Wunschdenken *n*.
wish•y-wash•y ['wɪʃɪwɒʃɪ] *adj drink*: wässrig, dünn; *fig.* seicht, saft- u. kraftlos, F wischiwaschi.
wist•ful ['wɪstfl] *adj* □ sehnsüchtig.
wit [wɪt] *s* Geist *m*, Intelligenz *f*, Witz *m*; *a.* ***~s*** *pl* Verstand *m*; geistreicher Mensch; ***be at one's ~'s*** *or* ***~s' end*** mit s-r Weisheit am Ende sein; ***keep one's ~s about one*** e-n klaren Kopf behalten.
witch [wɪtʃ] *s* Hexe *f*, Zauberin *f*; **~•craft**, **~•e•ry** *s* Hexerei *f*; **~-hunt** *s pol.* Hexenjagd *f* (***for, against*** auf *acc*).
with [wɪð] *prp* mit; nebst; bei; von; durch; vor (*dat*); ***~ it*** F up to date, modern.
with•draw [wɪð'drɔː] (***-drew, -drawn***) *v/t* ab-, ent-, zurückziehen; zurücknehmen; *money*: abheben; *v/i* sich zurückziehen; zurücktreten; *sports*: auf den Start verzichten; **~•al** *s* Zurückziehung

f, -nahme *f*; Rücktritt *m*; *esp. mil.* Ab-, Rückzug *m*; *econ.* Abheben *n* (*of money*); *sports*: Startverzicht *m*; *med.* Entziehung *f*; **~ cure** *med.* Entziehungskur *f*; **~ symptoms** *pl med.* Entzugserscheinungen *pl.*

with•er ['wɪðə] *v/i* (ver)welken, verdorren, austrocknen; *v/t* welken lassen.

with•hold [wɪð'həʊld] *v/t* (**-held**) zurückhalten; *truth*: *a.* verschweigen; **~ s.th. from s.o.** *j-m* et. vorenthalten; **~•ing tax** *s econ.* Quellensteuer *f.*

with|in [wɪ'ðɪn] **1.** *adv* im Innern, drin(-nen); zu Hause; **2.** *prp* in(nerhalb); **~ doors** im Hause; **~ call** in Rufweite; **~•out**; **1.** *adv* (dr)außen; äußerlich; **2.** *prp* ohne.

with•stand [wɪð'stænd] *v/t* (**-stood**) widerstehen (*dat*).

wit•ness ['wɪtnɪs] **1.** *s* Zeug|e *m*, -in *f*; **bear ~ to** Zeugnis ablegen von, *et.* bestätigen; **2.** *v/t* bezeugen; Zeuge sein von *et.*; beglaubigen; **~ box**, *Am.* **~ stand** *s* Zeugenstand *m.*

wit|ti•cis•m ['wɪtɪsɪzəm] *s* witzige Bemerkung; **~•ty** *adj* □ (**-ier, -iest**) witzig; geistreich.

wives [waɪvz] *pl of* **wife.**

wiz•ard ['wɪzəd] *s* Zauberer *m*; Genie *n*, Leuchte *f.*

wiz•en(ed) ['wɪzn(d)] *adj* schrump(e)lig.

wob•ble ['wɒbl] *v/i* schwanken, wackeln (*a. v/t.*: wackeln an *dat*).

woe [wəʊ] *s* Weh *n*, Leid *n*; **~ is me!** wehe mir!; **~•be•gone** ['~bɪgɒn] *adj* jammervoll; **~•ful** *adj* □ jammervoll, traurig, elend.

woke [wəʊk] *pret and pp of* **wake** 2; **wo-k•en** ['wəʊkən] *pp of* **wake** 2.

wolf [wʊlf] **1.** *s* (*pl* **wolves** [~vz]) *zo.* Wolf *m*; **2.** *v/t a.* **~ down** (gierig) ver- *or* hinunterschlingen; **~•ish** *adj* □ wölfisch, Wolfs…

wom•an ['wʊmən] **1.** *s* (*pl* **women** ['wɪmɪn]) Frau *f*; F (Ehe)Frau *f*; F Freundin *f*; F Geliebte *f*; **2.** *adj* weiblich; **~ doctor** Ärztin *f*; **~ student** Studentin *f*; **~•hood** *s* die Frauen *pl*; Weiblichkeit *f*; **~•ish** *adj* □ weibisch; **~•ize** *v/i* Frauen nachstellen; **~•iz•er** *s* Schürzenjäger *m*, F Weiberheld *m*; **~•kind** *s* die Frauen(welt *f*) *pl*; **~•like** *adj* fraulich; **~•ly** *adj* weiblich, fraulich.

womb [wu:m] *s* Gebärmutter *f*; Mutterleib *m*; *fig.* Schoß *m.*

wom•en ['wɪmɪn] *pl of* **woman**; **♀'s Liberation** (**Movement**), F **♀'s Lib** [lɪb] Frauen(emanzipations)bewegung *f*; **~•folk**, **~•kind** *s* die Frauen *pl*; F Weibervolk *n*; **~'s rights** *s pl* die Rechte *pl* der Frau.

won [wʌn] *pret and pp of* **win** 1.

won•der ['wʌndə] **1.** *s* Wunder *n*; Verwunderung *f*, Erstaunen *n*; **work ~s** Wunder wirken; **2.** *v/t and v/i* sich wundern; gern wissen mögen, sich fragen; **I ~ if you could help me** vielleicht können Sie mir helfen; **~•ful** *adj* □ wunderbar, -voll; **~•ing** *adj* □ staunend, verwundert.

wont [wəʊnt] **1.** *adj* gewohnt; **be ~ to do** gewohnt sein zu tun, zu tun pflegen; **2.** *s* Gewohnheit *f*; **as was his ~** wie es s-e Gewohnheit war; **~•ed** *adj* gewohnt.

wood [wʊd] *s* Holz *n*; *often* **~s** *pl* Wald *m*, Gehölz *n*; Holzfass *n*; → **woodwind**; **touch ~!** unberufen!, toi, toi, toi!; **he cannot see the ~ for the trees** er sieht den Wald vor lauter Bäumen nicht; **~•chip** *s* Holzsplitter *m*; *wallpaper*: Raufasertapete *f*; **~•cut** *s* Holzschnitt *m*; **~•cut•ter** *s* Holzfäller *m*; *arts*: Holzschnitzer *m*; **~•ed** *adj* bewaldet; **~•en** *adj* □ hölzern, aus Holz, Holz…; *fig.* ausdruckslos; **~•man** *s* Förster *m*; Holzfäller *m*; **~•peck•er** *s zo.* Specht *m*; **~s•man** *s* Waldbewohner *m*; **~•wind** *s mus.* Holzblasinstrument *n*; **the ~** *sg or pl* die Holzbläser *pl*; **~•y** *adj* (**-ier, -iest**) waldig; holzig.

wool [wʊl] *s* Wolle *f*; **~•gath•er•ing** *s* Verträumtheit *f*; **~•(l)en** **1.** *adj* aus Wolle, wollen, Woll…; **2.** *s*: **~s** *pl* Wollsachen *pl*; **~•ly**; **1.** *adj* (**-ier, -iest**) wollig; Woll…; *fig.* verschwommen (*ideas*); **2.** *s*: **woollies** *pl* F Wollsachen *pl.*

Wor•ces•ter ['wʊstə] *city in western England.*

word [wɜ:d] **1.** *s* Wort *n*; Vokabel *f*; *message*: Nachricht *f*; *mil.* Losung(swort *n*) *f*; *promise*: Wort *n*, Versprechen *n*; *order*: Befehl *m*; *saying*: Spruch *m*; **~s** *pl* Wörter *pl*; Worte *pl*; *fig.* Wortwechsel *m*, Streit *m*; Text *m* (*of a song*); **have a ~ with** mit *j-m* sprechen; **in a** *or* **one ~** mit e-m Wort; **in other ~s** mit anderen Worten; **keep one's ~** sein Wort halten; **2.** *v/t* (in Worten) ausdrücken, (ab)fassen; **~•ing** *s* Wortlaut *m*,

Fassung *f*; ~ **or•der** *s gr.* Wort-, Satzstellung *f*; ~ **pro•cess•ing** *s computer*: Textverarbeitung *f*; ~ **pro•ces•sor** *s computer*: Textverarbeitungsanlage *f*, -system *n*.

word•y ['wɜːdɪ] *adj* □ (**-ier, -iest**) wortreich; Wort…

wore [wɔː] *pret of* **wear** 1.

work [wɜːk] **1.** *s* Arbeit *f*; Werk *n*; *attr* Arbeits…; **~s** *pl tech.* (Uhr-, Feder-)Werk *n*; **~s** *sg* Werk *n*, Fabrik *f*; **~ of art** Kunstwerk *n*; **at ~** bei der Arbeit; **be in ~** Arbeit haben; **be out of ~** arbeitslos sein; **set to ~, set** *or* **go about one's ~** an die Arbeit gehen; **~s council** Betriebsrat *m*; **2.** *v/i* arbeiten (**at, on** an *dat*); *tech.* funktionieren, gehen; wirken; *fig.* gelingen, F klappen; **~ to rule** *econ.* Dienst nach Vorschrift tun; *v/t* ver-, bearbeiten; *machine, etc.*: bedienen; betreiben; *fig.* bewirken; **~ one's way** sich durcharbeiten; **~ off** ab-, aufarbeiten; *feelings*: abreagieren; *econ. goods*: abstoßen; **~ out** *v/t plan*: ausarbeiten; *problem*: lösen; ausrechnen; *v/i sports*: trainieren, sich fit halten; **~ up** verarbeiten (**into** zu); *interest*: wecken; **~ o.s. up** sich aufregen.

wor•ka•ble ['wɜːkəbl] *adj* □ bearbeitungs-, betriebsfähig; ausführbar.

work|a•day ['wɜːkədeɪ] *adj* Alltags…; **~•a•hol•ic** [wɜːkə'hɒlɪk] *s* Arbeitssüchtige(r *m*) *f*; **~•bench** *s tech.* Werkbank *f*; **~•book** *s school*: Arbeitsheft *n*; **~•day** *s* Werktag *m*; **on ~s** werktags; **~•er** *s* Arbeiter(in).

work•ing ['wɜːkɪŋ] **1.** *s*: **~s** *pl* Arbeitsweise *f*, Funktionieren *n*; **2.** *adj* arbeitend; Arbeits…; Betriebs…; **~-class** *adj* Arbeiter…; **~ day** *s* Werk-, Arbeitstag *m*; **~ hours** *s pl* Arbeitszeit *f*; → **flexible.**

work•man ['wɜːkmən] *s* Arbeiter *m*; Handwerker *m*; **~•like** *adj* kunstgerecht, fachmännisch; **~•ship** *s* Kunstfertigkeit *f*.

work|out ['wɜːkaʊt] *s* F *sports*: (Konditions)Training *n*; **~•shop** *s* Werkstatt *f*; Werkraum *m*; **~-shy** *adj* arbeitsscheu, faul; **~ station** *s computer*: Bildschirmarbeitsplatz *m*; **~-to-rule** *s econ.* Dienst *m* nach Vorschrift; **~•wom•an** *s* Arbeiterin *f*.

world [wɜːld] *s* Welt *f*; **a ~ of** e-e Unmenge (von); **bring** (**come**) **into the ~** zur Welt bringen (kommen); **think the ~ of** große Stücke halten auf (*acc*); ♀ **Bank** *s econ.* Weltbank *f*; **~ cham•pi•on** *s* Weltmeister(in); **~-class** *adj* (von) Weltklasse, von internationalem Format (*athlete, etc.*); ♀ **Cup** *s* Fußballweltmeisterschaft *f*; *skiing, etc.*: Weltcup *m*.

world•ly ['wɜːldlɪ] *adj* (**-ier, -iest**) weltlich; Welt…; **~-wise** *adj* weltklug.

world| pow•er *pol.* ['wɜːldpaʊə] *s* Weltmacht *f*; **~ rec•ord** *s sports, etc.*: Weltrekord *m*; **~ holder** Weltrekordhalter(in); **~•wide** *adj* weltweit, weltumspannend; Welt…

worm [wɜːm] **1.** *s zo.* Wurm *m* (*a. fig.*); **2.** *v/t secret, etc.*: entlocken (**out of** *dat*); **~ o.s.** sich schlängeln; *fig.* sich einschleichen (**into** in *acc*); **~-eat•en** *adj* wurmstichig; *fig.* veraltet, altmodisch.

worn [wɔːn] *pp of* **wear** 1; **~-out** *adj* abgenutzt; abgetragen; verbraucht (*a. fig.*); müde, erschöpft; abgezehrt; verhärmt.

wor•ried ['wʌrɪd] *adj* □ besorgt, beunruhigt.

wor•ry ['wʌrɪ] **1.** *v/i and v/t* (sich) beunruhigen, (sich) ängstigen, sich sorgen, sich aufregen; ärgern; plagen, quälen; **don't ~!** keine Angst *or* Sorge!; **2.** *s* Unruhe *f*; Sorge *f*; Ärger *m*.

worse [wɜːs] *adj* (*comp of* **bad**) schlechter, schlimmer, ärger; **~ luck!** leider!; umso schlimmer!; **wors•en** *v/i and v/t* (sich) verschlechtern.

wor•ship ['wɜːʃɪp] **1.** *s* Verehrung *f*; Gottesdienst *m*; Kult *m*; **2.** (*esp. Br.* **-pp-**, *Am.* **-p-**) *v/t* verehren; anbeten; *v/i* den Gottesdienst besuchen; **~•(p)er** *s* Verehrer(in); Kirchgänger(in).

worst [wɜːst] **1.** *adj* (*sup of* **bad**) schlechteste(r, -s), schlimmste(r, -s), ärgste(r, -s); **2.** *adv* am schlechtesten, am schlimmsten, am ärgsten; **3.** *s der, die, das* Schlechteste *or* Schlimmste *or* Ärgste; **at** (**the**) **~** schlimmstenfalls.

wor•sted ['wʊstɪd] *s* Kammgarn *n*.

worth [wɜːθ] **1.** *adj* wert; **~ reading** lesenswert; **2.** *s* Wert *m*; **~•less** *adj* □ wertlos; nichtsnutzig; **~•while** *adj* der Mühe wert; **~•y** *adj* □ (**-ier, -iest**) würdig; wert.

would [wʊd] *pret of* **will** 2; **I ~ like** ich hätte gern; **~-be** *adj* Möchtegern…; angehend, zukünftig.

wound[1] [wuːnd] **1.** *s* Wunde *f*, Verletzung *f* (*a. fig.*), Verwundung *f*; *fig.* Kränkung *f*; **2.** *v/t* verwunden, verletzen (*a. fig.*).
wound[2] [waʊnd] *pret and pp of* ***wind***[2].
wove [wəʊv] *pret of* ***weave***; **wov•en** ['wəʊvn] *pp of* ***weave.***
wow F [waʊ] *int* Mensch!, toll!
WP ***word processor*** Textverarbeitungssystem *n*, -gerät *n*; ***word processing*** Textverarbeitung *f*.
wran•gle ['ræŋgl] **1.** *v/i* sich streiten *or* zanken; **2.** *s* Streit *m*, Zank *m*.
wrap [ræp] **1.** (**-pp-**) *v/t often* **~ *up*** (ein-)wickeln; *fig.* (ein)hüllen; ***be ~ped up in*** gehüllt sein in (*acc*); ganz aufgehen in (*dat*); *v/i*: **~ *up*** sich einhüllen *or* -packen; **2.** *s* Hülle *f*; Decke *f*; Schal *m*; Mantel *m*; **~•per** *s* Hülle *f*, Umschlag *m*; *a.* ***postal ~*** Streifband *n*; **~•ping** *s* Verpackung *f*; **~*-paper*** Einwickel-, Pack-, Geschenkpapier *n*.
wreck [rek] **1.** *s* Wrack *n*; Trümmer *pl*; Schiffbruch *m*; *fig.* Untergang *m*; **2.** *v/t* zertrümmern, -stören; zugrunde richten, ruinieren; ***be ~ed*** *mar.* scheitern, Schiffbruch erleiden; in Trümmer gehen; **~•age** *s* Trümmer *pl*; Wrackteile *pl*; **~ed** *adj* schiffbrüchig; ruiniert; **~•er** *s mar.* Bergungsschiff *n*, -arbeiter *m*; *esp. hist.* Strandräuber *m*; Abbrucharbeiter *m*; *Am. mot.* Abschleppwagen *m*; **~•ing** *s esp. hist.* Strandraub *m*; **~ *company*** *Am.* Abbruchfirma *f*; **~ *service*** *Am. mot.* Abschleppdienst *m*.
wrench [rentʃ] **1.** *v/t* reißen, zerren, ziehen; entwinden (***from s.o.*** *j-m*); *med.* sich *et.* verrenken, -stauchen; **~ *open*** aufreißen; **2.** *s* Ruck *m*; *med.* Verrenkung *f*, -stauchung *f*; *fig.* Schmerz *m*; *tech.* Schraubenschlüssel *m*; ***be a ~*** wehtun.
wrest [rest] *v/t* reißen; **~ *s.th. from s.o.*** *j-m* et. entreißen.
wres|tle ['resl] *v/i and v/t* ringen (mit); **~•tler** *s esp. sports*: Ringer *m*; **~•tling** *s esp. sports*: Ringen *n*.
wretch [retʃ] *s a.* ***poor ~*** armer Teufel *or* Schlucker; *co.* Wicht *m*; *contp.* Blödmann *m*; *child*: Schlingel *m*.
wretch•ed ['retʃɪd] *adj* □ elend.
wrig•gle ['rɪgl] *v/i* sich winden *or* schlängeln; **~ *out of s.th.*** sich aus e-r Sache herauswinden.
-wright [raɪt] *in compounds*: ...macher *m*, ...bauer *m*.
wring [rɪŋ] *v/t* (***wrung***) *hands*: ringen; (aus)wringen; pressen; *throat*: umdrehen; abringen (***from s.o.*** *j-m*); **~ *s.o.'s heart*** *j-m* zu Herzen gehen.
wrin•kle ['rɪŋkl] **1.** *s* Runzel *f*, Falte *f*; **2.** *v/t and v/i* (sich) runzeln.
wrist [rɪst] *s* Handgelenk *n*; **~*watch*** Armbanduhr *f*; **~•band** *s* Bündchen *n*; Armband *n*; *sports*: Schweißband *n*.
writ [rɪt] *s* Erlass *m*; gerichtlicher Befehl; ***Holy*** ♀ *die* Heilige Schrift.
write [raɪt] *v/t and v/i* (***wrote, written***) schreiben; **~ *down*** auf-, niederschreiben; **writ•er** *s* Schreiber(in); Verfasser(in); Schriftsteller(in); **~-off** *s econ.* Abschreibung *f*; F *car*: Totalschaden *m*.
writ•ing ['raɪtɪŋ] *s* Schreiben *n* (*act*); Aufsatz *m*; Werk *n*; (Hand)Schrift *f*; Schriftstück *n*; Urkunde *f*; Stil *m*; *attr* Schreib...; ***in ~*** schriftlich; **~ *case*** *s* Schreibmappe *f*; **~ *desk*** *s* Schreibtisch *m*; **~ *pad*** *s* Schreibblock *m*; **~ *pa•per*** *s* Schreibpapier *n*.
writ•ten ['rɪtn] **1.** *pp of* ***write***; **2.** *adj* schriftlich.
wrong [rɒŋ] **1.** *adj* □ unrecht; verkehrt, falsch; ***be ~*** unrecht haben; nicht in Ordnung sein; falsch gehen (*clock, watch*); ***go ~*** schiefgehen; ***be on the ~ side of sixty*** über 60 (Jahre alt) sein; **2.** *s* Unrecht *n*; Beleidigung *f*; Irrtum *m*, Unrecht *n*; ***be in the ~*** unrecht haben; **3.** *v/t* unrecht tun (*dat*); ungerecht behandeln; **~•do•er** *s* Übeltäter(in); **~•foot** *v/t sports*: *j-n* auf dem falschen Fuß erwischen (*a. fig.*); *fig.* überraschen, unvorbereitet treffen; **~•ful** *adj* □ ungerecht; unrechtmäßig.
wrote [rəʊt] *pret of* ***write.***
wrought| i•ron [rɔːt'aɪən] *s* Schmiedeeisen *n*; **~-i•ron** *adj* schmiedeeisern.
wrung [rʌŋ] *pret and pp of* ***wring.***
wry [raɪ] *adj* □ (**-ier, -iest**) *smile*: süßsauer; *humour*: sarkastisch.
wt., **wt** ***weight*** Gew., Gewicht *n*.

X

XL ***extra large*** (***size***) extragroß.
X•mas F ['krɪsməs] → ***Christmas.***
X-ray [eks'reɪ] **1.** *s* Röntgenaufnahme *f*, -untersuchung *f*; **2.** *adj* Röntgen…; **3.** *v/t* durchleuchten, röntgen.
Xroads ['eksrəʊds] ***crossroads*** Straßenkreuzung *f*.
XS ***extra small*** (***size***) extraklein.

Y

yacht *mar.* [jɒt] **1.** *s* (Segel-, Motor)-Jacht *f*; (Renn)Segler *m*; **2.** *v/i* auf e-r Jacht fahren; segeln; **~-club** *s* Segel-, Jachtklub *m*; **~•ing** *s* Segelsport *m*; *attr* Segel…
Yan•kee F ['jæŋkɪ] *s* Yankee *m*.
yap [jæp] *v/i* (**-pp-**) kläffen; F quasseln; F meckern.
yard [jɑːd] *s* Yard *n* (= *0,914 m*); *mar.* Rah(e) *f*; Hof *m*; (Bau-, Stapel)Platz *m*; *Am.* Garten *m*; **~ mea•sure, ~•stick** *s* Yardstock *m*, -maß *n*.
yarn [jɑːn] *s* Garn *n*; F Seemannsgarn *n*, abenteuerliche Geschichte.
yawl *mar.* [jɔːl] Jolle *f*.
yawn [jɔːn] **1.** *v/i* gähnen; **2.** *s* Gähnen *n*.
yd *pl a.* **yds** ***yard***(***s***) Yard(s *pl*) *n* (91,44 cm).
yea F *dated* [jeɪ] *int* ja.
year [jɪə, jɜː] *s* Jahr *n*; *wine, students, etc.*: Jahrgang *m*; ***from his*** *or* ***her earliest ~s*** von frühester Kindheit an; **~•book** *s* Jahrbuch *n*; **~•ly** *adj and adv* jährlich.
yearn [jɜːn] *v/i* sich sehnen (***for*** nach); **~•ing 1.** *s* Sehnen *n*, Sehnsucht *f*; **2.** *adj* □ sehnsüchtig.
yeast [jiːst] *s* Hefe *f*; Schaum *m*.
yell [jel] **1.** *v/i and v/t* (gellend) schreien; aufschreien; **2.** *s* (gellender) Schrei; Anfeuerungs-, Schlachtruf *m*.
yel•low ['jeləʊ] **1.** *adj* gelb; F *cowardly*: hasenfüßig, feig; Sensations…; **2.** *s* Gelb *n*; **3.** *v/i and v/t* (sich) gelb färben; **~ card** *s sports*: *die* Gelbe Karte; **~ed** *adj* vergilbt; **~ fe•ver** *s med.* Gelbfieber *n*; **~•ish** *adj* gelblich; **~ pag•es** *s pl teleph. die* gelben Seiten, Branchenverzeichnis *n*; **~ press** *s* Sensations-, Boulevardpresse *f*.
yelp [jelp] **1.** *v/i* (auf)jaulen (*dog, etc.*); aufschreien; **2.** *s* (Auf)Jaulen *n*; Aufschrei *m*.
yep F [jep] *adv* ja.
yes [jes] **1.** *adv* ja; doch; **2.** *s* Ja *n*.
yes•ter•day ['jestədɪ] *adv* gestern; ***the day before ~*** vorgestern.
yet [jet] **1.** *adv* noch; schon (*in questions*); sogar; ***as ~*** bis jetzt; ***not ~*** noch nicht; **2.** *cj* aber (dennoch), doch.
yew *bot.* [juː] *s* Eibe *f*.
yield [jiːld] **1.** *v/t* (ein-, hervor)bringen; *profit*: abwerfen; *v/i agr.* tragen; sich fügen, nachgeben; **2.** *s* Ertrag *m*; **~•ing** *adj* □ nachgebend; *fig.* nachgiebig.
yip•pee F [jɪ'piː] *int* hurra!
yo•del ['jəʊdl] **1.** *s* Jodler *m*; **2.** *v/i and v/t* (*esp. Br.* **-ll-**, *Am.* **-l-**) jodeln.
yog•hurt ['jɒgət] *s* Joghurt *m*, *n*.
yoke [jəʊk] **1.** *s* Joch *n* (*a. fig.*); *oxen*: Paar *n*, Gespann *n*; Schultertrage *f*; **2.** *v/t* anschließen, zusammenspannen; *fig.* paaren (***to*** mit).
yolk [jəʊk] *s* (Ei)Dotter *m*, *n*, Eigelb *n*.
York [jɔːk] *cityt in northern England*; **York•shire** ['-ʃə]: ***North ~, South ~, West ~*** *counties in England.*
you [juː, jʊ] *pron* du, ihr, Sie; man.
young [jʌŋ] **1.** *adj* □ jung; jung, klein; **2.** *s pl* (Tier)Junge *pl*; ***the ~*** die jungen Leute, die Jugend; ***with ~*** trächtig; **~•ster** *s* Jugendliche(r *m*) *f*, Junge *m*.
your [jɔː] *pron* dein(e), euer(e), Ihr(e); **~s** *pron* deine(r, -s), euer, euere(s), Ihre(r, -s); **♀, *Bill*** *in letters*: Dein Bill; **~•self** *pron* (*pl* ***yourselves***) du, ihr, Sie selbst; dir, dich, euch, sich; ***by ~*** al-

lein.

youth [juːθ] *s* (*pl* **~s** [~ðz]) Jugend *f*; junger Mann, Jüngling *m*; **~ *hostel*** Jugendherberge *f*; **~•ful** *adj* □ jugendlich.

yuck [jʌk] *int* igitt!

Yu•go•sla•via [ˌjuːgəʊ'slɑːvjə] Jugoslawien *n*.

yule•tide *esp. poet.* ['juːltaɪd] *s* Weihnachten *n*, Weihnachtszeit *f*.

Yup•pie ['jʌpɪ] *s* Yuppie *m*.

Z

Za•ire [zɑː'ɪə] Zaire *n*.

za•ny ['zeɪnɪ] *adj* irrsinnig komisch.

zap F [zæp] **1.** *s* Schwung *m*, Pep *m*; **2.** *v/t*: **~ *s.o. one*** *j-m* e-e knallen; **3.** *int* zack!

zeal [ziːl] *s* Eifer *m*; **~•ot** ['zelət] *s* Eiferer *m*; **~•ous** ['zeləs] *adj* □ eifrig; eifrig bedacht (***for*** auf *acc*); innig, heiß.

zeb•ra *zo*. ['ziːbrə] *s* Zebra *n*; **~ crossing** *s* Zebrastreifen *m*.

zen•ith ['zenɪθ] *s* Zenit *m*; *fig*. Höhepunkt *m*.

ze•ro ['zɪərəʊ] **1.** *s* (*pl* ***-ros, -roes***) Null *f*; Nullpunkt *m*; **2.** *adj* Null…; **~ (*economic*) *growth*** Nullwachstum *n*; **~ *option*** *pol*. Nulllösung *f*; **~ *rating*** *econ*. Mehrwertsteuerbefreiung *f*; ***have* ~ *interest in s.th.*** F null Bock auf et. haben.

zest [zest] *s* Würze *f* (*a. fig*.); Lust *f*, Freude *f*; Genuss *m*.

zig•zag ['zɪgzæg] **1.** *s* Zickzack *m*; Zickzacklinie *f*, -kurs *m*, -weg *m*; **2.** *v/i* im Zickzack laufen *or* fahren *etc*.; **3.** *adj* zickzackförmig, Zickzack…

Zim•ba•bwe [zɪm'bɑːbwɪ] Simbabwe *n*.

zinc [zɪŋk] **1.** *s min*. Zink *n*; **2.** *v/t* verzinken.

zip [zɪp] **1.** *s* Schwirren *n*; F Schwung *m*; → ***zip-fastener***; **2.** *v/t* (**-pp-**): **~ *s.th. open*** den Reißverschluss von et. öffnen; **~ *s.o. up*** *j-m* den Reißverschluss zumachen; **~ code** *s Am*. Postleitzahl *f*; **~-fas•ten•er** *esp. Br*., **~•per** *s Am*. Reißverschluss *m*.

zo•di•ac *ast*. ['zəʊdɪæk] *s* Tierkreis *m*.

zone [zəʊn] *s* Zone *f*; *fig*. Gebiet *n*; **~ bound•a•ry** *s public transport*: *appr*. Zahlgrenze *f*.

zoo [zuː] *s* (*pl* **~s**) Zoo *m*.

zo•o•log•i•cal [zəʊə'lɒdʒɪkl] *adj* □ zoologisch; **~ *garden*(*s pl*)** zoologischer Garten.

zo•ol•o•gy [zəʊ'ɒlədʒɪ] *s* Zoologie *f*.

zoom [zuːm] **1.** *v/i* surren; *aer*. steil hochziehen; F sausen; *phot*., *film*: zoomen; **~ *in on s.th.*** *phot*., *film*: et. heranholen; **~ *past*** F vorbeisausen; **2.** *s* Surren *n*; *aer*. Steilflug *m*; **~ lens** *s phot*. Zoomobjektiv *n*, Gummilinse *f*.

Zu•rich ['zjʊərɪk] Zürich *n*.

Wörterverzeichnis Deutsch-Englisch

A

à [a] *prp* at ... each.

Aal [a:l] *m* (-[*e*]*s*; -*e*) *zo*. eel; '**2en** *v/refl* (*h*): ***sich in der Sonne ~*** bask in the sun; **2'glatt** *adj fig*. (as) slippery as an eel.

ab [ap] **1.** *prp*: ***~ morgen*** starting tomorrow, from tomorrow; **2.** *adv*: ***München ~ 13.55*** departure Munich 13.55; ***von heute ~*** starting today, from today; ***von jetzt ~*** from now on, in future; ***~ und zu*** now and then.

'**abarbeiten** (*sep*, -*ge*-, *h*) **1.** *v/t Schulden*: work off; **2.** *v/refl*: ***sich ~*** slave (away).

Abart ['ap?art] *f* (-; -*en*) *biol*. variety; '**2ig** *adj* abnormal, *sexuell*: *a*. perverse.

'**Abbau** *m* (-[*e*]*s*; *no pl*) mining; dismantling; reduction (*gen* in); '**2en** *v/t* (*sep*, -*ge*-, *h*) *Kohle etc*: mine; *Maschinen etc*: dismantle; *Vorurteile*: (gradually) get rid of: ***Arbeitskräfte ~*** cut down on (*od*. reduce) the workforce.

'**ab|beißen** *v/t* (*irr*, *sep*, -*ge*-, *h*, → ***beißen***) bite off; '**~beizen** *v/t* (*sep*, -*ge*-, *h*) *Holz*: strip; '**~bekommen** *v/t* (*irr*, *sep*, *no* -*ge*-, *h*, → ***kommen***) *losbekommen*: get off: ***sein Teil*** *od*. ***et. ~*** get one's share; ***et. ~*** *Person*: be hit, get hurt, *Sache*: be damaged.

'**abbestell|en** *v/t* (*sep*, *no* -*ge*-, *h*) cancel; '**2ung** *f* (-; -*en*) cancellation.

'**abbiegen** *v/i* (*irr*, *sep*, -*ge*-, *sn*, → ***biegen***) turn (off): ***nach links*** (***rechts***) ***~*** turn left (right).

'**Abbildung** *f* (-; -*en*) picture, illustration.

'**Abbitte** *f*: ***j-m ~ leisten*** *od*. ***tun*** apologize to s.o. (***wegen*** for).

'**abblasen** *v/t* (*irr*, *sep*, -*ge*-, *h*, → ***blasen***) F *fig*. call off.

'**abblend|en** *v/i* (*sep*, -*ge*-, *h*) *mot*. dip (*Am*. dim) one's headlights; '**2licht** *n mot*. dipped (*Am*. dimmed) headlights *pl*, *Am*. low beam.

'**ab|brechen** (*irr*, *sep*, -*ge*-, → ***brechen***) **1.** *v/t* (*h*) break off (*a*. *Beziehungen etc*); *Gebäude etc*: demolish, pull down; *Spiel etc*: stop; **2.** *v/i* (*sn*) break off; '**~bremsen** *v/t u*. *v/i* (*sep*, -*ge*-, *h*) slow down, brake; '**~brennen** *v/i* (*irr*, *sep*, -*ge*-, *sn*, → ***brennen***) burn down: → ***abgebrannt***; '**~bringen** *v/t* (*irr*, *sep*, -*ge*-, *h*, → ***bringen***): ***j-n ~ von*** talk s.o. out of; ***j-n davon ~, et. zu tun*** talk s.o. out of doing s.th.; '**~bröckeln** *v/i* (*sep*, -*ge*-, *sn*) crumble away.

Abbruch *m* (-[*e*]*s*; *no pl*) *e-s Gebäudes etc*: demolition; *von Beziehungen etc*: breaking off.

'**abbuch|en** *v/t* (*sep*, -*ge*-, *h*): ***e-e Summe von j-s Konto ~*** debit a sum to s.o.'s account; '**2ung** *f* (-; -*en*) debit (entry).

ABC-Waffen [a:be:'tse:-] *pl mil*. NBC weapons *pl*.

'**abdank|en** *v/i* (*sep*, -*ge*-, *h*) resign; *Herrscher*: abdicate; '**2ung** *f* (-; -*en*) resignation; abdication.

'**ab|decken** *v/t* (*sep*, -*ge*-, *h*) uncover; *Dach*: untile; *Gebäude*: unroof; *Tisch*: clear; *zudecken*: cover (up); '**~dichten** *v/t* (*sep*, -*ge*-, *h*) seal; '**~drängen** *v/t* (*sep*, -*ge*-, *h*) push aside; '**~drehen** (*sep*, -*ge*-, *h*) **1.** *v/t Gas etc*: turn off, *Licht etc*: *a*. switch off; **2.** *v/i* (*a*. *sn*) *aer*., *mar*. change course.

Abdruck *m* (-[*e*]*s*; ⸗*e*) impression, imprint, mark.

'**abdrücken** *v/i* (*sep*, -*ge*-, *h*) fire, pull the trigger.

Abend ['a:bənt] *m* (-*s*; -*e*) evening: ***am ~*** in the evening, at night; ***heute ~*** tonight; ***morgen*** (***gestern***) ***~*** tomorrow (last) night; → ***essen***; '**~essen** *n* supper; *ausgiebiges*: dinner; '**~kasse** *f thea*. *etc* box office; '**~kleid** *n* evening dress (*Am*. gown).

abends ['a:bənts] *adv* in the evening(s): ***um 7 Uhr ~*** at 7 o'clock in the evening, at 7 p.m.

'**Abendzeitung** *f* evening paper.

Abenteu|er ['a:bəntɔyər] *n* (-*s*; -) adventure; '**2erlich** *adj* adventurous; *fig*. *riskant*: risky; *unwahrscheinlich*: fantastic; '**~rer** *m* (-*s*; -) adventurer.

aber [a:bər] **1.** *cj* but: ***oder ~*** otherwise, or else; **2.** *int*: ***~!, ~!*** now, now!; ***~ sicher!*** (but) of course; '**Aberglaube** *m* (-*ns*; *no pl*) superstition; **abergläu-**

bisch ['‿glɔʏbɪʃ] *adj* superstitious.

'**aberkenn|en** *v/t* (*irr, sep, no -ge-, h,* → ***kennen***): ***j-m et.*** **~** deprive s.o. of s.th. (*a. jur.*); '**≈ung** *f* (-; *-en*) deprivation.

aber|malig ['‿ma:lıç] *adj* repeated; **~mals** ['‿ma:ls] *adv* (once) again, once more.

'**abertausend** *adj* thousands upon thousands: *auch* ***Tausende u.*** '**≈e** thousands upon (*od.* and) thousands.

abfahren *v/i* (*irr, sep, -ge-, sn,* → ***fahren***) leave (***nach*** for): → ***abgefahren.***

'**Abfahrt** *f* (-; *-en*) departure (***nach*** for); '**~szeit** *f* departure time.

'**Abfall** *m* (-[*e*]*s*; *Abfälle*) waste; *Hausmüll*: rubbish, refuse, *bsd. Am.* garbage, trash; *in Park etc*: litter; '**~aufbereitung** *f* (-; *no pl*) waste processing; '**~beseitigung** *f* waste disposal; '**~eimer** *m* rubbish bin, *Am.* trash can; '**~entsorgung** *f* waste disposal.

abfallen *v/i* (*irr, sep, -ge-, sn,* → ***fallen***) fall off; *Gelände*: fall away: *fig.* **~** ***gegen*** compare badly with.

'**abfällig 1.** *adj Bemerkung*: disparaging; **2.** *adv*: ***sich ~ über j-n äußern*** run s.o. down.

'**Abfall|korb** *m* litter bin (*od.* basket); '**~management** *n* waste management; '**~pro,dukt** *n* waste product; *Nebenprodukt*: spin-off, by-product; '**~verwertung** *f* (-; *no pl*) waste recovery, recycling.

'**abfärben** *v/i* (*sep, -ge-, h*) run: *fig.* **~** ***auf*** (*acc*) rub off on.

'**abfertig|en** *v/t* (*sep, -ge-, h*) *Waren*: get ready for dispatch, *beim Zoll*: clear; *Personen*: *an der Grenze*: deal with, *am Flughafen*: check in; '**≈ung** *f* (-; *-en*) dispatch; clearance; check-in; '**≈ungsschalter** *m aer.* check-in counter.

'**abfeuern** *v/t* (*sep, -ge-, h*) *Schuss*: fire (***auf*** *acc* at).

'**abfind|en** (*irr, sep, -ge-, h,* → ***finden***) **1.** *v/t Gläubiger*: pay off; *entschädigen*: compensate; **2.** *v/refl*: ***sich ~ mit*** come to terms with; '**≈ung** *f* (-; *-en*) compensation; *von Angestellten*: severance (*od.* redundancy) pay.

'**ab|fliegen** *v/i* (*irr, sep, -ge-, sn,* → ***fliegen***) *Person*: fly; *Flugzeug*: take off; '**~fließen** *v/i* (*irr, sep, -ge-, sn,* → ***fließen***) flow (*od.* drain) off.

'**Abflug** *m* (-[*e*]*s*; *Abflüge*) takeoff; *auf Flugplan etc*: departure; '**~halle** *f* departure lounge; '**~terminal** *m* departures, departure terminal; '**~zeit** *f* departure time.

'**Abfluss** *m* (*-es*; *Abflüsse*) *Abfließen*: flowing (*od.* draining) off; **~öffnung** *f* outlet, drain; '**~rohr** *n* waste pipe, *außen*: drainpipe.

Abfuhr ['apfu:r] *f* (-; *-en*): *fig.* ***j-m e-e ~ erteilen*** give s.o. the brush-off.

'**abführ|en** *v/t* (*sep, -ge-, h*) *j-n*: lead off (*od.* away); *Steuern etc*: pay over (***an*** *acc* to); '**≈mittel** *n* (*-s*; -) *med.* laxative.

'**Abgaben** *pl* taxes *pl*; → ***Kommunalabgaben, Sozialabgaben.***

'**abgas|arm** *adj mot.* low-emission; '**≈e** *pl mot.* exhaust fumes *pl*; '**≈grenzwert** *m* exhaust emission standard; '**≈sonderuntersuchung** *f mot.* special emission test.

'**abgeben** (*irr, sep, -ge-, h,* → ***geben***) **1.** *v/t Prüfungsarbeit etc*: hand in; *Schlüssel etc*: leave (***bei*** with); *Gepäck*: deposit (at), *Am.* check (at); *Fahrkarte*: surrender; *Vorsitz etc*: hand over (***an*** *acc* to); *Schuss*: fire; *Erklärung etc*: make; *Stimme*: cast; **2.** *v/refl*: ***sich ~ mit*** concern o.s. with; ***sich mit j-m ~*** associate with s.o.

'**abge|brannt** *adj* F *fig.*: (***völlig***) **~** (flat *od.* stony) broke; '**~brüht** *adj fig.* hard-boiled; '**~droschen** *adj* hackneyed, trite; '**~fahren** *adj Reifen*: bald; '**~härtet** *adj* hardened (***gegen*** against).

'**abgehen** *v/i* (*irr, sep, -ge-, sn,* → ***gehen***) *aer., rail.* leave, *Schiff*: *a.* sail (*beide*: ***nach*** for); *Post*: go; *Knopf etc*: come off; *Straße etc*: branch off: **~** ***von e-m Plan*** give up; ***von s-r Meinung ~*** change one's mind (*od.* views); ***gut ~*** go (*od.* pass off) well.

'**abge|kartet** *adj*: ***~es Spiel*** put-up job; '**~legen** *adj* remote, faraway; '**~magert** *adj* emaciated; '**~neigt** *adj*: ***ich wäre e-r Sache nicht ~*** (***nicht ~, et. zu tun***) I wouldn't mind (doing) s.th.; '**~nutzt** *adj* worn.

Abgeordnete ['apgəˀɔrdnətə] *m, f* (*-n*; *-n*) *parl. Br.* Member of Parliament, (*abbr.* MP), *Am.* Congressman (Congresswoman).

'**abge|schlossen** *adj Wohnung*: self-contained; *Ausbildung etc*: completed; '**~sehen** *adv*: **~** ***von*** apart (*bsd. Am. a.* aside) from; **~** ***davon, dass*** apart from the fact that; '**~spannt** *adj* exhausted, worn-out; '**~standen** *adj Luft*: stale; *Bier etc*: flat; '**~stumpft** *adj Person*: insensitive (***gegen*** to)

'**abgewöhnen** *v/t* (*sep*, *pp abgewöhnt*, *h*): ***j-m et. ~*** break (*od*. cure) s.o. of s.th.; ***sich das Rauchen ~*** give up smoking.

abgöttisch ['apgœtɪʃ] *adv*: ***j-n ~ lieben*** idolize (*od*. adore) s.o.

'**Abgrund** *m* (-[*e*]*s*; *Abgründe*) abyss, chasm (*beide a. fig*.): *fig*. ***am Rande des ~s stehen*** be on the brink of disaster; '**2tief** *adj Hass etc*: all-consuming.

'**ab|haken** *v/t* (*sep*, *-ge-*, *h*) tick (*Am*. check) off; '**~halten** *v/t* (*irr*, *sep*, *-ge-*, *h*, → ***halten***) *Versammlung etc*: hold: ***j-n von der Arbeit ~*** keep s.o. from his work; ***j-n davon ~, et. zu tun*** keep s.o. from doing s.th.

abhanden [ap'handən] *adv*: ***~ kommen*** → '**~kommen** *v/i* (*irr*, *sep*, *-ge-*, *sn*, → ***kommen***) get lost; ***mir ist m-e Brille abhandengekommen*** I've lost my glasses.

'**Abhandlung** *f* (-; *-en*) treatise (***über*** *acc* on).

'**Abhang** *m* (-[*e*]*s*; *Abhänge*) slope.

'**abhängen** *v/i* (*irr*, *sep*, *-ge-*, *h*, → ***hängen***[1]): ***~ von*** depend on, *finanziell*: be dependent on.

abhängig ['aphɛŋɪç] *adj* dependent (***von*** on): ***~ sein von*** → ***abhängen***; '**2keit** *f* (-; *no pl*) dependence (***von*** on).

'**ab|hauen** *v/i* (*irr*, *sep*, *-ge-*, *sn*, → ***hauen***) F push off: ***hau ab!*** *a*. beat it!, get lost!; '**~heben** (*irr*, *sep*, *-ge-*, *h*, → ***heben***) **1.** *v/t* lift (*od*. take) off; *Hörer*: pick up; *Karten*: cut; *Geld*: draw (out) (***von*** from); **2.** *v/i aer*. take off; F *fig*. get a real lift; *teleph*. answer the phone; *Kartenspiel*: cut the cards; '**~heften** *v/t* (*sep*, *-ge-*, *h*) file (away).

'**Abhilfe** *f* (-; *no pl*) remedy: ***~ schaffen*** put things right.

'**ab|holen** *v/t* (*sep*, *-ge-*, *h*) call for, pick up, collect: ***j-n von der Bahn ~*** meet s.o. at the station; '**~horchen** *v/t* (*sep*, *-ge-*, *h*) *med*. auscultate, sound; '**~kaufen** *v/t* (*sep*, *-ge-*, *h*): ***j-m et. ~*** buy s.th. from s.o.; '**~klingen** *v/i* (*irr*, *sep*, *-ge-*, *sn*, → ***klingen***) *Schmerzen*: ease; *Wirkung*: wear off; '**~klopfen** *v/t* (*sep*, *-ge-*, *h*) *med*. tap.

'**Abkommen** *n* (*-s*; -) agreement (*a. pol*.): ***ein ~ treffen*** make an agreement.

ab|koppeln ['-kɔpəln] *v/t* (*sep*, *-ge-*, *h*) uncouple (***von*** from); *Raumfahrt*: undock; '**~kratzen** (*sep*, *-ge-*) **1.** *v/t* (*h*) (*a*. ***~ von***) scrape off; **2.** F *v/i* (*sn*) *sterben*: kick the bucket; '**~kühlen** *v/t*, *v/i u. v/refl* (*sep*, *-ge-*, *h*) cool off (*od*. down) (*a. fig*.).

'**abkürz|en** *v/t* (*sep*, *-ge-*, *h*) *Vorgang*: shorten; *Wort etc*: abbreviate, shorten: ***den Weg ~*** take a short cut; '**2ung** *f* (-; *-en*) abbreviation; short cut: ***e-e ~ nehmen*** take a short cut.

'**abladen** *v/t* (*irr*, *sep*, *-ge-*, *h*, → ***laden***) unload; *Müll*: dump.

'**Ablage** *f* (-; *-n*) *für Akten etc*: file; *allg*. place to put s.th.

'**ablassen** *v/t* (*irr*, *sep*, *-ge-*, *h*, → ***lassen***) *Wasser*: drain off; *Luft*: let out; *Dampf*: let off: ***die Luft ~ aus*** deflate.

'**Ablauf** *m* (-[*e*]*s*; *Abläufe*) *e-r Frist*, *e-s Passes etc*: expiry; *von Ereignissen*: course; '**~datum** *n österreichisch* expiry date; *Lebensmittel*: use-by date, best-before date; '**2en** *v/i* (*irr*, *sep*, *-ge-*, *sn*, → ***laufen***) run (*od*. drain) off; *Frist*, *Pass etc*: run out, expire; *verlaufen*: go; *ausgehen*: turn out.

'**ablegen** (*sep*, *-ge-*, *h*) **1.** *v/t Kleidung*: take off; *Akten etc*: file; *Gewohnheit*: give up; *Eid*, *Prüfung*: take; **2.** *v/i* take one's coat off; *mar*. (set) sail.

'**ablehn|en** *v/t* (*sep*, *-ge-*, *h*) *Einladung*: refuse, turn down; *Angebot*, *Gesetzesentwurf*, *Vorschlag etc*: reject; *nicht mögen*: dislike; *missbilligen*: disapprove of: ***es ~, et. zu tun*** refuse to do s.th.; '**~end** *adj* negative; '**2ung** *f* (-; *-en*) refusal; rejection; disapproval.

'**ablenk|en** *v/t* (*sep*, *-ge-*, *h*) *Verdacht etc*: divert (***von*** from): ***j-n von der Arbeit ~*** distract s.o. from his work; '**2ung** *f* (-; *-en*) diversion (*a. Zerstreuung*); distraction.

'**ab|lesen** *v/t* (*irr*, *sep*, *-ge-*, *h*, → ***lesen***) *Rede*: read (from notes); *Instrument etc*: read; '**~leugnen** *v/t* (*sep*, *-ge-*, *h*) deny; '**~liefern** *v/t* (*sep*, *-ge-*, *h*) deliver (***bei*** to, at).

'**ablös|en** *v/t* (*sep*, *-ge-*, *h*) *entfernen*: remove, take off; *Wache etc*: relieve; *Kollegen etc*: take over from; *j-n im Amt*: replace; ***sich ~*** take turns (***bei*** at); '**2ung** *f* (-; *-en*) removal; relief; replacement.

'**abmach|en** *v/t* (*sep*, *-ge-*, *h*) *entfernen*: remove, take off; *vereinbaren*: arrange, agree (on); '**2ung** *f* (-; *-en*) arrangement, agreement: ***e-e ~ treffen*** come to an agreement (***über*** *acc* on).

'**abmager|n** *v/i* (*sep*, *-ge-*, *sn*) go thin: → ***abgemagert***; '**2ungskur** *f* slimming diet: ***e-e ~ machen*** be slimming.

'**abmelden** (*sep*, *-ge-*, *h*) **1.** *v/t*: ***sein Auto ~*** take one's car off the road; ***sein Telefon ~*** have one's telephone disconnected; **2.** *v/refl polizeilich*: give notification that one is moving: ***sich bei j-m ~*** report to s.o. that one is leaving.

'**abmess|en** *v/t* (*irr*, *sep*, *-ge-*, *h*, → ***messen***) measure; '**2ungen** *pl* dimensions *pl*.

'**abmühen** *v/refl* (*sep*, *-ge-*, *h*) take great pains (***zu tun*** to do); struggle (***mit*** with).

'**Abnahme** *f* (-; *no pl*) *Rückgang*: decrease, decline (*beide*: *gen* in); *an Gewicht*: loss; *tech*. acceptance; *econ*. purchase: ***bei ~ von*** on orders of.

'**abnehme|n** (*irr*, *sep*, *-ge-*, *h*, → ***nehmen***) **1.** *v/t* take off; *teleph*. *Hörer*: pick up; *tech*. *Maschine etc*: accept; *Ware*: buy (*dat* from); *Gewicht*: lose; **2.** *v/i* decrease, decline, diminish; *an Gewicht*: lose weight; *teleph*. answer the phone; *Mond*: wane; '**2r** *m* (*-s*; -) buyer; *Kunde*: customer.

'**Abneigung** *f* (-; *-en*) dislike (***gegen*** of, for), *stärker*: aversion (to).

abnicken *vt* (*sep*, *-ge-*, *h*) F ***et. ~*** nod s.th. through.

'**abnutz|en** *v/t u. v/refl* (*sep*, *-ge-*, *h*) wear out: → ***abgenutzt***; '**2ung** *f* (-; *no pl*) wear (and tear).

Abonn|ement [abɔn(ə)'mã:] *n* (*-s*; *-s*) subscription (***auf*** *acc* to); **~ent** [abɔ'nɛnt] *m* (*-en*; *-en*) subscriber (*gen* to); **2ieren** [abɔ'ni:rən] *v/t* (*no ge-*, *h*) subscribe to.

Abort [a'bɔrt] *m* (-[*e*]*s*; *-e*) lavatory, toilet.

'**ab|putzen** *v/t* (*sep*, *-ge-*, *h*) clean (up); *abwischen*: wipe off (*od*. up); '**~raten** *v/i* (*irr*, *sep*, *-ge-*, *h*, → ***raten***): ***j-m ~ von*** advise (*od*. warn) s.o. against; '**~räumen** *v/t* (*sep*, *-ge-*, *h*) clear up (*od*. away); *Tisch*: clear; '**~reagieren** (*sep*, *no -ge-*, *h*) **1.** *v/t*. *Ärger etc*: work off (***an*** *dat* on); **2.** *v/refl* let off steam.

'**abrechn|en** (*sep*, *-ge-*, *h*) **1.** *v/t* deduct (***von*** from); *Spesen etc*: account for; **2.** *v/i* settle acocunts (***mit j-m*** with s.o.), *fig*. *a*. get even (with s.o.); '**2ung** *f* (-; *-en*) deduction; settlement of accounts; '**2ungszeitraum** *m* accounting period.

'**Abreise** *f* (-; *-n*) departure (***nach*** for); '**2n** *v/i* (*sep*, *-ge-*, *sn*) leave (***nach*** for); '**~tag** *m* day of departure.

'**abreiß|en** (*irr*, *sep*, *-ge-*, → ***reißen***) **1.** *v/t* (*h*) tear (*od*. pull) (off); *Gebäude*: pull down, demolish; **2.** *v/i* (*sn*) *Schnur etc*: break; *Knopf etc*: come off; '**2ka,lender** *m* tear-off calendar.

'**abriegeln** *v/t* (*sep*, *-ge-*, *h*) *Tür*: bolt; *Straße*: block, *durch Polizei*: cordon off.

'**Abriss** *m* (*-es*; *-e*) *e-s Gebäudes*: demolition; *kurze Darstellung*: brief outline (*od*. summary).

'**ab|rufen** *v/t* (*irr*, *sep*, *-ge-*, *h*, → ***rufen***) *Daten*: (re)call; '**~runden** *v/t* (*sep*, *-ge-*, *h*) round off: ***nach oben*** (***unten***) ***~*** round up (down).

abrupt [ap'rʊpt] *adj* abrupt.

'**abrüst|en** *v/i* (*sep*, *-ge-*, *h*) *mil*. disarm; '**2ung** *f* (-; *no pl*) disarmament.

'**Absage** *f* (-; *-n*) cancellation; *Ablehnung*: negative reply; '**2n** (*sep*, *-ge-*, *h*) **1.** *v/t* cancel, call off; **2.** *v/i*: ***j-m ~*** tell s.o. not to come; tell s.o. one can't come.

'**Absatz** *m* (*-es*; *Absätze*) *Abschnitt*: paragraph; *econ*. sales *pl*; *Schuh2*: heel; *Treppen2*: landing; '**~förderung** *f* sales promotion; '**~gebiet** *n* market(ing area); '**~plus** *n* increase in sales.

'**abschaff|en** *v/t* (*sep*, *-ge-*, *h*) do away with, abolish; *Gesetz*: repeal; *Missstände*: put an end to; '**2ung** *f* (-; *no pl*) abolition; repeal

'**abschalten** (*sep*, *-ge-*, *h*) **1.** *v/t* switch (*od*. turn) off; **2.** *v/i* F *fig*. switch off; *sich erholen*: relax.

'**abschätz|en** *v/t* (*sep*, *-ge-*, *h*) estimate, assess; '**~ig** *adj* disparaging.

'**Abscheu** *m* (*-s*; *no pl*) horror (***vor*** *dat* of), disgust (for, at): ***~ haben vor*** detest; **2lich** [ap'ʃɔʏlɪç] *adj* dreadful; *Verbrechen*: atrocious.

'**ab|schicken** *v/t* (*sep*, *-ge-*, *h*) → ***absenden***; '**~schieben** *v/t* (*irr*, *sep*, *-ge-*, *h*, → ***schieben***) *Schuld etc*: shift (***auf*** *acc* onto); *loswerden*: get rid of; *Ausländer*:

deport.

Abschied ['apʃi:t] *m* (-[*e*]*s*; -*e*) leave-taking, farewell: ~ ***nehmen*** say goodbye (***von*** to); '**~sfeier** *f* farewell party; '**~skuss** *m* goodbye kiss: ***j-m e-n ~ geben*** kiss s.o. goodbye.

'**abschießen** *v/t* (*irr, sep, -ge-, h,* → ***schießen***) *Waffe*: fire; *Rakete*: launch; *Flugzeug*: shoot (*od.* bring) down.

'**Abschlagszahlung** *f* part payment.

'**Abschlepp|dienst** *m mot.* breakdown (*Am.* towing) service; '**≗en** *v/t* (*sep, -ge-, h*) tow (off): ***j-n ~*** give s.o. a tow; '**~seil** *n* towrope; '**~stange** *f* tow bar; '**~wagen** *m Br.* breakdown lorry, *Am.* wrecker, tow truck.

'**abschließen** *v/t* (*irr, sep, -ge-, h,* → ***schließen***) lock (up); *beenden*: close, end; *vollenden*: complete; *Versicherung*: take out; *Vertrag*: conclude; *Wette*: make: ***e-n Handel ~*** strike a bargain; → ***abgeschlossen***; '**~d** **1.** *adj* concluding; *endgültig*: final; **2.** *adv*: ***~ sagte er*** he wound up by saying.

'**Abschluss** *m* (-*es*; *Abschlüsse*) conclusion.

'**abschneiden** (*irr, sep, -ge-, h,* → ***schneiden***) **1.** *v/t* cut off: ***j-m das Wort ~*** cut s.o. short; **2.** *v/i* take a short cut: ***gut ~*** do (*od.* come off) well.

'**Abschnitt** *m* (-[*e*]*s*; -*e*) *e-s Buches etc*: section, passage, paragraph; *e-r Reise etc*: stage, leg; *Zeit≗*: period; *e-r Entwicklung etc*: phase; *Kontroll≗*: stub, counterfoil.

'**abschrauben** *v/t* (*sep, -ge-, h*) unscrew.

'**abschreck|en** *v/t* (*sep, -ge-, h*) deter (***von*** from), put off; '**~end** *adj* deterrent: ***~es Beispiel*** deterrent, warning; '**≗ung** *f* (-; -*en*) deterrence.

'**abschreiben** *v/t* (*irr, sep, -ge-, h,* → ***schreiben***) copy; *econ.* depreciate, write down, *völlig*: write off (*a. fig.*).

'**Abschrift** *f* (-; -*en*) copy, duplicate.

'**abschürf|en** *v/t* (*sep, -ge-, h*): ***sich das Knie ~*** graze one's knee; '**≗ung** *f* (-; -*en*) graze.

'**Abschuss** *m* (-*es*; *Abschüsse*) *e-r Rakete*: launching; *e-s Flugzeugs*: downing.

abschüssig ['apʃʏsɪç] *adj* sloping, *stärker*: steep.

'**ab|schütteln** *v/t* (*sep, -ge-, h*) shake off (*a. fig.*); '**~schwächen** *v/t* (*sep, -ge-, h*) *Aussage*: tone down; '**~schweifen** *v/i* (*sep, -ge-, sn*): ***vom Thema ~*** digress; '**~schwellen** *v/i* (*irr, sep, -ge-, sn,* → ***schwellen***) *med.* go down.

'**abseh|bar** *adj*: ***in ~er Zeit*** in the foreseeable future; '**~en** (*irr, sep, -ge-, h,* → ***sehen***) **1.** *v/t*: ***es ist kein Ende abzusehen*** there's no end in sight; ***es abgesehen haben auf*** (*acc*) be out for; *j-n*: have it in for; **2.** *v/i*: ***~ von*** refrain from: → ***abgesehen.***

abseits ['apzaɪts] **1.** *prp*: ***~ der Straße*** off the road; **2.** *adv*: ***~ stehen*** → ***abseitsstehen***; ***~ liegen*** → '**~liegen** *v/i* (*irr, sep, -ge-, h,* sn, → ***liegen***) be out of the way; '**~stehen** *v/i* (*irr, sep, -ge-, h,* → ***stehen***) stand apart.

'**absende|n** *v/t* (*mst irr, sep, -ge-, h,* → ***senden***[1]) send off, dispatch; *Brief etc*: post, *bsd. Am.* mail; '**≗r** *m* (-*s*; -) sender, return address.

'**absetz|bar** *adj steuerlich*: deductible; '**~en** (*sep, -ge-, h*) **1.** *v/t Last*: set (*od.* put) down; *Brille, Hut*: take off; *Glas etc*: put down; *Fahrgast*: drop (***an*** *dat*, ***bei*** at); *Herrscher etc*: depose; *thea., Film*: take off; *Medikament*: stop taking; *steuerlich*: deduct (from tax); *econ.* sell; **2.** *v/refl chem. etc* be deposited; F make off (***nach*** for); **3.** *v/i*: ***ohne abzusetzen*** in one go.

'**Absicht** *f* (-; -*en*) intention: ***mit ~*** on purpose; '**≗lich** **1.** *adj* intentional; **2.** *adv* on purpose.

'**absitzen** *v/t* (*irr, sep, -ge-, h,* → ***sitzen***) *Strafe*: serve.

absolut [apzo'lu:t] *adj* absolute.

'**abspeichern** *v/t* (*sep, -ge-, h*) *Computer*: store.

'**absperr|en** *v/t* (*sep, -ge-, h*) lock (up); *Straße*: block off, *Polizei*: cordon off; *Gas etc*: turn off; '**≗ung** *f* (-; -*en*) road block, cordon.

'**abspielen** (*sep, -ge-, h*) **1.** *v/t* play; **2.** *v/refl* happen, take place.

'**Absprache** *f* (-; -*n*) arrangement.

'**ab|sprechen** (*irr, sep, -ge-, h,* → ***sprechen***) **1.** *v/t* arrange; **2.** *v/refl*: ***sich mit j-m ~*** make an arrangement with s.o.; '**~spülen** (*sep, -ge-, h*); **1.** *v/t* rinse; *Geschirr*: wash up; **2.** *v/i* wash up, *Br. a.* do the washing-up.

'**abstamm|en** *v/i* (*sep, -ge-, sn*): ***~ von*** be descended from; '**≗ung** *f* (-; *no pl*) descent.

'**Abstand** *m* (-[*e*]*s*; *Abstände*) distance; *Zwischenraum*: space; *zeitlich*: inter-

val: **~ halten** keep one's distance; *fig.* **mit ~** by far.
ab|statten ['apʃtatən] *v/t (sep, -ge-, h)*: **j-m e-n Besuch ~** pay s.o. a visit; '**~stauben** *v/t (sep, -ge-, h)* dust.
'**Abstecher** *m (-s; -)* quick trip (**nach** to).
'**ab|stehend** *adj*: **~e Ohren** bat ears; '**~steigen** *v/i (irr, sep, -ge-, sn,* → **steigen***)* stay (**in** *e-m Hotel etc* at).
'**abstell|en** *v/t (sep, -ge-, h)* put down, leave (**bei** with); *Auto etc*: park; *Gas, Maschine etc*: turn off; *Radio, Motor etc*: switch off; *Missstände*: remedy; '**⁀raum** *m* storeroom, *Br. a.* boxroom.
'**abstimm|en** *v/i (sep, -ge-, h)* vote (**über** *acc* on); '**⁀ung** *f (-; -en)* vote; *Volks⁀*: referendum.
Abstinenzler [apsti'nɛntslər] *m (-s; -)* teetotal(l)er.
'**abstoßen** *v/t (irr, sep, -ge-, h,* → **stoßen***)* *anwidern*: disgust, repel, revolt; '**~d** *adj* disgusting, repulsive, revolting.
abstrakt [ap'strakt] *adj* abstract.
'**ab|streiten** *v/t (irr, sep, -ge-, h,* → **streiten***)* deny; '**~stumpfen** *v/i (sep, -ge-, sn) Person*: become insensitive (**gegen** to): → **abgestumpft.**
'**Absturz** *m (-es; Abstürze) aer., Computer*: crash.
'**ab|stürzen** *v/i (sep, -ge-, sn) aer., Computer*: crash; '**~suchen** *v/t (sep, -ge-, h)* search (**nach** for).
absurd [ap'zʊrt] *adj* absurd.
Abszess [aps'tsɛs] *m (-es; -e) med.* abscess.
'**ab|tasten** *v/t (sep, -ge-, h)* feel (**nach** for); *med.* palpate; *nach Waffen etc*: frisk; *Computer, Radar etc*: scan; '**~tauen** *v/t (sep, -ge-, h) Kühlschrank*: defrost.
Abteil [ap'taɪl] *n (-[e]s; -e) rail.* compartment.
Ab'teilung *f (-; -en)* department; *e-s Krankenhauses*: ward, unit; **~sleiter** *m* head of a department.
'**Abtransport** *m (-[e]s; -e)* removal.
'**abtreib|en** *v/i (irr, sep, -ge-, h,* → **treiben***)* *med.* have an abortion; '**⁀ung** *f (-; -en)* abortion.
'**ab|trennen** *v/t (sep, -ge-, h) Coupon etc*: detach; *Fläche etc*: separate; '**~trocknen** *(sep, -ge-, h)* **1.** *v/t*: **sich die Hände ~** dry one's hands (**an** *dat* on); **das Geschirr ~** dry up the dishes; **2.** *v/i* dry up, *Br. a.* do the drying-up; '**~wägen** *v/t (mst irr, sep, -ge-, h,* → **wägen***)* weigh, consider (carefully); '**~wälzen** *v/t (sep, -ge-, h) Schuld etc*: shift (**auf** *acc* onto); '**~warten** *(sep, -ge-, h)*; **1.** *v/t* wait for; **2.** *v/i* wait (and see).
abwärts ['apvɛrts] *adv* down, downward(s).
'**abwaschen** *(irr, sep, -ge-, h,* → **waschen***)* **1.** *v/t* wash off (*a.* **~ von**); *Geschirr*: wash up; **2.** *v/i* → **abspülen** 2.
'**Abwasser** *n (-s; Abwässer)* waste water, sewage.
'**abwechseln** *v/t u. v/refl (sep, -ge-, h) Personen*: take turns (**mit** with; **bei** with, in); '**~d** *adv* by turns.
'**Abwechslung** *f (-; -en)* change: **zur ~** for a change; '**⁀sreich** *adj* varied; *Leben etc*: eventful.
'**Abweg** *m*: **auf ~e geraten** go astray; **⁀ig** ['apve:gɪç] *adj* absurd, unrealistic.
'**Abwehr** *f (-; no pl)* defen|ce, *Am.* -se (*a. Sport*); *e-s Stoßes etc*: warding off; '**⁀en** *v/t (sep, -ge-, h)* ward off; *zurückschlagen*: beat back; '**~kräfte** *pl med.* resistance *sg*; '**~stoffe** *pl med.* antibodies *pl.*
'**abweich|en** *v/i (irr, sep, -ge-, sn,* → **weichen***)* deviate (**von** from); *vom Thema*: digress; '**⁀ung** *f (-; -en)* deviation.
'**abwerfen** *v/t (irr, sep, -ge-, h,* → **werfen***)* *Bomben etc*: drop; *Gewinn*: yield.
'**abwert|en** *v/t (sep, -ge-, h) Währung*: devalue; '**~end** *adj Bemerkung etc*: depreciatory; '**⁀ung** *f* devaluation.
'**abwesen|d** *adj* absent; '**⁀heit** *f (-; no pl)* absence.
'**ab|wickeln** *v/t (sep, -ge-, h)* unwind; *erledigen*: handle; *Geschäft*: transact; '**~wiegen** *v/t (irr, sep, -ge-, h,* → **wiegen[1]***)* weigh out; '**~wischen** *v/t (sep, -ge-, h)* wipe off (*a.* **~ von**); '**~würgen** *v/t (sep, -ge-, h)* F *mot.* stall; *Diskussion etc*: stifle; '**~zahlen** *v/t (sep, -ge-, h)* pay off; *in Raten*: pay by instal(l)ments; '**~zählen** *v/t (sep, -ge-, h)* count.
'**Abzahlung** *f*: **et. auf ~ kaufen** buy s.th. on hire purchase (*bsd. Am.* on the instal[l]ment plan).
'**Abzeichen** *n (-s; -)* badge.
'**abziehen** *(irr, sep, -ge-,* → **ziehen***)* **1.** *v/t (h) Bett*: strip; *Schlüssel*: take out; *Truppen*: withdraw; *math.* subtract (**von** from), *econ.* deduct (from); **2.** *v/i (sn) Rauch*: escape.
Abzocke ['aptsɔkə] *f (-; no pl)* F rip-off.

'**Abzug** *m* (-[*e*]*s*; *Abzüge*) *mil.* withdrawal; *econ.* deduction, *Skonto*: discount; *Kopie*: copy; *phot.* print; *e-r Waffe*: trigger; *tech.* outlet.
abzüglich ['aptsy:klıç] *prp* less, minus.
'**abzweig|en** *v/i* (*sep*, *-ge-*, *sn*) branch off; '**2ung** *f* (-; *-en*) turn-off; *Gabelung*: fork.
Achse ['aksə] *f* (-; *-n*) *tech.* axle.
Achsel ['aksəl] *f* (-; *-n*) shoulder: ***die ~n zucken*** shrug one's shoulders; '**~höhle** *f* armpit.
acht [axt] *adj* eight: ***in ~ Tagen*** in a week('s time); ***heute in ~ Tagen*** today week; ***vor ~ Tagen*** a week ago.
Acht [~] *f*: ***~ geben*** be careful; ***~ geben auf*** (*acc*) pay attention to, mind; *aufpassen auf*: watch, keep an eye on; ***gib ~!*** look out!, (be) careful!; ***außer ~ lassen*** disregard, ignore; ***sich in ~ nehmen*** be careful, watch out (***vor*** *dat* for), be on one's guard (against).
'**acht|e** *adj* eighth: ***am ~n Mai*** on the eighth of May, on May the eighth; '**~eckig** *adj* octagonal; '**2el** *n* (*-s*; -) eighth (part).
achten ['axtən] (*h*) **1.** *v/t j-n*: respect; **2.** *v/i*: ***~ auf*** (*acc*) pay attention to, mind; *aufpassen auf*: watch, keep an eye on; *Ausschau halten nach*: watch out for; ***darauf ~, dass*** see to it that.
'**Achterbahn** *f* roller coaster.
'**achtfach** *adj u. adv* eightfold.
'**achtgeben** → ***Acht***
'**achtlos** *adj* careless.
'**Achtung** *f* (-; *no pl*) respect (***vor*** *dat* for): ***~!*** look out!; ***~ Stufe!*** mind the step!
'**acht|zehn** *adj* eighteen; **~zig** ['axtsıç] *adj* eighty: ***die ~er Jahre*** the eighties.
ächzen ['ɛçtsən] *v/i* (*h*) groan (***vor*** *dat* with).
Acker ['akər] *m* (*-s*; ¨) field; '**~bau** *m* (-[*e*]*s*; *no pl*) agriculture.
Adapter [a'daptər] *m* (*-s*; -) *electr.* adapter.
addieren [a'di:rən] *v/t* (*no ge-*, *h*) add (up).
Adel ['a:dəl] *m* (*-s*; *no pl*) aristocracy, nobility.
Ader ['a:dər] *f* (-; *-n*) *anat.* blood vessel, *Vene*: vein, *Arterie*: artery.
adieu [a'dĭø:] *int.* goodbye.
adoptieren [adɔp'ti:rən] *v/t* (*no ge-*, *h*) adopt.
Adoptiv|eltern [adɔp'ti:f~] *pl* adoptive parents *pl*; **~kind** *n* adopted child.
Adresse [a'drɛsə] *f* (-; *-n*) address; **~nänderung** *f* change of address; **~nverzeichnis** *n* mailing list.
adressier|en [adrɛ'si:rən] *v/t* (*no ge-*, *h*) address (***an*** *acc* to); **2ma,schine** *f* addressing machine.
Adria ['a:dria], *das* **Adriatische Meer** [adri'a:tıʃə'me:r] *the* Adriatic Sea.
Affäre [a'fɛ:rə] *f* (-; *-n*) affair.
Affe ['afə] *m* (*-n*; *-n*) *zo.* monkey, *Menschen2*: ape.
Affekt [a'fɛkt] *m*: ***im ~*** in the heat of the moment; **2iert** [afɛk'ti:rt] *adj* affected.
Afrika ['a:frika] Africa.
Afrikan|er [afri'ka:nər] *m* (*-s*; -), **2isch** *adj* African.
After ['aftər] *m* (*-s*; -) *anat.* anus.
Agent [a'gɛnt] *m* (*-en*; *-en*) agent; **~ur** [agɛn'tu:r] *f* (-; *-en*) agency.; **~urmeldung** *f* (news) agency report
Aggress|ion [agrɛ'sĭo:n] *f* (-; *-en*) aggression; **2iv** [~'si:f] *adj* aggressive; **~ivität** [~sivi'tɛ:t] *f* (-; *no pl*) aggressiveness.
Agrar|land [a'gra:r~] *n* agrarian country; **~markt** *m* agricultural market; **~poli,tik** *f* agrarian policy.
Ägypten [ɛ'gʏptən] Egypt.
aha [a'ha:] *int* I see.
ähneln ['ɛ:nəln] *v/i* (*h*) resemble, look like.
ahnen ['a:nən] *v/t* (*h*) foresee; *vermuten*: suspect.
ähnlich ['ɛ:nlıç] *adj* similar (*dat* to): ***j-m ~ sehen*** look like s.o.; *fig.* → ***ähnlichsehen***; '**2keit** *f* (-; *-en*) likeness (***mit*** to), resemblance (to), similarity (with); '**~sehen** *v/i* (*irr*, *sep*, *-ge-*, *h*, → ***sehen***): *fig.* ***das sieht ihm ähnlich*** that's him all over.
'**Ahnung** *f* (-; *-en*) presentiment; *Vermutung*: suspicion: ***keine ~!*** no idea.
Aids [eıds] *n* (-; *no pl*) *med.* AIDS, Aids; '**~beratung** *f* AIDS advice cent|re (*Am.* *-er*); '**2krank** *adj* suffering from AIDS; '**~kranke** *m* AIDS sufferer (*od.* victim); '**~test** *m* AIDS test.
Akademi|e [akade'mi:] *f* (-; *-n*) academy; **~ker** [~'de:mikər] *m* (*-s*; -) university man; **2sch** [~'de:mıʃ] *adj* academic: ***~e Bildung*** university education.
akklimatisieren [aklimati'zi:rən] *v/refl* (*no ge-*, *h*) get acclimatized (***an*** *acc* to).

Akkord [a'kɔrt] *m* (-[*e*]*s*; -*e*) *mus.* chord: ***im ~ arbeiten*** *econ.* do piecework; **~arbeit** *f* piecework; **~arbeiter** *m* pieceworker; **~lohn** *m* piecework wages *pl.*
Akku ['aku] *m* (-*s*; -*s*) F, **~mulator** [akumu'la:tɔr] *m* (-*s*; -*en* [~'to:rən]) *tech.* accumulator.
Akne ['aknə] *f* (-; -*n*) *med.* acne.
Akrobat [akro'ba:t] *m* (-*en*; -*en*) acrobat; **♀isch** *adj* acrobatic.
Akt [akt] *m* (-[*e*]*s*; -*e*) act (*a. thea.*).
Akte ['aktə] *f* (-; -*n*) file, record: ***zu den ~n legen*** file, *fig.* shelve; **'~nkoffer** *m* attaché case; **'~nmappe** *f* folder; *Aktentasche*: briefcase; **'~nno,tiz** *f* memo (-randum); **'~nordner** *m* file; **'~nschrank** *m* filing cabinet; **'~ntasche** *f* briefcase; **'~nzeichen** *n* file number; *auf Brief*: reference.
Aktie ['aktsĭə] *f* (-; -*n*) *econ.* share, *Am.* stock; **'~ngesellschaft** *f Br.* joint-stock company, *Am.* (stock) corporation; **'~nkurse** *pl* share (*Am.* stock) prices *pl*; **'~nmarkt** *m* stock market; **'~nmehrheit** *f* majority holding.
Aktion [ak'tsĭo:n] *f* (-; -*en*) *Maßnahmen*: measures *pl*; *Werbe♀ etc*: campaign, drive; *Rettungs♀ etc*: operation.
Aktionär [aktsĭo'nɛ:r] *m* (-*s*; -*e*) shareholder, *Am.* stockholder.
aktiv [ak'ti:f] *adj* active.
aktuell [ak'tŭɛl] *adj Zahlen etc*: up-to-date; *Themen etc*: topical: ***die Frage ist im Moment nicht ~*** the question is of no interest at the moment.
Akusti|k [a'kustɪk] *f* (-; *no pl*) *e-s Raums*: acoustics *pl*; **♀sch** *adj* acoustic.
akut [a'ku:t] *adj med.* acute, *fig. a.* pressing.
Akzent [ak'tsɛnt] *m* (-[*e*]*s*; -*e*) accent; *Betonung*: *a.* stress (*a. fig.*).
akzept|abel [aktsɛp'ta:bəl] *adj* acceptable (***für*** to); **~ieren** [~'ti:rən] *v/t* (*no ge-, h*) accept.
Alarm [a'larm] *m* (-[*e*]*s*; -*e*) alarm: ***~ schlagen*** sound the alarm; **~anlage** *f* alarm system; **♀ieren** [alar'mi:rən] *v/t* (*no ge-, h*) *Polizei etc*: call; *beunruhigen*: alarm.
Albanien [al'ba:nĭən] Albania.
albern ['albərn] *adj* silly.
Albtraum ['alb~] *m* nightmare (*a. fig.*).
Album ['album] *n* (-*s*; *Alben*) album.
Algerien [al'ge:rĭən] Algeria.
Alibi ['a:libi] *n* (-*s*; -*s*) *jur.* alibi.
Alimente [ali'mɛntə] *pl* maintenance *sg.*
Alkohol ['alkoho:l] *m* (-[*e*]*s*; -*e*) alcohol; **'♀frei** *adj* nonalcoholic, soft; **~iker** [~'ho:likər] *m* (-*s*; -) alcoholic; **♀isch** [~'ho:lɪʃ] *adj* alcoholic; **~ismus** [~ho'lɪsmus] *m* (-; *no pl*) alcoholism; **'~test** *m mot.* breathalyser test.
all [al] *indef pron* all, *jeder*: every: ***~e beide*** both of them; ***~e drei*** all three (of them); ***wir ~e*** all of us; ***fast ~e*** almost everyone; ***~e drei Tage*** every three days; → ***alles.***
All [~] *n* (-*s*; *no pl*) universe; *Raum*: (outer) space.
Allee [a'le:] *f* (-; -*n*) avenue.
allein [a'laɪn] *adj u. adv* alone, *a. ohne Hilfe*: on one's own, by o.s.; *einsam*: lonely: ***ganz ~*** all alone; ***~ stehend*** *Haus*: detached; *fig.* → ***alleinstehend***; **♀erbe** *m* sole heir; **♀erziehende** *m, f* (-*n*; -*n*) single parent; **♀gang** *m*: ***im ~*** single-handed(ly), solo; **~ig** *adj* sole, exclusive; **♀sein** *n* (-*s*; *no pl*) loneliness; **'~stehend** *adj unverheiratet*: single; *ohne Verwandte*: without dependants; **♀verdiener** *m* (-*s*; -) sole earner.
aller|beste ['alər'bɛstə] *adj* very best; **~dings** ['~'dɪŋs] *adv* however; **'~'erste** *adj* very first.
Allerg|ie [alɛr'gi:] *f* (-; -*n*) *med.* allergy (***gegen*** to); **♀isch** [a'lɛrgɪʃ] *adj* allergic (***gegen*** to) (*a. fig.*).
'Aller|'heiligen *n* (-; *no pl*) All Saints' Day; **♀lei** ['~'laɪ] *adj* all kinds (*od.* sorts) of; **'♀'letzte** *adj* very last; **'♀'meist 1.** *adj* most; **2.** *adv*: ***am ~en*** most of all; **'♀'nächste** *adj*: ***in ~r Zeit*** very soon; **'♀'neu(e)ste** *adj* very latest; **'~'seelen** *n* (-; *no pl*) All Souls' Day; **'♀'seits** *adv*: ***guten Morgen ~!*** good morning everybody; **'♀'wenigst**; **1.** *adj* least ... of all; **2.** *adv*: ***am ~en*** least of all.
'alles *indef pron* everything: ***~ in allem*** all in all; ***auf ~ gefasst sein*** be prepared for the worst; → ***als, Mädchen.***
allge'mein 1. *adj* general: ***im ♀en → als*** 2; **2.** *adv* generally, in general; ***~ verständlich*** comprehensible; **♀arzt** *m* general practitioner; **♀bildung** *f* general education; **♀heit** *f* (-; *no pl*) general public; **'~verständlich** → ***allgemein*** 2; **♀wissen** *n* general knowledge.
All'heilmittel *n* cure-all (*a. fig.*).

'all|'jährlich *adj* yearly, annual(ly *adv*), *adv a.* every year; **~mählich** [al'mɛː-lɪçh] *adj* gradual(ly *adv*).

'Allradantrieb *m mot.* all-wheel drive.

'All|tag *m (-[e]s; no pl) Werktag*: weekday; *fig.* everyday life; **♀'täglich** *adj* daily; *fig.* everyday; *durchschnittlich*: ordinary; **'~tagskultur** *f* everyday culture

all'wissend *adj* omniscient

'Allzeit|hoch *n econ.* all-time high; **'~tief** *n econ.* all-time low.

'allzu *adv* far (*od.* much) too: ***nicht ~*** not too; ***~ viel*** too much.

Alpen ['alpən] *the* Alps.

Alphabet [alfa'beːt] *n (-[e]s; -e)* alphabet; **♀isch** *adj* alphabetical.

Alptraum → ***Albtraum.***

als [als] *cj* as; *nach comp*: than; *zeitlich* when, *während*: while: ***~ ob*** as if (*od.* though); ***alles andere ~*** anything but.

also ['alzo] *cj* so: ***~ gut!*** all right (*Am.* alright) (then); ***na ~!*** what did I say?

alt [alt] *adj* old; *geschichtlich*: *a.* ancient: ***ein fünf Jahre ~er Junge*** a five-year-old boy; ***~ werden → altern.***

Alt [~] *m (-s; no pl) mus.* alto.

Altar [al'taːr] *m (-[e]s; Altäre)* altar.

Altenheim ['altən~] *n* old people's home.

Alter ['altər] *n (-s; no pl)* age; *hohes*: old age: ***im ~ von*** at the age of.

älter ['ɛltər] *adj* older: ***mein ~er Bruder*** my elder brother; ***ein ~er Herr*** an elderly gentleman.

altern ['altərn] *v/i (sn)* grow old, age.

alternativ [altərna'tiːf] *adj* alternative; **♀e** [~'tɪːvə] *f (-; -n)* alternative (***zu*** to); **♀ener,gie** *f* alternative energy.

'Alters|armut *f* old-age poverty, poverty among old people; **'~diskriminierung** *f* ageism; **'~grenze** *f* age limit; *Rentenalter*: retirement age; **'~heim** *n* old people's home; **'~rente** *f* old-age pension; **'~schwäche** *f*: ***an ~ sterben*** die of old age; **'~versorgung** *f* old-age pension (scheme); **'~vorsorge** *f* provisions for one's old age: ***private ~*** personal pension plan.

'Altertum *n (-s; -tümer)* antiquity.

'Altglas *n (-es; no pl)* waste glas; **'~container** *m* bottle bank.

'alt|klug *adj* precocious; **'♀lasten** *Pl.* residual pollution; **'♀lastensanierung** *f* redevelopment of hazardous waste sites; **'♀me,tall** *n* scrap metal; **'~modisch** *adj* old-fashioned; **'♀öl** *n* used oil; **'♀pa,pier** *n* used paper.

'Altstadt *f* old part of the town; **'~sanierung** *f* inner city redevelopment.

Alu|folie ['alu~] *f* tinfoil; **~minium** [alu'miːnĭʊm] *n (-s; no pl)* aluminium, *Am.* aluminum.

am [am] (= ***an dem***) *prp*: ***~ Fenster*** at the window; → ***Anfang***, ***Morgen*** *etc.*

Amateur [ama'tøːr] *m (-s; -e)* amateur; **~funker** *m* radio ham.

ambulan|t [ambu'lant] **1.** *adj*: ***~e Behandlung*** outpatient treatment; **2.** *adv*: ***~ behandelt werden*** get outpatient treatment; **♀z** [~'lants] *f (-; -en) Klinik*: outpatients' department; *Krankenwagen*: ambulance.

Ameise ['aːmaɪzə] *f (-; -n) zo.* ant; **'~nhaufen** *m* anthill.

Amerika [a'meːrika] America.

Amerikan|er [ameri'kaːnər] *m (-s; -)*, **♀isch** *adj* American.

Amnestie [amnɛs'tiː] *f (-; -n)* amnesty; **♀ren** [~'tiːrən] *v/t (no ge-, h)* grant an amnesty to.

Amok ['aːmɔk]: ***~ laufen*** run amok.

Ampel ['ampəl] *f (-; -n) mot. Br.* (traffic) lights *pl*, *Am.* (traffic) light, stoplight.

Ampulle [am'pʊlə] *f (-; -n)* ampoule.

Amput|ation [amputa'tsĭoːn] *f (-; -en) med.* amputation; **♀ieren** [~'tiːrən] *v/t (no ge-, h)* amputate.

Amsel ['amzəl] *f (-; -n) zo.* blackbird.

Amt [amt] *n (-es; ⸚er) Dienststelle*: office, department; *Posten*: post; *Aufgabe*: duty, function; *teleph.* exchange; **'♀lich** *adj* official.

'Amts|arzt *m* public health officer; **'~geschäfte** *pl* official business *sg*; **'~wechsel** *m* change of office; *Behörde*: rotation (in office); **'~zeichen** *n teleph.* dialling (*Am.* dial) tone; **'~zeit** *f* term (of office).

Amulett [amu'lɛt] *n (-[e]s; -e)* amulet, (lucky) charm.

amüs|ant [amy'zant] *adj unterhaltsam*: entertaining; *lustig*: amusing; **~ieren** [~'ziːrən] *(no ge-, h)* **1.** *v/refl* enjoy o.s., have a good time: ***sich ~ über*** *(acc)* be amused at; **2.** *v/t* amuse, entertain.

an [an] **1.** *prp (dat) zeitlich*: on; *örtlich*: at, on: ***~ e-m Sonntagmorgen*** on a Sunday morning; ***~ der Themse*** on the Thames; ~ ***der Wand*** on the wall; ~ ***der Grenze*** at the border; → ***erkennen***, ***Stelle*** *etc*; **2.** *prp* (*acc*) to, for; at, against: ***ein Brief ~ mich*** a letter for me; → ***klopfen*** *etc*; **3.** *adv*: ***von ... ~*** from ... (on[wards]); ***von nun ~*** from now on; ***das Gas ist ~*** the gas is on; ***~ - aus***; on - off; ***München ~ 13.55*** arrival Munich 13.55; ***~ die 100 Euro*** about 100 euros.

Analphabet [analfa'beːt] *m* (*-en*; *-en*) illiterate (person).

Analys|e [ana'lyːzə] *f* (-; *-n*) analysis; **⁀ieren** [-ly'ziːrən] *v/t* (*no ge-*, *h*) analy|se, *Am*. -ze.

Ananas ['ananas] *f* (-; -[*se*]) pineapple.

Anarchie [anar'çiː] *f* (-; *-n*) anarchy.

anatomisch [ana'toːmɪʃ] *adj* anatomical.

'**Anbau**[1] *m* (-[*e*]*s*; *no pl*) *agr*. cultivation.

'**Anbau**[2] *m* (-[*e*]*s*; *-ten*) *arch*. *bsd*. *Br*. annexe, *bsd*. *Am*. annex.

'**anbau|en** *v/t* (*sep*, *-ge-*, *h*) *agr*. cultivate, grow; '**⁀möbel** *pl* sectional (*od*. unit) furniture *sg*.

an'bei *adv*: *econ*. ***~ senden wir Ihnen ...*** enclosed please find ...

'**Anbetracht**: ***in ~*** (***dessen, dass***) considering (that).

'**anbiete|n** *v/t* (*irr*, *sep*, *-ge-*, *h*, → ***bieten***) offer; '**⁀r** *m* (*-s*; -) (potential) seller.

'**Anblick** *m* (-[*e*]*s*; *-e*) sight.

'**an|blinken** *v/t* (*sep*, *-ge-*, *h*): ***j-n ~*** *mot*. flash s.o., flash one's lights at s.o.; '**~brechen** (*irr*, *sep*, *-ge-*, → ***brechen***) **1.** *v/t* (*h*) *Vorräte*: break into, *Dose*, *Packung etc*: start on, *a*. *Flasche*: open; **2.** *v/i* (*sn*) begin; *Tag*: dawn, *Nacht*: fall; '**~brennen** *v/i* (*irr*, *sep*, *-ge-*, *sn*, → ***brennen***) (*a*. ***~ lassen***) burn; '**~brüllen** *v/t* (*sep*, *-ge-*, *h*) *v/t* bawl at.

'**Andenken** *n* (*-s*; -) keepsake; *Reise⁀*: souvenir (*beide*: ***an*** *acc* of): ***zum ~ an*** in memory of.

ander ['andər] **1.** *adj* other, *verschieden*: different: ***ein ~es Buch*** another book: ***am ~en Tag*** the next day; **2.** *indef pron*: ***ein ~er, e-e ~e*** someone else; ***die ~en*** the others; ***alles ~e*** everything else; → ***als***.

'**anderer'seits** *adv* on the other hand.

ändern ['ɛndərn] (*h*) **1.** *v/t* change, *a*. *Kleidung*: alter: ***ich kann es nicht ~*** I can't help it; **2.** *v/refl* change.

'**anders** *adv* different(ly): ***j-d ~*** somebody else; ***~ werden*** change; → ***überlegen***[1]; '**~her,um** *adv* the other way round.

anderthalb ['andərt'-] *adj* one and a half: ***~ Tage*** a day and a half.

'**Änderung** *f* (-; *-en*) change, *a*. *an Kleidung*: alteration.

'**andeut|en** *v/t* (*sep*, *-ge-*, *h*) *zu verstehen geben*: hint, suggest (***dass*** that); *hinweisen auf*: hint at, suggest; '**⁀ung** *f* (-; *-en*) hint, suggestion.

Andorra [an'dɔra] Andorra.

'**Andrang** *m* (-[*e*]*s*; *no pl*) crush.

'**an|drehen** *v/t* (*sep*, *-ge-*, *h*) *Gas etc*: turn on, *Licht etc*: *a*. switch on; '**~drohen** *v/t* (*sep*, *-ge-*, *h*): ***j-m et. ~*** threaten s.o. with s.th.; '**~ekeln** *v/t* (*sep*, *-ge-*, *h*) *Essen etc*: make *s.o.* feel sick, *Benehmen*, *Person etc*: make *s.o.* sick.

'**anerkannt** *adj* recognized, accepted.

'**anerkenn|en** *v/t* (*irr*, *sep*, *no -ge- h*, → ***kennen***) acknowledge, *a*. *pol*. recognize (***als*** as); *Anspruch*: allow; '**~end** *adj*: ***~e Worte*** words of praise; '**⁀ung** *f* (-; *no pl*) acknowledg(e)ment, recognition: ***in ~*** (*gen*) in recognition of.

'**anfahren** (*irr*, *sep*, *-ge-*, → ***fahren***) **1.** *v/i* (*sn*) start; **2.** *v/t* (*h*) run into, hit.

'**Anfall** *m* (-[*e*]*s*; *Anfälle*) *med*. attack, *epileptischer*, *a*. *Wut⁀ etc*: fit.

'**anfällig** *adj* susceptible (***für*** to); *Gesundheit*: delicate.

'**Anfang** *m* (-[*e*]*s*; *⸚e*) beginning, start: ***am ~*** at (*od*. in) the beginning; ***von ~ an*** (right) from the beginning (*od*. start); ***~ Mai*** early in May; ***er ist ~ 20*** he is in his early twenties; '**⁀en** *v/t u*. *v/i* (*irr*, *sep*, *-ge-*, *h*, → ***fangen***) start, begin (*beide*: ***mit*** with; ***zu tun*** to do, doing).

Anfänger ['anfɛŋər] *m* (*-s*; -) beginner.

'**anfangs** *adv* at first; '**⁀buchstabe** *m* first (*od*. initial) letter: ***großer*** (***kleiner***) ***~*** capital (small) letter.

'**an|fassen** *v/t* (*sep*, *-ge-*, *h*) *berühren*: touch; *ergreifen*: take hold of; '**~fechten** *v/t* (*irr*, *sep*, *-ge-*, *h*, → ***fechten***) contest; *jur*. appeal against; '**~fertigen** *v/t* (*sep*, *-ge-*, *h*) make, do, *econ*., *tech*. *a*. manufacture; '**~feuchten** *v/t* (*sep*, *-ge-*, *h*) moisten; '**~fliegen** *v/t* (*irr*, *sep*, *-ge-*, *h*, → ***fliegen***) *regelmäßig*: fly to.

'**anforder|n** *v/t* (*sep*, *-ge-*, *h*) request, *stärker*: demand; '**⁀ung** *f* (-; *-en*) demand (*gen* for): ***~en*** *pl* standard *sg*, demands *pl*; ***auf ~*** on request.

'**Anfrage** *f* (-; -*n*) inquiry: ***auf ~*** on request; '**2n** *v/i* (*sep*, -*ge*-, *h*) inquire (***bei j-m nach et.*** of s.o. about s.th.).

'**an|freunden** *v/refl* (*sep*, -*ge*-, *h*) make friends (***mit*** with); '**~fühlen** *v/refl* (*sep*, -*ge*-, *h*) feel.

'**anführe|n** *v/t* (*sep*, -*ge*-, *h*) lead; *nennen*: state; '**2r** *m* (-*s*; -) leader; *Rädelsführer*: ringleader.

'**Angabe** *f* (-; -*n*) statement; F *Angeberei*: showing off: **~n** *pl* information *sg*; ***~n zur Person*** personal data.

'**angebe|n** (*irr*, *sep*, -*ge*-, *h*, → ***geben***) **1.** *v/t Grund*, *Namen etc*: give; *erklären*: declare (*a. Zollware*); *festlegen*: set; **2.** *v/i* F show off (***mit*** [with]); '**2r** *m* (-*s*; -) F show-off; '**2rei** *f* (-; -*en*) F showing-off.

angeblich ['ange:plıç] **1.** *adj* alleged, supposed; **2.** *adv*: ***~ ist er …*** he's supposed to be …

'**angeboren** *adj* innate, inborn; *med.* congenital.

'**Angebot** *n* (-[*e*]*s*; -*e*) offer: ***~ und Nachfrage*** supply and demand.

'**angehen** (*irr*, *sep*, -*ge*-, *sn*, → ***gehen***) **1.** *v/i Licht etc*: go on; F *anfangen*: start; **2.** *v/t* (*a. h*): ***j-n ~*** concern s.o.; ***das geht dich nichts an*** that is none of your business.

'**angehör|en** *v/i* (*sep*, *pp angehört*, *h*) belong to; '**2ige** *m*, *f* (-*n*; -*n*) relative; *Mitglied*: member; ***die nächsten ~n*** *pl* the next of kin *pl*.

Angeklagte ['angəkla:ktə] *m*, *f* (-*n*; -*n*) *jur.* defendant.

'**Angelegenheit** *f* (-; -*en*) matter, affair.

ange|lehnt ['angəle:nt] *adj Tür etc*: ajar; '**~lernt** *adj Arbeiter*: semi-skilled; **~nehm** ['-ne:m] *adj* pleasant, agreeable: ***das 2e mit dem Nützlichen verbinden*** combine business with pleasure; '**~sehen** *adj* respected; '**~sichts** *prp* in view of.

Angestellte ['angəʃtɛltə] *m*, *f* (-*n*; -*n*) (salaried) employee; '**~nversicherung** *f* (salaried) employees' insurance.

'**ange|trunken** *adj*: ***in ~em Zustand*** under the influence of alcohol; '**~wandt** *adj* applied; '**~wiesen** *adj*: ***~ sein auf*** (*acc*) be dependent on, depend on.

'**angewöhnen** *v/t* (*sep*, *pp angewöhnt*, *h*): ***sich ~, et. zu tun*** get used to doing s.th.; ***sich das Rauchen ~*** take to smoking.

'**Angewohnheit** *f* (-; -*en*) habit.

Angina [aŋ'gi:na] *f* (-; -*nen*) *med.* tonsillitis.

'**angleichen** *v/t* (*irr*, *sep*, -*ge*-, *h*, → ***gleichen***) adapt, adjust (*beide*: *dat*, ***an*** *acc* to).

'**angreife|n** *v/t* (*irr*, *sep*, -*ge*-, *h*, → ***greifen***) attack (*a. v/i*; *a. fig.*); *Gesundheit*: affect; *Vorräte*: break into; '**2r** *m* (-*s*; -) attacker; *pol.* aggressor.

'**angrenzend** *adj* adjacent (***an*** *acc* to), adjoining.

'**Angriff** *m* (-[*e*]*s*; -*e*) attack (*a. fig.*).

Angst [aŋst] *f* (-; ⸚*e*) fear (***vor*** *dat* of): ***~ haben*** be afraid (*od.* scared) (***vor*** *dat* of); ***j-m ~ einjagen*** frighten (*od.* scare) s.o.; ***keine ~!*** don't worry!

ängst|igen ['ɛŋstıgən] *v/t* (*h*) frighten, alarm; '**~lich** *adj schüchtern*: timid; *besorgt*: anxious.

'**an|gurten** → ***anschnallen***; '**~haben** *v/t* (*irr*, *sep*, -*ge*-, *h*, → ***haben***) *Kleidung*: wear, *a. Licht etc*: have on.

'**anhalte|n** (*irr*, *sep*, -*ge*-, *h*, → ***halten***) **1.** *v/t* stop: ***den Atem ~*** hold one's breath; **2.** *v/i* stop; *andauern*: continue, last; '**~nd** *adj* continuous; '**2r** *m* (-*s*; -) hitchhiker: ***per ~ fahren*** hitchhike.

'**Anhaltspunkt** *m* clue, s.th. to go by.

an'hand *prp* by means of.

Anhang ['anhaŋ] *m* (-[*e*]*s*; *Anhänge*) *e-s Buches*: appendix; *Angehörige*: dependents *pl*, family.

Anhänger ['anhɛŋər] *m* (-*s*; -) follower; *e-r Partei*: supporter, *Sport*: *a.* fan; *Schmuck*: pendant; *Koffer2 etc*: label, tag; *mot.* trailer; '**~kupplung** *f* tow bar.

'**anhäuf|en** *v/t u. v/refl* (*sep*, -*ge*-, *h*) heap up, accumulate; '**2ung** *f* (-; -*en*) accumulation.

'**anheben** *v/t* (*irr*, *sep*, -*ge*-, *h*, → ***heben***) lift, raise (*a. Preis etc*).

'**Anhieb** *m*: ***auf ~*** at the first go.

'**anhör|en** (*sep*, -*ge*-, *h*) **1.** *v/t* (*a.* ***sich et. ~***) listen to; **2.** *v/refl* sound; '**2ung** *f* (-; -*en*) *parl.*, *jur.* hearing.

'**Ankauf** *m* (-[*e*]*s*; *Ankäufe*) purchase.

'**Anklage** *f* (-; -*n*) accusation, charge; '**2n** *v/t* (*sep*, -*ge*-, *h*) accuse (*gen od.* ***wegen*** of), charge (with).

'**Anklang** *m*: ***~ finden*** go down well (***bei*** with).

'**an|klicken** *v/t* (*sep*, -*ge*-, *h*) *Computer*: click on; '**~klopfen** *v/i* (*sep*, -*ge*-, *h*) knock; '**~knüpfen** (*sep*, *-ge-*, *h*) **1.** *v/t Gespräch*: start, strike up: ***Beziehungen ~*** establish contacts (***zu*** with); **2.** *v/i*: ***~ an*** (*acc*) go on from; '**~kommen** (*irr*, *sep*, *-ge-*, *sn*, → ***kommen***); **1.** *v/i* arrive (***in*** *dat* at, in): ***nicht ~ gegen*** be not match for; **2.** *v/impers*: ***~ auf*** (*acc*) depend on; ***es auf et. ~ lassen*** risk s.th.

'**ankündig|en** *v/t* (*sep*, *-ge-*, *h*) announce; '**ˆung** *f* (*-*; *-en*) announcement.

Ankunft ['ankʊnft] *f* (*-*; *no pl*) arrival; '**~szeit** *f* arrival time.

'**an|lächeln, ~lachen** *v/t* (*sep*, *-ge-*, *h*) smile at.

'**Anlage** *f* (*-*; *-n*) *Anordnung*: arrangement; *Einrichtung*: facility; *Fabrikˆ*: plant; *Grünˆ*, *Sportˆ*: grounds *pl*; *Geldˆ*: investment; *zu e-m Brief*: enclosure; *Talent*: gift (***zu*** for): ***in der ~ senden wir Ihnen ...*** enclosed please find ...; '**~berater** *m* investment consultant; '**~kapi͵tal** *n* invested capital.

'**Anlagengeschäft** *n einzelnes*: investment deal; *Branche*: investment banking.

Anlass ['anlas] *m* (*-es*; *Anlässe*) *Gelegenheit*: occasion; *Ursache*: reason: ***aus ~*** (*gen*) → ***anlässlich.***

'**anlasse|n** *v/t* (*irr*, *sep*, *-ge-*, *h*, → ***lassen***) *Kleidung*: keep on; *Licht etc*: leave on; *Motor etc*: start; '**ˆr** *m* (*-s*; *-*) *mot*. starter.

anlässlich ['anlɛslɪç] *prp* on the occasion of.

'**anlaufen** (*irr*, *sep*, *-ge-*, → ***laufen***) **1.** *v/i* (*sn*) *fig*. start, get under way; *beschlagen*: steam up; **2.** *v/t* (*h*) *Hafen*: call at.

'**anlege|n** (*sep*, *-ge- h*) **1.** *v/t Geld*: invest (***in*** *dat* in); ***j-m e-n Verband ~*** put a bandage on s.o.; **2.** *v/refl*: ***sich ~ mit*** start a fight (*od*. an argument) with; '**ˆr** *m* (*-s*; *-*) *econ*. investor.

'**anlehnen** (*sep*, *-ge-*, *h*) **1.** *v/t Tür etc*: leave ajar, *nicht einklinken*: close over: → ***angelehnt***; **2.** *v/refl auf Stuhl etc*: lean back.

'**Anleihe** ['anlaɪə] *f* (*-*; *-n*) *econ*. loan.

'**Anleitung** *f* guidance, direction; *tech*. instructions *pl*.

'**Anliegen** *n* (*-s*; *-*) *Bitte*: request; *e-s Buches etc*: message.

Anlieger ['anli:gər] *m* (*-s*; *-*) resident: ***~ frei*** residents only.

'**an|machen** *v/t* (*sep*, *-ge-*, *h*) *Licht etc*: switch on; *Salat*: dress: ***j-n ~*** chat s.o. up, *j-m sehr gefallen*: turn s.o. on; '**~malen** *v/t* (*sep*, *-ge-*, *h*) paint.

'**Anmeld|eformu͵lar** *n* registration form; '**ˆen** (*sep*, *-ge-*, *h*) **1.** *v/t zollpflichtige Waren*: declare; **2.** *v/refl zur Teilnahme*: enrol(l) (***zu*** for); *beim Arzt etc*: make an appointment (***bei*** with): ***sich polizeilich ~*** register (with the police); '**~ung** *f* (*-*; *-en*) enrol(l)ment; registration.

'**anmerk|en** *v/t* (*sep*, *-ge-*, *h*): ***j-m s-e Verlegenheit ~*** notice s.o.'s embarrassment; ***sich nichts ~ lassen*** not to show one's feelings; '**ˆung** *f* (*-*; *-en*) note; *erklärende*: annotation.

'**annähen** *v/t* (*sep*, *-ge-*, *h*) sew on.

'**annähernd** *adv* roughly: ***nicht ~*** not nearly.

Annahme ['ana:mə] *f* (*-*; *-n*) acceptance (*a. fig*.); *Vermutung*: assumption.

annehm|bar ['ane:mba:r] *adj* acceptable (***für*** to), *Preis etc*: *a*. reasonable; '**~en** (*irr*, *sep*, *-ge-*, *h*, → ***nehmen***) **1.** *v/t* accept (*a. fig*.); *Kind*, *Namen*: adopt; *vermuten*: assume, suppose; **2.** *v/refl*: ***sich ~*** (*gen*) take care of.

Annonc|e [a'no͂:sə] *f* (*-*; *-n*) ad(vertisement); **ˆieren** [ano͂'si:rən] (*no ge-*, *h*) **1.** *v/t* advertise; **2.** *v/i* place an ad(vertisement) in a newspaper.

anonym [ano'ny:m] *adj* anonymous; **ˆität** [͵nymi'tɛ:t] *f* (*-*; *no pl*) anonymity.

Anorak ['anorak] *m* (*-s*; *-s*) anorak.

'**anordn|en** *v/t* (*sep*, *-ge-*, *h*) arrange; *befehlen*: order; '**ˆung** *f* (*-*; *-en*) arrangement; instruction, order.

'**anpass|en** (*sep*, *-ge-*, *h*) **1.** *v/t* adapt, adjust (*beide*: *dat od*. ***an*** *acc* to); **2.** *v/refl* adapt (o.s.), adjust (o.s.) (*beide*: *dat od*. ***an*** *acc* to); '**ˆung** *f* (*-*; *-en*) adaptation, adjustment (*beide*: ***an*** *acc* to).

'**anpassungsfähig** *adj* adaptable; '**ˆkeit** *f* (*-*; *no pl*) adaptability.

'**anprobieren** *v/t* (*no ge-*, *h*) try on.

'**Anrecht** *n* (*-[e]s*; *-e*): ***ein ~ haben auf*** (*acc*) be entitled to, have a right to.

'**Anrede** *f* (*-*; *-n*) address; '**ˆn** *v/t* (*sep*, *-ge-*, *h*) address (***als*** as; ***mit*** with).

'**anreg|en** *v/t* (*sep*, *-ge-*, *h*) *beleben*: stimulate (*a. v/i*); *vorschlagen*: suggest; '**~end** *adj* stimulating; '**ˆung** *f* (*-*; *-en*) stimulation; suggestion.

'**Anreiz** *m* (*-es*; *-e*) incentive.

'**anrichten** *v/t* (*sep*, *-ge-*, *h*) *Speisen*: prepare; *Unheil, etc*: cause; *Schaden*: do.

'**Anruf** *m* (-[*e*]*s*; -*e*) *teleph.* call; '**~beantworter** *m* (-*s*; -) answering machine (*od.* system); '**2en** (*irr, sep, -ge-, h,* → ***rufen***) **1.** *v/t* call (*od.* ring) (up) (*a. v/i*); **2.** *v/i* make a call; '**~er** *m* (-*s*; -) caller.

Ansage ['anza:gə] *f* (-; -*n*) announcement; '**2n** *v/t* (*sep, -ge-, h*) announce; '**~r** *m* (-*s*; -) announcer.

'**anschaff|en** *v/t* (*sep, -ge-, h*): ***sich et. ~*** buy s.th., get (o.s.) s.th.; '**2ung** *f* (-; -*en*) purchase; *Gegenstand*: acquisition.

'**anschau|en** *v/t* (*sep, -ge-, h*) → ***ansehen***; '**2ung** *f* (-; -*en*) view, opinion.

'**Anschein** *m* (-[*e*]*s*; *no pl*): ***allem ~ nach*** to all appearances; '**2end** *adv* apparently.

'**Anschlag** *m* (-[*e*]*s*; *Anschläge*) *Plakat*: poster; *Bekanntmachung*: notice; *Überfall*: attack: ***e-n ~ auf j-n verüben*** make an attempt on s.o.'s life; '**~brett** *n* notice (*od.* bulletin) board.

'**anschließen** (*irr, sep, -ge-, h,* → ***schließen***) **1.** *v/t tech.* connect (***an*** *acc* to), *electr. a.* plug in; **2.** *v/refl*: ***sich j-m ~*** join s.o., *fig.* take s.o.'s side; '**~d**; **1.** *adj* … that followed; **2.** *adv* afterwards.

'**Anschluss** *m* (-*es*; *Anschlüsse*) *rail., tech. etc* connection: ***im ~ an*** (*acc*) after, following; ***~ bekommen*** *teleph.* get through; ***~ finden*** make contact (*od.* friends) (***bei*** with); ***~ suchen*** look for company; '**~flug** *m* connecting flight; '**~zug** *m* connecting train.

'**anschnall|en** *v/refl* (*sep, -ge-, h*) *aer.* fasten one's seat (*mot. a.* safety) belt; '**2gurt** *m aer.* seat (*mot. a.* safety) belt; '**2pflicht** *f* (-; *no pl*) *mot.* compulsory wearing of safety (*od.* seat) belts.

'**anschreien** *v/t* (*irr, sep, -ge-, h,* → ***schreien***) shout at.

'**Anschrift** *f* (-; -*en*) address; '**~enliste** *f* list of addresses.

'**Anschubfinanzierung** *f* start-up funds *pl.*

'**an|schwellen** *v/i* (*irr, sep, -ge-, sn,* → ***schwellen***) swell; '**~sehen 1.** *v/t* (*irr, sep, -ge-, h,* → ***sehen***) look at: ***sich et. ~*** take (*od.* have) a look at; ***sich e-n Film ~*** see a film; ***et. mit ~*** watch (*od.* witness) s.th.; **2. 2sehen** *n* (-*s*; *no pl*) reputation.

ansehnlich ['anze:nlıç] *adj beträchtlich*: considerable.

'**ansetzen** *v/t* (*sep, -ge-, h*) *Termin*: fix, set.

'**Ansicht** *f* (-; -*en*) *Anblick*: view; *Meinung*: opinion (***über*** *acc* of, about), view (about, on): ***m-r ~ nach*** in my opinion (*od.* view); ***der ~ sein, dass*** take the view that; ***zur ~*** *econ.* on approval; '**~skarte** *f* picture postcard; '**~ssache** *f*: ***das ist ~*** that's a matter of opinion.

'**anspiel|en** *v/i* (*sep, -ge-, h*): *fig.* ***~ auf*** (*acc*) allude to, hint at; '**2ung** *f* (-; -*en*) allusion, hint.

'**Ansprache** *f* (-; -*n*) address, speech (*beide*: ***an*** *acc* to): ***e-e ~ halten*** deliver an address.

'**an|sprechen** *v/t* (*irr, sep, -ge-, h,* → ***sprechen***) address (***mit*** as); speak to (***auf*** *acc* about); '**~springen** *v/i* (*irr, sep, -ge-, sn,* → ***springen***) *Motor*: start (up).

'**Anspruch** *m* (-[*e*]*s*; *Ansprüche*) claim (***auf*** *acc* to): ***~ haben auf*** be entitled to; '**2slos** *adj* modest; *schlicht*: plain; *Roman etc*: lowbrow; '**2svoll** *adj* demanding; *wählerisch*: particular; *Roman etc*: highbrow.

Anstand ['anʃtant] *m* (-[*e*]*s*; *no pl*) decency; *Benehmen*: manners *pl.*

anständig ['anʃtɛndıç] *adj* decent (*a.* F *gut*).

'**anstandslos** *adv* unhesitatingly; *ungehindert*: freely.

'**anstarren** *v/t* (*sep, -ge-, h*) stare at.

an'statt 1. *prp* instead of; **2.** *cj*: ***~ zu arbeiten*** instead of working.

'**ansteck|en** (*sep, -ge-, h*) *med.* **1.** *v/t* infect (***mit*** with); **2.** *v/refl* catch *the flu etc* (***bei*** from); '**~end** *adj med.* infectious, *direkt*: contagious; *bsd. fig. a.* catching; '**2nadel** *f* pin; *Abzeichen*: badge; '**2ung** *f med.* infection, *direkte*: contagion.

'**an|stehen** *v/i* (*irr, sep, -ge-, h,* → ***stehen***) queue (*od.* line) (up) (***nach*** for); '**~steigen** *v/i* (*irr, sep, -ge-, sn,* → ***steigen***) rise (*a. fig.*).

'**anstell|en** (*sep, -ge-, h*) **1.** *v/t einstellen*: employ; *bsd. Am.* hire; *Heizung etc*: turn on, *Radio etc*: *a.* switch on; *Motor etc*: start; **2.** *v/refl* → ***anstehen***; '**2ung** *f* (-; -*en*) job.

Anstieg ['anʃti:k] *m* (-[*e*]*s*; -*e*) ascent; *fig.* rise (*gen* in).

'**Anstoß** *m* (-*es*; *Anstöße*) *Fußball*: kickoff; *Anregung*: initiative: ***den ~ geben zu*** start off; ***~ erregen*** cause offen|ce (*Am.* -se) (***bei*** to); ***~ nehmen an*** (*dat*) take offence at; **'2en** *v/i* (*irr, sep, -ge-, h,* → ***stoßen***) clink glasses: ***~ auf*** (*acc*) drink to.

anstreng|en ['anʃtrɛŋən] *v/refl* (*sep, -ge-, h*) make an effort, try hard; **'~end** *adj* hard; **'2ung** *f* (-; *-en*) strain; *Bemühung*: effort.

Antarktis [ant'ʔarktis] Antarctica.

'Anteil *m* (-[*e*]*s*; *-e*) share (***an*** *dat* of): ***~ nehmen an*** take an interest in, *mitleidig*: sympathize with; **~nahme** ['-na:mə] *f* (-; *no pl*) interest (***an*** *dat* in); *Mitgefühl*: sympathy (with).

Antenne [an'tɛnə] *f* (-; *-n*) aerial, *bsd. Am.* antenna.

Anti..., anti... [anti] anti...

Anti|alko'holiker *m* teetotal(l)er; **~'babypille** *f the* pill; **~biotikum** [-bi'o:tikum] *n* (*-s*; *-ka*) *med.* antibiotic.

antik [an'ti:k] *adj* ancient, classical; *Möbel etc*: antique.

Antipathie [antipa'ti:] *f* (-; *-n*) antipathy (***gegen*** to, towards), dislike (of, for).

Antiquar|iat [antikvarı'a:t] *n* (-[*e*]*s*; *-e*) second-hand bookshop; **2isch** [-'kva:rıʃ] *adj u. adv* second-hand.

Antiquität [antikvi'tɛ:t] *f* (-; *-en*) antique; **~enladen** antique shop.

Antrag ['antra:k] *m* (-[*e*]*s*; *Anträge*) application (***auf*** *acc* for): ***e-n ~ stellen auf*** apply for; **'~sformu,lar** *n* application form; **~steller** ['-ʃtɛlər] *m* (*-s*; -) applicant.

'an|treiben *v/t* (*irr, sep, -ge-, h,* → ***treiben***) *tech.* drive; **'~treten** *v/t* (*irr, sep, -ge-, h,* → ***treten***) *Amt*: take up; *Erbe*: enter upon; *Reise*: set out on: → ***Nachfolge.***

'Antrieb *m* (-[*e*]*s*; *-e*) *tech.* drive.

Antwerpen [ant'vɛrpən] Antwerp.

Antwort ['antvɔrt] *f* (-; *-en*) answer, reply (*beide*: ***auf*** *acc* to); **'2en** *v/t u. v/i* (*h*) answer (***j-m*** s.o.; ***auf*** *acc* ***et.*** s.th.), reply (to s.o.; to s.th.).

Anwalt ['anvalt] *m* (-[*e*]*s*; *⸗e*) lawyer, *Am.* attorney(-at-law); *beratender*: *Br.* solicitor; *plädierender*: *Br.* barrister, *vor Gericht*: counsel.

Anweisung ['anvaızuŋ] *f* (-; *-en*) instruction.

'anwend|en *v/t* (*irr, sep, -ge-, h,* → ***wenden²***) apply (***auf*** *acc* to); *gebrauchen*: use, make use of: → ***angewandt***; **'2ung** *f* (-; *-en*) application; use.

anwesen|d ['anve:zənt] *adj* present (***bei*** at); **'2heit** *f* (-; *no pl*) presence: ***in ~ von*** (*od. gen*) in the presence of.

'Anzahl *f* (-; *no pl*) number.

'anzahl|en *v/t* (*sep, -ge-, h*) *Betrag*: make a down payment of (***für*** on, for); *Ware*: make a down payment on (*od.* for); **'2ung** *f* (-; *-en*) down payment.

'Anzeichen *n* (*-s*; -) sign, indication; *med.* symptom.

Anzeige ['antsaıgə] *f* (-; *-n*) *Inserat*: ad(-vertisement); **'2n** *v/t* (*sep, -ge-, h*) *Instrument*: indicate, show; *j-n, et.*: report to the police.

'anziehen (*irr, sep, -ge-, h,* → ***ziehen***) **1.** *v/t Kleidung*: put on; *Kind etc*: dress; *Schraube*: tighten; *Bremse*: apply; *fig.* attract, draw; **2.** *v/refl* dress, get dressed; **'~d** *adj* attractive.

'Anzug *m* (-[*e*]*s*; *Anzüge*) suit.

'anzünden *v/t* (*sep, -ge-, h*) *Kerze etc*: light; *Haus etc*: set fire to: ***sich e-e Zigarre ~*** light a cigar.

Apartment [a'partmənt] *n* (*-s*; *-s*) *Br.* bedsit, *Am.* efficiency apartment.

Apfel ['apfəl] *m* (*-s*; *⸗*) apple; **~sine** [-'zi:nə] *f* (-; *-n*) orange.

Apotheke [apo'te:kə] *f* (-; *-n*) *Br.* chemist's (shop), *Am.* drugstore.

Apparat [apa'ra:t] *m* (-[*e*]*s*; *-e*) apparatus; *Gerät*: device; radio; *TV* set; *phot.* camera; *teleph.* phone: ***am ~!*** *teleph.* speaking; ***am ~ bleiben*** *teleph.* hold the line.

Appartement [apartə'mã:] *n* (*-s*; *-s*) → ***Apartment.***

Appell [a'pɛl] *m* (*-s*; *-e*) appeal (***an*** *acc* to); **2ieren** [apɛ'li:rən] *v/i* (*no ge-, h*): ***~ an*** (*acc*) appeal to.

Appetit [ape'ti:t] *m* (-[*e*]*s*; *no pl*) appetite (***auf*** *acc* for): ***~ haben auf*** feel like; ***guten ~!*** bon appétit; **2lich** *adj* appetizing.

applau|dieren [aplaʊ'di:rən] *v/i* (*no ge-, h*) applaud; **2s** [a'plaʊs] *m* (*-es*; *no pl*) applause: → ***klatschen.***

Aprikose [apri'ko:zə] *f* (-; *-n*) apricot.

April [a'prıl] *m* (-[*s*]; *-e*) April: ***im ~*** in April.

Aquarium [a'kva:rĭum] *n* (*-s*; *-rien*) aquarium.

Ära ['ɛ:ra] *f* (-; *rare Ären*) era.

Arabien [a'ra:bĭən] Arabia.

Arbeit ['arbaɪt] *f* (-; *-en*) work; *econ.*, *pol.* labo(u)r; *Berufstätigkeit*: work, employment: ***bei der* ~** at work; ***zur* ~ *gehen*** *od.* ***fahren*** go to work; ***sich an die* ~ *machen*** set to work; ***die* ~ *niederlegen*** stop work; **'≗en** *v/i* (*h*) work (***an*** *dat* on; ***bei*** for); *tech.* work, run.

'Arbeiter *m* (*-s*; -) worker; *bsd. ungelernter*: labo(u)rer; **'~kammer** *f österreichisch* Chambers of Labour; **'~klasse** *f* working class(es *pl*).

'Arbeit|geber *m* (*-s*; -) employer; **'~nehmer** *m* (*-s*; -) employee.

'Arbeits|agentur *f* job agency; **'~amt** *n* employment office; **'~bedingungen** *pl* working conditions *pl*; **'~be,schaffungspro,gramm** *n* job creation scheme; **'~bescheinigung** *f* certificate of employment; **'~erlaubnis** *f* work permit; **'~essen** *n* business lunch (*od.* dinner); **'≗fähig** *adj* fit for work; **'~gericht** *n* labo(u)r court, *Br.* industrial tribunal; **'~kampf** *m* labo(u)r dispute; **'~kleidung** *f* working clothes *pl*; **'~kraft** *f Fähigkeit*: capacity for work; *Person*: worker: ***Arbeitskräfte*** *pl* manpower *sg*.

'arbeitslos *adj* unemployed, out of work, jobless; **'≗e** *m*, *f* (*-n*; *-n*) unemployed person: ***die* ~*n*** *pl* the unemployed *pl*; **'≗engeld** *n* unemployment benefit; **'≗enhilfe** *f* unemployment assistance; **'≗enversicherung** *f* unemployment insurance; **'≗igkeit** *f* (-; *no pl*) unemployment.

'Arbeits|markt *m* labo(u)r market; **'~niederlegung** *f* (-; *-en*) strike, walkout; **'~pause** *f* break; **'~platz** *m* place of work; *Stelle*: job; **'~platzverlust** *m* job loss; **'~speicher** *m Computer*: main memory, RAM; **'~suche** *f*: ***er ist auf* ~** he is job-hunting; **'~tag** *m* working day, workday; **'~teilung** *f* division of labo(u)r; **'≗unfähig** *adj* unfit for work; *ständig*: disabled; **'~unfall** *m* work accident; **'~vermittler** *m*: ***privater* ~** job placement officer, employment officer; **'~weise** *f* working method; **'~zeit** *f* working hours *pl*; **'~zeitmodell** *n* model (of) working hours; **'~zeitverkürzung** *f* reduction in working hours; **'~zimmer** *n* study.

Architekt [arçi'tɛkt] *m* (*-en*; *-en*) architect; **≗onisch** [-'to:nɪʃ] *adj* architectural; **~ur** [-'tu:r] *f* (-; *no pl*) architecture.

Archiv [ar'çi:f] *n* (*-s*; *-e*) archives *pl*.

Argentinien [argɛn'ti:nĭən] Argentina, the Argentine.

Ärger ['ɛrgər] *m* (*-s*; *no pl*) anger; *Unannehmlichkeiten*: trouble; **'≗lich** *adj* angry (***über*** *acc* at, about *s.th.*, with *s.o.*); *störend*: annoying; **'≗n** (*h*) **1.** *v/t* annoy, make angry; **2.** *v/refl* be annoyed (*od.* angry) (***über*** *acc* at, about *s.th.*, with *s.o.*).

Arie ['a:rĭə] *f* (-; *-n*) *mus.* aria.

arm [arm] *adj* poor (***an*** *dat* in).

Arm [~] *m* (-[*e*]*s*; *-e*) arm: *fig.* ***j-n auf den* ~ *nehmen*** pull s.o.'s leg.

Armaturen [arma'tu:rən] *pl Bad etc*: fittings *pl*; *mot. etc* instruments *pl*, controls *pl*; **~brett** *n mot.* dashboard.

'Armband *n* (-[*e*]*s*; *Armbänder*) bracelet; **'~uhr** *f* wristwatch.

Armee [ar'me:] *f* (-; *-n*) army.

Ärmel ['ɛrməl] *m* (*-s*; -) sleeve.

Ärmelkanal ['ɛrməlka,na:l] *the* English Channel.

ärmlich ['ɛrmlɪç] *adj* poor (*a. fig.*); *Kleidung*: shabby.

Armut ['armu:t] *f* (-; *no pl*) poverty (*a. fig.* ***an*** *dat* of); **'~srisiko** *n* poverty risk.

Aroma [a'ro:ma] *n* (*-s*; *Aromen*) flavo(u)r; *Duft*: fragrance.

arrogant [aro'gant] *adj* arrogant.

Arsch [arʃ] *m* (*-es*; *¨-e*) V arse, *Am. mst* ass; **'~loch** *n* V arsehole, *Am. mst* asshole (*a. fig.*).

Art [art] *f* (-; *-en*) ~ *u. Weise*: way, manner; *Sorte*: kind, sort; *Wesen*: nature; *biol.* species: ***auf die*(*se*) ~** (in) this way; ***Geräte aller* ~** all kinds (*od.* sorts) of tools.

Arterie [ar'te:rĭə] *f* (-; *-n*) *anat.* artery.

Arznei [arts'naɪ] *f* (-; *-en*), **~mittel** *n* medicine, drug (*beide*: ***gegen*** for).

Arzt [a:rtst] *m* (*-es*; *¨-e*) doctor, *bsd. Berufsbezeichnung*: physician; **'~helferin** *f* (-; *-nen*) doctor's assistant (*od.* receptionist).

Ärztin ['ɛrtstɪn] *f* (-; *-nen*) lady doctor (*od.* physician).

ärztlich ['ɛrtstlɪç] *adj* medical: → ***Attest.***

As → ***Ass.***

Asche ['aʃə] *f* (-; *no pl*) ashes *pl*, *e-r Zigarette etc*: ash; **'~nbecher** *m* ashtray.

Ascher'mittwoch *m* Ash Wednesday.

Asien ['a:zĭən] Asia.

asozial ['azotsĭa:l] *adj* antisocial.
Ass [as] *n (-es; -e) allg.* ace.
Assistent [asɪs'tɛnt] *m (-en; -en)* assistant.
Assis'tenzarzt *m Br.* houseman, *Am.* intern.
Ast [ast] *m (-es; ⸗e)* branch.
Asthma ['astma] *n (-s; no pl) med.* asthma; **~tiker** [~'ma:tɪkər] *m (-s; -)* asthmatic.
Astronaut [astro'naʊt] *m (-en; -en)* astronaut.
ASU ['azu:] *f (-; -s)* → ***Abgassonderuntersuchung***; **'~-Pla,kette** *f* special-emission-test badge.
Asyl [a'zy:l] *n (-s; no pl) pol.* asylum: ***um (politisches) ~ bitten*** ask for (political) asylum; **~ant** [azy'lant] *m (-en; -en)* asylum-seeker; **~antrag** *m* application for asylum: ***e-n ~ stellen*** apply for asylum; **~bewerber** *m* → ***Asylant.***
Atelier [ate'lĭe:] *n (-s; -s)* studio.
Atem ['a:təm] *m (-s; no pl)* breath: ***außer ~ sein*** be out of breath; ***(tief) ~ holen*** take a (deep) breath; → ***'anhalten*** 1; **'⸗beraubend** *adj* breathtaking; **'⸗los** *adj* breathless *(a. fig.)*; **'~pause** *f* breather; **'~zug** *m* breath.
Athen [a'te:n] Athens.
Äthiopien [ɛ'tĭo:pĭən] Ethiopia.
Atlantik [at'lantɪk], *der* **Atlantische Ozean** [at'lantɪʃə'o:tsea:n] *the* Atlantic (Ocean).
Atlas ['atlas] *m (-[ses]; -se, Atlanten)* atlas.
atmen ['a:tmən] *v/i u. v/t (h)* breathe.
Atmosphäre [atmɔ'sfɛ:rə] *f (-; -n)* atmosphere *(a. fig.)*.
'Atmung *f (-; no pl)* breathing, respiration.
Atom [a'to:m] *n (-s; -e)* atom.
atomar [ato'ma:r] *adj* atomic, nuclear.
A'tom|bombe *f* atom(ic) bomb, A-bomb; **~ener,gie** *f* atomic energy; **~kraftwerk** *n* nuclear power station.
Atten|tat [atɛn'ta:t] *n (-[e]s; -e)* (attempted) assassination: ***ein ~ auf j-n verüben*** make an attempt on s.o.'s life, *erfolgreich*: assassinate s.o.; **~'täter** *m* assassin.
Attest [a'tɛst] *n (-[e]s; -e)* (***ärztliches ~*** medical *od.* doctor's) certificate.
Attrak|tion [atrak'tsĭo:n] *f (-; -en)* attraction; **⸗tiv** [~'ti:f] *adj* attractive.
au [aʊ] *int* ouch!
auch [aʊx] *adv* also, too, as well: ***ich ~*** so am (do, *etc*) I; ***ich ~ nicht*** not *(od.* neither) am (do, *etc*) I.
auf [aʊf] **1.** *prp (dat)* on, in, at: ***~ dem Tisch*** on the table; ***~ e-r Party*** at a party; ***~ Seite 10*** on page 10; → ***Straße*** *etc*; **2.** *prp (acc)* on, in, at, to: ***~ den Tisch*** on the table; ***~ e-e Party gehen*** go to a party; → ***zugehen*** *etc*; **3.** *adv*: ***~ u. ab gehen*** walk up and down *(od.* to and fro); ***~ sein*** be up; *offen sein*: be open.
'auf|arbeiten *v/t (sep, -ge-, h) Rückstände*: catch up on; **'~atmen** *v/i (sep, -ge-, h) fig.* heave a sigh of relief.
'Aufbau *m (-[e]s; no pl) e-s Gebäudes*: erection; *e-s Unternehmens etc*: foundation; *e-s Dramas etc*: structure; **'⸗en** *v/t (sep, -ge-, h) Gebäude*: put up; *Unternehmen etc*: found, set up.
'auf|bekommen *v/t (irr, sep, no -ge-, h,* → ***kommen****) Tür etc*: get open; *Knoten*: get undone; **'~bessern** *v/t (sep, -ge-, h) Gehalt*: increase; **'~bewahren** *v/t (sep, no -ge-, h)* keep; **'~blasen** *v/t (irr, sep, -ge-, h,* → ***blasen****)* blow up, inflate; **'~bleiben** *v/i (irr, sep, -ge-, sn,* → ***bleiben****)* stay up; **'~brechen** *(irr, sep, -ge,* → ***brechen****)* **1.** *v/t (h)* break open; **2.** *v/i (sn)* leave, set off (***nach*** for); **'⸗bruch** *m (-[e]s; rare Aufbrüche)* departure (***nach*** for).
aufdringlich ['aʊfdrɪŋlɪç] *adj* obtrusive.
aufein'ander *adv*: ***~ angewiesen sein*** depend on each other; ***~ folgend*** → ***aufeinanderfolgend***; ***~ legen*** → ***aufeinanderlegen***; **'~folgend** *adj*: ***an drei ~en Tagen*** on three days running; **'~legen** *v/t (sep, -ge-, h)* put on top of each other.
Aufenthalt ['aʊfənthalt] *m (-[e]s; -e)* stay; *rail.* stop, *aer.* stopover: ***ohne ~*** nonstop; **'~serlaubnis** *f*, **'~sgenehmigung** *f* residence permit; **'~sraum** *m Hotel etc*: lounge.
'auf|essen *v/t (irr, sep, -ge-, h,* → ***essen****)* eat up, finish; **'~fahren** *v/i (irr, sep, -ge-, sn,* → ***fahren****)*: *mot.* ***~ auf*** *(acc)* crash into.
'Auffahrunfall *m mot.* rear-end collision.
'auf|fallen *v/i (irr, sep, -ge-, sn,* → ***fallen****)* attract attention, be conspicuous: ***j-m ~*** strike s.o.; **'~fallend, ~fällig** *adj* noticeable, striking, conspicuous.

'auf|fangen *v/t (irr, sep, -ge-, h,* → ***fangen****)* catch; **'2fassung** *f (-; -en) Meinung*: opinion, view; *Deutung*: interpretation: ***nach m-r ~*** as I see it; ***die ~ vertreten, dass*** take the view that; **'~finden** *v/t (irr, sep, -ge-, h,* → ***finden****)* find.

'aufforder|n *v/t (sep, -ge-, h)*: ***j-n ~, et. zu tun*** call on s.o. (*anordnend*: order s.o., *bittend*: ask s.o.) to do s.th.; **'2ung** *f (-; -en)* call; order; request.

'auffrischen *v/t (sep, -ge-, h) Wissen*: brush up.

'aufführ|en *(sep, -ge-, h)* **1.** *v/t thea. etc* perform; **2.** *v/refl* behave; **'2ung** *f (-; -en) thea. etc* performance, *Film*: showing.

'Aufgabe *f (-; -n) Auftrag*: job; *Pflicht*: duty.

'Aufgang *m (-[e]s; Aufgänge)* staircase; *ast.* rising.

'auf|geben *(irr, sep, -ge-, h,* → ***geben****)* **1.** *v/t Brief etc*: *Br.* post, *Am.* mail, *Telegramm*: send; *Gepäck*: *Br.* register, *Am.* check; *Anzeige*: place in the paper; *Beruf, Hoffnung*: give up: ***das Rauchen ~*** give up (*od.* stop) smoking; **2.** *v/i* give up (*od.* in); **'~gehen** *v/i (irr, sep, -ge-, sn,* → ***gehen****) sich öffnen*: open; *Knoten*: come undone; *Sonne*: rise.

'aufge|hoben *adj*: ***gut ~ sein bei*** be in good hands with; **'~legt** *adj*: ***zu et. ~ sein*** feel like (doing) s.th.; ***gut (schlecht) ~*** in a good (bad) mood; **'~schlossen** *adj fig.* open-minded: ***~ für*** open to.

auf'grund, *auch* **auf Grund** *prp* because of.

'auf|haben *(irr, sep, -ge-, h,* → ***haben****)* **1.** *v/t Hut etc*: have on; **2.** *v/i Geschäft etc*: be open; **'~halten** *(irr, sep, -ge-, h,* → ***halten****)*; **1.** *v/t Tür*: hold open (***j-m*** for s.o.); *Augen*: keep open; *Dieb, Entwicklung etc*: stop; *Verkehr*: hold up; **2.** *v/refl* stay (***bei j-m*** with s.o.); **'~hängen** *v/t (sep, -ge-, h)* hang (up) (***an*** *dat* on); **'~heben** *v/t (irr, sep, -ge-, h,* → ***heben****) vom Boden*: pick up; *aufbewahren*: keep; *abschaffen*: abolish; *Sitzung etc*: close; **'~holen** *v/t (sep, -ge-, h) Zeit*: make up (for); *Rückstand*: catch up with (*od.* on); **'~hören** *v/i (sep, -ge-, h)* stop (***zu tun*** doing): ***hör auf!*** stop it!; **'~kaufen** *v/t (sep, -ge-, h)* buy up; **'~klären** *v/t (sep, -ge-, h) Verbrechen, Missverständnis etc*: clear up; *j-n*: inform (***über*** *acc* on); **'~kleben** *v/t (sep, -ge-, h)* stick on; **'2kleber** *m (-s; -)* sticker; **~knöpfen** ['-knœpfən] *v/t (sep, -ge-, h)* unbutton; **'~kommen** *v/i (irr, sep, -ge-, sn,* → ***kommen****)*: ***~ für*** *bezahlen*: pay for; *Kosten*: pay; *Schaden*: compensate for; **'~laden** *v/t (irr, sep, -ge-, h,* → ***laden****)* load (***auf*** *acc* onto); *Batterie*: charge.

'Auflage *f (-; -n) Buch*: edition; *Zeitung*: circulation; *Bedingung*: condition.

'auf|lassen *v/t (irr, sep, -ge-, h,* → ***lassen****)* F *Tür etc*: leave open; *Hut*: keep on; **'~legen** *(sep, -ge-, h)* **1.** *v/t Schallplatte etc*: put on: ***den Hörer ~*** → 2; **2.** *v/i teleph.* hang up.

'auflös|en *v/t (sep, -ge-, h) Tablette etc, a. Parlament*: dissolve; *Vertrag*: cancel; *Firma*: close down; *Konto*: close; *Rätsel*: solve; **'2ung** *f (-; -en)* dissolving, *des Parlaments*: *a.* dissolution; cancel(-l)ation; closing (down); solution (*gen* to).

'aufmach|en *v/t (sep, -ge-, h)* open; **'2ung** *f (-; -en)* presentation, getup.

aufmerksam ['aufmɛrkza:m] *adj* attentive; *zuvorkommend*: thoughtful: ***j-n ~ machen auf*** *(acc)* call (*od.* draw) s.o.'s attention to; ***~ werden auf*** *(acc)* become aware of; **'2keit** *f (-; no pl)* attention, attentiveness.

'aufmuntern *v/t (sep, -ge-, h) ermuntern*: encourage; *aufheitern*: cheer up.

Aufnahme ['aufna:mə] *f (-; -n) e-r Tätigkeit*: taking up; *Unterbringung*: accommodation, *von Asylanten*: taking up; *e-s Kredits*: taking out; *Empfang*: reception; *phot.*: picture, photo; *auf Band, Schallplatte*: recording: ***~ in*** *e-n Verein etc* admission to; **'~gebühr** *f* admission fee.

'auf|nehmen *v/t (irr, sep, -ge-, h,* → ***nehmen****) Tätigkeit*: take up; *unterbringen*: accommodate, *Asylanten*: take up; *Kredit*: take out; *empfangen*: receive (*a. Nachricht etc*); *phot.* take a picture (*od.* photo) of; *auf Band, Schallplatte*: record: ***in*** *e-n Verein etc* ***~*** admit to; **'~passen** *v/i (sep, -ge-, h) aufmerksam sein*: pay attention; *vorsichtig sein*: take care; ***~ auf*** *(acc)* take care of, look after, *im Auge behalten*: keep an eye on; ***pass auf!*** look (*od.* watch) out!;

'**≈preis** *m* (*-es*; *-e*) extra charge: ***gegen ~*** for an extra charge; '**~räumen** *v/t* (*sep*, *-ge-*, *h*) *Zimmer etc*: tidy up; *Sachen*: tidy (*od.* put) away.

'**aufreg|en** (*sep*, *-ge- h*) **1.** *v/t* excite; *beunruhigen*: worry, *stärker*: upset; *ärgern*: annoy; **2.** *v/refl* get worked up (***über*** *acc* about); '**~end** *adj* exciting; upsetting; '**≈ung** *f* (*-*; *-en*) excitement.

'**aufreißen** *v/t* (*irr*, *sep*, *-ge-*, *h*, → ***reißen***) tear open; *Tür*: fling open.

'**aufrichtig** *adj* sincere; *ehrlich*: honest; '**≈keit** *f* (*-*; *no pl*) sincerity; honesty.

'**Aufruf** *m* (*-[e]s*; *-e*) *öffentlicher*: appeal (***zu*** for); '**≈en** *v/i* (*irr*, *sep*, *-ge-*, *h*, → ***rufen***): ***~ zu*** appeal for.

'**Aufrüstung** *f* (*-*; *-en*) *mil.* (re)armament.

'**auf|schieben** (*irr*, *sep*, *-ge-*, *h*, → ***schieben***) postpone, put off (***auf*** *acc*, ***bis*** till); '**~schließen** *v/t* (*irr*, *sep*, *-ge-*, *h*, → ***schließen***) unlock, open.

'**Aufschnitt** *m* (*-[e]s*, *no pl*) cold cuts *pl.*

'**aufschreiben** (*irr*, *sep*, *-ge-*, *h*, → ***schreiben***) write down.

'**Aufschrift** *f* (*-*; *-en*) *Etikett*: label; *Inschrift*: inscription.

'**Aufschwung** *m* (*-[e]s*; *no pl*) *econ.* recovery, upswing.

'**Aufsehen** *n* (*-s*; *no pl*): ***~ erregen*** attract attention; *stärker*: cause a sensation; ***~ erregend*** → '**≈erregend** *adj* sensational.

'**auf|setzen** *v/t* (*sep*, *-ge-*, *h*) *Hut etc*: put on; *Vertrag etc*: draft; '**~spannen** *v/t* (*sep*, *-ge-*, *h*) *Schirm*: put up; '**~sperren** *v/t* (*sep*, *-ge-*, *h*) unlock, open.

'**Aufstand** *m* (*-[e]s*; *Aufstände*) revolt, rebellion.

'**auf|stehen** *v/i* (*irr*, *sep*, *-ge-*, *sn*, → ***stehen***) get up; '**~stellen** *v/t* (*sep*, *-ge-*, *h*) set up; *Wachen*: post; *Rekord*: set; *Kandidaten*: put forward; *Liste etc*: draw up.

Aufstieg ['aʊfʃtiːk] *m* (*-[e]s*; *-e*) *fig.* rise; '**~schancen** *pl* promotion prospects *pl.*

'**aufsuchen** *v/t* (*sep*, *-ge-*, *h*) *Arzt*: (go and) see.

'**Auftakt** *m fig.* prelude (***zu*** to).

'**auf|tanken** *v/t u. v/i* (*sep*, *-ge-*, *h*) *mot.* fill up; '**~tauchen** *v/i* (*sep*, *-ge-*, *sn*) *erscheinen*: turn up; '**~tauen** *v/t* (*sep*, *-ge-*, *h*) *Tiefkühlkost*: defrost; '**~teilen** *v/t* (*sep*, *-ge-*, *h*) divide (up); *verteilen*: distribute (***unter*** *acc* among).

'**Auftrag** ['aʊftraːk] *m* (*-[e]s*; *Aufträge*) *econ.* order: ***im ~ von*** on behalf of; '**~geber** *m* (*-s*; *-*) customer, client; '**~sbestätigung** *f* confirmation (*vom Verkäufer*: acknowledg[e]ment) of order.

'**auf|wachen** *v/i* (*sep*, *-ge-*, *sn*) wake up; '**~wachsen** *v/i* (*irr sep*, *-ge-*, *sn*, → ***wachsen***[1]) grow up.

Aufwand [aʊfwant] *m* (*-[e]s*; *no pl*) expenditure (***an*** *dat* of), *Geld*: *a.* expense.

'**auf|wecken** *v/t* (*sep*, *-ge-*, *h*) wake (up); '**~wenden** *v/t* (*irr*, *sep*, *-ge-*, *h*, → ***wenden***[2]) spend (***für*** on).

'**aufwert|en** *v/t* (*sep*, *-ge-*, *h*) *econ.* revalue; *fig.* upgrade; '**≈ung** *f* (*-*; *-en*) *econ.* revaluation; *fig.* upgrading.

'**auf|wirbeln** *v/t* (*sep*, *-ge-*, *h*): *fig.* ***viel Staub ~*** cause quite a stir; '**~wischen** *v/t* (*sep*, *-ge-*, *h*) wipe up.

'**aufzähl|en** *v/t* (*sep*, *-ge-*, *h*) enumerate; '**≈ung** *f* (*-*; *-en*) enumeration.

'**Aufzeichnung** *f* (*-*; *-en*) *Rundfunk*, *TV*: recording: ***~en*** *pl Notizen*: notes *pl.*

'**Aufzug** *m* (*-[e]s*; *Aufzüge*) *Br.* lift, *Am.* elevator; *fig. contp.* outfit.

'**aufzwingen** *v/t* (*irr*, *sep*, *-ge-*, *h*, → ***zwingen***): ***j-m et. ~*** force s.th. on s.o.

'**Augapfel** *m anat.* eyeball.

Auge ['aʊgə] *n* (*-s*; *-n*) *anat.* eye: ***unter vier ~n*** in private; ***ein ~ zudrücken*** turn a blind eye (***bei*** to).

'**Augen|arzt** *m*, **~ärztin** *f* eye specialist; '**~blick** *m* (*-[e]s*; *-e*) moment: (***e-n***) ***~!*** one moment (*od.* just a minute), please; ***im letzten ~*** just in time; '**≈blicklich 1.** *adj gegenwärtig*: present; *sofortig*: immediate; *vorübergehend*: momentary; **2.** *adv* at present, at the moment; immediately; '**~braue** *f* eyebrow; '**~brauenstift** *m* eyebrow pencil; '**~lid** *n* eyelid.

August [aʊ'gʊst] *m* (*-[e]s*; *-e*) August: ***im ~*** in August.

Auktion [aʊk'tsi̯oːn] *f* (*-*; *-en*) auction; **~shaus** *n* auctioneers *pl.*

Aupair|junge [o'pɛːr-] *m* male au pair; **~mädchen** *n* au pair (girl).

aus [aʊs] **1.** *prp* out of; from; of: ***~ Berlin*** from Berlin; ***~ dem Fenster*** out of (*Am. a.* out) the window; ***~ Holz*** (made) of wood; → ***Mitleid***, ***Spaß***, ***Versehen*** *etc*; **2.** *adv*: ***von mir ~*** I don't mind; → ***an*** 3, ***ein*** 3; ***~ sein*** *vorbei sein*:

be over; *Gerät*: be off, *Licht*: *a.* be out; *abends etc*: be out.

'**aus|arbeiten** *v/t (sep, -ge-, h) Plan etc*: draw up: *vervollkommnen*: complete; *Schriftliches*: finish; '**~atmen** *v/t u. v/i (sep, -ge-, h)* breathe out.

'**Ausbau** *m (-[e]s; no pl)* extension, conversion; removal; '**2en** *v/t (sep, -ge-, h) arch.* extend, *Dachgeschoss etc*: convert; *tech.* remove.

'**ausbesser|n** *v/t (sep, -ge-, h)* mend, repair; '**2ung** *f (-; -en)* repair.

'**Ausbildung** *f (-; -en)* training; *akademische*: education.

'**Ausblick** *m (-[e]s; -e)* view (***auf*** *acc* of).

'**aus|brechen** *v/i (irr, sep, -ge-, sn,* → ***brechen****) Feuer, Krankheit, Krieg etc*: break out; *Vulkan*: erupt: ***in Tränen ~*** burst into tears; '**~breiten** *v/t (sep, -ge-, h)* spread (out).

'**Ausbruch** *m (-[e]s; Ausbrüche) e-s Feuers, e-r Krankheit, e-s Kriegs etc*: outbreak; *e-s Vulkans*: eruption.

'**aus|checken** ['aʊstʃɛkən] *v/i (sep, -ge-, h)* check out; '**~drehen** *v/t (sep, -ge-, h) Gas etc*: turn off, *Licht etc*: *a.* switch off.

'**Ausdruck**[1] *m (-[e]s; Ausdrücke)* expression (*a. Gesichts2*), *Wort*: word, term.

'**Ausdruck**[2] *m (-[e]s; -e) Computer*: printout; '**2en** *v/t (sep, -ge-, h)* print out.

'**ausdrück|en** *v/t (sep, -ge-, h) Zigarette*: stub out; *äußern, zeigen*: express; '**~lich** *adj* express, explicit.

ausein'ander *adv* apart; → ***auseinandergehen, auseinandernehmen*** *etc.*; '**~gehen** *v/i (irr, sep, -ge-, sn,* → ***gehen****) Menge*: break up, disperse; *Meinungen*: be divided (***über*** *acc* on); '**~nehmen** *v/t (irr, sep, -ge-, h,* → ***nehmen****)* take apart; '**~setzen** *v/i (sep, -ge-, h) erklären*: explain (*dat* to); ***sich ~*** *mit Problem*: grapple (***mit*** with *s.th.*); *mit Person*: argue (with *s.o.*); **2setzung** *f (-; -en) Streit*: argument.

'**Ausfahrt** *f (-; -en) mot.* exit: ***~ frei halten!*** (exit,) keep clear.

'**Ausfall** *m (-[e]s; Ausfälle) Absage*: cancel(l)ation; *tech.* breakdown, failure; '**2en** *v/i (irr, sep, -ge-, sn,* → ***fallen****)* fall out; *nicht stattfinden*: be cancel(l)ed, be called off; *tech.* break down: ***~ lassen*** cancel, call off; ***gut (schlecht) ~*** turn out well (badly).

Ausfertigung ['aʊsfɛrtɪgʊŋ] *f (-; -en)* (certified) copy: ***in doppelter (dreifacher) ~*** in duplicate (triplicate).

'**ausfindig** *adj*: ***~ machen*** find; *aufspüren*: trace.

ausflippen ['aʊsflɪpən] *v/i (sep, -ge-, sn)* F freak out.

'**Ausflucht** *f (-; Ausflüchte)*: ***Ausflüchte machen*** make excuses.

'**Ausflug** *m*: ***e-n ~ machen*** go on a trip (*od.*an excursion, an outing).

'**Ausfuhr** *f (-; -en) econ.* export; *Ausgeführtes*: exports *pl.*

'**ausführen** *v/t (sep, -ge-, h) econ.* export; *Plan etc*: carry out.

'**Ausfuhrgenehmigung** *f econ.* export licen|ce (*Am.* -se).

ausführlich ['aʊsfy:rlɪç] **1.** *adj* detailed; **2.** *adv* in detail.

'**Ausführung** *f (-; -en) e-s Plans etc*: carrying out; *Typ*: version; *Qualität*: workmanship, quality.

'**Ausfuhrzoll** *m econ.* export duty.

'**ausfüllen** *v/t (sep, -ge-, h) Formular*: fill in (*bsd. Am.* out), complete.

'**Ausgaben** *pl* expenditure *sg*; *Unkosten*: cost *sg.*

'**Ausgang** *m* exit, way out; *am Flughafen*: (departure) gate; *Ergebnis*: outcome, result.

'**ausgeben** *v/t (irr, sep, -ge-, h,* → ***geben****) Geld*: spend (***für*** on).

'**ausge|bildet** *adj* trained; *mst akademisch*: qualified; '**~bucht** *adj* booked out; '**~fallen** *adj* unusual.

'**ausgehen** *v/i (irr, sep, -ge-, sn,* → ***gehen****)* go out; *enden*: end; *Geld*: run out: ***ihm ging das Geld aus*** he ran out of money; ***leer ~*** end up with nothing.

'**ausge|rechnet** *adv*: ***~ er*** he of all people; ***~ heute*** today of all days; '**~schlossen** *adj* impossible, out of the question; '**~storben** *adj* extinct; '**~zeichnet** *adj* excellent.

'**aus|gießen** *v/t (irr, sep, -ge-, h,* → ***gießen****)* pour out; *Gefäß*: empty; '**~gleichen** *v/t (irr, sep, -ge-, h,* → ***gleichen****) Verlust*: compensate (for), make up for; '**~halten** *v/t (irr, sep, -ge-, h,* → ***halten****)* put up with, *bsd. verneint*: stand, take.

'**Aushang** *m (-[e]s; Aushänge)* notice.

'**aushelfen** *v/i (irr, sep, -ge-, h,* → ***helfen****)* help *s.o.* out (***mit*** with).

ˈ**Aushilf|e** *f* (-; *-n*) temporary help; ˈ**~s…** *in Zssgn Kellner, Personal etc*: temporary …

ˈ**aus|kennen** *v/refl* (*irr, sep, -ge-, h,* → ***kennen***): ***sich ~ in*** (*dat*) know one's way around; *fig.* know all about; ˈ**~kommen** *v/i* (*irr, sep, -ge-, sn,* → ***kommen***): ***~ mit*** make do (*od.* manage) with *s.th.*; get on with *s.o.*

Auskunft [ˈauskʊnft] *f* (-; *Auskünfte*) information (***über*** *acc* about, on); *~sschalter*: information desk; *teleph.* directory enquiries *pl* (*Am.* assistance); ˈ**~sschalter** *m* information desk.

ˈ**aus|lachen** *v/t* (*sep, -ge-, h*) laugh at (***wegen*** for); ˈ**~laden** *v/t* (*irr, sep, -ge-, h,* → ***laden***) unload.

ˈ**Auslage** *f* (-; *-n*) window display: ***~n*** *pl* expenses *pl.*

aus|lagern *v/t* (*sep, -ge-, h*) *Produktion*: outsource; ˈ**2lagerung** *f* outsourcing.

ˈ**Ausland** *n* (-[*e*]*s*; *no pl*): ***das ~*** foreign countries *pl*; ***ins ~, im ~*** abroad.

Ausländ|er [ˈauslɛndər] *m* (*-s*; -) foreigner; ˈ**2isch** *adj* foreign.

ˈ**Auslands|aufenthalt** *m* stay abroad; ˈ**~auftrag** *m econ.* foreign order; ˈ**~flug** *m* international flight; ˈ**~gespräch** *n teleph.* international call; ˈ**~krankenschein** *m* international health insurance chit; ˈ**~markt** *m* foreign market.

ˈ**Auslastung** *f* (-; *no pl*) (capacity) utilization.

ˈ**auslauf|en** *v/i* (*irr, sep, -ge-, sn,* → ***laufen***) *Flüssigkeit*: run out, *a. Gefäß*: leak; *Vertrag etc*: expire, run out, *mar.* sail; ˈ**2modell** *n econ.* phase-out model.

ˈ**ausliefer|n** *v/t* (*sep, -ge-, h*) *econ.* deliver; ˈ**2ung** *f* (-; *-en*) delivery.

ˈ**auslöschen** *v/t* (*sep, -ge-, h*) *Licht etc*: put out; *fig.* wipe out.

ˈ**auslös|en** *v/t* (*sep, -ge-, h*) *tech.* release; *Alarm, Krieg etc*: trigger off; *Gefühl, Reaktion*: cause; *Begeisterung*: arouse; ˈ**2er** *m* (*-s*; -) *phot.* shutter release.

ˈ**ausmachen** *v/t* (*sep, -ge-, h*) *Licht, Zigarette etc*: put out; *Radio etc*: turn (*od.* switch) off; *Termin etc*: arrange: ***macht es Ihnen et. aus, wenn …?*** do you mind if …?; ***es macht mir nichts aus*** I don't mind (*gleichgültig*: care).

ˈ**Ausmaß** *m* (*-es*; *-e*) *fig.* extent: ***~e*** *pl* proportions *pl.*

ˈ**ausmessen** *v/t* (*irr, sep, -ge-, h,* → ***messen***) measure (out).

Ausnahm|e [ˈausnaːmə] *f* (-; *-n*) exception: ***mit ~ von*** (*od. gen*) except (for), with the exception of; ˈ**2sweise** *adv* by way of exception.

ˈ**aus|nutzen** *v/t* (*sep, -ge-, h*) make use of; *Vorteil ziehen aus*: take advantage of (*a. b.s.*); ˈ**~packen** *v/t* (*sep, -ge-, h*) unpack (*a. v/i*); *Geschenk etc*: unwrap; ˈ**~pfeifen** *v/t* (*irr, sep, -ge-, h,* → ***pfeifen***) boo, hiss; ˈ**~proˌbieren** *v/t* (*sep, no -ge-, h*) try (out), test.

ˈ**Auspuff** *m* (-[*e*]*s*; *-e*) *mot.* exhaust; ˈ**~gase** *pl* exhaust fumes *pl*; ˈ**~rohr** *n* exhaust pipe; ˈ**~topf** *m bsd. Br.* silencer, *Am.* muffler.

ˈ**aus|quarˌtieren** *v/t* (*sep, no -ge-, h*) move out; ˈ**~rauben** *v/t* (*sep, -ge-, h*) rob; ˈ**~rechnen** *v/t* (*sep, -ge-, h*) work out, *Summe*: *a.* calculate.

ˈ**Ausrede** *f* (-; *-n*) excuse; ˈ**2n** (*sep, -ge-, h*) **1.** *v/i* finish speaking: ***~ lassen*** hear *s.o.* out; **2.** *v/t*: ***j-m et. ~*** talk s.o. out of s.th.

ˈ**Ausreise** *f* (-; *-n*) departure; ˈ**~erlaubnis** *f* exit permit; ˈ**2n** *v/i* (*sep, -ge-, sn*) leave (the country); ˈ**~visum** *n* exit visa.

ˈ**aus|richten** *v/t* (*sep, -ge-, h*) *Veranstaltung*: organize: ***j-m et. ~*** tell s.o. s.th.; ***kann ich et. ~?*** can I take a message?; ***richte ihr e-n Gruß*** (***von mir***) ***aus*** give her my regards; **~rotten** [ˈausrɔtən] *v/t* (*sep, -ge-, h*) *Tierart, Volk*: wipe out; ˈ**~ruhen** *v/i u. v/refl* (*sep, -ge-, h*) (have a) rest; ˈ**~rutschen** *v/i* (*sep, -ge-, sn*) *Person*: slip (***auf*** *dat* on); *Fahrzeug*: skid.

ˈ**Aussage** *f* (-; *-n*) statement; *e-s Romans etc*: message; *jur.* evidence: ***die ~ verweigern*** refuse to give evidence; ˈ**2n** (*sep, -ge-, h*) **1.** *v/t* state (***dass*** that); **2.** *v/i jur.* give evidence (***für*** for, ***gegen*** against).

ˈ**ausschalten** *v/t* (*sep, -ge-, h*) switch off.

ˈ**Ausschau** *f*: ***~ halten nach*** look out for.

ˈ**aus|scheiden** (*irr, sep, -ge-,* → ***scheiden***) **1.** *v/t* (*h*) *aussondern*: sort out; *physiol.* excrete; **2.** *v/i* (*sn*) *nicht infrage kommen*: have to be ruled out, *Person*: not be eligible; *Sport*: be eliminated (***aus*** from), drop out (of): ***~ aus*** *e-m Amt*: retire from, *e-r Firma*: leave; ˈ**~schlafen** *v/i* (*irr, sep, -ge-, h,* →

schlafen) get a good night's sleep.

'**Ausschlag** *m* (-[*e*]*s*; *Ausschläge*) *med.* rash: ***e-n ~ bekommen*** break out in a rash; *fig.* ***den ~ geben*** decide the issue; '**~gebend** *adj* decisive.

'**ausschließen** *v/t* (*irr*, *sep*, *-ge-*, *h*, → ***schließen***) expel (**aus** *e-r Partei etc* from); *Möglichkeit etc*: rule out; *nicht berücksichtigen*: exclude.

'**Ausschluss** *m* (*-es*; *Ausschlüsse*) expulsion, exclusion: ***unter ~ der Öffentlichkeit*** behind closed doors, *jur.* in camera.

'**ausschneiden** *v/t* (*irr*, *sep*, *-ge-*, *h*, → ***schneiden***) cut out.

'**Ausschnitt** *m* (-[*e*]*s*; *-e*) *e-s Kleids etc*: neck(line); *Zeitungs~*: *Br.* cutting, *Am.* clipping; *fig.* part; *e-s Buchs*, *e-r Rede*: extract.

'**ausschreiben** *v/t* (*irr*, *sep*, *-ge-*, *h*, → ***schreiben***) *Scheck*: make (*od.* write) out (***j-m*** to s.o.); *Stelle etc*: advertise; *econ. Wettbewerb*: invite tenders for.

Ausschreitungen ['ausʃraitʊŋən] *pl* riots *pl.*

'**Ausschuss** *m* (*-es*; *Ausschüsse*) committee.

'**ausschütten** *v/t* (*sep*, *-ge-*, *h*) pour out; *verschütten*: spill.

'**aussehen** *v/i* (*irr*, *sep*, *-ge-*, *h*, → ***sehen***) look: ***gut ~*** be good-looking, *gesundheitlich*: look well; ***schlecht*** (*krank*) ***~*** look ill; ***wie sieht er aus?*** what does he look like?

'**Aussehen** *n* (*-s*; *no pl*) looks *pl*, appearance.

außen ['ausən] *adv* outside: ***von ~*** from (the) outside; ***nach ~*** outward(s); *fig.* outwardly.

'**Außen|dienst** *m* field service: ***im ~*** in the field; '**~dienstmitarbeiter** *m* field representative; '**~handel** *m* foreign trade; '**~mi,nister** *m Br.* Foreign Secretary, *Am.* Secretary of State; '**~poli,tik** *f* foreign affairs *pl*, *bestimmte*: foreign policy; '**~seite** *f* outside; '**~spiegel** *m mot. Br.* wing mirror, *Am.* sideview mirror; **~stände** ['~ʃtɛndə] *pl econ.* accounts *pl* receivable; '**~welt** *f* outside world.

außer ['ausər] **1.** *prp abgesehen von*: apart (*bsd. Am.* aside) from; *zusätzlich zu*: besides, in addition to: → ***Atem*** *etc*; **2.** *cj*: ***~*** (***wenn***) unless; ***~ dass*** except that; '**~dem** *adv* besides.

äußere ['ɔysərə] *adj* outer, outside; *Verletzung etc*: external.

'**außer|gewöhnlich** *adj* unusual; *Leistung etc*: exceptional; '**~halb 1.** *prp* outside; *der Geschäftszeit etc*: out of; **2.** *adv* out of town.

äußerlich ['ɔysərlɪç] *adj* external: ***nur ~!*** *med.* for external use only.

äußer|n ['ɔysərn] **1.** *v/t* (*h*) express, voice; **2.** *v/refl* (*h*) say s.th. (***über*** *acc*, ***zu*** about); '**~ung** *f* (*-*; *-en*) remark.

'**aussetzen** *v/t* (*sep*, *-ge-*, *h*) *Kind*, *Tier*: abandon; *Belohnung*, *Preis*: offer: ***et. auszusetzen haben an*** (*dat*) object to.

'**Aussicht** *f* (*-*; *-en*) view (***auf*** *acc* of); *fig.* prospect(s *pl*) (of), chance (of); '**~slos** *adj* hopeless; '**~spunkt** *m* lookout (*od.* vantage) point; '**~sreich** *adj* promising.

aussöhn|en ['auszøːnən] *v/refl* (*sep*, *-ge-*, *h*) reconcile o.s. (***mit*** with *s.o.*, to *s.th.*); '**~ung** *f* (*-*; *-en*) reconciliation.

'**aussperr|en** *v/t* (*sep*, *-ge-*, *h*) *econ.* lock out; '**~ung** *f* (*-*; *-en*) lockout.

'**Aussprache** *f* (*-*; *-n*) pronunciation; *Unterredung*: discussion, *zwanglose*: talk.

'**aussprechen** (*irr*, *sep*, *-ge-*, *h*, → ***sprechen***) **1.** *v/t* pronounce; **2.** *v/refl* have it out (***mit*** with): ***sich ~ für*** (***gegen***) speak out in favo(u)r of (against).

'**Ausstand** *m* (-[*e*]*s*; *Ausstände*) *econ.* strike: ***in den ~ treten*** go on strike.

Ausstattung ['ausʃtatʊŋ] *f* (*-*; *-en*) equipment; *e-r Wohnung*: furnishings *pl.*

'**ausstehen** *v/t* (*irr*, *sep*, *-ge-*, *h*, → ***stehen***): ***ich kann ihn*** (***es***) ***nicht ~*** I can't stand him (it).

'**aussteig|en** *v/i* (*irr*, *sep*, *-ge-*, *sn*, → ***steigen***) get out (***aus*** of), get off (***aus*** *a bus*, *etc*); *fig.* drop out (of); *aus e-m Geschäft*: back out (of); '**~er** *m* (*-s*; *-*) dropout.

'**ausstell|en** *v/t* (*sep*, *-ge-*, *h*) show, display, *Kunstwerk*: exhibit; *Pass etc*: issue (*dat* for); *Rechnung*, *Scheck etc*: make out (to); '**~er** *m* (*-s*; *-*) *auf Messe*: exhibitor; '**~ung** *f* (*-*; *-en*) exhibition; issue; '**~ungsgelände** *n* exhibition site; '**~ungsraum** *m* showroom.

'**aus|sterben** *v/i* (*irr*, *sep*, *-ge-*, *sn*, → ***sterben***) die out (*a. fig.*): → ***ausgestorben.***

'**Ausstieg** *m* (-[*e*]*s*; *no pl*) *Luke etc.*: escape hatch: ***der ~ aus der Kernenergie*** abandoning nuclear energy.

aussuchen *v/t* (*sep*, *-ge-*, *h*): (***sich***) *et.* ~ choose, pick.

'Austausch *m* (*-[e]s*; *no pl*) exchange: ***im ~ für*** in exchange for; **'Austausch...** *ped.*, *univ.* exchange; **'2en** *v/t* (*sep*, *-ge-*, *h*) exchange (***gegen*** for); **'~motor** *m* reconditioned engine.

'austeilen *v/t* (*sep*, *-ge-*, *h*) distribute (***an*** *acc* to; ***unter*** *acc* among).

Auster ['aʊstər] *f* (*-*; *-n*) oyster.

'austrag|en *v/t* (*irr*, *sep*, *-ge-*, *h*, → ***tragen***) *Briefe etc*: deliver; *Streit etc*: settle; *Wettkampf etc*: hold; **'2ungsort** *m* *Sport*: venue.

Australien [aʊs'tra:li̯ən] Australia.

Austral|ier [aʊs'tra:li̯ər] *m* (*-s*; *-*), **2isch** *adj* Australian.

'aus|treten *v/i* (*irr*, *sep*, *-ge-*, *sn*, → ***treten***): ~ ***aus*** *e-m Verein etc*: leave; **'~trinken** *v/t* (*irr*, *sep*, *-ge-*, *h*, → ***trinken***) *Getränk*: drink up (*a. v/i*); *leeren*: empty; **'~üben** *v/t* (*sep*, *-ge-*, *h*) *Beruf*, *Tätigkeit*: carry out: → ***Druck***[1].

'Ausverkauf *m* (*-[e]s*; *Ausverkäufe*) *econ.* (clearance) sale: ***im ~*** *kaufen* at the sales; **'2t** *adj* sold out.

'Auswahl *f* (*-*; *no pl*) choice (***an*** *dat* of), selection (of).

'auswählen *v/t* (*sep*, *-ge-*, *h*) → ***aussuchen.***

'Auswander|er *m* (*-s*; *-*) emigrant; **'2n** *v/i* (*sep*, *-ge-*, *sn*) emigrate (***nach*** to); **'~ung** *f* emigration.

auswärts ['aʊsvɛrts] *adv* out of town: ~ ***essen*** eat out.

'auswechseln *v/t* (*sep*, *-ge-*, *h*) exchange (***gegen*** for); *ersetzen*: replace (by); *Sport*: substitute (for); *Rad etc*: change.

'Ausweg *m* (*-[e]s*; *-e*) way out (***aus*** of); **'2los** *adj* hopeless.

'ausweichen *v/i* (*irr*, *sep*, *-ge-*, *sn*, → ***weichen***) make way (*dat* for); *fig.* *j-m*: avoid; *e-r Frage*: evade; **'~d** *adj* evasive.

Ausweis ['aʊsvaɪs] *m* (*-es*; *-e*) identity card; **'2en** (*irr*, *sep*, *-ge-*, *h*, → ***weisen***) **1.** *v/t* expel (***aus*** from); **2.** *v/refl* identify o.s.; **'~pa,piere** *pl* (identification) papers *pl*.

'auswendig *adv* by heart.

'aus|werten *v/t* (*sep*, *-ge-*, *h*) evaluate; *ausnützen*: utilize, *a. kommerziell*: exploit; **'~wickeln** *v/t* (*sep*, *-ge-*, *h*) unwrap; **'~wirken** *v/refl* (*sep*, *-ge-*, *h*): ***sich ~ auf*** (*acc*) affect; ***sich positiv*** (***negativ***) ***~ auf*** have a positive (negative) effect on; **'~zahlen** (*sep*, *-ge-*, *h*) **1.** *v/t* pay (out); *j-n*: pay off; **2.** *v/refl fig.* pay (off); **'~ziehen** (*irr*, *sep*, *-ge-*, → ***ziehen***); **1.** *v/t* (*h*) *Kleidung*: take off; **2.** *v/refl* (*h*) get undressed; **3.** *v/i* (*sn*) move (***aus*** out of).

'Auszubildende *m*, *f* (*-n*; *-n*) trainee.

'Auszug *m* (*-[e]s*; *Auszüge*) move (***aus*** from); *Ausschnitt*: extract, excerpt (***aus*** from); *Konto2*: statement (of account).

Auto ['aʊto] *n* (*-s*; *-s*) car, *bsd. Am.* auto (-mobile): ~ ***fahren*** drive (a car); ***mit dem ~ fahren*** go by car; **'~apo,theke** *f* (driver's) first-aid kit; **'~atlas** *m* road atlas.

'Autobahn *f Br.* motorway, *Am.* superhighway, expressway; **'~auffahrt** *f Br.* motorway access road, *Am.* expressway *etc* entrance; **'~ausfahrt** *f* motorway (*Am.* expressway *etc*) exit; **'~dreieck** *n* motorway (*Am.* expressway) junction; **'~gebühr** *f* motorway (*Am.* turnpike) toll; **'~zubringer** *m* (*-s*; *-*) feeder road.

Auto|biogra'phie *f* autobiography; **'~bus** *m* → ***Bus***; **'~fähre** *f* car ferry; **'~fahrer** *m* motorist, driver; **~'gramm** *n* (*-[e]s*; *-e*) autograph; **'~karte** *f* road map.

Automat [aʊto'ma:t] *m* (*-en*; *-en*) *Verkaufs2*: vending machine; *Spiel2*: slot machine; **~ik** [-'ma:tɪk] *f* (*-*; *-en*) *mot.* automatic transmission; **2isch** [-'ma:tɪʃ] *adj* automatic.

Auto|mobilklub [-mo'bi:l-] *m* automobile association; **'~nummer** *f* registration (*Am.* license) number.

Autor ['aʊtɔr] *m* (*-s*; *-en*) author, writer.

'Auto|radio *n* car radio; **'~reisezug** *m* motorail train; **'~schlüssel** *m* car key; **'~verleih** *m Br.* car hire service, *Am.* rent-a-car (service); **'~waschanlage** *f* car wash.

Azoren [a'tso:rən] *the* Azores.

Onychomycosis - ringworm of nail
Onychology - study of structure and growth of nails
Onycholysis - loosning, seperating of nail
Onychorrexis - split, brittle nails
Onychosis - any disease or disorder of nail

B

Bach [bax] *m* (-[*e*]*s*; ⸚*e*) brook, stream, *Am. a.* creek.
Backe ['bakə] *f* (-; -*n*) cheek.
backen ['bakən] *v/t* (*backte*, *rare buk*, *gebacken*, *h*) bake.
'**Backenzahn** *m* molar.
Bäcker ['bɛkər] *m* (-*s*; -) baker: ***beim ~*** at the baker's; **~ei** [~'raɪ] *f* (-; -*en*) bakery, baker's (shop).
Bad [ba:t] *n* (-[*e*]*s*; ⸚*er*) **a)** bath, *im Freien*: swim: ***ein ~ nehmen*** have (*od.* take) a bath **b)** → ***Badeanstalt***, ***Badeort***, ***Badezimmer.***
'**Bade|anstalt** *f* swimming pool; '**~anzug** *m* swimsuit; '**~hose** *f* (***e-e*** a pair of) swimming trunks *pl*; '**~kappe** *f* bathing cap; '**~mantel** *m* bathrobe; '**~meister** *m* pool attendant.
baden ['ba:dən] *v/i* (*h*) have (*od.* take) a bath, *im Freien*: swim: ***~ gehen*** go swimming.
Baden-Württemberg ['ba:dən'vʏrtəmbɛrk] Baden-Württemberg.
'**Bade|ort** *m* seaside resort; *Kurbad*: health resort; '**~sachen** *pl* swimming things *pl*; '**~tuch** *n* bath towel; '**~urlaub** *m* holiday (*bsd. Am.* vacation) at the seaside; '**~wanne** *f* bath(tub); '**~zimmer** *n* bathroom.
Bahn [ba:n] *f* (-; -*en*) *bsd. Br.* railway, *Am.* railroad; *Zug*: train; *Weg*: way, path; ***mit der ~*** by train, *econ.* by rail; '**~anschluss** *m* rail connection; '**~fahrt** *f* train journey; '**~hof** *m* (railway, *Am.* railroad) station; '**~poli,zei** *f* station police (*sg. konstr.*); **~steig** ['~ʃtaɪk] *m* (-[*e*]*s*; -*e*) platform; '**~übergang** *m* level (*Am.* grade) crossing.
Baisse ['bɛ:sə] *f* (-; -*n*) *econ.* slump.
Bakterie [bak'te:rĭə] *f* (-; -*n*) bacterium, germ.
bald [balt] *adv* soon; F *beinahe*: almost, nearly: ***so ~ wie möglich*** as soon as possible.
Balearen [bale'a:rən] *the* Balearic Islands.
Balken ['balkən] *m* (-*s*; -) beam.
Balkon [bal'kɔŋ] *m* (-*s*; -s *od.* -e) balcony; **~tür** *f* French window(s *pl*).
Ball [bal] *m* (-[*e*]*s*; ⸚*e*) ball (*a. Tanz*♀).
Ballett [ba'lɛt] *n* (-[*e*]*s*; -*e*) ballet.
Ballon [ba'lɔŋ] *m* (-*s*; -*s*) balloon.
'**Ballungs|gebiet** *n*, **~raum** *m* conurbation.
Banane [ba'na:nə] *f* (-; -*n*) banana; **~nstecker** *m electr.* banana plug.
Band[1] [bant] *m* (-[*e*]*s*; ⸚*e*) *Buch*♀: volume.
Band[2] [~] *n* (-[*e*]*s*; ⸚*er*) *Mess*♀, *Ton*♀: tape; *Schmuck*♀ *etc*: ribbon; *anat.* ligament: ***auf ~ aufnehmen*** tape, record.
Band[3] [bɛnt] *f* (-; -*s*) *mus.* band.
Bandag|e [ban'da:ʒə] *f* (-; -*n*) bandage; **♀ieren** [~da'ʒi:rən] *v/t* (*no ge-*, *h*) bandage.
Bande ['bandə] *f* (-; -*n*) *Verbrecher*♀ *etc*: gang.
Bänder|riss ['bɛndər~] *m med.* torn ligament; '**~zerrung** *f* pulled ligament.
'**Bandscheibe** *f anat.* (intervertebral) disc; '**~nvorfall** *m med.* slipped disc.
Bank[1] [baŋk] *f* (-; ⸚*e*) *Sitz*♀: bench: ***auf die lange ~ schieben*** put off.
Bank[2] [~] *f* (-; -*en*) *econ.* bank: ***Geld auf der ~ haben*** have money in the bank; '**~konto** *n* bank account; '**~leitzahl** *f* bank code; '**~note** *f* (bank) note, *bsd. Am. a.* (bank) bill.
Bankomat [baŋko'ma:t] *m* (-*en*; -*en*) *bsd. Br.* cash dispenser, *Am.* automated teller, cash machine.
bankrott [baŋ'krɔt] *adj* bankrupt.
Bank'rott *m* (-[*e*]*s*; -*e*) bankruptcy: ***~ machen*** go bankrupt.
'**Bank|schließfach** *n* safe(-deposit) box; '**~überfall** *m* bank holdup; '**~verbindung** *f* bank account.
bar [ba:r] *adj*: (***in***) ***~ bezahlen*** pay cash; ***gegen ~*** for cash.
Bar [ba:r] *f* (-; -*s*) bar; nightclub: ***an der ~*** at the bar.
Bär [bɛ:r] *m* (-*en*; -*en*) *zo.* bear.
Baracke [ba'rakə] *f* (-; -*n*) hut; *contp.* shack.
'**Bardame** *f* barmaid.
barfuß *adj u. adv* barefoot.
'**Bargeld** *n* cash; '**~auto,mat** *m* → ***Bankomat***; '**♀los** *adj* cashless; '**~umstel-**

B

lung *f* conversion of notes and coins.

'**Barhocker** *m* bar stool.

Bariton ['ba:ritɔn] *m (-s; -e) mus.* baritone.

'**Barmixer** *m* barman, bartender.

Barometer [baro'me:tər] *n (-s; -)* barometer.

'**Barpreis** *m* cash price.

Barriere [ba'rĭɛ:rə] *f (-; -n)* barrier.

'**Barscheck** *m econ.* cash cheque (*Am.* check).

Bart [ba:rt] *m (-[e]s; ⸗e)* beard: ***sich e-n ~ wachsen lassen*** grow a beard.

bärtig ['bɛ:rtɪç] *adj* bearded.

'**Barzahlung** *f* cash payment; '**~spreis** *m* cash price.

Basel ['ba:zəl] Basel, Basle, Bâle.

basieren [ba'zi:rən] *v/i (no ge-, h)*: **~ auf** *(dat)* be based on.

Basis ['ba:zɪs] *f (-; Basen) Grundlage*: basis.

Bass [bas] *m (-es; ⸗e) mus.* bass (*a. in Zssgn*).

Batterie [batə'ri:] *f (-; -n) electr.* battery.

Bau [baʊ] *m (-[e]s; Bauten) Vorgang*: construction; *Gebäude*: building; *Körper*℘: build: ***im ~*** under construction; '**~arbeiten** *pl* construction work *sg*, *Straße*: roadworks *pl*.

Bauch [baʊx] *m (-[e]s; Bäuche)* belly, stomach, *anat.* abdomen; '**~schmerzen** *pl*, '**~weh** *n (-s; no pl)* stomach-ache.

bauen ['baʊən] *v/t (h)* build, *errichten*: erect; *herstellen*: make, build, *tech. a.* construct.

Bauer ['baʊər] *m (-n; -n)* farmer; *Schach*: pawn; '**~nhof** *m* farm; '**~nmöbel** *pl* rustic furniture *sg*.

'**bau|fällig** *adj* dilapidated; '**℘genehmigung** *f* planning permission; '**℘gerüst** *n* scaffolding; '**℘jahr** *n* year of construction: ***~ 2003*** 2003 model.

Baum [baʊm] *m (-[e]s; Bäume)* tree: ***auf dem ~*** in the tree; '**~stamm** *m* (tree) trunk; *gefällter*: log; '**~sterben** *n (-s; no pl)* dying of trees; '**~wolle** *f* cotton.

'**Bau|platz** *m* site, (building) plot; '**℘reif** *adj* ripe for development; '**~sparkasse** *f Br.* building society, *Am.* savings and loan association; '**~stelle** *f* building site; *Straße*: roadworks *pl*; '**~unter,nehmer** *m* building contractor.

Bay|er ['baɪər] *m (-n; -n)*, '**℘(e)risch** *adj* Bavarian.

Bayern ['baɪərn] Bavaria.

Bazillus [ba'tsɪlʊs] *m (-; Bazillen)* germ.

beabsichtigen [bə'ʔapzɪçtɪgən] *v/t (no ge-, h)* intend (***zu tun*** to do, doing).

be'acht|en *v/t (no ge-, h)* pay attention to; *zur Kenntnis nehmen*: note; *Anweisungen, Regeln*: follow, *Gesetz*: observe: ***nicht ~*** take no notice of; *ignorieren*: ignore, *Ratschläge etc*: *a.* disregard; **~lich** *adj beträchtlich*: considerable; *bemerkenswert*: remarkable.

Beamer ['bi:mə] *m (-s; -)* digital projector, LCD projector.

Beamte [bə'ʔamtə] *m (-n; -n) Staats*℘: civil (*Am.* public) servant; *Polizei*℘, *Zoll*℘: officer.

be'anspruch|en *v/t (no ge-, h) Recht, Eigentum etc*: claim; *Zeit, Raum*: take up; *tech.* stress; **℘ung** *f (-; -en) tech., nervliche*: stress, strain.

beanstand|en [be'ʔanʃtandən] *v/t (no ge-, h) Ware etc*: complain about; *Einwand erheben gegen*: object to; **℘ung** *f (-; -en)* complaint (*gen* about); objection (to).

beantragen [bə'ʔantra:gən] *v/t (no ge-, h)* apply for.

be'antwort|en *v/t (no ge-, h)* answer, reply to; **℘ung** *f (-; -en)* answer, reply: ***in ~*** *(gen)* in answer (*od.* reply) to.

be'arbeit|en *v/t (no ge-, h) Sachgebiet etc*: work on, *Fall etc*: *a.* deal with; *für Bühne etc*: adapt; *mus.* arrange; **℘ung** *f (-; -en) thea. etc* adaptation; *mus.* arrangement; **℘ungsgebühr** *f* handling charge; *Bank*: service charge.

beaufsichtigen [bə'ʔaʊfzɪçtɪgən] *v/t (no ge-, h)* supervise; *Kind*: look after.

beauftragen [bə'ʔaʊftra:gən] *v/t (no ge-, h)*: ***j-n ~, et. zu tun*** ask (*formell*: instruct, *Künstler*: commission) s.o. to do s.th.; ***j-n mit e-m Fall ~*** put s.o. in charge of a case.

be'bauen *v/t (no ge-, h) arch.* build on.

Becher ['bɛçər] *m (-s; -) aus Plastik*: beaker, cup; *aus Glas*: glass, tumbler.

Becken ['bɛkən] *n (-s; -) Schwimm*℘: pool; *anat.* pelvis.

be'danken *v/refl (no ge-, h)* say thank you (***bei j-m*** to s.o.; ***für et.*** for s.th.).

Bedarf [bə'darf] *m (-[e]s; no pl)* need (***an*** *dat* of); *econ.* demand (for); **~shaltestelle** *f* request stop.

bedauerlich [bə'daʊərlɪç] *adj* regrettable, unfortunate; **~erweise** *adv* unfortunately.

be'dauern *v/t* (*no ge-, h*) *j-n*: feel (*od.* be) sorry for; *et.*: regret.

Be'dauern *n* (*-s; no pl*) regret (***über*** *acc* at): ***zu m-m*** (***großen***) **~** (much) to my regret.

be'deck|en *v/t* (*no ge-, h*) cover (up); **~t** *adj Himmel*: overcast.

be'denken *v/t* (*irr, no ge-, h,* → ***denken***) consider.

Be'denk|en *pl Zweifel*: doubts *pl*; *moralische*: scruples *pl*; *Einwände*: objections *pl*; **ℒlich** *adj zweifelhaft*: dubious; *ernst*: serious, *stärker*: critical; **~zeit** *f*: ***e-e Stunde*** **~** one hour to think it over.

be'deuten *v/t* (*no ge-, h*) mean; **~d** *adj* important; *beträchtlich*: considerable; *angesehen*: distinguished.

Be'deutung *f* (*-; -en*) meaning; *Wichtigkeit*: importance; **ℒslos** *adj* insignificant; *ohne Sinn*: meaningless; **ℒsvoll** *adj* significant; *viel sagend*: meaningful.

bedien|en (*no ge-, h*) **1.** *v/t j-n*: serve (*a. Kunden*), wait on; *tech.* operate, work; **2.** *v/refl* help o.s.; **ℒung** *f* (*-; -en*) service; *Kellner(in)*: wait|er (-ress); *tech.* operation; **ℒungsanleitung** *f* operating instructions *pl.*

Bedingung [bə'dɪŋʊŋ] *f* (*-; -en*) condition: **~*en*** *pl econ., jur.* terms *pl*; *Verhältnisse*: conditions *pl*; ***unter der*** **~, *dass*** on condition that.

be'droh|en *v/t* (*no ge-, h*) threaten; **~lich** *adj* threatening; **ℒung** *f* (*-; -en*) threat (*gen* to).

be'drücken *v/t* (*no ge-, h*) depress.

be'eilen *v/refl* (*no ge-, h*) hurry: ***beeil dich!*** hurry up!

beeindrucken [bə'ˀaɪndrʊkən] *v/t* (*no ge-, h*) impress.

beeinfluss|en [bə'ˀaɪnflʊsən] *v/t* (*no ge-, h*) influence; *nachteilig*: affect; **ℒung** *f* (*-; -en*) influence.

beeinträchtigen [bə'ˀaɪntrɛçtɪgən] *v/t* (*no ge-, h*) affect.

be'enden *v/t* (*no ge-, h*) (bring to an) end.

be'erben *v/t* (*no ge-, h*): ***j-n*** **~** be s.o.'s heir.

beerdig|en [bə'ˀɛːrdɪgən] *v/t* (*no ge-, h*) bury; **ℒung** *f* (*-; -en*) burial, funeral.

Beere ['beːrə] *f* (*-; -n*) berry; *Wein*ℒ: grape.

Beet [beːt] *n* (*-[e]s; -e*) bed, *Gemüse*ℒ: *a.* patch.

be'fahrbar *adj* passable; *mar.* navigable.

be'fangen *adj voreingenommen*: bias(s)ed (*a. jur.*); **ℒheit** *f* (*-; no pl*) bias.

be'fassen *v/refl* (*no ge-, h*) deal (***mit*** with).

Befehl [bə'feːl] *m* (*-[e]s; -e*) order: ***auf*** **~ *von*** (*od. gen*) by order of; **ℒen** *v/t* (*befahl, befohlen, h*) order: ***j-m et.*** **~** order s.o. to do s.th.; **~shaber** [bə'feːlshaːbər] *m* (*-s; -*) commander.

be'festigen *v/t* (*no ge-, h*) fix (***an*** *dat* onto), attach (to).

be'finden *v/refl* (*irr, no ge-, h,* → ***finden***) be.

Be'finden *n* (*-s; no pl*) (state of) health.

be'folgen *v/t* (*no ge-, h*) *Rat*: follow, take; *Vorschrift*: observe.

be'förder|n *v/t* (*no ge-, h*) carry, transport; *econ.* ship, forward; *im Rang etc*: promote (***zu*** to); **ℒung** *f* transportation; *econ.* shipment; promotion.

be'fragen *v/t* (*no ge-, h*) ask (***über*** *acc* about), question (about); *interviewen*: interview; *konsultieren*: consult (***wegen, in*** *dat* about, on).

befrei|en [bə'fraɪən] *v/t* (*no ge-, h*) free, *Land etc*: *a.* liberate; *retten*: rescue; *von Pflichten etc*: exempt (*alle*: ***von*** from); **ℒung** *f* (*-; no pl*) liberation; rescue; exemption.

befreunde|n [bə'frɔʏndən] *v/refl* (*no ge-, h*): ***sich mit j-m*** **~** make friends with s.o.; **~t** *adj*: (***miteinander***) **~ *sein*** be friends.

befriedig|en [bə'friːdɪgən] *v/t* (*no ge-, h*) satisfy; **~end** *adj* satisfactory; **ℒung** *f* (*-; no pl*) satisfaction.

befristet [bə'frɪstət] *adj* limited (***auf*** *acc* to).

Befug|nis [bə'fuːknɪs] *f* (*-; -se*) authority, power(s *pl*); **ℒt** *adj* authorized (***zu tun*** to do).

Be'fund *m* (*-[e]s; -e*) *med.* results *pl*: ***ohne*** **~** negative.

be'fürcht|en *v/t* (*no ge-, h*) fear; *vermuten*: suspect; **ℒung** *f* (*-; -en*) fear; suspicion.

befürwort|en [bə'fyːrvɔrtən] *v/t* (*no ge-, h*) advocate; *unterstützen*: support; **ℒer** *m* (*-s; -*) advocate; supporter.

begab|t [bə'gaːpt] *adj* gifted, talented; **ℒung** [-bʊŋ] *f* (*-; -en*) gift, talent.

begegn|en [bə'geːgnən] *v/i* (*no ge-, sn*)

B

meet; **≈ung** *f* (-; *-en*) meeting.

be'gehen *v/t* (*irr, no ge-, h,* → **gehen**) *Geburtstag etc*: celebrate; *Verbrechen*: commit; *Fehler*: make.

begeister|n [bə'gaɪstərn] (*no ge-, h*) **1.** *v/t* fill with enthusiasm; **2.** *v/refl*: ***sich ~ für*** be very much interested in; **≈ung** *f* (-; *no pl*) enthusiasm.

Beginn [bə'gɪn] *m* (-[*e*]*s*; *no pl*) beginning, start: ***zu ~*** at the beginning; **≈en** *v/t u. v/i* (*begann, begonnen, h*) begin, start.

beglaubigen [bə'glaʊbɪgən] *v/t* (*no ge-, h*) certify: ***beglaubigte Abschrift*** certified copy.

be'gleichen *v/t* (*irr, no ge-, h,* → **gleichen**) *econ*. pay, settle.

be'gleit|en *v/t* (*no ge-, h*) accompany (*a. mus.* ***auf*** *dat* on): ***j-n nach Hause ~*** see s.o. home; **≈er** *m* (*-s*; -) companion; *mus*. accompanist; **≈schreiben** *n* covering letter; **≈ung** *f* (-; *-en*) company; *mus*. accompaniment: ***in ~ von*** (*od. gen*) accompanied by.

be'glückwünschen *v/t* (*no ge-, h*) congratulate (***zu*** on).

begnadig|en [bə'gna:dɪgən] *v/t* (*no ge-, h*) pardon; *pol*. amnesty; **≈ung** *f* (-; *-en*) pardon; *pol*. amnesty.

begnügen [bə'gny:gen] *v/refl* (*no ge-, h*): ***sich ~ mit*** be satisfied with; *auskommen*: make do with.

be'graben *v/t* (*irr, no ge-, h,* → **graben**) bury (*a. fig.*).

Begräbnis [bə'grɛ:pnɪs] *n* (*-ses*; *-se*) burial, funeral.

be'greif|en *v/t* (*irr, no ge-, h,* → **greifen**) understand; **~lich** *adj* understandable.

be'grenzen *v/t* (*no ge-, h*) *fig*. limit (***auf*** *acc* to), restrict (to).

Begriff [bə'grɪf] *m* (-[*e*]*s*; *-e*) *Vorstellung*: idea, notion; *Ausdruck*: term: ***im ~ sein zu tun*** be about to do.

be'gründ|en *v/t* (*no ge-, h*) *fig*. give reasons for; **≈ung** *f* (-; *-en*) reason(s *pl*).

be'grüß|en *v/t* (*no ge-, h*) greet; *willkommen heißen*: welcome (*a. fig.*); **≈ung** *f* (-; *-en*) greeting; welcome.

begünstigen [bə'gʏnstɪgən] *v/t* (*no ge-, h*) favo(u)r.

be'gutachten *v/t* (*no ge-, h*) give an (expert's) opinion on; *prüfen*: examine: ***~ lassen*** get an expert's opinion on.

begütert [bə'gy:tərt] *adj* wealthy.

behaart [bə'ha:rt] *adj* hairy.

be'halten *v/t* (*irr, no ge-, h* → **halten**) keep (***für sich*** to o.s.); *sich merken*: remember.

Behälter [bə'hɛltər] *m* (*-s*; -) container.

be'hand|eln *v/t* (*no ge-, h*) treat (*a. med., tech.*); **≈lung** *f* (-; *-en*) treatment: ***in*** (***ärztlicher***) ***~ sein*** be under medical treatment.

behaupt|en [bə'haʊptən] *v/t* (*no ge-, h*) claim, maintain (***dass*** that); **≈ung** *f* (-; *-en*) claim.

be'heben *v/t* (*irr, no ge-, h,* → **heben**) *Schaden etc*: repair.

be'helfen *v/refl* (*irr, no ge-, h,* → **helfen**): ***sich ~ mit*** make do with; ***sich ~ ohne*** do without.

beherbergen [bə'hɛrbɛrgən] *v/t* (*no ge-, h*) put up, accommodate.

be'herrsch|en (*no ge-, h*) **1.** *v/t pol. etc* rule (over), govern; *Lage, Markt etc*: control; *Sprache*: have a good command of; **2.** *v/refl* control o.s.; **≈ung** *f* (-; *no pl*) rule (*gen* over); control (of, over); *Selbst≈*: self-control; *e-r Sprache*: command (of): ***die ~ verlieren*** lose control, lose one's self-control.

beherzigen [bə'hɛrtsɪgən] *v/t* (*no ge-, h*) take to heart.

behilflich [bə'hɪlflɪç] *adj*: ***j-m ~ sein*** help s.o. (***bei*** with).

behinder|t [bə'hɪndərt] *adj* handicapped, disabled: ***geistig ~*** mentally handicapped; **≈te** *m, f* (*-n*; *-n*) handicapped (*od.* disabled) person; **~tenge,recht** *adj* suitable for the handicapped; **≈ung** *f* (-; *-en*) handicap.

Behörde [bə'hø:rdə] *f* (-; *-n*) (public) authority: ***die ~n*** *pl* the authorities *pl*.

bei [baɪ] *prp*: ***~ München*** near Munich; ***~ Müller*** *Adresse*: c/o Müller; ***ich habe kein Geld ~ mir*** I have no money on me; ***~ e-r Tasse Tee*** over a cup of tea; ***~ m-r Ankunft*** on my arival; ***~ Regen*** in case of rain; ***~ weitem*** by far; → ***Nacht, Tagesanbruch*** *etc*.

'beibringen *v/t* (*irr, sep, -ge-, h,* → **bringen**) *lehren*: teach; *mitteilen*: tell.

beide ['baɪdə] *adj u. pron* both: ***m-e ~n Brüder*** my two brothers; ***wir ~*** the two of us; *betont*: both of us; ***keiner von ~n*** neither of them.

'Beifahrer *m* (front-seat) passenger.

'Beifall *m* (-[*e*]*s*; *no pl*) applause.

'Beihilfe *f* (-; *no pl*) *jur*. aiding and abetting.

'Beilage *f Zeitung*: supplement; *Essen*: side dish, *Gemüse*: vegetables *pl*.

'beileg|en *v/t (sep, -ge-, h) e-m Brief*: enclose (with); *Streit*: settle; **'2ung** *f (-; no pl)* settlement.

'Beileid *n (-[e]s; no pl)*: ***j-m sein ~ aussprechen*** offer s.o. one's condolences; (***mein***) ***herzliches ~!*** please accept my sincere condolences; **'~skarte** *f* condolence (*od.* sympathy) card.

'beiliegen *v/i (irr, sep, -ge-, h, →* ***liegen****)* be enclosed (*dat* with).

beim [baɪm] (= ***bei dem***) *prp*: ***~ Bäcker*** at the baker's; ***~ Sprechen*** while speaking.

'beimessen *v/t (irr, sep, -ge-, h, →* ***messen****) Bedeutung*: attach (*dat* to).

Bein [baɪn] *n (-[e]s; -e)* leg (*a. e-s Tisches, e-r Hose etc*).

beinah, beinahe [baɪ'naː(ə)] *adv* almost, nearly.

'Beinbruch *m* fractured (*od.* broken) leg.

beipflichten ['baɪpflɪçtən] *v/i (sep, -ge-, h)* agree (*dat* with).

'Beisein *n*: ***im ~ von*** (*od. gen*) in the presence of.

'beisetz|en *v/t (sep, -ge-, h)* bury; **'2ung** *f (-; -en)* burial.

'Beispiel *n (-[e]s; -e)* example: ***zum ~*** for example, for instance; **'2haft** *adj* exemplary; **'2los** *adj* unparalleled; *noch nie da gewesen*: unprecedented; **'2sweise** *adv* for example, for instance.

beißen ['baɪsən] *v/t u. v/i (biss, gebissen, h)* bite (*a. fig.*): ***~ in*** *(acc)* bite (into); **'~d** *adj Wind, Kritik etc*: biting; *Geruch*: sharp, acrid.

'bei|stehen *v/i (irr, sep, -ge-, h, →* ***stehen****)*: ***j-m ~*** help s.o.; **'~steuern** *v/t (sep, -ge-, h)* contribute (***zu*** to).

Beitrag ['baɪtraːk] *m (-[e]s; ⸚e)* contribution; *Mitglieds2*: subscription.

'beitreten *v/i (irr, sep, -ge-, sn, →* ***treten****)* join.

'Beitritt *m (-[e]s; -e)* joining; *zu e-m Vertrag*: accession; **'~sland** *n* acceding country.

be'kämpfen *v/t (no ge-, h)* fight (against); *Feuer*: fight.

bekannt [bə'kant] *adj* known (*dat* to); *berühmt*: well-known; ***~ geben, ~ machen*** announce; *vertraut*: familiar: ***j-n mit j-m ~ machen*** introduce s.o. to s.o.; **2e** *m, f (-n; -n)* acquaintance, *mst* friend; **2gabe** *f (-; no pl)* announcement; **'~geben** → ***bekannt***; **~lich** *adv* as everybody knows; **'~machen** → ***bekannt***; **2machung** *f (-; -en)* announcement; **2schaft** *f (-; -en)* acquaintance.

be'kennen *v/refl (irr, no ge-, h, →* ***kennen****)*: ***sich schuldig ~*** *jur.* plead guilty; ***sich ~ zu*** *e-m Bombenanschlag etc* claim responsibility for.

be'klagen *v/refl (no ge-, h)* complain (***über*** *acc* about).

Be'kleidung *f (-;-en)* clothing, clothes *pl*.

be'kommen *(irr, no ge-, h, →* ***kommen****)* **1.** *v/t (h)* get, *med. a.* catch (*a. Zug etc*), *Kind*: have; **2.** *v/i (sn)*: ***j-m*** (***gut***) ***~*** agree with s.o.; ***j-m nicht*** (*od.* ***schlecht***) ***~*** disagree with s.o.

be'laden *v/t (irr, no ge-, h, →* ***laden****)* load (up).

Belag [bə'laːk] *m (-[e]s; ⸚e) Schicht*: layer; *Fußboden2*: covering; *Straßen2*: surface; *Brems2 etc*: lining; *Zungen2*: coating; *Zahn2*: plaque, tartar; *Brot2*: topping, *Aufstrich*: spread.

be'lasten *v/t (no ge-, h) electr., tech.* load; *psych., a. Beziehung etc*: strain; *jur.* incriminate: ***j-s Konto ~ mit*** *econ.* debit s.o.'s account with.

belästig|en [bə'lɛstɪgən] *v/t (no ge-, h)* pester (***mit*** with); *sexuell*: molest; **2ung** *f (-; -en)* pestering; molestation.

Be'lastung *f (-; -en) electr., tech.* load; *psychische*: strain; **~szeuge** *m jur.* witness for the prosecution.

be'laufen *v/refl (irr, no ge-, h, →* ***laufen****)*: ***sich ~ auf*** *(acc)* amount to.

be'lebt *adj Straße etc*: busy.

Beleg [bə'leːk] *m (-[e]s; -e) Beweis*: proof; *Quittung*: receipt; *Quelle*: reference; **2en** *v/t (no ge-, h)* cover; *Platz etc*: reserve; *beweisen*: prove; *Kurs etc*: enrol(l) for: ***den ersten Platz ~*** take first place; **~schaft** *f (-; -en)* staff (*a. pl konstr.*), personnel (*pl konstr.*); **2t** *adj Platz, Zimmer*: taken, occupied; *Hotel etc*: full; *Stimme*: husky; *Zunge*: coated, furred; *teleph. Br.* engaged, *Am.* busy: ***~es Brot*** (open) sandwich.

beleidig|en [bə'laɪdɪgən] *v/t (no ge-, h)* offend (*a. fig.*), *stärker*: insult; **~end** *adj* offensive, insulting; **2ung** *f (-; -en)* offen|ce (*Am.* -se), insult.

be'lesen *adj* well-read.

B

be'leucht|en *v/t* (*no ge-, h*) light (up), illuminate; **2ung** *f* (-; *-en*) lighting, illumination.

Belgien ['bɛlgĭən] Belgium.

Belgrad ['bɛlgra:t] Belgrade.

belicht|en [bə'lɪçtən] *v/t* (*no ge-, h*) *phot.* expose; **2ung** *f* (-; *-en*) exposure; **2ungsmesser** *m* (*-s*; -) light meter.

beliebt [bə'li:pt] *adj* popular (***bei*** with); **2heit** *f* (-; *no pl*) popularity.

be'liefern *v/t* (*no ge-, h*) supply (***mit*** with).

bellen ['bɛlən] *v/i* (*h*) bark.

be'lohn|en *v/t* (*no ge-, h*) reward; **2ung** *f* (-; *-en*) reward: ***zur ~*** as a reward.

be'lügen *v/t* (*irr, no ge-, h*, → ***lügen***): ***j-n ~*** lie to s.o.

bemängeln [bə'mɛŋəln] *v/t* (*no ge-, h*) find fault with.

bemannt [bə'mant] *adj* manned.

bemerk|bar [bə'mɛrkba:r] *adj* noticeable: ***sich ~ machen*** *Person*: draw attention to o.s.; *Sache*: begin to show; **~en** *v/t* (*no ge-, h*) notice; *äußern*: remark; **~enswert** *adj* remarkable (***wegen*** for); **2ung** *f* (-; *-en*) remark (***über*** *acc* on, about).

bemitleiden [bə'mɪtlaɪdən] *v/t* (*no ge-, h*) pity, feel sorry for; **~swert** *adj* pitiable.

bemüh|en [bə'my:ən] *v/refl* (*no ge-, h*) try (hard): ***sich ~ um*** *et.*: try to get; *j-n*: try to help; ***bitte ~ Sie sich nicht!*** please don't bother; **2ung** *f* (-; *-en*) effort(s *pl*).

be'nachbart *adj* neighbo(u)ring.

benachrichtig|en [bə'na:xrɪçtɪgən] *v/t* (*no ge-, h*) inform (***von*** of), notify (of); **2ung** *f* (-; *-en*) notification.

benachteilig|en [bə'na:xtaɪlɪgən] *v/t* (*no ge-, h*) put at a disadvantage; *bsd. sozial*: discriminate against; **2ung** *f* (-; *-en*) disadvantage; discrimination (*gen* against).

be'nehmen *v/refl* (*irr, no ge-, h*, → ***nehmen***) behave (***gegenüber*** towards).

Be'nehmen *n* (*-s*; *no pl*) behavio(u)r, conduct; *Manieren*: manners *pl*.

beneiden [bə'naɪdən] *v/t* (*no ge-, h*): ***j-n um et. ~*** envy s.o. s.th.; **~swert** *adj* enviable.

benötigen [bə'nø:tɪgən] *v/t* (*no ge-, h*) need.

be'nutzen *v/t* (*no ge-, h*) use; *Verkehrsmittel*: take, go by.

Be'nutzer *m* (*-s*; -) user; **2freundlich** *adj* user-friendly; **~name** *m* user name; **~oberfläche** *f* user interface.

Be'nutzung *f* (-; *no pl*) use.

Benzin [bɛn'tsi:n] *n* (*-s*; *-e*) *mot. Br.* petrol, *Am.* gas(oline); **~gutschein** *m* petrol (*Am.* gas[oline]) coupon.

beobacht|en [bə'ˀo:baxtən] *v/t* (*no ge-, h*) watch, *a. med. u. Polizei*: observe; **2ung** *f* (-; *-en*) observation: ***unter ~ stehen*** be under observation.

bequem [bə'kve:m] *adj* comfortable; *faul*: lazy; **2lichkeit** *f* (-; *no pl*) comfort; laziness.

be'rat|en (*irr, no ge-, h*, → ***raten***) **1.** *v/t j-n*: advise (***bei*** on); *et.*: discuss; **2.** *v/refl*: ***sich mit j-m ~*** confer with s.o. (***über*** *acc* on); **2er** *m* (*-s*; -) advis|er (*Am.* -or), consultant; **2ung** *f* (-; *-en*) consultation; *Besprechung*: discussion.

be'rauben *v/t* (*no ge-, h*) rob.

be'rechn|en *v/t* (*no ge-, h*) calculate; *schätzen*: estimate (***auf*** *acc* at): ***j-m 100 Euro für et. ~*** charge s.o. 100 euros for s.th.; **~end** *adj* calculating; **2ung** *f* (-; *-en*) calculation (*a. fig.*); estimate.

berechtig|en [bə'rɛçtɪgən] *v/t* (*no ge-, h*) entitle (***zu*** to [*do*] s.th.); *ermächtigen*: authorize (to *do s.th.*); **2ung** *f* (-; *no pl*) right (***zu*** to); *Vollmacht*: authority.

Bereich [bə'raɪç] *m* (*-[e]s*; *-e*) area; *fig. a.* field, sphere.

bereichern [bə'raɪçərn] *v/refl* (*no ge-, h*) get rich (***an*** *dat* on; ***auf Kosten*** *gen* at the expense of).

Bereifung [bə'raɪfʊŋ] *f* (-; *-en*) *Br.* tyres *pl*, *Am.* tires *pl*.

bereit [bə'raɪt] *adj* ready (***zu*** for *s.th.*; to *do s.th.*); *gewillt*: prepared (to *do s.th.*); **~s** *adv* already; *nur*: even.

bereuen [bə'rɔʏən] *v/t* (*no ge-, h*) regret (***et. getan zu haben*** doing s.th.).

Berg [bɛrk] *m* (*-[e]s*; *-e*) mountain: ***~e von*** F heaps (*od.* piles) of; ***die Haare standen ihm zu ~e*** his hair stood on end; **2'ab** *adv* downhill; **2'auf** *adv* uphill.

bergen ['bɛrgən] *v/t* (*barg, geborgen, h*) rescue; *Leichen, Güter*: recover.

'Bergführer *m* mountain guide.

bergig ['bɛrgɪç] *adj* mountainous.

'Berg|steigen *n* (*-s*; *no pl*) mountaineering; **'~steiger** *m* (*-s*; -) mountain climber, mountaineer; **'~wandern** *n*

(*-s*; *no pl*) mountain hiking.

Bericht [bəˈrɪçt] *m* (*-[e]s*; *-e*) report (***über*** *acc* on); *Beschreibung*: account (of); **2en** (*no ge-*, *h*) **1.** *v/t* report: ***j-m et. ~*** inform s.o. of s.th.; *erzählen*: tell s.o. about s.th.; **2.** *v/i*: ***über et. ~*** report on s.th., *in der Presse*: *a.* cover s.th.; **~erstatter** *m* (*-s*; *-*) *Presse*: reporter, *auswärtiger*: (foreign) correspondent; **~erstattung** *f* (*-*; *-en*) reporting, *in der Presse*: *a.* coverage.

berichtig|en [bəˈrɪçtɪgən] *v/t* (*no ge-*, *h*) correct (***sich*** o.s.); **2ung** *f* (*-*; *-en*) correction.

Berlin [bɛrˈliːn] Berlin.

Bern [bɛrn] Bern(e).

berüchtigt [bəˈrʏçtɪçt] *adj* notorious (***wegen*** for).

berücksichtig|en [bəˈrʏkzɪçtɪgən] *v/t* (*no ge-*, *h*) take into consideration; **2ung** *f* (*-*; *no pl*): ***unter ~ von*** (*od. gen*) considering.

Beruf [bəˈruːf] *m* (*-[e]s*; *-e*) job, occupation; *akademischer*: profession; *handwerklicher*: trade; **2en** *v/refl* (*irr*, *no ge-*, *h*, → ***rufen***): ***sich ~ auf*** (*acc*) cite, quote, refer to; **2lich 1.** *adj* professional; *Ausbildung etc*: vocational: → ***Mobilität***; **2.** *adv*: ***~ unterwegs*** away on business.

Beˈrufs|anfänger *m* first-time employee; **~ausbildung** *f* vocational training; **~beratung** *f* careers guidance; **~perspektive** *f* job *od.* career prospects *pl*; **2tätig** *adj* working: ***~ sein*** (go to) work; **~verkehr** *m* rush-hour traffic.

Beˈrufung *f* (*-*; *-en*) *Ernennung*: appointment (***zu*** to): ***unter ~ auf*** (*acc*) with reference to; ***in die ~ gehen, ~ einlegen*** *jur.* (file an) appeal (***gegen*** against).

beˈruhen *v/i* (*no ge-*, *h*): ***~ auf*** (*dat*) be based on; ***et. auf sich ~ lassen*** let s.th. rest.

beruhig|en [bəˈruːɪgən] (*no ge-*, *h*) **1.** *v/t* calm (down); *Gewissen*: ease; *Nerven*: calm, soothe; **2.** *v/refl* calm down; *Lage*: quieten down; **2ungsmittel** *n med.* sedative, tranquil(l)izer.

berühmt [bəˈryːmt] *adj* famous (***wegen, für*** for); **2heit** *f* (*-*; *-en*) fame; *Person*: celebrity.

beˈrühr|en *v/t* (*no ge-*, *h*) touch; *seelisch*: *a.* move; *betreffen*: concern; **2ung** *f* (*-*; *-en*) touch: ***in ~ kommen mit*** come into contact with.

beˈrührungsempfindlich *adj Bildschirm*: touch sensitive.

Besatzung [bəˈzatsʊŋ] *f* (*-*; *-en*) *aer.*, *mar.* crew.

beˈschädig|en *v/t* (*no ge-*, *h*) damage; **2ung** *f* (*-*; *-en*) damage (*gen* to).

beschäftig|en [bəˈʃɛftɪgən] (*no ge-*, *h*) **1.** *v/t* employ; *zu tun geben*: keep busy; **2.** *v/refl*: ***sich ~ mit*** be busy with; *e-m Problem etc*: deal with; **~t** *adj* busy (***mit*** with; ***damit, et. zu tun*** doing s.th.): ***~ sein bei*** be employed with (*od.* at); **2te** *m*, *f* (*-n*; *-n*) employee; **2ung** *f* (*-*; *-en*) *Tätigkeit*: activity; *Anstellung*: employment.

beˈschäm|en *v/t* (*no ge-*, *h*) (put to) shame; **~end** *adj* shameful; **~t** *adj* ashamed (***über*** *acc* of).

Bescheid [bəˈʃaɪt] *m* (*-[e]s*; *-e*) answer, reply: ***~ bekommen*** be informed; ***j-m ~ geben*** let s.o. know (***über*** *acc* about); ***~ wissen*** know (***über*** *acc* about).

bescheiden [bəˈʃaɪdən] *adj* modest; **2heit** *f* (*-*; *no pl*) modesty.

bescheinig|en [bəˈʃaɪnɪgən] *v/t* (*no ge-*, *h*) certify: ***den Empfang*** (*gen*) ***~*** acknowledge receipt of; ***hiermit wird bescheinigt, dass*** this is to certify that; **2ung** *f* (*-*; *-en*) *Schein*: certificate; *Quittung*: receipt.

beˈscheißen *v/t* (*irr*, *no ge-*, *h*, → ***scheißen***) *sl.* do (***um*** out of).

beˈschenken *v/t* (*no ge-*, *h*): ***j-n ~*** give s.o. (*reich*: shower s.o. with) presents.

beˈschimpfen *v/t* (*no ge-*, *h*) call *s.o.* names.

Beschlagnahme [bəˈʃlaːknaːmə] *f* (*-*; *-n*) seizure, confiscation; **2n** *v/t* (*no ge-*, *h*) seize, confiscate.

beschleunigen [bəˈʃlɔʏnɪgən] *v/t* (*no ge-*, *h*) *Vorgang*: speed up.

beˈschließen *v/t* (*irr*, *no ge-*, *h*, → ***schließen***) decide (***zu tun*** to do); *beenden*: end.

Beˈschluss *m* (*-es*; *⸚e*) decision.

beschränk|en [bəˈʃrɛŋkən] *v/refl* (*no ge-*, *h*) confine o.s. (***auf*** *acc* to; ***darauf, zu tun*** to doing); **~t** *adj* limited; *einfältig*: dense.

beˈschreib|en *v/t* (*irr*, *no ge-*, *h*, → ***schreiben***) describe; **2ung** *f* (*-*; *-en*) description.

beschuldig|en [bəˈʃʊldɪgən] *v/t* (*no ge-*, *h*) accuse (*gen* of), *jur. a.* charge

(with); **2ung** *f* (-; *-en*) accusation, *jur. a.* charge.
be'schützen *v/t* (*no ge-, h*) protect (***vor*** *dat*, ***gegen*** from).
Beschwerde [bə'ʃveːrdə] *f* (-; *-n*) complaint (***über*** *acc* about): ***~n*** *pl med.* problems *pl* (***mit*** with), trouble *sg* (with); *Schmerzen*: pain *sg*.
beschweren [bə'ʃveːrən] *v/refl* (*no ge-, h*) complain (***über*** *acc* about; ***bei*** to).
beschwichtigen [bə'ʃvɪçtɪgən] *v/t* (*no ge-, h*) appease (*a. pol.*), calm down.
be'schwipst *adj* F tipsy.
be'schwören *v/t* (*irr, no ge-, h,* → ***schwören***) *et.*: swear to.
beseitig|en [bə'zaɪtɪgən] *v/t* (*no ge-, h*) remove; *Abfall*: *a.* dispose of; *Missstand, Fehler etc*: eliminate; **2ung** *f* (-; *no pl*) removal; disposal; elimination.
Besen ['beːzən] *m* (*-s;-*) broom; **'~stiel** *m* broomstick.
be'setz|en *v/t* (*no ge-, h*) *Sitzplatz, Land etc*: occupy; *Stelle etc*: fill; *thea. Rollen*: cast; *Kleid*: trim (***mit*** with); *Haus*: squat; **~t** *adj* occupied; *Platz*: taken; *Bus, Zug etc*: full up; *teleph. Br.* engaged, *Am.* busy; *Toilette*: engaged; **2tzeichen** *n teleph. Br.* engaged tone, *Am.* busy signal; **2ung** *f* (-; *-en*) *mil.* occupation; *thea.* cast.
besichtig|en [bə'zɪçtɪgən] *v/t* (*no ge-, h*) visit; *prüfend*: inspect; **2ung** *f* (-; *-en*) visit (*gen* to); inspection (of).
besiedeln [bə'ziːdəln] *v/t* (*no ge-, h*) *sich ansiedeln in*: settle in; *kolonisieren*: colonize; *bevölkern*: populate: ***dicht*** (***dünn***) ***besiedelt*** densely (sparsely) populated.
be'siegen *v/t* (*no ge-, h*) *allg.* defeat.
Besinnung [bə'zɪnʊŋ] *f* (-; *no pl*) *Bewusstsein*: consciousness: ***die ~ verlieren*** lose consciousness; **2slos** *adj* unconscious.
Besitz [bə'zɪts] *m* (*-es, no pl*) possession; *Eigentum*: property: ***im ~ sein von*** be in possession of; **2en** *v/t* (*irr, no ge-, h,* → ***sitzen***) possess, own; **~er** *m* (*-s; -*) possessor, owner: ***den ~ wechseln*** change hands.
besonder [bə'zɔndər] *adj* special; *bestimmt*: particular; *außergewöhnlich*: exceptional; *getrennt*: separate; **2heit** *f* (-; *-en*) peculiarity.
be'sonders *adv* (e)specially, particularly; *außergewöhnlich*: exceptionally; *getrennt*: separately.
be'sorg|en *v/t* (*no ge-, h*): ***sich et. ~*** get (*od.* buy) s.th.; **2nis**: ***~ erregend*** → ***~niserregend*** *adj* alarming; **~t** *adj* worried (***um*** about), concerned (about); **2ung** *f* (-; *-en*): ***~en machen*** go shopping.
be'sprech|en *v/t* (*irr, no ge-, h,* → ***sprechen***) discuss, talk *s.th.* over; *Buch etc*: review; **2ung** *f* (-; *-en*) discussion; meeting, conference; review.
besser ['bɛsər] *adj u. adv* better (***als*** than): ***es ist ~, wir fragen ihn*** we had better ask him; ***es geht ihm ~*** he is feeling better; ***oder ~ gesagt*** or rather; ***ich weiß*** (***kann***) ***es ~*** I know (can do) better (than that); **'~gehen** → ***besser***; **'~n** *v/refl* (*h*) improve, get better; **'2ung** *f* (-; *no pl*) improvement: ***gute ~!*** I hope you feel better soon.
Be'stand *m* (-[*e*]*s*; *⸚e*) (continued) existence; *Vorrat*: stock (***an*** *dat* of): ***~ haben*** last, be lasting.
be'ständig *adj* constant, steady; *Wetter*: settled.
Be'standteil *m* (-[*e*]*s*; *-e*) part, component.
bestätig|en [bə'ʃtɛːtɪgən] *v/t* (*no ge-, h*) confirm (*a. Auftrag*); *bescheinigen*: certify; *Empfang*: acknowledge; **2ung** *f* (-; *-en*) confirmation; certificate; acknowledg(e)ment.
bestatt|en [bə'ʃtatən] *v/t* (*no ge-, h*) bury; **2ung** *f* (-; *-en*) burial, funeral; **2ungsinsti,tut** *n bsd. Br.* undertaker's, *Am.* funeral home.
beste ['bɛstə] *adj u. adv* best: ***am ~n*** best; ***welches gefällt dir am ~n?*** which do you like best?; ***am ~n ist es, Sie nehmen den Bus*** it would be best for you to take a bus.
Beste ['bɛstə] *m, f, n* (*-n*; *-n*) *the* best: ***das ~ geben*** do one's best; ***das ~ machen aus*** make the best of; (***nur***) ***zu deinem ~n*** for your own good; ***es ist das ~, Sie nehmen den Bus*** you had best take a bus.
be'stech|en *v/t* (*irr, no ge-, h,* → ***stechen***) bribe; **~lich** *adj* corruptible; **2ung** *f* (-; *-en*) bribery, corruption.
Besteck [bə'ʃtɛk] *n* (-[*e*]*s*; *-e*) knife, fork and spoon; *coll.* cutlery.
be'stehen (*irr, no ge-, h,* → ***stehen***) **1.** *v/t Probe*: stand; *Prüfung*: pass; **2.** *v/i* be, exist: ***~ auf*** (*dat*) insist on; ***~ aus*** consist

of; **~ bleiben** last, continue.

be'steigen *v/t* (*irr, no ge-, h,* → **steigen**) *Berg*: climb; *Fahrzeug, Pferd*: get on; *Thron*: ascend.

be'stell|en *v/t* (*no ge-, h*) *Waren, Speisen etc*: order; *Zimmer, Karten*: book; *Taxi*: call: ***kann ich et. ~?*** can I take a message?; **2formu,lar** *n*, **2schein** *m* order form; **2ung** *f* (-; *-en*) order; booking.

'besten|falls *adv* at best; **'~s** *adv* very well.

be'steuer|n *v/t* (*no ge-, h*) tax; **2ung** *f* (-; *no pl*) taxation.

bestimm|t [bə'ʃtɪmt] *adj* certain: ***~ sein für*** be meant for; **2ung** *f* (-; *-en*) *Vorschrift*: regulation, rule; **2ungsort** *m* destination.

be'straf|en *v/t* (*no ge-, h*) punish (***wegen, für*** for); **2ung** *f* (-; *-en*) punishment.

be'streik|en *v/t* (*no ge-, h*) go out (*od.* be) on strike against; **~t** *adj* strikebound.

be'streiten *v/t* (*irr, no ge-, h,* → **streiten**) deny (***dass*** that; ***et. getan zu haben*** doing s.th.).

bestürz|t [bə'ʃtʏrtst] *adj* dismayed (***über*** *acc* at); **2ung** *f* (-; *no pl*) dismay.

Besuch [bə'zuːx] *m* (-[*e*]*s*; *-e*) visit (*gen*, ***bei, in*** *dat* to); *kurzer*: call (***bei*** on); *Schule, Veranstaltung*: attendance (*gen* at); *Besucher*: visitor(s *pl*); **2en** *v/t* (*no ge-, h*) go and see, visit; *kurz*: call on; *Ort*: visit; *Schule, Veranstaltung*: go to, attend; **~er** *m* (*-s*; -) visitor (*gen* to); **~szeit** *f* visiting hours *pl.*

betätigen [bə'tɛːtɪgən] *v/t* (*no ge-, h*) *tech.* operate; *Bremse*: apply.

beteilig|en [bə'taɪlɪgən] (*no ge-, h*) **1.** *v/t*: ***j-n ~*** give s.o. a share (***an*** *dat* in); ***beteiligt sein an*** (*dat*) *Unfall, Verbrechen*: be involved in; *Gewinn*: have a share in; **2.** *v/refl*: ***sich ~ an*** (*dat*) participate in; *Beitrag leisten zu*: contribute to; **2ung** *f* (-; *-en*) participation (***an*** *dat* in); involvement (in); share (in).

beten ['beːtən] (*h*) **1.** *v/i* pray (***um*** for), say one's prayers; *bei Tisch*: say grace; **2.** *v/t Vaterunser etc*: say.

beteuern [bə'tɔʏərn] *v/t* (*no ge-, h*) *Unschuld*: protest.

Beton [be'tɔŋ] *m* (*-s*; *-s*) concrete.

betonen [bə'toːnən] *v/t* (*no ge-, h*) stress; *fig. a.* emphasize.

Betracht [bə'traxt] *m*: ***in ~ ziehen*** take into consideration; ***in ~ kommen*** be a possibility; ***nicht in ~ kommen*** be out of the question; **2en** *v/t* (*no ge-, h*) look at, *fig. a.* view: ***~ als*** regard as, consider.

beträchtlich [bə'trɛçtlɪç] *adj* considerable.

Be'trachtung *f* (-; *-en*): ***bei näherer ~*** on closer inspection.

Betrag [bə'traːk] *m* (-[*e*]*s*; *⸚e*) amount, sum; **2en** *v/i* (*irr, no ge-, h,* → **tragen**) amount to.

Betreff [bə'trɛf] *m* (-[*e*]*s*; *-e*) *econ.* reference; *im Briefkopf* (**Betr.**): re; **2en** *v/t* (*irr, no ge-, h,* → **treffen**) *angehen*: concern: ***was ... betrifft*** as for; **2end** *adj* concerning: ***die ~en Personen*** the people concerned.

be'treiben *v/t* (*irr, no ge-, h,* → **treiben**) *Geschäft*: keep; *Unternehmen*: operate, run; *Hobby, Sport*: go in for.

Be'treiberfirma *f* operating company.

be'treten *v/t* (*irr, no ge-, h,* → **treten**) step on; *Raum*: enter.

Be'treten *n* (*-s*): ***~ (des Rasens) verboten!*** keep off (the grass)!

betreuen [bə'trɔʏən] *v/t* (*no ge-, h*) look after.

Betrieb [bə'triːp] *m* (-[*e*]*s*; *-e*) *Firma*: business, firm, company; *Betreiben*: operation, running; *in Straßen, Geschäften*: rush: ***in ~ sein (setzen)*** be in (put into) operation; ***außer ~*** out of order; ***im Geschäft war viel ~*** the shop was very busy; **2lich** *adj*: ***~e Altersversorgung*** employee pension scheme; ***~e Mitbestimmung*** worker participation.

Be'triebs|anleitung *f* operating instructions *pl*; **~ausgaben** *pl* operating expenses *pl*; **~ergebnis** *n* trading result, operating result; **~gewinn** *m* operating profit(s *pl*); **~kapi,tal** *n* working capital; **~klima** *n* working atmosphere; **~kosten** *pl* running costs *pl*; **~leitung** *f* management; **~rat** *m* (member of the) works council; **2sicher** *adj* safe to operate; **~störung** *f* breakdown; **~sy,stem** *n Computer*: operating system; **~unfall** *m* industrial accident; **~vereinbarung** *f* agreement between works council and management; **~wirtschaft** *f* (-; *no pl*) business administration.

be'trinken *v/refl* (*irr, no ge-, h,* → **trinken**) get drunk.

betroffen [bɛ'trɔfən] *adj* shocked; *berührt*: affected (***von*** by): ***die ~en Personen*** the persons concerned.
Betrug [bə'truːk] *m* (-[*e*]*s*; *no pl*) fraud (*a. jur.*), swindle; *Täuschung*: deception.
betrüge|n [bə'tryːgən] *v/t* (*no ge-, h, betrog, betrogen*) cheat (***um*** out of), swindle; *jur.* defraud; *Ehepartner*: be unfaithful to, two-time (***mit*** with); *täuschen*: deceive; **2r** *m* (-*s*; -) swindler, cheat.
betrunken [bə'trʊŋkən] *adj* drunk(en *attr*); **2e** *m, f* (-*n*; -*n*) drunk.
Bett [bɛt] *n* (-[*e*]*s*; -*en*) bed: ***am ~*** at the bedside; ***ins ~ gehen*** go to bed; **'~decke** *f wollene*: blanket; *gesteppte*: quilt; *Tagesdecke*: bedspread.
betteln ['bɛtəln] *v/i* (*h*) beg (***um*** for).
bett|lägerig ['betlɛːgərɪç] *adj* laid up, *länger*: bedridden; **2laken** *n* sheet.
Bettler ['bɛtlər] *m* (-*s*; -) beggar.
'Bettruhe *f* bed rest: ***j-m ~ verordnen*** tell s.o. to stay in bed.
Beule ['bɔʏlə] *f* (-; -*n*) bump, swelling; *im Blech*: dent.
beunruhigen [bə'ʊnruːɪgən] *v/t* (*no ge-, h*) worry, *stärker*: alarm.
beurkunden [bə'uːrkʊndən] *v/t* (*no ge-, h*) certify; *Geburt etc*: register.
be'urteil|en *v/t* (*no ge-, h*) judge (***nach*** by); **2ung** *f* (-; -*en*) judg(e)ment.
Beute ['bɔʏtə] *f* (-; *no pl*) booty, loot; *e-s Tieres*: prey; *hunt.* bag.
Beutel ['bɔʏtəl] *m* (-*s*; -) bag.
bevölker|n [bə'fœlkərn] *v/t* (*no ge-, h*) populate; *bewohnen*: inhabit: ***dicht*** (***dünn***) ***bevölkert*** desenly (thinly) populated; **2ung** *f* (-; -*en*) population; **2ungsexplosi,on** *f* population explosion.
bevollmächtigen [bə'fɔlmɛçtɪgən] *v/t* (*no ge-, h*) authorize (***zu tun*** to do), *jur.* give *s.o.* power of attorney.
be'vor *cj* before.
be'vorstehen *v/i* (*irr, sep, -ge-, h*, → ***stehen***) be approaching; *Gefahr*: be imminent: ***j-m ~*** be in store for s.o.
bevorzug|en [bə'foːrtsuːgən] *v/t* (*no ge-, h*) prefer (*dat*, ***vor*** *dat* to); *begünstigen*: favo(u)r (above); **~t** *adj* preferred; *Lieblings…*: favo(u)rite; **2ung** *f* (-; *no pl*) preference (*gen* given to).
be'wach|en *v/t* (*no ge-, h*) guard; **2er** *m* (-*s*; -) guard; **2ung** *f* (-; *no pl*) guarding.
bewaffnet [bə'vafnət] *adj* armed (***mit*** with).
bewähr|en [bə'vɛːrən] *v/refl* (*no ge-, h*) *Sache*: prove a success; **~t** *adj Person*: experienced; *Sache*: proven; **2ung** *f* (-; -*en*) *jur.* (release on) probation: ***drei Monate mit ~*** a suspended sentence of three months.
bewältigen [bə'vɛltɪgən] *v/t* (*no ge-, h*) *Schwierigkeit*: cope with, *Arbeit, Essen etc*: *a.* manage; *Strecke*: cover.
beweg|en [bə'veːgən] (*no ge-, h*) **1.** *v/t* move (*a. fig.*); **2.** *v/refl* move: *die Preise* ***~ sich zwischen … u. …*** range between … and …; **2grund** *m* motive; **~lich** *adj* movable (*a. Festtag*), mobile; *tech.* flexible (*a. fig.*); *Person*: agile; **~t** *adj Meer*: rough; *Stimme*: choked; *Leben*: eventful; **2ung** *f* (-; -*en*) movement (*a. pol. etc*); *körperliche*: exercise: ***in ~ setzen*** start (*a. fig.*), set in motion; ***sich in ~ setzen*** start to move; **~ungslos** *adj u. adv* motionless.
Beweis [bə'vaɪs] *m* (-*es*; -*e*) proof (*gen*, ***für*** of): **~(*e pl*)** *bsd. jur.* evidence; **2en** *v/t* (*irr, no ge-, h*, → ***weisen***) prove; *Interesse etc*: show; **~stück** *n* (piece of) evidence, *vor Gericht*: exhibit.
be'wenden *v/i*: ***es dabei ~ lassen*** leave it at that.
be'werb|en *v/refl* (*irr, no ge-, h*, → ***werben***) apply (***bei*** to; ***um*** for): ***sich ~ um*** *kandidieren*: *Br.* stand for, *bsd. Am.* run for; **2er** *m* (-*s*; -) applicant, candidate; **2ung** *f* (-; -*en*) application; **2ungsfrist** *f* application deadline, deadline for applications; **2ungsgespräch** *n* interview; **2ungsmappe** *f* application documents; application file, application folder, CV documents; **2ungsschreiben** *n* (letter of) application; **2ungsunterlagen** *pl* application papers *pl.*
be'wert|en *v/t* (*no ge-, h*) *Leistung*: assess (***nach*** by); *j-n*: judge (by); **2ung** *f* (-; -*en*) assessment.
bewilligen [bə'vɪlɪgən] *v/t* (*no ge-, h*) allow (***j-m et.*** s.o. s.th.); *Mittel etc*: grant.
be'wirken *v/t* (*no ge-, h*) *verursachen*: cause; *zustande bringen*: bring about.
be'wohne|n *v/t* (*no ge-, h*) live in, occupy; *Gebiet etc*: inhabit; **2r** *m* (-*s*; -) occupant; *Mieter*: tenant; inhabitant.
bewölk|en [bə'vœlkən] *v/refl* (*no ge-, h*) get cloudy, *völlig*: cloud over; **~t** *adj*

cloudy, *völlig*: overcast; **≈ung** *f* (-; *no pl*) clouds *pl*.

be'wunder|n *v/t* (*no ge-*, *h*) admire (***wegen*** for); **~nswert** *adj* admirable; **≈ung** *f* (-; *no pl*) admiration.

bewusst [bə'vʊst] *adj absichtlich*: intentional: ***sich e-r Sache ~ sein*** be aware (*od*. conscious) of s.th.; ***sich e-r Sache ~ werden*** realize s.th., become aware of s.th.; ***j-m et. ~ machen*** bring s.th. home to s.o.; **~los** *adj* unconscious: ***~ werden*** lose consciousness; **'~machen** → ***bewusst***; **≈sein** *n* (-*s*; *no pl*) consciousness: ***bei ~*** conscious; ***das ~ verlieren*** lose consciousness; **'~werden** → ***bewusst.***

be'zahl|en *v/t* (*no ge-*, *h*) *Betrag*, *Rechnung*, *Schuld*, *j-n*: pay; *Ware etc*: pay for (*a. fig.*); **≈fernsehen** *n* pay-TV; **≈ung** *f* (-; *no pl*) payment.

be'zeichnen *v/t* (*no ge-*, *h*): ***j-n als Lügner ~*** call s.o. a liar; **~d** *adj* typical (***für*** of), characteristic (of).

be'zeugen *v/t* (*no ge-*, *h*) *jur*. testify (to) (*a. fig.*).

be'zieh|en (*irr*, *no ge-*, *h*, → ***ziehen***) **1.** *v/t Bett*: put clean sheets on; *Wohnung*: move into; *Gehalt etc*: receive; *Zeitung*: take, subscribe to; **2.** *v/refl Himmel*: cloud over: ***sich ~ auf*** (*acc*) refer to; **≈ung** *f* (-; -*en*) relation (***zu*** to), relationship (with, to), connection (with, to); *sexuelle*: relationship (with, to): ***diplomatische ~en*** *pl* diplomatic relations *pl*; ***gute ~en haben*** have good connections; ***in dieser ~*** in that respect; **~ungsweise** *cj* respectively; *oder vielmehr*: or rather.

Bezug [bə'tsuːk] *m* (-[*e*]*s*; ⸚*e*): ***mit ~ auf*** (*acc*) with reference to; ***in ~ auf*** (*acc*) as far as … is concerned; ***~ nehmen auf*** (*acc*) refer to; **~squelle** *f* supply source.

be'zweifeln *v/t* (*no ge-*, *h*) doubt.

Bibliothek [biblio'teːk] *f* (-; -*en*) library.

bieg|en ['biːgən] (*bog*, *gebogen*) **1.** *v/t* (*h*) bend; **2.** *v/i* (*sn*): ***nach links*** (***rechts***) ***~*** turn left (right); ***um die Ecke ~*** turn (round) the corner; **~sam** ['biːkzaːm] *adj* flexible; **≈ung** *f* (-; -*en*) bend.

Biene ['biːnə] *f* (-; -*n*) *zo*. bee.

Bier [biːr] *n* (-[*e*]*s*; -*e*) beer: ***~ vom Fass*** draught (*Am*. draft) beer; **'~deckel** *m* beer mat; **'~dose** *f* beer can; **'~garten** *m* beer garden; **'~glas** *n* beer glass; **'~krug** *m* beer mug, stein; **'~zelt** *n* beer tent.

bieten ['biːtən] (*bot*, *geboten*, *h*) **1.** *v/t* offer (***j-m et.*** s.o. s.th.): ***das lasse ich mir nicht ~*** I won't stand for that; **2.** *v/refl Gelegenheit*: present itself; **'~lassen** → ***bieten*** 1.

Bigamie [biga'miː] *f* (-; -*n*) bigamy.

Bikini [bi'kiːni] *m* (-*s*; -*s*) bikini.

Bilanz [bi'lants] *f* (-; -*en*) *econ*. balance, *Aufstellung*: balance sheet; *fig*. result, outcome.

bilateral ['biːlateraːl] *adj* bilateral.

Bild [bɪlt] *n* (-[*e*]*s*; -*er*) picture; *sprachliches*: image: ***auf dem ~*** in the picture; ***sich ein ~ machen von*** form an impression of; **'~ausfall** *m TV* picture loss.

bilden ['bɪldən] (*h*) **1.** *v/t Ausnahme*, *Regel*: be; **2.** *v/i* broaden the mind; **3.** *v/refl* educate o.s., *weitS*. broaden one's horizons.

'Bild|fläche *f*: F ***auf der ~ erscheinen*** (***von der ~ verschwinden***) appear on (disappear from) the scene; **'~röhre** *f TV* picture tube.

'Bildschirm *m* (-[*e*]*s*; -*e*) screen, *Computer*: *a*. display: ***am ~ arbeiten*** work at the computer; **'~arbeit** *f* VDU-work; **'~arbeitsplatz** *m* work station; **'~fenster** *n* window; **'~schoner** *m* (-*s*; -) screen saver.

'Bildung *f* (-; *no pl*) education; **'~sweg** *m*: ***auf dem zweiten ~*** through evening classes.

billig ['bɪlɪç] *adj* cheap (*a. contp.*), inexpensive.

billigen ['bɪlɪgən] *v/t* (*h*) approve of.

'Billig|flieger *m* cheap airline, low-cost airline; cut-price airline; **'~flug** *m* cheap flight, bargain flight; **'~lohnland** *n* low-wage country.

'Billigung *f* (-; *no pl*) approval.

Binde ['bɪndə] *f* (-; -*n*) *med*. bandage; *Armschlinge*: sling; *Damen≈*: sanitary towel (*Am*. napkin); **'~hautentzündung** *f med*. conjunctivitis.

binden ['bɪndən] *v/t* (*band*, *gebunden*, *h*) tie (***an*** *acc* to; *a. fig.*); *Strauß etc*: make.

'Bindfaden *m* string.

Binnen|hafen ['bɪnən-] *m* inland port; **'~handel** *m* domestic trade; **'~land** *n* interior; **'~markt** *m* home (*EU*: single) market; **'~nachfrage** *f* domestic de-

B

mand.

biologisch [bio'lo:gɪʃ] **1.** *adj* biological: **~er Anbau** organic farming (*od.* gardening); **2.** *adv*: **~ abbaubar** biodegradable.

'**Bio|produkt** *n* organic product; '**~tonne** *f* organic waste bin..

Biotop [bio'to:p] *n* (*-s*; *-e*) biotope.

Birma ['bɪrma] Burma.

Birne ['bɪrnə] *f* (-; *-n*) pear; *electr.* bulb.

bis [bɪs] **1.** *prp zeitlich*: till, until; *räumlich*: (up) to: **~ heute** so far; **~ jetzt** up to now; **~ in die Nacht** into the night; **~ morgen!** see you tomorrow; **~** (*spätestens*) **Freitag** by Friday; **wie weit ist es ~ zum Bahnhof?** how far is it to the station?; **~ auf** (*acc*) *außer*: except; **2.** *cj* till, until.

bis'her *adv* up to now, so far: **wie ~** as before; **~ig** *adj* previous.

Biskuit [bɪs'kvi:t] *m* (-[*s*]; *-s*) sponge.

Biss [bɪs] *m* (-es; -e) bite.

bisschen ['bɪsçən] **1.** *adj*: **ein ~** a little, a (little) bit of; **2.** *adv*: **ein ~** a bit; **ein ~ viel** a bit (too) much; **kein ~** not a bit.

Bissen ['bɪsən] *m* (*-s*; -) bite: **keinen ~** not a thing.

bissig ['bɪsɪç] *adj Hund*: vicious; *Bemerkung*: cutting; *Person*: snappy: **Vorsicht, ~er Hund!** beware of the dog.

bitte [~] *adv* please: **~ nicht!** please don't; **~** (**schön**)**!** *keine Ursache*: that's all right (*Am.* alright), not at all, *bsd. Am.* you're welcome; *beim Überreichen etc*: here you are; (**wie**) **~?** pardon?, *Br. a.* sorry?

Bitte ['bɪtə] *f* (-; *-n*) request (**um** for; **auf j-s** at s.o.'s): **ich habe e-e ~** (**an dich**) I have a favo(u)r to ask of you.

bitten ['bɪtən] *v/t* (*bat*, *gebeten*, *h*): **j-n um et. ~** ask s.o. for s.th.; **j-n um Erlaubnis ~** ask s.o.'s permission.

bitter ['bɪtər] *adj* bitter (*a. fig.*); *Kälte*: biting.

Blähungen ['blɛ:ʊŋən] *pl* wind *sg*.

Blam|age [bla'ma:ʒə] *f* (-; *-n*) disgrace; **2ieren** [~'mi:rən] (*no ge-*, *h*) **1.** *v/t* make a fool of *s.o.*; **2.** *v/refl* make a fool of o.s.

Blankoscheck ['blaŋkoʃɛk] *m* blank cheque (*Am.* check).

Blase ['bla:zə] *f* (-; *-n*) *Luft*2: bubble; *anat.* bladder; *Haut*2: blister.

blasen ['bla:zən] *v/t u. v/i* (*blies*, *geblasen*, *h*) blow.

'**Blas|instru,ment** *n mus.* wind instrument; '**~ka,pelle** *f* brass band.

blass [blas] *adj* pale (**vor** *dat* with): **~ werden** turn pale.

Blässe ['blɛsə] *f* (-; *no pl*) paleness.

Blatt [blat] *n* (-[*e*]*s*; *⸚er*) *bot.* leaf; *Papier*2, *Noten*2: sheet; *Kartenspiel*: hand; *Zeitung*: paper.

blättern ['blɛtərn] *v/i* (*h*): **~ in** (*dat*) leaf through.

blau [blaʊ] *adj* blue; F *fig.* loaded, stoned: **~es Auge** black eye; **~er Fleck** bruise.

Blech [blɛç] *n* (-[*e*]*s*; *-e*) sheet metal; '**~schaden** *m mot.* bodywork damage.

Blei [blaɪ] *n* (-[*e*]*s*; *-e*) lead.

bleiben ['blaɪbən] *v/i* (*blieb*, *geblieben*, *sn*) stay (**zum Essen** for dinner), remain: **ruhig ~** keep calm; **~ lassen** not to do *s.th.*; *aufhören mit*: stop (doing) *s.th.*: **lass das bleiben!** stop it!; **~ bei** stick to; → **Apparat**; '**~d** *adj* lasting, permanent; '**~lassen** → **bleiben.**

'**bleifrei** *adj mot.* unleaded, lead-free.

'**Bleistift** *m* pencil; '**~spitzer** *m* pencil sharpener.

Blende ['blɛndə] *f* (-; *-n*) *phot.* aperture: (**bei**) **~ 8** (at) f-8.

blend|en ['blɛndən] *v/t* (*h*) blind, dazzle; **~end** *adj* dazzling (*a. fig.*); *Leistung*: brilliant; *Aussehen*: marvellous; '**~frei** *adj* antiglare.

Blick [blɪk] *m* (-[*e*]*s*; *-e*) look (**auf** *acc* at); *Aussicht*: view (of): **flüchtiger ~** glance; **auf den ersten ~** at first sight; '**2en** *v/i* (*h*) look (**auf** *acc* at).

blind [blɪnt] *adj* blind (**auf e-m Auge** in one eye; *fig.* **gegen, für** to; **vor** *dat* with); *Spiegel*: cloudy; **~er Alarm** false alarm; **~er Passagier** stowaway.

Blindbewerbung *f* unsolicited (*od.* speculative) application.

'**Blinddarm** *m anat.* appendix; '**~entzündung** *f med.* appendicitis; '**~operati,on** *f med.* appendectomy.

'**Blinde** *m, f* (*-n*; *-n*) blind man (woman): **die ~n** *pl* the blind *pl*.

blinke|n ['blɪŋkən] *v/i* (*h*) *funkeln*: sparkle; *Sterne*: twinkle; *mot.* indicate; '**2r** *m* (*-s*; -) *mot.* indicator.

blinzeln ['blɪntsəln] *v/i* (*h*) blink.

Blitz [blɪts] *m* (*-es*; *-e*) (flash of) lightning; *phot.* flash; '**2en** (*h*) **1.** *v/i* flash: **es blitzt** there's lightning; **2.** *v/t*: **geblitzt werden** *mot.* be caught speeding; '**~licht** *n phot.* flash(light);

'**ϩschnell** *adv* with lightning speed.
blockieren ['blɔki:rən] (*no ge-*, *h*) **1.** *v/t* block; **2.** *v/i Räder*: lock.
blöd [blø:t] *adj* stupid.
blond [blɔnt] *adj* blond(e), fair (-haired); **ϩine** [~'di:nə] *f* (-; -*n*) blonde.
bloß [blo:s] *adv* just, only.
blühen ['bly:ən] *v/i* (*h*) *Blumen*: bloom; *bsd. Bäume*: blossom; *fig.* prosper, thrive.
Blume ['blu:mə] *f* (-; -*n*) flower; *Wein*: bouquet; *Bier*: froth, head.
'**Blumen|kohl** *m* cauliflower; '**~strauß** *m* bunch of flowers; '**~topf** *m* flowerpot.
Bluse ['blu:zə] *f* (-; -*n*) blouse.
Blut [blu:t] *n* (-[*e*]*s*; *no pl*) blood; ***~ stillend*** → ***blutstillend***; '**~bad** *n* bloodbath, massacre; '**~bank** *f* (-; -*en*) blood bank; '**~blase** *f* blood blister; '**~druck** *m* blood pressure: ***j-m den ~ messen*** take s.o.'s blood pressure; '**ϩen** *v/i* (*h*) bleed (***aus*** from); **~erguss** ['~ɛrgʊs] *m* (-*es*; *Blutergüsse*) bruise; '**~gefäß** *n* blood vessel; **~gerinnsel** ['~gərɪnzəl] *n* (-*s*; -) blood clot; '**~gruppe** *f* blood group: ***welche ~ haben Sie?*** which blood group are you?; '**~probe** *f* blood (*jur.* alcohol) test; *entnommene*: blood sample: ***j-m e-e ~ entnehmen*** take s.o.'s blood, take a blood sample from s.o.; '**~schande** *f* incest; '**~spender** *m* blood donor; '**ϩstillend** *adj* (*a.* ***~es Mittel***) styptic; '**ϩsverwandt** *adj* related by blood (***mit*** to); '**~sverwandte** *m, f* blood relation; '**~über,tragung** *f* blood transfusion; '**~ung** *f* (-; -*en*) bleeding; '**~vergießen** *n* (-*s*; *no pl*) bloodshed; '**~vergiftung** *f* blood poisoning.
Boden ['bo:dən] *m* (-*s*; ⸗) ground; *Fußϩ*: floor; *Gefäßϩ*, *Meeresϩ*: bottom; *Dachϩ*: loft, attic; '**~perso,nal** *n aer.* ground staff (*od.* crew); '**~schätze** *pl* mineral resources *pl.*
Bodensee ['bo:dənze:] Lake Constance.
Böhmen ['bø:mən] Bohemia.
Bohne ['bo:nə] *f* (-; -*n*) bean: ***grüne ~n*** *pl* French (*od.* string) beans *pl*; ***weiße ~n*** *pl* haricot beans *pl.*
bohren ['bo:rən] (*h*) **1.** *v/t Loch*: drill (***in*** *acc* into); **2.** *v/i* drill (***nach*** for); '**~d** *adj Blick*: piercing, *a. Frage*: penetrating.
'**Bohr|er** *m* (-*s*; -) *tech.* drill; '**~insel** *f* oilrig; '**~ma,schine** *f* drill; '**~turm** *m* (drilling) derrick.
Boje ['bo:jə] *f* (-; -*n*) buoy.
Bolzen ['bɔltsən] *m* (-*s*; -) *tech.* bolt.
bombardieren [bɔmbar'di:rən] *v/t* (*no ge-*, *h*) bomb; *fig.* bombard (***mit*** *Fragen* with).
Bombe ['bɔmbə] *f* (-; -*n*) bomb; '**~nanschlag** *m* bomb attack, *Attentat*: *a.* bomb attempt (***auf*** *acc* on; ***auf j-n*** on s.o.'s life); '**~ndrohung** *f* bomb threat.
Bon [bɔŋ] *m* (-*s*; -*s*) voucher; *Kassenϩ*: receipt, *Am.* sales slip.
Bonbon [bɔŋ'bɔŋ] *m, n* (-*s*; -*s*) *bsd. Br.* sweet, *Am. a. pl* candy.
Bonn [bɔn] Bonn.
Bonus ['bo:nʊs] *m* (-[*ses*]; -*se*) bonus, premium; '**~meile** *f* bonus mile.
Boot [bo:t] *n* (-[*e*]*s*; -*e*) boat.
booten ['bu:tən] *v/t u. v/i* (*h*) *Computer*: boot (up).
Boots|fahrt *f* boat trip; '**~verleih** *m* boat hire.
Bord[1] [bɔrt] *n* (-[*e*]*s*; -*e*) shelf.
Bord[2] [~] *m* (-[*e*]*s*; -*e*): ***an ~*** *aer.*, *mar.* on board, aboard; ***an ~ gehen*** board (the plane), *mar.* go aboard; ***von ~ gehen*** leave the plane (ship); '**~karte** *f aer.* boarding pass; '**~stein** *m Br.* kerb, *Am.* curb.
borgen ['bɔrgən] *v/t* (*h*): ***sich et. ~*** borrow s.th. (***von*** from); ***j-m et. ~*** lend (*bsd. Am.* loan) s.o. s.th.
Börse ['bœrzə] *f* (-; -*n*) stock exchange: ***an der ~*** on the stock exchange.
'**Börsen|bericht** *m* market report; '**~kurs** *m* quotation; '**~makler** *m* stockbroker.
bösartig ['bø:sartɪç] *adj* vicious; *med. Tumor*: malignant.
Böschung ['bœʃʊŋ] *f* (-; -*en*) embankment.
böse ['bø:zə] **1.** *adj* bad; *unartig*: *a.* naughty; *gemein*: wicked; *Überraschung*, *Verletzung etc*: nasty; *zornig*: angry (***über*** *acc* about; ***auf j-n*** with s.o.); **2.** *adv* badly *etc*: ***er meint es nicht ~*** he doesn't mean any harm.
bos|haft ['bo:shaft] *adj* malicious; '**ϩheit** *f* (-; *no pl*) malice.
'**böswillig** *adj* malicious, *jur. a.* wil(l)ful.
botanisch [bo'ta:nɪʃ] *adj* botanical: ***~er Garten*** botanical garden (s *pl*).
Bote ['bo:tə] *m* (-*n*; -*n*) messenger.
Botschaft ['bo:tʃaft] *f* (-; -*en*) message; *pol.* embassy; '**~er** *m* (-*s*; -) ambassador

B

(*in dat* to).

Bouillon [bʊl'jɔŋ] *f* (-; *-s*) consommé.

Boulevard [bulə'vaːr] *m* (*-s*; *-s*) boulevard; **~blatt** *n* tabloid; **~presse** *f* popular (*contp*. gutter) press.

Boxe|n ['bɔksən] *n* (*-s*) boxing; **'~r** *m* (*-s*; -) boxer.

Boykott [bɔʏ'kɔt] *m* (-[*e*]*s*; *-s*, *-e*) boycott; **&ieren** [~'tiːrən] *v/t* (*no ge-*, *h*) boycott.

Branche ['brãːʃə] *f* (-; *-n*) line of business; **'~nverzeichnis** *n* classified directory.

Brand [brant] *m* (-[*e*]*s*; *⸗e*) fire: ***in ~ geraten*** catch fire; ***in ~ stecken*** set fire to; **'~blase** *f* blister; **'~bombe** *f* incendiary bomb; **'~stifter** *m* (*-s*; -) arsonist; **'~stiftung** *f* arson; **'~wunde** *f* burn; *durch Verbrühen*: scald.

Brandenburg ['brandənbʊrk] Brandenburg.

Brasilien [bra'ziːlĭən] Brazil.

braten ['braːtən] *v/t* (*briet*, *gebraten*, *h*) roast; *auf dem Rost*: grill, broil; *in der Pfanne*: fry: ***am Spieß ~*** roast on a spit.

Braten [~] *m* (*-s*; -) roast; **'~soße** *f* gravy.

'Brat|huhn *n* roast chicken; **'~kar,toffeln** *pl* fried potatoes *pl*; **'~pfanne** *f* frying pan; **'~röhre** *f* oven.

Brauch [braʊx] *m* (-[*e*]*s*; *Bräuche*) *Sitte*: custom; *Gewohnheit*: habit, practice; **'&bar** *adj* useful; **'&en** (*h*) **1.** *v/t* (*pp* gebraucht) *nötig haben*: need; *erfordern*: require; *Zeit*: take; *ge~*: use: ***wie lange wird er ~?*** how long will it take him?; **2.** *v/aux* (*pp* brauchen): ***du brauchst es nur zu sagen*** just say the word; ***ihr braucht es nicht zu tun*** you need not (*od*. don't have to) do it; ***er hätte nicht zu kommen ~*** he need not have come.

Braue ['braʊə] *f* (-; *-n*) (eye)brow.

braun [braʊn] *adj* brown; *sonnen~*: tanned: ***~ werden*** *von der Sonne*: get a tan; ***~ gebrannt*** tanned.

Bräune ['brɔʏnə] *f* (-; *no pl*) *Sonnen&*: (sun)tan; **'&n** (*h*) **1.** *v/t* tan; **2.** *v/i u. v/refl* get a tan.

Braut [braʊt] *f* (-; *Bräute*) *am Hochzeitstag*: bride; *Verlobte*: fiancée.

Bräutigam ['brɔʏtɪgam] *m* (*-s*; *-e*) *am Hochzeitstag*: (bride)groom; *Verlobter*: fiancé.

'Braut|jungfer *f* bridesmaid; **'~kleid** *n* wedding dress; **'~paar** *n am Hochzeitstag*: bride and (bride)groom; *Verlobte*: engaged couple.

brav [braːf] *adj artig*: good; *ehrlich*: honest: ***sei(d) ~!*** be good.

brechen ['brɛçən] (*brach*, *gebrochen*) **1.** *v/t* (*h*) break (*a. fig.*): ***sich den Arm ~*** break one's arm; **2.** *v/i* **a**) (*sn*) break **b**) (*h*) vomit, *Br. a.* be sick: ***mit j-m ~*** break with s.o.

breit [braɪt] *adj* wide; *Schultern*, *Grinsen etc*: broad; ***sich ~ machen*** → ***breitmachen.***

'Breite *f* (-; *-n*) width; breadth; *ast.*, *geogr.* latitude; **'&n** *v/t* (*h*): ***~ über*** (*acc*) spread on; **'~ngrad** *m* (degree of) latitude; **'~nkreis** *m* parallel (of latitude).

'breit|machen *v/refl* (*sep*, *-ge-*, *h*) *Angst etc*: spread; *Person*: spread o.s. out; **'~schlagen** *v/t* (*irr*, *sep*, *-ge-*, *h*, → ***schlagen***): F ***j-n zu et. ~*** talk s.o. into (doing) s.th.

Bremen ['breːmən] Bremen.

Bremsbelag ['brɛms~] *m mot.* brake lining.

Bremse ['brɛmzə] *f* (-; *-n*) *tech.* brake; **'&n** (*h*) **1.** *v/i* brake, apply (*od.* put on) the brakes; **2.** *v/t fig.* check, curb.

'Brems|flüssigkeit *f mot.* brake fluid; **'~kraftverstärker** *m mot.* brake booster; **'~leuchte** *f*, **~licht** *n mot.* stop light; **'~pe,dal** *n* brake pedal; **'~scheibe** *f mot.* brake disc; **'~weg** *m* braking distance.

brenn|bar ['brɛnbaːr] *adj* combustible; *entzündlich*: (in)flammable; **'~en** (*brannte*, *gebrannt*, *h*) **1.** *v/t Loch*: burn (**in** *acc* in[to]); **2.** *v/i allg.* burn; *Wunde*, *Augen etc*: *a.* smart: ***es brennt!*** fire!; ***darauf ~, et. zu tun*** be burning to do s.th.

brenzlig ['brɛntslɪç] *adj* dangerous.

Brett [brɛt] *n* (-[*e*]*s*; *-er*) board; **'~spiel** *n* board game.

Brezel ['breːtsəl] *f* (-; *-n*) pretzel.

Brief [briːf] *m* (-[*e*]*s*; *-e*) letter; **'~beschwerer** *m* (*-s*; -) paperweight; **~bogen** ['~boːgən] *m* (*-s*; -) sheet of writing paper; **'~bombe** *f* letter bomb; **'~freund** *m* pen friend; **'~kasten** *m bsd. Br.* letterbox, *Am.* mailbox; **'~kastenfirma** *f* letterbox company; **'~kopf** *m* letterhead; **'&lich** *adj u. adv* by letter; **'~marke** *f* (postage) stamp; **'~mar-**

kensammlung *f* stamp collection; '**~öffner** *m* paper knife, letter opener; '**~pa,pier** *n* writing paper; '**~tasche** *f* wallet, *Am. a.* billfold; '**~träger** *m* postman, *Am. a.* mailman; '**~umschlag** *m* envelope; '**~wahl** *f* postal vote, absentee ballot; '**~wechsel** *m* correspondence: ***mit j-m in ~ stehen*** be in correspondence (*od.* correspond) with s.o.

brillant [brɪl'jant] *adj* brilliant.

Brillant [~] *m* (*-en*; *-en*) diamond.

Brille ['brɪlə] *f* (-; *-n*) (***e-e ~*** a pair of) glasses *pl* (*od.* spectacles *pl*); *Schutz*≗: goggles *pl*; '**~ne,tui** *n* spectacle case; '**~nträger** *m* person who wears glasses: ***~ sein*** wear glasses.

bringen ['brɪŋən] *v/t* (*brachte*, *gebracht*, *h*) bring; *fort~*, *hin~*: take; *Opfer*: make; *Gewinn etc*: yield: ***nach Hause ~*** see *s.o.* home; ***j-n auf e-e Idee ~*** put s.th. into s.o.'s head; ***j-n dazu ~, et. zu tun*** make s.o. (*od.* get s.o. to) do s.th.; ***et. mit sich ~*** involve s.th.; ***j-n um et. ~*** deprive s.o. of s.th.; ***j-n zum Lachen ~*** make s.o. laugh; ***j-n wieder zu sich ~*** bring s.o. round; ***es zu et.*** (***nichts***) ***~*** succeed (fail) in life.

Brise ['bri:zə] *f* (-; *-n*) breeze.

Brit|e ['brɪtə] *m* (*-n*; *-n*) British man, Briton: ***die ~n*** *pl* the British *pl*; '**≗isch** *adj* British.

bröckeln ['brœkəln] *v/i* (*sn*) crumble.

Brocken ['brɔkən] *m* (*-s*; -) piece; *Klumpen*: lump; *Fleisch*: chunk; *Bissen*: morsel: ***~*** *pl e-r Unterhaltung etc*: snatches *pl*; F ***ein harter ~*** a hard nut to crack.

Bronchi|en ['brɔnçĭən] *pl* bronchi *pl*; **~tis** [~'çi:tɪs] *f* (-; *-tiden*) bronchitis.

Bronze ['bro~:sə] *f* (-; *-n*) bronze; '**~me,daille** *f* bronze medal.

Brosche ['brɔʃə] *f* (-; *-n*) brooch.

Broschüre [brɔ'ʃy:rə] *f* (-; *-n*) *Werbe*≗: brochure.

Brot [bro:t] *n* (*-[e]s*; *-e*) bread; *Laib*: loaf.

Brötchen ['brø:tçən] *n* (*-s*; -) roll.

'**Brot(schneide)maschine** *f* bread slicer.

Bruch [brʊx] *m* (*-[e]s*; *¨-e*) *Knochen*≗: fracture; *Unterleibs*≗: rupture, hernia; *e-s Versprechens*: breach.

brüchig ['brʏçɪç] *adj zerbrechlich*: fragile; *spröde*: brittle.

'**Bruch|landung** *f aer.* crash landing; '**~stück** *n* fragment (*a. fig.*): ***~e*** *pl e-r Unterhaltung etc*: snatches *pl*; '**~teil** *m* fraction: ***im ~ e-r Sekunde*** in a split second.

Brücke ['brʏkə] *f* (-; *-n*) bridge (*a. Zahn*≗); *Teppich*: rug; '**~npfeiler** *m* bridge pier.

Bruder ['bru:dər] *m* (*-s*; *¨-*) brother.

brüllen ['brʏlən] *v/i* (*h*) roar (***vor*** *dat* with); '**~d** *adj*: ***~es Gelächter*** roars *pl* of laughter.

brumm|en *v/i* (*h*) *Insekten*: buzz; *Bär*, *fig. Mensch*: growl (***über*** *acc* about); '**~ig** *adj* grumpy.

brünett [bry'nɛt] *adj* brunette.

Brunnen ['brʊnən] *m* (*-s*; -) well; *Quelle*: spring; *Spring*≗: fountain.

Brüssel ['brʏsəl] Brussels.

Brust [brʊst] *f* (-; *¨-e*) chest; *weibliche*: breast(s *pl*); '**~bein** *n anat.* breastbone.

brüsten ['brʏstən] *v/refl* (*h*) boast (***mit*** about).

'**Brustwarze** *f anat.* nipple.

brutal [bru'ta:l] *adj* brutal; **≗ität** [~tali'tɛ:t] *f* (-; *-en*) brutality.

brutto ['brʊto] *adv econ.* gross; '**≗einkommen** *n* gross income (*od.* earnings *pl*); '**≗sozi,alpro,dukt** *n* gross national product.

Bub [bu:p] *m* (*-en*; *-en*) boy; **~e** ['bu:bə] *m* (*-n*; *-n*) *Kartenspiel*: jack.

Buch [bu:x] *n* (*-[e]s*; *¨-er*) book; '**≗en** (*h*) **1.** *v/t Flug*: book, *a. Zimmer etc*: reserve; **2.** *v/i*: ***haben Sie gebucht?*** *Hotel etc*: have you got a reservation?

'**Bücher|bord** *n* bookshelf; **~ei** [~'raɪ] *f* (-; *-en*) library; '**~re,gal** *n* bookshelf; '**~schrank** *m* bookcase.

'**Buch|führung** *f* (-; *no pl*) bookkeeping; '**~halter** *m* bookkeeper; '**~haltung** *f* (-; *no pl*) bookkeeping; '**~handlung** *f Br.* bookshop, *Am.* bookstore.

Büchse ['bʏksə] *f* (-; *-n*) can, *bsd. Br.* tin; *Gewehr*: rifle; '**~nbier** *n* canned beer; '**~nfleisch** *n* canned (*bsd. Br.* tinned) meat; '**~nöffner** *m* can (*bsd. Br.* tin) opener.

Buchstab|e ['bu:xʃta:bə] *m* (*-n*; *-n*) letter: ***großer*** (***kleiner***) ***~*** capital (small) letter; **≗ieren** [~ʃta'bi:rən] *v/t* (*no ge-*, *h*) spell.

buchstäblich ['bu:xʃtɛ:plɪç] *adj* literal.

Bucht [bʊxt] *f* (-; *-en*) bay, *kleine*: inlet.

'**Buchung** *f* (-; *-en*) booking, reserva-

B

tion; *Buchhaltung*: entry; **'~sbestätigung** *f* confirmation (of booking).
bücken ['bʏkən] *v/refl (h)* bend (down).
Bude ['bu:də] *f (-; -n) Verkaufs*≈: kiosk, *auf Jahrmarkt etc*: stall; F digs *pl*, pad.
Budget [bʏ'dʒe:] *n (-s; -s)* budget.
Büfett [by'fe:] *n (-s; -s)* sideboard; *(Verkaufs-)Theke*: counter; *Speisen*: buffet: ***kaltes ~*** cold buffet.
Bügel ['by:gəl] *m (-s; -) Kleider*≈: hanger; *Brillen*≈: ear piece; **'~brett** *n* ironing board; **'~eisen** *n* iron; **'~falte** *f* crease; **'≈frei** *adj* drip-dry, non-iron; **'≈n** *v/t (h)* iron; *Hose*: press.
buhen ['bu:ən] *v/i (h)* boo.
Bühne ['by:nə] *f (-; -n)* stage; **'~nbild** *n* (stage) set.
Bukarest ['bu:karɛst] Bucharest.
Bulgarien [bʊl'ga:rĭən] Bulgaria.
Bull|auge ['bʊl-] *n mar.* porthole; **'~dogge** *f zo.* bulldog.
Bulle ['bʊlə] *m (-n; -n) zo.* bull; F *Polizist*: screw.
Bummel ['bʊməl] *m (-s; -)* F stroll: ***e-n ~ machen*** go for a stroll; **≈n** *v/i* F **a)** *(sn)* stroll: ***~ gehen*** have a night out on the tiles **b)** *(h) trödeln*: dawdle; **'~streik** *m bsd. Br.* go-slow, *Am.* slowdown; **'~zug** *m* F slow train.
Bund[1] [bʊnt] *n (-[e]s; -e) Bündel*: bundle, *Schlüssel (a. m), Radieschen etc*: bunch.
Bund[2] [-] *m (-[e]s; ≃e) pol. Bündnis*: alliance; *Staaten*≈ *etc*: federation, league; *Verband*: union: *pol.* ***der ~*** the Federal Government; *mil.* F ***beim ~*** in the army.
Bund[3] [-] *m (-[e]s; ≃e) an Hose etc*: waistband.
Bündel ['byndəl] *n (-s; -)* bundle *(a. fig.)*; **'≈n** *v/t (h)* bundle up.
Bundes|agentur *f*: ***~ für Arbeit*** federal labour agency; **~bahn** *f* Federal Railway(s *pl*); **'~bank** *f* German Central Bank; **'~kanzler** *m*, **'~kanzlerin** *f* Federal *(od.* German *od.* Austrian) Chancellor; **'~land** *n* state, land; **'~präsi,dent** *m* Federal *(od.* German *od.* Austrian) President; **'~rat** *m* Bundesrat, Upper House; **'~repu,blik** *f* Federal Republic; **'~tag** *m* Bundestag, Lower House; **'~wehr** *f (-; no pl)* (German) Armed Forces *pl*.
Bundesrepublik Deutschland ['bʊndəsrepu,bli:k'dɔʏtʃlant] *the* Federal Republic of Germany.
bündig ['byndɪç] *adv*: → ***kurz*** 2.
Bündnis ['byntnɪs] *n (-ses; -se)* alliance.
bunt [bʊnt] *adj farbig*: colo(u)red; *mehrfarbig*: multicolo(u)red; *farbenfroh*: colo(u)rful *(a. fig.)*; *abwechslungsreich*: varied.
Burg [bʊrk] *f (-; -en)* castle.
Bürge ['bʏrgə] *m (-n; -n) jur.* guarantor *(a. fig.)*; **'≈n** *v/i (h)*: ***für j-n ~*** *jur.* stand surety for s.o.; ***für et. ~*** guarantee s.th.
'Bürger *m (-s; -)* citizen; **'≈freundlich** *adj* citizen-friendly; **'~initia,tive** *f* action group; **'~krieg** *m* civil war; **'~meister** *m* mayor; **'~rechte** *pl* civil rights *pl*; **~steig** ['-ʃtaɪk] *m (-[e]s; -e) Br.* pavement, *Am.* sidewalk; **'~versicherung** *f* citizens' insurance.
'Bürgschaft *f (-; -en)* surety; *Kaution*: bail.
Büro [by'ro:] *n (-s; -s)* office; **~angestellte** *m, f* office worker; **~arbeit** *f* office work; **~kauffrau** *f*, **~kaufmann** *m* trained clerical worker; **~klammer** *f* paper clip.
Bürokrat [byro'kra:t] *m (-en; -en)* bureaucrat; **~ie** [-kra'ti:] *f (-; -n)* bureaucracy.
Bü'ro|stunden *pl*, **~zeit** *f* office hours *pl*.
Bürste ['bʏrstə] *f (-; -n)* brush; **'≈n** *v/t (h)* brush: ***sich die Haare ~*** brush one's hair.
Bus [bʊs] *m (-ses; -se)* bus; *Reise*≈: *Br.* coach; **'~bahnhof** *m* bus station; *für Reisebusse*: *Br.* coach station.
Busch [bʊʃ] *m (-es; ≃e)* bush, shrub.
Büschel ['bʏʃəl] *n (-s; -)* bunch; *Haar, Gras etc*: tuft.
'buschig *adj* bushy.
Busen ['bu:zən] *m (-s; -)* breasts *pl*, bust, bosom.
'Bushaltestelle *f* bus stop.
Buße ['bu:sə] *f (-; -n)* penance; *Reue*: repentance; *Geld*≈: fine: ***~ tun*** do penance.
büßen ['by:sən] *v/t u. v/i (h)*: **~ (für)** pay for; ***das sollst du mir ~!*** you'll pay for that!
'Bußgeld *n jur.* fine.
Büste ['by:stə] *f (-; -n)* bust; **'~nhalter** *m* brassiere.
'Busverbindung *f* bus connection *(od.* service).
Butter ['bʊtər] *f (-; no pl)* butter; **'~brot**

n (slice of) bread and butter; '**~dose** *f* butter dish; '**~fahrt** *f* cruise to buy duty-free goods; '**~milch** *f* buttermilk; '**~stulle** *f* → ***Butterbrot.***

Byte [baɪt] *n* (-[*s*]; -[*s*]) *Computer*: byte.

Café [ka'feː] *n* (-*s*; -*s*) café.

Cafeteria [kafete'riːa] *f* (-; -*s*) cafeteria.

campe|n ['kɛmpən] *v/i* (*h*) camp; '**ℒr** *m* (-*s*; -) camper.

Camping ['kɛmpɪŋ] *n* (-*s*; *no pl*) camping; '**~bus** *m* motor caravan, camper; '**~platz** *m* campsite.

CD [tseː'deː] *f* CD; **~-Brenner** *m* CD burner *od.* writer.

Celsius ['tsɛlzi̯ʊs] *n*: ***5 Grad ~*** five degrees centigrade.

Champagner [ʃam'panjər] *m* (-*s*; -) champagne.

Champignon ['ʃampɪnjɔŋ] *m* (-*s*; -*s*) *bot.* mushroom.

Chance ['ʃãːsə] *f* (-; -*n*) chance: ***die ~n stehen gleich*** (***3 zu 1***) the odds are even (three to one); '**~ngleichheit** *f* equal opportunities *pl.*

Chao|s ['kaːɔs] *n* (-; *no pl*) chaos; **ℒtisch** [ka'oːtɪʃ] *adj* chaotic.

Charakter [ka'raktər] *m* (-*s*; -*e*) character; *Eigenart etc*: *a.* nature; **ℒisieren** [₋teri'ziːrən] *v/t* (*no ge-*, *h*) characterize; **ℒistisch** [₋te'rɪstɪʃ] *adj* characteristic (***für*** of), typical (of); **~zug** *m* trait.

charmant [ʃar'mant] *adj* charming.

Charme [ʃarm] *m* (-*s*; *no pl*) charm.

Charter|flug ['(t)ʃartər₋] *m* charter flight; '**~maˌschine** *f* chartered plane; '**ℒn** *v/t* (*h*) charter.

Chassis [ʃa'siː] *n* (-; -) *tech.* chassis.

Chauffeur [ʃɔ'føːr] *m* (-*s*; -*e*) driver; *privat angestellter*: chauffeur.

Chef [ʃɛf] *m* (-*s*; -*s*) *Abteilung, Regierung etc*: head; *Polizei*: chief; *Vorgesetzter*: boss; '**~sekreˌtärin** *f* director's secretary.

Chem|ie [çe'miː] *f* (-; *no pl*) chemistry; **~ikalien** [çemi'kaːli̯ən] *pl* chemicals *pl*; **~iker** ['çeːmikər] *m* (-*s*; -) (analytical) chemist; **ℒisch** ['çeːmɪʃ] **1.** *adj* chemical: ***~e Reinigung*** dry cleaning; → ***Keule***; **2.** *adv*: ***et. ~ reinigen lassen*** have s.th. dry-cleaned.

Chiffre ['ʃɪfrə] *f* (-; -*n*) *in Anzeigen*: box number: ***Zuschriften unter ~ ...*** reply quoting box no. …

China ['çiːna] China.

Chines|e [çi'neːzə] *m* (-*n*; -*n*) Chinese; **ℒisch** *adj* Chinese.

Chip [tʃɪp] *m* (-*s*; -*s*) *Spielmarke, Computer*: chip; *Kartoffel*ℒ: *Br.* crisp, *Am.* chip; '**~karte** *f* smart card.

Chirurg [çi'rʊrk] *m* (-*en*; -*en*) surgeon; **~ie** [₋'giː] *f* (-; *no pl*) surgery; **ℒisch** [₋gɪʃ] *adj* surgical.

Chlor [kloːr] *n* (-*s*; *no pl*) *chem.* chlorine; '**ℒen** *v/t* (*h*) chlorinate.

Cholera ['koːlera] *f* (-; *no pl*) *med.* cholera.

Chor [koːr] *m* (-[*e*]*s*; ⸚*e*) choir (*a. arch.*): ***im ~*** in chorus; **~al** [ko'raːl] *m* (-*s*; -*räle*) chorale, hymn.

Chronik ['kroːnɪk] *f* (-; -*en*) chronicle.

chronisch ['kroːnɪʃ] *adj med.* chronic (*a. fig.*).

chronologisch [krono'loːgɪʃ] *adj* chronological.

circa ['tsɪrka] *adv* → ***zirka.***

City ['sɪti] *f* (-; -*s*) city (*od.* town) cent|re (*Am.* -er).

Cocktail ['kɔkteːl] *m* (-*s*; -*s*) cocktail.

Cognak ['kɔnjak] *m* (-*s*; -*s*) brandy.

Computer [kɔm'pjuːtər] *m* (-*s*; -) computer; **~technik** *f* computing, computer technology; **ℒunterstützt** *adj* computer-aided.

Container [kɔn'teːnər] *m* (-*s*; -) container.

Couch [kaʊtʃ] *f* (-; -*es*) couch.

Coupé [ku'peː] *n* (-*s*; -*s*) *mot.* coupé.

Cousin [ku'zɛ̃ː] *m* (-*s*; -*s*) (male) cousin; **~e** [ku'ziːnə] *f* (-; -*n*) (female) cousin.

Creme [kreːm] *f* (-; -*s*) cream (*a. fig.*).

Curry ['kœri] *n* (-*s*; -*s*) *Gewürz*: curry powder.

Cursor ['kəːsə] *m* (-*s*; -) cursor.

D

da [daː] **1.** *adv räumlich*: (*dort*) there, (*hier*) here; *zeitlich*: then, at that time: ***~ drüben* (*draußen*)** over (out) there; ***von ~ aus*** from there; ***~ kommt er*** here he comes; ***von ~ an*** (*od.* ***ab***) from then on; ***~ sein*** be there (*od.* present); *vorhanden sein*: exist: ***~ bin ich*** here I am; ***ich bin gleich ~*** I'll be back in a minute; ***ist noch Kaffee ~?*** is there any coffee left?; ***dafür ist es ~*** that's what it's here for; **2.** *cj begründend*: as, since, because.

dabei [da'baɪ] *adv anwesend*: there, present; *nahe*: near (*od.* close) by; *gleichzeitig, zusätzlich*: at the same time, as well; *mit enthalten*: included: ***er ist gerade ~* (*, es zu tun*)** he's just doing it; ***es ist nichts ~*** *leicht*: there's nothing to it; *harmlos*: there's no harm in it; ***was ist schon ~?*** (so) what of it?; ***lassen wir es ~!*** let's leave it at that!; **~haben** *v/t* (*irr, sep, -ge-, h,* → **haben**): ***ich hab keinen Schirm dabei*** I didn't bring my umbrella; ***ich hab kein Geld dabei*** I haven't got any money on me.

'dableiben *v/i* (*irr, sep, -ge-, sn,* → ***bleiben***) stay.

Dach [dax] *n* (*-[e]s; ⸗er*) roof, *mot. a.* top; **'~boden** *m* loft: ***auf dem ~*** in the loft; **'~fenster** *n* dormer (window); **'~gepäckträger** *m mot.* roof rack; **'~geschoss** *n* attic; **'~geschosswohnung** *f* → ***Dachwohnung***; **'~gesellschaft** *f econ.* holding company; **'~kammer** *f* garret; **'~luke** *f* skylight; **'~ter,rasse** *f* roof terrace; **'~verband** *m econ.* umbrella organization; **'~wohnung** *f Br.* attic flat, *Am.* (converted) loft.

Dackel ['dakəl] *m* (*-s; -*) *zo.* dachshund.

dadurch [da'dʊrç] **1.** *adv deswegen*: because of that; **2.** *cj*: ***~, dass*** by *ger.*

dafür [da'fyːr] **1.** *adv* for it (*od.* them); *als Gegenleistung*: in return: ***~ sein*** be in favo(u)r of it, *bei Abstimmung*: be in favo(u)r; ***~ sein, et. zu tun*** be for doing s.th.; ***~ können*** → ***dafürkönnen***; **2.** *cj*: ***~, dass*** for *ger*; ***~ sorgen, dass*** see to it that; **'~können** *v/t* (*irr, sep, -ge-, h,* → **können**): ***er kann nichts dafür*** it's not his fault.

dagegen [da'geːgən] **1.** *adv* against it (*od.* them): ***~ sein*** be against (*od.* opposed to) it, *bei Abstimmung*: be against; ***~ sein, et. zu tun*** be against doing s.th.; ***haben Sie et. ~, wenn ich …?*** do you mind if I …?; ***wenn Sie nichts ~ haben*** if you don't mind; **2.** *cj andererseits*: however, on the other hand.

daheim [da'haɪm] *adv* at home.

daher [da'heːr] **1.** *adv* hence: ***~ kommt es, dass*** that's why (*od.* how); **2.** *cj deshalb*: (and) so.

dahin [da'hɪn] *adv räumlich*: there; *vergangen*: gone, past: ***bis ~*** *zeitlich*: till then.

dahinten [da'hɪntən] *adv* back there.

dahinter [da'hɪntər] *adv* behind it (*od.* them); **'~kommen** *v/i* (*irr, sep, -ge-, sn,* → **kommen**) find out (about it); **'~stecken** *v/i* (*sep, -ge-, h*) be behind it.

'dalassen *v/t* (*irr, sep, -ge-, h,* → ***lassen***) leave behind.

damal|ig ['daːmaːlɪç] *adj* then, of (*od.* at) that time; **'~s** *adv* then, at that time.

Dame ['daːmə] *f* (*-; -n*) lady; *Tanz*: partner; *Karte, Schach*: queen; *Spiel*: *Br.* draughts *pl*, *Am.* checkers *pl* (*beide sg konstr.*); **'~nbekleidung** *f* ladies' wear; **'~nbinde** *f* sanitary towel (*Am.* napkin); **'~nfri,seur** *m* ladies' hairdresser (*Geschäft*: hairdresser's); **'~nmode** *f* ladies' fashions *pl*; **'~ntoi,lette** *f* ladies' toilet (*Am.* room).

damit [da'mɪt] **1.** *adv* with it (*od.* them): ***was will er ~ sagen?*** what is he trying to say?; ***wie steht es ~?*** how about it?; ***~ einverstanden sein*** have no objections; **2.** *cj* so that, in order to *inf*: ***~ nicht*** so as not to *inf.*

Damm [dam] *m* (*-[e]s; ⸗e*) *Stau*2: dam; *Fluss*2 *etc*: embankment.

Dämmerung ['dɛmərʊŋ] *f* (*-; -en*) *Abend*2: dusk; *Morgen*2: dawn.

Dampf [dampf] *m* (*-[e]s; ⸗e*) steam, *phys.* vapo(u)r; **'2en** *v/i* (*h*) steam.

dämpfen ['dɛmpfən] *v/t* (*h*) *Schall*:

deaden; *Stimme*: muffle; *Licht, Farbe, Schlag*: soften; *Kleidungsstück*: steam-iron; *Stimmung*: put a damper on; *econ. Kosten, Konjunktur*: curb.

Dampfer ['dampfər] *m* (-*s*; -) steamer, steamship; '**~fahrt** *f* steamer trip.

danach [da'na:x] *adv* after that; *später*: afterwards; *entsprechend*: according to it: ***ich fragte ihn ~*** I asked him about it.

Däne ['dɛ:nə] *m* (-*n*; -*n*) Dane.

daneben [da'ne:bən] *adv* beside it (*od.* them); *außerdem*: in addition; **~gehen** *v/i* (*irr, sep, -ge-, sn,* → **gehen**) *Schuss etc*: miss.

Dänemark ['dɛ:nəmark] Denmark.

dänisch ['dɛ:nɪʃ] *adj* Danish.

dank [-] *prp* thanks to; '**~bar** *adj* grateful (***j-m*** to s.o.; ***für*** for); *lohnend*: rewarding; '**2barkeit** *f* (-; *no pl*) gratitude; '**~en** *v/i* (*h*) thank (***j-m für et.*** s.o. for s.th.): ***danke*** (***schön***) thank you (very much); (***nein***) ***danke*** no, thank you; ***nichts zu ~*** not at all.

Dank [daŋk] *m* (-[*e*]*s*; *no pl*) thanks *pl*: ***Gott sei ~!*** thank God!

dann [dan] *adv* then.

daran [da'ran] *adv*: ***~ befestigen*** attach to it; ***~ denken*** think of it; ***~ glauben*** believe in it; ***~ leiden*** suffer from it; ***~ sterben*** die of it.

darauf [da'rauf] *adv räumlich*: on it (*od.* them); *zeitlich*: after that: ***am Tag ~*** the day after; ***zwei Jahre ~*** two years later; ***~ stolz sein*** be proud of it; ***sich ~ freuen*** look forward to it.

daraus [da'raus] *adv*: ***was ist ~ geworden?*** what has become of it?; ***ich mache mir nichts ~*** I don't care for it; ***mach dir nichts ~!*** never mind.

darin [da'rɪn] *adv* in it (*od.* them); *in dieser Hinsicht*: in this respect: ***gut ~*** good at it.

Darlehen ['da:rle:ən] *n* (-*s*; -) loan: ***ein ~ aufnehmen*** take out a loan.

Darm [darm] *m* (-[*e*]*s*; ⸗*e*) intestine, bowels *pl*; *Wurst*: skin; '**~grippe** *f med.* intestinal flu.

'**darstell|en** *v/t* (*sep, -ge-, h*) *wiedergeben, zeigen*: represent, show, depict; *beschreiben*: describe; *Rolle*: play, do; *grafisch*: trace, graph; '**2er** *m* (-*s*; -) *thea.* performer, actor; '**2erin** *f* (-; -*nen*) performer, actress; '**2ung** *f* (-; -*en*) representation; description; account; *Porträt, Rolle*: portrayal.

darüber [da'ry:bər] *adv* over it (*od.* them); *mehr*: more; *über et.*: about it: ***~ werden Jahre vergehen*** that will take years.

darum [da'rum] *adv* (a)round it; *deshalb*: that's why: ***ich bat ihn ~*** I asked him for (*od.* to do) it; ***~ geht es*** (***nicht***) that's (not) the point.

darunter [da'runtər] *adv* under it (*od.* them), underneath; *dazwischen*: among them; *weniger*: less; *einschließlich*: including: ***was verstehst du ~?*** what do you understand by it?

das [das] → ***der.***

'**Dasein** *n* (-*s*; *no pl*) life, existence.

dass [das] *cj* that; *damit*: so (that): ***es sei denn, ~*** unless; ***ohne ~*** without *ger*; ***nicht ~ ich wüsste*** not that I know of.

'**dastehen** *v/i* (*irr, sep, -ge-, h,* → **stehen**) stand (there).

Datei [da'taɪ] *f* (-; -*en*) file.

Daten ['da:tən] *pl* data *pl*, facts *pl*; *Personalangaben*: particulars *pl*; '**~abgleich** *m* data comparison; '**~autobahn** *f* information (super-)highway; '**~bank** *f* (-; -*en*) data bank (*od.* base); '**~handschuh** *m* data glove; '**~leitung** *f* data line; '**~schutz** *m* data protection; '**~träger** *m* data medium (*od.* carrier); '**~transfer** *m* data transfer; **~typistin** ['-ty,pɪstɪn] *f* (-; -*nen*) data typist; '**~verarbeitung** *f* data processing.

datieren [da'ti:rən] *v/t* (*no ge-, h*) date.

Datum ['da:tum] *n* (-*s*; *Daten*) date: ***ohne ~*** undated; ***welches ~ haben wir heute?*** what's the date today?

Dauer ['dauər] *f* (-; *no pl*) duration; *Fort2*: continuance: ***auf die ~*** in the long run; ***für die ~ von*** for a period (*od.* term) of; ***von ~ sein*** last; '**~arbeitslosigkeit** *f* long-term unemployment; '**~auftrag** *m econ.* standing order; '**2haft** *adj Friede etc*: lasting; *Material etc*: durable; *Farbe etc*: fast; '**~karte** *f* season ticket; **2n** ['dauərn] *v/i* (*h*) last, take: ***wie lange dauert es*** (***noch***)***?*** how long (how much longer) will it take?; ***es dauert nicht lange*** it won't take long; '**~welle** *f* perm.

Daumen ['daumən] *m* (-*s*; -) thumb: ***j-m den ~ halten*** keep one's fingers crossed (for s.o.).

Daunen ['daunən] *pl* down *sg*; '**~decke** *f* eiderdown.

D

davon [da'fɔn] *adv*: ***genug*** (***mehr***) **~** enough (more) of it; ***drei*** **~** three of them; ***et.*** (***nichts***) **~** ***haben*** get s.th. (nothing) out of it; ***das kommt*** **~!** there you are!, that will teach you!; **~kommen** *v/i* (*irr, sep, -ge-, sn,* → ***kommen***) escape, get off; **~laufen** *v/i* (*irr, sep, -ge-, sn,* → ***laufen***) run away.

davor [da'foːr] *adv örtlich*: before (*od.* in front of) it (*od.* them); *zeitlich*: before that: ***sich*** **~** ***fürchten*** be afraid of it.

dazu [da'tsuː] *adv dafür*: for it (*od.* them), for that purpose; *außerdem*: in addition: ***noch*** **~** into the bargain; **~** ***ist es da*** that's what it's there for; … ***Salat*** **~?** … a salad with it?; **~** ***wird es nicht kommen*** it won't come to that; **~** ***kommen*** (***, es zu tun***) get around to (doing) it; **~** ***habe ich keine Lust*** I don't feel like it; **~gehören** *v/i* (*sep, pp dazugehört, h*) belong to it (*od.* them), be part of it (*od.* them); **~kommen** *v/i* (*irr, sep, -ge-, sn,* → ***kommen***) join s.o.; *Sache*: be added.

dazwischen [da'tsvɪʃən] *adv räumlich*: between (them), *a. zeitlich*: in between; *darunter*: among them; **~kommen** *v/i* (*irr, sep, -ge-, sn,* → ***kommen***) *Ereignis*: intervene, happen.

Debatt|e [de'batə] *f* (-; *-n*) debate; **2ieren** [_'tiːrən] *v/t u. v/i* (*no ge-, h*): **~** (***über*** *acc*) debate.

Debüt [de'byː] *n* (*-s; -s*) debut: ***sein*** **~** ***geben*** make one's debut (***als*** as).

Deck [dɛk] *n* (*-[e]s; -s*) *mar.* deck: ***an*** (*od.* ***auf***) **~** on deck.

Decke ['dɛkə] *f* (-; *-n*) *Woll2*: blanket; *Stepp2*: quilt; *Zimmer2*: ceiling; **'~l** *m* (*-s; -*) cover; *e-s Behälters*: lid, *e-s Glases*: *a.* top; **'2n** (*h*) **1.** *v/t Bedarf*: meet; *Scheck*: cover: ***den Tisch*** **~** lay the table; **2.** *v/refl* correspond (***mit*** with).

'Deckung *f* (-; *no pl*) *econ.* cover: ***in*** **~** ***gehen*** take cover (***vor*** *dat* from).

defekt [de'fɛkt] *adj* faulty.

Defekt [_] *m* (*-[e]s; -e*) fault.

Defizit ['deːfitsɪt] *n* (*-s; -e*) *econ.* deficit.

Deflation [defla'tsǐoːn] *f* (-; *-en*) *econ.* deflation.

dehn|bar ['deːnbaːr] *adj* flexible, elastic (*a. fig.*); **'~en** *v/t* (*h*) stretch (*a. fig.*).

Deich [daɪç] *m* (*-[e]s; -e*) dike; **'~bruch** *m* breach in a dike.

dein [daɪn] *poss pron* your: **~er, ~e, ~(e)s** yours; **'~esgleichen** *pron contp.* the likes *pl* of you.

Dekolleté, Dekolletee [dekɔl'teː] *n* (*-s; -s*) low neckline: ***tiefes*** **~** plunging neckline.

Dekor|ation [dekora'tsǐoːn] *f* (-; *-en*) decoration; *Schaufenster2*: window display; *thea.* set(s *pl*); **2ieren** [_'riːrən] *v/t* (*no ge-, h*) decorate; *Schaufenster*: dress.

Deleg|ation [delega'tsǐoːn] *f* (-; *-en*) delegation; **2ieren** [_'giːrən] *v/t* (*no ge-, h*) delegate; **~ierte** [_'giːrtə] *m, f* (*-n; -n*) delegate.

delikat [deli'kaːt] *adj köstlich*: delicious; *heikel*: delicate; **2esse** [_ka'tɛsə] *f* (-; *-n*) delicacy; **2essenladen** *m* delicatessen.

Dement|i [de'mɛnti] *n* (*-s; -s*) (official) denial; **2ieren** [_'tiːrən] *v/t* (*no ge-, h*) deny (officially).

dem'nächst *adv* soon, before long.

Demo ['deːmo] *f* (-; *-s*) F demo.

Demokrat [demo'kraːt] *m* (*-en; -en*) democrat; **~ie** [_kra'tiː] *f* (-; *-n*) democracy; **2isch** [_'kraːtɪʃ] *adj* democratic.

demolieren [demo'liːrən] *v/t* (*no ge-, h*) *beschädigen*: damage; *zerstören*: wreck, *mutwillig*: vandalize.

Demonstr|ant [demɔn'strant] *m* (*-en; -en*) demonstrator; **~ation** [_stra'tsǐoːn] *f* (-; *-en*) demonstration; **2ieren** [_'striːrən] *v/t u. v/i* (*no ge-, h*) demonstrate.

demontieren [demɔn'tiːrən] *v/t* (*no ge-, h*) dismantle.

Den Haag [den'haːk] The Hague.

Denk|anstoß ['dɛŋk_] *m*: ***j-m e-n*** **~** ***geben*** give s.o. food for thought, set s.o. thinking; **'2bar 1.** *adj* conceivable; **2.** *adv*: **~** ***einfach*** most simple; **'2en** *v/t u. v/i* (*dachte, gedacht, h*) think (***an*** *acc*, ***über*** *acc* of, about): ***das kann ich mir*** **~** I can imagine; ***das habe ich mir gedacht*** I thought so; ***denk daran zu …*** remember to …; **'~mal** *n* (*-[e]s; ⸚er*) monument (*gen* to); **'~malschutz** *m*: ***unter*** **~** ***stehen*** be listed; **'~zettel** *m fig.* lesson.

denn [dɛn] **1.** *cj begründend*: because, since; *nach comp*: than: ***mehr*** **~** ***je*** more than ever; ***es sei*** **~** unless; **2.** *adv* then: ***wieso*** **~?** (but) why?; ***was ist*** **~?** what's up?

dennoch ['dɛnɔx] *cj* (yet …) still, never-

theless.
Denunz|iant [denʊn'tsĭant] *m (-en; -en)* informer; **ﾧieren** [₋'tsiːrən] *v/t (no ge-, h)* inform on.
Deo ['deːo] *n (-s; -s)* F, **₋dorant** [deʔo-do'rant] *n (-s; -e, -s)* deodorant.
deplatziert [depla'tsiːrt] *adj* out of place.
Depo|nie [depo'niː] *f (-; -n)* dump, tip; **ﾧnieren** [₋'niːrən] *v/t (no ge-, h)* deposit; **₋t** [de'poː] *n (-s; -s)* depot.
Depress|ion [deprɛ'sĭoːn] *f (-; -en)* depression (*a. econ.*); **ﾧiv** [₋'siːf] *adj* depressive.
deprimieren [depri'miːrən] *v/t (no ge-, h)* depress.
der [der], **die, das 1.** *art* the; **2.** *dem pron* that, this; he, she, it; ***die*** *pl* these, those, they; **3.** *rel pron* who, which, that.
der-, die-, dasjenige ['deːrjeːnɪgə] *dem pron* he, she, that; ***diejenigen*** *pl* those.
der-, die-, dasselbe [deːr'zɛlbə] *dem pron* the same.
derart(ig) ['deːr'ʔaːrt(ɪç)] *adv* so much.
derb [dɛrp] *adj unfein, grob*: coarse (*a. Stoff*); *Leder*: tough.
der'gleichen *dem pron*: ***nichts ~*** nothing of the kind.
Desert|eur [dezɛr'tøːr] *m (-s; -e)* deserter; **ﾧieren** [₋'tiːrən] *v/i (no ge-, sn)* desert (***von*** from).
deshalb *cj u. adv* therefore, for that reason, that is why, so.
Design [di'zaɪn] *n (-s; -s) econ., tech.* design; **₋er** *m (-s; -)* designer.
desinfizieren [dɛsʔɪnfi'tsiːrən] *v/t (no ge-, h)* disinfect.
Desinteress|e [dɛsʔɪnte'rɛsə] *n (-s; no pl)* indifference (***an*** *dat* to, towards); **ﾧiert** [₋'siːrt] *adj* uninterested (***an*** *dat* in), indifferent (to, towards).
Dessert [dɛ'seːr] *n (-s; -s) gastr.* dessert.
desto ['dɛsto] *cj*: ***je mehr, ~ besser*** the more the better.
Detail [de'taɪ] *n (-s; -s)* detail.
Detektiv [detɛk'tiːf] *m (-s; -e)* detective.
deuten ['dɔʏtən] *v/i (h)*: ***~ auf*** *(acc)* point at.
deutlich ['dɔʏtlɪç] *adj* clear, distinct.
deutsch [dɔʏtʃ] *adj* German; **'ﾧe** *m, f (-n; -n)* German.
Deutschland ['dɔʏtʃlant] Germany.
Devise [de'viːzə] *f (-; -n)* motto: ***₋n*** *pl econ.* foreign currency *sg* (*od.* exchange *sg*); **₋nkon,trolle** *f* (foreign) exchange control; **₋nkurs** *m* rate of exchange; **₋nmakler** *m* (foreign) exchange broker.
Dezember [de'tsɛmbər] *m (-[s]; -)* December: ***im ~*** in December.
dezent [de'tsɛnt] *adj Farbe, Licht, Musik*: soft; *Kleidung*: tasteful.
Dia ['diːa] *n (-s; -s)* slide.
Diagnose [dia'gnoːzə] *f (-; -n)* diagnosis.
diagonal [diago'naːl] *adj* diagonal; **ﾧe** *f (-; -n)* diagonal.
Diagramm [dia'gram] *n (-s; -e)* graph.
Dialekt [dia'lɛkt] *m (-[e]s; -e)* dialect.
Dialog [dia'loːk] *m (-[e]s; -e)* dialogue, *Am. a.* dialog.
Diamant [dia'mant] *m (-en; -en)* diamond.
'Diapro,jektor *m* slide projector.
Diät [di'ɛːt] *f (-; -en)* diet: ***e-e ~ machen*** be (*od.* go) on a diet; ***₋en*** *pl parl.* parliamentary allowance.
dicht [dɪçt] **1.** *adj Haar, Gewebe, Nebel, Verkehr, Wald etc*: dense, thick; *Fenster etc*: tight (*a. fig.*); **2.** *adv*: ***~ an*** *(dat)* (*od.* ***bei***) close to; → ***besiedeln.***
Dichter ['dɪçtər] *m (-s; -)* poet; *Schriftsteller*: author, writer.
'Dichtung[1] *f (-; -en) tech.* seal.
'Dichtung[2] *f (-; -en)* literature; *Versﾧ*: poetry.
dick [dɪk] *adj* thick; *Person*: fat; *Bauch*: big: ***es macht ~*** it is fattening; **'ﾧkopf** *m* F stubborn (*od.* pigheaed) person; **'₋machen** → ***dick.***
die [diː] → ***der.***
Dieb [diːp] *m (-[e]s; -e)* thief; **₋stahl** ['₋ʃtaːl] *m (-[e]s; ⸚e)* theft, *jur mst* larceny; **'₋stahlversicherung** *f* theft insurance.
Diele ['diːlə] *f (-; -n) Brett*: board, plank; *Vorraum*: hall, *Am. a.* hallway.
dienen ['diːnən] *v/i (h)* serve (***j-m*** s.o.; ***als*** as).
Dienst [diːnst] *m (-es; -e)* service (*a. ₋leistung*); *Amtsleistung*: duty; *Arbeit*: work: ***~ haben*** be on duty, *Arzt*: be on call; ***~ tuend*** on duty; ***im*** (***außer***) ***~*** on (off) duty; ***außer ~*** *pensioniert*: retired; **'₋...** *in Zssgn Wagen, Wohnung etc*: official ..., company ...
Dienstag ['diːnstak] *m (-[e]s; -e)* Tuesday: (***am***) ***~*** on Tuesday.
'Dienst|alter *n* seniority, length of ser-

D

vice; '2**bereit** *adj* on duty; '**~grad** *m* grade, rank (*a. mil.*).
'**Dienstleistung** *f* service; '**~sabend** *m* late shopping night; '**~sbereich** *m* service sector, service industry; '**~sgewerbe** *n* service industries *pl*; '**~ssektor** *m* service sector; '**~sunternehmen** *n* services enterprise.

D

'**dienst|lich** *adj* official; '2**mädchen** *n* maid, home help; '2**reise** *f* business trip; '2**stunden** *pl* office hours *pl*; '**~tuend** *adj* on duty; '2**wagen** *m* company car; *für Minister etc*: official car; '2**weg** *m* official channels *pl*.
Diesel ['di:zəl] *m* (-[*s*]; -) diesel, *Kraftstoff*: *Br. a.* derv *TM*.
dies|er, ~e, ~es ['di:zər] *dem pron* this; *allein stehend*: this one: ***~e pl*** these *pl*.
dies|jährig ['di:sjɛ:rɪç] *adj* this year's; '**~mal** *adv* this time; **~seits** ['-zaɪts] *prp* on this side of.
Differenz [dɪfə'rɛnts] *f* (-; *-en*) difference; 2**ieren** [-'tsi:rən] *v/i* (*no ge-, h*) differentiate (***zwischen*** *dat* between).
Digital|... [digi'ta:l] *in Zssgn Anzeige, Uhr etc*: digital ...; **~kamera** *f* digital camera.
Diktat [dɪk'ta:t] *n* (-[*e*]*s*; *-e*) dictation; **~or** [-'ta:tɔr] *m* (*-s*; *-en*) dictator; **~ur** [-ta'tu:r] *f* (-; *-en*) dictatorship.
diktier|en [dɪk'ti:rən] *v/t u. v/i* (*no ge-, h*): ***j-m e-n Brief ~*** dictate a letter to s.o.; 2**gerät** *n* dictating machine.
Ding [dɪŋ] *n* (-[*e*]*s*; *-e*) thing: ***guter ~e sein*** be cheerful; ***vor allen ~en*** above all; F ***ein ~ drehen*** pull a job.
Diphtherie [dɪfte'ri:] *f* (-; *-n*) *med.* diphtheria.
Diplom [di'plo:m] *n* (-[*e*]*s*; *-e*) diploma, degree; **~...** *in Zssgn Ingenieur etc*: qualified ..., graduate ...
Diplomat [diplo'ma:t] *m* (*-en*; *-en*) diplomat (*a. fig.*); **~enkoffer** *m* attaché case; **~ie** [-ma'ti:] *f* (-; *no pl*) diplomacy (*a. fig.*); 2**isch** [-'ma:tɪʃ] *adj* diplomatic (*a. fig.*).
dir [di:r] *pers pron* (to) you: ***~*** (***selbst***) yourself.
direkt [di'rɛkt] **1.** *adj* direct; *Rundfunk, TV*: live; **2.** *adv geradewegs*: direct; *fig. genau, sofort*: directly; *Rundfunk, TV*: live: ***~ gegenüber*** (***von***) right across; 2**flug** *m* direct flight; 2**ion** [-'tsĭo:n] *f* (-; *-en*) *Geschäftsleitung*: management; 2**or** [di'rektɔr] *m* (*-s*; *-en*) director, manager; *geschäftsführender*: managing director; 2**über|tragung** *f Rundfunk, TV*: live broadcast; 2**verkauf** *m* (-[*e*]*s*; *no pl*) direct selling; 2**werbung** *f* direct advertising.
Dirigent [diri'gɛnt] *m* (*-en*; *-en*) *mus.* conductor.
Dirne ['dɪrnə] *f* (-; *-n*) prostitute.
Diskette [dɪs'kɛtə] *f* (-; *-n*) *Computer*: diskette, floppy (disk); **~nlaufwerk** *n* disk drive.
Disko ['dɪsko] *f* (-; *-s*) F disco.
Diskont [dɪs'kɔnt] *m* (*-s*; *-e*) *econ.* discount; **~satz** *m* discount rate.
Diskothek [dɪsko'te:k] *f* (-; *-en*) discotheque.
diskret [dɪs'kre:t] *adj* discreet; 2**ion** [-kre'tsĭo:n] *f* (-; *no pl*) discretion.
diskriminier|en [dɪskrimi'ni:rən] *v/t* (*no ge-, h*) discriminate against; 2**ung** *f* (-; *-en*) discrimination (*gen* against).
Diskussion [dɪskʊ'sĭo:n] *f* (-; *-en*) discussion (***um*** on, about); **~sleiter** *m* (panel) chairman.
diskutieren [dɪskʊ'ti:rən] *v/t u. v/i* (*no ge-, h*) discuss (***über et.*** s.th.).
Disqualifi|kation [dɪskvalifika'tsĭo:n] *f* (-; *-en*) disqualification; 2**zieren** [-'tsi:rən] *v/t* (*no ge-, h*) disqualify (***wegen*** for).
Distanz [dɪs'tants] *f* (-; *-en*) distance (*a. fig.*); 2**ieren** [-'tsi:rən] *v/refl* (*no ge-, h*): ***sich ~ von*** dissociate o.s. from.
Distrikt [dɪs'trɪkt] *m* (-[*e*]*s*; *-e*) district.
Disziplin [dɪstsi'pli:n] *f* (-; *-en*) discipline; 2**iert** [-pli'ni:rt] *adj* disciplined.
Divid|ende [divi'dɛndə] *f* (-; *-n*) *econ.* dividend; 2**ieren** [-'di:rən] *v/t* (*no ge-, h*) divide (***durch*** by).
Division [divi'sĭo:n] *f* (-; *-en*) *math., mil.* division.
doch [dɔx] *cj u. adv* but, however, yet: ***also ~*** (***noch***) after all; ***kommst du nicht*** (***mit***)***? - ~!*** aren't you coming? (oh) yes, I am!; ***ich war es nicht - ~!*** I didn't do it - yes, you did!, *Am. a.* you did too!; ***du kommst ~?*** you're coming, aren't you?; ***kommen Sie ~ herein!*** do come in!; ***du weißt ~, dass*** (I'm sure) you know that; ***wenn ~ ...!*** *wünschend*: if only ...!
Docht [dɔxt] *m* (-[*e*]*s*; *-e*) wick.
Dock [dɔk] *n* (*-s*; *-s*) *mar.* dock.
Doktor ['dɔktɔr] *m* (*-s*; *-en*) doctor.
Dokument [doku'mɛnt] *n* (-[*e*]*s*; *-e*)

document; **~arfilm** [~'taːr~] *m* documentary (film).

Dollar ['dɔlar] *m* (-[*s*]; -*s*) dollar.

dolmetsche|n ['dɔlmɛtʃən] *v/i u. v/t* (*h*) interpret; '**2r** *m* (-*s*; -) interpreter.

Dom [doːm] *m* (-[*e*]*s*; -*e*) cathedral.

Donau ['doːnaʊ] *the* Danube.

Donner ['dɔnər] *m* (-*s*; -) thunder; '**2n** *v/impers* (*h*) thunder; '**~stag** *m* (-[*e*]*s*; -*e*) Thursday: **(am) ~** on Thursday.

Doppel ['dɔpəl] *n* (-*s*; -) duplicate; '**~besteuerung** *f* double taxation; '**~besteuerungsabkommen** *n* Convention for the Avoidance of Double Taxation; '**~bett** *n* double bed; '**~haus** *n* pair of semis; '**~haushälfte** *f* semi(-detached house).

'**doppelt** *adj u. adv* double: ***~ so viel*** (***wie***) twice as much (as); ***~e Währungsbuchhaltung*** dual currency accounting (*od.* bookkeeping).

'**Doppel|verdiener** *m* (-*s*; -) *Person*: person with two incomes; *Paar*: double-income family; '**~währungsphase** *f* dual curreny phase; '**~zimmer** *n* double room.

Dorf [dɔrf] *n* (-[*e*]*s*; ⸚*er*) village; '**~bewohner** *m* villager.

dort [dɔrt] *adv* there: ***~ drüben*** over there; '**~her** *adv*: (***von***) **~** from there; '**~hin** *adv* there.

Dose ['doːzə] *f* (-; -*n*) can, *bsd. Br.* tin; *Steck*2: socket; '**~nbier** *n* canned beer; '**~nfleisch** *n* canned (*bsd. Br.* tinned) meat; '**~nöffner** *m* can (*bsd. Br.* tin) opener.

Dosis ['doːzɪs] *f* (-; *Dosen*) dose (*a. fig.*).

Dotter ['dɔtər] *m, n* (-*s*; -) yolk.

Double ['duːbəl] *n* (-*s*; -*s*) *Film*: stand-in, stuntman, stuntwoman.

'**downloaden** ['daʊnləʊdən] *v/t* (*sep*, -*ge*-, *h*) download.

Draht [draːt] *m* (-[*e*]*s*; ⸚*e*) wire; '**2los** *adj* wireless; '**~seilbahn** *f* cable railway.

Drama ['draːma] *n* (-*s*; *Dramen*) drama; **~tiker** [dra'maːtikər] *m* (-*s*; -) dramatist, playwright; **2tisch** [dra'maːtɪʃ] *adj* dramatic.

dran [dran] *adv* F → ***daran.***

Drang [draŋ] *m* (-[*e*]*s*; *no pl*) urge (***nach*** for).

drängen ['drɛŋən] (*h*) **1.** *v/t* push, urge (***zu tun*** to do); **2.** *v/i* push one's way (*a. v/refl*); *eilig sein*: be urgent: ***die Zeit drängt*** time's running short.

drastisch ['drastɪʃ] *adj* drastic.

drauf [draʊf] *adv* F → ***darauf***. ***~ und dran sein, et. zu tun*** be on the point of doing s.th..

draus [draʊs] *adv* F → ***daraus.***

draußen ['draʊsən] *adv* outside; *im Freien*: *a.* in the open: ***da ~*** out there.

Dreck [drɛk] *m* (-[*e*]*s*; *no pl*) F dirt, *stärker*: muck, filth; *fig.* rubbish; '**2ig** *adj* dirty, *stärker*: filthy (*beide a. fig.*).

Dreh|buch ['dreː~] *n* script; '**2en** (*h*) **1.** *v/t* turn; *Film*: shoot; *Zigarette*: roll; **2.** *v/refl* turn, rotate; *schnell*: spin: ***worum dreht es sich*** (***eigentlich***)***?*** what is it (all) about?; ***darum dreht es sich*** (***nicht***) that's (not) the point; '**~kreuz** *n* turnstile; '**~strom** *m electr.* three-phase current; '**~stuhl** *m* swivel chair; '**~tür** *f* revolving door; '**~ung** *f* (-; -*en*) turn; *um e-e Achse*: rotation; '**~zahl** *f tech.* revolutions *pl* per minute; '**~zahlmesser** *m* (-*s*; -) *mot.* rev counter, tachometer.

drei [draɪ] *adj* three; '**2bettzimmer** *n* three-bed room; '**2eck** *n* (-[*e*]*s*; -*e*) triangle; '**~eckig** *adj* triangular; '**~fach** *adj* triple.

dreißig ['draɪsɪç] *adj* thirty; '**~ste** *adj* thirtieth.

'**dreizehn** *adj* thirteen; '**~te** *adj* thirteenth.

Dressman ['drɛsmən] *m* (-*s*; *Dressmen*) male model.

Drilling ['drɪlɪŋ] *m* (-*s*; -*e*) triplet.

drin [drɪn] *adv* F → ***darin.***

dringen ['drɪŋən] *v/i* (*drang, gedrungen*) **a)** (*h*): ***~ auf*** (*acc*) insist on; ***darauf ~, dass*** urge that **b)** (*sn*): ***~ aus*** break forth from; *Geräusch*: come from; ***~ durch*** force one's way through, penetrate, pierce; ***~ in*** (*acc*) penetrate into; ***an die Öffentlichkeit ~*** leak out; '**~d** *adj* urgent, pressing; *Verdacht*, *Rat*, *Grund*: strong.

drinnen ['drɪnən] *adv* inside.

dritte ['drɪtə] *adj* third: ***zu dritt sein*** be three; '**2l** *n* (-*s*; -) third; '**~ns** *adv* third (-ly).

Droge ['droːgə] *f* (-; -*n*) drug.

'**drogenabhängig** *adj* addicted to drugs; '**2e** *m, f* drug addict; '**2keit** *f* drug addiction.

'**Drogen|beratungsstelle** *f* drugs advice cent|re (*Am.* -er); '**~handel** *m* drug trafficking; '**~händler** *m* drug traffick-

er (*od.* dealer); '**~kon,sum** *m* use of drugs; '**~missbrauch** *m* drug abuse; '**Ƨsüchtig** *etc* → ***drogenabhängig*** *etc*; '**~szene** *f* drug scene.
Drogerie [drogə'riː] *f* (-; -*n*) *Br.* chemist's (shop), *Am.* drugstore.
drohen ['droːən] *v/i* (*h*) threaten.
dröhnen ['drøːnən] *v/i* (*h*) *Motor, Stimme etc*: roar; *widerhallen*: resound.
'**Drohung** *f* (-; -*en*) threat.
drüben ['dryːbən] *adv* over there.
drüber ['dryːbər] *adv* F → ***darüber.***
Druck[1] [druk] *m* (-[*e*]*s*; *no pl*) pressure (*a. fig.*): ***~ auf j-n ausüben*** put s.o. under pressure.
Druck[2] [~] *m* (-[*e*]*s*; -*e*) *Kunst*Ƨ *etc*: print; '**~buchstabe** *m* block letter; '**Ƨen** *v/t* (*h*) print.
drücken ['drykən] (*h*) **1.** *v/t* press; *Knopf*: *a.* push; *Schuh*: pinch (*a. v/i*); *Preis, Leistung etc*: force down: ***j-m die Hand ~*** shake hands with s.o.; **2.** *v/refl*: F ***sich ~ vor*** (*dat*) shirk (doing) *s.th.*; *aus Angst*: chicken out of *s.th.*; '**~d** *adj Hitze*: oppressive.
'**Drucker** *m* (-*s*; -) *tech.* printer.
'**Drücker** *m* (-*s*; -) *Tür*: latch; *Gewehr*: trigger.
'**Druck|fehler** *m* misprint; '**~knopf** *m tech.* (push)button; *an Kleid etc*: *bsd. Br.* press stud, *Am.* snap fastener; '**~luft** *f* compressed air; **~sache(n** *pl*) *f Post*: printed matter; '**~schrift** *f* block letters *pl*.
drum [drum] *adv* F → ***darum.***
drunter ['druntər] *adv* F → ***darunter.***
Drüse ['dryːzə] *f* (-; -*n*) *anat.* gland.
du [duː] *pers pron* you.
ducken ['dukən] *v/refl* (*h*) duck.
Duell [du'ɛl] *n* (-*s*; -*e*) duel (*a. fig.*).
Duett [du'ɛt] *n* (-[*e*]*s*; -*e*) *mus.* duet.
Duft [duft] *m* (-[*e*]*s*; ¨-*e*) scent, fragrance, smell; '**Ƨen** *v/i* (*h*) smell (***nach*** of); '**Ƨend** *adj* fragrant; '**Ƨig** *adj* dainty, *Kleid*: *a.* gossamer-fine.
dulden ['duldən] *v/t* (*h*) *zulassen*: tolerate; *hinnehmen*: put up with.
dumm [dum] *adj* stupid; '**Ƨheit** *f* (-; -*en*) stupidity; *Handlung*: stupid thing; '**Ƨkopf** *m* fool, blockhead.
dumpf [dumpf] *adj Geräusch*: dull; *Gefühl etc*: vague.
Dumping ['dampɪŋ] *n* (-*s*; *no pl*) *econ.* dumping; '**~preis** *m* dumping price.
Düne ['dyːnə] *f* (-; -*n*) dune.
dunkel ['duŋkəl] *adj* dark; '**Ƨheit** *f* (-; *no pl*) darkness; '**Ƨkammer** *f phot.* darkroom; '**~rot** *adj* dark red.
dünn [dyn] *adj* thin; *Kaffee etc*: weak; → ***besiedeln.***
Dunst [dunst] *m* (-*es*; ¨-*e*) haze, mist; *Dampf*: vapo(u)r; *Qualm*: fume(s *pl*).
dünsten ['dynstən] *v/t* (*h*) stew.
'**dunstig** *adj* hazy, misty.
Duplikat [dupli'kaːt] *n* (-[*e*]*s*; -*e*) duplicate; *Kopie*: copy.
durch [durç] **1.** *prp* through (*a. fig.*); *quer ~*: across; **2.** *adv*: ***es ist 5 Uhr ~*** it's past five; ***~ u. ~*** through and through.
durch'aus *adv* absolutely, quite: ***~ nicht*** by no means.
'**durch|blättern** *v/t* (*sep*, -*ge*-, *h*) leaf through *a book, etc*; '**~blicken** *v/i* (*sep*, -*ge*-, *h*) look through: ***~ lassen*** give to understand; ***ich blicke*** (***da***) ***nicht durch*** I don't get it; **~'bluten** *v/t* (*insep*, *no* -*ge*-, *h*) supply with blood; **~'bohren** *v/t* (*insep*, *no* -*ge*-, *h*) pierce; *durchlöchern*: perforate: ***mit Blicken ~*** look daggers at; '**~brennen** *v/i* (*irr*, *sep*, -*ge*, *sn*, → ***brennen***) *elektr. Sicherung*: blow; *Reaktor*: melt down; F *fig.* run away; '**~bringen** *v/t* (*irr*, *sep*, -*ge*-, *h*, → ***bringen***) get (*Kranken*: pull) through (*a. Geld*); *Familie*: support; '**Ƨbruch** *m* breakthrough (*a. fig.*); '**~drängen** *v/refl* (*sep*, -*ge*-, *h*): ***sich ~*** (***durch***) force one's way through; '**~drehen** (*sep*, -*ge*-, *h*) **1.** *v/i* **a)** (*a.* sn) F *nervlich*: crack up, flip; *stärker*: freak out **b)** *Räder etc*: spin; **2.** *v/t Fleisch etc*: mince, *bsd. Am.* grind; '**~dringend** *adj* piercing.
durchei'nander *adv*: ***~ sein*** be confused; *Dinge*: be (in) a mess; ***~ bringen*** → '**~bringen** *v/t* (*irr*, *sep*, -*ge*-, *h*, → ***bringen***) confuse, mix up.
'**durchfahren**[1] *v/i* (*irr*, *sep*, -*ge*-, *sn*, → ***fahren***) pass (*od.* go, *mot. a.* drive) through: ***~ bis*** drive nonstop to.
durch'fahren[2] *v/t* (*irr*, *insep*, *no* -*ge*-, *h*, → ***fahren***) pass (*od.* go, *mot. a.* drive) through.
'**Durchfahrt** *f* passage: ***~ verboten!*** no thoroughfare.
'**Durchfall** *m med.* diarrh(o)ea; F *Reinfall*; flop; '**Ƨen** *v/i* (*irr*, *sep*, -*ge*-, *sn*, → ***fallen***) fall through; *Prüfling*: fail, *bsd. Am.* F flunk; *Stück etc*: be a flop: ***j-n ~ lassen*** fail s.o., *bsd. Am.* F flunk

s.o.
'**durchfragen** *v/refl* (*sep*, *-ge-*, *h*) ask one's way (***nach, zu*** to).
'**durchführ|bar** *adj* practicable, feasible; '**~en** *v/t* (*sep*, *-ge-*, *h*) *fig.* carry out.
'**Durchgang** *m* (-[*e*]*s*; *Durchgänge*) passage: ***~ verboten!*** no thoroughfare.
'**durchgebraten** *adj gastr.* well-done.
'**durchgehend** **1.** *adj ununterbrochen*: continuous: ***~er Zug*** through train; **2.** *adv*: ***~ geöffnet*** open all day; ***~ Einlass*** nonstop admission.
'**durchgreifen** *v/i* (*irr*, *sep*, *-ge-*, *h* → ***greifen***) *fig.* take drastic measures (*od.* steps); '**~d** *adj Maßnahmen*: drastic; *Änderungen etc*: radical.
'**durch|halten** *v/i* (*irr*, *sep*, *-ge-*, *h*, → ***halten***) hold out; '**~kommen** *v/i* (*irr*, *sep*, *-ge-*, *sn*, → ***kommen***) come through (*a. fig.*); *teleph.* get through; *Sonne*: break through; *Kranker*: pull through; *in Prüfung*: pass: ***~ mit*** *Lüge etc*: get away with; *auskommen*: get by with; **~'kreuzen** *v/t* (*insep*, *no -ge-*, *h*) *Plan etc*: thwart; '**~lassen** *v/t* (*irr*, *sep*, *-ge-*, *h*, → ***lassen***) let pass, let through.
'**durchlässig** *adj undicht*: leaky.
'**durch|lesen** *v/t* (*irr*, *sep*, *-ge-*, *h*, → ***lesen***) read *s.th.* through; **~'leuchten** *v/t* (*insep*, *no -ge-*, *h*) *med.* X-ray; *fig.* investigate, *bsd. pol.* screen.
'**Durchmesser** *m* (*-s*; -) diameter.
durch'queren *v/t* (*insep*, *no -ge-*, *h*) cross.
'**Durchreiche** *f* (-; *-n*) hatch.
'**Durchreise** *f*: ***ich bin nur auf der ~*** I'm just passing through; '**~visum** *n* transit visa.
'**Durchsage** *f* (-; *-n*) announcement; '**≈n** *v/t* (*sep*, *-ge-*, *h*) announce.
durch'schauen *v/t* (*insep*, *no -ge-*, *h*) *fig.* see through *s.o.*, *s.th.*
'**Durchschlag** *m* (-[*e*]*s*; *Durchschläge*) (carbon) copy; '**~pa,pier** *n* carbon paper.
'**Durchschnitt** *m* average: ***im ~*** on average; ***im ~ betragen*** (***verdienen*** *etc*) average; '**≈lich** **1.** *adj* average; *gewöhnlich*: ordinary; **2.** *adv* on average; normally; '**~s...** *in Zssgn Einkommen, Temperatur etc*: average ...
'**Durchschrift** *f* (carbon) copy.
'**durch|sehen** *v/t* (*irr*, *sep*, *-ge-*, *h*, → ***sehen***) look (*od.* go) through *s.th.*; *prüfen*: check; '**~setzen** (*sep*, *-ge-*, *h*) **1.** *v/t Plan etc*: get (*mit Nachdruck*: push) through: ***seinen Kopf ~*** have one's way; **2.** *v/refl* have (*od.* get) one's way; *erfolgreich sein*: be successful: ***sich ~ können*** *Lehrer etc*: have authority (***bei*** over).
durchsichtig ['dʊrçzɪçtɪç] *adj* transparent (*a. fig.*); *Bluse etc*: *a.* see-through.
'**durchsprechen** *v/t* (*irr*, *sep*, *-ge-*, *h*, → ***sprechen***) talk *s.th.* over, discuss.
durch'such|en *v/t* (*insep*, *no -ge-*, *h*) search (***nach*** for); **≈ung** *f* (-; *-en*) search; **≈ungsbefehl** *m jur.* search warrant.
'**Durch|wahl** *f* (-; *no pl*) *teleph.* direct dial(l)ing; '**≈wählen** *v/i* (*sep*, *-ge-*, *h*): ***~ nach ...*** dial ... direct; '**~wahlnummer** *f* direct dial number; *Nebenstelle*: extension.
dürfen ['dʏrfən] (*durfte*, *h*) **1.** *v/aux* (*pp* dürfen): ***et. tun ~*** be allowed to do s.th.; ***das hättest du nicht tun ~!*** you shouldn't have done that!; ***dürfte ich ...?*** could I ...?; ***das dürfte genügen*** that should be enough; **2.** *v/i* (*pp* gedurft): ***darf ich?*** may I?; ***er darf*** (***es***) he's allowed to.
dürftig ['dʏrftɪç] *adj* poor, *spärlich*: scanty.
dürr [dʏr] *adj* dry; *Boden etc*: barren, arid; *mager*: skinny; '**≈e** *f* (-; *-n*) *Trockenzeit*: drought; barrenness.
Durst [dʊrst] *m* (*-es*; *no pl*) thirst (***nach*** for): ***~ haben*** be thirsty; '**≈ig** *adj* thirsty.
Dusche ['duːʃə] *f* (-; *-n*) shower: ***e-e ~ nehmen*** → ***duschen***; '**≈n** *v/refl u. v/i* (*h*) have (*od.* take) a shower.
Düse ['dyːzə] *f* (-; *-n*) *tech.* nozzle; '**~nantrieb** *m* jet propulsion: ***mit ~*** jet-propelled; '**~nflugzeug** *n* jet (plane); '**~njäger** *m mil.* jet fighter; '**~ntriebwerk** *n aer.* jet engine.
düster ['dyːstər] *adj* dark, gloomy (*beide a. fig.*); *Licht*: dim; *trostlos*: dismal.
Dutzend ['dʊtsənt] *n* (*-s*; *-e*) dozen: ***ein ~ Eier*** a dozen eggs; ***~e von ...*** F (*eine Menge, viele*) dozens of ...; '**≈weise** *adv* by the dozen.
duzen ['duːtsən] *v/t* (*h*) say 'du' to, (*etwa*) be on first-name terms with.
DVD [deːfau'deː] *f* (-; *-s*) *abbr.*: ***Digital Video Disc*** DVD; **~-Brenner** [-brɛnər] *m* (*-s*; -) DVD recorder, DVD writer; **~-Laufwerk** *n Computer*: DVD

drive; **~-Rekorder** *m* DVD-recorder.

dynamisch [dy'naːmɪʃ] *adj* dynamic; *Rente*: index-linked.

Dynamit [dyna'miːt] *n* (*-s*; *no pl*) dynamite.

'D-Zug *m* fast train, express.

E

Ebbe ['ɛbə] *f* (*-*; *-n*) low tide.

eben ['eːbən] *adj flach*: even, level.

Ebene ['eːbənə] *f* (*-*; *-n*) *geogr.* plain.

'ebenfalls *adv* likewise, also, *nachgestellt*: as well, too.

Echo ['ɛço] *n* (*-s*; *-s*) echo; *fig.* response (***auf*** *acc* to).

echt [ɛçt] *adj* genuine (*a. fig.*), real; *wahr*: true; *rein*: pure; *wirklich*: real; *Farbe*: fast; *Dokument*: authentic; **'Ձheit** *f* (*-*; *no pl*) genuineness; fastness; authenticity.

Eck|daten ['ɛk-] *pl* key features *pl*; **'~e** *f* (*-*; *-n*) corner; **'~haus** *n* corner house; **'Ձig** *adj Kinn etc*: angular, square; **'~lohn** *m* basic wage.

Economyklasse ['ɪkɔnəmɪ-] *f aer.* economy class: ***in der ~ fliegen*** fly economy.

edel ['eːdəl] *adj* noble; *min.* precious; **'Ձmetall** *n* precious metal; **'Ձstahl** *m* high-grade steel; **'Ձstein** *m* precious stone; *geschnittener*: gem.

Efeu ['eːfɔʏ] *m* (*-s*; *no pl*) *bot.* ivy.

Effekt [ɛ'fɛkt] *m* (*-[e]s*; *-e*) effect; **Ձiv** [-'tiːf] **1.** *adj wirksam*: effective; **2.** *adv* actually; **Ձvoll** *adj* effective.

effizien|t [ɛfi'tsɪ̆ɛnt] *adj wirtschaftlich*: efficient; *wirksam*: effective; **Ձz** *f* (*-*; *no pl*) *efficiency*; *effectiveness*.

egal [e'gaːl] *adj* F: ***~ ob*** (***warum, wer*** *etc*) no matter if (why, who, *etc*); ***das ist ~*** it doesn't matter; ***das ist mir ~*** I don't care.

Egois|mus [ego'ɪsmʊs] *m* (*-*; *no pl*) egoism; **~t** *m* (*-en*; *-en*) egoist; **Ձtisch** *adj* egoistic.

ehe ['eːə] *cj* before: ***nicht ~*** not until.

Ehe ['eːə] *f* (*-*; *-n*) marriage (***mit*** to); **'Ձähnlich** *adj*: ***in e-m ~en Verhältnis leben*** live together as man and wife; **'~beratung** *f Stelle*: marriage guidance bureau; **'~bruch** *m* adultery; **'~frau** *f* wife; **'~leute** *pl* husband and wife.

ehemal|ig ['eːəmaːlɪç] *adj* former, ex-…; **'~s** *adv* formerly.

'Ehe|mann *m* husband; **'~paar** *n* married couple.

eher ['eːər] *adv früher*: earlier, sooner; *lieber, vielmehr*: rather.

'Ehe|ring *m* wedding ring; **'~vermittlungsinsti,tut** *n* marriage bureau.

Ehre ['eːrə] *f* (*-*; *-n*) hono(u)r: ***zu ~n von*** (*od. gen*) in hono(u)r of; **'Ձn** *v/t* (*h*) hono(u)r; *achten*: respect.

'ehren|amtlich *adj* honorary; **'Ձbürger** *m* freeman; **'Ձgast** *m* guest of hono(u)r; **'Ձmitglied** *n* honorary member; **'Ձwort** *n* (*-[e]s*; *-e*) word of hono(u)r: **~!** cross my heart.

'Ehr|furcht *f* (*-*; *no pl*) respect (***vor*** *dat* for) *stärker*: awe (of); **Ձfürchtig** ['-fʏrçtɪç] *adj* respectful; *Schweigen*: awed; **'~geiz** *m* ambition; **'Ձgeizig** *adj* ambitious.

'ehrlich *adj* honest; *aufrichtig*: sincere; *offen*: *a.* frank; *Kampf*: fair; **'Ձkeit** *f* (*-*; *no pl*) honesty, sincerity.

Ei [aɪ] *n* (*-[e]s*; *-er*) egg: V **~er** *pl Hoden*: balls *pl*.

Eid [aɪt] *m* (*-[e]s*; *-e*) oath; **'Ձesstattlich** *adj*: ***~e Erklärung*** affirmation in lieu of an oath.

'Eidotter *m*, *n* yolk.

'Eier|becher *m* eggcup; **'~stock** *m anat.* ovary.

Eifer ['aɪfər] *m* (*-s*; *no pl*) keenness, eagerness; **'~sucht** *f* (*-*; *no pl*) jealousy; **'Ձsüchtig** *adj* jealous (***auf*** *acc* of).

eifrig ['aɪfrɪç] *adj* keen, eager.

eigen ['aɪgən] *adj* own, of one's own; *~tümlich*: peculiar; *(über)genau*: particular, F fussy; **…~** *in Zssgn staats~ etc*: …-owned.

Eigenart *f* (*-*; *-en*) peculiarity; **'Ձig** *adj* strange; **'Ձigerweise** *adv* strangely enough.

'Eigen|bedarf *m* one's personal needs *pl*; **'~finan,zierung** *f* self-financing; **Ձhändig** ['-hɛndɪç] *adj* personal; **'~heim** *n* house of one's own; **'~kapi,tal** *n econ.* equity capital, capital resources *pl*; '**~lob** *n* self-praise; '**2mächtig** *adj* arbitrary; '**~name** *m* proper name; **2nützig** ['-nʏtsɪç] *adj* selfish.

eigens ['aɪgəns] *adv* (e)specially.

'**Eigenschaft** *f* (-; *-en*) quality; *chem.*, *phys.*, *tech.* property: ***in s-r ~ als*** in his capacity as.

'**Eigensinn** *m* (-[*e*]*s*; *no pl*) stubbornness; '**2ig** *adj* stubborn.

eigentlich ['aɪgəntlɪç] **1.** *adj wirklich*: actual, true, real; *genau*: exact; **2.** *adv* actually, really; *ursprünglich*: originally.

'**Eigentum** *n* (-*s*; *no pl*) property.

Eigentüm|er ['aɪgənty:mər] *m* (-*s*; -) owner, proprietor; '**2lich** *adj* peculiar; *seltsam*: strange, odd; '**~lichkeit** *f* (-; *-en*) peculiarity.

'**Eigentumswohnung** *f Br.* owner-occupied flat, *Am.* condo(minium).

'**Eigenvorsorge** *f private provision (for retirement etc)*.

'**eigenwillig** *adj Person*: self-willed; *Stil etc*: individual, original.

eign|en ['aɪgnən] *v/refl* (*h*): ***sich ~ für*** be suited for; '**2er** *m* (-*s*; -) owner; '**2ung** *f* (-; *no pl*) suitability; *Person*: *a.* aptitude, qualification; '**2ungsprüfung** *f*, '**2ungstest** *m* aptitude test.

Eil|bote ['aɪl-] *m*: ***durch ~n*** *Post*: by special delivery; '**~brief** *m* express (*Am.* special delivery) letter.

Eil|e ['aɪlə] *f* (-; *no pl*) haste, hurry: ***in ~ sein*** be in a hurry; '**2en** *v/i* **a)** (*sn*) hurry, hasten, rush **b)** (*h*) *Brief, Angelegenheit*: be urgent; '**2ig** *adj* hurried, hasty; *dringend*: urgent: ***es ~ haben*** be in a hurry.

'**Eilzug** *m* semifast train.

Eimer ['aɪmər] *m* (-*s*; -) bucket, pail.

ein [aɪn] **1.** *adj u. indef pron* one; **2.** *indef art* a, an; **3.** *adv*: ***~ - aus*** on - off.

einander [aɪ'nandər] *pron* each other, one another.

'**einarbeiten** (*sep*, *-ge-*, *h*) **1.** *v/t* acquaint *s.o.* with his work, F break *s.o.* in; **2.** *v/refl* work o.s. in.

einäscher|n ['aɪnˀɛʃərn] *v/t* (*sep*, *-ge-*, *h*) *Leiche*: cremate; '**2ung** *f* (-; *-en*) cremation.

'**einatmen** *v/t* (*sep*, *-ge-*, *h*) inhale, breathe.

'**Einbahnstraße** *f* one-way street.

'**Einbau** *m* (-[*e*]*s*; *-ten*) installation, fitting; '**~...** *in Zssgn Möbel etc*: built-in ..., fitted ...; '**2en** *v/t* (*sep*, *-ge-*, *h*) instal(l) (***in*** *acc* into); *Möbel*: fit in.

einberuf|en *v/t* (*irr*, *sep*, *no -ge-*, *h*, → ***rufen***) *mil.* call up (***zu*** for), *Am.* draft (into); *Versammlung*: call; '**2ung** *f* (-; *-en*) *mil.* conscription, *Am.* draft; calling; '**2ungsbescheid** *m mil.* call-up orders *pl*, *Am.* draft papers *pl*.

'**Einbettzimmer** *n* single room.

'**einbiegen** *v/i* (*irr*, *sep*, *-ge-*, *sn*, → ***biegen***) turn (***nach rechs*** right; ***in*** *acc* into).

'**einbild|en** *v/t* (*sep*, *-ge-*, *h*): ***sich ~*** imagine; ***sich et. ~ auf*** (*acc*) be conceited about; ***darauf kannst du dir et. ~*** (***brauchst du dir nichts einzubilden***) that's s.th. (nothing) to be proud of; '**2ung** *f* (-; *no pl*) imagination, fancy; *Dünkel*: conceit.

'**Einblick** *m* (-[*e*]*s*; *-e*) insight (***in*** *acc* into).

'**ein|brechen** *v/i* (*irr*, *sep*, *-ge-*, *sn*, → ***brechen***): ***~ in*** (*acc*) break into; ***bei uns wurde eingebrochen*** we had burglars, we were burgled (*Am.* burglarized); '**2brecher** *m* (-*s*; -) burglar; '**2bruch** *m* (-[*e*]*s*; *⸚e*) burglary: ***bei ~ der Dunkelheit*** at nightfall.

einbürger|n ['aɪnbʏrgərn] (*sep*, *-ge-*, *h*) **1.** *v/t* naturalize; **2.** *v/refl fig.* come into use; '**2ung** *f* (-; *-en*) naturalization.

'**ein|büßen** *v/t* (*sep*, *-ge-*, *h*) lose; **~checken** ['-tʃɛkən] *v/i u. v/t* (*sep*, *-ge-*, *h*) check in; '**~cremen** *v/refl u. v/t* (*sep*, *-ge-*, *h*): ***sich (et.) ~*** put some cream on; '**~decken** *v/refl* (*sep*, *-ge-*, *h*) stock up (***mit*** on).

eindeutig ['aɪndɔʏtɪç] *adj* clear.

'**eindring|en** *v/i* (*irr*, *sep*, *-ge-*, *sn*, → ***dringen***): ***~ in*** enter (*a. Wasser, Keime etc*); *gewaltsam*: force one's way into; *mil.* invade; '**~lich** *adj* urgent.

'**Eindruck** *m* (-[*e*]*s*; *⸚e*) impression; '**2svoll** *adj* impressive.

'**ein|er, ~e, ~(e)s** *indef pron* one.

'**einerseits** *adv* on the one hand.

einfach ['aɪnfax] *adj* simple; *leicht*: *a.* easy; *schlicht*: *a.* plain; *Fahrkarte*: single, *Am.* one-way; '**2heit** *f* (-; *no pl*): ***der ~ halber*** to simplify matters.

'**einfahr|en** (*irr*, *sep*, *-ge-*, → ***fahren***) **1.** *v/t* (*h*) *mot.* run (*bsd. Am.* break) in; **2.** *v/i* (*sn*) *Zug*: come (*od.* pull) in; '**2t** *f* (-; *-en*) *Eingang*: entrance; *Auffahrt*: drive; *zur Autobahn*: access road.

E

'**Einfall** *m* (-[*e*]*s*; ⸗*e*) idea; *mil.* invasion; '**2en** *v/i* (*irr, sep, -ge-, sn,* → ***fallen***) fall in; *einstürzen*: *a.* collapse; *mus.* join in: **~ *in*** *mil.* invade; ***ihm fiel ein, dass*** it came to his mind that; ***mir fällt nichts ein*** I have no ideas; ***es fällt mir nicht ein*** I can't think of it; ***dabei fällt mir ein*** that reminds me; ***was fällt dir ein?*** what's the idea?

E

'**einfarbig** *adj* one-colo(u)red; unicolo(u)red; *Stoff*: plain.

'**Einflugschneise** *f* approach corridor.

'**Einfluss** *m* (*-es*; ⸗*e*) influence (***auf*** *acc* on, *j-n* over); '**2reich** *adj* influential.

'**einfrieren** *v/t* (*irr, sep, -ge-, h,* → ***frieren***) *Lebensmittel*: (deep)freeze; *Löhne etc*: freeze.

Einfuhr ['aɪnfuːr] *f* (-; *-en*) *econ.* import, *Eingeführtes*: imports *pl*; '**~beschränkungen** *pl* import restrictions *pl.*

'**einführen** *v/t* (*sep, -ge-, h*) *econ.* import.

'**Einfuhr|genehmigung** *f* import licen|ce (*Am.* -se); '**~land** *n* importing country; '**~stopp** *m* import ban.

'**Einführungs|angebot** *n* introductory offer; '**~preis** *m* introductory price.

'**Eingabe** *f* (-; *-n*) *Computer*: input; '**~gerät** *n* input device.

'**Eingang** *m* entrance; *Eintritt*: entry; *von Waren*: arrival, *von Schreiben*: receipt; '**~sdatum** *n* date of receipt; '**~sstempel** *m* date stamp.

'**eingeben** *v/t* (*irr, sep, -ge-, h,* → ***geben***) *Daten*: feed (***in*** *acc* into).

'**Eingeborene** *m, f* (*-n*; *-n*) native.

'**Eingebung** *f* (-; *-en*) inspiration.

'**einge|fallen** *adj Augen, Wangen*: sunken, hollow; **~fleischt** ['-gəflaɪʃt] *adj Junggeselle etc*: confirmed.

'**eingehen** (*irr, sep, -ge-, sn,* → ***gehen***) **1.** *v/i Post, Waren*; come in, arrive; *bot., Tier*: die; *Stoff*: shrink: **~ *auf*** (*acc*) agree to; *Einzelheiten*: go into; **2.** *v/t Vertrag etc*: enter into; *Wette*: make; *Risiko*: take; '**~d** *adj* thorough.

einge|meinden ['aɪngəmaɪndən] *v/t* (*sep, pp eingemeindet, h*) incorporate (***in*** *acc* into); '**~schrieben** *adj* registered; '**~wöhnen** *v/refl* (*sep, pp eingewöhnt, h*): ***sich ~ in*** (*dat*) settle into.

'**einglieder|n** *v/t* (*sep, -ge-, h*) integrate (***in*** *acc* into); '**2ung** *f* (-; *no pl*) integration.

'**Eingriff** *m* (-[*e*]*s*; *-e*) *med.* operation.

'**ein|halten** *v/t* (*irr, sep, -ge-, h,* → ***halten***) *Termin, Versprechen, Regel*: keep; '**~hängen** *v/i* (*sep, -ge-, h*) *teleph.* hang up.

'**einheimisch** *adj* native, local; *Industrie, Markt.* home, domestic.

Einheit ['aɪnhaɪt] *f* (-; *-en*) *econ., math., mil., phys.* unit; *pol.* unity; *Ganzes*: *a.* whole; '**2lich** *adj* uniform; *geschlossen*: homogeneous; '**~s...** *in Zssgn Maß etc*: standard ...

einhellig ['aɪnhɛlɪç] *adj* unanimous.

'**einholen** *v/t* (*sep, -ge-, h*) catch up with; *Zeitverlust*: make up for; *Auskünfte*: make (***über*** *acc* about); *Rat*: seek (***bei*** from); *Erlaubnis*: ask for.

einig ['aɪnɪç] *adj*: (***sich***) **~ *sein*** (***werden***) be in (come to an) agreement (***mit*** with; ***über*** *acc* about); (***sich***) ***nicht ~ sein über*** disagree (*od.* differ) on; **~e** ['-gə] *indef pron* some, a few, several; '**~en** *v/refl* (*h*) agree (***über*** *acc*, ***auf*** *acc* on); '**~ermaßen** *adv* fairly, reasonably; '**~es** *indef pron* some(thing); *viel*: quite a lot; '**2keit** *f* (-; *no pl*) *Übereinstimmung*: agreement.

'**einjagen** *v/t* (*sep, -ge-, h*): ***j-m Angst*** (*od.* ***e-n Schreck***) **~** frighten s.o.

'**einjährig** *adj* one-year-old: **~*e Tätigkeit*** one year's work.

'**einkalkulieren** *v/t* (*sep, no -ge-, h*) take into account, allow for.

Einkauf ['aɪnkaʊf] *m* (-[*e*]*s*; *Einkäufe*) *bsd. econ.* purchase: ***Einkäufe machen*** → ***einkaufen*** 2; '**2en** (*sep, -ge-, h*) **1.** *v/t* buy, *econ. a.* purchase; **2.** *v/i*: **~** (***gehen***) go shopping; '**~sbummel** *m*: ***e-n ~ machen*** have a look around the shops; '**~spreis** *m econ.* purchase price; '**~swagen** *m bsd. Br.* trolley, *Am.* shopping cart; '**~szentrum** *n* shopping cent|re (*Am.* -er), *Am. a.* shopping mall.

'**ein|kehren** *v/i* (*sep, -ge-, sn*) stop (off) (***in*** *dat* at); '**~klagen** *v/t* (*sep, -ge-, h*) sue for.

'**Einkommen** *n* (*-s*; -) income; '**~steuer** *f* income tax.

Einkünfte ['aɪnkʏnftə] *pl* income *sg.*

'**einlad|en** *v/t* (*irr, sep, -ge-, h,* → ***laden***) invite (***zu*** to); *Waren*: load; '**2ung** *f* (-; *-en*) invitation.

Einlass ['aɪnlas] *m* (*-es*; ⸗*e*) admittance: **~ *ab 19 Uhr*** doors open at 7 p.m.

'**ein|lassen** (*irr, sep, -ge-, h,* → ***lassen***) **1.** *v/t* let in, admit; *ein Bad*: run; **2.** *v/refl*:

sich ~ auf (*acc*) get involved in; *leichtsinnig*: let o.s. in for; *zustimmen*: agree to; ***sich mit j-m ~*** get involved with s.o. (*a. sexuell*); '**~leben** *v/refl* (*sep*, *-ge-*, *h*) settle in(to ***in*** *dat*); '**~loggen** *v/ref* (*sep*, *-ge-*, *h*) *Computer*: log in; '**~lösen** *v/t* (*sep*, *-ge-*, *h*) *Scheck*: cash.

'**einmal** *adv* once; *zukünftig*: *a.* some (*od.* one) day, sometime: ***auf ~*** *plötzlich*: suddenly; *gleichzeitig*: at the same time; ***noch ~*** once more (*od.* again); ***noch ~ so …*** (***wie***) twice as … (as); ***es war ~*** once (upon a time) there was; ***haben Sie schon ~ …?*** have you ever …?; ***es schon ~ getan haben*** have done it before; ***schon ~ dort gewesen sein*** have been there before; ***erst ~*** first (of all); ***nicht ~*** not even; '**~ig** *adj* single; *fig.* unique.

'**Einmalzahlung** *f* one-off payment.

'**ein|mieten** *v/refl* (*sep*, *-ge-*, *h*) take a room (***in*** *dat* at); '**~mischen** *v/refl* (*sep*, *-ge-*, *h*) interfere (***in*** *acc* in, with), meddle (in, with).

einmütig ['aɪnmy:tɪç] *adj* unanimous.

Einnahme ['aɪnna:mə] *f* (-; *-n*) taking, *mil. a.* capture: **~n** *pl* receipts *pl.*

'**ein|nehmen** *v/t* (*irr*, *sep*, *-ge-*, *h*, → ***nehmen***) *Arznei*, *Platz*: take, *mil. a.* capture; *Mahlzeit*: have; *verdienen*: earn; '**~ordnen** *v/refl* (*sep*, *-ge-*, *h*) *mot.* get in lane: ***sich links ~*** get into the left lane; '**~packen** *v/t* (*sep*, *-ge-*, *h*) pack (up); *einwickeln*: wrap up; '**~parken** *v/i* (*sep*, *-ge-*, *h*) park; '**~program,mieren** *v/t* (*sep*, *no -ge-*, *h*) program(me) in (*a. Computer*); '**~reden** (*sep*, *-ge-*, *h*) **1.** *v/t*: ***j-m et. ~*** talk s.o. into (believing) s.th.; **2.** *v/i*: ***auf j-n ~*** keep on at s.o.; '**~reichen** *v/t* (*sep*, *-ge-*, *h*) send in, submit: → ***Scheidung.***

'**Einreise** *f* (-; *-n*) entry; '**~erlaubnis** *f* entry permit; '**2n** *v/i* (*sep*, *-ge-*, *sn*) enter the country: ***~ in*** (*acc*) (*od.* ***nach***) enter; '**~visum** *n* entry visa.

'**ein|reißen** (*irr*, *sep*, *-ge-*, → ***reißen***) **1.** *v/t* (*h*) *Gebäude*: pull down; **2.** *v/i* (*sn*) tear; *Unsitte etc*: spread; **~renken** ['-rɛŋkən] *v/t* (*sep*, *-ge-*, *h*) *med.* set.

'**einricht|en** (*sep*, *-ge-*, *h*) **1.** *v/t Zimmer etc*: furnish; *Küche*, *Büro etc*: fit out; *gründen*: establish; *ermöglichen*: arrange; **2.** *v/refl*: ***sich ~ auf*** (*acc*) prepare for; '**2ung** *f* (-; *-en*) furnishings *pl*; fittings *pl*; *tech.* installation(s *pl*), facilities *pl*; *öffentliche*: institution, facility.

einsam ['aɪnza:m] *adj Person*: lonely, *bsd. Am. a.* lonesome; *Haus*, *Gegend etc*: *a.* isolated, secluded; '**2keit** *f* (-; *no pl*) loneliness, *bsd. Am.* lonesomeness; isolation, seclusion.

einscannen ['aɪnskɛnən] *v/t* (*sep*, *-ge-*, *h*) *Computer*: scan in.

'**einschalt|en** *v/t* (*sep*, *-ge-*, *h*) switch on; '**2quote** *f TV* ratings *pl.*

'**ein|schätzen** *v/t* (*sep*, *-ge-*, *h*) *Kosten etc*: estimate; *beurteilen*: judge, rate: ***falsch ~*** misjudge; '**~schenken** *v/t* (*sep*, *-ge-*, *h*) pour (out); '**~schicken** *v/t* (*sep*, *-ge-*, *h*) send in (***an*** *acc* to); '**~schlafen** *v/i* (*irr*, *sep*, *-ge-*, *sn*, → ***schlafen***) fall asleep, go to sleep; '**~schlagen** (*irr*, *sep*, *-ge-*, *h*, → ***schlagen***) **1.** *v/t Nagel*: drive in; *zerbrechen*: break (in), smash (*a. Schädel*); *einwickeln*: wrap up; *Weg*, *Richtung*: take; *Laufbahn*: enter on, take up; *Rad*: turn; **2.** *v/i Blitz*, *Geschoss*: strike; *fig.* be a success.

einschlägig ['aɪnʃlɛ:gɪç] *adj* relevant.

'**ein|schleppen** *v/t* (*sep*, *-ge-*, *h*) *Krankheit*: bring in(to ***in*** *acc*, ***nach***); '**~schließlich** *prp* including, *nachgestellt*: included; '**~schneidend** *adj* drastic; *weit reichend*: far-reaching.

einschränk|en ['aɪnʃrɛŋkən] (*sep*, *-ge-*, *h*) **1.** *v/t* restrict (***auf*** *acc* to), reduce (to); *Rauchen etc*: cut down on; **2.** *v/refl* economize; '**2ung** *f* (-; *-en*) restriction, reduction; cut.

'**Einschreibebrief** *m* registered letter.

'**einschreiben** (*irr*, *sep*, *-ge-*, *h*, → ***schreiben***) **1.** *v/t*: ***e-n Brief ~ lassen*** have a letter registered; **2.** *v/refl univ. etc* register, *Am.* enrol(l) (***für*** for).

'**Einschreiben** *n* (*-s*; -) *Post*: registered letter.

'**ein|schreiten** *v/i* (*irr*, *sep*, *-ge-*, *sn*, → ***schreiten***): ***~*** (***gegen***) interfere (with), take (*gerichtlich*: legal) action (against); '**~schüchtern** *v/t* (*sep*, *-ge-*, *h*) intimidate; '**~sehen** *v/t* (*irr*, *sep*, *-ge-*, *h*, → ***sehen***) *Zweck*, *Fehler etc*: see, realize.

einseitig ['aɪnzaɪtɪç] *adj* one-sided; *jur.*, *med.*, *pol.* unilateral.

'**einsende|n** *v/t* (*irr*, *sep*, *-ge-*, *h*, → ***senden***[1]) send in; '**2r** *m* (*-s*; -) sender; *an Zeitungen*: contributor; '**2schluss** *m* closing date.

E

'**einsetzen** (*sep*, *-ge-*, *h*) **1.** *v/t* put in, insert; *ernennen*: appoint; *Mittel*: use, employ; *Geld*: invest, stake; bet; *Leben*: risk; **2.** *v/refl* try hard, make an effort; *für j-n, et.*: support, stand up for; **3.** *v/i* set in, start.

'**Einsicht** *f* (-; *-en*) *Erkenntnis*: insight; *Einsehen*: understanding; *Vernunft*: reason; '**2ig** *adj* understanding; reasonable.

E

'**ein|sparen** *v/t* (*sep*, *-ge-*, *h*) save; '**~speichern** *v/t* (*sep*, *-ge-*, *h*) *Computer*: store; '**~sperren** *v/t* (*sep*, *-ge-*, *h*) lock up; '**~springen** *v/i* (*irr*, *sep*, *-ge-*, *sn*, → ***springen***) help out: ***für j-n ~*** fill in for s.o.

'**Einspruch** *m* objection (***gegen*** to) (*a. jur.*), protest (against); *pol.* veto (against); *Berufung*: appeal (against).

einspurig ['aınʃpu:rıç] *adj mot.* single-lane.

'**einsteigen** *v/i* (*irr*, *sep*, *-ge-*, *sn*, → ***steigen***) get in(to ***in*** *acc*), *Bus*, *Flugzeug*, *Zug*: (*a.* ***~ in*** *acc*) get on: ***alles ~!*** all aboard!

'**einstell|en** (*sep*, *-ge-*, *h*) **1.** *v/t Arbeitskräfte etc*: take on, employ; *aufgeben*: give up; *beenden*: stop; *Rekord*: equal; *regulieren*: *tech.* adjust (***auf*** *acc* to); *Radio*: tune in (to); *opt.* focus (on) (*a. fig.*); **2.** *v/refl*: ***sich ~ auf*** *j-n, et.*: adjust to; *vorsorglich*: be prepared for; '**2ung** *f* (-; *-en*) *Haltung*: attitude (***zu*** towards); *Arbeitskräfte*: employment; *Beendigung*: discontinuance; *tech.* adjustment; '**2ungsgespräch** *n* interview.

einstimmig ['aınʃtımıç] *adj* unanimous.

einstöckig ['aınʃtœkıç] *adj* one-stor(e)y.

'**Ein|sturz** *m* (*-es*; *⸚e*) collapse; '**2stürzen** *v/i* (*sep*, *-ge-*, *sn*) collapse.

'**eintauschen** *v/t* (*sep*, *-ge-*, *h*) exchange (***gegen*** for).

'**einteil|en** *v/t* (*sep*, *-ge-*, *h*) divide (***in*** *acc* into); *Zeit*: organize; '**2ung** *f* (-; *-en*) division; organization.

eintönig ['aıntø:nıç] *adj* monotonous; '**2keit** *f* (-; *no pl*) monotony.

Eintrag ['aıntra:k] *m* (-[*e*]*s*; *⸚e*) entry, *econ. a.* item; '**2en** (*irr*, *sep*, *-ge-*, *h*, → ***tragen***) **1.** *v/t* enter (***in*** *acc* into); *amtlich*: register; **2.** *v/refl* sign; *sich vormerken lassen*: put one's name down.

einträglich ['aıntrε:klıç] *adj* profitable.

'**ein|treffen** *v/i* (*irr*, *sep*, *-ge-*, *sn*, → ***treffen***) arrive; *geschehen*: happen; *sich erfüllen*: come true; '**~treten** (*irr*, *sep*, *-ge-*, → ***treten***) **1.** *v/i* (*sn*) enter; *geschehen*: happen, take place: ***~ für*** stand up for, support; ***~ in*** *Verein etc*: join; **2.** *v/t* (*h*) *Tür etc*: kick in.

'**Eintritt** *m* (-[*e*]*s*; *-e*) entry; *Zutritt*, *Gebühr*: admission: ***~ frei!*** admission free; ***~ verboten!*** no admittance; '**~skarte** *f* (admission) ticket; '**~spreis** *m* admission charge.

'**einver|standen** *adj*: ***~ sein*** agree (***mit*** to): ***~!*** agreed!; '**2ständnis** *n* (*-sses*; *no pl*) approval (***zu*** of).

'**Einwahlknoten** *m Computer*: node, point of presence (POP).

Einwand ['aınvant] (-[*e*]*s*; *⸚e*) objection (***gegen*** to).

'**Einwander|er** *m* (*-s*; -) immigrant; '**2n** *v/i* (*sep*, *-ge-*, *sn*) immigrate (***in*** *acc*, ***nach*** to); '**~ung** *f* immigration.

'**einwandfrei** *adj* perfect, faultless.

'**Einweg|flasche** *f* nonreturnable bottle; '**~ra,sierer** *m* disposable razor.

'**einwend|en** *v/t* (*irr*, *sep*, *-ge-*, *h*, → ***wenden²***): ***~, dass*** object that; '**2ung** *f* objection (***gegen*** to).

'**einwerfen** *v/t* (*irr*, *sep*, *-ge-*, *h*, → ***werfen***) *Brief*: *bsd. Br.* post, *Am.* mail; *Münze*: insert.

'**einwickel|n** *v/t* (*sep*, *-ge-*, *h*) wrap up (***in*** *acc* in); '**2pa,pier** *n* wrapping paper.

einwillig|en ['aınvılıgən] *v/i* (*sep*, *-ge-*, *h*) agree (***in*** *acc* to); '**2ung** *f* (-; *-en*) approval (***zu*** of).

Einwohner ['aınvo:nər] *m* (*-s*; -) inhabitant; '**~meldeamt** *n* residents' registration office.

'**Einwurf** *m* (-[*e*]*s*; *⸚e*) *e-r Münze*: insertion; *für Briefe etc*: slit; *für Münzen*: slot.

'**einzahl|en** *v/t* (*sep*, *-ge-*, *h*) pay in; '**2ung** *f* (-; *-en*) payment; '**2ungsbeleg** *m* pay-in slip.

Einzel|bett ['aıntsəl-] *n* single bed; '**~haft** *f jur.* solitary confinement; '**~handel** *m* retail trade; '**~handelsgeschäft** *n* retail shop (*bsd. Am.* store); '**~händler** *m* retailer; '**~heit** *f* (-; *-en*) detail; '**~kind** *n* only child.

'**einzeln** **1.** *adj* single; *Schuh etc*: odd: **2e** *pl* several, some; ***der ~e*** (***Mensch***) the individual; ***im 2en*** in detail; ***jeder 2e*** each and every one; **2.** *adv*: ***~ eintreten***

enter one at a time; ~ ***angeben*** specify.
'**Einzelzimmer** *n* single room; '**~zuschlag** *m* single-room supplement.
'**einziehen** (*irr*, *sep*, *-ge-*, → ***ziehen***) **1.** *v/t* (*h*) *tech*. retract; *mil*. call up, *Am*. draft; *beschlagnahmen*: confiscate; *Führerschein*: withdraw: ***den Kopf ~*** duck; **2.** *v/i* (*sn*) *in Haus etc*: move in; *Flüssigkeit*: soak in.
einzig ['aɪntsɪç] *adj* only; *einzeln*: single: ***kein ≈er ...*** not a single ...; ***das ≈e*** the only thing; ***der ≈e*** the only one; '**~artig** *adj* unique, singular.
Ein'zimmera,partment *n* one-room (*Am*. *a*. efficiency) apartment, *Br*. *a*. bedsit.
'**Einzugsgebiet** *n e-r Stadt*: hinterland, *engS*. commuter belt.
Eis [aɪs] *n* (*-es*; *no pl*) ice; *Speise≈*: ice cream; '**~diele** *f* ice-cream parlo(u)r.
Eisen ['aɪzən] *n* (*-s*; -) iron.
'**Eisenbahn** *f bsd*. *Br*. railway, *Am*. railroad; *Zssgn a*. → ***Bahn***; '**~wagen** *m Br*. railway carriage, coach, *Am*. railroad car.
eisern ['aɪzərn] *adj* iron (*a*. *fig*.), of iron; *Nerven*: of steel.
'**eis|gekühlt** *adj* chilled; '**~ig** *adj* icy (*a*. *fig*.); '**~kalt** *adj* ice-cold; '**≈schrank** *m* → ***Kühlschrank***; '**≈verkäufer** *m* ice-cream seller; '**≈würfel** *m* ice cube; '**≈zapfen** *m* icicle.
eitel ['aɪtəl] *adj* vain; '**≈keit** *f* (-; *no pl*) vanity.
Eiter ['aɪtər] *m* (*-s*; *no pl*) pus; '**≈n** *v/i* (*h*) fester.
'**eitrig** *adj med*. festering.
'**Eiweiß** *n* white of egg; *biol*. protein; '**≈arm** *adj* low in protein, low-protein; '**≈reich** *adj* rich in protein, high-protein.
Ekel ['e:kəl] *m* (*-s*; *no pl*) disgust (***vor*** *dat* at); '**≈haft**, '**≈ig** *adj* disgusting; '**≈n** *v/refl* (*h*): ***ich ekle mich davor*** it makes me sick.
elastisch [e'lastɪʃ] *adj* elastic; *mot*., *tech*. flexible.
Elefant [ele'fant] *m* (*-en*; *-en*) *zo*. elephant; **~enhochzeit** *f econ*. F jumbo merger.
elegan|t [ele'gant] *adj* elegant; **≈z** [-'gants] *f* (-; *no pl*) elegance.
Elektri|ker [e'lɛktrɪkər] *m* (*-s*; -) electrician; **≈sch** *adj allg*. electric(al).
Elektrizität [elɛktritsi'tɛ:t] *f* (-; *no pl*) electricity; **~swerk** *n* (electric) power station.
Elektro|gerät [e'lɛktro-] *n* electrical appliance; **~geschäft** *n* electrical shop (*bsd*. *Am*. store).
Elektron|ik [elɛk'tro:nɪk] *f* (-; *no pl*) electronics *pl* (*sg konstr*.); electronic system; **≈isch** *adj* electronic: ***~e Datenverarbeitung*** electronic data processing.
Elend ['e:lɛnt] *n* (*-s*; *no pl*) misery; '**~sviertel** *n* slum(s *pl*).
elf [ɛlf] *adj* eleven.
Elfenbein ['ɛlfən-] *n* (*-[e]s*; *no pl*) ivory.
elfte ['ɛlftə] *adj* eleventh.
Elite [e'li:tə] *f* (-; *-n*) elite.
Ellbogen ['ɛl-] *m* (*-s*; -) *anat*. elbow; '**~gesellschaft** *f* dog-eat-dog society.
Elsass ['ɛlzas] Alsace, Alsatia.
elter|lich ['ɛltərlɪç] *adj* parental; '**≈n** *pl* parents *pl*; '**~nlos** *adj* orphan(ed); '**≈nteil** *m* parent; '**≈nzeit** *f* parental leave.
Email [e'maɪ(l)] *n* (*-s*; *-s*) enamel.
Emanzip|ation [emantsipa'tsĭo:n] *f* (-; *no pl*) emancipation; **≈ieren** [-'pi:rən] *v/refl* (*no ge-*, *h*) become emancipated.
Embargo [ɛm'bargo] *n* (*-s*; *-s*) embargo.
Embolie [ɛmbo'li:] *f* (-; *-n*) *med*. embolism.
Emigr|ant [emi'grant] *m* (*-en*; *-en*) emigrant, *pol*. émigré; **~ation** [-'tsĭo:n] *f* (-; *-en*) emigration; ***in der ~*** in exile; **≈ieren** [-'gri:rən] *v/i* (*no ge-*, *sn*) emigrate (***nach*** to).
Emission [emɪ'sĭo:n] *f* (-; *-en*) *phys*. emission; *econ*. issue; **≈sarm** *adj* low in emissions; **~shandel** *m* emissions trading; **~swerte** *pl* emission level *sg*.
Emoticon [e'mo:tɪkɔn] *n* (*-s*: *-s*) *Computer*: emoticon, smiley.
Empfang [ɛm'pfaŋ] *m* (*-[e]s*; *⸚e*) reception (*a*. *Radio*, *Hotel*), welcome; *Erhalt*: receipt (***nach***, ***bei*** on); **≈en** *v/t* (*empfing*, *empfangen*, *h*) receive; *freundlich*: *a*. welcome.
Empfäng|er [ɛm'pfɛŋər] *m* (*-s*; -) receiver (*a*. *Radio*); **≈lich** *adj* susceptible (***für*** to); **~nis** *f* (-; *no pl*) *med*. conception; **~nisverhütung** *f* contraception.
Emp'fangs|bescheinigung *f* receipt; **~dame** *f* receptionist.
empfehl|en [ɛm'pfe:lən] *v/t* (*empfahl*, *empfohlen*, *h*) recommend (***j-m et.*** s.th. to s.o.); **~enswert** *adj ratsam*: ad-

visable; 𝔖**ung** *f* (-; *-en*) recommendation: ***auf j-s ~*** on s.o.'s recommendation; 𝔖**ungsschreiben** *n* letter of recommendation.

empfind|en [ɛm'pfɪndən] *v/t* (*empfand, empfunden, h*) feel; **~lich** *adj* sensitive (***für, gegen*** to) (*a. phot., tech.*); *zart*: tender, delicate (*a. Gesundheit, Gleichgewicht*); *leicht gekränkt*: touchy; *sensibel*: sensitive; *reizbar*: irritable (*a. Magen*); *Kälte, Strafe*: severe: ***~e Stelle*** sore (*fig. a.* vulnerable) spot; 𝔖**lichkeit** *f* (-; *no pl*) sensitivity; delicacy; touchiness; irritability; severity; 𝔖**ung** *f* (-; *-en*) sensation; *Wahrnehmung*: perception; *Gefühl*: feeling, emotion.

empör|t [ɛm'pø:rt] *adj* indignant (***über*** *acc* at), shocked (at); 𝔖**ung** *f* (-; *no pl*) indignation (***über*** *acc* at).

Ende ['ɛndə] *n* (*-s*; *no pl*) end: ***am ~*** at the end; *schließlich*: in the end, finally; ***zu ~*** over; *Zeit*: up; ***zu ~ gehen*** come to an end; ***et. zu ~ tun*** finish doing s.th.; ***er ist ~ zwanzig*** he is in his late twenties; ***(am) ~ der achtziger Jahre*** in the late eighties; '𝔖**n** *v/i* (*h*) (come to an) end; stop, finish: ***~ als*** end up as.

End|ergebnis ['ɛnt-] *n* final result; '𝔖**gültig** *adj* final; '**~kunde** *m* end customer, end user, end consumer; '𝔖**lagern** *v/t* (*only inf u. pp endgelagert, h*) dispose of *s.th.* permanently; '**~lagerung** *f* final disposal; '𝔖**los** *adj* endless; '**~pro,dukt** *n* end (*od.* finished) product; '**~stati,on** *f* terminus; '**~verbraucher** *m* end user.

Energie [enɛrgi:] *f* (-; *-n*) *phys.* energy (*a. fig.*), *electr. a.* power; 𝔖**bewusst** *adj* energy-conscious; **~krise** *f* energy crisis; 𝔖**los** *adj* lacking in energy; **~quelle** *f* source of energy; **~versorgung** *f* energy supply.

energisch [e'nɛrgɪʃ] *adj* energetic.

eng [ɛŋ] **1.** *adj* narrow; *Kleidung, Kurve*: tight; *Kontakt, Freund(schaft)*: close; *beengt*: cramped; **2.** *adv*: ***~ befreundet sein*** be close friends.

Engagement [ãgaʒə'mã:] *n* (*-s*; *-s*) *thea. etc* engagement; *fig.* commitment, involvement.

engagier|en [ãga'ʒi:rən] (*no ge-, h*) **1.** *v/t Künstler*: engage, *Band etc*: hire; **2.** *v/refl*: ***sich ~ für*** be very involved (*od.* active) in; **~t** *adj* involved.

Enge ['ɛŋə] *f* (-; *no pl*) narrowness; *Wohnverhältnisse*: cramped conditions *pl*: ***in die ~ treiben*** drive into a corner.

Engel ['ɛŋəl] *m* (*-s*; -) angel.

England ['ɛŋlant] England.

Engländer ['ɛŋlɛndər] *m* (*-s*; -) Englishman: ***die ~*** *pl* the English *pl*; '**~in** *f* (-; *-nen*) Englishwoman.

englisch ['ɛŋlɪʃ] *adj* English: ***auf*** 𝔖 in English.

'**Engpass** *m fig.* bottleneck.

engstirnig ['ɛŋʃtɪrnɪç] *adj* narrow-minded.

Enkel ['ɛŋkəl] *m* (*-s*; -) grandchild; grandson; '**~in** *f* (-; *-nen*) granddaughter.

enorm [e'nɔrm] *adj* tremendous.

Ensemble [ã'sã:bl] *n* (*-s*; *-s*) *thea.* company; cast.

ent'bind|en (*irr, no ge-, h,* → ***binden***) *med.* **1.** *v/t e-e Frau*: deliver (***von*** of); **2.** *v/i* give birth to a child, F have a baby; 𝔖**ung** *f* (-; *-en*) *med.* delivery; 𝔖**ungsstati,on** *f* maternity ward.

ent'deck|en *v/t* (*no ge-, h*) discover, find; 𝔖**er** *m* (*-s*; -) discoverer; 𝔖**ung** *f* (-; *-en*) discovery.

Ente ['ɛntə] *f* (-; *-n*) *zo.* duck; F *Zeitungs*𝔖: canard, hoax.

ent'eign|en *v/t* (*no ge-, h*) expropriate; *j-n*: dispossess; 𝔖**ung** *f* (-; *-en*) expropriation; dispossession.

ent|'erben *v/t* (*no ge-, h*) disinherit; **~fachen** [ɛnt'faxən] *v/t* (*no ge-, h*) kindle; *fig. a.* rouse; **~'fallen** *v/i* (*irr, no ge-, sn,* → ***fallen***) *wegfallen*: be dropped (*od.* cancelled): ***auf j-n ~*** fall to s.o.('s share); ***es ist mir ~*** it has slipped my memory.

entfern|en [ɛnt'fɛrnən] (*no ge-, h*) **1.** *v/t* remove (*a. fig.*); **2.** *v/refl* leave; **~t** *adj* distant (*a. fig.*): ***weit*** (***10 Meilen***) ***~*** far (10 miles) away; 𝔖**ung** *f* (-; *-en*) removal; *Abstand*: distance; 𝔖**ungsmesser** *m* (*-s*; -) *phot.* range finder.

ent'führ|en *v/t* (*no ge-, h*) kidnap; *Flugzeug*: hijack; 𝔖**er** *m* (*-s*; -) kidnapper; hijacker; 𝔖**ung** *f* (-; *-en*) kidnapping; hijacking.

ent'gegen **1.** *prp* contrary to, against; **2.** *adv* towards; **~gehen** *v/i* (*irr, sep, -ge-, sn,* → ***gehen***) go to meet; **~gesetzt** *adj* opposite; **~kommen** *v/i* (*irr, sep, -ge-, sn,* → ***kommen***) come to meet; *fig.* ***j-m ~*** meet s.o. halfway; **~nehmen**

v/t (*irr, sep, -ge-, h,* → ***nehmen***) accept, take; **~sehen** *v/i* (*irr, sep, -ge,* h, → ***sehen***) await; *e-r Sache freudig*: look forward to.

entgegnen [ɛnt'geːgnən] *v/t* (*no ge-, h*) reply (***auf*** *acc* to; ***dass*** that).

ent'gehen *v/i* (*irr, no ge-, sn,* → ***gehen***) escape: *fig.* ***j-m ~*** escape s.o.('s notice); ***sich et. ~ lassen*** miss s.th.

Entgelt ['ɛntgɛlt] *n* (*-[e]s; -e*) remuneration; *Honorar*: fee.

entgiften [ɛnt'gɪftən] *v/t* (*no ge-, h*) *Luft etc*: decontaminate.

entgleis|en [ɛnt'glaɪzən] *v/i* (*no ge-, sn*) be derailed; **2ung** *f* (*-; -en*) derailment; *fig.* gaffe, faux pas.

ent'halt|en (*irr, no ge-, h,* → ***halten***) **1.** *v/t* contain; **2.** *v/refl*: ***sich*** (***der Stimme***) ***~*** abstain; **2ung** *f* (*-; -en*) *Stimm2*: abstention.

enthüll|en [ɛnt'hʏlən] *v/t* (*no ge-, h*) *Denkmal etc*: unveil; *fig.* reveal; **2ung** *f* (*-; -en*) unveiling; *fig.* disclosure.

Enthusias|mus [ɛntu'zĭasmʊs] *m* (*-; no pl*) enthusiasm; **2tisch** *adj* enthusiastic.

ent'kommen *v/i* (*irr, no ge-, sn,* → ***kommen***) escape (***j-m*** s.o.; ***aus*** from).

ent'lad|en *v/t* (*irr, no ge-, h,* → ***laden***) unload; *electr.* discharge (*a. v/refl*); **2ung** *f* (*-; -en*) unloading; discharge.

ent'lang *prp u. adv* along: ***hier ~, bitte!*** this way, please.

entlarven [ɛnt'larfən] *v/t* (*no ge-, h*) unmask, expose.

ent'lass|en *v/t* (*irr, no ge-, h,* → ***lassen***) dismiss; *Patienten*: discharge (***aus*** from); *Häftling*: release (from); **2ung** *f* (*-; -en*) dismissal; discharge; release; **2ungsgesuch** *n* (letter of) resignation.

ent'last|en *v/t* (*no ge-, h*) relieve; *Gewissen, Verkehr*: ease; *jur.* exonerate; **2ung** *f* (*-; no pl*) relief; *jur.* exoneration; **2ungszeuge** *m* witness for the defen|ce (*Am.* -se).

ent|'laufen *v/i* (*irr, no ge-, sn,* → ***laufen***) run away (*dat* from); **~'legen** *adj* remote; **~machten** [ɛnt'maxtən] *v/t* (*no ge-, h*) deprive *s.o.* of *his* power; **~militarisieren** [-militari'ziːrən] *v/t* (*no ge-, h*) demilitarize; **~mutigen** [-'muːtɪgən] *v/t* (*no ge-, h*) discourage; **~'nerven** *v/t* (*no ge-, h*) enervate; **~puppen** [-'pʊpən] *v/refl* (*no ge-, h*): ***sich ~ als*** turn out to be; **~'reißen** *v/t* (*irr, no ge-, h,* → ***reißen***): ***j-m et. ~*** snatch s.th. from s.o.

ent'rüst|en (*no ge-, h*) **1.** *v/t* fill with indignation; **2.** *v/refl* become indignant (***über*** *acc* at *s.th.*, with *s.o.*); **~et** *adj* indignant; **2ung** *f* (*-; no pl*) indignation.

ent'schädig|en *v/t* (*no ge-, h*) compensate (***für*** for) (*a. fig.*); **2ung** *f* (*-; -en*) compensation.

ent'schärfen *v/t* (*no ge-, h*) defuse (*a. Lage*).

entscheid|en [ɛnt'ʃaɪdən] (*irr, no ge-, h,* → ***scheiden***) **1.** *v/t* decide; *endgültig*: settle; **2.** *v/i* be decisive: ***~ über*** (*acc*) decide (on); **3.** *v/refl* decide (***für*** on; ***gegen*** against; ***zu tun*** to do), make up one's mind; **~end** *adj* decisive (***für*** for, in); *kritisch*: crucial; **2ung** *f* (*-; -en*) decision.

ent'schließ|en *v/refl* (*irr, no ge-, h,* → ***schließen***) decide (***zu, für*** on; ***zu tun*** to do), make up one's mind; **2ung** *f* (*-; -en*) *bsd. pol.* resolution.

Ent'schluss *m* (*-es; ⸗e*) decision: ***e-n ~ fassen*** make (*od.* reach) a decision.

entschuldig|en [ɛnt'ʃʊldɪgən] (*no ge-, h*) **1.** *v/t*: ***~ Sie die Störung!*** sorry to bother (*od.* disturb) you; **2.** *v/refl* apologize (***bei j-m*** to s.o.; ***für et.*** for s.th.); **3.** *v/i*: ***~ Sie!*** *beim Vorbeigehen etc*: excuse me; *Verzeihung!*: sorry; **2ung** *f* (*-; -en*) apology; *Grund etc*: excuse: ***~! beim Vorbeigehen etc***: excuse me; *Verzeihung!*: sorry; ***j-n um ~ bitten*** apologize to s.o. (***wegen*** for).

ent'setzen *v/t* (*no ge-, h*) horrify, shock.

Ent'setz|en *n* (*-s; no pl*) horror; **2lich** *adj* horrible, dreadful, terrible; *scheußlich*: atrocious.

ent'sorg|en *v/t* (*no ge-, h*) dispose of the waste of; **2ung** *f* (*-; -en*) waste disposal.

ent'spann|en *v/refl* (*no ge-, h*) relax; *Lage*: ease (up); **2ung** *f* (*-; -en*) relaxation; *pol.* détente.

ent'sprechen *v/i* (*irr, no ge-, h,* → ***sprechen***) correspond to; *e-r Beschreibung*: answer to; *Anforderungen etc*: meet; **~d** *adj* corresponding (to); *passend*: appropriate.

ent'steh|en *v/i* (*irr, no ge-, sn,* → ***stehen***) come into being (*od.* existence); *geschehen*: arise, come about; *allmählich*: emerge, develop: ***~ aus*** originate from; **2ung** *f* (*-; no pl*) origin.

E

ent'stört *adj electr.* interference-free.
ent'täusch|en *v/t* (*no ge-, h*) disappoint; **≗ung** *f* (-; *-en*) disappointment.
entweder ['ɛntve:dər] *cj*: **~ ... oder** either ... or.
ent'werfen *v/t* (*irr, no ge-, h,* → **werfen**) design; *Schriftstück*: draw up.
ent'wert|en *v/t* (*no ge-, h*) *Fahrschein etc*: cancel; **≗ung** *f* (-; *-en*) cancellation.
ent'wickeln *v/t u. v/refl* (*no ge-, h*) develop (*a. phot.*) (**zu** into).
Ent'wicklung *f* (-; *-en*) development, *biol. a.* evolution; **~shelfer** *m* development aid volunteer; *Br.* VSO worker, *Am.* Peace Corps worker; **~shilfe** *f* development aid; **~sland** *n* developing country.
Ent'wurf *m* outline, (rough) draft, plan; *Gestaltung*: design; *Skizze*: sketch.
ent'zieh|en *v/t* (*irr, no ge-, h,* → **ziehen**): ***j-m den Führerschein ~*** ban s.o. from driving; **≗ungsanstalt** *f med.* (drug) detoxification cent|re (*Am.* -er), drying-out cent|re (*Am.* -er); **≗ungskur** *f med.* withdrawal treatment.
entziffern [ɛnt'tsɪfərn] *v/t* (*no ge-, h*) *Handschrift*: decipher, make out.
Entzück|en [ɛnt'tsʏkən] *n* (*-s; no pl*) delight; **≗end** *adj* delightful, charming; **≗t** *adj* delighted (***über*** *acc*, ***von*** at, with).
Ent'zugserscheinung *f med.* withdrawal symptom.
ent'zünd|en *v/refl* (*no ge-, h*) catch fire; *med.* become inflamed; **≗ung** *f* (-; *-en*) *med.* inflammation.
Epidemie [epide'mi:] *f* (-; *-n*) epidemic.
Episode [epi'zo:də] *f* (-; *-n*) episode.
Epoche [e'pɔxə] *f* (-; *-n*) epoch, period, era.
er [e:r] *pers pron* he; *Sache*: it.
Er'achten *n*: ***m-s ~s*** in my opinion.
erbärmlich [ɛr'bɛrmlɪç] *adj* pitiful, pitiable; *elend*: miserable; *gemein*: mean.
er'baue|n *v/t* (*no ge-, h*) build, construct; **≗r** *m* (*-s*; -) builder, architect.
Erbe[1] ['ɛrbə] *m* (*-n; -n*) heir.
Erbe[2] [~] *n* (*-s; no pl*) inheritance; *fig.* heritage.
'erben *v/t* (*h*) inherit.
erbeuten [ɛr'bɔʏtən] *v/t* (*no ge-, h*) *bei Einbruch etc*: get away with.
Erbin ['ɛrbɪn] *f* (-; *-nen*) heiress.
erbittert [ɛr'bɪtərt] *adj Kampf etc*: fierce.
'Erbkrankheit *f* hereditary disease.
erblich ['ɛrplɪç] *adj* hereditary.
er'blicken *v/t* (*no ge-, h*) see, catch sight of.
erblind|en [ɛr'blɪndən] *v/i* (*no ge-, sn*) go blind (***auf e-m Auge*** in one eye); **≗ung** *f* (-; *no pl*) loss of (one's) sight.
er'brechen (*irr, no ge-, h,* → **brechen**) *med.* **1.** *v/t* bring up, vomit; **2.** *v/i u. v/refl* vomit, *Br. a.* be sick.
'Erbschaft *f* (-; *-en*) inheritance; **'~steuer** *f* inheritance tax.
Erbse ['ɛrpsə] *f* (-; *-n*) *bot.* pea.
Erd|beben ['e:rtbe:bən] *n* (*-s*; -) earthquake; **'~beere** *f bot.* strawberry; **'~boden** *m* (*-s; no pl*) earth, ground.
Erde ['e:rdə] *f* (-; *no pl*) (planet) earth; *Erdreich*: earth, soil; *Boden*: ground; **'≗n** *v/t* (*h*) *electr. bsd. Br.* earth, *Am.* ground.
'Erd|erwärmung *f* global warming; **'~gas** *n* natural gas; **'~geschoss** *n* (***im*** on the) ground (*Am.* first) floor; **'~nuss** *f bot.* peanut; **'~öl** *n* (mineral) oil, petroleum.
erdrosseln [ɛr'drɔsəln] *v/t* (*no ge-, h*) strangle.
er'drücken *v/t* (*no ge-, h*) crush (to death); **~d** *adj fig.* overwhelming.
Erd|rutsch ['e:rtrʊtʃ] *m* (*-[e]s; -e*) landslide (*a. pol.*); **'~teil** *m geogr.* continent.
er'dulden *v/t* (*no ge-, h*) bear, endure.
er'eignen *v/refl* (*no ge-, h*) happen, occur.
Ereignis [ɛr'ˀaɪgnɪs] *n* (*-ses; -se*) event; **≗reich** *adj* very eventful.
er'fahren[1] *v/t* (*irr, no ge-, h,* → **fahren**) hear; *erleben*: experience.
er'fahr|en[2] *adj* experienced; **≗ung** *f* (-; *-en*) experience.
er'fassen *v/t* (*no ge-, h*) *be-, ergreifen*: grasp; *statistisch*: record, register; *umfassen*: cover, include; *Daten*: acquire, gather; *Text*: compose.
er'find|en *v/t* (*irr, no ge-, h,* → **finden**) invent; **≗er** *m* inventor; **~erisch** *adj* inventive; **≗ung** *f* (-; *-en*) invention.
Erfolg [ɛr'fɔlk] *m* (*-[e]s; -e*) success; *Ergebnis*: result; ***~ versprechend*** promising; **≗los** *adj* unsuccessful; *vergeblich*: futile; **~losigkeit** *f* (-; *no pl*) failure; **≗reich** *adj* successful; **~serlebnis** *n* positive experience.
erforder|lich [ɛr'fɔrdərlɪç] *adj* necessary, required: ***unbedingt ~*** essential;

~n *v/t* (*no ge-*, *h*) require, demand.

er'forsch|en *v/t* (*no ge-*, *h*) explore; *untersuchen*: investigate; *wissenschaftlich*: study, research (into); **2er** *m* explorer; **2ung** *f* (-; *-en*) exploration (*gen* of); investigation (of, into); research (into).

er'freu|en (*no ge-*, *h*) **1.** *v/t* please; **2.** *v/refl*: ***sich ~ an*** (*dat*) enjoy; **~lich** *adj* pleasing.

er'frier|en *v/i* (*irr*, *no ge-*, *sn*, → ***frieren***) freeze to death; *Pflanzen*: be killed by frost; **2ung** *f* (-; *-en*) frostbite.

erfrisch|en [ɛr'frɪʃən] *v/t u. v/refl* (*no ge-*, *h*) refresh (o.s.); **2ung** *f* (-; *-en*) refreshment.

er'füll|en (*no ge-*, *h*) *fig.* **1.** *v/t* fill (***mit*** with); *Wunsch*, *Pflicht*, *Aufgabe*: fulfil(l); *Versprechen*: keep; *Zweck*: serve; *Bedingung*, *Erwartung*: meet; **2.** *v/refl* come true; **2ung** *f* (-; *-en*) fulfil(l)ment: ***in ~ gehen*** come true; **2ungsort** *m econ.* place of fulfil(l)ment.

ergänz|en [ɛr'gɛntsən] *v/t* (*no ge-*, *h*) complement (***sich*** each other); *nachträglich hinzufügen*: supplement, add; **~end** *adj* complementary; supplementary; **2ung** *f* (-; *-en*) complement; supplement, addition.

er'geben (*irr*, *no ge-*, *h*, → ***geben***) **1.** *v/t* amount (*od.* come) to; **2.** *v/refl* surrender; *Schwierigkeiten*: arise: ***sich ~ aus*** result from; ***sich ~ in*** resign o.s. to; **2heit** *f* (-; *no pl*) devotion.

Ergebnis [ɛr'ge:pnɪs] *n* (*-ses*; *-se*) result, outcome; **2los** *adj* fruitless, without result.

er|'gehen *v/impers u. v/i* (*irr*, *no ge-*, *sn*, → ***gehen***): ***wie ist es dir ergangen?*** how did things go with you?; ***so erging es mir auch*** the same thing happened to me; ***et. über sich ~ lassen*** (patiently) endure s.th.; **~'greifen** *v/t* (*irr*, *no ge-*, *h*, → ***greifen***) seize, grasp; *Gelegenheit*, *Maßnahme*: take; *Beruf*: take up; *fig.* move, touch.

Ergriffenheit [ɛr'grɪfənhaɪt] *f* (-; *no pl*) emotion.

er'halten[1] *v/t* (*irr*, *no ge-*, *h*, → ***halten***) get, receive; *bewahren*: keep; *unterstützen*: support, maintain.

er'halten[2] *adj*: ***gut ~*** in good condition.

erhältlich [ɛr'hɛltlɪç] *adj* obtainable, available: ***schwer ~*** hard to come by.

er'hängen *v/refl* (*no ge-*,h) hang o.s.

er'heben (*irr*, *no ge-*, *h*, → ***heben***) **1.** *v/t* raise (*a. Stimme*), lift; **2.** *v/refl* rise (to one's feet); *Volk etc*: rise (up) (***gegen*** against).

erheblich [ɛr'he:plɪç] *adj* considerable.

er'hoffen *v/t* (*no ge-*, *h*): ***sich et. ~*** hope for s.th.; *erwarten*: expect s.th. (***von*** of).

erhöh|en [ɛr'hø:ən] *v/t* (*no ge-*, *h*) raise, increase (*beide*: ***auf*** *acc* to; ***um*** by); **2ung** *f* (-; *-en*) increase (*gen* in); *Gehalts*2: *bsd. Br.* rise, *Am.* raise.

er'hol|en *v/refl* (*no ge-*, *h*) *genesen*: recover (***von*** from); *sich entspannen*: relax, rest; **~sam** *adj* restful, relaxing; **2ung** *f* (-; *no pl*) recovery; relaxation.

erinner|n [ɛr'ˀɪnərn] (*no ge-*, *h*) **1.** *v/t* remind (***an*** *acc* of); **2.** *v/refl*: ***sich ~*** (***an*** *acc*) remember; **2ung** *f* (-; *-en*) memory (***an*** *acc* of); *Andenken*: souvenir (of): ***zur ~ an*** (*acc*) in memory of.

erkält|en [ɛr'kɛltən] *v/refl* (*no ge-*, *h*) catch (a) cold: ***stark erkältet sein*** have a bad cold; **2ung** *f* (-; *-en*) cold.

er'kennen *v/t* (*irr*, *no ge-*, *h*, → ***kennen***) recognize (***an*** *dat* by); *deutlich sehen*: make out.

erklär|en [ɛr'klɛ:rən] *v/t* (*no ge-*, *h*) explain (***j-m et.*** s.th. to s.o.); *verkünden*: declare (*a. jur.*): ***j-n*** (*offiziell*) ***für … ~*** pronounce s.o. …; **~t** *adj* professed, declared; **2ung** *f* (-; *-en*) explanation; declaration: ***e-e ~ abgeben*** make a statement.

erkrank|en [ɛr'kraŋkən] *v/i* (*no ge-*, *sn*) *bsd. Br.* fall (*od.* be taken) ill (***an*** *dat* with), *Am.* get sick (with): ***~ an*** (*dat*) come down with; **2ung** *f* (-; *-en*) illness.

erkundigen [ɛr'kʊndɪgən] *v/refl* (*no ge-*, *h*) ask (***nach*** after *s.o.*), inquire (about *s.th.*); *Auskünfte einholen*: make inquiries (***über*** *acc* about): ***sich*** (***bei j-m***) ***nach dem Weg ~*** ask (s.o.) the way.

Erlass [ɛr'las] *m* (*-es*; *-e*) *Anordnung*: decree; *e-r Strafe etc*: remission.

er'lassen *v/t* (*irr*, *no ge-*, *h*, → ***lassen***) *Verordnung*: issue; *Gesetz*: enact; *j-m et.*: release from.

erlaub|en [ɛr'laʊbən] *v/t* (*no ge-*, *h*) allow, permit; **2nis** [-'laʊpnɪs] *f* (-; *no pl*) permission: → ***bitten.***

erläuter|n [ɛr'lɔʏtərn] *v/t* (*no ge-*, *h*) explain (***j-m et.*** s.th. to s.o.); *kommentieren*: comment on; **2ung** *f* (-; *-en*) expla-

nation; comment.
er'leben *v/t* (*no ge-, h*) experience; *Schlimmes*: go through; *mit ansehen*: see; *Abenteuer, Überraschung, Freude etc*: have: ***das werden wir nicht mehr ~*** we won't live to see that.
Erlebnis [ɛr'le:pnɪs] *n* (*-ses; -se*) experience; *Abenteuer*: adventure; **≈reich** *adj* very eventful.
erledigen [ɛr'le:dɪgən] *v/t* (*no ge-, h*) *allg*. take care of, do, handle; *Angelegenheit, Problem*: settle.
erleichter|t [ɛr'laɪçtərt] *adj* relieved; **≈ung** *f* (-; *no pl*) relief (***über*** *acc* at).
er|'leiden *v/t* (*irr, no ge-, h,* → ***leiden***) suffer; **~'lernen** *v/t* (*no ge-, h*) learn.
er'liegen *v/i* (*irr, no ge-, sn,* → ***liegen***) succumb to; *e-r Krankheit*: die from.
Er'liegen *n* (*-s; no pl*): ***zum ~ kommen*** (***bringen***) come (bring) to a standstill.
erlogen [ɛr'lo:gən] *adj* made(-)up, *pred a*. a lie.
Erlös [ɛr'lø:s] *m* (*-es; -e*) proceeds *pl*.
erloschen [ɛr'lɔʃən] *adj Vulkan*: extinct.
ermächtig|en [ɛr'mɛçtɪgən] *v/t* (*no ge-, h*) authorize; **≈ung** *f* (-; *-en*) authorization; *Befugnis*: authority.
er'mäßig|en *v/t* (*no ge-, h*) reduce; **≈ung** *f* (-; *-en*) reduction.
ermitt|eln [ɛr'mɪtəln] (*no ge-, h*) **1.** *v/t* find out; *bestimmen*: determine; **2.** *v/i*: **~** (***gegen***) *jur*. investigate; **≈lung** *f* (-; *-en*) investigation.
ermöglichen [ɛr'mø:klɪçən] *v/t* (*no ge-, h*) make possible.
ermord|en [ɛr'mɔrdən] *v/t* (*no ge-, h*) murder; *bsd. pol*. assassinate; **≈ung** *f* (-; *-en*) murder; assassination.
ermunter|n [ɛr'mʊntərn] *v/t* (*no ge-, h*) encourage (***zu et., et. zu tun*** to do s.th.); **≈ung** *f* (-; *-en*) encouragement.
ermutig|en [ɛr'mu:tɪgən] *v/t* (*no ge-, h*), **≈ung** *f* (-; *-en*) → ***ermuntern, Ermunterung.***
ernähr|en [ɛr'nɛ:rən] (*no ge-, h*) **1.** *v/t* feed; *Familie*: support; **2.** *v/refl*: ***sich ~ von*** live on; **≈er** *m* (*-s*; -) breadwinner, provider; **≈ung** *f* (-; *no pl*) food; *~sweise*: diet.
er'nenn|en *v/t* (*irr, no ge-, h,* → ***nennen***): ***j-n zu et. ~*** appoint s.o. s.th.; **≈ung** *f* (-; *-en*) appointment (***zu*** as).
erneu|ern [ɛr'nɔʏərn] *v/t* (*no ge-, h*) renew; **≈erung** *f* (-; *-en*) renewal; **~t** *adv* once more.
ernst [~], **~haft**, **~lich** *adj* serious, earnest.
Ernst [ɛrnst] *m* (*-es; no pl*) seriousness: ***ist das dein ~?*** are you serious?
Erober|er [ɛr'ʔo:bərər] *m* (*-s*; -) conqueror; **≈n** *v/t* (*no ge-, h*) conquer (*a. fig.*); **~ung** *f* (-; *-en*) conquest (*a. fig.*)
er'öffn|en *v/t* (*no ge-, h*) open, *feierlich*: *a*. inaugurate; **≈ung** *f* (-; *-en*) opening, inauguration.
erörter|n [ɛr'ʔœrtərn] *v/t* (*no ge-, h*) discuss; **≈ung** *f* (-; -en) discussion.
erotisch [e'ro:tɪʃ] *adj* erotic.
erpicht [ɛr'pɪçt] *adj*: **~ *auf*** (*acc*) keen on.
er'press|en *v/t* (*no ge-, h*) blackmail; *Geständnis etc*: extort (***von*** from); **≈er** *m* (*-s*; -) blackmailer; **≈ung** *f* (-; *-en*) blackmail.
er|'proben *v/t* (*no ge-, h*) try, test; **~'raten** *v/t* (*irr, no ge-, h,* → ***raten***) guess; **~'rechnen** *v/t* (*no ge-, h*) calculate.
er'reg|bar *adj* excitable; *reizbar*: irritable; **~en** *v/t* (*no ge-, h*) excite; *aufregen*: *a*. upset; *sexuell*: *a*. arouse; *Gefühle*: rouse; *verursachen*: cause; **~end** *adj* exciting, thrilling; **≈er** *m* (*-s*; -) *med*. germ; **≈ung** *f* (-; *-en*) excitement.
er'reichen *v/t* (*no ge-, h*) reach; *Zug etc*: catch; *Erfolg haben*: succeed in: ***et. ~*** get somewhere; ***telefonisch zu ~ sein*** be on the (*Am*. have a) phone.
er'richt|en *v/t* (*no ge-, h*) build, erect, put up; *fig*. found, *bsd. econ*. set up; **≈ung** *f* (-; *no pl*) building, erection; *fig*. foundation.
er|'ringen *v/t* (*irr, no ge-, h,* → ***ringen***) win, gain; *Erfolg*: achieve; **~'röten** *v/i* (*no ge-, sn*) blush (***vor*** *dat* with).
Ersatz [ɛr'zats] *m* (*-es; no pl*) replacement; *auf Zeit, a. Person*: substitute; *Ausgleich*: compensation; *Schaden≈*: damages *pl*: ***als ~ für j-n*** in s.o.'s place; **~dienst** *m* alternative national service (for conscientious objectors); **~mann** *m* (*-[e]s; -leute*) substitute (*a. Sport*); **~mittel** *n* substitute; **~reifen** *m mot*. spare tyre (*Am*. tire); **~teil** *n tech*. spare part.
er|'scheinen *v/i* (*irr, no ge-, sn,* → ***scheinen***) appear (*a. Zeitung etc*), turn up; *Buch*: be published; **~'schießen** *v/t* (*irr, no ge-, h,* → ***schießen***) shoot (dead).
er'schließ|en *v/t* (*irr, no ge-, h,* →

schließen) *Bauland*: develop; *Markt*: open up; **≈ung** *f* (-; *no pl*) development; opening up; **≈ungskosten** *pl* development costs *pl*.

er'schöpf|en *v/t* (*no ge-, h*) exhaust; **≈ung** *f* (-; *no pl*) exhaustion.

erschrecken [ɛr'ʃrɛkən] **1.** *v/t* (*no ge-, h*) frighten, scare; **2.** *v/i* (*erschrak, erschrocken, sn*) be frightened (***über*** *acc* at); **~d** *adj* alarming; *Anblick*: terrible.

erschütter|n [ɛr'ʃʏtərn] *v/t* (*no ge-, h*) shake; *fig. a.* shock; **≈ung** *f* (-; *-en*) shock (*a. seelisch*); *tech.* vibration.

erschweren [ɛr'ʃveːrən] *v/t* (*no ge-, h*) make more difficult.

erschwinglich [ɛr'ʃvɪŋlɪç] *adj* within one's means; *Preise*: reasonable: ***das ist für uns nicht ~*** we can't afford that.

er|'sehen *v/t* (*irr, no ge-, h,* → ***sehen***) see, learn, gather (*alle*: ***aus*** from); **~'setzen** *v/t* (*no ge-, h*) replace (***durch*** by); *ausgleichen*: compensate for, make up for (*a. Schaden, Verlust*).

er'sichtlich *adj* evident, obvious: ***ohne ~en Grund*** for no apparent reason.

er'spar|en *v/t* (*no ge-, h*) (*a.* ***sich*** *Geld* **~**) save: ***j-m et. ~*** spare s.o. s.th.; **≈nisse** *pl* savings *pl*.

erst [eːrst] *adv* first; *anfangs*: at first: ***~ jetzt*** (***gestern***) only now (yesterday); ***~ nächste Woche*** not before (*od.* until) next week; ***es ist ~ neun Uhr*** it is only nine o'clock; ***eben ~*** just (now); ***~ recht*** all the more; ***~ recht nicht*** even less.

erstatt|en [ɛr'ʃtatən] *v/t* (*no ge-, h*) *Geld*: refund; *Bericht*: make: ***Anzeige ~ gegen*** report *s.o.* to the police; **≈ung** *f* (-; *-en*) refund.

er'staunen *v/t* (*no ge-, h*) astonish, amaze.

Er'staun|en *n* (*-s*) astonishment, amazement: ***zu m-m ~*** to my astonishment; **≈lich** *adj* astonishing, amazing; **≈t 1.** *adj* astonished (***über*** *acc* at), amazed (at); **2.** *adv* in astonishment.

erste ['eːrstə] *adj* first: ***fürs ≈*** for the time being; ***als ≈(r)*** first; → ***Blick, Hilfe*** *etc.*

er'stechen *v/t* (*irr, no ge-, h,* → ***stechen***) stab (to death).

erstens ['eːrstəns] *adv* first(ly), in the first place.

ersticken [ɛr'ʃtɪkən] (*no ge-*) *v/t* (*h*) *u. v/i* (*sn*) choke, suffocate: → ***Keim.***

'erstklassig *adj* first-class.

er'strecken *v/refl* (*no ge-, h*) extend (***bis zu*** as far as; ***über*** *acc* over): ***sich ~ über*** *a.* cover.

ertappen [ɛr'tapən] *v/t* (*no ge-, h*) catch (***j-n beim Stehlen*** s.o. stealing): → ***Tat.***

Ertrag [ɛr'traːk] *m* (*-s; ⸗e*) yield; *Einnahmen*: proceeds *pl*, returns *pl*.

er'tragen *v/t* (*irr, no ge-, h,* → ***tragen***) *Schmerzen etc*: bear, endure; *Klima, Person*: *a.* stand.

erträglich [ɛr'trɛːklɪç] *adj* bearable, tolerable.

Er'tragslage *f* profit situation.

er|'trinken *v/i* (*irr, no ge-, sn,* → ***trinken***) (be) drown(ed); **~übrigen** [ɛr'ˀyːbrɪgən] (*no ge-, h*) **1.** *v/t Zeit etc*: spare; **2.** *v/refl* be unnecessary.

er'wachsen *adj* grown-up, adult; **≈e** *m, f* (*-n; -n*) adult, grown-up.

erwäg|en [ɛr'vɛːgən] *v/t* (*erwog, erwogen, h*) consider (***zu tun*** doing); **≈ung** *f* (-; *-en*) consideration: ***in ~ ziehen*** take into consideration.

erwähn|en [ɛr'vɛːnən] *v/t* (*no ge-, h*) mention; **≈ung** *f* (-; *-en*) mention.

er'wart|en *v/t* (*no ge-, h*) expect; *Kind*: be expecting; *warten auf*: wait for; **≈ung** *f* (-; *-en*) expectation; **~ungsvoll** *adj* expectant.

er|'wecken *v/t* (*no ge-, h*) *Verdacht, Gefühle*: arouse; **~'weisen** (*irr, no ge-, h,* → ***weisen***) **1.** *v/t Dienst, Gefallen*: do; **2.** *v/refl*: ***sich ~ als*** prove to be.

erweiter|n [ɛr'vaɪtərn] (*no ge-, h*) **1.** *v/t Straße etc*: widen; *Macht etc*: extend; *bsd. econ.* expand; **2.** *v/refl Straße etc*: widen; **≈ung** *f* (-; *-en*) widening; extension; *bsd. econ.* expansion.

Erwerb [ɛr'vɛrp] *m* (-[*e*]*s*; *-e*) acquisition; *Kauf*: purchase; **≈en** *v/t* (*irr, no ge-, h,* → ***werben***) acquire (*a. Wissen, Ruf etc*); *kaufen*: purchase.

er'werbs|los *adj*, **≈lose** *m, f* → ***arbeitslos, Arbeitslose***; **~tätig** *adj* (gainfully) employed, working; **≈tätige** *m, f* (*-n; -n*) employed person; **≈zweig** *m* line of business.

erwider|n [ɛr'viːdərn] *v/t* (*no ge-, h*) reply (***auf*** *acc* to); *Gruß, Besuch etc*: return; **≈ung** *f* (-; *-en*) reply; return.

er'wischen *v/t* (*no ge-, h*) catch (***beim Stehlen*** stealing).

erwünscht [ɛr'vʏnʃt] *adj* desired; *wün-*

schenswert: desirable; *willkommen*: welcome.

er'würgen *v/t* (*no ge-, h*) strangle.

Erz [eːrts] *n* (*-es; -e*) ore.

er'zählen *v/t* (*no ge-, h*) tell.

erzeug|en [ɛr'tsɔʏgən] *v/t* (*no ge-, h*) produce (*a. fig.*); *industriell*: *a.* make, manufacture; *electr.* generate; *verursachen*: cause, create; **2er** *m* (*-s; -*) *econ.* producer; **2erland** *n* country of origin; **2nis** *n* (*-ses; -se*) product (*a. fig.*); **2ung** *f* (*-; no pl*) production.

er'ziehen *v/t* (*irr, no ge-, h,* → ***ziehen***) bring up; *geistig*: educate.

Er'ziehung *f* (*-; no pl*) upbringing; *geistige*: education; **~sberechtigte** *m, f* (*-n; -n*) parent or guardian.

er|'zielen *v/t* (*no ge-, h*) *Ergebnis, Erfolg etc*: achieve; **~'zwingen** *v/t* (*irr, no ge-, h,* → ***zwingen***) force.

es [ɛs] *pers pron* it; *Person, Tier bei bekanntem Geschlecht*: he, she: ***~ gibt*** there is, there are; ***ich bin ~*** it's me.

Esel ['eːzəl] *m* (*-s; -*) *zo.* donkey; *bsd. fig.* ass; **'~sbrücke** *f* mnemonic; **'~sohr** *n fig.* dog-ear.

essbar ['ɛsbaːr] *adj* eatable; *bsd. Pilz etc*: edible.

essen ['ɛsən] *v/t u. v/i* (*aß, gegessen, h*) eat: ***zu Mittag ~*** (have) lunch; ***zu Abend ~*** have supper *od.* dinner; ***et. zu Mittag*** *etc* ***~*** have s.th. for lunch *etc.*

Essen [~] *n* (*-s; -*) *Nahrung, Verpflegung*: food; *Mahlzeit*: meal; *Gericht*: dish: ***beim ~ sein*** be having lunch *etc*; **'~smarke** *f* meal ticket, *Br. a.* luncheon voucher; **'~szeit** *f* mealtime.

Essig ['ɛsɪç] *m* (*-s; -e*) vinegar.

Ess|löffel ['ɛs-] *m* tablespoon; **'~stäbchen** *pl* chopsticks *pl*; **'~tisch** *m* dining table; **'~zimmer** *n* dining room.

Estland ['eːstlant] Estonia.

Etage [e'taːʒə] *f* (*-; -n*) floor, *Br.* storey, *Am.* story: ***auf der ersten ~*** on the first (*Am.* second) floor; **~nbett** *n* bunk bed.

Etappe [e'tapə] *f* (*-; -n*) stage, leg.

Etat [e'taː] *m* (*-s; -s*) budget.

Eth|ik ['eːtɪk] *f* (*-; no pl*) *Normen*: ethics *pl*; **'2isch** *adj* ethical.

ethnisch ['ɛtnɪʃ] *adj* ethnic.

Etikett [etɪ'kɛt] *n* (*-[e]s; -e[n], -s*) label; *Preisschild*: price tag; **2ieren** [~'tiːrən] *v/t* (*no ge-, h*) label.

etliche ['ɛtlɪçə] *indef pron* several, quite a few.

Etui [ɛt'viː] *n* (*-s; -s*) case.

etwa ['ɛtva] *adv ungefähr*: about, *bsd. Am. a.* around; **'~ig** *adj* any.

etwas ['ɛtvas] **1.** *indef pron* something; **2.** *adj* some; any; **3.** *adv* a little, somewhat.

EU-Beitritt *m* joining the EU, EU entry, EU accession.

euer ['ɔʏər] *poss pron* your: ***der*** (***die, das***) ***eu(e)re*** yours.

EU|-Erweiterung *f* EU(-eastward) expansion; **~-Kommissar** *m* EU-commissioner; **~-Kommission** *f* EU-commission.

Eule ['ɔʏlə] *f* (*-; -n*) *zo.* owl: ***~n nach Athen tragen*** carry coals to Newcastle.

EU-|Osterweiterung *f* EU expansion into Eastern Europe; **~Richtlinie** *f* EU directive.

Euro ['ɔʏro] *m* euro: ***die Einführung des ~*** the launching of the euro; **~cent** *m* eurocent; **~fighter** *m mil.* Eurofighter; **~krat** *m* Eurocrat; **~land** *n* Euroland; **~norm** *f* Euronorm, European standard.

Europa [ɔʏ'roːpa] *n* Europe.

Europäer [ɔʏro'pɛːər] *m* (*-s; -*) European.

europäisch [ɔʏro'pɛːɪʃ] *adj* European: ***2er Binnenmarkt*** Single European Market; ***2er Börsenverband*** Federation of European Stock Exchanges; ***2e Gemeinschaft*** (***EG***) *hist.* European Community (EC); ***2er Gerichtshof*** (***EuGH***) European Court of Justice (ECJ); ***2e Investitionsbank*** (***EIB***) European Investment Bank (EIB); ***2e Kommission*** (***EuK***) European Commission (EC); ***2es Parlament*** European Parliament; ***2es Patentamt*** (***EPA***) European Patent Office (EPO); ***2er Rat*** European Council; ***2er Rechnungshof*** European Court of Auditors; ***2e Union*** (***EU***) European Union (EU); ***2e Währungseinheit*** (***ECU***) European Currency Unit (ECU); ***2es Währungsinstitut*** (***EWI***) European Monetary Institute (EMI); ***2es Währungssystem*** (***EWS***) European Monetary System (EMS); ***2e*** (***Wirtschafts- und***) ***Währungsunion*** (***EWU, EWWU***) European (Economic and) Monetary Union (EMU); ***2e Zentralbank*** (***EZB***) European Central Bank (ECB).

Europa|parlament [ɔʏ'roːpã] *n* (-[*e*]*s*; *no pl*) European Parliament; **~politik** *f* European policy; **~rat** *m* (-[*e*]*s*; *no pl*) Council of Europe; **'~wahlen** *pl* European elections, Euro elections.

Euroscheck ['ɔʏro-] *m* Eurocheque; **'~karte** *f* Eurocheque card.

Euro|skeptiker *m* (-*s*; -) Eurosceptic; **'~währung** *f* Eurocurrency.

EU|-Verfassung *f* EU-constitution; **~-Verordnung** *f* EU-regulation.

evakuieren [evaku'iːrən] *v/t* (*no ge-*, *h*) *Menschen*, *Region*: evacuate.

evangelisch [evan'geːlɪʃ] *adj eccl.* Protestant.

eventuell [evɛn'tŭɛl] **1.** *adj* possible; **2.** *adv* possibly, perhaps.

ewig ['eːvɪç] **1.** *adj* eternal; F *dauernd*: constant, endless; **2.** *adv*: ***auf ~*** for ever; **'2keit** *f* eternity: F ***e-e ~*** (for) ages.

exakt [ɛ'ksakt] *adj* exact, precise; **2heit** *f* (-; *no pl*) exactness, precision.

Examen [ɛ'ksaːmən] *n* (-*s*; -) exam(ination).

Exekutive [ɛkseku'tiːvə] *f* (-; -*n*) *pol.* executive (branch).

Exemplar [ɛksɛm'plaːr] *n* (-*s*; -*e*) specimen; *e-s Buches etc*: copy.

Exil [ɛ'ksiːl] *n* (-*s*; -*e*): ***ins ~ gehen*** go into exile; ***im ~ leben*** live in exile; **~re,gierung** *f* government in exile.

Existenz [ɛksɪs'tɛnts] *f* (-; -*en*) existence; *Unterhalt*: living, livelihood; **~minimum** *n* subsistence level.

existieren [ɛksɪs'tiːrən] *v/i* (*no ge-*, *h*) exist: ***~ von*** subsist on.

exklusiv [ɛksklu'ziːf] *adj* exclusive.

exotisch [ɛ'ksoːtɪʃ] *adj* exotic.

Expansion [ɛkspan'zĭoːn] *f* (-; -*en*) expansion.

Expedition [ɛkspedi'tsĭoːn] *f* (-; -*en*) expedition.

Experiment [ɛksperi'mɛnt] *n* (-[*e*]*s*; -*e*) experiment; **2ieren** [-'tiːrən] *v/i* (*no ge-*, *h*) experiment (***mit*** on, with).

Experte [ɛks'pɛrtə] *m* (-*n*; -*n*) expert (***für*** at, in, on).

explo|dieren [ɛksplo'diːrən] *v/i* (*no ge-*, *sn*) explode (*a. fig.*); **2sion** [-'zĭoːn] *f* (-; -*en*) explosion (*a. fig.*); **~siv** [-'ziːf] *adj* explosive (*a. fig.*).

Export [ɛks'pɔrt] *m* (-[*e*]*s*; -*e*) *econ.* export; *Exportiertes*: exports *pl*; **~eur** [-'tøːr] *m* (-*s*; -*e*) exporter; **2ieren** [-'tiːrən] *v/t* (*no ge-*, *h*) export; **~land** *n* exporting country; **~überschuss** *m* export surplus.

extra ['ɛkstra] *adv* extra; *gesondert*: *a.* separately; *eigens*: especially; F *absichtlich*: on purpose: ***~ für dich*** just for you; **'2blatt** *n* extra.

extrem [ɛks'treːm] *adj*, **2** *n* extreme; **2ismus** [-tre'mɪsmʊs] *m* (-; *no pl*) extremism; **2ist** [-tre'mɪst] *m* (-*en*; -*en*) extremist; **~istisch** [-tre'mɪstɪʃ] *adj* extremist.

F

fabelhaft ['faːbəlhaft] *adj* fantastic.

Fabrik [fa'briːk] *f* (-; -*en*) factory; **~ant** [fabri'kant] *m* (-*en*; -*en*) *Besitzer*: factory owner; *Hersteller*: manufacturer; **~arbeiter** *m* factory worker; **~at** [fabri'kaːt] *n* (-[*e*]*s*; -*e*) *Marke*: make; *Erzeugnis*: product; **~ation** [fabrika'tsĭoːn] *f* (-; -*en*) production.

Fach [fax] *n* (-[*e*]*s*; ⸗*er*) *Schrank2 etc*: compartment, shelf; *in Wand*, *Kasten etc*: box; *Schul-*, *Studien2*: subject; → ***Fachgebiet***; **'~arbeiter** *m* skilled worker: ***Mangel an ~n*** shortage of skilled workers; **'~arzt** *m*, **'~ärztin** *f* specialist (***für*** in); **'~gebiet** *n* line, field; *Branche*: *a.* trade, business; **'~geschäft** *n* specialist shop (*Am.* store); **'~hochschule** *f appr.* college; **'~kenntnisse** *pl* specialized knowledge; **'~mann** *m* (-[*e*]*s*; -*leute*) expert (***für*** at, in, on); **2männisch** ['-mɛnɪʃ] *adj* expert; **2simpeln** ['-zɪmpəln] *v/i* (*insep*, *pp gefachsimpelt*, *h*) talk shop; **'~werkhaus** *n* half-timbered house.

Fackel ['fakəl] *f* (-; -*n*) torch; **'~zug** *m* torchlight procession.

fade ['faːdə] *adj Essen*: tasteless, insipid; *langweilig*: dull, boring.

Faden ['faːdən] *m* (-*s*; ⸗) thread (*a. fig.*).

fähig ['fɛːɪç] *adj* capable (***zu tun*** of doing), able (to do); **'2keit** *f* (-; -*en*) capability, ability; *Begabung*: talent, gift.

fahl [fa:l] *adj* pale; *Gesicht*: *a.* ashen.

fahnd|en ['fa:ndən] *v/i* (*h*) search (***nach*** for); '**2ung** *f* (-; *-en*) search.

Fahne ['fa:nə] *f* (-; *-n*) flag: F ***e-e ~ haben*** reek of the bottle.

Fahr|ausweis ['fa:r-] *m* ticket; '**~bahn** *f* road, *Br.* carriageway; *Spur*: lane.

Fähre ['fɛ:rə] *f* (-; *-n*) ferry.

fahren ['fa:rən] (*fuhr, gefahren*) **1.** *v/i* (*sn*) *allg.* go; *reisen*: *a.* travel; *verkehren*: run; *ab~*: leave, go; *Auto ~*: drive; *in od. auf e-m Fahrzeug*: ride: ***mit dem Auto*** (***Zug, Bus*** *etc*) **~** go by car (train, bus *etc*); **2.** *v/t* (*h*) *Auto etc*: drive; (*Motor*)*Rad*: ride; *Güter*: carry.

F

'**Fahrer** *m* (*-s*; -) driver; *Chauffeur*: chauffeur; '**~flucht** *f* (-; *no pl*) hit-and-run offen|ce (*Am.* -se): **~ *begehen*** just drive off.

Fahr|gast ['fa:r-] *m* passenger, *Taxi*: fare; '**~geld** *n* fare; '**~gemeinschaft** *f* car pool; '**~gestell** *n mot.* chassis; *aer.* → ***Fahrwerk***; '**~karte** *f* ticket; '**~karten-auto,mat** *m* ticket machine; '**~karten-schalter** *m* ticket window; '**2lässig** *adj* careless, reckless (*a. jur.*): ***grob ~*** grossly negligent; '**~lehrer** *m* driving instructor; '**~plan** *m* timetable, *Am. a.* schedule; '**2planmäßig 1.** *adj* scheduled; **2.** *adv* according to schedule; *pünktlich*: on time; '**~preis** *m* fare; '**~prüfung** *f* driving test; '**~rad** *n* bicycle; '**~schein** *m* ticket; '**~schule** *f* driving school; '**~schüler** *m mot.* learner (*Am.* student) driver; '**~spur** *f* lane; '**~stuhl** *m Br.* lift, *Am.* elevator; '**~stunde** *f* driving lesson.

Fahrt [fa:rt] *f* (-; *-en*) *in od. auf e-m Fahrzeug*: ride; *mot. a.* drive; *Reise*: trip (*a. Ausflug*), journey; *mar.* voyage, trip, cruise; *Geschwindigkeit*: speed (*a. mar.*): ***in voller ~*** at full speed.

Fährte ['fɛ:rtə] *f* (-; *-n*) track (*a. fig.*).

'**Fahrtenschreiber** *m* (*-s*; -) *mot.* tachograph.

fahr|tüchtig ['fa:r-] *adj Wagen*: roadworthy; *Person*: fit to drive; '**2werk** *n aer.* undercarriage, landing gear.

Fahrzeug ['fa:r-] *n* (-[*e*]*s*; *-e*) vehicle; '**~brief** *m Br.* logbook; '**~halter** *m* vehicle owner; '**~pa,piere** *pl* vehicle documents *pl*; '**~schein** *m* vehicle registration document.

Faktor ['faktɔr] *m* (*-s*; *-en*) factor.

Fakultät [fakul'tɛ:t] *f* (-; *-en*) *univ.* faculty.

Falke ['falkə] *m* (*-n*; *-n*) *zo.* hawk (*a. pol.*), falcon.

Fall [fal] *m* (-[*e*]*s*; *⸚e*) fall; *gr., jur., med.* case: ***auf jeden*** (***keinen***) **~** in any (no) case, by all (no) means; ***für den ~, dass ...*** in case ...; ***gesetzt den ~, dass*** suppose (that).

Falle ['falə] *f* (-; *-n*) trap (*a. fig.*).

fallen ['falən] *v/i* (*fiel, gefallen, sn*) fall (*a. Regen*), **~ *lassen*** *Plan etc*: drop; *mil.* be killed (in action).

fällen ['fɛlən] *v/t* (*h*) *Baum*: fell, cut down; *jur. Urteil*: pass; *Entscheidung*: make.

'**fallenlassen** → ***fallen.***

fällig ['fɛlıç] *adj* due; *Geld*: *a.* payable.

falls [fals] *cj* if, in case: **~ *nicht*** unless.

'**Fallschirm** *m* parachute; '**~jäger** *m mil.* paratrooper; '**~springen** *n* (*-s*) parachuting; *Sport*: *mst* skydiving; '**~springer** *m* parachutist; skydiver.

falsch [falʃ] **1.** *adj* wrong; *unwahr, unecht*: false (*a. Freund, Name, Bescheidenheit etc*); *gefälscht*: forged; **2.** *adv*: **~ *gehen*** *Uhr*: be wrong; ***et. ~ aussprechen*** (***schreiben, verstehen*** *etc*) mispronounce (misspell, misunderstand *etc*) s.th.; **~ *verbunden!*** *teleph.* sorry, wrong number.

fälsche|n ['fɛlʃən] *v/t* (*h*) forge, fake; *Geld*: *a.* counterfeit; '**2r** *m* (*-s*; -) forger; counterfeiter.

'**Falsch|fahrer** *m* wrong-way driver; '**~geld** *n* counterfeit money.

'**Fälschung** *f* (-; *-en*) forgery; counterfeit.

Falte ['faltə] *f* (-; *-n*) fold; *Knitter2*, *Runzel*: wrinkle; *Rock2*: pleat; *Bügel2*: crease; '**2n** *v/t* (*h*) fold; '**~nrock** *m* pleated skirt; **faltig** *adj* wrinkled.

familiär [fami'liɛ:r] *adj zwanglos*: informal: **~*e Gründe*** family reasons.

Familie [fa'mi:liə] *f* (-; *-n*) family (*a. bot., zo.*).

Fa'milien|betrieb *m* family business (*od.* firm); **~name** *m* family name, surname, *Am. a.* last name; **~packung** *f* family(-size) pack; **~planung** *f* family planning; **~stand** *m* marital status; **~unternehmen** *n* family business (*od.* company); **~vater** *m* family man.

Fanati|ker [fa'na:tikər] *m* (*-s*; -) fanatic; **2sch** *adj* fanatic; **~smus** [fana'tɪsmʊs] *m* (-; *no pl*) fanaticism.

Fang [faŋ] *m* (-[*e*]*s*; ⸗*e*) catch (*a. fig.*); '**⁓en** *v/t* (*fing, gefangen, h*) catch (*a. fig.*); '**⁓en** *n* (*-s*): **⁓ *spielen*** play catch (*Am.* tag).

Fantasie [fanta'ziː] *f* (-; *-n*) imagination; *Trugbild*: fantasy; ***schmutzige* ⁓** dirty mind; **⁓los** *adj* unimaginative; **⁓ren** *v/i* (*no ge-, h*) daydream; *med.* be delirious; **⁓voll** *adj* imaginative.

fantastisch [fan'tastɪʃ] *adj* fantastic; F *a.* great, terrific.

Farb|band ['farb-] *n* (typewriter) ribbon; '**⁓e** *f* (-; *-n*) colo(u)r; *Mal⁓*: paint: *Gesichts⁓*: complexion; *Bräune*: tan; *Kartenspiel*: suit: ***welche* ⁓ *hat ...?*** what colo(u)r is ...?; '**⁓echt** *adj* colo(u)rfast.

färben ['fɛrbən] (*h*) **1.** *v/t* dye; *bsd. fig.* colo(u)r; **2.** *v/refl*: ***sich rot* ⁓** turn red.

'**farben|blind** *adj* colo(u)r-blind; '**⁓froh** *adj* colo(u)rful.

Farb|fernsehen ['farb-] *n* colo(u)r TV; '**⁓fernseher** *m* colo(u)r TV set; '**⁓film** *m* colo(u)r film; '**⁓foto** *n* colo(u)r photo.

farbig ['farbɪç] *adj* colo(u)red; *Glas*: stained; *fig.* colo(u)rful.

farb|los ['farb-] *adj* colo(u)rless (*a. fig.*); '**⁓stift** *m* colo(u)red pencil, crayon; '**⁓stoff** *m für Lebensmittel*: colo(u)ring; *tech.* dye; '**⁓ton** *m* shade.

Fasching ['faʃɪŋ] *m* (*-s*; *-e, -s*) carnival.

Faschis|mus [fa'ʃɪsmʊs] *m* (-; *no pl*) fascism; **⁓t** *m* (*-en*; *-en*) fascist; **⁓tisch** *adj* fascist.

Fass [fas] *n* (*-es*; ⸗*er*) barrel: ***Bier vom* ⁓** → ***Fassbier.***

Fassade [fa'saːdə] *f* (-; *-n*) facade, front (*beide a. fig.*).

Fassbier *n* (-[*e*]*s*; *-e*) draught (*Am.* draft) beer.

fassen ['fasən] (*h*) **1.** *v/t* seize, grasp, take hold of; *Verbrecher*: catch; *enthalten können*: hold; *Schmuck*: set; *begreifen*: grasp, understand; *glauben*: believe; *Mut*: pluck up: → ***Entschluss, Herz***; **2.** *v/refl* compose o.s.: ***sich kurz* ⁓** be brief; **3.** *v/i*: **⁓ *nach*** reach for.

'**Fassung** *f* (-; *-en*) *Schmuck*: setting; *Brillen⁓*: frame; *electr.* socket; *Wortlaut*: wording, version; *seelische*: composure: ***die* ⁓ *verlieren*** lose one's temper; ***aus der* ⁓ *bringen*** upset, shake; '**⁓svermögen** *n* (*-s*; *no pl*) capacity (*a. fig.*).

fast [fast] *adv* almost, nearly: **⁓ *nie*** (***nichts***) hardly ever (anything).

fasten ['fastən] *v/i* (*h*) fast; '**⁓zeit** *f eccl.* Lent.

fatal [fa'taːl] *adj* unfortunate; *peinlich*: awkward; *verhängnisvoll*: disastrous.

faul [faʊl] *adj* rotten, bad; *Fisch, Fleisch*: *a.* spoiled; *fig.* lazy, idle; *verdächtig*: fishy: **⁓*e Ausrede*** lame excuse; '**⁓en** *v/i* (*sn*) rot, go bad; *verwesen*: decay; '**⁓heit** *f* (-; *no pl*) laziness, idleness.

Faust [faʊst] *f* (-; *Fäuste*) fist: ***auf eigene* ⁓** on one's own initiative; '**⁓regel** *f* rule of thumb; '**⁓schlag** *m* punch.

Favorit [favo'riːt] *m* (*-en*; *-en*) favo(u)rite.

Fax [faks] *n* (-; -[*e*]) fax; '**⁓en** *v/t* (*h*) fax.

FCKW → ***Fluorchlorkohlenwasserstoff***; '**⁓-frei** *adj* CFC-free.

Februar ['feːbruar] *m* (-[*s*]; *-e*) February: ***im* ⁓** in February.

fechten ['fɛçtən] *v/i* (*focht, gefochten, h*) fence; *fig.* fight (***für*** for).

Fechten [-] *n* (*-s*) *Sport*: fencing.

Feder ['feːdər] *f* (-; *-n*) feather; *tech.* spring; '**⁓ball** *m Sport*: badminton; *Ball*: shuttlecock; '**⁓bett** *n* duvet, *Br.* continental quilt; '**⁓leicht** *adj* (as) light as a feather; '**⁓n** *v/i* (*h*) be springy; '**⁓nd** *adj* springy, elastic; '**⁓ung** *f* (-; *-en*) *tech.* resilience; *mot.* suspension: ***e-e gute* ⁓ *haben*** be well sprung.

fehl [feːl] *adv*: **⁓ *am Platze*** out of place; '**⁓betrag** *m* deficit; '**⁓en** *v/i* (*h*) *nicht da, verschwunden sein*: be missing; *Schule etc* be absent: ***ihm fehlt*** (***es an*** *dat*) he is lacking; ***du fehlst uns*** we miss you; ***was dir fehlt, ist*** what you need is; ***was fehlt Ihnen?*** what's wrong with you?; '**⁓en** *n* (*-s*) absence (***in*** *dat*, ***bei*** from); *Mangel*: lack.

'**Fehler** *m* (*-s*; -) mistake, error; *Charakter⁓, Schuld, Mangel*: fault; *tech. a.* defect, flaw; '**⁓frei** *adj* faultless, perfect, flawless; '**⁓haft** *adj* faulty, full of mistakes; *tech.* defective.

'**Fehl|geburt** *f* miscarriage; '**⁓konstrukti,on** *f* faulty design; '**⁓schlag** *m fig.* failure; '**⁓zündung** *f mot.* misfire, backfire.

Feier ['faɪər] *f* (-; *-n*) celebration; party; '**⁓abend** *m* finishing time: **⁓ *machen*** finish (work), F knock off; ***machen wir* ⁓*!*** let's call it a day!; '**⁓lich** *adj* solemn; *festlich*: festive; '**⁓lichkeit** *f* (-;

-en) solemnity; *Feier*: ceremony; '**2n** *v/i* (*h*) celebrate (*a. v/t*), have a party; '**~tag** *m* holiday.

feig, feige [faɪk, 'faɪgə] *adj* cowardly.

Feige ['faɪgə] *f* (-; *-n*) *bot.* fig.

'**Feig|heit** *f* (-; *no pl*) cowardice; '**~ling** *m* (-[*e*]*s*; *-e*) coward.

Feile ['faɪlə] *f* (-; *-n*) file; '**2n** *v/t u. v/i* file.

feilschen ['faɪlʃən] *v/i* (*h*) haggle (***um*** about, over).

fein [faɪn] *adj* fine; *Qualität*: *a.* choice, excellent; *Gehör etc*: keen; *zart*: delicate; *vornehm*: distinguished, F posh (*a. Gegend, Restaurant etc*); F *prima*: fine, great.

F

Feind [faɪnt] *m* (-[*e*]*s*; *-e*) enemy (*a. mil.*); '**2lich** *adj* hostile; *Truppen etc*: enemy; '**~schaft** *f* (-; *-en*) hostility; '**2selig** *adj* hostile (***gegen*** to); '**~seligkeit** *f* (-; *-en*) hostility.

fein|fühlig ['faɪnfyːlɪç] *adj* sensitive; *taktvoll*: tactful; '**2gefühl** *n* (-[*e*]*s*; *no pl*) sensitiveness; tact; '**2heit** *f* (-; *-en*) fineness; *des Gehörs etc*: keenness; *Zartheit*: delicacy: **~en** *pl* niceties *pl*; *Einzelheiten*: details *pl*; '**2kostgeschäft** *n* delicatessen; '**2me,chanik** *f* precision engineering; '**2me,chaniker** *m* precision engineer; '**2schmecker** *m* (*-s*; -) gourmet.

'**Feinstaub** *m* fine dust:; '**~belastung** *f* fine dust pollution.

Feld [fɛlt] *n* (-[*e*]*s*; *-er*) field (*a. fig.*); *Schach etc*: square: ***auf dem ~*** in the field; '**~stecher** *m* (*-s*; -) (***ein*** a pair of) binoculars *pl od.* field glasses *pl*; '**~zug** *m mil.* campaign (*a. fig.*).

Felge ['fɛlgə] *f* (-; *-n*) *tech.* rim.

Fell [fɛl] *n* (-[*e*]*s*; *-e*) coat; *abgezogenes*: skin, fur.

Fels [fɛls] *m* (*-en*; *-en*), **Felsen** ['fɛlzən] *m* (*-s*; -) rock.

felsig ['fɛlzɪç] *adj* rocky.

femin|in [femi'niːn] *adj* feminine (*a. gr.*); **2istin** [~'nɪstɪn] *f* (-; *-nen*) feminist; **~istisch** [~'nɪstɪʃ] *adj* feminist.

Fenchel ['fɛnçəl] *m* (*-s*; *no pl*) *bot.* fennel.

Fenster ['fɛnstər] *n* (*-s*; -) window; '**~brett** *n* windowsill; '**~laden** *m* shutter; '**~rahmen** *m* window frame; '**~scheibe** *f* windowpane.

Ferien ['feːrĭən] *pl Br.* holiday(s *pl*), *Am.* vacation; '**~haus** *n* holiday (*Am.* vacation) house; '**~ort** *m* holiday (*Am.* vacation) resort; '**~wohnung** *f Br.* holiday flat, *Am.* vacation apartment.

Ferkel ['fɛrkəl] *n* (*-s*; -) piglet; *fig.* pig.

fern [fɛrn] **1.** *adj* far(-away), far-off, distant (*a. Zukunft etc*); **2.** *adv* far (away *od.* off): ***von ~*** from a distance; *fig.* → ***fernhalten***, ***fernliegen***; '**2amt** *n teleph.* (telephone) exchange; **2bedienung** *f* remote control; '**2e** *f* (-; *no pl*): ***aus der ~*** from a distance; *von weit her*: from afar; ***in der ~*** far away (from home); '**~er** *adv* further(more), in addition, also; '**2fahrer** *m Br.* long-distance lorry driver, *Am.* long-haul truck driver, F trucker; '**2gespräch** *n teleph.* long-distance call; '**~gesteuert** *adj* remote-controlled, remote control ...; *Rakete*: guided; '**2glas** *n* (***ein*** a pair of) binoculars *pl*; '**~halten** *v/t* (*irr, sep, -ge-, h,* → ***halten***) keep away (***von*** from); '**2heizung** *f* district heating; '**2kurs** *m* correspondence course; '**2laster** *m mot.* F *Br.* long-distance lorry, *Am.* long-haul truck; '**2licht** *n mot.* full (*Am.* high) beam; '**~liegen** *v/i* (*irr, sep, -ge-, h,* → ***liegen***): ***es liegt mir fern zu*** far be it from me to; '**2meldeamt** *n* telephone exchange; '**2meldesatel,lit** *m* communications satellite; '**2rohr** *n* telescope; '**2schreiben** *n* telex; '**2schreiber** *m* telex (machine), teleprinter.

'**Fernsehduell** *n* TV duel, TV debate.

'**Fernseh|en** *n* (*-s*) television, TV: ***im ~*** on (the) television; '**2en** *v/i* (*irr, sep, -ge-, h,* → ***sehen***) watch TV; '**~er** *m* (*-s*; -) TV set; *Person*: (TV) viewer; *pl coll.* TV audience *sg*; '**~schirm** *m* (TV) screen; '**~sendung** *f* TV program(me).

'**Fern|sprechamt** *n* telephone exchange; '**~steuerung** *f* remote control; '**~verkehr** *m* long-distance traffic; '**~zug** *m* long-distance train.

Ferse ['fɛrzə] *f* (-; *-n*) heel.

fertig ['fɛrtɪç] *adj bereit*: ready; *beendet*: finished: (***mit et.***) **~ *sein*** have finished (s.th.); **~ *machen*** finish; *für et.*: get *s.th. od. s.o.* ready; ***sich ~ machen*** get ready; *fig.* → ***fertigbringen***, ***fertigmachen*** *etc.*; '**~bringen** *v/t* (*irr, sep, -ge-, h,* → ***bringen***) bring about, manage; '**2gericht** *n* instant meal; '**2haus** *n arch.* prefab(ricated house); '**2keit** *f*

(-; *-en*) skill; '**~machen** *v/t* (*sep*, *-ge-*, *h*) *fig. j-n* finish; '**℞pro,dukt** *n* finished product; '**~stellen** *v/t* (*sep*, *-ge-*, *h*) complete, finish; '**℞stellung** *f* (-; *no pl*) completion; '**℞waren** *pl* finished products *pl.*; '**~werden** *v/i* (*irr*, *sep*, *-ge-*, *sn*, → ***werden***): ***mit*** *et.* ~ *Problem etc*: cope (*od.* deal) with, manage. o.k.

fesseln ['fɛsəln] *v/t* (*h*) bind, tie (up); *fig.* fascinate.

fest [fɛst] **1.** *adj* firm (*a. fig.*); *nicht flüssig*: solid; *~gelegt*: fixed; *gut befestigt*: fast; *Schlag*: sound; *Freund(in)*: steady; **2.** *adv*: ~ ***schlafen*** be fast asleep.

Fest [fɛst] *n* (-[*e*]*s*; *-e*) festival, feast (*beide a. eccl.*); *Feier*: celebration, party; *bsd. im Freien*: fête.

'**fest|binden** *v/t* (*irr*, *sep*, *-ge-*, *h*, → ***binden***) fasten, tie (***an*** *dat* to); '**℞essen** *n* banquet; '**℞geld** *n econ.* fixed deposit; '**~halten** (*irr*, *sep*, *-ge-*, *h*, → ***halten***) **1.** *v/t* hold on to; hold *s.o. od. s.th.* tight; **2.** *v/refl* hold tight: ***sich*** ~ ***an*** (*dat*) hold on to; **~igen** ['fɛstɪgən] (*h*); **1.** *v/t* strengthen; **2.** *v/refl* grow stronger; '**℞land** *n* mainland; *bsd. europäisches*: Continent; '**~legen** (*sep*, *-ge-*, *h*); **1.** *v/t* fix; **2.** *v/refl* commit o.s. (***auf*** *acc* to); '**~lich** *adj* festive; *feierlich*: ceremonial; '**~machen** *v/t* (*sep*, *-ge-*, *h*) fasten, fix (***an*** *dat* to); *mar.* moor (*a. v/i*); *vereinbaren*: arrange; **℞nahme** ['-naːmə] *f* (-; *-n*) arrest; '**~nehmen** *v/t* (*irr*, *sep*, *-ge-*, *h*, → ***nehmen***) arrest; '**℞netz** *n teleph.* fixed (-line) network; '**℞netzanschluss** *m teleph.* fixed line connection, permanent connection; '**℞netztelefon** *n teleph.* fixed-line phone; '**℞platte** *f Computer*: hard disk; '**℞preis** *m* fixed price; '**~setzen** *v/t* (*sep*, *-ge-*, *h*) fix; '**℞speicher** *m Computer*: read-only memory (*abbr.* ROM); '**℞spiele** *pl* festival; '**~stehen** *v/i* (*irr*, *sep*, *-ge-*, *h*, → ***stehen***) *fig.* be certain; *Plan*, *Termin*: be fixed; '**~stehend** *adj Tatsache etc*: established; *Regel*, *Redensart*: standing; '**~stellen** *v/t* (*sep*, *-ge-*, *h*) find (out); *ermitteln*: establish; *wahrnehmen*: see, notice; *tech.* lock, arrest; '**℞stellung** *f* (-; *-en*) *Ermittlung*: establishment; *Erkenntnis*: realization; '**℞tag** *m* holiday; '**~verzinslich** *adj econ.* fixed-interest; '**℞zug** *m* procession.

Fett [fɛt] *n* (-[*e*]*s*; *-e*) fat; *Braten℞*: dripping; *tech.* grease.

fett [fɛt] *adj* fat (*a. fig.*); '**~arm** *adj* low-fat, *pred* low in fat.

'**Fettfleck** *m* grease spot.

Fetzen ['fɛtsən] *m* (*-s*; -) shred; *Lumpen*: rag: ***ein*** ~ ***Papier*** a scrap of paper.

feucht [fɔʏçt] *adj* moist, damp; *Luft*: *a.* humid; '**℞bio,top** *n* wetland; '**℞igkeit** *f* (-; *no pl*) moisture; *e-s Ortes etc*: dampness; *Luft℞*: humidity.

feudal [fɔʏ'daːl] *adj* F *fig.* posh.

Feuer ['fɔʏər] *n* (*-s*; -) fire (*a. fig.*): ~ ***fangen*** catch fire; ***haben Sie*** ~**?** have you got a light?; '**~a,larm** *m* fire alarm; '**~bestattung** *f* cremation; '**℞fest** *adj* fireproof; '**℞gefährlich** *adj* (in)flammable; '**~leiter** *f* fire escape; '**~löscher** *m* (*-s*; -) fire extinguisher; '**~melder** *m* (*-s*; -) fire alarm; '**℞n** (*h*) **1.** *v/t* F *werfen*: fling; *entlassen*: fire, sack; **2.** *v/i* fire (***auf*** *acc* at); '**~stein** *m* flint; '**~versicherung** *f* fire insurance; **~wehr** ['-veːr] *f* (-; *-en*) fire brigade (*od.* service), *Am.* fire department; '**~wehrmann** *m* (-[*e*]*s*; *Feuerwehrmänner*, *Feuerwehrleute*) fireman; '**~werk** *n* (*-s*; *-e*) fireworks *pl*; '**~werkskörper** *m* firework; '**~zeug** *n* (-[*e*]*s*; *-e*) lighter.

Fiasko [fi'asko] *n* (*-s*; *-s*) fiasco.

ficken ['fɪkən] *v/t u. v/i* (*h*) V fuck.

Fieber ['fiːbər] *n* (*-s*; *no pl*) temperature, fever: ~ ***haben*** have (*od.* run) a temperature; '**℞haft** *adj* feverish (*a. fig.*); '**℞n** *v/i* (*h*) have (*od.* run) a temperature; *fig.* be feverish (***vor*** *dat* with): ~ ***nach*** yearn for; '**℞senkend** *adj med.* antipyretic; '**~thermo,meter** *n* (clinical) thermometer.

Figur [fi'guːr] *f* (-; *-en*) figure (*a. fig.*).

Filet [fi'leː] *n* (*-s*; *-s*) *gastr.* fillet; **~steak** *n* fillet steak.

Filiale [fi'li̯aːlə] *f* (-; *-n*) branch.

Film [fɪlm] *m* (*-s*; *-e*) *phot.* film; *Spiel℞*: *bsd. Am. a.* movie: ***e-n*** ~ ***einlegen*** *phot.* load a camera; '**℞en** *v/t* (*h*) film; '**~kamera** *f* film (*Am.* motion-piture) camera; '**~regis,seur** *m* film director; '**~schauspieler** *m* film actor; '**~vorstellung** *f* film show.

Filter ['fɪltər] *m*, *bsd. tech. n* (*-s*; -) filter; '**~kaffee** *m* filter(ed) coffee; '**℞n** *v/t* (*h*) filter; '**~ziga,rette** *f* filter(-tipped) cigarette.

Filz [fɪlts] *m* (*-es*; *-e*) felt; F *contp.* corruption; '**℞en** *v/t* (*h*) F frisk; **~okratie**

F

[-okra'tiː] *f* (-; -*n*) F *contp*. corruption.
Finanz|amt [fi'nants-] *n* Inland (*Am*. Internal) Revenue; *Gebäude*: tax office; '**~ausgleich** *m* (-[*e*]*s*; *no pl*) financial compensation; *pol. zwischen Regionen*: *redistribution of revenue*; **~en** *pl* finances *pl*; **2iell** [-'tsi̯ɛl] *adj* financial; **2ieren** [-'tsiːrən] *v/t* (*no ge-*, *h*) finance; **~lage** *f* financial situation; **~mi,nister** *m allg*. minister of finance; *Br*. Chancellor of the Exchequer, *Am*. Secretary of the Treasury; **~mini,steri-um** *n allg*. ministry of finance; *Br., Am*. Treasury.

F

finden ['fɪndən] (*fand, gefunden, h*) **1.** *v/t* find; *der Ansicht sein*: think, believe: ***ich finde ihn nett*** I think he's nice; ***wie ~ Sie …?*** how do you like …?; **2.** *v/i*: ***~ Sie (nicht)?*** do (don't) you think so?; **3.** *v/refl*: ***das wird sich ~*** we'll see.
Finder ['fɪndər] *m* (-*s*; -) finder; '**~lohn** *m* finder's reward.
Finger ['fɪŋər] *m* (-*s*; -) finger; '**~abdruck** *m* fingerprint: ***genetischer ~*** genetic *od*. DNA fingerprint; '**~spitze** *f* fingertip; '**~spitzengefühl** *n* (-[*e*]*s*; *no pl*) *fig*. sure instinct; tact.
Finn|e ['fɪnə] *m* (-*n*; -*n*) Finn; **2isch** ['fɪnɪʃ] *adj* Finnish.
Finnland ['fɪnlant] Finland.
finster ['fɪnstər] *adj* dark; *Miene*: grim; *fragwürdig*: shady; '**2nis** *f* (-; *no pl*) darkness.
Firma ['fɪrma] *f* (-; *Firmen*) *econ*. firm, company.
Fisch [fɪʃ] *m* (-[*e*]*s*; -*e*) fish; '**2en** *v/t u. v/i* (*h*) fish; '**~er** *m* (-*s*; -) fisherman; '**~erboot** *n* fishing boat; '**~erdorf** *n* fishing village; **~erei** [-'raɪ] *f* (-; *no pl*) fishing; **~e'reihafen** *m* fishing port; '**~fang** *m* (-[*e*]*s*; *no pl*) fishing; '**~markt** *m* fish market; '**~stäbchen** *n Br*. fish finger, *Am*. fish stick; '**~suppe** *f* fish soup; '**~vergiftung** *f med*. fish poisoning.
Fistel ['fɪstəl] *f* (-; -*n*) *med*. fistula.
fit [fɪt] *adj* fit: ***sich ~ halten*** keep fit.
Fitness ['fɪtnes] *f* (-; *no pl*) fitness; '**~center** ['-sɛntər] *n* (-*s*; -) health cent|re (*Am*. -er); '**~raum** *m* exercise room.
fix [fɪks] *adj fest(gelegt)*: fixed (*a. Idee*); *flink*: quick; *aufgeweckt*: smart, bright.
fixe|n ['fɪksən] *v/i* (*h*) *sl*. shoot, fix; '**2r** *m* (-*s*; -) *sl*. junkie.
FKK [ɛfkaː'kaː] nudism; **~-Anhänger** *m* nudist; **~-Strand** *m* nudist beach; **~-Urlaub** *m* nudist holiday(s *pl*) (*bsd. Am*. vacation).
flach [flax] *adj* flat; *eben*: *a*. level, even, plane; *nicht tief, fig. oberflächlich*: shallow; **2bildschirm** *m* flat-screen monitor.
Fläche ['flɛçə] *f* (-; -*n*) *Ober2*: surface (*a. math*.); *Gebiet*: area (*a. geom*.); *weite ~*: expanse, space.
'**Flächen|maß** *n* unit of square measure; '**~stilllegung** *f* (-; -*en*) set-aside..
'**Flachland** *n* lowland.
flackern ['flakərn] *v/i* (*h*) flicker.
Flagge ['flagə] *f* (-; -*n*) flag.
Flamme ['flamə] *f* (-; -*n*) flame (*a. Herd u. fig*.).
Flanell [fla'nɛl] *m* (-*s*; -*e*) flannel.
Flasche ['flaʃə] *f* (-; -*n*) bottle; *Säuglings2*: feeding bottle; '**~nbier** *n* bottled beer; '**~nöffner** *m* bottle opener; '**~npfand** *n* (bottle) deposit.
Flaute ['flaʊtə] *f* (-; -*n*) *mar*. calm; *bsd. econ*. slack period.
Fleck [flɛk] *m* (-[*e*]*s*; -*e*) *Schmutz2, Farb2 etc*: spot, stain, mark; *kleiner*: speck; *Punkt*: dot; *Klecks*: blot(ch); *Ort, Stelle*: place, spot; *Flicken, Fläche*: patch: ***blauer ~*** bruise; '**~enentferner** *m* (-*s*; -) stain remover; '**2enlos** *adj* spotless (*a. fig*.); '**2ig** *adj* spotted; *schmutzig*: *a*. stained, soiled.
Fleisch [flaɪʃ] *n* (-*es*; *no pl*) *Nahrung*: meat; *lebendes*: flesh (*a. fig*.); ***~ fressend*** → ***fleischfressend***; **~brühe** ['-bryːə] *f* (-; -*n*) (meat) broth, consommé, beef tea; '**~er** *m* (-*s*; -) butcher; **~e'rei** *f* (-; -*en*) butcher's (shop); '**2fressend** *adj bot., zo*. carnivorous; '**~kon,serven** *pl* tinned (*Am*. canned) meat; '**2los** *adj* meatless; '**~vergiftung** *f med*. meat poisoning; '**~wolf** *m Br*. mincer, *Am*. meat grinder; '**~wunde** *f* flesh wound.
Fleiß [flaɪs] *m* (-*es*; *no pl*) hard work; *Eigenschaft*: diligence; '**2ig** *adj* hard-working, diligent: ***~ sein*** (*od*. ***arbeiten***) work hard.
fletschen ['flɛtʃən] *v/t* (*h*) *Zähne*: bare.
flexib|el [flɛ'ksiːbəl] *adj* flexible; **2ilität** [-sibili'tɛːt] *f* (-; *no pl*) flexibility.
flicken ['flɪkən] *v/t* (*h*) mend, repair; *notdürftig, a. fig*.: patch (up).
Fliege ['fliːgə] *f* (-; -*n*) *zo*. fly; *Krawatte*: bow tie.

fliege|n ['fli:gən] *v/i* (*sn*) *u.* *v/t* (*h*) (*flog, geflogen*) fly (*a.* ~ ***lassen***); *fig.* be fired, get the sack: ***in die Luft*** ~ blow up; '**2r** *m* (*-s*; -) F *Flugzeug*: plane.

flieh|en ['fli:ən] *v/i* (*floh, geflohen, sn*) flee, run away (*beide*: ***vor*** *dat* from); '**2kraft** *f phys.* centrifugal force.

Fliese ['fli:zə] *f* (-; *-n*) tile; '**2n** *v/t* (*h*) tile; '**~nleger** *m* (*-s*; -) tiler.

Fließ|band ['fli:s-] *n* (*-[e]s*; *⸚er*) assembly line; *Förderband*: conveyor belt; '**2en** *v/i* (*floss, geflossen, sn*) flow (*a. fig.*); *Leitungswasser, Schweiß, Blut*: run; '**2end 1.** *adj* flowing; *Leitungswasser*: running; **2.** *adv*: ***er spricht ~ Deutsch*** he speaks German fluently (*od.* fluent German); '**~heck** *n mot.* fastback.

flimmern ['flımərn] *v/i* (*h*) shimmer; *Fernsehgerät, Film*: flicker.

flink [flıŋk] *adj* quick, nimble.

Flinte ['flıntə] *f* (-; *-n*) *Schrot2*: shotgun.

Flipper ['flıpər] *m* (*-s*; -) pinball machine; '**2n** *v/i* (*h*) play pinball.

Flirt [flœrt] *m* (*-s*; *-s*) flirtation; '**2en** *v/i* (*h*) flirt (***mit*** with).

Flitterwochen ['flıtərvɔxən] *pl* honeymoon *sg*.

Flocke ['flɔkə] *f* (-; *-n*) *Schnee2*: flake.

Floh [flo:] *m* (*-[e]s*; *⸚e*) *zo.* flea; '**~markt** *m* flea market.

Florenz [flo'rɛnts] Florence.

florieren [flo'ri:rən] *v/i* (*no ge-, h*) flourish.

Floskel ['flɔskəl] *f* (-; *-n*) cliché, empty phrase.

Floß [flo:s] *n* (*-es*; *⸚e*) raft.

Flosse ['flɔsə] *f* (-; *-n*) fin; *Robbe, Schwimm2*: flipper; F *Hand*: paw.

Flöte ['flø:tə] *f* (-; *-n*) *mus.* flute; *Block2*: recorder.

flott [flɔt] *adj Tempo*: brisk; *schick*: smart; *Wagen*: *a.* racy; *mar.* afloat.

Flotte ['flɔtə] *f* (-; *-n*) *mar.* fleet; *Marine*: navy; '**~nstützpunkt** *m mil.* naval base.

Fluch [flu:x] *m* (*-[e]s*; *⸚e*) curse; *Schimpfwort*: *a.* swearword; '**2en** *v/i* (*h*) swear, curse: ~ ***auf*** (*acc*) swear at, curse.

Flucht [flʊxt] *f* (-; *-en*) flight (***vor*** *dat* from); *erfolgreiche*: escape, getaway (***aus*** from); '**2artig** *adv* hastily.

flücht|en ['flʏçtən] *v/i* (*sn*) flee (***nach, zu*** to), run away; *entkommen*: escape, get away; '**~ig** *adj Gefangener etc*: on the run, at large; *oberflächlich*: superficial; *nachlässig*: careless: ***~er Blick*** glance; ***~er Eindruck*** glimpse; '**2igkeitsfehler** *m* slip; **2ling** ['-lıŋ] *m* (*-s*; *-e*) fugitive; *pol.* refugee; '**2lingslager** *n* refugee camp.

Flug [flu:k] *m* (*-[e]s*; *⸚e*) flight: (***wie***) ***im ~(e)*** rapidly, quickly; '**~blatt** *n* handbill, leaflet.

Flügel ['fly:gəl] *m* (*-s*; -) wing (*a. pol. etc*); *mus.* grand piano.

'**Flug|gast** *m* (air) passenger; '**~gesellschaft** *f* airline; '**~hafen** *m* airport; '**~linie** *f* **a)** air route **b)** → ***Fluggesellschaft***; '**~lotse** *m* air-traffic controller; '**~platz** *m* airfield; '**~schreiber** *m* flight recorder, black box; '**~sicherung** *f* air-traffic control; **~steig** ['-ʃtaık] *m* (*-[e]s*; *-e*) gate; '**~ticket** *n* air ticket.

Flugzeug *n* (*-[e]s*; *-e*) aircraft, *Br.* (aero)plane, *Am.* (air)plane: ***mit dem ~*** by air (*od.* plane); '**~absturz** *m* air (*od.* plane) crash; '**~entführer** *m* hijacker; '**~entführung** *f* hijacking; '**~träger** *m* aircraft carrier.

'**Fluorchlorkohlen'wasserstoff** *m* (*abbr.* ***FCKW***) chlorofluorcarbon (*abbr.* CFC)

Flur [flu:r] *m* (*-[e]s*; *-e*) *Diele*: hall; *Gang*: corridor.

Fluss [flʊs] *m* (*-es*; *⸚e*) river; *das Fließen*: flow (*a. fig.*); **2'abwärts** *adv* downstream; **2'aufwärts** *adv* upstream; '**~bett** *n* river bed.

flüssig ['flʏsıç] *adj* liquid (*a. econ.*); *geschmolzen*: molten; *Stil, Schrift etc*: fluent; '**2keit** *f* (-; *-en*) liquid; *Zustand*: liquidity; fluency.

'**Fluss|lauf** *m* course of a river; '**~ufer** *n* river bank.

flüstern ['flʏstərn] *v/i u. v/t* (*h*) whisper.

Flut [flu:t] *f* (-; *-en*) flood (*a. fig.*); *Hochwasser*: high tide: ***es ist ~*** the tide is in; '**~licht** *n electr.* floodlight; '**~welle** *f* tidal wave.

Föderalis|mus [fœdera'lısmʊs] *m* (-; *no pl*) federalism; **2tisch** [-tıʃ] *adj* federalist.

Föderation [fœdera'tsĭo:n] *f* (-; *-en*) federation.

Föhn [fø:n] *m* (*-[e]s*; *-e*) föhn, foehn; *TM* hairdryer; **2en** ['fø:nən] *v/t* (*h*) (blow-)dry: ***sich die Haare ~*** blow-dry one's hair.

Folge ['fɔlgə] *f* (-; *-n*) *Ergebnis*: result,

consequence; *Wirkung*: effect; *Aufeinander*♀: succession; *Reihen*♀: order; *Serie*: series (*a. TV etc*); *Fortsetzung*: episode; (*negative*) *Auswirkung*: aftereffect(s *pl*), aftermath.

folgen ['fɔlgən] *v/i* (*sn*) follow; (*h*) F *gehorchen*: obey: ***hieraus folgt, dass*** from this it follows that; ***wie folgt*** as follows; '**~dermaßen** *adv* as follows; '**~schwer** *adj* with serious consequences.

folger|n ['fɔlgərn] *v/t* (*h*) conclude (***aus*** from); '**♀ung** *f* (-; *-en*) conclusion: ***e-e ~ ziehen*** draw a conclusion.

F

folglich ['fɔlklıç] *cj* consequently.

Folie ['fo:lĭə] *f* (-; *-n*) *Metall*♀: foil; *Plastik*♀: film.

Folklor|e [fɔlk'lo:rə] *f* (-; *no pl*) folklore; **~eabend** *m* folklore evening; **♀istisch** [~lo'rıstıʃ] *adj* folkloric.

Fön → ***Föhn.***

Fonds [fõ:] *m* (*-s*; *-s*) *econ.* fund.

fönen → ***föhnen.***

Fontäne [fɔn'tɛ:nə] *f* (-; *-n*) jet; *Springbrunnen*: fountain.

Förderband ['fœrdər~] *n* (-[*e*]*s*; *Förderbänder*) conveyor belt.

fordern ['fɔrdərn] *v/t* (*h*) demand; *Lohnerhöhung*, *Menschenleben etc.* claim; *Preis etc*: ask, charge.

fördern ['fœrdərn] *v/t* (*h*) promote; *unterstützen*: support; *Bergbau*: mine.

'**Forderung** *f* (-; *-en*) demand; *An-spruch*: claim; *Preis*♀: charge.

'**Förderung** *f* (-; *-en*) promotion; support; mining.

Forelle [fo'rɛlə] *f* (-; *-n*) *zo.* trout.

Form [fɔrm] *f* (-; *-en*) form, shape; *Sport*: *a.* condition; *tech.* mo(u)ld; **♀al** [~'ma:l] *adj* formal; **~alität** [~mali'tɛ:t] *f* (-; *-en*) formality; **~at** [~'ma:t] *n* (*-s*; *-e*) size; *fig.* calib|re (*Am.* -er).

forma'tier|en *v/t* (*no ge-*, *h*) *Computer*: format; **♀ung** *f* (-; *no pl*) *Computer*: formatting.

'**Formblatt** *n* form.

Formel ['fɔrməl] *f* (-; *-n*) formula.

formell [fɔr'mɛl] *adj* formal.

'**formen** *v/t* (*h*) shape, form; *Charakter etc*: mo(u)ld, form.

'**Formfehler** *m jur.* formal defect.

förmlich ['fœrmlıç] **1.** *adj* formal; **2.** *adv* formally; *fig.* literally.

'**formlos** *adj fig.* informal.

Formular [fɔrmu'la:r] *n* (*-s*; *-e*) form.

forsche|n ['fɔrʃən] *v/i* (*h*) research, do research (work): ***~ nach*** search for; '**♀r** *m* (*-s*; -) researcher, research scientist.

'**Forschung** *f* (-; *-en*) research (work); '**~sauftrag** *m* research assignment; '**~sgebiet** *n* field of research; '**~szentrum** *n* research cent|re (*Am.* -er).

Förster ['fœrstər] *m* (*-s*; -) forester, *Am. a.* forest ranger.

fort [fɔrt] *adv davon*: off, away; *weg*: away, gone; *verschwunden*: gone, missing.

'**fort|bestehen** *v/i* (*irr*, *sep*, *no -ge-*, *h*, → ***stehen***) continue; '**♀bildung** *f* further education (*od.* training); '**~fahren** *v/i* (*irr*, *sep*, *-ge-*, *sn*, → ***fahren***) leave, go away (*a. verreisen*); *mot. a.* drive off; *weitermachen*: continue, go (*od.* keep) on (***et. zu tun*** doing s.th.); '**~führen** *v/t* (*sep*, *-ge-*, *h*) continue, carry on; '**~gehen** *v/i* (*irr*, *sep*, *-ge-*, *sn*, → ***gehen***) go away, leave; '**~geschritten** *adj* advanced; '**~laufend** *adj* consecutive.

'**fortpflanz|en** *v/refl* (*sep*, *-ge-*, *h*) *biol.* reproduce; *fig.* spread; '**♀ung** *f* (-; *-en*) *biol.* reproduction.

'**fortschreiten** *v/i* (*irr*, *sep*, *-ge-*, *sn*, → ***schreiten***) advance, progress; '**~d** *adj* progressive; *zunehmend*: *a.* increasing.

'**Fortschritt** *m* progress; '**♀lich** *adj* progressive.

'**fortsetz|en** *v/t* (*sep*, *-ge-*, *h*) continue, go on with; '**♀ung** *f* (-; *-en*) continuation: ***~ folgt*** to be continued; '**♀ungsro,man** *m* serial, serialized novel.

Foto ['fo:to] *n* (*-s*; *-s*) photo: ***auf dem ~*** in the photo; '**~album** *n* photo album; '**~appa,rat** *m* camera.

Fotograf [foto'gra:f] *m* (*-en*; *-en*) photographer; **~ie** [~gra'fi:] *f* (-; *-n*) photography; *Bild*: photograph: ***auf der ~*** in the photograph; **♀ieren** [~gra'fi:rən] *v/t* (*no ge-*, *h*) photograph, take a photograph of.

'**Fotohandy** *n* camera phone.

Fotoko'pie *f* photocopy; **♀ren** [~'pi:rən] *v/t* (*no ge-*, *h*) photocopy; **~rgerät** [~'pi:r~] *n* photocopier.

Fotze ['fɔtsə] *f* (-; *-n*) V cunt.

Foyer [foa'je:] *n* (*-s*; *-s*) foyer.

Fracht [fraxt] *f* (-; *-en*) *mot.*, *rail.* freight, *aer.*, *mar. a.* cargo; '**~brief** *m* waybill, *bsd. Br.* consignment note; '**~er** *m* (-; *-s*) freighter; '**~kosten** *pl aer.*, *mar.*

freight (-age), *mot.*, *rail.* carriage; '**~schiff** *n* cargo ship, freighter.

Frack [frak] *m* (-[*e*]*s*; ⸚*e*) tailcoat, tails *pl*.

Frage ['fraːgə] *f* (-; -*n*) question; ***e-e ~ der Zeit*** a matter of time; → ***infrage***; '**~bogen** *m* questionnaire; '**2n** *v/t u. v/i* (*h*) ask (***nach*** for; ***wegen*** about); ***j-n nach dem Weg*** (***der Zeit***) ***~*** ask s.o. the way (time); ***sich ~*** wonder; '**~zeichen** *n* question mark.

fraglich ['fraːklɪç] *adj* doubtful; *betreffend*: in question.

Fragment [fra'gmɛnt] *n* (-[*e*]*s*; -*e*) fragment.

fragwürdig ['fraːkvʏrdɪç] *adj* dubious.

Fraktion [frak'tsi̯oːn] *f* (-; -*en*) *parl.* parliamentary group; **2slos** *adj* independent; **~svorsitzende** *m*, *f Br.* leader of the parliamentary group, *Am.* floor leader; **~szwang** *m* obligation to vote according to party policy.

Franken ['fraŋkən] Franconia.

Frankfurt ['fraŋkfʊrt] Frankfurt.

frankier|en [fraŋ'kiːrən] *v/t* (*no ge-*, *h*) frank; **2ma͵schine** *f* franking machine.

Frankreich ['fraŋkraɪç] France.

Franz|ose [fran'tsoːzə] *m* (-*n*; -*n*) Frenchman: ***die ~n*** *pl* the French *pl*; **~ösin** [-'tsøːzɪn] *f* (-; -*nen*) Frenchwoman; **2ösisch** [-'tsøːzɪʃ] *adj* French.

Fraß [fraːs] (-*es*; *no pl*) F *contp*. muck.

Frau [fraʊ] *f* (-; -*en*) woman; *Ehe2*: wife: ***~ X*** Mrs X.

'**Frauen|arzt** *m*, **~ärztin** *f* gyn(a)ecologist; '**~bewegung** *f* (-; *no pl*) women's movement; '**~haus** *n* battered wives' refuge; '**~klinik** *f* gyn(a)ecological hospital.

Fräulein ['frɔʏlaɪn] *n* (-*s*; -): ***~ X*** Miss X.

'**fraulich** *adj* womanly, feminine.

frech [frɛç] *adj* impudent, F cheeky, *Am.* fresh; *Lüge etc*: brazen; *kess*: pert; '**2heit** *f* (-; -*en*) impudence, F cheek; *Bemerkung*: impudent remark.

frei [fraɪ] **1.** *adj* free (***von*** of); *Beruf*: independent; *Journalist etc*: freelance; *nicht besetzt*: vacant (*a. WC*); *~mütig*: candid, frank: ***ein ~er Tag*** a day off; ***~e Stelle*** vacancy; ***~ bekommen*** get *a day etc.* off; ***~ geben*** release; *econ. Wechselkurs*: float; ***~ halten*** *Platz*: keep; → ***Ausfahrt***; ***~ lassen*** release, set free: ***gegen Kaution ~ lassen*** *jur.* release on bail; ***den Oberkörper ~ machen*** strip to the waist; ***sich e-n Tag*** *etc* ***~ nehmen*** take a day *etc* off; ***~ stehen*** *leer stehen*: be vacant; ***im 2en*** outdoors; → ***Mitarbeiter***; **2.** *adv*: *econ.* ***~ Haus*** carriage free.

'**Frei|bad** *n* open-air swimming pool; '**2bekommen** → ***frei*** 1; '**~berufler** *m* (-*s*; -) freelance; '**~exem͵plar** *n* free copy; '**~gabe** *f* (-; *no pl*) release; *econ.* floating; '**2geben** → ***frei*** 1; **2gebig** ['-geːbɪç] *adj* generous; '**~gepäck** *n* baggage allowance; '**~hafen** *m* free port; '**2halten** *v/t* (*irr, sep, -ge-, h,* → ***halten***) *j-n*: treat; → ***frei*** 1; '**~handel** *m* (-*s*; *no pl*) free trade; '**~handelszone** *f* free-trade area (*od.* zone); '**~heit** *f* (-; -*en*) freedom, liberty; '**~heitsstrafe** *f jur.* prison sentence; '**~karte** *f* free ticket; '**2lassen** → ***frei*** 1; '**~lassung** *f* (-; -*en*) release; '**~lichtthe͵ater** *n* open-air theat|re (*Am.* -er); '**2machen** *v/t* (*sep, -ge-, h*) *Brief etc*: frank; → ***frei*** 1; **2mütig** ['-myːtɪç] *adj* candid, frank; '**2nehmen** → ***frei*** 1; '**~schaltcode** *m* connecting code, enabling code, unblocking code; '**2sprechen** *v/t* (*irr, sep, -ge-, h,* → ***sprechen***) *jur.* acquit (***von*** of); '**~spruch** *m* (-[*e*]*s*; ⸚*e*) *jur.* acquittal; '**~staat** *m pol.* free state; '**2stehen** *v/i* (*irr, sep, -ge-, h,* → ***stehen***): ***es steht dir frei zu*** you are free to; '**~tag** *m* (-[*e*]*s*; -*e*) Friday: ***am ~*** on Friday; '**2willig 1.** *adj* voluntary; **2.** *adv*: ***sich ~ melden*** volunteer (***zu*** for); '**~willige** *m*, *f* (-*n*; -*n*) volunteer.

'**Freizeit** *f* (-; *no pl*) free (*od.* spare, leisure) time; '**~angebot** *n* leisure amenities *pl*; '**~gestaltung** *f* leisure activity; '**~kleidung** *f* casual clothes.

fremd [frɛmt] *adj* strange; *ausländisch*: foreign; *unbekannt*: unknown: ***ich bin auch ~ hier*** I'm a stranger here myself; '**~artig** *adj* strange, exotic.

Fremde[1] ['frɛmdə] *f* (-; *no pl*): ***in der*** (***die***) ***~*** abroad.

Fremde[2] [-] *m*, *f* (-*n*; -*n*) stranger; *Ausländer*: foreigner; *Tourist*: tourist.

'**Fremden|führer** *m* (tourist) guide; '**~verkehr** *m* tourism; '**~verkehrsbü͵ro** *n* tourist office; '**~zimmer** *n*: ***~*** (***zu vermieten***) rooms to let.

'**Fremd|finan͵zierung** *f* outside financing; '**2gehen** *v/i* (*irr, sep, -ge-, sn,* → ***gehen***) F be unfaithful (to one's wife *od.*

husband); '~kapi,tal *n* outside capital; '~körper *m med.* foreign body; *fig.* alien element.

'**Fremdsprach|e** *f* foreign language; '~enkorrespon,dent *m* foreign correspondence clerk; '2ig, 2lich *adj* foreign-language.

'**Fremdwort** *n* foreign word.

Frequenz [fre'kvɛnts] *f* (-; *-en*) frequency.

Fresse ['frɛsə] *f* (-; *-n*) V *Mund*: trap; *Gesicht*: mug.

fressen ['frɛsən] (*fraß, gefressen, h*) **1.** *v/t Tier*: eat; *sich ernähren von*: feed on; F *Mensch*: guzzle; **2.** *v/i Tier*: feed; F *Mensch*: guzzle, eat like a pig.

Freude ['frɔʏdə] *f* (-; *-n*) joy (**über** *acc* at); *Vergnügen*: pleasure: **~ haben an** (*dat*) take pleasure in.

'**freudig** *adj* joyful, cheerful; *Ereignis, Erwartung*: happy.

freuen ['frɔʏən] (*h*) **1.** *v/impers*: **es freut mich, dass** I am glad (*od.* pleased) (that); **2.** *v/refl*: **sich ~ über** (*acc*) be pleased about (*od.* with), be glad about; **sich ~ auf** (*acc*) look forward to.

Freund [frɔʏnt] *m* (-[*e*]*s*; *-e*) friend; *e-s Mädchens*: boyfriend; **~in** ['~dɪn] *f* (-; *-nen*) friend; *e-s Jungen*: girlfriend; '2lich *adj* friendly, kind; *Farben etc*: cheerful; '~lichkeit *f* (-; *-en*) friendliness, kindness; '~schaft *f* (-; *-en*) friendship: **~ schließen** make friends (**mit** with); '2schaftlich *adj* friendly.

Frieden ['fri:dən] *m* (-s, *no pl*) peace: **im ~** in peacetime; **lass mich in ~!** leave me alone!

'**Friedens|bewegung** *f* peace movement; '~forschung *f* peace research; '~no,belpreis *m* Nobel Peace Price; '~poli,tik *f* policy of peace; '~verhandlungen *pl* peace negotiations *pl* (*od.* talks *pl*); '~vertrag *m* peace treaty.

Fried|hof ['fri:t~] *m* cemetery, graveyard; '2lich *adj* peaceful; '2liebend *adj* peace-loving.

frieren ['fri:rən] *v/i* (*fror, gefroren, h*) freeze: **ich friere** I am (*od.* feel) cold, *stärker*: I'm freezing.

frisch [frɪʃ] **1.** *adj* fresh; *Wäsche*: clean: → **Luft**, **Tat**; **2.** *adv*: **~ gestrichen!** wet (*Am. a.* fresh) paint!; **~ verheiratet** just married; '2e *f* (-; *no pl*) freshness; '2haltepackung *f* airtight pack.

Friseu|r [fri'zø:r] *m* (*-s*; *-e*) hairdresser, *Herren2*: *a.* barber; **~rsa,lon** *m* (ladies' *od.* men's) hairdressing saloon, *Damen2*: *Am. a.* beauty parlor (*od.* shop), *Herren2*: *a.* barber's shop, *Am.* barbershop; **~se** [~'zø:zə] *f* (-; *-n*) hairdresser.

frisieren [fri'zi:rən] (*no ge-*, h) **1.** *v/t j-n*: do *s.o.'s* hair; F *Konten etc*: doctor, *mot.* soup up; **2.** *v/refl* do one's hair.

Frisör *usw.* → **Friseur** *usw.*

Frist [frɪst] *f* (-; *-en*) *Zeitraum*: (prescribed) period, (set) term; *Zeitpunkt*: time limit, deadline; *Aufschub*: extension (*a. econ.*); '2los *adj u. adv* without notice.

Frisur [fri'zu:r] *f* (-; *-en*) hairstyle, hairdo.

frittieren [fri'ti:rən] *v/t* (*no ge-*, *h*) deep-fry.

frivol [fri'vo:l] *adj* risqué; *stärker*: indecent.

froh [fro:] *adj* glad (**über** *acc* about); *fröhlich*: cheerful; *glücklich*: happy.

fröhlich ['frø:lɪç] *adj* cheerful, happy; *lustig*: *a.* merry; '2keit *f* (-; *no pl*) cheerfulness.

fromm [frɔm] *adj* religious, pious; **ein ~er Wunsch** wishful thinking.

Frömmigkeit ['frœmɪçkaɪt] *f* (-; *no pl*) religiousness, piety.

Front [frɔnt] *f* (-; *-en*) *arch.* facade, front; *mil.* front (line): **an der ~** at the front; 2al [~'ta:l] *adv mot.* head-on; **~alzusammenstoß** *m* head-on collision; '~antrieb *m mot.* front-wheel drive.

Frosch [frɔʃ] *m* (-[*e*]*s*; *~e*) *zo.* frog; '~mann *m* (-[*e*]*s*; *Froschmänner*) frogman.

Frost [frɔst] *m* (-[*e*]*s*; *~e*) frost.

frösteln ['frœstəln] *v/i* (*h*) feel chilly, shiver (with cold).

frostig ['frɔstɪç] *adj* frosty (*a. fig.*).

Frucht [frʊxt] *f* (-; *~e*) fruit: **Früchte tragen** *a. fig.* bear fruit; '2bar *adj biol.* fertile; *fig.* fruitful; '~barkeit *f* (-; *no pl*) fertilility; fruitfulness; '2los *adj* fruitless.

früh [fry:] *adj u. adv* early: **zu ~ kommen** be early; **~ genug** soon enough; **heute** (**morgen**) **~** this (tomorrow) morning; '2aufsteher *m* (*-s*; -) early riser, F early bird; '2e *f* (-; *no pl*): **in aller ~** (very) early in the morning; '~er **1.** *adj ehemalig*: former; *vorherig*: previous; **2.** *adv* in former times: **~ oder spä-**

ter sooner or later; ***ich habe ~ (einmal) ...*** I used to ...; '**~estens** *adv* at the earliest; '**2geburt** *f med.* premature birth; *Kind*: premature baby; '**2jahr** *n (-s; -e)*, **2ling** ['-lɪŋ] *m (-s; -e)* spring: ***im ~*** in spring; '**~reif** *adj Kind*: precocious.

'**Frühstück** *n (-s; -e)* breakfast: ***zum ~*** for breakfast; '**2en** *(h)* **1.** *v/i* (have) breakfast; **2.** *v/t* have *s.th.* for breakfast; '**~sbü,fett** *n* breakfast buffet; '**~sfernsehen** *n* breakfast TV.

Fuchs [fʊks] *m (-es; ⸚e) zo.* fox.

fühl|bar ['fy:lba:r] *adj fig.* noticeable; *beträchtlich*: considerable; '**~en** *v/t u. v/refl (h)* feel: → ***wohl.***

Fuhre ['fu:rə] *f (-; -n) Taxi*: fare.

führen ['fy:rən] *(h)* **1.** *v/t* lead; *herum~*, *lenken, leiten*: guide; *geleiten, bringen*: take; *Betrieb, Haushalt etc*: run, manage; *Waren*: sell, deal in; *Buch, Konto*: keep; *Gespräch etc*: carry on: ***j-n ~ durch*** show s.o. round; **2.** *v/i* lead (***zu*** to, *a. fig.*); '**~d** *adj* leading, prominent.

'**Führer** *m (-s; -)* leader; *Fremden2*: guide; *Leiter*: head, chief; *Reise2*: guide(book); '**~schein** *m mot. Br.* driving licence, *Am.* driver's license.

'**Führung** *f (-; -en)* leadership, control; *Unternehmen etc*: management; *Museum etc*: guided tour (***durch*** of); '**~szeugnis** *n* certificate of (good) conduct.

füll|en ['fʏlən] *v/t (h)* fill (*a. v/refl*); *Kissen, Geflügel etc*: stuff; '**2er** *m (-s; -)* fountain pen; '**2ung** *f (-; -en)* filling; stuffing.

Fundament [fʊnda'mɛnt] *n (-[e]s; -e) arch.* foundations *pl*; *fig. a.* basis.

Fund|büro ['fʊnt-] *n Br.* lost-property office, *Am.* lost-and-found (office); '**~gegenstand** *m* object found; '**~grube** *f fig.* rich source, mine.

fünf [fʏnf] *adj* five; '**~fach** *adj u. adv* fivefold; '**2ling** *m (-s; -e)* quintuplet, F quin; **2'sterneho,tel** *n* five-star hotel; '**~te** *adj* fifth; '**2tel** *n (-s; -)* fifth; '**~tens** *adv* fifth(ly), in the fifth place; '**~zehn** *adj* fifteen; **~zig** ['-tsɪç] *adj* fifty.

Funk [fʊŋk] *m (-s; no pl)* radio: ***über ~*** by radio; '**~ama,teur** *m* radio ham.

Funke ['fʊŋkə] *m (-n; -n)* spark; *fig. a.* glimmer; '**2ln** *v/i (h)* sparkle, glitter; *Sterne*: *a.* twinkle.

funk|en ['fʊŋkən] *v/t (h)* radio; '**2er** *m (-s; -)* radio operator; '**2gerät** *n* radio set; '**2haus** *n* broadcasting cent|re (*Am.* -er); '**2spruch** *m* radio message; '**2streife** *f* (radio) patrol car.

Funktion [fʊŋk'tsi̯o:n] *f (-; -en)* function; **2ieren** [-o'ni:rən] *v/i (no ge-, h)* work.

für [fy:r] *prp* for; *zugunsten*: *a.* in favo(u)r of; *anstatt*: *a.* instead of: ***~ mich*** *Meinung, Geschmack*: to me; ***~ immer*** forever; ***Tag ~ Tag*** day after day; ***Wort ~ Wort*** word for word; ***jeder ~ sich*** *arbeiten etc*: everyone by himself; ***was ~ ...?*** what (kind [*od.* sort] of) ...?; ***das 2 u. Wider*** the pros and cons *pl.*

Furcht [fʊrçt] *f (-; no pl)* fear (***vor*** *dat* of): ***aus ~ vor*** for fear of; ***~ erregend*** frightening; '**2bar** *adj* terrible, awful.

fürchten ['fʏrçtən] *(h)* **1.** *v/t* fear, be afraid of: ***ich fürchte, ...*** I'm afraid ...; **2.** *v/refl* be afraid (***vor*** *dat* of).

fürchterlich ['fʏrçtərlɪç] → ***furchtbar.***

'**furcht|erregend** *adj* frightening; '**~los** *adj* fearless; '**~sam** *adj* timid.

Fürst [fʏrst] *m (-en; -en)* prince; '**~entum** *n (-s; ⸚er)* principality; '**~in** *f (-; -nen)* princess.

Furt [fʊrt] *f (-; -en)* ford.

Furunkel [fu'rʊŋkəl] *m (-s; -) med.* boil, furuncle.

Furz [fʊrts] *m (-es; ⸚e)* V fart; '**2en** *v/i (h)* fart.

Fusion [fu'zi̯o:n] *f (-; -en) econ.* merger; **2ieren** [-o'ni:rən] *v/i (no ge-, h)* merge.

Fuß [fu:s] *m (-es; ⸚e)* foot: ***zu ~*** on foot; ***zu ~ gehen*** walk; ***gut zu ~ sein*** be a good walker; ***~ fassen*** become established; ***auf freiem ~*** at large; '**~abdruck** *m* footprint; '**~abstreifer** *m (-s; -)* doormat; '**~ball** *m Sport*: *Br.* football; F *u. Am.* soccer; *Ball*: football, F *u. Am.* soccer ball; '**~boden** *m* floor; *~belag*: flooring; '**~bodenheizung** *f* underfloor heating; '**~bremse** *f mot.* footbrake.

Fußgänger ['fu:sgɛŋər] *m (-s; -)* pedestrian; '**~ampel** *f* pedestrian lights *pl*; '**~überweg** *m* pedestrian crossing; '**~zone** *f* pedestrian precinct.

'**Fuß|gelenk** *n* ankle; '**~marsch** *m* march; '**~note** *f* footnote; '**~pilz** *m med.* athlete's foot; '**~sohle** *f* sole (of the foot); '**~spur** *f* footprint; *Fährte*: track; '**~stapfen** *pl*: ***in j-s ~ treten*** follow in s.o.'s footsteps; '**~tritt** *m* kick; '**~weg** *m* footpath: ***e-e Stunde ~*** an

F

hour's walk.

Futter[1] ['fʊtər] *n* (-*s*; *no pl*) feed; *Pferde*≈ *etc*: fodder; *Hunde*≈ *etc*: food.

Futter[2] [~] *n* (-*s*; -) *tech.*, *Mantel*≈ *etc*: lining.

Futteral [fʊtə'ra:l] *n* (-*s*; -*e*) case; *Hülle*: cover.

futtern ['fʊtərn] *v/i* (*h*) tuck in(to *v/t*).

füttern ['fʏtərn] *v/t* (*h*) feed; *Kleid etc*: line.

Futternapf *m* (feeding) bowl.

G

Gabel ['ga:bəl] *f* (-;-*n*) fork; '≈**n** *v/refl* (*h*) fork; **~stapler** ['~ʃta:plər] *m* (-*s*; -) *tech.* forklift (truck); '**~ung** *f* (-; -*en*) fork.

gaffen ['gafən] *v/i* (*h*) gape.

Gage ['ga:ʒə] *f* (-; -*n*) salary; *einmalige*: fee.

gähnen ['gɛ:nən] *v/i* (*h*) yawn.

Gala ['ga:la] *f* (-; *no pl*) gala dress; '**~abend** *m* gala performance.

Galerie [galə'ri:] *f* (-; -*n*) gallery.

Galgen ['galgən] *m* (-*s*; -) gallows; '**~frist** *f* reprieve; '**~humor** *m* gallows humo(u)r.

Galle ['galə] *f* (-; -*n*) *anat.* gall bladder; *physiol.* bile; '**~nblase** *f anat.* gall bladder; '**~nstein** *m med.* gallstone.

gammeln ['gaməln] *v/i* (*h*) F loaf around.

Gang [gaŋ] *m* (-[*e*]*s*; ≈*e*) walk; *~art*: gait; *Durch*≈: passage; *zwischen Sitzen etc*: aisle; *Flur*: corridor, hall(way); *mot.* gear; *Speise*, (*Ver*)*lauf*: course: ***et. in ~ bringen*** get s.th. going, start s.th.; ***in ~ kommen*** get started; ***im ~(e) sein*** be (going) on, be in progress; ***in vollem ~(e)*** in full swing.

gängig ['gɛŋɪç] *adj* current; *econ.* sal(e)able.

'**Gangschaltung** *f Br.* gear change, *Am.* gearshift.

Ganove [ga'no:və] *m* (-*n*; -*n*) crook.

Gans [gans] *f* (-; ≈*e*) *zo.* goose.

Gänse|blümchen ['gɛnzəbly:mçən] *n* (-*s*; -) *bot.* daisy; '**~braten** *m* roast goose; '**~haut** *f* (-; *no pl*): ***e-e ~ bekommen*** get gooseflesh (*od.* goose pimples); ***dabei kriege ich e-e ~*** it gives me the creeps; '**~marsch** *m*: ***im ~*** in single (*od.* Indian) file.

ganz [gants] **1.** *adj* whole; *ungeteilt, vollständig*: *a.* entire, total; *Betrag, Stunde*: *a.* full: ***den ~en Tag*** all day; ***die ~e Zeit*** all the time; ***in der ~en Welt*** all over the world; ***sein ~es Geld*** all his money; **2.** *adv* wholly, completely; entirely, totally; *sehr*: very; *ziemlich*: quite, rather, fairly; *genau*: just, exactly: ***~ allein*** all by oneself; ***~ aus Holz*** *etc* all wood *etc*; ***~ u. gar*** completely, totally; ***~ u. gar nicht*** not at all, by no means; ***~ wie du willst*** just as you like; ***nicht ~*** not quite; ***im ≈en*** in all, altogether; ***im*** (***Großen u.***) ***≈en*** on the whole.

Ganze ['gantsə] *n* (-*n*; *no pl*) whole: ***das ~*** *alles*: the whole thing; ***aufs ~ gehen*** go all out.

gänzlich ['gɛntslɪç] *adv* completely, entirely.

ganz|tägig ['gantstɛ:gɪç] *adv*: ***~ geöffnet*** open all day; '**≈tagsbeschäftigung** *f* full-time job.

gar [ga:r] **1.** *adj gastr.* done; **2.** *adv*: ***~ nicht*** not at all; ***~ nichts*** nothing at all.

Garage [ga'ra:ʒə] *f* (-; -*n*) garage.

Garantie [garan'ti:] *f* (-; -*n*) guarantee, *econ. a.* warranty; **≈ren** [~'ti:rən] *v/t u. v/i* (*no ge-*, *h*) guarantee (***für et.*** s.th.); **~schein** *m* guarantee (certificate).

Garderobe [gardə'ro:bə] *f* (-; -*n*) wardrobe, clothes *pl*; *Kleiderablage*: cloakroom, *Am.* checkroom; *thea.* dressing room; *im Haus*: coat rack; **~nfrau** *f* cloakroom (*Am.* checkroom) attendant, *Am.* F *a.* hatcheck girl; **~nmarke** *f* check, *Br. a.* cloakroom ticket; **~nständer** *m* coat stand (*od.* rack).

Gardine [gar'di:nə] *f* (-; -*n*) (net) curtain.

Garn [garn] *n* (-[*e*]*s*; -*e*) yarn; *Faden*: thread.

Garnitur [garni'tu:r] *f* (-; -*en*) set; *Möbel*: *a.* suite.

Garten ['gartən] *m* (-*s*; ≈) garden; '**~arbeit** *f* gardening; '**~fest** *n* garden party;

'~geräte *pl* gardening tools *pl*; **'~lo,kal** *n* beer garden; **'~stadt** *f* garden city; **'~zwerg** *m* garden gnome.

Gärtner ['gɛrtnər] *m* (*-s*; *-*) gardener; **~ei** [~'raɪ] *f* (*-*; *-en*) *Betrieb*: *Br.* market garden, *Am.* truck farm.

Gas [ga:s] *n* (*-es*; *-e*) gas: **~ *geben*** *mot.* accelerate, F step on the gas; **'~hei-zung** *f* gas heating; **'~herd** *m* gas cooker (*od.* stove); **'~kammer** *f* gas chamber; **'~maske** *f* gas mask; **'~pe,dal** *n* *mot.* accelerator (pedal), *bsd. Am.* gas pedal.

Gasse ['gasə] *f* (*-*; *-n*) lane, alley.

Gast [gast] *m* (*-[e]s*; *⸗e*) guest; *Besucher*: visitor; *im Lokal etc*: customer; **'~arbeiter** *m* foreign worker.

Gäste|buch ['gɛstə~] *n* visitors' book; **'~haus** *n* guesthouse; **'~zimmer** *n* guest (*od.* spare) room.

'gast|freundlich *adj* hospitable; **'Ձfreundschaft** *f* (*-*; *no pl*) hospitality; **'Ձgeber** *m* (*-s*; *-*) host; **'Ձgeberin** *f* (*-*; *-nen*) hostess; **'Ձhaus** *n*, **Ձhof** *m* inn.

gastieren [gas'ti:rən] *v/i* (*no ge-*, *h*) *Zirkus etc*: give performances; *thea.* give a guest performance.

'Gast|land *n* host country; **'Ձlich** *adj* hospitable.

Gastronomie [gastrono'mi:] *f* (*-*; *no pl*) *Gaststättengewerbe*: restaurant trade; *Kochkunst*: gastronomy.

'Gast|stätte *f* restaurant; **'~wirt** *m* landlord, *Br. a.* publican; **'~wirtschaft** *f* restaurant.

'Gas|werk *n* gasworks *pl* (*mst sg konstr.*); **'~zähler** *m* gas meter.

Gatt|e ['gatə] *m* (*-n*; *-n*) husband; **'~in** *f* (*-*; *-nen*) wife.

Gattung ['gatʊŋ] *f* (*-*; *-en*) type, class, sort; *biol.* genus; *Art*: species.

GAU [gaʊ] *m* (*-s*; *-s*) MCA.

Gaumen ['gaʊmən] *m* (*-s*; *-*) *anat.* palate.

Gauner ['gaʊnər] *m* (*-s*; *-*) crook.

Gebäck [gə'bɛk] *n* (*-[e]s*; *-e*) pastries *pl*; *Plätzchen*: *Br.* biscuits *pl*, *Am.* cookies *pl*.

Gebärmutter [gə'bɛ:r~] *f* (*-*; *Gebärmütter*) *anat.* uterus, womb.

Gebäude [gə'bɔʏdə] *n* (*-s*; *-*) building.

geben ['ge:bən] (*gab*, *gegeben*, *h*) **1.** *v/t* give; *reichen*: *a.* hand, pass; *er~*: make: ***von sich ~*** give, let out; *chem.* give off; **2.** *v/i Kartenspiel*: deal; **3.** *v/refl nachlassen*: pass; *gut werden*: come right; **4.** *v/impers*: ***es gibt*** there is, *pl* there are; ***was gibt es?*** what's the matter?; *zum Essen*: what's for lunch *etc?*; *TV etc*: what's on?; ***das gibt es nicht*** there's no such thing; *verbietend*: that's out.

Gebet [gə'be:t] *n* (*-[e]s*; *-e*) prayer.

Gebiet [gə'bi:t] *n* (*-[e]s*; *-e*) region, area; *bsd. pol.* territory; *fig.* field; **Ձsweise** *adv* regionally: **~ *Regen*** local showers.

Gebirg|e [gə'bɪrgə] *n* (*-s*; *-*) mountains *pl*; **Ձig** *adj* mountainous.

Gebiss [gə'bɪs] *n* (*-es*; *-e*) (set of) teeth *pl*; *künstliches*: (set of) false teeth *pl*, denture(s *pl*).

ge|blümt [gə'bly:mt] *adj* flowered; **~bogen** [~'bo:gən] *adj* bent, curved; **~boren** [~'bo:rən] *adj* born: ***er ist ein ~er Deutscher*** he's German by birth; ***~e Schmidt*** née Schmidt; ***ich bin am … ~*** I was born on the …

Gebot [gə'bo:t] *n* (*-[e]s*; *-e*) *Auktion etc*: bid.

Ge'brauch *m* (*-[e]s*; *no pl*) use; *Anwendung*: *a.* application; **Ձen** *v/t* (*pp gebraucht*, *h*) use; *anwenden*: *a.* employ: ***gut* (*nicht*) *zu ~ sein*** be useful (useless); ***ich könnte … ~*** I could do with …

gebräuchlich [gə'brɔʏçlɪç] *adj* in use; *üblich*: common, usual.

Ge'brauchs|anweisung *f* directions *pl* (*od.* instructions *pl*) for use; **Ձfertig** *adj* ready for use; *Kaffee etc*: instant.

ge'braucht *adj* used; *bsd. Waren*: *a.* second-hand; **Ձwagen** *m mot.* used car.

gebrechlich [gə'brɛçlɪç] *adj* frail, infirm.

Gebrüder [gə'bry:dər] *pl* brothers *pl*.

Gebrüll [gə'brʏl] *n* (*-[e]s*; *no pl*) roar (-ing).

Gebühr [gə'by:r] *f* (*-*; *-en*) charge (*a. teleph.*), fee; *mail.* postage; *mot.* toll; **Ձend** *adj* due; *angemessen*: proper; **~eneinheit** *f teleph.* unit; **~enerhöhung** *f* increase in charges; **Ձenfrei** *adj* free of charge; *mail.* post-free; **~enordnung** *f* scale of charges; **Ձenpflichtig** *adj* chargeable: ***~e Straße*** toll road; ***~e Verwarnung*** *jur.* fine.

Geburt [gə'bu:rt] *f* (*-*; *-en*) birth: ***von ~ an*** from birth.

Ge'burten|kon,trolle *f* (*-*; *no pl*), **~regelung** *f* (*-*; *no pl*) birth control; **~rückgang** *m* decrease in the birth-

G

rate; ≈**schwach** *adj* with a low birthrate; ≈**stark** *adj* with a high birthrate; ~**ziffer** *f* birthrate.

gebürtig [gə'bʏrtɪç] *adj*: ***er ist ~er Deutscher*** he's German by birth.

Ge'burts|anzeige *f* birth announcement; ~**datum** *n* date of birth; ~**fehler** *m* congenital defect; ~**jahr** *n* year of birth; ~**land** *n* native country; ~**ort** *m* birthplace; ~**tag** *m* birthday: ***sie hat heute ~*** it's her birthday today; ~**tagsfeier** *f* birthday party; ~**urkunde** *f* birth certificate.

Gebüsch [gə'bʏʃ] *n* (-[*e*]*s*; -*e*) bushes *pl.*

Gedächtnis [gə'dɛçtnɪs] *n* (-*ses*; -*se*) memory: ***aus dem ~*** from memory; ***zum ~ an*** (*acc*) in memory of; ***im ~ behalten*** keep in mind, remember.

G

Gedanke [gə'daŋkə] *m* (-*n*; -*n*) thought (***an*** *acc* of), idea: ***in ~n*** lost in thought; ***sich ~n machen über*** (*acc*) think about; *besorgt*: be worried *od.* concerned about; ***j-s ~n lesen*** read s.o.'s mind.

Gedeck [gə'dɛk] *n* (-[*e*]*s*; -*e*) cover: ***ein ~ auflegen*** lay (*od.* set) a place.

gedeihen [gə'daɪən] *v/i* (*gedieh*, *gediehen*, *sn*) thrive, prosper; *wachsen*: grow; *blühen*: flourish.

ge'denken *v/i* (*irr*, *pp gedacht*, *h*, → ***denken***) think of; *ehrend*: commemorate; *erwähnen*: mention.

Ge'denk|feier *f* commemoration; ~**stätte** *f* memorial; ~**tafel** *f* commemorative plaque.

Gedicht [gə'dɪçt] *n* (-[*e*]*s*; -*e*) poem.

Gedränge [gə'drɛŋə] *n* (-*s*; *no pl*) crowd, crush.

Geduld [gə'dʊlt] *f* (-; *no pl*) patience: ***~ haben mit*** be patient with; ≈**en** [-dən] *v/refl* (*pp geduldet*, *h*) be patient; ≈**ig** [-dɪç] *adj* patient.

ge|ehrt [gə'eːrt] *adj* hono(u)red; *in Briefen*: ***Sehr ~er Herr N.!*** Dear Sir, Dear Mr N; ~**eignet** [-'aɪgnət] *adj* suitable; *befähigt*: suited, qualified; *bsd. körperlich*: fit; *passend*: right.

Gefahr [gə'faːr] *f* (-; -*en*) danger; *Bedrohung*: *a.* menace, threat (*alle*: ***für*** to): ***auf eigene ~*** at one's own risk; ***außer ~*** out of danger, safe.

gefährden [gə'fɛːrdən] *v/t* (*pp gefährdet*, *h*) endanger; *aufs Spiel setzen*: risk.

gefährlich [gə'fɛːrlɪç] *adj* dangerous (***für*** to); *riskant*: risky.

Gefährte [gə'fɛːrtə] *m* (-*n*; -*n*) companion.

Gefälle [gə'fɛlə] *n* (-*s*; -) incline, slope; *Straße etc*: gradient.

ge'fallen *v/i* (*irr*, *pp gefallen*, *h*, → ***fallen***) please: ***es gefällt mir*** (***nicht***) I (don't) like it; ***wie gefällt dir ...?*** how do you like ...?; ***sich ~ lassen*** put up with.

Ge'fallen[1] *m* (-*s*; -) favo(u)r: ***j-n um e-n ~ bitten*** ask a favo(u)r of s.o.; ***j-m e-n ~ tun*** do s.o. a favo(u)r.

Ge'fallen[2] *n* (-*s*; *no pl*): ***~ finden an*** *et.*: take pleasure in; *j-m*: take (a fancy) to.

ge'fällig *adj angenehm*: pleasing, agreeable; *entgegenkommend*: obliging, kind: ***j-m ~ sein*** do s.o. a favo(u)r; ≈**keit** *f* (-; -*en*) kindness; *Gefallen*: favo(u)r; ~**st** *adv* F kindly, (if you) please; *grob*: will you!

Gefangene [gə'faŋənə] *m*, *f* (-*n*; -*n*) prisoner.

Gefängnis [gə'fɛŋnɪs] *n* (-*ses*; -*se*) prison, jail, *Br. a.* gaol: ***ins ~ kommen*** be sent to prison; ~**di,rektor** *m* governor, *Am.* warden; ~**strafe** *f* prison sentence; ~**wärter** *m* prison guard, *bsd. Br.* warder.

Gefäß [gə'fɛːs] *n* (-*es*; -*e*) vessel (*a. anat.*), container.

gefasst [gə'fast] *adj* composed: ***~ auf*** (*acc*) prepared for.

Gefecht [gə'fɛçt] *n* (-[*e*]*s*; -*e*) *mil.* battle.

Ge'flügel *n* (-*s*; *no pl*) poultry; ~**pest** *f* poultry plague; ~**salat** *m gastr.* chicken salad.

ge'frier|en *v/i* (*irr*, *pp gefroren*, *sn*, → ***frieren***) freeze; ≈**fach** *n* freezing compartment; ≈**fleisch** *n* frozen meat; ≈**schrank** *m* upright freezer; ≈**truhe** *f* chest freezer.

Gefühl [gə'fyːl] *n* (-[*e*]*s*; -*e*) feeling; *Sinn*, *Gespür*: *a.* sense; *bsd. kurzes*: sensation; *Gemütsbewegung*: *a.* emotion; ≈**los** *adj med.* numb; *herzlos*: unfeeling; ≈**sbetont** *adj* emotional; ≈**voll** *adj* full of feeling; *rührselig*: sentimental.

ge'gebenenfalls *adv* if necessary.

gegen ['geːgən] *prp* against; *jur.*, *Sport*: *a.* versus; *ungefähr*: about, *bsd. Am.* around; *für* (*Geld etc*): (in return) for; *Mittel*: for; *verglichen mit*: compared with; '≈**argu,ment** *n* counterargument; '≈**beweis** *m* proof of the contrary.

Gegend ['geːgənt] *f* (-; -*en*) region, area;

Landschaft: countryside; *Nähe, Wohn*≗: neighbo(u)rhood.

'**Gegen|fahrbahn** *f mot.* opposite (*od.* oncoming) lane; '**~gewicht** *n*: ***ein ~ bilden zu et.*** counterbalance s.th.; '**~kandi,dat** *m* rival candidate; '**~leistung** *f* service in return: ***als ~*** in return (***für*** for); '**~maßnahme** *f* countermeasure; '**~mittel** *n* antidote (*a. fig.*); '**~par,tei** *f* other side; *pol.* opposition; '**~probe** *f*: ***die ~ machen*** crosscheck; '**~richtung** *f* opposite direction; '**~satz** *m*: ***im ~ zu*** in contrast with (*od.* to); *im Widerspruch*: in opposition to; **≗sätzlich** ['-zɛtslɪç] *adj* conflicting; **≗seitig** ['-zaɪtɪç] *adj* mutual; '**~seitigkeit** *f* (-; *no pl*): ***auf ~ beruhen*** be mutual; '**~sprechanlage** *f* intercom (system); '**~stand** *m* (-[*e*]*s*; *⸚e*) object (*a. fig.*); *Thema*: subject; '**~teil** *n* opposite: ***im ~*** on the contrary; '**≗teilig** *adj* contrary, opposite.

gegen'über 1. *prp* opposite; *im Vergleich zu*: compared with; **2.** *adv* opposite; **~stehen** *v/i* (*irr, sep, -ge-, h,* → ***stehen***) face; *fig.* be faced with; **≗stellung** *f* confrontation (*a. jur.*).

'**Gegen|verkehr** *m* oncoming traffic; **~wart** ['-vart] *f* (-; *no pl*) present (time); *Anwesenheit*: presence; **≗wärtig** ['-vɛrtɪç] **1.** *adj* present, current; **2.** *adv* at present; '**~wehr** *f* (-; *no pl*) resistance; '**~wert** *m* equivalent (value); '**~wind** *m* headwind; '**≗zeichnen** *v/t u. v/i* (*sep, -ge-, h*) countersign.

Gegner ['ge:gnər] *m* (-*s*; -) opponent; *Rivale*: rival; '**≗isch** *adj* opposing.

Ge'halt[1] *m* (-[*e*]*s*; -*e*) content (*a. fig.*)

Ge'halt[2] *n* (-[*e*]*s*; *⸚er*) salary.

Ge'halts|abrechnung *f* payslip; **~erhöhung** *f* salary increase, *Br.* (pay) rise, *Am.* raise; **~gruppe** *f* salary bracket; **~konto** *n Br.* current account, *Am.* checking account; **~streifen** *m* payslip.

gehässig [gə'hɛsɪç] *adj* spiteful; **≗keit** *f* (-; -*en*) spitefulness; *Bemerkung*: spiteful remark.

Gehäuse [gə'hɔʏzə] *n* (-*s*; -) *tech.* case, casing: *Kern*≗: core.

geheim [gə'haɪm] *adj* secret; ***~ halten*** keep secret (***vor*** *dat* from); **≗dienst** *m* secret service.

Ge'heimnis *n* (-*ses*; -*se*) secret; *Rätselhaftes*: mystery; **≗voll** *adj* mysterious.

Ge'heimnummer *f* secret number; *teleph.* ex-directory (*Am.* unlisted) number.

ge'hemmt *adj* inhibited.

gehen ['ge:ən] (*ging, gegangen, sn*) **1.** *v/i* go; *zu Fuß*: walk; *weg~*: leave; *funktionieren* (*a. fig.*): work; *Ware*: sell; *dauern*: last: ***einkaufen*** (***schwimmen***) ***~*** go shopping (swimming); ***~ wir!*** let's go!; ***~ in*** (*acc*) *passen*: go into; ***~ nach*** *urteilen*: go (*od.* judge) by; **2.** *v/impers*: ***wie geht es dir*** (***Ihnen***)***?*** how are you?; ***es geht mir gut*** (***schlecht***) I'm fine (not feeling well); ***es geht nichts über*** there is nothing like; ***worum geht es?*** what is it about?

Gehirn [gə'hɪrn] *n* (-[*e*]*s*; -*e*) brain; **~erschütterung** *f med.* concussion; **~schlag** *m med.* (cerebral) apoplexy; **~wäsche** *f pol.* brainwashing: ***j-n e-r ~ unterziehen*** brainwash s.o.

Gehör [gə'hø:r] *n* (-[*e*]*s*; *no pl*) (sense of) hearing: ***nach dem ~*** by ear; ***sich ~ verschaffen*** make o.s. heard.

ge'horchen *v/i* (*pp gehorcht, h*) obey: ***nicht ~*** disobey.

gehören [gə'hø:rən] (*pp gehört, h*) **1.** *v/i* belong (*dat od.* ***zu*** to):***gehört dir das?*** is this yours?; ***das gehört nicht hierher*** that's not to the point; **2.** *v/refl* be fitting: ***das gehört sich nicht!*** it's not done.

ge'hörlos *adj* deaf.

gehorsam [gə'ho:rza:m] *adj* obedient.

Gehorsam [-] *m* (-*s*; *no pl*) obedience.

Geh|steig ['ge:ʃtaɪk] *m* (-[*e*]*s*; -*e*), '**~weg** *m Br.* pavement, *Am.* sidewalk.

Geige ['gaɪgə] *f* (-; -*n*) *mus.* violin.

Geisel ['gaɪzəl] *f* (-; -*n*) hostage: ***j-n als ~ nehmen*** take s.o. hostage; '**~nehmer** *m* (-*s*; -) kidnap(p)er.

Geist [gaɪst] *m* (-[*e*]*s*; -*er*) spirit; *Seele*: *a.* soul; *Sinn, Gemüt*: mind; *Verstand*: mind, intellect; *Witz*: wit; *Gespenst*: ghost: ***der Heilige ~*** the Holy Ghost (*od.* Spirit).

'**Geister|bahn** *f Br.* ghost train, *Am.* tunnel of horror; '**~fahrer** *m mot.* wrong-way driver; '**~schreiber** *m* (-*s*; -) ghostwriter.

'**geistes|abwesend** *adj* absent-minded; '**≗blitz** *m* brainwave, flash of inspiration; '**≗gegenwart** *f* presence of mind; '**~gestört** *adj* mentally disturbed; '**~krank** *adj* insane, mentally ill; '**≗krankheit** *f* insanity, mental ill-

G

ness; '**𝔖wissenschaften** *pl* arts *pl*, humanities *pl*; '**𝔖zustand** *m* (-[*e*]*s*; *no pl*) state of mind.

'**geistig 1.** *adj* mental; *Arbeit, Fähigkeiten etc*: intellectual; *nicht körperlich*: spiritual: ***~e Getränke*** *pl* alcoholic drinks *pl*; **2.** *adv*: ***~ behindert*** mentally handicapped.

'**geistlich** *adj* religious; *Lied etc*: *a*. spiritual; *kirchlich*: ecclesiastical; *𝔖e betreffend*: clerical; '**𝔖e** *m* (-*n*; -*n*) clergyman; *bsd. protestantisch*: minister: ***die ~n*** *pl coll.* the clergy *pl*.

'**geist|los** *adj* trivial; '**~reich**, '**~voll** *adj* witty.

Geiz ['gaɪts] *m* (-*es*; *no pl*) meanness, stinginess; '**~hals** *m* miser; '**𝔖ig** *adj* mean, stingy.

Gelächter [gə'lɛçtər] *n* (-; -) laughter.

Gelände [gə'lɛndə] *n* (-*s*; -) area, country, ground; *Bau𝔖 etc*: site: ***auf dem ~*** *e-s Betriebs etc*: on the premises; **~fahrzeug** *n* cross-country vehicle; **𝔖gängig** *adj mot.* all-terrain.

Geländer [gə'lɛndər] *n* (-*s*; -) *Treppen𝔖*: banisters *pl*; *~stange*: handrail, rail (-ing); *Brücken𝔖, Balkon𝔖*: parapet.

ge'langen *v/i* (*pp gelangt, sn*): ***~ an*** (*acc*) *od.* ***nach*** reach, arrive at, get (*od.* come) to; ***~ in*** (*acc*) get (*od.* come) into; ***zu et. ~*** gain (*od.* win, achieve) s.th.

ge'lassen *adj* calm, composed.

gelaunt [gə'laʊnt] *adj*: ***gut*** (***schlecht***) ***~ sein*** be in a good (bad) mood.

gelb [gɛlp] *adj* yellow; *Ampel*: *Br.* amber; '**~lich** *adj* yellowish; '**𝔖sucht** *f* (-; *no pl*) *med.* jaundice.

Geld [gɛlt] *n* (-[*e*]*s*; -*er*) money: ***zu ~ machen*** turn into cash; '**~angelegenheiten** *pl* money (*od.* financial) matters *pl*; '**~anlage** *f* investment; '**~auto,mat** *m* → ***Bankomat***; '**~beutel** *m*, '**~börse** *f* purse; '**~buße** *f* fine; '**~geber** *m* (-*s*; -) financial backer; '**~geschäfte** *pl* money transactions *pl*; '**𝔖gierig** *adj* greedy for money, avaricious; '**~insti,tut** *n* financial institution; '**~mittel** *pl* funds *pl*; '**~schein** *m* (bank)note, *Am.* bill; '**~schrank** *m* safe; '**~strafe** *f* fine; '**~stück** *n* coin; '**~umtausch** *m* exchange of money; '**~verlegenheit** *f* financial embarrassment: ***in ~ sein*** be financially embarrassed; '**~verschwendung** *f* waste of money; '**~wechsel** *m* exchange of money; '**~wechsler** *m* (-*s*; -) *Person*: moneychanger; *Maschine*: change machine.

Gelegenheit [gə'leːgənhaɪt] *f* (-; -*en*) *Anlass*: occasion; *günstige*: opportunity, chance: ***bei ~*** some time; **~sarbeit** *f* casual work (*od.* job); **~sarbeiter** *m* casual worker; **~skauf** *m* bargain.

gelegentlich [gə'leːgəntlɪç] **1.** *adj* occasional; **2.** *adv* occasionally; *bei Gelegenheit*: some time.

Gelenk [gə'lɛŋk] *n* (-[*e*]*s*; -*e*) *anat., tech.* joint.

ge'lernt *adj Arbeiter*: skilled, trained: ***er ist ~er Musiker*** he's actually a musician.

Ge'liebte[1] *m* (-*n*; -*n*) lover.

Ge'liebte[2] *f* (-*n*; -*n*) mistress.

gelinde [gə'lɪndə] *adv*: ***~ gesagt*** to put it mildly.

gelingen [gə'lɪŋən] *v/i u. v/impers* (*gelang, gelungen, sn*) succeed; *gut geraten*: turn out well: ***es gelang mir, et. zu tun*** I succeeded in doing (*od.* I managed to do) s.th.

gelt|en ['gɛltən] (*galt, gegolten, h*) **1.** *v/i* be valid; *Gesetz etc*: be in force; *Preis*: be effective: ***~ für*** apply to; ***~ als*** be regarded as, be considered (to be); ***~ lassen*** accept (***als*** as); **2.** *v/t*: ***viel*** (***wenig***) ***~*** carry a lot of (little) weight; '**~end** *adj* accepted: ***~ machen*** *Anspruch, Recht*: assert; ***s-n Einfluss*** (***bei j-m***) ***~ machen*** bring one's influence to bear (on s.o.); '**𝔖ung** *f* (-; *no pl*) *Ansehen*: prestige; *Gewicht*: weight: ***zur ~ kommen*** show to advantage.

gelungen [gə'lʊŋən] *adj* successful, *pred.* a success.

Gemälde [gə'mɛːldə] *n* (-*s*; -) painting; **~gale,rie** *f* picture gallery.

gemäß [gə'mɛːs] *prp* according to; **~igt** *adj* moderate; *Klima etc*: temperate.

ge'mein *adj contp.* mean: ***et. ~ haben*** (***mit***) have s.th. in common (with).

Gemeinde [gə'maɪndə] *f* (-; -*n*) *pol.* municipality; *Verwaltung*: *a.* local government; *eccl.* parish; *in der Kirche*: congregation; **~amt** *n* local authority; *Gebäude*: municipal offices *pl*; **~rat** *m* municipal council; *Person*: municipal council(l)or; **~steuern** *pl* (local) rates *pl*, *Am.* local taxes *pl*.

ge'mein|gefährlich *adj*: ***~er Mensch*** public danger, *Am.* public enemy; **𝔖heit** *f* (-; -*en*) meanness; mean thing (to do *od.* say); **~nützig** [-nʏtsɪç] *adj* non-profit(-making); **≈platz** *m* commonplace; **~sam 1.** *adj* common, joint; *gegenseitig*: mutual; **2.** *adv*: ***et. ~ tun*** do s.th. together; **≈schaft** *f* (-; *-en*) community; **≈schaftswährung** *f* common *od.* single currency; *innerhalb der EU*: single European currency; **≈wohl** *n* public good.

Gemisch [gəˈmɪʃ] *n* (-[*e*]*s*; *-e*) mixture.

Gemüse [gəˈmyːzə] *n* (*-s*; -) vegetables *pl*; **~händler** *m* greengrocer('s).

Gemüt [gəˈmyːt] *n* (-[*e*]*s*; *-er*) mind, soul; *Herz*: heart; *~sart*: nature, mentality; **≈lich** *adj* comfortable, snug, cosy; *ungezwungen, angenehm*: peaceful, pleasant, relaxed: ***mach es dir ~*** make yourself at home; **~lichkeit** *f* (-; *no pl*) snugness, cosiness; cosy (*od.* relaxed) atmosphere; **~sverfassung** *f*, **~szustand** *m* state of mind.

Gen [geːn] *n* (*-s*; *-e*) gene.

genau [gəˈnaʊ] **1.** *adj* exact, precise, accurate; *sorgfältig*: careful, close; *streng*: strict: ***≈eres*** further details *pl*; **2.** *adv*: ***~ um 10 Uhr*** at 10 o'clock sharp; ***~ der …*** that very …; ***~ zuhören*** listen closely; ***es ~ nehmen*** (***mit et.***) be particular (about s.th.); ***~ genommen*** strictly speaking; **≈igkeit** *f* (-; *no pl*) accuracy, precision, exactness.

genehmig|en [gəˈneːmɪgən] *v/t* (*pp genehmigt, h*) permit, allow; *amtlich*: approve; **≈ung** *f* (-; *-en*) permission; approval; *~sschein*: permit; *Zulassung*: *a.* licen|ce (*Am.* -se); **~ungspflichtig** *adj* requiring official approval.

geneigt [gəˈnaɪkt] *adj* inclined (***zu tun*** to do).

General [geneˈraːl] *m* (*-s*; *-e*, *≃e*) *mil.* general; **~diˌrektor** *m* general manager, managing director; **~konsul** *m* consul general; **~konsuˌlat** *n* consulate general; **~probe** *f thea.* dress rehearsal; **~streik** *m* general strike; **~versammlung** *f econ.* general meeting; **~vertreter** *m econ.* general agent.

Generation [generaˈtsi̯oːn] *f* (-; *-en*) generation; **~skonˌflikt** *m* generation gap.

Generator [geneˈraːtɔr] *m* (*-s*; *-en*) *electr.* generator.

generell [geneˈrɛl] *adj* general.

genes|en [gəˈneːzən] *v/i* (*genas, genesen, sn*) recover (***von*** from), get well; **≈ung** *f* (-; *no pl*) recovery.

Genet|ik [geˈneːtɪk] *f* (-; *no pl*) genetics *pl* (*sg konstr.*); **≈isch** *adj* genetic.

Genf [gɛnf] Geneva.

Genfer See [ˈgɛnfərˈzeː] Lake Geneva.

ˈGenforschung *f* genetic research.

genial [geˈni̯aːl] *adj* brilliant; *Person*: ingenious; **≈ität** [-aliˈtɛːt] *f* (-; *no pl*) genius.

Genick [gəˈnɪk] *n* (-[*e*]*s*; *-e*) (back [*od.* nape] of the) neck.

Genie [ʒeˈniː] *n* (*-s*; *-s*) genius.

genieren [ʒəˈniːrən] *v/refl* (*no ge-, h*) be (*od.* feel) embarrassed (***zu tun*** to do).

genießen [gəˈniːsən] *v/t* (*genoss, genossen, h*) enjoy.

Gen|mais *m* genetically engineered corn; genetically modified maize; gene maize; **~manipulation** *f* genetic manipulation; **≈manipuliert** *adj* genetically engineered; **≈technisch** *adj* genetic: ***~ verändert*** genetically modified, modified by genetic engineering.

genormt [gəˈnɔrmt] *adj* standardized.

Genosse [gəˈnɔsə] *m* (*-n*; *-n*) *pol.* comrade; **~nschaft** *f* (-; *-en*) *econ.* cooperative; **≈nschaftlich** *adj econ.* cooperative.

ˈGentechnoloˌgie *f* genetic engineering.

Genua [ˈgeːnu̯a] Genoa.

genug [gəˈnuːk] *adj* enough, sufficient.

Genüg|e [gəˈnyːgə] *f*: ***zur ~*** (well) enough, sufficiently; **≈en** *v/i* (*h*) be enough (*od.* sufficient): ***das genügt*** that will do; **≈end** *adj* enough, sufficient; *Zeit*: *a.* plenty of; **≈sam** [gəˈnyːkzaːm] *adj* easily satisfied; *im Essen*: frugal; *bescheiden*: modest; **~samkeit** *f* (-; *no pl*) modesty; frugality.

Geˈnugtuung *f* (-; *no pl*) satisfaction (***über*** *acc* at).

Genuss [gəˈnʊs] *m* (*-es*; *≃e*) pleasure; *von Nahrung*: consumption: ***ein ~*** a real treat; *Essen*: *a.* delicious.

geöffnet [gəˈœfnət] *adj Laden etc*: open.

Geogra|fie, **Geograph|ie** [geograˈfiː] *f* (-; *no pl*) geography; **≈fisch** [-ˈgraːfɪʃ] *adj* geographic(al).

Geolog|e [geoˈloːgə] *m* (*-n*; *-n*) geologist; **~ie** [-loˈgiː] *f* (-; *no pl*) geology; **≈isch** [-ˈloːgɪʃ] *adj* geological.

Geometr|ie [geomeˈtriː] *f* (-; *-n*) geometry; **≈isch** [-'meːtrɪʃ] *adj* geometric(al).

Gepäck [gə'pɛk] *n* (-[*e*]*s*; *no pl*) *Br.* luggage, *Am.* baggage; *aer.* baggage; **~abfertigung** *f aer.* baggage check-in; **~ablage** *f* luggage (*Am.* baggage) rack; **~ausgabe** *f aer.* baggage reclaim; **~kon,trolle** *f* luggage (*Am.* baggage) check; **~schein** *m Br.* luggage ticket, *Am.* baggage check; **~schließfach** *n* luggage (*Am.* baggage) locker; **~stück** *n* piece of luggage (*Am.* baggage); **~träger** *m* porter; *Fahrrad*: carrier, *mot.* roof rack.

ge'pflegt *adj Erscheinung*: well-groomed; *Kleidung*: neat; *Garten etc*: well-kept.

Gepflogenheit [gə'pfloːgənhaɪt] *f* (-; -*en*) habit, custom.

gerade [gə'raːdə] **1.** *adj* straight (*a. fig.*); *Zahl etc*: even; *direkt*: direct; *Haltung*: upright, erect; **2.** *adv* just: ***nicht ~*** not exactly; ***das ist es ja ~!*** that's just it!; ***~ deshalb*** that's just why; ***~ rechtzeitig*** just in time; ***warum ~ ich?*** why me of all people?; ***da wir ~ von ... sprechen*** speaking of ...; **~'aus** *adv* straight ahead (*od.* on); **~zu** *adv* really.

Gerät [gə'rɛːt] *n* (-[*e*]*s*; -*e*) *Vorrichtung*: device; *kleines*: F gadget; *Elektro≈*, *Haushalts≈ etc*: appliance; *Radio≈*, *Fernseh≈*: set; *coll. ~schaften*: equipment; *Handwerks≈*, *Garten≈*: tool; *feinmechanisches*, *optisches*: instrument; *Küchen≈*: (kitchen) utensil(s *pl coll.*).

ge'raten *v/i* (*irr, pp geraten, sn,* → ***raten***) *ausfallen*: turn out (***gut*** well): ***~ an*** (*acc*) come across; ***~ in*** (*acc*) get into; → ***Brand.***

Gerate'wohl *n*: ***aufs ~*** at random.

geräumig [gə'rɔʏmɪç] *adj* spacious, roomy.

Geräusch [gə'rɔʏʃ] *n* (-[*e*]*s*; -*e*) sound, noise; **≈los 1.** *adj* noiseless; **2.** *adv* without a sound; **≈voll** *adj* noisy.

ge'recht *adj* just, fair: ***~ werden*** do justice to; *Wünschen etc*: meet; **≈igkeit** *f* (-; *no pl*) justice.

Ge'rede *n* (-*s*; *no pl*) talk; *Klatsch*: gossip.

ge'reizt *adj* irritable; **≈heit** *f* (-; *no pl*) irritability.

Gericht [gə'rɪçt] *n* (-[*e*]*s*; -*e*) dish; *jur.* court: ***vor ~ stehen*** (***stellen***) stand (bring to) trial; ***vor ~ gehen*** go to court; **≈lich** *adj* judicial, legal.

Ge'richts|barkeit *f* (-; *no pl*) jurisdiction; **~gebäude** *n* courthouse; **~medi,zin** *f* forensic medicine; **~saal** *m* courtroom; **~stand** *m* place of jurisdiction; **~verfahren** *n* legal proceedings *pl*; **~verhandlung** *f* hearing; *Strafverhandlung*: trial; **~vollzieher** *m* (-*s*; -) *Br.* bailiff, *Am.* marshal; **~weg** *m*: ***auf dem ~*** by legal proceedings.

gering [gə'rɪŋ] *adj* little, small; *unbedeutend*: slight, minor; *niedrig*: low; **~fügig** [-fyːgɪç] *adj* slight, minor; *Betrag*, *Vergehen*: petty; **~st** *adj* least: ***nicht im ≈en*** not in the least; **≈verdiener** *m* low-income earner, low-wage earner.

ge'rinnen *v/i* (*irr, pp geronnen, sn,* → ***rinnen***) coagulate; *bsd. Milch*: *a.* curdle; *bsd. Blut*: *a.* clot.

Gerippe [gə'rɪpə] *n* (-*s*; -) skeleton (*a. fig.*); *tech.* framework.

gerissen [gə'rɪsən] *adj fig.* cunning, smart.

gern(e) ['gɛrn(ə)] *adv* willingly, gladly: ***~ haben*** → ***gernhaben***; ***et.*** (***sehr***) ***~ tun*** like (love) to do (*od.* doing) s.th.; ***ich möchte ~*** I'd like (to); ***~ geschehen!*** not at all, (you're) welcome; **'~haben** *v/t* (*irr, sep, -ge-, h,* → ***haben***) like, be fond of.

Gerste ['gɛrstə] *f* (-; -*n*) *bot.* barley; **'~nkorn** *n med.* sty.

Geruch [gə'rʊx] *m* (-[*e*]*s*; ⸚*e*) smell; *bsd. schlechter*: odo(u)r; *bsd. Duft*: scent; **≈los** *adj* odo(u)rless; **~ssinn** *m* (-[*e*]*s*; *no pl*) (sense of) smell.

Gerücht [gə'rʏçt] *n* (-[*e*]*s*; -*e*) rumo(u)r.

ge'rührt *adj* touched, moved.

Gerümpel [gə'rʏmpəl] *n* (-*s*; *no pl*) junk.

Gerüst [gə'rʏst] *n* (-[*e*]*s*; -*e*) *Bau≈*: scaffold(ing).

gesamt [gə'zamt] *adj* whole, entire, total; **≈...** *in Zssgn Bevölkerung*, *Gewicht etc*: *mst* total ...; **≈ausgabe** *f* complete edition; **≈schule** *f* comprehensive school.

Gesang [gə'zaŋ] *m* (-[*e*]*s*; ⸚*e*) singing; *Lied*: song; *Fach*: voice; **~buch** *n eccl.* hymnbook.

Gesäß [gə'zɛːs] *n* (-*es*; -*e*) *anat.* buttocks *pl.*

Geschäft [gə'ʃɛft] *n* (-[*e*]*s*; -*e*) business;

Laden: *Br*. shop, *Am*. store; *vorteilhaftes*: bargain; **2ehalber** *adv* on business; **2ig** *adj* busy, active; **~igkeit** *f* (-; *no pl*) activity; **2lich 1.** *adj* business …, commercial; **2.** *adv* on business.

Ge'schäfts|beziehungen *pl* business connections *pl* (***zu*** with); **~brief** *m* business letter; **~essen** *n* business lunch (*od*. dinner); **~frau** *f* businesswoman; **~freund** *m* business associate; **~führer** *m* manager; **~führung** *f* management; **~inhaber** *m* owner, proprietor; **~jahr** *n* financial year; **~lage** *f* business situation; **~leitung** *f* management; **~mann** *m* (-[*e*]*s*; *-leute*) businessman; **2mäßig** *adj* businesslike; **~partner** *m* (business) partner; **~räume** *pl* business premises *pl*; *Büros*: offices *pl*; **~reise** *f* business trip; **~schluss** *m* closing time: ***nach ~*** *a*. after business hours; **~sitz** *m* place of business; **~stelle** *f* office; **~straße** *f* shopping street; **~träger** *m* *pol*. chargé d'affaires; **2tüchtig** *adj* efficient, smart; **~verbindung** *f* business connection; **~zeit** *f* office (*od*. business) hours *pl*; **~zweig** *m* branch (of business).

geschehen [gə'ʃeːən] *v/i* (*geschah*, *geschehen*, *sn*) happen, occur, take place; *getan werden*: be done: ***es geschieht ihm recht*** it serves him right.

Geschehen [~] *n* (*-s*) events *pl*, happenings *pl*.

gescheit [gə'ʃaɪt] *adj* clever, intelligent, bright.

Geschenk [gə'ʃɛŋk] *n* (-[*e*]*s*; *-e*) present, gift; **~packung** *f* gift pack.

Geschicht|e [gə'ʃɪçtə] *f* (-; *-n*) story; *Wissenschaft etc*: history; *fig*. business, thing; **2lich** *adj* historical.

Geschick[1] [gə'ʃɪk] *n* (-[*e*]*s*; *-e*) fate.

Geschick[2] [~] *n* (-[*e*]*s*; *no pl*) skill; **2t** *adj* skil(l)ful, skilled; *gewandt*: dext(e)rous; *geistig*: *a*. clever.

Geschirr [gə'ʃɪr] *n* (-[*e*]*s*; *-e*) dishes *pl*; *Porzellan*: china; *Küchen2*: kitchen utensils *pl*, pots and pans *pl*, crockery: ***~ spülen*** wash (*od*. do) the dishes; **~spüler** *m* (*-s*; -) dishwasher.

Geschlecht [gə'ʃlɛçt] *n* (-[*e*]*s*; *-er*) sex; *Abstammung*: family; *Generation*: generation; *gr*. gender; **2lich** *adj* sexual.

Ge'schlechts|krankheit *f* *med*. venereal disease; **~verkehr** *m* sexual intercourse.

ge|schliffen [gə'ʃlɪfən] *adj* *Edelstein*: cut; *fig*. polished; **~schlossen** [~'ʃlɔsən] *adj* closed: ***~e Gesellschaft*** private party.

Geschmack [gə'ʃmak] *m* (-[*e*]*s*; *⸚e*, F *⸚er*) taste (*a*. *fig*.); *Aroma*: flavo(u)r: ***~ finden an*** (*dat*) develop a taste for; **2los** *adj* tasteless (*a*. *fig*.); **~losigkeit** *f* (-; *no pl*) tastelessness (*a*. *fig*.): ***das war e-e ~*** that was in bad taste; **~(s)sache** *f* matter of taste; **2voll** *adj* tasteful, in good taste.

Geschöpf [gə'ʃœpf] *n* (-[*e*]*s*; *-e*) creature.

Geschoss [gə'ʃɔs], *österr*. **Geschoß** [-'ʃoːs] *n* (*-es*; *-e*) projectile, missile; *Stockwerk*: floor, *Br*. storey, *Am*. story.

Ge'schrei *n* (-[*e*]*s*; *no pl*) shouting, yelling; *Angst2*: screams *pl*; *Baby*: crying; *fig*. *Aufhebens*: fuss.

Geschwätz [gə'ʃvɛts] *n* (*-es*; *no pl*) prattle; *Klatsch*: gossip; *fig*. *Unsinn*: nonsense; **2ig** *adj* talkative; gossipy.

ge'schweige *cj*: **~** (***denn***) let alone.

Geschwindigkeit [gə'ʃvɪndɪçkaɪt] *f* (-; *-en*) speed; *phys*. velocity: ***mit e-r ~ von*** at a speed of; **~sbeschränkung** *f* (-; *-en*) speed limit; **~süber,schreitung** *f* (-; *-en*) speeding.

Geschwister [gə'ʃvɪstər] *pl* brothers *pl* and sisters *pl*.

geschwollen [gə'ʃvɔlən] *adj* *med*. swollen; *fig*. bombastic, pompous.

Geschworene [gə'ʃvoːrənə] *m*, *f* (*-n*; *-n*) *jur*. juror: ***die ~n*** *pl* the jury.

Geschwulst [gə'ʃvʊlst] *f* (-; *⸚e*) *med*. tumo(u)r.

Geschwür [gə'ʃvyːr] *n* (-[*e*]*s*; *-e*) *med*. abscess, ulcer.

Gesell|e [gə'zɛlə] *m* (*-n*; *-n*) *Handwerker*: journeyman: ***Bäcker2*** journeyman baker; **~enbrief** *m* journeyman's certificate; **2ig** *adj* *Person*: sociable: ***~es Beisammensein*** get-together; **~in** *f* (-; *-nen*) journeywoman.

Gesellschaft [gə'zɛlʃaft] *f* (-; *-en*) society; *Umgang*: company; *Abend2 etc*: party; *Firma*: company: ***j-m ~ leisten*** keep s.o. company; **~er** *m* (*-s*; -) *econ*. partner; **2lich** *adj* social.

Ge'sellschafts|ordnung *f* social order; **~poli,tik** *f* social policy; **~reise** *f* group tour; **~schicht** *f* stratum (of society); **~spiel** *n* parlo(u)r game; **~sy,stem** *n*

G

social system.
Gesetz [gəˈzɛts] *n* (*-es*; *-e*) law; **~entwurf** *m* bill; **≗gebend** *adj* legislative; **~geber** *m* (*-s*; -) legislator; **~gebung** *f* (-; *no pl*) legislation; **≗lich 1.** *adj* legal; *legal*: *a.* lawful; **2.** *adv*: **~ *geschützt*** protected by law; *Patent etc*: registered.
geˈsetzt *cj*: → ***Fall.***
geˈsetzwidrig [ˌviːdrɪç] *adj* illegal, unlawful.
Gesicht [gəˈzɪçt] *n* (-[*e*]*s*; *-er*) face: ***zu ~ bekommen*** catch sight (*kurz*: a glimpse) of; ***aus dem ~ verlieren*** lose sight (*fig. a.* track) of; ***das ~ verziehen*** make a face.
Geˈsichts|ausdruck *m* expression, look; **~farbe** *f* complexion; **~punkt** *m* point of view; **~züge** *pl* features *pl*.
Gesindel [gəˈzɪndəl] *n* (*-s*; *no pl*) riffraff.
gesinn|t [gəˈzɪnt] *adj eingestellt*: minded: ***j-m feindlich ~ sein*** be ill-disposed towards s.o.; **≗ung** *f* (-; *-en*) mind; *Haltung*: attitude; *pol.* conviction(s *pl*).
geˈspannt *adj Aufmerksamkeit*: rapt; *Situation etc.* tense; *Beziehungen*: strained: **~ *sein auf*** (*acc*) be eager to see (*od.* know); **~ *sein, ob*** be eager to see (*od.* know) whether.
Gespenst [gəˈʃpɛnst] *n* (-[*e*]*s*; *-er*) ghost.
Gespött [gəˈʃpœt] *n* (-[*e*]*s*; *no pl*): ***j-n zum ~ machen*** make a laughingstock of s.o.
Gespräch [gəˈʃprɛːç] *n* (-[*e*]*s*; *-e*) talk (*a. pol.*), conversation; *teleph.* call; **≗ig** *adj* talkative.
Gestalt [gəˈʃtalt] *f* (-; *-en*) *allg.* shape, form; *Figur, Person*: figure; **≗en** *v/t* (*pp gestaltet, h*) *Fest etc*: arrange; *entwerfen*: design; **~ung** *f* (-; *no pl*) arrangement; design; *Raum≗*: decoration.
geständ|ig [gəˈʃtɛndɪç] *adj*: **~ *sein*** have confessed; **≗nis** [ˌtnɪs] *n* (*-ses*; *-se*) confession: ***ein ~ ablegen*** make a confession.
Gestank [gəˈʃtaŋk] *m* (-[*e*]*s*; *no pl*) stench, stink.
gestatten [gəˈʃtatən] *v/t* (*pp gestattet, h*) allow, permit.
Geste [ˈgɛstə] *f* (-; *-n*) gesture (*a. fig.*).
geˈstehen *v/t u. v/i* (*irr, pp gestanden, h*, → ***stehen***) confess (***et.*** [to] s.th.; ***et. getan zu haben*** [to] doing s.th.; ***dass*** that).
gest|ern [ˈgɛstərn] *adv* yesterday: **~ *Abend*** last night; **~rig** [ˈˌrɪç] *adj* yesterday's, of yesterday.
Gestrüpp [gəˈʃtrʏp] *n* (-[*e*]*s*; *-e*) brushwood, undergrowth.
Gesuch [gəˈzuːx] *n* (-[*e*]*s*; *-e*) application, request (***um*** for).
gesund [gəˈzʊnt] *adj* healthy; *Kost, Leben*: *a.* healthful; *fig. a.* sound: ***~er Menschenverstand*** common sense; **~ *sein*** be in good health; *Obst etc*: be good for you(r health); (***wieder***) **~ *werden*** get well (again), recover.
Geˈsundheit *f* (-; *no pl*) health: ***auf j-s ~ trinken*** drink s.o.'s health; **~*!*** *beim Niesen*: bless you!; **≗lich 1.** *adj*: ***sein ~er Zustand*** the state of his health; ***aus ~en Gründen*** for health reasons; **2.** *adv*: **~ *geht es ihm gut*** he is in good health.
Geˈsundheits|amt *n* public health office; **~poliˌtik** *f* health policy; **≗schädlich** *adj* injurious (*od.* harmful) to health; *Nahrung etc*: unhealthy, unwholesome; **~system** *n* health (care) system; **~zeugnis** *n* health certificate; **~zustand** *m* state of health: ***sein ~*** the state of his health.
geˈsundschrumpfen *v/t u. v/refl* (*sep, -ge-, h*) slim down.
Getränk [gəˈtrɛŋk] *n* (-[*e*]*s*; *-e*) drink, beverage; **~eautoˌmat** *m* drinks machine; **~ekarte** *f* wine list.
geˈtrauen *v/refl* (*pp getraut, h*) → ***trauen*** 3.
Getreide [gəˈtraɪdə] *n* (*-s*; -) grain, cereals *pl*; *Br. a.* corn.
geˈtrennt 1. *adj Schlafzimmer etc*: separate: ***~e Kasse machen*** go Dutch; ***mit ~er Post*** under separate cover; **2.** *adv*: **~ *leben*** be separated (***von*** from), live apart (from); **~ *zahlen*** go Dutch.
Getriebe [gəˈtriːbə] *n* (*-s*; -) *mot.* gearbox; **~öl** *n* gearbox oil; **~schaden** *m* gearbox trouble.
Getto [ˈgɛto] *n* (*-s*; *-s*) ghetto.
Getue [gəˈtuːə] *n* (*-s*; *no pl*) fuss (***um*** about).
Getümmel [gəˈtʏməl] *n* (*-s*; -) turmoil.
Gewächs [gəˈvɛks] *n* (*-es*; *-e*) plant; *med.* growth; **~haus** *n* greenhouse, hothouse.
ge|ˈwachsen *adj*: ***j-m ~ sein*** be a match for s.o.; ***e-r Sache ~ sein*** be equal to

s.th., be able to cope with s.th.; **~'wagt** *adj* daring (*a. fig. Film etc*); *fig. Witz etc*: risqué.

Gewähr [gə'vɛːr] *f* (-; *no pl*): ***für et. ~ leisten*** guarantee s.th.; ***ohne ~*** subject to change; **2en** *v/t* (*pp gewährt, h*) grant, allow; **2leisten** *v/t* (*pp gewährleistet, h*) guarantee.

Ge'wahrsam *m* (-*s*; *no pl*): ***et.*** (***j-n***) ***in ~ nehmen*** take s.th. in safekeeping (s.o. into custody).

Gewalt [gə'valt] *f* (-; -*en*) force, violence (*a.* **~***tätigkeit*); *Macht*: power; *Beherrschung*: control (***über*** *acc* of): ***mit ~*** by force; ***höhere ~*** act of God; ***die ~ verlieren über*** (*acc*) lose control over; **2ig** *adj* powerful, mighty; *riesig, ungeheuer*: enormous; **2los** *adj* nonviolent; **~losigkeit** *f* (-; *no pl*) nonviolence; **2sam 1.** *adj* violent; **2.** *adv* forcibly: ***~ öffnen*** force open; **2tätig** *adj* violent; **~verbrechen** *n* crime of violence.

Gewässer [gə'vɛsər] *n* (-*s*; -) stretch of water: **~** *pl* waters *pl*; **~schutz** *m* prevention of water pollution.

Gewehr [gə'veːr] *n* (-[*e*]*s*; -*e*) rifle; *Flinte*: shotgun; **~kolben** *m* rifle butt.

Gewerbe [gə'vɛrbə] *n* (-*s*; -) trade, business; **~freiheit** *f* freedom of trade; **~park** *m* trading estate, business park, commercial area; **~schein** *m* trade licen|ce (*Am.* -se).

gewerb|lich [gə'vɛrplɪç] *adj* commercial, industrial; **~smäßig** *adj* professional.

Gewerkschaft [gə'vɛrkʃaft] *f* (-; -*en*) (*Br.* trade, *Am.* labor) union; **~ler** *m* (-*s*; -) (*Br.* trade, *Am.* labor) unionist; **2lich 1.** *adj* (*Br.* trade, *Am.* labor) union; **2.** *adv*: ***~ organisiert*** organized; **~s...** *in Zssgn* (*Br.* trade, *Am.* labor) union ...; **~sbund** *m* federation of trade (*Am.* labor) unions.

Gewicht [gə'vɪçt] *n* (-[*e*]*s*; -*e*) weight; *Bedeutung*: *a.* importance: ***~ legen auf*** (*acc*) stress, emphasize.

gewillt [gə'vɪlt] *adj*: (***nicht***) ***~ sein, et. zu tun*** be (un)willing to do s.th.

Gewinn [gə'vɪn] *m* (-[*e*]*s*; -*e*) *econ.* profit (*a. fig.*); *Ertrag*: gain(s *pl*); *Lotterie2*: prize; *Spiel2*: winnings *pl*: ***mit ~*** at a profit; ***~ bringend*** profitable; **~anteil** *m* share in the profits; **~beteiligung** *f* profit sharing; **2bringend** *adj* profitable; **~einbruch** *m* slump in earnings *od.* profits; **2en** *v/t u. v/i* (*gewann, gewonnen, h*) win; *zunehmen an*: gain; **2end** *adj Lächeln*: winning, engaging; **~er** *m* (-*s*; -) winner; **~mitnahme** *f* profit taking; **~spanne** *f* profit margin; **~-und-Verlust-Rechnung** *f* profit and loss account; **~warnung** *f* profit warning.

gewiss [gə'vɪs] **1.** *adj* certain: ***ein ~er Herr N.*** a certain Mr N.; **2.** *adv* certainly, surely.

Ge'wissen *n* (-*s*; -) conscience: ***auf dem ~ haben*** have *s.o., s.th.* on one's conscience; **2haft** *adj* conscientious; **2los** *adj* unscrupulous; **~sbisse** *pl* pricks *pl* (*od.* pangs *pl*) of conscience; **~sfrage** *f* question of conscience; **~sgründe** *pl*: ***aus ~n*** for reasons of conscience.

Ge'wissheit *f* (-; *no pl*) certainty: ***mit ~*** *sagen, wissen*: for certain (*od.* sure).

Gewitter [gə'vɪtər] *n* (-*s*; -) thunderstorm; **~regen** *m* thundery shower; **~wolke** *f* thundercloud.

gewittrig [gə'vɪtrɪç] *adj* thundery.

gewöhnen [gə'vøːnən] *v/t u. v/refl* (*pp gewöhnt, h*): ***sich*** (***j-n***) ***~ an*** (*acc*) get (s.o.) used to; ***sich daran ~, et. zu tun*** get used to doing s.th.

Gewohnheit [gə'voːnhaɪt] *f* (-; -*en*) habit (***et. zu tun*** of doing s.th.); **2smäßig** *adj* habitual; **~srecht** *n* customary right.

gewöhnlich [gə'vøːnlɪç] *adj* common, ordinary, usual; *unfein*: vulgar, common.

gewohnt [gə'voːnt] *adj* usual: ***et. ~ sein*** be used to s.th; ***es ~ sein, et. zu tun*** be used to doing s.th.

Gewühl [gə'vyːl] *n* (-[*e*]*s*; *no pl*) milling crowd.

Gewürz [gə'vʏrts] *n* (-*es*; -*e*) spice; **~gurke** *f* pickled gherkin.

Ge'zeiten *pl* tides *pl*.

Gicht [gɪçt] *f* (-; *no pl*) *med.* gout.

Giebel ['giːbəl] *m* (-*s*; -) gable.

Gier [giːr] *f* (-; *no pl*) greed(iness) (***nach*** for); **'2ig** *adj* greedy (***nach*** for).

gieß|en ['giːsən] (*goss, gegossen, h*) **1.** *v/t* pour; *Blumen*: water; **2.** *v/impers*: ***es gießt in Strömen*** it's pouring with rain; **'2kanne** *f* watering can.

Gift [gɪft] *n* (-[*e*]*s*; -*e*) poison; *zo. a.* venom (*a. fig.*); **'~gas** *n* poison gas; **'2ig** *adj* poisonous; venomous (*a. fig.*); *vergiftet*: poisoned; *med.* toxic; **'~müll** *m* toxic

G

waste; '**~pilz** *m* poisonous mushroom, (poisonous) toadstool; '**~schlange** *f* poisonous (*od.* venomous) snake; '**~stoff** *m* poisonous (*od.* toxic) substance; *Umwelt*: pollutant.

Gigant [gi'gant] *m* (*-en*; *-en*) giant; **&isch** *adj* gigantic.

Gipfel ['gɪpfəl] *m* (*-s*; -) summit (*a. pol. etc*), peak (*a. fig.*), top; *Höhepunkt*: height; '**~konfe,renz** *f* summit conference; '**&n** *v/i* (*h*) culminate (***in*** *dat* in); '**~treffen** *n* summit meeting.

Gips [gɪps] *m* (*-es*; *-e*) plaster; '**~verband** *m* plaster cast.

Girokonto ['ʒiːro-] *n* current (*bsd. Am.* checking) account.

G

Gitarr|e [gi'tarə] *f* (-; *-n*) *mus.* guitar; **~ist** [-'rɪst] *m* (*-en*; *-en*) guitarist.

Gitter ['gɪtər] *n* (*-s*; -) lattice; *vor Fenster etc*: grating: F ***hinter ~n sitzen*** be behind bars.

Glanz [glants] *m* (*-es*; *no pl*) shine, gloss (*a. tech.*), lust|re (*Am.* -er), brilliance (*a. fig.*); *fig. Pracht*: splendo(u)r, glamo(u)r.

glänzen ['glɛntsən] *v/i* (*h*) shine, gleam; *funkeln*: *a.* glitter, glisten; '**~d** *adj* shiny, glossy (*a. phot.*), brilliant (*a. fig.*); *fig.* excellent, splendid.

'**Glanz|leistung** *f* brilliant achievement; '**~zeit** *f* heyday.

Glas [glaːs] *n* (*-es*; *⸗er*) glass; '**~er** *m* (*-s*; -) glazier; '**~scheibe** *f* (glass) pane.

glatt [glat] *adj* smooth (*a. fig.*); *schlüpfrig*: slippery; *fig. Sieg etc*: clear; ***~ gehen*** → ***glattgehen***; ***~ rasiert*** clean-shaven; '**~gehen** *v/i* (*irr, sep, -ge-, sn,* → ***gehen***) work (out well), go (off) well; '**~rasiert** → ***glatt.***

Glätte ['glɛtə] *f* (-; *no pl*) smoothness (*a. fig.*); slipperiness.

'**Glatt|eis** *n* black ice: ***es herrscht ~*** the roads are icy.

Glatze ['glatsə] *f* (-; *-n*) bald head: ***e-e ~ haben*** be bald.

Glaube ['glaʊbə] *m* (*-ns*; *no pl*) belief, *bsd. eccl.* faith (*beide*: ***an*** *acc* in); '**&n** *v/t u. v/i* (*h*) believe; *meinen*: *a.* think, *Am. a.* guess: ***~ an*** (*acc*) believe in (*a. eccl.*).

glaubhaft ['glaʊphaft] *adj* credible, plausible.

Gläubiger ['glɔʏbɪgər] *m* (*-s*; -) *econ.* creditor.

glaubwürdig ['glaʊpvʏrdɪç] *adj* credible; reliable.

gleich [glaɪç] **1.** *adj* same; *Rechte, Lohn*: equal: ***auf die ~e Art*** (in) the same way; ***zur ~en Zeit*** at the same time; ***das ist mir ~*** it's all the same to me; ***ganz ~, wann*** *etc* no matter when *etc*; ***das &e*** the same; **2.** *adv* equally, alike; *sofort*: at once, right away; *sehr bald*: in a moment (*od.* minute): ***~ groß*** (***alt***) of the same size (age); ***~ nach*** (***neben***) right after (next to); ***~ gegenüber*** just opposite (*od.* across the street); ***es ist ~ 5*** it's almost 5 o'clock; ***~ aussehen*** (***gekleidet***) look (dressed) alike; ***bis ~!*** see you soon (*od.* later)!; ***~ bleibend*** constant, steady; ***~ lautend*** identical; **~altrig** ['-altrɪç] *adj* (of) the same age; '**~berechtigt** *adj* having equal rights; '**~bleibend** *adj* constant, steady; '**&berechtigung** *f* (-; *no pl*) equal rights *pl*; '**~en** *v/t* (*glich, geglichen, h*) be (*od.* look) like; '**~falls** *adv* also, likewise: ***danke, ~!*** (thanks,) the same to you!; '**~geschlechtlich** *adj* same-sex: ***~e Ehe*** same-sex marriage; '**&gewicht** *n* (*-[e]s*; *no pl*) balance (*a. fig.*); '**~gültig** *adj* indifferent (***gegen*** to); *leichtfertig*: careless: ***das*** (***er***) ***ist mir ~*** I don't care (for him); '**&gültigkeit** *f* (-; *no pl*) indifference; '**&heit** *f* (-; *no pl*) equality; '**&heitsgrundsatz** *m*, '**&heitsprin,zip** *n* principle of equality before the law; '**~kommen** *v/i* (*irr, sep, -ge-, sn,* → ***kommen***): ***e-r Sache ~*** amount to s.th.; ***j-m ~*** equal s.o. (***an*** *dat* in); '**~lautend** *adj* identical; '**~mäßig** *adj regelmäßig*: regular; *gleichbleibend*: constant; *Verteilung*: even; **~namig** ['-naːmɪç] *adj* of the same name; '**~setzen**, '**~stellen** *v/t* (*sep, -ge-, h*) equate (*dat* to, with); *j-n*: put on an equal footing (with); '**&strom** *m electr.* direct current, *abbr.* DC; '**~wertig** *adj* equally good: ***j-m ~ sein*** be a match for s.o.; '**~zeitig**; **1.** *adj* simultaneous; **2.** *adv* simultaneously, at the same time.

Gleis [glaɪs] *n* (*-es*; *-e*) *rail.* rails *pl*, track, line; *Bahnsteig*: platform, *Am. a.* gate.

gleit|en ['glaɪtən] *v/i* (*glitt, geglitten, sn*) glide, slide; '**~end** *adj*: ***~e Arbeitszeit*** → ***Gleitzeit***; '**&zeit** *f* flexible working hours *pl*, flexitime: ***~ haben*** be on flexitime.

Gletscher ['glɛtʃər] *m* (*-s*; -) glacier; '**~spalte** *f* crevasse.

Glied [gliːt] *n* (-[*e*]*s*; *-er*) *anat.* limb; *männliches*: penis; *Verbindungs*≈: link; ≈**ern** ['-dərn] *v/t* (*h*) structure; divide (***in*** *acc* into); **~erung** ['-dərʊŋ] *f* (-; *-en*) structure; arrangement.

glimpflich ['glɪmpflɪç] **1.** *adj* lenient, mild; **2.** *adv*: **~ *davonkommen*** get off lightly.

glitschig ['glɪtʃɪç] *adj* slippery.

glitzern ['glɪtsərn] *v/i* (*h*) glitter, sparkle.

global *adj* global, world-wide.

Globali'sierung *f* (-; *no pl*) globalization; **~sgegner** *m* anti-globalization protester, antiglobalist; *pl. a.* anti-globalization movement.

Glo'balsteuerung *f* (-; *no pl*) overall control.

Glocke ['glɔkə] *f* (-; *-n*) bell; '**~nspiel** *n* chimes *pl*; '**~nturm** *m* bell tower, belfry.

Glotze ['glɔtsə] *f* (-; *-n*) F box: ***in der ~*** on the box; '≈**n** *v/i* (*h*) F goggle, gawp.

Glück [glʏk] *n* (-[*e*]*s*; *no pl*) luck, fortune; *Gefühl*: happiness: ***~ haben*** be lucky; ***~ bringen*** bring (good) luck; ***zum ~*** fortunately; ***viel ~!*** good luck!; '≈**en** → ***gelingen***; '≈**lich** *adj* happy: ***~er Zufall*** lucky chance; '≈**licherweise** *adv* fortunately.

'**Glücks|bringer** *m* (-*s*; -) lucky charm; '**~fall** *m* lucky chance; '**~pilz** *m* lucky beggar; '**~spiel** *n* game of chance; *coll.* gambling; '**~spieler** *m* gambler; '**~tag** *m* lucky day.

'**Glückwunsch** *m* congratulations *pl*: ***herzlichen ~!*** congratulations!; *zum Geburtstag*: happy birthday!; '**~tele,gramm** *n* greetings telegram.

Glüh|birne ['glyː-] *f electr.* light bulb; '≈**en** *v/i* (*h*) glow (*a. fig.*); '**~wein** *m* mulled claret.

Gnade ['gnaːdə] *f* (-; *no pl*) mercy; '**~nfrist** *f* reprieve; '**~ngesuch** *n jur.* petition for mercy; '≈**nlos** *adj* merciless.

gnädig ['gnɛːdɪç] *adj* gracious.

Gold [gɔlt] *n* (-[*e*]*s*; *no pl*) gold; **~barren** ['-barən] *m* (-*s*; -) gold bar (*od.* ingot), *coll.* bullion; ≈**en** ['-dən] *adj* gold; *fig.* golden; '**~fisch** *m* goldfish; '**~grube** *f fig.* goldmine; '**~me,daille** *f* gold medal; '**~münze** *f* gold coin; '**~preis** *m* gold price; '**~schmied** *m* goldsmith; '**~stück** *n* gold coin.

Golf[1] [gɔlf] *m* (-[*e*]*s*; -*e*) *geogr.* gulf.

Golf[2] [-] *n* (-*s*; *no pl*) *Sport*: golf; '**~platz** *m* golf course; '**~schläger** *m* golf club; '**~spieler** *m* golfer.

Gondel ['gɔndəl] *f* (-; *-n*) gondola; *Lift*≈: *a.* cabin.

gönn|en ['gœnən] *v/t* (*h*): ***j-m et. ~*** not (be)grudge s.o. s.th.; ***j-m et. nicht ~*** (be)grudge s.o. s.th.; ***sich et. ~*** allow o.s. s.th., treat o.s. to s.th.; '**~erhaft** *adj* patronizing.

googeln ['guːgəln] *v/i* google.

Gorilla [go'rɪla] *m* (-*s*; -*s*) *zo.* gorilla (*a.* F *fig.*)

Got|ik ['goːtɪk] *f* (-; *no pl*) Gothic style (*od.* period); '≈**isch** *adj* Gothic.

Gott [gɔt] *m* (-*es*; ≈*er*) God; *myth.* god: → ***Dank***; '**~esdienst** *m eccl.* service.

Gött|in ['gœtɪn] *f* (-; *-nen*) goddess; '≈**lich** *adj* divine.

Grab [graːp] *n* (-[*e*]*s*; ≈*er*) grave; *bsd.* **~***mal*: tomb.

graben ['graːbən] *v/t u. v/i* (*grub*, *gegraben*, *h*) dig (***nach*** for).

Graben ['graːbən] *m* (-*s*; ≈) ditch; *mil.* trench.

'**Grab|mal** *n* tomb; *Ehrenmal*: monument; '**~stein** *m* gravestone, tombstone.

Grad [graːt] *m* (-[*e*]*s*; -*e*) degree (*a. univ. u. fig.*); *mil. etc*: rank, grade: ***15 ~ Kälte*** 15 degrees below zero.

Graf [graːf] *m* (-*en*; -*en*) count; *Br.* earl.

Graffiti [gra'fiːti] *pl* graffiti *pl* (*sg konstr.*).

'**Grafik** ['graːfɪk] *f* (-; *-en*) *coll.* graphic arts *pl*; *Druck*: print; *tech. etc* graph, diagram; *Ausgestaltung*: art(work), illustrations *pl*; '**~er** *m* (-*s*; -) graphic artist; **~karte** *f Computer*: graphics card.

Gräfin ['grɛːfɪn] *f* (-; *-nen*) countess.

grafisch ['graːfɪʃ] *adj* graphic.

'**Grafschaft** *f* (-; *-en*) county.

Gramm [gram] *n* (-*s*; -[e]) gram: ***100 ~*** 100 grams.

Grammati|k [gra'matɪk] *f* (-; *-en*) grammar; *Lehrbuch*: *a.* grammar book; ≈**sch** *adj* grammatical.

Graphik *usw.* → ***Grafik*** *usw.*

Gras [graːs] *n* (-*es*; ≈*er*) *bot.* grass.

grassieren [gra'siːrən] *v/i* (*no ge-*, *h*) rage, be rife, be widespread.

grässlich ['grɛslɪç] *adj* hideous, atrocious.

Gräte ['grɛːtə] *f* (-; *-n*) (fish)bone.

G

Gratifikation [gratifika'tsĭo:n] *f* (-; -*en*) bonus.

gratis ['gra:tɪs] *adv* free (of charge); '**℘probe** *f* free sample.

Gratul|ant [gratu'lant] *m* (-*en*; -*en*) congratulator, well-wisher; **~ation** [-'tsĭo:n] *f* (-; -*en*) congratulations *pl* (***zu*** on); **℘ieren** [-'li:rən] *v/i* (*no ge-*, *h*) congratulate (***j-m zu et.*** s.o. on s.th.): ***j-m zum Geburtstag ~*** wish s.o. many happy returns (of the day).

grau [graʊ] *adj bsd. Br.* grey, *Am.* gray.

Gräueltat ['grɔʏəl-] *f* atrocity.

'**grausam** *adj* cruel; '**℘keit** *f* (-; -*en*) cruelty.

'**Grauzone** *f* grey (*Am.* gray) area.

greifen ['graɪfən] (*griff*, *gegriffen*, *h*) **1.** *v/t* seize, grasp, grab, take (*od.* catch) hold of; **2.** *v/i*: ***~ nach*** reach for; *fest*: grasp at.

Greis [graɪs] *m* (-*es*; -*e*) (very) old man; '**~in** *f* (-; -*nen*) (very) old woman.

grell [grɛl] *adj Licht etc*: glaring; *Farben etc*: gaudy.

Grenze ['grɛntsə] *f* (-; -*n*) border; *Linie*: *a.* boundary; *fig.* limit; '**℘n** *v/i* (*h*): ***~ an*** (*acc*) border on; '**℘nlos** *adj* boundless.

'**Grenz|fall** *m* borderline case; '**~formali,täten** *pl* passport and customs formalities *pl*; '**~kon,trolle** *f* border check; '**~linie** *f* borderline, boundary (line) (*beide a fig.*), *pol.* demarcation line; '**~poli,zei** *f* border police (*pl konstr.*); '**~stein** *m* boundary stone; '**~übergang** *m* border crossing (point), checkpoint; '**℘über,schreitend** *adj* across the border(s); '**~zwischenfall** *m* border incident.

Greueltat → ***Gräueltat.***

Griech|e ['gri:çə] *m* (-*n*; -*n*) Greek; '**℘isch** *adj* Greek.

Griechenland ['gri:çənlant] Greece.

Grieß [gri:s] *m* (-*es*; -*e*) *gastr.* semolina.

Griff [grɪf] *m* (-[*e*]*s*; -*e*) grip, grasp, hold; *Tür℘*, *Messer℘ etc*: handle; '**℘bereit** *adj* at hand, handy.

Grill [grɪl] *m* (-*s*; -*s*) grill; '**℘en** *v/t* (*h*) grill; '**~fest** *n*, '**~party** *f* barbecue.

Grimasse [gri'masə] *f* (-; -*n*) grimace: ***~n schneiden*** pull faces.

grinsen ['grɪnzən] *v/i* (*h*) grin (***über*** *acc* at): *höhnisch*: sneer (at).

Grinsen [-] *n* (-*s*) grin; sneer.

Grippe ['grɪpə] *f* (-; -*n*) *med.* influenza, F flu; '**~epide,mie** *f* influenza (F flu) epidemic; '**~impfung** *f* anti-influenza inoculation; '**℘krank** *adj* down with influenza (F flu); '**~virus** *n* influenza (F flu) virus; '**~welle** *f* wave of influenza (F flu).

grob [gro:p] **1.** *adj* coarse (*a. fig.*); *Fehler, Lüge etc*: gross; *Benehmen*: crude; *frech*: rude; *Arbeit, Fläche, Skizze etc*: rough; **2.** *adv*: ***~ geschätzt*** at a rough estimate; '**℘heit** *f* (-; -*en*) coarseness; roughness; rudeness; *Äußerung*: rude remark.

grölen ['grø:lən] *v/t u. v/i* (*h*) bawl.

Grönland ['grø:nlant] Greenland.

groß [gro:s] *adj* big; *bsd. Fläche, Umfang, Zahl*: large (*a. Familie*); *hoch* (*gewachsen*): tall; *erwachsen*: grown-up; F *Bruder*: big; *fig. bedeutend*: great (*a. Freude, Spaß, Eile, Mühe, Schmerz etc*); *Buchstabe*: capital: ***~es Geld*** notes *pl*, *Am.* bills *pl*; ***~e Ferien*** *Br.* summer holidays *pl*, *Am.* summer vacation *sg*; ***℘ u. Klein*** young and old; ***im ℘en*** (***u.***) ***Ganzen*** on the whole; F ***~ in et. sein*** be great at (doing) s.th.; ***wie ~ ist es?*** what size is it?; ***wie ~ bist du?*** how tall are you?; '**℘abnehmer** *m econ.* bulk purchaser; '**℘aktio,när** *m* major shareholder (*Am.* stockholder); '**~artig** *adj* great, F *a.* terrific; '**℘aufnahme** *f Film*: close-up; '**℘bank** *f* (-; -*en*) big bank; '**℘bildschirm** *m Computer*: large screen.

Großbritannien [gro:sbri'tanĭən] Great Britain.

Größe ['grø:sə] *f* (-; -*n*) size (*a. Kleid etc*); *Körper℘*: height; *Bedeutung*: greatness; *Person*: celebrity; *Film etc*: star.

'**Groß|einkauf** *m econ.* bulk purchase; '**~eltern** *pl* grandparents *pl.*

'**Größenordnung** *f* scale: ***in e-r ~ von*** of (*od.* in, *Am.* on) the order of.

'**großenteils** *adv* to a large (*od.* great) extent, largely.

'**Größenwahn** *m* megalomania.

'**Groß|handel** *m econ.* wholesale trade; '**~handelspreis** *m econ.* wholesale price; '**~händler** *m econ.* wholesaler; '**~handlung** *f econ.* wholesale business; '**~indus'trie** *f* big industry; '**~industri'elle** *m* big industrialist; '**~macht** *f pol.* great power; '**~maul** *n* F braggart; '**~mutter** *f* grandmother; '**~raum** *m*: ***der ~ München*** Greater Munich, the

Greater Munich area; '**~raumbü'ro** *n* open-plan office; '**2schreiben** capitalize; '**~schreibung** *f* (use of) capitalization; **2spurig** ['-ʃpu:rıç] *adj* arrogant; '**~stadt** *f* (big) city; '**2städtisch** *adj* (big-)city; '**~stadtverkehr** *m* (big-)-city traffic.

'**größtenteils** *adv* mostly, mainly.

'**groß|tun** (*irr, sep, -ge-, h,* → ***tun***) **1.** *v/i* show off; **2.** *v/refl*: ***sich mit et. ~*** boast (*od.* brag) about s.th.; '**2unter,nehmen** *n econ.* large-scale (*od.* big) enterprise; '**2unter,nehmer** *m* big businessman; '**2vater** *m* grandfather; '**2verdiener** *m* big earner; '**2wetterlage** *f* macro weather situation; *pol.* general situation; '**~ziehen** *v/t* (*irr, sep, -ge-, h,* → ***ziehen***) raise, rear, bring up; **~zügig** ['-tsy:gıç] *adj* generous; *Haus etc*: spacious; *Planung etc*: large-scale; '**2zügigkeit** *f* (-; *no pl*) generosity; spaciousness.

Grotte ['grɔtə] *f* (-; *-n*) grotto.

Grübchen ['gry:pçən] *n* (*-s*; -) dimple.

Grube ['gru:bə] *f* (-; *-n*) pit; *Bergwerk*: *a.* mine.

grübeln ['gry:bəln] *v/i* (*h*) ponder, muse (***über*** *acc, dat* on, over).

Gruft [grʊft] *f* (-; *¨e*) *Gewölbe*: vault; *in Kirche*: crypt; *Grab*: tomb.

grün [gry:n] *adj* green; *pol. a.* ecological: ***~e Versicherungskarte*** *mot.* green card; ***~ u. blau schlagen*** beat black and blue; ***die 2en*** *pl* the Greens *pl*; '**2anlage** *f* green space.

Grund [grʊnt] *m* (-[*e*]*s*; *¨e*) reason; *Ursache*: cause; *Boden*: ground; *agr. a.* soil; *Meer etc*: bottom: ***~ u. Boden*** property, land; ***aus diesem ~(e)*** for this reason; ***im ~e*** (***genommen***) actually, basically; ***von ~ auf*** entirely; ***auf ~*** → ***aufgrund***; ***zu ~e*** → ***zugrunde***; '**~begriffe** *pl* fundamentals *pl*; '**~besitz** *m* land(ed property); '**~besitzer** *m* landowner.

gründe|n ['grʏndən] (*h*) **1.** *v/t* found (*a. Familie*), set up, establish; **2.** *v/refl*: ***sich ~ auf*** (*acc*) be based (*od.* founded) on; '**2r** *m* (*-s*; -) founder.

'**grund|'falsch** *adj* absolutely wrong; '**2fläche** *f e-s Zimmers etc*: area; '**2gedanke** *m* basic idea; '**2gesetz** *n pol.* Basic Law; '**2kapi,tal** *n econ.* initial capital; '**2kenntnis** *f mst pl* basic knowledge; '**2lage** *f* foundation; *fig. a.* basis: **~n** *pl* (basic) elements *pl*; '**~legend** *adj* fundamental, basic.

gründlich ['grʏntlıç] *adj* thorough.

'**grund|los** *fig.* **1.** *adj* groundless, unfounded; **2.** *adv* for no reason (at all); '**2mauer** *f* foundation wall; '**2nahrungsmittel** *pl* basic food(stuff) *sg.*

Grün'donnerstag *m eccl.* Maundy Thursday.

'**Grund|recht** *n* basic (*od.* fundamental) right; '**~riss** *m arch.* ground plan; '**~satz** *m* principle; **2sätzlich** ['-zɛtslıç] **1.** *adj* fundamental; **2.** *adv*: ***ich bin ~ dagegen*** I am against it on principle; '**~schule** *f* primary (*Am. a.* grade) school; '**~sicherung** *f* guaranteed minimum income; '**~stück** *n* plot (of land), *bsd. Am. a.* lot; *Bauplatz*: (building) site; *Haus nebst Zubehör*: premises *pl*; '**~stücksmakler** *m* (*Am.* real) estate agent, *Am. a.* realtor.

'**Gründung** *f* (-; *-en*) foundation, establishment, setting up.

'**grund|ver'schieden** *adj* totally different; '**2wasser** *n* (*-s*; *no pl*) ground water; '**2wasserspiegel** *m* ground-water level.

'**Grün|fläche** *f* green space; '**~gürtel** *m* green belt; '**2lich** *adj* greenish; '**~span** *m* (-[*e*]*s*; *no pl*) verdigris.

Gruppe ['grʊpə] *f* (-; *-n*) group; '**~nreise** *f* group travel.

Grusel|film ['gru:zəl-] *m* horror film; '**~geschichte** *f* horror story; '**2ig** *adj* eerie, creepy; *Film etc*: spine-chilling.

Gruß [gru:s] *m* (*-es*; *¨e*) greeting(s *pl*): ***viele Grüße an*** (*acc*) … give my regards (*herzlicher*: love) to …; ***mit freundlichem ~*** *Brief*: Yours sincerely; ***herzliche Grüße*** best wishes, *herzlicher*: love.

grüßen ['gry:sən] *v/t* (*h*) greet, F say hello to: ***j-n ~ lassen*** send one's regards (*herzlicher*: love) to s.o.

gültig ['gʏltıç] *adj* valid; *Geld*: *a.* current; '**2keit** *f* (-; *no pl*) validity: ***s-e ~ verlieren*** expire.

Gummi[1] ['gʊmi] *m, n* (*-s*; -[*s*]) rubber.

Gummi[2] [-] *n* (*-s*; *-s*) → ***Gummiband.***

Gummi[3] [-] *m* (*-s*; *-s*) *Radier2*: eraser, *Br. a.* rubber; F *Präservativ*: rubber.

'**Gummi|band** *n* (-[*e*]*s*; *¨er*) rubber (*bsd. Br. a.* elastic) band; *Gummizug*: elastic; '**~baum** *m bot.* rubber plant; '**~knüppel** *m* truncheon, *Am. a.* billy (club); '**~stiefel** *m bsd. Br.* wellington (boot), *Am.* rubber boot; '**~zug** *m* elastic.

Gunst [gʊnst] *f* (-; *no pl*): ***zu j-s ~en*** in s.o.'s favo(u)r; ***zu ~en → zugunsten.***

günstig ['gʏnstɪç] *adj* favo(u)rable (**für** to); *passend*: convenient: ***~e Gelegenheit*** chance; ***im ~sten Fall*** at best.

gurgeln ['gʊrgəln] *v/i* (*h*) *med.* gargle; *Wasser*: gurgle.

Gurke ['gʊrkə] *f* (-; *-n*) cucumber; *Gewürz*&: pickled gherkin.

Gurt [gʊrt] *m* (-[*e*]*s*; *-e*) belt (*a. aer.*, *mot*); *Halte*&, *Trage*&: strap.

Gürtel ['gʏrtəl] *m* (*-s*; -) belt; '**~reifen** *m mot.* radial (tyre, *Am.* tire).

'**Gurt|muffel** *m mot.* F *s.o. who refuses to wear a seat belt*; '**~pflicht** *f* (-; *no pl*) *mot.* compulsory wearing of seat belts.

Guss [gʊs] *m* (*-es*; *⸚e*) *Regen etc*: downpour; *tech.* casting; *Zucker*&: icing; '**~eisen** *n* cast iron; '**&eisern** *adj* cast-iron.

gut [gu:t] **1.** *adj* good; *Wetter*: *a.* fine: ***ganz ~*** not bad; ***also ~!*** all right (then)!; ***schon ~!*** never mind!; (***wieder***) ***~ werden*** come right (again), be all right; ***~e Reise!*** have a nice trip!; ***sei bitte so ~ u. …*** would you be so good as to (*od.* good enough to) …; ***in et. ~ sein*** be good at (doing) s.th.; **2.** *adv* well; *aussehen, klingen, riechen, schmecken etc*: good: ***du hast es ~*** you are lucky; ***es ist ~ möglich*** it may well be; ***es gefällt mir ~*** I (do) like it; ***~ gemacht!*** well done!; ***mach's ~!*** take care (of yourself)!; → ***meinen***; ***~ gebaut*** well-built; ***~ gehen*** go (off) well, work out well (*od.* all right): ***wenn alles ~ geht*** if nothing goes wrong; ***mir geht es ~*** I'm (*finanziell*: doing) well; ***~ gelaunt*** in a good mood; ***j-m ~ tun → guttun.***

Gut [-] *n* (-[*e*]*s*; *⸚er*) *Land*&: estate; *pl* goods *pl.*

'**Gut|achten** *n* (*-s*; -) (expert) opinion; *Zeugnis*: certificate; '**~achter** *m* (*-s*; -) expert; *jur.* expert witness; '**&artig** *adj* good-natured; *med.* benign; '**&'bürgerlich** *adj*: ***~e Küche*** good plain cooking; **~dünken** ['-dʏŋkən] *n* (*-s*; *no pl*): **nach ~** at one's discretion.

'**Gute** *n* (*-n*; *no pl*) good: ***~s tun*** do good; ***alles ~!*** all the best!, good luck!

Güte ['gy:tə] *f* (-; *no pl*) goodness, kindness; *econ.* quality: F ***m-e ~!*** good gracious!

Güter|bahnhof ['gy:tər-] *m Br.* goods station, *Am.* freight depot; '**~gemeinschaft** *f jur.* community of property: ***in ~ leben*** have joint property; '**~trennung** *f jur.* separation of property: ***in ~ leben*** have separate property; '**~verkehr** *m* goods (*Am.* freight) traffic; '**~wagen** *m rail. Br.* (goods) wagon, *Am.* freight car; '**~zug** *m Br.* goods train, *Am.* freight train.

'**gut|gehen** → ***gut*** 2; **~gläubig** ['-glɔʏbɪç] *adj* credulous; '**&haben** *n* (*-s*; -) *econ.* credit balance.

gütig ['gy:tɪç] *adj* kind(ly).

gütlich ['gy:tlɪç] *adv*: ***sich ~ einigen*** come to an amicable settlement.

'**gut|machen** *v/t* (*sep*, *-ge-*, *h*) make up for, make good; **~mütig** ['-my:tɪç] *adj* good-natured; '**&mütigkeit** *f* (-; *no pl*) good nature; '**&schein** *m* coupon, *bsd. Br.* voucher; '**~schreiben** *v/t* (*irr*, *sep*, *-ge-*, *h*, → **schreiben**): ***j-m et. ~*** credit s.o. with s.th.; '**&schrift** *f* credit; '**~tun** *v/i* (*irr*, *sep*, *-ge-*, *h*, → **tun**): ***j-m ~*** do s.o. good.

Gutverdiener *m* (*-s*; -) high-income earner, high-wage earner.

Gymnasium [gʏm'na:zĭʊm] *n* (*-s*; *-ien*) secondary school, *Br. appr.* grammar school.

Gymnastik [gʏm'nastɪk] *f* (-; *no pl*) physical exercises *pl.*

Gynäkologe [gʏnɛko'lo:gə] *m* (*-n*; *-n*) *med.* gyn(a)ecologist.

H

Haar [haːr] *n* (-[*e*]*s*; -*e*) hair: ***sich die ~e kämmen*** comb one's hair; ***sich die ~e schneiden lassen*** have one's hair cut; ***aufs ~*** to a hair; ***um ein ~*** by a hair's breadth; → ***Berg***; '**~ausfall** *m* loss of hair; '**~bürste** *f* hairbrush; '**~esbreite** *f*: ***um ~*** by a hair's breadth; '**~festiger** *m* (-*s*; -) setting lotion; '**~gefäß** *n anat.* capillary (vessel); '**≈ge'nau** *adv* F precisely: (***stimmt***) ***~!*** dead right!; '**≈'klein** *adv* F to the last detail; '**~nadel** *f* hairpin; '**~nadelkurve** *f* hairpin bend; '**≈scharf** *adv* by a hair's breadth; '**~schnitt** *m* haircut; **~spalte'rei** *f* (-; -*en*) hairsplitting; '**~spange** *f Br.* (hair) slide, *Am.* barrette; '**~spray** *m*, *n* hair spray; '**≈sträubend** *adj* hair-raising; '**~teil** *n* hairpiece; '**~trockner** *m* hair-dryer; '**~wäsche** *f* shampoo; '**~waschmittel** *n* shampoo; '**~wasser** *n* hair tonic; '**~wuchs** *m*: ***starken ~ haben*** have a lot of hair; '**~wuchsmittel** *n* hair restorer.

Habe ['haːbə] *f* (-; *no pl*) belongings *pl*, possessions *pl*.

haben ['haːbən] (*hatte*, *gehabt*, *h*) **1.** *v/t* have (got): ***was hast du?*** what's the matter (with you)?; → ***Farbe***, ***Hunger*** *etc*; **2.** *v/aux*: ***hast du m-n Bruder gesehen?*** have you seen my brother?; ***hast du gerufen?*** did you call?

Haben [-] *n* (*s*; -) *econ.* credit: → ***Soll***; '**~seite** *f* credit side; '**~zinsen** *pl* interest *sg* on deposits.

Habgier ['haːpgiːr] *f* (-; *no pl*) greed, greediness; '**≈ig** *adj* greedy.

Habseligkeiten ['haːpzeːlɪçkaɪtən] *pl* belongings *pl*, possessions *pl*.

Hab und Gut [haːp] *n* (- - -[*e*]*s*; *no pl*) belongings *pl*, possessions *pl*.

hack|en ['hakən] *v/t* (*h*) chop; *agr.* hoe; *Vogel*: peck; '**≈fleisch** *n* minced (*Am.* ground) meat; '**≈ordnung** *f* pecking order (*a. fig.*).

Hafen ['haːfən] *m* (-*s*; ⸗) harbo(u)r, port; '**~anlagen** *pl* docks *pl*; '**~arbeiter** *m* docker, *Am. a.* longshoreman; '**~gebühren** *pl* harbo(u)r dues *pl*; '**~poli,zei** *f* port police (*pl konstr.*); '**~rundfahrt** *f* boat tour of the harbo(u)r; '**~stadt** *f* (sea)port; '**~viertel** *n* dockland(s *pl*).

Hafer ['haːfər] *m* (-*s*; -) oats *pl*; '**~brei** *m* porridge; '**~flocken** *pl* rolled oats *pl*; '**~schleim** *m* gruel.

Haft [haft] *f* (-; *no pl*) *jur.* custody; *Freiheitsstrafe*: imprisonment: ***in ~ nehmen*** take into custody; '**≈bar** *adj* responsible (***für*** for), liable (for): ***j-n ~ machen für*** hold (*od.* make) s.o. liable for; '**~befehl** *m* warrant of arrest; '**≈en** *v/i* (*h*) stick (***an*** *dat* to), adhere (to): ***~ für*** be liable for.

Häftling ['hɛftlɪŋ] *m* (-*s*; -*e*) prisoner, convict.

'**Haftpflicht** *f* liability; '**~versicherung** *f* liability insurance; *mot.* third-party insurance.

'**Haftung** *f* (-; *no pl*) responsibility, liability: ***mit beschränkter ~*** limited.

Hagel ['haːgəl] *m* (-*s*; *no pl*) hail, *fig. a.* shower; '**~korn** *n* hailstone; '**≈n** **1.** *v/impers* (*h*) hail; **2.** *v/i* (*sn*): ***~ auf*** (*acc*) rain down on; '**~schauer** *m* hail shower.

Hahn [haːn] *m* (-[*e*]*s*; ⸗*e*) *zo.* cock, *Haus≈*: *a.* rooster; *tech. Wasser≈ etc*: tap, *Am. a.* faucet.

Hähnchen ['hɛːnçən] *n* (-*s*; -) chicken.

Hai [haɪ] *m* (-[*e*]*s*; -*e*), '**~fisch** *m zo.* shark.

Häkchen ['hɛːkçən] *n* (-*s*; -) small hook; *Zeichen*: *Br.* tick, *Am.* check.

häkeln ['hɛːkəln] *v/t u. v/i* (*h*) crochet.

Haken ['haːkən] *m* (-*s*; -) hook; *Kleider≈*: *a.* peg; *fig.* snag, catch.

halb [halp] *adj u. adv* half: ***e-e ~e Stunde*** half an hour; ***ein ~es Pfund*** half a pound; ***zum ~en Preis*** at half-price; ***auf ~em Wege*** (***entgegenkommen***) (meet) halfway; ***~ so viel*** half as much; F (***mit j-m***) ***~e-~e machen*** go halves (*od.* fifty-fifty) (with s.o.); '**~amtlich** *adj* semiofficial; '**≈bruder** *m* half-brother; **≈e** ['-bə] *f* (-*n*; -*n*) pint (of beer); '**≈fabri,kat** *n* semifinished product; '**~gar** *adj gastr.* underdone; **~ieren** [-'biːrən] *v/t* (*no ge-*, *h*) halve; '**≈insel** *f* peninsula; '**≈jahr** *n* six months *pl*; **~jährig** ['-jɛːrɪç] *adj* six-month; '**~jährlich**

H

1. *adj* half-yearly; **2.** *adv* half-yearly, twice a year; '**2kreis** *m* semicircle; '**2leiter** *m electr.* semiconductor; '**~mast** *adv*: **~ *flaggen*** fly the flags at half-mast; '**2pensi,on** *f* half-board; '**2schuh** *m* shoe; '**2schwester** *f* half-sister.

'**halbtags** *adv*: **~ *arbeiten*** work part-time; '**2arbeit** *f*, **2beschäftigung** *f* part-time job; '**2kraft** *f* part-time worker, part-timer.

'**halbtrocken** *adj Sekt, Wein*: semidry, demisec.

Halde ['haldə] *f* (-; *-n*) slope; *Bergbau*: dump.

Hälfte ['hɛlftə] *f* (-; *-n*) half: ***die* ~ *von*** half of.

Halle ['halə] *f* (-; *-n*) hall; *Hotel*2: lobby; *Fabrik*2: shed; '**~nbad** *n* indoor swimming pool.

hallo ['halo, ha'loː] *int Gruß*: hello, F hi; *überrascht*: hello.

Halm [halm] *m* (-[*e*]*s*; *-e*) *bot. Gras*2: blade; *Getreide*2: ha(u)lm, stalk; *Stroh*2: straw.

Halogenscheinwerfer [halo'geːn-] *m mot.* halogen headlight.

Hals [hals] *m* (*-es*; *¨e*) neck; *Kehle*: throat: **~ *über Kopf*** helter-skelter; ***sich vom* ~ *schaffen*** get rid of; ***es hängt mir zum* ~(*e*) (*he*)*raus*** I'm fed up with it; '**~band** *n* necklace; *Hunde*2 *etc*: collar; '**~entzündung** *f med.* sore throat; '**~kette** *f* necklace; '**~schmerzen** *pl*: **~ *haben*** have a sore throat; **2starrig** ['-ʃtarɪç] *adj* stubborn, obstinate; '**~tuch** *n* scarf, neckerchief.

halt [-] *int* stop!, *mil.* halt!.

Halt [halt] *m* (-[*e*]*s*; *-e*, *-s*) hold; *Stütze*: support (*a. fig.*); *Zwischen*2: stop; *fig. innerer*: stability; **~ *machen*** stop: ***vor nichts* ~ *machen*** stop at nothing.

'**haltbar** *adj* durable, lasting; *Lebensmittel*: not perishable; *Farben*: fast; *Argument etc*: tenable: **~ *bis* ...** use by ...; '**2keit** *f* (-; *no pl*) durability; *fig.* tenability; '**2keitsdatum** *n* best-by date.

halte|n ['haltən] (*hielt, gehalten, h*) **1.** *v/t* hold; *Versprechen, Tier etc*: keep; *Rede*: make: *Vortrag*: give: **~ *für*** regard as; *irrtümlich*: (mis)take for; ***viel* (*wenig*) ~ *von*** think highly (little) of; **2.** *v/refl* last; *Essen, in Richtung od. Zustand*: keep; ***sich gut* ~** *in e-r Prüfung*: do well; ***sich* ~ *an*** (*acc*) keep to; **3.** *v/i* hold, last; *an*~: stop, halt; *Eis*: bear; *Seil etc*: hold: **~ *zu*** stand by, F stick to; '**2r** *m* (*-s*; -) *Eigentümer*: owner; *für Geräte etc*: holder.

'**Halte|stelle** *f* stop; '**~verbot** *n*: (***absolutes***) **~** no-stopping zone; ***eingeschränktes* ~** no-waiting zone; ***hier ist* ~** this is a no-stopping zone; '**~verbotsschild** *n* no-stopping sign.

'**halt|los** *adj unbegründet*: unfounded; '**~machen** → ***Halt***; '**2ung** *f* (-; *-en*) *Körper*: posture; *pol. etc* attitude (***gegenüber*** towards).

Hamburg ['hamburk] Hamburg.

hämisch ['hɛːmɪʃ] *adj* malicious, sneering.

Hammel ['haməl] *m* (*-s*; -) *zo.* wether; '**~fleisch** *n* mutton.

Hammer ['hamər] *m* (*-s*; ¨) hammer.

Hämorrhoiden, **Hämorriden** [hɛmoro'iːdən] *pl med.* h(a)emorrhoids *pl*, piles *pl*.

Hamster ['hamstər] *m* (*-s*; -) *zo.* hamster; '**2n** *v/t u. v/i* (*h*) hoard.

Hand [hant] *f* (-; *¨e*) hand: ***von* (*mit der*) ~** by hand; ***zur* ~** at hand; ***aus erster* (*zweiter*) ~** firsthand (secondhand); ***an die* ~ *nehmen*** take by the hand; ***sich die* ~ *geben*** shake hands; ***aus der* ~ *legen*** lay aside; ***Hände hoch* (*weg*)*!*** hands up (off)!; ***e-e* ~ *breit*** a hand's breadth; '**~arbeit** *f*: ***es ist* ~** it is handmade; '**~breit** *f* → ***Hand***; '**~bremse** *f mot.* handbrake; '**~buch** *n* manual, handbook.

Händedruck ['hɛndə-] *m* (-[*e*]*s*; *Händedrücke*) handshake.

Handel ['handəl] *m* (*-s*; *no pl*) commerce, business; *~sverkehr*: trade; *Markt*: market; *abgeschlossener*: transaction, deal, bargain: **~ *treiben*** *econ.* trade (***mit*** with *s.o.*); '**2n** (*h*) **1.** *v/i* act, take action; *feilschen*: bargain (***um*** for), haggle (over): ***mit j-m* ~** *econ.* trade with s.o.; ***mit Waren* ~** *econ.* trade (*od.* deal) in goods; **~ *von*** deal with, be about; **2.** *v/impers*: ***es handelt sich um*** it concerns, it is about, it is a matter of.

'**Handels|abkommen** *n* trade agreement; '**~bank** *f* (-; *-en*) merchant bank; '**~beziehungen** *pl* trade relations *pl*; '**~bi,lanz** *f* balance of trade; '**2einig** *adj*: **~ *werden*** come to terms (***mit*** with); '**~gesellschaft** *f* company: ***offene* ~** general partnership; '**~kammer** *f* chamber of commerce; '**~klasse** *f* grade; '**~partner** *m* trading partner; '**~schranke** *f* trade barrier; '**~spanne** *f* profit margin; '**2üblich** *adj* customary in trade; '**~vertreter** *m* sales representative; '**~ware** *f* commodity: ***„keine ~“*** *mail.* “no commercial value”.

'**Hand|fläche** *f* palm; '**2gearbeitet** *adj* handmade; '**~gelenk** *n* wrist; '**~gepäck** *n aer.* hand baggage; **~granate** ['~graˌna:tə] *f* (-; -*n*) hand grenade; **2greiflich** ['~graɪflɪç] *adj*: ***~ werden*** turn violent; '**2haben** *v/t* (*handhabte, gehandhabt, h*) handle, manage; *Maschine etc*: operate.

Händler ['hɛndlər] *m* (-*s*; -) dealer, trader.

'**handlich** *adj* handy.

'**Handlung** *f* (-; -*en*) *Film etc*: story, plot; *Tat*: act, action.

'**Hand|rücken** *m* back of the hand; '**~schellen** *pl* handcuffs *pl*: ***j-m ~ anlegen*** handcuff s.o.; '**~schlag** *m* (-[*e*]*s*; *no pl*) handshake: ***durch*** (*od.* ***per***) ***~*** with a handshake; ***et. durch ~ bekräftigen*** shake hands on s.th.; '**~schrift** *f* hand(writing); '**2schriftlich** *adj* handwritten; '**~schuh** *m* glove; '**~schuhfach** *n mot.* glove compartment; '**~tasche** *f* handbag, *Am. a.* purse; '**~tuch** *n* towel; '**~werk** *n* (-[*e*]*s*; -*e*) craft, trade; '**~werker** *m* (-*s*; -) craftsman; '**~wurzel** *f anat.* wrist.

Handy ['hɛndɪ] *n* (-*s*; -*s*) *teleph.* mobile (phone).

Hang [haŋ] *m* (-[*e*]*s*; ⸗*e*) slope; *fig.* inclination (***zu*** for), tendency (to, towards).

'**Hänge|brücke** *f arch.* suspension bridge; '**~matte** *f* hammock.

hängen[1] ['hɛŋən] *v/i* (*hing, gehangen, h*) hang (***an*** *Wand etc* on, *Decke etc* from): ***~ an*** (*dat*) be very fond of, *stärker*: love; ***sie blieb mit dem Rock an e-m Nagel ~*** her skirt (got) caught on a nail.

hängen[2] [~] *v/t* (*h*): ***j-n ~*** hang s.o.; ***et. ~ an*** (*acc*) hang s.th. on (*od.* from).

'**hängenbleiben** → ***hängen***[1]

Hannover [ha'no:fər] Hanover.

hänseln ['hɛnzəln] *v/t* (*h*) tease (***wegen*** about).

Happen ['hapən] *m* (-*s*; -) morsel, bite.

harmlos ['harmlo:s] *adj* harmless.

Harmoni|e [harmo'ni:] *f* (-; -*n*) harmony; **2eren** [~'ni:rən] *v/i* (*no ge-, h*) harmonize (***mit*** with); **2sch** [~'mo:nɪʃ] *adj* harmonious; **2sieren** [~moni'zi:rən] *v/t* (*no ge-, h*) harmonize.

Harn [harn] *m* (-[*e*]*s*; -*e*) urine; '**~blase** *f* bladder; '**~leiter** *m*, '**~röhre** *f* urethra.

Harpun|e [har'pu:nə] (-; -*n*) harpoon; **2ieren** [~pu'ni:rən] *v/t* (*no ge-, h*) harpoon.

hart [hart] **1.** *adj allg.* hard: ***~es Ei*** hard-boiled egg; **2.** *adv* hard.

Härte ['hɛrtə] *f* (-; -*n*) *allg.* hardness: ***soziale ~n*** *pl* social hardships *pl*; '**~fall** *m* case of hardship.

'**Hart|geld** *n* coins *pl*; '**2herzig** *adj* hard-hearted; **2näckig** ['~nɛkɪç] *adj* stubborn, obstinate; *beharrlich*: persistent; *Krankheit*: refractory.

Hasch [haʃ] *n* (-*s*; *no pl*) F hash; '**2en** *v/i* (*h*) F smoke hash; **~isch** ['~ɪʃ] *n* (-; *no pl*) hashish.

Hase ['ha:zə] *m* (-*n*; -*n*) *zo.* hare; '**~nbraten** *m* roast hare; '**~nscharte** *f med.* harelip.

Hass [has] *m* (-*es*; *no pl*) hatred, hate (***auf*** *acc*, ***gegen*** of, for).

hassen ['hasən] *v/t* (*h*) hate.

hässlich ['hɛslɪç] *adj* ugly; *fig. a.* nasty.

Hast [hast] *f* (-; *no pl*) hurry, haste; '**2en** *v/i* (*sn*) hurry, hasten; '**2ig** *adj* hasty, hurried.

Haube ['haʊbə] *f* (-; -*n*) *mot. Br.* bonnet, *Am.* hood.

hauen ['haʊən] *v/t* (*haute, gehauen, h*) hit, clout.

Haufen ['haʊfən] *m* (-*s*; -) heap, pile (*beide a.* F *fig.*).

häuf|en ['hɔʏfən] *v/refl* (*h*) increase (in number); **~ig 1.** *adj* frequent; **2.** *adv* frequently, often.

Haupt [haʊpt] *n* (-[*e*]*s*; *Häupter*) head, *fig. a.* leader; '**~aktioˌnär** *m* principal shareholder (*Am.* stockholder); '**~bahnhof** *m* main (*od.* central) station; '**~beschäftigung** *f* chief occupation; '**~darsteller(in)** leading man (lady); '**~eingang** *m* main entrance; '**~fach** *n univ. Br.* main subject, *Am.* major: ***et. als ~ studieren*** *Br.* study s.th. as one's main subject, *Am.* major in s.th.; '**~fiˌgur** *f* main character; '**~gericht** *n gastr.* main course; '**~geschäftsstelle** *f* head office; '**~geschäftsstraße** *f* main shopping street; '**~geschäftszeit** *f* peak shopping hours *pl*; '**~gewinn** *m* first prize; '**~grund** *m* main reason; '**~mahlzeit** *f* main meal; '**~per,son** *f* cent|re (*Am.* -er) of attention; '**~postamt** *n* main post office; '**~quar,tier** *n* headquarters *pl* (*a. sg konstr.*); '**~reisezeit** *f* peak tourist season; '**~rolle** *f thea.* lead(ing role); '**~sache** *f* main thing (*od.* point); '**~sai,son** *f* peak season; '**~stadt** *f* capital; '**~straße** *f* main street; '**~verkehrsstraße** *f* main road; '**~verkehrszeit** *f* rush hour; '**~versammlung** *f* general meeting; '**~wohnsitz** *m* main place of residence.

Haus [haʊs] *n* (*-es*; *⸚er*) house; *Gebäude*: building: ***zu ~e*** at home, in; ***nach ~e kommen*** come home; '**~angestellte** *f* domestic (servant); '**~apo,theke** *f* medicine cabinet; '**~arbeit** *f* housework; '**~arzt** *m* family doctor; '**~aufgaben** *pl* homework *sg*, *Am. a.* assignment; '**~bar** *f* cocktail cabinet; '**~besetzer** *m* squatter; '**~besetzung** *f* squatting; '**~eigentümer** *m* house owner; '**~frau** *f* housewife; '**~friedensbruch** *m* (-[*e*]*s*; *no pl*) *jur.* trespass; '**~gast** *m* resident; '**♀gemacht** *adj* home-made; '**~halt** *m* (-[*e*]*s*; -*e*) household; *econ. pol.* budget: ***(j-m) den ~ führen*** keep house (for s.o.); **~hälterin** ['-hɛltərɪn] *f* (-; *-nen*) housekeeper; '**~haltsdefizit** *n* budgetary deficit; '**~haltsgeld** *n* housekeeping money; '**~haltsplan** *m* budget; '**~haltswaren** *pl* household articles *pl*; '**~herr** *m Familienoberhaupt*: head of the household; *Gastgeber*: host; '**~herrin** *f* (-; *-nen*) *Familienoberhaupt*: lady of the house; *Gastgeberin*: hostess.

Hausierer [haʊ'ziːrər] *m* (*-s*; -) hawker, pedlar.

häuslich ['hɔʏslɪç] *adj* domestic; *sein Zuhause liebend*: home-loving.

'**Haus|mädchen** *n* (house)maid; '**~mann** *m* househusband; '**~marke** *f* house wine; '**~meister** *m* caretaker; '**~mittel** *n* household remedy; '**~nummer** *f* house number; '**~ordnung** *f* house rules *pl*; '**~rat** *m* (-[*e*]*s*; *no pl*) household effects *pl*; '**~schlüssel** *m* front-door key; '**~schuh** *m* slipper.

Hausse ['hoːs(ə)] *f* (-; *-n*) *econ.* rise, boom.

'**Haus|suchung** *f* (-; *-en*) *jur.* house search; '**~suchungsbefehl** *m* search warrant; '**~tier** *n* domestic animal; *Heimtier*: pet; '**~tür** *f* front door; '**~verwaltung** *f* property management; '**~wirt(in)** landlord (landlady); '**~zelt** *n* ridge tent.

Haut [haʊt] *f* (-; *Häute*) skin; *Teint*: complexion: ***bis auf die ~ durchnässt*** soaked to the skin; '**~abschürfung** *f med.* graze; '**~arzt** *m* dermatologist; '**~ausschlag** *m med.* rash; '**♀eng** *adj* skin-tight; '**~farbe** *f* colo(u)r of the skin; *Teint*: complexion; '**~krankheit** *f* skin disease; '**~krebs** *m med.* skin cancer; '**~pflege** *f* skin care.

H-Bombe ['haː-] *f mil.* H-bomb.

Hebamme ['heːpˀamə] *f* (-; *-n*) midwife.

'**Hebebühne** *f mot.* hydraulic lift.

Hebel ['heːbəl] *m* (*-s*; -) lever.

heben ['heːbən] (*hob*, *gehoben*, *h*) **1.** *v/t* lift, raise (*a. Wrack u. fig.*); *schwere Last*: heave; *hochwinden*: hoist; *fig.* improve; **2.** *v/refl Vorhang*: rise, go up.

Hecht [hɛçt] *m* (-[*e*]*s*; *-e*) *zo.* pike.

Heck [hɛk] *n* (-[*e*]*s*; *-e*, *-s*) *mar.* stern; *aer.* tail; *mot.* rear, back.

Hecke ['hɛkə] *f* (-; *-n*) hedge; '**~nschütze** *m* sniper.

'**Heck|motor** *m* rear engine; '**~scheibe** *f mot.* rear window; '**~scheibenheizung** *f mot.* rear-window defroster; '**~scheibenwischer** *m* rear(-window) wiper.

Heer [heːr] *n* (-[*e*]*s*; *-e*) *mil.* army; *fig. a.* host.

Hefe ['heːfə] *f* (-; *-n*) yeast.

Heft [hɛft] *n* (-[*e*]*s*; *-e*) notebook; *Bändchen*: booklet; *Ausgabe*: issue, number.

hefte|n ['hɛftən] *v/t* (*h*) fix, fasten (***an*** *acc* to); *mit Nadeln*: pin (to); *Saum etc*: tack, baste; *Buch*: stitch; '**♀r** *m* (*-s*; -) stapler; *Ordner*: file.

heftig ['hɛftɪç] *adj* violent, fierce; *Regen etc*: heavy; '**♀keit** *f* (-; *no pl*) violence, fierceness.

'**Heft|klammer** *f* staple; *Büroklammer*: paper clip; '**~pflaster** *n* adhesive plaster, *Am. a.* band-aid *TM*.

Hehler ['heːlər] *m* (*-s*; -) receiver (of stolen goods), *sl.* fence; **~ei** [-'raɪ] *f* (-; *-en*) receiving (stolen goods).

Heiden|angst ['haɪdən-] *f* F: ***e-e ~ haben*** be scared stiff; '**~geld** *n* F: ***ein ~*** a fortune; '**~lärm** *m* F: ***ein ~*** a hell of a noise; '**~spaß** *m* F: ***e-n ~ haben*** have a ball.

heikel ['haɪkəl] *adj* delicate, tricky; *Person*: fussy (***in Bezug auf*** *acc* about).

heil [haɪl] *adj Person*: safe, unhurt; *Sa-*

H

che: undamaged, whole, intact; '**Ωanstalt** *f* sanatorium, *Am. a.* sanitarium; *Nerven*Ω: mental home; '**Ωbad** *n* health resort, spa; '**~bar** *adj* curable; '**~en 1.** *v/t* (*h*) cure; **2.** *v/i* (*sn*) heal (up); '**Ωgymnastik** *f* physiotherapy.

heilig ['haılıç] *adj* holy; *Gott geweiht*: sacred (*a. fig.*): ***der Ωe Abend*** Christmas Eve; Ω'**abend** *m* Christmas Eve.

'**Heil|kraft** *f* healing (*od.* curative) power; '**Ωkräftig** *adj* curative; '**~kraut** *n* medicinal herb; '**Ωlos** *adj fig. Durcheinander*: utter, hopeless; '**~mittel** *n* remedy, cure (*beide a fig.*); '**~praktiker** *m* non-medical practitioner; '**~quelle** *f* mineral spring; '**Ωsam** *adj fig.* salutary.

'**Heilsar,mee** *f* Salvation Army.

'**Heilung** *f* (-; *-en*) cure; *Wunde*: healing.

Heim [haım] *n* (-[*e*]*s*; *-e*) home; *Jugend*Ω *etc*: hostel; '**~arbeit** *f* outwork; '**~arbeiter** *m* outworker.

Heimat ['haıma:t] *f* (-; *no pl*) home, native country; *Ort*: home town: ***in der (m-r) ~*** at home; '**~anschrift** *f* home address; '**~hafen** *m* home port; '**Ωlos** *adj* homeless; '**~ort** *m* home town (*od.* village); '**~vertriebene** *m* expellee.

'**heim|bringen** *v/t* (*irr, sep, -ge-, h,* → ***bringen***) *j-n*: take (*od.* see) home; '**Ωcom,puter** *m* home computer; '**~gehen** *v/i* (*irr, sep, -ge-, sn,* → ***gehen***) go home.

'**heimisch** *adj Industrie etc*: home, domestic; *bot., zo. etc* native: ***sich ~ fühlen*** feel at home.

Heim|kehr ['haımke:r] *f* (-; *no pl*) return (home); '**Ωkommen** *v/i* (*irr, sep, -ge-, sn,* → ***kommen***) come (*od.* return) home.

'**heimlich** *adj* secret; '**Ωkeit** *f* (-; *-en*) secrecy: ***~en*** *pl* secrets *pl.*

'**Heim|reise** *f* journey home; '**Ωtückisch** *adj* insidious (*a. Krankheit*); *Mord etc*: treacherous; '**~weg** *m* way home; '**~weh** *n* (*-s*; *no pl*) homesickness: ***~ haben*** be homesick (***nach*** for).

Heirat ['haıra:t] *f* (-; *-en*) marriage; '**Ωen** *v/t u. v/i* (*h*) marry, get married (to).

'**Heirats|antrag** *m* proposal (of marriage): ***j-m e-n ~ machen*** propose to s.o.; '**~schwindler** *m* marriage impostor; '**~vermittlung** *f* marriage bureau.

heiser ['haızər] *adj* hoarse: ***sich ~ schreien*** shout o.s. hoarse; '**Ωkeit** *f* (-; *no pl*) hoarseness.

heiß [haıs] *adj* hot (*a. fig.*): ***mir ist ~*** I am (*od.* feel) hot; ***~ laufen*** *tech.* overheat.

heißen ['haısən] *v/i* (*hieß, geheißen, h*) be called; *bedeuten*: mean: ***wie ~ Sie?*** what is your name?; ***wie heißt das?*** what do you call this?; ***was heißt … auf Englisch?*** what is … in English?; ***das heißt*** that is (*abbr.* **d. h.** i. e.).

'**heißlaufen** → ***heiß.***

heiter ['haıtər] *adj* cheerful; *Film etc*: humorous; *meteor.* fair: *fig.* ***aus ~em Himmel*** out of the blue; '**Ωkeit** *f* (-; *no pl*) cheerfulness; *Belustigung*: amusement.

heiz|en ['haıtsən] (*h*) **1.** *v/t* heat; **2.** *v/i* put (*od.* have) the heating on; '**Ωkessel** *m* boiler; '**Ωkissen** *n* electric cushion; '**Ωkörper** *m* radiator; '**Ωkraftwerk** *n* thermal power station; '**Ωmateri,al** *n* fuel; '**Ωöl** *n* fuel oil; '**Ωung** *f* (-; *-en*) heating.

Held [hɛlt] *m* (*-en*; *-en*) hero; **Ωenhaft** ['-dən-] *adj* heroic; **~in** ['-dın] *f* (-; *-nen*) heroine.

helfen ['hɛlfən] *v/i* (*half, geholfen, h*) help, aid; *förmlicher*: assist: ***j-m bei et. ~*** help s.o. with (*od.* in) (doing) s.th.; ***~ gegen*** *Mittel etc*: be good for; ***er weiß sich zu ~*** he can manage (*bsd. Br.* cope); ***es hilft nichts*** it's no use.

'**Helfer** *m* (*-s*; -) helper, assistant; '**~shelfer** *m* accomplice.

Helgoland ['hɛlgolant] Heligoland.

hell [hɛl] *adj Licht etc*: bright; *Farbe*: light; *Kleid etc*: light-colo(u)red; *Klang*: clear; *Bier*: pale; *fig. intelligent*: bright, clever: ***es wird schon ~*** it's getting light already; '**~blau** *adj* light-blue; '**~blond** *adj* very fair; '**Ωseher** *m* (*-s*; -) clairvoyant.

Helm [hɛlm] *m* (-[*e*]*s*; *-e*) helmet.

Hemd [hɛmt] *n* (-[*e*]*s*; *-en*) shirt; *Unter*Ω: *Br.* vest, *Am.* undershirt.

Hemisphäre [hemi'sfɛ:rə] *f* (-; *-n*) hemisphere.

hemm|en ['hɛmən] *v/t* (*h*) *Bewegung etc*: check, stop; *behindern*: hamper: → ***gehemmt***; '**Ωung** *f* (-; *-en*) *psych.* inhibition; *moralische*: scruple; '**~ungslos** *adj* unrestrained; *skrupellos*: unscrupulous.

Hengst [hɛŋst] *m* (-[*e*]*s*; *-e*) *zo.* stallion.

Henkel ['hɛŋkəl] *m* (*-s*; -) handle.

Henne ['hɛnə] *f* (-; *-n*) hen.

her [he:r] *adv*: ***das ist lange ~*** that was a

long time ago.

herab|lassen [hɛ'rap-] *v/refl* (*irr, sep, -ge-, h,* → ***lassen***) *fig.* condescend, deign (***zu tun*** to do); **~lassend** *adj* condescending; **~sehen** *v/i* (*irr, sep, -ge-, h,* → ***sehen***): *fig.* **~ *auf*** (*acc*) look down on; **~setzen** *v/t* (*sep, -ge-, h*) reduce; *fig.* disparage: ***zu herabgesetzten Preisen*** at reduced prices.

herauf|beschwören [hɛ'rauf-] *v/t* (*irr, sep, no -ge-, h,* → ***schwören***) cause, provoke; **~kommen** *v/i* (*irr, sep, -ge-, sn,* → ***kommen***) come up.

heraus|bekommen [hɛ'raus-] *v/t* (*irr, sep, no -ge-, h,* → ***kommen***) get out; *fig.* find out: ***10 Euro~*** get back 10 euros change; **~bringen** *v/t* (*irr, sep, -ge-, h,* → ***bringen***) bring out; *veröffentlichen*: *a.* publish; *auf den Markt bringen*: *a.* launch; *thea.* stage; *fig.* find out; **~finden** *v/t* (*irr, sep, -ge-, h,* → ***finden***) find; *fig.* find out, discover; **~fordern** *v/t* (*sep, -ge-, h*) challenge (***zu*** to; ***zu tun*** to do); *provozieren*: provoke; **2forderung** *f* (-; *-en*) challenge; provocation; **~geben** (*irr, sep, -ge-, h,* → ***geben***) **1.** *v/t zurückgeben*: give back; *ausliefern*: give up; *Buch etc*: publish; *Vorschriften, Briefmarken etc*: issue: ***j-m 10 Euro~*** give s.o. 10 marks change; **2.** *v/i*: ***können Sie*** (***mir***) ***auf 100 Euro~?*** have you got change for 100 marks?; **2geber** *m* (*-s*; -) publisher; **~kommen** *v/i* (*irr, sep, -ge-, sn,* → ***kommen***) come out; *veröffentlicht werden*: *a.* be published; *auf den Markt kommen*: *a.* be launched; *Briefmarken etc*: be issued: ***groß~*** be a great success; **~reden** *v/refl* (*sep, -ge-, h*) talk one's way out (***aus*** of); **~stellen** *v/refl* (*sep, -ge-, h*): ***sich ~ als*** turn out (*od.* prove) to be; **~strecken** *v/t* (*sep, -ge-, h*) stick out (***aus*** of); **~suchen** *v/t* (*sep, -ge-, h*) pick out: ***j-m et. ~*** find s.o. s.th.

herb [hɛrp] *adj Wein*: dry; *Enttäuschung, Verlust*: bitter.

Herberg|e ['hɛrbɛrgə] *f* (-; *-n*) *Jugend2*: youth hostel; **'~smutter**, **'~svater** *m* warden.

Herbst [hɛrpst] *m* (*-[e]s*; *-e*) autumn, *Am. a.* fall: ***im ~*** in autumn, *Am. a.* in the fall; **'2lich** *adj* autumn(al), *Am. a.* fall.

Herd [he:rt] *m* (*-[e]s*; *-e*) cooker, stove; *fig.* cent|re (*Am.* -er); *med.* focus, seat.

Herde ['he:rdə] *f* (-; *-n*) *Vieh2, Schweine2 etc*: herd (*a. fig. contp.*); *Schaf2, Gänse2 etc*: flock.

herein [hɛ'raın] *adv*: **~!** come in!; **~fallen** *v/i* (*irr, sep, -ge-, sn,* → ***fallen***): *fig.* **~ *auf*** (*acc*) be taken in by; **~kommen** *v/i* (*irr, sep, -ge-, sn,* → ***kommen***) come in; **~legen** *v/t* (*sep, -ge-, h*) *fig.* take in.

'her|fallen *v/i* (*irr, sep, -ge-, sn,* → ***fallen***): **~ *über*** (*acc*) attack (*a. fig.*); F *fig.* pull to pieces; **'2gang** *m* (*-[e]s*; *no pl*): ***j-m den ~ schildern*** tell s.o. what (*od.* how it) happened; **'~geben** (*irr, sep, -ge-, h,* → ***geben***) **1.** *v/t* give up, part with; **2.** *v/refl*: ***sich ~ zu*** lend o.s. to.

Hering ['he:rıŋ] *m* (*-s*; *-e*) *zo.* herring.

'her|kommen *v/i* (*irr, sep, -ge-, sn,* → ***kommen***) come here: **~ *von*** come from; *fig. a.* be caused by; **~kömmlich** ['-kœmlıç] *adj* conventional; **2kunft** ['-kʊnft] *f* (-; *no pl*) origin; *Person*: *a.* birth, descent; **'2kunftsland** *n* country of origin.

Herr [hɛr] *m* (*-[e]n*; *-en*) gentleman; *eccl.* Lord: **~ *Brown*** Mr Brown; **~ *der Lage*** master of the situation.

'Herren|bekleidung *f* men's wear; **'~fri,seur** *m* barber, men's hairdresser; **'2los** *adj Tier*: stray; *Fahrzeug etc*: abandoned; **'~mode** *f* men's fashion; **'~toi,lette** *f* men's toilet.

'herrichten *v/t* (*sep, -ge-, h*) get ready.

herrlich ['hɛrlıç] *adj* marvel(l)ous, wonderful, F fantastic.

'Herrschaft *f* (-; *no pl*) rule; *Macht*: power: ***die ~ verlieren über*** (*acc*) lose control of.

herrsch|en ['hɛrʃən] *v/i* (*a. v/impers*) (*h*) rule (***über*** *acc* over): ***es herrschte ...*** *Freude etc*: there was ...; **'2er** *m* (*-s*; -) ruler, sovereign, monarch; **'~süchtig** *adj* domineering, F bossy.

'herrühren *v/i* (*sep, -ge-, h*): **~ *von*** come from, be due to.

'herstell|en *v/t* (*sep, -ge-, h*) make, manufacture, produce; *fig.* establish; **'2er** *m* (*-s*; -) manufacturer, producer; **'2ung** *f* (-; *no pl*) manufacture, production; *fig.* establishment; **'2ungskosten** *pl* production costs *pl.*

herüberkommen [hɛ'ry:bər-] *v/i* (*irr, sep, -ge-, sn,* → ***kommen***) come over.

herum [hɛ'rʊm] *adv*: ***um Ostern ~*** around Easter; → ***andersherum***;

~führen *v/t* (*sep*, *-ge-*, *h*): ***j-n*** (***in*** *der Stadt etc*) **~** show s.o. (a)round (the town *etc*); **~kommen** *v/i* (*irr*, *sep*, *-ge-*, *sn*, → ***kommen***): *fig.* **~ *um*** get out of, avoid; **~kriegen** *v/t* (*sep*, *-ge-*, *h*) F talk round; **~lungern** *v/i* (*sep*, *-ge-*, *h*) loaf (*od.* hang) around; **~reichen** *v/t* (*sep*, *-ge-*, *h*) pass (*od.* hand) round; **~sprechen** *v/refl* (*irr*, *sep*, *-ge-*, *h*, → ***sprechen***) get around.

herunter|brechen [hɛˈrʊntər-] *v/t Zahlen, Kalkulation etc.*: break down; **~gekommen** *adj* run-down; *schäbig*: seedy, shabby; **~kommen** *v/i u. v/t* (*irr*, *sep*, *-ge-*, *sn*, → ***kommen***) come down: ***die Treppe* ~** *a.* come downstairs; → ***heruntergekommen***; **~laden** *v/t* (*irr*, *sep*, *-ge-*, *h*, → ***laden***) *Computer*: download; **~spielen** *v/t* (*sep*, *-ge-*, *h*) F *fig.* play down.

hervor|gehen [hɛrˈfoːr-] *v/i* (*irr*, *sep*, *-ge-*, *sn*, → ***gehen***): *fig.* **~ *aus*** follow from; **~heben** *v/t* (*irr*, *sep*, *-ge-*, *h*, → ***heben***) *fig.* stress, emphasize; **~ragend** *adj fig.* outstanding, excellent, superior; *Bedeutung*, *Persönlichkeit*: prominent, eminent; **~rufen** *v/t* (*irr*, *sep*, *-ge-*, *h*, → ***rufen***) *fig.* cause, bring about; *Problem etc*: *a.* create; **~stechend** *adj fig.* striking; **~tun** *v/refl* (*irr*, *sep*, *-ge-*, *h*, → ***tun***) distinguish o.s. (***als*** as).

Herz [hɛrts] *n* (*-ens*; *-en*) *anat.* heart (*a. fig.*); *Kartenspiel*: (*Farbe*) hearts *pl*, (*Karte*) heart: ***sich ein* ~ *fassen*** take heart; ***mit ganzem* ~*en*** whole-heartedly; ***sich et. zu* ~*en nehmen*** take s.th. to heart; ***es nicht übers* ~ *bringen zu*** not have the heart to; ***et. auf dem* ~*en haben*** have s.th. on one's mind; ***ins* ~ *schließen*** take to one's heart; **ˈ~anfall** *m med.* heart attack.

ˈHerzens|lust *f*: ***nach* ~** to one's heart's content; **ˈ~wunsch** *m* dearest wish.

ˈherz|ergreifend *adj* deeply moving; **ˈ𝟐fehler** *m med.* cardiac (*od.* heart) defect; **ˈ~haft** *adj* hearty; **ˈ~ig** *adj* sweet, lovely, *Am. a.* cute; **ˈ𝟐inˌfarkt** *m med.* heart attack, F coronary; **ˈ𝟐klopfen** *n* (*-s*): ***er hatte* ~** his heart was pounding (***vor*** *dat* with); **ˈ~krank** *adj* suffering from a heart condition; **ˈ~lich 1.** *adj* cordial, hearty; *Empfang*, *Lächeln etc*: *a.* warm, friendly: → ***Gruß***; **2.** *adv*: **~ *gern*** with pleasure; **ˈ~los** *adj* heartless.

Herzog [ˈhɛrtsoːk] *m* (*-s*; *⸚e*) duke; **~in** [ˈ-gɪn] *f* (*-*; *-nen*) duchess.

ˈHerz|schlag *m* heartbeat; *med.* heart failure; **ˈ~schrittmacher** *m med.* (cardiac) pacemaker; **ˈ~verpflanzung** *f med.* heart transplant; **ˈ~versagen** *n med.* heart failure; **ˈ𝟐zerreißend** *adj* heart-rending.

Hessen [ˈhɛsən] Hesse.

Heu [hɔʏ] *n* (*-[e]s*; *no pl*) hay; **ˈ~boden** *m* hayloft.

Heuch|elei [ˈhɔʏçəˈlaɪ] *f* (*-*; *-en*) hypocrisy; *Bemerkung*: hypocritical remark; **ˈ~ler** *m* (*-s*; *-*) hypocrite; **ˈ𝟐lerisch** *adj* hypocritical.

heuer [ˈhɔʏər] *adv* this year.

heuern [ˈhɔʏərn] *v/t* (*h*) *mar.* hire.

heulen [ˈhɔʏlən] *v/i* (*h*) howl; F *contp. weinen*: bawl; *mot.* roar; *Sirene*: whine.

ˈHeu|schnupfen *m med.* hay fever; **ˈ~schrecke** *f zo.* grasshopper, locust.

heut|e [ˈhɔʏtə] *adv* today: **~ *Abend*** this evening, tonight; **~ *früh*, ~ *Morgen*** this morning; **~ *in acht Tagen*** a week from now, *Br. a.* today week; **~ *vor acht Tagen*** a week ago today; → ***Mittag***; **ˈ~ig** *adj* today's; *gegenwärtig*: of today, present(-day); **ˈ~zutage** *adv* nowadays, these days.

Hexe [ˈhɛksə] *f* (*-*; *-n*) witch (*a. fig.*): ***alte* ~** (old) hag; **ˈ~nkessel** *m fig.* inferno; **ˈ~nschuss** *m med.* lumbago.

Hieb [hiːp] *m* (*-[e]s*; *-e*) blow, stroke; *Faust𝟐*: *a.* punch: **~*e pl*** beating *sg*, thrashing *sg*.

hier [hiːr] *adv* here; *anwesend*: present: **~ *entlang!*** this way; **~ *bleiben*** → **ˈ~bleiben** *v/i* (*irr*, *sep*, *-ge-*, *sn*, → ***bleiben***) stay here; **~her** *adv*: **~ *gehören*** belong here: *fig.* ***das gehört nicht* ~** that's irrelevant.

hiesig [ˈhiːzɪç] *adj* local.

Hilfe [ˈhɪlfə] *f* (*-*; *-n*) help; *Beistand*: aid (*a. econ.*), assistance (*a. med.*), relief (***für*** to): ***j-m Erste* ~ *leisten*** give s.o. first aid; ***um* ~ *rufen*** cry for help; ***mit* ~** → ***mithilfe***; **~!** help!; **ˈ~ruf** *m* cry for help; **ˈ~stellung** *f* (*-*; *no pl*) support (*a. fig.*).

ˈhilf|los *adj* helpless; **ˈ~reich** *adj* helpful.

ˈHilfs|aktiˌon *f* relief action; **ˈ~arbeiter** *m* unskilled worker; *am Bau etc*: labo(u)rer; **ˈ𝟐bedürftig** *adj* needy; **ˈ𝟐bereit** *adj* helpful, ready to help; '**~bereitschaft** *f* readiness to help, helpfulness; '**~mittel** *n* aid; '**~organisati,on** *f* relief organization.

Himbeere ['hɪmbeːrə] *f* (-; *-n*) raspberry.

Himmel ['hɪməl] *m* (*-s*; -) sky; *eccl., fig.* heaven: ***am ~*** in the sky; ***im ~*** in heaven; ***um ~s willen*** for Heaven's sake; → ***heiter***; '**Ꝏblau** *adj* sky-blue; '**~fahrt** *f* (-; *no pl*) *eccl. Christi ~*: Ascension Day; *Mariä ~*: Assumption Day; '**~fahrtskom,mando** *n* suicide mission.

'**Himmels|körper** *m* celestial body; '**~richtung** *f* direction; *Kompass*: cardinal point.

himmlisch ['hɪmlɪʃ] *adj* heavenly; *fig. a.* marvel(l)ous.

hin [hɪn] *adv*: ***bis ~ zu*** as far as; ***noch lange ~*** still a long way off; ***auf s-e Bitte*** (***s-n Rat***) ~ at his request (advice); ***~ u. her*** to and fro, back and forth; ***~ u. wieder*** now and then; ***~ u. zurück*** there and back; *Fahrkarte*: *Br.* return, *bsd. Am.* round trip; ***~ sein*** F *kaputt sein*: have had it; '**~arbeiten** *v/i* (*sep, -ge-, h*): ***~ auf*** (*acc*) work for (*od.* towards).

hinaufgehen [hɪ'naʊf-] *v/i u. v/t* (*irr, sep, -ge-, sn,* → ***gehen***) go up: ***die Treppe ~*** *a.* go upstairs.

hinaus|gehen [hɪ'naʊs-] *v/i* (*irr, sep, -ge-, sn,* → ***gehen***) go out: ***~ über*** (*acc*) go beyond; ***~ auf*** (*acc*) *Fenster etc*: look out on; **~laufen** *v/i* (*irr, sep, -ge-, sn,* → ***laufen***) run out: ***~ auf*** (*acc*) come (*od.* amount) to; **~schieben** *v/t* (*irr, sep, -ge-, h,* → ***schieben***) put off, postpone; **~werfen** *v/t* (*irr, sep, -ge-, h,* → ***werfen***) throw out (***aus*** of); *fig. a.* kick out; *entlassen*: *a.* (give *s.o.* the) sack, fire; **~wollen** *v/i* (*irr, sep, -ge-, h,* → ***wollen***): ***~ auf*** (*acc*) aim (*bsd. mit Worten*: drive *od.* get) at.

'**Hin|blick** *m*: ***im ~ auf*** (*acc*) in view of, with regard to; '**Ꝏbringen** *v/t* (*irr, sep, -ge-, h,* → ***bringen***) take there.

hinder|n ['hɪndərn] *v/t* (*h*): ***~ an*** (*dat*) prevent from; '**Ꝏnis** *n* (*-ses*; *-se*) obstacle (*a. fig.*).

hin'durch *adv*: ***das ganze Jahr*** *etc* ~ throughout the year *etc.*

hineingehen [hɪ'naɪn-] *v/i* (*irr, sep, -ge-, sn,* → ***gehen***) go in(to ***in*** *acc*).

'**hin|fallen** *v/i* (*irr, sep, -ge-, sn,* → ***fallen***) fall (down); '**~fällig** *adj gegenstandslos*: irrelevant; '**~halten** *v/t* (*irr, sep, -ge-, h,* → ***halten***) *j-n*: put *s.o.* off.

hinken ['hɪŋkən] *v/i* (*h*) (walk with a) limp.

hin|kommen *v/i* (*irr, sep, -ge-, sn,* → ***kommen***) get there; '**~kriegen** *v/t* (*sep, -ge-, h*) F manage; '**~länglich** *adj* sufficient; '**~legen** (*sep, -ge-, h*) **1.** *v/t* lay (*od.* put) down; **2.** *v/refl* lie down; '**~nehmen** *v/t* (*irr, sep, -ge-, h,* → ***nehmen***) *ertragen*: put up with; '**~reißen** *v/t* (*irr, sep, -ge-, h,* → ***reißen***) carry away; '**~reißend** *adj* enchanting; *Schönheit*: breathtaking; '**~richten** *v/t* (*sep, -ge-, h*) execute; '**Ꝏrichtung** *f* (-; *-en*) execution; '**~setzen** *v/refl* (*sep, -ge-, h*) sit down; '**Ꝏsicht** *f* (-; *no pl*) respect: ***in gewisser ~*** in a way; '**~sichtlich** *prp* with regard to; '**~stellen** *v/t* (*sep, -ge-, h*) *abstellen*: put down: *j-n, et.* ***~ als*** make out to be.

hinten ['hɪntən] *adv* at the back, *im Auto etc*: in the back: ***von ~*** from behind.

hinter ['hɪntər] *prp* (*acc od. dat*) behind; **Ꝏbliebenen** [-'bliːbənən] *pl the* bereaved *pl, bsd. jur.* surviving dependents *pl*; **~ein'ander** *adv* one after the other: ***dreimal ~*** three times in a row; '**Ꝏgedanke** *m* ulterior motive; '**Ꝏgrund** *m* (-[*e*]*s*; *⸚e*) background (*a. fig.*); **~'her** *adv zeitlich*: afterwards; '**Ꝏhof** *m* backyard; '**Ꝏkopf** *m* back of the head; '**Ꝏland** *n* (-[*e*]*s*; *no pl*) hinterland; **~'lassen** *v/t* (*irr, insep, no -ge-, h,* → ***lassen***) leave (behind); **Ꝏ'lassenschaft** *f* (-; *-en*) estate; **~legen** *v/t* (*insep, no -ge-, h*) deposit (***bei*** with); '**Ꝏn** *m* (*-s*; -) F bottom, backside, behind; **~rücks** ['-rʏks] *adv* from behind; '**Ꝏseite** *f* back; '**Ꝏteil** *n* F → ***Hintern***; '**Ꝏtreppe** *f* back stairs *pl*; '**Ꝏtür** *f* back door; **~'ziehen** *v/t* (*irr, insep, no -ge-, h,* → ***ziehen***) *Steuern*: evade; '**Ꝏzimmer** *n* back room.

hinuntergehen [hɪ'nʊntər-] *v/i u. v/t* (*irr, sep, -ge-, sn,* → ***gehen***) go down: ***die Treppe ~*** *a.* go downstairs.

'**Hinweg** *m* way there.

hinweg|kommen [hɪn'vɛk-] *v/i* (*irr, sep, -ge-, sn,* → ***kommen***): ***~ über*** (*acc*) get over (*a. fig.*); **~sehen** *v/i* (*irr, sep, -ge-, h,* → ***sehen***): ***~ über*** (*acc*) *ignorieren*: ignore; **~setzen** *v/refl* (*sep, -ge-, h*): ***sich ~ über*** (*acc*) ignore, disregard.

Hinweis ['hɪnvaɪs] *m* (*-es*; *-e*) *Verweis*:

reference (***auf*** *acc* to); *Wink*: hint, tip (as to, regarding); *Anzeichen*: indication (of), clue (as to); '**∼en** (*irr*, *sep*, *-ge-*, *h*, → ***weisen***) **1.** *v/t*: ***j-n ∼ auf*** (*acc*) draw (*od.* call) s.o.'s attention to; **2.** *v/i*: ***∼ auf*** (*acc*) point to, indicate; *fig.* point out, indicate; *anspielen*: hint at; '**∼schild** *n*, '**∼tafel** *f* sign, notice.

'**hin|werfen** *v/t* (*irr*, *sep*, *-ge-*, *h*, → ***werfen***) F *Job*: chuck (in); '**∼ziehen** *v/refl* (*irr*, *sep*, *-ge-*, *h*, → ***ziehen***) *räumlich*: extend (***bis zu*** to), stretch (to); *zeitlich*: drag on.

hinzu|fügen [hɪn'tsuːfyːgən] *v/t* (*sep*, *-ge-*, *h*) add (***zu*** to) (*a. fig.*); **∼kommen** *v/i* (*irr*, *sep*, *-ge-*, *sn*, → ***kommen***) *noch ∼*: be added: ***hinzu kommt, dass*** add to this, … and what is more, …; **∼ziehen** *v/t* (*irr*, *sep*, *-ge-*, *h*, → ***ziehen***) *Arzt*, *Experten etc*: call in, consult.

Hirn [hɪrn] *n* (*-[e]s*; *-e*) *anat.* brain; *fig.* brain(s *pl*), mind.

Hirsch [hɪrʃ] *m* (*-es*, *-e*) *zo.* stag.

hissen ['hɪsən] *v/t* (*h*) *Flagge*, *Segel*: hoist.

Histori|ker [hɪs'toːrɪkər] *m* (*-s*; *-*) historian; **∼sch** [∼rɪʃ] *adj* historical; *Ereignis etc*: historic.

Hitze ['hɪtsə] *f* (*-*; *no pl*) heat; '**∼welle** *f* heat wave.

'**hitz|ig** *adj* hot-tempered; *Debatte*: heated; '**∼kopf** *m* hothead; '**∼schlag** *m med.* heat stroke.

HIV|-negativ [haːiːfaʊ'∼] *adj med.* HIV-negative; **∼-'positiv** *adj med.* HIV-positive.

hoch [hoːx] **1.** *adj* high; *Baum*, *Haus etc*: tall; *Strafe*: heavy, severe; *Gast etc*: distinguished; *Alter*: great, old; *Schnee*: deep: ***in hohem Maße*** highly, greatly; ***das ist mir zu ∼*** that's above me; **2.** *adv*: ***3000 Meter ∼*** *fliegen etc* at a height of 3,000 met|res (*Am.* -ers).

Hoch [∼] *n* (*-s*; *-s*) *meteor.* high (*a. fig.*).

'**Hoch|achtung** *f* (deep) respect (***vor*** *dat* for); '**∼achtungsvoll** *adv Brief*: Yours faithfully; '**∼bau** *m* (*-[e]s*; *no pl*): ***Hoch- u. Tiefbau*** structural and civil engineering; '**∼betrieb** *m* (*-[e]s*; *no pl*) rush; '**∼deutsch** *adj* High (*od.* standard) German; '**∼druck** *m meteor.*, *phys.* high pressure; '**∼druckgebiet** *n meteor.* high-pressure area; '**∼ebene** *f* plateau, tableland; '**∼form** *f* (*-*; *no pl*): ***in ∼*** in top form (*od.* shape); '**∼fre,quenz** *f electr.* high frequency; '**∼gebirge** *n* high mountains *pl*; '**∼genuss** *m* (real) treat; '**∼haus** *n* high rise, *Br. a.* tower block; '**∼konjunk,tur** *f econ.* boom; '**∼land** *n* highlands *pl*; '**∼ofen** *m tech.* blast furnace; '**∼pro,zentig** *adj Schnaps etc*: high-proof; *Lösung*: highly concentrated; '**∼sai,son** *f* high season; '**∼schulabschluss** *m* degree; '**∼schule** *f* college; *Universität*: university; '**∼sommer** *m* midsummer: ***im ∼*** in midsummer; '**∼spannung** *f electr.* high tension (*a. fig.*), high voltage; '**∼spielen** *v/t* (*sep*, *-ge-*, *h*) F *fig.* play up; '**∼sprung** *m* (*-[e]s*; *no pl*) high jump.

höchst [høːçst] **1.** *adj* highest; *fig. a.* supreme; *äußerst*: extreme; **2.** *adv* highly, most, extremely.

Hochstapler ['∼ʃtaːplər] *m* (*-s*; *-*) impostor.

'**höchstens** *adv* at (the) most, at best.

'**Höchst|geschwindigkeit** *f* top speed; *Begrenzung*: speed limit; '**∼maß** *n* maximum (***an*** *dat* of); '**∼preis** *m* maximum price: ***zum ∼*** at the highest price; '**∼stand** *m* highest level; **∼wahr'scheinlich** *adv* most likely (*od.* probably).

'**Hoch|wasser** *n* (*-s*; *no pl*) high tide; *Überschwemmung*: flood; '**∼wertig** *adj* high-grade, high-quality.

Hochzeit ['hɔxtsaɪt] *f* (*-*; *-en*) wedding; '**∼skleid** *n* wedding dress; '**∼snacht** *f* wedding night; '**∼sreise** *f* honeymoon (trip); '**∼stag** *m* wedding day; *Jahrestag*: wedding anniversary.

hocke|n ['hɔkən] *v/i* (*h*) squat, crouch; F sit; '**∼r** *m* (*-s*; *-*) stool.

Hockey ['hɔke] *n* (*-s*; *no pl*) *Sport*: hockey, *Am.* field hockey.

Hoden ['hoːdən] *m* (*-s*; *-*) *anat.* testicle.

Hof [hoːf] *m* (*-[e]s*; *¨e*) yard; *agr.* farm; *Innen∼*: court(yard); *Fürsten∼*: court: ***bei ∼*** at court; '**∼dame** *f* lady-in-waiting.

hoffen ['hɔfən] *v/i u. v/t* (*h*) hope (***auf*** *acc* for); *zuversichtlich*: trust (in): ***das Beste ∼*** hope for the best; ***ich hoffe es*** I hope so; ***ich hoffe nicht, ich will es nicht ∼*** I hope not; '**∼tlich** *adv* I hope, let's hope, hopefully.

Hoffnung ['hɔfnʊŋ] *f* (*-*; *-en*) hope (***auf*** *acc* of): ***sich ∼en machen*** have hopes; ***die ∼ aufgeben*** lose hope; '**∼slos** *adj* hopeless; '**∼svoll** *adj* hopeful; *viel ver-*

H

sprechend: promising.

höflich ['hø:flıç] *adj* polite; '**ˆkeit** *f* (-; *no pl*) politeness.

Höhe ['hø:ə] *f* (-; *-n*) height; *aer.*, *ast.*, *geogr.* altitude; *An*ˆ: hill; *Gipfel*: peak (*a. fig.*); *e-r Summe*, *Strafe etc*: amount; *Niveau*: level; *Ausmaß*: extent: ***auf gleicher ~ mit*** on a level with; ***in die ~*** up; ***ich bin nicht ganz auf der ~*** I'm not feeling up to the mark.

Hoheit ['ho:haıt] *f* (-; *-en*) *pol.* sovereignty; *Titel*: Highness; '**~sgebiet** *n* territory; '**~sgewässer** *pl* territorial waters *pl*; '**~szeichen** *n* national emblem.

Höhen|luft *f* (-; *no pl*) mountain air; '**~sonne** *f med.* ultraviolet (*od.* sun) lamp.

'**Höhepunkt** *m* climax (*a. thea. u. sexuell*), culmination, height, peak; *e-s Abends etc*: highlight.

hohl [ho:l] *adj* hollow (*a. fig.*).

Höhle ['hø:lə] *f* (-; *-n*) cave, cavern.

'**Hohl|maß** *n* measure of capacity; '**~raum** *m* hollow, cavity.

Hohn [ho:n] *m* (-[*e*]*s*; *no pl*) derision, scorn.

höhnisch ['hø:nıʃ] *adj* derisive, scornful.

Holdinggesellschaft ['ho:ldıŋ-] *f econ.* holding company.

holen ['ho:lən] *v/t* (*h*) (go and) get, fetch, go for; *Polizei*, *ans Telefon*: call: ***~ lassen*** send for; ***sich ~*** *Krankheit etc*: catch, get; *Rat etc*: seek; → ***Atem***, ***Luft***.

Holland ['hɔlant] Holland.

Holländ|er ['hɔlɛndər] *m* (-*s*; -) Dutchman: ***die ~*** *pl* the Dutch *pl*; '**~erin** *f* (-; *-nen*) Dutchwoman; **ˆisch** ['-dıʃ] *adj* Dutch.

Hölle ['hœlə] *f* (-; *-n*) hell: ***in die ~ kommen*** go to hell; '**~nlärm** *m a* hell of a noise.

höllisch ['hœlıʃ] *adj* infernal (*a. fig.*).

holperig ['hɔlpərıç] *adj* bumpy, rough, uneven.

Holz [hɔlts] *n* (-*es*; *¨er*) wood; *Nutz*ˆ: timber, *Am. a.* lumber: ***aus ~*** (made of) wood, wooden.

hölzern ['hœltsərn] *adj* wooden; *fig. a.* clumsy.

'**Holz|weg** *m fig.*: ***auf dem ~ sein*** be on the wrong track; '**~wolle** *f* woodwool, *Am. a.* excelsior.

Homo ['ho:mo] *m* (-*s*; -*s*) F gay; *contp.* queer; **~ehe** *f* gay marriage, same-sex marriage.

homöopathisch [homøo'pa:tıʃ] *adj med.* hom(o)eopathic.

homosexu'ell [homo-] *adj* homosexual; **ˆe** *m* (-*n*; -*n*) homosexual.

Hongkong ['hɔŋkɔŋ] Hong Kong.

Honig ['ho:nıç] *m* (-*s*; -*e*) honey.

Honorar [hono'ra:r] *n* (-*s*; -*e*) fee.

Hopfen ['hɔpfən] *m* (-*s*; *no pl*) *bot.* hop.

hörbar ['hø:rbar] *adj* audible.

horche|n ['hɔrçən] *v/i* (*h*) listen (***auf*** *acc* to); *heimlich*: eavesdrop; '**ˆr** *m* (-*s*; -) eavesdropper.

Horde ['hɔrdə] *f* (-; *-n*) horde (*a. zo.*); *contp. a.* mob, gang.

hör|en ['hø:rən] *v/i u. v/t* (*h*) hear; *an~*, *Radio*, *Musik etc*: listen to; *gehorchen*: obey, listen: ***~ auf*** (*acc*) listen to; ***von j-m ~*** hear from (*durch Dritte*: of, about) s.o.; ***er hört schwer*** his hearing is bad; ***hör*(*t*) *mal!*** listen!; *erklärend*: *a.* look (here)!; ***nun*** (*od.* ***also***) ***hör*(*t*) *mal!*** *Einwand*: wait a minute!, now look (*od.* listen) here!; '**ˆer** *m* (-*s*; -) listener; *teleph.* receiver; '**ˆfehler** *m med.* hearing defect; '**ˆgerät** *n* hearing aid.

Horizont [hori'tsɔnt] *m* (-[*e*]*s*; -*e*) horizon (*a. fig.*): ***s-n ~ erweitern*** broaden one's mind (*od.* horizons); ***das geht über m-n ~*** that's beyond me; **ˆal** [-'ta:l] *adj* horizontal.

Hormon [hɔr'mo:n] *n* (-*s*; -*e*) hormone.

Horn [hɔrn] *n* (-[*e*]*s*; *¨er*) horn; '**~haut** *f* hard skin; *Auge*: cornea.

Hornisse [hɔr'nısə] *f* (-; *-n*) *zo.* hornet.

Horoskop [horo'sko:p] *n* (-*s*; -*e*) horoscope.

Horrorfilm ['hɔrɔr-] *m* horror film.

'**Hör|saal** *m* lecture hall; '**~spiel** *n* radio play; '**~weite** *f* (-; *no pl*): ***in*** (***außer***) ***~*** within (out of) earshot.

Höschen ['hø:sçən] *n* (-*s*; -) *Slip*: (***ein ~*** a pair of) panties *pl*.

Hose ['ho:zə] *f* (-; *-n*) (***e-e ~*** a pair of) trousers *pl*, *bsd. Am.* pants *pl*; '**~nrock** *m* (***ein ~*** a pair of) culottes *pl*, divided skirt; '**~nschlitz** *m* fly; '**~nträger** *pl* (a pair of) braces *pl* (*Am.* suspenders *pl*).

Hotel [ho'tɛl] *n* (-*s*; -*s*) hotel: ***~ garni*** bed-and-breakfast hotel; **~di,rektor** *m* hotel manager; **~gewerbe** *n* hotel industry; **~verzeichnis** *n* list of hotels; **~zimmer** *n* hotel room.

Hubraum ['hu:p-] *m mot.* cubic capacity.

hübsch [hʏpʃ] *adj* pretty, nice(-looking), *bsd. Am. a.* cute; *Geschenk etc*: nice, lovely.

Hubschrauber ['hu:p-] *m (-s; -) aer.* helicopter; '**~landeplatz** *m* heliport.

Huckepackverkehr ['hʊkəpak-] *m* pick-a-back traffic.

Hüft|e ['hʏftə] *f (-; -n) anat.* hip; '**~gelenk** *n* hip joint; '**~hose** *f* hip huggers *pl*, hipsters *pl*.

Hügel ['hy:gəl] *m (-s; -)* hill(ock); '**⁀ig** *adj* hilly.

Huhn [hu:n] *n (-[e]s; ⁼er) zo.* chicken: *Henne*: hen.

Hühnchen ['hy:nçən] *n (-s; -)* chicken: ***ein ~ zu rupfen haben mit*** have a bone to pick with.

Hühner|auge ['hy:nər-] *n med.* corn; '**~brühe** *f* chicken broth; '**~ei** *n* hen's egg; '**~farm** *f* poultry (*od.* chicken) farm.

Hülle ['hʏlə] *f (-; -n)* cover(ing), wrap(-ping); *Schutz⁀, Buch⁀, Platten⁀*: jacket; *Schirm⁀*: sheath: ***in ~ u. Fülle*** in abundance.

Hülsenfrüchte ['hʏlzən-] *pl* pulses *pl*.

human [hu'ma:n] *adj* humane; **~itär** [humani'tɛ:r] *adj* humanitarian; **⁀ität** [humani'tɛ:t] *f (-; no pl)* humanity.

Hummel ['hʊməl] *f (-; -n) zo.* bumblebee.

Hummer ['hʊmər] *m (-s; -) zo.* lobster.

Humor [hu'mo:r] *m (-s; no pl)* (sense of) humo(u)r; **⁀voll** *adj* humorous.

Hund [hʊnt] *m (-[e]s; -e) zo.* dog.

Hunde|hütte ['hʊndə-] *f* kennel, *Am. a.* doghouse; '**~kuchen** *m* dog biscuit; '**⁀müde** *adj* F dog-tired.

hundert ['hʊndərt] *adj* a (*od.* one) hundred: ***zu ⁀en*** by the hundreds; **⁀'jahrfeier** *f* centenary, *Am. a.* centennial.

Hündin ['hʏndɪn] *f (-; -nen)* bitch.

Hunger ['hʊŋər] *m (-s; no pl)* hunger: ***~ bekommen*** (***haben***) get (be) hungry; '**~lohn** *m* starvation wages *pl*; '**⁀n** *v/i (h)* go hungry, starve; '**~snot** *f* famine; '**~streik** *m* hunger strike.

hungrig ['hʊŋrɪç] *adj* hungry.

Hupe ['hu:pə] *f (-; -n) mot.* horn; '**⁀n** *v/i (h)* sound one's horn.

hüpfen ['hʏpfən] *v/i (sn)* hop; *Ball etc*: bounce.

'**Hupverbot** *n* ban on sounding one's horn, *Schild*: no horn signals.

Hürde ['hʏrdə] *f (-; -n) Leichtathletik*: hurdle (*a. fig.*).

Hure ['hu:rə] *f (-; -n)* whore.

huschen ['hʊʃən] *v/i (sn)* flit, dart.

hüsteln ['hy:stəln] *v/i (h)* cough slightly.

husten ['hu:stən] *v/i (h)* cough.

Husten [-] *m (-s; no pl)* cough: ***~ haben*** have a cough; '**~anfall** *m* coughing fit; '**~bon,bon** *m, n* cough drop; '**~saft** *m* cough syrup.

Hut[1] [hu:t] *m (-[e]s; ⁼e)* hat: ***das ist ein alter ~*** F that's old hat.

Hut[2] [-] *f (-; no pl)*: ***auf der ~ sein*** be on one's guard (***vor*** *dat* against).

hüten ['hy:tən] *(h)* **1.** *v/t Haus, Kind etc*: look after; **2.** *v/refl*: ***sich ~ vor*** (*dat*) be on one's guard against; ***sich ~, et. zu tun*** be careful not to do s.th.

Hütte ['hʏtə] *f (-; -n)* hut (*a. contp.*), cabin; *contp.* shack; *Berg⁀, Jagd⁀*: lodge.

Hydrant [hy'drant] *m (-en; -en)* hydrant.

hydraulisch [hy'draʊlɪʃ] *adj* hydraulic.

Hydrokultur ['hy:drokʊl,tu:r] *f (-; no pl)* hydroponics *pl (sg konstr.)*.

Hygien|e [hy'gĭe:nə] *f (-; no pl)* hygiene; **⁀isch** *adj* hygienic.

Hymne ['hʏmnə] *f (-; -n)* → ***Nationalhymne.***

Hypno|se [hyp'no:zə] *f (-; -n)* hypnosis; **~tiseur** [-noti'zø:r] *m (-s; -e)* hypnotist; **⁀tisieren** [-noti'zi:rən] *v/t (no ge-, h)* hypnotize.

Hypothek [hypo'te:k] *f (-; -en)* mortgage: ***e-e ~ aufnehmen*** raise a mortgage (***auf*** *acc* on); **~enzinsen** *pl* mortgage interest *sg*.

Hypothe|se [hypo'te:zə] *f (-; -n)* hypothesis; **⁀tisch** *adj* hypothetical.

Hysteri|e [hʏste'ri:] *f (-; no pl)* hysteria; **⁀sch** [-'te:rɪʃ] *adj* hysterical.

H

I

ich [ɪç] *pers pron* I: **~ *selbst*** (I) myself; **~ *bin's*** it's me.
ideal [ide'a:l] *adj* ideal.
Ideal [~] *n* (*-s*; *-e*) ideal; **~fall** *m* ideal case: ***im* ~** ideally; **~ismus** [~a'lɪsmʊs] *m* (*-*; *no pl*) idealism; **~ist** [~a'lɪst] *m* (*-en*; *-en*) idealist.
Idee [i'de:] *f* (*-*; *-n*) idea.
identi|fizieren [idɛntifi'tsi:rən] (*no ge-*, *h*) **1.** *v/t* identify; **2.** *v/refl*: ***sich* ~ *mit*** identify with; **~sch** *adj* identical; **2tät** [~'tɛ:t] *f* (*-*; *no pl*) identity; **~'tätskrise** *f* identity crisis.
Ideolog|ie [ideolo'gi:] *f* (*-*; *-n*) ideology; **2isch** [~'lo:gɪʃ] *adj* ideological.
Idiot [i'dĭo:t] *m* (*-en*; *-en*) idiot; **2isch** *adj* idiotic.
Idol [i'do:l] *n* (*-s*; *-e*) idol.
Idyll [i'dʏl] *n* (*-s*; *-e*), **~e** *f* (*-*; *-n*) idyll; **2isch** *adj* idyllic.
Igel ['i:gəl] *m* (*-s*; *-*) *zo.* hedgehog.
ignorieren [ɪgno'ri:rən] *v/t* (*no ge-*, *h*) ignore.
ihr [i:r] *poss pron* her; *pl* their: ***Ihr*** *sg u. pl* your; **'~et'wegen** *adv* for her (*pl* their) sake.
illegal ['ɪlega:l] *adj* illegal.
Illus|ion [ɪlu'zĭo:n] *f* (*-*; *-en*) illusion; **2orisch** [~'zo:rɪʃ] *adj* illusory.
Illu|stration [ilʊstra'tsĭo:n] *f* (*-*; *-en*) illustration; **2strieren** [~'tri:rən] *v/t* (*no ge-*, *h*) illustrate; **~s'trierte** *f* (*-n*; *-n*) magazine.
im [ɪm] (= ***in dem***) *prp*: **~ *Bett*** in bed; **~ *Kino*** at the cinema; → ***Erdgeschoss***, ***Februar*** *etc*.
Image ['ɪmɪtʃ] *n* (*-[s]*; *-s*) image.
Imbiss ['ɪmbɪs] *m* (*-es*; *-e*) snack; **'~stube** *f* snack bar.
imitieren [imi'ti:rən] *v/t* (*no ge-*, *h*) imitate.
immer ['ɪmər] *adv* always: **~ *mehr*** more and more; **~ *wieder*** again and again; → ***für***.
Immigrant [ɪmi'grant] *m* (*-en*; *-en*) immigrant.
Immission [ɪmɪ'sĭo:n] *f* (*-*; *-en*) (harmful effects *pl* of) noise, pollutants *pl*, *etc*; **~sschutz** *m* protection from noise, pollutants, *etc*.; **~swert** *m* pollution count.
Immobilien [ɪmo'bi:lĭən] *pl* real estate *sg*; **~makler** *m* (*Am.* real) estate agent, *Am. a.* realtor.
immun [ɪ'mu:n] *adj* immune (***gegen*** to); **2ität** [ɪmuni'tɛ:t] *f* (*-*; *no pl*) immunity.
Imperialis|mus [ɪmperĭa'lɪsmʊs] *m* (*-*; *no pl*) imperialism; **~t** *m* (*-en*; *-en*) imperialist; **2tisch** *adj* imperialist.
impf|en ['ɪmpfən] *v/t* (*h*) *med.* vaccinate (***gegen*** against), inoculate (against); **'2pass** *m*, **'2schein** *m* vaccination certificate; **'2stoff** *m* vaccine; **'2ung** *f* (*-*; *-en*) vaccination, inoculation.
imponieren [ɪmpo'ni:rən] *v/i* (*no ge-*, *h*): ***j-m* ~** impress s.o.
Import [ɪm'pɔrt] *m* (*-[e]s*; *-e*) import; *Importiertes*: imports *pl*; **~beschränkungen** *pl* import restrictions *pl*; **~eur** [~'tø:r] *m* (*-s*; *-e*) importer; **2ieren** [~'ti:rən] *v/t* (*no ge-*, *h*) import.
imposant [ɪmpo'zant] *adj* impressing, imposing.
improvisieren [ɪmprovi'zi:rən] *v/t u. v/i* (*no ge-*, *h*) improvise.
Impuls [ɪm'pʊls] *m* (*-es*, *-e*) impulse; *Anstoß*: *a.* stimulus; **2iv** [~'zi:f] *adj* impulsive.
im'stande *adj*: **~ *sein, et. zu tun*** be capable of doing s.th.
in [ɪn] *prp* **1.** *räumlich*: *wo?* (*dat*) in, at; *innerhalb*: within, inside; *wohin?* (*acc*) into, in: ***warst du schon mal in …?*** have you ever been to …?; → ***Schule***, ***Stadt***, ***überall*** *etc*; **2.** *zeitlich*: (*dat*) in, at, during: **~ *dieser*** (***der nächsten***) ***Woche*** this (next) week; **~ *diesem Alter*** (***Augenblick***) at this age (moment); → ***heute*** *etc*; **3.** *Art u. Weise etc*: (*dat*) in, at: → ***Eile***, ***gut*** 1 *etc*.
'inbegriffen *adj* included.
Inder ['ɪndər] *m* (*-s*; *-*) Indian.
Index ['ɪndɛks] *m* (*-es*; *-e*, *Indizes*) index.
Indianer [ɪn'dĭa:nər] *m* (*-s*; *-*) (American) Indian.
Indien ['ɪndĭən] India.

'**indirekt** *adj* indirect.
indisch ['ɪndɪʃ] *adj* Indian.
Indische(r) Ozean ['ɪndɪʃə(r)'oːtseaːn] *the* Indian Ocean.
'**indiskret** *adj* indiscreet; **ɷion** [-'tsĭoːn] *f* (-; -*en*) indiscretion.
indiskutabel ['ɪndɪskutaːbəl] *adj* out of the question.
Individualtourismus [ɪndividʊ'al-] *m* individual tourism
individuell [ɪndivi'dŭɛl] *adj* individual.
Indonesien [ɪndo'neːzĭən] Indonesia.
industrialisier|en [ɪndʊstrĭali'ziːrən] *v/t* (*no ge-*, *h*) industrialize; **ɷung** [-'ziːrʊŋ] *f* (-; *no pl*) industrialization.
Industrie [ɪndʊs'triː] *f* (-; -*n*) industry; **~gebiet** *n* industrial area; **ɷll** [-tri'ɛl] *adj* industrial; **~lle** [-tri'ɛlə] *m* (-*n*; -*n*) industrialist; **~spio,nage** *f* industrial espionage; **~staat** *m* industrial(ized) country (*od.* nation); **~- u. Handelskammer** *f* chamber of industry and commerce; **~zone** *f bsd. österreichisch, schweizerisch* industrial zone.
Infektion [ɪnfɛk'tsĭoːn] *f* (-; -*en*) *med.* infection; **~skrankheit** *f* infectious disease.
infizieren [ɪnfi'tsiːrən] (*no ge-*, *h*) **1.** *v/t* infect; **2.** *v/refl* get infected: ***sich ~ bei*** be infected by.
Inflation [ɪnfla'tsĭoːn] *f* (-; -*en*) *econ.* inflation; **ɷär** [-o'nɛːr] *adj* inflationary; **ɷsbereinigt** *adj* inflation-adjusted; after-inflation; **~srate** *f* inflation rate.
Infobrief ['ɪnfɔ-] *m* info letter.
in'folge *prp* owing (*od.* due) to; **~'dessen** *adv* consequently.
Informatik [ɪnfɔr'maːtɪk] *f* (-; *no pl*) computer science; **~er** *m* (-*s*; -) computer scientist.
Information [ɪnfɔrma'tsĭoːn] *f* (-; -*en*) information: ***die neuesten ~en*** *pl* the latest information *sg*; **~sbü,ro** *n* information office; **~sgesellschaft** *f* information society; **~smateri,al** *n* information(al literature); **~sschalter** *m* information desk.
informieren [ɪnfɔr'miːrən] *v/t* (*no ge-*, *h*) inform (***sich*** o.s.) (***über*** *acc* of, about): ***falsch ~*** misinform.
infrage *adv*: ***~ stellen*** question; *gefährden*: put in jeopardy; ***~ kommen*** be possible (*Person*: eligible); ***nicht ~ kommen*** be out of the question.
infra|rot ['ɪnfra-] *adj phys.* infrared; '**ɷstruk,tur** *f* infrastructure.
Ingenieur [ɪnʒe'nĭøːr] *m* (-*s*; -*e*) engineer.
Inhaber ['ɪnhaːbər] *m* (-*s*; -) owner, proprietor; *e-r Wohnung*: occupant; *e-s Ladens*: keeper; *e-s Amtes etc*: holder.
Inhalt ['ɪnhalt] *m* (-[*e*]*s*; -*e*) contents *pl*; *Raum*ɷ: volume, capacity; *fig. Sinn*: meaning; '**~sangabe** *f* summary; '**~sverzeichnis** *n Buch*: table of contents.
Initiative [initsĭa'tiːvə] *f* (-; -*n*) initiative: ***die ~ ergreifen*** take the initiative.
inklusiv|e [ɪnklu'ziːvə] *prp* including; **ɷpreis** [-'ziːf-] *m* all-inclusive price.
'**inkonsequen|t** *adj* inconsistent; '**ɷz** *f* inconsistency.
Inkrafttreten *n* (-*s*; *no pl*) coming into force, taking effect.
'**Inland** *n* (-[*e*]*s*; *no pl*) home (country); *Landesinnere*: inland; '**~flug** *m* domestic (*od.* internal) flight.
inländisch ['ɪnlɛndɪʃ] *adj* domestic, home.
in'mitten *prp* in the midst of.
innen ['ɪnən] *adv* inside; *im Haus*: indoors: ***nach ~*** inwards; '**ɷarchi,tekt** *m* interior designer; '**ɷarchitek,tur** *f* interior design; '**ɷmi,nister** *m* minister of the interior; *Br.* Home Secretary, *Am.* Secretary of the Interior; **ɷministerium** *n* ministry of the interior; *Br.* Home Office, *Am.* Department of the Interior; '**ɷpoli,tik** *f* domestic policy; *innere Angelegenheiten*: home (*od.* domestic) affairs *pl*; '**~politisch** *adj* domestic, internal; '**ɷseite** *f*: ***auf der ~*** (on the) inside; '**ɷstadt** *f* (city *od.* town) cent|re (*Am.* -er), *Am. a.* downtown: ***in der ~ von Chicago*** in downtown Chicago.
inner ['ɪnər] *adj* inner, inside, *med.*, *pol.* internal; '**~betrieblich** *adj* internal; '**~halb** *prp* within: ***~ der Arbeitszeit*** during working hours; '**~lich** *adj* internal (*a. med.*).
Innovation [ɪnova'tsĭoːn] *f* (-; -*en*) innovation; **~sschub** *m* surge of innovations; innovative impetus.
'**inoffizi,ell** *adj* unofficial.
ins [ɪns] (= ***in das***) *prp*: → ***Bett*** *etc.*
Insasse ['ɪnzasə] *m* (-*n*; -*n*) *mot. etc* passenger; *Anstalt etc*: inmate; '**~nversicherung** *f mot.* passenger insurance.
'**Inschrift** *f* (-; -*en*) inscription.

Insekt [ɪn'zɛkt] *n* (-[*e*]*s*; *-en*) *zo.* insect; **~enschutzmittel** *n* insect repellent; **~enstich** *m* insect bite.

Insel ['ɪnzəl] *f* (-; *-n*) island; '**~bewohner** *m* islander.

Inser|at [ɪnzə'ra:t] *n* (-[*e*]*s*; *-e*) advertisement, F ad; **2ieren** [-'ri:rən] *v/t u. v/i* (*no ge-, h*) advertise.

insge'samt *adv* altogether, in all.

Insider|geschäft ['insaɪdər-] *econ.* insider deal; '**~handel** *m* insider trading; '**~tipp** *m* insider tip.

'**insolvent** [ɪnzɔl'vɛnt] *adj econ.* insolvent

Insolvenz [ɪnzɔl'vɛnts] *f* (-; *-en*) *econ.* insolvency; **~antrag** *m application for insolvency proceedings*; **~verfahren** *n* insolvency proceedings; **~verwalter** *m* official receiver.

Inspekt|ion [ɪnspɛk'tsĭo:n] *f* (-; *-en*) inspection; *mot. a.* servicing; **~or** [ɪn'spɛktɔr] *m* (*-s*; *-en*) *Polizei*2: inspector.

inspizieren [ɪnspi'tsi:rən] *v/t* (*no ge-, h*) inspect.

Install|ateur [ɪnstala'tø:r] *m* (*-s*; *-e*) plumber; (gas *od.* electrical) fitter; **2ieren** [-'li:rən] *v/t* (*no ge-, h*) instal(l).

instand [ɪn'ʃtant] *adv*: **~ *halten*** keep in good order; *tech.* maintain; **~ *setzen*** repair; **2haltung** *f* (-; *no pl*) maintenance; **2setzung** *f* (-; *no pl*) repair.

Instantgetränk ['ɪnstənt-] *n* instant drink.

Instanz [ɪn'stants] *f* (-; *-en*) authority; *jur.* instance.

Instinkt [ɪn'stɪŋkt] *m* (-[*e*]*s*; *-e*) instinct; **2iv** [-'ti:f] *adv* instinctively, by instinct.

Institut [ɪnsti'tu:t] *n* (*-s*; *-e*) institute; **~ion** [-u'tsĭo:n] *f* (-; *-en*) institution.

Instrument [ɪnstru'mɛnt] *n* (-[*e*]*s*; *-e*) instrument.

intellektuell [ɪntɛlek'tŭɛl] *adj* intellectual; **2e** *m, f* (*-n*; *-n*) intellectual.

intelligen|t [ɪntɛli'gɛnt] *adj* intelligent; **2z** [-ts] *f* (-; *no pl*) intelligence; **2zquoti,ent** *m* I.Q.

intensiv [ɪntɛn'zi:f] *adj* intensive; *stark*: intense; **2kurs** *m* crash course; **2stati,on** *f med.* intensive-care unit.

interaktiv [ɪntərʔak'ti:f] *adj* interactive.

Intercity-Zug [ɪntər'sɪti-] *m* inter-city train.

interess|ant [ɪntərɛ'sant] *adj* interesting; **2e** [-'rɛsə] *n* (*-s*; *-n*) interest (***an*** *dat*, ***für*** in); **2engebiet** *n* field of interest; **2engemeinschaft** *f* community of interests; *econ.* combine, pool; **2ent** [-rɛ'sɛnt] *m* (*-en*; *-en*) interested person (*od.* party); *econ.* prospective buyer, *bsd. Am.* prospect; **~ieren** [-'si:rən] (*no ge-, h*) **1.** *v/t* interest (***für*** in); **2.** *v/refl*: ***sich ~ für*** take an interest in, be interested in.

interkulturell [intərkʊltu'rɛl]*Adj* intercultural, between (different) cultures.

intern [ɪn'tɛrn] *adj* internal; **2at** [-'na:t] *n* (-[*e*]*s*; *-e*) boarding school.

internatio'nal *adj* international.

Internet ['ɪntərnɛt] *n* (*-s*; *no pl*) Internet; **~auktion** *f* online auction; **2basiert** *adj* internet-based; ***~e Anwendung*** internet-based application; **~-Café** *n* Internet café, cybercafé; **~händler** *m* online trader *od.* dealer; **~portal** *n* web *od.* Internet portal; **~seite** *f* website.

Internist [ɪntɛr'nɪst] *m* (*-en*; *-en*) *med.* internist.

Interrail-Karte ['ɪntəreɪl-] *f* inter-rail ticket.

Interview [ɪntər'vju:] *n* (*-s*; *-s*) interview; **2en** *v/t* (*no ge-, h*) interview.

intim [ɪn'ti:m] *adj* intimate; **2sphäre** *f* (-; *no pl*) privacy.

'**intoleran|t** *adj* intolerant (***gegenüber*** of); '**2z** *f* intolerance.

Intranet ['ɪntranɛt] *n* (*-s*; *-s*) intranet.

Invalid|e [ɪnva'li:də] *m* (*-n*; *-n*) invalid; **~enrente** *f* disability pension; **~ität** [-idi'tɛ:t] *f* (-; *no pl*) disability.

Inventar [ɪnvɛn'ta:r] *n* (*-s*; *-e*) stock; *Verzeichnis*: inventory.

Inventur [ɪnvɛn'tu:r] *f* (-; *-en*) *econ.* stocktaking: **~ *machen*** take stock.

invest|ieren [ɪnvɛs'ti:rən] *v/t u. v/i* (*no ge-, h*) *econ.* invest (***in*** *acc* in); **2ition** [-i'tsĭo:n] *f* (-; *-en*) investment.

in'zwischen *adv* meanwhile, in the meantime; *jetzt*: by now.

Ionische(s) Meer ['ĭo:nɪʃə(s)'me:r] *the* Ionian Sea.

Irak [i'ra:k] Iraq.

Iran [i'ra:n] Iran.

Ire ['i:rə] *m* (*-n*; *-n*) Irishman: ***die ~n*** *pl* the Irish *pl*.

irgend ['ɪrgənt] *adv*: F **~ *so ein*** some; '**~'ein** *indef pron* some; *fragend, verneinend*: any; '**~'etwas** *indef pron* something; *fragend, verneinend*: anything; '**~'jemand** *indef pron* someone, somebody; *fragend, verneinend*: anyone, anybody; **'~'wann** *adv unbestimmt*: sometime (or other); *beliebig*: (at) any time; **'~'wie** *adv* somehow (or other); **'~'wo** *adv* somewhere; *fragend, verneinend*: anywhere.

Ir|in ['iːrɪn] *f* (-; *-nen*) Irishwoman; **'♀isch** *adj* Irish.

Irland ['ɪrlant] Ireland.

Iron|ie [iro'niː] *f* (-; *-n*) irony; **♀isch** [i'roːnɪʃ] *adj* ironic.

irre ['ɪrə] *adj* mad, crazy, insane; F *sagenhaft*: super, terrific.

Irre [-] *m, f* (*-n*; *-n*) madman (madwoman), lunatic: ***wie ein ~r*** like mad.

'irreführen *v/t* (*sep, -ge-, h*) *fig.* mislead; **'~d** *adj* misleading.

'irremachen *v/t* (*sep, -ge-, h*) confuse.

irren ['ɪrən] **1.** *v/refl* (*h*) be wrong (*od.* mistaken): ***sich in et. ~*** get s.th. wrong; **2.** *v/i* (*sn*) wander, stray.

irritieren [ɪri'tiːrən] *v/t* (*no ge-, h*) *ärgern, reizen*: irritate; *verwirren*: confuse; *stören*: disturb.

'Irr|tum *m* (*-s*; *⸚er*) error, mistake: ***im ~ sein*** be mistaken; ***Irrtümer vorbehalten!*** errors excepted; **♀tümlich** ['-tyːmlɪç] **1.** *adj* erroneous; **2.** *adv* by mistake.

Ischias ['ɪʃias] *m, n, med. f* (-; *no pl*) sciatica; **'~nerv** *m* sciatic nerve.

Islam [ɪs'laːm] *m* (*-s*; *no pl*) Islam.

Island ['iːslant] Iceland.

Isländ|er ['iːslɛndər] *m* (*-s*; -) Icelander; **'♀isch** *adj* Icelandic.

Isolier|band [izo'liːr-] *n* (*-[e]s*; *Isolierbänder*) *electr.* insulating tape; **♀en** *v/t* (*no ge-, h*) isolate; *electr., tech.* insulate; **~haft** *f jur.* solitary confinement; **~stati,on** *f med.* isolation ward; **~ung** *f* (-; *-en*) isolation; *electr., tech.* insulation.

Israel ['ɪsraeːl] Israel.

Israeli [ɪsra'eːli] *m* (*-[s]*; *-[s]*) Israeli; **♀sch** *adj* Israeli.

Italien [i'taːliən] Italy.

Italien|er [ita'lieːnər] *m* (*-s*; -) Italian; **♀isch** *adj* Italian.

J

J

ja [ja] *adv* yes; *parl. Br.* aye, *Am.* yea: ***wenn ~*** if so; ***da ist er ~!*** well, there he is!; ***ich sagte es Ihnen ~*** I told you so; ***ich bin ~ (schließlich) …*** after all, I am …; ***tut es ~ nicht!*** don't you dare do it!; ***sei ~ vorsichtig!*** do be careful!; ***vergessen Sie es ~ nicht!*** be sure not to forget it!; ***~, weißt du nicht?*** why, don't you know?; ***du kommst doch, ~?*** you're coming, aren't you?

Jacht [jaxt] *f* (-; *-en*) *mar.* yacht.

Jacke ['jakə] *f* (-; *-n*) jacket; *Strick♀*: cardigan.

Jacketkrone ['dʒɛkɪt-] *f med.* jacket crown.

Jackett [ʒa'kɛt] *n* (*-s*; *-s*) jacket.

Jagd [jaːkt] *f* (-; *-en*) hunt(ing) (*a. fig.*); *mit dem Gewehr*: *a.* shoot(ing); *Verfolgung*: chase: ***auf die ~ gehen*** go hunting (*od.* shooting); ***~ machen auf*** (*acc*) hunt (for); *j-n*: *a.* chase; **'~hund** *m* hound; **'~hütte** *f* (hunting) lodge; **'~re,vier** *n* preserve, shoot; **'~schein** *m* game licen|ce (*Am.* -se); **'~zeit** *f* open (*od.* hunting, shooting) season.

jagen ['jaːgən] **1.** *v/t* (*h*) hunt; *mit dem Gewehr*: *a.* shoot; *fig. verfolgen*: hunt, chase: ***aus dem Haus*** *etc* ***~*** drive (*od.* chase) out of the house *etc*; **2.** *v/i* (*sn*) *fig. rasen*: race, dash.

Jäger ['jɛːgər] *m* (*-s*; -) hunter, huntsman.

Jahr [jaːr] *n* (*-[e]s*; *-e*) year: ***einmal im ~*** once a year; ***im ~e 1993*** in (the year) 1993; ***ein 20 ~e altes Auto*** a twenty-year-old car; ***mit 18 ~en, im Alter von 18 ~en*** at (the age of) eighteen; **'~buch** *n* yearbook.

'jahrelang **1.** *adj* years *pl* of; **2.** *adv* for (many) years.

'Jahres|abonne,ment *n* annual (*od.* yearly) subscription; **'~abschluss** *m econ.* annual accounts *pl*; **'~anfang** *m* beginning of the year; **'~ausgleich** *m Steuer*: annual wage-tax adjustment; **'~bericht** *m* annual report; **'~bi,lanz** *f econ.* annual balance sheet; **'~einkommen** *n* annual income; **'~ende** *n* end of the year; **'~hauptversammlung** *f econ.*

annual general meeting; '**~tag** *m* anniversary; '**~umsatz** *m econ.* annual turnover; '**~zahl** *f* date, year; '**~zeit** *f* season: ***in dieser ~*** at this time of the year.

'**Jahr|gang** *m Personen*: age group; *Wein*: vintage: ***er ist ~ 1941*** he was born in 1941; **~'hundert** *n (-s; -e)* century; **~'hundertwende** *f* turn of the century.

jährlich ['jɛːrlɪç] **1.** *adj* annual, yearly; **2.** *adv* every year, yearly, once a year.

'**Jahr|markt** *m* fair; **~'tausend** *n (-s; -e)* millennium; **~'tausendwende** *f* turn of the millennium.

Jahr'zehnt *n (-[e]s; -e)* decade.

Jalousie [ʒalu'ziː] *f (-; -n)* (venetian) blind.

Jammer ['jamər] *m (-s; no pl)* misery: F ***es ist ein ~, dass*** it's a crying shame that.

jämmerlich ['jɛmərlɪç] **1.** *adj* miserable, wretched; *Anblick etc*: *a.* pitiful, sorry; **2.** *adv*: ***~ versagen*** fail miserably.

jammer|n ['jamərn] *v/i (h)* moan, lament (***über*** *acc* over, about); '**~schade** *adj*: F ***es ist ~, dass*** it's a crying shame that.

Januar ['janŭaːr] *m (-[s]; -e)* January: ***im ~*** in January.

Japan ['jaːpan] Japan.

Japan|er [ja'paːnər] *m (-s; -)* Japanese; **2isch** *adj* Japanese.

'**Jastimme** *f parl. Br.* aye, *Am.* yea.

je [jeː] **1.** *adv* ever: ***der beste Film, den ich ~ gesehen habe*** the best film I have ever seen; ***~ zwei (Pfund)*** two (pounds) each; ***drei Euro ~ Kilo*** three euros per kilo; ***~ nach Größe (Geschmack)*** according to size (taste); ***~ nachdem*** it (all) depends; **2.** *cj*: ***~ ..., desto ...*** the ... the ...; ***~ nachdem, wie*** depending on how.

jede ['jeːdə] *indef pron* **~r** *insgesamt*: every; **~r** *Beliebige*: any; **~r** *Einzelne*: each: *von zweien*: either: ***~r weiß (das)*** everybody knows; ***du kannst ~n fragen*** (you can) ask anyone; ***~r von uns (euch)*** each of us (you); ***~r, der*** whoever; ***~n zweiten Tag*** every other day; ***~n Augenblick*** any moment now; '**~n'falls** *adv* in any case, anyhow; '**~rmann** *indef pron* everyone, everybody; '**~r'zeit** *adv* always, (at) any time; '**~s'mal** → ***Mal***[1].

je'doch *cj* however.

jemals ['jeːmaːls] *adv* ever.

jemand ['jeːmant] *indef pron* someone, somebody; *fragend, verneinend*: anyone, anybody.

Jenseits ['jeːnzaɪts] *n (-; no pl)* hereafter.

Jerusalem [je'ruːzalɛm] Jerusalem.

jetzig ['jɛtsɪç] *adj* present, current.

jetzt [jɛtst] *adv* now, at present: ***bis ~*** up to now, so far; ***eben ~*** just now; ***erst ~*** only now; ***~ gleich*** right now (*od.* away); ***für ~*** for the present; ***noch ~*** even now; ***von ~ an*** from now on.

jeweil|ig ['jeːvaɪlɪç] *adj* respective; '**~s** *adv je*: each; *gleichzeitig*: at a time.

Job [dʒɔp] *m (-s; -s)* F job; *Gelegenheitsarbeit*: temporary job; **2ben** ['dʒɔbən] *v/i (h)* F have a temporary job, do temporary work; '**~börse** *f* job fair; **~-Center** ['-sɛntə] *m* job centre *Br. or* center *Am.*; '**~killer** *m* F job killer; '**~maschine** *f* job-creation machine; **~sharing** ['-ʃeːrɪŋ] *n (-[s]; no pl)* F job sharing.

Jochbein ['jɔx-] *n anat.* cheekbone.

Jod [joːt] *n (-[e]s; no pl) chem.* iodine.

jodeln ['joːdəln] *v/i (h)* yodel.

Joga → ***Yoga.***

Joghurt, Jogurt ['joːgurt] *m, n (-[s]; -[s])* yog(h)urt.

Johannisbeere [jo'hanɪs-] *f* currant: ***Rote ~*** redcurrant; ***Schwarze ~*** blackcurrant.

Jordanien [jɔr'daːnĭən] Jordan.

Journalis|mus [ʒurna'lɪsmus] *m (-; no pl)* journalism; **~t** *m (-en; -en)* journalist.

Jubel ['juːbəl] *m (-s; no pl)* cheering, cheers *pl*; '**2n** *v/i (h)* cheer.

Jubiläum [jubi'lɛːum] *n (-s; -läen)* jubilee; *Jahrestag*: anniversary.

jucken ['jukən] *v/t, v/i u. v/impers (h)* itch: ***es juckt mich am ...*** my ... itches.

Jude ['juːdə] *m (-n; -n)* Jew.

Jüd|in ['jyːdɪn] *f (-; -nen)* Jewess; '**2isch** *adj* Jewish.

Jugend ['juːgənt] *f (-; no pl)* youth; *Jugendliche*: *a.* young people *pl*; '**~amt** *n* youth welfare office; '**~arbeitslosigkeit** *f* youth unemployment; '**~gericht** *n* juvenile court; '**~herberge** *f* youth hostel; '**~kriminali,tät** *f* juvenile delinquency; '**2lich** *adj* youthful, young; '**~liche** *m, f (-n; -n)* young person, *m a.* youth; '**~stil** *m* Art Nouveau; *in Deutschland*: Jugendstil; '**~zentrum** *n* youth cent|re (*Am.* -er).

Jugoslaw|e [jugo'sla:və] *m* (*-n*; *-n*) Yugoslav; **2isch** *adj* Yugoslav(ian).

Jugoslawien [jugo'sla:vĭən] Yugoslavia.

Juli ['ju:li] *m* (-[*s*]; *-s*) July: ***im ~*** in July.

Jumbojet ['dʒʌmbodʒɛt] *m* (-[*s*]; *-s*) *aer.* jumbo jet.

jung [jʊŋ] *adj* young.

Junge[1] ['jʊŋə] *m* (*-n*; *-n*) boy.

Junge[2] [.] *n* (*-n*; *-n*) *zo.* young one; *Hund*: *a.* pup(py); *Katze*: *a.* kitten; *Raubtier*: *a.* cub: ***~ bekommen*** (*od.* ***werfen***) have young.

jünger ['jʏŋər] *adj* younger.

Jungfer ['jʊŋfər] *f* (-; *-n*): ***alte ~*** old maid.

'**Jungfern|fahrt** *f mar.* maiden voyage; '**~flug** *m* maiden flight.

'**Jung|frau** *f* virgin; '**~geselle** *m* bachelor; '**~gesellin** *f* (-; *-nen*) bachelor girl.

jüngst [jʏŋst] *adj* youngest; *Ereignisse etc*: latest: ***in ~er Zeit*** lately, recently.

Juni ['ju:ni] *m* (-[*s*]; *-s*) June: ***im ~*** in June.

Junior|chef ['ju:nĭɔr.] *m* owner's son; '**~partner** *m* junior partner; '**~professor** *m univ.* assistant professor; '**~professur** [-profɛsu:ə] *f* (-; *-en*) *univ.* assistant professorship.

Jura ['ju:ra] *pl*: ***~ studieren*** study (*Br. a.* read) law.

Jurist [ju'rɪst] *m* (*-en*; *-en*) lawyer; **2isch** *adj* legal.

Jury [ʒy'ri:] *f* (-; *-s*) jury.

Justitiar [jʊsti'tsĭa:r] *m* (*-s*; *-e*) legal advis|er (*Am.* -or).

Justiz [jʊs'ti:ts] *f* (-; *no pl*) justice, *the* law; **~beamte** *m* judicial officer; **~irrtum** *m* miscarriage of justice; **~mi,nister** *m* minister of justice; *Br.* Lord Chancellor, *Am.* Attorney General; **~mini,sterium** *n* ministry of justice; *Am.* Department of Justice.

Juwelier [juvə'li:r] *m* (*-s*; *-e*) jewel(l)er.

K

Kabarett [kaba'rɛt] *n* (*-s*; *-s*, *-e*) (political) revue; **~ist** [.'tɪst] *m* (*-en*; *-en*) revue artist.

Kabel ['ka:bəl] *n* (*-s*; -) cable; '**~anschluss** *m TV* cable connection: ***~ haben*** have cable TV, be cabled; '**~fernsehen** *n* cable TV.

Kabeljau ['ka:bəljaʊ] *m* (*-s*; *-e*, *-s*) *zo.* cod.

'**Kabelnetz** *n* cable network.

Kabine [ka'bi:nə] *f* (-; *-n*) cabin; *im Schwimmbad, beim Arzt etc*: cubicle; *Sport*: dressing room; *Seilbahn*: car; *teleph., im Sprachlabor etc*: booth; **~nbahn** *f* cable railway.

Kabinett [kabi'nɛt] *n* (*-s*; *-e*) *pol.* cabinet.

Kabrio ['ka:brio] *n* (*-s*; *-s*), **~lett** [kabrio'lɛt] *n* (*-s*; *-s*) *mot.* convertible.

Kachel ['kaxəl] *f* (-; *-n*) tile; '**2n** *v/t* (*h*) tile; '**~ofen** *m* tiled stove.

Kadaver [ka'da:vər] *m* (*-s*; -) carcass.

Käfer ['kɛ:fər] *m* (*-s*; -) *zo.* beetle.

Kaffee ['kafe] *m* (*-s*; *no pl*) coffee: ***~ kochen*** make (some) coffee; ***~ mit*** (***ohne***) ***Milch*** white (black) coffee; ***zwei ~, bitte*** two coffees, please; '**~auto,mat** *m* coffee machine; '**~fahrt** *f cheap coach trip combined with a sales show*; '**~filter** *m* coffee filter; '**~haus** *n* café, coffee house; '**~kanne** *f* coffee pot; '**~löffel** *m* teaspoon; '**~ma,schine** *f* coffee maker; '**~mühle** *f* coffee grinder; '**~pause** *f* coffee break; '**~sahne** *f* (coffee) cream; '**~ser,vice** *n* coffee service; '**~tasse** *f* coffee cup.

Käfig ['kɛ:fɪç] *m* (*-s*; *-e*) cage.

kahl [ka:l] *adj* bald; *Landschaft*: barren, bleak; *Wand*: bare.

Kahn [ka:n] *m* (-[*e*]*s*; *⸚e*) boat; *Last2*: barge; '**~fahrt** *f* boat trip.

Kai [kaɪ] *m* (*-s*; *-s*) quay(side), wharf; '**~mauer** *f* quayside.

Kairo ['kaɪro] Cairo.

Kaiser ['kaɪzər] *m* (*-s*; -) emperor; **~in** ['.zərɪn] *f* (-; *-nen*) empress; '**~reich** *n* empire.

Kajüte [ka'jy:tə] *f* (-; *-n*) *mar.* cabin.

Kakao [ka'kaʊ] *m* (*-s*; *-s*) cocoa; **~pulver** *n* cocoa (powder).

Kaktee [kak'te:] *f* (-; *-n*), **Kaktus** ['.tʊs] *m* (-; *-teen* [.'te:ən]) *bot.* cactus.

Kalb [kalp] *n* (-[*e*]*s*; ⸚*er*) *zo.* calf; '**~fleisch** *n* veal; '**~sbraten** *m* roast veal; **~shachse** ['-haksə] *f* knuckle of veal; '**~sleber** *f* calf's liver; '**~sschnitzel** *n* veal cutlet.

Kalender [ka'lɛndər] *m* (-*s*; -) calendar; **~jahr** *n* calendar year.

Kaliber [ka'li:bər] *n* (-*s*; -) calib|re (*Am.* -er) (*a. fig.*).

Kalifornien [kali'fɔrnĭən] California.

Kalk [kalk] *m* (-[*e*]*s*; -*e*) lime; *med.* calcium; '**~stein** *m* limestone.

Kalkul|ation [kalkula'tsĭo:n] *f* (-; -*en*) calculation; *Kostenberechnung*: estimate; **≈ieren** [-'li:rən] *v/t* (*no ge-*, *h*) calculate.

Kalorie [kalo'ri:] *f* (-; -*n*) calorie; **≈narm** *adj* low-calorie …, low in calories; **≈nreich** *adj* high-calorie …, high in calories.

kalt [kalt] *adj* cold: ***mir ist ~*** I'm cold; ***j-n ~ lassen*** → ***kaltlassen***; **~blütig** ['-bly:tıç] **1.** *adj zo.* cold-blooded (*a. fig.*); **2.** *adv* in cold blood.

Kälte ['kɛltə] *f* (-; *no pl*) cold; '**~einbruch** *m* cold snap; '**~peri,ode** *f*, '**~welle** *f* cold spell.

'**Kalt|front** *f* cold front; '**≈lassen** *v/t* (*irr*, *sep*, *-ge-*, *h*, → ***lassen***): ***das lässt mich kalt*** that leaves me cold; '**~luft** *f* cold air; '**~miete** *f* basic rent without heating.

Kamel [ka'me:l] *n* (-[*e*]*s*; -*e*) *zo.* camel; **~haar** *n* camelhair (*a. in Zssgn*).

Kamera ['kaməra] *f* (-; -*s*) camera.

Kamerad [kamə'ra:t] *m* (-*en*; -*en*) companion, F mate; **~schaft** *f* (-; *no pl*) comradeship; **≈schaftlich** **1.** *adj* friendly; **2.** *adv* as a friend.

'**Kamera|mann** *m* (-[*e*]*s*; *Kameramänner,Kameraleute*) cameraman; '**≈scheu** camera-shy.

Kamille [ka'mılə] *f* (-; -*n*) *bot.* camomile; **~ntee** *m* camomile tea.

Kamin [ka'mi:n] *m* (-*s*; -*e*) *innen*: fireplace; *Schornstein*: chimney; **~feger** [-fe:gər] *m* (-*s*; -), **~kehrer** [-ke:rər] *m* (-*s*; -) chimney sweep; **~sims** *m*, *n* mantelpiece.

Kamm [kam] *m* (-[*e*]*s*; ⸚*e*) comb, *zo. a.* crest; *Gebirgs≈*: ridge.

kämmen ['kɛmən] *v/t u. v/refl* (*h*) comb (one's hair): → ***Haar***.

Kammer ['kamər] *f* (-; -*n*) small room; *Abstell≈*: cubbyhole; *parl.* chamber; *jur.* division; '**~mu,sik** *f* chamber music.

Kampagne [kam'panjə] *f* (-; -*n*) campaign, drive.

Kampf [kampf] *m* (-[*e*]*s*; ⸚*e*) fight (*a. fig.*); *schwerer*: struggle (*a. fig.*); *Schlacht*: battle (*a. fig.*) (*alle*: ***um*** for; ***gegen*** against); *Box≈*: fight, bout.

kämpfen ['kɛmpfən] (*h*) **1.** *v/i* fight (***um*** for) (*a. fig.*); struggle (***mit*** with; ***gegen*** against) (*a. fig.*): ***~ gegen*** fight (against); **2.** *v/refl*: ***sich ~ durch*** *a. fig.* fight (*od.* battle) one's way through.

Kampfer ['kampfər] *m* (-*s*; *no pl*) camphor.

Kämpfer ['kɛmpfər] *m* (-*s*; -) *Boxer*: fighter; *fig.* fighter (***für*** for), champion (of); '**≈isch** *adj* aggressive.

'**Kampf|flugzeug** *n* fighter aircraft; '**~kraft** *f* fighting spirit; '**~richter** *m Sport*: judge.

kampieren [kam'pi:rən] *v/i* (*no ge-*, *h*) camp.

Kanada ['kanada] Canada.

Kanal [ka'na:l] *m* (-*s*; *Kanäle*) *künstlicher*: canal; *natürlicher*: channel (*a. Rundfunk*, *TV u. fig.*); *Abwasser≈*: drain, sewer; **~isation** [kanaliza'tsĭo:n] *f* (-; -*en*) sewerage (system); **≈isieren** [-'zi:rən] *v/t* (*no ge-*, *h*) sewer.

Kanaren [ka'na:rən], *die* **Kanarischen Inseln** [ka'na:rıʃən'ınzəln] *the* Canaries, *the* Canary Islands.

Kanarienvogel [ka'na:rĭən-] *m* canary.

Kandid|at [kandi'da:t] *m* (-*en*; -*en*) candidate; **≈ieren** [-'di:rən] *v/i* (*no ge-*, *h*) stand (*od.* run) for election: ***~ für das Amt*** (*gen*) stand (*od.* run) for the office of.

Känguru ['kɛŋguru] *n* (-*s*; -*s*) kangaroo.

Kaninchen [ka'ni:nçən] *n* (-*s*; -) rabbit.

Kanister [ka'nıstər] *m* (-*s*; -) canister, can.

Kanne ['kanə] *f* (-; -*n*) *Kaffee≈*, *Tee≈*: pot; *Gieß≈*: can.

Kanone [ka'no:nə] *f* (-; -*n*) *mil.* gun, *hist.* cannon; F *Revolver*: *bsd. Br.* shooter, *bsd. Am.* rod; F *bsd. Sport*: ace.

Kant|e ['kantə] *f* (-; -*n*) edge; '**≈ig** *adj* squared; *Gesicht*: angular; *Kinn*: square.

Kantine [kan'ti:nə] *f* (-; -*n*) canteen.

Kanton [kan'to:n] *m* (-*s*; -*e*) *pol.* canton.

Kanu ['ka:nu] *n* (-*s*; -*s*) canoe.

Kanüle [ka'ny:lə] *f* (-; -*n*) *med.* cannula;

K

von Spritze: *a*. needle.

Kanzel ['kantsəl] *f* (-; -*n*) *eccl*. pulpit; *aer*. cockpit: ***auf der ~*** in the pulpit.

Kanzlei [kants'laɪ] *f* (-; -*en*) office.

Kanzler ['kantslər] *m* (-*s*; -), **~in** *f* (-; -*nen*) *pol*. chancellor; **~amt** *n pol*. *Gebäude*: chancellor's office, chancellory; *Posten*: chancellorship; **~kandidat** *m*, **~kandidatin** *f* (-; -*nen*) *pol*. candidate for the chancellorship; **~kandidatur** *f pol*. candidacy for the chancellorship

Kap [kap] *n* (-*s*; -*s*) *geogr*. cape.

Kapazität [kapatsi'tɛːt] *f* (-; -*en*) *allg*. capacity; *fig*. (leading) authority (***auf dem Gebiet*** *gen* on); **~sauslastung** *f* capacity utilization; **~serweiterung** *f* increase in capacity.

Kapell|e [ka'pɛlə] *f* (-; -*n*) *eccl*. chapel; *mus*. band; **~meister** *m* conductor.

kapieren [ka'piːrən] (*no ge-*, *h*) F **1.** *v/t* get; **2.** *v/i* catch on: ***kapiert?*** got it?

Kapital [kapi'taːl] *n* (-*s*; -*e*, -*ien*) capital, funds *pl*; **~anlage** *f* (capital) investment; **~aufwand** *m* capital expenditure; **~ertrag** *m* capital yield; **~ertragssteuer** *f* capital gains tax; **~flucht** *f* capital flight; **~gesellschaft** *f Br*. joint-stock company, *Am*. corporation; **~hilfe** *f* financial aid; **≈inten͵siv** *adj* capital-intensive; **≈isieren** [-tali'ziːrən] *v/t* (*no ge-*, *h*) capitalize; **~ismus** [-ta'lɪsmʊs] *m* (-; *no pl*) capitalism; **~ist** [-ta'lɪst] *m* (-*en*; -*en*) capitalist; **≈istisch** *adj* [-ta'lɪstɪʃ] capitalist(ic); **~markt** *m* capital market.

Kapitän [kapi'tɛːn] *m* (-*s*; -*e*) *allg*. captain.

Kapitel [ka'pɪtəl] *n* (-*s*; -) chapter.

Kapitu|lation [kapitula'tsi̯oːn] *f* (-; -*en*) capitulation, surrender; **≈'lieren** *v/i* (*no ge-*, *h*) capitulate, surrender (*beide a. fig*.: ***vor*** *dat* to); *fig*. give in (*od*. up).

Kappe ['kapə] *f* (-; -*n*) cap; *Verschluss*: *a*. top.

Kapsel ['kapsəl] *f* (-; -*n*) *anat*., *bot*., *pharm*. capsule; *Raum≈*: *a*. module.

kaputt [ka'pʊt] *adj* F broken (*a*. *Ehe etc*), kaput; *außer Betrieb*: *a*. not working, out of order; *erschöpft*: done in, *bsd*. *Br*. shattered; ***~ machen*** F break; **~gehen** *v/i* (*irr*, *sep*, -*ge*-, *sn*, → ***gehen***) F break, get broken; *Ehe etc*: break up; **~machen** *v/t* (*sep*, -*ge*-, *h*) F break.

Kapuze [ka'puːtsə] *f* (-; -*n*) hood.

Karaffe [ka'rafə] *f* (-; -*n*) carafe, *Wein≈*: *a*. decanter.

Karambolage [karambo'laːʒə] *f* (-; -*n*) *mot*. collision, crash.

Karat [ka'raːt] *n* (-[*e*]*s*; -*e*) carat.

Karate [ka'raːtə] *n* (-[*s*]; *no pl*) karate; **~schlag** *m* karate chop.

karätig [ka'rɛːtɪç] *adj in Zssgn*: ***18-~es Gold*** 18-carat gold.

Kardinal [kardi'naːl] *m* (-*s*; *Kardinäle*) *eccl*. cardinal.

Karfreitag [kaːr'-] *m eccl*. Good Friday.

karg [kark] *adj*, **kärglich** ['kɛrklɪç] *adj* meag|re (*Am*. -er); *Essen*, *Leben*: frugal; *Boden*, *Landschaft*: barren.

Karibik [ka'riːbɪk] *the* Caribbean.

kariert [ka'riːrt] *adj* checked; *Papier*: squared.

Karies ['kaːrĭɛs] *f* (-; *no pl*) *med*. (dental) caries.

Karik|atur [karika'tuːr] *f* (-; -*en*) caricature; *Witzzeichnung*: *mst* cartoon; **~aturist** [-tu'rɪst] *m* (-*en*; -*en*) caricaturist; cartoonist; **≈ieren** [-'kiːrən] *v/t* (*no ge-*, *h*) caricature.

Karneval ['karnəval] *m* (-*s*; -*e*, -*s*) carnival.

Kärnten ['kɛrntən] Carinthia.

Karo ['kaːro] *n* (-*s*; -*s*) square, check; *Kartenspiel*: (*Farbe*) diamonds *pl*, (*Karte*) diamond.

Karosserie [karɔsə'riː] *f* (-; -*n*) *mot*. body, coachwork.

Karotte [ka'rɔtə] *f* (-; -*n*) *bot*. carrot.

Karpfen ['karpfən] *m* (-*s*; -) *zo*. carp.

Karre ['karə] *f* (-; -*n*), '**Karren** *m* (-*s*; -) cart; *Schub≈*: (wheel)barrow; F *altes Auto*: jalopy.

Karriere [ka'rĭɛːrə] *f* (-; -*n*) career: ***~ machen*** get to the top.

Karsamstag [kaːr'-] *m* Easter Saturday.

Karte ['kartə] *f* (-; -*n*) card; *Eintritts≈*, *Fahr≈*: ticket: *Speise≈*: menu; *Wein≈*: wine list.

Kartei [kar'taɪ] *f* (-; -*en*) card index; **~karte** *f* index card; **~kasten** *m* card-index box.

Kartell [kar'tɛl] *n* (-*s*; -*e*) *econ*. cartel; **~amt** *n* Federal Cartel Office; **~gesetz** *n* antitrust law.

'**Karten|spiel** *n* card playing; *bestimmtes*: card game; *Karten*: pack (*bsd*. *Am*. deck) of cards; '**~tele͵fon** *n* cardphone; '**~verkauf** *m* sale of tickets;

Stelle: box office; '**~vorverkauf** *m* advance booking; *Stelle*: box office.

Kartoffel [kar'tɔfəl] *f* (-; -*n*) *bot.* potato; **~brei** *m* mashed potatoes *pl*; **~chips** *pl Br.* (potato) crisps *pl*, *Am.* (potato) chips; **~kloß** *m*, **~knödel** *m* potato dumpling; **~puffer** *m* potato fritter; **~salat** *m* potato salad; **~suppe** *f* potato soup.

Karton [kar'tɔŋ] *m* (-*s*; -*s*) *Pappe*: cardboard, *stärker*: pasteboard; *Schachtel*: cardboard box.

Karussell [karʊ'sɛl] *n* (-*s*; -*s*, -*e*) merry-go-round, *Br.* roundabout, *Am.* car(r)ousel: **~ *fahren*** go on the merry-go-round.

Karwoche ['ka:r-] *f* Holy Week.

Kaschmir ['kaʃmi:r] *m* (-*s*; -*e*) cashmere.

Käse ['kɛ:zə] *m* (-*s*; -) cheese; '**~kuchen** *m*, '**~torte** *f* cheesecake.

Kaserne [ka'zɛrnə] *f* (-; -*n*) barracks *sg*.

Kasino [ka'zi:no] *n* (-*s*; -*s*) *Spiel*≗: casino; *Speiseraum*: cafeteria; *mil.* officers' mess.

K

Kasse ['kasə] *f* (-; -*n*) *Laden*≗: till; *Registrier*≗: cash register; *Supermarkt*: checkout (counter); *Bank*: cashier's counter; *thea. etc* box office; *Kartenspiel etc*: pool; *Kranken*≗: health insurance scheme: ***gut*** (***knapp***) ***bei ~ sein*** F be flush (a bit short); → ***getrennt*** 1; '**~narzt** *m* panel doctor; '**~nbestand** *m* cash balance; '**~nbon** *m* receipt, *Am. a.* sales slip (*od.* check); '**~npati͵ent** *m* health-plan patient; '**~nzettel** *m* → ***Kassenbon.***

Kassette [ka'sɛtə] *f* (-; -*n*) *Audio*≗, *Video*≗: cassette, *phot. a.* cartridge; *Geld*≗: cashbox; *Schmuck*≗: case, box; **~nre͵korder** *m* cassette recorder.

kassiere|n [ka'si:rən] *v/t* (*no ge-*, *h*) collect; F *verdienen*: make; ≗**r** *m* (-*s*; -) cashier; *Bank*: *a.* teller.

Kastanie [kas'ta:nĭə] *f* (-; -*n*) chestnut.

Kasten ['kastən] *m* (-*s*; ⸗) box (*a.* F *Fernseher, Gebäude*); *Behälter, Kiste*: case; *Bier*≗ *etc*: crate.

kastrieren [kas'tri:rən] *v/t* (*no ge-*, *h*) castrate.

Kat [kat] *m* (-*s*; -*s*) F *mot.* → ***Katalysator.***

Katalog [kata'lo:k] *m* (-[*e*]*s*; -*e*) catalogue, *Am.* catalog; **~preis** *m* list price.

Katalysator [kataly'za:tɔr] *m* (-*s*; -*en*) *chem.* catalyst, *mot. a.* catalytic converter; **~auto** *n* car with a catalytic converter.

Katarr, Katarrh [ka'tar] *m* (-*s*; -*e*) *med.* catarrh.

katastroph|al [katastro'fa:l] *adj* disastrous (*a. fig.*); ≗**e** [-'tro:fə] *f* (-; -*n*) disaster (*a. fig.*), catastrophe; ≗**engebiet** *n* disaster area; ≗**enschutz** *m* disaster control.

Kategorie [katego'ri:] *f* (-; -*n*) category.

Kater ['ka:tər] *m* (-*s*; -) *zo.* tom(cat); F *fig.* hangover.

Kathedrale [kate'dra:lə] *f* (-; -*n*) cathedral.

Katholi|k [kato'li:k] *m* (-*en*; -*en*) Catholic; ≗**sch** [ka'to:lɪʃ] *adj* Catholic.

Kätzchen ['kɛtsçən] *n* (-*s*; -) *zo.* kitten.

Katze ['katsə] *f* (-; -*n*) *zo.* cat; '**~nsprung** *m*: ***bis zum Bahnhof ist es nur ein ~*** the station is only a stone's throw away.

Kauderwelsch ['kaʊdərvɛlʃ] *n* (-[*s*]; *no pl*) gibberish.

kauen ['kaʊən] *v/t u. v/i* (*h*) chew.

kauern ['kaʊərn] *v/i u. v/refl* (*h*) crouch, squat.

Kauf [kaʊf] *m* (-[*e*]*s*; *Käufe*) purchase: ***günstiger ~*** bargain, good buy; ***zum ~ anbieten*** offer for sale; '**~anreiz** *m* incentive to buy; '≗**en** *v/t* (*h*) buy (*a. bestechen*).

Käufer ['kɔʏfər] *m* (-*s*; -) buyer; *Kunde*: customer.; **~verhalten** *n* buying habits.

'**Kauf|frau** *f* businesswoman; '**~haus** *n* department store; '**~kraft** *f econ.* purchasing (*od.* buying) power.

käuflich ['kɔʏflɪç] *adj* for sale; *bestechlich*: bribable.

'**Kauf|mann** *m* (-[*e*]*s*; -*leute*) businessman; *Händler*: trader; *Einzelhändler*: shopkeeper, *Am. mst* storekeeper; ≗**männisch** ['-mɛnɪʃ] *adj*: ***~er Angestellter*** clerk; '**~vertrag** *m* contract of sale.

'**Kaugummi** *m*, *n* chewing gum.

kaum [kaʊm] *adv* hardly: ***~ zu glauben*** hard to believe.

Kaution [kaʊ'tsĭo:n] *f* (-; -*en*) *econ.* security; *jur.* bail; *für Wohnung etc*: deposit: → ***frei*** 1.

Kavalier [kava'li:r] *m* (-*s*; -*e*) gentleman.

Kaviar ['ka:vĭar] *m* (-*s*; -*e*) caviar(e).

keck [kɛk] *adj* cheeky, saucy.

Kehl|e ['ke:lə] *f* (-; -*n*) *anat.* throat;

'**~kopf** *m anat.* larynx.
Kehre ['keːrə] *f* (-; *-n*) (sharp) bend; '**&n** *v/t* (*h*) sweep: ***j-m den Rücken ~*** *a. fig.* turn one's back on s.o.
Kehrseite ['keːr-] *f* reverse, other side: ***die ~ der Medaille*** *fig.* the other side of the coin.
kehrtmachen ['keːrt-] *v/i* (*sep, -ge-, h*) turn back.
keifen ['kaɪfən] *v/i* (*h*) nag.
Keil [kaɪl] *m* (-[*e*]*s*; *-e*) wedge; *Zwickel*: gusset; '**~absatz** *m* wedge heel; **&förmig** ['-fœrmɪç] *adj* wedge-shaped; '**~kissen** *n* wedge-shaped bolster; '**~riemen** *m mot.* fan belt.
Keim [kaɪm] *m* (-[*e*]*s*; *-e*) *biol., med.* germ; *bot. Trieb*: sprout: ***im ~ ersticken*** *fig.* nip in the bud; '**&frei** *adj* sterile: ***~ machen*** sterilize.
kein [kaɪn] *indef pron* **1.** *adjektivisch*: ***~(e)*** no, not any; ***er hat ~ Auto*** he hasn't got a car; ***er ist ~ Kind mehr*** he's not a child any more; **2.** *substantivisch* ***~er, ~e, ~(e)s*** *Personen*: no one, nobody; *Sachen*: none, not any; ***~er von beiden*** neither (of them); ***~er von uns*** *beiden*: neither of us, *mehrere*: none of us; '**~es'falls** *adv* on no account, under no circumstances; '**~es'wegs** *adv* not at all; (*alles andere als*) anything but; '**~mal** *adv* not once, never.
Keks [keːks] *m* (-[*es*]; -[e]) biscuit, *Am.* cookie.
Keller ['kɛlər] *m* (*-s*; -) cellar; *bewohnt*: basement; '**~wohnung** *f* basement (flat, *bsd. Am.* apartment).
Kellner ['kɛlnər] *m* (*-s*; -) waiter; '**~in** *f* (-; *-nen*) waitress.
Kenia ['keːnĭa] Kenya.
kenn|en ['kɛnən] *v/t* (*kannte, gekannt, h*) know; ***~ lernen*** → '**~enlernen** *v/t* (*sep, -ge-, h*) get to know, (*begegnen*) meet; ***als ich ihn kennenlernte*** when I first met him; '**&er** *m* (*-s*; -) connoisseur (*gen* of); *Fachmann*: expert (at, in, on); '**~tlich** *adj*: ***~ machen*** mark; '**&tnis** *f* (-; *-se*) knowledge (*gen od.* ***von*** of): ***~se*** *pl Wissen*: knowledge *sg* (*gen od.* ***in*** *dat* of); ***~ nehmen von*** take note of; ***gute ~se haben in*** be well grounded in; '**&zeichen** *n* (distinguishing) feature, characteristic; *mot.* registration (*Am.* license) number; → ***Nummernschild***; '**~zeichnen** *v/t* (*insep, ge-, h*) mark; *charakteristisch sein für*: characterize.
kentern ['kɛntərn] *v/i* (*sn*) capsize.
Kerbe ['kɛrbə] *f* (-; *-n*) notch.
Kerl [kɛrl] *m* (*-s*; *-e*) F fellow, bloke, guy: ***armer ~*** poor devil; ***ein anständiger ~*** a decent sort.
Kern [kɛrn] *m* (-[*e*]*s*; *-e*) *von Kernobst*: pip, seed; *von Steinobst*: stone; *Nuss&*: kernel; *tech. etc* core (*a. fig.*); *Atom&*: nucleus; '**~ener,gie** *f* nuclear energy; '**~forschung** *f* nuclear research; '**&gesund** *adj* (as) fit as a fiddle; '**~kraft** *f* nuclear power; '**~kraftgegner** *m* antinuclear campaigner; '**~kraftwerk** *n* nuclear power plant; '**~re,aktor** *m* nuclear reactor; '**~technik** *f* nuclear technology; '**~waffe** *f* nuclear weapon; '**&waffenfrei** *adj*: ***~e Zone*** nuclear-free zone; '**~zeit** *f* core time.
Kerze ['kɛrtsə] *f* (-; *-n*) candle; *mot.* (spark) plug.
kess [kɛs] *adj* F pert, saucy.
Kessel ['kɛsəl] *m* (*-s*; -) *Tee&*: kettle; *Dampf& etc*: boiler.
Kette ['kɛtə] *f* (-; *-n*) chain (*a. fig.*); *Hals&*: necklace: ***e-e ~ bilden*** form a line; '**&n** *v/t* (*h*) chain (***an*** *acc* to); '**~nfahrzeug** *n* tracked vehicle; '**~nraucher** *m* chain smoker; '**~nreakti,on** *f phys.* chain reaction (*a. fig.*).
keuch|en ['kɔʏçən] *v/i* (*h*) pant; '**&husten** *m med.* whooping cough.
Keule ['kɔʏlə] *f* (-; *-n*) club; *gastr.* leg, haunch: ***chemische ~*** chemical mace.
keulen ['kɔʏlən]*vet. Tiere*: cull; **Keulung** ['kɔʏlʊŋ] *f* (-; *-en*) cull(ing).
Kfz|-Brief [kaːɛf'tsɛt-] *m* vehicle registration document; **~-Schein** *m* vehicle registration document; **~-Steuer** *f* road (*Am.* automobile) tax; **~-Werkstatt** *f* garage.
kichern ['kɪçərn] *v/i* (*h*) giggle; *spöttisch*: snigger, *Am mst* snicker.
Kiefer[1] ['kiːfər] *m* (*-s*; -) *anat.* jaw(-bone).
Kiefer[2] [-] *f* (-; *-n*) *bot.* pine (tree).
Kies [kiːs] *m* (*-es*; *no pl*) gravel; F *Geld*: dough, *Br.* lolly; **~el** ['kiːzəl] *m* (*-s*; -), '**~elstein** *m* pebble; '**~weg** *m* gravel path.
Kiew ['kiːɛf] Kiev.
Killer ['kɪlər] *m* (*-s*; -) hit man.
Kilo ['kiːlo] *n* (*-s*; -[*s*]) kilo; **~'gramm** *n* kilogram(me); **~'meter** *m* kilomet|re (*Am.* -er).

K

Kind [kɪnt] *n* (-[*e*]*s*; -*er*) child; *Baby*: baby: ***ein ~ bekommen*** be expecting a baby; have a baby.

Kinder|arzt ['kɪndər-] *m* p(a)ediatrician; '**~betreuung** *f* childminding; '**~ermäßigung** *f* reduction for children; '**~fahrkarte** *f* children's ticket; '**~freibetrag** *m* child allowance (*Am.* exemption); '**2freundlich** *adj* very fond of children; *Wohnung etc*: suitable for children; '**~garten** *m* kindergarten; '**~gärtnerin** *f* (-; -*nen*) kindergarten teacher; '**~geld** *n Br.* child benefit, *Am.* family allowance; '**~lähmung** *f med.* polio; '**2los** *adj* childless; '**~mädchen** *n* nurse(maid), *bsd. Br.* nanny; '**~spiel** *n*: ***ein ~*** *fig.* child's play; '**~spielplatz** *m* children's playground; '**~wagen** *m Br.* pram, *Am.* baby carriage.

Kindes|alter ['kɪndəs-] *n* childhood, *frühes*: infancy; '**~beine** *pl*: ***von ~n an*** from childhood.

'**Kind|heit** *f* (-; *no pl*) childhood, *frühe*: infancy: ***von ~ an*** from childhood; **2isch** ['-dɪʃ] *adj* childish; '**2lich** *adj* childlike.

Kinn [kɪn] *n* (-[*e*]*s*; -*e*) chin; '**~haken** *m* hook (to the chin); *Aufwärtshaken*: uppercut.

Kino ['ki:no] *n* (-*s*; -*s*) *Gebäude*: *bsd. Br.* cinema, *Am.* movie theater: ***ins ~ gehen*** go to the cinema (*Am.* the movies); '**~vorstellung** *f* performance (of a film, *Am.* movie).

Kiosk [kĭɔsk] *m* (-[*e*]*s*; -*e*) kiosk.

Kipp|e ['kɪpə] *f* (-; -*n*) *Müll2*: dump; F *Zigarettenstummel*: stub, butt: ***er steht auf der ~*** it's touch and go with him; '**2en 1.** *v/i* (*sn*) tip over; **2.** *v/t* (*h*) tip up; *Fenster etc*: tilt; *Wasser etc*: tip; '**~fenster** *n* tilting window.

Kirch|e ['kɪrçə] *f* (-; -*n*) church: ***in der ~*** at church; ***in die ~ gehen*** go to church; '**~enlied** *n* hymn; '**~ensteuer** *f* church tax; '**2lich** *adj* church, ecclesiastical; '**~turm** *m* (church) steeple, spire: *ohne Spitze*: church tower.

Kirsche ['kɪrʃə] *f* (-; -*n*) *bot.* cherry.

Kissen ['kɪsən] *n* (-*s*; -) cushion; *Kopf2*: pillow; '**~bezug** *m* pillowcase, pillowslip.

Kiste ['kɪstə] *f* (-; -*n*) box; *Latten2*: crate.

Kitchenette [kɪtʃə'nɛt] *f* (-; -*s*) kitchenette.

Kitsch [kɪtʃ] *m* (-[*e*]*s*; *no pl*) kitsch; *Waren etc*: trash; '**2ig** *adj* kitschy; trashy.

Kittel ['kɪtəl] *m* (-*s*; -) overall; *Arbeits2*: coat.

kitz|eln ['kɪtsəln] *v/i u. v/t* (*h*) tickle; **~lig** ['-lɪç] *adj* ticklish (*a. fig.*).

klaffend ['klafənt] *adj* gaping.

Klage ['kla:gə] *f* (-; -*n*) complaint; *jur.* action, suit; '**2n** *v/i* (*h*) complain (***über*** *acc* about, of; ***bei*** to); *jur.* bring an action (***gegen*** against; ***auf*** *acc*, ***wegen*** for): ***~ über*** (*acc*) *med.* complain of.

Kläger ['klɛ:gər] *m* (-*s*; -) *jur.* plaintiff.

kläglich ['klɛ:klɪç] *adj* pitiful.

Klamauk [kla'maʊk] *m* (-*s*; *no pl*) F *Lärm*: racket; *thea. etc* slapstick.

klamm [klam] *adj feuchtkalt*: clammy; *erstarrt*: numb (***vor*** *dat* with).

Klammer ['klamər] *f* (-; -*n*) *Büro2*: clip; *Heft2*: staple; *Wäsche2*: *Br.* peg, *Am.* pin; *Haar2*: pin; *Zahn2*: brace; *tech.* clamp; *math.*, *print.* bracket; **~affe** *m e-mail*: "at"-sign (= @); '**2n** (*h*) **1.** *v/t* clip (*a. med.*), attach (***an*** *acc* to); **2.** *v/refl*: ***sich ~ an*** (*acc*) cling to (*a. fig.*).

Klang [klaŋ] *m* (-[*e*]*s*; ⸗*e*) sound; *Ton*: tone; '**2voll** *adj* sonorous; *fig.* illustrious.

Klapp|bett ['klap-] *n* folding bed; '**~e** *f* (-; -*n*) *e-s Briefumschlags*, *e-r Tasche etc*: flap; *anat.* valve; *tech.* shutter: ***halt die ~!*** F shut up; '**2en** (*h*) **1.** *v/t* fold; **2.** *v/i fig.* work (out all right).

klapper|n ['klapərn] *v/i* (*h*) rattle; *Geschirr etc*: clatter (*beide*: ***mit et.*** s.th.): ***er klapperte vor Kälte mit den Zähnen*** his teeth were chattering with cold; '**2schlange** *f zo.* rattlesnake.

'**Klapp|messer** *n* clasp (*od.* jack) knife; '**~rad** *n* folding bicycle; **2rig** ['-rɪç] *adj* shaky; *Möbel*: rickety; '**~sitz** *m* jump (*od.* folding) seat; '**~stuhl** *m* folding chair.

Klaps [klaps] *m* (-*es*; -*e*) slap, smack.

klar [kla:r] *adj* clear (*a. fig.*): ***ist dir ~, dass …?*** do you realize that …?; (***na***) ***~!*** of course; ***alles ~?*** everything all right?

Klär|anlage ['klɛ:r-] *f* sewage plant; '**2en** *v/t* (*h*) *tech.* purify; *fig.* clear up, clarify.

Klarinette [klari'nɛtə] *f* (-; -*n*) clarinet.

'**klar|machen** *v/t* (*sep*, -*ge*-, *h*): ***j-m et. ~*** make s.th. clear to s.o.; '**2sichtfolie** *f* cling film; '**2sichtpackung** *f* transparent pack; '**~stellen** *v/t* (*sep*, *-ge-*, *h*) get *s.th.* straight.

klasse [~] *adj* F great, fantastic.

Klasse ['klasə] *f* (-; *-n*) *allg*. class: ***erste*** (***zweite***) ~ *rail. etc* first (second) class; (***ganz***) ***große*** ~ F great, fantastic.

klassifizier|en [klasifi'tsi:rən] *v/t* (*no ge-*, *h*) classify; **≈ung** *f* (-; *-en*) classification.

klassisch ['klasıʃ] *adj* classical (*a. Musik*); *fig.* classic.

Klatsch [klatʃ] *m* (*-[e]s*; *no pl*) F *fig.* gossip; '**≈en** (*h*) **1.** *v/t*: ***Beifall*** ~ applaud, clap; **2.** *v/i Beifall* ~: applaud, clap; F *fig.* gossip (***über*** *acc* about): ***in die Hände*** ~ clap one's hands; '**≈nass** *adj* soaking (wet).

klauen ['klaʊən] *v/t* (*h*) F pinch.

Klausel ['klaʊzəl] *f* (-; *-n*) *jur.* clause.

Klavier [kla'vi:r] *n* (*-s*; *-e*) *mus.* piano: ~ ***spielen*** (***können***) play the piano.

Klebeband ['kle:bə~] *n* (*-[e]s*; *≃er*) adhesive tape.

kleb|en ['kle:bən] (*h*) **1.** *v/t* glue, stick: ***j-m e-e*** ~ F land s.o. one; **2.** *v/i* stick (***an*** *dat* to); *klebrig sein*: be sticky; **~rig** ['~rıç] *adj* sticky; '**≈stoff** *m* glue; *Kleister*: paste.

Kleid [klaıt] *n* (*-[e]s*; *-er*) dress: **~er** *pl Kleidung*: clothes *pl.*

Kleider|bügel ['klaıdər~] *m* (coat) hanger; '**~bürste** *f* clothes brush; '**~haken** *m* coat hook; '**~schrank** *m* wardrobe; '**~ständer** *m* coat stand.

Kleidung ['klaıdʊŋ] *f* (-; *-en*) clothes *pl*; '**~sstück** *n* article (*od.* piece) of clothing.

klein [klaın] *adj* small; *bsd. attr* little (*a. Finger, Zehe*): ***von*** ~ ***auf*** from an early age; '**≈anzeige** *f* classified (*Br. a.* small, *Am. a.* want) ad; '**≈bildkamera** *f phot.* 35 mm camera; '**≈gedruckte** *n*: ***das*** ~ the small print; '**≈geld** *n* (small) change; '**≈igkeit** *f* (-; *-en*) little thing; *Geschenk*: little something; *Imbiss*: bite: ***das ist e-e*** ~ that's nothing; '**≈stadt** *f* small town; '**~städtisch** *adj* small-town; '**≈wagen** *m* small car.

Kleister ['klaıstər] *m* (*-s*; -) paste.

Klemme ['klɛmə] *f* (-; *-n*) *tech.* clamp; *electr.* terminal; *Haar≈*: pin: ***in der*** ~ ***sitzen*** F *fig.* be in a fix; '**≈n** (*h*) **1.** *v/t*: ***sich et.*** ~ tuck s.th. (***unter den Arm*** under one's arm); ***sich den Finger*** ~ jam one's finger (***in der Tür*** in the door); **2.** *v/i* be stuck.

Klempner ['klɛmpnər] *m* (*-s*; -) plumber.

kletter|n ['klɛtərn] *v/i* (*sn*): ***auf e-n Baum*** ~ climb (up) a tree; '**≈pflanze** *f* climbing plant.

Klettverschluss ['klɛt~] *m TM* velcro fastening *od.* fastener.

Klient [kli'ɛnt] *m* (*-en*; *-en*) client.

Klima ['kli:ma] *n* (*-s*; *-s*) climate; *fig. a.* atmosphere; '**~anlage** *f* air conditioning: ***mit*** ~ air-conditioned; '**~kata͵strophe** *f* climatic upheavals *pl*; '**~schutz** *m* climate protection; **≈tisch** [kli'ma:tıʃ] *adj* climatic; **≈tisiert** [klimati'zi:rt] *adj* air-conditioned; '**~veränderung** *f* change in climate.; '**~wandel** *m* climate change, change in *od.* of the climate, climatic change

Klinge ['klıŋə] *f* (-; *-n*) blade.

Klingel ['klıŋəl] *f* (-; *-n*) bell; '**≈n** *v/i* (*h*) ring: ***es hat geklingelt*** there's somebody at the door; *in Schule etc*: the bell has gone.

klingen ['klıŋən] *v/i* (*klang*, *geklungen*, *h*) sound (*a. fig.*); *Glocke*, *Metall*: ring; *Gläser*: clink.

Klini|k ['kli:nık] *f* (-; *-en*) clinic, hospital; '**≈sch** *adj* clinical.

Klinke ['klıŋkə] *f* (-; *-n*) (door) handle.

Klippe ['klıpə] *f* (-; *-n*) cliff; *Fels*: rock; *fig.* obstacle.

klirren ['klırən] *v/i* (*h*) *Fenster, Teller etc*: rattle; *Schlüssel etc*: jingle; *Ketten etc*: jangle.

Klischee [kli'ʃe:] *n* (*-s*; *-s*) *fig.* cliché; **~vorstellung** *f* clichéd idea.

Klo [klo:] *n* (*-s*; *-s*) F *Br.* lav, loo, *Am.* john.

klobig ['klo:bıç] *adj* bulky; *Schuhe*: heavy.

klonen ['klo:nən] *v/i u. v/t* (*h*) *biol.*, *med.* clone; **Klonschaf** ['klo:n-] *n* sheep clone, cloned sheep

'**Klopa͵pier** *n* F *Br.* loo paper.

klopfen ['klɔpfən] (*h*) **1.** *v/i* knock (***an*** *acc* at, on); *Herz*: beat, *stärker*: throb, thump (*alle* ***vor*** *dat* with): ***es klopft*** there's somebody (knocking) at the door; ***j-m auf die Schulter*** ~ give s.o. a pat on the back; **2.** *v/t Teppich etc*: beat; *Nagel*: knock (***in*** *acc* into).

Klosett [klo'zɛt] *n* (*-s*; *-s*) lavatory, toilet, *Am. a.* bathroom; **~pa͵pier** *n* toilet paper (*od.* tissue).

K

Kloß [klo:s] *m (-es; ⸚e) gastr.* dumpling: ***e-n ~ in der Kehle haben*** *fig.* have a lump in one's throat.
Kloster ['klo:stər] *n (-s; ⸚) Mönchs*≗: monastery; *Nonnen*≗: convent.
Klub [klʊp] *(-s; -s)* club.
klug [klu:k] *adj* clever, intelligent; '**≗heit** *f (-; no pl)* cleverness, intelligence.
knabbern ['knabərn] *v/t u. v/i (h)* nibble (***an*** *dat* at).
Knabe ['kna:bə] *m (-n; -n)* boy.
knacken ['knakən] *v/t (h) Nüsse, Safe etc*: crack; *Auto*: break into; *Schloss*: break open.
Knall [knal] *m (-[e]s; -e)* bang; '**~ef͵fekt** *m* sensation; '**≗en 1.** *v/i* **a)** *(h)* bang **b)** *(sn)*: F ***~ an*** *(acc) od.* ***gegen*** crash into; **2.** *v/t (h)* F *werfen*: fling: ***j-m e-e ~*** F give s.o. a wallop; '**≗ig** *adj* F *Farbe*: loud; '**~körper** *m* banger.
knapp [knap] **1.** *adj Kleidung*: tight; *beschränkt*: limited; *Sieg etc*: narrow; *Worte*: brief: ***mit ~er Not*** only just; ***~ werden*** run short; **2.** *adv*: → ***Kasse***; ***~ halten*** → '**~halten** → *v/t (irr, sep, -ge-, h,* → ***halten****)* keep *s.o.* short (***mit*** on); '**≗heit** *f (-; no pl)* shortage (***an*** *dat* of).
Knast [knast] *m (-[e]s; ⸚e, -e)*: ***im ~ sitzen*** F be in the clink.
knauserig ['knaʊzərɪç] *adj* F stingy, mean.
Knautschzone ['knaʊtʃ-] *f mot.* crumple zone.
Knebel ['kne:bəl] *m (-s; -)* gag; '**≗n** *v/t (h)* gag.
kneif|en ['knaɪfən] *(kniff, gekniffen, h)* **1.** *v/t* pinch (***j-n in den Arm*** s.o. on the arm, s.o.'s arm); **2.** *v/i Kleidung*: pinch; F *fig.* chicken out (***vor*** *dat* of); '**≗zange** *f* (***e-e*** a pair of) pincers *pl.*
Kneipe ['knaɪpə] *f (-; -n) bsd. Br.* pub, *Am.* bar.
Knick [knɪk] *m (-[e]s; -e) Falte*: crease; *Eselsohr*: dog-ear; *in Draht etc*: kink; *Kurve*: sharp bend; '**≗en 1.** *v/t (h)* bend; *Papier*: crease; *brechen*: break; **2.** *v/i (sn)* bend; *brechen*: break.
Knie [kni:] *n (-s; - ['kni:(ə)]) anat.* knee; **~beuge** ['-bɔʏgə] *f (-; -n)* knee bend: ***e-e ~ machen*** do a knee bend; '**~kehle** *f* hollow of the knee; '**≗n** *v/i (h)* kneel, be on one's knees; '**~scheibe** *f* kneecap; '**~strumpf** *m* knee-length sock.
knifflig ['knɪflɪç] *adj* F tricky.
knipsen ['knɪpsən] *v/t (h)* take a picture (*od.* shot) of; *Fahrkarte etc*: punch.
knirschen ['knɪrʃən] *v/i (h)* crunch: ***mit den Zähnen ~*** grind one's teeth.
knittern ['knɪtərn] *v/i (h)* crease.
Knoblauch ['kno:plaʊx] *m (-[e]s; no pl) bot.* garlic.
Knöchel ['knœçəl] *m (-s; -) anat.* ankle; *Finger*≗: knuckle.
Knochen ['knɔxən] *m (-s; -)* bone; '**~bruch** *m med.* fracture.
Knödel ['knø:dəl] *m (-s; -) gastr.* dumpling.
Knopf [knɔpf] *m (-[e]s; ⸚e)* button; '**~loch** *n* buttonhole.
Knorpel ['knɔrpəl] *m (-s; -) in Wurst etc*: gristle; *anat.* cartilage.
Knospe ['knɔspə] *f (-; -n) bot.* bud.
knoten ['kno:tən] *v/t (h)* knot, make knots in.
Knoten [-] *m (-s; -)* knot.
Knüller ['knʏlər] *m (-s; -)* F *Buch, Film etc*: blockbuster; *Schallplatte*: smash hit; *Presse*: scoop.
knüpfen ['knʏpfən] *v/t (h) Teppich etc*: knot.
Knüppel ['knʏpəl] *m (-s; -)* club; *Polizei*≗: truncheon, baton, *Am. a.* nightstick, billy (club).
knurren ['knʊrən] *v/i (h)* growl; *Magen*: rumble; *murren*: grumble (***über*** *acc* at).
knusprig ['knʊsprɪç] *adj Braten, Semmel*: crisp.
knutschen ['knu:tʃən] *v/i (h)* F smooch (***mit*** with), *Br.* snog (with).
k.o. [ka:'ʔo:] *adj*: ***~ schlagen*** knock out; ***total ~ sein*** F be dead beat.
koalieren [koʔa'li:rən] *v/i (no ge-, h) pol.* form a coalition (***mit*** with).
Koalition [koʔali'tsĭo:n] *f (-; -en) pol.* coalition; **~spartner** *m* coalition partner; **~sre͵gierung** *f* coalition government; **~sver͵einbarung** *f* coalition agreement.
Koch [kɔx] *m (-[e]s; ⸚e)* cook; *Küchenchef*: chef; '**~buch** *n* cookery book, cookbook; '**≗en** *(h)* **1.** *v/i* cook, do the cooking; *Flüssiges*: be boiling (*a. fig.* ***vor Wut*** with rage): ***gut ~*** be a good cook; **2.** *v/t Fleisch, Gemüse*: cook; *Eier, Wasser*: boil; *Kaffee, Tee*: make; '**≗end**: ***~ heiß*** boiling hot; '**~gelegenheit** *f* cooking facilities *pl.*

Köchin ['kœçɪn] *f* (-; *-nen*) cook.
'**Koch|nische** *f* kitchenette; '**~topf** *m* saucepan.
Koffein [kɔfe'iːn] *n* (*-s*; *no pl*) caffeine; **⌂frei** *adj* decaffeinated.
Koffer ['kɔfər] *m* (*-s*; -) (suit)case; **~kuli** ['-kuːli] *m* (*-s*; *-s*) trolley; '**~radio** *n* transistor radio; '**~raum** *m mot. Br.* boot, *Am.* trunk.
Kognak → ***Cognak.***
Kohl [koːl] *m* (-[*e*]*s*; *-e*) *bot.* cabbage.
Kohle ['koːlə] *f* (-; *-n*) coal: **~*n*** *pl* F *Geld*: dough, *Br.* lolly; **~nhydrat** ['-nhy,-draːt] *n* (-[*e*]*s*; *-e*) carbohydrate; '**~nsäure** *f* carbonic acid: ***mit*** **~** → ***kohlensäurehaltig***; ***ohne*** **~** still; **⌂nsäurehaltig** ['-haltɪç] *adj* fizzy, sparkling.
Kokain [koka'iːn] *n* (*-s*; *no pl*) cocaine.
kokett [ko'kɛt] *adj* coquettish; **~ieren** [-'tiːrən] *v/i* (*no ge-*, *h*) flirt (***mit*** with) (*a. fig.*).
Kokosnuss ['koːkɔs-] *f bot.* coconut.
Koks [koːks] *m* (*-es*; *-e*) coke; F *Kokain*: coke.
Kolben ['kɔlbən] *m* (*-s*; -) *tech.* piston; *Gewehr⌂*: butt.
Kollege [kɔ'leːgə] *m* (*-n*; *-n*) colleague.
Kollektion [kɔlɛk'tsïoːn] *f* (-; *-en*) *econ.* collection, range.
kollektiv [kɔlɛk'tiːf] *adj* collective.
Kollektiv [-] *n* (*-s*; *-e*) collective.
kolli|dieren [kɔli'diːrən] *v/i* (*no ge-*, *sn*) collide (***mit*** with), *fig.* (*h*) *a.* clash (with); **⌂sion** [-'zïoːn] *f* (-; *-en*) collision, *fig. a.* clash.
Köln [kœln] Cologne.
Kolonne [ko'lɔnə] *f* (-; *-n*) column; *von Fahrzeugen*: convoy.
Koloss [ko'lɔs] *m* (*-es*; *-e*) colossus, *fig. a.* giant.
kolossal [kolɔ'saːl] *adj* gigantic.
Kombi ['kɔmbi] *m* (-[*s*]; *-s*) *mot.* estate car, *bsd. Am.* station wagon; **~nation** [-na'tsïoːn] *f* (-; *-en*) combination; *Fußball etc*: move; **⌂nieren** [-'niːrən] (*no ge-*, *h*) **1.** *v/t* combine (***mit*** with); **2.** *v/i*: ***gut*** **~** be a good thinker.
Komfort [kɔm'foːr] *m* (*-s*; *no pl*) conveniences *pl*; *Luxus*: luxury; **⌂abel** [-fɔr'taːbəl] *adj Sessel etc*: comfortable (*a. Leben*); *Wohnung*: well-appointed.
komisch ['koːmɪʃ] *adj* funny (*a. merkwürdig*).
Komitee [komi'teː] *n* (*-s*; *-s*) committee.
Komma ['kɔma] *n* (*-s*; *-s*) comma: ***zwei*** **~** ***vier*** two point four.
Kommand|ant [kɔman'dant] *m* (*-en*; *-en*) *mil.* commander, commanding officer; **~eur** [-'døːr] *m* (*-s*; *-e*) *mil.* commander; **~o** [-'mando] *n* (*-s*; *-s*) *Befehl*: command, order; *mil.* **~*einheit***: commando: ***das*** **~** ***führen*** be in command; ***auf*** **~** on command.
kommen ['kɔmən] *v/i* (*kam*, *gekommen*, *sn*) come; *an~*: *a.* arrive; *gelangen*: get (***bis*** to): **~** ***lassen*** send for; *et.*: order; **~** ***auf*** (*acc*) *sich erinnern*: think of, remember; *herausfinden*: think of, hit on; ***hinter et.*** **~** find s.th. out; ***um et.*** **~** be done out of s.th.; ***zu et.*** **~** come by s.th.; ***wieder zu sich*** **~** come round (*od.* to); ***wohin kommt …?*** where does … go?; **~lassen** → ***kommen.***
Komment|ar [kɔmɛn'taːr] *m* (*-s*; *-e*) comment (***zu*** on); **⌂ieren** *v/t* (*no ge-*, *h*) comment on.
Kommerz [kɔ'mɛrts] *m* (*-es*; *no pl*) commercialism; **⌂ialisieren** [-tsïali-'siːren] *v/t* (*no ge-*, *h*) commercialize; **⌂iell** [-'tsïɛl] *adj* commercial.
Kommissar [kɔmɪ'saːr] *m* (*-s*; *-e*) *Polizei⌂*: superintendent.
Kommission [kɔmɪ'sïoːn] *f* (-; *-en*) commission.
Kommode [kɔ'moːdə] *f* (-; *-n*) chest of drawers, *Am. a.* bureau.
kommunal [kɔmu'naːl] *adj* local; **⌂abgaben** *pl* (local) rates *pl*, *Am.* local taxes *pl*; **⌂poli,tik** *f* local politics *pl*; **⌂wahlen** *pl* local elections *pl.*
Kommune [kɔ'muːnə] *f* (-; *-n*) *Gemeinde*: community; *Wohngemeinschaft*: commune.
Kommunis|mus [kɔmu'nɪsmʊs] *m* (-; *no pl*) communism; **~t** *m* (*-en*; *-en*) communist; **⌂tisch** *adj* communist.
Komödie [ko'møːdïə] *f* (-; *-n*) comedy; *fig.* farce.
Kompanie [kɔmpa'niː] *f* (-; *-n*) *mil.* company.
Kompass ['kɔmpas] *m* (*-es*; *-e*) compass.
kompatib|el [kɔmpa'tiːbəl] *adj* compatible; **⌂ilität** [-tibili'tɛːt] *f* (-; *-en*) compatibility.
Kompens|ation [kɔmpɛnza'tsïoːn] *f* (-; *-en*) compensation; **~ati'onsgeschäft** *n* barter transaction; **⌂ieren** [-'tsiːrən] *v/t* (*no ge-*, *h*) compensate for.
kompetent [kɔmpe'tɛnt] *adj zuständig*:

K

responsible (***für*** for); *befähigt*: competent; *sachverständig*: expert (***in*** *dat* at, in, on).

Kompetenz [kɔmpeˈtɛnts] *f* (-; *-en*) competence: ***in j-s ~ fallen*** be s.o.'s responsibility; **~bereich** *m* area (*od.* sphere) of responsibility; **~verteilung** *f* distribution of powers; **~zentrum** *n* competence centre.

komplett [kɔmˈplɛt] *adj* complete.

Komplex [kɔmˈplɛks] *m* (*-es*; *-e*) complex.

Kompliment [kɔmpliˈmɛnt] *n* (-[*e*]*s*; *-e*) compliment: ***j-m ein ~ machen*** pay s.o. a compliment (***wegen*** on).

Kompliz|e [kɔmˈpliːtsə] *m* (*-n*; *-n*), **~in** *f* (-; *-nen*) accomplice.

kompliziert [kɔmpliˈtsiːrt] *adj* complicated; *med. Bruch*: compound.

Komplott [kɔmˈplɔt] *n* (-[*e*]*s*; *-e*) plot, conspiracy.

kompo|nieren [kɔmpoˈniːrən] *v/t u. v/i* (*no ge-*, *h*) compose; **≈nist** [-ˈnɪst] *m* (*-en*; *-en*) composer; **≈sition** [-ziˈtsĭoːn] *f* (-; *-en*) composition.

Kompott [kɔmˈpɔt] *n* (-[*e*]*s*; *-e*) stewed fruit.

Kompromiss [kɔmproˈmɪs] *m* (*-es*; *-e*) compromise; **≈los** *adj* uncompromising.

Kondens|milch [kɔnˈdɛns-] *f* evaporated milk; **~wasser** *n* condensation.

Kondition [kɔndiˈtsĭoːn] *f* (-; *-en*) *Ausdauer*: stamina; *pl econ.* terms *pl*.

Konditorei [kɔnditoˈraɪ] *f* (-; *-en*) cake shop; *Café*: café.

Kondom [kɔnˈdoːm] *n*, *m* (*-s*; *-e*) condom.

Konfekt [kɔnˈfɛkt] *n* (-[*e*]*s*; *-e*) chocolates *pl*; **~ionsanzug** [kɔnfɛkˈtsĭoːns-] *m* ready-made suit.

Konferenz [kɔnfeˈrɛnts] *f* (-; *-en*) conference; **~raum** *m* conference room.

Konfession [kɔnfɛˈsĭoːn] *f* (-; *-en*) religion, (religious) denomination; **≈ell** [-sĭoˈnɛl] *adj* denominational.

konfiszieren [kɔnfɪsˈtsiːrən] *v/t* (*no ge-*, *h*) *jur.* confiscate, seize.

Konfitüre [kɔnfiˈtyːrə] *f* (-; *-n*) jam.

Konflikt [kɔnˈflɪkt] *m* (-[*e*]*s*; *-e*) conflict.

konfrontieren [kɔnfrɔnˈtiːrən] *v/t* (*no ge-*, *h*) confront (***mit*** with).

konfus [kɔnˈfuːs] *adj* confused, muddled.

Kongress [kɔnˈgrɛs] *m* (*-es*; *-e*) congress.

König [ˈkøːnɪç] *m* (*-s*; *-e*) king; **~in** [ˈ-gɪn] *f* (-; *-nen*) queen; **≈lich** [ˈ-klɪç] *adj* roy-al; **ˈ~reich** *n* kingdom.

Konjunktur [kɔnjʊŋkˈtuːr] *f* (-; *-en*) *econ.* economic situation.; **~einbruch** *m* (economic) slump; **~klima** *n* economic climate.

konkret [kɔnˈkreːt] *adj* concrete.

Konkurr|ent [kɔnkʊˈrɛnt] *m* (*-en*; *-en*) competitor, rival; **~enz** [-ˈrɛnts] *f* (-; *-en*) competitor(s *pl*), rival(s *pl*); *coll.* competition; *Wettkampf*: competition, event; **≈enzfähig** *adj* competitive; **~enzkampf** *m* competition; **≈enzlos** *adj* unrival(l)ed; **≈ieren** [-ˈriːrən] *v/i* (*no ge-*, *h*) compete (***mit*** with; ***um*** for).

Konkurs [kɔnˈkʊrs] *m* (*-es*; *-e*) *econ.* bankruptcy: ***in ~ gehen*** go bankrupt; **~masse** *f* bankrupt's estate; **~verwalter** *m* receiver.

können [ˈkœnən] *v/aux*, *v/t u. v/i* (*konnte*, *gekonnt*, *h*) be able to; *dürfen*: be allowed to: ***kann ich …?*** can I …?; ***ich kann nicht mehr*** *bin erschöpft*: I've had it; *bin satt*: I couldn't eat another thing; ***e-e Sprache ~*** know (*od.* speak) a language.

Können [-] *n* (*-s*; *no pl*) ability, skill.

Könner [ˈkœnər] *m* (*-s*; *-*) expert (***auf dem Gebiet*** *gen* at, in).

konsequen|t [kɔnzeˈkvɛnt] *adj folgerichtig*: logical; *beständig*: consistent; **≈z** [-ts] *f* (-; *-en*) consistency; *Folge*: consequence: ***die ~en ziehen*** take the necessary steps (***aus*** in view of).

konservativ [kɔnzɛrvaˈtiːf] *adj* conservative; **≈e** [-ˈtiːvə] *m*, *f* (*-n*; *-n*) conservative.

Konserve [kɔnˈzɛrvə] *f* (-; *-n*) → ***Konservenbüchse***: **~n** *pl* tinned (*bsd. Am.* canned) foods *pl*; **~nbüchse** *f*, **~ndose** *f bsd. Br.* tin, *bsd. Am.* can.

konservier|en [kɔnzɛrˈviːrən] *v/t* (*no ge-*, *h*) preserve; **≈ungsstoff** *m* preservative.

konstruieren [kɔnstruˈiːrən] *v/t* (*no ge-*, *h*) construct; *entwerfen*: design.

Konstrukt|eur [kɔnstrʊkˈtøːr] *m* (*-s*; *-e*) designer; **~ion** [-ˈtsĭoːn] *f* (-; *-en*) construction; *Entwurf*: design.

Konsul [ˈkɔnzʊl] *m* (*-s*; *-n*) consul; **~at** [-zuˈlaːt] *n* (-[*e*]*s*; *-e*) consulate.

Konsum [kɔnˈzuːm] *m* (*-s*; *no pl*) consumption; **~arˌtikel** *m* consumer article (*pl* goods *pl*); **~ent** [-zu'mɛnt] *m* (*-en*; *-en*) consumer; **2freudig** *adj* consumption-oriented, consumerist; **2ieren** [-zu'mi:rən] *v/t* (*no ge-, h*) consume; **~tempel** *m fig*. temple of consumerism; **~verhalten** *n* consumer habits; ***umweltfreundliches ~*** green consumerism.

Kontakt [kɔn'takt] *m* (*-[e]s; -e*) contact (*a. electr.*): ***mit j-m ~ aufnehmen*** get in touch with s.o.; ***mit j-m in ~ stehen*** be in contact (*od*. touch) with s.o.; **2freudig** *adj* sociable: ***~ sein*** be a good mixer; **~linsen** *pl* contact lenses *pl*.

Kontinent [kɔnti'nɛnt] *m* (*-[e]s; -e*) continent; **2al** [-'ta:l] *adj* continental; **~aleu,ropa** *n* the Continent; **~alklima** *n* continental climate.

Konto ['kɔnto] *n* (*-s; Konten*) *econ*. account; **'~auszug** *m* bank statement; **'~nummer** *f* account number; **'~stand** *m* balance.

Kontrast [kɔn'trast] *m* (*-[e]s; -e*) contrast.

Kontroll|e [kɔn'trɔlə] *f* (*-; -n*) *Überwachung, Beherrschung*: control; *Aufsicht*: supervision; *Prüfung*: check(-ing), *von Gepäck etc*: inspection; **~eur** [-'lø:r] *m* (*-s; -e*) inspector; **2ieren** [-'li:rən] *v/t* (*no ge-, h*) control; supervise; check, inspect.

Kontroverse [kɔntro'vɛrzə] *f* (*-; -n*) controversy.

Konvention|alstrafe [kɔnvɛntsĭo-'na:l-] *f* contract penalty; **2ell** [-'nɛl] *adj* conventional.

Konvergenz [kɔnvɛr'gɛnts] *f* (*-; -en*) convergence; **~kriterium** *n* convergence criterion.

Konversation [kɔnvɛrza'tsĭo:n] *f* (*-; -en*) conversation; **~slexikon** *n* encyclop(a)edia.

konvertier|bar [kɔnvɛr'ti:rba:r] *adj* convertible; **2barkeit** *f* (*-; no pl*) convertibility; **~en** *v/t*. (*no ge-, h*) convert; **2ung** *f* (*-; -en*) conversion.

Konzentr|ation [kɔntsɛntra'tsĭo:n] *f* (*-; -en*) concentration; **2ieren** *v/t u. v/refl* (*no ge-, h*) concentrate (***auf*** *acc* on).

Konzept [kɔn'tsɛpt] *n* (*-[e]s; -e*) (rough) draft: ***j-n aus dem ~ bringen*** put s.o. out.

Konzern [kɔn'tsɛrn] *m* (*-[e]s; -e*) *econ*. group.

Konzert [kɔn'tsɛrt] *n* (*-[e]s; -e*) concert; *Musikstück*: concerto: ***ins ~ gehen*** go to a concert; **2iert** [-'ti:rt] *adj*: ***~e Aktion*** concerted action.

Konzession [kɔntsɛ'sĭo:n] *f* (*-; -en*) *Genehmigung*: licen|ce (*Am*. -se); *Zugeständnis*: concession (*dat od*. **an** *acc* to).

Kooper|ation [koˀopera'tsĭo:n] *f* (*-; -en*) cooperation; **2ativ** [-'ti:f] *adj* cooperative; **2ieren** [-'ri:rən] *v/i* (*no ge-, h*) cooperate.

Kopenhagen [ko:pən'ha:gən] Copenhagen.

Kopf [kɔpf] *m* (*-[e]s; ⸗e*) head (*a. ~ende, Verstand etc*): ***~ hoch!*** chin up!; ***sich den ~ zerbrechen*** cudgel (*od*. rack) one's brains; → ***durchsetzen*** 1; **'~bahnhof** *m* terminus; **'~ende** *n* head; **'~hörer** *m* headphones *pl*; **'~kissen** *n* pillow; **'2los** *adj fig*. panic-stricken; **'~sa,lat** *m* lettuce; **'~schmerzen** *pl* headache *sg*; **'~schmerzta,blette** *f* headache pill (*od*. tablet); **'~tuch** *n* scarf; **2'über** *adv* headfirst; **'~zerbrechen** *n* (*-s; no pl*): ***j-m ~ machen*** give s.o. quite a headache.

Kopie [ko'pi:] *f* (*-; -n*) copy; **2ren** [-'pi:rən] *v/t* (*no ge-, h*) copy; **~rgerät** *n* copier.

Kopilot ['ko:pi,lo:t] *m aer*. copilot.

Korb [kɔrp] *m* (*-[e]s; ⸗e*) basket: ***j-m e-n ~ geben*** *fig*. turn s.o. down.

Korea [ko're:a] Korea.

Korken ['kɔrkən] *m* (*-s; -*) cork; **'~zieher** *m* corkscrew.

Korn[1] [kɔrn] *n* (*-[e]s; ⸗er*) *Sand etc*: grain; *Samen2*: seed; *Getreide*: grain, *Br. a*. corn.

Korn[2] [-] *m* (*-[e]s; -*) F (grain) schnapps.

körnig ['kœrnɪç] *adj* grainy; *Reis*: al dente; *in Zssgn*: ...-grained.

Körper ['kœrpər] *m* (*-s; -*) body (*a. phys. etc*); **'~bau** *m* (*-[e]s; no pl*) build, physique; **'2behindert** *adj* (physically) disabled *od*. handicapped; **'~geruch** *m* body odo(u)r, BO; **'~gewicht** *n* (body) weight; **'~größe** *f* height; **'~kraft** *f* physical strength; **'2lich** *adj* bodily, physical; **'~pflege** *f* personal hygiene; **'~schaft** *f* (*-; -en*) corporation, body; **'~schaftssteuer** *f* corporation tax; **'~teil** *m* part of the body; **'~verletzung** *f jur*. bodily harm.

korrekt [kɔ'rɛkt] *adj* correct; **2ur** [-'tu:r] *f* (*-; -en*) correction; **2urband**

K

n correction tape.

Korrespond|ent [kɔrɛspɔn'dɛnt] *m* (*-en*; *-en*) correspondent; **~enz** [~ts] *f* (-; *-en*) correspondence; **≈ieren** [~'diːrən] *v/i* (*no ge-*, *h*) correspond (***mit*** with).

Korridor ['kɔridoːr] *m* (*-s*; *-e*) *Gang*: corridor; *Flur*: hall.

korrigieren [kɔri'giːrən] *v/t* (*no ge-*, *h*) correct.

korrupt [kɔ'rʊpt] *adj* corrupt; **≈ion** [~'tsi̯oːn] *f* (-; *-en*) corruption.

Korsika ['kɔrzika] Corsica.

Kosename ['koːzə~] *m* pet name.

Kosmet|ik [kɔs'meːtɪk] *f* (-; *no pl*) makeup; *Mittel*: cosmetics *pl*; **~ikerin** *f* (-; *-nen*) beautician; **~ikkoffer** *m* vanity case; **~iksa,lon** *m* beauty parlo(u)r; **≈isch** *adj* cosmetic.

Kost [kɔst] *f* (-; *no pl*) food; *Verpflegung*: board.

kostbar ['kɔstbaːr] *adj* precious, valuable; *teuer*: expensive; **'≈keit** *f* (-; *-en*) precious object, treasure.

kosten[1] ['kɔstən] *v/t* (*h*) taste, try.

kosten[2] [~] *v/t* (*h*) cost: ***was*** (*od.* ***wie viel***) ***kostet ...?*** how much is ...?

Kosten [~] *pl* cost(s *pl*); *Gebühren*: charges *pl*, fees *pl*: ***auf j-s ~*** at s.o.'s expense; ***~ deckend*** cost-covering; **'~dämpfung** *f* (-; *-en*) curbing of costs; **'≈deckend** *adj* cost-covering; **'~erstattung** *f* refund (of expenses); **'~explosi,on** *f* runaway costs *pl*; **'~faktor** *m* cost factor; **'≈günstig** *adj* reasonable; **'≈los** *adj u. adv* free (of charge); **'~voranschlag** *m* estimate: ***e-n ~ einholen*** get an estimate.

köstlich ['kœstlɪç] **1.** *adj* delicious; **2.** *adv*: ***sich ~ amüsieren*** have a great time.

'Kost|probe *f* sample; *fig. a.* taste; **≈spielig** ['~ʃpiːlɪç] *adj* expensive.

Kostüm [kɔs'tyːm] *n* (*-s*; *-e*) costume; *Damen≈*: suit; **~fest** *n* fancy-dress ball.

Kot [koːt] *m* (*-[e]s*; *no pl*) excrement; *von Tieren*: *a.* droppings *pl*.

Kotelett [kotə'lɛt] *n* (*-s*; *-s*) chop.

'Kotflügel *m mot. Br.* wing, *Am.* fender.

kotzen ['kɔtsən] *v/i* (*h*) V puke.

Krabbe ['krabə] *f* (-; *-n*) shrimp, *größere*: prawn.

krabbeln ['krabəln] *v/i* (*sn*) crawl.

Krach [krax] *m* (*-[e]s*; *≈e*) *Lärm*: noise; *Knall, Schlag*: crash; *Streit*: row: ***~ machen*** make a noise; **'≈en** *v/i* **a)** (*sn*) crash (***gegen*** into) **b)** (*h*) *Schuss*: ring out.

krächzen ['krɛçtsən] *v/i u. v/t* (*h*) *Person*: croak.

Kraft [kraft] *f* (-; *≈e*) strength (*a. fig.*); *Natur≈, a. phys.*: force; *electr., pol., tech.* power: ***in ~ sein*** (***setzen, treten***) be in (put into, come into) force; **'~fahrer** *m* driver, motorist; **'~fahrzeug** *n* motor vehicle; *Zssgn* → ***Kfz-Brief*** *etc.*

kräftig ['krɛftɪç] *adj* strong; *Schlag*: heavy, powerful; *~ gebaut*: big; *Essen*: nourishing; *Farbe*: bright, strong.

'kraft|los *adj* weak; **'≈probe** *f* trial of strength; **'≈stoff** *m mot.* fuel;; **'≈werk** *n* power station.

Kragen ['kraːgən] *m* (*-s*; -) collar.

Kralle ['kralə] *f* (-; *-n*) claw (*a. fig.*); **'≈n** *v/refl* (*h*) cling (***an*** *acc* to), clutch (at).

Kram [kraːm] *m* (*-[e]s*; *no pl*) F rubbish; *Sache*: business.

Krampf [krampf] *m* (*-[e]s*; *≈e*) *med.* cramp; **'~ader** *f med.* varicose vein.

Kran [kraːn] *m* (*-[e]s*; *≈e*) *tech.* crane.

krank [kraŋk] *adj pred* ill, *bsd. attr* sick: ***~ sein*** (***werden***) be (fall) ill (*bsd. Am.* sick).

kränken ['krɛŋkən] *v/t* (*h*) hurt *s.o.'s* feelings, offend.

Kranken|geld ['kraŋkən~] *n* sick benefit; **'~gym,nastik** *f* physiotherapy; **'~haus** *n* hospital: ***im ~ liegen*** be in hospital; **'~kasse** *f* health insurance scheme; **'~pfleger** *m* male nurse; **'~schein** *m* health insurance chit; **'~schwester** *f* nurse; **'≈versichert** *adj*: ***~ sein*** have medical insurance; **'~versicherung** *f* health insurance; **'~wagen** *m* ambulance.

'krankhaft *adj* pathological; *übertrieben etc*: abnormal, obsessive.

'Krankheit *f* (-; *-en*) illness, sickness; *bestimmte*: disease; **'~serreger** *m* germ.

Kränkung ['krɛŋkʊŋ] *f* (-; *-en*) insult.

Kranz [krants] *m* (*-es*; *≈e*) wreath.

krass [kras] *adj Beispiel, Widerspruch etc*: crass; *Fall, Lüge*: blatant; *Übertreibung etc*: gross; *Außenseiter*: rank.

kratzen ['kratsən] (*h*) **1.** *v/t* scratch; *schaben*: scrape (***von*** from, off); **2.** *v/i* scratch; **3.** *v/refl* scratch o.s.: ***sich am Kinn ~*** scratch one's chin.

Kraut [kraʊt] *n* (*-[e]s*; *Kräuter*) *bot.* herb; *gastr.* cabbage.

Krawall [kra'val] *m* (*-s*; *-e*) riot; F *Lärm*: row, racket.

Krawatte [kra'vatə] *f* (*-*; *-n*) tie.

kreat|iv [krea'ti:f] *adj* creative; **♀ivität** [-ivi'tɛt] *f* (*-*; *no pl*) creativity; **♀ur** [-'tu:r] *f* (*-*; *-en*) creature.

Krebs [kre:ps] *m* (*-es*; *-e*) *zo.* crayfish; *med.* cancer; **~ *erregend*** → **'♀erregend** *adj* carcinogenic; **'~forschung** *f* cancer research; **'~vorsorge** *f*, **'~vorsorgeuntersuchung** *f* cancer screening.

Kredit [kre'di:t] *m* (*-[e]s*; *-e*) *econ.* credit, loan; **~hai** *m* F *contp.* loan shark; **~insti,tut** *n* credit institution; **~karte** *f* credit card; **~rahmen** *m* credit plan; **♀würdig** *adj* creditworthy.

Kreis [kraɪs] *m* (*-es*; *-e*) circle (*a. fig.*); *pol.* district, *Am. a.* county; *electr.* circuit; **'~bahn** *f ast.* orbit; **'♀en** ['-zən] *v/i* (*sn*) *Flugzeug*, *Vogel*: circle: **~ *um*** *Satellit etc*: orbit, *Planet*, *Gedanken*: revolve (a)round; **♀förmig** ['-fœrmɪç] *adj* circular; **'~lauf** *m econ. etc* cycle; *Blut*, *Geld etc*: circulation; **'~laufstörungen** *pl med.* circulatory trouble *sg*; **'♀rund** *adj* circular; **'~verkehr** *m* roundabout (*Am.* rotary) traffic.

Kreml ['krɛml] *the* Kremlin.

Kreta ['kre:ta] Crete.

Kreuz [krɔʏts] *n* (*-es*; *-e*) cross (*a. fig.*); *Symbol*: *a.* crucifix; *anat.* (small of the) back; *Kartenspiel*: (*Farbe*) clubs *pl*, (*Karte*) club; **'♀en** *v/refl* (*h*) cross (*a. fig.*); *Interessen etc*: clash; **'~fahrt** *f mar.* cruise; **'~otter** *f zo.* adder; **'~schmerzen** *pl* backache *sg*; **'~ung** *f* (*-*; *-en*) crossroads *pl* (*sg konstr.*), junction, intersection; *biol.* cross(-breed)-ing; *Produkt*: cross(breed); *fig.* cross; **'~verhör** *n jur.* cross-examination: ***ins ~ nehmen*** cross-examine; **'♀weise** *adv* crosswise, crossways; **'~worträtsel** *n* crossword (puzzle).

kriech|en ['kri:çən] *v/i* (*kroch*, *gekrochen*, *sn*) creep, crawl (*fig.* ***vor j-m*** to s.o.); **'♀spur** *f mot.* slow (*od.* crawler) lane; **'♀tempo** *n*: ***im ~*** at a snail's pace.

Krieg [kri:k] *m* (*-[e]s*; *-e*) war: **~ *führen*** wage war (***gegen*** against); **~ *führend*** belligerent.

kriegen ['kri:gən] *v/t* (*h*) get; *fangen*: catch.

Krieger|denkmal ['kri:gər-] *n* war memorial; **'♀isch** *adj* warlike, martial.

Kriegführung *f* (*-*; *no pl*) warfare.

'Kriegs|dienst *m* active service; *Wehrdienst*: military service; **'~dienstverweigerer** *m* (*-s*; *-*) conscientious objector; **'~dienstverweigerung** *f* conscientious objection; **'~erklärung** *f* declaration of war; **'~gefangene** *m* prisoner of war, P.O.W.; **'~recht** *n* (*-[e]s*; *no pl*) martial law; **'~schauplatz** *m* theat|re (*Am.* -er) of war; **'~schiff** *n* warship; **'~verbrechen** *n* war crime; **'~verbrecher** *m* war criminal.

Krim [krɪm] Crimea.

Krimi ['krɪmi] *m* (*-s*; *-s*) (crime) thriller, F whodunit.

Kriminal|beamte [krimi'na:l-] *m* detective; **~film** *m* crime film; **~poli,zei** *f* criminal investigation department; **~ro,man** *m* crime (*od.* detective) novel.

kriminell [krimi'nɛl] *adj* criminal; **♀e** *m*, *f* (*-n*; *-n*) criminal.

Krise ['kri:zə] *f* (*-*; *-n*) crisis; **'~nherd** *m* trouble spot; **'~nstab** *m* crisis committee.

Kriterium [kri'te:rĭʊm] *n* (*-s*; *-rien*) criterion (***für*** of).

Krit|ik [kri'ti:k] *f* (*-*; *-en*) criticism (***an*** *dat* of); *thea.*, *mus. etc* review: ***gute ~en*** a good press; ***~ üben an*** (*dat*) criticize; **~iker** ['kri:tiker] *m* (*-s*; *-*) critic; **♀iklos** *adj* uncritical; **'♀isch** *adj* critical (*a. fig.*) (***gegenüber*** of); **♀isieren** [kriti'si:rən] *v/t* (*no ge-*, *h*) criticize.

Kroatien [kro'a:tĭən] Croatia.

Krone ['kro:nə] *f* (*-*; *-n*) crown.

krönen ['krø:nən] *v/t* (*h*) crown (***j-n zum König*** s.o. king).

'Kronleuchter *m* chandelier.

'Krönung *f* (*-*; *-en*) coronation; *fig.* culmination.

Kropf [krɔpf] *m* (*-[e]s*; *¨e*) *med.* goit|re (*Am.* -er).

Kröte ['krø:tə] *f* (*-*; *-n*) *zo.* toad.

Krücke ['krʏkə] *f* (*-*; *-n*) crutch: ***an ~n gehen*** walk on crutches.

Krug [kru:k] *m* (*-[e]s*; *¨e*) jug, pitcher; *Bier♀*: mug, stein.

krümm|en ['krʏmən] *v/refl* (*h*): ***sich ~ vor*** (*dat*) double up with; **'♀ung** *f* (*-*; *-en*) *Straße etc*: bend, turn.

Kuba ['ku:ba] Cuba.

Kübel ['ky:bəl] *m* (*-s*; *-*) pail, bucket.

Kubikmeter [ku'bi:k-] *m*, *n* cubic met|re (*Am.* -er).

Küche ['kʏçə] *f* (*-*; *-n*) kitchen; *Koch-*

K

kunst: cooking, cuisine: ***kalte*** (***warme***) **~** cold (hot) meals *pl*.
Kuchen ['ku:xən] *m* (*-s*; *-*) cake.
Kugel ['ku:gəl] *f* (*-*; *-n*) ball; *Gewehr*≗ *etc*: bullet; '**~gelenk** *n anat*., *tech*. ball-and-socket joint; '**~kopf** *m* golf ball; '**~kopfma,schine** *f* golf-ball typewriter; '**~lager** *n tech*. ball bearing; '**~schreiber** *m* (*-s*; *-*) ballpoint (pen), *Br. a. TM* biro; '**≗sicher** *adj* bulletproof; '**~stoßen** *n* (*-s*) *Leichtathletik*: shot put.
Kuh [ku:] *f* (*-*; *⸚e*) *zo*. cow.
kühl [ky:l] *adj* cool (*a. fig*.); '**≗e** *f* (*-*; *no pl*) cool(ness); '**~en** *v/t* (*h*) cool, chill; '**≗er** *m* (*-s*; *-*) *mot*. radiator; '**≗erhaube** *f Br*. bonnet, *Am*. hood; '**≗mittel** *n* coolant; '**≗raum** *m* cold-storage room; '**≗schrank** *m* refrigerator, F fridge; '**≗tasche** *f* cold bag; '**≗truhe** *f* chest freezer; '**≗wasser** *n* cooling water.
'**Kuhstall** *m* cowshed.
Küken ['ky:kən] *n* (*-s*; *-*) *zo*. chick.
Kuli ['ku:li] *m* (*-s*; *-s*) F → ***Kugelschreiber***.
kulinarisch [kuli'na:rɪʃ] *adj* culinary.
Kulissen [ku'lɪsən] *pl thea*. wings *pl*; *Dekorationsstücke*: scenery *sg*: ***hinter den ~*** *a. fig*. behind the scenes.
Kult [kʊlt] *m* (*-[e]s*; *-e*) cult; **~status** *m* cult status; ***Kultstatus haben*** *od*. ***genießen*** have *od*. enjoy cult status.
Kultur [kʊl'tu:r] *f* (*-*; *-en*) culture, civilization; **~abkommen** *n* cultural agreement; **~angebot** *n* range of cultural events; **~austausch** *m* cultural exchange; **~beutel** *m* toilet bag; **≗ell** [~tu'rɛl] *adj* cultural; **~geschichte** *f* history of civilization; **~pro'gramm** *n* cultural program(me); **~schock** *m* culture shock.
'**Kultus|mi,nister** ['kʊltʊs~] *m* minister of education; '**~mini,sterium** *n* ministry of education.
kümmern ['kʏmərn] *v/refl* (*h*): ***sich ~ um*** *j-n od. et*.: look after, take care of; *sich Gedanken machen*: care about, be interested in.
Kumpel ['kʊmpəl] *m* (*-s*; *-*) *Bergbau*: miner; F *Freund*: pal, *bsd. Br*. mate, *bsd. Am*. buddy.
kündbar ['kʏntba:r] *adj Vertrag*: terminable: ***er ist nicht ~*** he cannot be given notice.
Kunde ['kʊndə] *m* (*-n*; *-n*) customer; '**~ndienst** *m* after-sales service; *Abteilung*: service department; '**~nkre,ditbank** *f Br*. finance house, *Am*. sales finance company; '**~nservice** *m* customer service, after-sales service.
Kundgebung ['kʊntge:bʊŋ] *f* (*-*; *-en*) rally.
kündig|en ['kʏndɪgən] (*h*) **1.** *v/t Vertrag*: terminate; *Abonnement etc*: cancel; **2.** *v/i* give in one's notice: ***j-m ~*** give s.o. his notice; '**≗ung** *f* (*-*; *-en*) termination; cancel(l)ation; notice; '**≗ungsschutz** *m* protection against unlawful dismissal.
Kundschaft ['kʊntʃaft] *f* (*-*; *no pl*) customers *pl*.
Kunst [kʊnst] *f* (*-*; *⸚e*) art; *Fertigkeit*: *a*. skill; '**~ausstellung** *f* art exhibition; '**~dünger** *m* artificial fertilizer; '**~fehler** *m med*. professional error; '**~geschichte** *f* history of art; '**~gewerbe** *n*, '**~handwerk** *n* arts and crafts *pl*; '**~leder** *n* imitation leather.
Künstler ['kʏnstlər] *m* (*-s*; *-*) artist; '**≗isch** *adj* artistic.
künstlich ['kʏnstlɪç] *adj* artificial; *unecht*: *a*. false (*a. Zähne etc*); *Diamant etc*: synthetic.
'**Kunst|stoff** *m* synthetic material, plastic; '**≗voll** *adj* artistic, elaborate; '**~werk** *n* work of art.
Kupfer ['kʊpfər] *n* (*-s*; *no pl*) copper; '**~stich** *m* copperplate (engraving).
kuppeln ['kʊpəln] *v/i* (*h*) *mot*. operate the clutch.
'**Kupplung** *f* (*-*; *-en*) *mot*. clutch; '**~spe,dal** *n* clutch pedal; '**~sscheibe** *f* clutch disc.
Kur [ku:r] *f* (*-*; *-en*) (course of) treatment; *in Kurort*: cure; '**~aufenthalt** *m* stay at a health resort; '**~bad** *n* health resort, spa.
Kurbel ['kʊrbəl] *f* (*-*; *-n*) crank, handle; '**~welle** *f mot*. crankshaft.
Kürbis ['kʏrbɪs] *m* (*-ses*; *-se*) *bot*. pumpkin.
'**Kur|gast** *m* patient (at a health resort); '**~haus** *n* casino.
kurieren [ku'ri:rən] *v/t* (*no ge-*, *h*) *med*. cure (***von*** of) (*a. fig*.).
kurios [ku'rĭo:s] *adj* curious, odd, strange.
'**Kur|ort** *m* health resort, spa; '**~pfuscher** *m* quack.
Kurs [kʊrs] *m* (*-es*; *-e*) *aer., ped., pol. etc*

course; *Wechsel*≗: (exchange) rate; *Börsen*≗: price: ***zum ~ von*** at a rate of; '**~abfall** *m* fall in prices; '**~anstieg** *m* rise in prices; '**~buch** *n* (railway, *Am.* railroad) timetable; '**~gewinn** *m* price gain (*od.* profit); '**~wagen** *m* *rail.* through coach.

Kurtaxe ['-taksə] *f* (-; *-n*) health-resort tax.

Kurve ['kʊrvə] *f* (-; *-n*) curve; *Straßen*≗: *a.* bend, corner; '**≗nreich** *adj* winding.

kurz [kʊrts] **1.** *adj* short; *zeitlich*: *a.* brief: ***~e Hose*** shorts *pl*; **(*bis*) *vor ~em*** (until) recently; **(*erst*) *seit ~em*** (only) for a short time; **2.** *adv*: ***~ vorher*** (***darauf***) shortly before (after[wards]); ***~ vor uns*** just ahead of us; ***~ nacheinander*** in quick succession; ***~ fortgehen*** go away for a short time (*od.* a moment); ***sich ~ fassen*** → ***kurzfassen***; ***~ gesagt*** in short; ***zu ~ kommen*** go short; ***~ u. bündig*** briefly and succinctly; → ***lang*** 2; '**≗arbeit** *f* (-; *no pl*) short time; '**~arbeiten** *v/i* (*sep*, *-ge-*, *h*) be on (*od.* work) short time; '**≗arbeiter** *m* short-time worker.

Kürze ['kʏrtsə] *f* (-; *no pl*) shortness; *zeitlich*: *a.* brevity: ***in ~*** soon, shortly, before long; '**≗n** *v/t* (*h*) *Kleid etc*: shorten (***um*** by); *Buch etc*: abridge; *Ausgaben etc*: cut, reduce.

'**kurz|fassen** *v/refl* (*sep*, *-ge-*, *h*) be brief, put it briefly; **~fristig 1.** *adj* short-term; **2.** *adv* at short notice; *für kurze Zeit*: for a short period; '**≗geschichte** *f* short story.

kürzlich ['kʏrtslɪç] *adv* recently, not long ago.

'**Kurz|nachrichten** *pl* news summary *sg*; '**~parkzone** *f* limited parking zone; '**~schluss** *m* *electr.* short circuit; '**≗sichtig** *adj* shortsighted (*a. fig.*); '**~strecke** *f* short distance; *Sport*: sprint distance.

'**Kürzung** *f* (-; *-en*) cut, reduction.

'**Kurzwahl** *f* (-; *no pl*) *teleph.* speed (*od.* quick) dial(ling); '**~taste** *f* speed- (*od.* quick-)dial button.

'**Kurzwelle** *f* *electr.* short wave: ***auf ~*** on short wave.

Kusine [ku'ziːnə] *f* (-; *-n*) cousin.

Kuss [kʊs] *m* (*-es*; *⸚e*) kiss; '**≗echt** *adj* kissproof.

küssen ['kʏsən] *v/t* (*h*) kiss.

Küste ['kʏstə] *f* (-; *-n*) coast, shore; '**~ngewässer** *pl* coastal waters *pl*; '**~nschifffahrt** *f* coastal shipping; '**~nschutz** *m* coastguard.

Kuvert [ku'veːr] *n* (*-s*; *-s*) envelope.

Kuwait [ku'vaɪt] Kuwait.

labil [la'biːl] *adj* unstable.

L

Labor [la'boːr] *n* (*-s*; *-s*, *-e*) laboratory, F lab; **~ant** [-bo'rant] *m* (*-en*; *-en*) laboratory assistant; **≗ieren** [-bo'riːrən] *v/i* (*no ge-*, *h*): ***~ an*** (*dat*) suffer from; **~versuch** *m* laboratory experiment.

Lache ['laxə] *f* (-; *-n*) pool, puddle.

lächeln ['lɛçəln] *v/i* (*h*) smile (***über*** *acc* at).

Lächeln [-] *n* (*-s*) smile.

lachen ['laxən] *v/i* (*h*) laugh (***über*** *acc* at).

Lachen [-] *n* (*-s*) laugh(ter): ***j-n zum ~ bringen*** make s.o. laugh.

lächerlich ['lɛçərlɪç] *adj* ridiculous: ***~ machen*** ridicule, make fun of; ***sich ~ machen*** make a fool of o.s.

Lachs [laks] *m* (*-es*; *-e*) salmon.

Lack [lak] *m* (*-[e]s*; *-e*) varnish (*a. Nagel*≗); *Farb*≗: lacquer; *mot.* paint; **≗ieren** [-'kiːrən] *v/t* (*no ge-*, *h*) varnish; lacquer; *mot.* paint.

Lade|fläche ['laːdə-] *f* loading space; '**~gerät** *n* *electr.* battery charger.

'**laden** *v/t* (*lud*, *geladen*, *h*) load; *electr.* charge.

'**Laden** *m* (*-s*; *⸚*) *Br.* shop, *bsd. Am.* store; *Fenster*≗: shutter; '**~dieb** *m* shoplifter; '**~diebstahl** *m* shoplifting; '**~inhaber** *m* *Br.* shopkeeper, *bsd. Am.* storekeeper; '**~kasse** *f* till; '**~öffnungszeit** *f* shop opening hours; '**~preis** *m* retail price; '**~schluss** *m* (*-es*; *no pl*) closing time: ***nach ~*** after hours; '**~schlussgesetz** *n* *law regulating closing times*; '**~schlusszeit** *f* closing time; '**~straße** *f* shopping street;

'**~tisch** *m* counter.

'**Lade|rampe** *f* loading ramp; '**~raum** *m* loading space; *mar.* hold.

'**Ladung** *f* (-; *-en*) *aer., mar.* cargo; *mot.* load.

Lage ['la:gə] *f* (-; *-n*) situation, position (*beide a. fig.*); *Platz*: *a.* location; *Schicht*: layer; *Bier etc*: round: ***in schöner*** (***ruhiger***) **~** beautifully (peacefully) situated; ***in der ~ sein zu*** be able to, be in a position to.

Lager ['la:gər] *n* (*-s*; -) camp (*a. fig. Partei*); *Vorratsraum*: storeroom, *in Geschäft etc*: stockroom; *~haus*: warehouse; *Vorrat*: stock: ***et. auf ~ haben*** have s.th. in stock; '**~bestand** *m* stock; '**~feuer** *n* campfire; '**~haltung** *f* stockkeeping; '**~haltungskosten** *pl* storage charges *pl* (*od.* costs *pl*); '**~haus** *n* warehouse; '**2n** (*h*) **1.** *v/i* camp; *Lebensmittel etc*: be stored (*od.* kept); **2.** *v/t* store: ***kühl ~*** store (*od.* keep) in a cool place; '**~raum** *m* storeroom, *in Geschäft etc*: stockroom; '**~ung** *f* (-; *no pl*) storage.

Lagune [la'gu:nə] *f* (-; *-n*) lagoon.

lahm [la:m] *adj* lame; *med.* paraly|se (*Am.* -ze); ***~ legen*** → '**~legen** *v/t* (*sep, -ge-, h*) *Wirtschaft etc*: paraly|se (*Am.* -ze); *Verkehr*: bring to a standstill.

L

lähmen ['lɛ:mən] *v/t* (*h*) paraly|se (*Am.* -ze); *fig.* ***wie gelähmt sein vor*** (*dat*) be paralysed with.

'**Lähmung** *f* (-; *-en*) *med.* paralysis.

Laib [laɪp] *m* (-[*e*]*s*; *-e*) loaf.

Laich [laɪç] *m* (-[*e*]*s*; *-e*) spawn; '**2en** *v/i* (*h*) spawn.

Laie ['laɪə] *m* (*-n*; *-n*) layman, *Frau*: laywoman; '**2nhaft** *adj* amateurish.

Laken ['la:kən] *n* (*-s*; -) sheet; *Bade2*: bath towel.

Lamm [lam] *n* (-[*e*]*s*; *⸗er*) *zo.* lamb (*a. gastr.*); '**~braten** *m* roast lamb; '**~fell** *n* lambskin; '**~kote|lett** *n* lamb chop.

Lampe ['lampə] *f* (-; *-n*) lamp, light; *Glüh2*: bulb; '**~nfieber** *n* stage fright; '**~nschirm** *m* lampshade.

Lampion [lam'pĭɔŋ] *m* (*-s*; *-s*) Chinese lantern.

Land [lant] *n* (*-es*; *⸗er*) *Fest2*: land; *Staat*: country; *Bundes2*: Land; *Boden*: ground, soil; *~besitz*: land, property: ***an ~ gehen*** go ashore; ***auf dem ~*** in the country; ***aufs ~ fahren*** go into the country; ***außer ~es gehen*** go abroad; '**~bevölkerung** *f* rural population.

Lande|bahn ['landə-] *f aer.* runway; '**~erlaubnis** *f* permission to land.

land'einwärts *adv* inland.

landen ['landən] *v/i* (*sn*) land: *fig.* ***~ in*** end up in.

'**Landenge** *f* (-; *-n*) *geogr.* isthmus.

Landeplatz ['landə-] *m aer.* airstrip.

Landes|grenze ['landəs-] *f* national border; '**~innere** *n* (-inner[e]n; *no pl*) interior; '**~sprache** *f* national language; '**~verrat** *m* treason; '**~verteidigung** *f* national defen|ce (*Am.* -se); '**~währung** *f* national currency.

'**Land|flucht** *f* rural exodus; '**~friedensbruch** *m jur.* breach of the public peace; '**~karte** *f* map.

ländlich ['lɛntlɪç] *adj* rural; *derb*: rustic.

'**Landschaft** *f* (-; *-en*) countryside; *bsd. schöne*: scenery; *bsd. paint.* landscape; '**2lich** *adj* scenic.

'**Lands|mann** *m* (-[*e*]*s*; *-leute*) (fellow) countryman; **~männin** ['-mɛnɪn] *f* (-; *-nen*) (fellow) countrywoman.

'**Land|straße** *f* country road; *nicht Autobahn*: ordinary road; '**~streitkräfte** *pl* land forces *pl.*

'**Landung** *f* (-; *-en*) landing, *aer. a.* touchdown; '**~sbrücke** *f*, **~ssteg** *m mar.* landing stage.

'**Land|weg** *m*: ***auf dem ~*** by land; '**~wirt** *m* farmer; '**~wirtschaft** *f* farming; '**2wirtschaftlich** *adj* agricultural.

lang [laŋ] **1.** *adj* long; F *Person*: tall: ***seit ~em*** for a long time; ***vor ~er Zeit*** (a) long time ago; **2.** *adv* long: ***drei Jahre*** (***einige Zeit***) **~** for three years (some time); ***den ganzen Tag ~*** all day long; ***über kurz od. ~*** sooner or later; '**~e** *adv* (for a) long time: ***es ist schon ~ her***(***, seit***) it has been a long time (since); (***noch***) ***nicht ~ her*** not long ago; ***noch ~ hin*** still a long way off; ***es dauert nicht ~*** it won't take long; ***ich bleibe nicht ~ fort*** I won't be long; ***wie ~ noch?*** how much longer?

Länge ['lɛŋə] *f* (-; *-n*) length; *geogr.* longitude: ***der ~ nach*** (at) full length; ***in die ~ ziehen*** drag out; ***sich in die ~ ziehen*** drag on.

langen ['laŋən] *v/i* (*h*) F *greifen*: reach (***nach*** for); *genügen*: be enough: ***mir langt es*** I've had enough.

'**Längen|grad** *m geogr.* degree of longitude; '**~maß** *n* measure of length.

ˈ**Langeweile** *f* (-; *no pl*) boredom: **~ *haben*** be bored.

ˈ**lang|fristig** *adj* long-term; **~jährig** [ˈ-jɛːrɪç] *adj*: **~*e Erfahrung*** many years *pl* of experience; **~lebig** [ˈ-leːbɪç] long-lived; *econ.* durable: **~*e Gebrauchsgüter*** *pl* (consumer) durables *pl*.

länglich [ˈlɛŋlɪç] *adj* longish, oblong.

längs [lɛŋs] **1.** *prp* along; **2.** *adv* lengthwise.

ˈ**lang|sam** *adj* slow: **~*er werden*** (*od.* ***fahren***) slow down; ˈ**♀spielplatte** *f* long-playing record, *mst* LP.

längst [lɛŋst] *adv* long ago (*od.* before): **~ *vorbei*** long past; ***ich weiß es* ~** I have known it for a long time.

ˈ**Lang|strecke** *f* long distance; **♀weilen** [ˈ-vaɪlən] (*insep, ge-, h*) **1.** *v/t* bore; **2.** *v/refl* be bored; ˈ**~weiler** *m* (-*s*; -) F bore; ˈ**♀weilig** *adj* boring, dull; ˈ**~welle** *f electr.* long wave: ***auf* ~** on long wave; **♀wierig** [ˈ-viːrɪç] *adj* lengthy, protracted (*a. med.*).

ˈ**langzeitarbeitslos** *adj* long-term unemployed; ˈ**♀igkeit** *f* long-term unemployment.

Lappalie [laˈpaːlĭə] *f* (-; -*n*) trifle.

Lappen [ˈlapən] *m* (-*s*; -) (piece of) cloth; *Fetzen*: rag (*a. fig*); *Staub♀*: duster.

Lappland [ˈlaplant] Lapland.

Lärm [lɛrm] *m* (-[*e*]*s*; *no pl*) noise; ˈ**~bekämpfung** *f* (-; *no pl*) noise abatement; ˈ**~belästigung** *f* noise pollution; ˈ**~emission** *f* noise emission; *stärker*: noise pollution; ˈ**♀end** *adj* noisy; ˈ**~schutz** *m* protection against noise; ˈ**~schutzwand** *f* noise barrier.

lassen [ˈlasən] (*ließ, h*) **1.** *v/t* (*pp gelassen*) let, leave: ***j-n* (*et.*) *zu Hause* ~** leave s.o. (s.th.) at home; ***j-n allein* ~** leave s.o. alone; ***lass alles so, wie* (*wo*) *es ist*** leave everything as (where) it is; ***er kann das Rauchen*** *etc.* ***nicht* ~** he can't stop smoking *etc*; ***lass das!*** stop (*od.* quit) it!, *bsd. Am.* F cut it out!; → ***Ruhe***; **2.** *v/aux* (*pp lassen*): ***j-n et. tun* ~** let s.o. do s.th., allow s.o. to do s.th.; *veran~*: make s.o. do s.th.; ***es lässt sich machen*** it can be done; → ***grüßen***, ***kommen***, ***Haar*** *etc.*

lässig [ˈlɛsɪç] *adj* casual, nonchalant; *nach~*: careless.

Last [last] *f* (-; -*en*) load (*a. fig.*); *Bürde*: burden (*a. fig.*); *Gewicht*: weight (*a. fig.*): ***j-m zur* ~ *fallen*** be a burden to s.o.; ***j-m et. zur* ~ *legen*** charge s.o. with s.th.; ˈ**~auto** *n* → ***Lastwagen***; ˈ**♀en** *v/i* (*h*): **~ *auf*** (*dat*) weigh heavily on, rest on (*beide a. fig.*); ˈ**~enaufzug** *m Br.* goods lift, *Am.* freight elevator.

Laster[1] [ˈlastər] *m* (-*s*; -) F → ***Lastwagen.***

Laster[2] [-] *n* (-*s*; -) vice.

lästern [ˈlɛstərn] *v/i* (*h*): **~ *über*** (*acc*) run down, backbite.

lästig [ˈlɛstɪç] *adj* troublesome, annoying: (***j-m***) **~ *sein*** be a nuisance (to s.o.).

ˈ**Last|schrift** *f econ.* debit entry; ˈ**~wagen** *m mot.* truck, *Br. a.* lorry; ˈ**~wagenfahrer** *m* truck (*Br. a.* lorry) driver, *Am. a.* trucker.

Lateinamerika [laˈtaɪnʔaˌmeːrika] Latin America.

Laub [laʊp] *n* (-[*e*]*s*; *no pl*) foliage; ˈ**~baum** *m* deciduous tree.

Lauch [laʊx] *m* (-[*e*]*s*; -*e*) *bot.* leek.

Lauer [ˈlaʊər] *f*: ***auf der* ~ *liegen*** lie in wait; ˈ**♀n** *v/i* (*h*) lurk: **~ *auf*** (*acc*) lie in wait for.

Lauf [laʊf] *m* (-[*e*]*s*; *Läufe*) *Sport*: race, run; *Verlauf*: course; *Gewehr♀*: barrel: ***im* ~ *der Zeit*** in the course of time; ˈ**~bahn** *f* career.

ˈ**laufen** [ˈlaʊfən] (*lief, gelaufen, sn*) **1.** *v/i* run (*a. econ., mot., tech., fig.*); *zu Fuß gehen*: walk; *funktionieren*: work; **~ *lassen*** *j-n*: let go; *straffrei*: let off; **2.** *v/t* walk; ˈ**~d**; **1.** *adj* current (*a. econ.*); *ständig*: continual: **~*e Kosten*** *pl econ.* overheads *pl*; ***auf dem* ♀*en sein*** be up to date; **2.** *adv* continuously; *regelmäßig*: regularly; *immer*: always; ˈ**~lassen** → ***laufen*** 1.

Läufer [ˈlɔʏfər] *m* (-*s*; -) runner (*a. Teppich*); *Schach*: bishop.

ˈ**Lauf|masche** *f bsd. Br.* ladder, *Am.* run; ˈ**~pass** *m*: F ***j-m den* ~ *geben*** give s.o. his marching orders; *Freundin etc*: ditch s.o.; ˈ**~schritt** *m*: ***im* ~** at the double; ˈ**~stall** *m* playpen; ˈ**~steg** *m* catwalk; ˈ**~werk** *n Computer*: drive; ˈ**~zeit** *f Vertrag etc*: life, term; *Kassette etc*: running time.

Laun|e [ˈlaʊnə] *f* (-; -*n*) mood, temper: ***gute* (*schlechte*) ~ *haben*** be in a good (bad) mood (*od.* temper); ˈ**♀enhaft**, ˈ**♀isch** *adj* moody; *mürrisch*: bad-tempered.

Laus [laʊs] *f* (-; *Läuse*) *zo*. louse.
lauschen ['laʊʃən] *v/i* (*h*) *heimlich*: eavesdrop.
laut[1] [laʊt] **1.** *adj* loud; *Straße*, *Kinder*: noisy; **2.** *adv* loud(ly): **~ vorlesen** read (out) aloud; (**sprich**) **~er, bitte!** speak up, please!
laut[2] [-] *prp* according to.
Laut [-] *m* (-[*e*]*s*; -*e*) sound, noise; '**2en** *v/i* (*h*) read; *Name*: be.
läuten ['lɔytən] *v/i u. v/t* (*h*) ring: **es läutet** the (door)bell is ringing.
lauter ['laʊtər] *adv Unsinn etc*: sheer; *nichts als*: nothing but.
'**laut|los** *adj* silent, soundless; *Stille*: hushed; '**2sprecher** *m* (loud)speaker; '**2stärke** *f* loudness; *electr*. *a*. (sound) volume: **mit voller ~** (at) full blast; '**2stärkeregler** *m* volume control.
lauwarm ['laʊ-] *adj* lukewarm.
Lava ['la:va] *f* (-; -*ven*) *geol*. lava.
Lawine [la'vi:nə] *f* (-; -*n*) avalanche.
leben ['le:bən] (*h*) **1.** *v/i am Leben sein*: be alive; *wohnen*: live; **von et. ~** live on s.th.; **2.** *v/t* live.
Leben [-] *n* (-*s*; -) life: **am ~ bleiben** stay alive; *überleben*: survive; **am ~ sein** be alive; **sich das ~ nehmen** take one's (own) life, commit suicide; **ums ~ kommen** lose one's life; **um sein ~ laufen** (**kämpfen**) run (fight) for one's life; **das tägliche ~** everyday life; **mein ~ lang** all my life; '**2d** *adj* living; **2dig** [le'bendɪç] *adj* living, *pred*. alive; *fig*. lively.
'**Lebens|abend** *m* old age, the last years *pl* of one's life; '**~bedingungen** *pl* living conditions *pl*; '**~dauer** *f* lifespan; *tech*. (service) life; '**~erfahrung** *f* experience of life; '**~erwartung** *f* life expectancy; '**2fähig** *adj med*. viable (*a*. *fig*.); '**~gefahr** *f* (-; *no pl*) mortal danger: **unter ~** at the risk of one's life; **er schwebte in ~** his life was in danger, *med*. he was in a critical condition; '**2gefährlich** *adj* highly dangerous; *Krankheit*: very serious; *Verletzung*: critical; '**~gefährte** *m* live-in boyfriend; '**~gefährtin** *f* (-; -*nen*) live-in girlfriend; '**2groß** *adj* life-size(d); '**~größe** *f*: **in ~** life-size(d); '**~haltungskosten** *pl* cost *sg* of living; '**2länglich 1.** *adj* lifelong: **~e Freiheitsstrafe** *jur*. life imprisonment; **2.** *adv* for life; '**~lauf** *m* curriculum vitae, *Am*. *a*. résumé; '**2lustig** *adj* fond of life.
'**Lebensmittel** *pl* food *sg*, foodstuffs *pl*; *Waren*: *a*. groceries *pl*; '**~ab,teilung** *f* food department; '**~geschäft** *n* grocery, grocer's (shop, *bsd*. *Am*. store); '**~vergiftung** *f med*. food poisoning.
'**lebensmüde** *adj* weary of life
'**Lebens|notwendigkeit** *f* vital necessity; '**~partnerschaft** *f* registered non-marital relationship; '**~quali,tät** *f* (-; *no pl*) quality of life; '**~retter** *m* rescuer; '**~standard** *m* standard of living; '**~stellung** *f* permanent position; '**~unterhalt** *m* livelihood: **s-n ~ verdienen** earn one's living (**als** as; **mit** out of, by); '**~versicherung** *f* life insurance; '**~weise** *f* way of life; '**2wichtig** *adj* vital, essential; '**~zeichen** *n* sign of life; '**~zeit** *f* lifetime: **auf ~** for life.
Leber ['le:bər] *f* (-; -*n*) *anat*., *gastr*. liver; '**~fleck** *m* mole.
'**Lebewesen** *n* (-*s*; -) living being, creature.
leb|haft ['le:phaft] *adj* lively; *Verkehr*: heavy; '**2kuchen** *m* gingerbread; '**2zeiten** *pl*: **zu s-n ~** in his lifetime.
leck [lɛk] *adj* leaking, leaky.
Leck [-] *n* (-[*e*]*s*; -*e*) leak.
'**lecken**[1] *v/i* (*h*) leak.
'**lecken**[2] *v/t u. v/i* (**~ an** *dat*) (*h*) lick.
lecker ['lɛkər] *adj* delicious, tasty; '**2bissen** *m* delicacy; *fig*. treat.
Leder ['le:dər] *n* (-*s*; -) leather; '**2n** *adj* leather; '**~waren** *pl* leather goods *pl*.
ledig ['le:dɪç] *adj* single, unmarried; **~lich** ['-diklɪç] *adv* only, merely, solely.
leer [le:r] **1.** *adj* empty (*a*. *fig*.); *unbewohnt*: *a*. vacant; *Seite etc*: blank; *Batterie*: flat; **2.** *adv*: **~ laufen** → **leerlaufen**; **~ stehend** *Wohnung*: unoccupied, vacant; '**2e** *f* (-; *no pl*) emptiness (*a*. *fig*.); '**~en** *v/t u. v/refl* (*h*) empty; '**2gut** *n* (-[*e*]*s*; *no pl*) empties *pl*; '**2lauf** *m tech*. idling; *Gang*: neutral (gear); *fig*. running on the spot; '**~laufen** *v/i* (*irr*, *sep*, -*ge*-, *h*, → **laufen**) *tech*. idle; '**2taste** *f Schreibmaschine*: space bar; '**2ung** *f* (-; -*en*) *mail*. collection.
legal [le'ga:l] *adj* legal, lawful; **~isieren** [legali'zi:rən] *v/t* (*no ge*-, *h*) legalize; **2i'sierung** *f* (-; -*en*) legalization.
legen ['le:gən] (*h*) **1.** *v/t* lay (*a*. *Eier*), place, put; *Haare*: set; **2.** *v/refl* lie down; *fig*. calm down; *Schmerz*: wear off.

Legende[le'gɛndə] *f* (-; *-n*) legend.
Legislat|ive[legɪsla'tiːvə] *f* (-; *-n*) *pol.* legislature; **~urperi,ode** [-'tuːr-] *f* legislature period.
legitim[legi'tiːm] *adj* legitimate.
Lehn|e['leːnə] *f* (-; *-n*) *Rücken*♀: back(-rest); *Arm*♀: arm(rest); '**♀en** *v/t*, *v/i u. v/refl* (*h*) lean (***an*** *acc*, ***gegen*** against): ***sich aus dem Fenster ~*** lean out of the window; '**~sessel** *m*, '**~stuhl** *m* armchair.
Lehr|buch['leːr-] *n* textbook; '**~e** *f* (-; *-n*) *Wissenschaft*: science; *Theorie*: theory; *eccl., pol.* teachings *pl*, doctrine; *e-r Geschichte*: moral; *e-s Lehrlings*: apprenticeship: ***in der ~ sein*** be apprenticed (***bei*** to); ***das wird ihm e-e ~ sein*** that will teach him a lesson; '**♀en** *v/t* (*h*) teach; *zeigen*: show.
'**Lehrer** *m* (*-s*; -) teacher, *Br. a.* master; '**~in** *f* (-; *-nen*) (lady) teacher, *Br. a.* mistress; '**~mangel** *m* (*-s*; *no pl*) shortage of teachers.
'**Lehr|gang** *m* course (***für, in*** *dat* in); '**~jahr** *n* year (of apprenticeship); **~ling** ['-lɪŋ] *m* (*-s*; *-e*) apprentice, trainee; '**♀reich** *adj* informative, instructive; '**~stelle** *f* apprenticeship; *offene*: vacancy for an apprentice; '**~stuhl** *m univ.* chair (***für*** of); '**~zeit** *f* apprenticeship.
Leib[laɪp] *m* (-[*e*]*s*; *-er*) body: ***bei lebendigem ~e*** alive; ***mit ~ u. Seele*** heart and soul.
Leibes|kräfte['laɪbəs-] *pl*: ***aus ~n*** with all one's might; **~visitation** ['-vizita,tsi̯oːn] *f* (-; *-en*) body search.
'**Leib|gericht** *n* favo(u)rite dish; '**~rente** *f* life annuity; '**~wache** *f coll.* bodyguard(s *pl*); '**~wächter** *m* bodyguard.
Leiche ['laɪçə] *f* (-; *-n*) (dead) body, corpse.
'**leichen|blass** *adj* deathly pale; '**♀halle** *f* mortuary; '**♀schauhaus** *n* morgue; '**♀wagen** *m* hearse.
leicht[laɪçt] **1.** *adj* light (*a. fig.*); *einfach*: easy, simple; *geringfügig*: slight, minor; **2.** *adv*: ***~ möglich*** quite possible; ***~ gekränkt*** easily offended; ***~ verständlich*** easy to understand; ***das ist ~ gesagt*** it's not as easy as that; ***es geht ~ kaputt*** it breaks easily; ***es fällt mir*** (***nicht***) ***~*** (***zu***) I find it easy (difficult) (to); ***~ nehmen → leichtnehmen***; '**♀athletik** *f Br.* athletics *pl* (*a. sg konstr.*), *Am.* track and field; **~gläubig** ['-glɔʏbɪç] *adj* credulous; '**♀igkeit** *f* (-; *no pl*): ***mit ~*** easily, with ease; '**♀metall** *n* light metal; '**~nehmen** *v/t* (*irr, sep, -ge-, h,* → ***nehmen***) not worry about; *Krankheit etc*: make light of; '**♀sinn** *m* (-[*e*]*s*; *no pl*) carelessness; *stärker*: recklessness; '**~sinnig** *adj* careless, reckless; '**~verständlich** → ***leicht*** 2.
Leid[laɪt] *n* (-[*e*]*s*; *no pl*) sorrow, grief; *Schmerz*: pain: ***ihr ist kein ~ geschehen*** she came to no harm; ***es tut mir ~ → leidtun***; → ***zuleide***.
leiden['laɪdən] (*litt, gelitten, h*) **1.** *v/i* suffer (***an*** *dat*, ***unter*** *dat* from); **2.** *v/t*: ***j-n gut ~ können*** like s.o.; ***ich kann ihn nicht ~*** I don't like him, *stärker*: I can't stand him.
Leiden[-] *n* (*-s*; -) suffering; *med.* illness, *Gebrechen*: complaint.
'**Leidenschaft** *f* (-; *-en*) passion; '**♀lich** *adj* passionate; *heftig*: vehement.
'**Leidensgenosse** *m* fellow sufferer.
leider['laɪdər] *adv* unfortunately: ***~ ja*** (***nein***) I'm afraid so (not).
'**Leid|tragende** *m, f* (*-n*; *-n*): ***er ist der ~ dabei*** he is the one who suffers for it; '**♀tun** *v/i* (*irr, sep, -ge-, h,* → ***tun***): ***es tut mir leid*** I'm sorry (***um*** for; ***wegen*** about; ***dass ich zu spät komme*** for being late); '**~wesen** *n*: ***zu m-m ~*** to my regret.
Leih|bücherei['laɪ-] *f* lending library; '**♀en** *v/t* (*lieh, geliehen, h*) *j-m*: lend: ***sich et. ~*** borrow s.th. (***bei, von*** from); '**~gebühr** *f Auto*: hire (*Am.* rental) charge; *Buch*: lending fee; '**~haus** *n* pawnshop; '**~mutter** *f* surrogate mother; '**~wagen** *m mot.* hire (*Am.* rental) car: ***sich e-n ~ nehmen*** hire (*Am.* rent) a car.
Leine ['laɪnə] *f* (-; *-n*) line; *Hunde*♀: lead, leash.
'**Leinwand** *f Kino etc*: screen.
leise['laɪzə] **1.** *adj* quiet; *Stimme etc*: *a.* low, soft (*a. Musik*); *fig.* slight, faint: ***~r stellen*** turn down; **2.** *adv* in a low voice: ***~ sagen*** *a.* whisper.
Leiste['laɪstə] *f* (-; *-n*) *anat.* groin.
leisten['laɪstən] *v/t* (*h*) do, work; *vollbringen*: achieve, accomplish; *Dienst, Hilfe*: render; *Eid*: take: ***gute Arbeit ~*** do a good job; ***sich et. ~*** *gönnen*: treat o.s. to s.th.; ***ich kann es mir*** (***nicht***) ***~*** I can('t) afford it (*a. fig.*).

L

'**Leistenbruch** *m med.* inguinal hernia.
'**Leistung** *f* (-; *-en*) performance; *besondere*: achievement; *tech. a.* output; *Dienst*𝔏: service; *Sozial*𝔏 *etc*: benefit; '**𝔏sbezogen** *adj* performance-oriented; '**~sbi,lanz** *f econ.* balance on current account; '**~sdruck** *m* (-[*e*]*s*; *no pl*) pressure; '**𝔏sfähig** *adj* efficient; *tech.* powerful; '**~sfähigkeit** *f* (-; *no pl*) efficiency; *tech.* power; fitness; '**~sgesellschaft** *f* meritocracy, achievement-oriented society; '**~sprin,zip** *n* achievement principle.
Leitartikel ['laɪt-] *m* editorial, *bsd. Br.* leader, leading article.
leiten ['laɪtən] *v/t* (*h*) lead, guide (*a. fig.*), conduct (*a. mus., phys.*); *Amt, Geschäft etc*: run, be in charge of, manage; *Sitzung etc*: chair; *TV etc als Moderator*: host; '**~d** *adj* leading; *phys.* conductive: ***~e Stellung*** managerial position; ***~er Angestellter*** executive.
Leiter[1] ['laɪtər] *f* (-; *-n*) ladder.
Leiter[2] [-] *m* (*-s*; -) leader; conductor (*a. mus., phys.*); *Amt, Firma etc*: head, manager; *Sitzung etc*: chairman; '**~in** *f* (-; *-nen*) manageress; chairwoman.
'**Leitplanke** *f mot. Br.* crash barrier, *Am.* guardrail.
'**Leitung** *f* (-; *-en*) *econ.* management; *Hauptbüro*: head office; *Verwaltung*: administration; *Vorsitz*: chairmanship; *e-r Veranstaltung*: organization; *künstlerische etc*: direction; *tech. Haupt*𝔏: main; *im Haus*: pipe(s *pl*); *electr., teleph.* line: ***die ~ haben*** be in charge; ***unter der ~ von*** *mus.* conducted by; '**~srohr** *n* pipe; '**~swasser** *n* tap water.
'**Leit|währung** *f econ.* key currency; '**~zins** *m econ.* central bank discount rate.
Lektion [lɛk'tsi̯oːn] *f* (-; *-en*) lesson: ***j-m e-e ~ erteilen*** *fig.* teach s.o. a lesson.
Lektüre [lɛk'tyːrə] *f* (-; *-n*) reading (matter).
Lende ['lɛndə] *f* (-; *-n*) *anat., gastr.* loin; '**~nwirbel** *m anat.* lumbar vertebra.
lenk|en ['lɛŋkən] *v/t* (*h*) steer, *mot. a.* drive; *fig.* direct, guide; *j-s Aufmerksamkeit*: direct (***auf*** *acc* to); '**𝔏rad** *n mot.* steering wheel; '**𝔏ung** *f* (-; *-en*) *mot.* steering (system).
lernen ['lɛrnən] *v/t u. v/i* (*h*) learn; *für die Schule etc*: study: ***schwimmen*** *etc* **~** learn (how) to swim *etc.*
Lesb|ierin ['lɛsbi̯ərɪn] *f* (-; *-nen*) lesbian; '**𝔏isch** *adj* lesbian.
Lese|lampe ['leːzə-] *f* reading lamp; '**𝔏n** *v/t u. v/i* (*las, gelesen, h*) read: ***das liest sich wie*** it reads like; '**𝔏nswert** *adj* worth reading; '**~r** *m* (*-s*; -) reader; '**~rbrief** *m* letter to the editor; '**𝔏rlich** *adj* legible; '**~stoff** *m* reading matter; '**~zeichen** *n* bookmark.
'**Lesung** *f* (-; *-en*) *parl.* reading.
Lettland ['lɛtlant] Latvia.
letzte ['lɛtstə] *adj* last; *neueste*: latest: ***als 𝔏r ankommen*** *etc* arrive *etc* last; ***𝔏r sein*** be last; ***das ist das 𝔏!*** that's the limit!; → ***Mal***[1], ***Zeit.***
Leucht|e ['lɔʏçtə] *f* (-; *-n*) light; '**𝔏en** *v/i* (*h*) shine; *schwächer*: glow; '**𝔏end** *adj* shining (*a. fig.*); *Farbe etc*: bright; '**~er** *m* (*-s*; -) candlestick; → ***Kronleuchter***; '**~re,klame** *f* neon sign(s *pl*).
leugnen ['lɔʏgnən] (*h*) **1.** *v/t* deny (***et. getan zu haben*** doing s.th.; ***dass*** that); **2.** *v/i* deny everything.
Leute ['lɔʏtə] *pl* people *pl*.
Lexikon ['lɛksikɔn] *n* (*-s*; *Lexika*) encyclop(a)edia; *Wörterbuch*: dictionary.
Libanon ['liːbanɔn] (*the*) Lebanon (*meist ohne bestimmten Artikel gebraucht*).
liberal [libe'raːl] *adj* liberal; **𝔏e** *m, f* (*-n*; *-n*) liberal.
Libyen ['liːbyən] Libya.
Licht [lɪçt] *n* (-[*e*]*s*; *-er*) light; *Helle*: brightness: ***~ machen*** switch (*od.* turn) on the light(s); '**~bild** *n* passport photograph; *Dia*: slide; '**~bildervortrag** *m* slide lecture; '**~blick** *m fig.* ray of hope; '**𝔏empfindlich** *adj* sensitive to light; *phot.* (photo)sensitive; '**~hupe** *f*: ***die ~ betätigen*** *mot.* flash one's lights; '**~ma,schine** *f mot.* alternator; '**~schalter** *m* light switch; '**~schutzfaktor** *m* protection factor.
Lid [liːt] *n* (-[*e*]*s*; *-er*) (eye)lid; '**~schatten** *m* eye shadow.
lieb [liːp] *adj* dear; *liebenswert*: *a.* sweet; *nett, freundlich*: nice, kind; *Kind*: good; *in Briefen*: ***~e Jeanie*** dear Jeanie; ***~ gewinnen*** grow fond of; ***~ haben*** love, be fond of.
Liebe ['liːbə] *f* (-; *no pl*) love (***zu*** of, for): ***aus ~ zu*** out of love for; ***~ auf den ersten Blick*** love at first sight; '**𝔏n** *v/t* (*h*) love; *j-n*: *a.* be in love with; *sexuell*: make love to.

'**liebenswürdig** *adj* kind; '**Ձkeit** *f* (-; *no pl*) kindness.
lieber ['li:bər] *adv* rather, sooner: ***~ haben*** prefer, like better; ***ich möchte ~ (nicht) …*** I'd rather (not) …; ***du solltest ~ (nicht) …*** you had better (not) …
'**Liebes|brief** *m* love letter; **~kummer** ['~kʊmər] *m* (*-s*; *no pl*) lovesickness: ***~ haben*** be lovesick; '**~paar** *n* (pair of) lovers *pl*, courting couple.
'**liebevoll** *adj* loving, affectionate.
'**lieb|gewinnen** → ***lieb***; **~haben** → ***lieb.***
Lieb|haber *m* (*-s*; *-*) lover (*a. fig.*); '**~haberpreis** *m* collector's price; '**~haberstück** *n* collector's item; **~habe'rei** *f* (*-*; *-en*) hobby.
'**lieblich** *adj* lovely, charm-ing, sweet (*a. Wein*).
'**Liebling** *m* (*-s*; *-e*) darling; *Günstling*: favo(u)rite; *bsd. Kind, Tier*: pet; *als Anrede*: darling, F honey; '**~s…** *in Zssgn mst* favo(u)rite …
Liechtenstein ['lɪçtənʃtaɪn] Liechtenstein.
Lied [li:t] *n* (*-[e]s*; *-er*) song; *Kunst*Ձ: lied; **~ermacher** ['li:dər~] *m* (*-s*; *-*) singer-songwriter.
Lieferant [lifə'rant] *m* (*-en*; *-en*) *econ.* supplier.
'**liefer|bar** *adj* available; '**Ձfrist** *f* delivery period; '**~n** *v/t* (*h*) deliver: ***j-m et. ~*** supply s.o. with s.th.; '**Ձschein** *m* delivery note; '**Ձung** *f* (*-*; *-en*) delivery; *Versorgung*: supply: ***zahlbar bei ~*** payable on delivery; '**Ձwagen** *m* (delivery) van.
Liege ['li:gə] *f* (*-*; *-n*) couch; *Camping*Ձ: camp bed.
'**liegen** *v/i* (*lag, gelegen, h, sn*) lie; (*gelegen*) *sein*: *a.* be (situated): ***(krank) im Bett ~*** be (ill) in bed; ***nach Osten (der Straße) ~*** face east (the street); ***daran liegt es (, dass)*** that's (the reason) why; ***es (er) liegt mir nicht*** it (he) is not my cup of tea; ***mir liegt viel (wenig) daran*** it means a lot (doesn't mean much) to me; ***~ bleiben*** stay in bed; *Tasche etc*: be left behind; ***~ lassen*** leave behind: ***j-n links ~ lassen*** ignore s.o., give s.o. the cold shoulder; '**~bleiben** → ***liegen***; '**~lassen** → ***liegen.***
'**Liege|sitz** *m mot.* reclining seat; '**~stuhl** *m Br.* deckchair, *Am.* beachchair; '**~stütz** *m* (*-es*; *-e*) *bsd. Br.* press-up, *bsd. Am.* push-up: ***e-n ~ machen*** do a press-up; '**~wagen** *m rail.* couchette (coach, *Am.* car); '**~wiese** *f* lawn (for sunbathing).
Lift [lɪft] *m* (*-[e]s*; *-e*, *-s*) *Br.* lift, *Am.* elevator.
Ligurische(s) Meer [li'gu:rɪʃə(s)'me:r] *the* Ligurian Sea.
Likör [li'kø:r] *m* (*-s*; *-e*) liqueur.
lila ['li:la] *adj* lilac; *dunkel~*: purple.
Lilie ['li:lĭə] *f* (*-*; *-n*) *bot.* lily.
Limonade [limo'na:də] *f* (*-*; *-n*) fizzy drink, *Am. a.* soda pop.
Limousine [limu'zi:nə] *f* (*-*; *-n*) *mot. Br.* saloon (car), *Am.* sedan.
linder|n ['lɪndərn] *v/t* (*h*) *Not*: alleviate, relieve, *Schmerzen*: *a.* ease; '**Ձung** *f* (*-*; *no pl*) alleviation, relief.
Linie ['li:nĭə] *f* (*-*; *-n*) line: ***auf s-e ~ achten*** watch one's figure; '**~nbus** *m* regular bus; '**~nflug** *m* scheduled flight; '**~nma,schine** *f aer.* scheduled plane; '**~ntaxi** *n* public-service taxi.
link|e ['lɪŋkə] *adj* left (*a. pol.*): ***auf der ~n Seite*** on the left(-hand) side; '**Ձe** *m, f* (*-n*; *-n*) *pol.* leftist, left-winger; '**~isch** *adj* awkward, clumsy.
links [lɪŋks] *adv* on the left; *verkehrt*: on the wrong side: ***nach ~*** (to the) left; ***~ von*** to the left of; → ***liegen***; '**Ձabbieger** *m* (*-s*; *-*) motorist *etc* turning left; '**Ձextre,mismus** *m pol.* left-wing extremism; '**Ձextre,mist** *m* left-wing extremist; '**~extre,mistisch** *adj* extremely left-wing; **Ձhänder** ['~hɛndər] *m* (*-s*; *-*) left-hander: ***~ sein*** be left-handed; '**~radi,kal** *adj pol.* radically left-wing; '**Ձradi,kale** *m, f* left-wing radical; '**Ձradika,lismus** *m* left-wing radicalism; '**Ձsteuerung** *f mot.* left-hand drive; '**Ձverkehr** *m*: ***in Großbritannien ist ~*** in Great Britain they drive on the left.
Linse ['lɪnzə] *f* (*-*; *-n*) *bot.* lentil; *opt.* lens.
Lippe ['lɪpə] *f* (*-*; *-n*) lip; '**~nstift** *m* lipstick.
liquidieren [likvi'di:rən] *v/t* (*no ge-, h*) *Firma, a. pol. j-n*: liquidate; *Betrag*: charge.
Lissabon ['lɪsabɔn] Lisbon.
List [lɪst] *f* (*-*; *-en*) trick; *~igkeit*: cunning.
Liste ['lɪstə] *f* (*-*; *-n*) list; '**~npreis** *m econ.* list price.
'**listig** *adj* cunning, crafty.
Litauen ['lɪtaʊən] Lithuania.

L

Liter['li:tər] *m, n* (-*s*; -) lit|re (*Am.* -er).

litera|risch[lite'ra:rɪʃ] *adj* literary; **℘tur** [-a'tu:r] *f* (-; -*en*) literature; **℘'tur…** *in Zssgn Kritiker etc*: *mst* literary …

Litfaßsäule ['lɪtfas-] *f* advertising pillar.

Lizenz[li'tsɛnts] *f* (-; -*en*) licen|ce (*Am.* -se): ***in ~ herstellen etc***: under licence.

Lkw [ɛlka've:] *m* (-[*s*]; -*s*) → ***Lastwagen***; **~-Fahrer** *m* → ***Lastwagenfahrer***; **~-Maut** *f* toll for trucks.

Lob [lo:p] *n* (-[*e*]*s*; *no pl*) praise; **℘en** ['lo:bən] *v/t* (*h*) praise (***für, wegen*** for); '**℘enswert** *adj* praiseworthy, laudable.

Loch[lɔx] *n* (-[*e*]*s*; ⸚*er*) hole; *im Reifen*: puncture; '**℘en** *v/t* (*h*) *Papier, Karte etc*: punch (*a. tech.*); '**~er** *m* (-*s*; -) *tech.* punch; '**~karte** *f* punch(ed) card.

Locke['lɔkə] *f* (-; -*n*) curl.

locken['lɔkən] *v/t* (*h*) lure, entice, *fig. a.* attract, tempt.

Lockenwickler ['lɔkənvɪklər] *m* (-*s*; -) curler, roller.

locker ['lɔkər] *adj* loose; *Seil*: *a.* slack; *fig. lässig*: relaxed; '**~n** (*h*) **1.** *v/t* loosen, slacken; *Griff*: relax (*a. fig.*); **2.** *v/refl* loosen, (be)come loose.

Löffel['lœfəl] *m* (-*s*; -) spoon.

Logbuch['lɔk-] *n mar.* log.

Loge['lo:ʒə] *f* (-; -*n*) *thea.* box.

Log|ik['lo:gɪk] *f* (-; *no pl*) logic; '**℘isch** *adj* logical; '**℘ischerweise** *adv* logically.

Lohn[lo:n] *m* (-[*e*]*s*; ⸚*e*) wages *pl*, pay; *fig.* reward; '**~dumping** *n* wage dumping; '**~empfänger** *m* wage earner, *Am. a.* wageworker; '**℘en** *v/refl* (*h*) be worth(while), pay: ***es*** (***die Mühe***) ***lohnt sich*** it's worth it (the trouble); ***das Buch*** (***der Film***) ***lohnt sich*** the book (film) is worth reading (seeing); '**℘end** *adj* paying; *fig.* rewarding; '**~erhöhung** *f* wage increase, *Br.* (pay) rise, *Am.* raise; '**~gruppe** *f* wage group; '**℘inten,siv** *adj* wage-intensive; '**~-'Preis-Spi,rale** *f* wage-price spiral; '**~steuer** *f* income tax; '**~steuerjahresausgleich** *m* (-[*e*]*s*; -*e*) annual adjustment of income tax; '**~steuerkarte** *f* income-tax card; '**~stopp** *m* wage freeze.

Lok[lɔk] *f* (-; -*s*) *rail.* F engine.

lokal[-] *adj* local; **℘blatt** *n* local paper; **℘presse** *f* local press; **℘verbot** *n*: ***~ haben in*** (*dat*) be banned from.

Lokal[lo'ka:l] *n* (-*s*; -*e*) bar, *bsd. Br.* pub; *Gaststätte*: restaurant.

'**Lokführer** *m* F → ***Lokomotivführer.***

Lokomotiv|e[lokomo'ti:və] *f* (-; -*n*) engine; **~führer** [-'ti:f-] *m Br.* engine driver, *Am.* engineer.

London['lɔndɔn] London.

los [-] **1.** *adj ab, fort*: off; *Hund etc*: loose: ***~ sein*** be rid of; ***was ist ~?*** what's the matter?, F what's up?; *geschieht*: what's going on (here)?; ***hier ist nicht viel ~*** there's nothing much going on here; F ***da ist was ~!*** that's where the action is; **2.** *adv*: F ***also ~!*** okay, let's go!; '**~binden** *v/t* (*irr, sep, -ge-, h,* → ***binden***) untie.

Los[lo:s] *n* (-*es*; -*e*) lot; *fig. a.* fate; *Lotterie℘*: ticket.

löschen['lœʃən] *v/t* (*h*) *Feuer etc*: extinguish, put out; *Durst*: quench; *Aufnahme, Daten etc*: erase; *Kalk*: slake; *mar.* unload.

lose['lo:zə] *adj* loose (*a. fig. Zunge etc*).

Lösegeld['lø:zə-] *n* ransom.

losen['lo:zən] *v/i* (*h*) draw lots (**um** for).

lösen['lø:zən] (*h*) **1.** *v/t Knoten etc*: undo; *lockern*: loosen, relax; *Bremse etc*: release; *ab~*: take off; *Rätsel, Problem etc*: solve; *Karte*: buy, get; *auf~*: dissolve (*a. chem.*); **2.** *v/refl* come loose (*od.* undone); *fig.* free o.s. (**von** from).

'**los|fahren** *v/i* (*irr, sep, -ge-, sn,* → ***fahren***) leave; *selbst*: drive off; '**~gehen** *v/i* (*irr, sep, -ge-, sn,* → ***gehen***) leave; *beginnen*: start, begin; *Schuss etc*: go off: ***auf j-n ~*** go for s.o.; ***ich gehe jetzt los*** I'm off now; '**~kommen** *v/i* (*irr, sep, -ge-, sn,* → ***kommen***) get away (**von** from); '**~lassen** *v/t* (*irr, sep, -ge-, h,* → ***lassen***) let go (of): ***den Hund ~ auf*** (*acc*) set the dog on; '**~legen** *v/i* (*sep, -ge-, h*) F get cracking.

'**löslich** *adj chem.* soluble.

'**los|reißen** *v/refl* (*irr, sep, -ge-, h,* → ***reißen***) break away; *bsd. fig.* tear o.s. away (*beide*: **von** from); '**~schnallen** *v/refl* (*sep, -ge-, h*) unfasten one's seat belt; '**~schrauben** *v/t* (*sep, -ge-, h*) unscrew, screw off.

'**Lösung** *f* (-; -*en*) solution (*gen* to) (*a. chem.*).

'**loswerden** *v/t* (*irr, sep, -ge-, sn,* → ***werden***) get rid of; *Geld*: spend, *verlieren*: lose.

löten['lø:tən] *v/t* (*h*) solder.

Lothringen ['lo:trɪŋən] Lorraine.
Lotion [lo'tsǐo:n] *f* (-; *-en*) lotion.
Lotse ['lo:tsə] *m* (*-n*; *-n*) *mar.* pilot; '**~ndienst** *m mot.* driver-guide service.
Lotterie [lɔtə'ri:] *f* (-; *-n*) lottery; **~los** *n* lottery ticket.
Lotto ['lɔto] *n* (*-s*; *-s*) *deutsches*: Lotto: ***(im) ~ spielen*** do Lotto; '**~schein** *m* Lotto coupon; '**~ziehung** *f* Lotto draw.
Löwe ['lø:və] *m* (*-n*; *-n*) *zo.* lion.
Lücke ['lʏkə] *f* (-; *-n*) gap (*a. fig.*); '**~nbüßer** *m* (*-s*; -) stopgap; '**≈nhaft** *adj fig.* incomplete; '**≈nlos** *adj fig.* complete.
Luft [lʊft] *f* (-; *¨e*) air: ***an der frischen ~*** (out) in the fresh air; ***(frische) ~ schöpfen*** get a breath of fresh air; ***(tief) ~ holen*** take a (deep) breath; → ***fliegen***, ***sprengen***; '**~bal,lon** *m* balloon; '**~blase** *f* air bubble; '**~brücke** *f* airlift; '**≈dicht** *adj* airtight; '**~druck** *m phys.*, *tech.* air pressure.
lüften ['lʏftən] *v/t* (*h*) air; *ständig*: ventilate; *Geheimnis etc*: reveal.
'**Luft|fahrt** *f* (-; *no pl*) aviation; '**~feuchtigkeit** *f* (atmospheric) humidity; '**~filter** *n*, *m tech.* air filter; '**~fracht** *f* air freight; '**≈ig** *adj* airy; *Plätzchen*: breezy; *Kleid etc*: light; '**~kissenfahrzeug** *n* air-cushion vehicle, hovercraft; '**≈krank** *adj* airsick; '**~krankheit** *f* (-; *no pl*) airsickness; '**~kurort** *m* climatic health resort; '**≈leer** *adj*: ***~er Raum*** vacuum; '**~linie** *f*: ***50 km ~*** 50 km as the crow flies; '**~loch** *n* airhole; *aer.* air pocket; '**~ma,tratze** *f* air bed (*od.* mattress); '**~pi,rat** *m* hijacker; '**~post** *f* airmail: ***per ~*** (by) airmail; '**~postbrief** *m* air(mail) letter; '**~pumpe** *f* air pump; '**~röhre** *f anat.* windpipe, trachea; '**~tempera,tur** *f* air temperature.
'**Lüftung** *f* (-; *-en*) airing; *ständige*: ventilation.
'**Luft|veränderung** *f* change of air; '**~verkehr** *m* air traffic; '**~verschmutzung** *f* air pollution; '**~waffe** *f mil.* air force; '**~weg** *m*: ***auf dem ~*** by air; '**~zug** *m bsd. Br.* draught, *Am.* draft.
Lüge ['ly:gə] *f* (-; *-n*) lie; '**≈n** (*log, gelogen, h*) **1.** *v/i* lie, tell a lie (*od.* lies); **2.** *v/t*: ***das ist gelogen*** that's a lie.
Lügner ['ly:gnər] *m* (*-s*; -) liar.
Luke ['lu:kə] *f* (-; *-n*) hatch; *Dach≈*: skylight.
'**Lunchpa,ket** ['lanʃ-] *n* packed lunch.
Lunge ['lʊŋə] *f* (-; *-n*) *anat.* lungs *pl*; '**~nentzündung** *f med.* pneumonia; '**~nflügel** *m anat.* lung; '**~nkrebs** *m med.* lung cancer.
lungern ['lʊŋərn] *v/i* (*h*) → ***herumlungern.***
Lupe ['lu:pə] *f* (-; *-n*) magnifying glass: *fig.* ***unter die ~ nehmen*** scrutinize (closely).
Lust [lʊst] *f* (-; *no pl*): ***~ haben auf*** (*acc*) ***(,et. zu tun)*** feel like (doing s.th.); ***hättest du ~ auszugehen?*** would you like to go out?, how about going out?; ***ich habe keine ~*** I don't feel like it, I'm not in the mood for it; ***die ~ verlieren an*** (*dat*) ***(j-m die ~ nehmen an*** *dat*) (make s.o.) lose all interest in; '**≈ig** *adj* funny; *fröhlich*: cheerful: ***er ist sehr ~*** he is full of fun; ***es war sehr ~*** it was great fun; ***sich ~ machen über*** (*acc*) make fun of; '**≈los** *adj* listless; '**~spiel** *n* comedy.
lutschen ['lʊtʃən] *v/i* (***~ an*** *dat*) *u. v/t* (*h*) suck.
Luxemburg ['lʊksəmbʊrk] Luxembourg.
luxuriös [lʊksu'rǐø:s] *adj* luxurious; ***~ leben*** live in luxury.
Luxus ['lʊksʊs] *m* (*-s*; *no pl*) luxury (*a. fig.*); '**~ar,tikel** *m* luxury (article); '**~ausführung** *f* de luxe (*bsd. Am.* deluxe) version; '**~ho,tel** *n* five-star (*od.* luxury) hotel.
Luzern [lu'tsɛrn] Lucerne.
Lymphdrüse ['lʏmf-] *f anat.* lymph gland.
lynchen ['lʏnçən] *v/t* (*h*) lynch.

M

'machbar *adj* feasible.

machen ['maxən] *v/t* (*h*) *tun*: do; *herstellen, verursachen*: make; *Essen etc*: make, prepare; *in Ordnung bringen, reparieren*: fix (*a. fig.*); *ausmachen, betragen*: be, come to, amount to; *Prüfung*: take, *erfolgreich*: pass; *Reise, Ausflug*: make, go on: ***Hausaufgaben ~*** do one's homework; ***da(gegen) kann man nichts ~*** it can't be helped; ***mach, was du willst!*** do as you please; ***(nun) mach mal*** (*od.* ***schon***)***!*** hurry up; ***mach's gut!*** take care (of yourself), good luck; ***(das) macht nichts*** it doesn't matter; ***mach dir nichts daraus!*** never mind, don't worry; ***was*** (*od.* ***wie viel***) ***macht das?*** how much is it?; ***sich et.*** (***nichts***) ***~ aus*** *für (un-) wichtig halten*: (not) care about; *(nicht) mögen*: (not) care for.

'Macher *m* (*-s*; *-*) doer.

Macht [maxt] *f* (*-*; *⸗e*) power (***über*** *acc* of): ***an der ~*** *pol.* in power; ***mit aller ~*** with all one's might; **'~appa,rat** *m* machinery of power; **'~befugnis** *f* power, authority; **'~haber** *m* (*-s*; *-*) ruler.

mächtig ['mɛçtɪç] **1.** *adj* powerful, mighty (*a. fig.*); *riesig*: enormous, huge; **2.** *adv* F tremendously, awfully.

'Macht|kampf *m* power struggle; **'⁀los** *adj* powerless; **'~poli,tik** *f* power politics *pl* (*sg konstr.*); **'~übernahme** *f* takeover (*gen* by); **'~wechsel** *m* transition of power.

Mädchen ['mɛːtçən] *n* (*-s*; *-*) girl; *Dienst⁀*: maid: ***~ für alles*** maid of all work; **'~name** *m* girl's name; *e-r Frau*: maiden name.

Madeira, Madera [ma'deːra] Madeira.

Madrid [ma'drɪt] Madrid.

Magazin [maga'tsiːn] *n* (*-s*; *-e*) *Zeitschrift, Rundfunk, TV, e-r Waffe*: magazine.

Magen ['maːgən] *m* (*-s*; *⸗*) stomach, F tummy; **'~beschwerden** *pl* stomach trouble *sg*; **'~-'Darm-Infekti,on** *f med.* gastroenteritis; **'~geschwür** *n med.* stomach ulcer; **'~krebs** *m med.* stomach cancer; **'~säure** *f physiol.* gastric acid; **'~schmerzen** *pl* stomachache *sg*; **'~verstimmung** *f* indigestion.

mager ['maːgər] *adj Körper(teil)*: lean, thin, skinny; *Käse etc*: low-fat; *Fleisch*: lean; *Milch*: skim; *fig. Gewinn, Ernte etc*: meag|re (*Am.* -er).

Magnet [ma'gneːt] *m* (*-en*; *-en*) magnet (*a. fig.*); **~band** *n* (*-[e]s*; *Magnetbänder*) magnetic tape; **⁀isch** *adj* magnetic (*a. fig.*); **~platte** *f* magnetic disk.

mähen ['mɛːən] *v/t* (*h*) *Rasen*: mow; *Gras*: cut; *bsd. Getreide*: reap.

mahlen ['maːlən] *v/t* (*mahlte, gemahlen, h*) grind.

Mahlzeit ['maːltsaɪt] *f* (*-*; *-en*) meal.

Mahn|bescheid ['maːn-] *m* order for payment; **'⁀en** *v/t* (*h*) send *s.o.* a reminder; **'~gebühr** *f* reminder fee; **'~ung** *f* (*-*; *-en*) *Brief*: reminder.

Mai [maɪ] *m* (*-[e]s*; *-e*) May: ***im ~*** in May; ***der Erste ~*** May Day; **'~baum** *m* maypole; **~glöckchen** ['-glœkçən] *n* (*-s*; *-*) *bot.* lily of the valley; **'~käfer** *m zo.* cockchafer.

Mailand ['maɪlant] Milan.

Mais [maɪs] *m* (*-es*; *-e*) *bot. bsd. Br.* maize, *Am.* corn.

Majonäse → ***Mayonnaise.***

Major [ma'joːr] *m* (*-s*; *-e*) *mil.* major.

Makler ['maːklər] *m* (*-s*; *-*) *Immobilien⁀*: (*Am.* real) estate agent, *Am. a.* realtor; *Börsen⁀*: (stock)broker; **'~gebühr** *f* fee, commission; brokerage.

Makrele [ma'kreːlə] *f* (*-*; *-n*) *zo.* mackerel.

mal [maːl] *adv math.* times, multiplied by; *Maße*: by; F → ***einmal***: ***12 ~ 5 ist*** (***gleich***) ***60*** 12 times (*od.* multiplied by) 5 is (*od.* equals) 60; ***ein 7 Meter ~ 4 Meter großes Zimmer*** a room 7 metres by 4 metres.

Mal[1] [-] *n* (*-[e]s*; *-e*) time: ***zum ersten*** (***letzten***) ***~*** for the first (last) time; ***mit e-m ~*** *plötzlich*: all of a sudden; ***ein für alle ~*** once and for all; ***jedes ~*** each (*od.* every) time: ***jedes ~ wenn*** whenever.

Mal[2] [-] *n* (*-[e]s*; *-e*) *Zeichen*: mark; →

Muttermal.

malen ['maːlən] *v/t* (*h*) paint (*a. streichen*).

Maler ['maːlər] *m* (*-s*; *-*) painter; **~ei** [~'raɪ] *f* (*-*; *-en*) painting; '**2isch** *adj Talent*: artistic; *fig.* picturesque.

Mallorca [ma'jɔrka] Majorca.

'**malnehmen** *v/t* (*irr, sep, -ge-, h,* → ***nehmen***) *math.* multiply (***mit*** by).

Malta ['malta] Malta.

Malz [malts] *n* (*-es*; *no pl*) malt; '**~bier** *n* malt beer.

Mama ['mama] *f* (*-*; *-s*) F *bsd. Br.* mum(-my), *bsd. Am.* mom(my).

man [man] *indef pron* you, *förmlicher*: one; they, people: ***wie schreibt ~ das?*** how do you spell it?; ***~ sagt, dass*** they (*od.* people) say (that); ***~ hat mir gesagt*** I was told.

Manage|ment ['mɛnɪdʒmənt] *n* (*-s*; *-s*) management; **2n** ['~dʒən] *v/t* (*h*) manage; *zustande bringen*: fix; **~r** ['~dʒər] *m* (*-s*; *-*) manager; '**~rkrankheit** *f* stress disease.

manchmal ['mançmaːl] *adv* sometimes.

Mandant [man'dant] *m* (*-en*; *-en*) *jur.* client.

Mandarine [manda'riːnə] *f* (*-*; *-n*) *bot.* tangerine.

Mandat [man'daːt] *n* (*-[e]s*; *-e*) *parl.* mandate; *Sitz*: seat; *jur.* brief.

Mandel ['mandəl] *f* (*-*; *-n*) *bot.* almond; *anat.* tonsil; '**~entzündung** *f med.* tonsillitis.

Mangel ['maŋəl] *m* (*-s*; *⸗*) *Fehlen*: lack (***an*** *dat* of); *Knappheit*: shortage (of); *tech.* defect, fault: ***aus ~ an*** for lack of; '**~beruf** *m* understaffed occupation; '**2haft** *adj Qualität*: poor; *Arbeit, Ware*: defective.

Mängelhaftung ['mɛŋəl~] *f jur.* liability for defects.

mangeln[1] ['maŋəln] *v/impers* (*h*): ***es mangelt ihm an*** (*dat*) he lacks; ***ihr ~des Selbstvertrauen*** her lack of self-confidence.

mangeln[2] [~] *v/t* (*h*) *Wäsche*: mangle.

Mängelrüge ['mɛŋəl~] *f jur.* notice of defects.

'**mangels** *prp* for lack (*od.* want) of.

'**Mangelware** *f*: ***~ sein*** be scarce.

Manieren [ma'niːrən] *pl* manners *pl.*

Manifest [mani'fɛst] *n* (*-[e]s*; *-e*) *pol.* manifesto.

Maniküre [mani'kyːrə] *f* (*-*; *-n*) manicure; *Frau*: manicurist.

Manipul|ation [manipula'tsĭoːn] *f* (*-*; *-en*) manipulation; **2ieren** [~'liːrən] *v/t* (*no ge-, h*) manipulate.

Mann [man] *m* (*-[e]s*; *⸗er*) man; *Ehe2*: husband.

Männchen ['mɛnçən] *n* (*-s*; *-*) *zo.* male.

Mannequin ['manəkɛ̃] *n* (*-s*; *-s*) (fashion) model.

männlich ['mɛnlɪç] *adj biol.* male; *Aussehen, Eigenschaften, gr.*: masculine (*a. fig.*); *Mut, Verhalten etc*: manly.

'**Mannschaft** *f* (*-*; *-en*) *Sport*: team (*a. fig.*); *aer., mar.* crew.

Mansarde [man'zardə] *f* (*-*; *-n*) attic room.

Manschette [man'ʃɛtə] *f* (*-*; *-n*) cuff; **~nknopf** *m* cuff link.

Mantel ['mantəl] *m* (*-s*; *⸗*) coat; '**~ta͵rif** *m econ.* terms *pl* of the skeleton wage agreement; '**~ta͵rifvertrag** *m* skeleton wage agreement.

manuell [ma'nŭɛl] *adj* manual.

Manuskript [manu'skrɪpt] *n* (*-[e]s*; *-e*) manuscript; *Notizen*: notes *pl.*

Mappe ['mapə] *f* (*-*; *-n*) *Aktentasche*: briefcase; *Aktendeckel*: folder.

Märchen ['mɛːrçən] *n* (*-s*; *-*) fairy tale (*a. fig.*).

Margarine [marga'riːnə] *f* (*-*; *-n*) margarine.

Marienkäfer [ma'riːən~] *m zo.* ladybird.

Marihuana [mari'hĭaːna] *n* (*-s*; *no pl*) marijuana.

Marine [ma'riːnə] *f* (*-*; *-n*) *mil.* navy.

maritim [mari'tiːm] *adj* maritime.

Mark[1] [mark] *f* (*-*; *-*) *hist. Währung, Münze*: mark.

Mark[2] [~] *n* (*-[e]s*; *no pl*) *Knochen2*: marrow; *Frucht2*: pulp.

Marke ['markə] *f* (*-*; *-n*) *Lebensmittel etc*: brand; *Fahrzeug, Gerät*: make; *~nzeichen*: trademark (*a. fig.*); *Brief2 etc*: stamp; *Erkennungs2*: badge, tag; *Zeichen*: mark; '**~nar͵tikel** *m* brand-name article; '**2nbewusst** *adj* brand conscious; '**~nbewusstsein** *n* brand awareness; '**~nerzeugnis** *n* brand-name product; '**~nimage** *n* brand image; '**~ntreue** *f* brand loyalty; '**~nzeichen** *n* trademark (*a. fig.*).

Marketing ['markətɪŋ] *n* (*-s*; *no pl*) *econ.* marketing; '**~ab͵teilung** *f* marketing department.

markier|en [mar'kiːrən] *v/t* (*no ge-, h*)

M

mark; *fig.* act; **≈ung** *f* (-; *-en*) mark.

Markise [mar'kiːzə] *f* (-; *-n*) (sun)blind.

Markt [markt] *m* (-[*e*]*s*; ⸚*e*) market; *~platz*: marketplace: ***auf dem ~*** at (*econ.* on) the market; ***auf den ~ bringen*** bring on the market; **'~ana,lyse** *f* market analysis; **'~anteil** *m* share of the market; **'≈beherrschend** *adj* market-dominating; **'~forschung** *f* market research; **'~führer** *m* market leader; **'~lücke** *f* gap in the market; **'~macht** *f* market power; **'~platz** *m* marketplace; **'~potenzial**, **'~potential** *n* market potential; **'~wert** *m* (-[*e*]*s*; *no pl*) market value; **'~wirtschaft** *f* (-; *no pl*): (***freie***) ~ free market (*od.* enterprise) economy; ***soziale ~*** social market economy.

Marmelade [marmə'laːdə] *f* (-; *-n*) jam; *Orangen≈*: marmalade.

Marmor ['marmɔr] *m* (-*s*; *-e*) marble.

Marokko [ma'rɔko] Morocco.

Marsch [marʃ] *m* (-[*e*]*s*; ⸚*e*) march (*a. mus.*); **'~flugkörper** *m mil.* cruise missile; **≈ieren** [~'ʃiːrən] *v/i* (*no ge-*, *sn*) march.

Martinshorn ['martiːns~] *n* (police, *etc*) siren.

Marxis|mus [mar'ksɪsmʊs] *m* (-; *no pl*) *pol.* Marxism; **~t** *m* (-*en*; *-en*) Marxist; **≈tisch** *adj* marxist.

März [mɛrts] *m* (-[*es*]; *-e*) March: ***im ~*** in March.

Marzipan [martsi'paːn] *n* (-*s*; *-e*) marzipan.

Masche ['maʃə] *f* (-; *-n*) *Strick≈*: stitch; *Netz≈*: mesh; F *fig.* trick; **'~ndraht** *m* wire netting.

Maschine [ma'ʃiːnə] *f* (-; *-n*) machine (*a.* F *Motorrad*); F *Motor*: engine; *Flugzeug*: plane; ***~ schreiben, mit der ~ schreiben*** type; **≈ll** [maʃi'nɛl] **1.** *adj* machine; **2.** *adv* by machine: ***~ hergestellt*** machine-made.

Ma'schinen|bau *m* (-[*e*]*s*; *no pl*) mechanical engineering; **~gewehr** *n* machinegun; **~pi,stole** *f* submachine gun; **~schaden** *m* engine trouble (*od.* failure); **~schlosser** *m* (engine) fitter.

Masern ['maːzərn] *pl med.* measles *pl* (*a. sg konstr.*).

Mask|e ['maskə] *f* (-; *-n*) mask (*a. fig.*); **'~enball** *m* fancy-dress ball; **~enbildner** ['~bɪldnər] *m* (-*s*; -) make-up artist; **≈ieren** [~'kiːrən] *v/refl* (*no ge-*, *h*) dress up (***als*** as).

maskulin [masku'liːn] *adj* masculine (*a. gr.*).

Maß[1] [maːs] *n* (-*es*; *-e*) *~einheit*: measure (***für*** of); *e-s Raumes etc*: dimensions *pl*, measurements *pl*, size; *fig.* extent, degree: ***~e u. Gewichte*** weights and measures; ***nach ~*** (***gemacht***) made to measure; ***in gewissem ~e*** to a certain degree; ***in zunehmendem ~e*** increasingly; → ***hoch*** 1; ***~ halten*** be moderate (***in*** *dat* in).

Maß[2] [~] *f* (-; -) lit|re (*Am.* -er) of beer.

Massage [ma'saːʒə] *f* (-; *-n*) massage; **~sa,lon** *m euphem.* massage parlo(u)r.

Massaker [ma'saːkər] *n* (-*s*; -) massacre.

Masse ['masə] *f* (-; *-n*) mass; *Substanz*: substance; *Menschen≈*: crowd(s *pl*): F ***e-e ~*** *Geld etc*: loads (*od.* heaps) of; ***die*** (***breite***) **~**, *pol.* ***die ~n*** *pl* the masses *pl*.

'Maßeinheit *f* unit of measure(ment).

'Massen|abfertigung *f a. contp.* mass processing; **'~absatz** *m* mass sale; **'~andrang** *m* crush; **'~arbeitslosigkeit** *f* mass unemployment; **'~ar,tikel** *m* mass-produced article; **'~entlassungen** *pl* mass dismissals *pl*; **'≈haft** *adv* F masses (*od.* loads) of; **'~karambolage** *f mot.* pileup; **'~medien** *pl* mass media *pl* (*a. sg konstr.*); **'~produkti,on** *f* mass production; **'~tierhaltung** *f* battery farming; **'~tou,rismus** *m* mass tourism; **'~verkehrsmittel** *n* means of mass transportation; **'~vernichtungswaffe** *f*, *mst pl* weapon of mass destruction; **'≈weise** → ***massenhaft.***

Masseur [ma'søːr] *m* (-*s*; *-e*) masseur; **~in** *f* (-; *-nen*) masseuse.

'maß|gebend *adj*, **~geblich** ['~geːplɪç] *adj verbindlich*: authoritative; *beträchtlich*: substantial, considerable; **'~halten** → ***Maß***[1].

massieren [ma'siːrən] *v/t* (*no ge-*, *h*) massage.

massig ['masɪç] *adj* massive, bulky.

mäßig ['mɛːsɪç] *adj* moderate; *dürftig*: poor; **~en** ['~gən] (*h*) **1.** *v/t* moderate; **2.** *v/refl* restrain (*od.* control) o.s.; **'≈ung** *f* (-; *no pl*) moderation, restraint.

massiv [ma'siːf] *adj* solid.

'Maß|krug *m* beer mug, stein; **'≈los** *adj* *Essen, Forderungen etc*: immoderate; *Übertreibung*: gross; **~nahme**

['-na:mə] *f* (-; *-n*) measure; '**~nahmenkata,log** *m* catalo(ue) of measures; '**~stab** *m* scale; *fig.* standard: ***im ~ 1:50000*** to a scale of 1:50,000; '**2voll** *adj* moderate.
Mast [mast] *m* (-[*e*]*s*; *-e*[*n*]) *mar.* mast; *Fahnen2*: pole.
masturbieren [mastʊr'bi:rən] *v/i* (*no ge-, h*) masturbate.
Material [mate'rĭa:l] *n* (*-s*; *-ien*) material (*a. fig.*); *Arbeits2*: materials *pl*; **~fehler** *m* material defect; **~ismus** [-a'lɪsmʊs] *m* (-; *no pl*) materialism; **~ist** [-a'lɪst] *m* (*-en*; *-en*) materialist; **2istisch** [-a'lɪstɪʃ] *adj* materialist(ic).
Materie [ma'te:rĭə] *f* (-; *-n*) matter (*a. fig.*); *Thema*: subject (matter).
materiell [mate'rĭɛl] *adj* material.
Mathe ['matə] *f* (-; *no pl*) F *Br.* maths *pl* (*sg konstr.*), *Am.* math.
Mathemati|k [matema'ti:k] *f* (-; *no pl*) mathematics *pl* (*sg konstr.*); **~ker** [-'ma:tikər] *m* (*-s*; -) mathematician; **2sch** [-'ma:tɪʃ] *adj* mathematical.
Matinee [mati'ne:] *f* (-; *-n*) *thea. etc* morning performance.
Matratze [ma'tratsə] *f* (-; *-n*) mattress.
Matrose [ma'tro:zə] *m* (*-n*; *-n*) *mar.* sailor, seaman.
Matsch [matʃ] *m* (-[*e*]*s*; *no pl*) sludge, mud; *bsd. Schnee2*: slush; '**2ig** *adj* muddy, slushy; *Frucht*: squashy, mushy.
matt [mat] *adj schwach*: weak; *Farbe*: dull, pale; *Foto*: mat(t); *Glas, Glühbirne*: frosted; *Schach*: (check)mate.
Matte ['matə] *f* (-; *-n*) mat.
Mauer ['maʊər] *f* (-; *-n*) wall; **~blümchen** ['-bly:mçən] *n* (*-s*; -) *fig.* wallflower; '**~werk** *n* (-[*e*]*s*; *no pl*) masonry, brickwork.
Maul [maʊl] *n* (-[*e*]*s*; *Mäuler*) mouth: *sl.* ***halt's ~!*** shut up!; '**~tier** *n* mule; '**~wurf** *m* (-[*e*]*s*; *Maulwürfe*) *zo.* mole (*a.* F *Agent*).
Maurer ['maʊrər] *m* (*-s*; -) bricklayer.
Maus [maʊs] *f* (-; *Mäuse*) *zo.* mouse (*a. Computer*); '**~klick** *m* (*-s*; *-s*) *Computer*: mouse click: ***per ~*** by clicking the mouse, on mouse click.
Maut [maʊt] *f* (-; *-en*), '**~gebühr** *f* toll; '**~stelle** *f* tollhouse; '**~straße** *f* toll road, *Am. a.* turnpike; '**~system** *n* toll system.
maxi|mal [maksi'ma:l] **1.** *adj* maximum; **2.** *adv* at (the) most; **~mieren** [-'mi:rən] *v/t* (*no ge-, h*) maximize; **2'mierung** *f* (-; *-en*) maximization; **2mum** ['-mʊm] *n* (*-s*; -ma) maximum.
Mayonnaise [majɔ'nɛ:zə] *f* (-; *-n*) *gastr.* mayonnaise.
Mäzen [mɛ'tse:n] *m* (*-s*; *-e*) patron.
Mechani|k [mɛ'ça:nɪk] *f* (-; *-en*) *phys.* mechanics *pl* (*sg konstr.*); *tech.* mechanism; **~ker** *m* (*-s*; -) mechanic; **2sch** *adj* mechanical; **2sieren** [-ani'zi:rən] *v/t* (*no ge-, h*) mechanize; **~sierung** [-ani'zi:rʊŋ] *f* (-; *-en*) mechanization; **~smus** [-a'nɪsmʊs] *m* (-; *-men*) mechanism (*a. fig.*).
meckern ['mɛkərn] *v/i* (*h*) F grumble, bitch (*beide*: ***über*** *acc* about).
Mecklenburg-Vorpommern ['me:klənbʊrk'vo:rpɔmərn] Mecklenburg-Western Pomerania.
Medaille [me'daljə] *f* (-; *-n*) medal; **~ngewinner** *m* medal(l)ist.
Medaillon [medal'jo-:] *n* (*-s*; *-s*) locket; *gastr.* medallion.
Medien ['me:dĭən] *pl* media *pl* (*a. sg konstr.*); '**~bericht** *m mst pl* media report, report in the media; ***~en zufolge*** according to media reports, according to reports in the media; '**~ereignis** *n* media event; '**~industrie** *f* media industry, media business; '**~landschaft** *f* media landscape (*od.* environment); '**2übergreifend** *adj* cross-media; '**~vielfalt** *f* (great) variety of media.
Medikament [medika'mɛnt] *n* (-[*e*]*s*; *-e*) medicine, drug (*beide*: ***gegen*** for); **2ös** [-'tø:s] *adj u. adv* with drugs.
Medizin [medi'tsi:n] *f* (-; *-en*) medicine; *Arznei*: → ***Medikament***; **2isch** *adj* medical; **2isch-technische Assistentin** *f* (-; *-nen*) medical laboratory assistant.
Meer [me:r] *n* (-[*e*]*s*; *-e*) sea (*a. fig.*), ocean; '**~blick** *m* (-[*e*]*s*; *no pl*) view of the sea; '**~enge** *f* strait(s *pl*); '**~esboden** *m* seabed, bottom of the sea; **~esfrüchte** ['-fryçtə] *pl* seafood *sg*; '**~esgrund** *m* (-[*e*]*s*; *no pl*) → ***Meeresboden***; '**~esspiegel** *m* (*-s*; *no pl*): ***über*** (***unter***) ***dem ~*** above (below) sea level; '**~rettich** *m bot.* horseradish.
Mehl [me:l] *n* (-[*e*]*s*; *-e*) flour.
mehr [me:r] *indef pron u. adv* more: ***noch ~*** even more; ***es ist kein ... ~ da*** there isn't any ... left; → ***immer***, ***nicht***; '**2arbeit** *f* (-; *no pl*) extra work;

M

'2**aufwand** *m* additional expenditure (***an*** *dat* of); **~deutig** ['-dɔʏtɪç] *adj* ambiguous; '2**einnahmen** *pl* additional earnings *pl*; **~ere** ['-ərə] *adj u. indef pron* several; '2**heit** *f* (-; *-en*) majority; '2**heitswahlrecht** *n* majority vote system; '2**kosten** *pl* extra costs *pl*; '**~mals** *adv* several times; '2**par,teiensy,stem** *n* multiparty system; '2**wertsteuer** *f* value-added tax; '2**zahl** *f* (-; *no pl*) *Mehrheit*: majority; *gr.* plural; '2**zweckhalle** *f* multi-purpose hall.

meiden ['maɪdən] *v/t* (*mied*, *gemieden*, *h*) avoid.

Meile ['maɪlə] *f* (-; *-n*) mile; '2**nweit** *adv* (for) miles.

mein [maɪn] *poss pron* my: ***~er, ~e, ~(e)s*** mine.

'**Meineid** *m jur.* perjury: ***e-n ~ leisten*** commit perjury, perjure oneself.

meinen ['maɪnən] *v/t u. v/i* (*h*) *glauben*, *e-r Ansicht sein*: think, believe; *sagen wollen*, *beabsichtigen*, *sprechen von*: mean; *sagen*: say: ***~ Sie (wirklich)?*** do you (really) think so?; ***wie ~ Sie das?*** what do you mean by that?; ***sie ~ es gut*** they mean well; ***ich habe es nicht so gemeint*** I didn't mean it; ***wie ~ Sie?*** (I beg your) pardon?

meinet|wegen ['maɪnət'-] *adv von mir aus*: I don't mind (*od.* care); *für mich*: for my sake; *wegen mir*: because of me.

M

'**Meinung** *f* (-; *-en*) opinion (***über*** *acc*, ***von*** about, of): ***m-r ~ nach*** in my opinion; ***der ~ sein, dass*** be of the opinion that, feel (*od.* believe) that; ***s-e ~ ändern*** change one's mind; ***ich bin Ihrer (anderer) ~*** I (don't) agree with you; '**~saustausch** *m* exchange of views (***über*** *acc* on); '**~sforscher** *m* pollster; '**~sforschung** *f* opinion research; '**~sforschungsinsti,tut** *n* polling institute; '**~sfreiheit** *f* (-; *no pl*) freedom of speech (*od.* opinion); '**~sumfrage** *f* opinion poll; '**~sumschwung** *m* swing of opinion; '**~sverschiedenheit** *f* difference of opinion (***über*** *acc* over).

Meise ['maɪzə] *f* (-; *-n*) *zo.* titmouse.

meist [maɪst] **1.** *adj* most: ***das ~e (davon)*** most of it; ***die ~en (von ihnen)*** most of them; ***die ~en Leute*** most people; ***die ~e Zeit*** most of the time; **2.** *adv* → ***meistens***: ***am ~en*** most (of all); '2**begünstigungsklausel** *f econ.*, *pol.* most-favo(u)red-nation clause; '2**bietende** *m*, *f* (*-n*; *-n*) highest bidder; '**~ens** *adv* mostly, usually.

Meister ['maɪstər] *m* (*-s*; -) *Handwerks*2: master craftsman; *Künstler*, *Könner*: master; *Sport etc*: champion; '2**haft 1.** *adj* masterly; **2.** *adv* in a masterly manner (*od.* way); '2**n** *v/t* (*h*) master; '**~schaft** *f* (-; *-en*) *Können*: mastery; *Sport etc*: championship; '**~werk** *n* masterpiece.

Melanchol|ie [melaŋko'liː] *f* (-; *-n*) melancholy; 2**isch** [-'koːlɪʃ] *adj* melancholy: ***~ sein*** feel melancholy.

Meld|ebehörde ['mɛldə-] *f* registration office; '2**en** (*h*) **1.** *v/t et.*, *j-n*: report (***bei*** to); *Presse*, *Funk etc*: announce, report; *amtlich*: notify the authorities of; **2.** *v/refl* report (***bei*** to; ***für, zu*** for); *polizeilich an~*: register (***bei*** with); *teleph.* answer (the phone); *freiwillig*: volunteer (***für, zu*** for); '**~epflicht** *f* obligatory registration; *med.* duty of notification; '2**epflichtig** *adj* subject to registration; *med.* notifiable; '**~ezettel** *m* registration form; '**~ung** *f* (-; *-en*) *Presse*, *Funk etc*: report, news *pl* (*sg konstr.*), announcement; *Mitteilung*: information, notice; *amtlich*: notification, report; *polizeiliche An*2: registration (***bei*** with).

Melodi|e [melo'diː] *f* (-; *-n*) melody, *Weise*: *a.* tune; 2**ös** [-'di̯øːs] *adj* melodious.

Melone [me'loːnə] *f* (-; *-n*) *bot.* melon.

Memoiren [me'mŏaːrən] *pl* memoirs *pl*.

Menge ['mɛŋə] *f* (-; *-n*) *Anzahl*: quantity, amount; *Menschen*2: crowd: F ***e-e ~ Geld*** plenty of money, lots *pl* of money; '**~nra,batt** *m econ.* bulk discount.

Menorca [me'nɔrka] Minorca.

Mensch [mɛnʃ] *m* (*-en*; *-en*) human being; *der ~ als Gattung*: man; *einzelner*: person, individual: ***die ~en*** *pl* people *pl*; *alle*: mankind *sg*; ***kein ~*** nobody.

'**Menschen|affe** *m zo.* ape; '**~handel** *m* slave trade; '**~kenntnis** *f* (-; *no pl*) knowledge of human nature: ***~ haben*** know human nature; '**~leben** *n* human life; '2**leer** *adj* deserted; '**~menge** *f* crowd; '**~rechte** *pl* human rights *pl*; '**~seele** *f*: ***keine ~*** not a living soul; '2**unwürdig** *adj Behandlung etc*: degrading; *Unterkunft etc*: unfit for human beings; '**~verstand** *m*: ***gesunder ~*** common sense; '**~würde** *f* human dignity.

ˈ**Mensch|heit** *f* (-; *no pl*): ***die ~*** mankind, the human race; ˈ**2lich** *adj den Menschen betreffend*: human; *human*: humane; ˈ**~lichkeit** *f* (-; *no pl*) humanity.
Menstruation [mɛnstruaˈtsĭoːn] *f* (-; *-en*) *physiol.* menstruation.
Mentalität [mɛntaliˈtɛːt] *f* (-; *-en*) mentality.
Menü [meˈnyː] *n* (*-s*; *-s*) *gastr.* set meal, *mittags*: *a.* set lunch; *Computer*: menu; **~führung** *f Computer*: menu assistance.
Merk|blatt [ˈmɛrk-] *n* leaflet; ˈ**2en** *v/t* (*h*) *wahrnehmen*: notice; *spüren*: feel; *entdecken*: find (out), discover: ***sich et. ~*** remember s.th., keep (*od.* bear) s.th. in mind; ˈ**2lich** *adj wahrnehmbar*: noticeable; *deutlich*: marked, distinct; *beträchtlich*: considerable; ˈ**~mal** *n* (-[*e*]*s*; *-e*) characteristic, feature; *Zeichen*: sign; ˈ**2würdig** *adj* strange, odd; ˈ**2würdigerweise** *adv* strangely (*od.* oddly) enough.
mess|bar [ˈmɛsbaːr] *adj* measurable; ˈ**2becher** *m* measuring cup.
Messe [ˈmɛsə] *f* (-; *-n*) *econ.* fair; *eccl.* mass; ˈ**~ausweis** *m* fair pass; ˈ**~besucher** *m* visitor to the fair; ˈ**~gelände** *n* exhibition cent|re (*Am.* -er); ˈ**~halle** *f* exhibition hall.
messen [ˈmɛsən] (*maß*, *gemessen*, *h*) **1.** *v/t* measure; *Temperatur*, *Blutdruck etc*: take: ***gemessen an*** (*dat*) compared with; **2.** *v/refl*: ***sich nicht mit j-m ~ können*** be no match for s.o.
ˈ**Messeneuheit** *f* newcomer to the market.
Messer [ˈmɛsər] *n* (*-s*; -) knife: ***auf des ~s Schneide stehen*** be on a razor edge; **~stecheˈrei** *f* (-; *-en*) knifing; ˈ**~stich** *m* stab; *Wunde*: stab wound.
ˈ**Messestadt** *f* exhibition cent|re (*Am.* -er).
Messing [ˈmɛsɪŋ] *n* (*-s*; *no pl*) brass.
ˈ**Messinstruˌment** *n* [ˈmɛs-] measuring instrument.
ˈ**Messung** *f* (-; *-en*) measuring; *Ablesung*: reading.
Metall [meˈtal] *n* (*-s*; *-e*) metal; ***~ verarbeitend*** metal-processing; **~waren** *pl* metal goods *pl*, hardware *sg*.
Meteorolog|e [meteoroˈloːgə] *m* (*-n*; *-n*) meteorologist; **~ie** [-loˈgiː] *f* (-; *no pl*) meteorology; **2isch** *adj* meteorological.
Meter [ˈmeːtər] *m*, *a.* *n* (*-s*; -) met|re (*Am.* -er); ˈ**~maß** *n* tape measure.
Method|e [meˈtoːdə] *f* (-; *-n*) method; **2isch** *adj* methodical.
metrisch [ˈmeːtriʃ] *adj* metric.
Metropole [metroˈpoːlə] *f* (-; *-n*) metropolis.
Metzger [ˈmɛtsgər] *m* (*-s*; -) butcher: ***beim ~*** at the butcher's; **~ei** [-ˈraɪ] *f* (-; *-en*) butcher's (shop).
Mexiko [ˈmɛksiko] Mexico.
mich [mɪç] **1.** *pers pron* me; **2.** *refl pron* myself.
Miene [ˈmiːnə] *f* (-; *-n*) expression, look, air: ***gute ~ zum bösen Spiel machen*** grin and bear it.
Miet|e [ˈmiːtə] *f* (-; *-n*) rent; ˈ**2en** *v/t* (*h*) rent; ˈ**~er** *m* (*-s*; -) tenant; ˈ**~kauf** *m* hire purchase; ˈ**~shaus** *n Br.* block of flats, *Am.* apartment house; ˈ**~vertrag** *m* lease; ˈ**~wagen** *m* → ***Leihwagen***; ˈ**~wohnung** *f Br.* (rented) flat, *Am.* apartment.
Migräne [miˈgrɛːnə] *f* (-; *-n*) *med.* migraine.
Migration [mɪgraˈtsioːn] *f* (-; *-en*) migration
migrieren [mɪˈgriːrən] *v/i* migrate
Mikro|chip [ˈmiːkro-] *m* microchip; **~fiche** [ˈ-fiːʃ] *n*, *m* microfiche; ˈ**~film** *m* microfilm.
Mikrofon [mikroˈfoːn] *n* (*-s*; *-e*) microphone.
Mikroskop [mikroˈskoːp] *n* (*-s*; *-e*) microscope; **2isch** *adj* (*a.* ***~ klein***) microscopic.
Mikrowellenherd [ˈmiːkro-] *m* microwave oven.
Milch [mɪlç] *f* (-; *no pl*) milk; ˈ**~glas** *n tech.* frosted glass; ˈ**~mixgetränk** *n* milk shake; ˈ**~proˌdukte** *pl* dairy products *pl*; ˈ**~pulver** *n* powdered milk; ˈ**~reis** *m* rice pudding; ˈ**~straße** *f ast.* Milky Way, Galaxy; ˈ**~zahn** *m* milk tooth.
mild [mɪlt] *adj Klima etc*: mild; *Strafe etc*: *a.* lenient; *Farbe*, *Licht*: soft.
milde [ˈmɪldə] *adv*: ***~ ausgedrückt*** to put it mildly.
Milde [-] *f* (-; *no pl*) mildness; leniency: ***~ walten lassen*** be lenient.
mildern [ˈmɪldərn] *v/t* (*h*) *Schmerzen*: alleviate, ease, soothe; *Wirkung etc*: reduce, soften; ˈ**~d** *adj*: ***~e Umstände*** *jur.* mitigating circumstances.

M

Milieu [mi'liø:] *n (-s; -s) Umwelt*: environment; *Herkunft*: social background.
Militär [mili'tɛ:r] *n (-s; no pl) the* military, armed forces *pl*; *Heer*: army; **~dienst** *m* military service; **~dikta,tur** *f* military dictatorship; **≈isch** *adj* military.
Milita|rismus [milita'rɪsmʊs] *m (-; no pl)* militarism; **~'rist** *m (-en; -en)* militarist; **≈'ristisch** *adj* militaristic.
Mili'tärre,gierung *f* military government.
Milliarde [mɪ'lia:rdə] *f (-; -n)* billion
Milliardengrab *n fig.* money burner, white elephant.
Milli'meter ['mɪli-] *m, a. n* millimet|re (*Am.* -er).
Million [mɪ'lio:n] *f (-; -en)* million; **~är** [-o'nɛ:r] *m (-s; -e)* millionaire.
Milz [mɪlts] *f (-; -en) anat.* spleen.
Minder|einnahme ['mɪndər-] *f* shortfall in receipts; **'~heit** *f (-; -en)* minority; **'~heitsre,gierung** *f* minority government.
minderjährig ['-jɛ:rɪç] *adj* underage; **≈e** ['-gə] *m, f (-n; -n)* minor; **'≈keit** *f (-; no pl)* minority.
'minderwertig *adj* inferior, of inferior quality; **'≈keit** *f (-; no pl)* inferiority; *econ.* inferior quality; **'≈keitskom,plex** *m* inferiority complex.
mindest['mɪndəst] *adj* least: ***das ≈e*** the (very) least; ***nicht im ≈en*** not in the least, by no means; **'≈alter** *n* minimum age; **~ens** [-əns] *adv* at least; **'≈gebot** *n* reserve price; **'≈lohn** *m* minimum wage; **'≈maß** *n* minimum (***an*** *dat* of): ***auf ein ~ herabsetzen*** minimize; **'≈umtausch** *m* minimum currency exchange.
Mineral[minə'ra:l] *n (-s; -e, -ien)* mineral; **~öl** *n* mineral oil; **~ölsteuer** *f* mineral oil tax; **~wasser** *n* mineral water.
Minigolf ['mɪni-] *n Br.* crazy golf, *Am.* miniature golf; **'~anlage** *f* crazy (*Am.* miniature) golf course.
mini|mal [mini'ma:l] *adj* minimal; **≈mum** ['mi:nimʊm] *n (-s; -ma)* → ***Mindestmaß***.
Minirock ['mɪni-] *m* miniskirt.
Minister [mi'nɪstər] *m (-s; -)* minister, *Br.* Secretary of State, *Am.* Secretary; **~ium** [-'te:riʊm] *n (-s; -rien)* ministry, *Am.* department; **~präsi,dent** *m e-s Bundeslandes*: prime minister.
minus ['mi:nʊs] **1.** *prp math.* minus; **2.** *adv*: ***10 Grad ~*** 10 degrees below zero.
Minus [-] *n (-; no pl)* deficit; *Konto*: overdraft; *fig.* disadvantage: ***~ machen*** make a loss; ***im ~ sein*** be in the red; **'~betrag** *m* deficit.
Minute [mi'nu:tə] *f (-; -n)* minute; **~nzeiger** *m* minute hand.
mir [mi:r] *pers pron* (to) me.
'Misch|batte,rie ['mɪʃ-] *f Waschbecken etc*: *Br.* mixer tap, *Am.* mixing faucet; **'~brot** *n* mixed-grain bread; **'≈en** *v/t (h)* mix; *Tabak, Tee etc*: blend; *Karten*: shuffle; **'~gemüse** *n* mixed vegetables *pl*; **'~pult** *n Rundfunk, TV*: mixer, mixing console; **'~ung** *f (-; -en)* mixture; blend; *Pralinen≈ etc*: assortment; **'~wald** *m* mixed forest.
miserabel[mizə'ra:bəl] *adj* F lousy, rotten.
miss|'achten [mɪs-] *v/t (insep, no -ge-, h) nicht beachten*: disregard, ignore; **≈'achtung** *f* disregard; **~'billigen** *v/t (insep, no -ge-, h)* disapprove of; **'≈brauch** *m* abuse; misuse; **~'brauchen** *v/t (insep, no -ge-, h)* abuse (*a. sexuell*); *falsch anwenden*: misuse; **~'deuten** *v/t (insep, no -ge-, h)* misinterpret; **'≈erfolg** *m* failure, *Film etc*: *a.* flop; **'≈ernte** *f* bad harvest, crop failure; **~'fallen** *v/i (irr, insep, no -ge-, h,* → ***fallen***): ***es missfiel ihm*** he didn't like it; **'≈fallen** *n (-s; no pl)* displeasure, dislike; **'≈geschick** *n Panne etc*: mishap; **~'glücken** *v/i (insep, no -ge-, sn)* fail; **~'gönnen** *v/t (insep, no -ge-, h)*: ***j-m et. ~*** (be)grudge s.o. s.th.; **'≈griff** *m* mistake; **~'handeln** *v/t (insep, no -ge-, h)* ill-treat, maltreat; *(Ehe)Frau, Kind*: batter; **≈'handlung** *f* ill-treatment, maltreatment; *jur.* assault and battery; **~lingen** [-'lɪŋən] *v/i (misslang, misslungen, sn)* fail: ***es misslang mir*** I didn't manage it; **~'trauen** *v/i (insep, no -ge-, h)* distrust, mistrust; **'≈trauen** *n (-s; no pl)* distrust, mistrust (*beide*: ***gegen*** of): ***j-s ~ erregen*** arouse s.o.'s suspicion; **'≈trauensantrag** *m parl.* motion of no confidence; **'≈trauensvotum** *n parl.* vote of no confidence; **~trauisch** ['-traʊɪʃ] *adj* distrustful (***gegen*** of); *argwöhnisch*: suspicious (of); **'≈verhältnis** *n* disproportion; **'≈verständnis** *n (-ses; -se)* misunder-

standing; '**~verstehen** *v/t* (*irr, insep, no -ge-, h,* → ***stehen***) misunderstand; '**²wirtschaft** *f* mismanagement.

mit [mɪt] **1.** *prp* with: ***~ 100 Stundenkilometern*** at 100 kilometres per hour; → ***Auto, Gewalt, Jahr*** *etc*; **2.** *adv*: ***~ der Grund dafür, dass*** one of the reasons why; ***~ der Beste*** one of the best.

'**Mit|arbeit** *f* (-; *no pl*) cooperation, *Hilfe*: *a.* assistance (*beide*: ***bei*** in); '**~arbeiter** *m* employee; *Projekt etc*: collaborator: ***freier ~*** freelance; '**~arbeiterstab** *m* staff (*a. pl konstr.*); '**²benutzen** *v/t* (*sep, no -ge-, h*) share; '**~bestimmung** *f* (-; *no pl*) codetermination, *econ. a.* worker participation; '**~bewerber** *m* competitor; '**²bringen** *v/t* (*irr, sep, -ge-, h,* → ***bringen***) bring (*od.* take) along (with one): ***j-m et. ~*** bring (*od.* take) s.o. s.th.; **~bringsel** ['-brɪŋzəl] *n* (*-s*; -) little present; *Reise²*: souvenir; '**~bürger** *m* fellow citizen; '**~eigentümer** *m* joint owner; **²ein'ander** *adv* with each other; *zusammen*: together; '**²erleben** *v/t* (*sep, no -ge-, h*) witness; '**~esser** *m* (*-s*; -) *med.* blackhead; '**²fahren** *v/i* (*irr, sep, -ge-, sn,* → ***fahren***): ***mit j-m ~*** drive (*od.* go) with s.o.; '**~fahrerzentrale** *f* car pooling service; '**~fahrgelegenheit** *f* lift; '**²geben** *v/t* (*irr, sep, -ge-, h,* → ***geben***): ***j-m et. ~*** give s.o. s.th. (to take along); '**~gefühl** *n* (-[*e*]*s*; *no pl*) sympathy; '**²gehen** *v/i* (*irr, sep, -ge-, sn,* → ***gehen***): ***mit j-m ~*** go along with s.o.; '**~gift** *f* (-; *-en*) dowry.

'**Mitglied** *n* member (*gen*, ***in*** *dat*, ***bei*** of); '**~sausweis** *m* membership card; '**~sbeitrag** *m* (membership) fee (*Am.* dues *pl*); '**~schaft** *f* (-; *-en*) membership; '**~sland** *n* member country.

'**mit|haben** *v/t* (*irr, sep, -ge-, h,* → ***haben***): ***ich habe kein Geld mit*** I haven't got any money with (*od.* on) me; '**²hilfe** *f* assistance, help, cooperation; **~'hilfe** *prp*: ***~ von*** with the help of; *fig. a.* by means of; '**~hören** *v/t* (*sep, -ge-, h*) *belauschen*: listen in on, eavesdrop on; *zufällig*: overhear; '**²inhaber** *m* joint owner; '**~kommen** *v/i* (*irr, sep, -ge-, sn,* → ***kommen***) come along (***mit*** with); *fig. Schritt halten*: keep pace (***mit*** with); *verstehen*: follow.

'**Mitleid** *n* (-[*e*]*s*; *no pl*) pity (***mit*** for): ***~ haben mit*** feel sorry for; ***aus ~ für*** out of pity for; '**²ig** *adj* compassionate, sympathetic; '**²slos** *adj* pitiless.

'**mit|machen** (*sep, -ge-, h*) **1.** *v/i* join in; **2.** *v/t* take part in; *die Mode*: follow; *erleben*: go through; '**~nehmen** *v/t* (*irr, sep, -ge-, h,* → ***nehmen***) take along (*od.* with one): ***j-n*** (***im Auto***) ***~*** give s.o. a lift; '**²reisende** *m, f* fellow trav-el(l)er (*od.* passenger); '**~reißend** *adj Rede, Musik etc*: exciting, rousing; '**~schneiden** *v/t* (*irr, sep, -ge-, h,* → ***schneiden***) *Funk, TV*: record; '**~schreiben** (*irr, sep, -ge-, h,* → ***schreiben***); **1.** *v/t* take down; **2.** *v/i* take notes.

'**Mitschuld** *f* (-; *no pl*) partial responsibility; '**²ig** *adj*: ***~ sein*** be partly to blame (***an*** *dat* for).

Mittag ['mɪta:k] *m* (-[*e*]*s*; -*e*) noon, midday: ***heute ~*** at noon today; → ***essen***; '**~essen** *n* lunch: ***was gibt es zum ~?*** what's for lunch?; '**²s** *adv* at noon: ***12 Uhr ~*** 12 o'clock noon.

'**Mittags|hitze** *f* midday heat; '**~pause** *f* lunch break; '**~schlaf** *m* afternoon nap; '**~zeit** *f* lunchtime.

Mitte ['mɪtə] *f* (-; -*n*) middle; *Mittelpunkt*: cent|re (*Am.* -er) (*a. pol.*): ***~ Juli*** in the middle of July; ***~ dreißig*** in one's mid thirties.

'**mitteil|en** *v/t* (*sep, -ge-, h*): ***j-m et. ~*** inform s.o. of s.th.; '**~sam** *adj* communicative; *gesprächig*: talkative; '**²ung** *f* (-; -*en*) report, information, message.

Mittel ['mɪtəl] *n* (*-s*; -) means, way; *Maßnahme*: measure; *Heil²*: remedy (***gegen*** for) (*a. fig.*): ***~*** *pl* means *pl*, money *sg*; '**~alter** *n* Middle Ages *pl*; '**²alterlich** *adj* medi(a)eval; '**~ding** *n* cross (***zwischen*** *dat* between); '**²euro,päisch** *adj*: ***~e Zeit*** Central European Time; '**~finger** *m* middle finger; '**²fristig** *adj Kredit etc*: medium-term; *Planung etc*: medium-range; '**~gebirge** *n* low mountain range; '**²groß** *adj Person*: of medium height; *Sache*: medium-sized; '**~klasse** *f econ.* medium price range: ***Hotel der ~*** → ***Mittelklassehotel***; ***Hotel der gehobenen ~*** superior hotel; ***Wagen der ~*** → ***Mittelklassewagen***; '**~klasseho,tel** *n* good hotel; '**~klassewagen** *m* middle-of-the--market car; '**²los** *adj* destitute, penniless; '**²mäßig** *adj* mediocre; *durchschnittlich*: average; '**~meerklima** *n* Mediterranean climate; **~meerländer**

M

['-lɛndər] *pl* Mediterranean countries *pl*; '**~meerraum** *m* Mediterranean area; '**~punkt** *m* cent|re (*Am.* -er) (*a. fig.*); '**≗s** *prp* by (means of), through; '**~stand** *m* (-[*e*]*s*; *no pl*) *sociol.* middle class(es *pl*); **≗ständisch** ['-ʃtɛndɪʃ] *adj* middle-class; '**~strecke** *f* middle distance; '**~streifen** *m mot. Br.* central reserve (*od.* reservation), *Am.* median strip; '**~stufe** *f* intermediate stage; '**~weg** *m fig.* middle course; '**~welle** *f electr.* medium wave: ***auf ~*** on medium wave.
Mitteleuropa ['mɪtəlɔʏ,ro:pa] Central Europe.
Mittelmeer ['mɪtəlme:r] *the* Mediterranean (Sea).
mitten ['mɪtən] *adv*: ***~ in*** (*acc*, *dat*) (***auf*** *acc*, *dat*, ***unter*** *acc*, *dat*) in the middle of.
Mitternacht ['mɪtərnaxt] *f* (-; *no pl*) midnight: ***um ~*** at midnight.
mittlere ['mɪtlərə] *adj* middle, central; *durchschnittlich*: average.
Mittwoch ['mɪtvɔx] *m* (-[*e*]*s*; -*e*) Wednesday: (***am***) **~** on Wednesday.
mit|'unter *adv* now and then; '**~verantwortlich** *adj* jointly responsible (***für*** for); '**≗verantwortung** *f* joint responsibility.
'**mitwirk|en** *v/i* (*sep*, *-ge-*, *h*) take part (***bei*** in); '**≗ende** *m*, *f* (-*n*; -*n*) *mus.*, *thea.* performer: ***die ~n*** *pl thea.* the cast (*a. pl konstr.*); '**≗ung** *f* (-; *no pl*) participation (***bei*** in).
mix|en ['mɪksən] *v/t* (*h*) mix; '**≗getränk** *n* mixed drink; *alkoholisches*: cocktail.
mobb|en [mɔbən] *v/t* (*h*) bully; '**≗ing** *n* (-*s*; *no pl*) bullying.
Möbel ['mø:bəl] *pl* furniture *sg*; '**~spediti,on** *f* removal firm; '**~stück** *n* piece of furniture; '**~wagen** *m* furniture (*od.* removal) van.
mobil [mo'bi:l] *adj* mobile: ***~ machen*** *mil.* mobilize; '**≗funknetz** *n teleph.* cellular network; **≗iar** [mobi'li̯a:r] *n* (-*s*; *no pl*) furniture; **≗ität** [mobili'tɛ:t] *f* (-; *no pl*) mobility: ***berufliche ~*** occupational mobility; **≗machung** *f* (-; -*en*) *mil.* mobilization; '**≗netz** *n teleph.* cellular network.
möblieren [mø'bli:rən] *v/t* (*no ge-*, *h*) furnish.
Mode ['mo:də] *f* (-; -*n*) fashion: ***in ~*** in fashion; ***in*** (***aus der***) ***~ kommen*** come into (get out of) fashion.
Modell [mo'dɛl] *n* (-*s*; -*e*) model: ***j-m ~ stehen*** pose (*od.* sit) for s.o.; **~kleid** *n* model (dress).
'**Modenschau** *f* fashion show.
Moderator [mode'ra:tɔr] *m* (-*s*; -*en*), **~in** [-ra'to:rɪn] *f* (-; -*nen*) *TV*: presenter, host, *Am. a.* moderator.
moderieren [mode'ri:rən] *v/t* (*no ge-*, *h*) *TV*: present, *Am. a.* moderate.
modern [mo'dɛrn] *adj* modern; *modisch*: fashionable; *auf dem neuesten Stand*: up-to-date; **~isieren** [-i'zi:rən] *v/t* (*no ge-*, *h*) modernize; *auf den neuesten Stand bringen*: bring up to date.
'**Mode|schmuck** *m* costume jewel (-le)-ry; '**~schöpfer** *m* couturier; '**~schöpferin** *f* (-; -*nen*) couturière; '**~wort** *n* (-[*e*]*s*; *Modewörter*) vogue word; '**~zeitschrift** *f* fashion magazine.
modisch ['mo:dɪʃ] *adj* fashionable, stylish.
Mofa ['mo:fa] *n* (-*s*; -*s*) motorized bicycle.
mogel|n ['mo:gəln] *v/i* (*h*) F cheat; '**≗packung** *f* cheat package.
mögen ['mø:gən] (*mochte*, *h*) **1.** *v/t* (*pp gemocht*) like: ***er mag sie*** (***nicht***) he likes (doesn't like) her; ***lieber ~*** like better, prefer; ***nicht ~*** dislike; ***was möchten Sie?*** what would you like?; ***ich möchte, dass du es weißt*** I'd like you to know (it); **2.** *v/aux* (*pp mögen*): ***ich möchte lieber bleiben*** I'd rather stay; ***es mag sein***(***, dass***) it may be (that).
möglich ['mø:klɪç] **1.** *adj* possible: ***alle ~en*** all sorts of; ***sein ≗stes tun*** do what one can; *stärker*: do one's utmost; ***so bald wie ~*** as soon as possible; **2.** *adv*: ***~st bald*** *etc* as soon *etc* as possible; '**~erweise** *adv* possibly; '**≗keit** *f* (-; -*en*) possibility; *Gelegenheit*: opportunity; *Aussicht*: chance: ***nach ~*** if possible.
Mohn [mo:n] *m* (-[*e*]*s*; -*e*) *bot.* poppy.
Möhre ['mø:rə] *f* (-; -*n*), **Mohrrübe** ['mo:r-] *f bot.* carrot.
Molekül [mole'ky:l] *n* (-*s*; -*e*) molecule.
Molotowcocktail ['mɔlotɔf-] *m* Molotov cocktail, petrol (*Am.* gasoline) bomb.
Moment [mo'mɛnt] *m* (-[*e*]*s*; -*e*) moment: (***e-n***) ***~ bitte!*** just a moment, please; ***im ~*** at the moment.

M

Monarch [mo'narç] *m* (*-en*; *-en*) monarch; **~ie** [~'çiː] *f* (-; *-n*) monarchy.
Monat ['moːnat] *m* (-[*e*]*s*; *-e*) month: ***zweimal im*** (***pro***) **~** twice a month; '**2elang** *adv* for months; '**2lich** *adj u. adv* monthly.
'**Monats|binde** *f* → ***Damenbinde***; '**~einkommen** *n* monthly income; '**~karte** *f* monthly (season) ticket; '**~rate** *f* monthly instal(l)ment.
Mond [moːnt] *m* (-[*e*]*s*; *-e*) moon.
monetär [mone'tɛːr] *adj* monetary.
Monitor ['moːnitɔr] *m* (*-s*; *-e*[*n*]) monitor.
Mono|log [mono'loːk] *m* (*-s*; *-e*) monolog(ue); **~pol** [~'poːl] *n* (*-s*; *-e*) *econ.* monopoly (***auf*** *acc* on); **2polisieren** [~poli'ziːrən] *v/t* (*no ge-*, *h*) monopolize; **2ton** [~'toːn] *adj* monotonous; **~tonie** [~to'niː] *f* (-; *-n*) monotony.
Monster ['mɔnstər] *n* (*-s*; -) monster; '**~film** *m* monster film; mammoth production.
Montag ['moːntaːk] *m* Monday: (***am***) **~** on Monday.
Montage [mɔn'taːʒə] *f* (-; *-n*) *tech. Zusammenbau*: assembly; *e-r Anlage*: installation: ***auf ~ sein*** be away on a construction job; **~band** *n* (-[*e*]*s*; *Montagebänder*) assembly line; **~halle** *f* assembly shop.
Mon'tan|indu,strie [mɔn'taːn~] *f* coal, iron, and steel industries *pl*; **~uni,on** *f* (-; *no pl*) European Coal and Steel Community.
Mont|eur [mɔn'tøːr] *m* (*-s*; *-e*) *tech.* fitter; *bsd. aer., mot.* mechanic; **2ieren** [~'tiːrən] *v/t* (*no ge-*, *h*) *zusammensetzen*: assemble; *anbringen*: fit, attach; *Anlage*: instal(l).
Moped ['moːpɛt] *n* (*-s*; *-s*) moped.
Moral [mo'raːl] *f* (-; *no pl*) *Sittlichkeit*: morals *pl*; *e-r Geschichte etc*: moral; *mil. etc* morale; **2isch** *adj* moral.
Mord [mɔrt] *m* (-[*e*]*s*; *-e*) murder (***an*** *dat* of): ***e-n ~ begehen*** commit murder; '**~anschlag** *m* attempted murder (***auf*** *acc* of), *bsd. pol.* assassination attempt (against on).
Mörder ['mœrdər] *m* (*-s*; -) murderer, killer, *bsd. pol.* assassin.
'**Mord|kommissi,on** *f* murder (*Am.* homicide) squad; '**~pro,zess** *m jur.* murder trial; '**~verdacht** *m* suspicion of murder: ***unter ~ stehen*** be suspected of murder.
morgen ['mɔrgən] *adv* tomorrow: **~ *Mittag*** at noon tomorrow; **~ *in e-r Woche*** a week from tomorrow; **~ *um diese Zeit*** this time tomorrow; → ***Abend***, ***früh***.
Morgen [~] *m* (*-s*; -) morning: ***am*** (***frühen***) **~** (early) in the morning; ***am nächsten ~*** the next morning; ***gestern ~*** yesterday morning; → ***heute***; '**~grauen** *n*: ***beim*** (*od.* ***im***) **~** at dawn; '**~gym,nastik** *f*: ***s-e ~ machen*** do one's morning exercises.
'**morgens** *adv* in the morning: ***von ~ bis abends*** from morning till night.
'**Morgenzeitung** *f* morning paper.
morgig ['mɔrgɪç] *adj*: ***die ~en Ereignisse*** tomorrow's events; ***der ~e Tag*** tomorrow.
Morphium ['mɔrfĭʊm] *n* (*-s*; *no pl*) *pharm.* morphine.
morsch [mɔrʃ] *adj* rotten: **~ *werden*** rot.
Mosaik [moza'iːk] *n* (*-s*; *-en*) mosaic (*a. fig.*).
Moschee [mɔ'ʃeː] *f* (-; *-n*) mosque.
Mosel ['moːzəl] *the* Moselle.
Moskau ['mɔskaʊ] Moscow.
Moskito [mɔs'kiːto] *m* (*-s*; *-s*) *zo.* mosquito; **~netz** *n* mosquito net.
Motel ['moːtɛl] *n* (*-s*; *-s*) motel.
Motiv [mo'tiːf] *n* (*-s*; *-e*) motive; *mus., paint. etc* motif; *phot.* subject; **~ation** [motiva'tsĭoːn] *f* (-; *-en*) motivation; **2ieren** [moti'viːrən] *v/t* (*no ge-*, *h*) motivate.
Motor ['moːtɔr] *m* (*-s*; *-en*) motor, *bsd. electr.* engine (*a. fig.*); '**~boot** *n* motor boat; '**~haube** *f Br.* bonnet, *Am.* hood; '**~leistung** *f* (engine) performance; '**~öl** *n* engine oil; '**~rad** *n* motorcycle, F motorbike: **~ *fahren*** ride a motorcycle; '**~radfahrer** *m* motorcyclist; '**~roller** *m* (motor) scooter; '**~schaden** *m* engine trouble.
Motte ['mɔtə] *f* (-; *-n*) *zo.* moth; '**~nkugel** *f* mothball; '**~npulver** *n* moth powder.
Motto ['mɔto] *n* (*-s*; *-s*) motto.
motzen ['mɔtsən] *v/i* (*h*) → ***meckern.***
Möwe ['møːvə] *f* (-; *-n*) *zo.* (sea)gull.
Mücke ['mʏkə] *f* (-; *-n*) *zo.* gnat, midge, mosquito: ***aus e-r ~ e-n Elefanten machen*** make a mountain out of a molehill; '**~nstich** *m* gnat bite.
müd|e ['myːdə] *adj* tired; '**2igkeit** *f* (-;

M

no pl) tiredness.

Muffel ['mʊfəl] *m* (*-s*; *-*) F sourpuss.

Mühe ['myːə] *f* (*-*; *-n*) trouble; *Anstrengung*: effort; *Schwierigkeit(en)*: trouble, difficulty (***mit*** with *s.th.*): (***nicht***) ***der ~ wert*** (not) worth the trouble; ***j-m ~ machen*** give s.o. trouble; ***sich ~ geben*** try hard; ***sich die ~ sparen*** save o.s. the trouble; ***mit Müh u. Not*** just about; '**≗los** *adv* without difficulty; '**≗voll** *adj* laborious.

Mühle ['myːlə] (*-*; *-n*) mill; *Spiel*: nine men's morris.

'**mühsam** *adv* with difficulty.

Mull [mʊl] *m* (*-[e]s*; *-e*) *bsd. med.* gauze.

Müll [mʏl] *m* (*-[e]s*; *no pl*) *Haus≗*: rubbish, refuse, *Am. a.* garbage, trash; *Industrie≗ etc*: waste; '**~abfuhr** *f* refuse (*Am.* garbage) collection; *Müllmänner*: *Br.* dustmen *pl*, *Am.* garbage men *pl* (*od.* collectors *pl*); '**~beutel** *m Br.* dustbin liner, *Am.* garbage bag.

'**Mullbinde** *f med.* gauze bandage.

'**Müll|con,tainer** *m* rubbish (*Am.* garbage) skip; '**~depo,nie** *f* dump; '**~eimer** *m Br.* dustbin, *Am.* garbage can; '**~fahrer** *m Br.* dustman, *Am.* garbage man (*od.* collector); '**~haufen** *m* rubbish (*Am.* garbage) heap; '**~mann** *m* → ***Müllfahrer***; '**~schlucker** *m* (*-s*; *-*) refuse (*Am.* garbage) chute; '**~tonne** *f* → ***Mülleimer***; '**~trennung** *f* waste separation; '**~verbrennungsanlage** *f* (waste) incineration plant; '**~wagen** *m Br.* dustcart, *Am.* garbage truck.

Multi ['mʊlti] *m* (*-s*; *-s*) *econ.* F multinational.

'**Multi|kulti** *n* (*-s*; *no pl*) F multiculturalism; '**~kulti-Gesellschaft** *f* multicultural society; '**≗kulturell** *adj* multicultural.

multi|lateral ['-late,raːl] *adj econ., pol.* multilateral; '**~natio,nal** *adj* multinational.

Multipli|kation [mʊltiplika'tsĭoːn] *f* (*-*; *-en*) *math.* multiplication; **≗zieren** [-'tsiːrən] *v/t* (*no ge-*, *h*) multiply (***mit*** by).

Mumie ['muːmĭə] *f* (*-*; *-n*) mummy.

München ['mʏnçən] Munich.

Mund [mʊnt] *m* (*-[e]s*; *¨er*) mouth: ***den ~ vollnehmen*** talk big; ***halt den ~!*** shut up!; '**~art** *f* dialect.

münden ['mʏndən] *v/i* (*sn*): ***~ in*** (*acc*) *Fluss etc*: flow into; *Straße etc*: lead into.

'**Mundgeruch** *m* bad breath.

mündig ['mʏndɪç] *adj Bürger*: politically mature: ***~*** (***werden***) *jur.* (come) of age.

mündlich ['mʏntlɪç] *adj Aussage, Vertrag etc*: verbal; *Prüfung, Überlieferung*: oral.

M-und-S-Reifen [ɛmʊnt'ɛs-] *m mot.* snow tyre (*Am.* tire).

'**Mündung** *f* (*-*; *-en*) mouth; *e-r Feuerwaffe*: muzzle.

'**Mund|wasser** *n* (*-s*; *Mundwässer*) mouthwash; '**~werk** (*-[e]s*; *no pl*): ***ein gutes ~*** the gift of the gab; ***ein loses ~*** a loose tongue; '**~winkel** *m* corner of one's mouth; '**~-zu-'~-Beatmung** *f med.* mouth-to-mouth resuscitation, F kiss of life.

Munition [muni'tsĭoːn] *f* (*-*; *no pl*) ammunition.

munter ['mʊntər] *adj wach*: awake; *lebhaft*: lively; *fröhlich*: merry.

Münz|e ['mʏntsə] *f* (*-*; *-n*) coin; *Gedenk≗*: medal; '**~einwurf** *m Schlitz*: coin slot; '**~fernsprecher** *m teleph.* pay phone; '**~tankstelle** *f* coin-operated filling station; '**~wechsler** *m* (*-s*; *-*) change giver.

murmeln ['mʊrməln] *v/t u. v/i* (*h*) murmur, mutter, mumble.

murren ['mʊrən] *v/i* (*h*) grumble (***über*** *acc* about).

mürrisch ['mʏrɪʃ] *adj* sullen, grumpy.

Mus [muːs] *n* (*-es*; *-e*) *Frucht≗*: puree.

Muschel ['mʊʃəl] *f* (*-*; *-n*) *zo.* mussel; *~schale*: shell.

Museum [mu'zeːʊm] *n* (*-s*; *Museen*) museum.

Musik [mu'ziːk] *f* (*-*; *no pl*) music; **≗alisch** [muzi'kaːlɪʃ] *adj* musical; **~anlage** *f* hi-fi (*od.* stereo) set; **~box** [-bɔks] *f* (*-*; *-en*) jukebox; **~er** ['muːzikər] *m* (*-s*; *-*) musician; **~ka,pelle** *f* band; **~kassette** *f* musicassette.

Muskat [mʊs'kaːt] *m* (*-[e]s*; *-e*), **~nuss** *f bot.* nutmeg.

Muskel ['mʊskəl] *m* (*-s*; *-n*) muscle; '**~kater** *m* sore muscles *pl*; '**~zerrung** *f med.* pulled muscle.

muskulös [mʊsku'løːs] *adj* muscular.

Muss [mʊs] *n*: ***es ist ein ~*** it is a must.

Muße ['muːsə] *f* (*-*; *no pl*) leisure; *Freizeit*: spare time.

müssen ['mʏsən] (*musste*, *h*) **1.** *v/aux*

M

(*pp müssen*) have (got) to: ***du musst den Film sehen!*** you must see the film!; ***sie muss krank sein*** she must be ill; ***du musst es nicht tun*** you need not do it; ***das müsstest du*** (***doch***) ***wissen*** you ought to now (that); ***sie müsste zu Hause sein*** she should (*od.* ought to) be at home; ***das müsste schön sein!*** that would be nice!; ***du hättest ihm helfen ~*** you ought to have helped him; **2.** *v/i* (*pp gemusst*): ***ich muss!*** I've got no choice; ***ich muss nach Hause*** I must go home.

'**Mussheirat** *f* F shotgun wedding.

müßig ['myːsɪç] *adj untätig*: idle; *unnütz*: useless.

Muster ['mʊstər] *n* (*-s*; *-*) *Vorlage*: pattern; *Probestück*: sample, specimen; *Vorbild*: model; '**⁓gültig**, '**⁓haft 1.** *adj* exemplary; **2.** *adv*: ***sich ~ benehmen*** behave perfectly; '**~haus** *n* showhouse; '**~kollekti,on** *f econ.* sample collection; '**⁓n** *v/t* (*h*) *neugierig*: eye *s.o.*; *abschätzend*: size *s.o.* up: ***gemustert werden*** *mil.* have one's medical; '**~ung** *f* (*-*; *-en*) medical examination (for military service).

Mut [muːt] *m* (*-[e]s*; *no pl*) courage: ***j-m ~ machen*** boast s.o.'s courage; ***den ~ verlieren*** lose heart; → ***zumute***; '**⁓ig** *adj* courageous, brave; '**⁓los** *adj* discouraged; '**~probe** *f* test of courage.

Mutter[1] ['mʊtər] *f* (*-*; *⁼*) mother.

Mutter[2] ['mʊtər] *f* (*-*; *-n*) *tech.* nut.

'**mütterlich** *adj* motherly; '**~erseits** *adv*: ***Onkel*** *etc* **~** maternal uncle *etc.*

'**Mutter|liebe** *f* motherly love; '**~mal** *n* birthmark; '**~milch** *f* mother's milk; '**~schaftsurlaub** *m* maternity leave; '**~schutz** *m jur.* legal protection of expectant and nursing mothers; '**~sprache** *f* mother tongue; **~sprachler** ['~ʃpraːxlər] *m* (*-s*; *-*) native speaker; '**~tag** *m* Mother's Day.

Mutti ['mʊti] *f* (*-*; *-s*) F *bsd. Br.* mum(-my), *bsd. Am.* mom(my).

'**mutwillig** *adj* wanton.

Mütze ['mʏtsə] *f* (*-*; *-n*) cap.

mysteriös [mʏste'rĭøːs] *adj* mysterious.

N

Nabel ['naːbəl] *m* (*-s*; *-*) *anat.* navel.

nach [naːx] **1.** *prp örtlich*: to, toward(s), for; *hinter*: after; *zeitlich*: after, past; *gemäß*: according to, by: ***zehn ~ drei*** ten past (*Am. a.* after) three; → ***abfahren***, ***Haus***, ***links***, ***oben***, ***Reihe*** *etc*; **2.** *adv*: **~ *u.* ~** gradually; **~ *wie vor*** as ever, still.

nachahm|en ['~aːmən] *v/t* (*sep*, *-ge-*, *h*) imitate, copy; *parodieren*: take off; '**⁓ung** *f* (*-*; *-en*) imitation.

Nachbar ['naxbaːr] *m* (*-n*; *-n*) neighbo(u)r; '**~schaft** *f* (*-*; *no pl*) neighbo(u)rhood; *Nachbarn*: neighbo(u)rs *pl*.

'**nachbessern** *v/t* (*sep*, *-ge-*, *h*) touch up.

'**nachbestell|en** *v/t* (*sep*, *no -ge-*, *h*) order some more; *econ.* place a repeat order for; '**⁓ung** *f econ.* repeat order (*gen* for).

'**Nachbildung** *f* (*-*; *-en*) copy, reproduction; *genaue*: replica; *Attrappe*: dummy.

nach'dem *cj* after, when: → ***je*** 1,2.

'**nachdenk|en** *v/i* (*irr*, *sep*, *-ge-*, *h*, → ***denken***) think: **~ *über*** (*acc*) think about, think *s.th.* over; ***Zeit zum*** **⁓** time to think (it over); '**~lich** *adj* thoughtful: ***es macht e-n ~*** it makes you think.

'**Nachdruck**[1] *m* (*-[e]s*; *no pl*): ***mit ~*** emphatically; **~ *legen auf*** (*acc*) emphasize, stress.

'**Nachdruck**[2] *m* (*-[e]s*; *-e*) reprint: **~ *verboten!*** all rights reserved; '**⁓en** *v/t* (*sep*, *-ge-*, *h*) reprint.

nachdrücklich ['~drʏklɪç] **1.** *adj* emphatic; *Forderung etc*: forceful; **2.** *adv*: **~ *raten*** (***empfehlen***) advise (recommend) strongly.

nachei'nander *adv* one after the other.

'**Nachfolge** *f* (*-*; *no pl*) succession: ***j-s ~ antreten*** succeed s.o.; '**⁓n** *v/i* (*sep*, *-ge-*, *sn*) *j-m*: succeed; '**~r** *m* (*-s*; *-*) successor.

'**nachforsch|en** *v/i* (*sep*, *-ge-*, *h*) investigate; '**⁓ung** *f* (*-*; *-en*) investigation.

'**Nachfrage** *f* (*-*; *-n*) inquiry; *econ.* demand (***nach*** for); '**⁓n** *v/i* (*sep*, *-ge-*, *h*) inquire, ask (*beide*: ***wegen*** about).

'**nach|fühlen** *v/t* (*sep*, *-ge-*, *h*): ***das kann ich dir ~*** I know exactly how you (must) feel; '**~füllen** *v/t* (*sep*, *-ge-*, *h*) refill; '**~geben** *v/i* (*irr*, *sep*, *-ge-*, *h*, → ***geben***) give (way); *fig.* give in; *Preise*: drop; '**2gebühr** *f mail.* surcharge; '**~gehen** *v/i* (*irr*, *sep*, *-ge-*, *sn*, → ***gehen***) follow (*a. fig.*); *e-m Vorfall etc*: investigate: ***m-e Uhr geht*** (***zwei Minuten***) ***nach*** my watch is (two minutes) slow; '**2geschmack** *m* (*-[e]s*; *no pl*) aftertaste (*a. fig.*).

nachgiebig ['-gi:bıç] *adj Person*: compliant; *Material*: flexible, pliable; '**2keit** *f* (*-*; *no pl*) compliance; flexibility.

'**nachhaltig** *adj* lasting; *Wachstum*: sustained; *Rohstoffnutzung*: sustainable.

nach'hause → ***Haus.***

nach'her *adv* afterwards: ***bis ~!*** see you later!, so long!

'**nachholen** *v/t* (*sep*, *-ge-*, *h*) make up for, catch up on.

'**Nachkomme** *m* (*-n*; *-n*) descendant: ***ohne ~n sterben*** *jur.* die without issue; '**2n** *v/i* (*irr*, *sep*, *-ge-*, *sn*, → ***kommen***) follow, come later; *e-m Wunsch etc*: comply with.

'**Nachkriegs...** *in Zssgn* post-war ...

Nachlass ['-las] *m* (*-es*; *Nachlässe*) *econ.* reduction, discount (*beide*: ***auf*** *acc* on); *jur.* estate.

'**nachlassen** (*irr*, *sep*, *-ge-*, *h*, → ***lassen***) **1.** *v/i* decrease, diminish; *Interesse*: flag; *Schmerz*: ease; *Wirkung*: wear off; *Regen*, *Sturm*: let up; **2.** *v/t*: ***j-m DM 100*** (***vom Preis***) ***~*** give s.o. a discount of 100 marks.

N

'**Nachlassgericht** *n jur.* probate court.

'**nachlässig** *adj* careless, negligent.

'**Nachlassverwalter** *m jur.* executor.

'**nach|laufen** *v/i* (*irr*, *sep*, *-ge-*, *sn*, → ***laufen***) run after; '**~liefern** *v/t* (*sep*, *-ge-*, *h*) supply at a later date; '**~lösen** *v/t* (*sep*, *-ge-*, *h*) buy on the train, *etc*; '**~machen** *v/t* (*sep*, *-ge-*, *h*) imitate, copy; *fälschen*: forge.

'**Nachmittag** *m* afternoon: ***am ~*** in the afternoon; ***heute ~*** this afternoon; '**2s** *adv* in the afternoon(s).

Nach|nahme ['-na:mə] *f* (*-*; *-n*): ***et. als*** (*od.* ***per***) ***~ schicken*** send s.th. cash (*Am.* collect) on delivery (*od.* COD); → '**~nahmesendung** *f* COD letter (*od.* parcel); '**~name** *m* → ***Familienname***; '**~porto** *n mail.* excess postage.

'**nach|prüfen** *v/t* (*sep*, *-ge-*, *h*) check; '**~rechnen** *v/t* (*sep*, *-ge-*, *h*) check.

'**Nachrede** *f*: ***üble ~*** defamation.

'**nachreisen** *v/i* (*sep*, *-ge-*, *sn*) join *s.o.* later.

Nachricht ['na:xrıçt] *f* (*-*; *-en*) (***e-e*** a piece of) news *pl* (*sg konstr.*); *Botschaft*, *Mitteilung*: message: ***~en*** *pl Rundfunk*, *TV*: news *pl* (*sg konstr.*); ***in den ~en*** in (*TV* on) the news; ***e-e gute*** (***schlechte***) ***~*** good (bad) news.

'**Nach|ruf** *m* (*-[e]s*; *-e*) obituary (***auf*** *acc* on); '**2rüsten** *v/i* (*sep*, *-ge-*, *h*) *mil.*, *pol.* close the armament gap; '**2sagen** *v/t* (*sep*, *-ge-*, *h*): ***j-m Schlechtes ~*** speak badly of s.o.; ***man sagt ihm nach, dass er*** he is said to *inf*; '**~sai,son** *f* low (*od.* off-peak) season; '**2schauen** *v/i* (*sep*, *-ge-*, *h*) look after; '**2schicken** *v/t* (*sep*, *-ge-*, *h*) → ***nachsenden***; '**~schlüssel** *m* duplicate key; *Dietrich*: skeleton key; '**~schub** *m* (*-[e]s*; *no pl*) supply, (*a. mil.*) supplies *pl* (***an*** *dat* of).

'**Nachsende|antrag** *m* application to have one's mail forwarded; '**2n** *v/t* (*mst irr*, *sep*, *-ge-*, *h*, → ***senden***[1]) forward.

'**Nach|speise** *f* dessert, sweet; '**~spiel** *n fig.* sequel, consequences *pl.*

nächste ['nɛ:çstə] *adj in der Reihenfolge*, *zeitlich*: next; *nächstliegend*: nearest (*a. Angehörige*): ***in den ~n Tagen*** (***Jahren***) in the next few days (years); ***in ~r Zeit*** in the near future; ***was kommt als 2s?*** what comes next?; ***der 2, bitte!*** next, please.

'**nachstehen** *v/i* (*irr*, *sep*, *-ge-*, *h*, → ***stehen***): ***j-m in nichts ~*** be in no way inferior to s.o.

'**Nächstenliebe** *f* (*-*; *no pl*) charity.

Nacht [naxt] *f* (*-*; *≃e*) night: ***in der*** (*od.* ***bei***) ***~*** at night; '**~arbeit** *f* (*-*; *no pl*) night work; '**~dienst** *m* night duty: ***~ haben*** be on night duty.

'**Nachteil** *m* (*-[e]s*; *-e*) disadvantage: ***im ~ sein*** be at a disadvantage (***gegenüber*** compared with); '**2ig** *adj* disadvantageous (***für*** to).

'**Nacht|fahrverbot** *n* ban on nighttime driving; '**~flug** *m* night flight; '**~flugverbot** *n* ban on nighttime flying; '**~hemd** *n* nightdress, *Am. a.* nightgown, F nightie; *Männer2*: nightshirt.

'**Nachtisch** *m* (*-[e]s*; *-e*) → ***Nachspeise.***

'**Nacht|klub** *m* nightclub, *Am. a.* nightspot; '**~leben** *n (-s; no pl)* nightlife.
nächtlich ['nɛçtlɪç] *adj all~*: nightly: *Straßen etc*: at (*od.* by) night.
'**Nachtlo,kal** *n* → ***Nachtklub.***
'**nachtragend** *adj* unforgiving.
nachträglich ['-trɛːklɪç] *adv*: ***~ herzlichen Glückwunsch*** belated best wishes.
nachts *adv* at night.
'**Nacht|schicht** *f* night shift: ***~ haben*** be on night shift; '**~schwester** *f* night nurse; '**~tisch** *m* bedside table; '**~tischlampe** *f* bedside light.
Nachweis ['naːxvaɪs] *m (-es; -e)* proof, evidence (*beide*: ***für*** of); '**2en** *v/t (irr, sep, -ge-, h,* → ***weisen***) prove; '**2lich** *adv* as can be proved.
'**Nach|welt** *f (-; no pl)* posterity; '**~wirkung** *f* aftereffect: ***~en*** *pl a.* aftermath *sg*; '**2zahlen** *v/t u. v/i (sep, -ge-, h)* pay extra; '**2zählen** *v/t (sep, -ge-, h)* check; *Wechselgeld*: count; '**~zahlung** *f* additional (*od.* extra) payment.
Nacken ['nakən] *m (-s; -)* (back [*od.* nape] of the) neck; '**~stütze** *f* headrest.
nackt [nakt] *adj* naked; *bsd. paint., phot.* nude; *Beine, Wand etc*: bare; *Wahrheit*: plain: ***völlig ~*** stark naked; ***sich ~ ausziehen*** strip; ***~ baden*** swim in the nude; ***j-n ~ malen*** paint s.o. in the nude; '**2baden** *n (-s; no pl)* nude bathing; '**2badestrand** *m* nudist beach.
Nadel ['naːdəl] *f (-; -n)* needle (*a. bot.*); *Steck2, Haar2 etc*: pin; *Brosche*: brooch; '**~baum** *m* conifer(ous tree).
Nagel ['naːgəl] *m (-s; ⸚)* *anat., tech.* nail; '**~lack** *m* nail varnish (*Am.* polish); '**2n** *v/t (h)* nail (***an*** *acc*, ***auf*** *acc* to); '**2neu** *adj* brand-new.
nah [naː] *adj* near, close (***bei*** to); *~ gelegen*: nearby.
'**Nah|aufnahme** *f phot.* close-up; '**~bereich** *m* surrounding area: ***der ~ von München*** the Munich area.
nahe → ***nahegehen, nahekommen*** *etc.*
Nähe ['nɛːə] *f (-; no pl)* nearness; *Umgebung*: neighbo(u)rhood, vicinity: ***in der ~ des Bahnhofs*** *etc* near the station *etc*; ***ganz in der ~*** quite near, close by; ***in d-r ~*** near you.
'**nahe|gehen** *v/i (irr, sep, -ge-, sn,* → ***gehen***) affect deeply; '**~kommen** *v/i (irr, sep, -ge-, sn,* → ***kommen***) come close to; '**~legen** *v/t (sep, -ge-, h)*: ***j-m et. ~*** suggest s.th. to s.o.; '**~liegen** *v/i (irr, sep, -ge-, h,* → ***liegen***) seem likely; *stärker*: be obvious; **~liegend** *adj* likely; obvious.
nähen ['nɛːən] *v/t u. v/i (h)* sew; *Kleid*: make.
Nähere ['nɛːərə] *n (-n; no pl)* details *pl*, particulars *pl.*
'**Naherholungsgebiet** *n* nearby recreational area.
nähern ['nɛːərn] *v/refl (h)* approach, get near(er) (*od.* close[r]) (*dat* to).
Nahe(r) Osten ['naːə(r)'ɔstən] *the* „Middle East.
'**Näh|ma,schine** *f* sewing machine; '**~nadel** *f* (sewing) needle.
'**nahrhaft** *adj* nutritious, nourishing.
Nährstoff ['nɛːr-] *m* nutrient.
Nahrung ['naːrʊŋ] *f (-; no pl)* food; '**~smittel** *pl* food *sg*, foodstuffs *pl.*
Nährwert ['nɛːr-] *m* nutritional value.
Naht [naːt] *f (-; ⸚e)* seam; *med.* suture; '**2los** *adv*: ***~ braun*** tanned all over.
'**Nähzeug** *n* sewing kit.
naiv [na'iːf] *adj* naive; **2ität** [naivi'tɛːt] *f (-; no pl)* naivety.
Name ['naːmə] *m (-ns; -n)* name: ***wie ist Ihr ~?*** what is your name?; ***im ~n von*** (*od. gen*) on behalf of.
'**Namens|tag** *m* name day; '**~vetter** *m* namesake; '**~zug** *m* signature.
namentlich ['naːməntlɪç] *adj u. adv* by name.
nämlich ['nɛːmlɪç] *adv das heißt*: that is (to say), namely; *begründend*: you see (*od.* know), for.
Narb|e ['narbə] *f (-; -n)* scar; '**2ig** *adj* scarred.
Narkose [nar'koːzə] *f (-; -n) med.* an(-a)esthesia.
Narr [nar] *m (-en; -en)* fool: ***zum ~en halten*** make a fool of; '**2ensicher** *adj* foolproof.
Nase ['naːzə] *f (-; -n)* nose (*a. fig.*): ***die ~ vollhaben*** be fed up (***von*** with); → ***putzen, rümpfen.***
'**Nasen|bluten** *n (-s; no pl)* nosebleed; '**~loch** *n* nostril; '**~spitze** *f* tip of the nose; '**~spray** *m, n* nose spray.
nass [nas] *adj* wet: ***triefend ~*** soaking.
Nässe ['nɛsə] *f (-; no pl)* wet(ness).
'**nasskalt** *adj* damp and cold.
Nation [na'tsĭoːn] *f (-; -en)* nation.
national [natsĭo'naːl] *adj* national; **2feiertag** *m* national holiday; **2gericht** *n*

N

gastr. national dish; ♀**hymne** *f* national anthem.

Nationalis|mus [natsĭona'lɪsmʊs] *m* (-; *no pl*) nationalism; **~t** *m* (-*en*; -*en*) nationalist; ♀**tisch** *adj* nationalist(ic).

Nationalität [natsĭonali'tɛːt] *f* (-; -*en*) nationality: ***welcher ~ sind Sie?*** what nationality are you?

Natio'nal|park *m* national park; **~tracht** *f* national costume.

Natur [na'tuːr] *f* (-; *no pl*) nature: ***von ~*** (***aus***) by nature; **~kata,strophe** *f* natural disaster.

natürlich [na'tyːrlɪç] **1.** *adj* natural; **2.** *adv* naturally, of course.

Na'tur|park *m* nature reserve; **~schutz** *m* nature conservation: ***unter ~*** protected; **~schützer** *m* (-*s*; -) conservationist; **~schutzgebiet** *n* nature reserve; **~wissenschaft** *f* (natural) science.

Neapel [ne'aːpəl] Naples.

Nebel ['neːbəl] *m* (-*s*; -) mist; *stärker*: fog; *Dunst*: haze; **'~scheinwerfer** *m* *mot.* fog lamp; **'~schlussleuchte** *f* *mot.* rear fog lamp.

neben ['neːbən] *prp* **1.** (*acc od. dat*) beside; *direkt ~*: next to; **2.** (*dat*) *außer*: apart (*bsd. Am.* aside) from, besides; *verglichen mit*: compared with (*od.* to): ***~ anderen Dingen*** among other things; **~'an** *adv* next door; **'♀beruf** *m* sideline; **'~beruflich** *adv* as a sideline; ♀**buhler** ['-buːlər] *m* (-*s*; -) rival (in love); **~ei'nander** *adv* side by side: ***~ bestehen*** coexist; **'♀einkünfte** *pl*, **'♀einnahmen** *pl* extra money *sg*; **'♀fach** *n univ. Br.* subsidiary subject, *Am.* minor (subject): ***et. als ~ studieren*** *Br.* study s.th. as one's subsidiary subject, *Am.* minor in s.th.; **'♀fluss** *m* tributary; **'♀gebäude** *n* next-door building; *Anbau*: annex(e); **'♀haus** *n* house next door; **'♀kosten** *pl* extras *pl*; **'♀mann** *m*: ***mein ~*** the person next to me; **'♀pro,dukt** *n* by-product; **'♀rolle** *f thea. etc* minor part; *fig.* minor role; **'♀sache** *f* minor matter: ***das ist ~*** that's of little (*od.* no) importance; **~sächlich** ['-zɛçlɪç] *adj* unimportant; **'♀stelle** *f teleph.* extension; **'♀straße** *f* side street; *Landstraße*: minor road; **'♀tisch** *m* next table; **'♀verdienst** *m* extra earnings *pl*; **'♀wirkung** *f* side effect; **'♀zimmer** *n* adjoining room.

neblig ['neːblɪç] *adj* foggy; misty; hazy.

Neffe ['nɛfə] *m* (-*n*; -*n*) nephew.

negativ ['neːgatiːf] *adj* negative.

Negativ [-] *n* (-*s*; -*e*) *phot.* negative.

nehmen ['neːmən] *v/t* (*nahm, genommen, h*) take (*a.* ***sich ~***): ***j-m et. ~*** take s.th. (away) from s.o. (*a. fig.*); ***et. zu sich ~*** have s.th. (to eat); ***an die Hand ~*** take by the hand.

Neid [naɪt] *m* (-[*e*]*s*; *no pl*) envy (***auf*** *acc* of, at); ♀**isch** ['-dɪʃ] *adj* envious (***auf*** *acc* of).

Neige ['naɪgə] *f* (-; -*n*): ***zur ~ gehen*** *Vorräte etc*: run out.

nein [naɪn] *adv* no.

Nelke ['nɛlkə] *f* (-; -*n*) *bot.* carnation; *Gewürz♀*: clove.

nennen ['nɛnən] (*nannte, genannt, h*) **1.** *v/t* name, call; *erwähnen*: mention: ***man nennt ihn*** (***es***) he (it) is called; **2.** *v/refl* call o.s., be called; **'~swert** *adj* worth mentioning.

'Nennwert *m econ.* nominal (*od.* face) value: ***zum ~*** at par.

neo|konservativ ['neːɔ-] *adj* neo-conservative, *umg.* neo-con; **'~liberal** *adj* neo-liberal, *umg.* neolib.

'Neonre,klame ['neːɔn-] *f* neon sign; **'Neonröhre** *f* neon tube.

Nepp [nɛp] *m* (-*s*; *no pl*) F rip-off; **'♀en** *v/t* (*h*) F fleece, rip off; **'~lo,kal** *n* F clip joint; **'~preis** *m* F rip-off price.

Nerv [nɛrf] *m* (-*s*; -*en*) nerve: ***j-m auf die ~en fallen*** (*od.* ***gehen***) get on s.o.'s nerves; ***die ~en behalten*** (***verlieren***) keep (loose) one's head; **'♀en** *v/t* (*h*) F get on *s.o.'s* nerves.

'Nerven|arzt *m* neurologist; **'♀aufreibend** *adj* nerve-racking; **'~belastung** *f* nervous strain; **'~bündel** *n* F bag (*od.* bundle) of nerves; **'~kitzel** *m* (-*s*; *no pl*) thrill; **'~klinik** *f* psychiatric clinic; **'♀krank** *adj* mentally ill; **'~säge** *f* F pain in the neck; **'~sy,stem** *n* nervous system; **'~zusammenbruch** *m* nervous breakdown.

nerv|ös [nɛr'vøːs] *adj* nervous; ♀**osität** [-ozi'tɛːt] *f* (-; *no pl*) nervousness.

Nest [nɛst] *n* (-[*e*]*s*; -*er*) nest; F *contp.* one-horse town.

Netikette [nɛtɪ'kɛtə] *f* (-; *no pl*) F netiquette.

nett [nɛt] *adj* nice; *freundlich*: *a.* kind (*beide*: ***von*** of): ***so ~ sein u. et.*** (*od.* ***et. zu***) ***tun*** be so kind as to do s.th.

N

netto ['nɛto] *adv econ.* net; '**&einkommen** *n* net income; '**&zahler** *m Land*: net contributor.

Netz [nɛts] *n (-es; -e)* net; *fig.* network (*a. teleph. etc*); *electr.* mains *pl*; '**~anschluss** *m electr.* mains connection; '**~haut** *f anat.* retina; '**~karte** *f rail.* run-around ticket; '**~werk** *n* network.

neu [nɔʏ] *adj* new; *frisch, erneut*: *a.* fresh; *~zeitlich*: modern: ***~este Mode*** latest fashion; ***von ~em*** anew, afresh; ***seit ~(est)em*** since (very) recently; ***viel &es*** a lot of new things; ***was gibt es &es?*** what's the news?, what's new?; '**~artig** *adj* novel; '**&bau** *m* new building; '**&bauwohnung** *f* modern flat (*Am.* apartment); '**&gier** *f* curiosity; '**~gierig** *adj* curious (***auf*** *acc* about): ***ich bin ~, ob*** I wonder if; '**&heit** *f (-; -en)* novelty; '**&igkeit** *f (-; -en)* (***e-e ~*** a piece of) news *pl* (*sg konstr.*); '**&jahr** *n* New Year('s Day): ***Prost ~!*** Happy New Year!; '**~lich** *adv* the other day; '**~modisch** *adj contp.* newfangled.

neun [nɔʏn] *adj* nine; '**~te** *adj* ninth; '**&tel** *n (-s; -)* ninth; '**~tens** *adv* ninth(-ly), in the ninth place; '**~zehn** *adj* nineteen; **~zig** ['~tsɪç] *adj* ninety.

Neuseeland [nɔʏ'ze:lant] New Zealand.

neutral [nɔʏ'tra:l] *adj* neutral; **&ität** [~ali'tɛ:t] *f (-; no pl)* neutrality.

'**Neu|verfilmung** *f* remake; '**&wertig** *adj* as good as new.

nicht [nɪçt] *adv* not: **~ *(ein)mal*** not even; **~ *mehr*** no more (*od.* longer); ***sie ist nett (wohnt hier), ~ wahr?*** she's nice (lives here), isn't (doesn't) she?; ***~ so ... wie*** not as ... as; ***~ besser*** *etc* (***als***) no (*od.* not any) better *etc* (than); ***ich (auch) ~*** I don't (*od.* I'm not) (either); (***bitte***) ***~!*** (please) don't!; → ***gar*** 2, ***noch*** 1, ***überhaupt***.

Nichte ['nɪçtə] *f (-; -n)* niece.

'**nichtig** *adj jur.* void, invalid.

'**Nichtraucher** *m* nonsmoker; '**~ab,teil** *n rail.* nonsmoking compartment; '**~zone** *f* nonsmoking area.

nichts [nɪçts] *indef pron* nothing, not anything: **~ (*anderes*) *als*** nothing but; → ***gar*** 2, ***noch*** 1, ***überhaupt***; ***~ sagend*** → '**~sagend** *adj* meaningless, empty.

'**Nichtschwimmer** *m* nonswimmer; '**~becken** *n* nonswimmer pool.

'**Nichtzutreffende** *n*: ***~s streichen*** delete as applicable.

nicken ['nɪkən] *v/i (h)* nod (one's head).

nie [ni:] *adv* never: ***~ u. nimmer*** never ever; → ***fast***.

nieder ['ni:dər] **1.** *adj* low; **2.** *adv*: ***~ mit*** down with.

'**Nieder|gang** *m (-[e]s; no pl)* decline; '**&geschlagen** *adj* depressed; '**~lage** *f (-; -n)* defeat; '**&lassen** *v/refl (irr, sep, -ge-, h,* → ***lassen***) settle (down); *econ.* set up (***als*** as); '**~lassung** *f (-; -en)* establishment; *Filiale*: branch; '**&legen** *(sep, -ge-, h)* **1.** *v/t* lay down (*a. Waffen, Amt etc*): → ***Arbeit***; **2.** *v/refl* lie down.

Niederlande ['ni:dərlandə] *the* Netherlands.

Niederösterreich ['ni:dər,ʔø:stəraɪç] Lower Austria.

Niedersachsen ['ni:dərzaksən] Lower Saxony.

'**Niederschlag** *m meteor.* rain(fall), precipitation; *radioaktiver*: fallout; '**&en** *v/t (irr, sep, -ge-, h,* → ***schlagen***) knock down; *Aufstand*: put down; *jur. Verfahren*: quash; '**&sarm** *adj* low-precipitation; '**&schlagsreich** *adj* high-precipitation.

niedrig ['ni:drɪç] **1.** *adj* low (*a. fig.*); *Strafe*: light; **2.** *adv*: ***~ fliegen*** fly low.

Niedriglohnsektor *m* low-wage sector.

'**niemals** *adv* → ***nie***.

niemand ['ni:mant] *indef pron* nobody, no one, not anybody: ***~ von ihnen*** none of them; '**&sland** *n (-[e]s; no pl)* no-man's-land (*a. fig.*).

Niere ['ni:rə] *f (-; -n) anat., gastr.* kidney.

niesel|n ['ni:zəln] *v/impers (h)* drizzle; '**®en** *m* drizzle.

niesen ['ni:zən] *v/i (h)* sneeze.

Niete ['ni:tə] *f (-; -n) Los*: blank; F *Person*: washout.

Nikotin [niko'ti:n] *n (-s; no pl) chem.* nicotine; **&arm** *adj* low-nicotine, low in nicotine.

nippen ['nɪpən] *v/i (h)* sip (***an*** *dat* at).

nirgends ['nɪrgənts] *adv* nowhere.

Nische ['ni:ʃə] *f (-; -n)* niche, recess.

nisten ['nɪstən] *v/i (h)* nest.

Niveau [ni'vo:] *n (-s; -s)* level; *fig. a.* standard.

Nizza ['nɪtsa] Nice.

'**Nobelho,tel** ['no:bəl~] *n* high-class hotel.

Nobelpreis [no'bɛl~] *m* Nobel Prize.

N

noch [nɔx] **1.** *adv* still: ~ ***nicht(s)*** not (nothing) yet; ~ ***nie*** never (before); ***er hat nur ~ 10 Euro (Minuten)*** he has only 10 euros (minutes) left; ***(sonst) ~ et.?*** anything else?; ***sonst ~ Fragen?*** any other questions?; ***ich möchte ~ et. (Tee)*** I'd like some more (tea); ~ ***ein(er)*** one more, another; ~ ***(ein)mal*** once more (*od.* again); ~ ***zwei Stunden*** another two hours, two hours to go; ~ ***besser (schlimmer)*** even better (worse); ~ ***gestern*** only yesterday; **2.** *cj*: → ***weder***; **'~malig** *adj* renewed, second; **'~mals** *adv* once more (*od.* again).

Nominal|einkommen [nomi'naːl-] *n* nominal income; **~wert** *m* nominal (*od.* face) value.

nominieren [nomi'niːrən] *v/t* (*no ge-, h*) nominate.

Nonne ['nɔnə] *f* (-; *-n*) nun; **'~nkloster** *n* convent.

nonstop [nɔn'stɔp] *adv* nonstop; **≈flug** *m* nonstop flight.

Norden ['nɔrdən] *m* (*-s; no pl*) north; *nördlicher Landesteil*: north: ***nach ~*** north(wards).

Nordirland ['nɔrt'ʔɪrlant] Northern Ireland.

Nordkorea ['nɔrtko'reːa] North Korea.

nördlich ['nœrtlɪç] **1.** *adj* north(ern); **2.** *adv*: ~ ***von*** (to the) north of.

Nord|'osten *m* northeast; **'~pol** *m* (*-s; no pl*) North Pole; **~'westen** *m* northwest.

Nordrhein-Westfalen ['nɔrtraɪnvɛst'faːlən] North Rhine-Westphalia.

Nordsee ['nɔrtzeː] *the* North Sea.

nörg|eln ['nœrgəln] *v/i* (*h*) nag, carp (*beide*: ***an*** *dat* at); **≈ler** ['-lər] *m* (*-s; -*) nagger, carper.

Norm [nɔrm] *f* (-; *-en*) standard, norm.

normal [nɔr'maːl] *adj* normal: F ***nicht ganz ~*** not quite right in the head.

Normal [-] *n* (*-s; no pl*) *mot.* F *Br.* two star, *Am.* regular.

Nor'mal|ben,zin *n mot. Br.* two-star petrol, *Am.* regular gas(oline); **≈erweise** *adv* normally; **~fall** *m* normal case: ***im ~*** normally; **≈isieren** [-ali'ziːrən] *v/refl* (*no ge-, h*) return to normal; **~verbraucher** *m* average consumer.

Normandie [nɔrman'diː] Normandy.

normen ['nɔrmən] *v/t* (*h*) standardize.

Norwegen ['nɔrveːgən] Norway.

Not [noːt] *f* (-; *⸗e*) *allg.* need; *Mangel*: *a.* want; *Armut*: poverty; *Elend, Leid*: hardship, misery; *Bedrängnis*: difficulty, trouble, problem; *~fall*: emergency; *bsd. seelische*: distress: ***in ~ sein*** be in trouble; ***zur ~*** if need be, if necessary; → ***knapp***; ~ ***leidend*** needy.

Notar [no'taːr] *m* (*-s; -e*) notary; **≈iell** [-a'rĭɛl] *adj u. adv*: ~ ***beglaubigt*** attested by (a) notary.

'Not|arzt *m* doctor on call; **'~arztwagen** *m* emergency ambulance; **'~ausgang** *m* emergency exit; **'~bremse** *f* emergency brake; *rail. Br.* communication cord; **'~dienst** *m*: ~ ***haben*** be on standby; *Arzt*: *a.* be on call; *Apotheke*: be open all night; **'≈dürftig 1.** *adj spärlich*: scanty; *provisorisch*: provisional; **2.** *adv*: ~ ***reparieren*** patch up.

Note ['noːtə] *f* (-; *-n*) note (*a. mus., pol.*); *Bank≈*: note, *bsd. Am.* bill; *ped.* mark, *bsd. Am.* grade: **~n** *pl mus.* music *sg.*

'Not|fall *m* emergency: ***für den ~*** just in case; **'≈falls** *adv* if necessary; **'≈gedrungen** *adv*: ***et. ~ tun*** be forced to do s.th.

notier|en [no'tiːrən] (*no ge-, h*) **1.** *v/t* make a note of; **2.** *v/i econ.* be quoted (***mit*** at); **≈ung** *f* (-; *-en*) *econ.* quotation.

nötig ['nøːtɪç] *adj* necessary: ~ ***haben*** need.

Notiz [no'tiːts] *f* (-; *-en*) note: ***sich ~en machen*** take notes; ***keine ~ nehmen von*** take no notice of, ignore; **~block** *m* (*-[e]s; -s*) notepad, *bsd. Am.* memo pad; **~buch** *n* notebook.

'Not|lage *f* awkward (*od.* difficult) situation; *plötzlicher Notfall*: emergency; **'≈landen** *v/i* (*insep, -ge-, sn*) *aer.* make a forced landing; **'~landung** *f aer.* forced landing; **'~lösung** *f* temporary solution; **'~lüge** *f* white lie; **'~ruf** *m teleph.* emergency call; **'~rufnummer** *f* emergency number; **'~rufsäule** *f* emergency phone; **'~stand** *m pol.* state of emergency; **'~standsgebiet** *n econ.* depressed area; *bei Katastrophen*: disaster area; **'~standsgesetze** *pl* emergency laws *pl*; **'~verband** *m med.* emergency dressing: ***j-m e-n ~ anlegen*** put an emergency dressing on s.o.; **'~wehr** *f* (-; *no pl*) self-defen|ce (*Am.* -se): ***aus*** (*od.* ***in***) ~ in self-defence; **'≈wendig** *adj* necessary; **'~wendigkeit** *f* (-; *-en*) necessity.

November [no'vɛmbər] *m* (*-s; -*) No-

vember: ***im ~*** in November.
Nu [nuː] *m*: ***im ~*** in no time.
Nuance [ny'ãːsə] *f* (-; *-n*) shade (*a. fig.*).
nüchtern ['nʏçtərn] *adj* sober (*a. fig.*); *sachlich*: matter-of-fact: ***auf ~en Magen*** on an empty stomach; ***wieder ~ werden*** sober up.
Nudel ['nuːdəl] *f* (-; *-n*) noodle.
nuklear [nukle'aːr] *adj* nuclear; **2medi,zin** *f* (-; *no pl*) nuclear medicine; **2waffe** *f* nuclear weapon.
null [nʊl] *adj* nought, *Am.* zero; *teleph.* 0 [əʊ], *Am. a.* zero; *Sport.* nil, *Am. a.* zero; *Tennis*: love: ***~ Grad*** zero degrees; ***~ Fehler*** no mistakes; ***gleich ~ sein*** *Chancen etc*: be nil; '**2diät** *f* no-calorie diet; '**2ta,rif** *m*: ***zum ~*** free; '**2wachstum** *n econ.* zero growth.
numerieren → ***nummerieren.***
Nummer ['nʊmər] *f* (-; *-n*) number; *Zeitung etc*: *a.* issue; *Größe*: size; **2ieren** [nume'riːrən] *v/t* (*no ge-, h*) number; '**~nkonto** *n* numbered account; '**~nschild** *n mot.* number (*Am.* license) plate.
nun [nuːn] *adv* now; *also, na*: well.
nur [nuːr] *adv* only, just; *bloß*: merely; *nichts als*: nothing but: ***er tut ~ so*** he's just pretending; ***~ so (zum Spaß)*** just for fun; ***warte ~!*** just you wait!; ***~ für Erwachsene*** (for) adults only.
Nürnberg ['nʏrnbɛrk] Nuremberg.
Nuss [nʊs] *f* (-; *⸗e*) *bot.* nut; '**~baum** *m bot.* walnut (tree); *Möbel*: walnut; '**~knacker** *m* (*-s*; -) nutcracker; '**~schale** *f* nutshell.
Nutte ['nʊtə] *f* (-; *-n*) F tart, *Am. a.* hooker.
nutzbringend ['nʊts-] *adj* profitable, useful.
nütze ['nʏtsə] *adj*: ***zu nichts ~ sein*** be (of) no use; *bsd. Person*: *a.* be good for nothing.
nutzen [-], '**nützen** (*h*) **1.** *v/i*: ***j-m ~*** be of use to s.o.; ***es nützt nichts(, es zu tun)*** it's no use (doing it); **2.** *v/t* use, make use of; *Gelegenheit*: take advantage of.
Nutzen ['nʊtsən] *m* (*-s*; *no pl*) use; *Gewinn*: profit, gain; *Vorteil*: advantage: ***~ ziehen aus*** benefit (*od.* profit) from.
'**Nutzlast** *f* payload.
nützlich ['nʏtslɪç] *adj* useful, helpful; *vorteilhaft*: advantageous: ***sich ~ machen*** make o.s. useful.
'**nutzlos** *adj* useless: ***es ist ~, et. zu tun*** it's useless (*od.* no use) doing s.th.
'**Nutzung** *f* (-; *-en*) use (*a.* Be2), utilization.

O

Oase [o'aːzə] *f* (-; *-n*) oasis (*a. fig.*).
ob [ɔp] *cj* whether, if: ***u. ~!*** you bet!
Obacht ['oːbaxt] *f* (-; *no pl*): ***~ geben auf*** (*acc*) pay attention to; ***(gib) ~!*** look (*od.* watch) out!
'**Obdach** *n* (-[*e*]*s*; *no pl*) shelter; '**2los** *adj* homeless; '**~lose** *m, f* (*-n*; *-n*) homeless person; '**~losenheim** *n* hostel for the homeless.
Obdu|ktion [ɔpdʊk'tsĭoːn] *f* (-; *-en*) *med.* autopsy, postmortem; **2zieren** [-u'tsiːrən] *v/t* (*no ge-, h*) carry out an autopsy on.
oben ['oːbən] *adv* above; *in der Höhe*: up; *~auf*: on (the) top; *an Gegenstand*: at the top (*a. fig. Stellung*); *an der Oberfläche*: on the surface; *im Haus*: upstairs: ***da ~*** up there; ***nach ~*** up, *im Haus*: upstairs; ***von ~ bis unten*** from top to bottom (*Person*: toe); ***links ~*** left above; ***siehe ~*** see above; F ***~ ohne*** topless; ***von ~ herab*** *fig.* patronizing(ly), condescending(ly); ***~ erwähnt, ~ genannt*** above(-mentioned).
Ober ['oːbər] *m* (*-s*; -) waiter; '**~arm** *m* upper arm; '**~arzt** *m*, '**~ärztin** *f* assistant medical director; '**~bürgermeister** *m* mayor, *Br.* Lord Mayor; '**~deck** *n mar.* upper deck; '**2e** *adj* upper, top; *fig. a.* superior; '**~fläche** *f* surface; **2flächlich** ['-flɛçlɪç] *adj* superficial; '**2halb** *prp* above; '**~hand** *f*: ***die ~ gewinnen*** get the upper hand (***über*** *acc* of); '**~haus** *n parl. Br.* House of Lords; '**~hemd** *n* shirt.
'**Oberin** *f* (-; *-nen*) *eccl.* Mother Superior.
ober|irdisch ['-ɪrdɪʃ] *adj* surface; *electr.* overhead; '**2kellner** *m* head waiter; '**2kiefer** *m* upper jaw; '**2körper** *m* upper part of the body: → ***frei***; '**2lippe** *f*

upper lip; '**&schicht** *f sociol.* upper class(es *pl*).

Oberösterreich ['o:bər,ʔø:stəraıç] Upper Austria.

Oberst ['o:bərst] *m* (*-en*; *-e[n]*) *mil.* colonel.

'**oberste** *adj* uppermost, top(most); *höchste*: *a.* highest; *fig.* chief, first.

'**Oberteil** *n* top (*a. Kleidung*).

Obhut ['ɔphu:t] *f* (-; *no pl*): ***in s-e ~ nehmen*** take care (*od.* charge) of.

obig ['o:bıç] *adj* above(-mentioned).

Objekt [ɔp'jɛkt] *n* (*-[e]s*; *-e*) *Immobilie*: property; *phot.* subject.

objektiv [ɔbjɛk'ti:f] *adj* objective; *unparteiisch*: *a.* impartial, unbias(s)ed.

Objektiv [~] *n* (*-s*; *-e*) *phot.* lens.

Objektivität [ɔpjɛktivi'tɛ:t] *f* (-; *no pl*) objectivity; impartiality.

Obligation [ɔbliga'tsĭo:n] *f* (-; *-en*) *econ.* bond, debenture.

obligatorisch [obliga'to:rıʃ] *adj* compulsory.

Obst [o:pst] *n* (*-[e]s*; *no pl*) fruit; '**~baum** *m* fruit tree; '**~garten** *m* orchard; '**~kuchen** *m* fruit flan (*Am.* pie); '**~plantage** *f* fruit plantation.

obszön [ɔps'tsø:n] *adj* obscene, filthy.

ob'wohl *cj* (al)though.

Ochse ['ɔksə] *m* (*-n*; *-n*) *zo.* ox; F *fig.* dope; '**~nschwanzsuppe** *f* oxtail soup.

oder ['o:dər] *cj* or: ***~ vielmehr*** or rather; ***~ so*** or so; ***er kommt doch, ~?*** he's coming, isn't he?; ***du kennst ihn ja nicht, ~ doch?*** you don't know him, or do you?; → ***aber*** 1, ***entweder.***

Ofen ['o:fən] *m* (*-s*; *⸚*) stove; *Back&*: oven; *tech.* furnace; '**~heizung** *f* stove heating; '**~rohr** *n* stovepipe.

offen ['ɔfən] **1.** *adj* open (*a. fig.*); *Stelle*: *a.* vacant; *ehrlich*: *a.* frank; **2.** *adv*: ***~ gesagt*** frankly (speaking); ***~ s-e Meinung sagen*** speak one's mind (quite openly); ***~ lassen*** leave open; ***~ stehen*** be open; *fig.* → ***offenstehen***; '**~bar** *adv anscheinend*: apparently; *offensichtlich*: obviously; '**&heit** *f* (-; *no pl*) openness, frankness; '**~herzig** *adj* open-hearted, frank, candid; *Kleid etc*: revealing; '**~sichtlich** *adv* obviously.

offensiv [ɔfən'zi:f] *adj* offensive; **&e** [~və] *f* (-; *-n*) offensive: ***die ~ ergreifen*** take the offensive.

'**offenstehen** *v/i* (*irr, sep, -ge-, h,* → ***stehen***) *Rechnung*: be outstanding; *fig.* ***j-m ~*** be open to s.o.: ***es steht Ihnen offen zu*** you are free to.

öffentlich ['œfəntlıç] **1.** *adj* public: ***~e Verkehrsmittel*** *pl* public transport(ation *Am.*) *sg*; **2.** *adv*: ***~ auftreten*** appear in public; '**&keit** *f* (-; *no pl*) *the* public: ***in aller ~*** in public; ***an die ~ bringen*** make public; → ***dringen*** b; '**&keitsarbeit** *f* (-; *no pl*) public relations *pl.*

Offerte [ɔ'fɛrtə] *f* (-; *-n*) *econ.* offer.

offiziell [ɔfi'tsĭɛl] *adj* official.

Offizier [ɔfi'tsi:r] *m* (*-s*; *-e*) *mil.* (commissioned) officer.

offiziös [ɔfi'tsĭø:s] *adj* semiofficial.

öffn|en ['œfnən] *v/t u. v/refl* (*h*) open; '**&er** *m* (*-s*; -) opener; '**&ung** *f* (-; *-en*) opening; '**&ungszeiten** *pl* business (*od.* office) hours *pl.*

oft [ɔft] *adv* often, frequently.

ohne ['o:nə] *prp u. cj* without: ***~ mich!*** count me out!; ***~ ein Wort*** (***zu sagen***) without (saying) a word.

'**Ohn|macht** *f* (-; *-en*) unconsciousness; *Hilflosigkeit*: helplessness: ***in ~ fallen*** faint, pass out; '**&mächtig** *adj* unconscious; helpless: ***~ werden*** faint, pass out.

Ohr [o:r] *n* (*-[e]s*; *-en*) ear: F ***j-n übers ~ hauen*** cheat s.o.; ***bis über die ~en verliebt*** (***verschuldet***) head over heels in love (debt).

'**Ohren|arzt** *m* ear specialist; '**&betäubend** *adj* deafening; '**~schmerzen** *pl* earache *sg*; '**~zeuge** *m* earwitness.

'**Ohrfeige** *f* (-; *-n*) slap in the face (*a. fig.*); '**&n** *v/t* (*h*): ***j-n ~*** slap s.o.'s face.

Ohr|läppchen ['~lɛpçən] *n* (*-s*; -) earlobe; '**~ring** *m* earring.

Öko|bewegung ['ø:ko~] *f* ecological movement; '**~bi,lanz** *f* life-cycle analysis; '**~fonds** *m* eco fund, green fund; '**~laden** *m* health-food shop (*Am.* store).

Öko|loge [øko'lo:gə] *m* (*-n*; *-n*) ecologist; **~logie** [~lo'gi:] *f* (-; *no pl*) ecology; **&'logisch** *adj* ecological; **~nomie** [~no'mi:] *f* (-; *-n*) *Sparsamkeit*: economy; *econ.* economics *pl* (*sg konstr.*); **&nomisch** [~'no:mıʃ] *adj sparsam*: economical; *econ.* economic.

'**Ökosy,stem** ['ø:ko~] *n* ecosystem.

Oktan [ɔk'ta:n] *n* (*-s*; *no pl*) *chem.* octane; **~zahl** *f mot.* octane number (*od.* rating).

Oktober [ɔk'to:bər] *m* (*-s*; -) October:

im ~ in October.

Öl [øːl] *n* (-[*e*]*s*; -*e*) oil; '**2en** *v/t* (*h*) oil, *tech. a.* lubricate; '**~farben** *pl* oil paint *sg*, oils *pl*; '**~filter** *m*, *n mot.* oil filter; '**~förderland** *n* oil-producing country; '**~förderung** *f* oil production; '**~gemälde** *n* oil painting; '**~heizung** *f* oil heating; '**2ig** *adj* oily (*a. fig.*).

Oliv|e [o'liːvə] *f* (-; -*n*) *bot.* olive; **~enöl** *n* olive oil; **2grün** [o'liːf-] *adj* olive-green.

'**Öl|leitung** *f* (oil) pipeline; '**~messstab** *m mot.* dipstick; '**~pest** *f* oil pollution; '**~quelle** *f* oil well; '**~sar,dine** *f* (tinned, *Am.* canned) sardine; '**~stand** *m mot.* oil level; '**~tanker** *m* oil tanker; '**~teppich** *m* oil slick; '**~vorkommen** *n* oil resources *pl*; '**~wanne** *f mot.* (oil) sump; '**~wechsel** *m mot.* oil change.

Olympia|... [o'lympĭa] *in Zssgn* Olympic ...; **~de** [-'pĭaːdə] *f* (-; -*n*) Olympiad; *Spiele*: Olympic Games *pl*.

olympisch [o'lympɪʃ] *adj* Olympic: ***2e Spiele*** Olympic Games.

Oma ['oːma] *f* (-; -*s*) F grandma, granny.

Omnibus ['ɔmnibʊs] *m* → ***Bus.***

onanieren [ona'niːrən] *v/i* (*no ge-*, *h*) masturbate.

Onkel ['ɔŋkəl] *m* (-*s*; -) uncle.

Online-Dienst ['onlaɪn-] *m* (-[*e*]*s*; -*e*) online service.

Opa ['oːpa] *m* (-*s*; -*s*) F grandpa.

Oper ['oːpər] *f* (-; -*n*) *mus.* opera; *Gebäude*: opera (house).

Operation [opera'tsĭoːn] *f* (-; -*en*) *med.*, *mil.* operation; **~ssaal** *m med.* operating theatre (*Am.* room); **~sschwester** *f med.* theatre (*Am.* operating-room) nurse.

operieren [ope'riːrən] (*no ge-*, *h*) **1.** *v/t med.*: ***j-n ~*** operate on s.o. (***wegen*** for); ***sich ~ lassen*** have an operation; ***am Magen operiert werden*** have a stomach operation; **2.** *v/i med.*, *mil.* operate; *vorgehen*: proceed.

Opfer ['ɔpfər] *n* (-*s*; -) sacrifice (*a. fig.*); *Unfall2*, *e-s Betrügers etc*: victim: ***~ bringen*** make sacrifices; (*dat*) ***zum ~ fallen*** fall victim to; '**2n** *v/t* (*h*) sacrifice (*a. fig.*); *sein Leben*: give.

Opium ['oːpĭʊm] *n* (-*s*; *no pl*) opium.

Opposition [ɔpozi'tsĭoːn] *f* (-; -*en*) opposition (***gegen*** to); **2ell** [-o'nɛl] *adj* oppositional; **~sführer** *m pol.* opposition leader; **~spar,tei** *f* opposition party.

Optiker ['ɔptɪker] *m* (-*s*; -) optician.

opti|mal [ɔpti'maːl] *adj* optimum, best (possible); **2mismus** [-'mɪsmʊs] *m* (-; *no pl*) optimism; **2'mist** *m* (-*en*; -*en*) optimist; **~'mistisch** *adj* optimistic.

optisch ['ɔptɪʃ] *adj* optical.

Orange [o'rãːʒə] *f* (-; -*n*) orange.

Orchester [ɔr'kɛstər] *n* (-*s*; -) orchestra.

Orchidee [ɔrçi'deː(ə)] *f* (-; -*n*) *bot.* orchid.

Orden ['ɔrdən] *m* (-*s*; -) *eccl.* order; *Auszeichnung*: medal, decoration; '**~sschwester** *f eccl.* sister, nun.

ordentlich ['ɔrdəntlɪç] **1.** *adj Person, Zimmer, Haushalt etc*: tidy, neat, orderly; *richtig*, *sorgfältig*: proper; *gründlich*: thorough; *anständig*: decent (*a.* F *fig.*); *Leute*: *a.* respectable; *Mitglied*, *Professor*: full; *Gericht*: ordinary; *Leistung*: reasonable; F *tüchtig*, *kräftig*: good, sound; **2.** *adv*: ***s-e Sache ~ machen*** do a good job; ***sich ~ benehmen*** (***anziehen***) behave (dress) properly (*od.* decently).

Order ['ɔrdər] *f* (-; -*s*) *econ.* order; '**2n** *v/t* (*h*) order.

ordinär [ɔrdi'nɛːr] *adj* vulgar.

ordn|en ['ɔrdnən] *v/t* (*h*) put in order; *an~*: arrange, sort (out); *Akten*: file; *Angelegenheiten*: settle; '**2er** *m* (-*s*; -) *Fest2 etc*: steward; *Akten2 etc*: file; '**2ung** *f* (-; *no pl*) *allg.* order; *Ordentlichkeit*: order(liness), tidiness; *Vorschriften*: rules *pl*, regulations *pl*; *An2*: arrangement; *System*: system, set-up; *Rang*: class: ***in ~*** all right; *tech. etc* in (good) order; ***in ~ bringen*** put right (*a. fig.*); *Zimmer etc*: tidy up; *reparieren*: repair, F fix (*a. fig.*); (***in***) ***~ halten*** keep (in) order; ***et. ist nicht in ~*** (***mit***) there is s.th. wrong (with); '**2ungsstrafe** *f* fine.

Organ [ɔr'gaːn] *n* (-*s*; -*e*) *anat.* organ; **~bank** *f* (-; -*en*) *med.* organ bank; **~empfänger** *m med.* organ recipient.

Organisa|tion [ɔrganiza'tsĭoːn] *f* (-; -*en*) organization; **~tor** [-'zaːtɔr] *m* (-*s*; -*en*) organizer; **2torisch** [-a'toːrɪʃ] *adj* organizational, organizing.

organisch [ɔr'gaːnɪʃ] *adj* organic.

organisieren [ɔrgani'ziːrən] (*no ge-*, *h*) **1.** *v/t* organize; F *beschaffen*: rustle up; **2.** *v/refl gewerkschaftlich*: organize, unionize.

Organismus [ɔrga'nɪsmʊs] *m* (-; *-men*) organism.

Organist [ɔrga'nɪst] *m* (*-en*; *-en*) *mus.* organist.

Or'gan|spender *m med.* organ donor; **~spenderausweis** *m* organ donor card; **~verpflanzung** *f med.* organ transplant.

Orgasmus [ɔr'gasmʊs] *m* (-; *-men*) orgasm.

Orgel ['ɔrgəl] *f* (-; *-n*) *mus.* organ.

Orgie ['ɔrgĭə] *f* (-; *-n*) orgy.

orientier|en [ɔrĭɛn'tiːrən] *v/refl* (*no ge-*, *h*) orient(ate) o.s. (***nach, an*** *dat* by) (*a. fig.*); **≗ung** *f* (-; *no pl*): ***die ~ verlieren*** lose one's bearings; **≗ungssinn** *m* (-[*e*]*s*; *no pl*) sense of direction.

original [ɔrigi'naːl] *adv Rundfunk*, *TV*: live.

Original [~] *n* (*-s*; *-e*) original; F *Person*: real character; **~über,tragung** *f Rundfunk*, *TV*: live broadcast; **~verpackung** *f* original packaging.

originell [ɔrigi'nɛl] *adj* original; *witzig*: witty.

Orkan [ɔr'kaːn] *m* (-[*e*]*s*; *-e*) hurricane; **≗artig** *adj Sturm*: violent; *Applaus*: thunderous.

Ort[1] [ɔrt] *m* (-[*e*]*s*; *-e*) *allg.* place; *~schaft*: *a.* village, (small) town; *Stelle*, *Fleck*: *a.* spot, point; *Schauplatz*: *a.* scene.

Ort[2] [~] *n* (-[*e*]*s*; *⸚er*): ***vor ~*** on the spot.

Orthopäde [ɔrto'pɛːdə] *m* (*-n*; *-n*) *med.* orthop(a)edist.

örtlich ['œrtlɪç] *adj* local.

ortsansässig ['~anzɛsɪç] *adj* local.

'Ortschaft *f* (-; *-en*) → ***Ort***[1]: ***geschlossene ~*** built-up area.

'Orts|gespräch *n teleph.* local call; **'~kenntnis** *f*: ***~ besitzen*** know a place; **'~name** *m* place name; **'~schild** *n* place-name sign; **'~ta,rif** *m teleph.* local rates *pl*; **'~zeit** *f* local time.

Oslo ['ɔslo] Oslo.

Ostasien ['ɔst'ʔazĭən] East Asia.

Ost|block ['ɔst~] *m* (-[*e*]*s*; *no pl*) *hist.* Eastern bloc; **'~en** *m* (*-s*; *no pl*) east; *östlicher Landesteil*: East (*a. pol.*): ***nach ~*** east(wards).

Ostende [ɔst'ɛndə] Ostend.

Oster|ei ['oːstərʔaɪ] *n* Easter egg; **'~hase** *m* Easter bunny; **'~n** *n* (-; -) Easter: ***zu ~*** at Easter; ***frohe ~!*** Happy Easter!

Österreich ['øːstəraɪç] Austria.

Österreich|er ['øːstəraɪçər] *m* (*-s*; -) Austrian; **'≗isch** *adj* Austrian.

östlich ['œstlɪç] **1.** *adj* east(ern); **2.** *adv*: ***~ von*** (to the) east of.

Ostsee ['ɔstzeː] *the* Baltic Sea.

Otter[1] ['ɔtər] *m* (*-s*; -) *zo.* otter.

Otter[2] [~] *f* (-; *-n*) *zo.* adder, viper.

outen ['aʊtən] F **1.** *v/t* out; **2.** *v/refl* come out.

Ouvertüre [uvər'tyːrə] *f* (-; *-n*) *mus.* overture (***zu*** to).

oval [o'vaːl] *adj* oval.

Oval [~] *n* (*-s*; *-e*) oval.

oxidieren [ɔksy'diːrən] *v/i* (*no ge-*, *h*) oxidize.

Ozean ['oːtseaːn] *m* (*-s*; *-e*) ocean; **≗isch** [otse'aːnɪʃ] *adj* oceanic.

Ozon|alarm [o'tsoːn~] *m* ozone alert; **~loch** *n* hole in the ozone layer; **~schicht** *f* (-; *no pl*) ozone layer (*od.* shield).

P

P

paar [paːr] *indef pron*: ***ein ~*** a few, some, F a couple of; ***ein ~ Mal*** a few times.

Paar [~] *n* (-[*e*]*s*; *-e*) pair; *Ehe≗*, *Liebes≗*: couple: ***ein ~ (neue) Schuhe*** a (new) pair of shoes; **'≗weise** *adv* in pairs (*od.* twos).

Pacht [paxt] *f* (-; *-en*) lease; *~zins*: rent; **'≗en** *v/t* (*h*) (take on) lease.

Pächter ['pɛçtər] *m* (*-s*; -) leaseholder, tenant.

'Pacht|vertrag *m* lease; **'~zins** *m* rent.

Pack[1] [pak] *m* (-[*e*]*s*; *-e*, *⸚e*) *Haufen*: pile; *Bündel*: bundle.

Pack[2] [~] *n* (-[*e*]*s*; *no pl*) *contp.* rabble.

Päckchen ['pɛkçən] *n* (*-s*; -) (small) parcel; *Packung*: packet, *bsd. Am.* pack (*a. Zigaretten*).

packen ['pakən] *v/t* (*h*) pack (*a. v/i*); *Paket*: wrap up; *ergreifen*: grab, seize (***an*** *dat* by); *fig. mitreißen*: grip.

Packen [~] *m* (*-s*; -) → ***Pack***[1].

'Pack|er *m* (*-s*; -) packer; **'~pa,pier** *n*

wrapping paper; '**~ung** *f* (-; *-en*) packet, *bsd. Am.* pack (*a. Zigaretten*); *Ver*2: package; *med.*, *Kosmetik*: pack; '**~ungsbeilage** *f* package insert.

Pädagog|e [pɛda'goːgə] *m* (*-n*; *-n*) educator, education(al)ist; **2isch** *adj* educational.

Page ['paːʒə] *m* (*-n*; *-n*) *Hotel*: page, bellboy, *Am.* bellhop.

Paket [pa'keːt] *n* (-[*e*]*s*; *-e*) package, *bsd. mail.* parcel; **~karte** *f* parcel dispatch form; **~post** *f* parcel post; **~schalter** *m* parcels counter; **~zustellung** *f* parcel delivery.

Pakt [pakt] *m* (-[*e*]*s*; *-e*) pact.

Palast [pa'last] *m* (-[*e*]*s*; *-läste*) palace.

Palästina [palɛ'stiːna] Palestine.

Palme ['palmə] *f* (-; *-n*) *bot.* palm (tree); **Palmsonntag** *m eccl.* Palm Sunday.

Pampelmuse [pampəl'muːzə] *f* (-; *-n*) *bot.* grapefruit.

Pandemie [pande'miː] *f* (-; *-n*) *med.* pandemic.

panieren [pa'niːrən] *v/t* (*no ge-*, *h*) bread.

Pani|k ['paːnɪk] *f* (-; *-en*) panic: ***in ~ geraten*** (***versetzen***) panic; ***in ~*** panic-stricken; **2sch** *adj*: ***~e Angst haben*** be terrified (***vor*** *dat* of).

Panne ['panə] *f* (-; *-n*) breakdown; *Reifen*2: puncture, *bsd. Am.* F flat; '**~ndienst** *m*, '**~nhilfe** *f mot.* breakdown service.

Pantoffel [pan'tɔfəl] *m* (*-s*; *-n*) slipper: F ***unter dem ~ stehen*** be henpecked; **~held** *m* F henpecked husband.

Panzer ['pantsər] *m* (*-s*; -) *mil.* tank; *zo.* shell; '**~glas** *n* bullet-proof glass; '**~schrank** *m* safe.

Papa ['papa] *m* (*-s*; *-s*) dad(dy), *Am. a.* pa.

Papagei [papa'gaɪ] *m* (-s *od.* *-en*; *-en*) *zo.* parrot.

Papier [pa'piːr] *n* (*-s*; *-e*) paper: ***~e*** *pl* papers *pl*, documents *pl*; *Ausweis*2*e*: (identification) papers *pl*; **~geld** *n* (-[*e*]*s*; *no pl*) paper money; **~korb** *m* wastepaper basket, *Am.* wastebasket; **~krieg** *m* F red tape; **~servi,ette** *f* paper napkin; **~taschentuch** *n* tissue, paper handkerchief.

Pappe ['papə] *f* (-; *-n*) cardboard.

Pappel ['papəl] *f* (-; *-n*) *bot.* poplar.

'**Papp|kar,ton** *m* cardboard box, carton; '**~teller** *m* paper plate.

Paprika ['paprika] *m* (*-s*; -[*s*]) *Gewürz*: paprika; *Schote*: pepper; **~schote** *f* pepper.

Papst [paːpst] *m* (-[*e*]*s*; *=e*) pope.

päpstlich ['pɛːpstlɪç] *adj* papal.

Para'bolan,tenne [para'boːl-] *f TV*: parabolic aerial (*bsd. Am.* antenna).

Paradies [para'diːs] *n* (*-es*; *-e*) paradise; *eccl. mst* Paradise; **2isch** [-zɪʃ] *adj* heavenly.

paradox [para'dɔks] *adj* paradoxical.

Paragraph [para'graːf] *m* (*-en*; *-en*) *jur.* article, section; *Absatz*: paragraph.

parallel [para'leːl] *adj u. adv* parallel (***mit, zu*** to); **2e** *f* (-; *-n*) parallel (***zu*** to) (*a. fig.*).

paraphieren [para'fiːrən] *v/t* (*no ge-*, *h*) initial.

Parfüm [par'fyːm] *n* (*-s*; *-e*, *-s*) perfume, *Br. a.* scent; **~erie** [-ymə'riː] *f* (-; *-n*) perfume shop (*Am.* store); **2ieren** [-y'miːrən] *v/refl* (*no ge-*, *h*) put some perfume on.

Paris [pa'riːs] Paris.

Pariser [pa'riːzər] *m* (*-s*; -) Parisian; F *Kondom*: rubber, *Br.* French letter.

Park [park] *m* (*-s*; *-s*) park.

'**Park|deck** *n* parking level; '**2en** *v/i u. v/t* (*h*) park: ***schräg ~*** angle-park; ***in zweiter Reihe ~*** double-park; ***~de Autos*** parked cars; **2 *verboten!*** no parking.

Parkett [par'kɛt] *n* (*-s*; *-e*) parquet; *thea. Br.* stalls *pl*, *Am.* orchestra; **~(fuß)boden** *m* parquet floor; **~handel** *m Börse*: floor trade.

'**Park|gebühr** *f* parking fee; '**~(hoch)haus** *n Br.* multistorey car park, *Am.* parking garage; '**~kralle** *f Br.* wheel clamp, *Am.* bear paw; '**~lücke** *f* parking space; '**~möglichkeit** *f* place to park; '**~platz** *m bsd. Br.* car park, *Am.* parking lot; *Parklücke*: parking space; '**~scheibe** *f* parking disc; '**~sünder** *m* parking offender; '**~uhr** *f* parking meter; '**~verbot** *n*: ***hier ist ~*** there's no parking here; ***im ~ stehen*** be parked illegally; '**~wächter** *m* park keeper; *mot.* car-park (*Am.* parking-lot) attendant.

Parlament [parla'mɛnt] *n* (-[*e*]*s*; *-e*) parliament; **2arisch** [-'taːrɪʃ] *adj* parliamentary.

Parodie [paro'diː] *f* (-; *-n*) parody (***auf*** *acc* of, on), takeoff (of); **2ren** [-'diːrən] *v/t* (*no ge-*, *h*) parody, take off.

P

Parole [pa'ro:lə] *f* (-; -*n*) *fig.* watchword, *pol. a.* slogan.

Partei [par'taɪ] *f* (-; -*en*) party (*a. pol.*): ***j-s ~ ergreifen*** take sides with s.o., side with s.o.; **≗isch** *adj* partial; **≗lich** *adj pol.* party; **≗los** *adj pol.* independent; **~mitglied** *n pol.* party member; **~pro,gramm** *n pol.* (party) platform; **~tag** *m pol.* party conference (*Am.* convention); **~vorsitzende** *m, f* party leader; **~zugehörigkeit** *f pol.* party membership.

Parterre [par'tɛrə] *n* (-*s*; -*s*) *Br.* ground floor, *Am.* first floor.

Partie [par'ti:] *f* (-; -*n*) *Spiel*: game; *Sport*: *a.* match; *Teil*: part (*a. mus., thea.*); *econ.* parcel, lot; F *Heirat*: match.

Partner ['partnər] *m* (-*s*; -) partner; '**~schaft** *f* (-; -*en*) partnership; '**~stadt** *f* twin (*Am.* sister) town.

Party ['pa:rti] *f* (-; -*s*) party; '**~service** *m* catering service.

Pass [pas] *m* (-*es*; ⸚*e*) *Reise≗*: passport; *Sport*, *Gebirgs≗*: pass.

Passage [pa'sa:ʒə] *f* (-; -*n*) *allg.* passage.

Passagier [pasa'ʒi:r] *m* (-*s*; -*e*) passenger.

Passant [pa'sant] *m* (-*en*; -*en*) passer-by.

'**Passbild** *n* passport photo(graph).

passen ['pasən] *v/i* (*h*) fit (***j-m*** s.o.; ***auf*** *od.* ***für*** *od.* ***zu et.*** s.th.); *zusagen, genehm sein*: suit (***j-m*** s.o.), be convenient; *Kartenspiel*: pass: ***~ zu*** *farblich etc*: go with, match (with); ***sie ~ gut zueinander*** they are well suited to each other; ***passt es Ihnen morgen?*** would tomorrow suit you (*od.* be all right [with you])?; ***das*** (***er***) ***passt mir gar nicht*** I don't like that (him) at all; ***das passt*** (***nicht***) ***zu ihm*** that's just like him (not like him, not his style); **~d** *adj* fitting (*a. Kleidung*); *farblich etc.* matching; *zeitlich, geeignet*: suitable, right.

passier|bar [pa'si:rba:r] *adj* passable; **~en** *v/i* (*no ge-, sn*) happen; **≗schein** *m* pass, permit.

passiv ['pasi:f] *adj* passive; **≗rauchen** *n* passive smoking, second-hand smoking.

'**Pass|kon,trolle** *f* passport control; '**~straße** *f* mountain pass.

Passwort ['pasvɔrt] *n Computer*: password.

Paste ['pastə] *f* (-; -*n*) paste; **~te** [-'te:tə] *f* (-; -*n*) pie.

Pate ['pa:tə] *m* (-*n*; -*n*) godfather; *~nkind*: godchild; '**~nkind** *n* godchild; '**~nschaft** *f* (-; -*en*) sponsorship: ***die ~ übernehmen für*** sponsor.

Patent [pa'tɛnt] *n* (-[*e*]*s*; -*e*) patent: ***et. zum ~ anmelden*** apply for a patent for s.th.; **~amt** *n* patent office; **~anwalt** *m Br.* patent agent, *Am.* patent attorney; **≗ieren** [-'ti:rən] *v/t* (*no ge-, h*) patent: ***et. ~ lassen*** take out a patent for s.th.; **~inhaber** *m* patentee.

Patient [pa'tsiɛnt] *m* (-*en*; -*en*) patient; **~enkar,tei** *f* patients' file.

Patin ['pa:tɪn] *f* (-; -*nen*) godmother.

Patriot [patri'o:t] *m* (-*en*; -*en*) patriot; **≗isch** *adj* patriotic; **~ismus** [-o'tɪsmʊs] *m* (-; *no pl*) patriotism.

Patrone [pa'tro:nə] *f* (-; -*n*) *allg.* cartridge.

Patrouill|e [pa'trʊljə] *f* (-; -*n*) patrol; **≗ieren** [-'ji:rən] *v/i* (*no ge-, h*) patrol.

Patsche ['patʃə] *f* (-; -*n*): F ***in der ~ sitzen*** be in a fix.

patze|n ['patsən] *v/i* (*h*) F blunder; '**≗r** *m* (-*s*; -) F blunder.

Pauschal|e [paʊ'ʃa:lə] *f* (-; -*n*) lump sum; **~gebühr** *f* flat rate; **~reise** *f* package tour.

Pause ['paʊzə] *f* (-; -*n*) break; *Reden etc.* pause; *ped. Br.* break, *Am.* recess; *thea., Sport*: interval, *Am. u. Film*: intermission; '**≗nlos** *adj* uninterrupted, nonstop (*a. adv*).

Pavian ['pa:vĭa:n] *m* (-*s*; -*e*) *zo.* baboon.

Pavillon ['pavɪljo-:] *m* (-*s*; -*s*) pavilion.

Paybackkarte ['peɪbæk-] *f* loyalty card.

Pazifik [pa'tsi:fɪk], *der* **Pazifische Ozean** [pa'tsi:fɪʃə'o:tsea:n] *the* Pacific (Ocean).

Pazifis|mus [patsi'fɪsmʊs] *m* (-; *no pl*) pacifism; **~t** *m* (-*en*; -*en*) pacifist; **≗tisch** *adj* pacifist.

PC [pe:'tse:] *m* (-[*s*]; -[*s*]) PC.

Pech [pɛç] *n* (-[*e*]*s*; *no pl*) bad luck: ***~ haben*** be unlucky (***bei, mit*** with); '**~vogel** *m* F unlucky person.

Pedant [pe'dant] *m* (-*en*; -*en*) pedant; **~erie** [-ə'ri:] *f* (-; *no pl*) pedantry; **≗isch** *adj* pedantic.

peinlich ['paɪnlɪç] *adj* embarrassing; *Schweigen, Situation etc*: *a.* awkward:

P

es war mir ~ I was (*od.* felt) embarrassed.
Peking ['pe:kɪŋ] Peking.
'Pellkar,toffeln ['pɛl-] *pl* potatoes *pl* boiled in their skins, jacket potatoes *pl*.
Pelz [pɛlts] *m* (*-es*; *-e*) fur; *unbearbeitet*: hide, skin; **'≗gefüttert** *adj* fur-lined; **'~geschäft** *n* fur(rier's) shop (*Am.* store); **'≗ig** *adj Zunge*: furred; **'~mantel** *m* fur coat.
Pendel|bus ['pɛndəl-] *m* shuttle bus; **'≗n** *v/i* (*sn*) *rail. etc* shuttle (***zwischen X u. Y*** back and forth between X and Y); *Person*: commute (from X to Y); **'~tür** *f* swing door; **'~verkehr** *m rail. etc* shuttle service; *Berufsverkehr*: commuter traffic.
Pendler ['pɛndlər] *m* (*-s*; *-*) commuter.
Penis ['pe:nɪs] *m* (*-*; *-se*) *anat.* penis.
Penizillin [penitsɪ'li:n] *n* (*-s*; *-e*) *med.* penicillin.
Pension [pã'zĭo:n] *f* (*-*; *-en*) *Ruhegeld*: (old-age) pension; *Fremdenheim*: boarding house: ***in ~ gehen*** retire; ***in ~ sein*** be retired; **~är** [-o'nɛ:r] *m* (*-s*; *-e*) (old-age) pensioner; **≗ieren** [-o'ni:rən] *v/t* (*no ge-*, *h*) pension off: ***sich ~ lassen*** retire; *vorzeitig*: take early retirement; **~ierung** [-o'ni:rʊŋ] *f* (*-*; *-en*) retirement; **~salter** *n* retirement age; **~sfonds** *m* pension fund; **~sgast** *m* boarder.
Pensum ['pɛnzʊm] *n* (*-s*; *-sen*) (work) quota, stint.
per [pɛr] *prp pro*: per; *durch*, *mit*: by.
perfekt [pɛr'fɛkt] *adj* perfect: ***~ machen*** settle.
Period|e [pe'rĭo:də] *f* (*-*; *-n*) period; *physiol. a.* menstruation; **≗isch** *adj* periodic(al).
Peripherie [perife'ri:] *f* (*-*; *-n*) *e-r Stadt*: outskirts *pl*: ***an der ~ von*** on the outskirts of; **~gerät** *n Computer*: peripheral.
Perle ['pɛrlə] *f* (*-*; *-n*) pearl; *Glas≗*, *Schweiß≗ etc*: bead; **'≗n** *v/i* (*h*) *Sekt etc*: sparkle, bubble; **'~nkette** *f* pearl necklace.
Persien ['pɛrzĭən] Persia.
Persische(r) Golf ['pɛrzɪʃə(r)'gɔlf] *the* Persian Gulf.
Person [pɛr'zo:n] *f* (*-*; *-en*) person; *thea. etc a.* character: ***ein Tisch für drei ~en*** a table for three.
Personal [pɛrzo'na:l] *n* (*-s*; *no pl*) staff, personnel: ***zu wenig ~ haben*** be understaffed; **~abbau** *m* staff reduction; **~ab,teilung** *f* personnel department; **~akte** *f* personal file; **~ausweis** *m* identity card; **~bü,ro** *n* personnel department; **~chef** *m* personnel manager; **~com,puter** *m* personal computer; **~ien** [-ĭən] *pl* particulars *pl*; **~mangel** *m* shortage of staff: ***an ~ leiden*** be understaffed; **~vertretung** *f* personnel representation.
Per'sonen|kraftwagen *m bsd. Br.* motorcar, *Am.* auto(mobile); **~wagen** *m rail.* passenger coach (*Am.* car); *mot.* → ***Personenkraftwagen***; **~zug** *m* passenger train; *Nahverkehrszug*: local train.
persönlich [pɛr'zø:nlɪç] *adj* personal; **≗keit** *f* (*-*; *-en*) personality.
Perücke [pe'rʏkə] *f* (*-*; *-n*) wig.
pervers [pɛr'vɛrs] *adj* perverted: ***~er Mensch*** pervert.
Pest [pɛst] *f* (*-*; *no pl*) *med.* plague.
Petersilie [pe:tər'zi:lĭə] *f* (*-*; *-n*) *bot.* parsley.
Pfad [pfa:t] *m* (*-[e]s*; *-e*) path.
Pfand [pfant] *n* (*-[e]s*; *⸗er*) *econ.* pledge; *Bürgschaft*: security; *Flaschen≗ etc*: deposit: ***~ zahlen*** pay a deposit (***für*** on); **'~brief** *m econ.* mortgage bond.
pfänden ['pfɛndən] *v/t* (*h*) *jur. et.*: seize, distrain upon.
'Pfand|flasche *f* deposit (*od.* returnable) bottle; **'~haus** *n* pawnshop; **'~schein** *m* pawn ticket.
'Pfändung *f* (*-*; *-en*) *jur.* seizure (*gen* of), distraint (upon).
Pfann|e [pfanə] *f* (*-*; *-n*) (frying) pan; **'~kuchen** *m* pancake, *Am. a.* flapjack.
Pfarrer [pfarər] *m* (*-s*; *-*) *katholisch*: (parish) priest; *anglikanisch*: vicar; *evangelisch*: pastor.
Pfeffer ['pfɛfər] *m* (*-s*; *-*) pepper; **'≗n** *v/t* (*h*) pepper; **'~streuer** *m* (*-s*; *-*) pepper caster.
Pfeife ['pfaɪfə] *f* (*-*; *-n*) whistle; *Tabaks≗*: pipe; **'≗n** *v/i u. v/t* (*pfiff, gepfiffen, h*) whistle (***j-m*** to s.o.): F ***~ auf*** (*acc*) not give a damn about.
Pfeil [pfaɪl] *m* (*-[e]s*; *-e*) arrow.
Pfeiler ['pfaɪlər] *m* (*-s*; *-*) pillar (*a. fig.*); *Brücken≗*: pier.
Pfennig ['pfɛnɪç] *m* (*-s*; *-e*) *hist.* pfennig; *fig.* penny.

pferchen ['pfɛrçən] *v/t* (*h*) *fig.* cram (***in*** *acc* into).

Pferd [pfeːrt] *n* (-[*e*]*s*; -*e*) *zo.* horse: ***zu ~e*** on horseback.

Pferde|rennen ['pfeːrdə-] *n* horserace; '**~stärke** *f mot.* horsepower.

Pfiff [pfɪf] *m* (-[*e*]*s*; -*e*) whistle.

Pfingst|en ['pfɪŋstən] *n* (-; -) *eccl.* Whitsun: ***an*** (*od.* ***zu***) **~** at Whitsun; **~'montag** *m* Whit Monday; **~'sonntag** *m* Whit Sunday.

Pfirsich ['pfɪrzɪç] *m* (-*s*; -*e*) *bot.* peach.

Pflanz|e ['pflantsə] *f* (-; -*n*) plant; ***~n fressend*** *zo.* herbivorous; '**≈en** *v/t* (*h*) plant; '**~enfett** *n* vegetable fat; '**≈enfressend** *adj zo.* herbivorous; '**≈lich** *adj* vegetable, plant.

Pflaster ['pflastər] *n* (-*s*; -) *med.* (sticking) plaster, *Am. a.* band-aid; *Straßen≈*: road (surface); '**~maler** *m* pavement (*Am.* sidewalk) artist; '**≈n** *v/t* (*h*) *Straße*: surface; *Bürgersteig*: pave; '**~stein** *m* paving stone.

Pflaume ['pflaʊmə] *f* (-; -*n*) *bot.* plum; *Back≈*: prune.

Pflege ['pfleːgə] *f* (-; *no pl*) care; *med.* nursing; *e-s Gartens*, *von Beziehungen*: cultivation; *tech.* maintenance: ***in ~ nehmen*** take into one's care; '**~...** *in Zssgn Eltern*, *Kind*, *Sohn etc*: foster ...; **≈bedürftig** ['-bədʏrftɪç] *adj* in need of care; '**~fall** *m* invalid; '**~heim** *n* nursing home; '**≈leicht** *adj* easy-care; '**≈n** *v/t* (*h*) care for, look after; *bsd. Kind*, *Kranke*: *a.* nurse; *tech.* maintain; *fig. Beziehungen etc*: cultivate; *Brauch etc*: keep up: ***sie pflegte zu sagen*** she used to (*od.* would) say; '**~perso,nal** *n med.* nursing staff; '**~r** *m* (-*s*; -) *med.* male nurse; '**~rin** *f* (-; -*nen*) *med.* nurse; '**~stelle** *f* nursing place.

Pflicht [pflɪçt] *f* (-; -*en*) duty; '**≈bewusst** *adj* conscientious; '**~bewusstsein** *n* sense of duty; '**~umtausch** *m* compulsory exchange of currency; '**~versicherung** *f* compulsory insurance.

pflücken ['pflʏkən] *v/t* (*h*) pick.

Pforte ['pfɔrtə] *f* (-; -*n*) gate, door.

Pförtner ['pfœrtnər] *m* (-*s*; -) gatekeeper; *Portier*: porter, doorman.

Pfosten ['pfɔstən] *m* (-*s*; -) post.

Pfote ['pfoːtə] *f* (-; -*n*) paw (*a. fig.*).

Pfropfen ['pfrɔpfən] *m* (-*s*; -) stopper; *Kork≈*: cork; *Watte≈*, *Stöpsel*: plug; *med.* clot.

pfui [pfʊɪ] *int.* ugh!; *Zuschauer*: boo!

Pfund [pfʊnt] *n* (-[*e*]*s*; -*e*) pound: ***10 ~*** ten pounds; '**≈weise** *adv* by the pound.

Pfusch [pfʊʃ] *m* (-[*e*]*s*; *no pl*) F botch-up; '**≈en** *v/i* (*h*) F bungle; '**~er** *m* (-*s*; -) F bungler.

Pfütze ['pfʏtsə] *f* (-; -*n*) puddle.

Phänomen [fɛno'meːn] *n* (-*s*; -*e*) phenomenon; **≈al** [-e'naːl] *adj* phenomenal.

Phantasie *usw.* → ***Fantasie*** *usw.*

pharmazeutisch [farma'tsɔʏtɪʃ] *adj* pharmaceutic(al).

Phase ['faːzə] *f* (-; -*n*) phase (*a. electr.*), stage.

Philippinen [filɪ'piːnən] *the* Philippines.

Philosoph [filo'zoːf] *m* (-*en*; -*en*) philosopher; **~ie** [-o'fiː] *f* (-; -*n*) philosophy; **≈isch** *adj* philosophical.

phlegmatisch [flɛ'gmaːtɪʃ] *adj* phlegmatic.

Photo(...) → ***Foto(...)***.

Phrase ['fraːzə] *f* (-; -*n*) *contp.* phrase, cliché.

Physik [fy'ziːk] *f* (-; *no pl*) physics *pl* (*sg konstr.*); **≈alisch** [-i'kaːlɪʃ] *adj* physical; **~er** ['fyːzikər] *m* (-*s*; -) physicist.

physisch ['fyːzɪʃ] *adj* physical.

Pianist [pĭa'nɪst] *m* (-*en*; -*en*) pianist.

Pickel ['pɪkəl] *m* (-*s*; -) *med.* spot, pimple.

Picknick ['pɪknɪk] *n* (-*s*; -*s*) picnic; '**≈en** *v/i* (*h*) (have a) picnic.

Piemont [pĭe'mɔnt] Piedmont.

Pik [piːk] *n* (-*s*; -*s*) *Kartenspiel*: (*Farbe*) spades *pl*, (*Karte*) spade.

pikant [pi'kant] *adj* piquant, spicy.

Pille ['pɪlə] *f* (-; -*n*) *med.* pill: F ***die ~ nehmen*** be on the pill.

Pilot [pi'loːt] *m* (-*en*; -*en*) *aer.* pilot; **~pro,jekt** *n* pilot project.

Pilz [pɪlts] *m* (-*es*; -*e*) *bot.* mushroom, *giftiger*: toadstool; *med.* fungus.

pinkeln ['pɪŋkəln] *v/i* (*h*) F (have a) pee (*od.* piddle): ***~ gehen*** go for a pee.

Pinsel ['pɪnzəl] *m* (-*s*; -) (paint)brush.

Pinzette [pɪn'tsɛtə] *f* (-; -*n*) (***e-e ~*** a pair of) tweezers *pl.*

Pionier [pĭo'niːr] *m* (-*s*; -*e*) pioneer.

Pirat [pi'raːt] *m* (-*en*; -*en*) pirate.

PISA-Studie ['piːza-] *f ped.* PISA study.

Pisse ['pɪsə] *f* (-; *no pl*) V piss; '**≈n** *v/i* (*h*) V (have a) piss: ***~ gehen*** go for a piss.

Piste ['pɪstə] *f* (-; -*n*) piste, ski run; *aer.*

runway.

Pistole [pɪs'to:lə] *f* (-; *-n*) pistol, gun.

Pizz|a ['pɪtsa] *f* (-; *-s*) *gastr.* pizza; **~eria** [~e'ri:a] *f* (-; *-s*) pizzeria.

Pkw [pe:ka:'ve:] *m* (-[*s*]; *-s*) → ***Personenkraftwagen.***

plädieren [plɛ'di:rən] *v/i* (*no ge-, h*) plead (***auf*** *acc*, ***für*** for) (*a. jur.*).

Plädoyer [plɛdŏa'je:] *n* (*-s*; *-s*) *jur.* final speech.

Plage ['pla:gə] *f* (-; *-n*) *Insekten*≈ *etc*: plague; *Ärgernis*: nuisance, F pest; '≈**n** (*h*) **1.** *v/t* trouble; *belästigen*: bother; *stärker*: pester; **2.** *v/refl* slave (away) (***mit*** at).

Plakat [pla'ka:t] *n* (-[*e*]*s*; *-e*) poster, bill; *aus Pappe*: placard.

Plakette [pla'kɛtə] *f* (-; *-n*) *Abzeichen*: badge.

Plan [pla:n] *m* (-[*e*]*s*; ⸗*e*) plan; *Absicht*: *a.* intention; *Stadt*≈: map; '≈**en** *v/t* (*h*) plan; '~**er** *m* (*-s*; -) planner.

Planet [pla'ne:t] *m* (*-en*; *-en*) planet.

planier|en [pla'ni:rən] *v/t* (*no ge-, h*) level, grade; ≈**raupe** *f tech.* bulldozer.

Planke ['plaŋkə] *f* (-; *-n*) plank, board.

plan|los *adj* without plan; *ziellos*: aimless; '~**mäßig 1.** *adj Ankunft etc*: scheduled; **2.** *adv* according to plan.

Plansch|becken → ***Plantschbecken***; '≈**en** → ***plantschen.***

Plantage [plan'ta:ʒə] *f* (-; *-n*) plantation.

Plantsch|becken ['planʃ~] *n* paddling pool; '≈**en** *v/i* (*h*) splash (about).

'**Planwirtschaft** *f* planned economy.

Plastik[1] ['plastɪk] *f* (-; *-en*) *Skulptur*: sculpture.

Plasti|k[2] [~] *n* (*-s*; *no pl*) plastic; '~**k...** *in Zssgn Tüte etc*: plastic …; '≈**sch** *adj* plastic; *Sehen etc*: three-dimensional; *fig.* graphic, vivid.

Platin ['pla:ti:n] *n* (*-s*; *no pl*) platinum.

platt [plat] *adj flach*: flat; *eben*: even, level; *fig.* trite; F *fig.* flabbergasted: F ***e-n*** ≈***en haben*** have a flat tyre (*Am.* tire), *bsd. Am.* F have a flat.

Platte ['platə] *f* (-; *-n*) *Metall, Glas*: sheet, plate; *Stein*: slab; *Pflaster*≈: paving stone; *Holz*: board; *Paneel*: panel; *Schall*≈: record, disc; *Teller*: dish; F *Glatze*: bald pate: ***kalte ~*** cold cuts *pl.*

'**Platten|spieler** *m* record player; '~**teller** *m* turntable.

'**Platt|form** *f* platform (*a. pol.*); '~**fuß** *m med.* flat foot; F *mot.* flat tyre (*Am.* tire), *bsd. Am.* F flat.

Platz [plats] *m* (*-es*; ⸗*e*) *Ort, Stelle*: place, spot; *Lage, Bau*≈ *etc*: site; *Raum*: room, space; *öffentlicher*: square; *runder*: circus; *Sitz*≈: seat: ***es ist*** (***nicht***) ***genug ~*** there is (isn't) enough room; ***~ machen für*** make room for; *vorbeilassen*: make way for; ***~ nehmen*** take a seat, sit down; ***ist dieser ~ noch frei?*** is this seat taken?; '~**anweiserin** *f* (-; *-nen*) usherette.

Plätzchen ['plɛtsçən] *n* (*-s*; -) (little) place, spot; *Gebäck*: *bsd. Br.* biscuit, *Am.* cookie.

platzen ['platsən] *v/i* (*sn*) burst (*a. fig.* ***vor*** *dat* with); *reißen*: crack, split; *fig. Plan etc*: fall through; *econ. Wechsel*: bounce.

'**Platz|karte** *f rail.* seat reservation (ticket); '~**regen** *m* cloudburst; '~**wunde** *f med.* cut, laceration.

Plauder|ei [plaʊdə'raɪ] *f* (-; *-en*) chat; '≈**n** *v/i* (*h*) (have a) chat (***mit*** with).

Playback ['ple:bɛk] *n* (-; *no pl*) *TV etc* miming: ***~ singen*** (*od.* ***spielen***) mime.

pleite [~] *adj* F broke: ***völlig ~*** flat (*od.* stony) broke.

Pleite ['plaɪtə] *f* (-; *-n*) F *econ.* bankruptcy; *fig.* flop: ***~ gehen*** → ***pleitegehen***; ***~ machen*** go bust; '≈**gehen** *v/i* (*irr, sep, -ge-, sn,* → ***gehen***) go broke.

Plomb|e ['plɔmbə] *f* (-; *-n*) seal; *Zahn*≈: filling; ≈**ieren** [~'bi:rən] *v/t* (*no ge-, h*) seal; fill.

plötzlich ['plœtslɪç] **1.** *adj* sudden; **2.** *adv* suddenly, all of a sudden.

plump [plʊmp] *adj unbeholfen*: clumsy, awkward; *Lüge etc*: blatant.

plumps|en ['plʊmpsən] *v/i* (*sn*) F thud; '≈**klo** *n* F outdoor loo (*Am.* john).

Plunder ['plʊndər] *m* (*-s*; *no pl*) F rubbish, junk.

Plünder|er ['plʏndərer] (*-s*; -) looter, plunderer; '≈**n** *v/i u. v/t* (*h*) plunder, loot; F *Konto, Kühlschrank etc*: raid.

plus [plʊs] **1.** *prp math.* plus: ***~/minus e-e Stunde*** give or take an hour; ***~/minus null abschneiden*** break even; **2.** *adv*: ***10 Grad ~*** 10 degrees above zero.

Plus [~] *n* (-; -) profit; *fig.* asset, advantage; ***~ machen*** make a profit; ***im ~ sein*** be in the black; '~**betrag** *m* profit.

Po [po:] *m* (*-s*; *-s*) F bottom, behind.

Pocken ['pɔkən] *pl med.* smallpox *sg*;

P

'~**impfung** *f med.* smallpox vaccination; '~**narbe** *f* pockmark.
Podest [po'dɛst] *n* (-[*e*]*s*; -*e*) platform.
Podium ['po:dĭʊm] *n* (-*s*; -*dien*) rostrum, platform; '~**sdiskussi͵on** *f* panel discussion.
poetisch [po'e:tɪʃ] *adj* poetic(al).
Pointe ['poɛ̃:tə] *f* (-; -*n*) *Geschichte*: point; *Witz*: punch line.
Pokal [po'ka:l] *m* (-*s*; -*e*) *Sport*: cup; ~**endspiel** *n* cup final; ~**spiel** *n* cup tie.
pökeln ['pø:kəln] *v/t* (*h*) pickle, salt.
Poker ['po:kər] *n* (-*s*; *no pl*) poker; '**ꭥn** *v/i* (*h*) play poker.
Pol [po:l] *m* (-*s*; -*e*) pole, *electr. a.* terminal.
Pole ['po:lə] *m* (-*n*; -*n*) Pole.
Polemi|k [po'le:mɪk] *f* (-; -*en*) polemics *pl* (*sg konstr.*); ꭥ**sch** *adj* polemic(al); ꭥ**sieren** [-i'zi:rən] *v/i* (*no ge-*, *h*) polemize (***gegen*** agianst).
Polen ['po:lən] Poland.
Police [po'li:sə] *f* (-; -*n*) policy.
Polier [po'li:r] *m* (-*s*; -*e*) foreman; ꭥ**en** *v/t* (*no ge-*, *h*) polish.
Poliklinik ['po:li-] *f* outpatients' clinic.
Politesse [poli'tɛsə] *f* (-; -*n*) (woman) traffic warden, *Am.* F meter maid.
Politi|k [poli'ti:k] *f* (-; *no pl*) *allg.* politics *pl* (*mst sg konstr.*); *bestimmte*, *fig. Taktik*: policy; ~**ker** [po'li:tiker] *m* (-*s*; -) politician; ꭥ**sch** [po'li:tɪʃ] *adj* political.
Polizei [poli'tsaɪ] *f* (-; -*en*) police (*pl konstr.*); ~**beamte** *m* police officer; ꭥ**lich** *adj* (of [*od.* by] the) police; ~**prä͵sidium** *n* police headquarters *pl* (*a. sg konstr.*); ~**re͵vier** *n* police station; *Bezirk*: district, *Am. a.* precinct; ~**schutz** *m* police protection; ~**staat** *m* police state; ~**streife** *f* police patrol; ~**stunde** *f* closing time; ~**wache** *f* police station.
Polizist [poli'tsɪst] *m* (-*en*; -*en*) policeman; ~**in** *f* (-; -*nen*) policewoman.
polnisch ['pɔlnɪʃ] *adj* Polish.
Polster ['pɔlstər] *n* (-*s*; -) pad; *Kissen*: cushion; *Kopf*ꭥ: bolster; '~**möbel** *pl* upholstered furniture *sg*; 'ꭥ**n** *v/t* (*h*) upholster, stuff; *wattieren*: pad (*a. tech.*), wad; '~**sessel** *m* armchair, easy chair; '~**stuhl** *m* upholstered chair; '~**ung** *f* (-; -*en*) upholstery.
Pommern ['pɔmərn] Pomerania.
Pommes frites [pɔm'frɪt] *pl Br.* chips *pl*, *Am.* French fries *pl*.
Pool [pu:l] *m* (-*s*; -*s*) *econ.* pool.
popul|är [popu'lɛ:r] *adj* popular; ꭥ**arität** [-ari'tɛ:t] *f* (-; *no pl*) popularity.
Pore ['po:rə] *f* (-; -*n*) pore.
Porno ['pɔrno] *m* (-*s*; -*s*), '~**film** *m* porn film, blue movie.
Portemonnaie → ***Portmonee.***
Portier [pɔr'tĭe:] *m* (-*s*; -*s*) doorman, porter.
Portion [pɔr'tsĭo:n] *f* (-; -*en*) portion, share; *bei Tisch*: helping, serving; *Kaffee*, *Tee*: pot.
Portmonee [pɔrtmɔ'ne:] *n* (-*s*; -*s*) purse.
Porto ['pɔrto] *n* (-*s*; -*s*, -*ti*) postage; 'ꭥ**frei** *adj* postage paid.
Porträt [pɔr'trɛ:] *n* (-*s*; -*s*) portrait; ꭥ**ieren** [-ɛ'ti:rən] *v/t* (*no ge-*, *h*) paint a portrait of; *fig.* portray.
Portugal ['pɔrtugal] Portugal.
Portugies|e [pɔrtu'gi:zə] *m* (-*n*; -*n*) Portuguese; ꭥ**isch** *adj* Portuguese.
Porzellan [pɔrtsɛ'la:n] *n* (-*s*; -*e*) china, porcelain.
Posaune [po'zaʊnə] *f* (-; -*n*) trombone.
Pose ['po:zə] *f* (-; -*n*) pose.
Position [pozi'tsĭo:n] *f* (-; -*en*) position (*a. fig.*).
positiv ['po:ziti:f] *adj* positive.
Post *TM* [pɔst] *f* (-; *no pl*) post, *bsd. Am.* mail; ~*sachen*: mail, letters *pl*; ~*amt*: post office: ***mit der*** ~ by post (*od.* mail); '~**amt** *n* post office; ~**anweisung** *f* money (*od.* postal) order; ~**beamte** *m* post-office clerk; '~**bote** *m* postman, *Am. a.* mailman.
Posten ['pɔstən] *m* (-*s*; -) post; *Anstellung*: *a.* job, position; *Wache*: guard, sentry; *Rechnungs*ꭥ: item; *Waren*; lot, parcel.
'**Post|fach** *n* post-office box, PO box; '~**giroamt** *n* postal giro office; *Br.* Girobank, *Am.* postal check office; '~**girokonto** *n* postal giro account, *Am.* postal check account.
postieren [pɔs'ti:rən] (*no ge-*, *h*) **1.** *v/t* place, position; **2.** *v/refl* position o.s.
Post|karte *f* postcard; 'ꭥ**lagernd** *adv* poste restante, *Am. a.* general delivery; '~**leitzahl** *f Br.* postcode, *Am.* zip code; '~**scheck** *m Br.* giro cheque, *Am.* postal check; '~**sparbuch** *n* post-office (*Am.* postal) savings book; '~**stempel** *m* postmark; 'ꭥ**wendend** *adv bsd. Br.* by return (of post), *Am.* by return mail; '~**wertzeichen** *n* postage stamp;

'**~wurfsendung** *f* bulk mail consignment; *pl a.* bulk mail *sg*; '**~zustellung** *f* postal delivery.
Pracht [praxt] *f* (-; *no pl*) splendo(u)r.
prächtig ['prɛçtɪç] *adj* splendid; *Wetter*: glorious; F *fig.* great.
Prag [pra:k] Prague.
prahlen ['pra:lən] *v/i* (*h*) brag, boast (*beide*: ***mit et.*** about s.th.), show off ([with] s.th.).
Prahler ['pra:lər] *m* (-*s*; -) boaster, braggart; **~ei** [-'raɪ] *f* (-; *no pl*) boasting, bragging; '**≈isch** *adj* boastful; *prunkend*: showy.
Prakti|kant [prakti'kant] *m* (-*en*; -*en*) trainee; '**~ken** *pl* practices *pl*; '**~ker** *m* (-*s*; -) practical man; **~kum** ['-kʊm] *n* (-*s*; -*ka*) practical training (period); '**≈sch 1.** *adj* practical; *nützlich*: *a.* useful, handy: ***~er Arzt*** general practitioner; **2.** *adv* practically; *so gut wie*: *a.* virtually; **≈zieren** [-'tsi:rən] *v/i* (*no ge-*, *h*) *jur.*, *med.* practi|se (*Am.* -ce).
Praline [pra'li:nə] *f* (-; -*n*) chocolate.
prall [pral] *adj Brieftasche etc*: bulging; *Busen etc*: well-rounded; *Sonne*: blazing; '**~en** *v/i* (*sn*): ***~ auf*** (*acc*) *od.* ***gegen*** crash into.
Prämi|e ['prɛ:mĭə] *f* (-; -*n*) *Versicherungs≈ etc*: premium; *Preis*: prize; *Leistungs≈*: bonus; **≈eren** [prɛ'mi:rən], **≈ieren** [prɛmi'i:rən] *v/t* (*no ge-*, *h*) award a prize to.
Präpa|rat [prɛpa'ra:t] *n* (-[*e*]*s*; -*e*) preparation; **≈rieren** [-'ri:rən] *v/t* (*no ge-*, *h*) prepare; *sezieren*: dissect.
präsentieren [prɛzɛn'ti:rən] *v/t* (*no ge-*, *h*) present (***j-m et.*** s.o. with s.th.).
Präservativ [prɛzɛrva'ti:f] *n* (-*s*; -*e*) condom.
Präsid|ent [prɛzi'dɛnt] *m* (-*en*; -*en*) president; *Vorsitzender*: *a.* chairman; **~ium** [-'zi:dĭʊm] *n* (-*s*; -*dien*) presidency.
prasseln ['prasəln] *v/i* (*h*) *Regen etc*: patter; *Feuer*: crackle.
Praxis ['praksɪs] *f* (-; *Praxen*) practice (*a. jur., med.*); *Erfahrung*: experience; *~räume*: *med. Br.* surgery, *Am.* doctor's office: ***in der ~*** in practice; **~gebühr** *f med.* practice fee, *Am.* office fee.
Präzedenzfall [prɛtse'dɛnts-] *m* precedent: ***e-n ~ schaffen*** set a precedent.
präzis [prɛ'tsi:s] *adj* precise; **~ieren** [-i'zi:rən] *v/t* (*no ge-*, *h*) specify; **≈ion** [-i'zĭo:n] *f* (-; *no pl*) precision.
predig|en ['pre:dɪgən] *v/i u. v/t* (*h*) preach; **≈t** ['-çt] *f* (-; -*en*) sermon.
Preis [praɪs] *m* (-*es*; -*e*) price (*a. fig.*); *im Wettbewerb*: prize; *Film etc*: award; *Belohnung*: reward: ***um jeden ~*** at all costs; ***unter ~ verkaufen*** undersell; '**~änderung** *f* change in price: ***~en vorbehalten*** subject to change; '**~anstieg** *m* rise in prices; '**~ausschreiben** *n* competition; '**≈bewusst** *adj* price-conscious.
Preiselbeere ['praɪzəl-] *f* cranberry.
Preisempfehlung *f* recommended price: ***unverbindliche ~*** recommended retail price.
'**Preis|erhöhung** *f* price increase; '**~ermäßigung** *f* price reduction; '**≈gekrönt** *adj* prizewinning; *Film etc*: award-winning; '**~gericht** *n* jury; '**≈günstig** → ***preiswert***; '**~lage** *f* price range; '**~liste** *f* price list; '**~nachlass** *m* discount; '**~ni,veau** *n* price level; '**~rätsel** *n* competition; '**~richter** *m* judge; '**~senkung** *f* price cut; '**~stabilität** *f* price stability; '**~stopp** *m* price freeze; '**~träger** *m* prize winner; '**≈wert** *adj* cheap: ***~ sein*** *a.* be good value.
prell|en ['prɛlən] *v/t* (*h*) *fig.* cheat (***um*** out of): ***sich et. ~*** *med.* bruise s.th.; '**≈ung** *f* (-; -*en*) *med.* contusion, bruise.
Premiere [prə'mĭɛ:rə] *f* (-; -*n*) *thea. etc* first night, première.
Pre'miermi,nister [prə'mĭe:-] *m* prime minister.
Presse[1] ['prɛsə] *f* (-; -*n*) *tech.* press; *Saft≈*: squeezer.
Presse[2] [-] *f* (-; *no pl*) press; '**~agen,tur** *f* press agency; '**~ausweis** *m* press card; '**~bericht** *m* press report; '**~fotograf** *m* press photographer; '**~freiheit** *f* (-; *no pl*) freedom of the press; '**~meldung** *f* press report.
'**pressen** *v/t* (*h*) press; squeeze (***in*** *acc* into).
'**Pressevertreter** *m* reporter, *Br.* F pressman.
Pressluft ['prɛs-] *f* (-; *no pl*) compressed air; '**~bohrer** *m* pneumatic drill; '**~hammer** *m* pneumatic hammer.
Prestige [prɛs'ti:ʒə] *n* (-*s*; *no pl*) prestige; **~verlust** *m* loss of prestige (*od.* face).

P

Preuß|e ['prɔʏsə] *m* (*-n*; *-n*) Prussian; '**≈isch** *adj* Prussian.
Priester ['priːstər] *m* (*-s*; -) priest.
prima ['priːma] *adj* F great, super.
Primel ['priːməl] *f* (-; *-n*) *bot.* primrose.
primitiv [primi'tiːf] *adj* primitive.
Prinz [prɪnts] *m* (*-en*; *-en*) prince; **~essin** [~'tsɛsɪn] *f* (-; *-nen*) princess.
Prinzip [prɪn'tsiːp] *n* (*-s*; *-ien*) principle: ***aus*** (***im***) **~** on (in) principle; **≈iell** [~i'pĭɛl] *adv* on principle.
Prise ['priːzə] *f* (-; *-n*) *Salz etc*: pinch.
privat [pri'vaːt] *adj* private; *persönlich*: *a.* personal; **~ *versichert*** privately insured; **≈a,dresse** *f* private (*od.* home) address; **≈angelegenheit** *f* private matter: ***das ist m-e ~*** that's my affair; **≈besitz** *m* private property: ***in ~*** privately owned; **≈detek,tiv** *m* private detective; **≈eigentum** *n* → ***Privatbesitz***; **≈fernsehen** *n* private TV; **≈klinik** *f* private clinic; **≈leben** *n* private life; **≈pat,ient** *m* private patient; **≈quar,tier** *n* private accommodation; **≈vorsorge** *f für das Alter*: private pension scheme, *für die Gesundheit*: health insurance scheme; **≈wirtschaft** *f* (-; *no pl*) private enterprise.
Privileg [privi'leːk] *n* (*-[e]s*; *-ien*) privilege.
pro [proː] *prp* per: ***2 Euro ~ Stück*** 2 euros each.
Pro [~] *n*: ***das ~ u. Kontra*** the pros and cons *pl*.
Probe ['proːbə] *f* (-; *-n*) *Erprobung*: trial, test; *Muster, Beispiel*: sample; *thea.* rehearsal: ***auf ~*** on probation; ***auf die ~ stellen*** (put to the) test; **~ *fahren*** test-drive, take a test-drive; '**~aufnahmen** *pl Film, TV*: screen test *sg*; '**~fahrt** *f* test-drive; '**≈n** *v/i u. v/t* (*h*) *thea.* rehearse; '**≈weise** *adv* on a trial basis; *Person*: *a.* on probation; '**~zeit** *f* (time of) probation.
probieren [pro'biːrən] *v/t* (*no ge-*, *h*) try; *kosten*: *a.* taste.
Problem [pro'bleːm] *n* (*-s*; *-e*) problem; **~atik** [~e'maːtɪk] *f* (-; *no pl*) problem(s *pl*); **≈atisch** *adj* problematic(al).
Produkt [pro'dukt] *n* (*-[e]s*; *-e*) product.
Produktion [produk'tsĭoːn] *f* (-; *-en*) production; *~smenge*: *a.* output; **~sausfall** *m* loss of production; **~skosten** *pl* production costs *pl*; **~smenge** *f* production, output; **~smittel** *pl* means *pl* of production; **~srückgang** *m* fall in production; **~ssteigerung** *f* increase in production.
produktiv [produk'tiːf] *adj* productive; **≈ität** [~tivi'tɛːt] *f* (-; *no pl*) productivity.
Produz|ent [produ'tsɛnt] *m* (*-en*; *-en*) producer; **≈ieren** [~'tsiːrən] *v/t* (*no ge-*, *h*) produce.
professionell [profɛsĭo'nɛl] *adj* professional.
Professor [pro'fɛsɔr] *m* (*-s*; *-en*) professor (***für*** of).
Profi ['proːfi] *m* (*-s*; *-s*) F pro; '**~...** *in Zssgn Fußball etc*: professional …
Profil [pro'fiːl] *n* (*-s*; *-e*) profile (*a. fig.*); *Reifen≈*: tread; **≈ieren** [~i'liːrən] *v/refl* (*no ge-*, *h*) distinguish o.s.
Profit [pro'fiːt] *m* (*-[e]s*; *-e*) profit; **≈abel** [~i'taːbəl] *adj* profitable; **≈ieren** [~i'tiːrən] *v/i* (*no ge-*, *h*) profit (***von, bei*** by, from).
Prognose [pro'gnoːzə] *f* (-; *-n*) prediction; *Wetter*: forecast; *med.* prognosis.
Programm [pro'gram] *n* (*-s*; *-e*) program(me); *TV Kanal*: *a.* channel; *Computer*: program; **≈ieren** [~'miːrən] *v/t* (*no ge-*, *h*) program; **~ierer** [~'miːrər] *m* (*-s*; -) programmer; **~iersprache** [~'miːr~] *f* programming language.
Projekt [pro'jɛkt] *n* (*-[e]s*; *-e*) project; **~or** [~ɔr] *m* (*-s*; *-en*) projector.
Pro-'Kopf-Einkommen *n* per capita income.
Prokur|a [pro'kuːra] *f* (-; *-ren*) (full) power of attorney; **~ist** [~u'rɪst] *m* (*-en*; *-en*) authorized signatory.
Promillegrenze [pro'mɪlə~] *f* (blood) alcohol limit.
prominen|t [promi'nɛnt] *adj* prominent; **≈z** [~ts] *f* (-; *no pl*) prominent figures *pl*.
Promo|tion [promo'tsĭoːn] *f* (-; *-en*) *univ.* doctorate; **≈vieren** [~'viːrən] *v/i* (*no ge-*, *h*) do one's doctorate.
prompt [prɔmpt] *adj* prompt, quick.
prophezeien [profe'tsaɪən] *v/t* (*no ge-*, *h*) prophesy, predict, foretell.
Proportion [propɔr'tsĭoːn] *f* (-; *-en*) proportion.
Proporz [pro'pɔrts] *m* (*-es*; *-e*) proportional representation.
Prosa ['proːza] *f* (-; *no pl*) prose.
Prospekt [pro'spɛkt] *m* (*-[e]s*; *-e*) *Rei-*

P

se♀ *etc*: brochure.
prost [proːst] *int*. cheers!
Prostituierte [prɔstitu'iːrtə] *f* (*-n*; *-n*) prostitute.
Protest [pro'tɛst] *m* (*-[e]s*; *-e*) protest: ***aus* ~** in protest (***gegen*** against, at).
Protestant [protɛs'tant] *m* (*-en*; *-en*) Protestant; ♀**isch** *adj* Protestant.
protestieren [protɛs'tiːrən] *v/i* (*no ge-*, *h*) protest (***gegen*** against).
Pro'testpartei *f pol*. protest party.
Prothese [pro'teːzə] *f* (*-*; *-n*) *med*. artificial limb; *Zahn*♀: denture(s *pl*).
Protokoll [proto'kɔl] *n* (*-s*; *-e*) minutes *pl*; *Diplomatie*: protocol: **~ *führen*** take (down) the minutes; **~führer** *m* minute-taker; *jur*. clerk of the court; ♀**ieren** [-'liːrən] *v/t* (*no ge-*, *h*) take the minutes of.
protz|en ['prɔtsən] *v/i* (*h*) F show off (***mit et.*** [with] s.th.); **~ig** *adj* F showy.
Proviant [pro'vǐant] *m* (*-s*; *-e*) provisions *pl*, food.
Provinz [pro'vɪnts] *f* (*-*; *-en*) province; *fig. contp*. provinces *pl*; ♀**iell** [-'tsǐɛl] *adj* provincial (*a. fig. contp*.).
Provision [provi'zǐoːn] *f* (*-*; *-en*) *econ*. commission: ***auf* ~** on commission; **~sbasis** *f*: ***auf* ~** on a commission basis.
provisorisch [provi'zoːrɪʃ] *adj* provisional, temporary.
provozieren [provo'tsiːrən] *v/t* (*no ge-*, *h*) provoke.
Prozent [pro'tsɛnt] *n* (*-[e]s*; *-e*) *bsd. Br*. per cent, *bsd. Am*. percent: F **~*e*** *pl* discount *sg*; **~satz** *m* percentage; ♀**ual** [-'tǐaːl] *adj* proportional: ***~er Anteil*** percentage.
Prozess [pro'tsɛs] *m* (*-es*; *-e*) *Vorgang*: process (*a. chem*., *tech. etc*); *jur. Rechtsstreit*: lawsuit; *Straf*♀: trial: ***j-m den ~ machen*** take s.o. to court; ***e-n ~ gewinnen*** (***verlieren***) win (lose) a case.
prozessieren [protsɛ'siːrən] *v/i* (*no ge-*, *h*): ***gegen j-n ~*** bring an action against s.o.
Prozession [protsɛ'sǐoːn] *f* (*-*; *-en*) procession.
prüde ['pryːdə] *adj* prudish: **~ *sein*** be a prude.
prüf|en ['pryːfən] *v/t* (*h*) *ped*. examine, test; *nach~*: check; *über~*: inspect (*a. tech*.); *erproben*: test; *Vorschlag etc*: consider; '**~end** *adj Blick*: searching; '♀**er** *m* (*-s*; *-*) *ped*. examiner; *bsd. tech*. tester; '♀**ling** *m* (*-s*; *-e*) candidate; '♀**ung** *f* (*-*; *-en*) examination, F exam; test; check; inspection.
PS [peː'ɛs] *n* (*-*; *-*) *mot*. HP.
Pseudonym [psɔʏdo'nyːm] *n* (*-s*; *-e*) pseudonym.
pst [pst] *int*. *still*: ssh!; *hallo*: psst!
Psych|e ['psyːçə] *f* (*-*; *-n*) mind, psyche; **~iater** [psyçi'aːtər] *m* (*-s*; *-*) psychiatrist; ♀**iatrisch** [psyçi'aːtrɪʃ] *adj* psychiatric; '♀**isch** *adj* mental, *med. a*. psychic.
Psycho|ana'lyse [psyço-] *f* (*-*; *no pl*) psychoanalysis; **~loge** [-'loːgə] *m* (*-n*; *-n*) psychologist (*a. fig*.); **~logie** [-lo'giː] *f* (*-*; *no pl*) psychology; ♀**logisch** [-'loːgɪʃ] *adj* psychological; **~se** [psy'çoːzə] *f* (*-*; *-n*) psychosis.
Pubertät [pubɛr'tɛːt] *f* (*-*; *no pl*) puberty.
Publikum ['puːblikʊm] *n* (*-s*; *no pl*) audience; *TV a*. viewers *pl*; *Rundfunk*: *a*. listeners *pl*; *Sport*: crowd, spectators *pl*; *Lokal etc*: customers *pl*; *Öffentlichkeit*: public.
publizieren [publi'tsiːrən] *v/t* (*no ge-*, *h*) publish.
Pudding ['pʊdɪŋ] *m* (*-s*; *-e*) blancmange.
Pudel ['puːdəl] *m* (*-s*; *-*) *zo*. poodle.
Puder ['puːdər] *m*, F *n* (*-s*; *-*) powder; '**~dose** *f* powder compact; '♀**n** *v/t u. v/refl* (*h*): ***sich*** (***das Gesicht***) **~** powder one's face; '**~zucker** *m* icing (*Am*. confectioner's) sugar.
Puff [pʊf] *m*, *n* (*-s*; *-s*) F brothel; '**~er** *m* (*-s*; *-*) *rail. etc* buffer; '**~mais** *m* popcorn.
Pull|i ['pʊli] *m* (*-s*; *-s*) F, **~over** [pʊ'loːvər] *m* (*-s*; *-*) sweater, pullover, *Br. a*. jumper.
Puls [pʊls] *m* (*-es*; *-e*) pulse; *~zahl*: pulse rate: ***j-m den ~ fühlen*** feel s.o.'s pulse; '**~ader** *f anat*. artery.
Pult [pʊlt] *n* (*-[e]s*; *-e*) desk.
Pulver ['pʊlvər] *n* (*-s*; *-*) powder; F *fig*. dough; '**~kaffee** *m* instant coffee; '**~schnee** *m* powder snow.
Pumpe ['pʊmpə] *f* (*-*; *-n*) pump; '♀**n** *v/t* (*h*) pump (*a. v/i*); F *verleihen*: lend: ***sich et. ~*** borrow s.th. (***bei, von*** from).
Punker ['paŋkər] *m* (*-s*; *-*) punk.
Punkt [pʊŋkt] *m* (*-[e]s*; *-e*) point (*a. fig*.); *Tupfen*: dot; *Satzzeichen*: full stop, *Am*. period; *Stelle*: spot, place: ***um ~ zehn*** (***Uhr***) at ten (o'clock) sharp;

P

2ieren [-'ti:rən] *v/t* (*no ge-*, *h*) *med.* puncture.

pünktlich ['pʏŋktlɪç] **1.** *adj* punctual: **~ sein** be on time; **2.** *adv*: **~ um 10 (Uhr)** at ten (o'clock) sharp; **'2keit** *f* (-; *no pl*) punctuality.

Pupille [pu'pɪlə] *f* (-; *-n*) *anat.* pupil.

Puppe ['pʊpə] *f* (-; *-n*) doll; **'~nstube** *f bsd. Br.* doll's house, *Am.* dollhouse; **'~nwagen** *m Br.* doll's pram, *Am.* doll carriage.

pur [pu:r] *adj* pure (*a. fig.*); *Whisky*: neat, *Am.* straight.

Pute ['pu:tə] *f* (-; *-n*) *zo.* turkey (hen); **'~r** *m* (*-s*; -) *zo.* turkey (cock).

Putsch [pʊtʃ] *m* (*-es*; *-e*) putsch, coup (d'état); **putschen** *v/i* (*h*) revolt; **Putschversuch** *m* attempted putsch *od.* coup (d'état)

Putz [pʊts] *m* (*-es*; *no pl*) *arch.* plaster: **unter ~** *electr.* concealed; **'2en** *v/t* (*h*) clean; *Schuhe*, *Metall*: *a.* polish; *wischen*: wipe: **sich die Nase (Zähne) ~** blow one's nose (brush one's teeth); **'~frau** *f* cleaner, cleaning lady; **'~lappen** *m* cloth; **'~mittel** *n* clean(s)er; *Poliermittel*: polish.

Puzzle ['pazəl] *n* (*-s*; *-s*) jigsaw (puzzle).

Pyjama [py'dʒa:ma] *m* (*-s*; *-s*) (**ein ~** a pair of) pyjamas *pl* (*Am.* pajamas *pl*).

Pyramide [pyra'mi:də] *f* (-; *-n*) pyramid.

Pyrenäen [pyre'nɛ:ən] *the* Pyrenees.

Q

Quacksalber ['kvakzalbər] *m* (*-s*; -) quack.

Quadrat [kva'dra:t] *n* (-[*e*]*s*; *-e*) square; **2isch** *adj* square; **~meter** *m*, *a. n* square met|re (*Am.* -er); **~meterpreis** *m* price per square met|re (*Am.* -er).

quaken ['kva:kən] *v/i* (*h*) *Ente*: quack; *Frosch*: croak.

quälen ['kvɛ:lən] (*h*) **1.** *v/t* torment (*a. fig.*); *fig.* pester (**mit** with); **2.** *v/refl abmühen*: struggle (**mit** with).

Qualifi|kation [kvalifika'tsĭo:n] *f* (-; *-en*) qualification; **2zieren** [-'tsi:rən] *v/t u. v/refl* (*no ge-*, *h*) qualify (**für** for).

Qualit|ät [kvali'tɛ:t] *f* (-; *-en*) quality; **2ativ** [-a'ti:f] *adj* qualitative.

Quali'täts|kontrolle *f* quality control; **~management** *n* (*-s*; *no pl*) quality management; **2orientiert** *adj* quality-oriented; **~sicherung** *f* quality assurance; **~standard** *m* quality standard; **~ware** *f coll.* quality goods *pl*.

Qualm [kvalm] *m* (-[*e*]*s*; *no pl*) (thick) smoke; **'2en** *v/i* (*h*) smoke.

Quantit|ät [kvanti'tɛ:t] *f* (-; *-en*) quantity; **2ativ** [-a'ti:f] *adj* quantitative.

Quarantäne [karan'tɛ:nə] *f* (-; *-n*) quarantine: **unter ~ stellen** put in quarantine.

Quark [kvark] *m* (*-s*; *no pl*) quark.

Quartal [kvar'ta:l] *n* (*-s*; *-e*) quarter (year).

Quartett [kvar'tɛt] *n* (-[*e*]*s*; *-e*) *mus.* quartet(te).

Quartier [kvar'ti:r] *n* (*-s*; *-e*) accommodation.

Quarz [kva:rts] *m* (*-es*; *-e*) *min.* quartz; **'~uhr** *f* quartz watch (*od.* clock).

Quatsch [kvatʃ] *m* (*-es*; *no pl*) F rubbish: **~ machen** fool around; do s.th. stupid; **~ reden** talk rubbish; **'2en** *v/i* (*h*) F talk rubbish; *plaudern*: chat.

Quecksilber ['kvɛk-] *n* mercury, quicksilver.

Quelle ['kvɛlə] *f* (-; *-n*) spring, source (*a. fig.*); *Öl2*: well; **'2n** *v/i* (*quoll*, *gequollen*, *sn*) pour (*a. fig.*); *Blut*: *a.* gush (*beide*: **aus** out of, from); **'~nangabe** *f* reference; **'~nsteuer** *f* withholding tax.

quer [kve:r] *adv* crossways, crosswise; *diagonal*: diagonally; *rechtwinklig*: at right angles: **~ über** (*acc od. dat*) across; **'2e** *f*: **j-m in die ~ kommen** get in s.o.'s way; **'2schnitt** *m* cross-section (*a. fig.*: **durch** of); **'~schnitt(s)gelähmt** *adj med.* paraplegic; **'2straße** *f* intersecting road: **zweite ~ rechts** second turning on the right.

Querulant [kveru'lant] *m* (*-en*; *-en*) troublemaker.

quetsch|en ['kvɛtʃən] (*h*) **1.** *v/t* squeeze (**in** *acc* into): **sich die Hand in der Tür ~** get one's hand caught in the door; **2.** *v/refl med.* bruise o.s.: **sich ~ in** (*acc*) squeeze (o.s.) into; **'2ung** *f* (-; *-en*) *med.* bruise, contusion.

quietschen ['kviːtʃən] *v/i* (*h*) squeal (***vor*** *dat* with); *Bremsen*, *Reifen*: *a.* screech; *Tür, Bett etc*: squeak, creak.
quitt [kvɪt] *adj*: ***mit j-m ~ sein*** be quits (*od.* even) with s.o.; **~ieren** [-'tiːrən] *v/t* (*no ge-*, *h*) give a receipt for: ***den Dienst ~*** resign; '**Sung** *f* (-; *-en*) receipt: ***gegen ~*** on receipt; ***das ist die ~ für …*** *fig.* that's what you get for …
Quote ['kvoːtə] *f* (-; *-n*) quota; *Anteil*: share; *Rate*: rate; '**~nbringer** *m TV* ratings booster; '**~nhit** *m TV* ratings hit; '**~nregelung** *f* quota regulations *pl.*
Quotient [kvo'tsĭɛnt] *m* (*-en*; *-en*) *math.* quotient.

R

Rabatt [ra'bat] *m* (-[*e*]*s*; *-e*) *econ.* discount (***auf*** *acc* on).
Rache ['raxə] *f* (-; *no pl*) revenge: ***aus ~*** in (*od.* out of) revenge (***für*** for).
Rachen ['raxən] *m* (*-s*; -) *anat.* throat.
räche|n ['rɛçən] (*h*) **1.** *v/t* avenge; **2.** *v/refl* get one's revenge: ***sich an j-m ~*** revenge o.s. on s.o. (***für*** for); '**Sr** *m* (*-s*; -) avenger.
'**rachsüchtig** *adj* revengeful, vindictive.
Rad [raːt] *n* (-[*e*]*s*; *¨er*) wheel; *FahrS*: bicycle, F bike; ***~ fahren*** cycle, ride a bicycle.
Radar [ra'daːr] *m*, *n* (*-s*; *no pl*) radar; **~falle** *f* speed trap; **~kon͵trolle** *f* radar speed check; **~schirm** *m* radar screen.
Radau [ra'daʊ] *m* (*-s*; *no pl*) F row, racket.
radeln ['raːdəln] *v/i* (*sn*) F cycle, bike.
Rädelsführer ['rɛːdəls-] *m* ringleader.
'**radfahre|n** → ***Rad***; '**Sr** *m* cyclist.
Radiergummi [ra'diːr-] *m* eraser, *Br. a.* rubber.
Radieschen [ra'diːsçən] *n* (*-s*; -) *bot.* (red) radish.
radikal [radi'kaːl] *adj* radical; **Se** *m*, *f* (*-n*; *-n*) radical; **Sismus** [-a'lɪsmʊs] *m* (-; *no pl*) radicalism.
Radio ['raːdĭo] *n* (*-s*; *-s*) radio: ***im ~*** on the radio; ***~ hören*** listen to the radio; **Sak'tiv** *adj phys.* radioactive: → ***Niederschlag***; '**~re͵korder** *m* radio cassette recorder; '**~wecker** *m* clock radio.
Radius ['raːdĭʊs] *m* (-; *Radien*) radius.
'**Rad|kappe** *f* hubcap; '**~rennen** *n* cycle race; '**~sport** *m* cycling; **~tour** *f*, '**~wanderung** *f* bicycle tour; '**~weg** *m* cycle track.
Raffi|nerie [rafinə'riː] *f* (-; *-n*) *chem.* refinery; **Sniert** [-'niːrt] *adj schlau*: shrewd, clever, cunning.
ragen ['raːgən] *v/i* (*h*): ***~ aus*** rise (*horizontal*: project) from; ***~ über*** (*acc*) tower (*od.* loom) above.
Ragout [ra'guː] *n* (*-s*; *-s*) *gastr.* ragout.
Rahm [raːm] *m* (-[*e*]*s*; *no pl*) cream.
rahmen ['raːmən] *v/t* (*h*) frame; *Dias*: mount.
Rahmen [-] *m* (*-s*; -) frame; *Gefüge*: framework; *Hintergrund*: setting; *Bereich*: scope: ***aus dem ~ fallen*** be out of the ordinary; '**~bedingungen** *pl* general conditions *pl*; '**~pro͵gramm** *n* supporting program(me).
Rakete [ra'keːtə] *f* (-; *-n*) rocket, *mil. a.* missile.
rammen ['ramən] *v/t* (*h*) ram.
Rampe ['rampə] *f* (-; *-n*) ramp.
Ramsch [ramʃ] *m* (*-es*; *no pl*) junk.
Rand [rant] *m* (-[*e*]*s*; *¨er*) edge, border; *Abgrund etc*: brink (*a. fig.*); *Teller, Brille*: rim; *Hut, Glas*: brim; *Seite*: margin: ***am ~(e) des Ruins*** (***Krieges*** *etc*) on the brink of ruin (war *etc*).
randaliere|n [randa'liːrən] *v/i* (*no ge-*, *h*) riot; **Sr** *m* (*-s*; -) rioter; *Rowdy*: hooligan.
'**Rand|bemerkung** *f* marginal note; *fig.* passing remark; '**~gruppe** *f* fringe group; '**Slos** *adj Brille*: rimless; '**~streifen** *m mot.* (*Br.* hard) shoulder.
Rang [raŋ] *m* (-[*e*]*s*; *¨e*) *mil.* rank; *Stellung*: standing, status: ***Ränge*** *pl Stadion*: terraces *pl*; ***erster ~*** *thea.* dress circle; ***ersten ~es*** first-class, first-rate.
rangieren [rã'ʒiːrən] *v/i* (*no ge-*, *h*): ***~ vor*** (*dat*) rank above.
'**Rangordnung** *f* hierarchy.
ranzig ['rantsɪç] *adj* rancid.
rar [raːr] *adj* rare, scarce; **Sität** [rari'tɛːt] *f* (-; *-en*) *Sache*: curiosity; *Seltenheit*:

rarity.

rasch [raʃ] *adj* quick, swift; *sofortig*: prompt.

rascheln ['raʃəln] *v/i* (*h*) rustle.

rasen [ˌ] *v/i* **a)** (*sn*) F race, tear, speed **b)** (*h*) *vor Wut, Sturm*: rage: **~ (*vor Begeisterung*)** be wild with enthusiasm; **'~d** *adj Tempo*: breakneck; *wütend*: raging; *Schmerz*: agonizing; *Kopfschmerz*: splitting; *Beifall*: thunderous: ***~ machen*** drive mad.

Rasen ['ra:zən] *m* (*-s*; -) lawn.

'Rasenmäher *m* (*-s*; -) lawnmower.

Raser ['ra:zər] *m* (*-s*; -) *mot.* F speeder.

Ra'sier|appa,rat [ra'zi:rˌ] *m* (safety) razor: ***elektrischer ~*** electric razor (*od.* shaver); **~creme** *f* shaving cream; **'2en** *v/refl* (*no ge-, h*) shave; **~er** *m* (*-s*; -) → ***Rasierapparat***; **~klinge** *f* razor blade; **~pinsel** *m* shaving brush; **~schaum** *m* shaving foam; **~wasser** *n* (*-s*; -, ⸗) aftershave (lotion).

Rasse ['rasə] *f* (-; *-n*) race; *zo.* breed; **'~ndiskrimi,nierung** *f* racial discrimination; **'~ntrennung** *f* (racial) segregation; **'~nunruhen** *pl* race riots *pl.*

Rassis|mus [ra'sɪsmʊs] *m* (-; *no pl*) racism; **~t** *m* (*-en*; *-en*) racist; **2tisch** *adj* racist.

Rast [rast] *f* (-; *no pl*) rest; *Pause*: *a.* break; **'2en** *v/i* (*h*) (take a) rest; **'~platz** *m* place for a rest; *mot. Br.* lay-by, *Am.* rest stop; **'~stätte** *f mot.* service area.

Rasur [ra'zu:r] *f* (-; *-en*) shave.

Rat[1] [ra:t] *m* (-[*e*]*s*; *Ratschläge*) advice: ***j-n um ~ fragen*** ask s.o.'s advice; → ***Ratschlag.***

Rat[2] [ˌ] *m* (-[*e*]*s*; ⸗*e*) *pol.* council.

Rate ['ra:tə] *f* (-; *-n*) *econ.* instal(l)ment; *Geburten2 etc*: rate: ***auf ~n*** in instal(l)ments.

raten ['ra:tən] *v/t u. v/i* (*riet, geraten, h*) advise; *er~*: guess; *Rätsel*: solve: ***j-m zu et. ~*** advise s.o. to do s.th.; ***rate mal!*** (have a) guess!

'Raten|kauf *m Br.* hire purchase, *bsd. Am.* instal(l)ment plan; **'~zahlung** *f* → ***Abzahlung.***

'Rat|geber *m* (*-s*; -) adviser, counsel(l)or; *Buch*: guide (***über*** *acc* to); **'~haus** *n* town (*Am.* city) hall.

ratifizieren [ratifi'tsi:rən] *v/t* (*no ge-, h*) ratify.

Ration [ra'tsi̯o:n] *f* (-; *-en*) ration; **2al** [ˌo'na:l] *adj* rational; **2alisieren** [ˌonali'zi:rən] *v/t* (*no ge-, h*) rationalize; **~ali'sierung** *f* (-; *-en*) rationalization; **2ell** [ˌo'nɛl] *adj* efficient; *sparsam*: economical; **2ieren** [ˌo'ni:rən] *v/t* (*no ge-, h*) ration; **~ierung** [ˌo'ni:rʊŋ] *f* (-; *-en*) rationing.

'rat|los *adj* at a loss; **'~sam** *adj* advisable, wise; **'2schlag** *m* piece of advice: ***ein paar gute Ratschläge*** some good advice *sg.*

Rätsel ['rɛ:tsəl] *n* (*-s*; -) puzzle; *~frage*: riddle (*beide a. fig.*); *Geheimnis*: mystery; **'2haft** *adj* puzzling; mysterious.

Ratte ['ratə] *f* (-; *-n*) *zo.* rat.

rau [raʊ] *adj* rough, rugged (*a. fig.*); *Klima, Stimme*: *a.* harsh; *Hände etc*: chapped; *Hals*: sore.

Raub [raʊp] *m* (-[*e*]*s*; *no pl*) robbery; *Beute*: loot, booty; **2en** ['ˌbən] *v/t* (*h*) steal: ***j-m et. ~*** rob s.o. of s.th. (*a. fig.*)

Räuber ['rɔʏbər] *m* (*-s*; -) robber.

'Raub|fisch *m* predatory fish; **'~mord** *m* murder with robbery; **'~mörder** *m* murderer and robber; **'~tier** *n* beast of prey; **'~überfall** *m* holdup, robbery; *auf der Straße*: *a.* mugging; **'~vogel** *m* bird of prey.

Rauch [raʊx] *m* (-[*e*]*s*; *no pl*) smoke; **'2en** *v/i u. v/t* (*h*) smoke: F ***e-e ~*** have a smoke; **2 *verboten!*** no smoking; **'~er** *m* (*-s*; -) smoker; **'~erab,teil** *m* smoking compartment; **'~erhusten** *m med.* smoker's cough.

räuchern ['rɔʏçərn] *v/t* (*h*) smoke.

'Rauchverbot *n* ban on smoking: ***hier ist ~*** there's no smoking here.

raufe|n ['raʊfən] (*h*) **1.** *v/t*: ***sich die Haare ~*** tear one's hair; **2.** *v/i u. v/refl* fight, scuffle (***mit*** with; ***um*** for); **2'rei** *f* (-; *-en*) fight, scuffle.

rauh → ***rau***; **'2reif** → ***Raureif.***

Raum [raʊm] *m* (-[*e*]*s*; *Räume*) room; *Platz*: *a.* space; *Gebiet*: area; *Welt2*: (outer) space: ***im ~ München*** in the Munich area; **'~anzug** *m* spacesuit.

räumen ['rɔʏmən] *v/t* (*h*) *Wohnung*: move out of; *Hotelzimmer*: check out of; *Saal, Unfallstelle, econ. Lager etc.* clear; *Gebiet*: evacuate: ***s-e Sachen ~ in*** (*acc*) put one's things away in.

'Raum|fähre *f* space shuttle; **'~fahrt** *f* (-; *no pl*) space travel; *Wissenschaft*: astronautics *pl* (*sg konstr.*); **'~fahrtzentrum** *n* space cent|re (*Am.* -er); **'~flug** *m* space flight; **'~inhalt** *m* volume, ca-

R

pacity; '**~kapsel** *f* space capsule.
räumlich ['rɔʏmlɪç] *adj* three-dimensional.
'**Raum|schiff** *n* spacecraft; *bsd. bemanntes*: *a.* spaceship; '**~sonde** *f* space probe; '**~stati,on** *f* space station.
'**Räumung** *f* (-; *-en*) clearing, *bsd. econ.* clearance; evacuation; *jur.* eviction; '**~sverkauf** *m econ.* clearance sale.
raunen ['raʊnən] *v/t u. v/i* (*h*) whisper, murmur.
Raupe ['raʊpə] *f* (-; *-n*) *zo.* caterpillar.
'**Raureif** *m* hoarfrost.
raus [raʊs] *int* F get out (of here)!
Rausch [raʊʃ] *m* (-[*e*]*s*; *Räusche*) drunkenness, intoxication: ***e-n ~ haben*** be drunk; ***s-n ~ ausschlafen*** sleep it off; '**≗en** *v/i* **a**) (*h*) *Wind, Wasser*: rush; *Bach*: murmur **b**) (*sn*) F *fig. Person*: sweep; '**≗end** *adj Applaus*: thunderous.
'**Rauschgift** *n* drug(s *pl coll.*); '**~handel** *m* drug trafficking; '**~händler** *m* drug trafficker; '**~sucht** *f* drug addiction; '**≗süchtig** *adj* drug-addicted; '**~süchtige** *m, f* drug addict.
räuspern ['rɔʏspərn] *v/refl* (*h*) clear one's throat.
Razzia ['ratsĭa] *f* (-; *-zien*) raid (***auf*** *acc*, ***in*** *dat* on).
reagieren [reˀa'giːrən] *v/i* (*no ge-, h*) react (***auf*** *acc* to).
Reaktion [reˀak'tsĭoːn] *f* (-; *-en*) reaction (***auf*** *acc* to).
Reaktor [re'ˀaktɔr] *m* (*-s*; *-en*) *phys.* reactor.
real [re'aːl] *adj* real; *konkret*: concrete; **≗einkommen** *n* real income; **~isieren** [reali'ziːrən] *v/t* (*no ge-, h*) realize; **≗ismus** [rea'lɪsmʊs] *m* (-; *no pl*) realism; **≗ist** [rea'lɪst] *m* (*-en*; *-en*) realist; **~istisch** [rea'lɪstɪʃ] *adj* realistic; **≗ität** [reali'tɛːt] *f* (-; *-en*) reality.
Rechen ['rɛçən] *m* (*-s*; -) rake.
'**Rechen|anlage** *f* computer; '**~fehler** *m* mistake, miscalculation; '**~ma,schine** *f* calculator; '**~schaft** *f* (-; *no pl*): (***j-m***) ***~ ablegen über*** (*acc*) account (to s.o.) for; ***j-m ~ schuldig sein*** be answerable to s.o.; ***zur ~ ziehen*** call to account (***wegen*** for); '**~schaftsbericht** *m* report, statement.
rechn|en ['rɛçnən] (*h*) **1.** *v/t* calculate; *veranschlagen*: reckon (on): ***j-n ~ zu*** count s.o. among; **2.** *v/i* calculate: ***~ mit*** *erwarten*: expect; *bauen auf*: count on; '**≗er** *m* (*-s*; -) calculator; *Computer*: computer; '**~ergesteuert** *adj* computer-controlled; '**≗ung** *f* (-; *-en*) calculation; bill, *Am., im Lokal*: check; *econ.* invoice: ***die ~, bitte!*** can I have the bill, please; ***auf ~*** on account; ***das geht auf m-e ~*** *im Lokal*: it's on me; '**≗ungsbetrag** *m* invoice total.
recht [rɛçt] **1.** *adj* right (*a. pol.*); *richtig*: correct: ***auf der ~en Seite*** on the right(-hand side); ***mir ist es ~*** I don't mind; **2.** *adv* right(ly), correctly; *ziemlich*: rather, quite: ***ich weiß nicht ~*** I don't really know; ***du kommst gerade ~*** you're just in time (***zu*** for); → ***geschehen***; ***~ haben*** be right; ***j-m ~ geben*** agree with s.o.
Recht [~] *n* (-[*e*]*s*; *-e*) right; *Anspruch*: *a.* claim (*beide*: ***auf*** *acc* to); *Gesetz*: law; *Gerechtigkeit*: justice: ***gleiches ~*** equal rights *pl*; ***im ~ sein*** be in the right; ***ein ~ haben auf*** (*acc*) be entitled to; ***alle ~e vorbehalten*** all rights reserved.
'**Rechte** *m, f* (*-n*; *-n*) *pol.* rightist, right-winger.
'**Rechteck** *n* (-[*e*]*s*; *-e*) rectangle; '**≗ig** *adj* rectangular.
rechtfertig|en ['~fɛrtɪgən] (*h*) **1.** *v/t* justify; **2.** *v/refl* justify o.s.; '**≗ung** *f* (-; *-en*) justification: ***zu s-r ~*** in his defen|ce (*Am.* -se).
recht|haberisch ['~haːbərɪʃ] *adj* self-opinionated; '**~lich** *adj* legal.
'**rechtmäßig** *adj* lawful, legal; *Anspruch, Besitzer etc*: legitimate; '**≗keit** *f* (-; *no pl*) lawfulness, legality; legitimacy.
rechts [rɛçts] *adv* on the right: ***nach ~*** (to the) right; ***~ von*** to the right of.
'**Rechts|abbieger** *m* (*-s*; -) motorist *etc* turning right; '**~anspruch** *m* legal claim (***auf*** *acc* to); '**~anwalt** *m* → ***Anwalt***; '**~berater** *m* legal adviser.
'**Rechtschreib|fehler** *m* spelling mistake; '**~prüfprogramm** *n Computer*: spellchecker; '**~reform** *f* spelling reform; '**~ung** *f* spelling.
'**Rechts|extre,mismus** *m pol.* right-wing extremism; '**~extre,mist** *m* right-wing extremist; '**≗extre,mistisch** *adj* extremely right-wing; '**~fall** *m* (law) case; **~händer** ['~hɛndər] *m* (*-s*; -) right-hander: ***~ sein*** be right-handed.

R

'**Rechtsprechung** *f* (-; *no pl*) administration of justice.

'**rechts|radi,kal** *adj pol.* radically right-wing; '**2radi,kale** *m, f* right-wing radical; '**2radika,lismus** *m* right-wing radicalism; '**2schutz** *m* legal protection; '**2schutzversicherung** *f* legal costs insurance; '**2staat** *m* constitutional state; '**2steuerung** *f mot.* right-hand drive; '**2streit** *m* lawsuit, action; '**2verkehr** *m*: ***in Deutschland ist ~*** in Germany they drive on the right; '**2weg** *m* course of law: ***auf dem ~*** by legal action; ***den ~ beschreiten*** take legal action; '**~widrig** *adj* illegal, unlawful.

'**recht|winklig** *adj* right-angled, rectangular; '**~zeitig 1.** *adj* timely; *pünktlich*: punctual; **2.** *adv* in time (***zu*** for); *pünktlich*: on time.

Recorder → ***Rekorder.***

recyc|eln [ri'saıkəln] *v/t* (*no ge-, h*) recycle; **2ling** [-klıŋ] *n* (*-s; no pl*) recycling; **2lingpa,pier** *n* recycled paper.

Redakt|eur [redak'tøːr] *m* (*-s; -e*) editor; **~ion** [-'tsĭoːn] *f* (-; *-en*) *Personal*: editorial staff (*a. pl konstr.*); *Abteilung*: editorial department.

Rede ['reːdə] *f* (-; *-n*) speech: ***zur ~ stellen*** take to task (***wegen*** for); ***nicht der ~ wert*** not worth mentioning; '**2n** *v/i u. v/t* (*h*) speak, talk (*beide*: ***mit*** to, with; ***über*** *acc* about): ***j-n zum 2 bringen*** get s.o. to talk; '**~nsart** *f* expression, saying.

Redner ['reːdnər] *m* (*-s; -*) speaker; '**~pult** *n* lectern.

reduzieren [redu'tsiːrən] *v/t* (*no ge-, h*) reduce (***auf*** *acc* to).

Reeder ['reːdər] *m* (*-s; -*) shipowner; **~ei** [-'raı] *f* (-; *-en*) shipping company.

reell [re'ɛl] *adj Preis etc*: reasonable, fair; *Chance*: real; *Firma*: solid.

Refer|at [refe'raːt] *n* (*-[e]s; -e*) report; *Vortrag*: *a.* lecture; *ped., univ.* paper; *Dienststelle*: department: ***ein ~ halten*** report; (give a) lecture; give a paper (*alle*: ***über*** *acc* on); **~enz** [-'rɛnts] *f* (-; *-en*) reference; *Person*: referee: ***~en*** *pl Zeugnisse*: credentials *pl.*

Reflex [re'flɛks] *m* (*-es; -e*) reflex.

Reform [re'fɔrm] *f* (-; *-en*) reform; **~er** *m* (*-s; -*) reformer; **~haus** *n* health food shop (*Am.* store); **2ieren** [-'miːrən] *v/t* (*no ge-, h*) reform; **~kost** *f* health food(s *pl*); **~poli,tik** *f* reformist policy.

Refrain [rə'frɛ̃ː] *m* (*-s; -s*) refrain, chorus.

Regal [re'gaːl] *n* (*-s; -e*) shelves *pl.*

Regel ['reːgəl] *f* (-; *-n*) rule; *physiol.* period: ***in der ~*** as a rule; '**2mäßig** *adj* regular; '**2n** *v/t* (*h*) regulate; *tech. a.* adjust; *Angelegenheit etc*: settle; '**~ung** *f* (-; *-en*) regulation; adjustment; settlement; *Steuerung*: control.

regen ['reːgən] *v/t u. v/refl* (*h*) move, stir.

Regen [-] *m* (*-s; -*) rain; '**~bogen** *m* rainbow; '**~guss** *m* downpour; '**~mantel** *m* raincoat; '**~schauer** *m* shower; '**~schirm** *m* umbrella; '**~tag** *m* rainy day; '**~tropfen** *m* raindrop; '**~wasser** *n* (*-s; no pl*) rainwater; '**~wetter** *n* (*-s; no pl*) rainy weather; '**~wurm** *m zo.* earthworm; '**~zeit** *f* rainy season; *Tropen*: *the rains pl.*

Regie [re'ʒiː] *f* (-; *no pl*) *thea. Film*: direction: ***unter der ~ von*** directed by.

regier|en [re'giːrən] (*no ge-, h*) **1.** *v/i* reign; **2.** *v/t* govern, rule; **2ung** *f* (-; *-en*) government, *bsd. Am.* administration; *e-s Monarchen*: reign.

Re'gierungs|bezirk *m* administrative district; **~chef** *m* head of government; **~wechsel** *m* change of government.

Regime [re'ʒiːm] *n* (*-s; -*) *pol.* regime; **~kritiker** *m* dissident.

Regiment [regi'mɛnt] *n* (*-[e]s; -e*) *pol.* rule; *mil.* regiment.

Region [re'gĭoːn] *f* (-; *-en*) region; **2al** [-o'naːl] *adj* regional.

Regisseur [reʒı'søːr] *m* (*-s; -e*) director; *thea. Br. a.* producer.

Regist|er [re'gıstər] *n* (*-s; -*) *in Büchern*: index; **2rieren** [-'triːrən] *v/t* (*no ge-, h*) register (*a. fig.*), record; **~rierkasse** [-'triːr-] *f* cash register.

Regler ['reːglər] *m* (*-s; -*) *tech.* control (knob).

regne|n ['reːgnən] *v/impers* (*h*) rain: ***es regnet in Strömen*** it is pouring with rain; '**~risch** *adj* rainy.

Regress [re'grɛs] *m* (*-es; -e*) *econ., jur.* recourse; **~anspruch** *m* claim of recourse; **2pflichtig** *adj* liable to recourse.

regulär [regu'lɛːr] *adj* regular; *üblich*: normal.

regulier|bar [regu'liːrbaːr] *adj* adjustable; *steuerbar*: controllable; **~en** *v/t* (*no ge-, h*) regulate, adjust; *steuern*:

control.

Regulierungsbehörde *f* regulatory body, regulatory authority.

Regung ['re:gʊŋ] *f* (-; *-en*) movement, motion; *Gefühls*≗: emotion; *Eingebung*: impulse; ≗**slos** *adj* motionless.

Reh [re:] *n* (-[*e*]*s*; *-e*) *zo.* (roe) deer; *gastr.* venison.

rehabilitieren [rehabili'ti:rən] (*no ge-, h*) **1.** *v/t med.* rehabilitate, *jur. a.* vindicate; **2.** *v/refl jur.* rehabilitate (*od.* vindicate) o.s., clear one's name.

Reh|bock ['-bɔk] *m* (-[*e*]*s*; ⸗*e*) *zo.* roebuck; '**~braten** *m gastr.* roast venison; '**~keule** *f gastr.* leg of venison; '**~rücken** *m gastr.* saddle of venison.

reib|en ['raɪbən] (*rieb, gerieben, h*) **1.** *v/t* rub; *zerkleinern*: grate: ***sich die Augen (Hände)* ~** rub one's eyes (hands); **2.** *v/i* chafe; '≗**ung** *f* (-; *-en*) *tech.* friction (*a. fig.*).

reich [raɪç] *adj* rich (***an*** *dat* in), wealthy; *Ernte, Vorräte*: rich, abundant: ***~e Auswahl*** wide selection.

Reich [-] *n* (-[*e*]*s*; *-e*) empire, kingdom (*a. eccl., bot., zo.*); *fig.* world.

reichen ['raɪçən] (*h*) **1.** *v/t*: ***j-m et.* ~** hand (*od.* pass) s.o. s.th.; **2.** *v/i aus~*: last, do, be enough: **~ *bis*** reach (*od.* come up) to; ***das reicht*** that will do; ***mir reicht's!*** I've had enough.

'**reich|haltig** *adj* rich; '**~lich 1.** *adj* rich plentiful; *Zeit, Geld etc*: plenty of; **2.** *adv ziemlich*: rather; *großzügig*: generously; '≗**tum** *m* (*-s*; ⸗*er*) wealth (***an*** *dat* of) (*a. fig.*); '≗**weite** *f* reach; *aer., mil., Funk etc*: range: ***in*** (***außer***) (***j-s***) **~** within (out of) (s.o.'s) reach.

reif [raɪf] *adj* ripe; *bsd. Mensch*: mature.

Reif [-] *m* (-[*e*]*s*; *no pl*) hoarfrost.

Reife ['raɪfə] *f* (-; *no pl*) ripeness; maturity.

reifen ['raɪfən] *v/i* (*sn*) ripen; mature (***zu*** into).

Reifen [-] *m* (*-s*; *-*) *mot. etc bsd. Br.* tyre, *Am.* tire; '**~druck** *m* tyre (*Am.* tire) pressure; '**~panne** *f* puncture, *bsd. Am.* F flat; '**~wechsel** *m* tyre (*Am.* tire) change.

'**reiflich** *adj* careful.

Reihe ['raɪə] *f* (-; *-n*) line, row (*a. Sitz*≗); *Anzahl*: number; *Serie*: series: ***der* ~ *nach*** in turn; ***ich bin an der* ~** it's my turn; → ***parken***; '**~nfolge** *f* order; '**~nhaus** *n* terraced (*Am.* row) house; '≗**nweise** *adv* F *fig.* by the dozen.

Reim [raɪm] *m* (-[*e*]*s*; *-e*) rhyme; '≗**en** *v/refl* (*h*) rhyme (***auf*** *acc* with).

rein [raɪn] *adj* pure (*a. fig.*); *sauber*: clean; *Gewissen*: clear; *Wahrheit*: plain; *nichts als*: mere, sheer, nothing but; '≗**fall** *m* F flop; *Enttäuschung*: letdown; '≗**gewinn** *m* net profit.

reinig|en ['raɪnɪgən] *v/t* (*h*) clean; *Luft etc*: purify; *chemisch*: dry-clean; '≗**ung** *f* (-; *-en*) cleaning; purification; *chemische*: dry-cleaning; *Firma*: (dry) cleaners *pl* (*sg konstr.*): ***in der* ~** at the cleaners; ***in die* ~ *bringen*** take to the cleaners; '≗**ungsmittel** *n* detergent, cleaner.

Reis [raɪs] *m* (*-es*; *no pl*) *bot.* rice.

Reise ['raɪzə] *f* (-; *-n*) *allg.* trip; *zu Lande*: *a.* journey; *mar.* voyage (*alle*: ***nach*** to); *Rund*≗: tour (***in*** *dat* of): ***s-e* ~*n*** his travels; ***auf* ~*n sein*** be travel(l)ing; ***e-e* ~ *machen*** take a trip; ***gute* ~*!*** have a nice trip!; '**~andenken** *n* souvenir; '**~apo,theke** *f* first-aid kit; '**~bekanntschaft** *f* travel(l)ing acquaintance; '**~bü,ro** *n* travel agent('s) (*od.* agency); '≗**fertig** *adj* ready to start; '**~fieber** *n*: **~ *haben*** be all excited about one's journey; '**~führer** *m* guide(book); '**~gepäck** *n* → ***Gepäck***; '**~gepäckversicherung** *f* baggage insurance; '**~gesellschaft** *f* tourist party; '**~kosten** *pl* travel expenses *pl*; '**~leiter** *m* tour guide, *bsd. Br.* courier; '**~lek,türe** *f* s.th. to read on the trip; '≗**n** *v/i* (*sn*) travel (***nach*** to): ***durch Frankreich* ~** tour France; ***ins Ausland* ~** go abroad; '**~nde** *m, f* (*-n*; *-n*) travel(l)er; *Fahrgast*: passenger; '**~pass** *m* passport; '**~pro,spekt** *m* travel brochure; '**~ruf** *m Rundfunk*: emergency call; '**~scheck** *m Br.* traveller's cheque, *Am.* traveler's check; '**~spesen** *pl* travel expenses *pl*; '**~tasche** *f* travel(l)ing bag, *Br.* holdall, *Am.* carryall; '**~thrombose** *f med.* deep vein thrombosis (*abbr.* ***DVT***), F economy class syndrome; '**~unterlagen** *pl* travel documents *pl*; '**~verkehr** *m* holiday (*Am.* vacation) traffic; '**~wecker** *m* travel(l)ing alarm clock; '**~wetterbericht** *m* holiday (*Am.* vacation) weather report; '**~ziel** *n* destination.

'**Reißbrett** *n* drawing board.

reißen ['raɪsən] (*riss, gerissen*) **1.** *v/t* (*h*)

R

tear (***in Stücke*** to pieces): ***j-m et. aus der Hand ~*** snatch s.th. away from s.o.; **2.** *v/i* **a)** (*sn*) tear **b)** (*h*): ***~ an*** (*dat*) tear (*od.* tug) at; **3.** *v/refl* (*h*): ***sich ~ um*** fight over; '**~d** *adj Fluss*: torrential: ***~en Absatz finden*** sell like hot cakes.

'**Reißer** *m* (*-s*; -) F *Film etc*: thriller; '**Ꙩisch** *adj Schlagzeile*: sensational; *Farben, Werbung*: loud.

'**Reiß|nagel** *m* → ***Reißzwecke***; '**~verschluss** *m bsd. Br.* zip (fastener), *bsd. Am.* zipper: ***den ~ aufmachen*** (***zumachen***) unzip (zip up); **~zwecke** ['-tsvɛkə] *f* (-; *-n*) *Br.* drawing pin, *Am.* thumbtack.

reit|en ['raɪtən] (*ritt, geritten*) **1.** *v/i* (*sn*) ride; **2.** *v/t* (*h*) ride; '**Ꙩer** *m* (*-s*; -) rider, horseman; '**Ꙩerin** *f* (-; *-nen*) rider, horsewoman; '**Ꙩpferd** *n* saddle (*od.* riding) horse.

Reiz [raɪts] *m* (*-es*; *-e*) charm, attraction, appeal; *Kitzel*: thrill; *med., psych.* stimulus: ***(für j-n) den ~ verlieren*** lose one's appeal (for s.o.); '**Ꙩbar** *adj* irritable, excitable; '**Ꙩen** *v/t* (*h*) irritate (*a. med.*); *ärgern*: *a.* annoy; *bsd. Tier*: bait; *herausfordern*: provoke; *anziehen*: appeal to, attract; *(ver)locken*: tempt; *Aufgabe etc*: challenge; '**Ꙩend** *adj* charming, delightful; *hübsch*: lovely, sweet, *Am.* cute; '**~klima** *n* bracing climate; '**Ꙩlos** *adj* unattractive; '**~ung** *f* (-; *-en*) irritation (*a. med.*); provocation; '**Ꙩvoll** *adj* attractive; *Aufgabe etc*: challenging; '**~wäsche** *f* sexy underwear; '**~wort** *n* dirty word.

Reklamation [reklama'tsi̯oːn] *f* (-; *-en*) complaint.

Reklame [re'klaːmə] *f* (-; *-n*) *Werbung*: advertising; *Anzeige*: ad(vertisement): ***~ machen für*** advertise; **Re'klame...** *in Zssgn* → ***Werbeabteilung*** *etc.*

R

reklamieren [rekla'miːrən] *v/i* (*no ge-, h*) complain (***wegen*** about).

Rekord [re'kɔrt] *m* (-[*e*]*s*; *-e*) record.

Rekorder [re'kɔrdər] *m* (*-s*; -) recorder.

Rekrut [re'kruːt] *m* (*-en*; *-en*) *mil.* recruit.

relativ [rela'tiːf] *adj* relative.

Relief [re'li̯ɛf] *n* (*-s*; *-s, -e*) relief.

Religi|on [reli'gi̯oːn] *f* (-; *-en*) religion; **Ꙩös** [-'gi̯øːs] *adj* religious.

Reling ['reːlɪŋ] *f* (-; *-s*) *mar.* rail.

Reliquie [re'liːkvi̯ə] *f* (-; *-n*) relic.

rempeln ['rɛmpəln] *v/t* (*h*) jostle.

Rendezvous [rãdə'vuː] *n* (-; - [-'vuːs]) date.

Rendite [rɛn'diːtə] *f* (-; *-n*) *econ.* yield.

rennen ['rɛnən] *v/i* (*rannte, gerannt, sn*) run, rush, tear.

Rennen [-] *n* (*-s*; -) race (*a. fig.*); *Einzel*Ꙩ: heat.

'**Renn|fahrer** *m mot.* racing driver; *Rad*Ꙩ: racing cyclist; '**~läufer** *m* ski racer; '**~pferd** *n* racehorse; '**~rad** *n* racing bicycle, racer; '**~wagen** *m* racing car.

renommiert [renɔ'miːrt] *adj* famous, noted (*beide*: ***wegen*** for).

renovieren [reno'viːrən] *v/t* (*no ge-, h*) renovate, F do up; *Innenraum*: redecorate.

rentab|el [rɛn'taːbəl] *adj* profitable; **Ꙩilität** [-abili'tɛːt] *f* (-; *no pl*) profitability.

Rente ['rɛntə] *f* (-; *-n*) (old-age) pension: ***in ~ gehen*** retire; '**~nalter** *n* retirement age; '**~nversicherung** *f* pension scheme.

rentieren [rɛn'tiːrən] *v/refl* (*no ge-, h*) → ***lohnen.***

Rentner ['rɛntnər] *m* (*-s*; -) pensioner.

Reparatur [repara'tuːr] *f* (-; *-en*) repair; **~werkstatt** *f* repair shop; *mot.* garage.

reparieren [repa'riːrən] *v/t* (*no ge-, h*) repair, mend, F fix.

Report|age [repɔr'taːʒə] *f* (-; *-n*) report; **~er** [re'pɔrtər] *m* (*-s*; -) reporter.

Repräsent|ant [reprɛzɛn'tant] *m* (*-en*; *-en*) representative; **~antenhaus** *n Am. parl.* House of Representatives; **Ꙩativ** [-a'tiːf] *adj* representative (***für*** of); *imposant*: impressive; **Ꙩieren** [-'tiːrən] *v/t* (*no ge-, h*) represent.

Repressalie [reprɛ'saːli̯ə] *f* (-; *-n*) reprisal.

reprivatisier|en [reprivati'ziːrən] *v/t* (*no ge-, h*) *econ.* denationalize; **Ꙩung** *f* (-; *-en*) denationalization.

Reprodu|ktion [reprodʊk'tsi̯oːn] *f* (-; *-en*) reproduction, print; **Ꙩzieren** [-du'tsiːrən] *v/t* (*no ge-, h*) reproduce.

Republik [repu'bliːk] *f* (-; *-en*) republic.

Reservat [rezɛr'vaːt] *n* (-[*e*]*s*; *-e*) *Wild*Ꙩ: reserve; *Indianer*Ꙩ: reservation.

Reserve [re'zɛrvə] *f* (-; *-n*) reserve; **~ka,nister** *m mot.* spare can; **~rad** *n mot.* spare wheel.

reservier|en [rezɛr'viːrən] *v/t* (*no ge-, h*) reserve (*a.* ***~ lassen***): ***j-m e-n Platz***

~ keep a seat for s.o.; ~t *adj* reserved (*a. fig.*); ²ung *f* (-; *-en*) reservation.

Residenz [rezi'dɛnts] *f* (-; *-en*) residence.

Resign|ation [rezigna'tsi̯oːn] *f* (-; *no pl*) resignation; **²ieren** [-'gniːrən] *v/i* (*no ge-, h*) give up; **²iert** *adj* [-'gniːrt] *adj* resigned.

resozialisier|en [rezotsi̯ali'ziːrən] *v/t* (*no ge-, h*) rehabilitate; **²ung** *f* (-; *-en*) rehabilitation.

Respekt [re'spɛkt] *m* (-[*e*]*s*; *no pl*) respect (***vor*** *dat* for); **²ieren** [-'tiːrən] *v/t* (*no ge-, h*) respect; **²los** *adj* disrespectful; **²voll** *adj* respectful.

Ressort [rɛ'soːr] *n* (*-s*; *-s*) department: *Zuständigkeit*: province.

Rest [rɛst] *m* (-[*e*]*s*; *-e*) rest: **~*e*** *pl Überreste*: remains *pl*, remnants *pl* (*a. econ.*); *Essen*: leftovers *pl*; ***das gab ihm den ~*** that finished him (off).

Restaurant [rɛsto'rãː] *n* (*-s*; *-s*) restaurant.

restaurieren [rɛstau̯'riːrən] *v/t* (*no ge-, h*) restore.

'**Rest|bestand** *m econ.* remaining stock; '**~betrag** *m* balance; '**²lich** *adj* remaining; '**²los** *adv* completely; '**~müll** *m* non-recyclable waste; '**~urlaub** *m* unused holiday (*bsd. Am.* vacation).

Resultat [rezʊl'taːt] *n* (-[*e*]*s*; *-e*) result (*a. Sport*), outcome.

rette|n ['rɛtən] *v/t* (*h*) save, rescue (*beide*: ***aus, vor*** *dat* from): ***j-m das Leben ~*** save s.o.'s life; '**²r** *m* (*-s*; -) rescuer.

Rettich ['rɛtɪç] *m* (*-s*; *-e*) *bot.* radish.

'**Rettung** *f* (-; *-en*) rescue (***aus, vor*** *dat* from): ***das war s-e ~*** that saved him; '**~sboot** *n* lifeboat; '**~smannschaft** *f* rescue party; '**~sring** *m* life belt.

Revanch|e [re'vãːʃə] *f* (-; *-n*) revenge; **²ieren** [-ã'ʃiːrən] *v/refl* (*no ge-, h*) take revenge (***an*** *dat* on); *Dank*: return the favo(u)r.

Revier [re'viːr] *n* (*-s*; *-e*) *allg.* district; *zo., fig.* territory; → ***Polizeirevier.***

Revision [revi'zi̯oːn] *f* (-; *-en*) *econ.* audit; *jur.* appeal; *Änderung*: revision: ***~ einlegen*** lodge an appeal.

Revolt|e [re'vɔltə] *f* (-; *-n*) revolt; **²ieren** [-'tiːrən] *v/i* (*no ge-, h*) revolt.

Revolution [revolu'tsi̯oːn] *f* (-; *-en*) revolution; **²är** [-o'nɛːr] *adj* revolutionary; **²ieren** [-o'niːrən] *v/t* (*no ge-, h*) revolutionize.

Revolver [re'vɔlvər] *m* (*-s*; -) revolver, gun.

Rezept [re'tsɛpt] *n* (-[*e*]*s*; *-e*) *med.* prescription; *Koch²*: recipe (*a. fig. Mittel*); **²frei** *adj* over-the-counter; **~ion** [-'tsi̯oːn] *f* (-; *-en*) reception (desk); **²pflichtig** *adj* prescription(-only).

Rezession [retsɛ'si̯oːn] *f* (-; *-en*) *econ.* recession.

R-Gespräch ['ɛr-] *n teleph.* reverse-charge (*Am.* collect) call.

Rhabarber [ra'barbər] *m* (*-s*; *no pl*) *bot.* rhubarb.

Rhein [raɪn] *the* Rhine.

Rheinland-Pfalz ['raɪnlant'pfalts] „Rhineland-Palatinate.

Rheuma ['rɔʏma] *n* (*-s*; *no pl*) *med.* rheumatism.

Rhodos ['rɔdɔs] Rhodes.

rhythm|isch ['rʏtmɪʃ] *adj* rhythmic(al); **²us** ['-mʊs] *m* (-; *-men*) rhythm.

richten ['rɪçtən] (*h*) **1.** *v/t allg.* fix; (*vor-*) *bereiten*: *a.* get *s.th.* ready, prepare; *Zimmer, Haar etc*: *a.* do: ***~ an*** (*acc*) *Frage*: put to; ***~ auf*** (*acc*) *Waffe, Kamera etc*: point (*od.* aim) at; **2.** *v/refl*: ***sich ~ nach*** go by, act according to; *Mode, Beispiel*: follow; *abhängen von*: depend on; ***ich richte mich ganz nach dir*** I leave it to you.

'**Richter** *m* (*-s*; -) judge; '**²lich** *adj* judicial.

'**Richtgeschwindigkeit** *f mot.* recommended speed.

'**richtig 1.** *adj allg.* right; *korrekt*: *a.* correct; *wahr*: true; *echt, wirklich, typisch*: real; **2.** *adv*: ***~ nett*** (***böse***) really nice (angry); ***et. ~ machen*** do s.th. right; ***~ stellen*** → ***richtigstellen***; ***m-e Uhr geht ~*** my watch is right; '**²keit** *f* (-; *no pl*) correctness; truth; '**~stellen** *v/t* (*sep, -ge-, h*) put right.

'**Richt|linien** *pl* guidelines *pl*; '**~preis** *m econ.* recommended price.

'**Richtung** *f* (-; *-en*) direction; '**²weisend** *adj fig.* pioneering.

riechen ['riːçən] *v/i u. v/t* (*roch, gerochen, h*) smell (***nach*** of; ***an*** *dat* at).

Riegel ['riːgəl] *m* (*-s*; -) bolt, bar (*a. Schokolade*).

Riemen ['riːmən] *m* (*-s*; -) strap; *Gürtel, tech.* belt; *mar.* oar.

Riese ['riːzə] *m* (*-n*; *-n*) giant (*a. fig.*).

rieseln ['riːzəln] *v/i* (*sn*) *Sand etc*: trickle; *Schnee*: fall gently.

'**Riesen|erfolg** *m* huge success; *Film etc*: *a.* smash hit; '**~rad** *n* Ferris wheel.

riesig ['ri:zɪç] *adj* enormous, gigantic.

Riff [rɪf] *n* (-[*e*]*s*; -*e*) reef.

Rille ['rɪlə] *f* (-; -*n*) groove.

Rind [rɪnt] *n* (-[*e*]*s*; -*er*) *Kuh*: cow; *Stier*: bull; *Fleisch*: beef: **~er** *pl* cattle *pl*.

Rinde ['rɪndə] *f* (-; -*n*) *bot.* bark; *Käse***2**: rind; *Brot***2**: crust.

Rinder|braten ['rɪndər~] *m* roast beef; '**~wahn(sinn)** *m* mad-cow disease, BSE.

'**Rind|fleisch** *n* beef; '**~(s)leder** *n* cowhide.

Ring [rɪŋ] *m* (-[*e*]*s*; -*e*) ring (*a. fig.*); *mot.* ring road; *U-Bahn etc*: circle (line); '**~buch** *n* loose-leaf (*od.* ring) binder.

ringen ['rɪŋən] (*rang, gerungen, h*) **1.** *v/i* wrestle (***mit*** with); *fig. a.* struggle (against, with; ***um*** for): ***nach Atem ~*** gasp (for breath); **2.** *v/t Hände*: wring.

'**Ringfinger** *m* ring finger.

rings [rɪŋs] *adv*: ***~ um*** around.

'**Ringstraße** *f* ring road.

Rinn|e ['rɪnə] *f* (-; -*n*) *Fahr***2** *etc*: channel; *Dach***2**: gutter; '**2en** *v/i* (*rann, geronnen, sn*) run (*a. Schweiß etc*); *strömen*: flow, stream; '**~stein** *m* gutter.

Rippe ['rɪpə] *f* (-; -*n*) *anat.* rib; '**~nfell** *n anat.* pleura; '**~nfellentzündung** *f med.* pleurisy.

Risiko ['ri:ziko] *n* (-*s*; -*s*, -*ken*) risk: ***ein*** (***kein***) ***~ eingehen*** take a risk (no risks); ***auf eigenes ~*** at one's own risk.

risk|ant [rɪs'kant] *adj* risky; **~ieren** [~'ki:rən] *v/t* (*no ge-, h*) risk.

Riss [rɪs] *m* (-*es*; -*e*) tear, rip, split (*a. fig.*); *Sprung*: crack; *in der Haut*: chap.

rissig ['rɪsɪç] *adj* full of tears; *Haut etc*: chappy; *brüchig*: cracky, cracked.

R

Ritt [rɪt] *m* (-[*e*]*s*; -*e*) ride.

Rival|e [ri'va:lə] *m* (-*n*; -*n*) rival; **2isieren** [~ali'zi:rən] *v/i* (*no ge-, h*) rival (***mit j-m*** s.o.); **~ität** [~ali'tɛ:t] *f* (-; -*en*) rivalry.

Robbe ['rɔbə] *f* (-; -*n*) *zo.* seal.

Robe ['ro:bə] *f* (-; -*n*) robe, gown.

Roboter ['rɔbɔtər] *m* (-*s*; -) robot.

robust [ro'bʊst] *adj* robust.

Rock [rɔk] *m* (-[*e*]*s*; ¨*e*) skirt.

roden ['ro:dən] *v/t* (*h*) *Land*: clear.

Roggen ['rɔgən] *m* (-*s*; -) *bot.* rye.

roh [ro:] *adj* raw; *unbearbeitet*: rough; *Handlung*: brutal: ***mit ~er Gewalt*** by brute force; '**2bau** *m* (-[*e*]*s*; -*ten*) *arch.* shell; '**2kost** *f* raw vegetables and fruit; '**2materi,al** *n* raw material; '**2öl** *n* crude oil.

Rohr [ro:r] *n* (-[*e*]*s*; -*e*) *tech.* pipe.

Röhre ['rø:rə] *f* (-; -*n*) tube; *Leitungs***2**, *Luft***2**, *Speise***2**: pipe; *Bild***2**: tube.

'**Rohstoff** *m* raw material; '**2arm** *adj* lacking in raw materials; '**2reich** *adj* rich in raw materials.

Rolladen → ***Rollladen.***

'**Rollbahn** *f aer.* runway.

Rolle ['rɔlə] *f* (-; -*n*) roll; *unter Möbeln*: castor, caster; *thea.* part, role (*beide a. fig.*): ***das spielt keine ~*** that doesn't matter, that makes no difference; ***aus der ~ fallen*** forget o.s.

'**rollen** *v/i* (*sn*) *u. v/t* (*h*) roll.

'**Roller** *m* (-*s*; -) *mot.* scooter.

'**Roll|film** *m phot.* roll film; '**~kragenpullover** *m bsd. Br.* polo-neck sweater, *bsd. Am.* turtleneck (sweater).

'**Rollladen** *m* shutters *pl*.

Rollo ['rɔlo] *n* (-*s*; -*s*) *Br.* (roller) blind, *Am.* shade.

'**Roll|stuhl** *m* wheelchair; '**~stuhlfahrer** *m* person in a wheelchair; '**~treppe** *f* escalator.

Rom [ro:m] Rome.

Roman [ro'ma:n] *m* (-[*e*]*s*; -*e*) novel; **~schriftsteller** *m* novelist.

romantisch [ro'mantɪʃ] *adj* romantic.

Röm|er ['rø:mər] *m* (-*s*; -) Roman; *Glas*: rummer; **2isch** *adj* Roman.

röntgen ['rœntgən] *v/t* (*h*) *med.* X-ray; '**2appa,rat** *m* X-ray unit; '**2aufnahme** *f*, '**2bild** *n* X-ray; '**2strahlen** *pl* X-rays *pl*.

rosa ['ro:za] *adj* pink.

Rose ['ro:zə] *f* (-; -*n*) *bot.* rose; '**~nkohl** *m bot.* Brussels sprouts *pl*; '**~nkranz** *m eccl.* rosary.

rosig ['ro:zɪç] *adj* rosy (*a. fig.*).

Rosine [ro'zi:nə] *f* (-; -*n*) raisin.

Rost[1] [rɔst] *m* (-[*e*]*s*; -*e*) grate; *Brat***2**: grill.

Rost[2] [~] *m* (-[*e*]*s*; *no pl*) rust; '**2en** *v/i* (sn *od.* h) rust, get rusty.

rösten ['rœstən] *v/t* (*h*) *Fleisch*: roast, grill; *Brot*: toast; *Kartoffeln*: fry.

'**Rost|fleck** *m* rust stain; '**2frei** *adj* rustproof; *Stahl*: stainless; '**2ig** *adj* rusty (*a. fig.*).

rot [ro:t] *adj* red: ***~ werden*** blush; ***in den ~en Zahlen stehen*** be in the red.

Rot[-] *n* (*-s*; -) red: ***die Ampel steht auf ~*** the lights are red; '**≈blond** *adj* sandy(-haired).

Röte ['røːtə] *f* (-; *no pl*) redness; *Scham≈*: blush; '**~ln** *pl med.* German measles *pl* (*sg konstr.*); '**≈n** *v/refl* (*h*) redden; *Gesicht*: *a.* flush.

'**rothaarig***adj* red-haired.

rotieren[ro'tiːrən] *v/i* (*no ge-*, *h*) rotate, revolve.

'**Rotkohl***m* red cabbage.

rötlich['røːtlıç] *adj* reddish.

'**Rot|stift** *m* red pencil; '**~wein** *m* red wine.

Route['ruːtə] *f* (-; *-n*) route.

Routin|e[ru'tiːnə] *f* (-; *no pl*) routine; *Erfahrung*: experience; **~ekon,trolle** *f* routine check; **~esache** *f* routine (matter); **≈iert** [-i'niːrt] *adj* experienced.

Rowdy ['raʊdi] *m* (*-s*; *-s*) hooligan; '**~tum** *n* (*-s*; *no pl*) hooliganism.

Rübe['ryːbə] *f* (-; *-n*) *bot.* turnip: ***Gelbe ~*** carrot; ***Rote ~*** beetroot.

Rubrik[ru'briːk] *f* (-; *-en*) *Kategorie*: category; *Spalte*: column.

Ruck[rʊk] *m* (*-[e]s*; *-e*) jerk, jolt, start; *fig. pol.* swing.

Rückantwort['rʏk-] *f* reply; '**~karte** *f* reply-paid postcard.

'**ruckartig***adj* jerky, abrupt.

'**Rück|blende***f* flashback (***auf*** *acc* to); '**~blick** *m* review (***auf*** *acc* of); '**≈da,tieren** *v/t* (*only inf u. pp rückdatiert*, *h*) backdate.

rücken ['rʏkən] **1.** *v/t* (*h*) move, shift, push; **2.** *v/i* (*sn*) move; *Platz machen*: move over: ***näher ~*** move closer; *zeitlich*: draw near.

Rücken[-] *m* (*-s*; -) back (*a. fig.*); '**~deckung** *f fig.* backing, support; '**~lehne** *f* back(rest); '**~mark** *n anat.* spinal cord; '**~schmerzen** *pl* backache *sg*; '**~wind** *m* following wind; '**~wirbel** *m anat.* dorsal vertebra.

'**rück|erstatten** *v/t* (*only inf u. pp rückerstattet*, *h*) refund; '**≈erstattung** *f* refund; '**≈fahrkarte** *f* return (*Am.* round-trip) ticket; '**≈fahrscheinwerfer** *m mot.* reversing (*Am.* backup) light; '**≈fahrt** *f* return journey (*od.* trip): ***auf der ~*** on the way back; '**≈fall** *m med.* relapse (*a. fig.*); '**~fällig** *adj*: ***~ werden*** *jur.* reoffend; *fig.* have a relapse; '**≈flug** *m* return flight; '**≈frage** *f* query; '**~fragen** *v/i* (*only inf u. pp rückgefragt*, *h*) check (***bei*** with); '**≈gabe** *f* return; '**≈gang** *m* decline, drop (*beide*: *gen* in); '**~gängig** *adj*: ***~ machen*** cancel; **≈grat** ['-graːt] *n* (*-[e]s*; *-e*) *anat.* backbone (*a. fig.*), spine; '**≈halt** *m* support; '**≈kauf** *m* repurchase; '**≈lagen** *pl* reserve(s *pl*), savings *pl*; '**≈lauf** *m Bandgerät*: rewind; **~läufig** ['-lɔʏfıç] *adj* declining, downward; '**≈licht** *n mot.* rear light, taillight; '**≈porto** *n mail.* return postage; '**≈reise** *f* → ***Rückfahrt***; '**≈reiseverkehr** *m* homebound traffic; '**≈reisewelle** *f* homebound wave of traffic.

'**Rucksack** *m* rucksack; *großer*: backpack; '**~tou,rismus** *m* backpacking; '**~tou,rist** *m* backpacker.

'**Rück|schlag***m fig.* setback; '**~schluss** *m*: ***Rückschlüsse ziehen aus*** draw conclusions from; '**~schritt** *m* step back; '**~seite** *f* back; *Münze*: reverse; *Platte*: flip side; '**~sendung** *f* return; '**~sicht** *f* (-; *no pl*) consideration: ***aus*** (***ohne***) ***~ auf*** (*acc*) out of (without any) consideration for; ***~ nehmen auf*** (*acc*) show consideration for; '**≈sichtslos** *adj* inconsiderate (***gegen*** of), thoughtless (of); *skrupellos*: ruthless; *Fahren etc*: reckless; '**≈sichtsvoll** *adj* considerate (***gegen*** of), thoughtful; '**~sitz** *m mot.* back seat; '**~spiegel** *m mot.* rearview mirror; '**~stand** *m chem.* residue: ***mit der Arbeit im ~ sein*** be behind with one's work; '**≈ständig** *adj fig.* backward; *Land*: *a.* underdeveloped: ***~e Miete*** arrears *pl* of rent; '**~stau** *m mot.* tailback; '**~tritt** *m* resignation; *vom Vertrag*: withdrawal (from); '**≈vergüten** *v/t* (*only inf u. pp rückvergütet*, *h*) refund; '**~vergütung** *f* refund; **≈wärts** ['-vɛrts] *adv* backward(s): ***~ aus … (in*** *acc* …) ***fahren*** (*od.* ***gehen***) back out of … (into …); '**~wärtsgang** *m mot.* reverse (gear); '**~weg** *m* way back.

'**ruckweise***adv* jerkily, in jerks.

'**rück|wirkend***adv*: ***der Vertrag gilt ~ ab*** the contract will be backdated to; '**≈wirkung** *f* repercussion (***auf*** *acc* on); '**≈zahlung** *f* repayment; '**≈zug** *m* retreat.

Ruder ['ruːdər] *n* (*-s*; -) *mar. Steuer≈*, *aer. Seiten≈*: rudder; *Riemen*: oar: ***am ~*** at the helm (*a. fig.*); '**~boot** *n Br.* rowing boat, *Am.* rowboat; '**≈n** *v/i* (*h od. sn*) *u. v/t* (*h*) row.

R

Ruf [ru:f] *m* (-[*e*]*s*; -*e*) call (*a. fig.*); *Schrei*: cry, shout; *Ansehen*: reputation; '**&n** *v/i u. v/t* (*rief, gerufen, h*) call (*a. Arzt etc*), cry, shout: **~ nach** call for (*a. fig.*); **~ lassen** send for; → **Hilfe**; '**~nummer** *f* telephone number; '**~weite** *f*: **in (außer) ~** within (out of) calling distance).

Rüge ['ry:gə] *f* (-; -*n*) reproof, reproach (*beide*: **wegen** for); '**&n** *v/t* (*h*) reprove, reproach.

Ruhe ['ru:ə] *f* (-; *no pl*) *Stille*: quiet, calm; *Schweigen*: silence; *Erholung, Stillstand, a. phys.*: rest; *Frieden*: peace; *Gemüts&*: calm(ness): **zur ~ kommen** come to rest; **j-n in ~ lassen** leave s.o. in peace; **lass mich in ~!** leave me alone!; **et. in ~ tun** take one's time (doing s.th.); **die ~ behalten** keep (one's) cool; **sich zur ~ setzen** retire; **~, bitte!** quiet, please; '**&los** *adj* restless; '**&n** *v/i* (*h*) rest (**auf** *dat* on); '**~pause** *f* break; '**~stand** *m* retirement: **im ~** retired; **in den ~ treten (versetzen)** retire (retire, pension off); '**~störer** *m* (-*s*; -) *bsd. jur.* disturber of the peace; '**~störung** *f* disturbance (of the peace); '**~tag** *m* rest day; *Lokal*: closing day: **Montag ~** closed (on) Mondays.

ruhig ['ru:ıç] *adj* quiet; *leise, schweigsam*: *a.* silent; *unbewegt*: calm; *Mensch*: *a.* cool; *tech.* smooth: **~ bleiben** keep (one's) cool.

Ruhm [ru:m] *m* (-[*e*]*s*; *no pl*) fame; *bsd. pol., mil. etc* glory.

Ruhr [ru:r] *f* (-; -*en*) *med.* dysentery.

Rühr|eier ['ry:r-] *pl* scrambled eggs *pl*; '**&en** *v/t u. v/refl* (*h*) stir; (*sich*) *bewegen*: *a.* move; *fig. innerlich*: move, touch: **das rührt mich gar nicht** that leaves me cold; '**&end** *adj* touching, moving; *mitleiderregend*: pathetic; '**&selig** *adj* sentimental; '**~ung** *f* (-; *no pl*) emotion.

Ruhrgebiet ['ru:rgəbi:t] *the* Ruhr.

Ruin [ru'i:n] *m* (-*s*; *no pl*) ruin.

Ruine [ru'i:nə] *f* (-; -*n*) ruin(s *pl*).

ruinieren [rui'ni:rən] *v/t* (*no ge-, h*) ruin.

rülpse|n ['rylpsən] *v/i* (*h*) belch; '**&r** *m* (-*s*; -) belch.

Rumän|e [ru'mɛ:nə] *m* (-*n*; -*n*) Romanian; **&isch** *adj* Romanian.

Rumänien [ru'mɛ:nĭən] Romania.

Rummel ['rʊməl] *m* (-*s*; *no pl*) F *Geschäftigkeit*: (hustle and) bustle; *Reklame&*: F ballyhoo: **großen ~ machen um** make a big fuss (*od.* to-do) about; '**~platz** *m* F amusement park, fairground.

Rumpelkammer ['rʊmpəl-] *f* junk room, *Br. a.* lumber room.

Rumpf [rʊmpf] *m* (-*es*; ⸗*e*) *anat.* trunk; *mar.* hull; *aer.* fuselage.

rümpfen ['rʏmpfən] *v/t* (*h*): **die Nase ~** turn up one's nose (**über** *acc* at).

rund [rʊnt] **1.** *adj* round (*a. fig.*); **2.** *adv ungefähr*: about: **~ um** (a)round; '**&blick** *m* panorama; **&e** ['-də] *f* (-; -*n*) round (*a. fig. u. Sport*); *Rennsport*: lap: **die ~ machen** *Nachricht etc*: go the rounds; '**&fahrt** *f* tour (**durch** of).

'**Rundfunk** *m* radio: **im ~** on the radio; **im ~ übertragen** (*od.* **senden**) broadcast; '**~hörer** *m* listener; '**~sender** *m* broadcasting (*od.* radio) station.

'**Rund|gang** *m* tour (**durch** of); '**~reise** *f* tour (**durch** of); '**~schreiben** *n* circular (letter).

runter... ['rʊntər] F → **heruntergekommen** *etc.*

Runz|el ['rʊntsəl] *f* (-; -*n*) wrinkle; '**&(e)lig** *adj* wrinkled; '**&eln** *v/t* (*h*): **die Stirn ~** frown (**über** *acc* at).

Rüpel ['ry:pəl] *m* (-*s*; -) lout; '**&haft** *adj* loutish.

rupfen ['rʊpfən] *v/t* (*h*) pluck: → **Hühnchen.**

Ruß [ru:s] *m* (-*es*; *no pl*) soot.

Russe ['rʊsə] *m* (-*n*; -*n*) Russian.

Rüssel ['rʏsəl] *m* (-*s*; -) trunk; *Schweins&*: snout.

'**ruß|en** *v/i* (*h*) smoke; '**~ig** *adj* sooty.

russisch ['rʊsıʃ] *adj* Russian.

Russland ['rʊslant] Russia.

rüsten ['rʏstən] (*h*) **1.** *v/i mil.* arm; **2.** *v/refl* get ready, prepare (**zu, für** for); arm o.s. (**gegen** for).

rüstig ['rʏstıç] *adj* sprightly.

'**Rüstung** *f* (-; -*en*) *mil.* armament; '**~sindu,strie** *f* armaments industry; '**~swettlauf** *m* arms race.

rutsch|en ['rʊtʃən] *v/i* (*sn*) slide, slip (*a. aus~*); *gleiten*: glide; *mot. etc* skid; '**~ig** *adj* slippery.

rütteln ['rʏtəln] (*h*) **1.** *v/t* shake; **2.** *v/i* jolt: **an der Tür ~** rattle at the door.

R

S

Saal ['za:l] *m* (-[*e*]*s*; *Säle*) hall.

Saarland ['za:rlant] *the* Saar.

Sabot|age [zabo'ta:ʒə] *f* (-; -*n*) sabotage; **~eur** [~'tø:r] *m* (-*s*; -*e*) saboteur; **ᘓieren** [~'ti:rən] *v/t* (*no ge*-, *h*) sabotage.

Sach|bearbeiter ['zax~] *m* (-*s*; -) clerk in charge (***für*** of); '**~beschädigung** *f* damage to property; '**ᘓdienlich** *adj*: ***~e Hinweise*** *pl* relevant information *sg*.

Sache ['zaxə] *f* (-; -*n*) thing; *Angelegenheit*: matter, business; (*Streit*)*frage*: issue, problem, question; *Anliegen*: cause; *jur.* matter, case: **~n** *pl allg.* things *pl*; *Kleidung*: *a.* clothes *pl*; ***zur ~ kommen*** (***bei der ~ bleiben***) come (keep) to the point; ***nicht zur ~ gehören*** be irrelevant.

'**sach|gemäß** *adj*, **~gerecht** *adj* proper; '**ᘓkenntnis** *f* expert knowledge; '**ᘓlage** *f* (-; *no pl*) state of affairs, situation; '**~lich 1.** *adj nüchtern*: matter-of-fact; *unparteiisch*: unbias(s)ed, objective; *Gründe etc*: practical, technical; **2.** *adv*: ***~ richtig*** factually correct; '**ᘓregister** *n* (subject) index; '**ᘓschaden** *m* material damage.

Sachsen ['zaksən] Saxony.

Sachsen-Anhalt ['zaksən'anhalt] Saxony-Anhalt.

sacht [zaxt] *adj* soft, gentle.

'**Sach|verhalt** *m* (-[*e*]*s*; -*e*) facts *pl* (of the case); '**~verstand** *m* know-how; '**~verständige** *m*, *f* (-*n*; -*n*) expert; *jur.* expert witness; '**~wert** *m* real value.

Sack [zak] *m* (-[*e*]*s*; *¨e*) sack, bag; V *Hoden*: balls *pl*; '**~gasse** *f* dead-end street, cul-de-sac; *fig.* dead end, impasse, deadlock.

Sadis|mus [za'dɪsmʊs] *m* (-; *no pl*) sadism; **~t** *m* (-*en*; -*en*) sadist; **ᘓtisch** *adj* sadistic.

säen ['zɛ:ən] *v/t u. v/i* (*h*) sow (*a. fig.*).

Safe [se:f] *m* (-*s*; -*s*) safe.

Saft [zaft] *m* (-[*e*]*s*; *¨e*) juice; '**ᘓig** *adj* juicy (*a. Witz*); *Wiese*: lush; *Preis*: steep.

Sage ['za:gə] *f* (-; -*n*) legend.

Säge ['zɛ:gə] *f* (-; -*n*) *tech.* saw; '**~mehl** *n* sawdust.

sagen ['za:gən] *v/i u. v/t* (*h*) say: ***j-m et. ~*** tell s.o. s.th.; ***die Wahrheit ~*** tell the truth; ***er lässt dir ~*** he asked me to tell you; ***~ wir*** (let's) say; ***man sagt, er sei*** he is said to be; ***er lässt sich nichts ~*** he will not listen to reason; ***das hat nichts zu ~*** it doesn't matter; ***et.*** (***nichts***) ***zu ~ haben*** (***bei***) have a say (no say) (in); ***~ wollen mit*** mean by; ***das sagt mir nichts*** it doesn't mean anything to me; ***unter uns gesagt*** between you and me.

sägen ['zɛ:gən] *v/t u. v/i* (*h*) saw.

'**sagenhaft** *adj* legendary; F *fig.* fabulous, incredible, fantastic.

Sahara [za'ha:ra] *the* Sahara.

Sahne ['za:nə] *f* (-; *no pl*) cream; '**~torte** *f* cream gateau.

Saison [zɛ'zo~:] *f* (-*s*; -*s*) season; **ᘓabhängig** *adj*, **ᘓbedingt** *adj* seasonal; **ᘓbereinigt** *adj* seasonally adjusted.

Saite ['zaɪtə] *f* (-; -*n*) string; '**~ninstru‚ment** *n* string(ed) instrument.

Sakko ['zako] *n* (-*s*; -*s*) (sports) jacket.

Sakristei [zakrɪs'taɪ] *f* (-; -*en*) vestry.

Salat [za'la:t] *m* (-[*e*]*s*; -*e*) *bot.* lettuce; *gastr.* salad; **~soße** *f* salad dressing.

Salbe ['zalbə] *f* (-; -*n*) ointment.

Saldo ['zaldo] *m* (-*s*; -*den*, -*s*, *Saldi*) *econ.* balance; '**~übertrag** *m* (-[*e*]*s*; *Saldoüberträge*) balance carried forward.

Salmonellen [zalmo'nɛlən] *pl* salmonellae *pl*; **~vergiftung** *f med.* salmonella poisoning.

Salon [za'lo~:] *m* (-*s*; -*s*) *A*ᘓ, *Friseur*ᘓ *etc*: salon; *mar. etc* saloon; *bsd. hist.* drawing room.

Salz [zalts] *n* (-*es*; -*e*) salt; '**ᘓarm** *adj* low-salt; '**ᘓen** *v/t* (*salzte*, *gesalzen*, *h*) salt; '**~hering** *m* salted herring; '**ᘓig** *adj* salty; '**~kartoffeln** *pl* boiled potatoes *pl*; '**ᘓlos** *adj* salt-free; '**~säure** *f chem.* hydrochloric acid; '**~streuer** *m* saltcellar, *größer u. Am.*: salt shaker; '**~wasser** *n* (-*s*; *no pl*) salt water.

Salzburg ['zaltsbʊrk] Salzburg.

Samen ['za:mən] *m* (-*s*; -) *bot.* seed (*a. fig.*); *physiol.* sperm, semen; '**~bank** *f*

(-; *-en*) *med.* sperm bank; '**~korn** *n bot.* seedcorn.

Sammel|bestellung['zaməl-] *f* collective order; '**~büchse** *f* collecting box; '**~konto** *n* collective account; '**2n** (*h*) **1.** *v/t* collect; *Pilze etc*: gather; *anhäufen*: accumulate; **2.** *v/refl* assemble; *fig.* compose o.s.; '**~platz** *m* meeting place.

Samml|er['zamlər] *m* (*-s*; -) collector; '**~ung** *f* (-; *-en*) collection.

Samstag['zamstaːk] *m* Saturday: (**am**) **~** on Saturday.

samt [zamt] *prp* together (*od.* along) with.

Samt[-] *m* (*-[e]s*; *-e*) velvet.

sämtlich ['zɛmtlɪç] *adj*: **~e** *pl alle*: all the; *Werke etc*: the complete.

Sanatorium[zana'toːrĭʊm] *n* (*-s*; *-rien*) sanatorium, *Am. a.* sanitarium.

Sand[zant] *m* (*-[e]s*; *⸚e*) sand; *~fläche*: sands *pl.*

Sandale[zan'daːlə] *f* (-; *-n*) sandal.

'**Sand|bank***f* (-; *Sandbänke*) sandbank; **2ig** ['-dɪç] *adj* sandy; '**~korn** *n* grain of sand; '**~strand** *m* sandy beach; '**~uhr** *f* hourglass.

sanft [zanft] **1.** *adj* gentle, soft; *mild*: mild; *Tod*: easy; **2.** *adv*: ***ruhe ~*** rest in peace, *abbr.* R.I.P.; **~mütig** ['-myːtɪç] *adj* gentle, mild.

Sänger['zɛŋər] *m* (*-s*; -) singer.

sanier|en [za'niːrən] *v/t* (*no ge-*, *h*) *Stadtteil etc*: redevelop; *Haus*: refurbish; *Umwelt etc*: rehabilitate; *econ.* revitalize; **2ung** *f* (-; *-en*) redevelopment; refurbishment; rehabilitation; revitalization; **2ungsgebiet** *n* redevelopment area.

sani|tär[zani'tɛːr] *adj* sanitary: ***~e Anlagen*** sanitary facilities; **2täter** [-'tɛːtər] *m* (*-s*; -) ambulance (*od.* first-aid) man, *bsd. Am.* paramedic; **2'tätswagen** *m* ambulance.

S

Sankt[zaŋkt] Saint, *abbr.* St.

Sanktion [zaŋk'tsĭoːn] *f* (-; *-en*) sanction; **2ieren** [-o'niːrən] *v/t* (*no ge-*, *h*) sanction.

Sard|elle[zar'dɛlə] *f* (-; *-n*) *zo.* anchovy; **~ine** [-'diːnə] *f* (-; *-n*) *zo.* sardine.

Sardinien[zar'diːnĭən] Sardinia.

Sarg[zark] *m* (*-[e]s*; *⸚e*) coffin, *Am. a.* casket.

Sarkas|mus[zar'kasmʊs] *m* (-; *no pl*) sarcasm; **2tisch** *adj* sarcastic.

Satellit[zatɛ'liːt] *m* (*-en*; *-en*) satellite; **~enbild** *n* satellite picture; **~enfernsehen** *n* satellite TV; **~enstadt** *f* satellite town.

Satir|e[za'tiːrə] *f* (-; *-n*) satire (***auf*** *acc* upon); **~iker** [-iker] *m* (*-s*; -) satirist; **2isch** *adj* satirical.

satt[zat] *adj* full (up): ***ich bin ~*** I've had enough; ***sich ~ essen*** eat one's fill (***an*** *dat* of); *et. od. j-n* ***~ bekommen, haben*** → ***sattbekommen***, ***satthaben***; '**~bekommen** *v/t* (*irr, sep, no -ge-, h,* → ***kommen***) get tired (*od.* F sick) of, get fed up with; '**~haben** *v/t* (*irr, sep, -ge-, h,* → ***haben***)*et. od. j-n* be tired (*od.* F sick) of, be fed up with.

Sattel ['zatəl] *m* (*-s*; *⸚*) saddle; '**2n** *v/t* (*h*) saddle; '**~schlepper** *m mot. Br.* articulated lorry, *Am.* semitrailer.

sättigen['zɛtɪgən] (*h*) **1.** *v/t Neugier etc*: satisfy; *chem., econ. Markt*: saturate; **2.** *v/i Essen*: be filling.

Satz [zats] *m* (*-es*; *⸚e*) *gr.* sentence; *Sprung*: leap; *Tennis*, *Briefmarken etc*: set; *econ.* rate; *mus.* movement.

'**Satzung***f* (-; *-en*) statute.

'**Satzzeichen***n gr.* punctuation mark.

Sau[zaʊ] *f* (-; *Säue*) *zo.* sow; F *fig.* pig.

sauber ['zaʊbər] *adj* clean (*a.* F *fig.*); *Luft*: *a.* pure; *ordentlich*: neat (*a. fig.*), tidy; *anständig*: decent; *iro.* fine, nice; ***~ machen*** clean (up); '**2keit** *f* (-; *no pl*) clean(li)ness; tidiness, neatness; purity; decency; '**~machen** → ***sauber.***

säuber|n ['zɔʏbərn] *v/t* (*h*) clean (up); *gründlich*: *a.* cleanse (*a. med.*): ***~ von*** clear (*pol. a.* purge) of; '**2ung** *f* (-; *-en*), '**2ungsakti͜on** *f pol.* purge.

Saudi-Arabien['zaʊdi a'raːbĭən] Saudi Arabia.

sauer['zaʊər] *adj* sour (*a. fig. Gesicht*), acid (*a. chem.*); *Gurke*: pickled; *wütend*: mad (***auf*** *acc* at), cross (with): ***~ werden*** turn sour; *fig.* get mad; ***saurer Regen*** acid rain; '**2kraut** *n* sauerkraut.

'**säuerlich***adj* (slightly) sour.

'**Sauerstoff***m* (*-[e]s*; *no pl*) *chem.* oxygen; '**~maske** *f med.* oxygen mask; '**~zelt** *n* oxygen tent.

'**Sauerteig***m* leaven

saufen['zaʊfən] *v/t u. v/i* (*soff, gesoffen, h*) drink; F *Mensch*: booze.

Säufer['zɔʏfər] *m* (*-s*; -) F boozer.

saugen['zaʊgən] *v/i u. v/t* (*sog, saugte, gesogen, gesaugt, h*) suck (***an et.*** [at]

s.th.).

säuge|n ['zɔʏgən] *v/t* (*h*) suckle (*a. zo.*), nurse, breastfeed; **'2tier** *n* mammal.

'saugfähig *adj* absorbent.

Säugling ['zɔʏklɪŋ] *m* (*-s*; *-e*) baby; **'~snahrung** *f* baby food(s *pl*); **'~spflege** *f* baby care; **'~sschwester** *f* baby nurse; **'~ssterblichkeit** *f* infant mortality.

Säule ['zɔʏlə] *f* (*-*; *-n*) column; *Pfeiler*: pillar (*a. fig.*); **'~ngang** *m* colonnade.

Saum [zaʊm] *m* (*-[e]s*; *Säume*) hem(line); *Naht*: seam.

säumen ['zɔʏmən] *v/t* (*h*) hem; *umranden*: border, edge; *die Straßen*: line.

Sauna ['zaʊna] *f* (*-*; *-nen*) sauna: ***in die ~ gehen*** go for a sauna.

Säure ['zɔʏrə] *f* (*-*; *-n*) *chem.* acid.

'Saustall *m* pigsty (*a. fig.*).

Saxofon, **Saxophon** [zakso'foːn] *n* (*-s*; *-e*) *mus.* saxophone, F sax.

S-Bahn ['ɛs-] *f Br.* suburban train, *Am.* rapid transit; *System*: *Br.* suburban railway, *Am.* rapid transit; **'~hof** *m Br.* suburban train station, *Am.* rapid transit station.

Schabe ['ʃaːbə] *f* (*-*; *-n*) *zo.* cockroach; **'2n** *v/t* (*h*) scrape (***von*** from).

schäbig ['ʃɛːbɪç] *adj* shabby; *fig. a.* mean.

Schach [ʃax] *n* (*-s*; *-s*) chess: ***~!*** check!; ***~ u. matt!*** checkmate!; ***in ~ halten*** *fig.* keep *s.o.* in check; **'~brett** *n* chessboard; **'~com,puter** *m* chess computer; **'~fi,gur** *f* chessman, piece; **'2'matt** *adj* checkmate; *fig.* all worn out, dead beat; **'~par,tie** *f* game of chess.

Schacht [ʃaxt] *m* (*-[e]s*; *⸚e*) shaft; *Bergbau*: *a.* pit.

Schachtel ['ʃaxtəl] *f* (*-*; *-n*) box; *Papp2*: *a.* carton: ***~ Zigaretten*** packet (*bsd. Am.* pack) of cigarettes.

'Schachzug *m* move (*a. fig.*).

schade ['ʃaːdə] *pred adj*: ***es ist ~*** it's a pity; ***wie ~!*** what a pity (*od.* shame)!; ***zu ~ für*** too good for.

Schädel ['ʃɛːdəl] *m* (*-s*; *-*) *anat.* skull; **'~bruch** *m med.* fracture of the skull.

schaden ['ʃaːdən] *v/i* (*h*) damage, harm: ***der Gesundheit ~*** be bad for one's health; ***das schadet nichts*** it doesn't matter; ***es könnte ihm nicht ~*** it wouldn't hurt him.

Schaden [-] *m* (*-s*; *⸚*) damage (***an*** *dat* to) *bsd. tech.* trouble, defect (*a. med.*); *Nachteil*: disadvantage; *econ.* loss: ***j-m ~ zufügen*** do s.o. harm; **'~ersatz** *m* damages *pl*: ***~ leisten*** pay damages; **'~freiheitsra,batt** *m mot.* no-claim bonus; **'~freude** *f* malicious glee: ***~ empfinden über*** (*acc*) gloat over; ***voller ~*** → ***schadenfroh***; **'2froh** *adv* gloatingly; **'~sfall** *m* claim; **'~sregu,lierung** *f* claims settlement.

schadhaft ['ʃaːthaft] *adj* damaged; *mangelhaft*: defective, faulty; *Haus etc*: out of repair; *Rohr etc*: leaking; *Zähne*: decayed.

schädigen ['ʃɛːdɪgən] *v/t* (*h*) damage, harm.

schädlich ['ʃɛːtlɪç] *adj* harmful, injurious; *gesundheits~*: *a.* bad (for your health).

Schädling ['ʃɛːtlɪŋ] *m* (*-s*; *-e*) *zo.* pest; **'~sbekämpfung** *f* (*-*; *no pl*) pest control; **'~sbekämpfungsmittel** *n* pesticide.

'Schadstoff *m* harmful substance; *bsd. Umwelt*: *a.* pollutant; **'2arm** *adj mot.* low-emission; **'2belastet** *adj Umwelt*: polluted, pollutant bearing; **'2frei** *adj mot.* emission-free.

Schaf [ʃaːf] *n* (*-[e]s*; *-e*) *zo.* sheep; **~bock** ['-bɔk] *m* (*-[e]s*; *Schafböcke*) *zo.* ram.

Schäfer ['ʃɛːfər] *m* (*-s*; *-*) shepherd; **'~hund** *m* Alsatian.

schaffen ['ʃafən] (*h*) **1.** *v/t* **a)** (*schuf, geschaffen*) *er~*: create **b)** (*schaffte, geschafft*) *bewirken, bereiten*: cause, bring about; *bewältigen*: manage, get *s.th.* done; *bringen*: take: ***es ~*** make it; *Erfolg haben*: *a.* succeed; ***das wäre geschafft*** we've done (*od.* made) it; **2.** *v/i* (*schaffte, geschafft*): ***j-m zu ~ machen*** cause s.o. trouble; ***sich zu ~ machen an*** (*dat*) *unbefugt*: tamper with.

Schaffner ['ʃafnər] *m* (*-s*; *-*), **'~in** *f* (*-*; *-nen*) conductor (conductress); *rail. Br.* guard.

schal [ʃaːl] *adj Getränk*: flat.

Schal [-] *m* (*-s*; *-s*, *-e*) scarf; *Woll2*: *Br. a.* comforter.

Schale ['ʃaːlə] *f* (*-*; *-n*) bowl, dish; *Eier2*, *Nuss2 etc*: shell; *Obst2*, *Kartoffel2*: peel, skin; *Kartoffel2n pl* peelings *pl*.

schälen ['ʃɛːlən] (*h*) **1.** *v/t* peel; **2.** *v/refl Haut*: peel (off).

Schall [ʃal] *m* (*-[e]s*; *-e*, *⸚e*) sound; **'~dämpfer** *m* (*-s*; *-*) silencer, *mot.*

S

Am. muffler; '**2dicht** *adj* soundproof; '**2end** *adj*: **~es Gelächter** roars *pl* of laughter; '**~geschwindigkeit** *f* speed of sound: **(mit) doppelte(r) ~** (at) Mach two; '**~mauer** *f (-; no pl)* sound barrier; '**~platte** *f* record, disc; '**~welle** *f* sound wave.

schalten ['ʃaltən] *(h)* **1.** *v/i electr., tech.* switch (**auf** *acc* to); *mot.* change (*od.* shift) gears; F *fig.* catch on: **in den dritten Gang ~** change (*od.* shift) into third (gear); **2.** *v/t tech.* switch, turn; *electr. Verbindung herstellen*: connect.

'**Schalter** *m (-s; -) Bank, Post etc*: counter; *aer.* desk; *rail.* ticket window; *electr.* switch; '**~beamte** *m* counter (*rail.* booking) clerk; '**~schluss** *m (-es; no pl)* closing time; '**~stunden** *pl* business hours.

'**Schalt|hebel** *m mot.* gear lever; '**~jahr** *n* leap year; '**~tafel** *f electr.* switchboard, control panel; '**~uhr** *f* timer; '**~ung** *f (-; -en) mot.* gearshift, gear change; *electr.* circuit.

Scham [ʃa:m] *f (-; no pl)* shame; '**~bein** *n anat.* pubic bone.

schämen ['ʃɛ:mən] *v/refl (h)* be (*od.* feel) ashamed (*gen*, **wegen** of): **du solltest dich (was) ~!** you ought to be ashamed of yourself!

'**Scham|gefühl** *n* sense of shame; '**~haare** *pl* pubic hair *sg*; '**2haft** *adj* bashful; '**2los** *adj* shameless; *unanständig*: indecent; '**~losigkeit** *f (-; no pl)* shamelessness; indecency.

Schande ['ʃandə] *f (-; no pl)* shame, disgrace: **j-m ~ machen** be a disgrace to s.o.

Schandfleck ['ʃant~] *m Anblick*: eyesore.

scharf [ʃarf] **1.** *adj* sharp (*a. fig.*); *phot. a.* in focus; *deutlich*: clear; *Hund*: savage, fierce; *Munition*: live; *gastr.* hot; *erregt*: hot, *aufreizend*: *a.* sexy: **~ sein auf** (*acc*) be keen on; *bsd. sexuell*: be hot for; F **~e Sachen** *pl* hard liquo(u)r *sg*; **2.** *adv*: **~ bremsen** *mot.* brake hard; **~ einstellen** *phot.* focus; **~ nachdenken** think hard

Schärfe ['ʃɛrfə] *f (-; no pl)* sharpness; '**2n** *v/t (h)* sharpen (*a. fig.*).

Scharlach ['ʃarlax] *m (-s; no pl) med.* scarlet fever; '**2rot** *adj* scarlet.

Scharnier [ʃar'ni:r] *n (-s; -e) tech.* hinge.

Scharte ['ʃartə] *f (-; -n)* notch, nick.

Schaschlik ['ʃaʃlɪk] *m, n (-s; -s)* shashli(c)k.

Schatt|en ['ʃatən] *m (-s; -)* shadow (*a. fig.*); *nicht Licht od. Sonne*: shade: **im ~** in the shade; '**~enkabi,nett** *n pol.* shadow cabinet; '**2ig** *adj* shady.

Schatz [ʃats] *m (-es; ⸗e)* treasure; *fig.* darling.

schätz|en ['ʃɛtsən] *v/t (h)* estimate; *Wert*: *a.* value (*beide*: **auf** *acc* at); *zu ~ wissen*: appreciate; *hoch ~*: think highly of; F *vermuten*: reckon, *Am. a.* guess; '**2preis** *m* estimate, estimated price; '**2ung** *f (-; -en)* estimate; appreciation; '**2wert** *m* estimated value.

Schau [ʃaʊ] *f (-; -en)* show (*a. TV*); exhibition: **zur ~ stellen** exhibit, display.

Schauder ['ʃaʊdər] *m (-s; -)* shudder; '**2haft** *adj* horrible, dreadful; '**2n** *v/i (h)* shudder, shiver (*beide*: **vor** *dat* with).

schauen ['ʃaʊən] *v/i (h)* look (**auf** *acc* at).

Schauer ['ʃaʊər] *m (-s; -) Regen2 etc*: shower; *Schauder*: shudder; '**2lich** *adj* dreadful, horrible.

Schaufel ['ʃaʊfəl] *f (-; -n)* shovel; *Kehr2*: dustpan; '**2n** *v/t (h)* shovel; *graben*: dig.

'**Schaufenster** *n* shop window; '**~bummel** *m*: **e-n ~ machen** go window-shopping.

Schaukel ['ʃaʊkəl] *f (-; -n)* swing; '**2n** *(h)* **1.** *v/i* swing; *Boot etc*: rock; **2.** *v/t* rock; '**~stuhl** *m* rocking chair.

'**Schaulustige** *pl* (curious) onlookers *pl*; *Am.* F rubbernecks *pl*.

Schaum [ʃaʊm] *m (-[e]s; Schäume)* foam; *Bier2*. froth, head; *Seifen2*: lather; *Gischt*: spray.

schäumen ['ʃɔʏmən] *v/i (h)* foam (*a. fig.*), froth; *Seife*: lather; *Wein etc*: sparkle.

'**Schaum|gummi** *m (-s; -[s])* foam rubber; '**2ig** *adj* foamy, frothy.

'**Schau|platz** *m* scene; '**~pro,zess** *m jur.* show trial.

schaurig ['ʃaʊrɪç] *adj unheimlich*: creepy; *grässlich*: horrible.

'**Schauspiel** *n thea.* play; *fig.* spectacle; '**~er** *m* actor; '**~erin** *f (-; -nen)* actress; '**~schule** *f* drama school.

'**Schausteller** *m (-s; -)* showman.

Scheck [ʃɛk] *m (-s; -s) Br.* cheque, *Am.* check (**über** *acc* for); '**~betrug** *m*

S

cheque (*Am.* check) fraud; '**~betrüger** *m* cheque (*Am.* check) bouncer; '**~buch** *n Br.* chequebook. *Am.* checkbook; '**~gebühr** *f* cheque (*Am.* check) charge; '**~heft** *n Br.* chequebook, *Am.* checkbook; '**~karte** *f* cheque (*Am.* check) card.

scheffeln ['ʃɛfəln] *v/t* (*h*) *Geld*: rake in.

Scheibe ['ʃaɪbə] *f* (-; *-n*) *bsd. Br.* disc, *Am.* disk; *Brot*♀ *etc*: slice; *Fenster*♀: pane; *Schieß*♀: target; '**~nbremse** *f mot.* disc brake; '**~nwaschanlage** *f mot.* windscreen (*Am.* windshield) washers *pl*; '**~nwischer** *m mot.* windscreen (*Am.* windshield) wiper.

Scheid|e ['ʃaɪdə] *f* (-; *-n*) sheath; *anat.* vagina; '**♀en** (*schied, geschieden*) **1.** *v/t* (*h*) *Ehe*: divorce: ***sich ~ lassen*** get a divorce; *von j-m*: divorce *s.o.*; **2.** *v/i* (*sn*): ***~ aus*** *Amt etc*: retire from; '**~ung** *f* (-; *-en*) divorce: ***die ~ einreichen*** file for divorce.

Schein[1] [ʃaɪn] *m* (-[*e*]*s*; *-e*) *Bescheinigung*: certificate; *Formular*: form, *Am.* blank; *Geld*♀: note, *Am. a.* bill.

Schein[2] [~] *m* (-[*e*]*s*; *no pl*) *Licht*♀: light; *fig.* appearance: ***et.*** (***nur***) ***zum ~ tun*** (only) pretend to do s.th.; '**~asy,lant** *m* economic refugee; '**♀bar** *adj* seeming, apparent; '**♀en** *v/i* (*schien, geschienen, h*) shine; *fig.* seem, appear, look; '**~firma** *f* dummy company; '**♀heilig 1.** *adj* hypocritical; **2.** *adv*: F ***~ tun*** act the innocent; '**~werfer** *m* (*-s*; -) *Such*♀: searchlight, *mot.* headlight; *thea.* spotlight.

Scheiß|... [ʃaɪs~] V *in Zssgn bsd. Br. sl.* bloody ..., V *Am.* fucking ...; '**~e** *f* (-; *no pl*) V shit, crap (*beide a. fig.*); '**♀en** *v/i* (*schiss, geschissen, h*) V shit, crap.

Scheitel ['ʃaɪtəl] *m* (*-s*; -) parting.

scheitern ['ʃaɪtərn] *v/i* (*sn*) fail.

Schelle ['ʃɛlə] *f* (-; *-n*) (little) bell.

'**Schellfisch** *m zo.* haddock.

Schema ['ʃeːma] *n* (*-s*; *-s, -ta*) pattern, system; **♀tisch** [ʃe'maːtɪʃ] *adj Arbeit etc*: mechanical.

Schemel ['ʃeːməl] *m* (*-s*; -) stool.

Schenkel ['ʃɛŋkəl] *m* (*-s*; -) *anat. Ober*♀: thigh; *Unter*♀: shank.

schenk|en ['ʃɛŋkən] *v/t* (*h*) give (as a present) (***zu*** for); *jur.* donate (*dat* to); '**♀ung** *f* (-; *-en*) *jur.* donation; '**♀ungssteuer** *f* gift tax, *Br. a.* capital transfer tax; '**♀ungsurkunde** *f* deed of donation.

Scherbe ['ʃɛrbə] *f* (-; *-n*), '**Scherben** *m* (*-s*; -) piece (of broken glass *etc*) .

Schere ['ʃeːrə] *f* (-; *-n*) (***e-e ~*** a pair of) scissors *pl*.

'**scheren**[1] *v/t* (*schor, geschoren, h*) *Schaf*: shear; *Haare*: cut; *Hecke*: clip, prune.

'**scheren**[2] *v/refl* (*h*): ***sich nicht ~ um*** not to bother (*od.* care) about; ***scher dich zum Teufel!*** go to hell!

Schere'reien *pl* trouble *sg*.

Scherz [ʃɛrts] *m* (*-es*; *-e*) joke: ***im*** (***zum***) ***~*** for fun; '**♀en** *v/i* (*h*) joke (***über*** *acc* at); '**♀haft 1.** *adj* joking; **2.** *adv*: ***~ gemeint*** as a joke.

scheu [ʃɔʏ] *adj* shy; *ängstlich*: timid; '**~en** (*h*) **1.** *v/t*: ***keine Kosten*** (***Mühe***) ***~*** spare no expense (pains); **2.** *v/refl*: ***sich ~, et. zu tun*** be afraid of doing s.th.

Scheune ['ʃɔʏnə] *f* (-; *-n*) barn.

scheußlich ['ʃɔʏslɪç] *adj* horrible (*a.* F *Wetter etc*); *Verbrechen etc*: *a.* atrocious.

Schicht [ʃɪçt] *f* (-; *-en*) layer; *Farb*♀ *etc*: coat; *dünne ~*: film; *Arbeits*♀: shift; *Gesellschafts*♀: class; '**~arbeit** *f* (-; *no pl*) shift work; '**~arbeiter** *m* shift worker; '**~dienst** *m* (-[*e*]*s*; *no pl*) shift work; '**♀en** *v/t* (*h*) arrange in layers, pile up; '**~wechsel** *m* change of shift; '**♀weise** *adv* in layers; *arbeiten*: in shifts.

schick [ʃɪk] *adj* smart, chic, stylish.

Schick [~] *m* (-[*e*]*s*; *no pl*) smartness, chic, style.

schicken ['ʃɪkən] *v/t* (*h*) send (***nach, zu*** to).

Schickeria [ʃɪkə'riːa] *f* (-; *no pl*) F trendies *pl*.

Schickimicki [ʃɪkɪ'mɪkɪ] *m* (*-s*; *-s*) F trendy.

Schicksal ['ʃɪkzaːl] *n* (*-s*; *-e*) fate, destiny; *Los*: lot.

Schiebe|dach ['ʃiːbə~] *n mot.* sliding roof; '**♀n** *v/t* (*schob, geschoben, h*) push; put (***in*** *acc* into); '**~r** *m* (*-s*; -) *tech.* slide; '**~tür** *f* sliding door.

'**Schiebung** *f* (-; *-en*) manipulation; *geheime Absprache*: put-up job.

Schieds|gericht ['ʃiːts~] *n* court of arbitration; *Sport etc*: jury; '**~richter** *m* judge, *pl. a.* jury *sg*; *Fußball etc*: referee; *Tennis*: umpire; '**~spruch** *m* arbitration; '**~verfahren** *n* arbitration proceedings *pl*.

S

schief [ʃiːf] *adj* crooked, not straight; *schräg*: sloping, oblique; *Turm etc*: leaning; *fig. Bild, Vergleich*: false; ***~ gehen*** → '**~gehen** *v/i* (*irr, sep, -ge-, sn,* → ***gehen***) go wrong.
schielen ['ʃiːlən] *v/i* (*h*) squint, be cross-eyed.
Schienbein ['ʃiːn-] *n anat.* shin(bone).
'**Schiene** *f* (-; *-n*) *rail. etc* rail, *pl a.* track *sg*; *med.* splint; '**≈n** *v/t* (*h*) *med.* put in a splint; '**~nverkehr** *m* rail traffic.
Schieß|bude ['ʃiːs-] *f* shooting gallery; '**≈en** (*schoss, geschossen, h*) **1.** *v/i* shoot, fire (*beide*: ***auf*** *acc* at); **2.** *v/t Tor*: score; **~e'rei** *f* (-; *-en*) gunfight; '**~scheibe** *f* target; '**~stand** *m* shooting range.
Schiff [ʃɪf] *n* (-[*e*]*s*; *-e*) *mar.* ship; *arch. Mittel≈*: nave; *Seiten≈*: aisle.
'**Schiffahrt** → ***Schifffahrt.***
'**schiff|bar** *adj* navigable; '**≈bau** *m* (-[*e*]*s*; *no pl*) shipbuilding; '**≈bruch** *m* shipwreck (*a. fig.*): ***~ erleiden*** be shipwrecked; *fig.* flounder; ***~ erleiden mit*** come a cropper with; '**≈brüchige** *m, f* (*-n*; *-n*) shipwrecked person; '**≈fahrt** *f* (-; *no pl*) shipping, navigation; '**≈schaukel** *f* swing boat.
'**Schiffs|ladung** *f* shipload; *Frachtgut*: cargo; '**~reise** *f* voyage; *Vergnügungsreise*: cruise.
Schikan|e [ʃi'kaːnə] *f* (-; *-n*) *a. pl* harassment: ***aus reiner ~*** out of sheer spite; **≈ieren** [-a'niːrən] *v/t* (*no ge-, h*) harass.
Schild [ʃɪlt] *n* (-[*e*]*s*; *-er*) *allg.* sign (*a. mot.*); *Namens≈, Firmen≈ etc*: plate; '**~drüse** *f anat.* thyroid gland.
schilder|n ['ʃɪldərn] *v/t* (*h*) describe; *anschaulich*: *a.* depict, portray; '**≈ung** *f* (-; *-en*) description, portrayal; *sachliche*: account.
'**Schildkröte** *f zo.* turtle; *Land≈*: *a.* tortoise.
Schilf [ʃɪlf] *n* (-[*e*]*s*; *-e*) reed(s *pl*).
schillern ['ʃɪlərn] *v/i* (*h*) change colo(u)r, be iridescent; '**~d** *adj* iridescent; *fig.* dubious.
Schimmel[1] ['ʃɪməl] *m* (*-s*; -) *zo.* white horse.
Schimm|el[2] [-] *m* (*-s*; *no pl*) mo(u)ld; '**≈elig** *adj* mo(u)ldy.; '**≈eln** *v/i* (*h*) go (*od.* have gone) mo(u)ldy
Schimmer ['ʃɪmər] *m* (*-s*; -) glimmer (*a. fig.*), gleam; *fig. a.* trace, touch; '**≈n** *v/i* (*h*) shimmer, glimmer, gleam.
Schimpanse [ʃɪm'panzə] *m* (*-n*; *-n*) *zo.* chimpanzee.
schimpf|en ['ʃɪmpfən] (*h*) **1.** *v/i*: ***~ auf*** (*acc*) *od.* ***über*** (*acc*) complain about; ***mit j-m ~*** → 2; **2.** *v/t*: ***j-n ~*** tell s.o. off; '**≈wort** *n* (-[*e*]*s*; *¨er, -e*) swearword.
Schindel ['ʃɪndəl] *f* (-; *-n*) shingle.
schinde|n ['ʃɪndən] *v/refl* (*schindete, geschunden, h*) slave away; **≈'rei** *f* (-; *-en*) drudgery.
Schinken ['ʃɪŋkən] *m* (*-s*; -) ham.
Schirm [ʃɪrm] *m* (-[*e*]*s*; *-e*) *Regen≈*: umbrella; *Sonnen≈*: parasol, sunshade; *Fernseh≈, Schutz≈ etc*: screen; *Lampen≈*: shade; '**~herr** *m* patron; '**~herrschaft** *f* patronage: ***unter der ~ von*** under the auspices of; '**~ständer** *m* umbrella stand.
Schlacht [ʃlaxt] *f* (-; *-en*) battle (***bei*** of); '**≈en** *v/t* (*h*) slaughter, kill; '**~feld** *n mil.* battlefield; '**~hof** *m* slaughterhouse; '**~plan** *m fig.* map of action; '**~schiff** *n* battleship.
Schlaf [ʃlaːf] *m* (-[*e*]*s*; *no pl*) sleep: ***e-n leichten*** (***festen***) ***~ haben*** be a light (sound) sleeper; '**~anzug** *m* → ***Pyjama.***
Schläfe ['ʃlɛːfə] *f* (-; *-n*) *anat.* temple.
schlafen ['ʃlaːfən] *v/i* (*schlief, geschlafen, h*) sleep, be asleep: ***~ gehen, sich ~ legen*** go to bed; → ***fest*** 2.
schlaff [ʃlaf] *adj* slack (*a. fig.*); *Haut, Muskeln etc*: flabby; *kraftlos*: limp; (*ver*)*weich*(*licht*): soft.
'**Schlaf|gelegenheit** *f* sleeping accommodation; '**~lied** *n* lullaby; '**≈los** *adj* sleepless; '**~losigkeit** *f* (-; *no pl*) sleeplessness, *med.* insomnia; '**~mittel** *n med.* soporific (drug).
schläfrig ['ʃlɛːfrɪç] *adj* sleepy, drowsy.
'**Schlaf|saal** *m* dormitory; '**~sack** *m* sleeping bag; '**~ta,blette** *f med.* sleeping pill; '**~wagen** *m rail.* sleeping car, sleeper; '**~zimmer** *n* bedroom.
Schlag [ʃlaːk] *m* (-[*e*]*s*; *¨e*) *allg.* blow (*a. fig.*); *mit der Hand*: slap; *Faust≈*: punch; *med., Uhr≈, Blitz≈, Tennis*: stroke; *electr.* shock (*a. fig.*); *Herz, Puls*: beat; *leichter ~*: pat, tap: **Schläge** *pl* beating *sg*; '**~ader** *f anat.* artery; '**~anfall** *m med.* (apoplectic) stroke; '**≈artig** **1.** *adj* sudden, abrupt; **2.** *adv* all of a sudden, abruptly; '**~baum** *m* barrier; '**~bohrer** *m tech.* percussion drill.
schlagen ['ʃlaːgən] (*schlug, geschlagen*) **1.** *v/t* (*h*) hit, *wiederholt*: beat (*a.*

S

besiegen, *Eier etc*); *Nagel*: drive (***in*** *acc* into): ***sich ~*** fight (***um*** over); ***sich geschlagen geben*** give in; **2.** *v/i* **a)** (*h*) *Herz*, *Puls*: beat; *Uhr*: strike: ***nach j-m ~*** hit out at s.o.; ***um sich ~*** lash out (in all directions) **b)** (*sn*): ***mit dem Kopf ~ an*** (*acc*) *od.* ***gegen*** knock one's head against; **3.** *v/refl* (*h*): ***sich gut ~*** give a good account of o.s.

Schlager ['ʃla:gər] *m* (*-s*; *-*) *mus.* pop song, *Erfolgs*$\mathfrak{L}$: hit (song); *econ.* sales hit.

Schläger ['ʃlɛ:gər] *m* (*-s*; *-*) *Tennis etc*: racket; *Golf*: club; *Person*: thug; **~ei** [~'raɪ] *f* (*-*; *-en*) fight, brawl.

'**schlag|fertig** *adj* quick-witted: ***~e Antwort*** good retort (*od.* answer); '**$\mathfrak{L}$instru,ment** *n mus.* percussion instrument; '**$\mathfrak{L}$loch** *n* pothole; '**$\mathfrak{L}$sahne** *f* whipped cream; '**$\mathfrak{L}$seite** *f mar.* list: ***~ haben*** be listing; F *Person*: be a bit unsteady on one's feet; '**$\mathfrak{L}$stock** *m* baton, truncheon, *Am. a.* nightstick, billy (club); '**$\mathfrak{L}$wort** *n* (*-[e]s*; *-e*) catchword, slogan; '**$\mathfrak{L}$zeile** *f* headline: ***~n machen*** make (*od.* hit) the headlines; '**$\mathfrak{L}$zeug** *n mus.* drums *pl*; '**$\mathfrak{L}$zeuger** *m* (*-s*; *-*) *mus.* drummer.

Schlamm [ʃlam] *m* (*-[e]s*; *-e*, *⸗e*) mud; '**$\mathfrak{L}$ig** *adj* muddy.

Schlamp|e ['ʃlampə] *f* (*-*; *-n*) slut; '**$\mathfrak{L}$ig** *adj* sloppy.

Schlange ['ʃlaŋə] *f* (*-*; *-n*) *zo.* snake; *Menschen*$\mathfrak{L}$, *Auto*$\mathfrak{L}$: queue, *bsd. Am.* line: ***~ stehen*** queue (*bsd. Am.* line) up (***nach, um*** for).

schlängeln ['ʃlɛŋəln] *v/refl* (*h*) *Weg etc*: wind, *Fluss*: *a.* meander: ***sich ~ durch*** *Person*: worm one's way through.

'**Schlangenlinie** *f* wavy line: ***in ~n fahren*** weave.

schlank [ʃlaŋk] *adj* slim, slender: ***~ machen*** *Kleid etc*: make *s.o.* look slim; '**$\mathfrak{L}$heitskur** *f*: ***e-e ~ machen*** be (*od.* go) on a diet, be slimming; '**~machen** → ***schlank.***

schlau [ʃlaʊ] *adj klug*: clever, smart, bright; *listig*: cunning, crafty.

Schlauch [ʃlaʊx] *m* (*-[e]s*; *Schläuche*) tube; *zum Spritzen*: hose; '**~boot** *n* rubber dinghy; *großes*: *Am.* raft.

Schlaufe ['ʃlaʊfə] *f* (*-*; *-n*) loop.

schlecht [ʃlɛçt] *adj* bad; *Qualität*, *Leistung etc*: *a.* poor: ***mir ist*** (***wird***) ***~*** I feel (I'm getting) sick (*Am.* to my stomach); ***~*** (*krank*) ***aussehen*** look ill; ***sich ~ fühlen*** feel bad; ***~ werden*** *Fleisch etc*: go bad; ***~ gehen***: ***es geht ihm ziemlich schlecht*** *gesundheitlich*: he's in a pretty bad way; *finanziell*: he's pretty hard up; ***~ gelaunt*** bad-tempered; ***~ machen*** → ***schlechtmachen***; '**~gehen** → ***schlecht***; '**~machen** *v/t* (*sep*, *-ge-*, *h*) run *s.o.* down, backbite; $\mathfrak{L}$'**wetterperi,ode** *f* spell of bad weather.

schleich|en ['ʃlaɪçən] *v/i* (*schlich*, *geschlichen*, *sn*) creep (*a. fig.*), sneak; '**$\mathfrak{L}$weg** *m* secret path; '**$\mathfrak{L}$werbung** *f* surreptitious advertising, plugging: ***für et. ~ machen*** plug s.th.

Schleier ['ʃlaɪər] *m* (*-s*; *-*) veil (*a. fig.*); *Dunst*: *a.* haze; '**$\mathfrak{L}$haft** *adj*: ***das ist mir*** (***völlig***) ***~*** it's a (complete) mystery to me.

schleifen[1] ['ʃlaɪfən] *v/t* (*schliff*, *geschliffen*, *h*) grind, sharpen; *Edelsteine*, *Glas*: cut.

schleifen[2] [~] (*h*) **1.** *v/t* drag (along) (*a. fig. j-n*); **2.** *v/i* trail (***am Boden*** along the ground); *reiben*: rub (***an*** *dat* against): ***die Kupplung ~ lassen*** *mot.* let the clutch slip.

Schleim [ʃlaɪm] *m* (*-[e]s*; *-e*) slime; *physiol.* mucus; '**~haut** *f anat.* mucous membrane; '**$\mathfrak{L}$ig** *adj* slimy (*a. fig.*); mucous.

schlemme|n ['ʃlɛmən] *v/i* (*h*) feast; '**$\mathfrak{L}$r** *m* (*-s*; *-*) gourmet; $\mathfrak{L}$'**rei** *f* (*-*; *no pl*) feasting; '**$\mathfrak{L}$rlo,kal** *n* gourmet restaurant.

schlendern ['ʃlɛndərn] *v/i* (*sn*) stroll, saunter.

schlepp|en ['ʃlɛpən] (*h*) **1.** *v/t* drag (*a. fig. j-n*); *mar.*, *mot.* tow; **2.** *v/refl Person*: drag o.s. (along); *Sache*: drag on; '**~end** *adj träge*: sluggish, slow (*beide a. econ.*); *ermüdend*: tedious; *Redeweise*: drawling; '**$\mathfrak{L}$er** *m* (*-s*; *-*) *mot.* tractor; *mar.* tug; F *Kundenwerber*: tout; '**$\mathfrak{L}$lift** *m* drag lift.

Schlesien ['ʃle:zĭən] Silesia.

Schleswig-Holstein ['ʃle:svɪç'hɔlʃtaɪn] Schleswig-Holstein.

Schleuder ['ʃlɔʏdər] *f* (*-*; *-n*) *Trocken*$\mathfrak{L}$: spin drier; '**$\mathfrak{L}$n** (*h*) **1.** *v/t* fling, hurl (*beide a. fig.*); *Wäsche*: spin-dry; **2.** *v/i* (*a.* sn) *mot.* skid: ***ins $\mathfrak{L}$ kommen*** go into a skid; '**~preis** *m* giveaway price; '**~sitz** *m aer.* ejector (*od.* ejection) seat.

schleunigst ['ʃlɔʏnɪçst] *adv* immediately.

Schleuse ['ʃlɔʏzə] *f* (-; *-n*) sluice; *Kanal*♀: lock.
schlicht [ʃlɪçt] *adj* plain, simple; '**~en** (*h*) **1.** *v/t* settle; **2.** *v/i* mediate (***zwischen*** *dat* between); '**♀er** *m* (*-s*; -) mediator; '**♀ung** *f* (-; *no pl*) settlement.
schließ|en ['ʃliːsən] *v/t u. v/i* (*schloss, geschlossen, h*) shut, close (*für immer*: down); *beenden*: close: **~ *aus*** conclude from; ***nach … zu*** **~** judging by …; '**♀fach** *n rail. etc* locker; *Bank*♀: safe (-deposit) box; *Postfach*: post-office box, PO box; '**~lich** *adv* finally; *am Ende*: eventually, in the end; *immerhin*: after all.
Schliff [ʃlɪf] *m* (-[*e*]*s*; *-e*) *von Edelsteinen, Glas*: cut.
schlimm [ʃlɪm] *adj* bad; *furchtbar*: awful: ***das ist nicht*** (*od.* ***halb so***) **~** it's not as bad as that; ***das ♀e daran*** the bad thing about it; '**~stenfalls** *adv* if the worst comes to the worst.
Schling|e ['ʃlɪŋə] *f* (-; *-n*) loop; *zs.-ziehbare*: noose; *med.* sling: ***den Arm in der ~ tragen*** have one's arm in a sling; '**♀en** (*schlang, geschlungen, h*) **1.** *v/t Schal etc*: wrap (***um*** [a]round); *Arme*: fling (***um j-s Hals*** [a]round s.o.'s neck); **2.** *v/refl*: ***sich ~ um*** wind (a)round; '**♀ern** *v/i* (*h*) *mar.* roll; '**~pflanze** *f* creeper.
Schlips [ʃlɪps] *m* (*-es*; *-e*) tie.
Schlittschuh ['ʃlɪt-] *m* skate: **~ *laufen*** skate.
Schlitz [ʃlɪts] *m* (*-es*; *-e*) slit; *Hosen*♀: fly; *Einwurf*♀: slot.
Schloss [ʃlɔs] *n* (*-es*; *¨er*) lock; *Bau*: castle, palace: ***ins ~ fallen*** *Tür*: slam shut; ***hinter ~ u. Riegel sitzen*** be behind bars.
Schlosser ['ʃlɔsər] *m* (*-s*; -) mechanic.
'**Schloss|park** *m* castle (*od.* palace) grounds *pl*; '**~ru,ine** *f* ruined castle.
schlottern ['ʃlɔtərn] *v/i* (*h*) shake, tremble (*beide*: ***vor*** *dat* with); F *Hose etc*: hang loose(ly).
Schlucht [ʃlʊxt] *f* (-; *-en*) gorge, ravine; *große*: canyon.
schluchze|n ['ʃlʊxtsən] *v/i* (*h*) sob; '**♀r** *m* (*-s*; -) sob.
Schluck [ʃlʊk] *m* (-[*e*]*s*; *-e*) gulp; *kleiner*: sip; *großer*: swig; '**~auf** *m* (*-s*; *no pl*): ***e-n ~ haben*** have (the) hiccups; '**♀en** (*h*) **1.** *v/t* swallow (*a. glauben, Tadel etc*); *Betrieb etc*, F *Geld*: swallow up; *Schall etc*: absorb; F *Benzin*: guzzle; **2.** *v/i* swallow; '**~impfung** *f med.* oral vaccination.
schlüpfe|n ['ʃlʏpfən] *v/i* (*sn*) slip (***in*** *acc* into; ***aus*** out of); *zo.* hatch (out); '**♀r** *m* (*-s*; -) (***ein ~*** a pair of) briefs *pl* (*od.* panties *pl*).
schlüpfrig ['ʃlʏpfrɪç] *adj* slippery; *fig.* risqué.
schlürfen ['ʃlʏrfən] *v/t u. v/i* (*h*) slurp; *mit Genuss*: sip.
Schluss [ʃlʊs] *m* (*-es*; *¨e*) end; *Ab*♀, *~folgerung*: conclusion; *e-s Films etc*: ending: **~ *machen*** finish; *sich trennen*: break up; **~ *machen mit*** *et.*: stop, put an end to; ***zum ~*** finally; (***ganz***) ***bis zum ~*** to the (very) end; **~ *für heute!*** that's all for today; '**~bi,lanz** *f econ.* annual balance sheet.
Schlüssel ['ʃlʏsəl] *m* (*-s*; -) key (***für, zu*** to) (*a. fig.*); '**~bein** *n anat.* collarbone; '**~bund** *m, n* (-[*e*]*s*; *-e*) bunch of keys; '**~dienst** *m* locksmith; '**~indu,strie** *f* key industry; '**~loch** *n* keyhole; '**~ro,man** *m* roman-à-clef; '**~stellung** *f* key position.
'**Schlussfolgerung** *f* conclusion.
schlüssig ['ʃlʏsɪç] *adj Beweis etc*: conclusive: ***sich ~ werden*** make up one's mind (***über*** *acc* about).
'**Schluss|kurs** *m econ.* closing price; '**~licht** *n mot. etc* taillight; '**~no,tierung** *f econ.* closing quotation; '**~pfiff** *m* final whistle; '**~phase** *f* final stage(s *pl*); '**~verkauf** *m econ.* (end-of-season) sale.
schmackhaft ['ʃmakhaft] *adj* tasty.
schmal [ʃmaːl] *adj* narrow; *Hüften etc*: slim.
schmälern ['ʃmɛːlərn] *v/t* (*h*) *Verdienst etc*: detract from.
'**Schmal|film** *m* cine-film; '**~filmkamera** *f* cine-camera; '**~spurbahn** *f* narrow-gauge railway (*Am.* railroad).
Schmalz[1] [ʃmalts] *n* (*-es*; *-e*) lard.
Schmalz[2] [-] *m* (*-es*; *no pl*) F schmaltz; '**♀ig** *adj* F schmaltzy.
schmarotze|n [ʃma'rɔtsən] *v/i* (*no ge-, h*) sponge (***bei*** on); **♀r** *m* (*-s*; -) *bot., zo.* parasite; *fig. a.* sponger.
schmatzen ['ʃmatsən] *v/i* (*h*) eat noisily.
schmecken ['ʃmɛkən] *v/i u. v/t* (*h*) taste (***nach*** of): ***gut*** (***schlecht***) **~** taste good (bad); (***wie***) ***schmeckt dir …?*** (how)

S

do you like …? (*a. fig.*); ***es schmeckt süß*** (***nach nichts***) it has a sweet (no) taste.

Schmeich|elei [ʃmaɪçəˈlaɪ] *f* (-; *-en*) flattery; **ˈ2elhaft** *adj* flattering; **ˈ2eln** *v/i* (*h*) flatter *s.o.*; **ˈ~ler** *m* (*-s*; -) flatterer; **ˈ2lerisch** *adj* flattering.

schmeiß|en [ˈʃmaɪsən] (*schmiss, geschmissen, h*) F **1.** *v/t* throw, chuck; **2.** *v/i*: ***mit Geld um sich ~*** throw one's money around; **ˈ2fliege** *f zo.* bluebottle.

schmelz|en [ˈʃmɛltsən] (*schmolz, geschmolzen*) *v/i* (*sn*) *u. v/t* (*h*) melt; *Schnee*: *a.* thaw; *metall.* smelt; **ˈ2käse** *m* cheese spread.

Schmerz [ʃmɛrts] *m* (*-es*; -en) pain (*a. fig.*), *anhaltender*: ache; *fig.* grief, sorrow: ***~en haben*** be in pain; **ˈ2en** *v/i u. v/t* (*h*) hurt (*a. fig.*), ache; *bsd. fig.* pain; **ˈ2frei** *adj* free of pain; **ˈ2haft** *adj* painful; **ˈ2lich** *adj* painful, sad; **ˈ~mittel** *n* painkiller; **ˈ2los** *adj* painless; **ˈ2stillend** *adj* painkilling.

Schmetterling [ˈʃmɛtərlɪŋ] *m* (*-s*; *-e*) *zo.* butterfly.

Schmied [ʃmiːt] *m* (*-[e]s*; *-e*) smith; **~eeisen** [ˈ-də-] *n* (*-s*; *no pl*) wrought iron; **2en** [ˈ-dən] *v/t* (*h*) forge; *Pläne etc*: make.

schmiegen [ˈʃmiːgən] *v/refl* (*h*): ***sich ~ an*** (*acc*) snuggle up to; *den Körper etc*: cling to.

Schmier|e [ˈʃmiːrə] *f* (-; *-n*) *tech.* grease; **ˈ2en** *v/t* (*h*) *tech.* grease, oil, lubricate; *Butter etc*: spread (***auf*** *acc* on); *unsauber schreiben*: scribble, scrawl: F ***j-n ~*** grease s.o.'s palm; **~eˈrei** *f* (-; *-en*) scrawl; *Wand2en*: graffiti *pl* (*sg konstr.*); **ˈ~geld** *n* bribe money; **ˈ2ig** *adj* greasy; *schmutzig*: dirty; *unanständig*: filthy; F *kriecherisch*: slimy; **ˈ~mittel** *n tech.* lubricant.

Schminke [ˈʃmɪnkə] *f* (-; *-n*) makeup (*a. thea.*); **ˈ2n** (*h*) **1.** *v/refl* put some makeup on; *allgemein*: wear makeup; **2.** *v/t*: ***sich die Lippen ~*** put some lipstick on.

schmollen [ˈʃmɔlən] *v/i* (*h*) sulk.

Schmor|braten [ˈʃmoːr-] *m gastr.* pot roast; **ˈ2en** *v/t* (*h*) stew (*a. v/i*), braise.

Schmuck [ʃmʊk] (*-[e]s*; *no pl*) jewel(le)ry, jewels *pl*; *Zierde*: decoration(s *pl*), ornament(s *pl*).

schmücken [ˈʃmʏkən] *v/t* (*h*) decorate.

ˈschmuck|los *adj schlicht*: plain; **ˈ2stück** *n* piece of jewel(le)ry; *fig.* gem.

Schmugg|el [ˈʃmʊgəl] *m* (*-s*; *no pl*) smuggling; **ˈ2eln** *v/t u. v/i* (*h*) smuggle; **ˈ~elware** *f* smuggled goods *pl*; **ˈ~ler** *m* (*-s*; -) smuggler.

schmunzeln [ˈʃmʊntsəln] *v/i* (*h*) smile (amusedly) (***über*** *acc* at).

schmusen [ˈʃmuːzən] *v/i* (*h*) F cuddle (***mit j-m*** s.o.); *Liebespaar*: smooch.

Schmutz [ʃmʊts] *m* (*-es*; *no pl*) dirt, *stärker*: filth; *fig. a.* smut; **ˈ~fleck** *m* smudge, stain; **ˈ2ig** *adj* dirty (*a. fig.*); *stärker*: filthy (*a. fig.*): ***~ werden, sich ~ machen*** get dirty.

Schnabel [ˈʃnaːbəl] *m* (*-s*; ⸗) *zo.* bill, *bsd. Krumm2*: beak: F ***halt den ~!*** shut up!

Schnalle [ˈʃnalə] *f* (-; *-n*) buckle.

schnapp|en [ˈʃnapən] (*h*) **1.** *v/i*: ***~ nach*** snap (*od.* snatch) at; ***nach Luft ~*** gasp for breath; **2.** *v/t* F *fangen*: catch, nab; **ˈ2schloss** *n* spring lock; **ˈ2schuss** *m phot.* snapshot.

Schnaps [ʃnaps] *m* (*-es*; ⸗*e*) schnapps; F *Alkohol*: booze; **ˈ~glas** *n* shot glass.

schnarchen [ˈʃnarçən] *v/i* (*h*) snore.

Schnauz|bart [ˈʃnaʊts-] *m* m(o)ustache; **ˈ~e** *f* (-; *-n*) *zo.* snout; *bsd. Hunde2*: muzzle; F *aer., mot.* nose; *e-r Kanne*: spout; V *Mund*: trap, kisser: ***die ~ halten*** keep one's trap shut.

Schnecke [ˈʃnɛkə] *f* (-; *-n*) *zo.* snail; *Nackt2*: slug.

ˈSchnecken|haus *n* snail shell; **ˈ~post** *f* F snail mail; **ˈ~tempo** *n*: ***im ~*** at a snail's pace.

Schnee [ʃneː] *m* (*-s*; *no pl*) snow (*a. sl. Kokain*); **ˈ~ball** *m* snowball; **ˈ~ballschlacht** *f* snowball fight; **ˈ~ballsyˌstem** *n* (*-s*; *no pl*) *econ.* snowball (*od.* pyramid) (sales) system; **ˈ2bedeckt** *adj* snow-covered, *Bergspitze*: *a.* snow-capped; **ˈ~fall** *m* snowfall; **ˈ~flocke** *f* snowflake; **~gestöber** [ˈ-geʃtøːbər] *n* (*-s*; -) snow flurry; **~glöckchen** [ˈ-glœkçən] *n* (*-s*; -) *bot.* snowdrop; **ˈ~grenze** *f* snow line; **ˈ~kaˌnone** *f* snow cannon; **ˈ~ketten** *pl mot.* snow chains *pl*; **ˈ~mann** *m* snowman; **ˈ~matsch** *m* slush; **~pflug** [ˈ-pfluːk] *m* (*-[e]s*; ⸗*e*) *tech. bsd. Br.* snowplough, *Am.* snowplow (*a. Skifahren*); **ˈ~regen** *m* sleet; **ˈ~schaufel** *f* snow shovel; **ˈ2sicher** *adj* with snow guaranteed;

S

'**~sturm** *m* snowstorm, blizzard; '**~wehe** *f* (-; *-n*) snowdrift; '**2weiß** *adj* snow--white.
Schneidbrenner ['ʃnaɪt-] *m* (-*s*; -) *tech.* cutting blowpipe.
Schneide ['ʃnaɪdə] *f* (-; *-n*) edge; '**2n** *v/t u. v/i* (*schnitt*, *geschnitten*, *h*) cut; *Film etc*: *a.* edit: → ***Haar***; '**~r** *m* (-*s*; -) tailor; *Damen2*: dressmaker; '**~rin** *f* (-; *-nen*) dressmaker; '**~zahn** *m* incisor.
schneien ['ʃnaɪən] *v/impers* (*h*) snow.
Schneise ['ʃnaɪzə] *f* (-; *-n*) *Wald2*: open strip; *aer.* corridor.
schnell [ʃnɛl] **1.** *adj* quick; *Auto etc*: fast; *Handeln*, *Antwort etc*: *a.* prompt; *Puls*, *Anstieg etc*: *a.* rapid; **2.** *adv*: ***es geht ~*** it won't take long; (***mach***[***t***]) ***~!*** hurry up!; '**2gaststätte** *f* fast-food restaurant; '**2gericht** *n gastr.* instant meal; '**2hefter** *m* loose-leaf binder; '**2igkeit** *f* (-; *no pl*) quickness; fastness; promptness; rapidity; *Tempo*: speed; *phys.* velocity; '**2imbiss** *m* snack bar; '**2kurs** *m* crash course; '**2reinigung** *f* express dry cleaning; '**2straße** *f mot. Br.* dual carriageway, *Am.* divided highway; **2zug** *m* fast train.
Schnitt [ʃnɪt] *m* (-[*e*]*s*; *-e*) cut; *Durch2*: average: ***im ~*** on average; F ***s-n ~ machen*** make a packet; '**~blumen** *pl* cut flowers *pl*; '**~e** *f* (-; *-n*) slice; *belegte*: open sandwich; '**~käse** *m* cheese slices *pl*; '**~stelle** *f Computer etc*: interface; '**~wunde** *f* cut.
Schnitzel ['ʃnɪtsəl] *n* (-*s*; -) *gastr.* cutlet, escalope; *Wiener ~*: schnitzel.
schnitz|en ['ʃnɪtsən] *v/t* (*h*) carve; **2e'rei** *f* (-; *-en*) (wood) carving.
Schnorchel ['ʃnɔrçəl] *m* (-*s*; -) snorkel; '**2n** *v/i* (*h*) snorkel.
schnorre|n ['ʃnɔrən] *v/t u. v/i* (*h*) F scrounge (***bei*** off, from); '**2r** *m* (-*s*; -) F scrounger.
schnüff|eln ['ʃnʏfəln] *v/i* (*h*) sniff (***an*** *dat* at); F *fig.* snoop (around); '**2ler** *m* (-*s*; -) F snoop(er); *Detektiv*: sleuth.
Schnuller ['ʃnʊlər] *m* (-*s*; -) *Br.* dummy, *Am.* pacifier.
Schnulz|e ['ʃnʊltsə] *f* (-; *-n*) tearjerker; '**~ensänger** *m* crooner; '**2ig** *adj* schmaltzy.
Schnupf|en ['ʃnʊpfən] *m* (-*s*; -) *med.* cold: ***e-n ~ haben*** (***bekommen***) have a (catch [a]) cold; '**~tabak** *m* snuff.
schnupper|n ['ʃnʊpərn] *v/t u. v/i* (*h*) sniff (***an*** *dat* at); '**2preis** *m* F *econ.* introductory price.
Schnur [ʃnuːr] *f* (-; *⸚e*) string, cord; *electr.* flex.
Schnür|chen ['ʃnyːrçən] *n*: ***wie am ~*** like clockwork; '**2en** *v/t* (*h*) lace (up); *ver~*: tie up.
'**schnurgerade** *adv* dead straight.
Schnurr|bart ['ʃnʊr-] *m* m(o)ustache; '**2en** *v/i* (*h*) *Katze*, *Motor*: purr.
'**Schnür|schuh** *m* lace-up shoe; **~senkel** ['-zɛŋkəl] *m* (-*s*; -) shoelace, *bsd. Am. a.* shoestring.
schnurstracks ['ʃnuːrʃtraks] *adv direkt*: straight; *sofort*: straightaway.
Schock [ʃɔk] *m* (-[*e*]*s*; *-s*) shock (*a. med.*): ***unter ~ stehen*** be in (a state of) shock; '**2en** *v/t* (*h*) F, **2ieren** [ʃɔ'kiːrən] *v/t* (*no ge-*, *h*) shock.
Schokolade [ʃoko'laːdə] *f* (-; *-n*) chocolate.
Scholle ['ʃɔlə] *f* (-; *-n*) *Erd2*: clod; *Eis2*: (ice) floe; *zo.* plaice.
schon [ʃoːn] *adv* already; *jemals*: ever; *sogar ~*: even; *in Fragen*: yet: ***~ damals*** ever then; ***~ 1968*** as early as 1968; ***~ der Gedanke*** the very idea; ***hast*** (***bist***) ***du ~ einmal …?*** have you ever …?; ***ich warte ~ seit 20 Minuten*** I've been waiting for 20 minutes; ***ich kenne ihn ~, aber*** I do know him, but; ***er macht das ~*** he'll do it all right (*Am.* alright); ***~ gut!*** never mind, all right, *Am.* alright.
schön [ʃøːn] **1.** *adj* beautiful, lovely; *Wetter*: *a.* fine, fair; *gut*, *angenehm*, *nett*: fine, nice (*beide a. iro.*): (***na,***) ***~*** all right, *Am.* alright; **2.** *adv*: ***~ warm*** (***kühl***) nice and warm (cool); ***ganz ~ teuer*** (***schnell***) pretty expensive (fast); ***j-n ganz ~ erschrecken*** (***überraschen***) give s.o. quite a start (surprise).
schonen ['ʃoːnən] (*h*) **1.** *v/t* take care of, go easy on (*a. tech.*); *j-n*, *j-s Leben*: spare; **2.** *v/refl* take it easy; save o.s. (*od.* one's strength) (***für*** for); '**~d**; **1.** *adj* gentle; *Mittel etc*: *a.* mild; **2.** *adv*: ***~ umgehen mit*** take (good) care of; *Glas etc*: handle with care; *sparsam*: go easy on.
'**Schönheit** *f* (-; *-en*) beauty; '**~spflege** *f* beauty care; '**~ssa,lon** *m* beauty parlo(u)r.
'**Schonung** *f* (-; *-en*) (good) care; *Ruhe*: rest; *Erhaltung*: preservation; *Bäume*:

tree nursery; '2slos *adj* merciless.

Schön'wetter|lage *f* stable area of high pressure; **~peri,ode** *f* period of fine weather.

schöpf|en ['ʃœpfən] *v/t (h)* scoop, ladle; *aus e-m Brunnen*: draw: → ***Luft, Verdacht***; '**2er** *m (-s; -)* creator; '**~erisch** *adj* creative; '**2ung** *f (-; -en)* creation.

Schorf [ʃɔrf] *m (-[e]s; -e) med.* scab.

Schornstein ['ʃɔrn-] *m* chimney; *mar., rail.* funnel; **~feger** ['-feːgər] *m (-s; -)* chimney sweep.

Schoß [ʃoːs] *m (-es; ⸚e)* lap; *Mutterleib*: womb.

Schote ['ʃoːtə] *f (-; -n) bot.* pod, husk.

Schotte ['ʃɔtə] *m (-n; -n)* Scot(sman): ***die ~n*** *pl* the Scots *pl*, the Scottish *pl*.

Schotter ['ʃɔtər] *m (-s; -)* gravel, road metal.

Schott|in ['ʃɔtɪn] *f (-; -nen)* Scotswoman; '**2isch** *adj* Scottish, Scots; *bsd. Produkte*: Scotch.

Schottland ['ʃɔtlant] Scotland.

schräg [ʃrɛːk] **1.** *adj* slanting, sloping, oblique; *Linie etc*: diagonal; **2.** *adv*: ***~ gegenüber*** diagonally opposite; → ***parken.***

Schramme ['ʃramə] *f (-; -n)* scratch; '**2n** *v/t (h)* scratch, graze.

Schrank [ʃraŋk] *m (-[e]s; ⸚e)* cupboard; *Wand2*: *bsd. Am.* closet; *Kleider2.* wardrobe.

Schranke ['ʃraŋkə] *f (-; -n)* barrier (*a. fig.*); *rail. a.* gate; *jur.* bar: ***~n*** *pl Grenzen*: limits *pl*, bounds *pl*; '**~nwärter** *m rail.* gatekeeper.

'**Schrank|koffer** *m* wardrobe trunk; '**~wand** *f* wall-to-wall cupboard.

Schraube ['ʃraubə] *f (-; -n)* screw; '**2n** *v/t (h)* screw; '**~nschlüssel** *m tech. Br.* spanner, *Am.* wrench; '**~nzieher** *m (-s; -) tech.* screwdriver.

Schraubstock ['ʃraup-] *m (-[e]s; Schraubstöcke)* vice, *Am.* vise.

Schrebergarten ['ʃreːbər-] *m Br.* allotment (garden).

Schreck [ʃrɛk] *m (-[e]s; -e)* fright: → ***einjagen***; '**~en** *m (-s; -)* fright: ***die ~ des Krieges*** the horrors of war; '**~ensnachricht** *f* terrible news *pl (sg konstr.)*; '**2haft** *adj* jumpy; '**2lich** *adj* awful, terrible; *stärker*: horrible, dreadful; *Mord etc*: *a.* atrocious.

Schrei [ʃraɪ] *m (-[e]s; -e)* cry; *lauter*: shout, yell; *Angst2*: scream (*alle*: ***um, nach*** for).

Schreib|arbeit ['ʃraɪp-] *f* deskwork; *bsd. unerwünschte*: paperwork; '**~bü,ro** *n* typing bureau.

schreiben ['ʃraɪbən] *v/t u. v/i (schrieb, geschrieben, h)* write (***j-m*** to s.o., *Am. a.* s.o.; ***über*** *acc* about, on); *tippen*: type: ***j-m et. ~*** write to s.o. about s.th.; ***falsch ~*** misspell *s.th.*; ***wie schreibt man ...?*** how do you spell ...?

Schreiben [-] *n (-s; -)* letter.

schreib|faul ['ʃraɪp-] *adj* lazy about writing letters; '**2fehler** *m* spelling mistake; '**2kraft** *f* typist; '**2ma,schine** *f* typewriter: ***~ schreiben*** type; ***mit der ~ geschrieben*** typed, typewritten; '**2ma,schinenpa,pier** *n* typing paper; '**2tisch** *m* desk.

'**Schreibung** *f (-; -en)* spelling.

Schreibwaren ['ʃraɪp-] *pl* stationery *sg*; '**~geschäft** *n* stationer's.

schreien ['ʃraɪən] *v/i u. v/t (schrie, geschrien, h)* cry; *lauter*: shout, yell; *kreischend*: scream (*alle*: ***um, nach*** [out] for): ***~ vor Schmerz (Angst)*** cry out with pain (in terror); ***es war zum 2*** it was a scream; '**~d** *adj Farben*: loud; *Unrecht etc*: flagrant.

Schreiner ['ʃraɪnər] *m (-s; -)* joiner, carpenter.

schreiten ['ʃraɪtən] *v/i (schritt, geschritten, sn)* walk, stride: *fig.* ***zu et. ~*** proceed to s.th.

Schrift [ʃrɪft] *f (-; -en)* (hand)writing, hand: ***~en*** *pl Werke*: works *pl*, writings *pl*; '**~deutsch** *n* standard German; '**2lich** *adj* written, in writing (*a. adv*); '**~satz** *m jur.* written statement; '**~steller** *m (-s; -)* author, writer; '**~verkehr** *m*, '**~wechsel** *m* correspondence.

schrill [ʃrɪl] *adj* shrill, piercing.

Schritt [ʃrɪt] *m (-[e]s; -e)* step (*a. fig.*); *Einzel2*: *a.* pace: ***~e unternehmen*** take steps; '**~macher** *m (-s; -)* pacemaker (*a. med.*); '**2weise** *adv* step by step, gradually.

schroff [ʃrɔf] *adj steil*: steep; *zerklüftet*: jagged; *fig.* gruff; *krass*: sharp, glaring.

Schrot [ʃroːt] *m, n (-[e]s; -e)* wholemeal; *hunt.* (small) shot; '**~flinte** *f* shotgun; '**~korn** *n* pellet.

Schrott [ʃrɔt] *m (-[e]s; no pl)* scrap metal: F ***zu ~ fahren*** smash (up).

schrubben ['ʃrubən] *v/t (h)* scrub.

schrumpfen ['ʃrʊmpfən] *v/i* (*sn*) shrink.
Schub [ʃuːp] *m* (-[*e*]*s*; ⸗*e*) *phys.* thrust; *med.* phase, *Anfall*: attack; '**~fach** *n* drawer; '**~kraft** *f phys.* thrust; '**~lade** *f* (-; -*n*) drawer.
Schubs [ʃʊps] *m* (-*es*; -*e*) F push, shove; '**2en** *v/t* (*h*) F push, shove.
schüchtern ['ʃʏçtərn] *adj* shy, bashful; '**2heit** *f* (-; *no pl*) shyness, bashfulness.
Schuft [ʃʊft] *m* (-[*e*]*s*; -*e*) *contp.* bastard; '**2en** *v/i* (*h*) F slave away.
Schuh [ʃuː] *m* (-[*e*]*s*; -*e*) shoe: ***j-m et. in die ~e schieben*** put the blame for s.th. on s.o.; '**~creme** *f* shoe polish; '**~geschäft** *n* shoe shop (*Am.* store); '**~löffel** *m* shoehorn; '**~macher** *m* shoemaker; '**~putzer** *m* (-*s*; -) shoeblack.
Schul|abgänger ['ʃuːlʔapgɛŋər] *m* (-*s*; -) school leaver; '**~abschluss** *m* school-leaving qualification; '**~bildung** *f* (-; *no pl*) (school) education.
Schuld [ʃʊlt] *f* (-; -*en*) *jur.*, *~gefühl*: guilt; *Geld2*: debt: ***j-m die ~*** (***an et.***) ***geben*** blame s.o. (for s.th.); ***es ist*** (***nicht***) ***d-e ~*** it is(n't) your fault; ***~en haben*** (***machen***) be in (run into) debt; → ***zuschulden***; '**2bewusst** *adj*: ***~e Miene*** guilty look; **2en** ['~dən] *v/t* (*h*): ***j-m et. ~*** owe s.o. s.th.; '**~enberg** *m* pile of debts; '**2enfrei** *adj* free from (*od.* of) debt; *Grundbesitz*: unencumbered.
'**Schuldienst** *m* (-[*e*]*s*; *no pl*): ***im ~ sein*** be a teacher.
schuldig ['ʃʊldɪç] *adj bsd. jur.* guilty (***an*** *dat* of); *verantwortlich*: responsible (*od.* to blame) (for): ***j-m et. ~ sein*** owe s.o. s.th.; → ***bekennen***; **2e** ['~gə] *m, f* (-*n*; -*n*) *jur.* guilty person; *Verantwortliche*: person responsible (*od.* to blame), offender; '**2keit** *f* (-; *no pl*) duty.
'**schuld|los** *adj* innocent (***an*** *dat* of); **2ner** ['~dnər] *m* (-*s*; -) debtor; '**2schein** *m* promissory note, IOU (= I owe you).
Schule ['ʃuːlə] *f* (-; -*n*) school (*a. fig.*): ***höhere ~*** secondary (*Am.* senior high) school; ***auf*** (*od.* ***in***) ***der ~*** at school; ***in die*** (***zur***) ***~ gehen*** (***kommen***) go to (start) school; ***die ~ fängt an um*** school begins at; '**2n** *v/t* (*h*) train.
'**Schulenglisch** *n* school English.
Schüler ['ʃyːlər] *m* (-*s*; -) pupil (*a. e-s Künstlers*), *Am. mst* student; '**~austausch** *m* school exchange.
'**Schul|ferien** *pl Br.* school holidays *pl*, *Am.* vacation *sg*; '**~jahr** *n* school year; '**~kame,rad** *m* schoolmate; '**2pflichtig** *adj*: ***~es Kind*** school-age child.
Schulter ['ʃʊltər] *f* (-; -*n*) shoulder: → ***klopfen*** 1; '**~blatt** *n anat.* shoulder blade; '**2frei** *adj* off-the-shoulder; *trägerlos*: strapless.
'**Schul|ung** *f* (-; -*en*) training; '**~wesen** *n* (-*s*; *no pl*) school system.
schummeln ['ʃʊməln] *v/i* (*h*) F cheat.
Schund [ʃʊnt] *m* (-[*e*]*s*; *no pl*) trash, rubbish.
Schuppe ['ʃʊpə] *f* (-; -*n*) scale: ***~n*** *pl Kopf2n*: dandruff *sg*.
Schuppen ['ʃʊpən] *m* (-*s*; -) shed; F *Lokal etc*: joint.
schüren ['ʃyːrən] *v/t* (*h*) stir up (*a. fig.*).
schürf|en ['ʃʏrfən] *v/i* (*h*): ***~ nach*** prospect (*od.* dig) for; '**2wunde** *f* graze.
Schurwolle ['ʃuːr~] *f* virgin wool.
Schürze ['ʃʏrtsə] *f* (-; -*n*) apron.
Schuss [ʃʊs] *m* (-*es*; ⸗*e*) shot; *Spritzer*: dash; *Ski*: schuss (*a.* ***im ~ fahren***); *sl. Droge*: shot, fix: ***gut in ~ sein*** be in good shape.
Schüssel ['ʃʏsəl] *f* (-; -*n*) bowl; *Servier2*: *a.* dish (*a.* F *Parabolantenne*); *Suppen2*: tureen.
'**Schuss|waffe** *f* firearm; '**~wunde** *f* gunshot (*od.* bullet) wound.
Schuster ['ʃuːstər] *m* (-*s*; -) shoemaker.
Schutt [ʃʊt] *m* (-[*e*]*s*; *no pl*) rubble.
Schüttel|frost ['ʃʏtəl~] *m med.* shivering fit; '**2n** *v/t* (*h*) shake: ***den Kopf ~*** shake one's head.
schütten ['ʃʏtən] *v/t* (*h*) pour.
schütter ['ʃʏtər] *adj Haar*: thin(ning).
Schutz [ʃʊts] *m* (-*es*; *no pl*) protection (***gegen, vor*** *dat* against), defen|ce (*Am.* -se) (against, from); *Zuflucht*: shelter (from); *Vorsichtsmaßnahme*: safeguard (against); *Deckung*: cover; '**~brief** *m mot.* travel insurance certificate; '**~brille** *f* (***e-e ~*** a pair of) safety goggles *pl*.
Schütze ['ʃʏtsə] *m* (-*n*; -*n*) *Tor2*: scorer: ***guter ~*** good shot; '**2n** *v/t* (*h*) protect (***gegen, vor*** *dat* against, from), guard (against, from); *gegen Wetter*: shelter (from); *sichern*: safeguard.
'**Schutz|engel** *m* guardian angel; '**~gewahrsam** *m jur.* protective custody; '**~heilige** *m, f* (-*n*; -*n*) patron saint; '**~helm** *m* (safety) helmet; '**~impfung** *f med.* vaccination, inoculation; '**~kleidung** *f* protective clothing.

Schützling ['ʃʏtslɪŋ] *m* (*-s*; *-e*) protégé(e *f*).

'**schutz|los** *adj* unprotected; *wehrlos*: defen|celess (*Am.* -seless); '**2maßnahme** *f* safety measure; '**2umschlag** *m* dust cover.

Schwaben ['ʃva:bən] Swabia.

schwach [ʃvax] *adj* weak (*a. fig.*); *Leistung, Augen, Gesundheit etc*: *a.* poor; *Ton, Hoffnung, Erinnerung etc*: faint; *zart*: delicate, frail: ***schwächer werden*** grow weak; *nachlassen*: decline.

Schwäch|e ['ʃvɛçə] *f* (*-*; *-n*) weakness (*a. fig.*); *bsd. Alters2*: infirmity; *Nachteil, Mangel*: drawback, shortcoming: ***e-e ~ haben für*** be partial to; '**2en** *v/t* (*h*) weaken (*a. fig.*); *vermindern*: lessen; '**2lich** *adj* weakly, feeble; *zart*: delicate, frail; '**~ling** *m* (*-s*; *-e*) weakling (*a. fig.*).

'**schwach|sinnig** *adj med.* feeble-minded; F *contp.* idiotic; '**2strom** *m* (*-[e]s*; *no pl*) *electr.* low-voltage current.

Schwager ['ʃva:gər] *m* (*-s*; *=*) brother-in-law.

Schwägerin ['ʃvɛ:gərɪn] *f* (*-*; *-nen*) sister-in-law.

Schwalbe ['ʃvalbə] *f* (*-*; *-n*) *zo.* swallow.

Schwall [ʃval] *m* (*-[e]s*; *-e*) gush, *bsd. fig. a.* torrent.

Schwamm [ʃvam] *m* (*-[e]s*; *=e*) sponge; *bot.* fungus; *Haus2*: dry rot; '**2ig** *adj* spongy; *Gesicht etc*: puffy; *vage*: hazy, misty.

Schwan [ʃva:n] *m* (*-[e]s*; *=e*) *zo.* swan.

schwanger ['ʃvaŋər] *adj* pregnant: ***im vierten Monat ~*** four months pregnant.

'**Schwangerschaft** *f* (*-*; *-en*) pregnancy; '**~sabbruch** *m* abortion; '**~stest** *m* pregnancy test.

schwank|en ['ʃvaŋkən] *v/i* **a)** (*h*) sway, roll (*a. Schiff u. Betrunkener*); *Preise, Temperaturen etc*: fluctuate: *fig.* ***~ zwischen*** (*dat*) … ***u.*** … vacillate (*od.* waver) between … and …; *Preise etc*: range from … to … **b)** (*sn*) *wanken, torkeln*: stagger; '**2ung** *f* (*-*; *-en*) variation, fluctuation.

Schwanz [ʃvants] *m* (*-es*; *=e*) *zo.* tail (*a. aer., ast.*); V *Penis*: cock.

Schwarm [ʃvarm] *m* (*-[e]s*; *=e*) swarm; *Menschen2*: *a.* crowd, F bunch; *Fisch2*: shoal, school; *Idol*: idol: ***du bist ihr ~*** she's got a crush on you.

schwärmen ['ʃvɛrmən] *v/i* (*h*) *Bienen etc*: swarm: ***~ für*** be mad about; *sich wünschen*: dream of; *j-n*: *a.* adore, worship; *verliebt sein*: have a crush on; ***~ von*** *erzählen*: rave about.

schwarz [ʃvarts] **1.** *adj* black (*a. fig.*): ***2es Brett*** notice (*bsd. Am.* bulletin) board; ***~e Zahlen schreiben*** *econ.* be in the black; ***~ auf weiß*** in black and white; **2.** *adv* illegally; *auf dem Schwarzmarkt*: on the black market; ***~ sehen → schwarzsehen***; '**2arbeit** *f* (*-*; *no pl*) illicit work, F moonlighting; '**~arbeiten** *v/i* (*sep*, *-ge-*, *h*) work on the side, F moonlight; '**2arbeiter** *m* illicit worker, F moonlighter; '**2brot** *n* rye bread.

'**Schwarze** *m, f* (*-n*; *-n*) black: ***die ~n*** *pl* the Blacks *pl.*

Schwarze(s) Meer ['ʃvartsə(s)'me:r] *the* Black Sea.

'**schwarz|fahren** *v/i* (*irr, sep, -ge-, sn, →* ***fahren***) dodge the fare; '**2fahrer** *m* fare dodger; '**2handel** *m* black market (-eering): ***im ~*** on the black market; '**2händler** *m* black marketeer; *Karten2*: *Br.* (ticket) tout, *Am.* (ticket) scalper.

schwärzlich ['ʃvɛrtslɪç] *adj* blackish.

'**Schwarz|markt** *m* black market; '**~marktpreis** *m* black-market price; '**2sehen** *v/i* (*irr, sep, -ge-, h, →* ***sehen***) be pessimistic (***für*** about); *TV* have no licen|ce (*Am.* -se); '**~seher** *m* (*-s*; *-*) pessimist; *TV* licen|ce (*Am.* -se) dodger; **~'weiß…** *in Zssgn* black-and-white …

schweben ['ʃve:bən] *v/i* (*sn*) be suspended; *Vogel*: hover (*a. fig.*); *gleiten*: glide: ***in Gefahr ~*** be in danger; '**~d** *adj jur. Verfahren*: pending.

Schwed|e ['ʃve:də] *m* (*-n*; *-n*) Swede; '**2isch** *adj* Swedish.

Schweden ['ʃve:dən] Sweden.

Schwefel ['ʃve:fəl] *m* (*-s*; *no pl*) *chem. bsd. Br.* sulphur, *Am.* sulfur; '**~säure** *f chem.* sulphuric (*Am.* sulfuric) acid.

schweig|en [~] *v/i* (*schwieg, geschwiegen, h*) be silent: ***ganz zu ~ von*** let alone; '**~end** *adj* silent; '**~sam** *adj* quiet.

Schweigen ['ʃvaɪgən] *n* (*-s*; *no pl*) silence.

Schwein [ʃvaɪn] *n* (*-[e]s*; *-e*) *zo.* pig, *bsd. Am. a.* hog; *~efleisch*: pork; F *contp. schmutziger Kerl*: (dirty) pig, *Lump*:

swine, bastard: F **~ haben** be lucky.

'Schweine|braten *m* roast pork; **'~fleisch** *n* pork; **~'rei** *f* (-; *-en*) mess; *Gemeinheit*: dirty trick; *Schande*: dirty (*od.* crying) shame; *Unanständigkeit*: filth(y story *od.* joke); **'~stall** *m* pigsty (*a. fig.*).

'schweinisch *adj fig.* filthy; *Witz etc*: dirty.

'Schweinsleder *n* pigskin.

Schweiß [ʃvaɪs] *m* (*-es*; *-e*) sweat, perspiration; **'2en** *v/t* (*h*) *tech.* weld; **'~er** *m* (*-s*; -) *tech.* welder; **'2gebadet** *adj* bathed in sweat; **'~stelle** *f tech.* weld.

Schweiz [ʃvaɪts] Switzerland.

Schweizer ['ʃvaɪtsər] **1.** *m* (*-s*; -) Swiss: ***die ~ pl*** the Swiss *pl*; **2.** *adj* Swiss.

schwelen ['ʃveːlən] *v/i* (*h*) smo(u)lder (*a. fig.*).

schwelgen ['ʃvɛlgən] *v/i* (*h*): **~ *in*** (*dat*) revel in.

Schwell|e ['ʃvɛlə] *f* (-; *-n*) *Tür2*: threshold (*a. fig.*); *rail. bsd. Br.* sleeper, *Am.* tie; **'2en** *v/i* (*schwoll, geschwollen, sn*) swell; **'~enland** *n* emergent nation; **'~ung** *f* (-; *-en*) swelling.

Schwemme ['ʃvɛmə] *f* (-; *-n*) *econ.* glut (***an*** *dat* of); **'2n** *v/t* (*h*): ***an Land geschwemmt werden*** be washed ashore.

schwenken ['ʃvɛŋkən] *v/t* (*h*) *Fahne etc*: wave.

schwer [ʃveːr] **1.** *adj* heavy; *schwierig*: difficult, hard (*a. Arbeit*); *Wein, Zigarre etc*: strong; *Essen*: rich; *Krankheit, Fehler, Unfall, Schaden etc*: serious; *Strafe etc*: severe; *heftig*: heavy, violent: ***~e Zeiten*** hard times; ***es ~ haben*** have a bad time; ***100 Pfund ~ sein*** weigh a hundred pounds; **2.** *adv*: ***~ arbeiten*** work hard; *fig.* → ***schwerfallen, schwertun***; ***~ behindert*** severely handicapped (*od.* disabled); ***~ verdaulich*** indigestable, heavy (*a. fig.*); ***~ verletzt*** seriously injured; ***~ verständlich*** difficult (*od.* hard) to understand; → ***erhältlich, hören***; **'2e** *f* (-; *no pl*) weight (*a. fig.*); *fig.* seriousness; **'~fallen** *v/i* (*irr, sep, -ge-, sn,* → ***fallen***) be difficult (*dat* for): ***es fällt ihm schwer zu ...*** he finds it hard to ...; **'~fällig** *adj* awkward, clumsy; **~hörig** ['-høːrɪç] *adj* hard of hearing, deaf; **'2indu,strie** *f* heavy industry; **'2kraft** *f* (-; *no pl*) *phys.* gravity; **'2me,tall** *n* heavy metal; **~mütig** ['-myːtɪç] *adj* melancholy; **'2punkt** *m phys.* cent|re (*Am.* -er) of gravity; *fig.* main focus; **'2punktstreik** *m econ.* pinpoint strike; **'~tun** *v/t* (*irr, sep, -ge-, h,* → ***tun***): ***sich ~ tun mit*** have a hard time with; **'2verbrecher** *m* dangerous criminal, *jur.* felon; **'~verdaulich** → ***schwer*** 2; **'~verständlich** → ***schwer*** 2; **'~wiegend** *adj* serious.

Schwester ['ʃvɛstər] *f* (-; *-n*) sister; *Ordens2*: *a.* nun; *Kranken2*: nurse.

Schwieger... ['ʃviːgər-] *in Zssgn Eltern, Mutter, Sohn etc*: ...-in-law.

Schwiel|e ['ʃviːlə] *f* (-; *-n*) callus; **'2ig** *adj* callous, horny.

schwierig ['ʃviːrɪç] *adj* difficult, hard; **'2keit** *f* (-; *-en*) difficulty, trouble: ***in ~en geraten*** get into trouble; ***~en haben, et. zu tun*** have difficulty (in) doing s.th.

Schwimm|bad ['ʃvɪm-] *n* (*Hallen2*: indoor) swimming pool; **'~becken** *n* swimming pool; **'2en** *v/i* (*schwamm, geschwommen, sn*) swim; *Gegenstand*: float: ***~ gehen*** go swimming; **'~er** *m* (*-s*; -) swimmer; **'~weste** *f* life jacket.

Schwindel ['ʃvɪndəl] *m* (-; *no pl*) dizziness; *fig.* swindle; ***~ erregend*** dizzy; **'~anfall** *m med.* dizzy spell; **'2erregend** *adj* dizzy; **'~firma** *f* bogus company; **'2frei** *adj*: ***~ sein*** have a good head for heights; **'2n** *v/i* (*h*) fib, tell fibs.

schwinden ['ʃvɪndən] *v/i* (*schwand, geschwunden, sn*) *Einfluss, Macht etc*: dwindle, diminish.

Schwind|ler ['ʃvɪndlər] *m* (*-s*; -) swindler; *Lügner*: liar; **'2lig** *adj*: ***mir ist ~*** I feel dizzy.

schwingen ['ʃvɪŋən] *v/t* (*schwang, geschwungen, h*) *Fahne etc*: wave.

Schwips [ʃvɪps] *m* (*-es*; *-e*): F ***e-n ~ haben*** be tipsy.

schwirren ['ʃvɪrən] *v/i* **a)** (*sn*) whirr, whizz; *bsd. Insekt*: buzz (*a. fig.*) **b)** (*h*): ***mir schwirrt der Kopf*** my head is buzzing.

schwitzen ['ʃvɪtsən] *v/i* (*h*) sweat (***vor*** *dat* with), perspire.

schwören ['ʃvøːrən] *v/t u. v/i* (*schwor, geschworen, h*) swear (***bei*** by).

schwul [ʃvuːl] *adj neg!* gay, *contp.* queer.

schwül [ʃvyːl] *adj* sultry, close.

'Schwule *m* (*-n*; *-n*) *neg!* gay, *contp.* queer.

S

ˈ**Schwüle** *f* (-; *no pl*) sultriness.
schwülstig [ˈʃvʏlstɪç] *adj* bombastic, pompous.
Schwung [ʃvʊŋ] *m* (-[*e*]*s*; ⸚*e*) swing; *fig.* verve, zest, F vim, pep; *Energie*: drive: ***in ~ kommen*** (***bringen***) get (*s.th.*) going; ˈ**2haft** *adj econ.* flourishing; ˈ**2voll** *adj* full of energy (*od.* verve); *Melodie*: swinging, catchy.
Schwur [ʃvuːr] *m* (-[*e*]*s*; ⸚*e*) oath; ˈ**~gericht** *n jur. appr.* jury court.
sechs [zɛks] *adj* six; ˈ**2erpack** *m* six-pack; ˈ**~fach** *adj u. adv* sixfold; ˈ**~te** *adj* sixth; ˈ**2tel** *n* (-*s*; -) sixth (part).
sech|zehn [ˈzɛçtseːn] *adj* sixteen; **~zig** [ˈ-tsɪç] *adj* sixty.
See[1] [zeː] *m* (-*s*; -*n*) lake.
See[2] [-] *f* (-; *no pl*) sea, ocean: ***an die ~ fahren*** go to the seaside; ***auf hoher ~*** on the high seas; ***in ~ stechen*** put to sea; ˈ**~bad** *n* seaside resort; ˈ**~blick** *m* view of the sea (*od.* lake); ˈ**~gang** *m* (-[*e*]*s*; *no pl*) waves *pl*: ***hoher ~*** rough seas *pl*; ˈ**~hafen** *m* seaport; ˈ**~igel** *m zo.* sea urchin; ˈ**2klar** *adj* ready to sail; ˈ**2krank** *adj* seasick; ˈ**~krankheit** *f* (-; *no pl*) seasickness.
Seel|e [ˈzeːlə] *f* (-; -*n*) soul; ˈ**2isch** *adj* mental; *Gemüts…*: emotional.
ˈ**See|luft** *f* (-; *no pl*) sea air; ˈ**~macht** *f* sea power; ˈ**~mann** *m* (-[*e*]*s*; -*leute*) seaman, sailor; ˈ**~meile** *f* nautical mile; ˈ**~not** *f* (-; *no pl*) distress (at sea): ***in ~*** distressed; ˈ**~räuber** *m* pirate; ˈ**~reise** *f* sea journey (*od.* voyage); *Kreuzfahrt*: cruise; *Überfahrt*: crossing; ˈ**~rose** *f bot.* water lily; ˈ**~schlacht** *f* naval battle; ˈ**~streitkräfte** *pl* naval forces *pl*; ˈ**2tüchtig** *adj Zustand*: seaworthy; *hoch~*: seagoing; ˈ**~weg** *m* sea route: ***auf dem ~*** by sea.
Segel [ˈzeːgəl] *n* (-*s*; -) sail; ˈ**~boot** *n Br.* sailing boat, *Am.* sailboat; *Sport*: yacht; ˈ**2n** *v/i* (h *u.* sn) sail; ˈ**~schiff** *n* sailing ship (*od.* vessel); ˈ**~sport** *m* yachting, sailing; ˈ**~tuch** *n* (-[*e*]*s*; -*e*) canvas, sailcloth.
Segen [ˈzeːgən] *m* (-*s*; -) blessing (*a. fig.*).
Segler [ˈzeːglər] *m* (-*s*; -) yachtsman; ˈ**~in** *f* (-; -*nen*) yachtswoman.
segn|en [ˈzeːgnən] *v/t* (*h*) bless; ˈ**2ung** *f* (-; -*en*) blessing.
sehen [ˈzeːən] *v/i u. v/t* (*sah, gesehen, h*) see; *Sendung, Spiel etc*: *a.* watch; *bemerken*: notice: ***~ nach*** *sich kümmern um*: look after; *suchen*: look for; ***sich ~ lassen*** *kommen*: show up; ***das sieht man*** (***kaum***) it (hardly) shows; ***siehst du*** *erklärend*: (you) see; *vorwurfsvoll*: I told you; ***siehe oben*** (***unten, Seite …***) see above (below, page …); ˈ**~swert** *adj* worth seeing; ˈ**2swürdigkeit** *f* (-; -*en*) place *etc* worth seeing: ***~en*** *pl* sights *pl*.
ˈ**Sehkraft** *f* (-; *no pl*) eyesight, vision.
Sehne [ˈzeːnə] *f* (-; -*n*) *anat.* sinew; *Bogen2*: string.
sehnen [ˈzeːnən] *v/refl* (*h*) long (***nach*** for); *stärker*: yearn (for): ***sich danach ~ zu*** be longing to.
ˈ**Sehnerv** *m* optic nerve.
sehn|lichst [ˈzeːnlɪçst] *adj Wunsch*: dearest; ˈ**2sucht** *f* (-; ⸚*e*) longing (***nach*** for); *stärker*: yearning (for): ***~ haben*** (***nach***) → ***sehnen***; ˈ**~süchtig** *adj* longing, *stärker*: yearning.
sehr [zeːr] *adv vor adj u. adv*: very, most; *mit vb*: (very) much, greatly.
ˈ**Sehtest** *m* eye test.
seicht [zaɪçt] *adj* shallow (*a. fig.*).
Seide [ˈzaɪdə] *f* (-; -*n*) silk; ˈ**~npaˌpier** *n* tissue paper.
Seife [ˈzaɪfə] *f* (-; -*n*) soap; ˈ**~nblase** *f* soap bubble; ˈ**~nschale** *f* soap dish; ˈ**~nschaum** *m* lather.
Seil [zaɪl] *n* (-[*e*]*s*; -*e*) rope; ˈ**~bahn** *f* cable railway.
sein[1] [-] *v/i* (*war, gewesen, sn*) be; *bestehen, existieren*: *a.* exist.
sein[2] [-] *poss pron* his; her; its: ***~er, ~e, ~(e)s*** his; hers; its.
Sein [zaɪn] *n* (-*s*; *no pl*) being, existence.
ˈ**seinerzeit** *adv* then, in those days.
ˈ**seinetˈwegen** *adv für ihn*: for his sake; *wegen ihm*: because of him.
seit [zaɪt] *prp u. cj* since: ***~ 1982*** since 1982; ***~ drei Jahren*** for three yeas; ***~ langem*** (***kurzem***) for a long (short) time; ˈ**~ˈdem 1.** *adv* since then, since that time, ever since; **2.** *cj* since.
Seite [ˈzaɪtə] *f* (-; -*n*) side (*a. fig.*); *Buch2*: page: ***auf der linken ~*** on the left (-hand) side; *fig.* ***auf der e-n*** (***anderen***) ***~*** on the one (other) hand.
ˈ**Seiten|hieb** *m fig.* sideswipe (***auf*** *acc*, ***gegen*** at); ˈ**2s** *prp* on the part of, by; ˈ**~schiff** *n arch.* aisle; ˈ**~sprung** *m* affair, fling; ˈ**~straße** *f* side street; ˈ**~streifen** *m* verge.

'**seit|lich** *adj* lateral, side; **~wärts** ['~vɛrts] *adv* sideways, to the side.
Sekret|är [zekre'tɛːr] *m* (*-s*; *-e*) secretary (*gen* to); *Schreibtisch*: *a.* bureau; **~ariat** [~a'rĭaːt] *n* (*-[e]s*; *-e*) (secretary's) office; **~ärin** *f* (*-*; *-nen*) secretary (*gen* to).
Sekt [zɛkt] *m* (*-[e]s*; *-e*) sparkling wine, champagne.
Sekte ['zɛktə] *f* (*-*; *-n*) sect.
'**Sektglas** *n* champagne glass.
Sektor ['zɛktɔr] *m* (*-s*; *-en*) sector; *fig. a.* field.
Sekunde [ze'kʊndə] *f* (*-*; *-n*) second; **~nzeiger** *m* second hand.
selbe ['zɛlbə] *adj* same; '**~r** *pron* → ***selbst*** 1.
selbst [zɛlbst] **1.** *pron*: ***ich*** (***du*** *etc*) **~** I (you *etc*) myself (yourself *etc*); ***mach es*** **~** do it yourself; ***et.*** **~** (*ohne Hilfe*) ***tun*** do s.th. by oneself; ***von*** **~** by itself; **~** ***gemacht*** homemade; **2.** *adv* even.
'**Selbst|auslöser** *m phot.* (self-)timer; '**~bedienung** *f* self-service: ***mit*** **~** self-service; '**~bedienungsladen** *m* self-service shop (*Am.* store); '**~bedienungsrestau,rant** *n* self-service restaurant, cafeteria; '**~befriedigung** *f* masturbation; '**~beherrschung** *f* self-control; '**~bestimmung** *f* (*-*; *no pl*) self-determination; '**ꝰbewusst** *adj* self-confident; '**~bewusstsein** *n* self-confidence; '**~erhaltungstrieb** *m* survival instinct; '**~gespräch** *n*: ***~e führen*** talk to o.s.; '**~hilfe** *f* (*-*; *no pl*) self-help; '**~hilfegruppe** *f* self-help group; '**~kostenpreis** *m econ.*: ***zum*** **~** at cost (price); '**ꝰkritisch** *adj* self-critical; '**ꝰlos** *adj* unselfish; '**~mord** *m* suicide; '**~mordanschlag** *m* suicide attack; '**~mordattentäter** *m* suicide attacker, suicide bomber; '**~mörder** *m* suicide; '**ꝰmörderisch** *adj* suicidal; *Geschwindigkeit etc*: *a.* breakneck; '**ꝰsicher** *adj* self-confident, self-assured; '**~sicherheit** *f* (*-*; *no pl*) self-confidence; '**ꝰständig** *adj* independent; *beruflich*: *a.* self-employed; **~ständige** *m*, *f* (*-n*; *-n*) self-employed person; '**~ständigkeit** *f* (*-*; *no pl*) independence; '**~studium** *n* self-study, private study; '**~täuschung** *f* self-deception; '**~verpfleger** *m* (*-s*; *-*) self-caterer; '**~verpflegung** *f* (*-*; *no pl*) self-catering; '**~versorger** *m* (*-s*; *-*) self-supporter; '**~versorgung** *f* self-support; '**ꝰverständlich** **1.** *adj* natural: ***das ist*** **~** that's a matter of course; **2.** *adv* of course, naturally; '**~verständlichkeit** *f* (*-*; *-en*) matter of course; '**~verteidigung** *f* self-defen|ce (*Am.* -se); '**~vertrauen** *n* self-confidence; '**~verwaltung** *f* self-government, autonomy; '**ꝰzufrieden** *adj* self-satisfied.
selig ['zeːlɪç] *adj eccl.* blessed; *verstorben*: late; *fig.* overjoyed.
Sellerie ['zɛləri] *m* (*-s*; *-[s]*), *f* (*-*; *-*) *bot.* celeriac; *Staudenꝰ*: celery.
selten ['zɛltən] **1.** *adj* rare: **~** ***sein*** be rare (*od.* scarce); **2.** *adv* rarely, seldom.
Selters ['zɛltərs] *n* (*-*; *no pl*), '**~wasser** *n* (*-s*; *Selterswässer*) mineral water, *Am. a.* seltzer.
seltsam ['zɛltzaːm] *adj* strange, odd.
Semester [ze'mɛstər] *n* (*-s*; *-*) *univ.* semester; **~ferien** *pl* vacation *sg.*
Seminar [zemi'naːr] *n* (*-s*; *-e*) *univ.* seminar; *Priesterꝰ*: seminary.
Semmel ['zɛməl] *f* (*-*; *-n*) roll.
Senat [ze'naːt] *m* (*-[e]s*; *-e*) senate; **~or** [~ɔr] *m* (*-s*; *-en*) senator.
senden[1] ['zɛndən] *v/t* (*sandte*, *gesandt*, *h*) send.
send|en[2] [~] *v/t* (*h*) *Funk*: transmit; *Rundfunk*, *TV*: *a.* broadcast; '**ꝰer** *m* (*-s*; *-*) radio (*od.* television) station; *tech. Anlage*: transmitter; '**ꝰeschluss** *m* (*-es*; *no pl*) closedown, sign-off; '**ꝰung** *f* (*-*; *-en*) broadcast, program(me); *TV a.* telecast; *Warenꝰ*: consignment, shipment: ***auf*** **~** ***sein*** be on the air.
Senf [zɛnf] *m* (*-[e]s*; *-e*) mustard.
senil [ze'niːl] *adj* senile; **ꝰität** [~ili'tɛːt] *f* (*-*; *no pl*) senility.
Senior|chef ['zeːnĭɔr~] *m econ.* head of the dynasty, father of the firm; **~en** [ze'nĭoːrən] *pl* senior citizens *pl*; **~enheim** retirement home.
senk|en ['zɛnkən] (*h*) **1.** *v/t* lower (*a. Stimme*); *Kopf*: *a.* bow; *Kosten*, *Preise etc*: *a.* reduce, cut; **2.** *v/refl* drop, go (*od.* come) down; '**~recht**; **1.** *adj* vertical; **2.** *adv*: **~** ***nach oben*** (***unten***) straight up (down); '**ꝰung** *f* (*-*; *no pl*) lowering, reduction.
Sensation [zɛnza'tsĭoːn] *f* (*-*; *-en*) sensation; **ꝰell** [~o'nɛl] *adj*, **~s...** *in Zssgn* sensational (...); **~smache** *f* (*-*; *no pl*) *contp.* sensationalism.
sensib|el [zɛn'ziːbəl] *adj* sensitive; **~ili-**

S

sieren [ˌibili'ziːrən] *v/t* (*no ge-, h*) sensitize (***für*** to); **ꞰIlität** [ˌibili'tɛːt] *f* (-; *no pl*) sensitiveness.
sentimental [zɛntimɛn'taːl] *adj* sentimental; **Ꞡität** [ˌali'tɛt] *f* (-; *-en*) sentimentality.
Separatismus [zepara'tɪsmʊs] *m* (-; *no pl*) *pol.* separatism.
September [zɛp'tɛmbər] *m* (-[*s*]; -) September: ***im*** **~** in September.
Serbien ['zɛrbĭən] Serbia.
Serbien und Montenegro *n* Serbia and Montenegro
Serie ['zeːrĭə] *f* (-; *-n*) series; *TV etc a.* serial; *Satz*: set: ***in*** **~** *bauen etc*: in series; '**Ꞡnmäßig** *adj* series(-produced); *Ausstattung etc*: standard; '**~nnummer** *f* serial number; '**~nwagen** *m mot.* standard-type car.
seriös [ze'rĭøːs] *adj* respectable; *ehrlich*: honest; *Zeitung*: quality.
Serum ['zeːrʊm] *n* (*-s*; -ren) serum.
Service[1] [zɛr'viːs] *n* (-; - [ˌ'viːsə]) set, service.
Service[2] ['sœrvɪs] *m, a. n* (-; *no pl*) *Bedienung*: service, *Kundendienst*: after-sales service.
servier|en [zɛr'viːrən] *v/t u. v/i* (*no ge-, h*) serve; **Ꞡerin** *f* (-; *-nen*) waitress; **Ꞡwagen** *m* trolley.
Serviette [zɛr'vĭɛtə] *f* (-; *-n*) napkin.
Servo|bremse ['zɛrvoˌ] *f mot.* servo (*od.* power) brake; '**~lenkung** *f mot.* servo(-assisted) (*od.* power) steering.
Sessel ['zɛsəl] *m* (*-s*; -) armchair, easy chair; '**~lift** *m* chair lift.
sesshaft ['zɛshaft] *adj*: **~ *werden*** settle (down).
Set [sɛt] *n, m* (-[*s*]; *-s*) *Platzdeckchen*: place mat.
setzen ['zɛtsən] (*h*) **1.** *v/t* put, place; *j-n*: *a.* sit; **2.** *v/i*: **~ *über*** (*acc*) jump over; *Fluss*: cross; **~ *auf*** (*acc*) *wetten*: bet on, back; **3.** *v/refl* sit down; *chem. etc* settle: ***sich* ~ *auf*** (*acc*) *Pferd, Rad etc*: get on, mount; ***sich* ~ *in*** (*acc*) *Auto etc*: get into; ***sich zu j-m* ~** sit beside (*od.* with) s.o.; **~ *Sie sich, bitte!*** take (*od.* have) a seat, please.
Seuche ['zɔʏçə] *f* (-; *-n*) *med.* epidemic; '**~ngefahr** *f* danger of an epidemic.
seufze|n ['zɔʏftsən] *v/i* (*h*) sigh; '**Ꞡr** *m* (*-s*; -) sigh.
Sex [zɛks, sɛks] *m* (-[*es*]; *no pl*) sex.
Sexual|leben [ze'ksŭaːlˌ] *n* sex life; **~verbrechen** *n* sex(ual) crime.
sexuell [zɛ'ksŭɛl] *adj* sexual.
sexy ['zɛksi, 'sɛksi] *adj* sexy.
Show [ʃoː] *f* (-; *-s*) *TV etc* show.
Sibirien [zi'biːrĭən] Siberia.
sich [zɪç] *refl pron* oneself; *sg* himself, herself, itself; *pl* themselves; *sg* yourself, *pl* yourselves: **~ *ansehen*** *im Spiegel etc*: look at o.s.
sicher ['zɪçər] **1.** *adj* safe (***vor*** *dat* from), secure (from); *bsd. tech.* proof (***gegen*** against); *in Zssgn* …proof; *gewiss, überzeugt*: certain, sure; *zuverlässig*: reliable: (***sich***) **~ *sein*** be sure (***e-r Sache*** of s.th.; ***dass*** that); **2.** *adv fahren etc*: safely; *natürlich*: of course, *bsd. Am. a.* sure(ly); *gewiss*: certainly; *wahrscheinlich*: probably: ***du hast*** (***bist***) **~ …** you must have (be) …
'**Sicherheit** *f* (-; *-en*) security (*a. mil., pol., econ.*); *bsd. körperliche*: safety (*a. tech.*); *Gewissheit*: certainty; *Können*: skill: (***sich***) ***in*** **~ *bringen*** get to safety.
'**Sicherheits|glas** *n* (*-es*; *no pl*) safety glass; '**~gurt** *m aer., mot.* seat (*od.* safety) belt; '**~kopie** *f Computer*: back-up; '**~nadel** *f* safety pin; '**~risiko** *n* security risk; '**~schloss** *n* safety lock.
'**sicher|lich** *adv* → ***sicher*** 2; '**~n** (*h*) **1.** *v/t* secure (*a. mil., tech.*); *schützen*: protect, safeguard; **2.** *v/refl* secure o.s. (***gegen, vor*** *dat* against, from); '**~stellen** *v/t* (*sep, -ge-, h*) *garantieren*: guarantee; *beschlagnahmen*: seize.
'**Sicherung** *f* (-; *-en*) securing; safeguard(ing); *tech.* safety device, *electr.* fuse; '**~sdiskette** *f Computer*: back-up disk.
Sicht [zɪçt] *f* (-; *no pl*) visibility; *Aus*Ꞡ: view (***auf*** *acc* of): ***in*** **~ *kommen*** come into sight (*od.* view); ***auf lange*** **~** in the long run; '**Ꞡbar** *adj* visible; '**Ꞡen** *v/t* (*h*) sight; *fig.* sort (through *od.* out); '**Ꞡlich** *adv* visibly; '**~weite** *f*: ***in*** (***außer***) **~** within (out of) sight.
sickern ['zɪkərn] *v/i* (*sn*) trickle, seep.
sie [ziː] *pers pron* she; *Sache*: it; *pl* they; ***Sie*** *sg u. pl* you.
Sieb [ziːp] *n* (-[*e*]*s*; *-e*) sieve; *Tee*Ꞡ *etc*: strainer.
sieben[1] ['ziːbən] *v/t* (*h*) sieve, sift; *fig.* weed out.
sieben[2] [ˌ] *adj* seven.
sieb|te ['ziːptə] *adj* seventh; '**Ꞡtel** *n* (*-s*;

S

-) seventh (part); '**~zehn** *adj* seventeen; '**~zig** *adj* seventy.

siedeln ['ziːdəln] *v/i* (*h*) settle.

siede|n ['ziːdən] *v/t u. v/i* (*h*) boil, simmer: ***~d heiß*** boiling hot; '**2punkt** *m* (-[*e*]*s*; *no pl*) boiling point (*a. fig.*).

Siedl|er ['ziːdlər] *m* (-*s*; -) settler; '**~ung** *f* (-; -*en*) settlement; *Wohn2*: housing estate.

Sieg [ziːk] *m* (-[*e*]*s*; -*e*) victory; *Sport etc*: *a.* win.

Siegel ['ziːgəl] *n* (-*s*; -) seal (*a. fig.*); *privates*: signet; '**~lack** *m* sealing wax; '**2n** *v/t* (*h*) seal; '**~ring** *m* signet ring.

sieg|en ['ziːgən] *v/i* (*h*) win; '**2er** *m* (-*s*; -) winner; **~reich** ['ziːk-] *adj* victorious; *Sport etc*: *a.* winning.

Signal [zi'gnaːl] *n* (-[*e*]*s*; -*e*) signal; **2isieren** [-ali'ziːrən] *v/t* (*no ge-*, *h*) signal.

signieren [zi'gniːrən] *v/t* (*no ge-*, *h*) sign.

Silber ['zɪlbər] *n* (-*s*; *no pl*) silver; '**2grau** *adj* silver-grey (*Am.* -gray); '**~hochzeit** *f* silver wedding; '**~meˌdaille** *f* silver medal; '**~münze** *f* silver coin; '**2n** *adj* silver.

Silhouette [zi'lĭɛtə] *f* (-; -*n*) silhouette; *e-r Stadt*: *a.* skyline.

Silvester [zɪl'vɛstər] *n* (-*s*; -) New Year's Eve.

SIM-Karte ['zɪm-] *f* sim card.

simsen ['zɪmzən] *v/i u. v/t* text, send a text message.

Simul|ant [zimu'lant] *m* (-*en*; -*en*) malingerer; **2ieren** [-'liːrən] (*no ge-*, *h*) **1.** *v/t* sham, feign, *a. tech.* simulate; **2.** *v/i* malinger.

simultan [zimʊl'taːn] *adj* simultaneous; **2dolmetscher** *m* simultaneous translator (*od.* interpreter).

Sinfonie [zɪnfo'niː] *f* (-; -*n*) symphony.

Singapur ['ziŋgapuːr] Singapore.

singen ['zɪŋən] *v/t u. v/i* (*sang*, *gesungen*, *h*) sing (***richtig*** [***falsch***] in [out of] tune).

Single[1] ['sɪŋl] *f* (-; -*s*) *Schallplatte*: single.

Single[2] [-] *m* (-[*s*]; -*s*) single (person).

'**Singvogel** *m* songbird.

sinken ['zɪŋkən] *v/t* (*sank*, *gesunken*, *sn*) sink (*a. fig. Person*), go down (*a. Preise etc*); *Sonne*: *a.* set; *Preise etc*: fall, drop.

Sinn [zɪn] *m* (-[*e*]*s*; -*e*) sense (**für** of) *Verstand etc*: mind; *Bedeutung*: sense, meaning; *e-r Sache*: point, idea: ***im ~ haben*** have in mind; ***es hat keinen ~*** (***zu warten*** *etc*) it's no use (waiting *etc*); '**~bild** *n* symbol; '**2entstellend** *adj* distorting.

'**Sinnes|orˌgan** *n* sense organ; '**~täuschung** *f* hallucination; '**~wandel** *m* change of heart.

'**sinn|lich** *adj die Sinne betreffend*: sensuous; *Wahrnehmung etc*: sensory; *Begierden etc*: sensual; '**2lichkeit** *f* (-; *no pl*) sensuality; '**~los** *adj* senseless; *zwecklos*: useless; '**2losigkeit** *f* (-; *no pl*) senselessness; uselessness; '**~voll** *adj* meaningful; *nützlich*: useful; *vernünftig*: wise, sensible.

Sirene [zi'reːnə] *f* (-; -*n*) siren.

Sitte ['zɪtə] *f* (-; -*n*) custom, tradition: **~n** *pl* morals *pl*; *Benehmen*: manners *pl.*

'**sittlich** *adj* moral; *anständig*: decent; '**2keitsverbrechen** *n* sex(ual) crime.

Situation [zitŭa'tsĭoːn] *f* (-; -*en*) situation; *Lage*: *a.* position.

Sitz [zɪts] *m* (-*es*; -*e*) seat (*a. fig.*); *e-s Kleides etc*: fit.

'**sitzen** *v/i* (*saß*, *gesessen*, *h*) sit; *sich befinden*: be; *stecken*: be (stuck); *passen*: fit; F *im Gefängnis*: do time: ***~ bleiben*** remain seated; *ped.* have to repeat a year: ***~ bleiben auf*** (*dat*) be left with; ***~ lassen*** *Freundin etc*: walk out on; '**~bleiben** → ***sitzen***; '**~lassen** → ***sitzen.***

'**Sitz|gelegenheit** *f* seat: ***genug ~en*** *pl* enough seating (room) *sg*; '**~ordnung** *f* seating plan; '**~platz** *m* seat.

'**Sitzung** *f* (-; -*en*) meeting, conference; *parl. etc* session (*a. Psychiater etc*), sitting; '**~speriˌode** *f* *parl.* session; '**~sprotoˌkoll** *n* minutes *pl*; '**~ssaal** *m* conference hall.

Sizilien [zi'tsiːlĭən] Sicily.

Skala ['skaːla] *f* (-; -len, -s) scale; *fig. a* range.

Skandal [skan'daːl] *m* (-*s*; -*e*) scandal; **~blatt** *n* scandal sheet; **2ös** [-a'løːs] *adj* scandalous, shocking; **~presse** *f* gutter press.

Skandinavien [skandi'naːvĭən] Scandinavia.

Skelett [ske'lɛt] *n* (-[*e*]*s*; -*e*) skeleton.

Skep|sis ['skɛpsɪs] *f* (-; *no pl*) scepticism, *Am.* skepticism; **~tiker** ['-tiker] *m* (-*s*; -) sceptic, *Am.* skeptic; '**2tisch** *adj* sceptical, *Am.* skeptical.

Ski [ʃiː] *m* (*-s*; *-er*, *-*) ski: ~ ***laufen*** (*od.* ***fahren***) ski; '~**fahren** *n* (*-s*; *no pl*) skiing; '~**fahrer** *m* skier; '~**gebiet** *n* skiing area; '~**gym,nastik** *f* skiing exercises *pl*; '~**laufen** *n* (*-s*; *no pl*) skiing; '~**läufer** *m* skier; '~**lehrer** *m* skiing instructor; '~**lift** *m* ski lift; '~**stiefel** *m* skiing boot; '~**urlaub** *m* skiing holiday (*Am.* vacation).

Skizz|e ['skɪtsə] *f* (*-*; *-n*) sketch; 2**ieren** [-'tsiːrən] *v/t* (*no ge-*, *h*) sketch; *fig.* outline.

Sklav|e ['sklaːvə] *m* (*-n*; *-n*) slave (*a. fig.*: *gen* to); '~**enhandel** *m* slave trade; ~**e'rei** *f* (*-*; *no pl*) slavery; '2**isch** *adj* slavish (*a. fig.*).

Skonto ['skɔnto] *m*, *n* (*-s*; *-s*) *econ.* (cash) discount.

Skrupel ['skruːpəl] *m* (*-s*; *-*) scruple; '2**los** *adj* unscrupulous.

Skulptur [skʊlp'tuːr] *f* (*-*; *-en*) sculpture.

Slaw|e ['slaːvə] *m* (*-n*; *-n*) Slav; '2**isch** *adj* Slav.

Slip [slɪp] *m* (*-s*; *-s*) (***ein*** ~ a pair of) briefs *pl*; *Damen*2: *a.* panties *pl*.

Slowakei [slova'kaɪ] Slovakia.

Slowenien [slo've:nĭən] Slovenia.

Slum [slam] *m* (*-s*; *-s*) *mst pl* slum; '~**bewohner** *m* slum dweller.

Smog [smɔk] *m* (*-*[*s*]; *-s*) smog; '~**a,larm** *m* smog alert.

Smoking ['smoːkɪŋ] *m* (*-s*; *-s*) dinner jacket, *Am.* tuxedo.

Snob [snɔp] *m* (*-s*; *-s*) snob; ~**ismus** [sno'bɪsmʊs] *m* (*-*; *no pl*) snobbery; 2**istisch** [sno'bɪstɪʃ] *adj* snobbish.

so [zoː] **1.** *adv* so; *auf diese Weise*; like this (*od.* that), this (*od.* that) way; *damit*, *dadurch*: *a.* thus; *solch*: such: ~ ***groß wie*** as big as; ~ ***viel wie möglich*** as much as possible; ~ ***weit*** *bis jetzt od. hier*: so far: ~ ***weit sein*** be ready; ***es ist*** ~ ***weit*** it is time; ~ ***ein***(***e***) such a; ~ ***sehr*** so (F that) much; ***u.*** ~ ***weiter*** and so on; ***oder*** ~ ***et.*** or s.th. like that; ***oder*** ~ or so; ~ ***genannt*** so-called; **2.** *cj deshalb*, *daher*: so, therefore: ~ ***dass*** → ***sodass***; **3.** *int.*: ~***!*** all right!, *Am.* alright!; *fertig*: that's it!; ***ach*** ~***!*** I see; ~'**bald** *cj* as soon as.

Socke ['zɔkə] *f* (*-*; *-n*) sock.

Sockel ['zɔkəl] *m* (*-s*; *-*) base; *Statue etc*: pedestal.

sodass [zoː 'das] *cj* so that.

Sodbrennen ['zoːt-] *n* (*-s*; *no pl*) *med.* heartburn.

so'eben *adv* just (now).

Sofa ['zoːfa] *n* (*-s*; *-s*) sofa, settee.

so'fern *cj* if, provided that: ~ ***nicht*** unless.

so'fort *adv* at once, immediately, right away; 2**bildkamera** *f phot.* instant camera.

so'gar *adv* even.

'sogenannt *adj* so-called.

Sohle ['zoːlə] *f* (*-*; *-n*) sole; *Tal*2 *etc*: bottom.

Sohn [zoːn] *m* (*-*[*e*]*s*; *⸚e*) son.

Sojabohne ['zoːjã] *f bot.* soybean.

so'lange *cj* as long as.

So'lar|batte,rie [zo'laːr-] *f* solar battery; ~**ener,gie** *f* solar energy.

Solarium [zo'laːrĭʊm] *n* (*-s*; *-rien*) solarium.

So'larzelle *f* solar cell.

solch [zɔlç] *dem pron* such, like this (*od.* that).

Sold [zɔlt] *m* (*-*[*e*]*s*; *-e*) *mil.* pay; ~**at** [-'daːt] *m* (*-en*; *-en*) soldier.

solidarisch [zoli'daːrɪʃ] *adj*: ***sich*** ~ ***erklären mit*** declare one's solidarity with.

solide [zo'liːdə] *adj haltbar*: solid; *fig. a.* sound (*a. econ*); *Preise*: reasonable; *Person*: steady.

Solist [zo'lɪst] *m* (*-en*; *-en*) soloist.

Soll [zɔl] *n* (*-*[*s*]; *-*[*s*]) *econ.* debit; *Plan*2: target, quota; ~ ***u. Haben*** debit and credit.

sollen ['zɔlən] (*sollte*, *h*) **1.** *v/aux* (*pp sollen*) *geplant*, *bestimmt*: be to; *angeblich*, *verpflichtet*: be supposed to: (***was***) ***soll ich …?*** (what) shall I …?; ***du solltest*** (***nicht***) you should('nt); *stärker*: you ought('nt) to; **2.** *v/i* (*pp gesollt*): ***was soll ich hier?*** what am I here for?; ***was soll das?*** what's the idea?

'Soll|seite *f econ.* debit side; '~**zinsen** *pl econ.* debtor interest *sg*.

Solo ['zoːlo] *n* (*-s*; *-s*, *-li*) solo.

solven|t [zɔl'vɛnt] *adj* solvent; 2**z** [-ts] *f* (*-*; *-en*) solvency.

Sommer ['zɔmər] *m* (*-s*; *-*) summer: ***im*** ~ in summer; '~**anfang** *m* beginning of summer; '~**fahrplan** *m* summer timetable (*Am.* schedule); '~**ferien** *pl* summer holidays *pl* (*Am.* vacation *sg*); '2**lich** *adj* summerlike, summer(ly); '~**reifen** *m mot.* normal tyre (*Am.* tire);

'**~schlussverkauf** *m* summer sales *pl*; '**~sprosse** *f* freckle; '**≈sprossig** *adj* freckled; '**~zeit** *f* (-; *no pl*) summertime; *vorverlegte*: summer (*od*. daylight saving) time.

Sonder|angebot ['zɔndər-] *n* special offer; '**≈bar** *adj* strange, odd; '**~fahrt** *f* excursion; '**≈lich** *adv*: ***nicht ~*** not particularly; '**~müll** *m* toxic waste.

sondern ['zɔndərn] *cj* but: ***nicht nur …, ~ auch*** not only … but also.

'**Sonder|preis** *m* special price; '**~zeichen** *n Computer*: special character; '**~zug** *m* special train.

'**Sonnabend** *m* → ***Samstag.***

Sonne ['zɔnə] *f* (-; -*n*) sun; '**≈n** *v/refl* (*h*) sunbathe.

'**Sonnen|aufgang** *m* sunrise: ***bei ~*** at sunrise; '**~bad** *n*: ***ein ~ nehmen*** sunbathe; '**~blume** *f bot*. sunflower; '**~brand** *m* sunburn: ***e-n ~ haben*** have sunburn; '**~brille** *f* (***e-e ~*** a pair of) sunglasses *pl*; '**~creme** *f* sun cream; '**~deck** *n mar*. sun deck; '**~ener,gie** *f* solar energy; '**~finsternis** *f* solar eclipse; '**~licht** *n* (-[*e*]*s*; *no pl*) sunlight: ***bei ~*** in sunlight; '**~öl** *n* suntan oil; '**~schein** *m* (-[*e*]*s*; *no pl*) sunshine; '**~schirm** *m* sunshade; *für Damen*: parasol; '**~seite** *f* sunny side (*a. fig*.); '**~stich** *m med*. sunstroke: ***e-n ~ haben*** have sunstroke; '**~strahl** *m* sunbeam; '**~untergang** *m* sunset: ***bei ~*** at sunset.

'**sonnig** *adj* sunny (*a. fig*.).

'**Sonntag** *m* Sunday: **(*am*) ~** on Sunday.

'**Sonntags|fahrer** *m mot. contp*. Sunday driver; '**~rückfahrkarte** *f rail*. weekend ticket.

sonst [zɔnst] *adv außerdem*: else; *andernfalls*: otherwise, or (else); *normalerweise*: normally, usually: ***~ nichts*** nothing else, that's all; ***alles wie ~*** everything as usual; ***nichts*** (***alles***) ***ist wie ~*** nothing (all) is as it used to be; → ***noch***; '**~ig** *adj* other.

Sopran [zo'pra:n] *m* (-*s*; -*e*) *mus*. soprano; **~istin** [-a'nɪstɪn] (-; -*nen*) soprano.

Sorge ['zɔrgə] *f* (-; -*n*) worry; *Kummer*: sorrow; *Ärger*: trouble; *Für≈*: care: ***sich ~n machen*** (***um***) worry (*od*. be worried) (about); ***keine ~!*** don't worry!; '**≈n** (*h*) **1.** *v/i*: ***~ für*** care for, take care of: → ***dafür*** 2; **2.** *v/refl*: ***sich ~ um*** worry (*od*. be worried) about.

Sorg|falt ['zɔrkfalt] *f* (-; *no pl*) care; **≈fältig** ['-fɛltɪç] *adj* careful; '**≈los** *adj* carefree; *nachlässig*: careless; '**~losigkeit** *f* (-; *no pl*) carelessness.

Sort|e ['zɔrtə] *f* (-; -*n*) sort, kind; *econ*. *Marke*: *a*. brand; *Qualität*: quality, grade; **≈ieren** [-'ti:rən] *v/t* (*no ge-*, *h*) sort; *ordnen*: arrange; **~iment** [-i'mɛnt] *n* (-[*e*]*s*; -*e*) range (***an*** *dat* of).

Soße ['zo:sə] *f* (-; -*n*) sauce; *Braten≈*: gravy.

Soundkarte ['saʊnd-] *f Computer*: sound card.

souverän [zuvə'rɛ:n] *adj pol*. sovereign; *fig*. superior; **≈ität** [-ɛni'tɛ:t] *f* (-; *no pl*) sovereignty; *fig*. superior style.

so|'viel *cj* as far as; ***~ viel*** → ***so***; **~'weit** *cj* as far as; ***~ weit*** → ***so***; **~'wie** *cj* as well as, and … as well; *zeitlich*: as soon as; **~wie'so** *adv* anyway, anyhow, in any case.

Sowjet [zɔ'vjɛt] *m* (-*s*; -*s*) *hist*. Soviet; **≈isch** *adj hist*. Soviet.

so'wohl *cj*: ***~ Lehrer als*** (***auch***) ***Schüler*** both teachers and pupils.

sozial [zo'tsi̯a:l] *adj* social; **≈abgaben** *pl* social security contributions *pl*; **≈arbeiter** *m* social worker; **~demo,kratisch** *adj* social democratic; **≈hilfe** *f* income support: ***von der ~ leben*** be on social security (*Am*. welfare); **~isieren** [-ali'zi:rən] *v/t* (*no ge-*, *h*) *Betrieb etc*: nationalize; **≈ismus** [-a'lɪsmʊs] *m* (-; *no pl*) socialism; **≈ist** [-a'lɪst] *m* (-*en*; -*en*) socialist; **~istisch** [-a'lɪstɪʃ] *adj* socialist; **≈pro,dukt** *n* (gross) national product; **≈staat** *m* welfare state.

Soziolog|e [zotsi̯o'lo:gə] *m* (-*n*; -*n*) sociologist; **~ie** [-o'gi:] *f* (-; *no pl*) sociology; **≈isch** *adj* sociological.

sozu'sagen *adv* so to speak.

Spalt [ʃpalt] *m* (-[*e*]*s*; -*e*) crack, gap; '**~e** *f* (-; -*n*) → ***Spalt***; *print*. column; '**≈en** (*pp gespalten*, *gespaltet*, *h*) **1.** *v/t* split (*a. fig*. *Haare*); *Staat etc*: divide; **2.** *v/refl* split (up); '**~ung** *f* (-; -*en*) splitting; *phys*. fission; *fig*. split; *Staat etc*: division.

Spamfilter ['spɛmfɪltə] *m* spam filter, spam blocker; **spammen** ['spɛmən] *v/t u. v/i* (*h*) spam.

Span [ʃpa:n] *m* (-[*e*]*s*; ⸚*e*) chip; *tech. pl* shavings *pl*.

Spange ['ʃpaŋə] *f* (-; -*n*) clasp; → ***Haarspange.***

Spanien ['ʃpa:ni̯ən] Spain.

S

Spani|er ['ʃpaːnĭər] *m* (-*s*; -) Spaniard; '**ᛝsch** *adj* Spanish.

Spann [ʃpan] *m* (-[*e*]*s*; -*e*) instep; '**~e** *f* (-; -*n*) span; *econ.* margin; '**ᛝen** (*h*) **1.** *v/t* stretch, tighten; *Leine etc*: put up; *Gewehr*: cock; *Bogen*: draw, bend; **2.** *v/i* be (too) tight; '**ᛝend** *adj* exciting, thrilling, gripping; '**~ung** *f* (-; -*en*) tension (*a. tech., pol., psych.*); *electr.* voltage; *fig.* suspense, excitement.

Spar|buch ['ʃpaːr-] *n* savings book; '**~büchse** *f* money box; '**ᛝen** (*h*) **1.** *v/t* save; **2.** *v/i* save; *sich einschränken*: economize: **~ *für*** (*od.* ***auf*** *acc*) save up for; '**~er** *m* (-*s*; -) saver.

Spargel ['ʃpargəl] *m* (-*s*;-) *bot.* asparagus.

'**Spar|kasse** *f* savings bank; '**~konto** *n* savings account.

spärlich ['ʃpɛːrlɪç] *adj* sparse, scant; *Lohn, Wissen etc*: scanty; *Besuch etc*: poor.

'**Sparpaket** *n pol.* package of austerity measures.

'**sparsam 1.** *adj* economical (***mit*** of); **2.** *adv*: **~ *leben*** lead a frugal life; **~ *umgehen mit*** use sparingly; '**ᛝkeit** *f* (-; *no pl*) economy.

'**Spar|schwein** *n* piggy bank; '**~zins** *m* *econ.* interest on savings.

Spaß [ʃpaːs] *m* (-*es*; ⸚*e*) fun; *Scherz*: joke: ***aus*** (***nur zum***) **~** (just) for fun; ***es macht viel*** (***keinen***) **~** it's great (no) fun; ***j-m den* ~ *verderben*** spoil s.o.'s fun; ***er macht nur*** (***keinen***) **~** he is only (not) joking (F kidding); ***keinen* ~ *verstehen*** have no sense of humo(u)r; '**ᛝen** *v/i* (*h*) joke; '**ᛝig** *adj* funny.

Spasti|ker ['ʃpastɪkər] *m* (-*s*; -) *med.* spastic; '**ᛝsch** *adj* spastic.

spät [ʃpɛːt] *adj u. adv* late: ***am* ~*en Nachmittag*** late in the afternoon; ***wie* ~ *ist es?*** what time is it?; ***von früh bis* ~** from morning till night; (***fünf Minuten***) ***zu* ~ *kommen*** be (five minutes) late; ***bis* ~*er!*** see you (later); → ***früher*** 2.

Spaten ['ʃpaːtən] *m* (-*s*; -) spade.

spätestens ['ʃpɛːtəstəns] *adv* at the latest.

Spatz [ʃpats] *m* (-*en*, -*es*; -*en*) *zo.* sparrow.

spazieren: **~ *fahren*** go for a drive; ***j-n* ~ *fahren*** take *s.o.* for a drive; *Baby*: take out; **~ gehen** go for a walk.

Spa'zier|fahrt *f* drive, ride; **~gang** *m* walk: ***e-n* ~ *machen*** go for a walk; **~gänger** [-gɛŋər] *m* (-*s*; -) walker; **~weg** *m* walk.

Specht [ʃpɛçt] *m* (-[*e*]*s*; -*e*) *zo.* woodpecker.

Speck [ʃpɛk] *m* (-[*e*]*s*; -*e*) fat; *Frühstücks*ᛝ: bacon; '**ᛝig** *adj schmierig*: greasy.

Spedit|eur [ʃpedi'tøːr] *m* (-*s*; -*e*) forwarding agent; *Möbel*ᛝ: remover; **~ion** [-'tsĭoːn] *f* (-; -*en*) forwarding agency; removal (*Am.* moving) firm.

Speiche ['ʃpaɪçə] *f* (-; -*n*) spoke.

Speichel ['ʃpaɪçəl] *m* (-*s*; *no pl*) *physiol.* spittle, saliva.

Speicher ['ʃpaɪçər] *m* (-*s*; -) storehouse; *Wasser*ᛝ: tank, reservoir; *Dachboden*: attic; *Computer*: memory, store; '**~kapazi,tät** *f Computer*: memory capacity; '**ᛝn** *v/t* (*h*) store (up).

Speise ['ʃpaɪzə] *f* (-; -*n*) food; *Gericht*: dish; '**~eis** *n* ice cream; '**~kammer** *f* larder, pantry; '**~karte** *f* menu; '**ᛝn** (*h*) **1.** *v/i* dine; **2.** *v/t* feed (*a. electr. etc*); '**~röhre** *f anat.* gullet, (o)esophagus; '**~saal** *m* dining hall; '**~wagen** *m rail.* dining car, *bsd. Br.* restaurant car, *bsd. Am.* diner.

Spekul|ant [ʃpeku'lant] *m* (-*en*; -*en*) speculator; **~ation** [-'tsĭoːn] *f* (-; -*en*) speculation; *econ. a.* venture; **ᛝieren** [-'liːrən] *v/i* (*no ge-, h*) speculate (***auf*** *acc* on; ***mit*** in).

Spende ['ʃpɛndə] *f* (-; -*n*) donation; *Beitrag*: contribution; '**ᛝn** *v/t* (*h*) *Geld etc*: give (*a. Schatten etc*), donate (*a. Blut etc*); '**~nkonto** *n* donation account; '**~r** *m* (-*s*; -) donator; *Blut*ᛝ *etc*: donor.

spendieren [ʃpɛn'diːrən] *v/t* (*no ge-, h*): ***j-m et.* ~** treat s.o. to s.th.

Spengler ['ʃpɛŋlər] *m* (-*s*; -) plumber.

Sperr|e ['ʃpɛrə] *f* (-; -*n*) *Schranke*: barrier; *Straßen*ᛝ: road block; *Barrikade*: barricade; *tech.* lock; *econ.* embargo; *psych.* mental block; '**ᛝen** *v/t* (*h*) *Straße*: block, *amtlich*: close (***für den Verkehr*** to traffic); *Gas, Telefon etc*: cut off; *Konto*: block; *Scheck*: stop: **~ *in*** (*acc*) lock (up) in; '**~holz** *n* (-*es*; *no pl*) plywood; '**~konto** *n* blocked account; '**~müll** *m* bulk(y) rubbish; '**~müllabfuhr** *f* removal of bulk refuse.

Spesen ['ʃpeːzən] *pl* expenses *pl*;

S

'**~konto** *n* expense account.
Spezial|ausbildung [ʃpe'tsi̯a:l-] *f* special(ized) training; **~gebiet** *n* special field; **~geschäft** *n* specialist shop (*Am.* store); **&isieren** [-ali'zi:rən] *v/refl* (*no ge-, h*) specialize (***auf*** *acc* in); **~ist** [-a'lɪst] *m* (*-en; -en*) specialist; **~ität** [-ali'tɛ:t] *f* (*-; -en*) *bsd. Br.* speciality, *Am.* specialty; **~i'tätenrestau,rant** *n* special(i)ty restaurant.
speziell [ʃpe'tsi̯ɛl] *adj* specific, particular.
Spiegel ['ʃpi:gəl] *m* (*-s; -*) mirror (*a. fig.*); '**~bild** *n* mirror image; *fig.* reflection; '**~ei** *n gastr.* fried egg; '**&glatt** *adj Wasser etc*: glassy; *Straße*: icy; '**&n** (*h*) **1.** *v/i blenden*: reflect the light; **2.** *v/t* reflect (*a. fig.*); **3.** *v/refl* be reflected (*a. fig.*); '**~ung** *f* (*-; -en*) reflection; *Luft&*: mirage.
Spiel [ʃpi:l] *n* (*-[e]s; -e*) game; *Wett&*: *a.* match; *das ~en, ~weise*: play (*a. thea. etc*); *Glücks&*: gambling; *fig.* game, gamble: ***auf dem ~ stehen*** be at stake; ***aufs ~ setzen*** risk; '**~bank** *f* (*-; -en*) (gambling) casino; '**&en** *v/i u. v/t* (*h*) play (*a. fig.*) (**um** for); *darstellen*: *a.* act; *aufführen*: perform; *Glücksspiel*: gamble; *Lotto etc*: do: ***Klavier*** *etc* **~** play the piano *etc*; '**&end** *adv fig.* easily; '**~er** *m* (*-s; -*) player; *Glücks&*: gambler; '**~film** *m* feature film; '**~halle** *f* amusement arcade; '**~kame,rad** *m* playmate; '**~karte** *f* playing card; '**~ka,sino** *n* (gambling) casino; '**~marke** *f* counter, chip; '**~plan** *m thea. etc* program(me); '**~platz** *m* playground; '**~raum** *m fig.* scope; '**~regel** *f* rule (of the game); '**~sachen** *pl* toys *pl*; '**~schuld** *f* gambling debt; '**~stand** *m* score; '**~verderber** *m* (*-s; -*) spoilsport; '**~waren** *pl* toys *pl*; '**~zeit** *f thea., Sport*: season; *Dauer*: playing (*Film*: running) time; '**~zeug** *n* toy(s *pl*); '**~zeug...** *in Zssgn Pistole etc*: toy ...
Spieß [ʃpi:s] *m* (*-es; -e*) *Brat&*: spit; *Fleisch&*: skewer; '**~er** *m* (*-s; -*) *contp.* petty bourgeois, philistine; '**&ig** *adj contp.* petty bourgeois, philistine.
Spinat [ʃpi'na:t] *m* (*-[e]s; -e*) *bot. u. gastr.* spinach.
Spind [ʃpɪnt] *m, n* (*-[e]s; -e*) locker.
Spinn|e ['ʃpɪnə] *f* (*-; -n*) spider; '**&en** (*spann, gesponnen, h*) **1.** *v/t* spin (*a. fig.*); **2.** *v/i* F *fig.* be nuts; *Unsinn reden*: talk rubbish; '**~er** *m* (*-s; -*) F *fig.* crackpot; '**~webe** *f* (*-; -n*) cobweb.
Spion [ʃpi'o:n] *m* (*-s; -e*) spy; **~age** [-o'na:ʒə] *f* (*-; no pl*) espionage; **~agering** *m* spy ring; **&ieren** [-o'ni:rən] *v/i* (*no ge-, h*) spy; F *schnüffeln*: snoop around.
Spiral|e [ʃpi'ra:lə] *f* (*-; -n*) spiral; **&förmig** *adj* spiral.
Spirituosen [ʃpiri'tŭo:zən] *pl* spirits *pl*.
Spiritus ['ʃpi:ritʊs] *m* (*-; -se*) spirit.
spitz [ʃpɪts] *adj* pointed (*a. fig.*); *Winkel*: acute: ***~e Zunge*** sharp tongue; '**&bogen** *m* pointed arch
'**Spitze** *f* (*-; -n*) point; *Nasen&, Finger&*: tip; *Turm&*: spire; *Baum&, Berg&*: top; *Pfeil&, Unternehmens&*: head; *Gewebe*: lace: F **&** ***sein*** be super; '**~l** *m* (*-s; -*) informer, stool pigeon; '**&n** *v/t* (*h*) *Bleistift*: sharpen; *Lippen*: purse; *Ohren*: prick up.
'**Spitzen|...** *Höchst..., Best... etc in Zssgn* top ...; '**~verdiener** *m* top earner.
'**Spitzer** *m* (*-s; -*) (pencil) sharpener.
'**Spitzname** *m* nickname.
Splitter ['ʃplɪtər] *m* (*-s; -*) splinter; '**&n** *v/i* (*h*) splinter; '**&nackt** *adj* F stark naked.
spons|ern ['ʃpɔnzərn] *v/t* (*h*) sponsor; **&or** ['-ɔr] *m* (*-s; -en*) sponsor.
spontan [ʃpɔn'ta:n] *adj* spontaneous.
Sport [ʃpɔrt] *m* (*-[e]s; no pl*) sport(s *pl coll.*): ***~ treiben*** go in for sports; '**~geschäft** *n* sports shop (*Am.* store); '**~kleidung** *f* sportswear; '**~ler** *m* (*-s; -*) sportsman, athlete; '**~lerin** *f* (*-; -nen*) sportswoman, athlete; '**&lich** *adj Aussehen*: athletic; *Kleidung*: casual: ***sehr ~ sein*** do a lot of sports; '**~platz** *m* sports field; '**~verein** *m* sports club; '**~wagen** *m mot.* sports car; *Kinderwagen*: *Br.* pushcar, *Am.* stroller.
Spott [ʃpɔt] *m* (*-[e]s; no pl*) mockery; *verächtlicher*: scorn; '**&billig** *adj* F dirt cheap; '**&en** *v/i* (*h*) mock (***über*** *acc at*); *sich lustig machen*: make fun (of).
Spött|er ['ʃpœtər] *m* (*-s; -*) mocker; '**&isch** *adj* mocking; *verächtlich*: derisive.
'**Spottpreis** *m*: ***für e-n ~*** dirt cheap.
Sprach|e ['ʃpra:xə] *f* (*-; -n*) language (*a. fig.*); *das Sprechen, Sprechweise*: speech: ***zur ~ kommen*** (***bringen***) come (bring *s.th.*) up; '**~enschule** *f* language

S

school; '~**erkennung** *f* (-; *no pl*) *Computer*: speech recognition; '~**fehler** *m med.* speech defect; '~**kurs** *m* language course; '≗**los** *adj* speechless; '~**reise** *f* language tour; '~**unterricht** *m* language teaching: ***englischer ~*** English lessons *pl.*

Spray [ʃpreː] *m, n* (*-s; -s*) spray.

sprech|en ['ʃprɛçən] *v/i u. v/t* (*sprach, gesprochen, h*) speak; *reden, sich unterhalten*: talk (*beide*: ***mit*** to, with; ***über*** *acc*, ***von*** about): ***nicht zu ~ sein*** be busy; '≗**er** *m* (*-s; -*) speaker; *Ansager*: announcer; *Wortführer*: spokesman (*gen* for); '≗**stunde** *f* office hours *pl*; *med.* consulting (*Am.* office) hours *pl*; '≗**stundenhilfe** *f* doctor's assistant; *Empfang*: receptionist; '≗**zimmer** *n* consulting room, *Am. a.* office.

spreizen ['ʃpraɪtsən] *v/t* (*h*) spread.

spreng|en ['ʃprɛŋən] *v/t* (*h*) (*a.* ***in die Luft ~***) blow up; *Fels*: blast; *Wasser*: sprinkle; *Rasen*: water; *Versammlung*: break up; '≗**kopf** *m mil.* warhead; '≗**stoff** *m* explosive; '≗**ung** *f* (*-; -en*) blowing up; blasting.

Sprich|wort ['ʃprɪç-] *n* (*-[e]s; ¨er*) proverb, saying; '≗**wörtlich** *adj* proverbial (*a. fig.*).

sprießen ['ʃpriːsən] *v/i* (*spross, gesprossen, sn*) shoot (up).

Spring|brunnen ['ʃprɪŋ-] *m* fountain; '≗**en** *v/i* (*sprang, gesprungen, sn*) jump, leap; *Ball etc*: bounce; *Glas etc*: crack; *zer~*: break; *platzen*: burst: ***in die Höhe*** (***zur Seite***) ~ jump up (out of the way); '~**er** *m* (*-s; -*) *Schach*: knight; '~**flut** *f* spring tide.

Sprit [ʃprɪt] *m* (*-[e]s; -e*) F *Benzin*: juice.

Spritz|e ['ʃprɪtsə] *f* (*-; -n*) *med.* injection; *Gerät*: syringe; '≗**en 1.** *v/t* (*h*) *versprühen*: spray (*a. Auto etc*); *Rasen etc*: water; *j-m et.*: give s.o. an injection of: ***j-n nass ~*** splash s.o.; **2.** *v/i* (h, *bei Richtungsangabe*: sn) *Wasser etc*: splash, spray; *Blut*: spurt, *stärker*: gush (*beide*: ***aus*** from); *heißes Fett*: spray; '~**er** *m* (*-s; -*) splash; *Schuss*: dash; '~**piˌstole** *f tech.* spray gun; '~**tour** *f mot.* F spin: ***e-e ~ machen*** go for a spin.

Sprosse ['ʃprɔsə] *f* (*-; -n*) rung.

Spruch [ʃprʊx] *m* (*-[e]s; ¨e*) saying; *Entscheidung*: decision; '~**band** *n* (*-[e]s; Spruchbänder*) banner.

Sprüh|dose ['ʃpryː-] *f* spray can; '≗**en** (*h*) **1.** *v/t* spray, sprinkle; **2.** *v/i Funken*: fly (*bei Richtungsangabe*: sn): ***~ vor*** (*dat*) *Augen*: flash with; '~**regen** *m* drizzle.

Sprung [ʃprʊŋ] *m* (*-[e]s; ¨e*) jump, leap; *Riss*: crack.

Spucke ['ʃpʊkə] *f* (*-; no pl*) F spit(tle); '≗**n** (*h*) **1.** *v/i* spit; F *sich übergeben*: throw up; **2.** *v/t Blut etc*: spit.

Spuk [ʃpuːk] (*-[e]s; -e*) apparition; *fig.* nightmare; '≗**en** *v/i* (*h*): ***~ in*** (*dat*) haunt; ***hier spukt es*** this place is haunted.

Spule ['ʃpuːlə] *f* (*-; -n*) spool, reel; *electr.* coil.

spül|en ['ʃpyːlən] *v/t u. v/i* (*h*) *aus~*: rinse; *Toilette*: flush: (***Geschirr***) ~ wash up, do the washing up; '≗**maˌschine** *f* dishwasher.

Spur [ʃpuːr] *f* (*-; -en*) *Blut*≗ *etc*: trail; *Fuß*≗*en, Wagen*≗*en*: track(s *pl*); *Abdruck*: print; *Fahr*≗: lane; *Tonband*≗: track; *fig.* trace: ***j-m auf der ~ sein*** be on s.o.'s trail.

spüren ['ʃpyːrən] *v/t* (*h*) *allg.* feel; *instinktiv*: *a.* sense; *wahrnehmen*: notice.

'**spurlos** *adv* without leaving a trace.

Staat [ʃtaːt] *m* (*-[e]s; -en*) state; *Regierung*: government; '~**enbund** *m* confederacy, confederation; '≗**enlos** *adj* stateless; '≗**lich 1.** *adj* state; *Einrichtung*: *a.* public, national; **2.** *adv*: ***~ geprüft*** qualified, registered.

'**Staats|angehörige** *m, f* national, citizen, *bsd. Br.* subject; '~**angehörigkeit** *f* (*-; -en*) nationality; '~**anwalt** *m jur.* public prosecutor, *Am. mst* district attorney; '~**besuch** *m* state visit; '~**bürger** *m* citizen; '~**dienst** *m* civil (*Am. a.* public) service; '≗**eigen** *adj* state-owned; '~**feiertag** *m* national holiday; '~**feind** *m* public enemy; '≗**feindlich** *adj* subversive; '~**haushalt** *m* (national) budget; '~**kasse** *f* (public) treasury; '~**mann** *m* statesman; '~**oberhaupt** *n* head of state; '~**sekreˌtär** *m* (*Br.* permanent) undersecretary; '~**streich** *m* coup (d'état); '~**vertrag** *m* (international) treaty.

Stab [ʃtaːp] *m* (*-[e]s; ¨e*) staff (*a. fig.*); *Metall*≗, *Holz*≗: bar; *Staffel*≗, *Dirigenten*≗: baton.

Stäbchen ['ʃtɛːpçən] *pl Ess*≗: chopsticks *pl.*

stabil [ʃta'bi:l] *adj* stable (*a. econ., pol.*); *robust*: solid, strong; *gesund*: sound; **~isieren** [~ili'zi:rən] *v/t* (*no ge-, h*) stabilize; **&ität** [~ili'tɛ:t] *f* (-; *no pl*) stability; **&i'tätspoli,tik** *f* policy of stability.

Stachel ['ʃtaxəl] *m* (-*s*; -*n*) *bot., zo.* spine, prick; *Insekt*: sting; **'~beere** *f bot.* gooseberry; **'~draht** *m* barbed wire; **'&ig** *adj* prickly.

Stadion ['ʃta:dĭɔn] *n* (-*s*; -*dien*) stadium.

Stadium ['ʃta:dĭʊm] *n* (-*s*; -*dien*) stage, phase.

Stadt [ʃtat] *f* (-; ¨*e*) town; *bsd. Groß&*: city: ***die ~ Berlin*** the city of Berlin; ***in der ~*** in town; ***in die ~ gehen*** (*od.* ***fahren***) go to town, *Am. a.* go downtown; **'~autobahn** *f* urban motorway (*Am.* expressway); **'~bild** *n* townscape, cityscape; **'~bummel** *m* stroll through town: ***e-n ~ machen*** go for a stroll through town.

Städte|bau ['ʃtɛ:tə~] *m* (-[*e*]*s*; *no pl*) urban development; **'~partnerschaft** *f* twinning; **'~r** *m* (-*s*; -) city dweller.

'Stadt|gebiet *n* urban area; **'~gespräch** *n*: *fig.* ***~ sein*** be the talk of the town.

städtisch ['ʃtɛ:tɪʃ] *adj* urban, town, city; *pol.* municipal.

'Stadt|mitte *f* → ***Innenstadt***; **'~plan** *m* city map; **'~rand** *m* outskirts *pl*: ***am ~*** on the outskirts; **'~rat** *m* town council; *Person*: *bsd. Br.* town councillor, *Am.* city councilor; **'~rundfahrt** *f* city sightseeing tour; **'~teil** *m*, **'~viertel** *n* quarter; **'~zentrum** *n* → ***Innenstadt***

Staffel ['ʃtafəl] *f* (-; -*n*) relay race (*od.* team); *aer. mil.* squadron; **'&n** *v/t* (*h*) *Steuern etc*: grade; *Arbeitszeit etc*: stagger.

Stagn|ation [ʃtagna'tsĭo:n] *f* (-; -*en*) stagnation; **&ieren** [~'ni:rən] *v/i* (*no ge-, h*) stagnate.

Stahl [ʃta:l] *m* (-[*e*]*s*; ¨*e*) steel; **'~kammer** *f* strongroom; **'~rohrmöbel** *pl* tubular steel furniture *sg.*

Stall [ʃtal] *m* (-[*e*]*s*; ¨*e*) *Pferde&*: stable; *Kuh&*: (cow)shed; *Schweine&*: (pig)sty.

Stamm [ʃtam] *m* (-[*e*]*s*; ¨*e*) *Baum&*: trunk; *Volks&*: tribe; *Geschlecht*: stock; *fig. Kern e-r Firma, Mannschaft etc*: regulars *pl*; **'~aktie** *f econ. Br.* ordinary share, *Am.* common stock; **'~aktio,när** *m econ. Br.* ordinary shareholder, *Am.* common stockholder; **'~baum** *m* family tree; *zo.* pedigree; **'&eln** *v/t* (*h*) stammer (out); **'&en** *v/i* (*h*): ***~ aus*** (***von***) *allg.* come from; *zeitlich*: date from; ***~ von*** *Künstler etc*: be by; **'~gast** *m* regular (guest); **'~haus** *n econ.* parent firm; **'~kapi,tal** *n econ. Br.* share capital, *Am.* capital stock; **'~kneipe** *f* favo(u)rite haunt, *Br. a.* local; **'~kunde** *m* regular customer; **'~lo,kal** *n* → ***Stammkneipe.***

Stand [ʃtant] *m* (-[*e*]*s*; ¨*e*) *Halt*: footing, foothold; *~platz*: stand; *Verkaufs&*: stand, stall; *ast.* position; *Wasser& etc*: height, level; *des Thermometers*: reading; *fig. Niveau, Höhe*: level; *soziale Stellung*: social standing, status; *Klasse*: class; *Beruf*: profession; *Sport*: score; *Lage*: state; *Zustand*: *a.* condition: ***aus dem ~*** from a standing position; ***auf den neuesten ~ bringen*** bring up to date; ***e-n schweren ~ haben*** have a hard time (of it); → ***imstande***; ***instand***; ***zustande.***

Standard ['ʃtandart] *m* (-*s*; -*s*) standard.

'Standbild *n* statue; *Video*: still frame.

Ständer ['ʃtɛndər] *m* (-*s*; -) *Kleider& etc*: stand; *Zeitungs& etc*: rack.

Standes|amt ['ʃtandəs~] *n Br.* registry office, *Am.* marriage license bureau; **'&amtlich** *adj*: ***~e Trauung*** civil wedding; **'~beamte** *m Br.* registrar, *Am.* civil magistrate.

'Standfoto *n* still.

'standhaft *adj* steadfast, firm: ***~ bleiben*** resist temptation; **'&igkeit** *f* (-; *no pl*) steadfastness, firmness.

ständig ['ʃtɛndɪç] *adj* constant; *Adresse etc*: permanent; *Einkommen*: fixed.

'Stand|licht *n mot.* parking light; **'~ort** *m* position; *Betrieb etc*: location; **'~platz** *m* stand; **'~punkt** *m fig.* (point of) view, standpoint; **'~spur** *f mot.* (*Br.* hard) shoulder; **'~uhr** *f* grandfather clock.

Stange ['ʃtaŋə] *f* (-; -*n*) pole; *Fahnen&*: *a.* staff; *Metall&*: rod, bar; *Zigaretten*: carton.

Stängel ['ʃtɛŋəl] *m* (-*s*; -) *bot.* stalk, stem.

Stanniol [ʃta'nĭo:l] *n* (-*s*; -*e*) tin foil.

Stapel ['ʃta:pəl] *m* (-*s*; -) pile, stack; *Haufen*: heap: ***vom ~ lassen*** *mar.* launch (*a. fig.*); ***vom ~ laufen*** *mar.* be launched; **'~lauf** *m mar.* launch; **'&n** *v/t* (*h*) pile (up), stack.

S

stapfen ['ʃtapfən] *v/i* (*sn*) trudge, plod.

Star[1] [ʃta:r] *m* (-[*e*]*s*; -*e*) *zo.* starling: ***grauer ~*** *med.* cataract.

Star[2] [~] *m* (-*s*; -*s*) *Film etc*: star.

stark [ʃtark] **1.** *adj* strong (*a. fig. Kaffee, Bier, Tabak etc*); *mächtig, kraftvoll*: *a.* powerful; *Raucher, Regen, Erkältung, Verkehr etc*: heavy; F *toll*: super, great; **2.** *adv*: ***~ beeindruckt*** *etc* very much (*od.* greatly) impressed *etc*; ***~ beschädigt*** *etc* badly damaged *etc.*

Stärke ['ʃtɛrkə] *f* (-; -*n*) strength, power; *Intensität*: intensity; *Maß*: degree; *chem.* starch; '**&n** (*h*) **1.** *v/t* strengthen (*a. fig.*); *Wäsche etc*: starch; **2.** *v/refl* take some refreshment.

'**Starkstrom** *m* (-[*e*]*s*; *no pl*) high-voltage (*od.* heavy) current.

'**Stärkung** *f* (-; -*en*) strengthening; *Imbiss*: refreshment; '**~smittel** *n* tonic.

starr [ʃtar] *adj* stiff; *unbeweglich*: rigid (*a. tech.*); *Gesicht etc*: *a.* frozen; *Augen*: glassy: ***~er Blick*** (fixed) stare; ***~ vor Kälte*** (***Entsetzen***) frozen (scared) stiff; '**~en** *v/i* (*h*) stare (***auf*** *acc* at); **~köpfig** ['~kœpfɪç] *adj* stubborn, obstinate; '**&sinn** *m* (-[*e*]*s*; *no pl*) stubbornness, obstinacy.

Start [ʃtart] *m* (-[*e*]*s*; -*s*) start (*a. fig.*); *aer.* take-off; *Rakete*: lift-off; '**~auto,matik** *f mot.* automatic choke (control); '**~bahn** *f aer.* runway; '**&bereit** *adj* ready to start; *aer.* ready for take-off; '**&en 1.** *v/i* (*sn*) start (*a.* F *fig.*); *aer.* take off; *Raumfahrt*: lift off; **2.** *v/t* (*h*) start (*a.* F *fig.*); *e-e Rakete*: launch (*a. fig. Unternehmen etc*); '**~hilfe** *f*: ***j-m ~ geben*** *mot.* give s.o. a jump start; '**~hilfekabel** *n mot. Br.* jump leads *pl*; *Am.* jumper cables *pl*; '**~kapi,tal** *n* start-up capital.

Station [ʃta'tsĭo:n] *f* (-; -*en*) station; *Kranken&*: ward; **&är** [~o'nɛ:r] *adj med.*: ***~e Behandlung*** in-patient treatment; ***~er Patient*** in-patient; **&ieren** [~o'ni:rən] *v/t* (*no ge-*, *h*) *mil.* station; *Raketen*: deploy.

Statist [ʃta'tɪst] *m* (-*en*; -*en*) *thea., Film*: extra; **~ik** [~ɪk] *f* (-; -*en*) statistics *pl*; **~iker** *m* (-*s*; -) statistician; **&isch** *adj* statistical.

Stativ [ʃta'ti:f] *n* (-*s*; -*e*) tripod.

statt [ʃtat] *prp* instead of: ***~ et. zu tun*** instead of doing s.th.; **~'dessen** *adv* instead (*mst nachgestellt*).

Stätte ['ʃtɛtə] *f* (-; -*n*) place; *e-s Unglücks etc*: scene.

'**statt|finden** *v/i* (*irr, sep, -ge-, h,* → ***finden***) take place; *geschehen*: happen; '**~lich** *adj* imposing; *Summe etc*: handsome.

Statue ['ʃta:tĭə] *f* (-; -*n*) statue.

Statur [ʃta'tu:r] *f* (-; -*en*) build, stature (*a. fig.*).

Status ['ʃta:tʊs] *m* (-; -) *sozialer*: status; '**~symbol** *n* status symbol.

Statut [ʃta'tu:t] *n* (-[*e*]*s*; -*en*) statute, regulation.

Stau [ʃtaʊ] *m* (-[*e*]*s*; -*s*, -*e*) *mot.* traffic jam; *Rück&*: tailback.

Staub [ʃtaʊp] *m* (-[*e*]*s*; -*e*, *¨e*) dust: ***~ wischen*** dust; → ***aufwirbeln.***

'**Staubecken** *n* reservoir.

stauben ['ʃtaʊbən] *v/i* (*h*) make a lot of dust.

Staubfänger ['~fɛŋər] *m* (-*s*; -) dust trap.

staubig ['ʃtaʊbɪç] *adj* dusty.

'**staub|saugen** *v/i u. v/t* (*insep*, *-ge-*, *h*) vacuum, F *Br.* hoover; '**&sauger** *m* (-*s*; -) vacuum cleaner; F *Br.* hoover; '**&tuch** *n* (-[*e*]*s*; *Staubtücher*) duster.

Staudamm *m* dam.

stauen ['ʃtaʊən] (*h*) **1.** *v/t Fluss etc*: dam up; **2.** *v/refl Verkehr*: be(come) congested.

staunen ['ʃtaʊnən] *v/i* (*h*) be astonished (*od.* surprised) (***über*** *acc* at).

Staunen [~] *n* (-*s*) astonishment, amazement.

'**Stausee** *m* reservoir.

Steak [ste:k] *n* (-*s*; -*s*) *gastr.* steak.

stech|en ['ʃtɛçən] *v/i*, *v/t u. v/refl* (*stach, gestochen, h*) prick (***in den Finger*** one's finger); *Biene etc*: sting; *Mücke etc*: bite; *mit Messer etc*: stab: ***mit et. ~ in*** (*acc*) stick s.th. in(to); ***sich ~*** prick o.s.; → ***See***[2]; '**~end** *adj Blick*: piercing; *Schmerz*: stabbing; '**&karte** *f* clocking-in card; '**&mücke** *f* → ***Mücke***; '**&uhr** *f* time clock.

Steck|brief ['ʃtɛk~] *m jur.* "wanted" circular; '**&brieflich** *adv jur.*: ***er wird ~ gesucht*** a warrant is out against him; '**~dose** *f electr.* (wall) socket; '**&en** (*h*) **1.** *v/t* stick; *wohin tun*: put; *bsd. tech.* insert (***in*** *acc* into); *an~*: pin (***an*** *acc* to, on); **2.** *v/i sich befinden*: be; *festsitzen*: stick, be stuck: ***tief in Schulden ~*** be deeply in debt; ***~ bleiben*** get stuck

S

(*a. fig.*); '**≗en bleiben** → ***stecken*** 2; '**~enpferd** *n fig.* hobby; '**~er** *m* (*-s*; -) *electr.* plug; '**~nadel** *f* pin.

Steg [ʃteːk] *m* (-[*e*]*s*; *-e*) footbridge; *Brett*: plank.

'**Stegreif** *m*: ***aus dem ~*** off the cuff; ***aus dem ~ spielen*** *etc* improvise.

stehen ['ʃteːən] (*stand, gestanden, h*) **1.** *v/i* stand; *sich befinden, sein*: be; *aufrecht ~*: stand up: ***es steht ihr*** it suits (*od.* looks well on) her; ***wie (viel) steht es?*** what's the score?; ***hier steht, dass*** it says here that; ***wo steht das?*** where does it say so (*od.* that)?; ***wie steht es mit ...?*** what about ...?; F ***~ auf*** (*acc*) be into; ***~ bleiben*** stop; *bsd. tech., Entwicklung etc*: come to a standstill; ***~ lassen*** leave (*Essen etc*: untouched); *Schirm etc*: leave behind: ***alles ~ u. liegen lassen*** drop everything; ***sich e-n Bart ~ lassen*** grow a beard; **2.** *v/t*: → ***Modell*** *etc.*; '**~bleiben** → ***stehen*** 1; '**~lassen** → ***stehen*** 1.

'**Stehlampe** *f* standard (*Am.* floor) lamp.

stehlen ['ʃteːlən] *v/t, v/i u.* (*fig.*) *v/refl* (*stahl, gestohlen, h*) steal.

'**Stehplatz** *m thea. etc* standing ticket; *pl* standing room *sg*.

Steiermark ['ʃtaɪərmark] Styria.

steif [ʃtaɪf] *adj* stiff (*a. fig.*).

steigen ['ʃtaɪgən] (*stieg, gestiegen, sn*) **1.** *v/i sich begeben*: go, step; *klettern*: climb; *hoch~, zunehmen*: rise, go up, climb (*a. aer.*): ***~ in*** (*acc*) (***auf*** *acc*) *Fahrzeug*: get on; ***~ aus*** (***von***) get off (*Bett*: out of); **2.** *v/t*: ***Treppen ~*** climb stairs.

steiger|n ['ʃtaɪgərn] (*h*) **1.** *v/t* raise, increase; *verstärken*: heighten; *verbessern*: improve; **2.** *v/refl Person*: improve, get better; '**≗ung** *f* (-; *-en*) rise, increase; heightening; improvement.

'**Steigung** *f* (-; *-en*) gradient; *Hang*: slope.

steil [ʃtaɪl] *adj* steep (*a. fig.*); '**≗hang** *m* steep slope; '**≗küste** *f* steep coast; '**≗wandzelt** *n* frame tent.

Stein [ʃtaɪn] *m* (-[*e*]*s*; *-e*) stone (*a. bot., med.*), *Am. a.* rock; *Edel≗*: (precious) stone, gem; *Brettspiel*: piece; '**~bruch** *m* quarry; '**≗ern** *adj* (of) stone; *fig.* stony; '**~gut** *n* (-[*e*]*s*; *-e*) earthenware; '**≗ig** *adj* stony; '**~kohle** *f* hard coal; '**~metz** ['~mɛts] *m* (*-en*; *-en*) stonemason; '**~pilz** *m bot.* cep; '**≗reich** *adj* F filthy rich; '**~schlag** *m* falling rocks *pl*.

Stelle ['ʃtɛlə] *f* (-; *-n*) place; *genauere*: spot; *Punkt*: point; *Arbeits≗*: job; *Behörde*: authority: ***auf der*** (***zur***) ***~*** on the spot; ***an erster ~ stehen*** (***kommen***) be (come) first; ***an j-s ~*** in s.o.'s place; ***ich an d-r ~*** if I were you; → ***frei*** 1.

'**stellen** (*h*) **1.** *v/t allg.* put; *Uhr, Aufgabe, Falle etc*: set; *ein, aus, leiser etc*: turn; *Frage*: ask; *zur Verfügung ~*: provide; *Verbrecher etc*: corner, hunt down: ***s-e Uhr ~ nach*** set one's watch by; **2.** *v/refl* give o.s. up, turn o.s. in: ***sich ~ gegen*** (***hinter*** *acc*) *fig.* oppose (back); ***sich schlafend*** *etc.* ***~*** pretend to be asleep *etc*; ***stell dich dorthin!*** (go and) stand over there.

'**Stellen|abbau** *m* job cuts, downsizing; '**~angebot** *n* vacancy: ***ich habe ein ~*** I have been offered a job; '**~gesuch** *n* application for a job; '**~suche** *f*: ***auf ~ sein*** be job-hunting; '**~vermittlung** *f* employment agency; '**≗weise** *adv* partly, in places.

'**Stellung** *f* (-; *-en*) position; *Arbeitsplatz*: *a.* post, job: ***~ nehmen zu*** comment on, give one's opinion of; **~nahme** ['~naːmə] *f* (-; *-n*) comment, opinion (*beide*: ***zu*** on); '**≗slos** *adj* unemployed, jobless.

'**stellvertrete|nd** *adj amtlich*: acting, deputy, vice-...; '**≗r** *m* (*-s*; -) representative; *amtlich*: deputy.

stemmen ['ʃtɛmən] (*h*) **1.** *v/t Gewicht*: lift; **2.** *v/refl*: ***sich ~ gegen*** press against; *fig.* resist.

Stempel ['ʃtɛmpəl] *m* (*-s*; -) stamp; *Post≗*: postmark; *auf Silber etc*: hallmark; '**~kissen** *n* ink pad; '**≗n** *v/t* (*h*) stamp; *entwerten*: cancel; *Gold, Silber*: hallmark; '**~uhr** *f* time clock.

Stengel → ***Stängel.***

Steno|gramm [ʃteno'gram] *n* (*-s*; *-e*) shorthand notes *pl*; **~graphie** [~gra'fiː] *f* (-; *-n*) shorthand; **≗graphieren** [~gra'fiːrən] (*no ge-, h*) **1.** *v/i* write shorthand; **2.** *v/t* take down in shorthand; **~typistin** *f* [~ty'pɪstɪn] *f* (-; *-nen*) shorthand typist.

Steppdecke ['ʃtɛp~] *f* quilt.

sterb|en ['ʃtɛrbən] *v/i* (*starb, gestorben, sn*) die (***an*** *dat* of): ***im ≗ liegen*** be dying; **~lich** ['ʃtɛrplɪç] *adj* mortal.

Stereoanlage ['ʃteːreo~] *f* stereo (system).

steril [ʃte'ri:l] *adj* sterile; **2isation** [-riliza'tsi̯o:n] *f* (-; *-en*) sterilization; **~isieren** [-rili'zi:rən] *v/t* (*no ge-*, *h*) sterilize.

Stern [ʃtɛrn] *m* (-[*e*]*s*; *-e*) star (*a. fig.*); **'~bild** *n ast.* constellation; *des Tierkreises*: sign of the zodiac; **~enbanner** ['-ənbanər] *n* Star-Spangled Banner, Stars and Stripes *pl*; **'~(en)himmel** *m* starry sky; **'2klar** *adj* starry; **~schnuppe** ['-ʃnʊpə] *f* (-; *-n*) shooting (*od.* falling) star.

stets [ʃte:ts] *adv* always.

Steuer[1] ['ʃtɔʏər] *n* (*-s*; -) *mot.* (steering) wheel; *mar.* helm; *aer.* controls *pl*.

Steuer[2] [-] *f* (-; *-n*) tax (***auf*** *acc* on); **'~aufkommen** *n* (*-s*; -) tax yield; **'~befreiung** *f* tax exemption; **'~berater** *m* tax adviser; **'~erhöhung** *f* tax increase; **'~erklärung** *f* tax return; **'~ermäßigung** *f* tax allowance; **'~flucht** *f* tax evasion; **'2frei** *adj* tax-free; *Waren*: duty-free; **'~freibetrag** *m* tax-free allowance; **'~gelder** *pl* tax money *sg*, taxes *pl*; **'~hinter,ziehung** *f* (-; *-en*) tax evasion; **'~karte** *f* tax card; **'~klasse** *f* tax bracket; **'~knüppel** *m aer.* control stick (*od.* lever); **'2n** *v/t* (*h*) *mar.* steer, navigate; *mot.* drive, steer; *aer.* navigate, pilot (*alle a. v/i*); *tech.* control; *fig.* direct, control; **'~o,ase** *f*, **'~para,dies** *n* tax haven; **'2pflichtig** *adj* taxable; *Waren*: dutiable; **'~rad** *n mar.*, *mot.* steering wheel; **'~rückzahlung** *f* tax rebate; **'~senkung** *f* tax reduction; **'~ung** *f* (-; *-en*) steering (system); *electr.*, *tech.* control (*a. fig.*); **'~vor,auszahlung** *f* advance payment of taxes; **'~zahler** *m* (*-s*; -) taxpayer.

Steward ['stju:ərt] *m* (*-s*; *-s*) steward; **~ess** ['-dɛs] *f* (-; *-ssen*) stewardess, air hostess.

Stich [ʃtɪç] *m* (-[*e*]*s*; *-e*) *Nadel2*: prick; *Bienen2 etc*: sting; *Mücken2*: bite; *Messer2*: stab; *Nähen*: stitch; *Kartenspiel*: trick; *Kupfer2 etc*: engraving: ***im ~ lassen*** let down; *verlassen*: abandon, desert.

Stichel|ei *f* (-; *-en*) gibe(s *pl*), dig(s *pl*); **'2n** *v/i* (*h*) gibe (***gegen*** at).

'Stich|flamme *f* jet of flame; **'2haltig** *adj* valid, sound; *unwiderlegbar*: watertight: ***nicht ~ sein*** F not hold water; **'~probe** *f* spot check; *Waren*: random sample: ***e-e ~ machen*** do (*od.* carry out) a spot check; take a random sample; **'~tag** *m* deadline; *zur Einführung des Euro*: E-day; **'~wahl** *f* runoff; **'~wort** *n* (-[*e*]*s*) **a)** (*pl -e*) *thea.* cue: **~e** *pl Notizen*: notes *pl*; ***das Wichtigste in ~en*** an outline of the main points **b)** (*pl.* *⸚er*) *im Lexikon etc*: headword; **'~wunde** *f* stab wound.

Stief... ['ʃti:f-] *in Zssgn Mutter etc*: step...

Stiefel ['ʃti:fəl] *m* (*-s*; -) boot.

Stiel [ʃti:l] *m* (-[*e*]*s*; *-e*) handle; *Besen2*: stick; *Glas*, *Pfeife*, *Blume etc*: stem, *bot. a.* stalk.

Stier [ʃti:r] *m* (-[*e*]*s*; *-e*) *zo.* bull; **'~kampf** *m* bullfight.

Stift [ʃtɪft] *m* (-[*e*]*s*; *-e*) pen; *Blei2*: pencil; *Farb2*: *a.* crayon; *tech.* pin; *Holz2*: peg; *Kosmetik*: stick; **'2en** *v/t* (*h*) *spenden*: donate; *verursachen*: cause; **'~ung** *f* (-; *-en*) donation; *Institution*: foundation.

Stil [ʃti:l] *m* (-[*e*]*s*; *-e*) style (*a. fig.*): ***in großem ~*** in (grand) style; *fig.* on a large scale.

still [ʃtɪl] *adj* quiet; silent; *bsd. unbewegt*: still: ***sei(d) ~!*** be quiet!; ***sich ~ verhalten*** keep quiet (*körperlich*: still); ***~er Teilhaber*** *econ.* sleeping (*Am.* silent) partner; **'2e** *f* (-; *no pl*) silence (*a. Schweigen*), quiet(ness): ***in aller ~*** quietly; *heimlich*: secretly.

Stilleben → ***Stillleben.***

'stillen *v/t* (*h*) *Baby*: nurse, breastfeed; *Schmerz*: relieve; *Blutung*: stop; *Hunger*, *Neugier etc*: satisfy; *Durst*: quench.

'stillhalten *v/i* (*irr*, *sep*, *-ge-*, *h*, → ***halten***) keep still.

'Stillleben *n paint.* still life.

'stilllegen *v/t* (*sep*, *-ge-*, *h*) *Betrieb*: shut down; *Fahrzeug*: lay up; *Maschine etc*: put out of operation; *med.* immobilize.

'stillos *adj* lacking style, tasteless.

'still|schweigend *adj fig.* tacit; **'2stand** *m* (-[*e*]*s*; *no pl*) standstill, stop; *fig. a.* stagnation (*a. econ.*); *von Verhandlungen*: deadlock; **'~stehen** *v/i* (*irr*, *sep*, *-ge-*, *h*, → ***stehen***) stop, have stopped, (have) come to a standstill.

'Stil|möbel *pl* period furniture *sg*; **'2voll** *adj Einrichtung etc.*: stylish.

Stimm|band ['ʃtɪm-] *n* (-[*e*]*s*; *⸚er*) vocal cord; **'2berechtigt** *adj* entitled to vote.

Stimme ['ʃtɪmə] *f* (-; *-n*) voice; *Wahl*: vote: → ***enthalten*** 2; **'2n** (*h*) **1.** *v/i* be right (*od.* true, correct); *Wahl*: vote (***für*** for; ***gegen*** against): ***es stimmt et. nicht*** (***damit*** [***mit ihm***]) there's s.th. wrong (with it [him]); **2.** *v/t mus.* tune; *fig. j-n traurig etc*: make.

'**Stimm|enthaltung** *f* abstention; '**~recht** *n* right to vote.

'**Stimmung** *f* (-; *-en*) *fig.* mood; *Atmosphäre*: *a.* atmosphere; *allgemeine*: feeling: ***alle waren in ~*** everybody was having fun; '**≈svoll** *adj* atmospheric.

'**Stimmzettel** *m* ballot paper.

stinken ['ʃtɪŋkən] *v/i* (*stank, gestunken, h*) stink (***nach*** of) (*a. fig.*): F ***das*** (***er*** *etc*) ***stinkt mir*** I'm sick of it (him *etc*).

Stipendi|at [ʃtipɛn'dĭa:t] *m* (*-en*; *-en*) scholarship holder; **~um** [~'pɛndĭʊm] *n* (*-s*; -dien) scholarship.

Stirn [ʃtɪrn] *f* (-; *-en*) forehead: → ***runzeln***; '**~runzeln** *n* (*-s*) frown.

stöbern ['ʃtø:bərn] *v/i* (*h*) F rummage (around) (***nach*** for).

stochern ['ʃtɔxərn] *v/i* (*h*): ***im Essen ~*** pick at one's food; ***in den Zähnen ~*** pick one's teeth.

Stock [ʃtɔk] *m* (-[*e*]*s*; *≃e*) stick; *~werk*: stor(e)y, floor: ***im ersten ~*** on the first (*Am.* second) floor; '**≈dunkel** *adj* F pitch-dark.

stocken ['ʃtɔkən] *v/i* (*h*) stop (short); *unsicher werden*: falter; *Verkehr*: be jammed; '**~d 1.** *adj Stimme etc*: halting; **2.** *adv*: ***~ lesen*** (*od.* ***sprechen***) stumble through a text (*od.* speech).

'**stock|finster** *adj* F pitch-dark; '**≈werk** *n* stor(e)y, floor: ***im ersten ~*** on the first (*Am.* second) floor.

Stockholm ['ʃtɔkhɔlm] Stockholm.

Stoff [ʃtɔf] *m* (-[*e*]*s*; *-e*) material, stuff (*a. sl. fig.*); *Gewebe*: fabric, textile; *Tuch*: cloth; *chem., phys. etc*: substance; *fig. Thema, behandelter ~*: subject (matter): ***~ sammeln*** collect material; '**~tier** *n* stuffed animal; '**~wechsel** *m physiol.* metabolism.

S

stöhnen ['ʃtø:nən] *v/i* (*h*) groan (***vor*** *dat* with); *fig.* moan (***über*** *acc* about).

Stollen ['ʃtɔlən] *m* (*-s*; -) *Bergbau*: tunnel, gallery.

stolpern ['ʃtɔlpərn] *v/i* (*sn*) trip (up): ***~ über*** (*acc*) trip over; *fig.* stumble over.

stolz [ʃtɔlts] *adj* proud (***auf*** *acc* of).

Stolz [~] *m* (*-es*; *no pl*) pride (***auf*** *acc* in).

Stop → ***Stopp.***

stopfen ['ʃtɔpfən] *v/t* (*h*) *Socken, Loch*: darn, mend; *pressen, füllen*: stuff (***in*** *acc* into).

Stopp ['ʃtɔp] *m* (*-s*; *-s*) stop; *Lohn≈, Preis≈*: freeze.

Stoppel ['ʃtɔpəl] *f* (-; *-n*) stubble; '**~bart** *m* stubbly beard; '**≈ig** *adj* stubbly.

stopp|en ['ʃtɔpən] *v/i u. v/t* (*h*) stop (*a. fig.*) *mit der Uhr*: time; '**≈licht** *n mot.* brake light; '**≈schild** *n mot.* stop sign; '**≈uhr** *f* stopwatch.

Stöpsel ['ʃtœpsəl] *m* (*-s*; -) *Waschbecken etc*: plug.

Storch [ʃtɔrç] *m* (-[*e*]*s*; *≃e*) *zo.* stork.

stören ['ʃtø:rən] (*h*) **1.** *v/t* disturb; *belästigen*: bother; *beeinträchtigen*: impair; *Versammlung etc*: disrupt: ***lassen Sie sich nicht ~*** don't let me disturb you; ***darf ich Sie kurz ~?*** could I bother you for a minute?; ***stört es Sie, wenn ich rauche?*** do you mind if I smoke?; **2.** *v/i im Weg sein*: be in the way; *lästig sein*: be a nuisance; *unangenehm sein*: be awkward: ***störe ich?*** am I disturbing you?; **3.** *v/refl*: ***sich ~ an*** (*dat*) be bothered by.

storn|ieren [ʃtɔr'ni:rən] *v/t* (*no ge-, h*) *econ. Auftrag*: cancel; **≈ierung** *f* (-; *-en*) cancellation; **≈ierungsgebühr** *f* cancellation fee.

Storno ['ʃtorno] *n* (*-s*; *-ni*), **~gebühr** *f* → ***Stornierung, Stornierungsgebühr.***

störrisch ['ʃtœrɪʃ] *adj* stubborn, obstinate.

'**Störung** *f* (-; *-en*) disturbance; impairment; disruption; *med.* disorder; *tech.* fault, defect; *Betriebs≈*: failure, breakdown.

Stoß [ʃto:s] *m* (*-es*; *≃e*) push; *Fuß≈*: kick; *Ruck*: jolt, jerk; *Erschütterung*: shock; *Stapel*: pile; '**~dämpfer** *m* (*-s*; -) *mot.* shock absorber; '**≈en** (*stieß, gestoßen*) **1.** *v/t* (*h*) push; *mit dem Fuß*: kick; **2.** *v/refl* (*h*) knock (*od.* hurt) o.s.: ***sich ~ an*** (*dat*) knock (*od.* bump) against; *fig.* take offen|ce (*Am.* -se) at; **3.** *v/i* (*sn*): ***mit dem Kopf ~ an*** (*acc*) *od.* ***gegen*** bump one's head against; ***~ auf*** (*acc*) *entdecken*: come across; *Schwierigkeiten etc*: meet with; *Öl etc*: strike; '**~stange** *f mot.* bumper; '**~verkehr** *m* rush-hour traffic; '**~zeit** *f* peak period; *Verkehr*: rush hour.

stottern ['ʃtɔtərn] *v/i u. v/t* (*h*) stutter, stammer.

Straf|anstalt ['ʃtra:f~] *f* prison, *Am. a.*

penitentiary; '**ℒbar** *adj* punishable: ***sich ~ machen*** commit an offen|ce (*Am.* -se); '**~e** *f* (-; *-n*) punishment; *jur. a.* penalty; *Geld*ℒ: fine: ***20 Euro ~ zahlen müssen*** be fined 20 euros; ***zur~*** as a punishment; '**ℒen** *v/t* (*h*) punish.

straff [ʃtraf] *adj* tight; *fig.* strict.

'**straf|frei** *adv*: ***~ ausgehen*** go unpunished; '**ℒgefangene** *m, f* prisoner, convict; '**ℒgesetz** *n* penal law.

sträf|lich ['ʃtrɛːflɪç] **1.** *adj unverzeihlich*: inexcusable; **2.** *adv*: ***~ vernachlässigen*** neglect badly; '**ℒling** *m* (*-s*; *-e*) prisoner, convict.

'**Straf|man,dat** *n* ticket; '**~pro,zess** *m* trial; '**~tat** *f* criminal offen|ce (*Am.* -se); *schwere*: crime; '**~zettel** *m* ticket.

Strahl [ʃtraːl] *m* (-[*e*]*s*; *-en*) ray (*a. fig.*); *Licht*ℒ, *Funk*ℒ *etc*: *a.* beam; *Blitz*ℒ *etc*: flash; *Wasser*ℒ *etc*: jet; '**ℒen** *v/i* (*h*) radiate; *Sonne*: shine (brightly); *fig.* beam (***vor*** *dat* with); '**~en...** *phys. in Zssgn Schutz etc*: radiation ...; '**~ung** *f* (-; *-en*) radiation.

Strähne ['ʃtrɛːnə] *f* (-; *-n*) strand; *weiße etc*: streak.

stramm [ʃtram] *adj* tight.

Strand [ʃtrant] *m* (-[*e*]*s*; *⸗e*) beach: ***am ~*** on the beach; '**~bad** *n* swimming area; '**ℒen** *v/i* (*sn*) *mar.* run aground; '**~korb** *m* roofed wicker beach chair; '**~nähe** *f*: ***in ~*** near the beach; **~promenade** ['-promə'naːdə] *f* (-; *-n*) promenade.

Strang [ʃtraŋ] *m* (-[*e*]*s*; *⸗e*) rope; *bsd. anat.* cord.

Strapaz|e [ʃtra'paːtsə] *f* (-; *-n*) strain; **ℒieren** [-a'tsiːrən] *v/t* (*no ge-*, *h*) *j-n*, *Augen etc*: strain; *ermüden*: exhaust, wear out; *Nerven etc*: tax; **ℒierfähig** [-a'tsiːr-] *adj* hardwearing; **ℒiös** [-a'tsi̯øːs] *adj* strenuous; *nervlich*: taxing.

Straßburg ['ʃtraː] Strasbourg.

Straße [ʃtraːsə] *f* (-; *-n*) road; *e-r Stadt etc*: street; *Meerenge*: strait(s *pl*): ***auf der ~*** on the road; in (*Am.* on) the street.

'**Straßen|arbeiten** *pl* roadworks *pl*; '**~bahn** *f Br.* tram, *Am.* streetcar; '**~bahnhaltestelle** *f* tram (*Am.* streetcar) stop; '**~benutzungsgebühr** *f* road toll; '**~ca,fé** *n* pavement (*Am.* sidewalk) café; '**~karte** *f* road map; '**~kreuzung** *f* cross roads *pl* (*sg konstr.*), intersection; '**~lage** *f* road holding: ***e-e gute ~ haben*** have good road holding, hold the road well; '**~rand** *m* roadside: ***am ~*** at (*od.* by) the roadside; '**~sperre** *f* road block; '**~verhältnisse** *pl* road conditions *pl*; '**~verkehrsordnung** *f* traffic regulations *pl*, *Br.* Highway Code.

strategisch [ʃtra'teːgɪʃ] *adj* strategic.

sträuben ['ʃtrɔʏbən] *v/refl* (*h*): ***sich ~ gegen*** resist.

Strauch [ʃtraʊx] *m* (-[*e*]*s*; *Sträucher*) shrub, bush.

Strauß[1] [ʃtraʊs] *m* (*-es*; *Sträuße*) bunch (of flowers).

Strauß[2] [-] *m* (*-es*; *-e*) *zo.* ostrich.

streben ['ʃtreːbən] *v/i* (*h*): ***~ nach*** strive for.

Strecke ['ʃtrɛkə] *f* (-; *-n*) distance, way; *Route*: route; *rail.* line; *Renn*ℒ: course; *Abschnitt*, *Fläche*: stretch; '**ℒn** *v/refl* (*h*) have a stretch.

Streich [ʃtraɪç] *m* (-[*e*]*s*; *-e*) trick, prank, practical joke: ***j-m e-n ~ spielen*** play a trick on s.o.; '**ℒeln** *v/t* (*h*) stroke, caress; '**ℒen** (*strich*, *gestrichen*, *h*) **1.** *v/t an~*: paint; schmieren: spread (***auf*** *acc* on); *aus~*: cross out; *Auftrag etc*: cancel; **2.** *v/i*: ***mit der Hand ~ über*** (*acc*) run one's hand over; '**~holz** *n* match; '**~instrument** *n mus.* string instrument: ***die ~e*** *pl* the strings *pl*; '**~ung** *f* (-; *-en*) cancellation; '**~or,chester** *n* string orchestra.

Streife ['ʃtraɪfə] *f* (-; *-n*) patrol (*a. Mannschaft*): ***~ gehen*** go on patrol.

streifen ['ʃtraɪfən] *v/t* (*h*) *berühren*: touch, brush against; *Auto*: scrape against; *Kugel*: graze; *Ring*: slip (***von*** off); *Thema*: touch on.

Streif|en [-] *m* (*-s*; -) stripe; *Papier*ℒ *etc*: strip; '**~enwagen** *m* patrol car; '**~schuss** *m* graze.

Streik [ʃtraɪk] *m* (-[*e*]*s*; *-s*) *econ.* strike, walkout: ***in den ~ treten*** go on strike; ***wilder ~*** wildcat strike; '**~brecher** *m* (*-s*; -) strikebreaker, F blackleg; '**ℒen** *v/i* (*h*) (go [*od.* be] on) strike; '**~ende** *m, f* (*-n*; *-n*) striker; '**~posten** *m* picket; '**~recht** *n* (-[*e*]*s*; *no pl*) right to strike.

Streit [ʃtraɪt] *m* (-[*e*]*s*; *-e*) argument, quarrel (***über*** *acc*, ***um*** about, over); *handgreiflicher*: fight; *pol. etc* dispute: ***~ anfangen*** pick a fight (*od.* quarrel); ***~ suchen*** be looking for trouble; '**ℒen** *v/i*

S

(*stritt*, *gestritten*, *h*) (*a.* **sich ~**) argue, quarrel, have an argument (*alle*: **über** *acc* about, over); *handgreiflich*: (have a) fight: **darüber lässt sich ~** that's a moot point; **'2ig** *adj*: **j-m et. ~ machen** dispute s.o.'s right to s.th.; **'~kräfte** *pl mil.* armed forces *pl*; **'2süchtig** *adj* quarrelsome.

streng [ʃtrɛŋ] **1.** *adj* strict; *Kälte*, *Kritik*, *Strafe etc*: severe; *hart*: harsh; *unnachgiebig*: rigid; **2.** *adv*: **~ genommen** strictly speaking; **~ verboten** (**vertraulich**) strictly prohibited (confidential); **'2e** *f* (-; *no pl*) strictness; severity; harshness; rigidity.

Stress [ʃtrɛs] *m* (*-es*; *rare -e*) stress: **im ~** under stress.

stress|en ['ʃtrɛsən] *v/t* (*h*) put under stress; **'~ig** *adj* stressful.

streuen ['ʃtrɔyən] *v/t* (*h*) scatter (*a. phys.*); *Sand etc*: *a.* spread; *Salz etc*: sprinkle; *Gehweg etc*: grit, *mit Salz*: salt.

streunend ['ʃtrɔynənt] *adj* stray.

Strich [ʃtrɪç] *m* (-[*e*]*s*; *-e*) *Linie*: line; *Skalen2*: mark: F **auf den ~ gehen** walk the streets; **'~kode** *m* barcode; **'2weise** *adv*: **~ Regen** scattered showers *pl*.

Strick [ʃtrɪk] *m* (-[*e*]*s*; *-e*) cord; *dicker*: rope; **'~...** *in Zssgn Nadel etc*: knitting ...; **'2en** *v/t u. v/i* (*h*) knit; **'~jacke** *f* cardigan; **'~leiter** *f* rope ladder; **'~waren** *pl* knitwear *sg*; **'~zeug** *n* knitting (things *pl*).

strittig ['ʃtrɪtɪç] *adj* controversial: **~er Punkt** point at issue.

Stroh [ʃtroː] *n* (-[*e*]*s*; *no pl*) straw; *Dach2*: thatch; **'~dach** *n* thatched roof; **'~halm** *m* straw; **'~hut** *m* straw hat; **'~witwe**(**r** *m*) *f* F grass widow(er).

Strom [ʃtroːm] *m* (-[*e*]*s*; ⸚*e*) (large) river; *Strömung*, *electr.*: current: **ein ~ von** a stream of (*a. fig.*); → **gießen** 2, **regnen**; **2'ab(wärts)** *adv* downstream; **2'auf(wärts)** *adv* upstream; **'~ausfall** *m electr.* power failure; *allgemeiner*: blackout.

strömen ['ʃtrøːmən] *v/i* (*sn*) stream (*a. fig.*), flow, run; *Regen*: pour (*a. fig. Menschen etc*).

'Strom|kreis *m electr.* circuit; **'2linienförmig** *adj* streamlined; **'~schnelle** *f* (-; *-n*) rapid; **'~stärke** *f electr.* amperage.

'Strömung *f* (-; *-en*) current; *fig. a.* trend.

'Strom|versorgung *f electr.* power supply; **'~zähler** *m* electricity meter.

Strophe ['ʃtroːfə] *f* (-; *-n*) stanza, verse.

strotzen ['ʃtrɔtsən] *v/i* (*h*): **~ von** *od.* **vor** (*dat*) be teeming with; *Gesundheit etc*: be brimming (*od.* bursting) with.

Struktur [ʃtrʊk'tuːr] *f* (-; *-en*) structure.

Strumpf [ʃtrʊmpf] *m* (-[*e*]*s*; ⸚*e*) stocking; **'~hose** *f* (**e-e ~** a pair of) tights *pl*, *bsd. Am.* panty hose.

Stube ['ʃtuːbə] *f* (-; *-n*) room.

Stück [ʃtʏk] *n* (-[*e*]*s*; *-e*) *allg.* piece; *Teil*: *a.* part; *Zucker*: lump; *Brot etc*: slice; *thea.* play: **2 Euro das ~** 2 euros each; **im** (*od.* **am**) **~** *Käse etc*: in one piece; → **reißen** 1 *etc*; **'2weise** *adv* bit by bit (*a. fig.*); *econ.* by the piece; **'~werk** *n* (-[*e*]*s*; *no pl*) *fig.* patchwork.

Student [ʃtu'dɛnt] *m* (*-en*; *-en*) student; **~enausweis** *m* student's identity card.

Studie ['ʃtuːdĭə] *f* (-; *-n*) study (**über** *acc* of); **'~nabbrecher** *m* (*-s*; -) university (*od.* college) dropout; **'~nabschluss** *m* final examinations *pl*; **'~naufenthalt** *m* study visit (**in** *dat* to); **'~nplatz** *m* university (*od.* college) place.

studieren [ʃtu'diːrən] *v/t* (*no ge-*, *h*) study, *v/i. a.* go to university.

Studium ['ʃtuːdĭʊm] *n* (*-s*; *Studien*) studies *pl*.

Stufe ['ʃtuːfə] *f* (-; *-n*) step; *Niveau*: level; *Stadium*, *Raketen2*: stage.

Stuhl [ʃtuːl] *m* (-[*e*]*s*; ⸚*e*) chair; *physiol.* stool; → **Stuhlgang**; **'~gang** *m* (-[*e*]*s*; *no pl*) *physiol.* bowel movement: **~ haben** have a bowel movement.

stülpen ['ʃtʏlpən] *v/t* (*h*) put (**auf** *acc* on; **über** *acc* over).

stumm [ʃtʊm] *adj* dumb; *still*: silent (*a. fig.*).

Stummel ['ʃtʊməl] *m* (*-s*; -) *Zahn2*: stump; *Zigarren2 etc*: butt, *a. Kerzen2 etc*: stub.

'Stummfilm *m* silent film.

Stümper ['ʃtʏmpər] *m* (*-s*; -) bungler.

stumpf [~] *adj* blunt; **'~sinnig** *adj* dull; *Arbeit*: *a.* monotonous.

Stumpf [ʃtʊmpf] *m* (-[*e*]*s*; ⸚*e*) stump.

Stunde ['ʃtʊndə] *f* (-; *-n*) hour; *Unterrichts2*: lesson, *Schul2*: *a.* period.

stunden ['ʃtʊndən] *v/t* (*h*): **j-m et. ~** grant s.o. a delay for s.th.

'Stunden|kilo,meter *pl* kilomet|res (*Am.* -ers) per hour; **'2lang** **1.** *adj*: **nach**

~em Warten after hours of waiting; **2.** *adv* for hours (and hours); **'~lohn** *m* hourly wage; **'~plan** *m Br.* timetable, *Am.* schedule; **'≈weise** *adj u. adv* by the hour; **'~zeiger** *m* hour hand.

stündlich ['ʃtʏntlɪç] **1.** *adj* hourly; **2.** *adv* hourly, every hour.

'Stundung *f* (-; *-en*) deferment of payment.

stur [ʃtuːr] *adj* F pigheaded.

Sturm [ʃtʊrm] *m* (-[*e*]*s*; *⸚e*) storm (*a. fig.*): **~ auf** (*acc*) *econ.* rush for.

stürm|en ['ʃtʏrmən] **1.** *v/t* (*h*) *mil.* storm (*a. weitS.*); **2.** *v/impers* (*h*): ***es stürmt*** there's a gale blowing; **3.** *v/i* (*sn*) *wütend*: storm; **'≈er** *m* (-*s*; -) *Sport*: forward; *bsd. Fußball*: striker; **'~isch** *adj* stormy; *fig.* wild, vehement.

'Sturmwarnung *f* gale warning.

Sturz [ʃtʊrts] *m* (-*es*; *⸚e*) fall (*a. fig.*); *e-r Regierung etc*: overthrow.

stürzen ['ʃtʏrtsən] **1.** *v/i* (*sn*) (have a) fall; *laut*: crash; *rennen*: rush, dash; **2.** *v/t* (*h*) throw; *Regierung etc*: overthrow: ***j-n ins Unglück ~*** ruin s.o.; **3.** *v/refl* (*h*): ***sich ~ aus*** (***auf*** *acc etc*) throw o.s. out of (at *etc*).

'Sturzhelm *m* crash helmet.

Stütze ['ʃtʏtsə] *f* (-; *-n*) support (*a. fig.*), prop; **'≈n** (*h*) **1.** *v/t* support (*a. fig.*); **2.** *v/refl*: ***sich ~ auf*** (*acc*) lean on; *fig.* be based on.

stutzig ['ʃtʊtsɪç] *adj*: ***j-n ~ machen*** arouse s.o.'s suspicion.

'Stütz|pfeiler *m arch.* supporting pillar; **'~punkt** *m mil.* base (*a. fig.*).

Styropor [ʃtyro'poːr] *n* (-*s*; *no pl*) *TM* styrofoam.

subjektiv [zʊpjɛk'tiːf] *adj* subjective; **≈ität** [-ivi'tɛːt] *f* (-; *no pl*) subjectivity.

Substanz [zʊp'stants] *f* (-; *-en*) substance (*a. fig.*).

'Subunter,nehmer ['zʊp-] *m* subcontractor.

Subvention [zʊpvɛn'tsi̯oːn] *f* (-; *-en*) subsidy; **≈ieren** [-o'niːrən] *v/t* (*no ge-, h*) subsidize.

Suche ['zuːxə] *f* (-; *no pl*) search (***nach*** for): ***auf der ~ nach*** in search of; **'≈n** (*h*) **1.** *v/t allg.* look for; *stärker*: search for: ***gesucht*: ...** wanted: ...; ***was hat er hier zu ~?*** what's he doing here?; ***er hat hier nichts zu ~*** he has no business to be here; **2.** *v/i*: **~ *nach*** → 1; **'~r** *m* (-*s*; -) *phot.* viewfinder.

'Suchmaschine *f Computer*: search engine.

Sucht [zʊxt] *f* (-; *⸚e*) addiction (***nach*** to); *Besessenheit*: mania (for).

süchtig ['zʏçtɪç] *adj*: ***~ machen*** be addictive; ***~ sein*** be addicted (***nach*** to); **'≈e** *m, f* (-*n*; -*n*) addict.

Südafrika ['zyːt'ʔaːfrika] South Africa.

Süden ['zyːdən] *m* (-*s*; *no pl*) south; *südlicher Landesteil*: South: ***nach ~*** south(wards).

'Süd|früchte ['zyːt-] *pl* tropical (*od.* southern) fruits *pl*; **'≈lich 1.** *adj* south(-ern); **2.** *adv*: **~ *von*** (to the) south of; **~'osten** *m* southeast; **'~pol** *m* (-s, *no pl*) South Pole; **≈wärts** ['-vɛrts] *adv* southward(s); **~'westen** *m* southwest.

Südkorea ['zyːtko'reːa] South Korea.

Suezkanal ['zuːɛska,naːl] *the* Suez Canal.

Summe ['zʊmə] *f* (-; *-n*) sum (*a. fig.*); *Betrag*: amount; *Gesamt≈*: (sum) total.

summen ['zʊmən] *v/i u. v/t* (*h*) buzz, hum (*a. Lied etc*).

summieren [zʊ'miːrən] *v/refl* (*no ge-, h*) add up (***auf*** *acc*, ***zu*** to).

Sumpf [zʊmpf] *m* (-[*e*]*s*; *⸚e*) swamp, marsh; **'≈ig** *adj* swampy, marshy.

Sünde ['zʏndə] *f* (-; *-n*) sin (*a. fig.*); **~nbock** ['-nbɔk] *m* (-[*e*]*s*; *Sündenböcke*) scapegoat.

super ['zuːpər] *adj u. int* F super, great.

Super [-] *n* (-*s*; *no pl*) *mot.* F *Br.* four-star, *Am.* premium; **'~ben,zin** *n mot. Br.* four-star petrol, *Am.* premium gas(oline); **'~markt** *m* supermarket.

Suppe ['zʊpə] *f* (-; *-n*) soup; **'~nlöffel** *m* soup spoon; **'~nschüssel** *f* soup tureen; **'~nteller** *m* soup plate.

Surf|brett ['sœrf-] *m* surfboard; **'≈en** *v/i* (*h*) surf; *im Internet*: surf the Net; **'~er** *m* (-*s*; -) surfer.

süß [zyːs] *adj* sweet (*a. fig.*); **'~en** *v/t* (*h*) sweeten; **'≈igkeiten** *pl* sweets *pl*, *bsd. Am. a.* candy *sg*; **'~lich** *adj* sweetish; *fig.* mawkish; **'~sauer** *adj* sweet-and--sour; **'≈stoff** *m* sweetener; **'≈wasser** *n* (-*s*; *no pl*) fresh water; *in Zssgn*: freshwater.

Swimmingpool ['svɪmɪŋpuːl] *m* (-*s*; -*s*) swimming pool.

Symbol [zʏm'boːl] *n* (-*s*; -*e*) symbol (*gen*, ***für*** of); **≈isch** *adj* symbolic(al) (***für*** of).

Sympathi|e [zʏmpa'tiː] *f* (-; *-n*) liking

S

(**für** for); *Mitgefühl*: sympathy; **~e-streik** *m econ.* sympathy (*od.* sympathetic) strike; **~sant** [~i'zant] *m* (*-en*; *-en*) sympathizer; **≈sch** [~'paːtɪʃ] *adj* nice, likeable: ***er ist mir ~*** I like him.

Symphonie [zʏmfo'niː] *f* (-; *-n*) *mus.* symphony; **~or,chester** *n* symphony orchestra.

Symptom [zʏmp'toːm] *n* (*-s*; *-e*) symptom; **≈atisch** [~o'maːtɪʃ] *adj* symptomatic (**für** of).

Synagoge [zʏna'goːgə] *f* (-; *-n*) synagogue.

synchron [zʏn'kroːn] *adj* synchronous; **~isieren** [~oni'ziːrən] *v/t* (*no ge-*, *h*) synchronize; *Film*: *a.* dub.

synthetisch [zʏn'teːtɪʃ] *adj* synthetic.

Syrien ['zyːrĭən] Syria.

System [zʏs'teːm] *n* (*-s*; *-e*) system; **≈atisch** [~e'maːtɪʃ] *adj* systematic, methodical.

Szene ['stseːnə] *f* (-; *-n*) scene (*a. fig.*): ***(j-m) e-e ~ machen*** make a scene.

T

Tabak ['taːbak] *m* (*-s*; *-e*) tobacco; **'~laden** *m* tobacconist's, *Am.* cigar store.

tabell|arisch [tabɛ'laːrɪʃ] *adj* tabulated, tabular; **≈e** [ta'bɛlə] *f* (-; *-n*) table.

Tablett [ta'blɛt] *n* (*-[e]s*; *-s*, *-e*) tray; **~e** *f* (-; *-n*) tablet, pill.

tabu [~] *adj* taboo; **~frei** *adj*: ***~e Gesellschaft*** permissive society.

Tabu [ta'buː] *n* (*-s*; *-s*) taboo.

Tacho ['taxo] *m* (*-s*; *-s*) F, **~meter** [~'meːtər] *m*, *a. n* (*-s*; -) *mot.* speedometer.

Tadel ['taːdəl] *m* (*-s*; -) blame; *förmlich*: censure, reproof, rebuke; **'≈los** *adj* faultless; *Leben etc*: blameless; *ausgezeichnet*: excellent; *Sitz, Funktionieren etc*: perfect; **'≈n** *v/t* (*h*) criticize, blame; *förmlich*: censure, reprove, rebuke (*alle*: ***wegen*** for).

Tafel ['taːfəl] *f* (-; *-n*) *Schule etc*: (black-) board; *Anschlag≈ etc*: (notice, *Am.* bulletin) board; *Schild*: sign; *Gedenk≈ etc*: plaque; *Schokoladen≈*: bar.

täfel|n ['tɛːfəln] *v/t* (*h*) panel; **'≈ung** *f* (-; *-en*) panel(l)ing.

Tafelwein *m* table wine.

Tag [taːk] *m* (*-[e]s*; *-e*) day: ***am*** (*od.* ***bei***) ***~*** during the day; *bei Tageslicht*: in daylight; ***welchen ~ haben wir heute?*** what day is it today?; ***alle zwei*** (***paar***) ***~e*** every other day (few days); ***heute*** (***morgen***) ***in 14 ~en*** two weeks from today (tomorrow); ***e-s ~es*** one day; ***den ganzen ~*** all day; ***~ u. Nacht*** night and day; ***am helllichten ~*** in broad daylight; ***guten ~!*** good morning, good afternoon; *beim Vorstellen*: how do you do?; F ***sie hat ihre ~e*** she's got her period; ***unter ~e*** *Bergbau*: underground; → ***zutage.***

Tage|buch ['taːgə~] *n* diary: ***~ führen*** keep a diary; **'≈lang** *adv* for days.

tagen ['taːgən] *v/i* (*h*) have a meeting (*od.* conference); *jur., parl.* be in session.

Tages|anbruch ['taːgəs~] *m*: ***bei ~*** at daybreak (*od.* dawn); **'~fahrt** *f* day trip; **'~gespräch** *n* talk of the day; **'~karte** *f* day ticket; *gastr.* menu for the day; **'~kurs** *m Devisen*: today's rate of exchange; **'~licht** *n* (*-[e]s*; *no pl*) daylight: ***bei ~*** in daylight; **'~ordnung** *f* agenda: ***auf der ~ stehen*** be on the agenda; **'~presse** *f* daily press; **'~rückfahrkarte** *f* day return (ticket); **'~tour** *f* day trip; **'~zeit** *f* time of day: ***zu jeder ~*** at any hour; **'~zeitung** *f* daily (paper).

'tageweise *adj u. adv* on a day-to-day basis.

täglich ['tɛːklɪç] **1.** *adj* daily; **2.** *adv* daily, every day.

'Tagschicht *f* day shift: ***~ haben*** be on day shift.

'tagsüber *adv* during the day.

'Tagung *f* (-; *-en*) conference; **'~sort** *m* conference venue.

Taill|e ['taljə] *f* (-; *-n*) waist; *am Kleid*: *a.* waistline; **≈iert** [ta'jiːrt] *adj* waisted.

Taiwan ['taɪvan] Taiwan.

Takt [takt] *m* (*-[e]s*; *-e*) *mus.* time; *einzelner*: bar; *mot.* stroke; *Feingefühl*: tact: ***den ~ halten*** *mus.* keep time; **~ik** ['~ɪk] *f* (-; *-en*) *fig.* tactics *pl*; **'~iker** *m* (*-s*; -) tactician; **'≈isch** *adj* tactical;

'**⁓los** *adj* tactless; '**⁓stock** *m mus.* baton; '**⁓strich** *m mus.* bar; '**⁓voll** *adj* tactful.
Tal [taːl] *n* (-[*e*]*s*; ⸗*er*) valley.
Talent [ta'lɛnt] *n* (-[*e*]*s*; -*e*) talent, gift; *Person*: talented person: **⁓*e*** *pl* talent *sg* (*a. pl konstr.*); **⁓iert** [⁓'tiːrt] *adj* talented, gifted.
Talisman ['taːlɪsman] *m* (-*s*; -*e*) talisman, charm.
Talk|master ['tɔːkmaːstər] *m* (-*s*; -) chat-show (*Am.* talk-show) host; '**⁓show** *f Br.* chat show, *Am.* talk show.
'**Talsperre** *f* dam.
Tang [taŋ] *m* (-[*e*]*s*; -*e*) *bot.* seaweed.
Tank [taŋk] *m* (-[*e*]*s*; -*s*) tank; '**⁓en** *v/i* (*h*) get some petrol (*Am.* gasoline); '**⁓er** *m* (-*s*; -) *mar.* tanker; '**⁓stelle** *f* filling (*od.* petrol, *Am.* gas) station; '**⁓wart** *m* (-[*e*]*s*; -*e*) pump attendant.
Tanne ['tanə] *f* (-; -*n*) *bot.* fir (tree); '**⁓nzapfen** *m* fir cone.
Tante ['tantə] *f* (-; -*n*) aunt; **⁓-Emma-Laden** [⁓'ɛmã] *m Br.* corner shop, *Am.* mom-and-pop store.
Tantiemen [tã'tĭɛːmən] *pl* royalties *pl.*
Tanz [tants] *m* (-*es*; ⸗*e*) dance; '**⁓en** *v/i u. v/t* (*h*) dance.
Tänzer ['tɛntsər] *m* (-*s*; -) dancer.
'**Tanz|fläche** *f* dance floor; '**⁓loˌkal** *n* café with dancing; '**⁓muˌsik** *f* dance music.
Tape|te [ta'peːtə] *f* (-; -*n*) wallpaper; **⁓zieren** [⁓e'tsiːrən] *v/t* (*no ge-, h*) (wall)paper; **⁓'zierer** *m* (-*s*; -) paperhanger.
tapfer ['tapfər] *adj* brave; *mutig*: courageous; '**⁓keit** *f* (-; *no pl*) bravery; courage.
Tara ['taːra] *f* (-; -*ren*) *econ.* tare.
Tarif [ta'riːf] *m* (-*s*; -*e*) scale of charges; *Lohn⁓*: pay scale; **⁓autonomie** [⁓autonoˌmiː] *f* (-; -*n*) free collective bargaining; **⁓erhöhung** *f* increase in pay rates; **⁓konˌflikt** *m* pay dispute; **⁓lohn** *m* standard wage(s *pl*); **⁓partner** *m* party to a wage agreement; *pl* union(s) and management; **⁓verhandlungen** *pl* collective bargaining *sg.*
Tasche ['taʃə] *f* (-; -*n*) *Einkaufs⁓ etc*: bag; *Hand⁓*: bag, *Am. a.* purse; *Hosen⁓ etc*: pocket.
'**Taschen|buch** *n* paperback; '**⁓dieb** *m* pickpocket; '**⁓geld** *n bsd. Br.* pocket money, *Am.* allowance; '**⁓lampe** *f bsd. Br.* torch, *Am.* flashlight; '**⁓messer** *n* penknife, pocketknife; '**⁓rechner** *m* pocket calculator; '**⁓schirm** *m* telescopic umbrella; '**⁓tuch** *n* handkerchief.
Tasse ['tasə] *f* (-; -*n*) cup (***Tee*** *etc* of tea *etc*).
Tastatur [tasta'tuːr] *f* (-; -*en*) keyboard, keys *pl.*
Tast|e ['tastə] *f* (-; -*n*) key; *tech. Druck⁓*: *a.* push button; '**⁓enteleˌfon** *n* push-button telephone; '**⁓sinn** *m* (-[*e*]*s*; *no pl*) sense of touch.
Tat [taːt] *f* (-; -*en*) act, deed; *Handeln*: action; *Straf⁓*: offen|ce (*Am.* -se): ***j-n auf frischer ⁓ ertappen*** catch s.o. in the act; '**⁓enlos** *adj* inactive.
Täter ['tɛːtər] *m* (-*s*; -) culprit; *jur.* offender.
tätig ['tɛːtɪç] *adj* active (*a. Vulkan*); *geschäftig*: busy: ***⁓ sein bei*** be employed with; ***⁓ werden*** act, take action; '**⁓keit** *f* (-; -*en*) activity; *Arbeit*: work; *Beruf, Beschäftigung*: occupation, job: ***in ⁓*** in action.
'**Tat|kraft** *f* (-; *no pl*) energy; '**⁓kräftig** *adj* energetic, active.
tätlich ['tɛːtlɪç] *adj*: ***⁓ werden*** become violent; ***⁓ werden gegen*** assault; '**⁓keiten** *pl* violence *sg.*
'**Tat|ort** *m jur.* scene of the crime; '**⁓sache** *f* fact; **⁓sächlich** ['⁓zɛçlɪç] **1.** *adj* actual, real; **2.** *adv* actually, in fact; *wirklich*: really.
Tau[1] [tau] *n* (-[*e*]*s*; -*e*) rope.
Tau[2] [⁓] *m* (-[*e*]*s*; *no pl*) dew.
taub [taup] *adj* deaf (***auf einem Ohr*** in one ear; *fig.* ***gegen, für*** to); *Finger etc*: numb.
Taube ['taubə] *f* (-; -*n*) *zo.* pigeon; *pol.* dove.
'**Taub|heit** *f* (-; *no pl*) deafness; numbness; '**⁓stumm** *adj* deaf and dumb; '**⁓stumme** *m, f* (-*n*; -*n*) deaf mute.
tauche|n ['tauxən] **1.** *v/i* (*sn*) dive (***nach*** for); *Sport*: *a.* skin-dive; *U-Boot*: *a.* submerge; **2.** *v/t* (*h*) *ein⁓*: dip (***in*** *acc* into); '**⁓r** *m* (-*s*; -) (*Sport*: skin) diver.
tauen ['tauən] **1.** *v/i* (*sn*) thaw, melt; **2.** *v/impers* (*h*): ***es taut*** it's thawing.
Taufe ['taufə] *f* (-; -*n*) baptism, christening; '**⁓n** *v/t* (*h*) baptize, christen (***auf den Namen Michael*** Michael).
'**Tauf|pate** *m* godfather; '**⁓patin** *f* (-; -*nen*) godmother; '**⁓schein** *m* certifi-

T

cate of baptism.

taug|en ['taugən] *v/i* (*h*): ***nicht ~ zu*** (*od.* ***für***) not to be suited to (*od.* for); ***nichts ~*** be no good; **~lich** ['-klıç] *adj* suitable (***für, zu*** for); *mil.* fit (for service).

taumeln ['taʊməln] *v/i* (*sn*) stagger, reel.

Tausch [taʊʃ] *m* (*-es*; *-e*) exchange, F swap: ***im ~ gegen*** in exchange for; '**2en** (*h*) **1.** *v/t* exchange, F swap (*beide*: ***gegen*** for); *Rollen, Plätze etc*: *a.* switch; *wechseln*: change (*a. Geld*); **2.** *v/i*: ***ich möchte nicht mit ihm ~*** I wouldn't like to be in his shoes.

täuschen ['tɔʏʃən] (*h*) **1.** *v/t* deceive: ***sich ~ lassen*** be deceived (*od.* taken in) (***von*** by); **2.** *v/i* be deceptive; **3.** *v/refl* be wrong (*od.* mistaken): ***sich in j-m ~*** be completely wrong about s.o.; '**~d** *adj Ähnlichkeit*: striking.

'**Tauschgeschäft** *n* exchange deal, F swap.

'**Täuschung** *f* (-; *-en*) deception; *jur.* deceit; *Irrtum*: mistake; *Selbst2*: delusion.

tausend ['taʊzənd] *adj* a (*od.* one) thousand.

'**Tau|wetter** *n* thaw (*a. fig. pol.*); '**~ziehen** *n* (*-s*; *no pl*) tug-of-war (*a. fig.*: ***um*** for).

Taxameter [taksa'meːtər] *n, m* (*-s*; -) taximeter.

Taxi ['taksi] *n* (*-s*; *-s*) taxi, cab; '**~fahrer** *m* taxi (*od.* cab) driver; '**~stand** *m* taxi rank, *bsd. Am.* taxi stand, cabstand.

Technik ['tɛçnık] *f* (-; *-en*) *Wissenschaft*: technology; *angewandte*: *mst* engineering; *Verfahren*: technique (*a. Kunst etc*); *e-r Maschine etc*: mechanics *pl*; '**~er** *m* (*-s*; -) engineer; *Spezialist*: technician.

'**technisch** *adj* technical (*a. Gründe, Zeichnen etc*); *~-wissenschaftlich*: technological (*a. Fortschritt, Zeitalter etc*): ***~e Hochschule*** college of technology.

Technolog|ie [tɛçnolo'giː] *f* (-; *-n*) technology; **~iepark** *m* technology (*od.* science) park; **~ietrans,fer** *m* technology transfer; **2isch** [-'loːgıʃ] *adj* technological.

Tee [teː] *m* (*-s*; *-s*) tea; '**~beutel** *m* teabag; '**~kanne** *f* teapot; '**~löffel** *m* teaspoon.

Teer [teːr] *m* (*-[e]s*; *-e*) tar; '**2en** *v/t* (*h*) tar.

'**Tee|ser,vice** *n* tea service (*od.* set); '**~sieb** *n* tea strainer; '**~tasse** *f* teacup.

Teich [taıç] *m* (*-[e]s*; *-e*) pond.

Teig [taık] *m* (*-[e]s*; *-e*) dough; **2ig** ['-gıç] doughy, pasty; '**~waren** *pl* pasta *sg.*

Teil [taıl] *m, n* (*-[e]s*; *-e*) part; *An2*: portion, share; *Bestand2*: component: ***zum ~*** partly, in part; '**2bar** *adj* divisible; '**~betrag** *m* partial amount; *Rate*: instal(l)ment; '**~chen** *n* (*-s*; -) particle (*a. phys.*); '**2en** *v/t* (*h*) divide (***in*** *acc* into; *math.* ***durch*** by); *j-s Ansicht, Schicksal etc*: share; '**~erfolg** *m* partial success; '**~haber** *m* (*-s*; -) *econ.* partner; **~kaskoversicherung** ['-kasko-] *f mot.* partial coverage insurance; '**~lieferung** *f* part delivery; **~nahme** ['-naːmə] *f* (-; *no pl*) participation (***an*** *dat in*); *fig.* interest (in); *An2*: sympathy (for); '**2nahmslos** *adj* indifferent; *bsd. med.* apathetic; '**~nahmslosigkeit** *f* (-; *no pl*) indifference; apathy; '**2nehmen** *v/i* (*irr, sep, -ge-, h,* → ***nehmen***): ***~ an*** (*dat*) take part (*od.* participate) in; '**~nehmer** *m* (*-s*; -) participant: *Sport etc*: competitor; '**2s** *adv* partly, in part; '**~strecke** *f Reise, Rennen*: stage, leg; '**~ung** *f* (-; *-en*) division; '**2weise** *adv* partly, in part; '**~zahlung** *f* part payment; *Rate*: instal(l)ment; *Ratenzahlung*: → ***Abzahlung.***

'**Teilzeit** *f* part time (work); '**~basis** *f*: ***auf ~ arbeiten*** work part-time; '**~modell** *n part-time working arrangements.*

Teint [tɛ̃ː] *m* (*-s*; *-s*) complexion.

Telefon [tele'foːn] *n* (*-s*; *-e*) (tele)phone: ***~ haben*** be on the phone; **~anschluss** *m* telephone connection; **~appa,rat** *m* (tele)phone; **~at** [-o'naːt] *n* (*-[e]s*; *-e*) telephone conversation; *Anruf*: phone call; **~buch** *n* telephone directory, phone book; **~gebühr** *f* telephone charge; **~gespräch** *n* → ***Telefonat***; **2ieren** [-o'niːrən] *v/i* (*no ge-, h*) make a phone call; *gerade*: be on the phone: ***mit j-m ~*** talk to s.o. on the phone; **2isch 1.** *adj* telephonic, telephone; **2.** *adv* by (tele)phone, over the (tele-) phone; **~ist(in)** [-o'nıst(ın)] *f* (-; *-nen*) switchboard operator; **~karte** *f* phonecard; **~konferenz** *f* teleconference; **~nummer** *f* (tele)phone number; **~zelle** *f bsd. Br.* (tele)phone box, *Br.* call box, *Am.* (tele)phone booth; **~zen,trale** *f e-r Firma etc*: switchboard.

telegraf|ieren [telegra'fiːrən] *v/t u. v/i* (*no ge-, h*) telegraph, wire; **~isch**

[-'gra:fɪʃ] **1.** *adj* telegraphic; **2.** *adv* by telegraph.
Telegramm [tele'gram] *n* (*-s*; *-e*) telegram.
telegraphieren, **telegraphisch** → ***telegrafieren***, ***telegrafisch***.
'**Teleobjek,tiv** ['te:lə-] *n* telephoto lens.
Teller ['tɛlər] *m* (*-s*; -) plate.
Tempel ['tɛmpəl] *m* (*-s*; -) temple.
Temperament [tɛmpera'mɛnt] *n* (*-[e]s*; *-e*) temper(ament); *Schwung*: verve; **2voll** *adj* spirited.
Temperatur [tɛmpera'tu:r] *f* (-; *-en*) temperature: ***j-s ~ messen*** take s.o.'s temperature.
Tempo ['tɛmpo] *n* (*-s*; *-s*, *Tempi*) speed; *mus.* tempo: ***mit ~ …*** at a speed of … an hour; **~limit** ['-lɪmɪt] *n* (*-s*; *-s*, *-e*) *mot.* speed limit.
Tendenz [tɛn'dɛnts] *f* (-; *-en*) tendency (***zu*** towards), trend (*a. econ.*); **2iös** [-'tsĭø:s] *adj* tendentious.
tendieren [tɛn'di:rən] *v/i* (*no ge-*, *h*) tend (***zu*** towards; ***dazu, et. zu tun*** to do s.th.).
Tennis ['tɛnɪs] *n* (-; *no pl*) tennis; '**~ball** *m* tennis ball; '**~platz** *m* tennis court; '**~schläger** *m* tennis racket; '**~spieler** *m* tennis player.
Tenor [te'no:r] *m* (*-s*; *⸗e*) *mus.* tenor.
Teppich ['tɛpɪç] *m* (*-s*; *-e*) carpet; '**~boden** *m* fitted carpet, wall-to-wall carpeting; '**~fliese** *f* carpet tile.
Termin [tɛr'mi:n] *m* (*-s*; *-e*) *Geschäfts2 etc*: appointment; *vereinbarter Tag*: date; *letzter ~*: deadline; **~ka,lender** *m* appointments book.
Terrasse [tɛ'rasə] *f* (-; *-n*) terrace; **~ntür** *f* French window(s *pl*).
Territorium [tɛri'to:rĭʊm] *n* (*-s*; *-rien*) territory.
Terror ['tɛrɔr] *m* (*-s*; *no pl*) terror; **2isieren** [-ori'zi:rən] *v/t* (*no ge-*, *h*) terrorize; **~ismus** [-o'rɪsmʊs] *m* (-; *no pl*) terrorism; **~ist** [-o'rɪst] *m* (*-en*; *-en*) terrorist.; **~netzwerk** *n* terrorist network; **~zelle** *f* terrorist cell.
Terzett [tɛr'tsɛt] *n* (*-[e]s*; *-e*) *mus.* trio.
Test [tɛst] *m* (*-[e]s*; *-s*, *-e*) test.
Testament [tɛsta'mɛnt] *n* (*-[e]s*; *-e*) will, *jur.* last will and testament; *eccl.* Testament: ***sein ~ machen*** make a will; **2arisch** [-'ta:rɪʃ] *adj* by will; **~seröffnung** *f* opening of the will; **~svoll,strecker** *m* (*-s*; -) executor.
'**Test|bild** *n TV Br.* test card, *Am.* test pattern; '**2en** *v/t* (*h*) test.
teuer ['tɔʏər] *adj* expensive, dear: ***wie ~ ist es?*** how much is it?; '**2ung** *f* (-; *-en*) rise in prices; '**2ungsrate** *f* rate of price increases.
Teufel ['tɔʏfəl] *m* (*-s*; -) devil (*a. fig.*): ***wer*** (***wo, was***) ***zum ~ …?*** who (where, what) the hell …?; '**~skerl** *m* F devil of a guy; '**~skreis** *m* vicious circle.
'**teuflisch** *adj* devilish, diabolical.
Text [tɛkst] *m* (*-[e]s*; *-e*) text; *unter Bild etc*: caption; *Lied2*: words *pl*, lyrics *pl*; *thea.* lines *pl*, part; '**~er** *m* (*-s*; -) *Schlager2*: songwriter.
Textilien [tɛks'ti:lĭən] *pl* textiles *pl*.
'**Textverarbeitung** *f* (-; *-en*) word processing; '**~spro,gramm** *n* word processing program, word processor.
Thailand ['taɪlant] Thailand.
Theater [te'a:tər] *n* (*-s*; -) theat|re (*Am.* -er): F *fig.* ***~ machen*** (***um***) make a fuss (about); **~aufführung** *f* theat|re (*Am.* -er) performance; **~besucher** *m* theatregoer, *Am.* theatergoer; **~festival** *n* drama festival; **~karte** *f* theat|re (*Am.* -er) ticket; **~kasse** *f* box office; **~stück** *n* play.
theatralisch [tea'tra:lɪʃ] *adj* theatrical.
Thema ['te:ma] *n* (*-s*; *Themen*) subject, topic; *bsd. Leitgedanke*, *mus.*: theme: ***das ~ wechseln*** change the subject.
Themse ['tɛmzə] *the* Thames.
Theolog|e [teo'lo:gə] *m* (*-n*; *-n*) theologian; **~ie** [-o'gi:] *f* (-; *-n*) theology; **2isch** *adj* theological.
Theo|retiker [teo're:tikər] *m* (*-s*; -) theorist; **2'retisch** *adj* theoretical; **~rie** [-'ri:] *f* (-; *-n*) theory: ***in der ~*** in theory.
Thera|peut [tera'pɔʏt] *m* (*-en*; *-en*) therapist; **2'peutisch** *adj* therapeutic; **~pie** [-'pi:] *f* (-; *-n*) therapy.
Thermometer [tɛrmo'me:tər] *n* (*-s*; -) thermometer.
Thermosflasche ['tɛrmɔs-] *f TM* thermos flask (*Am.* bottle).
These ['te:zə] *f* (-; *-n*) thesis.
Thrombose [trɔm'bo:zə] *f* (-; *-n*) *med.* thrombosis.
Thron [tro:n] *m* (*-[e]s*; *-e*) throne; '**~folger** *m* (*-s*; -) successor to the throne.
Thunfisch ['tu:n-] *m zo.* tuna.
Thüringen ['ty:rɪŋən] Thuringia.
ticken ['tɪkən] *v/i* (*h*) tick.
Ticket ['tɪkɪt] *n* (*-s*; *-s*) ticket.

tief [tiːf] **1.** *adj* deep (*a. fig.*); *niedrig*: low (*a. Ausschnitt*); **2.** *adv*: ~ ***schlafen*** be fast asleep; → ***Atem, Luft.***

Tief [~] *n* (*-s*; *-s*) *meteor.* depression (*a. psych.*), low (*a. econ.*); **'~druckgebiet** *n meteor.* low-pressure area; **'~e** *f* (*-*; *-n*) depth (*a. fig.*); **'~ebene** *f* lowland(s *pl*); **'~flug** *m* low-level flight; **'~ga,rage** *f Br.* underground car park, *Am.* underground parking garage; **'2gekühlt** *adj* deep-frozen; **'~kühlfach** *n* freezing compartment; **'~kühlschrank** *m* upright freezer; **'~kühltruhe** *f* chest freezer; **'~stand** *m* (*-[e]s*; *no pl*) low.

Tier [tiːr] *n* (*-[e]s*; *-e*) animal: F ***großes*** (*od.* ***hohes***) ~ bigwig, big shot; **'~arzt** *m Br.* vet(erinary surgeon), *Am.* vet(erinarian); **'~handlung** *f* pet shop; **'~heim** *n* animal shelter; **'2isch** *adj* animal; *fig.* brutish; **'~klinik** *f* veterinary hospital; **'~kreis** *m* (*-es*; *no pl*) *ast.* zodiac; **'~kreiszeichen** *n* sign of the zodiac; **'2lieb** *adj* fond of animals; **'~medi,zin** *f* (*-*; *no pl*) veterinary medicine; **'~park** *m* zoo; **'~quäle,rei** *f* (*-*; *-en*) cruelty to animals; **'~reich** *n* (*-[e]s*; *no pl*) animal kingdom; **'~schutzverein** *m* society for the prevention of cruelty to animals; **'~versuch** *m med.* animal experiment.

Tiger ['tiːgər] *m* (*-s*; *-*) *zo.* tiger; **~staat** *m econ.* tiger economy.

tilg|en ['tɪlgən] *v/t* (*h*) *econ. Schuld*: pay off; *Anleihe etc*: redeem; **'2ung** *f* (*-*; *-en*) repayment; redemption; **'2ungsfonds** *m* sinking fund.

Tinte ['tɪntə] *f* (*-*; *-n*) ink; **'~nfisch** *m zo.* squid.

Tipp [tɪp] *m* (*-s*; *-s*) hint; *bsd. Wett2*: tip; *an Polizei*: tip-off: ***j-m e-n ~ geben*** *warnen*: tip s.o. off.

tipp|en ['tɪpən] (*h*) **1.** *v/i* F do the Lotto, *Toto*: do the pools; F *Maschine schreiben*: type: ~ ***an*** (*acc*) tap; **2.** *v/t* F *Maschine schreiben*: type; **'2fehler** *m* F typing error.

Tirol [ti'roːl] Tyrol, Tirol.

T

Tisch [tɪʃ] *m* (*-es*; *-e*) table: ***am ~ sitzen*** sit at the table; ***bei ~*** at table; → ***decken*** 1; **'~decke** *f* tablecloth.

Tischler ['tɪʃlər] *m* (*-s*; *-*) joiner.

'Tisch|platte *f* tabletop; **'~rede** *f* after-dinner speech; **'~tennis** *n* table tennis.

Titel ['tiːtəl] *m* (*-s*; *-*) title; **'~bild** *n* cover picture; **'~blatt** *n* title page; **'~geschichte** *f* cover story; **'~rolle** *f thea. etc* title role.

Toast [toːst] *m* (*-[e]s*; *-e, -s*) toast; **'2en** *v/t* (*h*) *Brot*: toast.

Tochter ['tɔxtər] *f* (*-*; *⸚*) daughter; **'~gesellschaft** *f econ.* subsidiary (company).

Tod [toːt] *m* (*-es*; *-e*) death.

Todes|ängste ['toːdəs~] *pl*: ~ ***ausstehen*** be scared to death; **'~anzeige** *f* obituary (notice); **'~fall** *m* death; **'~opfer** *n* casualty; **'~strafe** *f jur.* capital punishment, death penalty; **'~ursache** *f* cause of death.

'Tod|feind *m* deadly enemy; **'2krank** *adj* critically ill.

tödlich ['tøːtlɪç] **1.** *adj Unfall etc*: fatal; *Dosis, Gift etc*: lethal, deadly; **2.** *adv*: ~ ***verunglücken*** be killed in an accident.

'Todsünde *f* mortal (*od.* deadly) sin.

Toilette [tŏa'lɛtə] *f* (*-*; *-n*) toilet, lavatory, *Am.* bathroom; *öffentliche*: *Br.* public convenience, *Am.* comfort station; *im Theater etc*: *Am.* rest room; **~nfrau** *f* lavatory attendant; **~npa,pier** *n* toilet paper.

Tokio ['toːkĭo] Tokyo.

toler|ant [tole'rant] *adj* tolerant (***gegen*** of, towards); **2anz** [~'rants] *f* (*-*; *no pl*) tolerance (*a. tech.*); **~ieren** [~'riːrən] *v/t* (*no ge-*, *h*) tolerate.

toll [tɔl] *adj* F great, fantastic; **'2wut** *f vet.* rabies; **'~wütig** *adj vet.* rabid, mad.

Tomate [to'maːtə] *f* (*-*; *-n*) tomato.

Tombola ['tɔmbola] *f* (*-*; *-s*) raffle.

Ton[1] [toːn] *m* (*-[e]s*; *-e*) *geol.* clay.

Ton[2] [~] *m* (*-[e]s*; *⸚e*) tone (*a. mus., paint, fig., Stimme*); *Klang, Geräusch*: sound (*a. TV, Film*); *Note*: note; *Betonung*: stress; *Farb2*: *a.* shade; **'~arm** *m* pickup (arm); **'~art** *f mus.* key; **'~band** *n* (*-[e]s*; *Tonbänder*) (recording) tape; **'~bandgerät** *n* tape recorder.

tönen ['tøːnən] *v/t* (*h*) tint; *dunkler*: tone.

'Ton|fall *m* (*-[e]s*; *no pl*) intonation; **'~film** *m* sound film; **'~lage** *f* pitch; **'~leiter** *f mus.* scale.

Tonne ['tɔnə] *f* (*-*; *-n*) *Regen2*: butt; *Müll2*: *Br.* bin, *Am.* can; *Gewichtseinheit*: (metric) ton.

'Tontechniker *m* sound engineer.

'Tönung *f* (*-*; *-en*) tone, shade.

Topf [tɔpf] *m* (*-[e]s*; *⸚e*) pot; *Koch2*: *a.* saucepan.

Tor [toːr] *n* (-[*e*]*s*; -*e*) gate (*a. Ski*); *Fußball etc*: goal.

Torf [tɔrf] *m* (-[*e*]*s*; *no pl*) peat; '**~mull** *m* peat dust.

torkeln ['tɔrkəln] *v/i* (*sn*) reel, stagger.

'**Tormann** *m* (-[*e*]*s*; *Tormänner, Torleute*) *Sport*: goalkeeper, F goalie.

torped|ieren [tɔrpe'diːrən] *v/t* (*no ge-, h*) torpedo (*a. fig.*); **２o** [-'peːdo] *m* (-*s*; -*s*) torpedo.

'**Torschütze** *m Sport*: scorer.

Torte ['tɔrtə] *f* (-; -*n*) *Sahne*２: gateau; *Obst*２: (fruit) flan.

tosend ['toːzənt] *adj Applaus*: thunderous.

Toskana [tɔs'kaːna] Tuscany.

tot [toːt] *adj* dead (*a. fig.*): ***~ umfallen*** drop dead.

total [to'taːl] *adj* total, complete; **２ausverkauf** *m* clearance sale; *wegen Geschäftsaufgabe*: *a.* closing-down sale; **~itär** [-ali'tɛːr] *adj pol.* totalitarian; **２schaden** *m mot.* write-off.

'**tot|arbeiten** *v/refl* (*sep, -ge-, h*) work o.s. to death; '**２e** *m, f* (-*n*; -*n*) dead man (*od.* woman); *Leiche*: (dead) body, corpse: ***die ~n*** *pl* the dead *pl.*

töten ['tøːtən] *v/t* (*h*) kill.

'**toten|blass** *adj*, **~bleich** *adj* deathly pale; '**２kopf** *m Giftzeichen etc*: skull and crossbones; '**２schein** *m* death certificate; '**~still** *adj* (as) silent as the grave.

'**totlachen** *v/refl* (*sep, -ge-, h*) F kill o.s. laughing.

Toto ['toːto] *n, a. m* (-*s*; -*s*) football pools *pl*: (***im***) ***~ spielen*** do the pools; '**~schein** *m* pools coupon.

'**Tot|schlag** *m* (-[*e*]*s*; *no pl*) *jur.* manslaughter; '**２schweigen** *v/t* (*irr, sep, -ge-, h*, → ***schweigen***) hush up.

'**Tötung** *f* (-; -*en*) killing; *jur.* homicide.

Toup|et [tu'peː] *n* (-*s*, -*s*) toupee; **２ieren** [-'piːrən] *v/t* (*no ge-, h*) back-comb.

Tour [tuːr] *f* (-; -*en*) tour (***durch*** of); *Ausflug*: trip, excursion; *tech.* turn, revolution: ***auf ~en kommen*** *mot.* pick up (speed); ***krumme ~en*** underhand methods; '**~en...** *in Zssgn Rad etc*: touring …

Touris|mus [tu'rɪsmʊs] *m* (-; *no pl*) tourism; **~t** *m* (-*en*; -*en*) tourist; **~tenklasse** *f aer.* economy class; **２tisch** *adj* tourist(ic).

Tournee [tur'neː] *f* (-; -*s*, -*n*) tour (***durch*** of): ***auf ~ gehen*** go on tour.

Trabantenstadt [tra'bantən-] *f* satellite town.

Tracht [traxt] *f* (-; -*en*) traditional (*od.* national) costume; *Schwestern*２ *etc*: uniform; '**~enanzug** *m* traditionally styled suit; '**~enfest** *n festival at which traditional* (*od. national*) *costume is worn.*

trächtig ['trɛçtɪç] *adj zo.* pregnant.

Tradition [tradi'tsĭoːn] *f* (-; -*en*) tradition; **２ell** [-o'nɛl] *adj* traditional.

Trage ['traːgə] *f* (-; -*n*) stretcher.

träge ['trɛːgə] *adj* lazy, indolent; *phys.* inert.

tragen ['traːgən] (*trug, getragen, h*) **1.** *v/t* carry (*a. Waffe etc*): *Kleidung, Schmuck, Brille etc*: wear; *er*~, *a. Früchte, Folgen, Verantwortung, Namen etc*: bear; **2.** *v/i* bear fruit; *tragfähig sein*: hold; '**~d** *adj arch.* supporting; *thea.* leading.

Träger ['trɛːgər] *m* (-*s*; -) carrier; *Gepäck*２: porter; *am Kleid*: (shoulder) strap; *tech.* support; *arch.* girder; *fig. e-s Namens etc*: bearer; '**２los** *adj Kleid etc*: strapless.

'**Tragetasche** *f* carrier bag; *für Babys*: carrycot.

Trag|fähigkeit ['traːk-] *f* (-; *no pl*) load(-carrying) capacity; '**~fläche** *f aer.* wing.

Trägheit ['trɛːkhaɪt] *f* (-; *no pl*) laziness, indolence; *phys.* inertia.

Trag|ik ['traːgɪk] *f* (-; *no pl*) tragedy; '**２isch** *adj* tragic; **~ödie** [tra'gøːdĭə] *f* (-; -*n*) *thea.* tragedy (*a. fig.*).

Train|er ['trɛːnər] *m* (-*s*; -) trainer, coach; **２ieren** [trɛ'niːrən] *v/i u. v/t* (*no ge-, h*) *allg.* train; *j-n, e-e Mannschaft*: *a.* coach; '**~ing** *n* (-*s*; -*s*) training; '**~ingsanzug** *m* tracksuit.

Traktor ['traktɔr] *m* (-*s*; -*en* [-'toːrən]) *tech.* tractor.

trampe|n ['trɛmpən] *v/i* (*sn*) hitchhike; '**２r** *m* (-*s*; -) hitchhiker.

Träne ['trɛːnə] *f* (-; -*n*) tear: → ***ausbrechen***; '**~ngas** *n* tear gas.

Trans|akti'on [transʔ-] *f* (-; -*en*) transaction; **~fer** [-'feːr] *m* (-*s*; -*s*) transfer; **~formator** [-fɔr'maːtɔr] *m* (-*s*; -*en* [-ma'toːrən]) transformer; **~fusi'on** *f* (-; -*en*) *med.* transfusion.

transgen [trans'geːn] *adj* transgenic.

Transistor [tran'zɪstɔr] *m* (-*s*; -*en*

T

[˷'to:rən]) *electr.* transistor; **˷radio** *n* transistor radio.

Transit [tran'zi:t] *m* (-*s*; -*e*) transit; **˷halle** *f aer.* transit lounge; **˷passa,gier** *m*, **˷reisende** *m*, *f* transit passenger; **˷strecke** *f* transit road (*od.* route); **˷visum** *n* transit visa.

Transparent [transpa'rɛnt] *n* (-[*e*]*s*; -*e*) banner.

Transplant|ation [transplanta'tsĭo:n] *f* (-; -*en*) *med.* transplant; **2ieren** [˷'ti:rən] *v/t* (*no ge-*, *h*) transplant.

Transport [trans'pɔrt] *m* (-[*e*]*s*; -*e*) transport(ation); **2fähig** *adj* transportable; *Kranker*: fit for transportation; **2ieren** [˷'ti:rən] *v/t* (*no ge-*, *h*) transport; *tragen*: carry; *Kranken etc*: take; **˷kosten** *pl* transport(ation) charges *pl*; *Speditionskosten*: forwarding charges *pl*; **˷mittel** *n* (means of) transport(ation); **˷unter,nehmen** *n* haulage company (*od.* contractors *pl*); **˷unter,nehmer** *m* haul(i)er; **˷wesen** *n* (-*s*; *no pl*) transportation.

Traube ['traʊbə] *f* (-; -*n*) bunch of grapes; *Weinbeere*: grape; *fig.* cluster; '**˷nsaft** *m* grape juice; '**˷nzucker** *m* glucose, dextrose.

trauen ['traʊən] (*h*) **1.** *v/t* marry: ***sich ˷ lassen*** get married; **2.** *v/i* trust (***j-m*** s.o.): ***ich traute m-n Ohren*** (***Augen***) ***nicht*** I could not believe my ears (eyes); **3.** *v/refl*: ***sich ˷, et. zu tun*** dare (to) do s.th.

Trauer ['traʊər] *f* (-; *no pl*) grief, sorrow (*beide*: ***um*** over, at); *um j-n*: mourning (for): ***in ˷*** in mourning (*a. Kleidung*); '**˷fall** *m* death; '**˷feier** *f* funeral service; '**˷marsch** *m* funeral march; '**2n** *v/i* (*h*) mourn (***um*** for); *weitS.* grieve (for, over); '**˷zug** *m* funeral procession.

Traum [traʊm] *m* (-[*e*]*s*; *Träume*) dream (*a. fig.*).

träumen ['trɔymən] *v/i u. v/t* (*h*) dream (***von*** of) (*a. fig.*).

traurig ['traʊrɪç] *adj* sad (***über*** *acc*, ***wegen*** about, at); '**2keit** *f* (-; *no pl*) sadness.

'**Trau|ring** *m* wedding ring; '**˷schein** *m* marriage certificate; '**˷ung** *f* (-; -*en*) wedding; '**˷zeuge** *m* witness to a marriage.

Travellerscheck ['trɛvələr˷] *m* → ***Reisescheck.***

treffen ['trɛfən] (*traf, getroffen, h*) **1.** *v/t* hit (***j-n am Arm*** s.o.'s arm); *j-m begegnen*: meet; *betreffen*: concern, *nachteilig*: affect; *kränken*: hurt; *Maßnahmen etc*: take: ***nicht ˷*** miss; ***sich ˷*** meet; **2.** *v/i* hit: ***nicht ˷*** miss; **3.** *v/refl*: ***sich mit j-m ˷*** meet (up with) s.o.

Treffen [˷] *n* (-*s*; -) meeting; '**2d** *adj Bemerkung etc*: apt.

'**Treff|er** *m* (-*s*; -) hit (*a. fig.*); *Tor*: goal; *Gewinn*: win; '**˷punkt** *m* meeting place.

Treibeis ['traɪp˷] *n* drift ice.

treiben ['traɪbən] (*trieb, getrieben*) **1.** *v/t* (*h*) drive (*a. tech. u. fig.*); *j-n an˷*: push, press; *Blüten etc*: put forth; F *allg. machen, tun*: do, be up to: → ***Sport***; **2.** *v/i* (*sn*) *im Wasser*: float, *a. Schnee, Rauch*: drift: ***sich ˷ lassen*** drift (along) (*a. fig.*).

Treiben [˷] *n* (-*s*) *Tun*: doings *pl*; *Vorgänge*: goings-on *pl*: ***geschäftiges ˷*** bustle; '**2d** *adj*: ***˷e Kraft*** driving force; '**2lassen** → ***treiben.***

Treibhaus ['traɪp˷] *n* hothouse; '**˷effekt** *m* (-[*e*]*s*; *no pl*) greenhouse effect; '**˷gas** *n* greenhouse gas.

'**Treib|holz** *n* driftwood; '**˷sand** *m* quicksand; '**˷stoff** *m* fuel.

Trend [trɛnt] *m* (-*s*; -*s*) trend (***zu*** towards); '**˷wende** *f* change in trend.

trenn|en ['trɛnən] (*h*) **1.** *v/t* separate (*a. chem.*); *Kämpfende*: part; *teilen*: divide; *Rassen*: segregate; *teleph.* cut off, disconnect: → ***getrennt***; **2.** *v/refl* part company; *Ehepartner*: split up (***von*** with), separate: ***sich ˷ von*** *et.*: part with; '**2schärfe** *f Radio*: selectivity; '**2ung** *f* (-; -*en*) separation; division; segregation: ***seit ihrer ˷*** since they split up; '**2wand** *f* partition.

Treppe ['trɛpə] *f* (-; -*n*) (***e-e ˷*** a flight of) stairs *pl* (*vor dem Haus etc*: steps *pl*), staircase, *Am. a.* stairway.

'**Treppen|absatz** *m* landing; '**˷geländer** *n* banisters *pl*; '**˷haus** *n* staircase; *Flur*: hall.

Tresor [tre'zo:r] *m* (-*s*; -*e*) safe; *Bank2*: strongroom, vault; **˷fach** *n* safe deposit box; **˷raum** *m* strongroom, vault.

treten ['tre:tən] (*trat, getreten*) **1.** *v/i* **a)** (*sn*) *allg.* step (***zur Seite*** aside): ***ins Zimmer ˷*** enter the room; → ***Ufer*** **b)** (h *od.* sn): ***˷ auf*** (*acc*) step (*od.* tread) on; ***˷ in*** (*acc*) step into **c)** (*h*): ***nach j-m ˷*** (take a) kick at s.o.; **2.** *v/t* (*h*) kick.

T

treu [trɔʏ] *adj* faithful; ~ *gesinnt*: loyal; *ergeben*: devoted (*alle*: *dat* to); '**≗e** *f* (-; *no pl*) faithfulness, *eheliche*: *a.* fidelity; loyalty; **≗händer** ['-hɛndər] *m* (-*s*; -) trustee; '**~händerisch** *adv*: ***et.*** **~ *verwalten*** hold s.th. in trust; '**≗handgesellschaft** *f* trust company; '**~herzig** *adj* trusting.

Tribüne [tri'by:nə] *f* (-; -*n*) *Redner≗*: platform, rostrum; *Zuschauer≗*: stand.

Trick [trɪk] *m* (-*s*; -*s*) trick; '**~betrüger** *m* confidence trickster.

Triebwerk ['tri:p-] *n aer. etc* engine; '**~schaden** *m* engine fault.

triefen ['tri:fən] *v/i* (*h*) drip (***von*** with); *Augen*, *Nase*: run: → ***nass.***

triftig ['trɪftɪç] *adj* weighty; *Grund*: *a.* good.

Trikot [tri'ko:] *n* (-*s*; -*s*) *Sport*: shirt, jersey; *Tanz≗ etc*: leotard.

Trimm|-dich-Pfad ['trɪm-] *m* fitness trail; '**≗en** *v/refl* (*h*) keep fit.

trink|bar ['trɪŋkba:r] *adj* drinkable; '**~en** *v/t u. v/i* (*trank*, *getrunken*, *h*) drink (***auf*** *acc* to); *Tee etc*: *a.* have: ***et. zu*** **~** a drink; → ***Gesundheit***; '**≗er** *m* (-*s*; -) heavy drinker, alcoholic; '**≗geld** *n* tip: ***j-m ein*** (***e-n Euro***) **~ *geben*** tip s.o. (one euro); '**~wasser** *n* (-*s*; *no pl*) drinking water.

Trio ['tri:o] *n* (-*s*; -*s*) *mus.* trio (*a.* F *fig.*).

Tritt [trɪt] *m* (-[*e*]*s*; -*e*) *Fuß≗*: kick.

Triumph [tri'ʊmf] *m* (-[*e*]*s*; -*e*) triumph; **≗al** [-'fa:l] *adj* triumphant; **≗ieren** [-'fi:rən] *v/i* (*no ge-*, *h*) triumph (***über*** *acc* over).

trocken ['trɔkən] *adj* dry (*a. fig.*); '**≗haube** *f* (hair)drier; '**≗heit** *f* (-; *no pl*) dryness (*a. fig.*); *Dürre*: drought; '**~legen** *v/t* (*sep*, *-ge-*, *h*) *Land etc*: drain; *Baby*: change; '**≗milch** *f* dried milk.

trockn|en ['trɔknən] *v/t* (*h*) *u. v/i* (*sn*) dry; '**≗er** *m* (-*s*; -) drier.

Tröd|el ['trø:dəl] *m* (-*s*; *no pl*) junk; '**~elmarkt** *m* flea market; '**≗eln** *v/i* (*h*) dawdle; '**~ler** *m* (-*s*; -) junk dealer; *Bummler*: dawdler.

Trommel ['trɔməl] *f* (-; -*n*) drum (*a. tech.*); '**~fell** *n anat.* eardrum.

Trompete [trɔm'pe:tə] *f* (-; -*n*) trumpet.

Tropen ['tro:pən] *pl* tropics *pl*; '**~...** *in Zssgn* tropical …

Tropf [trɔpf] *m* (-[*e*]*s*; -*e*) *med.* drip: ***am* ~ *hängen*** be on the drip.

Tröpf|chen ['trœpfçən] *n* (-*s*; -) droplet; '**≗eln** *v/impers* (*h*): ***es tröpfelt*** it's spitting.

tropfen ['trɔpfən] *v/i* (*h*) *Wasserhahn etc*: drip.

Tropfen [-] *m* (-*s*; -) drop (*a. fig.*); *Schweiß≗*: bead: ***ein* ~ *auf den heißen Stein*** a drop in the bucket (*od.* ocean).

Trophäe [tro'fɛ:ə] *f* (-; -*n*) trophy.

tropisch ['tro:pɪʃ] *adj* tropical.

Trost [tro:st] *m* (-[*e*]*s*; *no pl*) comfort, consolation: ***ein schwacher*** **~** cold comfort.

tröst|en ['trø:stən] (*h*) **1.** *v/t* comfort, console; **2.** *v/refl* comfort (*od.* console) o.s. (***mit*** with); '**~lich** *adj* comforting, consoling.

'**trost|los** *adj Situation etc*: hopeless; *Aussichten etc*: bleak; *Gegend etc*: desolate; '**≗preis** *m* consolation prize.

Trottel ['trɔtəl] *m* (-*s*; -) F dope.

trotz [trɔts] *prp* in spite of, despite; '**~dem** *adv* nevertheless, all the same.

trüb [try:p] *adj*, **~e** ['-bə] *adj* cloudy; *Wasser*: *a.* muddy; *Licht etc*: dim; *Himmel*, *Farben*: dull; *Stimmung*, *Tag etc*: *a.* gloomy.

Trubel ['tru:bəl] *m* (-*s*; *no pl*) (hustle and) bustle.

trüben ['try:bən] *v/t* (*h*) *Glück*, *Freude etc*: spoil, mar.

'**trübsinnig** *adj* gloomy.

Trugschluss ['tru:k-] *m* fallacy.

Truhe ['tru:ə] *f* (-; -*n*) chest.

Trümmer ['trʏmər] *pl* ruins *pl*; *Schutt*: debris *sg*; *Stücke*: fragments *pl*; *aer.* wreck(age).

Trumpf [trʊmpf] *m* (-[*e*]*s*; ⸗*e*) trump (card) (*a. fig.*): **~ *sein*** be trumps; *fig.* ***s-n* ~ *ausspielen*** play one's trump card.

Trunkenheit ['trʊŋkənhaɪt] *f* (-; *no pl*) *bsd. jur.* drunkenness: **~ *am Steuer*** drunken (*Am.* drunk) driving.

Trupp [trʊp] *m* (-*s*; -*s*) troop; *Such≗ etc*: party; *mil.* detachment.

Truppe ['trʊpə] *f* (-; -*n*) *mil. Einheit*: unit; *thea.* company: **~*n*** *pl mil.* troops *pl*, forces *pl*.

Trust [trast] *m* (-[*e*]*s*; -*e*, -*s*) *econ.* trust.

Truthahn ['tru:t-] *m zo.* turkey.

Tschech|e ['tʃɛçə] *m* (-*n*; -*n*) Czech; '**≗isch** *adj* Czech.

Tschechoslowak|e [tʃɛçoslo'va:kə] *m* (-*n*; -*n*) *hist.* Czechoslovak; **≗isch** *adj hist.* Czechoslovak.

T

Tschechoslowakei [tʃɛçoslova'kaɪ] *hist. bis 1992* Czechoslovakia.
tschüs [tʃʏs] *int* F bye, see you.
T-Shirt ['tiːʃœrt] *n* (*-s*; *-s*) T-shirt.
Tube ['tuːbə] *f* (*-*; *-n*) tube.
Tuberkulose [tubɛrku'loːzə] *f* (*-*; *-n*) *med.* tuberculosis.
Tuch [tuːx] *n* (*-[e]s*; *⸚er*) *allg.* cloth; *Hals*≗, *Kopf*≗: scarf; *Staub*≗: duster.
tüchtig ['tʏçtɪç] *adj* (cap)able, competent; *geschickt*: skil(l)ful; *leistungsfähig*: efficient; F *fig. ordentlich*: good; '≗**keit** *f* (*-*, *no pl*) (cap)ability, qualities *pl*; skill; efficiency.
tückisch ['tʏkɪʃ] *adj* malicious; *Krankheit etc*: insidious; *gefährlich*: treacherous.
Tugend ['tuːgɛnt] *f* (*-*; *-en*) virtue.
Tulpe ['tʊlpə] *f* (*-*; *-n*) *bot.* tulip.
Tumor ['tuːmɔr] *m* (*-s*; *-en*) [tu'moːrən] *med.* tumo(u)r.
Tümpel ['tʏmpəl] *m* (*-s*; *-*) pond.
Tumult [tu'mʊlt] *m* (*-[e]s*; *-e*) tumult, uproar.
tun [tuːn] *v/t u. v/i* (*tat*, *getan*, *h*) do; *Schritt*: take; F *legen etc*: put: F ***j-m et. ~*** do s.th. to s.o.; ***zu ~ haben*** have work to do; *beschäftigt sein*: be busy; ***ich weiß*** (***nicht***), ***was ich ~ soll*** (*od.* ***muss***) I (don't) know what to do; ***so ~, als ob*** pretend to *be etc.*
Tünche ['tʏnçə] *f* (*-*; *-n*) whitewash; '≗**n** *v/t* (*h*) whitewash.
Tunesien [tu'neːzĭən] Tunisia.
Tunke ['tʊŋkə] *f* (*-*; *-n*) sauce; '≗**n** *v/t* (*h*) dip (***in*** *acc* in[to]).
Tunnel ['tʊnəl] *m* (*-s*; *-[s]*) tunnel.
Tupfer ['tʊpfər] *m* (*-s*; *-*) *med.* swab.
Tür [tyːr] *f* (*-*; *-en*) door: F ***vor die ~ setzen*** throw out; *fig.* ***vor der ~ stehen*** be just around the corner.
Turbine [tʊr'biːnə] *f* (*-*; *-n*) *tech.* turbine.
'**Türgriff** *m* door handle; *Knopf*: doorknob.
Türk|e ['tʏrkə] *m* (*-n*; *-n*) Turk; '≗**isch** *adj* Turkish.
Türkei [tʏr'kaɪ] Turkey.
'**Türklinke** *f* door handle.
Turm [tʊrm] *m* (*-[e]s*; *⸚e*) tower; *Kirch*≗: *a.* steeple; *Schach*: castle, rook.
türmen ['tʏrmən] **1.** *v/refl* (*h*) pile up; **2.** *v/i* (*sn*) F bolt, do a bunk.
'**Turm|spitze** *f* spire; '**~uhr** *f* church clock.
turnen ['tʊrnən] *v/i* (*h*) do gymnastics.
Turn|en [~] *n* (*-s*) gymnastics *pl* (*sg konstr.*); '**~er** *m* (*-s*; *-*) gymnast; '**~halle** *f* gym(nasium); '**~hose** *f* (***e-e ~*** a pair of) gym shorts *pl*.
Turnier [tʊr'niːr] *n* (*-s*; *-e*) tournament.
'**Turnschuh** *m* gym shoe, *Br.* trainer, *Am.* sneaker.
'**Tür|öffner** *m* door opener; '**~pfosten** *m* doorpost; '**~rahmen** *m* doorframe; '**~schild** *n* doorplate.
Tusche ['tʊʃə] *f* (*-*; *-n*) Indian ink; *Wimpern*≗: mascara.
Tüte ['tyːtə] *f* (*-*; *-n*) (paper *od.* plastic) bag; *Eis*≗: (ice-cream) cone.
TÜV [tʏf] *m* (*-*; *no pl*): ***ich muss zum ~*** *Br. appr.* my MOT's due; ***e-n Wagen durch den ~ bringen*** *Br. appr.* get a car through its MOT; ***nicht durch den ~ kommen*** *Br. appr.* fail one's MOT; '**~-Pla,kette** *f Br. appr.* MOT badge.
Typ [tyːp] *m* (*-s*; *-en*) type (*a. Person*); *tech. a.* model; F *Mann*: guy, bloke; '**~e** *f* (*-*; *-n*) *Schreibmaschine*: type.
Typhus ['tyːfʊs] *m* (*-*; *no pl*) *med.* typhoid (fever).
typisch ['tyːpɪʃ] *adj* typical (***für*** of).
Tyrann [ty'ran] *m* (*-en*; *-en*) tyrant; ≗**isch** *adj* tyrannical; ≗**isieren** [~i'ziːrən] *v/t* (*no ge-*, *h*) tyrannize; *fig. a.* bully.
Tyrrhenische(s) Meer [tʏ'reːnɪʃə(s) 'meːr] *the* Tyrrhenian Sea.

U

U-Bahn ['uː-] *f bsd. Br.* underground, *Londoner: mst* Tube, *Am.* subway; '**~hof** *m* underground (*Londoner: mst* Tube, *Am.* subway) station; '**~-Netz** *n* underground (*Londoner: mst* Tube, *Am.* subway) system.

übel ['yːbəl] *adj* bad: ***mir ist*** (***wird***) **~** I feel (I'm getting) sick; → ***Nachrede***; **~ *nehmen*** take offen|ce (*Am.* -se) at.

Übel [-] *n* (*-s; -*) *notwendiges, kleineres etc*: evil; '**~keit** *f* (-; *no pl*) nausea; '**&nehmen** → ***übel.***

üben ['yːbən] *v/t u. v/i* (*h*) practi|se (*Am.* -ce): ***Klavier*** *etc* **~** practise the piano *etc.*

über ['yːbər] **1.** *prp* **a)** (*dat*) *Lage, Standort*: over, *a. Reihenfolge*: above **b)** (*acc*) *Richtung*: over; *quer* **~**: across: **~ *München nach Rom*** to Rome via Munich; → ***froh***, ***nachdenken***, ***Scheck*** *etc*; **2.** *adv*: **~ *u.* ~** all over.

'**überall** *adv* everywhere: **~ *in*** (*dat*) all over.

'**Überangebot** *n econ.* oversupply (***an*** *dat* of).

über|'anstrengen (*insep, no -ge-, h*) **1.** *v/t* overexert, strain; **2.** *v/refl* overexert (*od.* strain) o.s.; **~'arbeiten** (*insep, no -ge-, h*); **1.** *v/t Buch etc*: revise; **2.** *v/refl* overwork.

'**überaus** *adv* most, extremely.

'**über|belichten** *v/t* (*only inf u. pp überbelichtet, h*) *phot.* overexpose; **~'bieten** *v/t* (*irr, insep, no -ge-, h,* → ***bieten***) *bsd. Auktion*: outbid (***um*** by); *fig.* beat; *j-n*: *a.* outdo; **&bleibsel** ['-blaɪpzəl] *n* (*-s; -*) remnant (*fig.* ***aus*** *e-r Zeit*: of, from), *pl a.* remains *pl*; *e-r Mahlzeit*: leftovers *pl*; '**&blick** *m fig.* overall view (***über*** *acc* of); **~'blicken** *v/t* (*insep, no -ge-, h*) overlook; *fig. Folgen, Risiko etc*: be able to calculate; **~'bringen** *v/t* (*irr, insep, no -ge-, h,* → ***bringen***) deliver (***j-m et.*** s.th. to s.o.); **~'brücken** *v/t* (*insep, no -ge-, h*) bridge (*a. fig.*); **~'dacht** *adj* roofed, covered; **~'dauern** *v/t* (*insep, no -ge-, h*) outlast, survive; **~'denken** *v/t* (*irr, insep, no -ge-, h,* → ***denken***) think *s.th.* over; '**&dosis** *f med.* overdose; '**&druck** *m* (-[*e*]*s*; *Überdrücke*) *phys., tech.* overpressure; **~drüssig** ['-drʏsɪç] *adj*: ***e-r Sache* ~ *sein*** be tired (*od.* weary) of s.th.; '**~durchschnittlich** *adj* above-average, higher-than-average; '**~eifrig** *adj* overzealous.

über'eil|en *v/t* (*insep, no -ge-, h*) rush: ***nichts* ~** not to rush things; **~t** *adj* rash, overhasty.

überei'nander *adv* on top of (*sprechen etc*: about) each other; **~ *schlagen*** → '**~schlagen** *v/t* (*irr, sep, -ge-, h,* → ***schlagen***) *Beine*: cross.

Über'ein|kunft [-kʊnft] *f* (-; *Übereinkünfte*) agreement; **&stimmen** *v/i* (*sep, -ge-, h*) *Angaben etc*: tally, correspond, agree; *Farben etc*: match: ***mit j-m* ~** agree with s.o. (***in*** *dat* on); **~stimmung** *f* (-; *-en*) agreement, correspondence: ***in* ~ *mit*** in agreement (*od.* correspondence) with.

über'fahr|en *v/t* (*irr, insep, no -ge-, h,* → ***fahren***) run *s.o.* over; *Ampel etc*: go through; '**&t** *f mar.* crossing.

'**Über|fall** *m* (-[*e*]*s*; *Überfälle*) attack (***auf*** *acc* on); *Straßenraub*: *a.* mugging (of); *Raub&*: raid (on) (*a. mil.*), holdup; *mil. Invasion*: invasion (of); **&'fallen** *v/t* (*irr, insep, no -ge-, h,* → ***fallen***) attack, mug; raid, hold up.

'**überfällig** *adj* overdue.

über|'fliegen *v/t* (*irr, insep, no -ge-, h,* → ***fliegen***) fly over; *fig.* glance over, skim (through); '**~fließen** *v/i* (*irr, sep, -ge-, sn,* → ***fließen***) overflow; **~'flügeln** *v/t* (*insep, no -ge-, h*) outstrip, surpass; '**&fluss** *m* (*-es; no pl*) abundance (***an*** *dat* of): ***im* ~ *haben*** abound in; '**~flüssig** *adj* superfluous; *unnötig*: unnecessary; **~'fluten** *v/t* (*insep, no -ge-, h*) flood (*a. fig.*); **~'fordern** *v/t* (*insep, no -ge-, h*) *Kräfte, Geduld etc*: overtax; *j-n*: expect too much of; **~'fragt** *adj*: F ***da bin ich* ~** you've got me there.

über'führ|en *v/t* (*insep, no -ge-, h*) *jur.* convict (*gen* of); **&ung** *f* (-; *-en*) *jur.* conviction; *mot. Br.* flyover, *Am.* overpass; *Fußgänger&*: footbridge.

über'füllt *adj* overcrowded, packed.
'Übergang *m* (-[*e*]*s*; *Übergänge*) crossing; *fig.* transition; **'~slösung** *f* interim solution; **'~sphase** *f* transitional (*od.* interim) phase; **'~sre,gierung** *f* caretaker government; **'~sstadium** *n* transitional stage.
über'geben (*irr, insep, no -ge-, h,* → ***geben***) **1.** *v/t* hand over (***j-m et.*** s.th.to s.o.); *mil.* surrender; **2.** *v/refl* vomit, *bsd. Br. a.* be sick.
'übergehen[1] *v/i* (*irr, sep, -ge-, sn,* → ***gehen***): ~ ***auf*** (*acc*) *Nachfolger etc*: develop on; ~ ***in*** (*acc*) *j-s Besitz*: pass into; ~ ***zu*** pass on to.
über'gehen[2] *v/t* (*irr, insep, no -ge-, h,* → ***gehen***) pass *s.th.* over; *ignorieren*: ignore; *nicht berücksichtigen*: leave *s.o.* out.
'Über|gepäck *n aer.* excess baggage; **'~gewicht** *n* (-[*e*]*s*; *no pl*) overweight; *fig.* preponderance: ~ ***haben*** be overweight; *Gepäck, Brief etc*: be over the limit.
'überglücklich *adj* overjoyed.
'über|greifen *v/i* (*irr, sep, -ge-, h,* → ***greifen***) *fig.*: ~ ***auf*** (*acc*) spread to; **'≈griff** *m* (-[*e*]*s*; *-e*) infringement (***auf*** *acc* of).
'Übergröße *f* outsize.
über'hand: ~ ***nehmen*** → **'~nehmen** *v/i* (*irr, sep, -ge-, h,* → ***nehmen***) become rampant.
über'häufen *v/t* (*insep, no -ge-, h*): ~ ***mit*** *Arbeit etc*: swamp with; *Geschenken etc*: shower with.
über'haupt *adv* at all (*nachgestellt*); *sowieso, eigentlich*: anyway: ~ ***nicht***(***s***) not (nothing) at all.
überheblich [~'he:plɪç] *adj* arrogant; **≈keit** *f* (-; *no pl*) arrogance.
über|'hitzen *v/t* (*insep, no -ge-, h*) overheat (*a. fig.*); **~'höht** *adj* excessive.
über'hol|en *v/t* (*insep, no -ge-, h*) overtake (*a. fig.*), pass; *tech.* overhaul; **≈spur** *f mot.* passing lane; **~t** *adj* (out-) dated, outmoded.
über'hören *v/t* (*insep, no -ge-, h*) miss, not to catch (*od.* get); *absichtlich*: ignore.
'überirdisch *adj* supernatural.
'überkochen *v/i* (*sep, -ge-, sn*) boil over.
über'laden *v/t* (*irr, insep, no -ge-, h,* → ***laden***) overload; *electr. a.* overcharge.
'Überlandbus *m* long-distance coach (*Am.* bus).
überlassen *v/t* (*irr, insep, no -ge-, h,* → ***lassen***): ***j-m et.*** ~ leave s.th. to s.o. (*a. fig.*); ***j-n sich selbst*** (***s-m Schicksal***) ~ leave s.o. to fend for himself (to his fate); **überlasten** *v/t* (*insep, no -ge-, h*) overload (*a. electr., tech.*); *fig.* strain.
'überlaufen[1] *v/i* (*irr, sep, -ge-, sn,* → ***laufen***) run over; *pol.* defect (***zu*** to); *mil.* desert, go over (to).
über'laufen[2] *v/impers* (*irr, insep, no -ge-, h,* → ***laufen***): ***es überlief mich heiß u. kalt*** I went hot and cold.
über'laufen[3] *adj* overcrowded.
'Überläufer *m pol.* defector; *mil.* deserter.
über'leben *v/t u. v/i* (*insep, no -ge-, h*) survive (*a. fig.*); **≈de** *m, f* (*-n; -n*) survivor.
'überlebensgroß *adj* larger-than-life.
über'legen[1] *v/t u. v/i* (*insep, no -ge-, h*) think about *s.th.*, think *s.th.* over; *erwägen*: *a.* consider: ***lassen Sie mich*** ~ let me think; ***ich habe es mir*** (***anders***) ***überlegt*** I've made up (changed) my mind.
über'leg|en[2] *adj* superior (*dat* to; ***an*** *dat* in); **≈enheit** *f* (-; *no pl*) superiority; **~t** [~'le:kt] *adj* (well-)considered; **≈ung** *f* (-; *-en*) consideration, reflection.
'überleit|en *v/i* (*sep, -ge-, h*): ~ ***zu*** lead to; **'≈ung** *f* (-; *-en*) transition.
über'liefer|n *v/t* (*insep, no -ge-, h*) hand down, pass on (*beide*: *dat* to); **~t** *adj* traditional; **≈ung** *f* (-; *-en*) tradition.
über'listen *v/t* (*insep, no -ge-, h*) outwit.
'Über|macht *f* (-; *no pl*) superiority: ***in der*** ~ ***sein*** be superior in numbers; **'≈mächtig** *adj* superior; *fig. Gefühl etc*: overpowering.
'Über|maß *n* (*-es*; *no pl*) excess (***an*** *dat* of); **'≈mäßig** *adj* excessive.
'übermenschlich *adj* superhuman.
über'mitt|eln *v/t* (*insep, no -ge-, h*) transmit (*dat* to); **≈lung** *f* (-; *-en*) transmission.
'übermorgen *adv* the day after tomorrow.
über'müd|et *adj* overtired; **≈ung** *f* (-; *-en*) overtiredness.
'Über|mut *m* (-[*e*]*s*; *no pl*) high spirits *pl*; **≈mütig** ['~my:tɪç] *adj* high-spirited: ~ ***sein*** *a.* be in high spirits.
'übernächst *adj the* next but one: ***~e Woche*** the week after next.
über'nacht|en *v/i* (*insep, no -ge-, h*) stay

overnight (***bei j-m*** at s.o.'s [house], with s.o.), spend the night (at, with); **2ung** *f* (-; *-en*) night: ***e-e ~*** one overnight stay; ***~ u. Frühstück*** bed and breakfast.

Übernahme ['-na:mə] *f* (-; *-n*) taking over, *bsd. econ., pol.* takeover; adoption: ***feindliche~*** hostile (*od.* unfriendly *od.* contested) takeover; **'~angebot** *n econ.* takeover bid.

'über|natio,nal *adj* supranational; **'~na,türlich** *adj* supernatural.

über'nehmen *v/t* (*irr, insep, no -ge-, h,* → ***nehmen***) take over; *Idee, Brauch, Namen etc*: *a.* adopt; *Führung, Risiko, Verantwortung, Auftrag etc*: take; *erledigen*: take care of.

'Überprodukti,on *f econ.* overproduction.

über'prüf|en *v/t* (*insep, no -ge-, h*) check, examine; *Aussage etc*: verify; *bsd. pol.* screen; **2ung** *f* (-; *-en*) check, examination; verification; screening.

über'queren *v/t* (*insep, no -ge-, h*) cross.

über'ragen *v/t* (*insep, no -ge-, h*) tower above (*a. fig.*); **~d** *adj* outstanding.

überrasch|en [-'raʃən] *v/t* (*insep, no -ge-, h*) surprise: ***j-n bei et. ~*** catch s.o. doing s.th.; **2ung** *f* (-; *-en*) surprise.

'überrea,gieren *v/i* (*insep, no -ge-, h*) overreact.

über'red|en *v/t* (*insep, no -ge-, h*) persuade (***zu*** to): ***j-n zu et. ~*** *a.* talk s.o. into (doing) s.th.; **2ung** *f* (-; *no pl*) persuasion.

'überregio,nal *adj Presse etc*: national.

über'reich|en *v/t* (*insep, no -ge-, h*): (***j-m***) ***et. ~*** hand s.th. over (*od.* present s.th) to s.o.; **2ung** *f* (-; *no pl*) presentation.

über'reizt *adj* overwrought; *nervös*: on edge.

'Überrest *m* remains *pl*: ***~e*** *pl e-r Mahlzeit*: leftovers *pl*.

'Überrollbügel *m mot.* rollbar.

über|rumpeln [-'rʊmpəln] *v/t* (*insep, no -ge-, h*) take *s.o.* by surprise; **~'sättigen** *v/t* (*insep, no -ge-, h*) *econ. Markt*: oversaturate.

'Überschall... *in Zssgn* supersonic ...; **'~knall** *m* sonic boom.

über|'schatten *v/t* (*insep, no -ge-, h*) *fig.* cast a shadow over; **~'schätzen** *v/t* (*insep, no -ge-, h*) overrate, overestimate; **'~schnappen** *v/i* (*sep, -ge-, sn*) F crack up; **~'schneiden** *v/refl* (*irr, insep, no -ge-, h,* → ***schneiden***) overlap (*a. fig.*); *Linien*: intersect; **~'schreiben** *v/t* (*irr, insep, no -ge-, h,* → ***schreiben***) *Besitz*: make *s.th.* over (*dat* to); **~'schreiten** *v/t* (*irr, insep, no -ge-, h,* → ***schreiten***) cross; *fig.* go beyond; *Höhepunkt*: pass; *Höchstgeschwindigkeit*: exceed.

'Überschrift *f* heading, title; *Schlagzeile*: headline.

'Über|schuss *m* (*-es*; *Überschüsse*) surplus (***an*** *dat* of); **2schüssig** ['-ʃʏsɪç] *adj* surplus; **'~schussprodukti,on** *f econ.* surplus production.

über'schütten *v/t* (*insep, no -ge-, h*): ***~ mit*** *Geschenken*: shower with; *Lob etc*: heap *s.th.* on.

überschwänglich ['-ʃvɛŋlɪç] *adj* effusive.

über'schwemm|en *v/t* (*insep, no -ge-, h*) flood; *econ. Markt*: *a.* glut; **2ung** *f* (-; *-en*) flooding; *econ. a.* glut; *Hochwasser*: flood.

überschwenglich → ***überschwänglich.***

'Übersee: ***in*** (***nach***) ***~*** overseas; **'~handel** *m* overseas trade; **'2isch** *adj* overseas.

über'sehen *v/t* (*irr, insep, no -ge-, h,* → ***sehen***) overlook; *absichtlich, bsd. j-n*: *a.* ignore.

'übersetzen[1] (*sep, -ge-*) **1.** *v/i* (h *od.* sn) ferry across the river *etc*; **2.** *v/t* (*h*) ferry *s.o., s.th.* across (*od.* over).

über'setz|en[2] *v/t u. v/i* (*insep, no -ge-, h*) translate (***aus*** from; ***in*** *acc* into); **2er** *m* (*-s*; -) translator.

Über'setzung *f* (-; *-en*) translation; *tech.* gear ratio; **~sbüro** *n*, **~sdienst** *m* translation agency; **~sprogramm** *n Computer*: translation program; **~ssoftware** *f Computer*: translation software.

'Übersicht *f* (-; *-en*) → ***Überblick***; **'2lich** *adj* clear(ly arranged); **'~skarte** *f* general map.

über'sied|eln *v/i* (*insep, no -ge-, sn*) move (***nach*** to); **2(e)lung** *f* (-; *-en*) move.

'übersinnlich *adj* supernatural.

über|'spielen *v/t* (*insep, no -ge-, h*) record; *auf Band*: *a.* tape; *fig.* cover up; **~'spitzt** *adj* exaggerated; **~'springen** *v/t* (*irr, insep, no -ge-, h,* → ***springen***) jump (over); *auslassen*: skip.

U

über'stehen[1] *v/t* (*irr, insep, no -ge-, h,* → **stehen**) get over; *überleben*: survive.

'überstehen[2] *v/i* (*irr, sep, -ge-, h,* → **stehen**) jut out, project.

über|'steigen *v/t* (*irr, insep, no -ge-, h,* → **steigen**) exceed; **~'stimmen** *v/t* (*insep, no -ge-, h*) outvote.

'überstreifen *v/t* (*sep, -ge-, h*) slip *s.th.* on.

'Überstunden *pl* overtime *sg*: **~ machen** work (*od.* do) overtime; **'~zuschlag** *m* overtime premium.

über'stürz|en (*insep, no -ge-, h*) **1.** *v/t* → **übereilen**; **2.** *v/refl Ereignisse*: come thick and fast; **~t** *adj* → **übereilt.**

über|'teuert *adj* overpriced; **~'tönen** *v/t* (*insep, no -ge-, h*) drown (out).

Übertrag ['-tra:k] *m* (-[e]*s*; *Überträge*) *econ.* amount carried over.

über'tragbar *adj* transferable (**auf** *acc* to); *med.* infectious, *durch Berührung*: contagious.

über'tragen[1] *adj Bedeutung*: figurative.

über'trag|en[2] *v/t* (*irr, insep, no -ge-, h,* → **tragen**) *senden*: broadcast; *TV a.* televise; *übersetzen*: translate (**aus** from; **in** *acc* into); *Krankheit, tech. Kraft*: transmit; *Blut*: transfuse; *Organ etc*: transplant; *jur., econ., Zeichnung etc*: transfer (**auf** *acc* to); **2ung** *f* (-; -*en*) *Rundfunk, TV*: broadcast, transmission; translation; transfusion; transplant; transfer.

über'treffen *v/t* (*irr, insep, no -ge-, h,* → **treffen**) *j-n*: excel; *a. Sache*: surpass, beat (*alle*: **an** *dat*, **in** *dat* in); *Erwartungen*: exceed.

über'treib|en *v/t* (*irr, insep, no -ge-, h,* → **treiben**) exaggerate (*a. v/i*); *Tätigkeit*: overdo; **2ung** *f* (-; -*en*) exaggeration.

'übertreten[1] *v/i* (*irr, sep, -ge-, sn,* → **treten**) *pol. etc* go over, defect; *eccl.* convert (*alle*: **zu** to).

über'tret|en[2] *v/t* (*irr, insep, no -ge-, h,* → **treten**) *Gesetz etc*: violate, infringe; **2ung** *f* (-; -*en*) violation, infringement; *absolut*: *a.* offen|ce (*Am.* -se).

'Übertritt *m* (-[e]*s*; -*e*) *pol. etc* defection; *eccl.* conversion (*beide*: **zu** to).

über'völkert *adj* overpopulated.

über'wach|en *v/t* (*insep, no -ge-, h*) supervise; *leiten*: control; *polizeilich*: keep under surveillance; *med. etc* observe; **2ung** *f* (-; -*en*) supervision; control; surveillance; observation.

überwältigen [-'vɛltɪgən] *v/t* (*insep, no -ge-, h*) overpower; *fig.* overcome, overwhelm.

über'weis|en *v/t* (*irr, insep, no -ge-, h,* → **weisen**) *Geld*: transfer (**auf** *ein Konto* to; **j-m, an j-n** to s.o.'s account); *postalisch*: remit (**j-m, an j-n** to s.o.); *Fall, Patienten etc*: refer (**an** *acc* to); **2ung** *f* (-; -*en*) transfer; remittance; referral; **2ungsformu,lar** *n* transfer form; **2ungsschein** *m med.* referral slip.

über'wiegen *v/i* (*irr, insep, no -ge-, h,* → **wiegen**[1]) predominate; **~d** *adj* predominant; *Mehrheit*: vast.

über'winden (*irr, insep, no -ge-, h,* → **winden**) **1.** *v/t Angst etc*: overcome; *Krankheit etc*: get over; **2.** *v/refl* force o.s.: **sich ~, et. zu tun** bring (*od.* get) o.s. to do s.th.

'Überzahl *f* (-; *no pl*): **in der ~ sein** be in the majority.

über'zeug|en (*insep, no -ge-, h*) **1.** *v/t* convince (**von** of); **2.** *v/refl*: **sich ~ von** (**, dass**) make sure of (that); **sich selbst ~** (go and) see for o.s.; **~t** *adj* convinced: **~ sein** *a.* be (*od.* feel) (quite) sure; **2ung** *f* (-; -*en*) conviction.

'überziehen[1] *v/t* (*irr, sep, -ge-, h,* → **ziehen**) put on.

über'zieh|en[2] *v/t* (*irr, insep, no -ge-, h*) *Konto*: overdraw; **2ung** *f* (-; -*en*) overdraft; **2ungskre,dit** *m* overdraft facility.

üblich ['y:plɪç] *adj* usual: **es ist ~** *Brauch*: it's the custom; **wie ~** as usual.

U-Boot ['u:-] *n* submarine.

übrig ['y:brɪç] *adj* remaining: **die 2en** *pl* the others *pl*, the rest *sg*; **~ sein** (**haben**) be (have) left; **~ bleiben** be left, remain: **es bleibt mir nichts anderes ~** (**als zu**) there is nothing else I can do (but *do s.th.*); **~ lassen** leave; **'~bleiben** → **übrig**; **~ens** ['-gəns] *adv* by the way.

'Übung *f* (-; -*en*) exercise; *das Üben, Erfahrung*: practice: **in** (**aus der**) **~** in (out of) practice.

Ufer ['u:fər] *n* (-*s*; -) shore; *Fluss2*: bank: **ans ~** ashore; **über die ~ treten** overflow (its banks); **'~prome,nade** *f* riverside walk; *am Meer*: promenade; **'~straße** *f* riverside (*od.* lakeside) road; *Küstenstraße*: coast road.

Uhr [u:r] *f* (-; -*en*) clock; *Armband2 etc*: watch: **nach m-r ~** by my watch; **wie**

viel ~ ist es? what time is it?; ***um vier ~*** at four o'clock; **'~armband** *n* watchstrap; **'~macher** *m* watchmaker; **'~werk** *n* clock (*od.* watch) mechanism; **'~zeiger** *m* (clock *od.* watch) hand; **'~zeigersinn** *m*: ***im ~*** clockwise; ***entgegen dem ~*** *bsd. Br.* anticlockwise, *Am.* counterclockwise; **'~zeit** *f* time.

Ukraine [ukra'iːnə] *the* Ukraine.

UKW [uːkaː'veː] VHF, *bsd. Am.* FM: ***auf ~*** on VHF (*bsd. Am.* FM).

Ultimatum [ʊlti'maːtʊm] *n* (*-s*; *-ten*) ultimatum: ***j-m ein ~ stellen*** give s.o. an ultimatum.

um [ʊm] **1.** *prp räumlich*: (a)round; *zeitlich*, *ungefähr*: about, around: → ***bitten***, ***kürzen***, ***spielen***, ***Uhr*** *etc*; ***~ sein*** be over: ***die Zeit ist ~*** time's up; **2.** *cj*: ***~ zu*** *inf* (in order) to *inf*; **3.** *adv etwa*: about, around.

um'arm|en *v/t* (*insep*, *no -ge-*, *h*) embrace, hug (*beide*: *a.* ***sich ~***); **&ung** *f* (*-*; *-en*) embrace, hug.

'Umbau *m* (*-[e]s*; *-e*, *-ten*) rebuilding, reconstruction; **'&en** *v/t* (*sep*, *-ge-*, *h*) rebuild, reconstruct.

'um|blättern *v/i* (*sep*, *ge-*,h) turn (over) the page; **'~bringen** (*irr*, *sep*, *-ge-*, *h*, → ***bringen***) **1.** *v/t* kill; **2.** *v/refl* kill o.s.

'umbuch|en (*sep*, *-ge-*, *h*) **1.** *v/t Flug etc*: change; **2.** *v/i* change one's booking; **'&ung** *f* (*-*; *-en*) change in booking.

'um|denken *v/i* (*irr*, *sep*, *-ge-*, *h*, → ***denken***) change one's way of thinking; **~disponieren** ['~dɪspoˌniːrən] *v/i* (*sep*, *no -ge-*, *h*) change one's plans.

'umdrehen (*sep*, *-ge-*, *h*) **1.** *v/t* turn (round); **2.** *v/refl* turn round (***nach j-m*** to look at s.o.).

Um'drehung *f* (*-*; *-en*) turn; *phys.*, *tech.* revolution, rotation.

'umfahren¹ *v/t* (*irr*, *sep*, *-ge-*, *h*, → ***fahren***) run (*od.* knock) down.

um'fahren² *v/t* (*irr*, *insep*, *no -ge-*, *h*, → ***fahren***) drive (*mar.* sail) (a)round.

'umfallen *v/i* (*irr*, *sep -ge-*, *sn*, → ***fallen***) fall down (*od.* over); *zs.-brechen*: collapse: → ***tot.***

'Umfang *m* (*-[e]s*; *Umfänge*) circumference; *Buch etc*: size; *Ausmaß*: extent: ***in großem ~*** on a large scale; **'&reich** *adj* extensive; *massig*: voluminous.

um'fassen *v/t* (*insep*, *no -ge-*, *h*) *fig.* cover; *enthalten*: *a.* include; **~d** *adj* comprehensive; *vollständig*: complete.

'Umfrage *f* (*-*; *-n*) *Meinungs&*: opinion poll.

'Umgang *m* (*-[e]s*; *no pl*) company: ***~ haben mit*** associate with; ***beim ~ mit*** when dealing with.

umgänglich ['~gɛŋlɪç] *adj* sociable.

'Umgangs|formen *pl* manners *pl*; **'~sprache** *f* colloquial speech: ***die englische ~*** colloquial English.

um'geb|en *adj* surrounded (***von*** by); **&ung** *f* (*-*; *-en*) surroundings *pl*; *Milieu*: environment.

'umgehen¹ *v/i* (*irr*, *sep*, *-ge-*, *sn*, → ***gehen***): ***gut ~ können mit*** know how to handle.

um'gehen² *v/t* (*irr*, *insep*, *no -ge-*, *h*, → ***gehen***) *fig.* avoid, evade.

'umgehend *adj* immediate.

Um'gehungsstraße *f* bypass.

'umgekehrt 1. *adj*: ***in ~er Reihenfolge*** in reverse order; **2.** *adv* the other way round.

'umkehr|en (*sep*, *-ge-*) **1.** *v/i* (*sn*) turn back; **2.** *v/t* (*h*) *Reihenfolge etc*: reverse; **'&ung** *f* (*-*; *-en*) reversal.

'um|kippen (*sep*, *-ge-*) **1.** *v/t* (*h*) tip over; *umstoßen*: knock over; **2.** *v/i* (*sn*) tip over; *umfallen*: fall over; F *ohnmächtig werden*: keel over; *Gewässer*: die; **'~kommen** *v/i* (*irr*, *sep*, *-ge-*, *sn*, → ***kommen***) be killed, die (*beide*: ***bei*** in): F ***~ vor*** (*dat*) be dying with.

'Umkreis *m* (*-es*; *no pl*): ***im ~ von*** within a radius of.

um'kreisen *v/t* (*insep*, *no -ge-*, *h*) *ast.* revolve (a)round.

'Umland *n* (*-[e]s*; *no pl*) surrounding area.

'Umlauf *m* (*-[e]s*; *Umläufe*) circulation; *phys.*, *tech.* rotation; *Schreiben*: circular: ***im*** (***in***) ***~ sein*** (***bringen***) be in (put into) circulation, circulate; **'~bahn** *f* orbit.

'umlegen *v/t* (*sep*, *-ge-*, *h*) *Kosten*: divide (***auf*** *acc* among); *Hebel*: throw; *sl. töten*: bump *s.o.* off.

'umleit|en *v/t* (*sep*, *-ge-*, *h*) divert; **'&ung** *f* (*-*; *-en*) diversion, detour; **'&ungsschild** *n* diversion (*Am.* detour) sign.

'umliegend *adj* surrounding.

'umrechn|en *v/t* (*sep*, *-ge-*, *h*) convert (***in*** *acc* into); **'&ung** *f* (*-*; *-en*) conversion; **'&ungskurs** *m* exchange rate; *zum Euro*: conversion rate..

'um|reißen *v/t* (*irr*, *sep*, *-ge-*, *h*, → ***rei-***

ßen) knock down; **~'ringen** *v/t* (*insep*, *no -ge-*, *h*) surround.

'**Umriss** *m* (*-es*; *-e*) outline (*a. fig.*), contour.

'**um|rühren** *v/t* (*sep*, *-ge-*, *h*) stir; '**~rüsten** *v/t* (*sep*, *-ge-*, *h*) *tech*. convert (**auf** *acc* to).

'**Umsatz** *m* (*-es*; *Umsätze*) *econ*. turnover; *Absatz*: *a*. sales *pl*; '**~beteiligung** *f* sales commission; '**~rückgang** *m* drop in sales; '**~steigerung** *f* sales increase; '**~steuer** *f* turnover tax.

'**umschalten** *v/t u. v/i* (*sep*, *-ge-*, *h*) switch (over) (**auf** *acc* to) (*a. fig.*).

'**Umschlag** *m* (*-[e]s*; *Umschläge*) *Brief*≈: envelope; *Hülle*: cover, wrapper; *Buch*≈: jacket; *an der Hose*: *Br*. turn-up, *Am*. cuff; *med*. compress; *econ*. handling; *fig*. (sudden) change (*gen* in, of); '**≈en** (*irr*, *sep*, *-ge-*, → **schlagen**) **1.** *v/t* (*h*) *Baum*: cut down, fell; *Ärmel*: turn up; *Kragen*: turn down; *econ*. handle; **2.** *v/i* (*sn*) *Boot etc*: overturn; *fig*. change (suddenly); '**~platz** *m* trading cent|re (*Am*. -er).

'**umschulden** *v/t* (*sep*, *-ge-*, *h*) *Kredit etc*: convert; *Firma etc*: change the terms of debt of.

'**um|schulen** *v/t* (*sep*, *-ge-*, *h*) *beruflich*: retrain, reskill; '**≈schüler** *m* retrainee; '**≈schulung** *f* reskilling, retraining course.

'**umschütten** *v/t* (*sep*, *-ge-*, *h*) *verschütten*: spill.

'**Umschwung** *m* (*-[e]s*; *Umschwünge*) (sudden) change (*gen* in, of); *bsd*. *pol*., *a. Meinungs*≈: swing.

'**um|sehen** *v/refl* (*irr*, *sep*, *-ge-*, *h*, → **sehen**) look (a)round (**in e-m Laden** a shop; **nach** for); *zurückblicken*: look back (**nach** at): **sich ~ nach** *suchen*: be looking for; '**~setzen** *v/t* (*sep*, *-ge-*, *h*) *Ware*: sell; *Geld*(*wert*): turn over: **in die Tat ~** put into action.

um'sonst *adv* free (of charge), for nothing; *vergebens*: in vain.

'**Umstand** *m* (*-[e]s*; *Umstände*) circumstance; *Tatsache*: fact; *Einzelheit*: detail: **unter diesen** (**keinen**) **Umständen** under the (no) circumstances; **unter Umständen** possibly; **keine Umstände machen** *j-m*: not to cause any trouble; *sich*: not to go to any trouble, not to put o.s. out; **in anderen Umständen sein** be in the family way.

umständlich ['-ʃtɛntlɪç] *adj ungeschickt*: awkward; *kompliziert*: complicated; *Stil etc*: long-winded: **das ist** (**mir**) **viel zu ~** that's far too much trouble (for me).

'**Umstandskleid** *n* maternity dress.

'**Umstehenden** *pl the* bystanders *pl*.

'**umsteigen** *v/i* (*irr*, *sep*, *-ge-*, *sn*, → **steigen**) change (**nach** for); *rail*. *a*. change trains (for).

um'stellen[1] *v/t* (*insep*, *no -ge-*, *h*) surround.

'**umstell|en**[2] **1.** *v/t* (*sep*, *-ge-*, *h*) *allg*. change (**auf** *acc* to), make a change (*od*. changes) in; *bsd*. *tech*. *a*. switch (over) (to), convert (to); *anpassen*: adjust (to); *neu ordnen*: rearrange (*a. Möbel*), reorganize; *Uhr*: reset; **2.** *v/refl*: **sich ~ auf** (*acc*) change (*od*. switch [over]) to; *anpassen*: adjust (o.s.) to, get used to; '**≈ung** *f* (*-*; *-en*) change; switch, conversion; adjustment; rearrangement, reorganization.

'**um|stimmen** *v/t* (*sep*, *-ge-*, *h*): **j-n ~** change s.o.'s mind; '**~stoßen** *v/t* (*irr*, *sep*, *-ge-*, *h*, → **stoßen**) knock down (*od*. over); *fig*. *Plan etc*: upset.

umstritten [ʊm'ʃtrɪtən] *adj* controversial.

umstrukturier|en ['ʊmʃtrʊktuˌriːrən] *v/t* (*sep*, *no -ge-*, *h*) restructure; '**≈ung** *f* (*-*; *-en*) restructuring.

'**Umsturz** *m* (*-es*; *Umstürze*) coup.

'**Umtausch** *m* (*-[e]s*; *-e*) exchange; '**≈en** *v/t* (*sep*, *-ge-*, *h*) exchange (**gegen** for); '**~kurs** *m* exchange rate.

'**umwälz|end** *adj fig*. revolutionary; '**≈ung** *f* (*-*; *-en*) *fig*. revolution, upheaval.

'**umwand|eln** *v/t* (*sep*, *-ge-*, *h*) *allg*. turn (**in** *acc* into), transform (into); *bsd*. *chem*., *electr*., *phys*. *a*. convert ([in]to); '**≈ler** *m* (*-s*; *-*) converter; '**≈lung** *f* (*-*; *-en*) transformation, conversion.

'**Umweg** *m* (*-[e]s*; *-e*) detour: **e-n ~ machen** make a detour; *fig*. **auf ~en** in a roundabout way.

'**Umwelt** *f* (*-*; *no pl*) environment; '**≈bedingt** *adj* environmental; '**~belastung** *f* (environmental) pollution; '**≈bewusst** *adj* environment-conscious; '**~bewusstsein** *n* environmental awareness; '**≈freundlich** *adj* nonpolluting; '**~krankheit** *f* environmental illness; '**~schäden** *pl* damage *sg* to the

U

environment; '**2schädlich** *adj* ecologically harmful, polluting; '**~schutz** *m* environmental protection, pollution control; '**~schützer** *m* (*-s*; -) environmentalist, conservationist; '**~verschmutzer** *m* (*-s*; -) polluter; '**~verschmutzung** *f* (environmental) pollution; '**2verträglich** *adj* non-pollutant; '**~zerstörung** *f* destruction of the environment, ecocide.

'**um|werfen** *v/t* (*irr, sep, -ge-, h,* → ***werfen***) → ***umstoßen***; '**~ziehen** (*irr, sep, -ge-,* → ***ziehen***) **1.** *v/i* (*sn*) move (***nach*** to); **2.** *v/refl* (*h*) change (one's clothes).

'**Umzug** *m* (-[*e*]*s*; *Umzüge*) move (***nach*** to); *Festzug*: parade.

'**unabhängig** *adj* independent (***von*** of): ***~ davon, ob*** regardless whether; '**2keit** *f* (-; *no pl*) independence.

'**unabsichtlich 1.** *adj* unintentional; **2.** *adv*: ***et. ~ tun*** do s.th. by mistake.

'**unan|genehm** *adj* unpleasant; *peinlich*: embarrassing; '**~nehmbar** *adj* unacceptable; '**2nehmlichkeiten** *pl* trouble *sg*, difficulties *pl*; '**~sehnlich** *adj* unsightly; '**~ständig** *adj* indecent, *stärker*: obscene.

'**unappetitlich** *adj* unappetizing, unsavo(u)ry (*a. fig.*).

'**Unart** *f* (-; *-en*) bad habit; '**2ig** *adj* naughty.

'**unauf|dringlich** *adj* unobstrusive; '**~fällig** *adj* inconspicuous, unobtrusive; **~'findbar** *adj* undiscoverable, untraceable; '**~gefordert** *adv* without being asked, of one's own accord; '**~merksam** *adj* inattentive; *gedankenlos*: thoughtless; '**~richtig** *adj* insincere.

unaus'stehlich *adj* unbearable.

'**unbe|absichtigt** *adj* unintentional; '**~achtet** *adj* unnoticed; ***~ lassen*** ignore; '**~baut** *adj Gelände*: undeveloped; *Grundstück*: empty; '**~denklich** *adj* safe; '**~deutend** *adj* insignificant; *geringfügig*: *a.* minor; '**~dingt 1.** *adj* unconditional, absolute; **2.** *adv* by all means, absolutely; *brauchen*: badly: → ***erforderlich***; **~'fahrbar** *adj* impassable; '**~fangen** *adj unparteiisch*: unprejudiced, unbias(s)ed; *ohne Hemmung*: uninhibited; '**~friedigend** *adj* unsatisfactory; '**~friedigt** *adj* dissatisfied; '**~gabt** *adj* untalented; '**~greiflich** *adj* inconceivable, incomprehensible; '**~grenzt** *adj* unlimited, boundless; '**~gründet** *adj* unfounded; **~haglich** ['-ha:klɪç] *adj*: ***sich ~ fühlen*** feel uneasy; **~helligt** ['-hɛlɪçt] *adj* unhindered; '**~herrscht** *adj Äußerung etc*: uncontrolled; *Person*: lacking in self-control; '**~holfen** *adj* clumsy, awkward; '**~lehrbar** *adj*: ***er ist ~*** he'll never learn; '**~liebt** *adj* unpopular (***bei*** with): ***er ist überall ~*** nobody likes him; '**~mannt** *adj* unmanned; '**~merkt** *adj* unnoticed; '**~nutzt** *adj* unused; '**~quem** *adj* uncomfortable; *lästig*: inconvenient; **~rechenbar** [-'rɛçənba:r] *adj* unpredictable; '**~rechtigt** *adj* unauthorized; *ungerechtfertigt*: unjustified; '**~schädigt** *adj* undamaged; '**~scheiden** *adj* immodest; '**~schränkt** *adj* unlimited; *Macht etc*: *a.* absolute; **~schreiblich** [-'ʃraɪplɪç] *adj* indescribable; **~'siegbar** *adj* invincible; '**~ständig** *adj* unstable; *Wetter*: changeable; '**~stätigt** *adj* unconfirmed; '**~stechlich** *adj* incorruptible; *fig.* unerring; '**~stimmt** *adj unsicher*: uncertain; *Gefühl etc*: vague; '**~teiligt** *adj nicht verwickelt*: not involved (***an*** *dat* in); *gleichgültig*: indifferent; '**~wacht** *adj* unguarded (*a. fig.*); '**~waffnet** *adj* unarmed; '**~weglich** *adj* immovable; *bewegungslos*: motionless; **~'wohnbar** *adj* uninhabitable; '**~wohnt** *adj* uninhabited; *Gebäude*: *a.* unoccupied, vacant; '**~wusst** *adj* unconscious; **~'zahlbar** *adj* unaffordable; *fig.* invaluable, priceless.

'**un|blutig 1.** *adj* bloodless; **2.** *adv* without bloodshed; '**~brauchbar** *adj* useless.

und [ʊnt] *cj* and: F ***na ~?*** so what?

'**undankbar** *adj* ungrateful (***gegen*** to); *Aufgabe*: thankless; '**2keit** *f* (-; *no pl*) ingratitude, ungratefulness.

un|'denkbar *adj* unthinkable; '**~dicht** *adj* leaky.

undurch|'führbar *adj* impracticable; '**~lässig** *adj* impermeable (***für*** to); '**~sichtig** *adj* opaque; *fig.* mysterious.

'**uneben** *adj* uneven; '**2heit** *f* (-; *-en*) unevenness; *Stelle*: *a.* bump.

'**un|echt** *adj* false; *künstlich*: artificial; *imitiert*: imitation; F *contp. vorgetäuscht*: fake, phon(e)y; '**~ehelich** *adj* illegitimate; '**~ehrlich** *adj* dishonest; '**~eigennützig** *adj* unselfish; '**~einig** *adj*: (***sich***) ***~ sein*** be in disagreement

U

(**über** *acc* about, on); '**~empfänglich** *adj* insusceptible (**für** to); '**~empfindlich** *adj* insensitive (**gegen** to); *haltbar*: durable; **~'endlich** *adj* infinite; *endlos*: endless, never-ending.

'**unent|geltlich** *adj* free (of charge); '**~schieden** *adj* undecided: **~ enden** *Sport*: end in a draw; '**&schieden** *n* (*-s*; -) *Sport*: draw.

'**uner|fahren** *adj* inexperienced; '**~freulich** *adj* unpleasant; '**~füllt** *adj* unfulfilled; '**~heblich** *adj* irrelevant (**für** to); *geringfügig*: insignificant; '**~kannt** *adj* unrecognized; '**~klärlich** *adj* inexplicable; **~lässlich** [~'lɛslɪç] *adj* essential; '**~laubt** *adj unbefugt*: unauthorized; *ungesetzlich*: illegal; '**~ledigt** *adj* unfinished; *Post*: unanswered; *Aufträge etc*: unfulfilled; **~'schwinglich** *adj Preise*: exorbitant: **für j-n ~ sein** be beyond s.o.'s means; **~'setzlich** *adj* irreplaceable; *Schaden etc*: irreparable; *Verlust*: irrecoverable; **~'träglich** *adj* unbearable; '**~wartet** *adj* unexpected; '**~wünscht** *adj* undesirable, unwelcome.

'**unfähig** *adj* unable (**zu tun** to do), incapable (of doing); *untauglich*: incompetent: **~ zu** unqualified for; '**&keit** *f* (-; *no pl*) inability (**zu tun** to do); incompetence.

'**Unfall** *m* (-[*e*]*s*; *Unfälle*) accident; '**~flucht** *f* → **Fahrerflucht**; '**~stati‚on** *f* first-aid station; *Krankenhaus*: casualty ward; '**~stelle** *f* scene of the accident; '**~versicherung** *f* accident insurance.

'**un|fran‚kiert** *adj* unstamped; '**~frei** *adj* not free; *mail*. unfranked; '**~freiwillig** *adj* involuntary; *Humor*: unconscious; '**~freundlich** *adj* unfriendly (**zu** to); *Zimmer, Tag*: cheerless.

'**unfruchtbar** *adj* infertile; *fig*. fruitless; '**&keit** *f* (-; *no pl*) infertility; *fig*. fruitlessness.

Unfug ['ʊnfu:k] *m* (-[*e*]*s*; *no pl*) mischief; *Unsinn*: nonsense: **~ treiben** be up to mischief.

Ungar ['ʊŋgar] *m* (*-n*; *-n*) Hungarian; '**&isch** *adj* Hungarian.

Ungarn ['ʊŋgarn] Hungary.

'**unge|achtet** *prp* regardless of; *trotz*: despite; '**~beten** *adj* uninvited; '**~bildet** *adj* uneducated; '**~boren** *adj* unborn; '**~bräuchlich** *adj* uncommon, unusual; '**~deckt** *adj Scheck etc*: uncovered.

Ungeduld *f* (-; *no pl*) impatience; '**&ig** *adj* impatient.

'**unge|eignet** *adj* unsuited; *Person*: *a*. unqualified (*beide*: **zu** for); **~fähr** ['~fɛ:r] **1.** *adj* approximate; *Vorstellung etc*: *a*. rough; **2.** *adv* approximately, roughly, about, around; '**~fährlich** *adj* harmless; *sicher*: safe.

ungeheuer [~] **1.** *adj* enormous, immense; F tremendous, terrific; **2.** *adv*: **~ reich** *etc* enormously rich *etc*.

Ungeheuer ['ʊngəhɔʏər] *n* (*-s*; -) monster (*a. fig*.).

'**ungehorsam** *adj* disobedient.

'**Ungehorsam** *m* (*-s*; *no pl*) disobedience.

'**unge|kündigt** *adj*: **in ~er Stellung** not under notice; '**~kürzt** *adj Buch etc*: unabridged; '**~legen** *adj* inconvenient: **j-m ~ kommen** be inconvenient for s.o.; '**~lernt** *adj Arbeiter*: unskilled; '**~mütlich** *adj* uncomfortable (*a. fig*.): F **~ werden** get nasty.

'**ungenau** *adj* inaccurate; *fig*. vague; '**&igkeit** *f* (-; *-en*) inaccuracy.

'**unge|‚niert** *adj* uninhibited; '**~nießbar** *adj* inedible; *Getränk*: undrinkable; F *Person*: unbearable; '**~pflegt** *adj* neglected; *Person*: untidy; '**~rade** *adj Zahl*: odd.

'**ungerecht** *adj* unfair, unjust; '**&igkeit** *f* (-; *-en*) injustice, unfairness.

'**un|gern** *adv widerwillig*: unwillingly: **et. ~ tun** hate (*od*. not to like) to do s.th.; '**~geschehen** *adj*: **~ machen** undo.

'**unge|schickt** *adj* awkward, clumsy; '**~schminkt** *adj* without makeup; *fig*. unvarnished, plain; '**~setzlich** *adj* illegal, unlawful; '**~stört** *adj* undisturbed, uninterrupted; '**~straft** *adj*: **~ davonkommen** go unpunished; '**~sund** *adj* unhealthy (*a. fig*.); '**~wöhnlich** *adj* unusual; '**~wohnt** *adj* strange, unfamiliar; *neu*: new (**für** to); *unüblich*: unusual.

Ungeziefer ['ʊngətsi:fər] *n* (*-s*; *no pl*) vermin.

'**ungezwungen** *adj* relaxed, informal.

un'glaub|lich *adj* incredible, unbelievable; '**~würdig** *adj Person*: untrustworthy; *bsd. pol. a*. not credible; *Geschichte, Entschuldigung*: implausible.

'**ungleich 1.** *adj unähnlich*: dissimilar;

Chancen etc: unequal; **2.** *adv* far, much; '**~mäßig** *adj Verteilung*: uneven; *unregelmäßig*: irregular.

'**Unglück** *n* (-[*e*]*s*; -*e*) bad luck, misfortune; *Unfall*: accident; *stärker*: disaster; *Elend*: misery: → ***stürzen*** 2; '**2lich** *adj* unhappy; *bedauernswert*: unfortunate (*a. Umstände etc*); '**2licher'weise** *adv* unfortunately.

'**un|gültig** *adj* invalid: ***für ~ erklären*** declare *s.th.* null and void, annul; '**~günstig** *adj* unfavo(u)rable; *nachteilig*: disadvantageous; '**~gut** *adj* bad: ***~es Gefühl*** funny feeling (***bei*** about); ***nichts für ~!*** no offen|ce (*Am.* -se) meant; '**~haltbar** *adj Argument etc*: untenable; *Zustände*: intolerable; '**~handlich** *adj* unwieldy; '**~heilbar** *adj* incurable; '**~heimlich 1.** *adj* uncanny, weird; F *fig*. terrific, fantastic; **2.** *adv* F: ***~ viel(e)*** a terrific amount (of); ***~ gut*** terrific, fantastic.

'**unhöflich** *adj* impolite; *stärker*: rude; '**2keit** *f* (-; *no pl*) impoliteness; rudeness.

'**unhygi,enisch** *adj* unhygienic.

Uni ['ʊni] *f* (-; -*s*) F uni.

Uniform [uni'fɔrm] *f* (-; -*en*) uniform.

'**uninteres,sant** *adj* uninteresting.

Universalerbe [univɛr'zaːl-] *adj* sole heir.

Universität [univɛrzi'tɛːt] *f* (-; -*en*) university: ***die ~ besuchen*** go to university.

Universum [uni'vɛrzʊm] *n* (-*s*; *no pl*) universe.

'**unkennt|lich** *adj* unrecognizable; '**2nis** *f* (-*s*; *no pl*) ignorance: ***in ~*** (*gen*) unaware of.

'**un|klar** *adj* unclear; *ungewiss*: uncertain; *verworren*: confused, muddled: ***im 2en sein*** (***lassen***) be (leave *s.o.*) in the dark (***über*** *acc* about); '**~klug** *adj* imprudent, unwise.

'**Unkosten** *pl* expenses *pl*, costs *pl*.

'**Unkraut** *n* (-[*e*]*s*; *Unkräuter*) weed; *coll*. weeds *pl*.

'**un|kündbar** *adj Stellung*: permanent; *Vertrag*: not terminable: ***er ist ~*** he cannot be given notice; '**~leserlich** *adj* illegible; '**~logisch** *adj* illogical; '**~lösbar** *adj* insoluble; '**~männlich** *adj* effeminate; '**~mäßig** *adj* excessive; '**2menge** *f* (-; -*n*) vast amount (*od.* number) (***von*** of).

'**Unmensch** *m* monster, brute; '**2lich** *adj* inhuman, cruel; '**~lichkeit** *f* (-; *no pl*) inhumanity, cruelty.

'**un|merklich** *adj* imperceptible; '**~missverständlich** *adj* unmistakeable; '**~mittelbar 1.** *adj* immediate, direct; **2.** *adv*: ***~ nach*** (***hinter*** *dat*) right after (behind); '**~mö,bliert** *adj* unfurnished; '**~mo,dern** *adj* old-fashioned; *nicht modisch*: unfashionable; '**~möglich**; **1.** *adj* impossible; **2.** *adv*: ***ich kann es ~ tun*** I can't possibly do it; '**~mo,ralisch** *adj* immoral; '**~mündig** *adj* under-age; *politisch etc*: immature; '**~musi,kalisch** *adj* unmusical; '**~nachahmlich** *adj* inimitable; '**~nachgiebig** *adj* unyielding; '**~na,türlich** *adj* unnatural (*a. fig.*); *geziert*: affected; '**~nötig** *adj* unnecessary, needless; '**~nütz** *adj* useless; '**~ordentlich** *adj* untidy: ***~ sein*** *Zimmer etc*: be (in) a mess; '**2ordnung** *f* (-; *no pl*) disorder, mess; '**~par,teiisch** *adj* impartial; '**~passend** *adj* unsuitable; *unschicklich*: improper; *unangebracht*: inappropriate; '**~pas,sierbar** *adj* impassable; **~pässlich** ['-pɛslɪç] *adj*: ***~ sein, sich ~ fühlen*** be indisposed, feel unwell; ***sie ist ~*** *euphem.* it's that time of the month; '**~per,sönlich** *adj* impersonal; '**~po,litisch** *adj* apolitical; '**~praktisch** *adj* impractical; '**~pünktlich** *adj Person, Zug etc*: late; *Person, generell*: unpunctual.

'**unrecht** *adj* wrong; ***~ haben*** (***tun***) be (do *s.o.*) wrong.

'**Unrecht** *n* (-[*e*]*s*; *no pl*) injustice, wrong: ***zu ~*** wrong(ful)ly; **2mäßig** *adj* unlawful.

'**unregelmäßig** *adj* irregular.

'**unreif** *adj* unripe; *fig*. immature; '**2e** *f* (-; *no pl*) *fig*. immaturity.

'**un|ren,tabel** *adj* unprofitable; '**~richtig** *adj* incorrect, wrong.

'**Unruh|e** *f* (-; -*n*) restlessness, unrest (*a. pl pol.*); *Besorgnis*: anxiety, alarm; '**2ig** *adj* restless; *innerlich*: *a.* uneasy; *besorgt*: worried, alarmed; *See*: rough.

uns [ʊns] **1.** *pers pron* (to) us; *einander*: each other: ***ein Freund von ~*** a friend of ours; **2.** *refl pron* (to) ourselves.

'**un|sachgemäß** *adj* improper; '**~sachlich** *adj* unobjective; '**~sauber** *adj* dirty; *fig. Geschäfte, Methoden*: underhand, dubious; '**~schädlich** *adj* harmless: ***~ machen*** *fig*. put *s.o.* out of action; **'~scharf** *adj phot.* blurred; **'~schätzbar** *adj* invaluable; *Wert etc*: inestimable; **'~scheinbar** *adj* inconspicuous; *einfach*: plain; **'~schlüssig** *adj*: ***ich bin mir noch ~*** I haven't made up my mind yet (***über*** *acc* about); **'~schön** *adj* unsightly; *fig.* unpleasant.

'Unschuld *f* (-; *no pl*) innocence; **'2ig** *adj* innocent (***an*** *dat* of).

'unselbstständig *adj* dependent on others: ***Einkünfte aus ~er Arbeit*** wage and salary incomes; **'2keit** *f* (-; *no pl*) lack of independence.

unser ['ʊnzər] *poss pron* our: ***~er, ~e, ~(e)s*** ours.

'unsicher *adj gefährlich*: unsafe; *gefährdet*: insecure; *gehemmt*: self-conscious; *ungewiss*: uncertain; **'2heit** *f* (-; *no pl*) unsafeness; insecurity; self--consciousness; uncertainty.

'unsichtbar *adj* invisible (***für*** to).

'Unsinn *m* (-[*e*]*s*; *no pl*) nonsense: ***~ machen*** fool around; **'2ig** *adj* silly, stupid; *absurd*: absurd.

'Unsitt|e *f* bad habit; *Missstand*: nuisance; **'2lich** *adj* immoral; *stärker*: indecent.

'un|sozi,al *adj* unsocial; *Verhalten*: antisocial; **'~sportlich** *adj* unfair; *Mensch*: unathletic.

un'sterblich **1.** *adj* immortal (*a. fig.*); **2.** *adv* F awfully: ***~ verliebt*** madly in love (***in*** *acc* with); **2keit** *f* (-; *no pl*) immortality.

'Un|stimmigkeiten *pl* differences *pl* (of opinion); **'2sym,pathisch** *adj* disagreeable: ***er (es) ist mir ~*** I don't like him (it).

'untätig *adj* inactive; *müßig*: idle; **'2keit** *f* (-; *no pl*) inactivity.

'untauglich *adj* unsuitable (***für, zu*** for); *Person*: *a.* incompetent; *mil.* unfit (for service).

unten ['ʊntən] *adv* below; *an Gegenstand*: at the bottom (*a. fig. Stellung*); *im Haus*: downstairs: ***da ~*** down there; ***nach ~*** down, *im Haus*: downstairs; ***links ~*** left below; ***siehe ~*** see below; → ***oben.***

unter ['ʊntər] *prp* **a)** (*dat*) *Lage, Standort etc*: under, *örtlich, rangmäßig*: *a.* below; *zwischen*: among **b)** (*acc*) *Richtung, Ziel etc*: under; *niedriger als*: below; *zwischen*: among: ***~ anderem*** among other things; ***~ uns (gesagt)*** between you and me; ***~ sich haben*** be in charge of.

'Unter|arm *m* forearm; **'2belichtet** *adj phot.* underexposed; **'~bewusstsein** *n* (-*s*; *no pl*) subconscious: ***im ~*** subconsciously.

unter|'bieten *v/t* (*irr, insep, no -ge-, h,* → ***bieten***) *Angebot*: underbid; *Preis*: undercut; *Konkurrenz*: undersell; *Rekord*: beat (***um*** by); **~'binden** *v/t* (*irr, insep, no -ge-, h,* → ***binden***) put a stop to; *verhindern*: prevent.

unter'brech|en *v/t* (*irr, insep, no -ge-, h,* → ***brechen***) interrupt; *teleph.* cut off; *Reise*: break; **2ung** *f* (-; *-en*) interruption; break.

'unterbring|en *v/t* (*irr, sep, -ge-, h,* → ***bringen***) *beherbergen*: accommodate, put *s.o.* up: ***j-n ~*** get s.o. a job (***in*** *dat*, ***bei*** with); **'2ung** *f* (-; *-en*) accommodation.

unter'drück|en *v/t* (*insep, no -ge-, h*) *Gefühl, Aufstand etc*: suppress; *Volk etc*: oppress; **2er** *m* (-*s*; -) oppressor; **2ung** *f* (-; *-en*) suppression; oppression.

'untere *adj* lower (*a. fig.*).

'unterentwickelt *adj* underdeveloped.

'unterernähr|t *adj* undernourished, underfed; **'2ung** *f* (-; *no pl*) undernourishment, malnutrition.

Unter'führung *f* (-; *-en*) *Fußgänger2*: *Br.* subway, *Am.* pedestrian underpass; *mot.* underpass.

'Unter|gang *m* (-[*e*]*s*; *Untergänge*) *ast.* setting; *mar.* sinking; *fig. e-s Reichs etc*: fall; *e-r Kultur etc*: extinction; **'2gehen** *v/i* (*irr, sep, -ge-, sn,* → ***gehen***) *ast.* set; *mar.* go down, sink; *fig. Reich etc*: fall; *Kultur etc*: die out.

'unterge|ordnet *adj* subordinate (*dat* to); *zweitrangig*: secondary; **'2schoss** *n* basement; **'2wicht** *n* (-[*e*]*s*; *no pl*) underweight: ***~ haben*** be underweight.

unter'graben *v/t* (*irr, insep, no -ge-, h,* → ***graben***) *fig.* undermine.

'Untergrund *m* (-[*e*]*s*; *⸚e*) subsoil; *pol. etc* underground: ***in den ~ gehen*** go underground; **'~bahn** *f* → ***U-Bahn.***

'unterhalb *prp* below, under.

'Unterhalt *m* (-[*e*]*s*; *no pl*) support, maintenance; → ***Lebensunterhalt***: ***~ zahlen*** *jur.* pay alimony.

unter'halt|en (*irr, insep, no -ge-, h,* → ***halten***) **1.** *v/t Publikum etc*: entertain; *Familie etc*: support; *Beziehungen*:

U

keep up; **2.** *v/refl* talk (***mit*** to, with; ***über*** *acc* about): ***sich gut ~*** enjoy o.s., have a good time; **~sam** *adj* entertaining.

'**Unterhalts|anspruch** *m* maintenance claim, claim for maintenance; '**~beihilfe** *f* maintenance grant; '**2berechtigt** *adj* entitled to maintenance; '**~kosten** *pl* maintenance costs *pl.*

Unter'haltung *f* (-; *-en*) talk, conversation; *Vergnügen*: entertainment (*a. TV etc*).

'**Unter|händler** *m* (-*s*; -) negotiator; '**~haus** *n parl. Br.* House of Commons; '**~hemd** *n Br.* vest, *Am.* undershirt; '**~hose** *f* (***e-e ~*** a pair of) underpants *pl*; *Damen2*: panties *pl*, *Br.* pants *pl*; **2irdisch** ['ˌɪrdɪʃ] *adj* underground; '**~kiefer** *m* lower jaw; '**~kleid** *n* slip.

'**unterkommen** *v/i* (*irr, sep, -ge-, sn,* → ***kommen***) find accommodation (***in*** *dat* in); *Arbeit finden*: find a job (***bei*** with).

'**Unter|kunft** *f* (-; *Unterkünfte*) accommodation: ***~ u. Verpflegung*** board and lodging; '**~lage** *f* (-; *-n*) *tech.* support, base; *Schreib2*: pad: **~n** *pl* documents *pl*; *Angaben*: data *pl.*

unter'lass|en *v/t* (*irr, insep, no -ge-, h,* → ***lassen***) fail to do *s.th.*; *aufhören mit*: stop (*od.* quit) doing *s.th.*; **2ung** *f* (-; *-en*) omission.

'**unterlegen**[1] *v/t* (*sep, -ge-, h*) lay (*od.* put) *s.th.* under.

unter'legen[2] *adj* inferior (*dat* to); **2e** *m, f* (*-n*; *-n*) loser; *Schwächere*: underdog; **2heit** *f* (-; *no pl*) inferiority.

'**Unter|leib** *m* abdomen, belly; **2'liegen** *v/i* (*irr, insep, no -ge-, sn,* → ***liegen***) be defeated (***j-m*** by s.o.), lose (to s.o.); *fig.* be subject (*dat* to); '**~lippe** *f* lower lip; '**~mieter** *m* lodger, subtenant, *Am. a.* roomer.

unter'nehmen *v/t* (*irr, insep, no -ge-, h,* → ***nehmen***) *Reise etc*: make, take, go on: ***et. ~*** do s.th. (***gegen*** about *s.th.*), take action (against *s.o.*).

Unter'nehm|en *n* (*-s*; -) firm, business; *Vorhaben*: undertaking, enterprise; *mil.* operation; **~ensberater** *m* management consultant; **~ensberatung** *f* management consultancy; **~ensführung** *f* (-; *no pl*) management; **~er** *m* (*-s*; -) entrepreneur; *Arbeitgeber*: employer; *Industrieller*: industrialist; **2ungslustig** *adj* enterprising; *engS.* active.

'**unterordnen** *v/refl* (*sep, -ge-, h*) submit (*dat* to): → ***untergeordnet.***

Unter'redung *f* (-; *-en*) talk.

Unterricht ['ʊntərrɪçt] *m* (-[*e*]*s*; *no pl*) instruction, teaching; *Stunden*: lessons *pl*; *ped. a.* classes *pl*: ***~ geben*** teach, give lessons.

unter'richten (*insep, no -ge-, h*) **1.** *v/t j-n*: teach, give lessons to; *et.*: teach, give lessons on; *informieren*: inform (***von, über*** *acc* of); **2.** *v/i* teach, be a teacher; **3.** *v/refl* inform o.s. (***über*** *acc* about).

'**Unterrock** *m* slip.

unter'sagen *v/t* (*insep, no -ge-, h*) prohibit: ***j-m ~, et. zu tun*** forbid s.o. to do s.th.

'**Untersatz** *m* (*-es*; *Untersätze*) *für Gläser*: coaster; *für Blumentöpfe*: saucer.

unter'schätzen *v/t* (*insep, no -ge-, h*) underestimate; *Können etc*: *a.* underrate.

unter'scheid|en (*irr, insep, no -ge-, h,* → ***scheiden***) **1.** *v/t u. v/i* distinguish (***zwischen*** *dat* between); **2.** *v/refl* differ (***von*** from; ***dadurch, dass*** in *ger*); **2ung** *f* (-; *-en*) distinction.

Unterschied ['ʊntərʃiːt] *m* (-[*e*]*s*; *-e*) difference: ***im ~ zu*** unlike, as opposed to; '**2lich** *adj* different; *schwankend*: varying.

unter'schlag|en *v/t* (*irr, insep, no -ge-, h,* → ***schlagen***) *Geld*: embezzle; *Testament etc*: suppress; *fig. Fakten etc*: hold back; **2ung** *f* (-; *-en*) embezzlement; suppression.

unter'schreiben *v/t u. v/i* (*irr, insep, no -ge-, h,* → ***schreiben***) sign.

'**Unterschrift** *f* (-; *-en*) signature; *Bild2*: caption; '**~enmappe** *f* signature blotting book.

'**Unterseeboot** *n* submarine.

unter'setzt *adj* thickset, stocky.

unter'stehen (*irr, insep, no -ge-, h,* → ***stehen***) **1.** *v/i* be under (the control of); **2.** *v/refl*: ***sich ~, et. zu tun*** dare (to) do s.th.; ***untersteh dich!*** don't you dare!

'**unterstellen**[1] (*sep, -ge-, h*) **1.** *v/t unter et.*: put underneath; *unterbringen*: put (***in*** *dat* in[to]); *dalassen*: leave (***bei*** at); *lagern*: store (at); **2.** *v/refl* take shelter (***vor*** *dat* from).

unter'stell|en[2] *v/t (insep, no -ge-, h) vorläufig annehmen*: suppose, assume: ***j-m et.*** **~** impute s.th. to s.o.; ***j-m ~, dass er ...*** allege (*od.* insinuate) that s.o. ...; **≈ung** *f* (-; *-en*) allegation, insinuation.

unter'stütz|en *v/t (insep, no -ge-, h)* support; *bsd. ideell*: *a.* back (up); **≈ung** *f* (-; *-en*) support; *soziale, staatliche*: *a.* aid.

unter'such|en *v/t (insep, no -ge-, h)* examine (*a. med.*), investigate (*a. jur.*); *Gepäck etc*: search; *chem.* analy|se (*Am.* -ze); **≈ung** *f* (-; *-en*) examination (*a. med.*), investigation (*a. jur.*); *med. a.* checkup; *chem.* analysis.

Unter'suchungs|gefangene *m, f* prisoner on remand; **~gefängnis** *n* remand prison; **~haft** *f* custody: ***in ~ sein*** be on remand; **~richter** *m* examining magistrate.

'Unter|tasse *f* saucer; **'≈tauchen** *v/i (sep, -ge-, sn)* dive; *fig.* disappear; *bsd. pol.* go underground; **'~teil** *n, a. m* lower part, bottom.

unter'teil|en *v/t (insep, no -ge-, h)* subdivide (***in*** *acc* into); **≈ung** *f* (-; *-en*) subdivision.

'Unter|titel *m* subtitle; **'~ton** *m* undertone (*a. fig.*).

unter'treib|en *v/t u. v/i (irr, insep, no -ge-, h,* → ***treiben***) understate; **≈ung** *f* (-; *-en*) understatement.

'unter|vermieten *v/t (only inf u. pp untervermietet)* sublet; **~'wandern** *v/t (insep, no -ge-, h)* infiltrate; **'≈wäsche** *f* (-; *no pl*) underwear; **'≈wasser...** *in Zssgn* underwater ...; **~wegs** [_'veːks] *adv* on the (*od.* one's) way (***nach*** to): ***viel ~ sein*** be away a lot; **'≈welt** *f* (-; *no pl*) underworld (*a. fig.*).

unter'zeichn|en *v/t u. v/i (insep, no -ge-, h)* sign; **≈ete** *m, f the* undersigned; **≈ung** *f* (-; *-en*) signing.

'unterziehen[1] *v/t (irr, sep, -ge-, h,* → ***ziehen***) put *s.th.* on underneath.

unter'ziehen[2] *(irr, insep, no -ge-, h,* → ***ziehen***) **1.** *v/t* submit (*dat* to); **2.** *v/refl e-r Operation etc*: undergo, have; *e-r Prüfung*: take.

'untreu *adj* unfaithful (*dat* to).

'Untugend *f* bad habit; *Laster*: vice.

'unüber|legt *adj* thoughtless; **'~sichtlich** *adj Kurve etc*: blind; *verworren*: confusing; **~windlich** [_'vɪntlɪç] *adj fig.* insuperable.

'unumgänglich *adj* inevitable; *notwendig*: indispensable.

'ununterbrochen *adj* uninterrupted; *ständig*: continuous.

'unver|änderlich *adj* unchanging; **'~antwortlich** *adj* irresponsible; **'~besserlich** *adj* incorrigible; **'~bindlich** *adj bsd. econ.* without obligation; *Art etc*: noncommittal; **'~dient** *adj* undeserved; **'~einbar** *adj* incompatible (***mit*** with); **'~fänglich** *adj* harmless; **'~gänglich** *adj* immortal; **'~gesslich** *adj* unforgettable; **'~gleichlich** *adj* incomparable; **'~hältnismäßig** *adv* disproportionately: **~ *hoch*** excessive; **'~heiratet** *adj* unmarried, single; **'~hofft** *adj* unhoped-for; *unerwartet*: unexpected; **'~hohlen** *adj* unconcealed; **'~käuflich** *adj* not for sale; *nicht gefragt*: unsal(e)able; **'~kennbar** *adj* unmistakable; **'~letzt** *adj* unhurt; **'~meidlich** *adj* inevitable; **'~mindert** *adj* undiminished; **'~mittelt** *adj* abrupt.

'Unvermögen *n (-s; no pl)* inability; **'≈d** *adj* without means.

'unver|mutet *adj* unexpected; **'~nünftig** *adj* unreasonable; *töricht*: foolish; **'~richtet**: ***~er Dinge*** without having achieved anything.

'unverschämt *adj* impudent, impertinent; *Preis etc*: outrageous; **'≈heit** *f* (-; *-en*) impudence, impertinence; *Bemerkung*: impudent (*od.* impertinent) remark: ***die ~ haben zu*** have the nerve to.

'unver|schuldet *adj u. adv* through no fault of one's own; **'~sehens** *adv* unexpectedly, all of a sudden; **'~sehrt** *adj* unhurt; *Sache*: undamaged; **'~ständlich** *adj undeutlich*: unintelligible; *gedanklich*: incomprehensible: ***es ist mir ~, warum*** *etc* I can't understand why *etc*; **'~sucht** *adj*: ***nichts ~ lassen*** leave nothing undone; **'~zeihlich** *adj* inexcusable; **~züglich** [_'tsyːklɪç] **1.** *adj* immediate, prompt; **2.** *adv* immediately, without delay.

'unvollendet *adj* unfinished.

'unvollkommen *adj* imperfect; **'≈heit** *f* (-; *no pl*) imperfection.

'unvollständig *adj* incomplete.

'unvorbereitet *adj* unprepared.

'unvorsichtig *adj* careless; **'≈keit** *f* (-; *no pl*) carelessness.

'unvor|stellbar *adj* inconceivable; *undenkbar*: unthinkable; **'~teilhaft** *adj*

U

unprofitable; *Kleid etc*: unbecoming.

'**unwahr** *adj* untrue; '**2heit** *f* (-; *-en*) untruth; '**~scheinlich** *adj* improbable, unlikely; F *toll*: fantastic.

'**un|wegsam** *adj Gelände*: difficult, rough; '**~weigerlich** *adv* inevitably; '**~weit** *prp* not far from; '**~wesentlich** *adj* irrelevant; *geringfügig*: negligible; '**2wetter** *n* (-*s*; -) (thunder)storm; '**~wichtig** *adj* unimportant.

'**unwider|ruflich** *adj* irrevocable; '**~stehlich** *adj* irresistible.

'**Unwill|e** *m* (-*ns*; *no pl*) indignation; '**2ig** *adj* indignant (***über*** *acc* at); *widerwillig*: unwilling, reluctant; '**2kürlich** *adj* involuntary.

'**unwirk|lich** *adj* unreal; '**~sam** *adj* ineffective; *jur. etc* inoperative.

un|wirsch ['ʊnvɪrʃ] *adj* gruff; '**~wirtschaftlich** *adj* uneconomical.

'**unwissen|d** *adj* ignorant; '**2heit** *f* (-; *no pl*) ignorance.

'**un|wohl** *adj* unwell; *unbehaglich*: uneasy; '**~würdig** *adj* unworthy (*gen* of); '**~zählig** *adj* innumerable, countless; '**~zeitgemäß** *adj* old-fashioned.

'**unzer|brechlich** *adj* unbreakable; '**~trennlich** *adj* inseparable.

'**Un|zucht** *f* (-; *no pl*) *jur.*: ***gewerbsmäßige ~*** prostitution; ***~ mit Kindern*** illicit sexual relations *pl* with children; **2züchtig** ['-tsʏçtɪç] *adj* indecent; *Literatur etc*: obscene.

'**unzu|frieden** *adj* dissatisfied (***mit*** with); '**2heit** *f* (-; *no pl*) dissatisfaction.

'**unzu|gänglich** *adj* inaccessible; '**~lässig** *adj* inadmissible; '**~mutbar** *adj* unacceptable.

'**unzurechnungsfähig** *adj jur.* not criminally responsible, *Am. a.* incompetent; '**2keit** *f* (-; *no pl*) lack of criminal responsibility, *Am. a.* incompetence.

'**unzu|treffend** *adj* incorrect: ***2es bitte streichen!*** delete where inapplicable; '**~verlässig** *adj* unreliable.

üppig ['ʏpɪç] *adj Vegetation etc*: luxuriant; *Mahlzeit etc*: sumptuous, opulent; *Formen*: full.

Ur|abstimmung ['uːr-] *f econ.* strike ballot; '**2alt** *adj* ancient (*a. fig. iro.*)

Uran [u'raːn] *n* (-*s*; *no pl*) *chem.* uranium.

Ur|aufführung ['uːr-] *f thea.* first performance, *a. Film*: première; '**~bevölkerung** *f*, '**~einwohner** *pl* (ab)original population (*od.* inhabitants *pl*); *Australiens*: Aborigines *pl*; '**~enkel** *m* great-grandson; '**~enkelin** *f* great-granddaughter; '**~groß...** *in Zssgn Eltern, Mutter, Vater*: great-grand….

Urheberrecht ['uːr-] *n* copyright (***an*** *dat* on); '**2lich** *adv*: ***~ geschützt*** protected by copyright.

Urin [u'riːn] *m* (-*s*; -*e*) urine; **2ieren** [uri'niːrən] *v/i* (*no ge-*, *h*) urinate; **~probe** *f* urine specimen.

Urkunde ['uːrkʊndə] *f* (-; -*n*) document; *Zeugnis*, *Ehren2*: diploma; '**~nfälschung** *f* forgery of documents.

Urlaub ['uːrlaʊp] *m* (-[*e*]*s*; -*e*) *bsd. Br.* holidays *pl*, *bsd. Am.* vacation: ***im ~*** on holiday (*bsd. Am.* vacation); ***in ~ gehen*** go on holiday (*bsd. Am.* vacation); ***e-n Tag*** (***ein paar Tage***) ***~ nehmen*** take a day (a few days) off; **~er** ['-bər] *m* (-*s*; -) *Br.* holidaymaker, *Am.* vacationer; '**~erstrom** *m* stream of holidaymakers (*Am.* vacationers).

'**Urlaubs|anschrift** *f* holiday (*bsd. Am.* vacation) address; '**~geld** *n Br.* holiday pay, *Am.* vacation money; '**~ort** *m* holiday (*bsd. Am.* vacation) resort; '**~reise** *f* holiday (*bsd. Am.* vacation) trip; '**~vertretung** *f Person*: holiday (*bsd. Am.* vacation) replacement; '**~zeit** *f* holiday (*bsd. Am.* vacation) period (*od.* season).

Urne ['ʊrnə] *f* (-; -*n*) urn; *Wahl2*: ballot box.

Ur|sache ['uːr-] *f* (-; -*n*) cause (*gen*, ***für*** of); *Grund*: reason (for): ***keine ~!*** not at all, you are welcome; '**~sprung** *m* (-[*e*]*s*; *Ursprünge*) origin: ***germanischen ~s*** of Germanic origin; **2sprünglich** ['-ʃprʏŋlɪç] *adj* original; '**~sprungsland** *n econ.* country of origin.

Urteil ['ʊrtaɪl] *n* (-*s*; -*e*) judg(e)ment; *jur. Strafmaß*: sentence: ***sich ein ~ bilden*** form a judg(e)ment (*od.* an opinion) (***über*** *acc* on); '**2en** *v/i* (*h*) judge (***über j-n, et.*** s.o., s.th.; ***nach*** by).

Urwald ['uːr-] *m* primeval forest; *Dschungel*: jungle.

Utensilien [utɛn'ziːlĭən] *pl* utensils *pl.*

Utopie [uto'piː] *f* (-; -*n*) utopia.

utopisch [u'toːpɪʃ] *adj* utopian; *fig.* (totally) unrealistic.

V

vage ['vaːgə] *adj* vague.

vakuumverpackt ['vaːkuʊm-] *adj* vacuum-packed.

Valuta [va'luːta] *f* (-; *-ten*) *econ.* foreign currency.

Vampir ['vampiːr] *m* (-*s*; -*e*) vampire.

Vanille [va'nɪljə] *f* (-; *no pl*) vanilla.

Variante [va'rĭantə] *f* (-; *-n*) variation (***zu*** on).

Varieté, **Varietee** [varĭe'teː] *n* (-*s*; -*s*) *Br.* variety theatre, music hall, *Am.* vaudeville theater.

variieren [vari'iːrən] *v/i u. v/t* (*no ge-, h*) vary.

Vase ['vaːzə] *f* (-; *-n*) vase.

Vater ['faːtər] *m* (-*s*; ⸗) father; '**~land** *n* (-[*e*]*s*; *Vaterländer*) native country.

väterlich ['fɛːtərlɪç] *adj* fatherly, paternal; '**~erseits** *adv*: ***Onkel*** *etc* **~** paternal uncle *etc.*

'**Vater|schaft** *f* (-; *-en*) fatherhood; *bsd. jur.* paternity; '**~schaftsurlaub** *m* paternity leave

Vatikan(stadt) [vati'kaːn(ʃtat)] *the* Vatican (City).

V-Ausschnitt ['faʊ-] *m* V-neck.

Veganer [ve'gaːnər] *m* (-*s*; -) vegan.

Veget|arier [vege'taːrĭər] *m* (-*s*; -) vegetarian; **⁀arisch** [-'taːrɪʃ] *adj* vegetarian; **~ation** [-a'tsĭoːn] *f* (-; *-en*) vegetation; **⁀ieren** [-'tiːrən] *v/i* (*no ge-, h*) *fig.* vegetate.

Veilchen ['faɪlçən] *n* (-*s*; -) *bot.* violet; F *fig.* black eye.

Venedig [ve'neːdɪç] Venice.

Ventil [vɛn'tiːl] *n* (-*s*; -*e*) valve; *fig.* vent, outlet; **~ation** [-ila'tsĭoːn] *f* (-; *-en*) ventilation; **~ator** [-i'laːtɔr] *m* (-*s*; *-en* [-la'toːrən]) fan.

ver'abred|en (*no ge-, h*) **1.** *v/t* agree on, arrange; *Ort, Zeit*: *a.* appoint, fix; **2.** *v/refl* make a date (*bsd. geschäftlich*: an appointment) (***mit*** with); **⁀ung** *f* (-; *-en*) appointment; *bsd. private*: date.

ver'abschied|en [-ʃiːdən] (*no ge-, h*) **1.** *v/t* say goodbye to; *am Bahnhof etc*: see off; *entlassen*: dismiss; *Gesetz*: pass; **2.** *v/refl* say goodbye (***von*** to); **⁀ung** *f* (-; *-en*) dismissal; passing.

ver|'achten *v/t* (*no ge-, h*) despise; **~ächtlich** [-'ʔɛçtlɪç] *adj* contemptuous; **⁀'achtung** *f* (-; *no pl*) contempt; **~allgemeinern** [-ʔalgə'maɪnərn] *v/t* (*no ge-, h*) generalize; **~altet** [-'ʔaltət] *adj* antiquated, out-of-date.

Veranda [ve'randa] *f* (-; *-den*) veranda(*h*), *Am.* porch.

ver'änder|lich *adj* changeable (*a. Wetter*); **~n** *v/t u. v/refl* (*no ge-, h*) change; **⁀ung** *f* (-; *-en*) change.

ver'ängstigt *adj* frightened, scared.

ver'anlag|en *v/t* (*no ge-, h*) *steuerlich*: assess; **~t** *adj* inclined (***zu, für*** to): ***künstlerisch ~ sein*** have artistic talent; **⁀ung** *f* (-; *-en*) *charakterliche*: disposition; *Neigung*: inclination; *Talent*: talent, gift; *steuerliche*: assessment.

ver'anlass|en *v/t* (*no ge-, h*) *et.*: make arrangements (*od.* arrange) for: ***j-n zu et. ~*** make s.o. do s.th.; **⁀ung** *f* (-; *-en*) cause (***zu*** for).

ver'anschlagen *v/t* (*no ge-, h*) *econ.* estimate (***auf*** *acc* at): ***zu hoch*** (***niedrig***) **~** overestimate (underestimate).

veranstalt|en [fɛr'ʔanʃtaltən] *v/t* (*no ge-, h*) arrange, organize; **⁀er** *m* (-*s*; -) organizer; *Sport*: *a.* promoter; **⁀ung** *f* (-; *-en*) arrangement, organization; *konkret*: event; *Sport*: *a.* meeting, *Am.* meet; **⁀ungska͵lender** *m* calendar of events.

ver'antwort|en *v/t* (*no ge-, h*) take the responsibility for; **~lich** *adj* responsible: ***j-n ~ machen für*** hold s.o. responsible for.

Ver'antwortung *f* (-; *no pl*) responsibility: ***auf eigene ~*** at one's own risk; ***zur ~ ziehen*** call to account; **~sbewusstsein** *n*, **~sgefühl** *n* (-[*e*]*s*; *no pl*) sense of responsibility; **⁀slos** *adj* irresponsible.

ver|'arbeiten *v/t* (*no ge-, h*) process; *fig.* digest: ***et. ~ zu*** manufacture (*od.* make) s.th. into; **~'ärgern** *v/t* (*no ge-, h*) make *s.o.* angry, annoy; **~'armt** *adj* impoverished; **~'arzten** *v/t* (*no ge-, h*) F fix *s.o.* up; **~'ausgaben** *v/refl* (*no ge-, h*) overspend; *fig.* exhaust o.s.

V

Verb [vɛrp] *n* (-*s*; -*en*) *gr.* verb.

Verband [fɛr'bant] *m* (-[*e*]*s*; ⸗*e*) *med.* dressing, bandage; *Vereinigung*: association; **~(s)kasten** *m* first-aid box; **~(s)zeug** *n* dressing material.

ver'bergen *v/t* (*irr, no ge-, h,* → **bergen**) hide (*a. v/refl*), conceal (*beide*: ***vor*** *dat* from).

ver'besser|n (*no ge-, h*) **1.** *v/t* improve; *berichtigen*: correct; **2.** *v/refl* improve; *beim Sprechen*: correct o.s.; **2ung** *f* (-; -*en*) improvement; correction.

verbeug|en [fɛr'bɔʏgən] *v/refl* (*no ge-, h*) bow (***vor*** *dat* to); **2ung** *f* (-; -*en*) bow: ***e-e ~ machen*** → ***verbeugen.***

ver|'biegen *v/t* (*irr, no ge-, h,* → **biegen**) bend, twist; **~'bieten** *v/t* (*irr, no ge-, h,* → ***bieten***) forbid (***j-m et.*** [***zu tun***] s.o. [to do] s.th.); *amtlich*: prohibit (***et.*** s.th.; ***j-m et.*** s.o. from doing s.th.).

ver'billig|en *v/t* (*no ge-, h*) reduce in price; **~t** *adj* reduced, at reduced prices.

ver'bind|en *v/t* (*irr, no ge-, h,* → **binden**) *med. Wunde*: dress, bandage, *j-n*: bandage *s.o.* up; *mit et., a. tech.*: connect, join, link (up); *teleph.* put *s.o.* through (***mit*** to, *Am.* with); *kombinieren*: combine (*a. chem., v/refl*); *vereinen*: unite; *Vorstellung etc*: associate: ***j-m die Augen ~*** blindfold s.o.; ***mit e-r Tätigkeit*** *etc* ***verbunden sein*** involve doing s.th. *etc*; ***falsch verbunden!*** sorry, wrong number; **~lich** [-'bɪntlɪç] *adj* binding (***für*** on); *gefällig*: obliging; **2lichkeiten** *pl econ.* liabilities; **2ung** *f* (-; -*en*) *allg.* connection; *Kombination*: combination; *chem.* compound: ***sich in ~ setzen mit*** get in touch with; ***in ~ stehen*** (***bleiben***) be (keep) in touch.

ver'bitten *v/t* (*irr, no ge-, h,* → **bitten**): ***sich et. ~*** refuse to tolerate s.th.; ***das verbitte ich mir!*** I won't stand for it!

ver'bitter|t *adj* bitter, embittered; **2ung** *f* (-; *no pl*) bitterness.

verblassen [fɛr'blasən] *v/i* (*no ge-, sn*) fade (*a. fig.*).

Verbleib [fɛr'blaɪp] *m* (-[*e*]*s*; *no pl*) whereabouts *pl* (*a. sg konstr.*); **2en** *v/i* (*irr, no ge-, sn,* → **bleiben**): ***wir sind so verblieben, dass*** we agreed (*od.* arranged) that.

verbleit [fɛr'blaɪt] *adj mot.* leaded.

verblüff|en [fɛr'blʏfən] *v/t* (*no ge-, h*) amaze, baffle, F flabbergast; **2ung** *f* (-; *no pl*) amazement, bafflement: ***zu m-r ~*** to my amazement.

ver|'blühen *v/i* (*no ge-, sn*) fade, wither (*beide a. fig.*); **~'bluten** *v/i* (*no ge-, sn*) bleed to death; **~'borgen** *adj* hidden, concealed: ***im 2en*** in secret.

Verbot [fɛr'boːt] *n* (-[*e*]*s*; -*e*) prohibition (*gen* of), ban (*gen,* ***von*** on); **2en** *adj*: ***Rauchen ~!*** no smoking; **~sschild** *n* no parking (*od.* no smoking *etc*) sign.

Ver'brauch *m* (-[*e*]*s*; *no pl*) consumption (***an*** *dat* of); **2en** *v/t* (*no ge-, h*) consume, use up.

Verbraucher *m* (-*s*; -) consumer; **~markt** *m* hypermarket; **~schutz** *m* consumer protection; **~zentrale** *f* consumer advice centre.

Verbrauchs|güter *pl* consumer goods *pl*; **~steuer** *f* excise duty.

Ver'brech|en *n* (-*s*; -) crime; **~er** *m* (-*s*; -) criminal; **2erisch** *adj* criminal.

ver'breit|en (*no ge-, h*) **1.** *v/t Neuigkeit etc*: spread; *Licht, Geruch etc*: give off; **2.** *v/refl* spread; **2ung** *f* (-; *no pl*) spread(ing).

ver'brenn|en (*irr, no ge-,* → **brennen**) **1.** *v/t* (*h*) burn; *Müll*: incinerate; *Leiche*: cremate; **2.** *v/i* (*sn*) burn; **2ung** *f* (-; -*en*) burning; *tech.* combustion; cremation; *Wunde*: burn (***an*** *dat* on).

ver'bringen *v/t* (*irr, no ge-, h,* → **bringen**) *Zeit*: spend, pass.

ver'buchen *v/t* (*no ge-, h*) enter (in the books); *fig. Erfolg etc*: clock (*od.* notch) up.

verbünde|n [fɛr'bʏndən] *v/refl* (*no ge-, h*) ally o.s. (***mit*** to, with); **2te** *m, f* (-*n*; -*n*) ally (*a. fig.*).

ver|'bürgen *v/refl* (*no ge-, h*): ***sich ~ für*** vouch for, guarantee; **~'büßen** *v/t* (*no ge-, h*): ***e-e Strafe ~*** serve a sentence, serve time; **~'chromt** *adj* chromium-plated.

Verdacht [fɛr'daxt] *m* (-[*e*]*s*; -*e*, ⸗*e*) suspicion: ***~ schöpfen*** become suspicious; ***im ~ stehen, et. zu tun*** (*od.* ***getan zu haben***) be under suspicion of doing s.th.

verdächtig [fɛr'dɛçtɪç] *adj* suspicious, suspect; **2e** [-gə] *m, f* (-*n*; -*n*) suspect; **~en** [-gən] *v/t* (*no ge-, h*) suspect (*gen* of); **2ung** *f* (-; -*en*) suspicion; *Unterstellung*: insinuation.

verdammt [fɛr'damt] F **1.** *adj* blasted,

V

damn(ed), *bsd. Br.* bloody; **2.** *adv* damn(ed), *bsd. Br.* bloody; **3.** *int* blast!, damn (it)!

ver|'dampfen *v/i* (*no ge-, sn*) evaporate; **~'danken** *v/t* (*no ge-, h*): ***j-m (e-m Umstand** etc)* ***et.*** **~** owe s.th. to s.o. (s.th.).

verdau|en [fɛr'daʊən] *v/t* (*no ge-, h*) digest (*a. fig.*); **2ung** *f* (-; *no pl*) digestion; **2ungsstörungen** *pl* indigestion *sg*; *Verstopfung*: constipation *sg*.

Ver'deck *n* (-[*e*]*s*; -*e*) *mot.* top; **2en** *v/t* (*no ge-, h*) cover (up), *a. tech.* conceal.

ver'denken *v/t* (*irr, no ge-, h*, → ***denken***): ***ich kann es ihm nicht*** **~** I can't blame him (***dass*** for *ger*; ***wenn*** if).

verderb|en [fɛr'dɛrbən] (*verdarb, verdorben*) **1.** *v/i* (*sn*) *Lebensmittel*: go bad; *Fleisch, Milchprodukte*: *a.* go off; **2.** *v/t* (*h*) spoil (*a. fig.*): ***sich die Augen (den Magen)*** **~** ruin one's eyes (upset one's stomach); ***j-m die Freude*** **~** spoil s.o.'s fun; **~lich** [-plɪç] *adj*: ***~e Waren*** perishable goods, perishables.

ver'diene|n (*no ge-, h*) **1.** *v/t Geld*: earn, make; *Lob, Strafe etc*: deserve; **2.** *v/i*: ***gut*** **~** earn a good salary (*od.* wage); **2r** *m* (-*s*; -) wage earner, breadwinner.

Ver'dienst[1] *m* (-*es*; -*e*) earnings *pl*; *Lohn*: wage(s *pl*); *Gehalt*: salary.

Ver'dienst[2] *n* (-*es*; -*e*) merit: ***es ist sein ~, dass*** it is thanks to him that.

Ver'dienstausfall *m* (-[*e*]*s*; *Verdienstausfälle*) loss of earnings.

ver|'dient *adj Strafe etc*: (well-)deserved; **~'doppeln** *v/t u. v/refl* (*no ge-, h*) double.

verdorben [fɛr'dɔrbən] *adj* spoilt (*a. fig.*); *Lebensmittel*: bad, *Fleisch, Milchprodukte*: *pred a.* off; *Magen*: upset.

ver|'drängen *v/t* (*no ge-, h*) *j-n*: oust (***aus*** *e-m Amt* from); *ersetzen*: replace; *phys.* displace; *psych.* repress; *bewusst*: suppress; **~'drehen** *v/t* (*no ge-, h*) twist; *fig. a.* distort; *Augen*: roll: ***j-m den Kopf*** **~** turn s.o.'s head; **~'dreifachen** *v/t u. v/refl* (*no ge-, h*) treble, triple.

Verdruss [fɛr'drʊs] *m* (-*es*; *no pl*) displeasure; *Ärger*: trouble.

Ver'dunk(e)lungsgefahr *f* (-; *no pl*) *jur.* danger of collusion.

ver|'dünnen *v/t* (*no ge-, h*) dilute; *Farben etc*: thin (down); **~'dunsten** *v/i* (*no ge-, sn*) evaporate; **~'dursten** *v/i* (*no ge-, sn*) die of thirst; **~dutzt** [-'dʊtst] *adj* puzzled.

ver'ehr|en *v/t* (*no ge-, h*) *bewundern*: admire; *anbeten, a. fig.*: adore, worship; **2er** *m* (-*s*; -) admirer (*a. e-r Frau etc*); *bsd. e-s Stars*: *a.* fan; **2ung** *f* (-; *no pl*) admiration; adoration, worship.

vereidigen [fɛr'ʔaɪdɪgən] *v/t* (*no ge-, h*) swear *s.o.* in; *jur. Zeugen*: put *s.o.* under an oath.

Ver'ein *m* (-[*e*]*s*; -*e*) club; *bsd. eingetragener*: *a.* society, association.

ver'einbar *adj* compatible (***mit*** with); **~en** *v/t* (*no ge-, h*) agree on, arrange; **2ung** *f* (-; -*en*) agreement, arrangement.

ver'einen *v/t u. v/refl* (*no ge-, h*) → ***vereinigen.***

ver'einfach|en *v/t* (*no ge-, h*) simplify; **2ung** *f* (-; -*en*) simplification.

ver'einheitlich|en *v/t* (*no ge-, h*) standardize; **2ung** *f* (-; -*en*) standardization.

ver'einig|en *v/t u. v/refl* (*no ge-, h*) unite (***zu*** into); (*sich*) *verbinden*: *a.* combine, join; **2ung** *f* (-; -*en*) union; combination; *Bündnis*: alliance.

Vereinigte(n) Staaten (von Amerika) [fɛr'ʔaɪnɪçtə(n)'ʃtaːtən(fɔn a'meːrika)] *the* United States (of America).

Vereinigte(s) Königreich (von Großbritannien und Nordirland) [fɛr'ʔaɪnɪçtə(s)'køːnɪkraɪç (fɔngroːsbri'tanĭən ʊnt'nɔrt'ʔɪrlant)] *the* United Kingdom (of Great Britain and Northern Ireland).

ver'einzelt **1.** *adj* occasioal, odd; **2.** *adv*: **~ *Regen*** occasional showers.

ver|'eiteln *v/t* (*no ge-, h*) prevent; *Plan etc*: *a.* frustrate; **~'enden** *v/i* (*no ge-, sn*) die, perish.

ver'erb|en (*no ge-, h*) **1.** *v/t*: ***j-m et.*** **~** leave (*med.* transmit) s.th. to s.o.; **2.** *v/refl* be passed on (*od.* down) (***auf*** *acc* to) (*a. med. u. fig.*); **2ung** *f* (-; *no pl*) *biol.* heredity.

verewigen [fɛr'ʔeːvɪgən] *v/t* (*no ge-, h*) immortalize.

ver'fahren (*irr, no ge-*, → ***fahren***) **1.** *v/i* (*sn*) proceed: **~ *mit*** deal with; **2.** *v/refl* (*h*) get lost.

Ver'fahren *n* (-*s*; -) procedure, method; *bsd. tech. a.* technique, way; *jur.* (legal) proceedings *pl* (***gegen*** against).

Ver'fall *m* (-[*e*]*s*; *no pl*) decay (*a. fig.*); *e-s Hauses etc*: *a.* dilapidation; *Niedergang*: decline; *econ. etc* expiry; **2en** *v/i* (*irr, no ge-, sn*, → ***fallen***) decay (*a.*

V

fig.); *bsd. fig. a.* decline; *Haus etc*: *a.* dilapidate; *ablaufen*: expire; *Kranker*: waste away; *e-m Laster etc*: become addicted to: **~ auf** (*acc*) hit on; **~sdatum** *n* expiry date.

ver|'fälschen *v/t* (*no ge-, h*) falsify; *Bericht etc*: *a.* distort; *Speisen etc*: adulterate; **~fänglich** [fɛr'fɛŋlɪç] *adj* delicate, tricky; *peinlich*: embarrassing, compromising; **~'färben** *v/refl* (*no ge-, h*) discolo(u)r; *a. Person*: change colo(u)r.

ver'fasse|n *v/t* (*no ge-, h*) write; **꠸r** *m* (*-s*; -) author, writer.

Ver'fassung *f* (-; *-en*) state (*gesundheitlich*: of health; *seelisch*: of mind), condition; *pol.* constitution; **꠸smäßig** *adj* constitutional; **꠸swidrig** *adj* unconstitutional.

ver'faulen *v/i* (*no ge-, sn*) rot, decay.

ver'fehl|en *v/t* (*no ge-, h*) miss (**um** by); **꠸ung** *f* (-; *-en*) offen|ce (*Am.* -se).

ver|'feindet [fɛr'faɪndət] *adj* hostile; **~'feinern** *v/t u. v/refl* (*no ge-, h*) refine.

ver'film|en *v/t* (*no ge-, h*) film; **꠸ung** *f* (-; *-en*) filming; *Film*: film version.

verflossen [fɛr'flɔsən] *adj Zeit*: past: F **mein ~er Mann** my ex-husband.

ver'fluch|en *v/t* (*no ge-, h*) curse; **~t** *adj* → **verdammt.**

ver'folg|en *v/t* (*no ge-, h*) pursue (*a. fig.*); *jagen, a. fig.*: chase, hunt; *pol., eccl.* persecute; *Spuren*: follow; *Gedanken, Traum*: haunt: **gerichtlich ~** prosecute; **꠸er** *m* (*-s*; -) pursuer; persecutor; **꠸ung** *f* (-; *-en*) pursuit; chase, hunt; persecution: **gerichtliche ~** prosecution; **꠸ungswahn** *m med.* persecution mania.

ver|'frachten *v/t* (*no ge-, h*) freight, *mar. od. Am.* ship; **~'früht** *adj* premature.

verfüg|bar [fɛr'fy:kba:r] *adj* available; **~en** [-gən] (*no ge-, h*) **1.** *v/t* decree, order; **2.** *v/i*: **~ über** (*acc*) have at one's disposal; **꠸ung** *f* (-; *-en*) decree, order: **j-m zur ~ stehen** (**stellen**) be (place) at s.o.'s disposal.

ver'führ|en *v/t* (*no ge-, h*) seduce (**et. zu tun** into doing s.th.); **꠸er** *m* (*-s*; -) seducer; **꠸erin** *f* (-; *-nen*) seductress; **~erisch** *adj* seductive; *verlockend*: tempting; **꠸ung** *f* (-; *-en*) seduction.

vergangen [fɛr'gaŋən] *adj* gone, past: **im ~en Jahr** last year; **꠸heit** *f* (-; *no pl*) past.

vergänglich [fɛr'gɛŋlɪç] *adj* transitory.

Ver'gaser *m* (*-s*; -) *mot.* carburet(t)or.

ver'geb|en (*irr, no ge-, h,* → **geben**) **1.** *v/t* give away (*a. Chance*); *Preis etc*: *a.* award: **j-m et. ~** forgive s.o. for s.th.; **2.** *v/i*: **j-m ~** forgive s.o.; **~ens** *adv* in vain; **~lich** [-plɪç]; **1.** *adj* vain; **2.** *adv* in vain.

ver'gehen (*irr, no ge-,* → **gehen**) **1.** *v/i* (*sn*) *Zeit etc*: go by, pass; *nachlassen*; wear off: **~ vor** (*dat*) be dying with; **wie die Zeit vergeht!** how time flies!; **2.** *v/refl* (*h*): **sich ~ an** (*dat*) violate; *sexuell*: assault *s.o.* indecently.

Ver'gehen *n* (*-s*; -) *jur.* offen|ce (*Am.* -se).

Vergeltung [fɛr'gɛltʊŋ] *f* (-; *no pl*) retaliation: **als ~ für** in retaliation for; **~ üben an** (*dat*) retaliate against; **~smaßnahme** *f* retaliatory measure.

vergessen [fɛr'gɛsən] *v/t* (*vergaß, vergessen, h*) forget; *liegen lassen*: leave; **꠸heit** *f* (-; *no pl*): **in ~ geraten** fall into oblivion.

vergesslich [fɛr'gɛslɪç] *adj* forgetful.

vergeud|en [fɛr'gɔʏdən] *v/t* (*no ge-, h*) waste; **꠸ung** *f* (-; *-en*) waste.

vergewaltig|en [fɛrgə'valtɪgən] *v/t* (*no ge-, h*) rape; **꠸ung** *f* (-; *-en*) rape.

ver|gewissern [fɛrgə'vɪsərn] *v/refl* (*no ge-, h*) make sure (**e-r Sache** of s.th.; **ob** whether; **dass** that); **~'gießen** *v/t* (*irr, no ge-, h,* → **gießen**) *Blut, Tränen*: shed; *verschütten*: spill.

ver'gift|en *v/t* (*no ge-, h*) poison (*a. fig.*); *Umwelt*: contaminate; **꠸ung** *f* (-; *-en*) poisoning; contamination.

Ver'gleich *m* (-[*e*]*s*; *-e*) comparison; *jur.* compromise; **꠸bar** *adj* comparable (**mit** to, with); **꠸en** (*irr, no ge-, h,* → **gleichen**) **1.** *v/t* compare (**mit** with; *gleichstellend*: to): **ist nicht zu ~ mit** cannot be compared with; **verglichen mit** compared to (*od.* with); **2.** *v/refl sich einigen*: come to terms: **sich ~ mit** compare o.s. with; **~sverfahren** *n jur.* composition proceedings *pl*; **꠸sweise** *adv* comparatively.

vergnüg|en [-] *v/refl* (*no ge-, h*) enjoy o.s. (**mit et.** doing s.th.); **~t** *adj* cheerful.

Vergnügen [fɛr'gny:gən] *n* (*-s*; -) pleasure; *Spaß*: fun: **mit ~** with pleasure; **viel ~!** have fun (*od.* a good time)!

Ver'gnügung *f* (-; *-en*) pleasure, amusement, entertainment; **~spark** *m* amusement park, fun fair; **~sviertel** *n* night-life district.

ver|'goldet *adj* gold-plated; **~'graben** *v/t* (*irr, no ge-, h,* → ***graben***) bury; **~'greifen** *v/refl* (*irr, no ge-, h,* → ***greifen***): ***sich ~ an*** (*dat*) lay hands on; **~'griffen** *adj Buch*: out-of-print.

vergrößer|n [fɛr'grøːsərn] (*no ge-, h*) **1.** *v/t* enlarge (*a. phot.*); *vermehren*: increase; *opt.* magnify; **2.** *v/refl* increase, grow; **≈ung** *f* (-; *-en*) enlargement, *phot. a.* blow-up; *opt.* magnification; increase; **≈ungsglas** *n* magnifying glass.

Ver'günstigung *f* (-; *-en*) privilege; *steuerliche*: allowance.

vergüt|en [fɛr'gyːtən] *v/t* (*no ge-, h*): ***j-m et. ~*** reimburse s.o. for s.th.; **≈ung** *f* (-; *-en*) reimbursement.

ver'haft|en *v/t* (*no ge-, h*) arrest; **≈ung** *f* (-; *-en*) arrest.

ver'halten *v/refl* (*irr, no -ge-, h,* → ***halten***) behave: ***sich ruhig ~*** keep quiet.

Ver'halten *n* (*-s; no pl*) behavio(u)r, conduct; **≈sgestört** *adj* maladjusted.

Verhältnis [fɛr'hɛltnɪs] *n* (*-ses; -se*) *Beziehung, a. pol. etc*: relationship, relations *pl* (*beide*: ***zu*** with); *Einstellung*: attitude (to, towards); *zahlenmäßig etc*: proportion, relation; F *Liebes≈*: affair: ***~se*** *pl* circumstances *pl*, conditions *pl* (*a. soziale*); ***über s-e ~se leben*** live beyond one's means; **≈mäßig** *adv* comparatively, relatively; **~wahl** *f parl.* proportional representation; **~wahlrecht** *n* (*-[e]s; no pl*) system of proportional representation.

ver'hand|eln (*no ge-, h*) **1.** *v/i* negotiate (***über et.*** [about *od.* on] s.th.); **2.** *v/t jur. Fall*: hear; **≈lung** *f* (-; *-en*) negotiation; *jur.* hearing; *Strafrecht*: trial; **≈lungsbasis** *f*: ***~ 2000 Euro*** 2,000 euros or near(est) offer.

ver'häng|en *v/t* (*no ge-, h*) cover (***mit*** with); *Strafe etc*: impose (***über*** *acc* on); **≈nis** *n* (*-ses; -se*) fate; *Unheil*: disaster; **~nisvoll** *adj* fatal, disastrous.

ver|'harmlosen *v/t* (*no ge-, h*) play *s.th.* down; **~'hasst** *adj* hated; *Sache*: *a.* hateful.

verheerend [fɛr'heːrənt] *adj* disastrous.

ver|hehlen [fɛr'heːlən] *v/t* (*no ge-, h*) → ***verheimlichen***; **~'heilen** *v/i* (*no ge-, sn*) heal (up); **~'heimlichen** *v/t* (*no ge-, h*) hide, conceal (*beide*: *dat* from).

ver'heirate|n (*no ge-, h*) **1.** *v/t* marry (*s.o.* off) (***mit*** to); **2.** *v/refl* get married; **~t** *adj* married.

ver'heißungsvoll *adj* promising.

ver'helfen *v/i* (*irr, no ge-, h,* → ***helfen***): ***j-m zu et. ~*** help s.o. to get s.th.

ver'hinder|n *v/t* (*no ge-, h*) prevent (***dass j-d et. tut*** s.o. from doing s.th.); **~t** *adj* unable to come: ***ein ~er Künstler*** an artist manqué; *Möchtegernkünstler*: a would-be artist; **≈ung** *f* (-; *-en*) prevention.

verhöhn|en [fɛr'høːnən] *v/t* (*no ge-, h*) deride, mock; **≈ung** *f* (-; *-en*) derision.

Verhör [fɛr'høːr] *n* (*-[e]s; -e*) *jur.* interrogation; **≈en** (*no ge-, h*) **1.** *v/t* interrogate; **2.** *v/refl* mishear.

ver'hungern *v/i* (*no ge-, sn*) die of hunger, starve (to death).

ver'hüt|en *v/t* (*no ge-, h*) prevent; **≈ungsmittel** *n med.* contraceptive.

ver|'irren *v/refl* (*no ge-, h*) get lost, lose one's way; **~'jagen** *v/t* (*no ge-, h*) chase (*od.* drive) away.

verjähr|en [fɛr'jɛːrən] *v/i* (*no ge-, sn*) *jur.* come under the statute of limitations; **~t** *adj* statute-barred; **≈ungsfrist** *f* statutory period of limitation.

ver'kabeln *v/t* (*no ge-, h*) *TV* cable.

Ver'kauf *m* (*-[e]s; Verkäufe*) sale; **≈en** (*no ge-, h*) **1.** *v/t* sell: ***zu ~*** for sale; **2.** *v/refl*: ***sich gut ~*** sell well.

Ver'käuf|er *m* (*-s; -*) seller; *im Laden*: salesperson, *Br.* (shop) assistant, *Am.* (sales) clerk; *Auto≈, Möbel≈ etc*: salesman; **~erin** *f* (-; *-nen*) → ***Verkäufer***; *Auto≈, Möbel≈ etc*: saleslady; **≈lich** *adj* for sale: ***leicht*** (***schwer***) ***~*** easy (hard) to sell.

Ver'kaufs|leiter *m* sales manager; **≈offen** *adj*: ***~er Samstag*** all-day shopping on Saturday; **~preis** *m* selling price.

Verkehr [fɛr'keːr] *m* (*-s; no pl*) traffic; *öffentlicher*: transport(ation *Am.*); *Umgang*: dealings *pl*, contact; *Geschäfts≈*: business; *Geschlechts≈*: intercourse: ***aus dem ~ ziehen*** *Geld*: withdraw from circulation; **≈en** (*no ge-, h*) **1.** *v/i* **a)** (*a.* sn) *Bus etc*: run **b)** ***~ in e-m Lokal etc***: frequent; ***~ mit*** associate (*od.* mix) with; **2.** *v/t*: ***ins Gegenteil ~*** reverse.

Ver'kehrs|ader *f* arterial road; **~ampel** *f Br.* traffic lights *pl*, *Am.* traffic light, stoplight; **~aufkommen** *n* (*-s; no pl*) traffic volume; **≈beruhigt** [-bə'ruːɪçt]

V

adj: **~e Zone** area with traffic calming; **~beruhigung** *f* (-; *no pl*) traffic calming; **~chaos** *n* traffic chaos; **~flugzeug** *n* airliner; **~funk** *m* (-*s*; *no pl*) traffic news *pl* (*sg konstr.*); **~insel** *f* traffic island; **~kon,trolle** *f* vehicle spot-check; **~meldung** *f* traffic announcement; *pl* traffic news *pl* (*sg konstr.*); **~mittel** *n* means of transportation: → **öffentlich** 1; **~opfer** *n* road casualty; **~poli,zei** *f* traffic police (*pl konstr.*); **~poli,zist** *m* traffic policeman; **~regel** *f* traffic regulation; **2sicher** *adj mot.* roadworthy; **~sicherheit** *f* road safety; *e-s Autos etc*: roadworthiness; **~stau** *m* traffic jam; **~sünder** *m* traffic offender; **~teilnehmer** *m* road user; **~unfall** *m* traffic (*od.* road) accident; **~verbindung** *f* (road *od.* rail) link (**nach, zu** to); **~zeichen** *n* road sign.

ver|'kehrt *adj u. adv falsch*: wrong, *adv a.* wrongly, the wrong way; **~ (herum)** upside down; *Pulli etc*: inside out, *Vorderteil nach hinten*: back to front; **~'kennen** *v/t* (*irr, no ge-, h,* → **kennen**) misjudge.

Ver'kettung *f* (-; -*en*): **~ unglücklicher Umstände** concatenation of misfortunes.

ver'klagen *v/t* (*no ge-, h*) *jur.* sue (**auf** *acc*, **wegen** for).

verklapp|en *v/t* (*no ge-, h*) dump; **'2ung** *f* (-; -*en*) (marine) dumping.

verkleid|en [fɛr'klaɪdən] (*no ge-, h*) **1.** *v/t tech.* cover; *außen*: (en)case; *innen*: line; *vertäfeln*: panel; **2.** *v/refl* dress up (**als** as); **2ung** *f* (-; -*en*) fancy dress; covering; casing; lining; panel(l)ing.

verkleiner|n [fɛr'klaɪnərn] *v/t* (*no ge-, h*) make smaller, reduce (in size); **2ung** *f* (-; -*en*) reduction (in size).

Ver'knappung *f* (-; -*en*) shortage.

ver'kühlen *v/refl* (*no ge-, h*) catch (a) cold.

verkünd|en [fɛr'kʏndən] *v/t* (*no ge-, h*) announce; *bsd. öffentlich*: proclaim; *Urteil*: pronounce; **2ung** *f* (-; -*en*) announcement; proclamation; pronouncement.

ver|'kürzen *v/t* (*no ge-, h*) shorten (**um** by); (*Arbeits*)*zeit*: *a.* reduce; **~'laden** *v/t* (*irr, no ge-, h,* → **laden**) load (**auf** *acc* onto; **in** *acc* into).

Verlag [fɛr'la:k] *m* (-[*e*]*s*; -*e*) publishing house (*od.* company), publisher(s *pl*).

ver'lagern *v/t u. v/refl* (*no ge-, h*) shift (**auf** *acc* to) (*a. fig.*).

ver'langen *v/t* (*no ge-, h*) ask for; *fordern*: demand; *beanspruchen*: claim; *Preis*: charge; *erfordern*: take, call for.

Ver'langen *n* (-*s*; *no pl*) desire (**nach** for); *Sehnen*: longing (for), yearning (for): **auf ~** by request; *econ.* on demand.

verlänger|n [fɛr'lɛŋərn] *v/t* (*no ge-, h*) lengthen, make longer; *bsd. fig.* prolong (*a. Leben*), extend (*a. econ.*); **2ung** *f* (-; -*en*) lengthening; prolongation, extension.

ver'langsamen *v/t u. v/refl* (*no ge-, h*) slow down (*a. fig.*).

Verlass [fɛr'las] *m*: **auf ihn ist (kein) ~** you can('t) rely on him.

ver'lassen (*irr, no ge-, h,* → **lassen**) **1.** *v/t* leave; *im Stich lassen*: *a.* abandon, desert; **2.** *v/refl*: **sich ~ auf** (*acc*) rely (*od.* depend) on.

verlässlich [fɛr'lɛslɪç] *adj* reliable, dependable.

Ver'lauf *m* (-[*e*]*s*; *Verläufe*) course (*a. fig.*): **im ~ von** (*od. gen*) in the course of; **2en** (*irr, no ge-,* → **laufen**) **1.** *v/i* (*sn*) run; *ablaufen*: go; *enden*: end (up); **2.** *v/refl* (*h*) get lost, lose one's way.

ver'lauten *v/i* (*no ge-, sn*): **~ lassen** give to understand; **wie verlautet** as reported.

ver'leben *v/t* (*no ge-, h*) spend; *Zeit etc*: *a.* have.

ver'legen[1] *v/t* (*no ge-, h*) *Ort etc*: move; *Brille etc*: mislay; *tech.* lay; *zeitlich*: put off, postpone; *Buch*: publish.

ver'legen[2] *adj* embarrassed; **2heit** *f* (-; *no pl*) embarrassment; *Lage*: embarrassing situation.

Ver'leger *m* (-*s*; -) publisher.

Verleih [fɛr'laɪ] *m* (-[*e*]*s*; -*e*) hiring (*Am.* renting) out; *Firma*: hire (*od.* rental) company; **2en** *v/t* (*irr, no ge-, h,* → **leihen**) lend (out), *bsd. Am. a.* loan (out); *gegen Miete*: hire (*Am.* rent) out; *Titel etc*: confer (*dat* on); *Preis etc*: award (to); **~ung** *f* (-; -*en*) conferment; awarding.

ver|'lernen *v/t* (*no ge-, h*) forget; **~'lesen** (*irr, no ge-, h,* → **lesen**) **1.** *v/t* read (*Namen*: *a.* call) out; **2.** *v/refl* read it wrong: **sich bei et. ~** misread s.th.

verletz|en [fɛr'lɛtsən] (*no ge-, h*) **1.** *v/t*

hurt, injure; *kränken*: hurt, offend; *Gesetz etc*: violate; *Vorschrift etc*: offend against; **2.** *v/refl* hurt o.s., get hurt; **~end** *adj* offensive; **♀te** *m, f (-n; -n)* injured person: ***die ~n*** *pl* the injured *pl*; **♀ung** *f (-; -en)* injury; *fig.* violation.

verleumd|en [fɛr'lɔymdən] *v/t (no ge-, h) jur. mündlich*: slander; *schriftlich*: libel; **~erisch** *adj* slanderous, libel(-l)ous; **♀ung** *f (-; -en)* slander; libel.

ver'lieb|en *v/refl (no ge-, h)* fall in love (***in*** *acc* with); **~t** *adj* in love (***in*** *acc* with); *Blick etc*: amorous.

verliere|n [fɛr'li:rən] *v/t u. v/i (verlor, verloren, h)* lose (***gegen*** to); **♀r** *m (-s; -)* loser.

ver'lob|en *v/refl (no ge-, h)* get engaged (***mit*** to); **♀te** [-ptə] *m, f (-n; -n)* fiancé(e *f*); **♀ung** *f (-; -en)* engagement; **♀ungsring** *m* engagement ring.

ver'lockend *adj* tempting.

verlogen [fɛr'lo:gən] *adj* lying; *Moral etc*: hypocritical; **♀heit** *f (-; no pl)* lying; hypocrisy.

verloren [fɛr'lo:rən] *adj* lost; *Zeit etc*: *a.* wasted; ***~ gehen*** be (*od.* get) lost; **'~gehen** → ***verloren.***

ver'los|en *v/t (no ge-, h)* raffle (off); **♀ung** *f (-; -en)* raffle.

Ver'lust *m (-[e]s; -e)* loss (*a. fig.*): ***~e*** *pl bsd. mil.* casualties *pl.*

ver'machen *v/t (no ge-, h)* leave, will.

Vermächtnis [fɛr'mɛçtnɪs] *n (-ses; -se)* legacy (*a. fig.*).

vermarkt|en [fɛr'marktən] *v/t (no ge-, h)* market; *fig.* commercialize; **♀ung** *f (-; -en)* marketing; commercialization.

ver'mehr|en *(no ge-, h)* **1.** *v/t* increase (***um*** by); **2.** *v/refl* increase (***um*** by); *biol.* reproduce, multiply, *zo. a.* breed; **♀ung** *f (-; -en)* increase (*gen* in); *biol.* reproduction.

vermeid|bar [fɛr'maɪtba:r] *adj* avoidable; **~en** [-dən] *v/t (irr, no ge-, h,* → ***meiden****)* avoid: ***es ~, et. zu tun*** avoid doing s.th.; **~lich** → ***vermeidbar.***

Vermerk [fɛr'mɛrk] *m (-[e]s; -e)* note; **♀en** *v/t (no ge-, h)* make a note of.

ver'messen[1] *v/t (irr, no ge-, h,* → ***messen****)* measure; *Land*: survey.

ver'messen[2] *adj* presumptious; **♀heit** *f (-; no pl)* presumption.

ver'miet|en *v/t (no ge-, h)* rent (out); *Sachen*: *Br. a.* hire out: ***zu ~*** *Haus etc*: *Br.* to let, *Am.* for rent; **♀er** *m (-s; -)* landlord; **♀erin** *f (-; -nen)* landlady; **♀ung** *f (-; -en)* renting (out); hiring (out).

ver'misch|en *v/t u. v/refl (no ge-, h)* mix (***mit*** with); **~t** *adj* mixed: ***♀es*** *Überschrift*: miscellaneous.

vermiss|en [fɛr'mɪsən] *v/t (no ge-, h)* miss; **~t** *adj* missing: ***j-n als ~ melden*** report s.o. missing.

ver'mitt|eln *(no ge-, h)* **1.** *v/t* arrange; *Eindruck etc*: give, convey: ***j-m et. ~*** get (*od.* find) s.o. s.th.; **2.** *v/i* mediate (***zwischen*** *dat* between); **♀ler** *m (-s; -)* mediator, go-between; *econ.* agent, broker; **♀lung** *f (-; -en)* mediation; *Herbeiführung*: arrangement; *Stelle*: agency, office; *teleph.* (telephone) exchange; *Person*: operator.

Ver'mögen *n (-s; -)* fortune (*a.* F *fig.*); *Besitz*: property; *econ.* assets *pl*; **♀d** *adj* well-to-do, well-off; **~sberatung** *f* investment consultancy; **~sbildung** *f* wealth formation; **~ssteuer** *f* property tax; **~sverhältnisse** *pl* financial circumstances *pl*; **~swerte** *pl* assets *pl.*

vermumm|en [fɛr'mʊmən] *v/refl (no ge-, h)* wrap o.s. up; *sich verkleiden*: disguise o.s.; *bei Demonstration*: wear a mask; **♀ungsverbot** *n* ban on wearing masks (at demonstrations).

vermut|en [fɛr'mu:tən] *v/t (no ge-, h)* suppose, *Am. a.* guess; **~lich** *adv* probably; **♀ung** *f (-; -en)* supposition; *bloße*: speculation.

vernachlässig|en [fɛrna:xlɛsɪgən] *v/t (no ge-, h)* neglect; **♀ung** *f (-; -en)* neglect.

ver'nehm|en *v/t (irr, no ge-, h,* → ***nehmen****)* hear; *jur.* question, interrogate; **♀ung** *f (-; -en)* questioning, interrogation.

verneinen [fɛr'naɪnən] *(no ge-, h)* **1.** *v/t* deny; **2.** *v/i* say no, answer in the negative.

vernicht|en [fɛr'nɪçtən] *v/t (no ge-, h)* destroy; *bsd. mil. a.* annihilate; *ausrotten*: exterminate; **~end** *adj Kritik*: devastating; *Niederlage etc*: crushing; *Blick*: withering; **♀ung** *f (-; -en)* destruction; annihilation; extermination.

Vernunft [fɛr'nʊnft] *f (-; no pl)* reason: ***~ annehmen*** listen to reason; ***j-n zur ~ bringen*** bring s.o. to his senses.

vernünftig [fɛr'nʏnftɪç] *adj* sensible, reasonable (*a. Preis etc*); F *ordentlich*: decent.

ver'öffentlich|en *v/t* (*no ge-, h*) publish; **∻ung** *f* (-; *-en*) publication.

ver'ordn|en *v/t* (*no ge-, h*) *med.* prescribe (***j-m*** for s.o.); *gesetzlich*: decree; **∻ung** *f* (-; *-en*) decree.

ver|'pachten *v/t* (*no ge-, h*) lease (*dat*, ***an*** *acc* to); **∻'pächter** *m* (*-s*; -) lessor.

ver'pack|en *v/t* (*no ge-, h*) pack (up); *tech.* package; *einwickeln*: wrap up; **∻ung** *f* (-; *-en*) pack(aging); *Papier∻*: wrapping; **∻ungsmateri,al** packaging material.

ver|'passen *v/t* (*no ge-, h*) miss; **~'patzen** *v/t* (*no ge-, h*) F mess up; **~'pfänden** *v/t* (*no ge-, h*) pawn.

ver'pflanz|en *v/t* (*no ge-, h*) *med. Organ*: transplant; *Haut*: graft; **∻ung** *f* (-; *-en*) transplant; graft.

ver'pfleg|en *v/t* (*no ge-, h*) feed; **∻ung** *f* (-; *-en*) food.

ver'pflicht|en (*no ge-, h*) **1.** *v/t Band etc*: hire; *Schauspieler*: engage: ***j-n zu et. ~*** oblige (*vertraglich*: obligate) s.o. to do s.th.; **2.** *v/refl*: ***sich ~, et. zu tun*** undertake to do s.th.; **~et** *adj*: ***~ sein (sich ~ fühlen), et. zu tun*** be (feel) obliged to do s.th.; **∻ung** *f* (-; *-en*) obligation; *Pflicht*: duty; *econ.*, *jur.* liability; *übernommene*: engagement, commitment.

ver|'pfuschen *v/t* (*no ge-, h*) F bungle, botch (up); **~prügeln** [-'pry:gəln] *v/t* (*no ge-, h*) beat *s.o.* up.

Ver'rat *m* (-[*e*]*s*; *no pl*) betrayal (***an*** *dat* of); *Landes∻*: treason (to); **∻en** (*irr, no ge-, h,* → ***raten***) **1.** *v/t* betray, give away (*beide a. fig.*); **2.** *v/refl* give o.s. away.

Verräter [fɛr'rɛ:tər] *m* (*-s*; -) traitor; **∻isch** *adj* treacherous; *fig.* revealing, telltale.

ver'rechn|en (*no ge-, h*) **1.** *v/t* offset (***mit*** against); **2.** *v/refl* miscalculate (***um*** by), make a mistake (*a. fig.*): ***sich um e-n Euro verrechnet haben*** be one euro out; **∻ung** *f* (-; *-en*) offset: ***nur zur ~*** *Scheckvermerk*: *Br.* account payee only, *Am.* for deposit only; **∻ungsscheck** *m Br.* crossed cheque, *Am.* voucher check.

ver'regnet *adj* rainy.

ver'reis|en *v/i* (*no ge-, sn*) go away (***geschäftlich*** on business); **~t** *adj*: (***geschäftlich***) ***~*** away (on business).

verrenk|en [fɛr'rɛŋkən] *v/t* (*no ge-, h*): ***sich et. ~*** *med.* dislocate s.th.; ***sich den Hals ~*** crane one's neck (***nach*** to get a glimpse of), *Am.* rubberneck; **∻ung** *f* (-; *-en*) *med.* dislocation.

ver|'richten *v/t* (*no ge-, h*) do, carry out; **~'riegeln** *v/t* (*no ge-, h*) bolt, bar.

verringer|n [fɛr'rɪŋərn] (*no ge-, h*) **1.** *v/t* decrease, reduce, lower; **2.** *v/refl* decrease, diminish, go down; **∻ung** *f* (-; *-en*) decrease (*gen* in), reduction (of), lowering (of).

ver'rosten *v/i* (*no ge-, sn*) rust.

ver'rück|en *v/t* (*no ge-, h*) move, shift; **~t** *adj* mad, crazy (*beide a. fig.*: ***nach*** about): ***wie ~*** like mad; ***~ werden*** go mad (*od.* crazy); ***j-n ~ machen*** drive s.o. mad; **∻te** *m, f* (*-n*; *-n*) madman (madwoman), lunatic, maniac (*alle a.* F *fig.*); **∻theit** *f* (-; *-en*) madness, craziness; *Tat etc*: crazy thing.

Ver'ruf *m*: ***in ~ bringen (kommen)*** bring (fall) into disrepute; **∻en** *adj* disreputable.

ver'rutschen *v/i* (*no ge-, sn*) slip, get out of place.

Vers [fɛrs] *m* (*-es*; *-e*) verse; *Zeile*: *a.* line.

ver'sagen *v/i* (*no ge-, h*) *allg.* fail; *tech. a.* break down; *Waffe*: misfire.

Ver'sage|n *n* (*-s*) failure: ***menschliches ~*** human error; **~r** *m* (*-s*; *-s*) failure.

ver'salzen *v/t* (*irr, no ge-, h,* → ***salzen***) put too much salt in.

ver'samm|eln (*no ge-, h*) **1.** *v/t* assemble, gather; **2.** *v/refl* assemble, meet; **∻lung** *f* (-; *-en*) assembly, meeting.

Versand [fɛr'zant] *m* (-[*e*]*s*; *no pl*) dispatch; *Transport*: shipment; *Abteilung*: forwarding department; **~haus** *n* mail-order company; **~hauskata,log** *m* mail-order catalog(ue); **~kosten** *pl* forwarding expenses *pl*; **~schein** *m* shipping note.

ver|'schaffen *v/t* (*no ge-, h*): ***j-m et. ~*** get (*od.* find) s.o. s.th.; ***sich et. ~*** get (*od.* obtain) s.th.; **~schämt** [-'ʃɛ:mt] *adj* bashful; **~'schärfen** (*no ge-, h*) **1.** *v/t verschlimmern*: aggravate; *Kontrollen etc*: tighten up; *erhöhen*: increase; **2.** *v/refl schlimmer werden*: get worse; **~'schenken** *v/t* (*no ge-, h*) give away (*a. fig.*); **~scheuchen** [-'ʃɔʏçən] *v/t* (*no ge-, h*) scare off, chase away (*a fig.*); **~'schicken** *v/t* (*no ge-, h*) dispatch, ship.

ver'schieb|en (*irr, no ge-, h,* → ***schie-***

ben*) 1.** *v/t* move, shift; *zeitlich*: put off, postpone (auf*** *acc* to, until); **2.** *v/refl* move; *verrutschen*: slip; *Termin*: be postponed (***auf*** *acc* to, until); **≈ung** *f* (-; *-en*) postponement.

verschieden [fɛrˈʃiːdən] *adj* different (***von*** from): **~e** *pl mehrere*: various, several; **~artig** *adj* different; *mannigfaltig*: various; **≈heit** *f* (-; *-en*) difference.

verˈschiff|en *v/t* (*no ge-, h*) ship; **≈ung** *f* (-; *-en*) shipment.

verˈschimmeln *v/i* (*no ge-, sn*) go mo(u)ldy.

verˈschlafen[1] (*irr, no ge-, h,* → ***schlafen***) **1.** *v/i* oversleep; **2.** *v/t et.*: sleep through.

verˈschlafen[2] *adj* sleepy (*a. fig.*).

Verˈschlag *m* (-[*e*]*s*; *⸚e*) shed.

verˈschlagen[1] *v/t* (*irr, no ge-, h,* → ***schlagen***): ***j-m den Atem ~*** take s.o.'s breath away; ***j-m die Sprache ~*** leave s.o. speechless; ***es hat ihn nach X ~*** he ended up in X.

verˈschlagen[2] *adj* sly, cunning.

verschlechter|n [fɛrˈʃlɛçtərn] *v/t u. v/refl* (*no ge-, h*) make (*refl* get) worse, worsen, deteriorate; **≈ung** *f* (-; *-en*) deterioration; *e-s Zustands*: *a.* change for the worse.

Verschleiß [fɛrˈʃlaɪs] *m* (*-es; no pl*) wear and tear; **≈en** *v/t, v/i u. v/refl* (*ver-schliss, verschlissen, h*) wear out; **~teil** *n* wearing part.

ver|ˈschleppen *v/t* (*no ge-, h*) *in die Länge ziehen*: draw out, delay; *Krankheit*; neglect; **~ˈschleudern** *v/t* (*no ge-, h*) *Vermögen etc*: squander; *econ.* sell off cheaply; **~ˈschließen** *v/t* (*irr, no ge-, h,* → ***schließen***) close, shut (*a. fig. die Augen*: ***vor*** *dat* to); *absperren*: lock (up); **~schlimmern** [~ˈʃlɪmərn] *v/t u. v/refl* (*no ge-, h*) → ***verschlechtern***; **~ˈschlingen** *v/t* (*irr, no ge-, h,* → ***schlingen***) devour (*a. fig. Buch etc*), bolt down; *fig. Geld*: swallow (up); **~ˈschlucken** (*no ge-, h*) **1.** *v/t* swallow (*fig.* up); **2.** *v/refl* choke (***an*** *dat* on).

Verˈschluss *m* (*-es; ⸚e*) fastener; *aus Metall*: *a.* clasp; *Schnapp≈*: catch; *Schloss*: lock; *Deckel*: cover, lid; *a. Schraub≈*: cap, top; *phot.* shutter: ***unter ~*** under lock and key.

ver|ˈschlüsseln *v/t* (*no ge-, h*) (en)code; **~schmähen** [~ˈʃmɛːən] *v/t* (*no ge-, h*) disdain, spurn; **~ˈschmerzen** *v/t* (*no ge-, h*) get over *s.th.*

verˈschmutz|en (*no ge-*) **1.** *v/t* (*h*) soil, dirty; *Umwelt*: pollute; **2.** *v/i* (*sn*) get dirty; become polluted; **≈ung** *f* (-; *-en*) soiling; *konkret*: dirt; pollution.

ver|ˈschneit *adj* snow-covered, snowy; **~schnupft** [~ˈʃnʊpft] *adj*: ***~ sein*** *med.* have a cold; F *fig.* be peeved; **~ˈschnüren** *v/t* (*no ge-, h*) tie up; **~schollen** [~ˈʃɔlən] *adj* missing; *jur.* presumed dead; **~ˈschonen** *v/t* (*no ge-, h*) spare: ***j-n mit et. ~*** spare s.o. s.th.; **~schränken** [~ˈʃrɛŋkən] *v/t* (*no ge-, h*) *Arme*: fold; *Beine*: cross.

verˈschreib|en (*irr, no ge-, h,* → ***schreiben***) **1.** *v/t med.* prescribe (***j-m*** for s.o.; ***gegen*** for); **2.** *v/refl* make a slip of the pen; **~ungspflichtig** *adj pharm.* available on prescription only.

verˈschrotten *v/t* (*no ge-, h*) scrap.

verˈschuld|en (*no ge-, h*) **1.** *v/t* be responsible for, cause, be the cause of; **2.** *v/refl* get into debt; **~et** *adj* in debt; **≈ung** *f* (-; *-en*) debts *pl.*

Verˈschulden *n* (*-s; no pl*): ***ohne mein ~*** through no fault of mine.

ver|ˈschütten *v/t* (*no ge-, h*) *Flüssigkeit*: spill; *j-n*: bury alive; **~schwägert** [~ˈʃvɛːgərt] *adj* related by marriage; **~ˈschweigen** *v/t* (*irr, no ge-, h,* → ***schweigen***) hide, keep *s.th.* (a) secret (*beide*: *dat* from).

verschwend|en [fɛrˈʃvɛndən] *v/t* (*no ge-, h*) waste (***an*** *acc* on); **≈er** *m* (*-s*; -) spendthrift; **~erisch** *adj* wasteful, extravagant; *üppig*: lavish; **≈ung** *f* (-; *-en*) waste.

verschwiegen [fɛrˈʃviːgən] *adj* discreet; *verborgen*: hidden, secret; **≈heit** *f* (-; *no pl*) secrecy, discretion.

verˈschwinden *v/i* (*irr, no ge-, sn,* → ***schwinden***) disappear, vanish: F ***verschwinde!*** beat it!

Verˈschwinden *n* (*-s*) disappearance.

verschwommen [fɛrˈʃvɔmən] *adj* blurred (*a. phot.*); *fig. Begriff etc*: vague; *Erinnerung*: hazy.

verˈschwör|en *v/refl* (*irr, no ge-, h,* → ***schwören***) conspire, plot (*beide*: ***gegen*** against); **≈er** *m* (*-s*; -) conspirator; **≈ung** *f* (-; *-en*) conspiration, plot.

verschwunden [fɛrˈʃvʊndən] *adj* missing.

verˈsehen (*irr, no ge-, h,* → ***sehen***) **1.** *v/t*

V

Haushalt etc: take care of: **~ *mit*** provide with; **2.** *v/refl* make a mistake.

Ver'sehen *n* (*-s*; -) mistake, error: ***aus* ~** → ***versehentlich***; **2tlich** *adv* by mistake, unintentionally.

Versehrte [fɛr'ze:rtə] *m*, *f* (*-n*; *-n*) disabled person; ***die* ~*n*** the disabled.

ver|'senden *v/t* (*mst irr*, *no ge-*, *h*, → ***senden***[1]) → ***verschicken***; **~'senken** *v/t* (*no ge-*, *h*) sink; **~sessen** [-'zɛsən] *adj*: **~ *auf*** (*acc*) mad (*od.* crazy) about.

ver'setz|en (*no ge-*, *h*) **1.** *v/t* move, shift; *dienstlich*: transfer (***in*** *acc*, ***auf*** *acc*, ***nach*** to); *Schüler*: *Br.* move *s.o.* up, *Am.* promote; *Schlag etc*: give; *verpfänden*: pawn: F ***j-n* ~** stand s.o. up; ***in die Lage* ~ *zu*** put in a position to, enable to; **2.** *v/refl*: ***sich in j-s Lage* ~** put o.s. in s.o.'s place; **2ung** *f* (-; *-en*) transfer; *Schule*: remove, *Am.* promotion.

ver'seuch|en *v/t* (*no ge-*, *h*) contaminate; **2ung** *f* (-; *-en*) contamination.

Ver'sicher|er *m* (*-s*; -) insurer; **2n** (*no ge-*, *h*) **1.** *v/t econ.* insure (***bei*** with; ***gegen*** against); *behaupten*: assure (***j-m et.*** s.o. of s.th.); **2.** *v/refl* insure o.s.; *sichergehen*: make sure (***dass*** that); **~te** *m*, *f* (*-n*; *-n*) *the* insured (party); **~ung** *f* (-; *-en*) insurance; *Gesellschaft*: insurance company; assurance, assertion.

Ver'sicherungs|a,gent *m* insurance agent; **~gesellschaft** *f* insurance company; **~karte** *f*: → ***grün***; **~nehmer** *m* (*-s*; -) *the* insured (party); **~po,lice** *f*, **~schein** *m* insurance policy.

Version [vɛr'zǐo:n] *f* (-; *-en*) version.

versöhn|en [fɛr'zø:nən] *v/refl* (*no ge-*, *h*) become reconciled, make it up (***mit*** with); **~lich** *adj* conciliatory; **2ung** *f* (-; *-en*) reconciliation.

ver'sorg|en *v/t* (*no ge-*, *h*) provide (***mit*** with); supply (with); *Familie etc*: support; *sich kümmern um*: take care of, look after; *Wunde*: see to; **2ung** *f* (-; *no pl*) supply (***mit*** with); *Unterhalt*: support; *Betreuung*: care.

Ver'sorgungs|engpass *m* supply bottleneck (*od.* shortage); **~lücke** *f* supply gap; **~schwierigkeiten** *pl* supply problems.

verspät|en [fɛr'ʃpɛ:tən] *v/refl* (*no ge-*, *h*) be late; **~et** *adj* late; *Gratulation*: belated; **2ung** *f* (-; *-en*) *Verzögerung*: delay: ***20 Minuten* ~ *haben*** be 20 minutes late.

ver|'speisen *v/t* (*no ge-*, *h*) eat, consume; **~'sperren** *v/t* (*no ge-*, *h*): ***j-m die Sicht*** (***den Weg***) **~** obstruct s.o.'s view (block s.o.'s path); **~'spielen** *v/t* (*no ge-*, *h*) *Geld etc*: gamble away; **~'spotten** *v/t* (*no ge-*, *h*) make fun of, ridicule.

ver'sprechen (*irr*, *no ge-*, *h*, → ***sprechen***) **1.** *v/t* promise (*a. fig.*): ***sich zu viel* ~** (***von***) expect too much (of); **2.** *v/refl* make a mistake.

Ver'spreche|n *n* (*-s*; -) promise; **~r** *m* (*-s*; -) slip of the tongue.

ver'staatlich|en *v/t* (*no ge-*, *h*) nationalize; **2ung** *f* (-; *-en*) nationalization.

Ver'städterung *f* (-; *-en*) urbanization.

Ver'stand *m* (-[*e*]*s*; *no pl*) mind, intellect; *Vernunft*: reason, (common) sense; *Intelligenz*: intelligence, brains *pl*: ***nicht bei* ~** out of one's mind, not in one's right mind; ***den* ~ *verlieren*** lose one's mind; **2esmäßig** [-dəs-] *adj* rational.

ver'ständ|ig *adj* reasonable, sensible; **~igen** [-gən] (*no ge-*, *h*) **1.** *v/t* inform (***von*** of), notify (of); *Arzt*, *Polizei*: *a.* call; **2.** *v/refl* communicate; *sich einigen*: come to an agreement (***über*** *acc* on); **2igung** *f* (-; *no pl*) communication (*a. teleph.*); *Einigung*: agreement; **~lich** [-tlɪç] *adj* intelligible; *begreiflich*: *a.* comprehensible; *Verhalten*: understandable; *hörbar*: audible: ***schwer*** (***leicht***) **~** difficult (easy) to understand; ***j-m et.* ~ *machen*** make s.th. clear to s.o.; ***sich* ~ *machen*** make o.s. understood.

Verständnis [fɛr'ʃtɛntnɪs] *n* (*-ses*; *no pl*) comprehension, understanding (*a. menschliches*); *Mitgefühl*: *a.* sympathy: (***viel***) **~ *haben*** be (very) understanding; **~ *haben für*** understand; *Kunst etc*: appreciate; **2los** *adj* unappreciative; *Blick etc*: blank; **2voll** *adj* understanding, sympathetic; *Blick etc*: knowing.

ver'stärk|en *v/t* (*no ge-*, *h*) reinforce (*a. tech.*); *zahlenmäßig*: strengthen (*a. tech.*); *Radio*, *phys.*: amplify; *steigern*: intensify; **2er** *m* (*-s*; -) amplifier; **2ung** *f* (-; *-en*) reinforcement; strengthening; amplification; intensification.

ver'stauben *v/i* (*no ge-*, *sn*) get dusty.

verstauch|en [fɛr'ʃtaʊxən] *v/t* (*no ge-*,

h): ***sich et.*** **~** *med.* sprain s.th.; **2ung** *f* (-; *-en*) sprain.

ver'stauen *v/t* (*no ge-, h*) stow away.

Versteck [fɛr'ʃtɛk] *n* (-[*e*]*s*; *-e*) hiding place; *von Verbrechern*: *a.* hideout; **2en** *v/t u. v/refl* (*no ge-, h*) hide (***vor*** *dat* from).

ver'stehen *v/t, v/i u. v/refl* (*irr, no ge-, h,* → ***stehen***) understand, F get; *akustisch*: *a.* catch; *einsehen*: see; *sich im Klaren sein*: realize: ***es*** **~** ***zu*** know how to; ***zu*** **~** ***geben*** give *s.o.* to understand, suggest; **~** ***Sie***(*?*) *erklärend*: you know (*od.* see); *fragend*: you see?; ***ich verstehe!*** I see!; ***was*** **~** ***Sie unter*** (*dat*) *…?* what do you mean (*od.* understand) by …?; ***sich*** (***gut***) **~** get along (well) (***mit*** with); ***es versteht sich von selbst*** it goes without saying.

ver'steiger|n *v/t* (*no ge-, h*) (sell by) auction; **2ung** *f* (-; *-en*) auction (sale).

ver'stell|bar *adj* adjustable; **~en** (*no ge-, h*) **1.** *v/t versperren*: block; *umstellen*: move, shift; *falsch einstellen*: set *s.th.* wrong (*od.* the wrong way); *tech.* adjust, regulate; *Stimme etc*: disguise; **2.** *v/refl fig.* pretend, put on an act; *s-e Gefühle verbergen*: hide one's feelings; **2ung** *f* (-; *no pl*) *fig.* preten|ce (*Am.* -se).

ver'steuern *v/t* (*no ge-, h*) pay tax on: ***zu*** **~*****de Einkünfte*** taxable income.

ver'stimm|en *v/t* (*no ge-, h*) *verärgern*: annoy; **~t** *adj mus.* out-of-tune; *Magen*: upset; *verärgert*: annoyed, disgruntled; **2ung** *f* (-; *-en*) upset, disgruntlement.

verstohlen [fɛr'ʃtoːlən] *adj* furtive, surreptitious.

ver'stopf|en *v/t* (*no ge-, h*) *Abfluss etc*: block (up), clog (up); *Straße*: congest; **~t** *adj Nase*: blocked (up); *Abfluss etc*: *a.* clogged up; *Straße*: congested; **2ung** *f* (-; *-en*) blockage; congestion; *med.* constipation.

verstorben [fɛr'ʃtɔrbən] *adj* late, deceased; **2e** *m, f* (*-n*; *-n*) *the* deceased: ***die*** **~*****n*** *pl a.* the dead *pl.*

Ver'stoß *m* (*-es*; *⸚e*) offen|ce (*Am.* -se) (***gegen*** against), violation (of); **2en** (*irr, no ge-, h,* → ***stoßen***) **1.** *v/t* expel (***aus*** from); **2.** *v/i*: **~** ***gegen*** offend against, violate.

ver|'streichen (*irr, no ge-,* → ***streichen***) **1.** *v/i* (*sn*) *Zeit*: pass (by); *Frist*: expire; **2.** *v/t* (*h*) spread; **~'streuen** *v/t* (*no ge-, h*) scatter.

verstümmel|n [fɛr'ʃtʏməln] *v/t* (*no ge-, h*) mutilate; *Text etc*: *a.* garble; **2ung** *f* (-; *-en*) mutilation; *Text*: garbling.

ver'stummen *v/i* (*no ge-, sn*) fall silent, stop talking; *Geräusch etc*: stop, *langsam*: die away; *Gerücht*: stop, *langsam*: peter out.

Versuch [fɛr'zuːx] *m* (-[*e*]*s*; *-e*) attempt, try; *Probe*: test; *phys. etc* experiment: ***mit et.*** (***j-m***) ***e-n*** **~** ***machen*** give s.th. (s.o.) a try; **2en** *v/t* (*no ge-, h*) try, attempt; *kosten*: try, taste: ***es*** **~** have a try (at it); ***es mit et.*** **~** try (doing) s.th.

Ver'suchs|ka,ninchen *n fig.* guinea pig; **~stadium** *n*: ***es ist noch im*** **~** it's still at the experimental stage; **~tier** *n* laboratory (*od.* test) animal; **2weise** *adv* by way of trial; *auf Probe*: on a trial basis.

versunken [fɛr'zʊŋkən] *adj*: *fig.* **~** ***in*** (*acc*) absorbed (*od.* lost) in.

ver'tag|en *v/t u. v/refl* (*no ge-, h*) adjourn (***auf*** *acc* until); **2ung** *f* (-; *no pl*) adjourment.

ver'tauschen *v/t* (*no ge-, h*) exchange (***gegen, mit*** for); *irrtümlich*: mix up.

verteidig|en [fɛr'taɪdɪgən] (*no ge-, h*) **1.** *v/t allg.* defend; **2.** *v/refl* defend o.s.; **2er** *m* (*-s*; -) defender; *jur.* (defen|ce, *Am.* -se) lawyer; **2ung** *f* (-; *-en*) defen|ce (*Am.* -se).

Ver'teidigungs|mi,nister *m* defen|ce (*Am.* -se) minister; *Br.* Defence Secretary, *Am.* Secretary of Defense; **~mini,sterium** *n* defen|ce (*Am.* -se) ministry; *Br.* Defence Ministry, *Am.* Department of Defense; **~waffe** *f* defensive weapon.

ver'teil|en *v/t* (*no ge-, h*) distribute (***unter*** *acc* among); *austeilen*: hand out; **2er** *m* (*-s*; -) *allg.* distributor; **2ung** *f* (-; *-en*) distribution.

vertikal [vɛrti'kaːl] *adj* vertical.

ver'tilg|en *v/t* (*no ge-, h*) destroy, kill; F *fig. Essen*: polish off; **2ung** *f* (-; *no pl*) destruction, killing.

vertonen [fɛr'toːnən] *v/t* (*no ge-, h*) *mus.* set to music.

Vertrag [fɛr'traːk] *m* (-[*e*]*s*; *⸚e*) contract; *pol.* treaty; **2en** *v/t u. v/refl* (*irr, no ge-, h,* → ***tragen***) endure, bear, stand: ***ich kann … nicht*** **~** *Essen, Alkohol etc*: … doesn't agree with me; *j-n, Lärm etc*: I can't stand …; ***er kann viel*** **~** he

V

can take a lot (*Spaß*: a joke); *Alkohol*: *a.* he can hold his drink; F ***ich* (*es*) *könnte* ... ~** I (it) could do with ...; ***sich* (*gut*) ~** get along (well) (***mit*** with); ***sich wieder* ~** make it up; **≈lich** *adv* by contract.

verträglich [fɛr'trɛːklɪç] *adj* easy to get on with; *Essen*: easily digestable.

Ver'trags|händler *m* appointed dealer; **~werkstatt** *f* authorized repairers *pl* (*a. sg konstr.*).

ver'trauen *v/i* (*no ge-, h*) trust (***auf*** *acc* in).

Ver'trauen *n* (*-s; no pl*) confidence, trust (*beide*: ***auf*** *acc* in): ***im* ~ (*gesagt*)** between you and me; ***~ erweckend*** → **'≈erweckend** *adj* inspiring confidence: **(*wenig*) ~ *aussehen*** inspire (little) confidence.

Ver'trauens|arzt *m* medical examiner; **~frage** *f parl.*: ***die ~ stellen*** propose a vote of confidence; **~sache** *f*: ***das ist* ~** that is a matter of confidence; **~stellung** *f* position of trust; **≈voll** *adj* trusting; **~votum** *n parl.* vote of confidence; **≈würdig** *adj* trustworthy.

ver'traulich *adj* confidential; *plump~*: familiar; **≈keit** *f* (*-; -en*) confidence; familiarity.

ver'traut *adj* familiar (*dat* to; ***mit*** with); **≈heit** *f* (*-; no pl*) familiarity.

ver'treib|en *v/t* (*irr, no ge-, h,* → ***treiben***) drive (*od.* chase) away (*a. fig.*); *Zeit*: pass; *econ.* sell: ***~ aus*** drive out of; **≈ung** *f* (*-; -en*) expulsion (***aus*** from).

ver'tret|en *v/t* (*irr, no ge-, h,* → ***treten***) substitute for, stand in for; *pol., econ.* represent; *parl. a.* sit for; *jur. j-n*: act for: ***die Ansicht ~, dass*** argue that; ***sich den Fuß* ~** sprain one's ankle; F ***sich die Beine* ~** stretch one's legs; **≈er** *m* (*-s; -*) substitute, deputy; *pol., econ.* representative; *econ. a.* agent; *Handels≈*: sales representative; **≈ung** *f* (*-; -en*) substitution; *Person*: substitute; *econ., pol.* representation.

Vertrieb [fɛr'triːp] *m* (*-[e]s; no pl*) *econ.* sale, marketing; *Abteilung*: sales department; **~ene** [-bənə] *m, f* (*-n; -n*) expellee; **~sab,teilung** *f* sales department; **~sleiter** *m* sales manager.

ver|'trocknen *v/i* (*no ge-, sn*) dry up; **~'trödeln** *v/t* (*no ge-, h*) F dawdle away, waste; **~'trösten** *v/t* (*no ge-, h*) put off (***auf*** *acc* until); **~'tuschen** *v/t* (*no ge-, h*) cover up; **~'übeln** *v/t* (*no ge-, h*): ***j-m et.* ~** be annoyed at s.o. for s.th.; **~'üben** *v/t* (*no ge-, h*) commit.

ver'unglücken *v/i* (*no ge-, sn*) have an accident: → ***tödlich*** 2.

veruntreu|en [fɛr'ˀʊntrɔʏən] *v/t* (*no ge-, h*) embezzle; **≈ung** *f* (*-; -en*) embezzlement.

ver'ursachen *v/t* (*no ge-, h*) cause, bring about.

ver'urteil|en *v/t* (*no ge-, h*) condemn (*a. fig.*), sentence (*beide*: ***zu*** to), convict; **≈ung** *f* (*-; -en*) condemnation (*a. fig.*).

ver'wackelt *adj phot.* blurred.

ver'wahr|en (*no ge-, h*) **1.** *v/t* keep (in a safe place); **2.** *v/refl*: ***sich ~ gegen*** protest against; **~lost** *adj* uncared-for, neglected.

ver'waist *adj* orphan(ed); *fig.* deserted.

ver'walt|en *v/t* (*no ge-, h*) *Firma etc*: manage; *Nachlass etc*: administer; **≈er** *m* (*-s; -*) manager; administrator; **≈ung** *f* (*-; -en*) management; administration (*a. öffentliche*); **≈ungskosten** *pl* administrative costs *pl.*

ver'wand|eln (*no ge-, h*) **1.** *v/t* change; *umwandeln*: *a.* convert (*beide*: ***in*** *acc* into); **2.** *v/refl* change (***in*** *acc* into); **≈lung** *f* (*-; -en*) change; conversion.

verwandt [fɛr'vant] *adj* related (***mit*** to); **≈e** *m, f* (*-n; -n*) relative, relation: ***der nächste* ~** the next of kin; **≈schaft** *f* (*-; no pl*) relationship; *Verwandte*: relatives *pl*, relations *pl.*

ver'warn|en *v/t* (*no ge-, h*) warn; *polizeilich*: caution; **≈ung** *f* (*-; -en*) warning; caution.

ver'wechs|eln *v/t* (*no ge-, h*) confuse (***mit*** with), mix up (with), mistake (for); **≈(e)lung** *f* (*-; -en*) mistake; *von Personen*: case of mistaken identity.

ver'weiger|n *v/t* (*no ge-, h*) refuse; *Befehl*: disobey; **≈ung** *f* (*-; -en*) refusal.

Verweis [fɛr'vaɪs] *m* (*-es; -e*) reference (***auf*** *acc* to); **≈en** (*irr, no ge-, h,* → ***weisen***) **1.** *v/t* refer (***an*** *acc*, ***auf*** *acc* to); *hinauswerfen*: expel (*gen* from); **2.** *v/i*: ***~ auf*** (*acc*) refer to.

ver'welken *v/i* (*no ge-, sn*) wither; *fig.* fade.

ver'wend|en *v/t* (*mst irr, no ge-, h,* → ***wenden***[2]) use; *Zeit etc*: spend (***auf*** *acc* on); **≈ung** *f* (*-; -en*) use: ***keine ~ haben für*** have no use for.

ver|'werfen *v/t* (*irr, no ge-, h,* → ***werfen***)

V

dismiss, reject; **~'werten** *v/t* (*no ge-, h*) use, make use of.
ver'wes|en *v/i* (*no ge-, sn*) rot, decay; **2ung** *f* (-; *no pl*) decay.
ver'wick|eln *v/t* (*no ge-, h*): ***verwickelt werden*** (***sein***) ***in*** (*acc*) get (be) involved in; **~elt** *adj* complicated; **2lung** *f* (-; *-en*) involvement; complication.
ver'wirklich|en (*no ge-, h*) **1.** *v/t* realize; **2.** *v/refl* come true; **2ung** *f* (-; *-en*) realization.
ver'wirr|en *v/t* (*no ge-, h*) *j-n*: confuse; **2ung** *f* (-; *-en*) confusion.
ver'wischen *v/t* (*no ge-, h*) blur; *Spuren*: cover.
ver'witter|n *v/i* (*no ge-, sn*) weather; **~t** *adj* weather-beaten (*a. Gesicht*).
ver'witwet *adj* widowed.
verwöhn|en [fɛr'vø:nən] *v/t* (*no ge-, h*) spoil; **~t** *adj* spoilt.
verworren [fɛr'vɔrən] *adj* confused, muddled.
ver'wunden *v/t* (*no ge-, h*) wound.
ver'wunder|lich *adj* surprising; **2ung** *f* (-; *no pl*) surprise: ***zu m-r ~*** to my surprise.
Ver'wundung *f* (-; *-en*) wound, injury.
ver'wünsch|en *v/t* (*no ge-, h*) curse; **2ung** *f* (-; *-en*) curse.
ver'wüst|en *v/t* (*no ge-, h*) lay waste, devastate; **2ung** *f* (-; *-en*) devastation.
ver|'zählen *v/refl* (*no ge-, h*) miscount; **~'zaubern** *v/t* (*no ge-, h*) enchant; *fig. a.* charm: ***~ in*** (*acc*) turn into; **~zehren** [~'tse:rən] *v/t* (*no ge-, h*) consume (*a. fig.*).
ver'zeichn|en *v/t* (*no ge-, h*) record, keep a record of, list; *fig. erzielen*: achieve; *erleiden*: suffer; **2is** *n* (*-ses; -se*) list, catalog(ue); *amtliches*: register: *Stichwort2*: index.
verzeih|en [fɛr'tsaıən] (*verzieh, verziehen, h*) **1.** *v/t* forgive; *entschuldigen*: excuse (*beide*: ***j-m et.*** s.o. [for] s.th.): ***~ Sie bitte die Störung*** sorry to disturb you; **2.** *v/i*: ***j-m ~*** forgive s.o.; ***~ Sie bitte, …*** excuse me, …; **~lich** *adj* forgiveable; **2ung** *f* (-; *no pl*): ***j-n um ~ bitten*** apologize to s.o.; ***~!*** (I'm) sorry!, *Am. a.* excuse (*od.* pardon) me!; *vor Bitten etc*: excuse me.
Verzicht [fɛr'tsıçt] *m* (-[*e*]*s*; *-e*) *förmlich*: renunciation; *jur. a.* waiver (*beide*: ***auf*** *acc* of); *mst* giving up, doing without *etc*; **2en** *v/i* (*no ge-, h*): ***~ auf*** (*acc*) do (*od.* go) without; *aufgeben*: give up; *förmlich*: renounce; *jur. a.* waive.
ver'ziehen (*irr, no ge-,* → ***ziehen***) **1.** *v/i* (*sn*) move (***nach*** to); **2.** *v/t* (*h*) *Kind*: spoil: ***das Gesicht ~*** make a face; **3.** *v/refl Holz*: warp; *Gewitter etc*: pass (over); F *verschwinden*: disappear.
ver'zier|en *v/t* (*no ge-, h*) decorate; **2ung** *f* (-; *-en*) decoration.
ver'zins|en (*no ge-, h*) **1.** *v/t* pay interest on; **2.** *v/refl* yield (*od.* bear) interest; **2ung** *f* (-; *-en*) payment of interest; *Zinssatz*: interest rate.
ver'zöger|n (*no ge-, h*) **1.** *v/t* delay; **2.** *v/refl* be delayed; **2ung** *f* (-; *-en*) delay.
ver'zollen *v/t* (*no ge-, h*) pay duty on: ***haben Sie et. zu ~?*** have you anything to declare?
Ver'zug *m* (-[*e*]*s*; *no pl*) delay: ***im ~ sein*** (***in ~ geraten***) be (get) behind; *mit Zahlungen*: be in (fall into) arrears.
ver'zweif|eln *v/i* (*no ge-, sn*) despair (***an*** *dat* of); **~elt** *adj* desperate; **2lung** *f* (-; *no pl*) despair: ***j-n zur ~ bringen*** drive s.o. to despair.
Veterinär [veteri'nɛ:r] *m* (*-s*; *-e*) → ***Tierarzt.***
Veto ['ve:to] *n* (*-s*; *-s*): ***sein ~ einlegen*** exercise one's power of veto; ***sein ~ einlegen gegen*** put a veto on, veto; **'~recht** *n* (-[*e*]*s*; *no pl*) power of veto.
Vetter ['fɛtər] *m* (*-s*; *-n*) cousin; **'~nwirtschaft** *f* (-; *no pl*) nepotism.
Vibr|ation [vibra'tsĭo:n] *f* (-; *-en*) vibration; **2ieren** [vi'bri:rən] *v/i* (*no ge-, h*) vibrate.
Video ['vi:deo] *n* (*-s*; *-s*) video: ***auf ~*** on video; **'~film** *m* video film; **'~gerät** *n* video (recorder); **'~kas,sette** *f* video cassette; **'~re,korder** *m* video recorder, VCR; **'~spiel** *n* video game; **~thek** [video'te:k] *f* (-; *-en*) video(-tape) library.
Vieh [fi:] *n* (-[*e*]*s*; *no pl*) cattle (*pl konstr.*): ***20 Stück ~*** 20 head of cattle; **'~zucht** *f* cattle breeding.
viel [fi:l] *adj u. adv* a lot (of), plenty (of), F lots of; *bsd. fragend, verneint, nach too, so, as, how, very*: much: ***~e*** *pl* a lot (of), many, plenty (of), F lots of; ***das ~e Geld*** all that money; ***~ besser*** much better; ***~ teurer*** much more expensive; ***~ zu viel*** far too much; ***~ zu wenig*** not nearly enough; ***~ lieber*** much rather; ***~ beschäftigt*** very busy; ***~ sagend*** meaningful; ***~ verspre-***

V

chend (very) promising; → ***ziemlich*** 2.
'**viel|deutig** ['-dɔʏtɪç] *adj* ambiguous; **~erlei** ['-ər'laɪ] *adj* all sorts of; '**~fach** **1.** *adj* multiple: ***auf ~en Wunsch*** by popular request; **2.** *adv* in many cases, (very) often; **˜falt** ['-falt] *f* (-; *no pl*) (great) variety (*gen*, ***von*** of); '**~farbig** *adj* multicolo(u)red; **~leicht** [fi'laɪçt] *adv* perhaps, maybe: ***~ ist er …*** he may (*od.* might) be …; '**~mals** *adv*: (***ich***) ***danke*** (***Ihnen***) ~ thank you very much; ***entschuldigen Sie ~*** I'm very sorry; '**~mehr** *cj* rather; '**~sagend** *adj* meaningful; '**~seitig** *adj* versatile; '**˜seitigkeit** *f* (-; *no pl*) versatility; '**~versprechend** *adj* (very) promising; **˜'völkerstaat** *m* multinational (*od.* multiracial) state.
vier [fiːr] *adj* four: ***zu ~t sein*** be four; ***auf allen ~en*** on all fours; ***unter ~ Augen*** in private, privately; '**˜eck** *n* (-[*e*]*s*; -*e*) quadrangle; *Rechteck*: rectangle; *Quadrat*: square; '**~eckig** *adj* quadrilateral; *rechteckig*: rectangular; *quadratisch*: square; '**~fach** *adj* fourfold: ***~e Ausfertigung*** four copies *pl*; **~händig** ['-hɛndɪç] *adj u. adv mus.* four-handed; '**˜ling** *m* (-*s*; -*e*) quadruplet, F quad; '**~mal** *adv* four times; '**~spurig** *adj Straße*: four-lane; '**˜taktmotor** *m mot.* four-stroke engine; '**~te** *adj* fourth.
Viertel ['fɪrtəl] *n* (-*s*; -) fourth; *Stadt˜*: quarter: (***ein***) ***~ vor*** (***nach***) (a) quarter to (past); **~'jahr** *n* three months *pl*; '**˜jährlich 1.** *adj* quarterly; **2.** *adv* every three months, quarterly; '**˜n** *v/t* (*h*) quarter; '**~stunde** *f* quarter of an hour.
'**viertens** *adv* fourth(ly).
vierzehn ['fɪr-] *adj* fourteen: ***~ Tage*** *pl* two weeks *pl*, *bsd. Br. a.* a fortnight *sg*; '**~te** *adj* fourteenth.
vierzig ['fɪrtsɪç] *adj* forty; '**~ste** *adj* fortieth.
Vietnam [vĭɛt'nam] Vietnam, Viet Nam.
Villa ['vɪla] *f* (-; *Villen*) villa.
violett [vĭo'lɛt] *adj* violet.
Violine [vĭo'liːnə] *f* (-; -*n*) *mus.* violin.
Virus ['viːrʊs] *n*, *m* (-; *Viren*) *med.* virus (*a. im Computer*); '**~infekti,on** *f med.* virus (*od.* viral) infection.
Visite [vi'ziːtə] *f* (-; -*n*) *med.* round: ***~ machen*** do one's round; **~nkarte** *f* visiting (*Am.* calling) card; *Geschäftskarte*: business card.
Visum ['viːzʊm] *n* (-*s*; *Visa*, *Visen*) visa.
Vitamin [vita'miːn] *n* (-*s*; -*e*) vitamin; **˜arm** *adj* low in vitamins; **˜reich** *adj* rich in vitamins.
Vitrine [vi'triːnə] *f* (-; -*n*) (glass) cabinet; *Schaukasten*: showcase.
Vize… ['fiːtsə-] *in Zssgn Präsident etc*: vice-…
Vogel ['foːgəl] *m* (-*s*; ⸚) bird (*a.* F *Flugzeug*): F ***e-n ~ haben*** have a screw loose; '**~futter** *n* birdseed; '**~grippe** *f med.*, *vet.* avian flu, bird flu.
vögeln ['føːgəln] *v/t u. v/i* (*h*) V screw.
'**Vogel|nest** *n* bird's nest; **~perspektive** ['-pɛrspɛk,tiːvə] *f* (-; *no pl*): … ***aus der ~*** a bird's-eye view of …
Volk [fɔlk] *n* (-[*e*]*s*; ⸚*er*) people, nation; *Leute*: *the* people *pl*.
Völkerrecht ['fœlkər-] *n* (-[*e*]*s*; *no pl*) international law; **˜lich** *adj u. adv* under international law.
'**Volks|abstimmung** *f* referendum; '**~fest** *n* (fun)fair; '**~hochschule** *f* adult evening classes *pl*; '**~lied** *n* folk song; '**~mu,sik** *f* folk music; **˜tümlich** ['-tyːmlɪç] *adj* popular; *herkömmlich*: traditional; *Preise*: within everybody's reach; '**~wirt(schaftler)** *m* economist; '**~wirtschaft** *f* national economy; *Lehre*: economics *pl* (*sg konstr.*); '**~zählung** *f* census.
Volksrepublik China ['fɔlksrepu,bliːk 'çiːna] *the* People's Republic of China.
voll [fɔl] **1.** *adj* full (*a. fig.*); *besetzt*, F *satt*: *a.* full up; F *betrunken*: *a.* plastered; *Haar* thick, rich: **~er** full of, filled with; *Schmutz*, *Flecken etc*: *a.* covered with; **2.** *adv* fully; *vollkommen*, *~ u. ganz*: *a.* completely, totally, wholly; *zahlen etc*: in full, the full price; F *direkt*, *genau*: full, straight, right: (***nicht***) ***für ~ nehmen*** (not) take seriously; ***~ tanken*** → ***volltanken.***
'**voll|auto,matisch** *adj* fully automatic; '**˜bart** *m* (full) beard; '**˜beschäftigung** *f* full employment; **~'bringen** *v/t* (*irr*, *insep*, *no -ge-*, *h*, → ***bringen***) accomplish, achieve; *Wunder*: perform; **~'enden** *v/t* (*insep*, *no -ge-*, *h*) finish, complete; **˜'endung** *f* (-; *no pl*) completion; **~'führen** *v/t* (*insep*, *no -ge-*, *h*) perform; '**~füllen** *v/t* (*sep*, *-ge-*, *h*) fill (up); '**˜gas** *n mot.*: ***mit ~*** full speed; ***~ geben*** *Br.* put one's foot down, *Am.*

floor the gas pedal.

völlig ['fœlɪç] **1.** *adj* complete, total; *Unsinn etc*: absolute, complete; **2.** *adv* completely: ***~ unmöglich*** absolutely impossible.

voll|jährig ['-jɛːrɪç] *adj*: ***~ sein*** (***werden***) be (come) of age; '**~jährigkeit** *f* (-; *no pl*) majority; **~kaskoversicherung** ['-kasko-] *f mot.* comprehensive insurance; **~'kommen 1.** *adj* perfect; **2.** *adv* → ***völlig*** 2; **~'kommenheit** *f* (-; *no pl*) perfection; '**~kornbrot** *n* wholemeal bread; '**~macht** *f* (-; *-en*) full power(s *pl*), authority; *jur.* power of attorney: ***~ haben*** be authorized; '**~milch** *f* full-cream milk; '**~mond** *m* (-[*e*]*s*; *no pl*) full moon; '**~pensi͵on** *f* full board, *Am. a.* American plan; '**~schlank** *adj* with a fuller figure; '**~ständig**; **1.** *adj* complete; *ganz*: whole, entire; **2.** *adv* → ***völlig*** 2; **~'strecken** *v/t* (*insep*, *no -ge-*, *h*) *jur.* execute; **~'streckung** *f* (-; *-en*) *jur.* execution; '**~tanken** *v/t u. v/i* (*sep*, *-ge-*, *h*) fill up; ***bitte ~!*** fill her up, please; '**~text** *m Computer*: full text; '**~textsuche** *f Computer*: full text search; '**~versammlung** *f* plenary assembly; '**~wertig** *adj* full; **~zählig** ['-tsɛːlɪç] *adj* complete: ***wir sind ~*** everyone's present; **~'ziehen** (*irr*, *insep*, *no -ge-*, *h*, → ***ziehen***); **1.** *v/t* execute; *Trauung*: perform; **2.** *v/refl* take place.

Volontär [volɔn'tɛːr] *m* (*-s*; *-e*) unpaid trainee.

Volt [vɔlt] *n* (-, -[*e*]*s*; -) *electr.* volt.

Volumen [vo'luːmən] *n* (*-s*; -, *Volumina*) volume; *Inhalt*: *a.* capacity.

von [fɔn] *prp räumlich*, *zeitlich*: from; *für Genitiv*: of; *Urheberschaft*, *a. beim Passiv*: by; *über j-n od. et.*: about: ***~ Hamburg*** from Hamburg; ***ein Freund ~ mir*** a friend of mine; ***die Freunde ~ Alice*** Alice's friends; ***ein Brief*** (***Geschenk***) ***~ Tom*** a letter (gift) from Tom; ***ein Buch*** (***Bild***) ***~ Orwell*** (***Picasso***) a book (painting) by Orwell (Picasso); ***der König*** (***Bürgermeister*** *etc*) ~ the King (Mayor *etc*) of; ***ein Kind ~ 10 Jahren*** a child of ten; ***müde ~ der Arbeit*** tired from work; → ***aus*** 2, ***Geburt, jetzt, nett, selbst*** 1, ***südlich*** 2, ***weit*** 2 *etc.*

vor [foːr] **1.** *prp* (*dat*) **a)** *räumlich*: in front of; *weiter vorn*: ahead of; *außerhalb*: outside; *zeitlich*, *Reihenfolge*, *in Gegenwart von*: before; *aufgrund von*: with: ***~ e-r Stunde*** an hour ago; ***5 ~ 12*** five to (*Am. a.* of) twelve; ***~ allem*** above all; → ***kurz*** 1, ***schreien*** *etc* **b)** (*acc*) in front of, outside: ***~ sich hin*** to o.s.; **2.** *adv*: ***~ u. zurück*** backwards and forwards; ***Freiwilige ~!*** volunteers to the front!

'**Vor|abend** *m* eve (*a. fig.*): ***am ~*** (*gen*) on the eve of; '**~ahnung** *f* premonition.

voran [fo'ran] *adv*: ***Kopf ~*** head first; **~gehen** *v/i* (*irr*, *sep*, *-ge-*, *sn*, → ***gehen***) lead the way; *zeitlich*: precede (***e-r Sache*** s.th.); **~kommen** *v/i* (*irr*, *sep*, *-ge-*, *sn*, → ***kommen***): (***gut***) ~ make headway (*od.* progress).

'**Vor|anmeldung** *f* booking; '**~anschlag** *m* estimate; '**~anzeige** *f* (advance) announcement (***für*** of); *Vorbesprechung*: preview; *Film*: trailer.

'**vorarbeite|n** *v/i* (*sep*, *-ge-*, *h*) work in advance; '**~r** *m* foreman.

'**voraus** *adv*: ***im ~*** in advance.

voraus|gehen [fo'raus-] *v/i* (*irr*, *sep*, *-ge-*, *sn*, → ***gehen***)→ ***vorangehen***; **~gesetzt** *cj*: ***~, dass*** provided that; **~kasse** *f* (-; *no pl*) *econ.* cash in advance; **~sage** *f* (-; *-n*) prediction; *Wetter~*: forecast; **~sagen** *v/t* (*sep*, *-ge-*, *h*) predict; **~sehen** *v/t* (*irr*, *sep*, *-ge-*, *h*, → ***sehen***) foresee; **~setzen** *v/t* (*sep*, *-ge-*, *h*) assume; *selbstverständlich*: take *s.th.* for granted; **~setzung** *f* (-; *-en*) condition, prerequisite (*beide*: ***für*** for, of): ***unter der ~, dass*** on condition that; ***die ~en erfüllen*** meet the requirements; **~sicht** *f* (-; *no pl*) foresight: ***aller ~ nach*** in all probability; **~sichtlich 1.** *adj* expected; **2.** *adv* probably: ***er kommt ~ morgen*** he is expected to arrive tomorrow; **~zahlung** *f* advance payment.

'**Vorbe|deutung** *f* (-; *-en*) omen; **~dingung** *f* (-; *-en*) condition; '**~halt** *m* (-[*e*]*s*; *-e*) reservation: ***unter dem ~, dass*** provided (that); '**~halten** *v/t* (*irr*, *sep*, *no -ge-*, *h*, → ***halten***): ***sich*** (***das Recht***) ***~ zu*** reserve the right to; → ***Irrtum***, ***Preisänderung***, ***Recht***; '**~haltlos** **1.** *adj* unconditional; **2.** *adv* without reservation.

vorbei [fɔr'baɪ] *adv zeitlich*: over; *Winter*, *Woche etc*: *a.* past; *aus*, *beendet*: finished; *vergangen*: gone; *räumlich*: past,

V

by: ***jetzt ist alles ~*** it's all over now; ***~! daneben***: missed!; **~fahren** *v/i* (*irr, sep, -ge-, sn,* → ***fahren***) go (*mot.* drive) past (*beide*: ***an j-m*** [***et.***] s.o. [s.th.]); **~gehen** *v/i* (*irr, sep, -ge-, sn,* → ***gehen***) walk past (***an j-m*** [***et.***] s.o. [s.th.]); *fig.* go by, pass; *nicht treffen*: miss; **~kommen** *v/i* (*irr, sep, -ge-, sn,* → ***kommen***) pass (***an et.*** s.th.); *an e-m Hindernis*: get past; F *besuchen*: drop in (***bei j-m*** on s.o.); **~lassen** *v/t* (*irr, sep, -ge-, h,* → ***lassen***) let *s.o.* pass; **~reden** *v/i* (*sep, -ge-, h*): ***aneinander ~*** talk at cross-purposes.

'**Vorbe|merkung** *f* preliminary remark; '**2reiten** *v/t u. v/refl* (*sep, no -ge-, h*) prepare (***auf*** *acc* for); **~reitung** *f* (-; *-en*) preparation: ***~en treffen*** make preparations (***für*** for); '**2stellen** *v/t* (*sep, no -ge-, h*) book (*Waren*: order) in advance; *Tisch, Platz, Zimmer etc*: *a.* reserve; '**~stellung** *f* (-; *-en*) advance booking, reservation; '**2straft** *adj*: ***~ sein*** have a police record.

vorbeug|en ['fo:rbɔʏgən] (*sep, -ge-, h*) **1.** *v/i* prevent (***e-r Sache*** s.th.); **2.** *v/refl* bend forward; '**~end** *adj* preventive; *med. a.* prophylactic; '**2ung** *f* (-; *no pl*) prevention.

'**Vorbild** *n* (-[*e*]*s*; *-er*) model, pattern: (***j-m***) ***ein ~ sein*** set an example (to s.o.); ***sich j-n zum ~ nehmen*** follow s.o.'s example; '**2lich** *adj* exemplary; '**~ung** *f* (-; *no pl*) education(al background).

'**vorda,tieren** *v/t* (*sep, no -ge-, h*) postdate.

Vorder|... ['fɔrdər~] *in Zssgn Achse, Ansicht, Rad, Sitz, Tür, Zahn etc*: front ...; '**2e** *adj* front; '**~grund** *m* (-[*e*]*s*; *no pl*) foreground; '**~mann** *m*: ***mein ~*** the person in front of me; '**~seite** *f* front (side); *Münze*: obverse, face.

'**vor|drängen** *v/refl* (*sep, -ge-, h*) *in Schlange*: push in, *Br. a.* jump the queue; '**~dringen** *v/i* (*irr, sep, -ge-, sn,* → ***dringen***) advance: ***~*** (***bis***) ***zu*** work one's way through to (*a. fig.*); '**~dringlich 1.** *adj* (most) urgent; **2.** *adv*: ***~ behandeln*** give *s.th.* priority; '**2druck** *m* (-[*e*]*s*; *-e*) form, *Am. a.* blank; '**~eilig** *adj* hasty, rash: ***~e Schlüsse ziehen*** jump to conclusions; '**~eingenommen** *adj* prejudiced, bias(s)ed (*beide*: ***gegen*** against; ***für*** in favo[u]r of); '**~enthalten** *v/t* (*irr, sep, no -ge-, h,* → ***halten***) keep back, withhold (*beide*: ***j-m et.*** s.th. from s.o.); '**~erst** *adv* for the time being.

Vorfahr ['fo:rfa:r] *m* (*-en*; *-en*) ancestor.

'**Vorfahrt** *f* (-; *no pl*) right of way, priority: ***~ haben*** have (the) right of way; ***die ~ missachten*** ignore the right of way; ***j-m die ~ nehmen*** ignore s.o.'s right of way; (***sich***) ***die ~ erzwingen*** insist on one's right of way; '**~(s)schild** *n* right-of-way sign; '**~(s)straße** *f* priority road.

'**Vorfall** *m* (-[*e*]*s*; *Vorfälle*) incident; '**2en** *v/i* (*irr, sep, -ge-, sn,* → ***fallen***) happen, occur.

'**vorfinden** *v/t* (*irr, sep, -ge-, h,* → ***finden***) find.

'**Vorfreude** *f* anticipation.

'**vorführ|en** *v/t* (*sep, -ge-, h*) show; *Kunststück etc*: perform; *Gerät etc*: demonstrate; *jur.* bring (***j-m*** before s.o.); '**2ung** *f* (-; *-en*) showing; performance (*a. Vorstellung*); demonstration; '**2wagen** *m mot.* demonstration car, *Am.* demonstrator.

'**Vor|gang** *m* (-[*e*]*s*; *Vorgänge*) event, occurrence; *Akte*: file, dossier; *biol., tech.* process: ***den ~ schildern*** give an account of what happened; **~gänger** ['~gɛŋər] *m* (*-s*; -) predecessor; '**~garten** *m* front garden; '**~gebirge** *n* foothills *pl.*

'**vorgehen** *v/i* (*irr, sep, -ge-, sn,* → ***gehen***) *geschehen*; go on; *wichtiger sein*: come first; *handeln*: act; *gerichtlich*: sue (***gegen j-n*** s.o.); *verfahren*: proceed: ***m-e Uhr geht*** (***zwei Minuten***) ***vor*** my watch is (two minutes) fast; ***was geht hier vor?*** what's going on here?

'**Vorgehen** *n* (*-s*; *no pl*) procedure.

'**Vorge|schmack** *m* (-[*e*]*s*; *no pl*) foretaste (***auf*** *acc*, ***von*** of); **~setzte** *m, f* (*-n*; *-n*) superior.

'**vorgestern** *adv* the day before yesterday.

'**vorhaben** *v/t* (*irr, sep, -ge-, h,* → ***haben***) plan, have *s.th.* in mind: ***haben Sie heute Abend et. vor?*** have you got anything planned for tonight?; ***was hat er jetzt wieder vor?*** what is he up to now?

'**Vorhaben** *n* (*-s*; -) plan; *econ., tech.* project.

'**Vorhalle** *f* (entrance) hall, vestibule.

'**vorhalt|en** *(irr, sep, -ge-, h,* → ***halten***) **1.** *v/t*: ***j-m et. ~*** *fig.* reproach s.o. with s.th.; **2.** *v/i* last; '**2ungen** *pl* reproaches *pl*: ***j-m ~ machen*** reproach s.o. (***wegen*** with).

vorhanden [foːr'handən] *adj verfügbar*: available: ***~ sein*** *a.* exist; ***es ist nichts mehr ~*** there's nothing left; **2sein** *n (-s; no pl)* existence.

'**Vor|hang** *m* (-[*e*]*s*; *Vorhänge*) curtain; '**~hängeschloss** *n* padlock.

'**vorher** *adv* before: ***am Abend ~*** the evening before, the previous evening.

vor'her|gehen *v/i (irr, sep, -ge-, sn,* → ***gehen***) precede (***e-r Sache*** s.th.); **~ig** *adj* preceding, previous.

'**Vorherr|schaft** *f (-; no pl)* predominance; '**2schen** *v/i (sep, -ge-, h)* predominate, prevail; '**2schend** *adj* predominant, prevailing.

Vor'her|sage *f (-; -en)* → ***Voraussage***; **2sagen** *v/t (sep, -ge-, h)* → ***voraussagen***; **2sehen** *v/t (irr, sep, -ge-, h,* → ***sehen***) → ***voraussehen.***

'**vorhin** *adv* a (short) while ago.

vorig ['foːrɪç] *adj* previous: ***~e Woche*** last week.

vor|jährig ['foːrjɛːrɪç] *adj* last year's; '**2kaufsrecht** *n* right of first refusal; '**2kehrungen** *pl*: ***~ treffen*** take precautions (***gegen*** against); '**2kenntnisse** *pl* previous knowledge *sg* (***in*** *dat* of).

'**vorkommen** *v/i (irr, sep, -ge-, sn,* → ***kommen***) be found; *geschehen*: happen: ***es kommt mir ... vor*** it seems ... to me.

'**Vorkomm|en** *n (-s; -) min.* deposit; '**~nis** *n (-ses; -se)* occurrence, incident.

'**Vorkriegs...** *in Zssgn* prewar ...

'**vorlad|en** *v/t (irr, sep, -ge-, h,* → ***laden***) *jur.* summon; **2ung** *f (-; -en)* summons.

'**Vorlage** *f (-; -n)* model; *Muster*: pattern; *Zeichen2 etc*: copy; *Unterbreitung*: presentation; *parl.* bill; *Fußball etc*: pass.

vorläufig ['foːrlɔyfɪç] **1.** *adj* provisional, temporary; **2.** *adv* for the time being.

'**Vorleben** *n (-s; no pl)* former life, past.

'**vorlege|n** *(sep, -ge-, h)* **1.** *v/t* present; *Dokument etc*: produce; *zeigen*: show; **2.** *v/refl* lean forward; '**2r** *m (-s; -)* rug; *Matte*: mat.

'**vorles|en** *v/t (irr, sep, -ge-, h,* → ***lesen***) read out (aloud): ***j-m et. ~*** read s.th. to s.o.; '**2ung** *f (-; -en)* lecture (***über*** *acc* on; ***vor*** *dat* to): ***e-e ~ halten*** give a lecture.

'**vorletzte** *adj* last but one: ***~ Nacht*** (***Woche***) the night (week) before last.

'**vorlieb**: ***~ nehmen mit*** → '**~nehmen** *v/i (irr, sep, -ge-, h,* → ***nehmen***): ***~ mit*** make do with; '**2e** *f (-; -n)* liking, fondness (*beide*: ***für*** for).

'**vorliegen** *v/i (irr, sep, -ge-, h,* → ***liegen***): ***es liegen*** (***keine***) ***... vor*** there are (no) ...; ***was liegt gegen ihn vor?*** what is he charged with; '**~d** *adj* present, in question.

'**Vor|machtstellung** *f (-; no pl)* supremacy; '**2merken** *v/t (sep, -ge-, h)*: (***sich***) ***et. ~*** make a note of s.th.; ***j-n ~*** put s.o.'s name down.

'**Vormittag** *m (-s; -e)* morning: ***heute ~*** this morning; '**2s** *adv* in the morning(s).

'**Vormund** *m* (-[*e*]*s*; *-e, Vormünder*) guardian; '**~schaft** *f (-; -en)* guardianship.

vorn [fɔrn] *adv* in front: ***nach ~*** forward; ***von ~*** from the front; *zeitlich*: from the beginning; ***j-n von ~(e) sehen*** see s.o.'s face; ***noch einmal von ~(e)*** (***anfangen***) (start) all over again.

'**Vorname** *m* first (*od.* Christian) name, *Am. a.* given name.

vornehm ['foːrneːm] *adj* distinguished; *edel, adlig*: noble; F *fein, teuer etc*: smart, fashionable, exclusive, F posh; '**~en** *v/t (irr, sep, -ge-, h,* → ***nehmen***) carry out, do; *Änderungen etc*: make: ***sich et. ~*** decide to do s.th.; *planen*: make plans for s.th.; ***sich fest vorgenommen haben zu*** have the firm intention to, be determined to; ***sich j-n ~*** take s.o. to task (***wegen*** about, for).

'**vornherein** *adv*: ***von ~*** from the start (*od.* beginning).

'**Vorort** *m* (-[*e*]*s*; *-e*) suburb; '**~(s)zug** *m* local (*od.* commuter) train.

'**Vor|pro,gramm** *n* supporting program(me); '**2program,mieren** *v/t (sep, no -ge-, h)* (pre)program(me): *fig.* ***das war vorprogrammiert*** it was bound to happen; '**~rang** *m* (-[*e*]*s*; *no pl*): ***~ haben vor*** (*dat*) take precedence (*od.* priority) over; '**~rat** *m* (-[*e*]*s*; *Vorräte*) store, stock, supply (*alle*: ***an*** *dat* of); *bsd. Lebensmittel*: *a.* provisions *pl*; *bsd. Rohstoffe etc*: resources *pl*, reserves *pl* (*a.* *Geld*♀); ♀**rätig** ['-rɛːtɪç] *adj* available; *econ.* in stock; ***nicht (mehr)*** ~ out of stock; '**~recht** *n* privilege; '**~redner** *m* previous speaker; '**~richtung** *f* (-; *-en*) *tech.* device; '**~ruhestand** *m* early retirement; '**~sai,son** *f* off-peak season; '**~satz** *m* (*-es*; *Vorsätze*) resolution; *Absicht*: intention; *jur.* intent; ♀**sätzlich** ['-zɛtslɪç] *adj* intentional; *bsd. jur.* wil(l)ful; '**~schau** *f* (-; *-en*) preview (***auf*** *acc* of); *Film*: trailer; '**~schein** *m* (*-s*; *no pl*): ***zum ~ bringen*** produce; *fig.* bring out; ***zum ~ kommen*** appear, come out; '♀**schieben** *v/t* (*irr, sep, -ge-, h,* → ***schieben***) use *s.th.* as an excuse; use *s.o.* as a dummy; '♀**schießen** *v/t* (*irr, sep, -ge-, h,* → ***schießen***) advance.

'**Vorschlag** *m* (-[*e*]*s*; *Vorschläge*) suggestion, proposal: ***auf j-s ~*** at s.o.'s suggestion; '♀**en** *v/t* (*irr, sep, -ge-, h,* → ***schlagen***) suggest, propose; ~, ***et. zu tun*** suggest doing s.th.

'**vor|schnell** *adj* hasty, rash; '**~schreiben** *v/t* (*irr, sep, -ge-, h,* → ***schreiben***) *fig.* prescribe: ***ich lasse mir nichts ~*** I won't be dictated to.

'**Vorschrift** *f* (-; *-en*) rule, regulation; *Anweisung*: instruction, direction: ***Dienst nach ~ machen*** work to rule; '♀**smäßig** *adj* correct, proper; '♀**swidrig** *adj u. adv* contrary to regulations.

'**Vor|schub** *m*: ***e-r Sache ~ leisten*** encourage s.th.; '**~schuss** *m* (*-es*; *Vorschüsse*) advance (payment) (***auf*** *acc* on); '♀**schützen** *v/t* (*sep, -ge-, h*) use *s.th.* as a pretext.

'**Vorsicht** *f* (-; *no pl*) caution, care: ***~!*** look (*od.* watch) out!, (be) careful!; ***~, Glas!*** Glass, with care!; ***~, Stufe!*** mind the step!; '♀**ig** *adj* careful, cautious: ***~!*** careful!; ♀**shalber** ['-halbər] *adv* as a precaution; '**~smaßnahme** *f* precaution(ary measure): ***~n treffen*** take precautions.

'**Vorsitz** *m* (*-es*; *no pl*) chair(manship), presidency: ***den ~ haben (übernehmen)*** be in (take) the chair, preside (***bei*** over, at); '**~ende** *m, f* (*-n*; *-n*) chairman (chairwoman), chairperson, president.

'**Vorsorg|e** *f* (-; *no pl*) provision: ***~ treffen*** take precautions; '♀**en** *v/i* (*sep, -ge-, h*) make provisions, provide (*beide*: ***für*** for); '**~eunter,suchung** *f med.* preventive checkup; ♀**lich** ['-klɪç] **1.** *adj* precautionary; **2.** *adv* as a precaution.

'**Vor|spann** *m* (-[*e*]*s*; *-e*) *Film*: credits *pl*; '**~speise** *f* hors d'oeuvre, *bsd. Br.* starter; '**~spiegelung** *f* (-; *-en*): ***(unter) ~ falscher Tatsachen*** (under) false preten|ces (*Am.* -ses) *pl*; '♀**sprechen** *v/i* (*irr, sep, -ge-, h,* → ***sprechen***) call (***bei*** at); *thea.* (have an) audition (with); '♀**springen** *v/i* (*irr, sep, -ge-, sn,* → ***springen***) *arch. etc* project, jut (out); '**~sprung** *m* (-[*e*]*s*; *Vorsprünge*) *arch.* projection; *Sport etc*: lead: ***e-n ~ haben*** be leading (***von*** by); *bsd. fig.* be (***von 2 Jahren*** two years) ahead; '**~stadt** *f* suburb; '**~stand** *m* (-[*e*]*s*; *Vorstände*) *econ.* (board of) management; *e-s Vereins etc*: managing committee; *Person*: director; *e-r Gesellschaft*: chairman (of the board), *Am.* chief executive; '**~standse,tage** *f* executive floor.

'**vorstell|en** (*sep, -ge-, h*) **1.** *v/t* introduce (***j-n j-m*** s.o. to s.o.); *Uhr*: put forward (***um*** by); *bedeuten*: mean: ***sich et. (j-n als ...) ~*** imagine s.th. (s.o. as ...); ***so stelle ich mir ... vor*** that's my idea of ...; **2.** *v/refl* introduce o.s.; ***sich ~ bei*** *e-r Firma etc*: have an interview with; '♀**ung** *f* (-; *-en*) *thea.* performance; *Kino*♀ *etc*: *a.* show; *Gedanke etc*: idea; *Erwartung*: expectation; *von j-m od. et.*: introduction; '♀**ungsgespräch** *n* interview.

'**Vor|strafe** *f* previous conviction; '♀**strecken** *v/t* (*sep, -ge-, h*) *Geld*: advance; '**~stufe** *f* preliminary stage; '♀**täuschen** *v/t* (*sep, -ge-, h*) feign, fake.

Vorteil ['fɔrtaɪl] *m* (*-s*; *-e*) advantage (*a. Tennis*); *Nutzen*: benefit, profit: ***die Vor- u. Nachteile*** the pros and cons; '♀**haft** *adj* advantageous, profitable.

Vortrag ['foːrtraːk] *m* (-[*e*]*s*; *Vorträge*) talk; *Vorlesung*: lecture (*beide*: ***über*** *acc* on); *mus., Gedicht*♀: recital: ***e-n ~ halten*** give a talk (*od.* lecture) (***vor*** *dat* to); '♀**en** *v/t* (*irr, sep, -ge-, h,* → ***tragen***) *äußern*: express, state; *mus. etc* perform, play; *Gedicht etc*: recite.

'**Vortritt** *m* (-[*e*]*s*; *no pl*): ***j-m den ~ lassen*** let s.o. go first; *fig.* give precedence to s.o.

vo'rüber *adv* → ***vorbei***; **~gehend** *adj* temporary.

'**Vorurteil** *n* prejudice: ***~e haben gegen*** be prejudiced against; '**2slos** *adj* unprejudiced, unbias(s)ed.

'**Vorverkauf** *m* (-[*e*]*s*; *no pl*) *thea. etc* advance booking: ***im ~*** in advance; '**~sstelle** *f* advance booking office.

'**vor|verlegen** *v/t* (*sep*, *no -ge-*, *h*) bring forward (***auf*** *acc* to; ***um*** by); '**2wahl** *f teleph.* dial(l)ing (*od.* area) code, *bsd. Am. a.* prefix (*alle*: ***von*** for); '**2wand** *m* (-[*e*]*s*; *Vorwände*) pretext; *Ausrede*: excuse.

vorwärts ['fo:rvɛrts] *adv* forward, on (-ward), ahead: ***~!*** come on!, let's go!; ***~ kommen*** → '**~kommen** *v/i* (*irr*, *sep*, *-ge-*, *sn*, → ***kommen***) make headway; *fig. a.* get ahead (*od.* on).

vor'wegnehmen *v/t* (*irr*, *sep*, *-ge-*, *h*, → ***nehmen***) anticipate.

'**vor|weisen** *v/t* (*irr*, *sep*, *-ge-*, *h*, → ***weisen***) produce, show: ***et. ~ können*** possess s.th.; '**~werfen** *v/t* (*irr*, *sep*, *-ge-*, *h*, → ***werfen***): ***j-m et. ~*** reproach s.o. with s.th.; '**~wiegend** *adv* predominantly, chiefly, mainly; '**2wort** *n* (-[*e*]*s*; *-e*) foreword; *bsd. des Autors*: preface.

'**Vorwurf** *m* (-[*e*]*s*; *Vorwürfe*) reproach: ***j-m Vorwürfe machen*** reproach s.o. (***wegen*** for); '**2svoll** *adj* reproachful.

'**Vor|zeichen** *n fig.* omen; '**2zeigen** *v/t* (*sep*, *-ge-*, *h*) show; *Karte etc*: *a.* produce.

'**vorzeitig** *adj* premature, early.

'**vor|ziehen** *v/t* (*irr*, *sep*, *-ge-*, *h*, → ***ziehen***) *Vorhänge etc*: draw; *fig.* deal with *s.th.* first; prefer (*dat* to); '**2zimmer** *n* outer office; *Wartezimmer*: waiting room; '**2zimmerdame** *f* receptionist; '**2zug** *m* (-[*e*]*s*; *⸗e*) *Vorteil*: advantage; *gute Eigenschaft*: merit: ***den ~ geben*** (*dat*) give preference to; **~züglich** [-'tsy:klɪç] *adj* excellent, exquisite; '**~zugsweise** *adv* preferably.

Votum ['vo:tʊm] *n* (*-s*; *-ten*, *-ta*) vote.

vulgär [vʊl'gɛ:r] *adj* vulgar.

Vulkan [vʊl'ka:n] *m* (*-s*; *-e*) volcano; **~ausbruch** *m* volcanic eruption; **2isch** *adj* volcanic.

W

Waag|e ['va:gə] *f* (-; *-n*) (***e-e ~*** a pair of) scales *pl*: *fig.* ***sich die ~ halten*** balance each other; '**2erecht** *adj*, **2recht** ['va:k-] *adj* horizontal; '**~schale** *f* scale.

wach [vax] *adj* awake: ***~ schütteln*** shake *s.o.* awake; ***~ werden*** wake up; '**2e** *f* (-; *-n*) guard (*a. mil.*); *Posten*: *a.* sentry; *mar.*, *Kranken2 etc*: watch; *Polizei2*: police station: ***~ haben*** be on guard (*mar.* watch); ***~ halten*** keep watch; '**~en** *v/i* (*h*) (keep) watch (***über*** *acc* over); '**2hund** *m* watchdog (*a. fig.*); '**2mann** *m* watchman.

Wacholder [va'xɔldər] *m* (*-s*; -) *bot.* juniper.

'**wach|rufen** *v/t* (*irr*, *sep*, *-ge-*, *h*, → ***rufen***) *fig.* rouse; *Erinnerungen*: bring back; '**~rütteln** *v/t* (*sep*, *-ge-*, *h*) rouse (***aus*** from).

Wachs [vaks] *n* (*-es*; *-e*) wax.

'**wachsam** *adj* watchful: ***~ sein*** be on one's guard; '**2keit** *f* (-; *no pl*) watchfulness.

wachsen[1] ['vaksən] *v/i* (*wuchs*, *gewachsen*, *sn*) grow; *fig. a.* increase: → ***Bart.***

wachsen[2] [-] *v/t* (*h*) wax.

'**Wachs|fi,gurenkabi,nett** *n* waxworks *pl* (*mst sg konstr.*); '**~tuch** *n* oilcloth.

'**Wachstum** *n* (*-s*; *no pl*) growth; *fig. a.* increase; '**~srate** *f econ.* growth rate.

Wächter ['vɛçtər] *m* (*-s*; -) guard; *Nacht2*: (night) watchman; *Parkplatz2 etc*: attendant.

wackel|ig ['vakəlɪç] *adj* shaky (*a. fig.*); *Zahn*: loose; '**2kon,takt** *m electr.* loose contact; '**~n** *v/i* (*h*) shake; *Tisch etc*: wobble; *Zahn*: be loose; *phot.* move: ***~ mit*** *bsd. Körperteil*: wag; ***mit den Hüften ~*** wiggle.

Wade ['va:də] *f* (-; *-n*) calf.

Waffe ['vafə] *f* (-; *-n*) weapon (*a. fig.*): **~n** *pl a.* arms *pl.*

Waffel ['vafəl] *f* (-; *-n*) waffle; *bsd. Eis2*: wafer.

'**Waffen|gewalt** *f*: ***mit ~*** by force of arms; '**~schein** *m* gun licen|ce (*Am.* -se); '**~stillstand** *m* armistice (*a. fig.*); *zeitweiliger*: truce.

wagen ['va:gən] (*h*) **1.** *v/t* dare; *riskieren*: risk: ***es ~, et. zu tun*** dare (to) do s.th.; **2.** *v/refl*: ***sich aus dem Haus*** *etc* ~ venture out of the house *etc*.

Wagen [-] *m* (*-s*; -) *Auto*: car; *rail. Br.* carriage, *Am.* car.

wägen ['vɛ:gən] *v/t* (*h*) → ***abwägen.***

'**Wagen|heber** *m* (*-s*; -) jack; '**~pa,piere** *pl* car documents *pl*.

Waggon [va'go-:, va'gɔŋ] *m* (*-s*; *-s*) *Br.* (railway) carriage, *Am.* (railroad) car; *Güter*≈: *Br.* goods waggon, *Am.* freight car.

wag|halsig ['va:khalzıç] *adj* daring; '**≈nis** *n* (*-ses*; *-se*) venture, risk.

Wagon → ***Waggon.***

Wahl [va:l] *f* (-; *-en*) choice; *andere*: alternative; *Auslese*: selection; *pol.* election; *~vorgang*: voting, poll; *Abstimmung*: vote: ***die ~ haben*** (***s-e ~ treffen***) have the (make one's) choice; ***keine*** (***andere***) ***~ haben*** have no choice (*od.* alternative); '**≈berechtigt** *adj* entitled to vote; '**~beteiligung** *f* (vote) turnout: ***hohe*** (***niedrige***) ~ heavy (light) polling.

wähle|n ['vɛ:lən] *v/t u. v/i* (*h*) choose, *aus~*: *a.* pick, select; *pol. Stimme abgeben*: vote (*j-n, et.*: for); *in ein Amt etc*: elect; *teleph.* dial; '**≈r** *m* (*-s*; -) voter.

'**Wahlergebnis** *n* election returns *pl*.

'**wählerisch** *adj* choosy (***in*** *dat* about).

'**Wahl|fach** *n ped.* optional subject, *Am. a.* elective; '**~gang** *m* ballot: ***im ersten*** ~ at the first ballot; '**~heimat** *f* adoptive country; '**~ka,bine** *f* polling booth; '**~kampf** *m* election campaign; '**~kreis** *m* constituency; '**~lo,kal** *n* polling station; '**≈los** *adj* indiscriminate; '**~programm** *n* election platform; '**~recht** *n* right to vote, franchise; '**~rede** *f* electoral address.

'**Wählscheibe** *f teleph.* dial.

'**Wahl|spruch** *m* motto; '**~urne** *f* ballot box; '**~versammlung** *f* election meeting; '**~zettel** *m* ballot, voting paper.

Wahn [va:n] *m* (*-[e]s*; *no pl*) delusion; *Besessenheit*: mania.

'**Wahnsinn** *m* (*-[e]s*; *no pl*) madness (*a. fig.*), insanity; '**≈ig 1.** *adj* mad (*a. fig.*), insane; F *fig. a.* crazy; *Angst, Schmerz etc*: awful, terrible; **2.** *adv* F *fig. sehr*: terribly, awfully; *verliebt*: madly; '**~ige** *m, f* (*-n*; *-n*) madman (madwoman), lunatic.

'**Wahnvorstellung** *f* delusion, hallucination.

wahr [va:r] *adj* true; *wirklich*: *a.* real; *echt*: genuine; '**~en** *v/t* (*h*) *Interessen, Rechte*: protect: ***den Schein*** ~ keep up appearances.

während ['vɛ:rənt] **1.** *prp* during; **2.** *cj* while; *Gegensatz*: *a.* whereas.

'**Wahrheit** *f* (-; *-en*) truth; '**≈sgemäß** *adj* truthful, true.

'**wahrnehm|bar** *adj* noticeable, perceptible; '**~en** *v/t* (*irr, sep, -ge-, h,* → ***nehmen***) perceive, notice; *Gelegenheit, Vorteil*: seize, take; *Interessen*: look after; '**≈ung** *f* (-; *-en*) perception.

wahrscheinlich [va:r'ʃaınlıç] **1.** *adj* probable, likely; **2.** *adv* probably: ***~ gewinnt er*** (***nicht***) he is (not) likely to win; **≈keit** *f* (-; *-en*) probability, likelihood: ***aller ~ nach*** in all probability (*od.* likelihood).

Währung ['vɛ:rʊŋ] *f* (-; *-en*) currency.

'**Währungs|einheit** *f* currency unit; '**~fonds** *m* monetary fond; '**~ordnung** *f* monetary system; '**~politik** *f* monetary policy; '**~re,form** *f* currency reform; '**~schlange** *f* currency snake; '**~sy,stem** *n* monetary system; '**~umstellung** *f* currency conversion; '**~union** *f* monetary union.

'**Wahrzeichen** *n* symbol; *e-r Stadt etc*: landmark.

Waise ['vaızə] *f* (-; *-n*) orphan; '**~nhaus** *n* orphanage.

Wal [va:l] *m* (*-[e]s*; *-e*) *zo.* whale.

Wald [valt] *m* (*-[e]s*; *¨er*) wood(s *pl*); *großer*: forest; '**~brand** *m* forest fire; '**≈reich** *adj* wooded; '**~sterben** *n* (*-s*; *no pl*) dying of forests.

'**Walfang** *m* (*-[e]s*; *no pl*) whaling.

Walnuss ['val-] *f* (-; *¨e*) *bot.* walnut.

walten ['valtən] *v/i* (*h*): ***~ lassen*** *Gnade etc*: show.

Walze ['valtsə] *f* (-; *-n*) roller (*a. Straßen*≈); '**≈n** *v/t* (*h*) roll.

wälzen ['vɛltsən] (*h*) **1.** *v/t* roll; *Problem*: turn over in one's mind; **2.** *v/refl* roll.

Walzer ['valtsər] *m* (*-s*; -) *mus.* waltz.

Wand [vant] *f* (-; *¨e*) wall; *fig. a.* barrier.

Wandel ['vandəl] *m* (*-s*; *no pl*) change; '**≈n** *v/refl* (*h*) change.

Wander|er ['vandərər] *m* (*-s*; -) hiker; '**~karte** *f* hiking map; '**≈n** *v/i* (*sn*) hike, walk; *umherstreifen*: rove; *fig. Blick,*

Gedanken: roam, wander; **~ung** *f* (-; *-en*) hike: ***e-e ~ machen*** go on a hike; **'~weg** *m* hiking trail.
'Wand|gemälde *n* mural (painting); **'~ka,lender** *m* wall calendar; **'~schrank** *m Br.* built-in wardrobe, *Am.* closet; **'~teppich** *m* tapestry; **'~uhr** *f* wall clock.
Wange ['vaŋə] *f* (-; *-n*) cheek.
wann [van] *interr adv* when, (at) what time: ***seit ~?*** (for) how long?, since when?
Wanne ['vanə] *f* (-; *-n*) tub; *Bade*♀: bath(-tub).
Wanze ['vantsə] *f* (-; *-n*) *zo. Br.* bug, *Am.* bedbug; F *Abhörgerät*: bug.
Wappen ['vapən] *n* (*-s*; -) coat of arms.
Ware ['va:rə] *f* (-; *-n*) *coll. mst* goods *pl*; *Artikel*: article; *Produkt*: product.
'Waren|angebot *n* range of goods; **'~haus** *n* department store; **'~lager** *n* stock; **'~probe** *f* sample; **'~sendung** *f* consignment of goods; *mail.* trade sample; **'~test** *m* product test; **'~zeichen** *n* trademark.
warm [varm] *adj* warm (*a. fig.*); *Essen*: hot: ***~ halten*** (***stellen***) keep warm; ***~ machen*** warm (up).
Wärm|e ['vɛrmə] *f* (-; *no pl*) warmth; *phys.* heat; **'♀en** *v/t* (*h*) warm: ***sich die Füße ~*** warm one's feet; **'~flasche** *f* hot-water bottle.
'Warm|front *f meteor.* warm front; **'♀machen** → ***warm***; **'♀stellen** → ***warm***; **~'wasserversorgung** *f* hot-water supply.
Warn|blinkanlage ['varn-] *f mot.* warning flasher; **'~dreieck** *n mot.* warning triangle; **'♀en** *v/t* (*h*) warn (***vor*** *dat* of, about, against): ***j-n davor ~, et. zu tun*** *a.* warn s.o. not to do s.th.; **'~schild** *n* danger sign; **'~si,gnal** *n* warning signal; **'~streik** *m econ.* token strike; **'~ung** *f* (-; *-en*) warning.
Warschau ['varʃaʊ] Warsaw.
Warteliste ['vartə-] *f* waiting list: ***auf der ~ stehen*** be on the waiting list.
'warten[1] *v/i* (*h*) wait (***auf*** *acc* for): ***darauf ~, dass j-d et. tut*** wait for s.o. to do s.th.; ***j-n ~ lassen*** keep s.o. waiting.
'warten[2] *v/t* (*h*) *tech.* service.
Wärter ['vɛrtər] *m* (*-s*; -) attendant; *Wächter*: guard; *Gefängnis*♀: *Br.* warder, *Am.* guard; *Tier*♀: keeper.
'Warte|saal *m*, **~zimmer** *n* waiting room.
'Wartung *f* (-; *-en*) *tech.* servicing.
warum [va'rʊm] *adv* why.
Warze ['vartsə] *f* (-; *-n*) wart.
was [vas] **1.** *interr pron* what: ***~?*** *überrascht etc*: what?; *wie bitte?*: pardon?, F what?; ***~ machen Sie?*** *gerade*: what are you doing?; *beruflich*: what do you do?; → ***für, geben*** 4, ***kosten***[2], ***sollen*** 1, 2; **2.** *rel pron*: ***alles, ~ ich habe*** (***brauche***) all I have (need); ***ich weiß nicht, ~ ich tun*** (***sagen***) ***soll*** I don't know what to do (say); ..., ***was mich ärgerte ...***, which made me angry; **3.** F *indef pron* → ***etwas.***
Wasch|anlage ['vaʃ-] *f mot.* car wash; *Scheiben*♀: windscreen (*Am.* windshield) washer; **'♀bar** *adj* washable; **'~becken** *n* washbasin, *bsd. Am. a.* washbowl.
Wäsche ['vɛʃə] *f* (-; *no pl*) washing, laundry; *Bett*♀, *Tisch*♀: linen; *Unter*♀: underwear: ***in der ~*** in the wash; *fig.* ***schmutzige ~ waschen*** wash one's dirty linen in public.
'waschecht *adj Farben*: fast; *fig.* genuine.
'Wäsche|klammer *f Br.* clothes peg, *Am.* clothespin; **'~leine** *f* clothesline.
'waschen (*wusch, gewaschen, h*) **1.** *v/t* wash (***sich die Haare*** [***Hände***] one's hair [hands]); F *fig. Geld*: launder; **2.** *v/refl* wash (o.s.), get washed.
Wäsche'rei *f* (-; *-en*) laundry; → ***Waschsalon.***
'Wasch|lappen *m* facecloth, *Br.* face flannel, *Am.* washcloth; **'~ma,schine** *f* washing machine, *Am. a.* washer; **'♀ma,schinenfest** *adj* machine-washable; **'~mittel** *n*, **~pulver** *n* washing powder; **'~raum** *m* washroom; **'~sa,lon** *m Br.* launderette, *Am.* laundromat; **'~straße** *f mot.* car wash.
Wasser ['vasər] *n* (*-s*; ⸚) water; **'~ball** *m* beach ball; *Sport*: water polo; **'~dampf** *m* steam; **'♀dicht** *adj* waterproof; *mar., tech. a.* watertight (*a. fig.*); **'~fall** *m* waterfall; *großer*: falls *pl*; **'~farbe** *f* water colo(u)r; **'~flugzeug** *n* seaplane; **'~graben** *m* ditch; **'~hahn** *m* tap, *Am. a.* faucet.
wässerig ['vɛsərɪç] *adj* watery: ***j-m den Mund ~ machen*** make s.o.'s mouth water (***nach*** for).
'Wasser|kessel *m* kettle; *tech.* boiler;

W

'**~kraftwerk** *n* hydroelectric power plant; '**~leitung** *f* water pipe(s *pl*); '**~mangel** *m* (*-s*; *no pl*) water shortage.

wässern ['vɛsərn] *v/t* (*h*) soak; *Felder etc*: irrigate, water.

'**Wasser|rohr** *n* water pipe; '**2scheu** *adj* afraid of water; '**~spiegel** *m* water level; '**~sport** *m* water sports *pl*; '**~stand** *m* water level; '**~standsanzeiger** *m* (*-s*; -) water ga(u)ge; '**~stoff** *m* (*-[e]s*; *no pl*) *chem.* hydrogen; '**~stoffbombe** *f* hydrogen bomb, H-bomb; '**~strahl** *m* jet of water; '**~straße** *f* waterway; '**~tier** *n* aquatic animal; '**~verschmutzung** *f* water pollution; '**~versorgung** *f* water supply; '**~waage** *f* spirit level; '**~weg** *m* waterway: ***auf dem ~*** by water; '**~welle** *f Frisur*: water wave; '**~werk** *n* waterworks *pl* (*mst sg konstr.*); '**~zeichen** *n* watermark.

waten ['vaːtən] *v/i* (*sn*) wade.

Watt[1] [vat] *n* (*-s*; -) *electr.* watt.

Watt[2] [~] *n* (*-[e]s*; *-en*) *geogr.* mud flats *pl.*

Watte ['vatə] *f* (-; *-n*) cotton wool.

web|en ['veːbən] *v/t u. v/i* (*h*) weave; **2stuhl** ['veːp~] *m* loom.

Wechsel ['vɛksəl] *m* (*-s*; -) change; *Geld2*: exchange; *Bank2*: bill of exchange; *Monats2*: allowance; '**~geld** *n* change; '**2haft** *adj* changeable.

'**Wechselkurs** *m* exchange rate; '**~mechanismus** *m* exchange rate mechanism; '**~risiko** *n* exchange risk; '**~schwankungen** *pl* exchange rate (*od.* currency) fluctuations.

'**wechseln** (*h*) **1.** *v/t allg.* change; *austauschen*: exchange: → ***Besitzer***; **2.** *v/i* change; *verschieden sein, ab~*: vary; '**~d** *adj* varying.

wechselseitig ['~zaɪtɪç] *adj* mutual, reciprocal.

'**Wechsel|strom** *m electr.* alternating current, *abbr.* A.C.; '**~stube** *f* bureau de change; '**~wirkung** *f* interaction.

wecke|n ['vɛkən] *v/t* (*h*) wake (up); *fig. Erinnerungen etc*: awaken; '**2r** *m* (*-s*; -) alarm (clock).

wedeln ['veːdəln] *v/i* (*h*): ***mit dem Schwanz ~*** *Hund*: wag its tail.

weder ['veːdər] *cj*: ***~ … noch*** neither … nor.

weg [vɛk] *adv entfernt, fort, verreist etc*: away; *verschwunden, verloren etc*: gone; *los, ab*: off; F *begeistert*: in raptures (***von*** over, about): ***Finger ~!*** (keep your) hands off!; ***~ (hier)!*** get out (of here)!; F beat it!; '**~bleiben** *v/i* (*irr, sep, -ge-, sn,* → ***bleiben***) stay away; '**~bringen** *v/t* (*irr, sep, -ge-, h,* → ***bringen***) take away.

Weg [veːk] *m* (*-[e]s*; *-e*) way (*a. fig.*); *Straße*: road (*a. fig.*); *Pfad*: path; *Reise2*: route; *Fuß2*: walk: ***auf friedlichem (legalem) ~e*** by peaceful (legal) means; ***j-m aus dem ~ gehen*** get (*fig.* keep) out of s.o.'s way; ***aus dem ~ räumen*** put *s.o.* out of the way; → ***halb.***

wegen ['veːgən] *prp* because of; *um … willen*: for the sake of; *infolge*: due (*od.* owing) to.

'**weg|fahren** (*irr, sep, -ge-,* → ***fahren***) **1.** *v/i* (*sn*) leave, go away (*a. verreisen*); *mot. a.* drive away (*od.* off); **2.** *v/t* (*h*) take away, remove; '**~fallen** *v/i* (*irr, sep, -ge-, sn,* → ***fallen***) be dropped; *aufhören*: stop, be stopped: ***die … werden ~*** there will be no more …; '**2gang** *m* (*-[e]s*; *no pl*) leaving; '**~gehen** *v/i* (*irr, sep, -ge-, sn,* → ***gehen***) go away (*a. fig. Schmerz etc*), leave; *Fleck etc*: come off; *Ware*: sell; '**~jagen** *v/t* (*sep, -ge-, h*) drive (*od.* chase) away; '**~kommen** *v/i* (*irr, sep, -ge-, sn,* → ***kommen***) F get away; *verloren gehen*: get lost: ***gut ~*** come off well; ***mach, dass du wegkommst!*** get out of here!, *sl.* get lost!; '**~lassen** *v/t* (*irr, sep, -ge-, h,* → ***lassen***) let *s.o.* go; *bsd. et.*: leave out; '**~laufen** *v/i* (*irr, sep, -ge-, sn,* → ***laufen***) run away (***[vor] j-m*** from s.o.) (*a. fig.*); '**~legen** *v/t* (*sep, -ge-, h*) put away; '**~müssen** *v/i* (*irr, sep, -ge-, h,* → ***müssen***) F have to go: ***ich muss jetzt weg*** I must be off now; '**~nehmen** *v/t* (*irr, sep, -ge-, h,* → ***nehmen***) take away (***von*** from); *Platz, Zeit*: take up; *stehlen* (*a. fig. Frau etc*): steal: ***j-m et. ~*** take s.th. (away) from s.o.; '**~räumen** *v/t* (*sep, -ge-, h*) clear away, remove; '**~schaffen** *v/t* (*sep, -ge-, h*) remove; '**~schicken** *v/t* (*sep, -ge-, h*) send away (*od.* off); '**~sehen** *v/i* (*irr, sep, -ge-, h,* → ***sehen***) look away; '**~tun** *v/t* (*irr, sep, -ge-, h,* → ***tun***) F put away.

'**Wegweiser** *m* (*-s*; *-s*) signpost.

'**wegwerf|en** *v/t* (*irr, sep, -ge-, h,* → ***werfen***) throw away; '**2flasche** *f* nonreturnable bottle; '**2gesellschaft** *f* throwaway society.

'**weg|wischen** *v/t* (*sep*, *-ge-*, *h*) wipe off; *fig*. *Einwand etc*: brush aside; '**~ziehen** (*irr*, *sep*, *-ge-*, → ***ziehen***) **1.** *v/i* (*sn*) move away; **2.** *v/t* (*h*) pull away.
weh [veː] *adj* sore; ~ ***tun*** → ***wehtun.***
wehen [~] *v/i* (*h*) blow; *Fahne*: wave, flutter.
Wehen ['veːən] *pl med*. labo(u)r *sg*.
weh|leidig ['veːlaɪdɪç] *adj* hypochondriac; *Stimme*: whining; '**≈mut** *f* (-; *no pl*) nostalgia; **~mütig** ['~myːtɪç] *adj* *Gefühl*: nostalgic; *Lächeln etc*: wistful.
Wehr[1] [veːr] *n* (-[*e*]*s*; *-e*) weir, dam.
Wehr[2] [~] *f*: ***sich zur ~ setzen*** → ***wehren***; '**~dienst** *m* (-[*e*]*s*; *no pl*) *mil*. military service; '**~dienstverweigerer** *m* (*-s*; *-*) *mil*. conscientious objector; '**≈en** *v/refl* (*h*) defend o.s. (***gegen*** against): *fig*. ***sich gegen et. ~*** resist s.th.; '**≈los** *adj* defenceless, *Am*. defenseless; *fig*. helpless; '**~pflicht** *f* (-; *no pl*) *mil*. compulsory military service; '**≈pflichtig** *adj* liable for military service; '**~pflichtige** *m* (*-n*; *-n*) person liable for military service.
'**wehtun** *v/i* (*irr*, *sep*, *-ge- h* → ***tun***) hurt (***j-m*** s.o.; *fig*. *a*. s.o.'s feelings); *Kopf etc*: *a*. be aching; ***sich*** (***am Finger***) ~ hurt o.s. (hurt one's finger).
Weib|chen ['vaɪpçən] *n* (*-s*; *-*) *zo*. female; '**≈lich** *adj* female; *gr*., *Art*, *Stimme etc*: feminine.
weich [vaɪç] *adj* soft (*a. fig.*); *zart*: tender; *gar*: done; *Ei*: soft-boiled: ~ ***werden*** soften; → '**~werden** *v/i* (*irr*, *sep*, *-ge-*, *sn*, → ***werden***) *fig*. give in.
'**Weiche** *f* (-; *-n*) *rail*. *Br*. points *pl*, *Am*. switch.
'**weichen** *v/i* (*wich*, *gewichen*, *sn*) give way (*dat* to), yield (to); *verschwinden*: go (away).
weiger|n ['vaɪgərn] *v/refl* (*h*) refuse; '**≈ung** *f* (-; *-en*) refusal.
Weiher ['vaɪər] *m* (*-s*; *-*) pond.
Weihnachten ['vaɪnaxtən] *n* (-; -) Christmas, F Xmas: ***zu ~*** at Christmas; ***fröhliche*** (*od*. ***frohe***) ***~!*** merry Christmas!; *auf Karten*: *a*. Season's Greetings.
'**Weihnachts|abend** *m* Christmas Eve; '**~baum** *m* Christmas tree; '**~einkäufe** *pl* Christmas shopping *sg*; '**~ferien** *pl* Christmas holidays *pl* (*Am*. vacation *sg*); '**~geld** *n* Christmas bonus; '**~geschenk** *n* Christmas present; '**~lied** *n* (Christmas) carol; '**~mann** *m*: ***der ~*** Father Christmas, Santa Claus; '**~markt** *m* Christmas fair; '**~tag** *m* Christmas Day: ***zweiter ~*** day after Christmas, *Br*. Boxing Day; '**~zeit** *f* (-; *no pl*) Christmas season.
Weih|rauch ['vaɪ~] *m* (-[*e*]*s*; *no pl*) incense; '**~wasser** *n* (*-s*; *no pl*) holy water.
weil [vaɪl] *cj* because; *da*: since, as.
Weil|chen ['vaɪlçən] *n* (*-s*; *no pl*): ***ein ~*** a little while; '**~e** *f* (-; *no pl*): ***e-e ~*** a while.
Wein [vaɪn] *m* (-[*e*]*s*; *-e*) wine; '**~bau** *m* (-[*e*]*s*; *no pl*) wine growing; '**~beere** *f* grape; '**~berg** *m* vineyard; '**~brand** *m* (-[*e*]*s*; *≈e*) brandy.
weine|n ['vaɪnən] *v/i* (*h*) cry (***vor*** *dat* with; ***nach*** for; ***wegen*** about, over); '**~rlich** *adj* tearful; *Stimme*: whining.
'**Wein|essig** *m* wine vinegar; '**~fass** *n* wine cask; '**~flasche** *f* wine bottle; '**~gegend** *f* wine-growing area; '**~karte** *f* wine list; '**~keller** *m* wine cellar; '**~kenner** *m* wine connoisseur; '**~lese** *f* (-; *-n*) grape harvest; '**~lo,kal** *n* wine bar (*od*. tavern); '**~probe** *f* wine tasting (session); '**≈rot** *adj* wine-red; '**~see** *m* *econ*. wine lake; '**~traube** *f* → ***Traube.***
weise ['vaɪzə] *adj* wise.
Weise [~] *f* (-; *-n*) *Art u*. ~: way: ***auf diese*** (***die gleiche***) ~ this (the same) way; ***auf m-e*** (***s-e***) ~ my (his) way.
weisen ['vaɪzən] *v/t* (*wies*, *gewiesen*, *h*): ***von sich ~*** reject; *Verdacht etc*: repudiate.
Weisheit ['vaɪshaɪt] *f* (-; *-en*) wisdom: ***mit s-r ~ am Ende*** at one's wit's end; '**~szahn** *m* wisdom tooth.
'**weismachen** *v/t* (*sep*, *-ge-*, *h*): ***j-m ~, dass*** make s.o. believe that.
weiß [vaɪs] *adj* white; '**≈brot** *n* white bread; '**≈e** *m*, *f* (*-n*; *-n*) white man (woman): ***die ~n*** *pl* the whites *pl*; '**≈kohl** *m*, '**≈kraut** *n* (white) cabbage; '**~lich** *adj* whitish; '**≈wein** *m* white wine.
'**Weisung** *f* (-; *-en*) instruction, directive.
weit [vaɪt] **1.** *adj* wide; *Kleidung*: *a*. big; *Reise*, *Weg*: long; **2.** *adv* far, a long way (*a. zeitlich u. fig.*): ***~ weg*** far away (***von*** from); ***von ~em*** from a distance; ***~ u. breit*** far and wide; ***~ besser*** far (*od*. much) better; ***zu ~ gehen*** go too far;

es ~ bringen go far, F go places; ***wir haben es ~ gebracht*** we have come a long way; → ***bei***; ***~ reichend*** far-reaching; ***~ verbreitet*** widespread.

'**weitaus** *adv* far, much.

weiter ['vaɪtər] *adv*: ***u. so ~*** and so on (*od.* forth), et cetera; ***nichts ~*** nothing else; '**~arbeiten** *v/i* (*sep*, *-ge-*, *h*) go on working; '**~bilden** *v/refl* (*sep*, *-ge-*, *h*) improve one's knowledge; *schulisch*, *beruflich*: continue one's education (*od.* training); '**2bildung** *f* (-; *no pl*) further education (*od.* training).

'**weitere** *adj* another, further, additional: ***alles*** **2** the rest; ***bis auf ~s*** until further notice; ***ohne ~s*** easily.

'**weiter|geben** *v/t* (*irr*, *sep*, *-ge-*, *h*, → ***geben***) pass (*dat*, ***an*** *acc* to) (*a. fig.*); '**~gehen** *v/i* (*irr*, *sep*, *-ge-*, *sn*, → ***gehen***) move on; *fig.* continue, go on; '**~'hin** *adv ferner*: further(more): ***et. ~ tun*** go on doing s.th., continue doing (*od.* to do) s.th.; '**~kommen** *v/i* (*irr*, *sep*, *-ge-*, *sn*, → ***kommen***) get on (*fig.* in life); '**~leben** *v/i* (*sep*, *-ge-*, *h*) live on; *fig. a.* survive; '**~machen** *v/t u. v/i* (*sep*, *-ge-*, *h*) go (*od.* carry) on (with), continue; '**2verkauf** *m* (-[*e*]*s*; *no pl*) resale.

'**weit|gehend** **1.** *adj* considerable; **2.** *adv* largely; '**~sichtig** *adj med.* long-sighted, *bsd. Am. u. fig.* farsighted; '**2sprung** *m* (-[*e*]*s*; *no pl*) long (*Am.* broad) jump.

Weizen ['vaɪtsən] *m* (-*s*; -) *bot.* wheat.

welche|(r), **~s** ['vɛlçə(r)] **1.** *interr pron* what, *auswählend*: which: ***welcher?*** which one?; ***welcher von beiden?*** which of the two?; **2.** *rel pron* who, that; *bei Sachen*: which, that; **3.** *indef pron* F some, any.

welk [vɛlk] *adj* faded, withered; *Haut*: flabby; '**~en** *v/i* (*sn*) fade, wither.

Wellblech ['vɛl-] *n* corrugated iron.

Welle ['vɛlə] *f* (-; *-n*) wave (*a. phys.*, *fig.*); *tech.* shaft; '**2n** *v/t u. v/refl* (*h*) wave; '**~nbereich** *m electr.* wave range; '**~nlänge** *f electr.* wavelength; '**~nlinie** *f* wavy line; **~nsittich** ['-zɪtɪç] *m* (-*s*; -*e*) *zo.* budgerigar, F budgie.

wellig ['vɛlɪç] *adj* wavy.

Welt [vɛlt] *f* (-; *-en*) world: ***die ganze ~*** the whole world; ***auf der ganzen ~*** all over (*od.* throughout) the world; ***das beste*** *etc* … ***der ~*** the best *etc* … in the world, the world's best *etc* …; ***zur ~ kommen*** be born; ***zur ~ bringen*** give birth to; '**~all** *n* (-*s*; *no pl*) universe; '**~anschauung** *f* philosophy (of life); '**~ausstellung** *f* world fair; '**~bank** *f* (-; *no pl*) World Bank; '**2berühmt** *adj* world-famous; '**2fremd** *adj* unrealistic; *Gelehrter etc*: ivory-tower; '**~handel** *m* international trade; '**~krieg** *m* world war: ***der Zweite ~*** World War II; '**~kugel** *f* globe; '**~lage** *f* (-; *no pl*) international situation; '**2lich** *adj* worldly; '**~litera,tur** *f* (-; *no pl*) world literature; '**~macht** *f* world power; '**~markt** *m* world market; '**~meer** *n* ocean; '**~meister** *m* world champion; '**~meisterschaft** *f* world championship; *bsd. Fußball2*: World Cup; '**~raum** *m* (-[*e*]*s*; *no pl*) (outer) space; '**~raum…** *in Zssgn* → ***Raumanzug*** *etc.*; '**~reich** *n* empire; '**~reise** *f* world trip; '**~re,kord** *m* world record; '**~sprache** *f* universal language; '**~stadt** *f* metropolis; '**~untergang** *m* end of the world; '**2weit** *adj* worldwide; '**~wirtschaft** *f* (-; *no pl*) world economy; '**~wirtschaftskrise** *f* worldwide economic crisis.

Wende ['vɛndə] *f* (-; *-n*) *e-s Jahrhunderts*: turn; *Änderung*: change; '**~kreis** *m geogr.* tropic; *mot.* turning circle.

Wendeltreppe ['vɛndəl-] *f* spiral staircase.

'**wenden**[1] (*h*) **1.** *v/t* turn; *Braten etc*: turn over; *Auto*: turn (round); **2.** *v/i mot.* turn (round), make a U-turn: ***bitte ~*** please turn over, *abbr.* pto.

'**wende|n**[2] *v/refl* (*mst wandte*, *gewandt*, *h*): ***sich an j-n ~*** ask s.o. (***um*** *Auskunft*, *Erlaubnis* for), turn to s.o. (***um*** *Hilfe*, *Rat* for); '**2punkt** *m* turning point (*a. fig.*).

wendig ['vɛndɪç] *adj Fahrzeug*: *bsd. Br.* manoeuvrable, *Am.* maneuverable; *Person*: nimble; *geistig*: *a.* nimble-minded.

wenig ['veːnɪç] *indef pron u. adv* little: **~*(e)*** *pl* few; ***nur ~e*** only few; *ein paar*: only a few; ***(in) ~er als*** (in) less than; ***am ~sten*** least of all; ***er spricht ~*** he doesn't talk much; ***(nur) ein (klein) ~*** (just) a little (bit); '**~stens** *adv* at least.

wenn [vɛn] *cj* when; *falls*: if: ***~ … nicht*** if … not, unless; ***~ auch*** (al)though, even though; ***wie*** (*od.* ***als***) ***~*** as though, as if;

~ *ich nur … wäre!* if only I were …!; ***u. ~ nun …?*** what if …?
wer [veːr] **1.** *interr pron* who, *auswählend*: which: **~ *von euch?*** which of you?; **2.** *rel pron* who: **~ *auch*** (***immer***) who(so)ever; **3.** *indef pron* F somebody; *fragend, verneinend*: anybody.
'**Werbe|ab,teilung** ['vɛrbə-] *f* publicity department; '**~agen,tur** *f* advertising agency; '**~fernsehen** *n* TV commercials *pl*; '**~film** *m* promotion(al) film; '**~funk** *m* radio commercials *pl*; '**~geschenk** *n* promotional gift; '**~kam,pagne** *f* publicity (*od.* advertising) campaign; '**2n** (*warb, geworben, h*) **1.** *v/i*: **~ *für*** advertise, promote; **2.** *v/t Mitglieder etc*: enlist; *Kunden, Stimmen*: attract: ***j-n ~ für*** win s.o.over to; **~slogan** ['-sloːgən] *m* (*-s*; *-s*) advertising slogan; **~spot** ['-spɔt] *m* (*-s*; *-s*) commercial.
'**Werbung** *f* (-; *no pl*) advertising, publicity: **~ *machen für*** → ***werben*** 1; '**~skosten** *pl Steuer*: professional outlay *sg*.
Werde|gang ['vɛrdə-] *m* (-[*e*]*s*; *no pl*) *beruflicher*: career; '**2n** (*wurde, geworden, sn*) **1.** *v/i* get, become: → ***alt***, ***rot***, ***schlecht*** *etc*; **2.** *v/aux* (*pp* worden): ***ich werde fahren*** I will drive; ***es wird gleich regnen*** it's going to rain; ***geliebt ~*** be loved.
werfen ['vɛrfən] (*warf, geworfen, h*) **1.** *v/t* throw (***nach*** at); *Schatten*: cast; **2.** *v/i*: ***mit et.*** (***nach j-m***) **~** throw s.th. (at s.o.); ***mit Geld um sich ~*** throw one's money about.
Werft [vɛrft] *f* (-; *-en*) shipyard.
Werk [vɛrk] *n* (-[*e*]*s*; *-e*) work; *gutes*: *a.* deed; *tech.* works *pl*, mechanism; *Fabrik*: works *pl* (*mst sg konstr.*); '**~bank** *f* (-; *⸚e*) *tech.* workbench; '**~statt** *f* (-; *⸚en*) workshop; *Auto2*: garage; '**~tag** *m* workday, working day; '**2tags** *adv* on weekdays; '**2tätig** *adj* working; '**~zeug** *n* (-[*e*]*s*; *-e*) tool (*a. fig.*); *coll.* tools *pl*; *feines*: instrument; '**~zeugmacher** *m* toolmaker.
wert [veːrt] *adj* worth; *in Zssgn sehens~ etc*: worth *seeing etc*: ***die Mühe*** (***e-n Versuch***) **~** worth the trouble (a try); *fig.* ***nichts ~*** no good.
Wert [-] *m* (-[*e*]*s*; *-e*) *allg.* value; *bsd. fig. u. in Zssgn*: *a.* worth; *Sinn, Nutzen*: use: **~*e*** *pl Daten*: data *pl* (*a. sg konstr.*), figures *pl*; … ***im ~(e) von e-m Pfund*** a pound's worth of …; ***großen*** (***wenig, keinen, nicht viel***) **~ *legen auf*** (*acc*) set great (little, no, not much) store by; '**2en** *v/t* (*h*) assess; *beurteilen*: judge; '**~gegenstand** *m* article of value; '**2los** *adj* worthless; '**~pa,piere** *pl econ.* securities *pl*; '**~papiermärkte** *pl* securities markets *pl*; '**~sachen** *pl* valuables *pl*; '**~ung** *f* (-; *-en*) assessment; judg(e)ment; '**2voll** *adj* valuable.
Wesen ['veːzən] *n* (*-s*; -) *Lebe2*: being, creature; *~skern*: essence; *Natur*: nature, character; '**2tlich** *adj* essential; *beträchtlich*: considerable: ***im 2en*** on the whole.
weshalb [vɛs'halp] *interr adv* why.
Wespe ['vɛspə] *f* (-; *-n*) *zo.* wasp.
West|en ['vɛstən] *m* (*-s*; *no pl*) west; *westlicher Landesteil*: West (*a. pol.*): ***nach ~*** west(wards); '**2lich** **1.** *adj* west (-ern); **2.** *adv*: **~ *von*** (to the) west of.
Wettbewerb ['vɛtbəvɛrp] *m* (-[*e*]*s*; *-e*) competition (*a. econ.*), contest; '**2sfähig** *adj* competitive; '**~sfähigkeit** *f* competitiveness; '**~snachteil** *m* competitive disadvantage; '**~svorteil** *m* competitive advantage.
'**Wett|bü,ro** *n* betting office; '**~e** *f* (-; *-n*) bet: ***e-e ~ schließen*** make a bet; '**2eifern** *v/i* (*insep, ge-, h*) vie, compete (*beide*: ***mit*** with; ***um*** for); '**2en** *v/i u. v/t* (*h*) bet (***mit j-m um 10 Pfund*** s.o. ten pounds): **~ *auf*** (*acc*) bet on, back.
'**Wetter**[1] *m* (*-s*; -) better.
'**Wetter**[2] [-] *n* (*-s*; -) weather; '**~bericht** *m* weather report; '**2fest** *adj* weatherproof; **2fühlig** ['-fyːlɪç] *adj* weather-sensitive; '**~karte** *f* weather chart (*od.* map); '**~lage** *f* weather situation; '**~leuchten** *n* (*-s*; *no pl*) sheet lightning; '**~vor,hersage** *f* weather forecast.
'**Wett|kampf** *m* competition, contest; '**2machen** *v/t* (*sep, -ge-, h*) make up for; '**~rüsten** *n* (*-s*; *no pl*) arms race.
wichtig ['vɪçtɪç] *adj* important: ***et. ~ nehmen*** take s.th. seriously; '**2keit** *f* (-; *no pl*) importance; '**2tuer** *m* (*-s*; -) pompous ass.
Wickel ['vɪkəl] *m* (*-s*; -) *med.* compress; '**2n** *v/t* (*h*) *Baby*: change: **~ *in*** (*acc*) (***um***) wrap in ([a]round).
Widder ['vɪdər] *m* (*-s*; -) *zo.* ram.
wider ['viːdər] *prp*: **~ *Willen*** against one's will; **~ *Erwarten*** contrary to ex-

pectation; '**⁓haken** *m* barb; **⁓'legen** *v/t* (*insep, no -ge-, h*) refute, disprove; '**⁓lich** *adj* revolting, disgusting; '**⁓rechtlich** *adj* illegal, unlawful; '**⁓rede** *f* contradiction(s *pl*): ***keine ⁓!*** no arguments!; '**⁓ruf** *m* revocation, withdrawal; retraction; **⁓'rufen** *v/t* (*irr, insep, no -ge-, h,* → ***rufen***) *Anordnung, Erlaubnis etc*: revoke, withdraw; *Aussage, Geständnis etc*: retract; **⁓'setzen** *v/refl* (*insep, no -ge-, h*) oppose, resist (*beide*: ***e-r Sache*** s.th.); '**⁓sinnig** *adj* absurd; **⁓spenstig** ['-ʃpɛnstɪç] *adj* unruly (*a. Haar etc*), stubborn; '**⁓spiegeln** (*sep, -ge-, h*) **1.** *v/t* reflect (*a. fig.*); **2.** *v/refl* be reflected (***in*** *dat* in); **⁓'sprechen** *v/i* (*irr, insep, no -ge-, h,* → ***sprechen***) contradict (***j-m*** s.o.; ***sich*** o.s.); '**⁓spruch** *m* contradiction: ***im ⁓ stehen zu*** be inconsistent with, contradict; '**⁓sprüchlich** ['-ʃprʏçlɪç] *adj* contradictory; '**⁓spruchslos** *adv* without a word of protest; '**⁓stand** *m* (-[*e*]*s*; ⁓*e*) resistance, opposition (*beide*: ***gegen*** to); *electr.* resistor: ***⁓ leisten*** offer resistance (*dat* to); '**⁓standsfähig** *adj* resistant (***gegen*** to), robust; **⁓'stehen** *v/i* (*irr, insep, no -ge-, h,* → ***stehen***) resist; **⁓'streben** *v/i* (*insep, no -ge-, h*): ***es widerstrebt mir, dies zu tun*** I hate doing (*od.* to do) that; **⁓'strebend** *adv* reluctantly; **⁓wärtig** ['-vɛrtɪç] *adj* disgusting; '**⁓wille** *m* aversion (***gegen*** to, for, from), dislike (to, of, for); *Ekel*: disgust (at, for); '**⁓willig** *adj* reluctant, unwilling.

widm|en ['vɪtmən] *v/t* (*h*) dedicate (*dat* to); '**⁓ung** *f* (-; *-en*) dedication.

widrig ['viːdrɪç] *adj* adverse.

wie [viː] **1.** *interr adv* how: ***⁓ ist er?*** what is he like?; ***⁓ ist das Wetter?*** what's the weather like?; ***⁓ nennt man …?*** what do you call …?; ***⁓ wäre*** (***ist, steht***) ***es mit ..?*** what (*od.* how) about …?; → ***gehen*** 2, ***heißen***;; ***⁓ viel*** how much; *pl* how many; **2.** *cj* like, as: ***⁓ neu*** (***verrückt***) like new (mad); ***⁓*** (***zum Beispiel***) such as, like; ***ich zeige*** (***sage***) ***dir, ⁓*** (**…**) I'll show (tell) you how (…); → ***doppelt, so*** 1, ***üblich.***

wieder ['viːdər] *adv* again: ***⁓ aufbauen*** reconstruct; ***⁓ aufbereiten*** recycle; *bsd. Kerntechnik*: reprocess; ***⁓ aufnehmen*** resume; ***⁓ beleben*** *et.* revive; *j-n* → ***wiederbeleben***; ***⁓ einführen*** reintroduce; ***⁓ entdecken*** rediscover; ***⁓ erkennen*** recognize (***an*** *dat* by); ***⁓ finden*** find again; *fig.* → ***wiederfinden***; ***⁓ gutmachen*** make up for; ***⁓ sehen*** → ***wiedersehen***; ***⁓ vereinigen*** reunite; ***⁓ verwenden*** reuse; ***⁓ verwerten*** recycle; ***⁓ wählen*** re-elect; → ***immer.***

Wieder|'aufbau *m* (-[*e*]*s*; *no pl*) reconstruction; *econ.* recovery; **⁓'aufbereitung** *f* (-; *-en*) recycling; reprocessing; **⁓'aufbereitungsanlage** *f* recycling plant; reprocessing plant; **⁓'aufleben** *n* (*-s*; *no pl*) revival; **⁓'aufnahme** *f* (-; *no pl*) resumption; '**⁓bekommen** *v/t* (*irr, sep, no -ge-, h,* → ***kommen***) get back; '**⁓beleben** *v/t* (*sep,* no *-ge-, h*) *jdn* resuscitate, revive; '**⁓belebungsversuch** *m* attempt at resuscitation; '**⁓bringen** *v/t* (*irr, sep, -ge-, h,* → ***bringen***) bring back; *zurückgeben*: return; *Brauch etc*: revive; *econ.* reimport; '**⁓einführen** → ***wieder***; **⁓'einführung** *f* (-; *no pl*) reintroduction; revival; *econ.* reimportation; '**⁓entdeckung** *f* rediscovery; '**⁓ergreifung** *f* (-; *no pl*) recapture; '**⁓finden** *v/t* (*irr, sep, -ge-, h,* → ***finden***) *fig.* regain; '**⁓gabe** *f* (-; *no pl*) reproduction; *Tonband*: playback; '**⁓geben** *v/t* (*irr, sep, -ge-, h,* → ***geben***) reproduce; *zurückgeben*: give back, return (*beide*: *dat* to); *schildern*: describe; **⁓'herstellen** *v/t* (*sep, -ge-, h*) restore; **⁓'holen** (*insep, no -ge-, h*) **1.** *v/t* repeat; **2.** *v/refl* repeat o.s. (*a. fig. Geschichte etc*); **⁓'holt** *adv* repeatedly, several times; **⁓'holung** *f* (-; *-en*) repetition; *Rundfunk, TV*: repeat, rerun; *TV Sport*: replay; '**⁓hören** *n*: ***auf ⁓!*** *teleph.* goodbye; **⁓kehr** ['-keːr] *f* (-; *no pl*) return; recurrence; '**⁓kehren** *v/i* (*sep, -ge-, sn*) return; *sich wiederholen*: recur; '**⁓kommen** *v/i* (*irr, sep, -ge-, sn,* → ***kommen***) come back, return; '**⁓sehen** *v/t* (*irr, sep, -ge-, h,* → ***sehen***) see again: ***sich ⁓*** meet again; '**⁓sehen** *n* (*-s*; -) reunion: ***auf ⁓!*** goodbye; '**⁓vereinigung** *f* reunion; *bsd. pol. a.* reunification; '**⁓verwendung** *f* (-; *-en*) reuse; '**⁓verwertung** *f* (-; *-en*) recycling; '**⁓wahl** *f* (-; *no pl*) re-election.

wiegen[1] ['viːgən] (*wog, gewogen, h*) **1.** *v/t u. v/i* weigh; **2.** *v/refl* weigh o.s.

wiegen[2] [-] *v/t u. v/refl* (*h*): ***j-n*** (***sich***) ***in Sicherheit ⁓*** lull s.o. (o.s.) into a false sense of security; '**⁓lied** *n* lullaby.

Wien [viːn] Vienna.
Wiese ['viːzə] *f* (-; -*n*) meadow.
wieso [vi'zoː] *interr adv* why.
wievielte *adj*: ***den ♀n haben wir heute?*** what's the date today?
wild [vɪlt] *adj* wild (*a. fig.*) (F ***auf*** *acc* about); *heftig*: violent: → ***Streik.***
Wild [-] *n* (-[*e*]*s*; *no pl*) *hunt.* game; *Braten*: *mst* venison; '**~leder** *n* suede; '**~nis** *f* (-; -*se*) wilderness; '**~schwein** *n zo.* wild boar; **~'westfilm** *m* western.
Wille ['vɪlə] *m* (-*ns*; *no pl*) will; *Absicht*: *a.* intention: ***s-n ~n durchsetzen*** have one's way; ***j-m s-n ~n lassen*** let s.o. have his (own) way; '**♀n** *prp*: ***um*** (*gen*) … **~** for the sake of …; '**♀nlos** *adj* weak(-willed).
'**Willens|freiheit** *f* (-; *no pl*) freedom of will; '**~kraft** *f* (-; *no pl*) willpower; '**♀stark** *adj* strong-willed.
'**will|ig** *adj* willing; **~'kommen** *adj* welcome (*dat*, ***in*** *dat* to): **~ *heißen*** welcome; **~kürlich** ['-kyːrlɪç] *adj* arbitrary; *Auswahl etc*: *a.* random.
wimm|eln ['vɪməln] *v/i* (*h*): **~ *von*** be teeming with; '**~ern** *v/i* (*h*) whimper.
Wimper ['vɪmpər] *f* (-; -*n*) eyelash; '**~ntusche** *f* mascara.
Wind [vɪnt] *m* (-[*e*]*s*; -*e*) wind.
Windel ['vɪndəl] *f* (-; -*n*) *bsd. Br.* napkin, *Am.* diaper.
winden ['vɪndən] *v/refl* (*wand*, *gewunden*, *h*) writhe (***vor*** *dat* with).
'**Windhund** *m zo.* greyhound.
windig ['vɪndɪç] *adj* windy.
'**Wind|mühle** *f* windmill; '**~pocken** *pl med.* chickenpox *sg*; '**~richtung** *f* direction of the wind; '**~schutzscheibe** *f mot. bsd. Br.* windscreen, *Am.* windshield; '**~stärke** *f* wind speed; '**♀still** *adj* calm; '**~stille** *f* calm; '**~stoß** *m* gust.
Wink [vɪŋk] *m* (-[*e*]*s*; -*e*) sign; *fig.* hint.
Winkel ['vɪŋkəl] *m* (-*s*; -) *math.* angle; *Ecke*: corner.
winken ['vɪŋkən] *v/i* (*h*) wave: ***mit et.*** **~** wave s.th.; ***j-m*** **~** wave to s.o.; *Zeichen geben*: signal to s.o.; *j-n her~*: beckon s.o.; ***e-m Taxi*** **~** hail (*od.* wave down) a taxi.
Winter ['vɪntər] *m* (-*s*; -) winter: ***im*** **~** in winter; '**~anfang** *m* beginning of winter; '**~fahrplan** *m* winter timetable (*Am.* schedule); '**♀lich** *adj* wintry; '**~reifen** *m mot.* winter (*od.* snow) tyre (*Am.* tire); '**~schlussverkauf** *m* winter sales *pl*; '**~sport** *m* winter sports *pl*; '**~urlaub** *m* winter holidays *pl* (*Am.* vacation).
Winzer ['vɪntsər] *m* (-*s*; -) winegrower.
winzig ['vɪntsɪç] *adj* tiny, minute.
Wipfel ['vɪpfəl] *m* (-*s*; -) (tree)top.
wir [viːr] *pers pron* we: **~ *drei*** the three of us; F ***wir sind's!*** it's us!
Wirbel ['vɪrbəl] *m* (-*s*; -) *anat.* vertebra; *fig.* fuss; '**~säule** *f anat.* spinal column, spine; '**~sturm** *m* cyclone.
wirk|en ['vɪrkən] *v/i* (*h*) work, be effective; *aussehen*: look: ***anregend*** *etc* **~** have a stimulating *etc* effect (***auf*** *acc* on); '**~lich** *adj* real, actual; *echt*: true, genuine; '**♀lichkeit** *f* (-; *no pl*) reality: ***in*** **~** in reality, actually; '**~sam** *adj* effective; '**♀ung** *f* (-; -*en*) effect; '**~ungslos** *adj* ineffective; '**~ungsvoll** *adj* effective.
wirr [vɪr] *adj* confused, mixed-up; *Haar*: tousled; '**♀en** *pl* disorder *sg*, confusion *sg*; **♀warr** ['-var] *m* (-*s*; *no pl*) confusion, mess, chaos.
Wirt [vɪrt] *m* (-[*e*]*s*; -*e*) landlord; '**~in** *f* (-; -*nen*) landlady.
'**Wirtschaft** *f* (-; -*en*) *econ. pol.* economy; *Geschäftswelt*: business; *Wirtshaus*: *bsd. Br.* pub, *Am.* bar; '**~erin** *f* (-; -*nen*) housekeeper; '**~ler** *m* (-*s*; -) economist; '**♀lich** *adj* economic; *sparsam*: economical.
'**Wirtschafts|abkommen** *n* economic (*od.* trade) agreement; '**~asy,lant** *m* economic migrant; '**~aufschwung** *m* economic upturn; '**~beziehungen** *pl* economic (*od.* trade) relations *pl*; '**~gipfel** *m* economic summit; '**~krise** *f* economic crisis; '**~poli,tik** *f* economic policy; '**~teil** *m Zeitung*: business section; '**~wachstum** *n* economic growth; '**~wunder** *n* economic miracle.
'**Wirtshaus** *n bsd. Br.* pub, *Am.* bar.
wische|n ['vɪʃən] *v/t* wipe: → ***Staub***; '**♀r** *m* (-*s*; -) *mot.* wiper; '**♀rblatt** *n mot.* wiper blade.
wispern ['vɪspərn] *v/t u. v/i* (*h*) whisper.
wissbegierig ['vɪs-] *adj* curious.
wissen ['vɪsən] *v/t u. v/i* (*wusste*, *gewusst*, *h*) know (***von*** about): ***ich möchte*** **~** I'd like to know, I wonder; ***soviel ich weiß*** as far as I know; ***weißt du*** you know; ***weißt du noch?*** (do you) remember?; ***woher weißt du das?*** how do you know?; ***man kann nie*** **~** you

W

never know; ***ich will davon*** (***von ihm***) ***nichts ~*** I don't want anything to do with it (him).

Wissen [-] *n* (*-s*; *no pl*) knowledge; *praktisches*: *a.* know-how: ***m-s ~s*** as far as I know.

'Wissenschaft *f* (*-*; *-en*) science; **'~ler** *m* (*-s*; *-*) scientist; **'2lich** *adj* scientific.

'Wissens|gebiet *n* field of knowledge; **'~lücke** *f* gap in one's knowledge; **'2wert** *adj* worth knowing: ***2es*** useful facts *pl*; ***alles 2e*** (***über*** *acc*) all you need to know (about).

Witterung ['vɪtərʊŋ] *f* (*-*; *-en*) weather; **'~sverhältnisse** *pl* weather conditions *pl*.

Witwe ['vɪtvə] *f* (*-*; *-n*) widow; **'~nrente** *f* widow's pension; **'~r** *m* (*-s*; *-*) widower.

Witz [vɪts] *m* (*-es*; *-e*) joke: ***~e reißen*** crack jokes; **'2ig** *adj* funny; *geistreich*: witty.

wo [voː] *interr adv u. rel adv* where; **~'bei 1.** *interr adv*: ***~ bist du gerade?*** what are you doing right now?; **2.** *rel adv*: ***~ mir einfällt*** which reminds me.

Woche ['vɔxə] *f* (*-*; *-n*) week.

'Wochen|arbeitszeit *f* weekly working hours *pl*; **'~ende** *n* weekend: ***am ~*** at (*Am.* on) the weekend; **'~karte** *f* weekly season ticket; **'2lang 1.** *adj*: ***~es Warten*** (many) weeks of waiting; **2.** *adv* for weeks; **'~lohn** *m* weekly wages *pl*; **'~markt** *m* weekly market; **'~tag** *m* weekday.

wöchentlich ['vœçəntlɪç] **1.** *adj* weekly; **2.** *adv* weekly, every week: ***einmal ~*** once a week.

wo|'durch 1. *interr adv* how; **2.** *rel adv* by (*od.* through) which; **~'für**; **1.** *interr adv* what (…) for; **2.** *rel adv* for which.

Woge ['voːgə] *f* (*-*; *-n*) wave, *fig. a.* surge.

wo|'her *interr adv u. rel adv* where (…) from: → ***wissen***; **~'hin** *interr adv u. rel adv* where (…) to.

wohl [voːl] *adv* well: ***sich ~ fühlen*** feel fine; *wie zu Hause*: feel at home; ***sich bei j-m ~ fühlen*** feel comfortable with s.o.; ***ich fühle mich nicht ~*** I don't feel well; ***~ tun*** → ***wohltun***; ***~ od. übel*** willy-nilly, whether I *etc* like it or not; ***~ kaum*** hardly.

Wohl [-] *n* (*-*[*e*]*s*; *no pl*) *~befinden*: well-being: ***auf j-s ~ trinken*** drink to s.o.('s health); ***zum ~!*** to your health!, F cheers!; **'~fahrtsstaat** *m* welfare state; **'~fühlen** → ***wohl***; **'2gemerkt** *adv* mind you; **'2gesinnt** *adj*: ***j-m ~ sein*** be well disposed towards s.o.; **'2habend** *adj* well-off, well-to-do; **'2ig** *adj* cosy, *Am. mst* cozy; **'~stand** *m* (*-*[*e*]*s*; *no pl*) prosperity, affluence; **'~standsgesellschaft** *f* affluent society; **'~tat** *f fig.* pleasure; *Erleichterung*: relief; *Segen*: blessing; **'2tätig** *adj* charitable: ***für ~e Zwecke*** for charity; **'~tätigkeitskon,zert** *n* charity concert; **'2tun** *v/i* (*irr*, *sep*, *-ge-*, *h*, → ***tun***) do good; **'2verdient** *adj* well-deserved; **'2wollend** *adj* benevolent.

wohn|en ['voːnən] *v/i* (*h*) live (***in*** *dat* in; ***bei j-m*** with s.o.); *vorübergehend*: stay (at; with); **'2gebiet** *n* residential area; **'2gemeinschaft** *f*: ***in e-r ~ leben*** share a flat (*Am.* an apartment) (***mit*** with); **'~lich** *adj* comfortable, cosy, *Am. mst* cozy; **2mobil** ['-mo,biːl] *n* (*-s*; *-e*) *Br.* mobile home, *Am.* motorhome; **'2sitz** *m* (place of) residence: ***ohne festen ~*** of no fixed abode; **'2ung** *f* (*-*; *-en*) *Br.* flat, *Am.* apartment: ***m-e ~*** *a.* my place.

'Wohnungs|amt *n* housing office; **'~bau** *m* (*-*[*e*]*s*; *no pl*) house building; **'~not** *f* (*-*; *no pl*) housing shortage.

'Wohn|wagen *m bsd. Br.* caravan, *Am.* trailer; **'~zimmer** *n* sitting (*od.* living) room.

Wolf [vɔlf] *m* (*-*[*e*]*s*; *⸚e*) *zo.* wolf.

Wolk|e ['vɔlkə] *f* (*-*; *-n*) cloud; **'~enbruch** *m* cloudburst; **'~enkratzer** *m* (*-s*; *-*) skyscraper; **'2enlos** *adj* cloudless; **'2ig** *adj* cloudy, clouded.

Woll|decke ['vɔl-] *f* (wool[l]en) blanket; **'~e** *f* (*-*; *-n*) wool.

wollen ['vɔlən] (*wollte*, *h*) **1.** *v/aux* (*pp wollen*): ***et. tun ~*** want to do s.th.; *beabsichtigen*: be going to do s.th.; ***ich will lieber ausgehen*** I'd rather go out; **2.** *v/t u. v/i* (*pp gewollt*) want: ***lieber ~*** prefer; ***wann du willst*** whenever you like; ***sie will, dass ich komme*** she wants me to come; ***was ~ Sie*** (***von mir***)***?*** what do you want?

wo'mit 1. *interr adv* what (…) with; **2.** *rel adv* with which.

wo|'ran 1. *interr adv*: ***~ denkst du?*** what are you thinking of?; ***~ liegt es, dass …?*** how is it that …?; ***~ sieht man, welche*** (***ob***) ***…?*** how can you tell which (if) …?; **2.** *rel adv*: **~ man merkte, dass** which showed that; **das, ~ ich dachte** what I had in mind; **~'rauf**; **1.** *interr adv*: **~ wartest du (noch)?** what are you waiting for?; **2.** *rel adv zeitlich*: after which; *örtlich*: on which.

Wort [vɔrt] *n* (-[*e*]*s*; ⸗*er*, *Äußerung etc*: -*e*) word: **mit anderen ~en** in other words; **sein ~ geben (halten, brechen)** give (keep, break) one's word; **j-n beim ~ nehmen** take s.o. at his word; **ein gutes ~ einlegen für** put in a good word for; **j-m ins ~ fallen** cut s.o. short; → **abschneiden** 1.

Wörterbuch ['vœrtər-] *n* dictionary.

'**Wort|führer** *m* spokesman; '**⁀karg** *adj* taciturn.

wörtlich ['vœrtlıç] *adj* literal.

'**Wort|schatz** *m* vocabulary; '**~spiel** *n* pun.

wo'r|über 1. *interr adv*: **~ lachen Sie?** what are you laughing at (*od.* about)?; **2.** *rel adv fig.* about which; **~um**; **1.** *interr adv*: **~ handelt es sich?** what is it about?; **2.** *rel adv* about which.

wo|'von 1. *interr adv*: **~ redest du?** what are you talking about?; **2.** *rel adv* about which; **~'vor**; **1.** *interr adv*: **~ hast du Angst?** what are you afraid of?; **2.** *rel adv* of which; **~'zu**; **1.** *interr adv* what (…) for; *warum*: why; **2.** *rel adv* for which.

Wrack [vrak] *n* (-[*e*]*s*; -*s*) *mar.* wreck (*a. fig.*).

Wucher ['vu:xər] *m* (-*s*; *no pl*) usury; '**~er** *m* (-*s*; -) usurer; '**~miete** *f* rack rent; '**⁀n** *v/i* (h *u.* sn) *bot.* grow rampant; '**~preis** *m* extortionate price; '**~zinsen** *pl* usurious interest *sg*.

Wuchs [vu:ks] *m* (-*es*; *no pl*) growth; *Gestalt*: build.

Wucht [vʊxt] *f* (-; *no pl*) force; *e-s Aufpralls etc*: impact; '**⁀ig** *adj* massive, *kraftvoll*: powerful.

wühlen ['vy:lən] *v/i* (*h*): **~ in** (*dat*) rummage around in.

wund [vʊnt] *adj* sore: **~e Stelle** sore; *fig.* **~er Punkt** sore point; **⁀e** ['-də] *f* (-; -*n*) wound.

Wunder ['vʊndər] *n* (-*s*; -) miracle; *fig. a.* wonder, marvel (*beide*: **an** *dat* of): **(es ist) kein ~, dass du müde bist** no wonder you are tired; '**⁀bar** *adj* wonderful, marvel(l)ous; *wie ein Wunder*: miraculous; '**~kind** *n* child prodigy; '**⁀lich** *adj* strange, peculiar; '**⁀n** *v/refl* (*h*) be surprised (*od.* astonished) (**über** *acc* at); '**⁀schön** *adj* lovely; '**⁀voll** *adj* wonderful; '**~werk** *n* marvel, wonder.

'**Wundstarrkrampf** *m* (-[*e*]*s*; *no pl*) *med.* tetanus.

Wunsch [vʊnʃ] *m* (-[*e*]*s*; ⸗*e*) wish (*a. Glück⁀*); *Bitte*: request: **auf j-s (eigenen) ~** at s.o.'s (own) request; **nach ~** as desired; → **fromm**; '**~denken** *n* (-*s*; *no pl*) wishful thinking.

wünschen ['vʏnʃən] (*h*) **1.** *v/t* wish: **sich et.** (**zu Weihnachten** *etc*) **~** want s.th. (for Christmas *etc*); **das habe ich mir (schon immer) gewünscht** that's what I (always) wanted; **alles, was man sich nur ~ kann** everything one could wish for; **ich wünschte, ich wäre (hätte)** I wish I were (had); **2.** *v/i*: **Sie ~?** what can I do for you?; **wie Sie ~** as you wish (*od.* like); '**~swert** *adj* desirable.

'**Wunsch|kind** *n* planned child; '**~kon,zert** *n* request program(me); '**⁀los** *adv*: **~ glücklich** perfectly happy.

Würde ['vʏrdə] *f* (-; -*n*) dignity; '**⁀los** *adj* undignified; '**~nträger** *m* dignitary; '**⁀voll** *adj* dignified.

'**würdig** *adj* worthy (*gen* of); *würdevoll*: dignified; **~en** ['-gən] *v/t* (*h*) appreciate: **j-n keines Blickes ~** ignore s.o. completely; '**⁀ung** *f* (-; -*en*) appreciation.

Wurf [vʊrf] *m* (-[*e*]*s*; ⸗*e*) throw; *zo.* litter.

Würfel ['vʏrfəl] *m* (-*s*; -) cube; *Spiel⁀*: dice; '**⁀n** (*h*) **1.** *v/i* throw dice (**um** for); *spielen*: play dice; **2.** *v/t gastr.* dice: **e-e Sechs ~** throw a six; '**~zucker** *m* lump sugar.

'**Wurfgeschoss** *n* projectile.

würgen ['vʏrgən] (*h*) **1.** *v/t* strangle; **2.** *v/i* choke; *beim Erbrechen*: retch.

Wurm [vʊrm] *m* (-[*e*]*s*; ⸗*er*) *zo.* worm; '**⁀en** *v/t* (*h*) F gall; '**⁀stichig** *adj* worm-eaten.

Wurst [vʊrst] *f* (-; ⸗*e*) sausage.

Würstchen ['vʏrstçən] *n* (-*s*; -) small sausage; '**~bude** *f*, '**~stand** *m* hot-dog stand.

Würze ['vʏrtsə] *f* (-; -*n*) spice (*a. fig.*), flavo(u)r.

Wurzel ['vʊrtsəl] *f* (-; -*n*) root (*a. fig.*).

'**würz|en** *v/t* (*h*) spice, season; '**~ig** *adj*

spicy, well-seasoned.
Wüste ['vy:stə] *f* (-; *-n*) desert.
Wut [vu:t] *f* (-; *no pl*) rage, fury: ***e-e ~ haben*** be furious (***auf*** *acc* with); '**~anfall** *m* fit of rage.
wütend ['vy:tənt] *adj* furious (***auf*** *acc* with; ***über*** *acc* at), F mad (at).

X

X-Beine ['ɪks-] *pl* knock-knees; '**x-beinig** *adj* knock-kneed.
x-beliebig [-bə'li:bɪç] *adj*: ***jede(r, -s) ~e ...*** any (... you like).
x-förmig ['-fœrmɪç] *adj*: x-shoped.
'**x-mal** *adv* F umpteen times.
x-te ['-tə] *adj*: F ***zum ~n Male*** for the umpteenth time.

Y

Yacht [jaxt] *f* (-; *-en*) *mar.* yacht.
Yoga ['jo:ga] *m, n* (-[*s*]; *no pl*) yoga.
Yuppie ['jupi:] *m* (*-s*; *-s*) yuppie.

Z

Zack|e ['tsakə] *f* (-; *-n*) (sharp) point; *Säge, Kamm, Briefmarke*: tooth; '**&ig** *adj* pointed; *gezahnt*: serrated; *Linie, Blitz, Felsen*: jagged.
zaghaft ['tsa:khaft] *adj* timid; '**&igkeit** *f* (-; *no pl*) timidity.
zäh [tsɛ:] *adj* tough (*a. fig.*); '**~flüssig** *adj* thick, viscous; *Verkehr*: slow-moving; '**&igkeit** *f* (-; *no pl*) toughness; *fig. a.* stamina.
Zahl [tsa:l] *f* (-; *-en*) number; *Ziffer*: figure; '**&bar** *adj* payable (***an*** *acc* to; ***bei*** at): → ***Lieferung.***
zählbar ['tsɛ:lba:r] *adj* countable.
'**zahlen** *v/i u. v/t* (*h*) pay: ***~, bitte!*** the bill (*Am.* check), please.
'**zählen** *v/t u. v/i* (*h*) count (***bis*** up to; *fig.* ***auf*** *acc* on): ***~ zu*** *den Besten etc*: rank with.
'**zahlenmäßig 1.** *adj* numerical; **2.** *adv*: ***j-m ~ überlegen sein*** outnumber s.o.
'**Zähler** *m* (*-s*; -) *Gas& etc*: meter.
'**Zahl|grenze** *f* fare stage; '**~karte** *f mail.* paying-in (*Am.* deposit) slip; '**&los** *adj* countless; '**&reich 1.** *adj* numerous; **2.** *adv* in great number; '**~tag** *m* pay day; '**~ung** *f* (-; *-en*) payment.
'**Zählung** *f* (-; *-en*) count; *Volks&*: census.
'**Zahlungs|anweisung** *f* order to pay; *Überweisung*: money order; '**~aufforderung** *f* request for payment; '**~bedingungen** *pl* terms *pl* of payment; '**~befehl** *m* default summons; '**~bi,lanz** *f* balance of payments; '**~bi,lanzdefizit** *n* deficit in the balance of payments; '**~bi,lanzüberschuss** *m* surplus in the balance of payments; '**&fähig** *adj* solvent; '**~frist** *f* term of payment; '**~mittel** *n* currency: ***gesetzliches ~*** legal tender; '**~schwierigkeiten** *pl* financial difficulties *pl*; '**~ter,min** *m* date of payment; '**&unfähig** *adj* insolvent; '**~verkehr** *m* payments *pl*: ***elektronischer ~*** electronic funds transfer (= EFT).
'**Zählwerk** *n tech.* counter.
zahm [tsa:m] *adj* tame (*a. fig.*).
zähm|en ['tsɛ:mən] *v/t* (*h*) tame (*a. fig.*); '**&ung** *f* (-; *no pl*) taming (*a. fig.*).
Zahn [tsa:n] *m* (-[*e*]*s*; *¨e*) tooth; *tech. a.* cog: → ***putzen***; '**~arzt** *m* dentist, *formell*: dental surgeon; '**~arzthelferin** *f* (-; *-nen*) dental assistant; '**~ärztin** *f* →

Zahnarzt; '**~behandlung** *f* dental treatment; '**~bürste** *f* toothbrush; '**~creme** *f* toothpaste; '**~fleisch** *n* gums *pl*; '**2los** *adj* toothless; '**~lücke** *f* gap in the teeth; '**~medi͵zin** *f* (-; *no pl*) dentistry; **~pasta** ['-pasta] *f* (-; *-sten*), '**~paste** *f* toothpaste; '**~rad** *n tech.* gearwheel, cogwheel; '**~radbahn** *f* rack (*od.* cog) railway; '**~schmerzen** *pl* toothache *sg*; '**~spange** *f* brace; '**~stocher** *m* (-*s*; -) toothpick; '**~techniker** *m* dental technician; '**~weh** *n* (-*s*; *no pl*) toothache.

Zange ['tsaŋə] *f* (-; *-n*) (***e-e ~*** a pair of) pliers *pl*; *Kneif2*: pincers *pl*; *Greif2*, *Zucker2 etc*: tongs *pl*.

zanken ['tsaŋkən] *v/refl* (*h*) argue, quarrel (***um*** about, over).

Zäpfchen ['tsɛpfçən] *n* (-*s*; -) *anat.* uvula; *pharm.* suppository.

zapf|en [-] *v/t* (*h*) *Bier etc*: tap; '**2hahn** *m* tap, *Am.* faucet; '**2pi͵stole** *f mot.* nozzle; '**2säule** *f mot.* petrol (*Am.* gasoline) pump.

Zapfen ['tsapfən] *m* (-*s*; -) *Fasshahn*: tap, *Am.* faucet; *tech. Pflock*: peg, pin; *Spund*: bung; *Verbindungs2*: tenon; *Dreh2*: pivot; *bot.* cone.

zart [tsart] *adj Fleisch etc*: soft, tender; *Farben etc*: soft; *sanft*: gentle.

zärtlich ['tsɛːrtlɪç] *adj* tender, affectionate; '**2keit** *f* (-; *-en*) tenderness, affection; *Liebkosung*: caress.

Zauber ['tsaubər] *m* (-*s*; *no pl*) magic, spell, charm (*alle a. fig.*); **~ei** [-'raɪ] *f* (-; *no pl*) magic, witchcraft; '**~er** *m* (-*s*; -) wizard (*a. fig.*), magician; '**~formel** *f* spell; *fig.* magic formula; '**2haft** *adj fig.* enchanting, charming; '**~in** *f* (-; *-nen*) sorceress; '**~kraft** *f* magic power; '**~künstler** *m* conjurer, magician; '**~kunststück** *n* conjuring trick; '**2n** *v/i* (*h*) do magic; *im Zirkus etc*: do conjuring tricks; '**~spruch** *m* spell; '**~stab** *m* magic wand; '**~wort** *n* (-[*e*]*s*; *-e*) spell.

zaudern ['tsaudərn] *v/i* (*h*) hesitate.

Zaum [tsaum] *m* (-[*e*]*s*; *¨-e*) bridle: ***im ~ halten*** control (***sich*** o.s.), keep in check.

zäumen ['tsɔʏmən] *v/t* (*h*) bridle.

'**Zaumzeug** *n* bridle.

Zaun [tsaun] *m* (-[*e*]*s*; *¨-e*) fence; '**~gast** *m* onlooker.

Zebrastreifen ['tseːbrã] *m* zebra crossing.

Zeche ['tsɛçə] *f* (-; *-n*) bill, *Am.* check; *Bergbau*: mine: *fig.* ***die ~ bezahlen müssen*** have to foot the bill.

Zeh [tseː] *m* (-*s*; *-en*), '**~e** *f* (-; *-n*) toe: ***große*** (***kleine***) ~ big (little) toe; '**~ennagel** *m* toenail; '**~enspitze** *f* tip of the toe: ***auf ~n gehen*** (walk on) tiptoe.

zehn [tseːn] *adj* ten; '**2erkarte** *f* ten-trip ticket; '**~fach** *adj* tenfold; '**2kampf** *m Leichtathletik*: decathlon; '**~mal** *adv* ten times; '**~te** *adj* tenth; **2tel** ['-təl] *n* (-*s*; -) tenth; '**~tens** *adv* tenth(ly).

Zeichen ['tsaɪçən] *n* (-*s*; -) sign; *Merk2*: *a.* mark; *Signal*: signal: ***zum ~*** (*gen*) as a token of; '**~sprache** *f* sign language; '**~trickfilm** *m* (animated) cartoon.

zeichn|en ['tsaɪçnən] *v/i u. v/t* (*h*) draw; *kenn~*: mark; *unter~*: sign; *fig.* mark, leave its mark on *s.o.*; '**2ung** *f* (-; *-en*) drawing; *Grafik*: diagram; *zo.* marking.

Zeige|finger ['tsaɪgə-] *m* forefinger, index finger; '**2n** (*h*) **1.** *v/t u. v/refl* show; **2.** *v/i*: ~ ***auf*** (*acc*) (***nach***) point to; (***mit dem Finger***) ~ ***auf*** point (one's finger) at; '**~r** *m* (-*s*; -) *Uhr2*: hand; *tech.* pointer, needle.

Zeile ['tsaɪlə] *f* (-; *-n*) line (*a. TV*): ***j-m ein paar ~n schreiben*** drop s.o. a line.

Zeit [tsaɪt] *f* (-; *-en*) time; *~alter*: *a.* age, era; *gr.* tense: ***vor einiger ~*** some time (*od.* a while) ago; ***zur ~*** (*derzeit*) → ***zurzeit***; ***in letzter ~*** lately, recently; ***in der*** (*od.* ***zur***) ~ (*gen*) in the days of; ... ***aller ~en ...*** of all time; ***die ~ ist um*** time's up; ***sich ~ lassen*** take one's time; ***es wird ~, dass ...*** it is time to *inf*; ***das waren noch ~en*** those were the days; ***e-e ~ lang*** for some time, for a while; ***~ raubend*** time-consuming; ***~ sparend*** time-saving; '**~abschnitt** *m* period (of time); '**~alter** *n* age; '**~arbeit** *f* temporary work; '**~bombe** *f* time bomb (*a. fig.*); '**~druck** *m* (-[*e*]*s*; *no pl*): ***unter ~ stehen*** be pressed for time; '**2gemäß** *adj* modern, up-to-date; '**~genosse** *m* contemporary; **2genössisch** ['-gənœsɪʃ] *adj* contemporary; '**~geschichte** *f* (-; *no pl*) contemporary history; '**~gewinn** *m* (-[*e*]*s*; *no pl*) gain in time; '**~karte** *f* season ticket; '**~lang** → ***Zeit***; '**2lebens** *adv* all one's life; '**2lich** **1.** *adj* time ...; **2.** *adv*: ***et. ~ planen*** (*od.* ***abstimmen***)

Z

time s.th.; '2**los** *adj* timeless; *a. Stil, Kleidung etc*: classic; '~**lupe** *f* (-; *no pl*) slow motion: ***in ~*** in slow motion; '~**not** *f* (-; *no pl*): ***in ~ sein*** → ***Zeitdruck***; '~**plan** *m* timetable, *bsd. Am.* schedule; '~**punkt** *m* moment; '2**raubend** *adj* time-consuming; '~**raum** *m* period (of time); '~**schrift** *f* magazine; '2**sparend** *adj* time-saving.

Zeitung ['tsaɪtʊŋ] *f* (-; *-en*) (news)paper.

'**Zeitungs|abonne,ment** *n* newspaper subscription; '~**ar,tikel** *m* newspaper article; '~**ausschnitt** *m* (newspaper) cutting (*Am.* clipping); '~**bericht** *m* newspaper report; '~**junge** *m* paper boy; '~**kiosk** *m* newspaper kiosk; '~**no,tiz** *f* press item; '~**pa,pier** *n* newspaper; '~**verkäufer** *m* news vendor.

'**Zeit|unterschied** *m* time difference; '~**verlust** *m* (-[*e*]*s*; *no pl*) loss of time; '~**verschwendung** *f* waste of time; ~**vertreib** ['-fɛrtraɪp] *m* (-[*e*]*s*; *-e*) pastime: ***zum ~*** to pass the time; 2**weilig** ['-vaɪlɪç] **1.** *adj* temporary; **2.** *adv* → ***zeitweise***; '2**weise** *adv* temporarily; *gelegentlich*: at times, occasionally; '~**wert** *m econ.* current value; '~**zeichen** *n Rundfunk*: time signal; '~**zünder** *m* time fuse.

Zelle ['tsɛlə] *f* (-; *-n*) *allg.* cell; *teleph.* box, *Am.* booth.

Zelt [tsɛlt] *n* (-[*e*]*s*; *-e*) tent; '2**en** *v/i* (*h*) camp; '~**lager** *n* camp; '~**platz** *m* campsite.

Zement [tse'mɛnt] *m* (-[*e*]*s*; *-e*) cement; 2**ieren** [-'tiːrən] *v/t* (*no ge-*, *h*) cement (*a. fig.*).

zens|ieren [tsɛn'ziːrən] *v/t* (*no ge-*, *h*) censor; 2**ur** [-'zuːr] *f* (-; *no pl*) censorship.

Zent|imeter [tsɛnti'meːtər] *m*, *a. n* (-*s*; -) centimet|re (*Am.* -er); ~**ner** ['-nər] *m* (-*s*; -) centner, (metric) hundredweight.

zentral [tsɛn'traːl] *adj* central; 2**e** *f* (-; *-n*) head office; *Polizei etc*: headquarters *pl* (*a. sg konstr.*); *teleph in Firma*: switchboard; *tech.* control room; 2**bank** *f* (-; *-en*) central bank; 2**bankpräsident** *m* President ot the Central Bank; 2**heizung** *f* central heating; ~**isieren** [-ali'ziːrən] *v/t* (*no ge-*, *h*) centralize; 2**ismus** [-a'lɪsmʊs] *m* (-*s*; *no pl*) *pol.* centralism.

Zentrum ['tsɛntrʊm] *n* (-*s*; *-tren*) cent|re (*Am.* -er).

zer'beißen *v/t* (*irr, no ge-, h,* → ***beißen***) bite to pieces.

zer'brech|en (*irr, no ge-,* → ***brechen***) *v/i* (*sn*) *u. v/t* (*h*) break: → ***Kopf***; ~**lich** *adj* breakable, fragile.

zer'drücken *v/t* (*no ge-*, *h*) crush; *Kartoffeln*: mash; *Kleidung*: crumple, crease.

Zeremon|ie [tseremo'niː] *f* (-; *-n*) ceremony; 2**iell** [-'nĭɛl] *adj* ceremonial; ~**i'ell** [-] *n* (-*s*; *-e*) ceremonial.

zer|'fetzen *v/t* (*no ge-*, *h*) tear to pieces; ~'**gehen** *v/i* (*irr, no ge-, sn,* → ***gehen***) melt, dissolve; ~'**hacken** *v/t* (*no ge-*, *h*) chop (up); ~'**kauen** *v/t* (*no ge-*, *h*) chew (well); ~**kleinern** [-'klaɪnərn] *v/t* (*no ge-*, *h*) chop (up); *zermahlen*: grind.

zerknirsch|t [-'knɪrʃt] *adj* remorseful; 2**ung** *f* (-; *no pl*) remorse.

zer|'knittern (*no ge-*) *v/t* (*h*) *u. v/i* (*sn*) crumple, crease; ~**knüllen** [-'knʏlən] *v/t* (*no ge-*, *h*) crumple up; ~'**kratzen** *v/t* (*no ge-*, *h*) scratch; ~'**lassen** *v/t* (*irr, no ge-, h,* → ***lassen***) melt; ~'**legen** *v/t* (*no ge-*, *h*) take apart (*od.* to pieces); *Möbel, Maschine*: *a.* knock down; *Fleisch*: carve; *chem. u. fig.* analy|se (*Am.* -ze); ~**lumpt** [-'lʊmpt] *adj* ragged, tattered; ~'**mahlen** *v/t* (*irr, no ge-, h,* → ***mahlen***) grind; ~**malmen** [-'malmən] *v/t* (*no ge-*, *h*) crush; ~**mürben** [-'mʏrbən] *v/t* (*no ge-*, *h*) wear down; ~'**platzen** *v/i* (*no ge-*, *sn*) burst, explode (*beide a. fig.*: ***vor*** *dat* with); ~'**quetschen** *v/t* (*no ge-*, *h*) crush; ~'**reiben** *v/t* (*irr, no ge-, h,* → ***reiben***) crush, grind; ~**reißen** (*irr, no ge-,* → ***reißen***) **1.** *v/t* (*h*) tear up (*od.* to pieces): ***sich die Hose*** *etc* ~ tear (*od.* rip) one's trousers *etc*; **2.** *v/i* (*sn*) tear; *Seil etc*: break.

zerren ['tsɛrən] (*no ge-*, *h*) **1.** *v/t* drag, haul: ***sich e-n Muskel ~*** *med.* pull a muscle; **2.** *v/i*: ***~ an*** (*dat*) tug (*od.* pull) at.

zer'rinnen *v/i* (*irr, no ge-, sn,* → ***rinnen***) melt away (*a. fig. Geld*); *Träume etc*: vanish.

'**Zerrung** *f* (-; *-en*) *med.* pulled muscle.

zer|rüttet [-'rʏtət] *adj Ehe*: broken: ***~e Verhältnisse*** a broken home; ~'**sägen** *v/t* (*no ge-*, *h*) saw up; ~**schellen** [-'ʃɛlən] *v/i* (*no ge-*, *sn*) be smashed;

aer. crash; *mar.* be wrecked; **~'schlagen** (*irr, no ge-, h,* → ***schlagen***) **1.** *v/t* smash (to pieces); *Spionagering etc*: smash; **2.** *v/refl Pläne etc*: come to nothing; **~'schneiden** *v/t* (*irr, no ge-, h,* → ***schneiden***) cut (up); **~'setzen** *v/t u. v/refl* (*no ge-, h*) *chem.* decompose; **~'splittern** (*no ge-*) *v/t* (*h*) *u. v/i* (*sn*) *Glas*: shatter; **~'springen** *v/i* (*irr, no ge-, sn,* → ***springen***) crack; *völlig*: shatter.

zerstäub|en [-'ʃtɔʏbən] *v/t* (*no ge-, h*) spray; **2er** *m* (*-s*; -) atomizer, spray(er).

zer'stör|en *v/t* (*no ge-, h*) destroy, ruin (*beide a. fig.*); **2er** *m* (-s,-) destroyer (*a. mar.*); **~erisch** *adj* destructive; **2ung** *f* (-; *-en*) destruction.

zer'streu|en *v/t u. v/refl* (*no ge-, h*) scatter, disperse; *Menge*: *a.* break up; *fig.* take s.o.'s (*refl* one's) mind off things; **~t** *adj fig.* absent-minded; **2theit** *f* (-; *no pl*) absent-mindedness; **2ung** *f* (-; *-en*) *fig.* diversion.

zer|stückeln [-'ʃtʏkəln] *v/t* (*no ge-, h*) cut up (*od.* [in]to pieces); *Leiche etc*: dismember; **~'teilen** *v/t u. v/refl* (*no ge-, h*) divide (***in*** *acc* into).

Zertifikat [tsɛrtifi'ka:t] *n* (-[*e*]*s*; *-e*) certificate.

zer|'treten *v/t* (*irr, no ge-, h,* → ***treten***) crush (*a. fig.*); **~trümmern** [-'trʏmərn] *v/t* (*no ge-, h*) smash; **~zaust** [-'tsaʊst] *adj* tousled, dishevel(l)ed.

Zettel ['tsɛtəl] *m* (*-s*; -) slip (of paper); *Nachricht*: note; *Klebe2*: label, sticker.

Zeug [tsɔʏk] *n* (-[*e*]*s*; *no pl*) stuff (*a. fig. contp.*); *Sachen*: things *pl*: ***er hat das ~ dazu*** he's got what it takes; ***dummes ~*** nonsense.

Zeug|e ['tsɔʏgə] *m* (*-n*; *-n*) witness; **'2en** *v/i* (*h*): **~ *von*** testify to, be a sign of; **'~enaussage** *f jur.* testimony, evidence; **'~in** *f* (-; *-nen*) (female) witness.

Zeugnis ['tsɔʏgnɪs] *n* (*-ses*; *-se*) *ped. Br.* report, *Am.* report card; *Prüfungs2*: certificate, diploma; *vom Arbeitgeber*: reference: ***~se*** *pl* credentials *pl*.

Ziege ['tsi:gə] *f* (-; *-n*) *zo.* (nanny) goat.

Ziegel ['tsi:gəl] *m* (*-s*; -) brick; *Dach2*: tile; **'~dach** *n* tiled roof; **'~stein** brick.

Ziegenbock ['-bɔk] *m* (-[*e*]*s*; *⸚e*) *zo.* billy goat.

ziehen ['tsi:ən] (*zog, gezogen*) **1.** *v/t* (*h*) pull (*a. Bremse etc*), draw (*a. Waffe, Karte, Lose, Linie*); *Hut*: take off (***vor*** *dat* to) (*a. fig.*); *Blumen*: grow; *heraus~*: pull (*od.* take) out (***aus*** of): ***j-n ~ an*** (*dat*) pull s.o. by (*stärker*: at); ***auf sich ~*** *Aufmerksamkeit, Augen*: attract; → ***Erwägung***, ***Länge***; **2.** *v/refl* (*h*) run; *dehnen*: stretch: → ***Länge***; **3.** *v/i* **a)** (*h*) pull (***an*** *dat* at) **b)** (*sn*) *sich bewegen, um~*: move (***nach*** to); **4.** *v/impers* (*h*): ***es zieht*** there is a draught (*Am.* draft).

Zieh|harmonika ['-har,mo:nika] *f* (-; -s, -ken) accordion; **'~ung** *f* (-; *-en*) *Lotto etc*: draw.

Ziel [tsi:l] *n* (-[*e*]*s*; *-e*) aim, *~scheibe*: target, mark (*alle a. fig.*); *fig. a.* goal, objective; *Reise2*: destination; *Sport*: finish: ***sich ein ~ setzen*** (***sein ~ erreichen***) set o.s. a (reach one's) goal; ***sich zum ~ gesetzt haben, et. zu tun*** aim to do (*od.* at doing) s.th.; **'2en** *v/i* (*h*) (take) aim (***auf*** *acc* at); **'~fernrohr** *n* telescopic sight; **'~gruppe** *f* target group; **'2los** *adj* aimless; **'~scheibe** *f* target; *fig. a.* object; **2strebig** ['-ʃtre:bɪç] *adj* purposeful, determined.

ziemlich ['tsi:mlɪç] **1.** *adj* quite a; **2.** *adv* rather, fairly, quite, F pretty: ***~ viel*** quite a lot (of); ***~ viele*** quite a few.

zier|en ['tsi:rən] *v/refl* (*h*) *Frau*: be coy; *Umstände machen*: make a fuss; **'~lich** *adj* dainty; *Frau*: *a.* petite; **'2pflanze** *f* ornamental plant.

Ziffer ['tsɪfər] *f* (-; *-n*) figure; **'~blatt** *n* dial, face.

zig [tsɪç] *adj* F umpteen.

Zigarette [tsiga'rɛtə] *f* (-; *-n*) cigarette; **~nauto,mat** *m* cigarette machine; **~nstummel** *m* cigarette butt.

Zigarillo [tsiga'rɪlo] *m* (*-s*; *-s*) cigarillo.

Zigarre [tsi'garə] *f* (-; *-n*) cigar.

Zigeuner [tsi'gɔʏnər] *m* (*-s*; -) *neg! bsd. Br.* gipsy, *bsd. Am.* gypsy.

Zimmer ['tsɪmər] *n* (*-s*; -) room; **'~einrichtung** *f* furniture; **'~kellner** *m* room waiter; **'~mädchen** *n* chambermaid; **'~mann** *m* (-[*e*]*s*; *-leute*) carpenter; **'~nachweis** *m* accommodation office; **'~nummer** *f* room number; **'~pflanze** *f* indoor plant; **'~service** *m* room service; **'~suche** *f*: ***auf ~ sein*** be looking (*od.* hunting) for a room; **'~vermittlung** *f* accommodation office (*od.* service).

Zimt [tsɪmt] *m* (-[*e*]*s*; *-e*) cinnamon.

Zinke ['tsɪŋkə] *f* (-; *-n*) *Kamm*: tooth; *Gabel*: prong.

Zinn [tsɪn] *n* (-[*e*]*s*; *no pl*) *chem*. tin; *legiertes*: pewter.

Zins [tsɪns] *m* (-*es*; -*en*) *econ*. interest (*a*. **~en** *pl*): ***3% ~en bringen*** bear interest at 3%; '**~eszins** *m* compound interest; '**2günstig** *adj* low-interest; '**2los** *adj* interest-free; '**~satz** *m* interest rate.

Zipfel ['tsɪpfəl] *m* (-*s*; -) *Tuch etc*: corner; *Wurst*: end; '**~mütze** *f* pointed cap.

zirka ['tsɪrka] *adv* about, approximately.

Zirkul|ation [tsɪrkula'tsĭo:n] *f* (-; *no pl*) circulation; **2ieren** [-'li:rən] *v/i* (*no ge-*, *sn*) circulate.

Zirkus ['tsɪrkʊs] *m* (-; -*se*) circus.

zischen ['tsɪʃən] **1.** *v/i* **a)** (*h*) hiss; *Fett*: sizzle; *Sprudel*: fizz **b)** (*sn*) *durch die Luft*: whiz(z); **2.** *v/t* (*h*) *Worte*: hiss.

Zit|at [tsi'ta:t] *n* (-[*e*]*s*; -*e*) quotation; **2ieren** [-'ti:rən] *v/t u. v/i* (*no ge-*, *h*) quote (***aus*** from).

Zitrone [tsi'tro:nə] *f* (-; -*n*) *bot*. lemon; **~nlimo,nade** *f* lemonade.

zitter|ig ['tsɪtərɪç] *adj* shaky; '**~n** *v/i* (*h*) tremble, shake (*beide*: ***vor*** *dat* with).

zivil [tsi'vi:l] *adj* civil, civilian; *Preis*: reasonable.

Zivil [-] *n* (-*s*; *no pl*) civilian clothes *pl* (*od*. dress): ***Polizist in ~*** plainclothes policeman; **~bevölkerung** *f* civilian population; **~dienst** *m* → ***Ersatzdienst***; **~isation** [-iliza'tsĭo:n] *f* (-; -*en*) civilization; **2isieren** [-ili'zi:rən] *v/t* (*no ge-*, *h*) civilize; **~ist** [-i'lɪst] *m* (-*en*; -*en*) civilian; **~recht** *n* (-[*e*]*s*; *no pl*) civil law; **~schutz** *m* civil defen|ce (*Am*. -se).

zögern ['tsø:gərn] *v/i* (*h*) hesitate.

Zögern [-] *n* (-*s*) hesitation.

Zoll[1] [tsɔl] *m* (-[*e*]*s*; -) inch.

Zoll[2] [-] *m* (-[*e*]*s*; ⸚*e*) *Behörde*: customs *pl* (*sg konstr*.); *Abgabe*: duty; '**~abfertigung** *f* customs clearance; '**~beamter** *m* customs officer; '**~erklärung** *f* customs declaration; '**2frei** *adj* duty-free; '**~kon,trolle** *f* customs examination.

Zöllner ['tsœlnər] *m* (-*s*; -) customs officer.

'**zoll|pflichtig** *adj* dutiable, liable to duty; '**2schranke** *f* customs barrier; '**2stock** *m* folding rule; '**2uni,on** *f* customs union.

Zone ['tso:nə] *f* (-; -*n*) zone.

Zoo [tso:] *m* (-*s*; -*s*) zoo; '**~handlung** *f* pet shop.

Zopf [tsɔpf] *m* (-[*e*]*s*; ⸚*e*) plait; *bsd*. *Kind*: *a*. pigtail.

Zorn [tsɔrn] *m* (-[*e*]*s*; *no pl*) anger (***auf*** *acc* at); '**2ig** *adj* angry (***auf*** *j-n*: with, *et*.: at, about).

zu [tsu:] **1.** *prp Richtung*: to, towards; *Ort*, *Zeit*: at; *Zweck*, *Anlass*: for: → ***dritte***, ***Fuß***, ***Haus***, ***Weihnachten*** *etc*; **2.** *adv* too; F *geschlossen*: closed, shut: ***ein ~ heißer Tag*** too hot a day; **3.** *cj* to: ***es ist ~ erwarten*** it is to be expected; ***~ viel*** too much; *vor pl*: too many: ***e-r ~ viel*** one too many; ***~ wenig*** too little; *vor pl*: too few: ***e-r ~ wenig*** one too few.

Zubehör ['tsu:bəhø:r] *n* (-[*e*]*s*; -*e*) accessories *pl*.

'**zubereit|en** *v/t* (*sep*, *no -ge-*, *h*) prepare; '**2ung** *f* (-; -*en*) preparation.

'**zu|binden** *v/t* (*irr*, *sep*, *-ge-*, *h*, → ***binden***) tie (up); '**~bleiben** *v/i* (*irr*, *sep*, *-ge-*, *sn*, → ***bleiben***) stay shut; '**~blinzeln** *v/i* (*sep*, *-ge-*, *h*) wink at.

'**Zubringer** *m* (-*s*; -) → ***Zubringerbus***, ***Zubringerstraße***; '**~bus** *m* feeder bus; '**~straße** *f* feeder road.

Zucht [tsʊxt] *f* (-; -*en*) *zo*. breeding; *bot*. cultivation; *Rasse*: breed.

zücht|en ['tsʏçtən] *v/t* (*h*) *zo*. breed; *bot*. grow, cultivate; '**2er** *m* (-*s*; -) breeder; grower.

'**Zuchtperle** *f* culture(d) pearl.

zucken ['tsʊkən] *v/i u. v/t* (*h*) twitch; *vor Schmerz*: wince; *Blitz*: flash: → ***Achsel***.

zücken ['tsʏkən] *v/t* (*h*) *Waffe*: draw; F *Brieftasche etc*: whip out.

Zucker ['tsʊkər] *m* (-*s*; -) sugar; '**~dose** *f* sugar bowl; '**~guss** *m* icing; '**2krank** *adj* diabetic; '**~kranke** *m*, *f* (-*n*; -*n*) diabetic; '**~krankheit** *f* diabetes; '**2n** *v/t* (*h*) sugar; '**~rohr** *n bot*. sugar cane; '**~watte** *f Br*. candy floss, *Am*. cotton candy.

'**Zuckung** *f* (-; -*en*) jerk, *a*. *e-s Muskels*: twitch; *krampfhafte*: convulsion.

'**zu|decken** *v/t* (*sep*, *-ge-*, *h*) cover (up); '**~drehen** *v/t* (*sep*, *-ge-*, *h*) turn off: ***j-m den Rücken ~*** turn one's back to (*abweisend*: on) s.o.; **~dringlich** ['-drɪŋlɪç] *adj* obtrusive, F pushy: ***~ werden gegenüber*** *e-r Frau*: make passes at; '**~drücken** *v/t* (*sep*, *-ge-*, *h*) (press) shut: → ***Auge***.

zu'erst *adv* first; *anfangs*: at first; *zu-*

nächst: first (of all), to begin with.

'**Zufahrtsstraße** *f* access road; *zum Haus*: drive(way).

'**Zufall** *m* (-[*e*]*s*; ⸚*e*) chance: ***durch*** ~ by chance, by accident; '**&en** *v/i* (*irr*, *sep*, *-ge-*, *sn*, → ***fallen***) *Tür etc*: slam (shut): ***mir fallen die Augen zu*** I can't keep my eyes open.

'**zufällig 1.** *adj* accidental, *attr a.* chance; **2.** *adv* by accident, by chance: ~ ***et. tun*** happen to do s.th.

'**Zuflucht** *f* (-; *-en*): ~ ***suchen*** (***finden***) look for (find) refuge (*od.* shelter) (***vor*** *dat* from; ***bei*** with); (***s-e***) ~ ***nehmen zu*** resort to.

zufolge [tsu'fɔlgə] *prp* according to.

zu'frieden *adj* content(ed), satisfied (*beide*: ***mit*** with); ~ ***geben*** → ***zufriedengeben***; ~ ***lassen*** → ***zufriedenlassen***; ~ ***stellen*** satisfy; ~ ***stellend*** satisfactory; '**~geben** *v/refl* (*irr*, *sep*, *-ge-*, *h*, → ***geben***): ***sich*** ~ ***mit*** be content with; **&heit** *f* (-; *no pl*) contentness, satisfaction; '**~lassen** *v/t* (*irr*, *sep*, *-ge-*, *h*, → ***lassen***) leave *s.o.* alone; '**~stellen** *v/t* (*sep*, *-ge-*, *h*) satisfy; **~d** satisfactory.

'**zufrieren** *v/i* (*irr*, *sep*, *-ge-*, *sn*, → ***frieren***) freeze up (*od.* over).

Zufuhr ['tsu:fu:r] *f* (-; *-en*) supply.

Zug [tsu:k] *m* (-[*e*]*s*; ⸚*e*) *rail.* train; *Menschen, Wagen etc*: procession, line; *Fest&*: parade; *Gesichts&*: feature; *Charakter&*: trait; *Hang*: tendency; *Schach etc*: move (*a. fig.*); *Schwimm&*: stroke; *Ziehen*: pull (*a. tech. Griff etc*); *Rauchen*: *a.* puff; *Schluck*: *a. bsd. Br.* draught, *Am.* draft; *~luft*: *bsd. Br.* draught, *Am.* draft: ***im ~e*** (*gen*) in the course of; ***in e-m*** ~ at one go; ~ ***um*** ~ step by step; ***in groben Zügen*** in broad outlines.

'**Zugabe** *f* (-; *-n*) addition; *thea.* encore.

'**Zugab͵teil** *n* train compartment.

'**Zu|gang** *m* (-[*e*]*s*; ⸚*e*) access (***zu*** to) (*a. fig.*); **&gänglich** ['-gɛŋlɪç] *adj* accessible (***für*** to) (*a. fig.*).

Zugangscode *m* access code.

'**Zug|anschluss** *m* connecting train, connection; '**~begleiter** *m Br.* guard, *Am.* conductor.

'**zu|geben** *v/t* (*irr*, *sep*, *-ge-*, *h*, → ***geben***) add; *fig.* admit; '**~gehen** (*irr*, *sep*, *-ge-*, *sn*, → ***gehen***) **1.** *v/i Tür etc*: close, shut: ~ ***auf*** (*acc*) walk up to, approach (*a. fig.*); **2.** *v/impers*: ***es geht auf 8 zu*** it's getting on for eight; ***es ging lustig zu*** we had a lot of fun.

Zugehörigkeit ['tsu:gəhø:rɪçkaɪt] *f* (-; *no pl*) membership (***zu*** of).

zügeln ['tsy:gəln] *v/t* (*h*) *fig.* bridle, control, curb.

'**Zuge|ständnis** *n* (*-ses*; *-se*) concession; '**&stehen** *v/t* (*irr*, *sep*, *pp* zugestanden, h, → ***stehen***) concede, grant.

'**Zugführer** *m Br.* chief guard, *Am.* conductor.

zug|ig ['tsu:gɪç] *adj bsd. Br.* draughty, *Am.* drafty; '**&kraft** *f tech.* traction; *fig.* attraction, draw, appeal; '**~kräftig** *adj*: ~ ***sein*** be a draw.

zu'gleich *adv* at the same time.

'**Zug|luft** *f* (-; *no pl*) *bsd. Br.* draught, *Am.* draft; '**~ma͵schine** *f mot.* tractor; '**~perso͵nal** *n rail.* train staff (*mst pl konstr.*).

'**zugreifen** *v/i* (*irr*, *sep*, *-ge-*, *h*, → ***greifen***) grab it (*fig.* the opportunity): ***greifen Sie zu!*** *bei Tisch*: help yourself!; *Werbung*: buy now!

zugrunde, *auch* **zu Grunde** [tsu 'grʊndə] *adv*: ~ ***gehen*** perish (***an*** *dat* of); ***e-r Sache et.*** ~ ***legen*** base s.th. on s.th.; ~ ***richten*** ruin.

'**Zug|schaffner** *m Br.* guard, *bsd. Am.* conductor; '**~tele͵fon** *n* train telephone.

zu'gunsten, *auch* **zu Gunsten** *prp* in favo(u)r of.

zu'gute *adv*: → ***zugutehalten***, ***zugutekommen***; '**~halten** *v/i* (*irr*, *sep*, *-ge-*, *h*, → ***halten***) give s.o. credit for s.th.; '**~kommen** *v/i* (*irr*, *sep*, *-ge-*, *sn*, → ***kommen***) be for the benefit (*dat* of).

'**Zug|verbindung** *f* rail connection (*od.* link); '**~vogel** *m* bird of passage.

'**zu|halten** *v/t* (*irr*, *sep*, *-ge-*, *h*, → ***halten***) keep shut: ***sich die Ohren*** (***Augen***) ~ cover one's ears (eyes) with one's hands; ***sich die Nase*** ~ hold one's nose; **&hälter** ['-hɛltər] *m* (*-s*; -) pimp.

zuhause → ***Haus***.

Zuhause [tsu'haʊzə] *n* (*-s*; *no pl*) home.

'**zuhör|en** *v/i* (*sep*, *-ge-*, *h*) listen (*dat* to); '**&er** *m* (*-s*; -) listener.

'**zu|jubeln** *v/i* (*sep*, *-ge-*, *h*) *j-m*: cheer; '**~kleben** *v/t* (*sep*, *-ge-*, *h*) *Umschlag*: seal; '**~knallen** *v/t* (*sep*, *-ge-*, *h*) slam (shut); **~knöpfen** ['-knœpfən] *v/t* (*sep*, *-ge-*, *h*) button (up); '**~kommen** *v/i* (*irr*, *sep*, *-ge-*, *sn*, → ***kommen***): ~ ***auf*** (*acc*) come up to; *fig*. be ahead of; ***die Dinge auf sich ~ lassen*** wait and see.

Zu|kunft ['tsu:kʊnft] *f* (-; *no pl*) future: ***in ~*** in future; **2künftig** ['-kʏnftɪç] **1.** *adj* future; **2.** *adv* in future; **~kunftsindustrie** *f* sunrise industry.

'**zu|lächeln** *v/i* (*sep*, *-ge-*, *h*) *j-m*: smile at; '**2lage** *f* (-; *-n*) bonus; '**~lassen** *v/t* (*irr*, *sep*, *-ge-*, *h*, → ***lassen***) keep *s.th.* closed; *erlauben*: allow; *beruflich*, *mot*.: licen|se (*Am*. *a*. -ce), register: ***j-n zu et. ~*** admit s.o. to s.th.; '**~lässig** *adj* admissible (*a*. *jur*.): ***~ sein*** be allowed; '**2lassung** *f* (-; *-en*) admission; *mot*. registration!; '**~legen** *v/t* (*sep*, *-ge-*, *h*) F: ***sich ~*** get o.s. *s.th*.; *Namen*: adopt.

zu|leide [tsu'laɪdə] *adv*: ***j-m et. ~ tun*** harm (*od*. hurt) s.o.; **~'letzt** *adv* in the end; *kommen etc*: last; *schließlich*: finally: ***wann hast du ihn ~ gesehen?*** when did you last see him?; **~'liebe** *adv*: ***j-m ~*** for s.o.'s sake.

'**zumachen** (*sep*, *-ge-*, *h*) **1.** *v/t* close, shut; *zuknöpfen*: button (up); **2.** *v/i Geschäft*: close; *für immer*: close down.

zumüllen ['tsu:mʏlən] *v/t* (*sep*, *-ge-*, *h*) F spam.

zumut|bar ['tsu:mu:tba:r] *adj* reasonable; **~e** [tsu'mu:tə] *adv*: ***mir ist … ~*** I feel …; '**~en** *v/t* (*sep*, *-ge-*, *h*): ***j-m et. ~*** expect s.th. of s.o.; ***sich zu viel ~*** overtax o.s.; '**2ung** *f* (-; *-en*): ***das ist e-e ~*** that's asking (*od*. expecting) a bit much.

zu'nächst *adv* → ***zuerst.***

'**zu|nageln** *v/t* (*sep*, *-ge-*, *h*) nail up; '**~nähen** *v/t* (*sep*, *-ge-*, *h*) sew up; **2nahme** ['-na:mə] *f* (-; *-n*) increase (*gen*, ***an*** *dat* in); '**2name** *m* → ***Familienname.***

zünd|en ['tsʏndən] (*h*) **1.** *v/t Rakete etc*: fire; **2.** *v/i Feuer fangen*: catch fire; *Holz*: kindle; *electr*., *mot*. ignite, fire; '**~end** *adj fig*. stirring; '**2er** *m* (*-s*; -) *tech*. fuse.

Zünd|holz ['tsʏnt-] *n* match; '**~kerze** *f mot*. spark plug; '**~schlüssel** *m mot*. ignition key; '**~schnur** *f* fuse.

'**Zündung** *f* (-; *-en*) *mot*. ignition.

'**zunehmen** (*irr*, *sep*, *-ge-*, *h*, → ***nehmen***) **1.** *v/i* increase (***an*** *dat* in); *Person*: put on weight; *Mond*: wax; *Tage*: grow longer; **2.** *v/t*: ***ich habe 10 Pfund zugenommen*** I've put on (*od*. gained) 10 pounds.

'**zuneig|en** *v/refl* (*sep*, *-ge-*, *h*): ***sich dem Ende ~*** draw to a close; '**2ung** *f* (-; *-en*) affection.

Zunge ['tsʊŋə] *f* (-; *-n*) tongue: ***es liegt mir auf der ~*** it's on the tip of my tongue; '**~nbrecher** *m* (*-s*; -) tongue twister; '**~nspitze** *f* tip of the tongue.

'**zunicken** *v/i* (*sep*, *-ge-*, *h*) nod at.

zunutze [tsu'nʊtsə] *adv*: ***sich et. ~ machen*** make (good) use of s.th.; *ausnutzen*: take advantage of s.th.

'**zurechnungsfähig** *adj jur*. responsible; '**2keit** *f* (-; *no pl*) *jur*. responsibility.

zu'recht|finden *v/refl* (*irr*, *sep*, *-ge-*, *h*, → ***finden***) find one's way; *fig*. cope, manage; **~kommen** *v/i* (*irr*, *sep*, *-ge-*, *sn*, → ***kommen***) get along (***mit*** with); *bsd. mit et*.: *a*. cope (with); **~machen** *v/refl* (*sep*, *-ge-*, *h*) get (o.s.) ready; *Frau*: do o.s. up; **~rücken** *v/t* (*sep*, *-ge-*, *h*) put *s.th*. straight; **~weisen** *v/t* (*irr*, *sep*, *-ge-*, *h*, → ***weisen***) reprimand; **2weisung** *f* (-; *-en*) reprimand.

'**zu|reden** *v/i* (*sep*, *-ge-*, *h*): ***j-m*** (***gut***) ***~*** encourage s.o.; '**~richten** *v/t* (*sep*, *-ge-*, *h*): ***übel ~*** batter; *j-n*: *a*. beat up badly; *et*.: *a*. make a mess of.

Zürich ['tsy:rɪç] Zurich.

zurück [tsu'rʏk] *adv* back; *hinten*: behind (*a*. *fig*.); **~behalten** *v/t* (*irr*, *sep*, *no -ge-*, *h*, → ***halten***) keep back, retain; **~bekommen** *v/t* (*irr*, *sep*, *no -ge-*, *h*, → ***kommen***) get back; **~bleiben** *v/i* (*irr*, *sep*, *-ge-*, *sn*, → ***bleiben***) stay behind, be left behind; *nicht mithalten*: fall behind; **~blicken** *v/i* (*sep*, *-ge-*, *h*) look back (***auf*** *acc* at; *fig*. on); **~bringen** *v/t* (*irr*, *sep*, *-ge-*, *h*, → ***bringen***) bring (*od*. take) back, return; **~da,tieren** *v/t* (*sep*, *no -ge-*, *h*) backdate (***auf*** *acc* to); **~erstatten** *v/t* (*sep*, *no -ge-*, *h*) refund, reimburse; **~erwarten** *v/t* (*sep*, *no -ge-*, *h*) expect back; **~fahren** *v/i* (*irr*, *sep*, *-ge-*, *sn*, → ***fahren***) go (*mot*. *a*. drive) back, return; **~fallen** *v/i* (*irr*, *sep*, *-ge-*, *sn*, → ***fallen***) *fig*. fall behind; **~finden** *v/i* (*irr*, *sep*, *-ge-*, *h*, → ***finden***) find one's way back (***nach, zu*** to); *fig*. return (to); **~forden** *v/t* (*sep*, *-ge-*, *h*) reclaim; **~führen** *v/t* (*sep*, *-ge-*, *h*) lead back: *fig*. ***~ auf*** (*acc*) attribute to; **~geben** *v/t* (*irr*, *sep*, *-ge-*, *h*, → ***geben***) give back, return; **~geblieben** *adj fig*. backward; *geistig*: retarded; **~gehen** *v/i* (*irr*, *sep*, *-ge-*, *sn*, → ***gehen***) go back, return;

fig. decrease; *fallen*: *a.* go down, drop; **~gezogen** *adj* secluded; **~greifen** *v/i* (*irr, sep, -ge-, h,* → ***greifen***): **~ *auf*** (*acc*) fall back on; **~halten** (*irr, sep, -ge-, h,* → ***halten***) **1.** *v/t* hold back; **2.** *v/refl* control o.s.; *im Essen, Reden etc*: be careful; **~haltend** *adj* reserved; **2haltung** *f* (-; *no pl*) reserve; **~kehren** *v/i* (*sep, -ge-, sn*) return; **~kommen** *v/i* (*irr, sep, -ge-, sn,* → ***kommen***) come back, return (*beide*: *fig.* ***auf*** *acc* to); **~lassen** *v/t* (*irr, sep, -ge-, h,* → ***lassen***) leave (behind); **~legen** *v/t* (*sep, -ge-, h*) put back; *Geld*: put aside, save; *Strecke*: cover, do; **~nehmen** *v/t* (*irr, sep, -ge-, h,* → ***nehmen***) take back (*a. fig. Worte etc*); **~rufen** (*irr, sep, -ge-, h,* → ***rufen***); **1.** *v/t* call back (*a. teleph.*); *Autos in die Werkstatt etc*: recall: ***et. ins Gedächtnis ~*** recall s.th.; **2.** *v/i teleph.* call back; **~schlagen** (*irr, sep, -ge-, h,* → ***schlagen***); **1.** *v/t Angriff etc*: beat off; *Decke, Verdeck etc*: fold back; **2.** *v/i* hit back; *mil.* retaliate; **~schrecken** *v/i* (*sep, -ge-, sn*): **~ *vor*** (*dat*) shrink from; ***vor nichts ~*** stop at nothing; **~stellen** *v/t* (*sep, -ge-, h*) put back (*a. Uhr*); *fig.* put aside; **~strahlen** *v/t* (*sep, -ge-, h*) reflect; **~treten** *v/i* (*irr, sep, -ge-, sn,* → ***treten***) step (*od.* stand) back; resign (***von e-m Amt*** [***Posten***] one's office [post]); *econ. jur.* withdraw (***von*** from); **~weisen** *v/t* (*irr, sep, -ge-, h,* → ***weisen***) turn down; *jur.* dismiss; **~zahlen** *v/t* (*sep, -ge-, h*) pay back (*a. fig.*); **~ziehen** (*irr, sep, -ge-, h,* → ***ziehen***); **1.** *v/t* draw back; *fig.* withdraw; **2.** *v/refl* retire, withdraw (*a. mil.*); *mil. a.* retreat.

'zurufen *v/t* (*irr, sep, -ge-, h,* → ***rufen***): ***j-m et. ~*** shout s.th. to s.o.

zurzeit at the moment, at present.

Zusage ['tsu:za:gə] *f* (-; *-n*) promise; *Einwilligung*: assent; **'2n** *v/i* (*sep, -ge-, h*) accept (an invitation); *einwilligen*: agree: ***j-m ~*** *passen*: suit s.o.; *gefallen*: appeal to s.o.

zusammen [tsu'zamən] *adv* together: ***alles ~*** (all) in all; ***das macht ~ …*** that makes … altogether; **2arbeit** *f* (-; *no pl*) cooperation: ***in ~ mit*** in collaboration with; **~arbeiten** *v/i* (*sep, -ge-, h*) cooperate, collaborate (*beide*: ***mit*** with); **~beißen** *v/t* (*irr, sep, -ge-, h,* → ***beißen***): ***die Zähne ~*** clench one's teeth; **~brechen** *v/i* (*irr, sep, -ge-, sn,* → ***brechen***) break down, collapse (*beide a. fig.*); **2bruch** *m* (-[*e*]*s*; *Zusammenbrüche*) breakdown, collapse; **~fallen** *v/i* (*irr, sep, -ge-, sn,* → ***fallen***) collapse; *zeitlich*: coincide; **~falten** *v/t* (*sep, -ge-, h*) fold up; **~fassen** *v/t* (*sep, -ge-, h*) summarize, sum up; **2fassung** *f* (-; *-en*) summary; **~halten** *v/i* (*irr, sep, -ge-, h,* → ***halten***) *fig.* hold (F stick) together; **2hang** *m* (-[*e*]*s*; *Zusammenhänge*) *Beziehung*: connection; *e-s Textes etc*: context: ***im ~ stehen*** (***mit***) be connected (with); **~hängen** *v/i* (*irr, sep, -ge-, h,* → ***hängen***[1]) be connected; **~hängend** *adj* coherent; **~hang(s)los** *adj* incoherent, disconnected; **~kommen** *v/i* (*irr, sep, -ge-, sn,* → ***kommen***) meet; **2kunft** [-kʊnft] *f* (-; *Zusammenkünfte*) meeting; **~legen** (*sep, -ge-, h*) **1.** *v/t vereinigen*: combine; *falten*: fold up; **2.** *v/i Geld*: club together; **~nehmen** (*irr, sep, -ge-, h,* → ***nehmen***); **1.** *v/t Mut, Kraft*: muster (up); **2.** *v/refl* pull o.s. together; **~packen** *v/t* (*sep, -ge-, h*) pack up; **~passen** *v/i* (*sep, -ge-, h*) *allg.* harmonize; *Dinge, Farben*: *a.* match; **~rechnen** *v/t* (*sep, -ge-, h*) add up; **~reißen** *v/refl* (*irr, sep, -ge-, h,* → ***reißen***) pull o.s. together; **~rücken** (*sep, -ge-*); **1.** *v/t* (*h*) move closer together; **2.** *v/i* (*sn*) move up; **~schlagen** *v/t* (*irr, sep, -ge-, h,* → ***schlagen***) *j-n*: beat up; *et.*: smash (up); **~schließen** *v/refl* (*irr, sep, -ge-, h,* → ***schließen***) join, unite; *econ.* merge; **2schluss** *m* (*-es*; *Zusammenschlüsse*) union; *econ.* merger; **~setzen** (*sep, -ge-, h*); **1.** *v/t* put together; *tech.* assemble; **2.** *v/refl*: ***sich ~ aus*** consist of, be composed of; **2setzung** *f* (-; *-en*) composition; *chem.* compound; *tech.* assembly; **~stellen** *v/t* (*sep, -ge-, h*) put together; *anordnen*: arrange; **2stoß** *m* (*-es*; *Zusammenstöße*) collision (*a. fig.*), crash; *Aufprall*: impact; *fig.* clash; **~stoßen** *v/i* (*irr, sep, -ge-, sn,* → ***stoßen***) collide (*a. fig.*); *fig.* clash: **~ *mit*** run (*od.* bump) into; *fig.* have a clash with; **~stürzen** *v/i* (*sep, -ge-, sn*) collapse, fall in; **~tragen** *v/t* (*irr, sep, -ge-, h,* → ***tragen***) collect; **~treffen** *v/i* (*irr, sep, -ge-, sn,* → ***treffen***) meet, *zeitlich*: coincide; **2treffen** *n* (*-s*) meeting; coincidence; *besonderes*: encounter; **~treten** *v/i* (*irr, sep, -ge-, sn,* → ***treten***) meet; **~tun** *v/refl* (*irr, sep, -ge-, h,* → ***tun***) join (forces), F team up; **~zählen** *v/t* (*sep, -ge-, h*) add up; **~ziehen** *v/t u. v/refl* (*irr, sep, -ge-, h,* → ***ziehen***) contract; **~zucken** *v/i* (*sep, -ge-, sn*) wince, flinch.

'**Zusatz** *m* (*-es; ⸚e*) addition; *chemischer etc*: additive; '**~...** *in Zssgn mst* additional ..., supplementary; *Hilfs...*: auxiliary ...

zusätzlich ['-zɛtslɪç] *adj* additional, extra.

'**zuschau|en** *v/i* (*sep, -ge-, h*) watch (***wie*** how): ***j-m ~*** watch s.o. (***bei et.*** doing s.th.); '**2er** *m* (*-s; -*) spectator; *TV* viewer; '**2erraum** *m thea.* auditorium.

'**Zuschlag** *m* (*-[e]s; ⸚e*) extra charge; *rail etc* excess fare; *Gehalts2*: bonus; *Auktion*: knocking down; '**2en** *v/t* (*irr, sep, -ge-, h,* → ***schlagen***) *Tür etc*: slam (*od.* bang) (shut): ***j-m et. ~*** knock s.th. down to s.o.

'**zu|schließen** *v/t* (*irr, sep, -ge-, h,* → ***schließen***) lock (up); '**~schnappen** *v/i* (*sep, -ge-*) **a**) (*h*) *Hund*: snap **b**) (*sn*) *Tür etc*: snap shut; '**~schnüren** *v/t* (*sep, -ge-, h*) tie (*Schuhe*: *a.* lace) up; '**~schrauben** *v/t* (*sep, -ge-, h*) screw shut; '**~schreiben** *v/t* (*irr, sep, -ge-, h,* → ***schreiben***) ascribe (*od.* attribute) (*dat* to); '**2schrift** *f* (*-; -en*) letter.

zu'schulden, *auch* **zu Schulden** *adv*: ***sich et.*** (***nichts***) ***~ kommen lassen*** do s.th. (nothing) wrong.

'**Zuschuss** *m* (*-es; ⸚e*) allowance; *staatlich*: subsidy; '**~betrieb** *m* subsidized firm.

'**zusehen** *v/i* (*irr, sep, -ge-, h,* → ***sehen***) → ***zuschauen***: ***~, dass*** see (to it) that; **~ds** ['-ze:ənts] *adv* noticeably; *schnell*: rapidly.

'**zusetzen** (*sep, -ge-, h*) **1.** *v/t* add (*dat* to); *Geld*: lose; **2.** *v/i*: ***j-m ~*** press s.o. (hard).

'**zusicher|n** *v/t* (*sep, -ge-, h*) promise; '**2ung** *f* (*-; -en*) promise.

'**zu|spitzen** *v/refl* (*sep, -ge-, h*) *Lage*: come to a head; '**2spruch** *m* (*-[e]s; no pl*) encouragement; *Trost*: words *pl* of comfort; '**2stand** *m* (*-[e]s; ⸚e*) condition, state, F shape.

zustande, *auch* **zu Stande** [tsu'ʃtandə] *adv*: ***~ bringen*** bring about, manage: ***~ kommen*** come about; ***es kam nicht ~*** it didn't come off.

'**zuständig** *adj* responsible (***für*** for), in charge (of).

'**zu|stehen** *v/i* (*irr, sep, -ge-, h,* → ***stehen***): ***j-m steht et.*** (***zu tun***) ***zu*** s.o. is entitled to (do) s.th.; '**~steigen** *v/i* (*irr, sep, -ge-, sn,* → ***steigen***) get on.

'**zustell|en** *v/t* (*sep, -ge-, h*) deliver; '**2ung** *f* (*-; -en*) delivery.

'**zustimm|en** *v/i* (*sep, -ge-, h*) agree (*dat* to *s.th.*, with *s.o.*); *billigen*: approve (of); '**2ung** *f* (*-; no pl*) agreement: (***j-s***) ***~ finden*** meet with (s.o.'s) approval.

'**zustoßen** *v/i* (*irr, sep, -ge-, sn,* → ***stoßen***): ***j-m ~*** happen to s.o.

zutage, *auch* **zu Tage** [tsu'ta:gə] *adv*: ***~ bringen*** (***kommen***) bring (come) to light.

'**Zutaten** *pl gastr.* ingredients *pl.*

'**zutragen** (*irr, sep, -ge-, h,* → ***tragen***) **1.** *v/t*: ***j-m et. ~*** inform s.o. of s.th.; **2.** *v/refl* happen.

'**zutrauen** *v/t* (*sep, -ge-, h*): ***j-m et. ~*** credit s.o. with s.th.; ***sich zu viel ~*** overrate o.s.

'**Zutrau|en** *n* (*-s*) confidence (***zu*** in); '**2lich** *adj* trusting; *Tier*: friendly.

'**zutreffen** *v/i* (*irr, sep, -ge-, h,* → ***treffen***) be true: ***~ auf*** (*acc*) apply to, go for; '**~d** *adj* true, correct.

'**zutrinken** *v/i* (*irr, sep, -ge-, h,* → ***trinken***): ***j-m ~*** drink to s.o.

'**Zutritt** *m* (*-[e]s; no pl*) admission; *Zugang*: access: ***~ verboten!*** no entry.

zuverlässig ['tsu:fɛrlɛsɪç] *adj* reliable, dependable; *sicher*: safe; '**2keit** *f* (*-; no pl*) reliability, dependability.

Zuversicht ['tsu:fɛrzɪçt] *f* (*-; no pl*) confidence; '**2lich** *adj* confident, optimistic.

zu'viel → ***zu.***

zu'vor *adv* before, previously: ***am Tag ~*** the day before, the previous day; **~kommen** *v/i* (*irr, sep, -ge-, sn,* → ***kommen***) anticipate; *verhindern*: prevent: ***j-m ~*** *a.* F beat s.o. to it; **~kommend** *adj* obliging; *höflich*: polite.

Zuwachs ['tsu:vaks] *m* (*-es; no pl*) increase, *bsd. econ.* growth (*beide*: ***an*** *dat* in).

zu'wenig → ***zu.***

'**zuwerfen** *v/t* (*irr, sep, -ge-, h,* → ***werfen***) *Tür*: slam (*od.* bang) (shut): ***j-m e-n Blick ~*** cast a glance at s.o.

zu'wider *adj*: ... ***ist mir ~*** I hate (*od.* detest) ...; **˷handeln** *v/i* (*sep*, *-ge-*, *h*) *e-r Sache*: act contrary to; *Vorschriften etc*: violate.

'**zu|winken** *v/i* (*sep*, *-ge-*, *h*) *j-m*: wave to; '**˷zahlen** *v/t* (*sep*, *-ge-*, *h*) pay extra; '**˷ziehen** (*irr*, *sep*, *-ge-*, → ***ziehen***) **1.** *v/t* (*h*) *Vorhänge*: draw; *Schlinge etc*: pull tight; *Arzt etc*: consult: ***sich ˷*** *med.* catch; **2.** *v/i* (*sn*) move in; **˷züglich** ['-tsy:klɪç] *prp* plus.

Zwang [tsvaŋ] *m* (*-[e]s*; *⸚e*) compulsion (*a. innerer*), constraint (*a. moralischer*); *sozialer*: restraint; *Nötigung*, *Unterdrückung*: coercion; *Gewalt*: force.

zwängen ['tsvɛŋən] *v/t* (*h*) squeeze, force (*beide*: ***in*** *acc* into).

'**zwanglos** *adj* informal; *bsd. Kleidung*: *a.* casual.

'**Zwangs|arbeit** *f* (*-*; *no pl*) forced labo(u)r; '**&ernähren** *v/t* (*only inf u. pp zwangsernährt*, *h*) force-feed; '**˷jacke** *f* straitjacket (*a. fig.*); '**˷lage** *f* predicament; **&läufig** ['-lɔʏfɪç] *adv* inevitably; '**˷maßnahme** *f* coercive measure; *pol.* sanction; '**˷versteigerung** *f* compulsory auction; '**˷vollstreckung** *f* compulsory execution; '**˷vorstellung** *f psych.* obsession; '**&weise** *adv* by force.

zwanzig ['tsvantsɪç] *adj* twenty; '**˷ste** *adj* twentieth.

zwar [tsva:r] *adv*: ***ich kenne ihn ˷, aber ...*** I do know him, but ..., I know him all right (*Am.* alright), but ...; ***u. ˷*** that is (to say), namely.

Zweck [tsvɛk] *m* (*-[e]s*; *-e*) purpose, aim: ***s-n ˷ erfüllen*** serve its purpose; ***es hat keinen ˷*** (***zu warten*** *etc*) it's no use (waiting *etc*); '**&los** *adj* useless; '**&mäßig** *adj* practical; *angebracht*: wise; *tech.*, *arch.* functional; **&s** *prp* for the purpose of.

zwei [tsvaɪ] *adj* two; '**&bettzimmer** *n* twin-bedded room; **˷deutig** ['-dɔʏtɪç] *adj* ambiguous; *Witz*: off-colo(u)r; '**˷erlei** *adj* two kinds of; '**˷fach** *adj* double, twofold.

Zweifel ['tsvaɪfəl] *m* (*-s*; *-*) doubt (***an*** *dat*, ***wegen*** about); '**&haft** *adj* doubtful, dubious; '**&los** *adv* undoubtedly, no (*od.* without) doubt; '**&n** *v/i* (*h*): ***˷ an*** (*dat*) doubt *s.th.*, have one's doubts about.

Zweig [tsvaɪk] *m* (*-[e]s*; *-e*) branch (*a. fig.*); *kleiner*: twig; '**˷stelle** *f* branch; '**˷stellenleiter** *m* branch manager.

'**zwei|mal** *adv* twice; '**˷mo,torig** *adj aer.* twin-engined; '**˷seitig** *adj* two-sided; *Brief etc*: two-page; *Vertrag etc*: bilateral; '**&sitzer** *m* (*-s*; *-*) *mot.* two-seater; '**˷sprachig** *adj* bilingual; **˷stündig** ['-ʃtʏndɪç] *adj* two-hour.

'**zweitbeste** *adj* second-best.

zweite ['tsvaɪtə] *adj* second: ***ein ˷r*** another; ***jede(r, -s) ˷ ...*** every other ...; ***wir sind zu zweit*** there are two of us; → ***Hand.***

'**zweiteilig** *adj* two-piece.

'**zweitens** *adv* second(ly).

Zwerchfell ['tsvɛrç-] *n anat.* diaphragm.

Zwerg [tsvɛrk] *m* (*-[e]s*; *-e*) dwarf; *myth. a.* gnome (*a. Figur*); *Mensch*: midget.

Zwetsch(g)e ['tsvɛtʃ(g)ə] *f* (*-*; *-n*) plum.

zwicken ['tsvɪkən] *v/t u. v/i* (*h*) pinch.

Zwieback ['tsvi:bak] *m* (*-[e]s*; *-e*) rusk, *Am. a.* zwieback.

Zwiebel ['tsvi:bəl] *f* (*-*; *-n*) onion; *Blumen&*: bulb.

Zwie|spalt ['tsvi:-] *m* conflict; **&spältig** ['-ʃpɛltɪç] *adj* conflicting.

Zwilling ['tsvɪlɪŋ] *m* (*-s*; *-e*) twin; '**˷sbruder** *m* twin brother; '**˷sschwester** *f* twin sister.

zwinge|n ['tsvɪŋən] *v/t* (*zwang*, *gezwungen*, *h*) force; '**˷nd** *adj* cogent, compelling; '**&r** *m* (*-s*; *-*) *Hunde&*: kennel.

zwinkern ['tsvɪŋkərn] *v/i* (*h*) blink; *als Zeichen*: wink.

Zwirn [tsvɪrn] *m* (*-[e]s*; *-e*) thread, yarn, twist.

zwischen ['tsvɪʃən] *prp* (*acc od. dat*) between; *unter*: among; '**&aufenthalt** *m* stop(over); '**&deck** *n mar.* 'tweendeck; **˷'durch** *adv* in between; '**&fall** *m* incident; '**&händler** *m econ.* middleman; '**&landung** *f aer.* stop(over); '**˷menschlich** *adj* interpersonal: ***˷e Beziehungen*** human relations; '**&raum** *m* space; '**&ruf** *m* (loud) interruption: ***˷e*** *pl* heckling *sg*; '**&rufer** *m* (*-s*; *-*) heckler; '**&stati,on** *f* stop(over): ***˷ machen*** stop over (***in*** *dat* in); '**&stecker** *m electr.* adapter; '**&stufe** *f* intermediate stage; '**&wand** *f* partition (wall); '**&zeit** *f*: ***in der ˷*** in the meantime, meanwhile.

Zwist [tsvɪst] *m* (*-[e]s*; *-e*), '**˷igkeiten** *pl* discord *sg*.

zwitschern ['tsvɪtʃərn] *v/i* (*h*) twitter,

chirp.

Zwitter ['tsvɪtər] *m* (*-s*; -) *biol.* hermaphrodite.

zwölf ['tsvœlf] *adj* twelve: ***um~*** (***Uhr***) at twelve (o'clock); *mittags*: *a.* at noon; *nachts*: *a.* at midnight; '**~te** *adj* twelfth.

Zyklus ['tsy:klʊs] *m* (-; *Zyklen*) cycle; *Reihe*: series.

Zylind|er [tsi'lɪndər] *m* (*-s*; -) top hat; *tech.* cylinder; **2risch** *adj* cylindrical.

Zyni|ker ['tsy:nikər] *m* (*-s*; -) cynic; '**2sch** *adj* cynical; **~smus** [tsy'nɪsmʊs] *m* (-; *-men*) cynicism.

Zypern ['tsy:pərn] Cyprus.

Z